Análisis aplicado de conducta

Segunda edición

John O. Cooper

Timothy E. Heron

William L. Heward

Ohio State University

Edición en español dirigida por

Javier Virués Ortega

Editor, traductor, director de producción, diseño y comercialización: Javier Virués Ortega
Asistente de traducción: María Dolores Romera Fernández
Asistentes editoriales: Kaitlin Fisher, Aida Tarifa Rodríguez, Karryn Naranjo

Identificadores permanentes de capítulos (Digital Object Identifier),

Capítulo 1	https://doi.org/10.26741/abaspain/2017/Cooper01
Capítulo 2	https://doi.org/10.26741/abaspain/2017/Cooper02
Capítulo 3	https://doi.org/10.26741/abaspain/2017/Cooper03
Capítulo 4	https://doi.org/10.26741/abaspain/2017/Cooper04
Capítulo 5	https://doi.org/10.26741/abaspain/2017/Cooper05
Capítulo 6	https://doi.org/10.26741/abaspain/2017/Cooper06
Capítulo 7	https://doi.org/10.26741/abaspain/2017/Cooper07
Capítulo 8	https://doi.org/10.26741/abaspain/2017/Cooper08
Capítulo 9	https://doi.org/10.26741/abaspain/2017/Cooper09
Capítulo 10	https://doi.org/10.26741/abaspain/2017/Cooper10
Capítulo 11	https://doi.org/10.26741/abaspain/2017/Cooper11
Capítulo 12	https://doi.org/10.26741/abaspain/2017/Cooper12
Capítulo 13	https://doi.org/10.26741/abaspain/2017/Cooper13
Capítulo 14	https://doi.org/10.26741/abaspain/2017/Cooper14
Capítulo 15	https://doi.org/10.26741/abaspain/2017/Cooper15
Capítulo 16	https://doi.org/10.26741/abaspain/2017/Cooper16
Capítulo 17	https://doi.org/10.26741/abaspain/2017/Cooper17
Capítulo 18	https://doi.org/10.26741/abaspain/2017/Cooper18
Capítulo 19	https://doi.org/10.26741/abaspain/2017/Cooper19
Capítulo 20	https://doi.org/10.26741/abaspain/2017/Cooper20
Capítulo 21	https://doi.org/10.26741/abaspain/2017/Cooper21
Capítulo 22	https://doi.org/10.26741/abaspain/2017/Cooper22
Capítulo 23	https://doi.org/10.26741/abaspain/2017/Cooper23
Capítulo 24	https://doi.org/10.26741/abaspain/2017/Cooper24
Capítulo 25	https://doi.org/10.26741/abaspain/2017/Cooper25
Capítulo 26	https://doi.org/10.26741/abaspain/2017/Cooper26
Capítulo 27	https://doi.org/10.26741/abaspain/2017/Cooper27
Capítulo 28	https://doi.org/10.26741/abaspain/2017/Cooper28
Capítulo 29	https://doi.org/10.26741/abaspain/2017/Cooper29

Versión impresa en tapa dura
ISBN-13: 978-1-64570-419-5
ISBN-10: 16-457-0419-X

Este libro está dedicado a Donald M. Baer,
cuyas extraordinarias contribuciones al análisis aplicado
de conducta son evidentes en todas las facetas
de esta ciencia.

"Y que pueda existir una ciencia de la conducta, de lo que hacemos,
de lo que somos… ¿quién podría resistirse a ser parte de ella?"

Donald M. Baer (1931-2002)

Contribuciones

Autores

John O. Cooper, Ed. D.
Timothy E. Heron, Ed.D.
William L. Heward, Ed.D., BCBA

Autores de capítulo

Thomas R. Freeman, M.S., BCBA
Brian A. Iwata, Ph.D., BCBA-D
Jose Martínez Díaz, Ph.D., BCBA-D
Jack Michael, Ph.D.
Nancy A. Neef, Ph.D
Matthew Normand, Ph.D., BCBA-D
Stephanie M. Peterson, Ph.D., BCBA-D
Richard G. Smith, Ph.D., BCBA-D
Mark L. Sundberg, Ph.D., BCBA-D

Traducción y actualización

Dr. Francisco Alós Cívico
Dr. José Ardila
Dª Mónica Arias Higuera, licenciada en psicología.
Dª Virginia Bejarano Ruíz, licenciada en psicología.
Dr. José Julio Carnerero Roldán
Dr. Tomás Carrasco Giménez
Dra. Maricel Cigales, BCBA-D
Dra. Cándida Delgado Casas
Dra. María Xesús Froján Parga
Dr. Aníbal Gutiérrez, BCBA-D
Dª María Jesús Gutiérrez Santaló, BCBA, licenciada en psicología
Dr. Camilo Hurtado Parrado, BCBA-D
Dr. Wilson López
Dr. Héctor L. Ruíz
Dª Marién Mesa Ordóñez, M.S., BCBA-D
D. José Alberto Monseco Gómez, BCBA, licenciado en psicología
Dra. Montserrat Montaño Fidalgo
Dª Karryn Naranjo, licenciada en psicología
Dr. José Navarro Guzmán
Dra. Celia Nogales González, BCBA-D
Dr. Ricardo de Pascual Verdú
Dr. Ricardo Pellón Suárez de Puga
D. Javier Plaza Pérez, BCBA, licenciado en psicopedagogía, diplomado en magisterio
Dª Brisa Reina Marín, BCBA, licenciada en psicología
Dª María Dolores Romera Fernández, licenciada en psicología
Dª María Serna Rodríguez, licenciada y máster oficial en psicología
Dª Aida Tarifa Rodríguez, licenciada en logopedia, máster oficial en psicología educativa
Dr. Luis Valero Aguayo
Dr. Javier Virués Ortega, BCBA-D
Dra. Alejandra Zaragoza Scherman

Tabla de contenidos

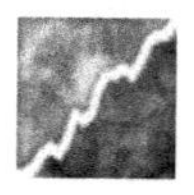

PARTE 1

Introducción y conceptos básicos

PARTE 2

Selección, definición y medición de la conducta

PARTE 3

Evaluación y análisis del cambio de conducta

PARTE 4

Reforzamiento

PARTE 5

Castigo

PARTE 6

Variables antecedentes

PARTE 7

Desarrollo de nuevas conductas

PARTE 8

Disminución de la conducta con procedimientos no punitivos

PARTE 9

Análisis funcional

PARTE 10

Conducta verbal

PARTE 11

Aplicaciones especiales

PARTE 12

Promoción de la generalización del cambio de conducta

PARTE 13

Ética

Nota. Los enlaces a material disponible en internet han sido actualizados en el momento de publicación de esta obra. No obstante, la información disponible en internet cambia continuamente siendo inevitable que algunas de las direcciones aportadas cambien.

Prefacio a la edición en español

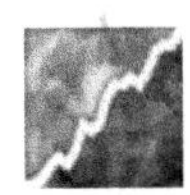

Es un gran honor que nuestro trabajo haya sido considerado merecedor de ser traducido. Estamos encantados de que la publicación en español de la segunda edición de nuestro libro *Análisis Aplicado de Conducta* sea ya una realidad. El español es la lengua oficial de veintiún países y la lengua materna de más de cuatrocientos millones de personas en todo el mundo, siendo además la segunda lengua de muchos millones de hablantes.

Estamos agradecidos al equipo de más de veinte analistas aplicados de conducta bilingües de España, Colombia, México y Estados Unidos que, dirigidos por el Dr. Javier Virués Ortega y bajo los auspicios de ABA España, han contribuido a la traducción de esta obra. Cabe resaltar que el trabajo de este equipo ha sido guiado por una metodología sistemática de traducción de literatura conductual (Virues-Ortega, Martin, Schnerch, García, & Mellichamp, 2015).

Además de ser fiel al texto original, la edición de ABA España añade dos encomiables actualizaciones que cuentan con nuestra aprobación. En primer lugar, el texto está referenciado a la cuarta edición de la lista de tareas de la Behavior Analyst Certification Board, lo que facilita la localización de los contenidos relacionados con elementos de la lista de tareas, siendo ideal para la preparación de exámenes de la Behavior Analyst Certification Board, actualmente desarrollados a partir de la cuarta edición de dicha lista de tareas. En segundo lugar, en la preparación del capítulo veintinueve sobre *Consideraciones éticas para analistas de conducta* se ha utilizado el *Código deontológico profesional y ético para analistas de conducta*[1] de la Behavior Analyst Certification Board a fin de sustituir los contenidos de la ya obsoleta *Guía de conducta responsable* de esta institución.

Una característica que define a los analistas aplicados de conducta es su énfasis en el cambio de conductas socialmente importantes. La presente traducción hace una aportación a profesionales e investigadores facilitando el estudio de estrategias basadas en la evidencia y dirigidas a la mejora de la calidad de vida de personas en ámbitos educativos, clínicos, domésticos, laborales y comunitarios. Animamos a los lectores de habla española al estudio del *libro blanco* del análisis aplicado de conducta con el mismo nivel de compromiso, precisión y minuciosidad del que ha hecho gala el equipo de traducción de ABA España en el desarrollo del mismo. El hacerlo te proveerá del conocimiento con el que podrás ayudar a hacer del mundo un sitio mejor.

Con nuestros mejores deseos,

John O. Cooper
Timothy E. Heron
William L. Heward

1 de julio de 2017

---

[1] N. del T.: Según la traducción de ABA España del *BACB Professional and Ethical Compliance Code for Behavior Analysts* hecha pública por la Behavior Analyst Certification Board (fuente: https://bacb.com/ethics-code).

PARTE 1

Introducción y conceptos básicos

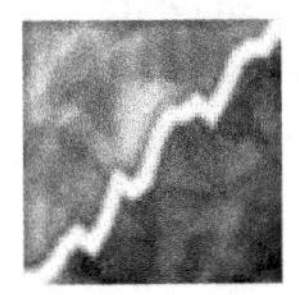

Creemos que, antes de aprender los principios y estrategias específicas para analizar y modificar la conducta, el estudiante de análisis aplicado de la conducta debería familiarizarse con las bases históricas y conceptuales de la disciplina. Para comprender la naturaleza, el alcance y el potencial de la disciplina es imprescindible conocer y valorar sus principios científicos y filosóficos. Asimismo, creemos que un resumen preliminar de los conceptos, los principios y los términos básicos, puede contribuir a que el estudio en profundidad del análisis de la conducta sea más efectivo. Los dos capítulos de la Parte 1 responden a estos dos objetivos. El Capítulo 1 explica el origen filosófico y científico del análisis aplicado de la conducta y describe sus dimensiones, sus características y sus objetivos generales. El Capítulo 2, por su parte, describe los elementos fundamentales de la disciplina (la conducta y los eventos ambientales que influyen sobre ella) y presenta los términos clave y los principios utilizados por los analistas aplicados de la conducta para describir las relaciones entre dichos elementos.

CAPÍTULO 1

Definición y características del análisis aplicado de la conducta

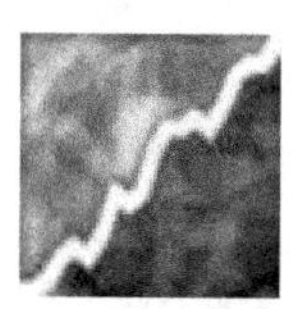

Términos clave

Análisis aplicado de la conducta
Análisis experimental de la conducta
Ciencia
Conductismo
Constructo hipotético
Conductismo metodológico
Conductismo radical
Determinismo
Duda filosófica
Empirismo
Experimento
Ficción explicativa
Mentalismo
Parsimonia
Relación funcional
Replicación

Behavior Analyst Certification Board® BCBA® y BCABA® Lista de tareas para analistas de conducta® (cuarta edición).

FK.	Conocimientos adicionales: explicar y comportarse de acuerdo a las asunciones filosóficas del análisis de conducta.
FK-01	La conducta está regida por leyes.
FK-03	Determinismo.
FK-04	Empirismo.
FK-05	Parsimonia
FK-07	Explicaciones ambientales de la conducta (contrariamente a explicaciones mentalistas).
FK-09	Distinguir entre el análisis de conducta experimental, aplicado y las tecnologías conductuales.
FK-33	Relaciones funcionales.
B.	**Habilidades analítico conductuales básicas: diseño experimental**
B-01	Usar las dimensiones del análisis aplicado de la conducta (Baer, Wolf y Risley; 1968) para evaluar intervenciones y determinar si son o no analítico-conductuales.

El análisis aplicado de la conducta es una ciencia dedicada al conocimiento y mejora de la conducta humana. Existen otras disciplinas con propósitos similares. ¿Qué diferencia al análisis aplicado de la conducta? La respuesta radica en su enfoque, objetivos y métodos. Los analistas de conducta se centran en conductas socialmente relevantes definidas de forma objetiva; intervienen para mejorar las conductas objeto de estudio a la vez que demuestran una relación fiable entre sus intervenciones y el cambio de conducta; y emplean métodos de investigación científica tales como la descripción objetiva, la cuantificación y el uso de experimentos. En resumen, el análisis aplicado de la conducta (o ABA, por sus siglas en inglés) es un enfoque científico que permite descubrir las variables ambientales que influyen de manera fiable sobre conductas socialmente significativas, y que desarrolla una tecnología del cambio conductual que aprovecha de forma práctica estos descubrimientos.

Este capítulo proporciona una breve revisión de la historia y el desarrollo del análisis de conducta, aborda la filosofía en la que se apoya esta ciencia, e identifica las dimensiones que la definen así como las características determinantes del análisis aplicado de la conducta. Puesto que se trata de una ciencia aplicada, comenzaremos esta revisión repasando algunos de los conceptos fundamentales para todas las disciplinas científicas.

Características básicas y definición de ciencia

Usada correctamente, la palabra *ciencia* hace referencia a un enfoque sistemático para buscar y organizar el conocimiento del mundo natural. Antes de ofrecer una definición de ciencia, comentaremos sus propósitos, así como los supuestos y actitudes básicos que orientan los trabajos de todos los científicos, independientemente de su área de estudio.

Propósitos de la ciencia

El objetivo general de la ciencia es alcanzar un conocimiento integral del fenómeno en estudio; en el caso del análisis aplicado de la conducta, este es la conducta socialmente relevante. La ciencia difiere de otras fuentes de conocimiento u otras formas en las que adquirimos conocimientos sobre el mundo que nos rodea (p.ej., reflexión, sentido común, lógica, figuras de autoridad, creencias religiosas o espirituales, campañas políticas, anuncios, recomendaciones). La ciencia ansía descubrir las verdades de la naturaleza. Aunque frecuentemente se utiliza mal, la ciencia no es una herramienta para ratificar las versiones preferidas de "la verdad" de un grupo, gobierno o institución. Por lo tanto, el conocimiento científico debe separarse de cualquier motivación de naturaleza personal, política, económica o de cualquier otra índole.

Los diferentes tipos de investigación científica proporcionan conocimientos que permiten alcanzar al menos uno de estos tres niveles de comprensión: descripción, predicción o control. Cada uno de estos niveles contribuye a los conocimientos científicos fundamentales de un determinado campo.

Descripción

La observación sistemática favorece la comprensión de un determinado fenómeno, permitiendo a los científicos describirlo con precisión. El conocimiento descriptivo consiste en la recopilación de hechos sobre los eventos observados que pueden ser cuantificados, clasificados y examinados por sus posibles relaciones con otros hechos conocidos y constituye una actividad necesaria e importante para cualquier disciplina científica. A menudo, el conocimiento obtenido de estudios descriptivos sugiere posibles hipótesis o preguntas para otras investigaciones posteriores.

Por ejemplo, White (1975) presentó los resultados de observar las "tasas naturales" de aprobación (elogios o palabras de ánimo) y desaprobación (críticas y reproches) obtenidas en las clases de 104 profesores de primaria y secundaria. Dos de las principales conclusiones fueron que (a) las tasas de elogios de los profesores disminuían según se avanzaba de curso, y que (b) después del segundo curso, en todos ellos la tasa de desaprobación superaba a la de aprobación. Los resultados de este estudio descriptivo dieron lugar a docenas de estudios subsecuentes destinados a la identificación de los factores responsables de estos decepcionantes resultados o al incremento de las tasas de elogios de los profesores (p.ej., Alber, Heward y Hippler, 1999; Martens, Hiralall y Bradley, 1997; Sutherland, Wehby y Yoder, 2002; Van Acker, Grant y Henry, 1996).

Predicción

Un segundo nivel de comprensión científica ocurre cuando las observaciones reiteradas muestran de manera consistente que dos eventos covarían entre sí. Es decir, que en presencia de un evento (p.ej., la aproximación del invierno), se produce o no otro evento con una determinada probabilidad (p.ej., algunos pájaros vuelan hacia el sur). Cuando se hallan las covariaciones sistemáticas entre dos eventos, esta relación—denominada *correlación*—puede utilizarse para predecir la probabilidad relativa de que ocurra un evento, basándonos en la presencia del otro.

Dado que las variables no son manipuladas o controladas por los investigadores, los estudios correlacionales no pueden demostrar si una de las variables observadas es responsable de los cambios acontecidos en la(s) otra(s), y no debería inferirse esa relación causal (Johnston y Pennypacker, 1993a). Por ejemplo, aunque exista una fuerte correlación entre el agua caliente y una mayor incidencia de muerte por ahogamiento, no deberíamos asumir que un día caluroso o húmedo pueda provocar el ahogamiento de una persona. El agua caliente también se relaciona con otros factores, tales como un mayor número de personas (tanto nadadores como no nadadores) que estén pidiendo auxilio en el agua; además, en muchos casos el ahogamiento se ha encontrado que puede depender de factores como el consumo de drogas o alcohol, las relativas habilidades natatorias de las víctimas, las fuertes mareas y la ausencia de vigilancia por parte de los socorristas.

Sin embargo, los resultados de los estudios correlacionales sugieren posibles relaciones causales que podrán ser estudiadas en investigaciones posteriores. El tipo de estudio correlacional más frecuente citado en la bibliografía del análisis aplicado de la conducta compara las tasas relativas o probabilidades condicionales de dos o más variables observadas (pero no manipuladas) (p.ej., Atwater y Morris, 1988; Symons, Hoch, Dahl y McComas, 2003; Thompson e Iwata, 2001). Por ejemplo, McKerchar y Thompson (2004) hallaron correlaciones entre los problemas de conducta mostrados por 14 niños preescolares y los consiguientes eventos: atención del profesor (100% de los niños), presentación de algunos elementos o materiales al niño (79% de los niños) y librarse de las tareas educativas (33% de los niños). Los resultados de este estudio no solo proporcionan validez empírica a las consecuencias sociales que se usan comúnmente en contextos clínicos para analizar las variables de mantenimiento del problema de conducta de los niños, sino que también incrementan la confianza en la predicción de que las intervenciones basadas en los hallazgos de esas evaluaciones, serán relevantes para las condiciones naturales en las aulas de preescolar (Iwata et al., 1994; ver el Capítulo 24). Además, al revelar la alta probabilidad de que los profesores respondieran a los problemas de conducta de formas que probablemente conducirían a mantenerlos y fortalecerlos, McKerchar y Thompson señalaron la necesidad de formar a los profesores sobre las formas más efectivas de responder a los problemas de conducta.

Control

La capacidad de predecir con un determinado grado de seguridad es un resultado útil y muy preciado en la ciencia: la predicción hace posible la planificación. No obstante, es posible que los mayores beneficios potenciales de la ciencia deriven del tercer, y más importante, nivel de la comprensión científica: el control. Las pruebas de los tipos de control que pueden derivarse de los hallazgos científicos en física y en biología, nos rodean todos los días a través de las tecnologías cotidianas que consideramos garantizadas: la leche pasteurizada y los frigoríficos en los que la almacenamos; las vacunas antigripales y los coches que conducimos para ir a conseguirlas; la aspirina y las televisiones que nos bombardean con noticias y anuncios sobre el medicamento.

Las relaciones funcionales, los productos principales de la investigación básica y aplicada en análisis de conducta, ofrecen el tipo de comprensión científica más valiosa y útil para el desarrollo de una tecnología del cambio de conducta. Existe una **relación funcional** cuando un experimento debidamente controlado revela que un cambio específico en un evento (la *variable dependiente*) puede haberse producido de forma fiable por las manipulaciones específicas de otro evento (la *variable independiente*), y que es poco probable que sea el resultado de la actuación de otros factores extraños (*variables extrañas*) sobre la variable dependiente.

Johnston y Pennypacker (1980) describieron las relaciones funcionales como "el producto final de una investigación científica natural sobre la relación entre la conducta y sus variables determinantes" (pág. 16):

> Tal "co-relación" se expresa como $y=f(x)$, donde x es la variable independiente o argumento de la función, e y es la variable dependiente. Para determinar si una relación observada es realmente funcional, es necesario demostrar la actuación de los valores de x tomados aisladamente, y que estos son suficientes para producir cambios en y... [Sin embargo], existe una relación más fuerte si se puede demostrar una relación necesaria (que y ocurra solamente si ocurre x). La forma más completa y elegante de indagación empírica supone aplicar el método experimental para identificar esas relaciones funcionales. (Johnston y Pennypacker, 1993a, pág. 239).

El nivel de comprensión obtenido a través del hallazgo científico de relaciones funcionales, representa el pilar fundamental de las tecnologías aplicadas en todos los campos. Casi todos los estudios de investigación citados en este texto son análisis experimentales que han demostrado o descubierto una relación funcional entre una conducta objetivo y una o más variables ambientales. Sin embargo, es importante comprender que las relaciones funcionales también son correlaciones (Cooper, 2005) y que:

> De hecho, todo lo que realmente sabemos es que dos eventos están relacionados o "co-relacionados" de alguna forma. Decir que uno "causa" al otro, es lo mismo que decir que uno es resultado exclusivamente del otro. Para saberlo, es necesario estar seguro de que no hay otros factores en juego que puedan contribuir a ese resultado. Esto es virtualmente imposible de saber, puesto que requiere identificar todos los posibles factores y después demostrar que no son relevantes. (Johnston y Pennypacker, 1993[a], pág. 240).

Actitudes de la ciencia

> La ciencia es, ante todo, un conjunto de actitudes.
>
> —B. F. Skinner (1953, pág. 12)

La definición de ciencia no reside en los tubos de ensayo, en los espectrómetros o en los aceleradores de electrones, sino en la conducta de los científicos. Para llegar a comprender cualquier ciencia, es necesario que miremos más allá de los aparatos e instrumentos que son más llamativos y que averigüemos lo que hacen los científicos. [1] La búsqueda del conocimiento podría denominarse *ciencia* cuando se lleva a cabo según los preceptos metodológicos generales y las expectativas que definen la ciencia. Aunque no existe un "método científico" en el sentido de un conjunto de pasos o reglas que deban seguirse, todos los científicos comparten un supuesto fundamental sobre la naturaleza de los eventos que son susceptibles de ser investigados por la ciencia, unas nociones generales sobre la estrategia básica a seguir, y perspectivas sobre cómo se deben interpretar los resultados. Estas actitudes de la ciencia—determinismo, empirismo, experimentación, replicación, parsimonia y duda filosófica—constituyen una serie de asunciones y valores predominantes que guían el trabajo de todos los científicos (Whaley y Surratt, 1968).

Determinismo

La ciencia se basa en la asunción del **determinismo**. Los científicos suponen que el universo, o al menos la parte que pretenden demostrar con métodos científicos, es un lugar ordenado y sujeto a leyes, en el que los fenómenos se producen como resultado de otros eventos. En otras palabras, los eventos no se producen porque sí; estos se encuentran relacionados de manera sistemática con otros factores, que son por sí mismos fenómenos físicos susceptibles de la investigación científica.

Si el universo estuviese regido por el *indeterminismo*, una postura filosófica antitética al determinismo que sostiene que los acontecimientos ocurren por accidente o sin causas; o por el *fatalismo* (la creencia de que los eventos están predeterminados), el descubrimiento científico y el uso tecnológico de relaciones funcionales para mejorar las cosas sería imposible.

> Si hemos de utilizar los métodos de la ciencia en el campo de los asunto humanos, debemos asumir que la conducta obedece a leyes y está determinada. Hemos de esperar descubrir que lo que un hombre hace sea el resultado de condiciones que pueden especificarse, y que una vez que esas condiciones se hayan descubierto, podremos anticipar y en cierto grado determinar sus acciones. (Skinner, 1953, pág. 6).

El determinismo juega un doble papel central en el desempeño de la práctica científica: es a la vez una postura filosófica imposible de demostrar, y la confirmación que se busca en cada experimento. En otras palabras, el científico primero asume la existencia de una regularidad u orden en la naturaleza y después procede a buscar relaciones que sigan esa regularidad (Delprato y Midgley, 1992).

Empirismo

El conocimiento científico se basa, sobre todo, en el **empirismo**—la práctica de la observación objetiva de los fenómenos de interés-. La objetividad, en este sentido significa "independencia de los prejuicios individuales, de los gustos y de las opiniones privadas del científico.... Los resultados de los métodos empíricos son objetivos si están abiertos a la observación de cualquiera, y no

---

[1]Skinner (1953) destacó que, aunque los telescopios y los ciclotrones nos proporcionen una "imagen espectacular de la ciencia en acción" (pág. 12), y la ciencia no habría avanzado demasiado sin ellos, estos dispositivos y aparatos no son la ciencia en sí misma. "Tampoco es necesario identificar la ciencia con las mediciones exactas. Podemos medir y ser matemáticos sin ser científicos en absoluto, de la misma manera en que podemos ser científicos con estas ayudas" (pág. 12). Los instrumentos científicos mejoran la relación entre los científicos y sus objetos de estudio, y con la medición y las matemáticas podemos obtener una descripción más precisa y un mayor control de las variables clave.

dependen de las creencias subjetivas de un científico en particular" (Zuriff, 1985, pág. 9).

En la era precientífica, así como en las actividades no científicas y pseudocientíficas realizadas en la actualidad, el conocimiento era (y es) el producto de la contemplación, la especulación, la opinión personal, la autoridad y la lógica "obvia" del sentido común. Sin embargo, la actitud empírica del científico exige una observación objetiva basada en la descripción minuciosa, la medición sistemática y repetida, y la cuantificación precisa de los fenómenos de interés.

Como en cualquier área científica, el empirismo es la norma más importante de la ciencia de la conducta. Cada esfuerzo por comprender, predecir y mejorar la conducta, depende de la habilidad del analista de conducta para definir de forma exhaustiva, observar de forma sistemática y medir con precisión y fiabilidad, las ocurrencias y no ocurrencias de la conducta de interés.

Experimentación

La experimentación es la estrategia fundamental de la mayoría de las ciencias. Whaley y Surratt (1968) emplearon la siguiente anécdota para plantear la necesidad de realizar experimentos.

> Un hombre que vivía a las afueras se sorprendió una noche cuando vio a su vecino saludando a los cuatro vientos, cantando una extraña melodía y bailando alrededor de su jardín mientras marcaba el ritmo con un pequeño tambor. Después de observar el mismo ritual durante un mes, el hombre tenía mucha curiosidad y decidió preguntarle:
> –"¿Por qué repite este mismo ritual todas las noches?" –le preguntó a su vecino.
> –"Mantiene alejados a los tigres de mi casa" –le respondió el vecino.
> –"¡Santo Cielo!" –dijo el hombre–. "¿No se da cuenta de que no hay ningún tigre en miles de kilómetros a la redonda?"
> –"¡Claro!" –sonrió el vecino–. "¿A que funciona?" (pág. 23-2 a 23-3).

Cuando se observa que los eventos covarían u ocurren muy seguidos en una secuencia temporal, es posible que exista una relación funcional, pero también puede que otros factores sean los responsables de los valores observados en la variable dependiente. Para investigar la posible existencia de una relación funcional, es necesario realizar un experimento (o mejor, una serie de experimentos) en el que el factor (o factores) que se suponga que es la causa, sea controlado y manipulado de manera sistemática, mientras se observan cuidadosamente los efectos sobre el evento estudiado. Al tratar sobre el significado del término *experimental*, Dinsmoor (2003) escribió lo siguiente:

> Pueden darse dos mediciones de conducta que covaríen con un nivel de significación determinado, pero no se puede saber qué factor es la causa y cuál es el efecto, o de hecho si las relaciones entre los dos son producto de un tercero, un factor de confusión, con el que ambos covariasen. Supongamos, por ejemplo, que encontramos que los estudiantes con notas altas tienen más citas que los de notas más bajas. ¿Significa esto que las notas hacen más atractivo socialmente a un estudiante?, ¿Qué tener citas es la forma principal de conseguir éxito académico? ¿Que ambas situaciones son el resultado de ser inteligente? ¿O que la seguridad financiera y tiempo libre contribuyen tanto al éxito social como académico? (pág. 152).

Predecir y controlar de forma fiable un fenómeno, incluida la presencia de tigres en tu jardín, requiere la identificación y manipulación de los factores que causan que ese fenómeno funcione del modo en que lo hace. Una forma de que el individuo descrito anteriormente pueda hacer uso del método experimental para valorar la veracidad de ese ritual sería, en primer lugar, trasladarse a un vecindario en el que puedan observarse tigres con frecuencia y, después, manipular sistemáticamente el uso de este ritual *anti-tigres* (p.ej., una semana sí, una semana no, una semana sí) mientras se observa y registra la presencia de tigres cuando se realiza y cuando no se realiza este ritual.

> El método experimental se emplea para aislar las variables relevantes dentro de un conjunto de eventos... [Cuando] se emplea el método experimental, es posible cambiar un factor en un momento dado (variable independiente), mientras se dejan iguales todos los demás aspectos de la situación y, seguidamente, observar qué efecto tiene ese cambio en la conducta objetivo (variable dependiente). Idealmente, se puede obtener una relación funcional. Las técnicas formales de control experimental están diseñadas para garantizar que las condiciones que están siendo comparadas sean iguales en todo lo demás. El empleo del método experimental es una condición *sine quo non*, es decir necesaria, para diferenciar el análisis experimental de la conducta de otras áreas de investigación (Dinsmoor, 2003, pág. 152).

Por tanto, un **experimento** es una comparación cuidadosa, de alguna medida del fenómeno de interés (la variable dependiente), bajo dos o más condiciones distintas que solamente difieren entre sí en un factor (la variable independiente). Las estrategias y tácticas para llevar a cabo experimentos en análisis aplicado de la conducta aparecen descritos en los Capítulos 7 al 10.

Replicación

Los resultados de un único experimento, sin importar la calidad con la que se diseñó y realizó el estudio, ni la claridad o el impacto de los resultados, nunca son suficientes para que sea incluido entre los conocimientos fundamentales de ningún área científica. Aunque los datos de un único experimento tienen valor por sí mismos y no pueden ser subestimados, los científicos solamente estarán convencidos de los resultados cuando un experimento haya sido replicado en numerosas ocasiones con el mismo patrón básico de resultados.

La **replicación**, es decir, la repetición de un experimento y de las condiciones de las variables independientes dentro de un experimento, "invade cada rincón y recodo del método experimental" (Johnston y Pennypacker, 1993a, pág. 244). La replicación es el método fundamental con el que los científicos determinan la veracidad y utilidad de sus hallazgos, y con el que descubren sus errores (Johnston y Pennypacker, 1980; 1993a; Sidman, 1960). Así pues, la replicación (no la infalibilidad o la honestidad intrínseca de los científicos) es la razón principal por la que la ciencia es una empresa auto-correctora que, tarde o temprano, acierta (Skinner, 1953).

¿Cuántas veces es necesario repetir un experimento con los mismos resultados, para que la comunidad científica acepte esos hallazgos? No se ha estipulado un número determinado de replicaciones, pero cuanto mayor sea la importancia de los descubrimientos, bien para la teoría o para la práctica, mayor será el número de replicaciones que haya que realizar. El papel de la replicación en la investigación conductual y las estrategias de replicación empleadas en el análisis aplicado de la conducta aparecen descritos en los Capítulos 7 al 10.

Parsimonia

Una de las acepciones de *parsimonia* en el diccionario remite directamente a la frugalidad y, en cierto modo, esta connotación describe con precisión la conducta de los científicos. Como actitud de la ciencia, la **parsimonia** exige que se descarten todas las explicaciones sencillas y lógicas para el fenómeno que se esté investigando, ya sea experimental o conceptualmente, antes de considerar otras explicaciones más complejas o abstractas. Las interpretaciones parsimoniosas ayudan a los científicos a situar sus descubrimientos dentro de los conocimientos fundamentales ya existentes en su campo. Una interpretación absolutamente parsimoniosa se compone solamente de aquellos elementos que son necesarios y suficientes para explicar el fenómeno en cuestión. La actitud de la parsimonia es tan crítica para las explicaciones científicas que, en ocasiones, se habla de ella como la Ley de la Parsimonia (Whaley y Surratt, 1968), una "ley" derivada de la *Navaja de Ockham*, anunciada por Guillermo de Ockham (1285-1349), que afirmaba: "No se debería incrementar, más allá de lo necesario, el número de entidades requeridas explicar cualquier hecho" (Mole, 2003). En otras palabras, si hay que elegir entre dos explicaciones competitivas y convincentes para un mismo fenómeno, se deberían desechar las variables extrañas y seleccionar la explicación más sencilla, la que requiera menos asunciones.

Duda filosófica

La actitud de **duda filosófica** requiere que los científicos se cuestionen continuamente la autenticidad de lo que se considera como real. El conocimiento científico debe verse siempre como algo provisional. Los científicos siempre tienen que estar dispuestos a dejar de lado sus apreciados descubrimientos y creencias, y reemplazarlos por el conocimiento procedente de los nuevos descubrimientos.

Los buenos científicos conservan un saludable nivel de escepticismo. Aunque podría ser muy fácil ser escéptico respecto a las investigaciones de los demás, una característica más difícil, pero crucial, de los científicos, es que permanecen abiertos a la posibilidad – así como a la búsqueda de pruebas – de que sus hallazgos e interpretaciones no sean correctos. Como Oliver Cromwell (1950) dijo en otro contexto: "Le suplico que considere la posibilidad de que se haya equivocado". Para el verdadero científico, "los nuevos descubrimientos no son un problema, sino que son oportunidades para seguir investigando y ampliar el conocimiento" (Todd y Morris, 1993, pág. 1159).

Los profesionales deberían ser tan escépticos como los investigadores. Los profesionales escépticos no solo necesitan pruebas científicas antes de aplicar un nuevo método práctico, sino que también evalúan continuamente su efectividad una vez que llevan a cabo ese método. Los profesionales deben mostrarse especialmente escépticos con las declaraciones extraordinarias sobre la efectividad de nuevas teorías, terapias o tratamientos (Jacobson, Foxx y Mulick, 2005; Maurice, 2006).

Las declaraciones que parecen demasiado buenas como para ser verdaderas, generalmente son lo que parecen…

Las afirmaciones extraordinarias requieren evidencias extraordinarias (Sagan, 1996; Shermer, 1997).

¿Qué constituye una evidencia extraordinaria?. En sentido estricto, y es el sentido que debería emplearse cuando se evalúan las declaraciones sobre eficacia educativa, la evidencia es el resultado de la aplicación del método científico para evaluar la eficacia de una declaración, de una teoría o de intervención aplicada. Cuanto más rigurosa sea la forma de evaluar, más a menudo podrá replicarse la evaluación, más ampliamente se podrá corroborar esa evaluación, y más extraordinaria será la evidencia. La evidencia llega a ser extraordinaria cuando está extraordinariamente bien probada (Heward y Silvestri, 2005, pág. 209).

Damos por finalizado este planteamiento sobre la duda filosófica con dos consejos, uno de Carl Sagan y el otro de B. F. Skinner: "La cuestión no es si nos gusta la conclusión que surge de una serie de razonamientos, sino si la conclusión deriva de una premisa o un punto de partida, y si esa premisa es verdadera" (Sagan, 1996, pág. 210). "No consideres ninguna práctica como inmutable. Cambia y estate preparado para cambiar de nuevo. No aceptes ninguna verdad eterna. Experimenta" (Skinner, 1979, pág. 346).

Otros valores y actitudes importantes

Las seis actitudes de la ciencia que acabamos de describir son las características necesarias de la ciencia y proporcionan un contexto importante para comprender el análisis aplicado de la conducta. Sin embargo, la conducta de los científicos más productivos y exitosos también se caracteriza por otras cualidades tales como la minuciosidad, la curiosidad, la perseverancia, la diligencia, la ética y la honestidad. Los buenos científicos adquieren estos rasgos, debido a que se ha probado que actuar de este modo es beneficioso para el progreso de la ciencia.

Una definición de ciencia

No existe una definición de ciencia, estandarizada y universalmente aceptada. Ofrecemos la siguiente definición porque incluye los propósitos y actitudes de la ciencia comentados anteriormente, al margen de un campo de estudio concreto. La **ciencia** es una aproximación sistemática a la comprensión de los fenómenos naturales (tal como se demuestra al describir, predecir y controlar) que se apoya en el determinismo como asunción fundamental, en el empirismo como directriz principal, en la experimentación como estrategia básica, en la replicación como requisito necesario para su credibilidad, en la parsimonia como valor de prudencia, y en la duda filosófica como orientación de conciencia.

Una breve historia del desarrollo del análisis de conducta

El análisis de conducta se compone de tres ramas principales. El **conductismo** es la filosofía de la ciencia de la conducta, la investigación básica corresponde al área del análisis experimental de la conducta (EAB, por sus siglas en inglés), y el desarrollo de una tecnología para mejorar la conducta es el cometido del análisis aplicado de la conducta. El análisis aplicado de la conducta solo puede entenderse por completo en el contexto de la tradición filosófica y de la investigación básica así como de los descubrimientos a partir de los cuales ha evolucionado y a los que permanece conectada en el momento actual. Este apartado proporciona una descripción sencilla de los principios básicos del conductismo y señala algunos de los acontecimientos más importantes que han marcado el desarrollo del análisis de conducta.[2] La Tabla 1.1 enumera los libros, las revistas y las organizaciones profesionales más importantes, que han contribuido al avance del análisis de conducta desde 1930.

El conductismo de estímulo-respuesta de Watson

A principios del Siglo XIX, la psicología estaba dominada por el estudio de los estados de la conciencia, las imágenes y otros procesos mentales. La introspección, el acto de observar cuidadosamente los propios sentimientos y pensamientos conscientes, era el principal método de investigación.

[2] Podemos encontrar unas descripciones muy interesantes e ilustrativas de la historia del análisis de la conducta en Hackenberg (1995), Kazdin (1978), Michael (2004), Pierce y Epling (1999), Risley (1997, 2005), Sidman (2002), Skinner (1956, 1979), Stokes (2003) y en una sección especial de artículos del número de otoño de 2003 de la revista *The Behavior Analyst*.

Tabla 1.1. Selección representativa de libros, revistas y organizaciones que han jugado un papel importante en el desarrollo y la expansión del análisis de conducta.

Década	*Libros*	*Revistas*	*Organizaciones*
1930	*La conducta de los organismos*—Skinner (1938/1975)		
1940	*Walden Dos*—Skinner (1948/1968)		
1950	*Principios de Psicología*—Keller y Schoenfeld, (1950) *Ciencia y Conducta Humana*—Skinner (1953/1970) *Programas de Reforzamiento*—Ferster y Skinner (1957) *Conducta Verbal*—Skinner (1957)	*Journal of the Experimental Analysis of Behavior* (1958)	Society for the Experimental Analysis of Behavior (1957)
1960	*Tácticas de investigación científica*—Sidman (1960/1973) *Desarrollo infantil Vols 1 y 2*—Bijou y Baer (1961, 1965) *El análisis de conducta*—Holland y Skinner (1961/1980) *Investigación en modificación de conducta*—Krasner y Ullmann (1965) *Conducta operante: Áreas de investigación y aplicación*—Honig (1966/1975) *El análisis de la conducta operante*—Reese (1966) *Contingencias de reforzamiento: Un análisis teórico*—Skinner (1969/1979)	*Journal of Applied Behavior Analysis* (1968)	American Psychological Association – Division 25 Experimental Analysis of Behavior (1964) Experimental Analysis of Behaviour Group (UK) (1965)
1970	*Más allá de la libertad y la dignidad*—Skinner (1971/1986) *Principios elementales de la conducta*—Whaley y Malott (1971/1978) *Manejo de contingencias en educación y otros lugares igualmente interesantes*—Malott (1974) *Sobre el conductismo*—Skinner (1974/1976) *Aplicación de los procedimientos de modificación de conducta con niños y jóvenes*—Sulzer-Azaroff y Mayer (1977/1983) *Aprendizaje*—Catania (1979)	*Behaviorism* (1972) (se convirtió en *Behavior and Philosopy* en 1990) *Revista Mexicana de Análisis de Conducta* (1975) *Behavior Modification* (1977) *Journal of Organizational Behavior Management* (1977) *Education & Treatment of Children* (1977) *The Behavior Analyst* (1978)	Norwegian Association for Behavior Analysis (1973) Midwestern Association for Behavior Analysis (MABA, 1974) Sociedad Mexicana de Análisis de Conducta (1975) Association for Behavior Analysis (anteriormente MABA) (1978)
1980	*Tácticas y estrategias de investigación sobre la conducta humana*—Johnston y Pennypacker (1980) *Conductismo: Una reconstrucción conductual*—Zuriff (1985) *Temas recientes en el análisis de conducta*—Skinner (1989)	*Journal of Precision Teaching and Celeration* (originalmente se denominaba *Journal of Precision Teaching*) (1980) *Analysis of Verbal Behavior* (1982) *Behavioral Interventions* (1986) *Japanese Journal of Behavior Analysis [Revista Japonesa de Análisis de Conducta]* (1986) *Behavior Analysis Digest* (1989)	Society for the Advancement of Behavior Analysis (1980) Cambridge Center for Behavioral Studies (1981) Japanese Association for Behavior Analysis (1983)

Tabla 1.1. *(continuación)*

Década	*Libros*	*Revistas*	*Organizaciones*
1990	*Conceptos y principios del análisis de conducta*—Michael (1993)	*Behavior and Social Issues* (1991)	Acreditación de los programas de formación en análisis de conducta (Association for Behavior Analysis) (1993)
	Conductismo radical: filosofía y ciencia—Chiesa (1994)	*Journal of Behavioral Education* (1991)	*Behavior Analyst Certification Board* (BACB, 1998)
	Relaciones de equivalencia y conducta—Sidman (1994)		Consejo de directores de programas de grado sobre análisis de conducta (Association for Behavior Analysis) (1999)
	Análisis funcional de los problemas de conducta—Repp y Horner (1999)	*Journal of Positive Behavior Interventions* (1999)	
		The Behavior Analyst Today (1999)	
2000		*European Journal of Behavior Analysis* (2000)	Primeros analistas de conducta certificados (BCBA) y analistas de conducta asociados certificados (BCABA) acreditados por la comisión BACB (2000)
		Behavioral Technology Today (2001)	
		Behavioral Development Bulletin (2002)	European Association for Behaviour Analysis (2002)
		Journal of Early and Intensive Behavior Intervention (2004)	ABA España (2004)
		Brazilian Journal of Behavior Analysis (2005)	
		International Journal of Behavioral Consultation and Therapy (2005)	

Aunque los autores de numerosos textos en la primera década del Siglo XX definieran la psicología como la ciencia de la conducta (ver Kazdin, 1978), John B. Watson es ampliamente reconocido como el portavoz de una nueva perspectiva en el campo de la psicología. En su influyente artículo "*La psicología desde un punto de vista conductista*", Watson (1913) escribió:

> La psicología desde un punto de vista conductista es una rama experimental puramente objetiva de la ciencia natural. Su objetivo teórico es la predicción y el control de la conducta. La introspección no forma parte esencial de sus métodos, ni el valor científico de sus datos depende de la disposición con que se presten a interpretación en términos de conciencia. (pág. 158)

Watson argumentó que el objeto propio de la psicología no eran los estados de la mente o los procesos mentales, sino la conducta. Además, que el estudio objetivo de la conducta como una ciencia natural, debería consistir en la observación directa de las relaciones entre los estímulos ambientales (E) y las respuestas (R) que evocan. Así el Conductismo Watsoniano se dio a conocer como psicología de estímulo-respuesta (E-R). Aunque no se disponía de suficientes pruebas científicas para respaldar la psicología estímulo-respuesta como explicación factible de la mayoría de la conducta convencido de que su nuevo conductismo, efectivamente, daría lugar a la predicción y al control de la conducta humana, y de que esta permitiría a los profesionales mejorar el rendimiento en áreas como la educación, los negocios y el derecho. Watson (1924) realizó osadas declaraciones sobre la conducta humana, como ilustra esta célebre cita:

> Dadme una docena de niños sanos, bien formados, y un mundo especificado por mí para criarlos, y garantizo que tomando uno de ellos al azar y entrenándolo de la forma oportuna llegará a ser el tipo de especialista que yo seleccione –médico, abogado, artista, comerciante, y sí, también mendigo y ladrón, independientemente de su talento, predilección, tendencia, habilidades, vocación y raza de sus antepasados. Voy más allá de la realidad, y lo admito, pero es lo que hacen quienes abogan por lo contrario, y lo han estado haciendo durante miles de años. (pág. 104).

B. F. Skinner *(izquierda)* en su laboratorio de la Universidad de Indiana alrededor de 1945 y *(derecha)* alrededor de 1967.

Fue desafortunado que hiciera estas extraordinarias declaraciones, exagerando la habilidad para predecir y controlar la conducta humana más allá del conocimiento científico disponible. La cita anterior fue empleada para desacreditar a Watson, y sigue siendo usada para desprestigiar al conductismo en general, aunque el conductismo que sustenta el análisis de conducta contemporáneo, es muy diferente del paradigma estímulo-respuesta. A pesar de todo, las contribuciones de Watson tuvieron una gran importancia: presentó un argumento sólido a favor del estudio de la conducta como una ciencia natural, equivalente a las ciencias de la física y la biología.[3]

Análisis experimental de la conducta

La rama experimental del análisis de conducta se inició formalmente en 1938 con la publicación de *La conducta de los organismos* de B. F. Skinner (1938/1966). El libro resumía la investigación de laboratorio realizada por Skinner desde 1930 hasta 1937 y puso de relieve dos tipos de conducta: la respondiente y la operante.

La *conducta respondiente* es la conducta refleja tal y como la concebía Ivan Pavlov (1927/1960). Las respondientes son elicitadas, o "provocadas", por los estímulos que las preceden. El estímulo antecedente (p.ej., una luz brillante) y la respuesta que provoca (p.ej., la contracción de la pupila) conforman una unidad funcional denominada *reflejo*. Las conductas respondientes son esencialmente involuntarias, y aparecen cada vez que se presenta estímulo que las elicita.

Skinner estaba "interesado en dar cuenta científica de todas las conductas, incluidas las que Descartes había dejado aparte como "voluntario", y fuera del alcance de la ciencia" (Glenn, Ellis y Greenspoon, 1992, pág. 1330). Pero, al igual que otros psicólogos de la época, Skinner señaló que el paradigma estímulo-respuesta no podía explicar una gran parte de la conducta, en especial las conductas para las que no había causas antecedentes aparentes en el entorno. Comparada con la conducta refleja que siempre es elicitada claramente por eventos antecedentes, buena parte de la conducta de los individuos parecería espontánea o "voluntaria". En un intento de explicar el mecanismo responsable de la conducta "voluntaria", otros psicólogos propusieron variables mediadoras dentro del organismo bajo la forma de constructos hipotéticos tales como procesos cognitivos, motivaciones, y la libre voluntad. Skinner tomó un rumbo diferente. En lugar de crear **constructos hipotéticos**, presumiblemente inobservables y que no podían ser manipulados en un experimento, Skinner siguió observando el ambiente en busca de los determinantes de la conducta que no tenía causas antecedentes aparentes (Kimball, 2002; Palmer, 1998).

> [Skinner] no negaba que las variables fisiológicas jugaran un papel en la determinación de la conducta. Simplemente consideraba que esa cuestión era dominio de otras disciplinas, y por su parte, continuó comprometido en buscar el papel causal del ambiente. Esto significaba buscar en algún otro lugar de la secuencia temporal. A través de una investigación concienzuda, Skinner acumuló evidencia significativa,

---

[3] Para saber más sobre la interesante biografía, los estudios académicos, y las contribuciones de J. B. Watson, consulte Todd y Morris (1994).

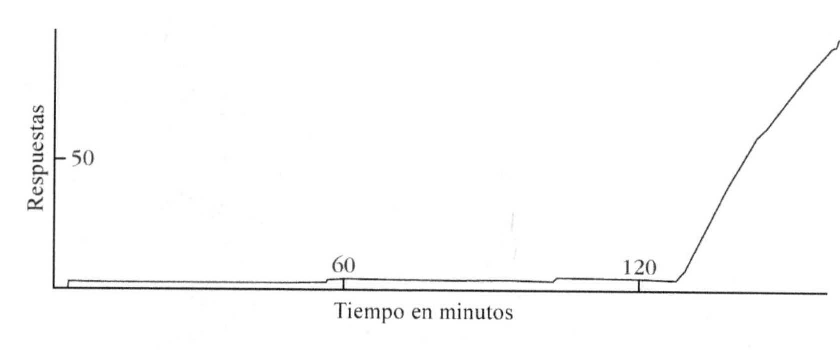

Condicionamiento original
Se reforzaron todas las respuestas a la palanca. Los tres primeros reforzamientos aparentemente no fueron efectivos. Al cuarto le siguió un rápido incremento en la tasa de respuesta.

Figura 1.1 El primer conjunto de datos presentados por B. F. Skinner en *La conducta de los organismos: Un análisis experimental* (1938).

Tomado de *The Behavior of Organisms: An Experimental Analysis* de B. F. Skinner, pág. 67. Copyright original de 1938 de Appleton-Century. Copyright de 1991 de la B. F. Skinner Foundation, Cambridge, MA. Reimpreso con permiso.

> y no intuitiva, de que la conducta cambia menos debido a los estímulos que la preceden (aunque el contexto es importante) y más debido a las consecuencias que la siguen (es decir, consecuencias que son contingentes sobre ella). La formulación esencial de esta noción es estímulo-respuesta-consecuencia (E-R-C), conocida también como contingencia de tres términos. No reemplazó al modelo de estímulo-respuesta (p.ej., salivamos si olemos la comida cuando tenemos hambre), pero explicó cómo el ambiente "selecciona" gran parte de la conducta aprendida.
>
> Con la contingencia de tres términos, Skinner nos dejó un nuevo paradigma. Consiguió algo no menos profundo para el estudio de la conducta y el aprendizaje, que el modelo de Bohr sobre el átomo, o el modelo de los genes de Mendel. (Kimball, 2002, pág. 71)

Skinner llamó a este segundo tipo de conducta, *conducta operante.*[4] Las conductas operantes no son provocadas por los estímulos previos, sino que están influenciadas por los cambios estimulares que han seguido a la conducta en el pasado. La contribución más importante y decisiva de Skinner para nuestra comprensión de la conducta, fue su descubrimiento y análisis experimental de los efectos de las consecuencias sobre la conducta. La contingencia operante de tres términos como unidad principal de análisis, fue una ruptura conceptual revolucionaria (Glenn, Ellis y Greenspoon, 1992).

Skinner (1938/1966) argumentó que el análisis de la conducta operante "con su relación única con el ambiente representa un campo propio e importante de investigación" (pág. 438). Denominó a esta nueva ciencia **análisis experimental de la conducta** e ideó la metodología para llevarla a cabo. Para decirlo de forma sencilla, Skinner registró la tasa con que un sujeto único (utilizó inicialmente ratas y después palomas) emitía una conducta dada en una cámara experimental controlada y estandarizada.

El primer conjunto de datos que Skinner presentó en *La conducta de los organismos* fue un gráfico que "proporciona un registro del cambio resultante en la conducta" (pág. 67) cuando se administraba un pellet de comida inmediatamente después de que la rata presionara una palanca (ver Figura 1.1). Skinner se dio cuenta de que las primeras tres veces que la comida seguía a una respuesta "no tenía efectos observables", pero que "la cuarta respuesta fue seguida de un apreciable incremento en la tasa, mostrando una rápida aceleración hasta un máximo" (págs. 67-68).

Los procedimientos de investigación de Skinner implicaban una elegante aproximación experimental que proporcionaba demostraciones claras y fuertes de las relaciones funcionales ordenadas y fiables entre la conducta y varios tipos de eventos ambientales.[5] En miles de experimentos de laboratorio entre 1930 y 1950, al manipular sistemáticamente la disposición y la programación de los estímulos que precedían y seguían a la conducta, Skinner junto a sus colegas y estudiantes identificó y verificó los principios básicos de la conducta operante, que son descripciones generales de las relaciones funcionales entre la conducta y los

[4] En *La conducta de los organismos*, Skinner denominó al condicionamiento respondiente "condicionamiento Tipo E", y al operante "condicionamiento Tipo R", pero estos términos cayeron pronto en desuso. El condicionamiento respondiente y operante, y la contingencia de tres términos, se definen y discuten en detalle en el Capítulo 2.

[5] La mayoría de los elementos metodológicos de la aproximación pionera de Skinner (p.ej., la medición repetida de la frecuencia de una respuesta como variable dependiente fundamental, las comparaciones experimentales intrasujeto y el análisis visual de los gráficos de datos) continúan caracterizando la investigación básica y aplicada en el análisis de conducta. Los cinco capítulos de la 3ª Parte proporcionan descripciones detalladas sobre cómo los analistas aplicados de la conducta utilizan esta aproximación experimental.

eventos ambientales que continúan aportando las bases empíricas del análisis de conducta de hoy en día. La descripción de estos principios de la conducta y las estrategias de cambio de conducta derivadas de estos, constituyen la mayor parte del contenido de este texto.

El conductismo radical de Skinner

Además de ser el fundador del análisis experimental de la conducta, B. F. Skinner escribió de forma extensa sobre la filosofía de esta ciencia.[6] Sin duda, los escritos de Skinner han sido de los más influyentes tanto para guiar la práctica de la ciencia de la conducta, como para proponer la aplicación de esos principios de la conducta a nuevas áreas. En 1948 Skinner publicó *Walden Dos*, una explicación novelada sobre cómo la filosofía y los principios de la conducta podrían utilizarse en una comunidad utópica. A este le siguió su texto clásico, *Ciencia y conducta humana* (1953), en el que especulaba sobre cómo los principios de la conducta podrían aplicarse a conductas humanas complejas en áreas tales como la educación, la religión, el gobierno, la legislación y la psicoterapia.

La mayoría de los escritos de Skinner se dedicaron al desarrollo y explicación de su filosofía del conductismo. Skinner comenzó su libro *Sobre el conductismo* (1974) con estas palabras:

> El conductismo no es la ciencia de la conducta humana; es la filosofía de esa ciencia. Algunas de las preguntas que hace son: ¿Realmente es posible tal tipo de ciencia? ¿Puede explicar cada uno de los aspectos de la conducta humana? ¿Cuáles son los métodos que puede utilizar? ¿Sus leyes son tan válidas como las de la física o la biología? ¿Puede dar lugar a una tecnología?, y si es así, ¿qué papel jugaría esta en los asuntos humanos? (pág.1)

El conductismo que Skinner inició se diferenciaba significativamente (de hecho, radicalmente) de otras teorías psicológicas, incluyendo otras formas de conductismo. Aunque había, y todavía hay, muchos modelos psicológicos y aproximaciones al estudio de la conducta, el **mentalismo** es el común denominador entre la mayoría de ellas.

> En términos generales, el *mentalismo* puede definirse como una aproximación al estudio de la conducta que asume que existe una dimensión mental o "interna", que difiere de la dimensión conductual. Normalmente se hace referencia a esta dimensión en términos de sus propiedades neurales, psíquicas, espirituales, subjetivas, conceptuales o hipotéticas. Además, el mentalismo asume que los fenómenos en esta dimensión interna o bien causan directamente la conducta o, al menos, median algunas formas de conducta, si no todas. Típicamente, estos fenómenos son designados por algún tipo de acto, estado, mecanismo, proceso o entidad que es causal, en el sentido de iniciar u originar la conducta. El mentalismo considera el origen de estos fenómenos como incidental, en el mejor de los casos. Finalmente, el mentalismo mantiene que una adecuada explicación causal de la conducta debería apelar directamente a la eficacia de estos fenómenos mentales. (Moore, 2003, págs. 181-182)

Los constructos hipotéticos y las ficciones explicativas son el repertorio del mentalismo, que ha dominado el pensamiento intelectual occidental y las teorías psicológicas (Descartes, Freud, Piaget), y continúa haciéndolo en el Siglo XXI. Freud, por ejemplo, creó un complejo mundo mental de constructos hipotéticos (el yo, el ello y el superyo) que él consideraba las claves para entender las acciones de una persona.

Los constructos hipotéticos, "término teórico que hace referencia a una entidad o proceso que puede existir, pero que hasta el momento es inobservable" (Moore, 1995, pág. 36), no pueden ser observados ni manipulados experimentalmente (MacCorquodale y Meehl, 1948; Zuriff, 1985). La fuerza de voluntad, la predisposición, las predisposiciones innatas, los mecanismos de adquisición del lenguaje, los de almacenamiento y recuperación de la memoria, y los de procesamiento de la información, son todos ejemplos de constructos hipotéticos inferidos a partir de la conducta. Aunque Skinner (1953, 1974) indicó claramente que es un error excluir aquellos eventos que puedan influir en nuestra conducta, porque no son accesibles a otros, creía que el hecho de utilizar supuestas ficciones mentalistas no observables (es decir, constructos hipotéticos) para explicar las causas

---

[6] Skinner, al que muchos consideran como el psicólogo más eminente del Siglo XX (Haagbloom et al., 2002), fue el autor y coautor de 291 trabajos fundamentales (se puede consultar una bibliografía completa en Morris y Smith, 2003). Además de los tres volúmenes de la autobiografía de Skinner (*Particularidades de mi vida*, 1976; *El moldeamiento de un conductista*, 1979; *Un asunto de consecuencias*, 1983), se han escrito numerosos libros y artículos biográficos sobre Skinner, tanto antes como después de su muerte. Los estudiantes interesados en aprender sobre Skinner deberían leer *B. F. Skinner: Una vida* de Daniel Bjork (1997), *B. F. Skinner, Organismo* de Charles Catania (1992), *Burrhus Fraderic Skinner (1904-1990): Gracias* de Fred Keller (1990), *B .F. Skinner: los últimos días de su vida*, escrito por su hija Julie Vargas (1990), y *Skinner y el automanejo* de Robert Epstein. Las contribuciones de Skinner al análisis aplicado de la conducta se describen en Morris, Smith y Altus (2005).

de la conducta, no contribuiría en nada a una explicación funcional.

Consideremos una situación de laboratorio típica. Una rata privada de alimento presiona una palanca cada vez que se enciende una luz y recibe comida, pero esa rata casi nunca pulsa la palanca cuando la luz está apagada (y si lo hiciera, no recibiría comida). Cuando intentamos explicar por qué la rata presiona la palanca solo cuando la luz está encendida, la mayoría dirá que la rata "ha hecho una asociación" entre la luz encendida y la presencia de comida al presionar la palanca. Como resultado de esa asociación, el animal ahora "sabe" presionar la palanca solamente cuando la luz está encendida. Atribuir la conducta de la rata a un proceso cognitivo hipotético, tal como una asociación o algo llamado "conocimiento", no añade nada a una explicación funcional de esa situación. En primer lugar, fue el ambiente (en este caso, el experimentador) quien unió la luz y la disponibilidad de la comida al presionar la palanca, no la rata. En segundo lugar, el conocimiento u otro proceso cognitivo que supuestamente explicara la conducta observada, necesitaría ser explicado también, lo que requeriría de más conjeturas aún.

El "conocimiento" que se supone que explica la actuación de la rata, es un ejemplo de **ficción explicativa**, una variable ficticia que a menudo consiste solamente en poner otro nombre a la conducta observada, y que no contribuye en nada a comprender las variables responsables del desarrollo y mantenimiento de la conducta. Las ficciones explicativas son el ingrediente clave en una "forma circular de ver la causa y el efecto de una situación" (Heron, Tincani, Peterson y Miller, 2005, pág. 274), que dan un falso sentido de comprensión.

> Es frecuente el paso desde una conducta observada a un fantástico mundo interior. A veces no es más que una práctica lingüística. Tenemos la tendencia de sustantivar los adjetivos y los verbos, y hemos de encontrar un sitio a las cosas que se supone que representan los nombres. Hablamos de que una cuerda es fuerte, y en muy poco tiempo estamos hablando de su fuerza. Denominamos a un tipo particular de fuerza tensional, y entonces explicamos que la cuerda es fuerte *porque* tiene fuerza tensional. El error es menos obvio pero más problemático cuando se trata de conceptos más complejos...
>
> Consideremos ahora un paralelismo conductual. Cuando una persona ha sido objeto de consecuencias medianamente aversivas cuando paseaba por una superficie deslizante, puede que camine de una manera que describamos como cauta. Entonces, resulta fácil hablar de que esta persona camina con precaución y que muestra precaución. No hay ningún mal en ello, hasta que comenzamos a hablar de que esta persona camina cuidadosamente *porque* es precavida. (Skinner, 1974, págs. 165-166, énfasis añadido)

Algunos creen que el conductismo rechaza todos los eventos que no pueden ser definidos operacionalmente mediante evaluación objetiva. De forma similar, se ha pensado que Skinner había rechazado todos los datos de su sistema que no pudiesen ser verificados de manera independiente por otras personas (Moore, 1984). Moore (1985) llamó a este punto de vista operacional "un compromiso con la verdad por consenso" (pág. 59). Este punto de vista común sobre la filosofía del conductismo es bastante limitado; en realidad, hay muchos tipos de conductismo como son el estructuralismo, el conductismo metodológico, y las formas de conductismo que utilizan las cogniciones como factores causales (p.ej., la modificación cognitivo-conductual y la teoría del aprendizaje social), además del conductismo radical del propio Skinner.

El estructuralismo y el conductismo metodológico rechazan todos los eventos que no son definidos operacionalmente a través de una evaluación objetiva (Skinner, 1974). Los estructuralistas evitan el mentalismo, restringiendo sus actividades a las descripciones de la conducta. No hacen manipulaciones científicas, y por tanto, no responden a preguntas sobre los factores causales. Los conductistas metodológicos difieren de los estructuralistas porque sí utilizan manipulaciones científicas para buscar relaciones funcionales entre eventos. Al no sentirse a gusto con una ciencia basada en fenómenos inobservables, algunos conductistas iniciales bien negaban la existencia de las "variables internas", o bien consideraban que estaban fuera de la esfera de una consideración científica. Esa orientación es la que se conoce como **conductismo metodológico**.

Los conductistas metodológicos normalmente también reconocen la existencia de eventos mentales, pero no los tienen en cuenta en el análisis de la conducta (Skinner, 1974). La dependencia de los conductistas metodológicos en los eventos públicos, excluyendo los eventos privados, restringe el conocimiento básico sobre la conducta humana, y desalienta la innovación en la ciencia de la conducta. El conductismo metodológico es restrictivo porque ignora áreas de máxima importancia para una comprensión de la conducta.

Contrariamente a la opinión popular, Skinner no ponía objeciones al interés de la psicología cognitiva por los eventos privados (es decir, los eventos que tienen lugar "debajo de la piel") (Moore, 2000). Skinner fue el primer conductista en considerar los pensamientos y las emociones (a los que llamaba "eventos privados") como conductas a analizar con las mismas herramientas conceptuales y experimentales que se utilizan para cualquier conducta observable públicamente, y no como fenómenos o variables que existen en nuestro interior y que operan a través de los principios de un mundo mental separado de todo lo demás.

Esencialmente, el conductismo de Skinner enunció tres asunciones fundamentales sobre la naturaleza de los eventos privados: (a) los eventos privados tales como los pensamientos y las emociones son conductas; (b) la conducta que tiene lugar debajo de la piel se diferencia de la conducta ("pública") solo por su inaccesibilidad; y (c) la conducta privada está influenciada por (es decir, es función de) el mismo tipo de variables que la conducta accesible públicamente.

> No necesitamos suponer que los eventos que tienen lugar debajo de la piel de un organismo tienen propiedades especiales por esa razón. Un evento privado puede distinguirse por su limitada accesibilidad pero no, hasta donde conocemos, por ninguna estructura de naturaleza especial. (Skinner, 1953, pág. 257)

Al incorporar los eventos privados en un sistema conceptual completo sobre la conducta, Skinner creó el **conductismo radical** que incluye y busca comprender toda la conducta humana. "¿Qué hay debajo de la piel, y cómo hacemos para conocerlo? La respuesta es, creo, el corazón del conductismo radical" (Skinner, 1974, pág. 218). Las connotaciones propias de la palabra *radical* en el conductismo radical, están relacionadas con la *transcendencia* y la *autenticidad*, indicando la inclusión filosófica de todas las conductas, las públicas y las privadas. *Radical* es también un adjetivo apropiado para la forma de conductismo de Skinner, puesto que representa un punto de partida dramáticamente diferenciado de otros sistemas conceptuales.

> Probablemente es el cambio más dramático nunca propuesto acerca de la forma de pensar sobre el hombre. Casi literalmente es una manera de darle la vuelta completamente a la explicación de la conducta. (Skinner, 1974, pág. 256)

Skinner y la filosofía del conductismo radical reconoce los eventos sobre los que se basan ficciones tales como los procesos cognitivos. El conductismo radical no restringe la ciencia de la conducta a los fenómenos que pueden ser detectados directamente por más de una persona. En el contexto del conductismo radical, el término *observar* implica "entrar en contacto con" (Moore, 1984). Los conductistas radicales consideran los eventos privados, tales como pensar o notar los estímulos producidos por un dolor de muelas, no son diferentes de otros eventos públicos tales como la lectura en voz alta o sentir los sonidos producidos por un instrumento musical. De acuerdo con Skinner (1974) "Lo que se siente o se observa introspectivamente, no es algún modo no físico de la conciencia, la mente o la vida mental, sino el propio cuerpo del observador" (págs. 18-19).

El conocimiento sobre los eventos privados es el aspecto más radical del conductismo. Moore (1980) lo resumió de forma concisa:

> Desde el conductismo radical, los eventos privados son aquellos en los que los individuos responden respecto a ciertos estímulos que son accesibles solamente para ellos mismos... Las propias respuestas que se dan a esos estímulos podrían ser públicas, es decir, observables por otros, o podrían ser privadas, es decir, accesibles solamente para el individuo implicado. No obstante, parafraseando a Skinner (1953), no hace falta suponer que los eventos que tienen lugar debajo de la piel, tengan unas propiedades especiales por esa razón únicamente... Para el conductismo radical, por tanto, las propias respuestas a los estímulos privados están igualmente sometidas a leyes, y son muy parecidas a las que da uno mismo respecto a los estímulos públicos. (pág. 460)

Los científicos y los profesionales aplicados se ven afectados por su propio contexto social; las instituciones y las escuelas están dominadas por el mentalismo (Heward y Cooper, 1992; Kimball, 2002). Agarrarse fuertemente a la filosofía del conductismo radical, además de conocer los principios de la conducta, puede ayudar al científico y al profesional a resistir la influencia de las aproximaciones mentalistas, que nos alejan de buscar las variables de control en el ambiente, y que nos arrastran hacia ficciones explicativas en el esfuerzo por entender la conducta. Los principios de la conducta y los procedimientos presentados en este texto, se aplican por igual a los eventos públicos y privados. El conductismo radical es la posición filosófica que subyace a todo el contenido de este libro.

Sin embargo, está más allá del alcance de este texto el ofrecer una discusión detallada sobre el conductismo radical. Aun así, el estudiante que se dedique con seriedad al análisis aplicado de la conducta debería estudiar ampliamente los trabajos originales de Skinner y de otros autores que han criticado, analizado y extendido los fundamentos filosóficos de la ciencia de la conducta.[7] (Ver el Cuadro 1.1. sobre las perspectivas de Don Baer, sobre el significado y la importancia del conductismo radical).

El análisis aplicado de la conducta

Uno de los primeros estudios en informar sobre la aplicación en humanos de los principios de la conducta operante, fue el llevado a cabo por Fuller (1949). El participante era un chico de 18 años con un trastorno profundo del desarrollo, que fue descrito en el lenguaje de esa época como "idiota vegetativo". Permanecía acostado de espaldas, incapaz de darse la vuelta. Fuller rellenó una jeringuilla con una solución de leche caliente y azúcar, e inyectó una pequeña cantidad del líquido en la boca del chico cada vez que movía su brazo derecho (se eligió ese brazo porque apenas lo movía). En solo cuatro sesiones el chico estaba movimiento su brazo hasta una posición vertical con una tasa de tres por minuto.

> Los médicos que le atendían... pensaban que era imposible que pudiese aprender nada (según ellos, no había aprendido nada en sus 18 años de vida) y aun así, en cuatro sesiones experimentales, utilizando la técnica del condicionamiento operante, se añadió algo a su conducta que, en este nivel, podía ser calificado como considerable. Los que participaron u observaron el experimento son de la opinión de que si el tiempo lo permitiera, se podrían condicionar otras respuestas y aprender discriminaciones. (Fuller, 1949, pág. 590).

Durante la década de los años 50 y los primeros años 60, los investigadores utilizaron los métodos del análisis experimental de la conducta para determinar si los principios de la conducta demostrados en el laboratorio con sujetos no humanos, podían ser replicados con humanos. Muchas de las primeras investigaciones con participantes humanos se llevaron a cabo en contextos clínicos o de laboratorio. Aunque los participantes típicamente se beneficiaban de estos estudios al aprender nuevas conductas, el propósito principal de los investigadores era determinar si los principios básicos de la conducta descubiertos en el laboratorio, funcionaban también con humanos. Por ejemplo, Bijou (1955, 1957, 1958) investigó varios principios de conducta en personas con desarrollo normativo y personas con retraso en el desarrollo; Baer (1960, 1961, 1962) examinó los efectos del castigo, el escape y la evitación en niños de preescolar; Ferster y DeMyer (1961, 1962; DeMyer y Fester, 1962) llevaron a cabo estudios sistemáticos sobre los principios de la conducta utilizando niños con problemas de autismo; y Lindsley (1956, 1960) evaluó los efectos del condicionamiento operante sobre la conducta de adultos con esquizofrenia. Estos primeros investigadores establecieron claramente que los principios de la conducta son aplicables a la conducta humana y sentaron las bases para la siguiente etapa en el desarrollo del análisis aplicado de la conducta.

La rama del análisis de conducta que posteriormente pasaría a llamarse "análisis aplicado de la conducta" podía reconocerse ya en la publicación de 1959 del artículo de Ayllon y Michael titulado "El enfermero psiquiátrico como un ingeniero conductual". Los autores describieron cómo el personal que se ocupaba directamente de los cuidados en un hospital estatal, utilizaba una gran variedad de técnicas basadas en los principios de la conducta, para mejorar el funcionamiento de los residentes con trastornos psicóticos o retraso en el desarrollo. Durante la década de los 60, muchos investigadores comenzaron a aplicar los principios de la conducta en un esfuerzo por mejorar las conductas socialmente importantes, pero estos pioneros se enfrentaron a numerosos problemas. Las técnicas de laboratorio para medir la conducta y para controlar y manipular variables no estaban disponibles o no eran apropiadas en un contexto aplicado. Como resultado, los primeros profesionales del análisis aplicado de la conducta tuvieron que desarrollar nuevos procedimientos experimentales conforme avanzaban. Había poca financiación para esta nueva disciplina, y los investigadores no tenían una vía por la que publicar sus estudios, dificultando bastante la comunicación entre ellos sobre los nuevos hallazgos y soluciones a los problemas metodológicos que se iban presentando. La mayoría de los editores de revistas eran reticentes a publicar estudios utilizando un método experimental que era poco familiar para la corriente principal en ciencia social, que se basaba en muestras numerosas y en pruebas de inferencia estadística.

A pesar de estos problemas, era una época excitante, y la mayoría de los nuevos descubrimientos se fueron haciendo de manera paulatina. Por ejemplo, muchas aplicaciones pioneras de los principios de la conducta en el ámbito educativo ocurrieron durante este periodo (p.ej., ver O'Leary y O'Leary, 1972; Ulrich, Stachnik y Mabry, 1974), de ellos se derivaron procedimientos de enseñanza tales como la aplicación de los elogios y la atención del profesor de forma contingente a la conducta deseada (Hall, Lund y

---

[7]Se pueden encontrar excelentes discusiones sobre el conductismo radical en Baum (1994), Catania y Harnad (1988); Catania y Hineline (1996); Chiesa (1994); Lattal (1992); Lee (1988), y Moore (1980, 1984, 1995, 2000, 2003).

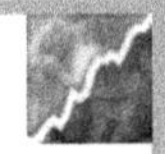

Cuadro 1.1
¿Qué es el conductismo?

Don Baer amaba la ciencia de la conducta. Amaba escribir y hablar sobre ella. Don fue famoso por su capacidad inigualable para hablar sin agotarse sobre complejos temas filosóficos, experimentales y profesionales, y por hacerlo de una forma rigurosa en su sentido conceptual, práctico y humano. Lo hacía con el vocabulario y la sintaxis de un gran autor, y lo acompañaba con la maestría de un narrador de historias. Lo único que Don conocía mejor que a su audiencia, era su ciencia.

En tres ocasiones, en tres décadas diferentes, los estudiantes graduados y el profesorado del programa de educación especial de la Universidad de Ohio, tuvieron la suerte de tener al profesor Baer como Distinguido Profesor Invitado de un seminario de doctorado: "Temas contemporáneos en la educación especial y el análisis aplicado de la conducta". Las preguntas y respuestas que siguen son una selección de dos transcripciones de los tres seminarios que ofreció el profesor Baer por teleconferencia.

Si una persona se le acerca en la calle y le pregunta: "¿Qué es el conductismo?" ¿cómo le respondería?

La clave principal del conductismo es que se puede entender lo que la gente hace. Tradicionalmente, tanto el lego como el psicólogo han tratado de entender la conducta viéndola como el resultado de lo que pensamos, lo que sentimos, lo que queremos, lo que calculamos, etc. Pero no tenemos que pensar así sobre la conducta. Podríamos verla como un proceso que ocurre por derecho propio y que tiene sus propias causas. Y estas causas, a menudo, se encuentran en el ambiente externo.

El análisis de conducta es una ciencia que estudia cómo podemos manejar nuestro medio ambiente para que haga muy probables las conductas que queremos que sean probables, y para que haga improbables las conductas que queramos que lo sean. El conductismo supone entender cómo trabaja el medio ambiente, de forma que podamos hacernos a nosotros mismos más inteligentes, más organizados, más responsables; de tal modo que podamos encontrarnos con menos castigos y menos decepciones en nuestra vida. Un aspecto central del conductismo es este: es más fácil rehacer nuestro ambiente para conseguir todo esto que rehacer nuestro interior.

Un periodista le preguntó una vez a Edward Teller, el físico que ayudó a desarrollar la primera bomba atómica, "¿Puede explicar a alguien no científico qué encontraba tan fascinante en la ciencia, particularmente en la física?". Teller replicó: "No". Creo que Teller estaba sugiriendo que un no científico no sería capaz de comprender, entender y apreciar la física y su fascinación con ella. Si un no científico le preguntase "¿Qué encuentra tan fascinante en la ciencia, particularmente en la ciencia de la conducta humana?" ¿qué le diría?

Ed Morris organizó un simposio justamente sobre este tema hace un par de años en la convención anual de la Asociación para el Análisis de la Conducta. En ese simposio, Jack Michael comentó el hecho de que aunque uno de los grandes problemas y grandes retos de nuestra disciplina es comunicar con nuestra sociedad sobre quiénes somos, qué hacemos y qué podemos hacer, él no encontraba razonable el intentar resumir el análisis de conducta en unas cuantas palabras. Nos puso este ejemplo: Imaginemos un físico cuántico que está en una fiesta, se va a tomar un coctel y alguien le pregunta: ¿Qué es la física cuántica?". Jack dijo que probablemente el físico le respondería, y que debería responderle: "No te lo puedo contar en pocas palabras. Mejor te inscribes en mi curso".

Me gusta el argumento de Jack. Pero también sé, como alguien que se ha enfrentado con la sociedad y con las políticas relacionadas con nuestra disciplina, que aunque pueda ser una respuesta verdadera, no es una buena respuesta. No es una respuesta que la gente quiera oír, o incluso aceptar. Creo que esa respuesta solamente crearía resentimiento. Por tanto, creo que hemos de implicarnos en hacer un poquito de espectáculo. Así, si tuviese que contar algunas connotaciones que me ligan a este campo, creo que debería decir que desde que era un niño mi mayor reforzador fue siempre entender el porqué de las cosas. Me gustaba saber cómo funcionaban las cosas. Y de todas las cosas que hay en el mundo para poder entenderlas, para mí era claro que lo más fascinante era lo que la gente hacía. Comencé con las cosas habituales de las ciencias físicas, para mí era intrigante saber cómo funcionaba una radio, y cómo se manejaba la electricidad, y cómo funcionaba un reloj, etc. Pero cuando estuvo claro para mí que también podía aprender cómo funciona la gente (no biológicamente, sino conductualmente) creo que eso fue ya lo mejor de lo mejor. Seguramente, todo el mundo estaría de acuerdo en que es uno de los objetos de estudio más fascinantes para una ciencia. ¿Se puede hacer una ciencia sobre la conducta, o sobre lo que hacemos, o sobre quiénes somos? ¿Cómo resistirse a eso?

Adaptado de "Thursday Afternoons with Don: Selections from Three Teleconference Seminars on Applied Behavior Analysis", de W. L. Heward y C. L. Wood (2003). En K. S. Budd y T. Stokes (Eds.). *A Small Matter of Proof: The Legacy of Donald M. Baer* (págs. 293-310). Reno, NV: Context Press. Utilizado con permiso.

Jackson, 1968), los sistemas de reforzamiento con fichas (Birnbrauer, Wolf, Kidder y Tague, 1965), el diseño curricular (Becker, Englemann y Thomas, 1975), y la instrucción programada (Bijou, Birnbrauer, Kidder y Tague, 1966; Markle, 1962). Los métodos básicos para mejorar de forma fiable el desempeño de los estudiantes desarrollados por estos primeros analistas de la conducta, proporcionaron los fundamentos de la aproximación conductual al diseño curricular, a los métodos instruccionales, al manejo de la clase, y a la generalización y mantenimiento del aprendizaje, que continúan siendo utilizados décadas después (p.ej., ver Heward et al., 2005).

Los programas universitarios sobre análisis aplicado de la conducta dieron comienzo en las décadas de los 60 y 70 en las universidades de los estados de Arizona y Florida, las de Illinois, Indiana, Kansas, Oregon, Southern Illinois, Washington, West Virginia y Western Michigan, entre otras muchas. A través de la investigación y la enseñanza, los profesores de cada uno de estos programas, ofrecieron su mejor contribución al rápido crecimiento de este campo.[8]

En 1968 dos acontecimientos significativos marcaron este año como el comienzo formal del análisis de conducta contemporáneo. El primero fue el comienzo de la publicación del *Journal of Applied Behavior Analysis*. Esta revista fue la primera en Estados Unidos en tratar sobre problemas aplicados, lo que daba a los investigadores, que utilizaban la metodología del análisis experimental de la conducta, una vía de salida para publicar sus investigaciones. Esta publicación fue y continúa siendo la revista abanderada del análisis aplicado de la conducta. Muchos de sus primeros artículos llegaron a ser modelos demostrativos sobre cómo llevar a cabo e interpretar el análisis aplicado de la conducta, lo que a su vez llevó a mejorar las aplicaciones y la metodología experimental.

El segundo evento fundamental de 1968 fue la publicación del artículo "Algunas dimensiones actuales del análisis aplicado de la conducta" de Donald M. Baer, Montrose M. Wolf, y Todd R. Risley. Estos autores, los padres fundadores de esta nueva disciplina, definieron los criterios para juzgar la adecuación de la investigación y la práctica dentro del análisis aplicado de la conducta, y señalaron su ámbito de trabajo dentro de la ciencia. Este artículo de 1968 ha sido el más ampliamente citado en el análisis aplicado de la conducta, y permanece como una descripción estandarizada de lo que es la disciplina.

[8] Los artículos describiendo las historias de los programas de análisis de conducta aplicado en cinco de estas universidades, puede encontrarse en el número de invierno de 1994 del *Journal of Applied Behavior Analysis*.

Definición de las características del análisis aplicado de la conducta

Baer, Wolf y Risley (1968) recomendaban que el análisis aplicado de la conducta fuese *aplicado, conductual, analítico, tecnológico, conceptualmente sistemático, efectivo* y capaz de ofrecer *resultados generalizables*. En 1987 Baer y sus colegas informaron de que sus "siete directrices para proceder de forma analítico conductual" (pág. 319) ofrecidas 20 años antes... "continuaban siendo funcionales; todavía señalaban las dimensiones actuales del trabajo que llamamos análisis aplicado de la conducta" (pág. 314). En el momento en que escribimos este libro, han pasado casi 40 años desde que se publicara el artículo fundacional de Baer, Wolf y Risley, y consideramos que las siete dimensiones que ellos definieron continúan sirviendo como criterios fundamentales para definir y juzgar el valor del análisis aplicado de la conducta.

Aplicado

El término *aplicado* señala el compromiso del análisis aplicado de la conducta para conseguir mejoras conductuales que hagan progresar y mejorar la vida de la gente. Para cumplir con este criterio, el investigador o el profesional aplicado debe seleccionar conductas que sean socialmente significativas para la persona implicada (o participante), como: conductas sociales, lingüísticas, académicas, de la vida diaria, de autocuidado, vocacionales, y recreativas o placenteras. Es decir, todas aquellas conductas que mejoren significativamente la experiencia diaria de las personas directamente implicadas o de las personas de su entorno (padres, profesores, compañeros, empleados), de forma que se puedan comportar más positivamente con la persona participante.

Conductual

En principio, parecería superfluo incluir un criterio tan obvio (naturalmente el análisis aplicado de la *conducta* ha de ser *conductual*). Sin embargo, Baer et al. (1968) llamaron la atención sobre tres aspectos importantes en relación a este criterio conductual. En primer lugar, no se escogerá cualquier conducta; la conducta elegida para estudiar ha de ser *la* conducta que necesita mejorarse, no una conducta similar que sirva como aproximación a la conducta de interés, ni la descripción verbal de esa conducta por parte del individuo. Los analistas de conducta han de llevar a cabo estudios *de* la conducta, no estudios *sobre* la conducta. Por ejemplo, en un estudio para evaluar los efectos de un programa para enseñar a los niños a llevarse bien unos con otros en la escuela, un analista de conducta observaría directamente y mediría las clases claramente definidas de interacciones entre los niños, en vez de utilizar medidas indirectas tales como las respuestas de los niños en un sociograma, o las respuestas a un cuestionario sobre cómo creen que se llevan con el resto de su clase.

En segundo lugar, la conducta ha de ser mensurable; la medición precisa y fiable de la conducta es tan importante en la investigación aplicada como lo es en la investigación básica. Los investigadores aplicados deben asumir el reto de medir las conductas socialmente significativas en sus contextos naturales, y deben hacerlo sin recurrir a mediciones de sustitutos no conductuales.

En tercer lugar, cuando se observan los cambios en la conducta durante una investigación, es necesario preguntarse de quién es la conducta que ha cambiado. Quizás solo sea la conducta de los observadores la que haya cambiado. "La medición explícita de la fiabilidad de los observadores humanos no es solamente una buena técnica, sino un criterio inicial para saber si un estudio es propiamente conductual" (Baer et al., 1968, pág. 23). O quizás sea la conducta del experimentador la que haya cambiado sin planearlo, lo que hace que no sea muy adecuado atribuir ningún cambio observado en la conducta del sujeto, a las variables independientes que se manipularon. El analista aplicado de la conducta debería intentar monitorizar la conducta de todas las personas implicadas en un estudio.

Analítico

Un estudio en análisis aplicado de la conducta es *analítico* cuando el experimentador ha demostrado una relación funcional entre los eventos manipulados y un cambio fiable en alguna dimensión medible de la conducta objetivo. En otras palabras, el experimentador debe ser capaz de controlar la ocurrencia y la no ocurrencia de la conducta. Sin embargo, a veces, la sociedad no permite la manipulación repetida de conductas importantes para satisfacer los requisitos del método experimental. Por lo tanto, los analistas de conducta deben demostrar un control lo más amplio posible, dadas las restricciones impuestas por el contexto y la conducta; y deben finalmente presentar los resultados para que sean juzgados por los consumidores de la investigación. La cuestión definitiva es la credibilidad: ¿Ha conseguido el investigador un control experimental que demuestre relaciones funcionales fiables?

La dimensión analítica permite al análisis aplicado de la conducta, no solo demostrar eficacia, sino también aportar la prueba definitiva de la existencia de relaciones funcionales y replicables entre las intervenciones que recomienda y los resultados socialmente significativos (D.M. Baer, 21 de Octubre, 1982, comunicación personal).

> Puesto que somos una disciplina basada en datos y en diseños, estamos en una posición aventajada para poder probar que la conducta puede funcionar de la forma que establece nuestra tecnología. No estamos teorizando sobre cómo *puede* funcionar la conducta; estamos describiendo sistemáticamente cómo *ha* funcionado muchas veces en el mundo real, con diseños demasiado competentes y sistemas de medición demasiado fiables y válidos como para dudar. Nuestra habilidad para probar que la conducta puede funcionar de la forma en que lo hace, no significa, naturalmente, que *no pueda* funcionar de otra forma: no estamos en una disciplina que niegue otras aproximaciones, sino en una que puede afirmarse como conocedora de muchas de sus condiciones *suficientes* a nivel de demostración experimental… nuestro objeto de estudio es el cambio conductual, y podemos especificar algunas condiciones suficientes y *viables* para conseguirlo. (D.M. Baer, comunicación personal, 21 de octubre de 1981, énfasis en el original)

Tecnológico

Un estudio en análisis aplicado de la conducta es tecnológico cuando todos sus procedimientos operativos se determinan y describen con suficiente detalle y claridad, "de tal forma que un lector tenga la oportunidad de replicar la aplicación con los mismos resultados" (Baer et al., 1987, pág. 320).

> No es suficiente decir lo que se va a hacer cuando el sujeto emita la respuesta R_1; es esencial también, siempre que sea posible, decir qué se va a hacer si el individuo da una respuesta alternativa, R_2, R_3, etc. Por ejemplo, uno podría leer que las rabietas de un niño se extinguen a

> menudo encerrando al niño en su habitación mientras dura la rabieta y otros diez minutos más. A menos que este procedimiento especifique también qué hacer si el niño trata de salir de la habitación, o golpea la ventana, o mancha con heces las paredes, o comienza a hacer sonidos guturales, etc., no será una descripción tecnológica precisa. (Baer et al., 1968, págs. 95-96)

No importa lo fuertes que sean sus efectos en un estudio determinado, un método de cambio conductual será de poco valor si los profesionales aplicados no pueden replicarlo. El desarrollo de una tecnología que permita el cambio de conducta de una forma replicable ha sido una de las características y objetivos que definen al análisis aplicado de la conducta desde su concepción. Las estrategias conductuales son replicables y se pueden enseñar. Las intervenciones que no se pueden replicar con suficiente fidelidad como para conseguir unos resultados similares, no se consideran parte de esta tecnología.

Una buena forma de comprobar la adecuación tecnológica en la descripción de un procedimiento, es haciendo que una persona entrenada en análisis aplicado de la conducta lea detalladamente la descripción y que intente representar el procedimiento en detalle. Si la persona se equivoca, añade operaciones, omite algunos pasos, o tiene que preguntar algo para clarificar la descripción escrita, entonces es que esa descripción no es suficientemente tecnológica y exige mejorarse.

Conceptualmente sistemático

Aunque Baer et al. (1968) no lo dijeron tan explícitamente, una característica definitoria del análisis aplicado de la conducta tiene que ver con los tipos de intervenciones utilizadas para mejorar la conducta. Aunque existe un número infinito de estrategias y procedimientos específicos que pueden utilizarse para alterar la conducta, casi todos ellos derivan o son combinaciones de unos relativamente pocos principios de conducta básicos. Así, Baer y sus colegas recomendaban que los informes de investigación de los analistas de conducta fuesen *conceptualmente sistemáticos*, es decir, que los procedimientos para el cambio conductual, así como cualquier interpretación de cómo o porqué son eficaces, deberían describirse en términos de los principios relevantes de los que se derivan

Baer et al. (1968) aportaron poderosas razones para utilizar sistemas conceptuales en el análisis aplicado de la conducta. En primer lugar, el hecho de relacionar procedimientos específicos con los principios básicos, permite al consumidor de la investigación obtener otros procedimientos similares a partir de los mismos principios. En segundo lugar, los sistemas conceptuales son necesarios si una tecnología pretende ser una disciplina integrada en vez de una "colección de trucos". Las colecciones de trucos vagamente relacionadas no se prestan a la expansión sistemática, y en gran medida son difíciles de aprender y de enseñar.

Eficaz

Una aplicación eficaz de las técnicas conductuales ha de mejorar la conducta que se investiga en sus aspectos prácticos. "En el ámbito aplicado, la importancia teórica de una variable normalmente no es de interés. El criterio fundamental, en cambio, es su importancia práctica, concretamente su poder para alterar la conducta lo suficiente como para que sea socialmente relevante" (Baer et al., 1968, pág. 96).

Saber cuánto hay que cambiar una determinada conducta de un individuo, para que la mejoría pueda considerarse socialmente relevante es una cuestión práctica. Baer y sus colegas afirmaron que la respuesta probablemente la van a dar las personas que tienen que enfrentarse a esa conducta con frecuencia; a ellas se les debería preguntar hasta qué punto hay que cambiar esa conducta. La necesidad de producir cambios conductuales que sean significativos tanto para las personas implicadas como para aquellas que estén en su entorno, ha llevado a los analistas de conducta a buscar variables "robustas", intervenciones que produzcan efectos amplios y consistentes sobre la conducta (Baer, 1977a).

Cuando 20 años después revisaron la dimensión "eficacia", Baer, Wolf y Risley (1987) recomendaron que esta dimensión del análisis aplicado de la conducta se juzgase también por un segundo tipo de resultados: el grado en el que los cambios en la conducta objetivo producen cambios significativos en las razones iniciales que llevaron a querer cambiar esa conducta. Si no ocurren tales cambios en las vidas de las personas, el análisis aplicado de la conducta tendría solo un primer nivel de eficacia, pero le faltaría conseguir una forma fundamental de validez social (Wolf, 1978).

> Podemos haber enseñado muchas habilidades sociales sin preguntarnos si realmente fomentaban la vida social de esa persona; muchas habilidades de cortesía sin preguntarnos si alguien las notaba realmente; muchos hábitos de autoprotección sin preguntarnos si la persona estaba realmente más segura posteriormente; muchas

> habilidades del lenguaje sin medir si el individuo después las utilizaba para interactuar de una forma diferente; muchas habilidades para centrarse en una tarea de forma sostenida sin medir el valor real de esa tarea; y en general, muchas habilidades de supervivencia sin evaluar la verdadera supervivencia posterior del sujeto. (Baer et al., 1987, pág. 322).

Generalizable

Un cambio de conducta es generalizable si permanece a lo largo del tiempo, si aparece en otros ambientes diferentes a aquel en el que inicialmente se implementó la intervención que lo produjo, si se extiende a otras conductas que no han sido tratadas directamente por la intervención, o si se dan todas estas circunstancias a la vez. Un cambio de conducta que persiste una vez que los procedimientos de tratamiento originales se han retirado, es generalizable. Y esa característica es evidente cuando, como función de los procedimientos de tratamiento, los cambios en la conducta objetivo ocurren en contextos o situaciones en los que no ha habido tratamiento. Esa generalización también tiene lugar cuando cambian conductas que no han sido el foco de la intervención. Aunque la generalización no siempre es adaptativa (p.ej., un lector que acaba de aprender a hacer el sonido de la letra /c/ en palabras como *casa* y *comida*, podría hacer el mismo sonido cuando ve la letra /c/ en palabras como *cine*), los cambios conductuales derivados de una generalización adecuada son resultados fundamentales en el análisis aplicado de la conducta, porque representan ganancias adicionales en términos de mejorías conductuales. Las estrategias para promover una generalización adecuada de los cambios de conducta, se detallan en el Capítulo 28.

Algunas características adicionales del análisis aplicado de la conducta

El análisis aplicado de la conducta ofrece a la sociedad una aproximación a la resolución de problemas que permite la rendición de cuentas y que es pública, factible, inspiradora y optimista (Heward, 2005). Aunque no están entre las dimensiones que definen al análisis aplicado de la conducta, estas características deberían servir para aumentar el grado en el que los gestores y los usuarios de distintos ámbitos consideran al análisis de conducta como una fuente importante y valiosa de conocimiento para lograr progresos.

Responsabilidad

El compromiso de los analistas aplicados de la conducta con la eficacia, su focalización sobre las variables ambientales accesibles que influyen en la conducta de forma fiable, y su confianza en la medición directa y frecuente para detectar los cambios en la conducta, permite rendir cuentas de forma responsable y socialmente válida. La medición directa y frecuente, el componente fundamental del análisis aplicado de la conducta permite detectar los éxitos, e igualmente importante, los fracasos, de forma que se puedan hacer los cambios necesarios para transformar los fracasos en éxitos (Bushell y Bear, 1994; Greenwood y Maheady, 1997).

> Los fallos son siempre informativos dentro de la lógica del análisis de conducta, igual que ocurre en ingeniería. El sello incuestionable del análisis aplicado de la conducta es su constante reacción a la falta de avance. (Baer, 2005, pág. 8)

Gambrill (2003) describió muy bien el sentido de rendición de cuentas y la naturaleza autocorrectiva del análisis aplicado de la conducta.

> El análisis aplicado de la conducta es una aproximación científica a la comprensión de la conducta, en la que hacemos suposiciones y comprobamos esas ideas críticamente, en lugar de hacer suposiciones una y otra vez. Es un proceso de resolución de problemas en el que aprendemos de nuestros errores. Aquí, el falso conocimiento y el conocimiento inerte no se valoran. (pág. 67)

Público

"Todo en el análisis aplicado de la conducta es visible y público, explícito y directo… el análisis aplicado de la conducta no implica explicaciones metafísicas, místicas o efímeras; no hay tratamientos ocultos; no hay magia" (Heward, 2005, pág. 322). Su naturaleza transparente y pública debería incrementar el valor que se le da en campos tales como la educación, la crianza y el cuidado infantil, la productividad laboral, la geriatría, la salud, la seguridad y el trabajo social – por nombrar algunos – cuyos objetivos, métodos y resultados son de vital interés para muchos grupos sociales.

Factible

Muchos estudios realizados desde el análisis aplicado de la conducta han demostrado la eficacia de las intervenciones realizadas por los maestros, los padres, los entrenadores, los supervisores laborales, e incluso por las mismas personas interesadas. Esto demuestra el elemento pragmático del análisis aplicado de la conducta. "Aunque su aplicación requiera mucho más que aprender a administrar unos cuantos procedimientos simples, no es excesivamente complicado ni difícil. Como han señalado muchos profesores, implementar estrategias conductuales en el aula… podría describirse como buen trabajo duro hecho a la antigua usanza" (Heward, 2005, pág. 322).

Inspirador

El análisis aplicado de la conducta proporciona a los profesionales aplicados herramientas reales y útiles. Saber cómo hacer algo y tener las herramientas necesarias para hacerlo inspira confianza. Ver los datos que muestran las mejoras conductuales de sus clientes, de los estudiantes, del equipo de trabajo, o de uno mismo, no solo te hace sentir bien, sino que también aumenta la confianza en la propia capacidad para asumir incluso mayores retos en el futuro.

Optimista

Los profesionales que conocen y están entrenados en el análisis de conducta tienen razones auténticas para ser optimistas por cuatro razones. La primera, según señalaban Strain y Joseph (2004):

> La visión ambiental promovida por el conductismo es esencialmente optimista; sugiere que (excepto por factores genéticos muy marcados) todos los individuos tienen el mismo potencial inicial. Más que asumir que los individuos tienen alguna característica interna esencial, los conductistas asumen que los pobres resultados están originados por la forma en que el ambiente y la experiencia moldearon la conducta actual del individuo. Una vez que se identifican esos factores ambientales y experienciales, podemos diseñar programas de prevención e intervención para mejorar los resultados… Así, el énfasis en el control externo de la aproximación conductual… ofrece un modelo conceptual que reconoce las posibilidades de cada individuo. (Strain et al., 1992, pág. 58)

En segundo lugar, la medición continua y directa permite a los profesionales detectar pequeñas mejoras en la ejecución, que de otra forma podrían pasar inadvertidas. En tercer lugar, cuanto más a menudo utiliza el profesional las estrategias conductuales con resultados positivos (el resultado más habitual en este tipo de intervenciones), más optimista se vuelve respecto a las posibilidades de éxito futuras.

> Una especie de optimismo, expresado por la pregunta ¿Por qué no?, ha sido una parte central del análisis aplicado de la conducta, y ha tenido un enorme impacto sobre su desarrollo desde sus primeros días. ¿Por qué no podemos enseñar a una persona que no habla a que lo haga? ¿Por qué no damos un paso adelante y tratamos de cambiar el ambiente de los niños para que puedan mostrar mayor creatividad? ¿Por qué hemos de asumir que esta persona con un retraso en el desarrollo no podría aprender las mismas cosas que los demás? ¿Por qué no lo intentamos? (Heward, 2005, pág. 323)

En cuarto lugar, la literatura revisada por pares sobre trabajos realizados en el marco del análisis aplicado de la conducta, ofrece muchos ejemplos de éxito en la educación de alumnos a los que se consideraba incapaces de aprender. El registro continuado de los logros que se realiza en el análisis aplicado de la conducta permite afrontar con optimismo los desarrollos futuros con la sensación de que aportarán soluciones a los retos conductuales que actualmente están más allá del alcance de nuestra tecnología. Por ejemplo, en respuesta a la perspectiva de que algunas personas tienen discapacidades tan graves y profundas que deberían considerarse imposibles de educar, Don Baer ofrecía este punto de vista:

> Algunos de nosotros hemos ignorado por igual tanto la tesis de que todas las personas se pueden educar como la tesis de que hay personas que no, y en cambio hemos experimentado con las formas de enseñar a quienes anteriormente eran considerados incapaces de aprender. Estos experimentos han reducido paulatinamente la cantidad de personas incluidas en ese grupo. Desde luego que aún no hemos terminado esta aventura. ¿Por qué predecir sus resultados, cuando podríamos continuarla sin necesidad de ninguna predicción?¿Por qué no continuarla para ver si llega un día en el que quede tan poca gente en el grupo de personas consideradas incapaces de aprender, que consista en una sola persona de avanzada edad que se presente voluntaria. Si llega ese día, será un día maravilloso. Y el día siguiente será aún mejor. (D.M. Baer, 15 de febrero de 2012, comunicación personal citada en Heward, 2006, pág. 473)

Definición del análisis aplicado de la conducta

Comenzábamos este capítulo afirmando que el análisis aplicado de la conducta se ocupa de la comprensión y la mejora de la conducta humana. Después describimos algunas de las actitudes y métodos que son fundamentales para la indagación científica, revisamos brevemente el desarrollo de la ciencia y la filosofía del análisis de conducta, y examinamos las características del análisis aplicado de la conducta. Todo ello ha generado el contexto necesario para la siguiente definición de análisis aplicado de la conducta:

> El **análisis aplicado de la conducta** es la ciencia en la que las estrategias derivadas de los principios de la conducta se aplican de manera sistemática para mejorar la conducta socialmente relevante y en la que se utiliza la experimentación para identificar las variables responsables del cambio de conducta.

Esta definición incluye seis componentes claves. El primero, que la práctica del análisis aplicado de la conducta está guiada por las actitudes y métodos de la indagación científica. El segundo, que todos los procedimientos de cambio conductual se describen e implementan de manera sistemática y tecnológica. El tercero, que no cualquier medio que se utilice para cambiar la conducta puede ser calificado como análisis aplicado de la conducta sino solamente aquellos que deriven conceptualmente de los principios básicos de conducta. El cuarto, que el foco del análisis aplicado de la conducta es la conducta socialmente significativa. Los componentes quinto y sexto de la definición especifican los dos objetivos inseparables del análisis aplicado de la conducta: comprender y mejorar. El análisis aplicado de la conducta busca conseguir mejoras significativas en conductas relevantes, y aportar un análisis de los factores responsables de tales mejoras.

Cuatro ámbitos interrelacionados de la ciencia analítico conductual y las prácticas profesionales guiadas por esta ciencia

La ciencia del análisis de conducta y sus aplicaciones a los problemas humanos se compone de cuatro ámbitos: las tres ramas del análisis de conducta (conductismo, análisis experimental de la conducta y análisis aplicado de la conducta) y la práctica profesional en distintas áreas conformada y guiada desde esta ciencia. La Figura 1.2 identifica algunas de las características definitorias de estos cuatro ámbitos interrelacionados. Aunque la mayoría de los analistas de conducta trabaja fundamentalmente en una o dos de los ámbitos que aparecen en la Figura 1.2, es habitual para un analista de conducta funcionar en múltiples áreas a la vez y pasar de una a otra sin problemas (Hawkins y Anderson, 2002; Moore y Cooper, 2003).

Un analista de conducta que se ocupa de asuntos teóricos y conceptuales se situaría en el ámbito del conductismo, el área filosófica del análisis de conducta. Un ejemplo del producto de este tipo de trabajo es la discusión de Delprato (2002) sobre la importancia del contracontrol (la conducta realizada por personas que experimentan el control aversivo de otros y que les ayuda a escapar y a evitar ese control, además de a no reforzar y a castigar las respuestas de quien controla) para llegar a una comprensión de las intervenciones eficaces sobre las relaciones interpersonales y el diseño cultural.

El análisis experimental de la conducta es la rama que se ocupa de la investigación básica en esta ciencia. La investigación básica se encarga de la realización de experimentos en contextos de laboratorio, tanto con sujetos humanos como no humanos, con el objetivo de descubrir y clarificar los principios fundamentales de la conducta. Un ejemplo son los experimentos de Hackenberg y Axtell (1993) investigando cómo las elecciones que realizan las personas se ven afectadas por la interacción dinámica de los programas de reforzamiento que implican consecuencias a corto y a largo plazo.[9]

Los analistas aplicados de la conducta llevan a cabo experimentos dirigidos a descubrir y clarificar las relaciones funcionales entre conductas socialmente significativas y sus variables de control, con lo que pueden contribuir a posteriores desarrollos de una tecnología del cambio conductual más humana y eficaz. Un ejemplo de esta investigación es la de Tarbox, Wallace y Williams (2003) sobre la evaluación y tratamiento de la fuga (alejarse sin permiso de la persona cuidadora), una conducta que implica un gran peligro para los niños y niñas de corta edad y para las personas con discapacidad.

La prestación de servicios profesionales analítico conductuales se encuadra en el cuarto ámbito. Los profesionales analítico conductuales diseñan, implementan y evalúan programas de cambio de conducta, que consisten en estrategias derivadas de los principios fundamentales de la conducta descubiertos por los investigadores básicos, y que están

[9] Los programas de reforzamiento se presentan en el Capítulo 13.

experimentalmente validados por los investigadores aplicados respecto a sus efectos sobre las conductas socialmente significativas. Un ejemplo de este trabajo se da cuando un terapeuta que está aplicando un tratamiento domiciliario a un niño con autismo, establece ocasiones frecuentes en las que el niño pueda utilizar sus habilidades sociales y lingüísticas emergentes en el contexto de su rutina diaria, y se asegura de que las respuestas del niño sean seguidas por eventos reforzantes. Otro ejemplo es el profesor entrenado en análisis de conducta que utiliza el reforzamiento positivo y el desvanecimiento de estímulos para enseñar a los estudiantes a identificar y clasificar peces en sus respectivas especies según la forma, tamaño y localización de sus aletas.

Aunque cada uno de los cuatro ámbitos del análisis de conducta puede definirse y practicarse por derecho propio, ninguno de ellos es, o debería ser, completamente independiente de los demás ni estar desinformado de los avances del resto. Tanto la ciencia como sus aplicaciones se benefician cuando los cuatro ámbitos se interrelacionan e influyen entre sí (p.ej., Critchfield y Kollins, 2001; Lattal y Neef, 1996; Stromer, McComas y Rehfeldt, 2000). La prueba de las relaciones simbióticas existentes entre los ámbitos básico y aplicado se hace evidente en tanto en la investigación que los vincula como en la investigación aplicada que traslada el conocimiento derivado de la investigación básica "en prácticas clínicas actualizadas que se pueden utilizar en la comunidad" (Lerman, 2003, pág. 415).[10]

La promesa y el potencial del análisis aplicado de la conducta

En el artículo titulado "Una perspectiva futurista del análisis aplicado de la conducta" Jon Bailey (2000) expresó lo siguiente:

> Me parece que el análisis aplicado de la conducta es más relevante ahora que nunca, y que ofrece a nuestros ciudadanos, padres, profesores, corporaciones y líderes políticos suficientes ventajas que no pueden ser igualadas por otras aproximaciones psicológicas... No conozco otra aproximación en psicología que pueda presumir de tener soluciones actualizadas a la mayoría de los problemas sociales de hoy. (pág. 477)

Nosotros también creemos que la aproximación científico natural y pragmática del análisis aplicado de la conducta a la identificación de las variables ambientales que influyen en las conductas socialmente relevantes y al desarrollo una tecnología que se beneficie de esa identificación, es la mejor esperanza para resolver muchos de los problemas de la humanidad. Sin embargo, es importante reconocer que el conocimiento del análisis de conducta sobre "cómo funciona la conducta" es insuficiente, incluso en el nivel de los principios fundamentales, y también lo es la tecnología para cambiar las conductas socialmente significativas derivada de esos principios. Hay aspectos sobre los que conocemos bastante poco, y se necesita más investigación tanto básica como aplicada, para clarificar, ampliar y afinar el conocimiento ya existente (p.ej., Critchfield y Kollins, 2001; Friman, Hayes y Wilson, 1998; Murphy, McSweeny, Smith y McComas, 2003; Stromer, McComas y Rehfeldt, 2000).

No obstante, la aún joven ciencia del análisis aplicado de la conducta ha contribuido a un amplio rango de áreas en las que la conducta humana es importante. Incluso una revisión informal y superficial sobre la investigación publicada en análisis aplicado de la conducta, revela que hay estudios sobre virtualmente todo el rango de conductas humanas socialmente significativas desde la A a la Z y en casi todas partes, entre ellas: prevención del SIDA (p.ej., DeVries, Burnette y Redmona, 1991), conservación de los recursos naturales (p.ej., Brothers, Krantz y McClannahan, 1994), educación (p.ej., Heward et al., 2005), gerontología (p.ej., Gallagher y Keenan, 2000), salud y ejercicio (p.ej., De Luca y Holborn, 1992), seguridad industrial (p.ej., fox, Hopkins y Anger, 1987), adquisición de lenguaje (p.ej., Drasgow, Halle y Ostrosky, 1998), reciclaje (p.ej., Powers, Osborne y Anderson, 1973), procedimientos médicos (p.ej., Hagopian y Thompson, 1999), crianza y cuidado de los hijos (p.ej., Kuhn, Lerman y Vorndran, 2003), uso del cinturón de seguridad (p.ej., Van Houten, Malenfant, Austin y Lebbon, 2005), deportes (p.ej., Brobst y Ward, 2002), mantenimiento de zoos y cuidado de animales (p.ej., Forthman y Ogden, 1992).

El análisis aplicado de la conducta proporciona una base empírica, no solo para entender la conducta humana sino también para mejorarla. Y lo que es igualmente importante, continuamente evalúa sus métodos. El resto de este libro presentará los conocimientos básicos que permitan una buena comprensión del análisis aplicado de la conducta.

[10] Se pueden encontrar ejemplos y discusiones sobre la investigación translacional en los números de invierno de 1994 y 2003 del *Journal of Applied Behavior Analysis*; Fisher y Mazur (1997), Lattal y Neef (1996), y Vollmer y Hackenberg (2001).

Figura 1.2. Algunas comparaciones y relaciones entre los cuatro ámbitos de la ciencia y la práctica del análisis de conducta.

	Conductismo	*Análisis Experimental de la Conducta*	*Análisis Aplicado de la Conducta*	*Práctica guiada por el análisis de conducta*
	▲------------------------ **La ciencia del análisis de conducta**		-------------------------▲	
			▲---- **La aplicación del análisis de conducta**	-----▲
Campo	Teoría y filosofía	Investigación básica	Investigación aplicada	Ayudar a las personas a comportarse más exitosamente
Actividad principal	Análisis conceptual y filosófico	Diseñar, llevar a cabo, interpretar e informar sobre experimentos básicos	Diseñar, llevar a cabo, interpretar e informar sobre experimentos aplicados	Diseñar, implementar y evaluar los programas de cambio de conducta
Objetivos y productos principales	Explicación teórica de todas las conductas congruente con los datos existentes	Descubrir y clarificar los principios básicos de la conducta; relaciones funcionales entre la conducta y las variables de control	Una tecnología para mejorar las conductas socialmente significativas; relaciones funcionales entre las conductas socialmente significativas y las variables de control	Mejoras en las vidas de las personas implicadas o clientes, como resultado de los cambios en sus conductas
Objetivos secundarios	Identificar las áreas en las que hay ausencia de datos empíricos o si los hay son conflictivos, y sugerir soluciones	Identificar interrogantes para investigar en análisis experimental de la conducta, en análisis aplicado de la conducta o en ambos. Plantear cuestiones teóricas	Identificar interrogantes para investigar en análisis experimental de la conducta, en análisis aplicado de la conducta o en ambos. Plantear cuestiones teóricas	Aumentar la eficacia para conseguir los objetivos principales. Posibilidad de identificar interrogantes para los análisis experimental y aplicado de la conducta
Concordancia con los datos conocidos	Tanto como sea posible, pero la teoría debe ir más allá de los datos conocidos por definición	Completa. Aunque existan diferencias entre grupos de datos, el análisis experimental de la conducta aporta los datos de la investigación básica	Completa. Aunque existan diferencias entre grupos de datos, el análisis aplicado de la conducta aporta los datos de la investigación aplicada	Tanto como sea posible, pero los profesionales han de tratar a menudo con situaciones que no están contempladas en los datos existentes
Verificabilidad	Parcialmente. No son accesibles todas las conductas y variables de interés (p.ej., contingencias filogenéticas)	En su mayoría, las limitaciones técnicas impiden la medición y manipulación experimental de algunas variables	En su mayoría, las mismas limitaciones que el análisis experimental, más las impuestas por los contextos aplicados (p.ej., aspectos éticos, eventos no controlados)	Parcialmente. No son accesibles todas las conductas y variables de interés (p.ej., la vida familiar del estudiante)
Alcance	**Máximo ç**-------------------------	--	--	**è Mínimo**
	Alcance amplio puesto que la teoría intenta explicar todo tipo de conductas	Tan amplio como permitan los datos aportados por el propio análisis experimental de la conducta	Tan amplio como permitan los datos aportados por el propio análisis aplicado de la conducta	Alcance estrecho, puesto que el interés principal de los profesionales es ayudar en una situación específica
Precisión	**Mínima ç**-------------------------	--	--	**èMáxima**
	Es posible una mínima precisión puesto que no existen datos experimentales para todas las conductas abarcadas por la teoría	Tanta precisión como permita la tecnología actual de control experimental y las habilidades de los investigadores	Tanta precisión como permita la tecnología actual de control experimental y las habilidades de los investigadores	Se busca la máxima precisión para que el cambio de conducta sea lo más eficaz posible en cada caso específico.

Resumen

Algunas características básicas y una definición de ciencia

1. Diferentes tipos de investigaciones científicas producen un conocimiento que permite la descripción, la predicción y el control de los fenómenos estudiados.

2. Los estudios descriptivos proporcionan una colección de hechos sobre los eventos observados, que pueden ser cuantificados, clasificados y examinados por sus posibles relaciones con otros hechos conocidos.

3. El conocimiento obtenido a través de un estudio que encuentra una covariación sistemática entre dos eventos (denominada correlación) puede utilizarse para predecir la probabilidad de que ocurra un evento basándose en la ocurrencia de otro evento.

4. Los resultados de los experimentos que muestran que la manipulación específica de un evento (variable independiente) produce un cambio fiable en otro evento (variable dependiente) que es poco probable que sea producto de la influencia de factores extraños (variables extrañas), es decir, que muestran una relación funcional, pueden utilizarse para controlar los fenómenos investigados.

5. La conducta de los científicos en todos los campos se caracteriza por un conjunto de asunciones y actitudes que tienen en común:

   - Determinismo. La asunción de que el universo es un lugar ordenado y está sometido a leyes, donde los fenómenos ocurren como resultado de otros eventos.
   - Empirismo. La observación objetiva de los fenómenos de interés.
   - Experimentación. La comparación controlada de alguna medida del fenómeno de interés (la variable dependiente) realizada en dos o más condiciones diferentes en las que solo un factor (la variable independiente) difiere de una condición a otra.
   - Replicación. La repetición de experimentos (y de las condiciones de la variable independiente dentro de un mismo experimento) para determinar la fiabilidad y utilidad de los hallazgos.
   - Parsimonia. Deben descartarse las explicaciones más simples y lógicas, tanto experimental como conceptualmente, antes de considerar explicaciones más complejas o abstractas.
   - Duda filosófica. Cuestionamiento permanente de la veracidad y validez de todas las teorías y conocimientos científicos.

Una breve historia del desarrollo del análisis de conducta

6. El análisis de conducta tiene tres ramas principales: el conductismo, el análisis experimental de la conducta, y el análisis aplicado de la conducta.

7. Watson expuso una primera forma de conductismo conocido como psicología de estímulo-respuesta (E-R), que no explicaba la conducta que sucedía sin una causa antecedente obvia.

8. Skinner fundó el análisis experimental de la conducta, una aproximación científica natural para descubrir las relaciones ordenadas y fiables entre la conducta y varios tipos de variables ambientales de las cuales es función.

9. El análisis experimental de la conducta se caracteriza por estos elementos metodológicos:

   - La tasa de respuesta es la variable dependiente más utilizada.
   - Se obtiene una medición repetida y continua a partir de la definición cuidadosa de clases de respuesta.
   - Se utilizan las comparaciones experimentales intra-sujeto en vez de diseños comparando la conducta de grupos experimentales y controles.
   - Se prefiere el análisis visual de los datos gráficos a la inferencia estadística.
   - Se valora más la descripción de relaciones funcionales que la comprobación de una teoría formal.

10. A través de miles de experimentos de laboratorio, Skinner identificó y verificó junto a sus colegas y alumnos los principios básicos de la conducta operante, que aportan la base empírica para el análisis de conducta de hoy día.

11. Skinner escribió extensamente sobre una filosofía para la ciencia de la conducta que él denominó conductismo radical. El conductismo radical intenta explicar toda la conducta, incluyendo los eventos privados tales como pensar y sentir.

12. El conductismo metodológico es una posición filosófica que considera que los eventos conductuales que no pueden ser observados públicamente, caen fuera del ámbito de la ciencia.

13. El mentalismo es una aproximación a la comprensión de la conducta que asume que existe una dimensión mental o "interna", que difiere de una dimensión conductual, y que los fenómenos en esta dimensión o bien causan

directamente la conducta, o al menos median en algunas formas de conducta; se basa en constructos hipotéticos y ficciones explicativas.

14. El primer informe publicado sobre la aplicación del condicionamiento operante en un sujeto humano fue un estudio de Fuller (1949), en el que se condicionó la respuesta de levantar el brazo en un adolescente con retraso mental profundo.

15. El comienzo formal del análisis aplicado de la conducta puede situarse en 1959 con la publicación del artículo de Ayllon y Michael "El enfermero psiquiátrico como un ingeniero conductual".

16. El análisis aplicado de la conducta contemporáneo comenzó en 1968 con la publicación del primer número del *Journal of Applied Behavior Analysis*.

Definición de las características del análisis aplicado de la conducta

17. Baer, Wolf y Risley (1968, 1987) afirmaron que un estudio de investigación o un programa de cambio de conducta deberían cumplir siete dimensiones definitorias para considerarse análisis aplicado de conducta:

- Aplicado. Investiga las conductas socialmente significativas que tienen una importancia inmediata para las personas.
- Conductual. Implica la medición precisa de la conducta que necesita mejorar, y documenta que los cambios tienen lugar en esa conducta del individuo.
- Analítico. Demuestra el control experimental sobre la ocurrencia y no ocurrencia de la conducta si se demuestra una relación funcional.
- Tecnológico. La descripción escrita de todos los procedimientos utilizados en un estudio es suficientemente completa y detallada como para permitir que otros lo repliquen.
- Conceptualmente sistemático. Las intervenciones para cambiar la conducta se derivan de los principios básicos de la conducta.
- Eficaz. Mejora la conducta lo suficiente como para producir resultados prácticos para las personas implicadas o clientes.
- Generalizable. Produce cambios de conducta que permanecen en el tiempo, aparecen en otros contextos, o se extienden a otras conductas.

18. El análisis aplicado de la conducta ofrece a la sociedad una aproximación a la resolución de muchos de sus problemas que permite la rendición de cuentas, es pública, factible, inspiradora y optimista.

Una definición del análisis aplicado de la conducta

19. El análisis aplicado de la conducta es la ciencia en la que las estrategias derivadas de los principios de la conducta, se aplican de manera sistemática para mejorar la conducta socialmente significativa, y en la que se utiliza la experimentación para identificar las variables responsables del cambio de conducta.

20. Los analistas de conducta trabajan en uno o más de estos cuatro ámbitos interrelacionados: el conductismo (cuestiones teóricas y filosóficas), el análisis experimental de la conducta (investigación básica), el análisis aplicado de la conducta (investigación aplicada), y la práctica profesional (prestación de servicios analítico conductuales a los consumidores).

21. La aproximación del análisis aplicado de la conducta como ciencia natural al descubrimiento de las variables ambientales que influyen de forma fiable sobre las conductas socialmente significativas y al desarrollo de una tecnología que aproveche de forma práctica esos descubrimientos, ofrece a la humanidad la esperanza de resolver muchos de sus problemas.

CAPÍTULO 2

Conceptos básicos

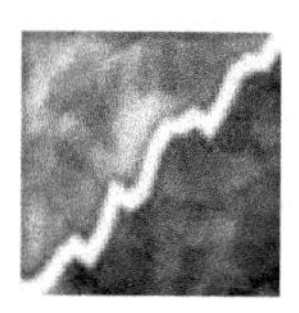

Términos clave

Antecedente
Ambiente
Automaticidad del reforzamiento
Castigo
Castigo condicionado
Clase de estímulo
Clase de respuestas
Condicionamiento de orden superior
Condicionamiento operante
Condicionamiento respondiente
Conducta
Conducta operante
Conducta respondiente
Consecuencia
Contingencia
Contingencia de tres términos
Contingente
Control de estímulo
Emparejamiento estímulo-estímulo
Estímulo
Estímulo aversivo
Estímulo condicionado
Estímulo discriminativo (E^D)
Estímulo incondicionado
Estímulo neutro
Estímulo punitivo
Estímulo punitivo incondicionado
Estrategia de cambio de conducta
Extinción
Extinción respondiente
Filogenia
Habituación
Historia de reforzamiento
Ontogenia
Operante discriminada
Operación motivacional
Principio de conducta
Privación
Reflejo
Reflejo condicionado
Reforzador
Reforzador condicionado
Reforzador incondicionado
Reforzamiento
Reforzamiento negativo
Reforzamiento positivo
Repertorio
Respuesta
Saciación
Selección por consecuencias

Behavior Analyst Certification Board® BCBA®, BCBA-D®, BCaBA®, RBT® Lista de tareas para analistas de conducta (cuarta edición).

FK.	Conocimientos adicionales: definir y dar Ejemplo de:
FK-10	Conducta, respuesta, clase de respuestas.
FK-11	Ambiente, estímulo y clase de estímulo.
FK-13	Relaciones respondientes (estímulo y respuesta incondicionados).
FK-14	Condicionamiento respondiente (estímulo y respuesta condicionados).
FK-15	Condicionamiento operante.
FK-17	Reforzamiento incondicionado.
FK-18	Reforzamiento condicionado.

(continuación)

FK.	Conocimientos adicionales: definir y dar Ejemplo de: *(continuación)*
FK-19	Castigo incondicionado.
FK-20	Castigo condicionado.
FK-21	Programas de reforzamiento y castigo.
FK-24	Control de estímulo (estímulo delta, estímulo discriminativo).
FK-26	Operaciones motivacionales incondicionadas.
FK-27	Operaciones motivacionales condicionadas.
FK-28	Operaciones motivacionales transitivas, reflexivas y de sustitución.
FK-31	Contingencias conductuales.

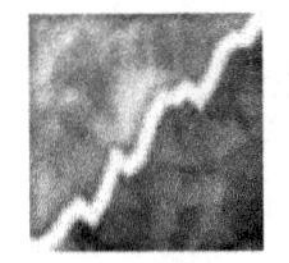

Este capítulo define los elementos básicos implicados en un análisis científico de la conducta e introduce algunos principios que han sido descubiertos a través de un análisis de este tipo. El primer concepto que examinaremos—conducta—es el más importante de todos. A continuación se describirán los conceptos de ambiente y estímulo ya que las variables de control en el Análisis Aplicado de la Conducta se encuentran precisamente en el ambiente. Después presentaremos varios hallazgos importantes que ha descubierto el estudio científico de las relaciones entre conducta y ambiente. Describiremos dos tipos funcionalmente distintos de conducta—respondiente y operante—, así como las formas principales en las que el ambiente influye en cada tipo de conducta—condicionamiento respondiente y condicionamiento operante. Posteriormente se explicará la contingencia de tres términos -un concepto para expresar y organizar las relaciones temporales y funcionales entre la conducta operante y el ambiente- y su importancia en el análisis aplicado de la conducta[1]. La última parte del capítulo reconoce la increíble complejidad de la conducta humana, nos recuerda que los analistas de conducta poseemos un conocimiento incompleto e identifica algunos de los obstáculos y desafíos a los que nos enfrentamos aquellos que dedicamos nuestros esfuerzos a cambiar la conducta en ambientes aplicados.

[1]El lector no debe abrumarse por la cantidad de términos técnicos y conceptos contenidos en este capítulo. A excepción del material sobre conducta respondiente, todos los conceptos presentados en este capítulo se explican con mayor detalle en los capítulos siguientes. Este primer acercamiento a los conceptos básicos tiene por objetivo proporcionar información elemental que facilite la comprensión de aquellas partes del texto que preceden a las explicaciones más detalladas.

Conducta

¿Qué es exactamente la conducta? La conducta es la actividad de los organismos vivos. La conducta humana es todo aquello que hacen las personas, incluido cómo se mueven, lo que dicen, piensan y sienten. Abrir una bolsa de cacahuetes es conducta, así como también lo es el pensar en lo buenos que estarán una vez que se haya abierto la bolsa. Leer esta frase es conducta y también sujetar este libro y sentir su peso y su forma en las manos.

Aunque palabras como *actividad* y *movimiento* expresan de forma correcta la noción general de conducta, por motivos científicos es necesaria una definición más precisa. La forma en que una disciplina científica define su objeto de estudio influye profundamente en los métodos de medida, experimentación y análisis teórico apropiados y posibles.

Basándose en la definición de conducta de Skinner (1938) como "el movimiento de un organismo o de sus partes en un marco de referencia proporcionado por el organismo o por varios objetos o campos externos" (pág. 6), Johnston y Pennypacker (1980, 1993a) articulan la definición de **conducta** conceptualmente más sólida y empíricamente más completa hasta la fecha.

> La conducta de un organismo es ese segmento de la interacción del organismo con su ambiente que se caracteriza por un desplazamiento detectable en el espacio a través del tiempo de alguna parte del organismo y que resulta en un cambio medible en al menos un aspecto del ambiente.

Johnston y Pennypacker (1993a) analizaron los elementos principales de cada parte de esta definición.

La expresión *conducta de un organismo* restringe el objeto principal de estudio a la actividad de los organismos vivos, dejando conceptos como la "conducta" del mercado de valores fuera del ámbito del uso científico del término.

La expresión *segmento de la interacción del organismo con su ambiente* especifica "las condiciones necesarias y suficientes para la ocurrencia de conducta como (a) la existencia de dos entidades separadas, organismo y ambiente, y (b) la existencia de una relación entre ambas" (Johnston y Pennypacker, 1993a, pág. 24). Los autores elaboraron esta parte de la definición de la siguiente forma:

> La conducta no es una propiedad o atributo de un organismo. Ocurre solamente cuando se da una interacción entre un organismo y su ambiente, en el que se incluye su propio cuerpo. Esto significa que estados independientes del organismo, sean reales o hipotéticos, no son eventos conductuales, porque no hay un proceso de interacción. Tener hambre o estar nervioso son ejemplos de estados que en ocasiones se confunden con la conducta que se supone que explican. Ninguna de esas expresiones especifica un agente ambiental con el que el organismo hambriento o nervioso interactúa, por lo que no existiría conducta.
>
> De forma similar, condiciones independientes o cambios en el ambiente no suponen la ocurrencia de conducta puesto que no se especifica ninguna interacción. Alguien que camina bajo la lluvia se moja, pero "mojarse" no es un ejemplo de conducta. Un niño puede recibir fichas por hacer bien problemas de matemáticas pero "recibir una ficha" no es conducta. Recibir una ficha implica cambios en el ambiente pero no indica o requiere un cambio en el movimiento del niño. Por el contrario, tanto hacer problemas de matemáticas como meterse la ficha en el bolsillo son eventos conductuales porque el ambiente al mismo tiempo que impulsa las acciones del niño es modificado por ellas. (Johnston y Pennypacker, 1993a, pág. 24)

La conducta es movimiento, independientemente de su escala, de ahí la expresión *desplazamiento en el espacio a través del tiempo*. Además de excluir a los estados estáticos del organismo, esta definición deja fuera del concepto de acontecimientos conductuales a los movimientos corporales producidos por la acción de fuerzas físicas independientes. Por ejemplo, ser derribado por una ráfaga de viento no es conducta; dado un viento suficiente, los organismos vivos y los objetos inanimados se mueven de forma similar. Una conducta sólo es realizada por un organismo vivo. Una manera útil de comprobar si el movimiento es conducta es aplicar la prueba del hombre muerto: "si un hombre muerto puede hacerlo no es conducta. Y si un hombre muerto no puede hacerlo, entonces sí es conducta" (Malott y Trojan Suarez, 2004, pág. 9). Sin embargo, aunque ser arrastrado por un fuerte viento no sea conducta (el viento también puede arrastrar a un hombre muerto), mover los brazos y las manos y gritar "¡uf!" cuando te resistes a que te arrastre sí son conductas.[2]

La parte *desplazamiento en el espacio a través del tiempo* también subraya las propiedades de la conducta más susceptibles de ser medidas. Johnston y Pennypacker (1993a) se refieren a estas propiedades fundamentales por las que la conducta puede ser medida como *locus temporal* (cuándo ocurre una conducta específica en el tiempo), *extensión temporal* (la duración de un evento conductual dado) y *reproducibilidad* (la frecuencia con la que una conducta específica ocurre en el tiempo). Los métodos usados por los analistas de conducta para medir estas propiedades se detallan en el Capítulo 4.

Reconociendo que la última frase de la definición—*que resulta en un cambio medible en al menos un aspecto del ambiente*—es algo redundante, Johnston y Pennypacker (1993a) señalaron que esto acentuaba una importante cualidad del estudio científico de la conducta.

> Ya que el organismo no puede ser separado de un ambiente y que la conducta es la relación entre organismo y ambiente, es imposible para un evento conductual no influir en el ambiente de algún modo...Esta es una cuestión metodológica importante porque implica que la conducta debe ser detectada y medida en términos de sus efectos en el ambiente. (Pág. 27)

Como escribió Skinner (1969), "para ser observada, una respuesta debe afectar al ambiente -debe tener un efecto sobre un observador o sobre un instrumento que a su vez pueda afectar a un observador. Esto es tan cierto como la contracción de un pequeño grupo de fibras musculares al presionar una palanca o al trazar la figura de un 8" (pág. 130).

La palabra *conducta* es usada con frecuencia para referirse a una amplio conjunto o clase de respuestas que comparten ciertas dimensiones físicas (p. ej., la conducta de aleteo de manos) o ciertas funciones (p. ej., la conducta de estudiar). [3] El término *respuesta* hace

---

[2]Odgen Lindsley ideó la prueba del hombre muerto a mediados de 1960 como una manera de ayudar a los profesores a determinar si se estaban centrando en conductas reales para su medida y cambio o por el contrario en estados inanimados como "estar tranquilo".

[3]La mayoría de analistas de conducta utilizan el término *conducta* como sustantivo común que se refiere tanto al objeto de estudio del campo en general como a un tipo específico o clase de conducta (p. ej., conducta operante conducta de estudio) y también como sustantivo contable para referirse a casos específicos (p. ej., dos conductas agresivas). La palabra *conducta* a menudo queda implícita o es innecesaria. Estamos de acuerdo con la recomendación de

referencia a un caso concreto de conducta. Una buena definición técnica de **respuesta** la presenta como una "*acción de un efector de un organismo*". Un efector es un órgano situado en el extremo de un nervio eferente que está especializado en alterar su ambiente mecánicamente, químicamente, o en términos de otros cambios de energía" (Michael, 2004, pág. 8, cursiva en el original). Los efectores humanos incluyen los músculos estriados (p. ej., músculos esqueléticos como los bíceps y los cuádriceps), los músculos lisos (p. ej., estómago y músculos de la vejiga) y glándulas (p. ej., glándula suprarrenal).

Al igual que los cambios de estímulo en el ambiente, la conducta puede ser descrita por su forma, o características físicas. La *topografía de respuesta* se refiere al aspecto físico o la forma de una conducta. Por ejemplo, los movimientos de la mano y los dedos que se hacen para abrir una bolsa de cacahuetes pueden ser descritos por sus elementos topográficos. Sin embargo, una observación cuidadosa revelará que la topografía es diferente cada vez que una persona abre una bolsa de frutos secos. La diferencia puede ser significativa o leve, pero cada "respuesta de abrir una bolsa" variará en algo de otras.

Aunque en ocasiones pueda ser útil describir la conducta por su topografía, el análisis de la conducta se caracteriza por un *análisis funcional* de los efectos de una conducta en el ambiente. Un grupo de respuestas con la misma función (es decir, aquel en el que cada respuesta produce el mismo efecto en el ambiente) se denomina **clase de respuesta.** La pertenencia a algunas clases de respuesta está abierta a respuestas muy variadas en su forma (p. ej., hay muchas formas de abrir una bolsa de cacahuetes), mientras que la variación topográfica entre los miembros de otras clases de respuesta es limitada (p. ej., firmar o empuñar un palo de golf).

Otra razón que subraya la importancia de un análisis funcional de la conducta sobre uno estructural o una descripción topográfica es que dos respuestas con la misma topografía pueden ser dos conductas totalmente diferentes dependiendo de las variables de control. Por ejemplo, decir la palabra *fuego* mientras se miran las letras f-u-e-g-o, es una conducta muy diferente a la de gritar "¡Fuego!" cuando se huele a humo o se ven llamas en un teatro lleno de gente.

Los analistas de conducta utilizan el término **repertorio** de al menos dos formas. *Repertorio* a veces es usado para referirse a todas las conductas que puede hacer una persona. Aunque, más a menudo el término denota un conjunto de habilidades o conocimientos que una persona ha aprendido y son relevantes en determinados ambientes o tareas. En este sentido, cada persona ha aprendido o adquirido múltiples repertorios. Por ejemplo, cada uno de nosotros tiene un repertorio de conductas apropiadas en situaciones sociales informales que difieren algo (o mucho) de las conductas que realizamos para desenvolvernos en situaciones formales. Y cada persona tiene repertorios con respecto a habilidades lingüísticas, tareas académicas, rutinas de la vida diaria, ocio y así sucesivamente. Cuando haya usted terminado de estudiar este manual, su repertorio de conocimientos y habilidades sobre análisis aplicado de la conducta se verá enriquecido.

Ambiente

Todas las conductas ocurren dentro de un contexto ambiental; la conducta no puede ser emitida en el vacío. Johnston y Pennypacker (1993a) ofrecieron la siguiente definición de **ambiente** y dos implicaciones importantes de esta definición para la ciencia de la conducta:

> El "ambiente" se refiere al conglomerado de circunstancias reales en las que el organismo o determinada parte de éste existe. Una manera simple de resumir su alcance es decir que es "todo excepto las partes móviles del organismo implicadas en la conducta". Una implicación importante... es que sólo se incluyen los eventos físicos reales.
>
> Otra consecuencia muy importante de esta concepción del ambiente conductualmente relevante es que puede incluir otros aspectos del organismo. Es decir, que el ambiente de una conducta particular puede incluir no sólo las características externas al organismo, sino también eventos físicos que tengan lugar debajo de la propia piel. Por ejemplo, la conducta de rascarnos está presumiblemente bajo el control externo de un estímulo visual que nos da nuestro cuerpo, al ver la parte de la piel que nos rascamos, así como por la sensación de picor que se encuentra debajo de la piel. De hecho, ambos tipos de estimulación muy a menudo contribuyen al control conductual. Esto significa que la piel no supone un límite especialmente importante en la comprensión de las leyes de la conducta, aunque sí puede proporcionar retos en la observación para descubrir estas leyes. (Pág. 28)

El ambiente es un universo complejo y dinámico de eventos que cambia momento a momento. Cuando los analistas de conducta describen aspectos particulares del ambiente, suelen hablar en términos de condiciones

Friman (2004), que dice que "si el objeto de nuestro interés es golpear y escupir, digamos sólo 'golpear' y 'escupir'. Y más tarde, cuando estemos recopilando nuestros pensamientos con un término colectivo, podremos llamarlos conductas" (Pág. 105).

estimulares o eventos.[4] Una buena definición de **estímulo** es "un cambio de energía que afecta a un organismo a través de sus células receptoras" (Michael, 2004, pág. 7). Las personas tenemos sistemas receptores que detectan cambios estimulares que suceden fuera y dentro del cuerpo. Los *receptores externos* son los organismos sensoriales que detectan los estímulos externos y que permiten la visión, la audición, el olfato, el gusto y el tacto. Los dos tipos de órganos sensibles a los cambios estimulares dentro del propio cuerpo son los *receptores internos*, sensibles a la estimulación originada en las vísceras (p. ej., sentir un dolor de estómago) y los *receptores propioceptivos*, que permiten los sentidos cinestésicos y vestibulares del movimiento y el equilibrio. Los analistas aplicados de la conducta por lo general estudian el efecto de los cambios estimulares que ocurren fuera del cuerpo. Las condiciones y eventos estimulares externos no sólo son más accesibles a la observación y la manipulación que las condiciones internas, sino que también son características fundamentales del mundo físico y social en el que vivimos.

El ambiente influye en la conducta principalmente mediante el cambio de estímulo y las condiciones estimulares no estáticas. Como señala Michael (2004), cuando un analista de conducta habla de la presentación u ocurrencia de un estímulo, normalmente se refiere a un cambio de estímulo.

> Por ejemplo, en el condicionamiento respondiente el estímulo condicionado puede ser referido como un tono. Sin embargo, el evento relevante es en realidad un cambio de la ausencia de un tono al sonido del tono..., y aunque esto es normalmente comprendido sin tener que mencionarlo, puede ser pasado por alto en el análisis de fenómenos más complejos. Estímulos discriminativos operantes, reforzadores condicionados, castigos condicionados y variables motivacionales condicionadas son también por lo general importantes como cambios de estímulo, y no como condiciones estáticas (Michael, 2004, págs. 7-8).[5]

Los eventos estimulares pueden ser descritos por su forma (o sus características físicas), temporalmente (en función de cuándo ocurren con respecto a la conducta de interés) y funcionalmente (por sus efectos en la conducta). Los analistas de conducta utilizan el término **clase de estímulo** para referirse a cualquier grupo de estímulos que compartan un conjunto predeterminado de elementos comunes en una o más de estas dimensiones.

Dimensiones formales de los estímulos

Los analistas de conducta suelen describir, medir y manipular los estímulos de acuerdo a sus dimensiones formales, como el tamaño, color, intensidad, peso y posición espacial relativa a otros objetos. Los estímulos pueden ser no sociales (p. ej., una luz roja, un sonido agudo) o sociales (p. ej., que un amigo te pregunte "¿Quieres más cacahuetes?").

Locus temporal de los estímulos

Debido a que la conducta y las condiciones ambientales ocurren en y a lo largo del tiempo, la localización temporal de los cambios estimulares es importante. En particular, la conducta se ve afectada por los cambios estimulares que ocurren antes e inmediatamente después de ella. El término **antecedente** se refiere a las condiciones ambientales o cambios estimulares que existen u ocurren antes de la conducta de interés.

Puesto que la conducta no puede ocurrir en el vacío o sin ambiente, cada respuesta tiene lugar en el contexto de una situación particular o en unas determinadas condiciones antecedentes. Estos eventos antecedentes juegan un papel crítico en el aprendizaje y la motivación, y lo hacen con independencia de si la persona que aprende o alguien en el papel de analista de conducta o de maestro lo ha planeado o si ni siquiera es consciente de ello.

> Por ejemplo, sólo algunos de los antecedentes funcionalmente relevantes en el rendimiento de un alumno en un examen de matemáticas podrían ser los siguientes: el número de horas que haya dormido la noche anterior; la temperatura, la iluminación y la disposición de los asientos en el aula; el profesor recordando que a aquellos alumnos que consigan las mejores puntuaciones en el examen se les librará de deberes; y el tipo específico, formato y secuencia de los problemas de matemáticas en el examen. Cada una de estas variables antecedentes (y otras) tienen el potencial de ejercer mucho, poco o ningún efecto en el rendimiento en función de las

---

[4]Aunque los conceptos de estímulo y respuesta han demostrado ser útiles para el análisis conceptual, experimental y aplicado de la conducta, es importante reconocer que los estímulos y las respuestas no existen como eventos discretos en la naturaleza. Estímulos y respuestas son "porciones" detectables de la continua y cambiante interacción entre un organismo y su ambiente, elegidas por los científicos y los profesionales aplicados porque han demostrado ser útiles en la comprensión y el cambio de la conducta. Sin embargo, las porciones impuestas por el analista de conducta pueden no ser paralelas a las divisiones que ocurren de forma natural.

[5] El condicionamiento respondiente y los principios operantes mencionados aquí serán explicados más adelante en este capítulo.

experiencias de los alumnos con respecto a un antecedente determinado. (Heward y Silvestri, 2005, pág. 1135)

Una **consecuencia** es un cambio estimular que sigue a la conducta de interés. Algunas consecuencias, especialmente aquellas que son inmediatas y relevantes para el estado motivacional actual, tienen una influencia significativa en la conducta futura; otras consecuencias tienen poco efecto. Las consecuencias se combinan con las condiciones antecedentes para determinar lo que se aprende. Esto sigue siendo cierto si el individuo o alguien que intenta cambiar su conducta es consciente de ello o planea sistemáticamente las consecuencias.

Al igual que los estímulos antecedentes, las consecuencias pueden ser también eventos sociales o no sociales. En la tabla 2.1 se muestran ejemplos de varias combinaciones de antecedentes y consecuencias sociales y no sociales para cuatro conductas.

Funciones conductuales de los cambios estimulares

Algunos cambios de estimulo ejercen un control inmediato y poderoso sobre la conducta, mientras que otros tienen un efecto demorado o no tienen aparentemente ningún efecto. A pesar de que podemos y solemos describir los estímulos por sus características físicas (p. ej., el volumen y el nivel de decibelios de un tono, la topografía de los movimientos de la mano y el brazo de una persona), los cambios estimulares se comprenden mejor mediante un análisis funcional de sus efectos sobre la conducta. Por ejemplo, el mismo nivel de decibelios de un sonido que funciona en un ambiente y en un conjunto de condiciones como un indicador para el control de la ropa en la secadora, puede funcionar como una señal de advertencia para ponerse el cinturón de seguridad en otra situación; el mismo movimiento de brazo y mano que provoca una sonrisa y un "hola" en una situación determinada puede entenderse como un gesto obsceno y provocar un ceño fruncido en otra situación diferente.

Los cambios de estímulo pueden tener uno o ambos de los siguientes dos tipos elementales de efectos sobre la conducta: (a) un efecto inmediato pero transitorio de aumento o disminución de la frecuencia actual de la conducta, y (b) un efecto demorado pero relativamente permanente en la frecuencia de ese tipo de conducta en el futuro (Michael, 1995). Por ejemplo, una tormenta repentina en un día nublado probablemente aumente la frecuencia de cualquier conducta que haya resultado útil en el pasado para escapar de la lluvia, como correr para ponerse debajo de un toldo o ponerse la chaqueta sobre la cabeza. Si la persona hubiera decidido dejarse el paraguas en casa justo antes de salir, el chaparrón puede disminuir la frecuencia con la que se dará esta conducta en futuros días nublados.

Conducta respondiente

Todos los organismos sanos del mundo son capaces de responder de una manera predecible ante determinados estímulos sin necesidad de aprendizaje. Estas conductas preparadas nos protegen de los estímulos aversivos (p. ej., los ojos lloran o parpadean para eliminar partículas de la córnea), nos ayudan a regular el equilibrio interno y la economía del organismo (p. ej., los cambios que se dan en la frecuencia cardíaca y en la respiración como respuesta a los cambios de temperatura y de nivel de actividad) y promueven la reproducción (p. ej., la excitación sexual). Cada una de estas relaciones estímulo-respuesta, llamadas **reflejos**, es parte de la dotación genética del organismo, un producto de la evolución natural debido a su valor para la supervivencia de la especie. Cada uno de los miembros de una determinada especie está equipado con el mismo repertorio de reflejos incondicionados (o no aprendidos). Los reflejos dotan al organismo de un conjunto de respuestas preparadas ante estímulos específicos; son conductas que el organismo individual no tendría tiempo de aprender. La Tabla 2.2 muestra algunos ejemplos de reflejos humanos.

El componente de respuesta del reflejo estímulo-respuesta se denomina conducta respondiente. La **conducta respondiente** se define como una conducta que es evocada por estímulos antecedentes. La conducta respondiente es inducida, por un estímulo que la precede; no se requiere nada más para que ocurra la respuesta. Por ejemplo, una luz brillante en los ojos (estímulo

Tabla 2.1 Los eventos antecedentes (situaciones) y consecuentes pueden ser no sociales (cursiva), sociales (negrita), o una combinación de sociales y no sociales.

Situación	*Respuesta*	*Consecuencia*
Máquina de bebidas	Meter monedas	*Refresco*
Cinco tazas en una mesa	"Uno-dos-tres-cuatro-cinco tazas"	***El profesor asiente y sonríe***
Un amigo dice "gira a la izquierda"	Girar a la izquierda	*Llegar al destino*
Un amigo dice "¿Qué hora es?"	"Las siete menos diez"	***El amigo dice "gracias"***

Tomado de "Individual Behavior, Culture, and Social Change" S. S. Glenn, 2004, *The Behavior Analyst,* 27, pág. 136. © Copyright 2004 Association for Behavior Analysis. Usado con permiso.

Tabla 2.2 Ejemplos de reflejos humanos incondicionados susceptibles de condicionamiento respondiente

Estímulo incondicionado	*Respuesta incondicionada*	*Tipo de efector*
Sonido fuerte o contacto con la córnea	Parpadeo (cerrar los ojos)	Musculatura estriada
Estimulación táctil bajo el párpado o irritantes químicos (humo)	Secreción de la glándula lacrimal (ojos llorosos)	Glándula (conducto)
Irritación de la mucosa nasal	Estornudos	Musculatura estriada y lisa
Irritación de la garganta	Tos	Musculatura estriada y lisa
Baja temperatura	Escalofríos, vasoconstricción superficial	Musculatura estriada y lisa
Alta temperatura	Sudoración, vasodilatación superficial	Glándula, musculatura lisa
Sonido fuerte	Contracción del músculo tensor del tímpano y los músculos del estribo (reduce la amplitud de las vibraciones del tambor del oído)	Musculatura estriada
Comida en la boca	Salivación	Glándula
Comida indigesta en el estómago	Vómitos	Musculatura estriada y lisa
Dolor en la mano o pie	Retirada de pie o mano	Musculatura estriada
Un único estímulo que es doloroso o muy intenso o muy inusual	Síndrome de activación –todas las siguientes:	
	Incremento de la tasa cardíaca	Musculatura cardíaca
	Secreción de adrenalina	Glándula (sin conductos)
	Liberación hepática de azúcar en sangre	Glándula (conductos)
	Constricción de vasos sanguíneos viscerales	Musculatura lisa
	Dilatación de vasos sanguíneos en músculos esqueléticos	Musculatura lisa
	Respuesta galvánica de la piel (RGP)	Glándula (conductos)
	Dilatación de la pupila (y otros)	Musculatura lisa

Tomado de "Concepts and Principles of Behavior Analysis" (rev. ed.) J. L. Michael. 2004, págs. 10-11.

antecedente) provocará la contracción de la pupila (conducta respondiente). Si las partes del cuerpo implicadas (por ejemplo, receptores y efectores) están intactas, la contracción de la pupila tendrá lugar siempre, bajo estas circunstancias. Sin embargo, si el estímulo que provoca la respuesta es presentado repetidamente en un corto período de tiempo, la fuerza o magnitud de la respuesta disminuirá y, en algunos casos, puede que ni siquiera ocurra la respuesta. Este proceso de disminución gradual de la fuerza de la respuesta se conoce como **habituación**.

Condicionamiento respondiente

Nuevos estímulos pueden adquirir la capacidad de elicitar conductas respondientes. Este tipo de aprendizaje, denominado **condicionamiento respondiente,** se asocia normalmente al fisiólogo ruso Ivan Petrovich Pavlov (1849-1936).[6] Estudiando el sistema digestivo de los perros, Pavlov se dio cuenta de que los animales salivaban cada vez que su asistente de laboratorio abría la puerta de la jaula para darles de comer. Los perros no salivan de forma natural al ver a alguien con bata en un laboratorio, pero en el laboratorio de Pavlov salivaban de forma consistente cuando se abría la puerta. Este hecho despertó la curiosidad de Pavlov (1927) y le hizo diseñar y llevar a cabo una serie de experimentos históricos. El resultado de este trabajo fue la demostración experimental del condicionamiento respondiente.

Pavlov hacía sonar un metrónomo un instante antes de alimentar a los perros. Antes de ser expuestos a este procedimiento de **emparejamiento estímulo-estímulo,** solamente la comida en la boca, un **estímulo incondicionado (EI),** producía salivación, pero el sonido de un metrónomo, un **estímulo neutro (EN),** no lo producía. Después de varios ensayos consistentes en la presentación del sonido de un metrónomo seguido de la comida, los perros comenzaron a salivar en respuesta al sonido. El metrónomo se convirtió así en un **estímulo condicionado (EC),** y se estableció un **reflejo**

[6]El condicionamiento respondiente también es denominado clásico o Pavloviano. Pavlov no fue la primera persona en estudiar los reflejos; como casi todos los científicos, su trabajo fue una extensión del de otros, sobre todo del de Ivan Sechenov (1829-1905) (Kazdin, 1978).

Véase Gray (1979) y Rescorla (1988) para una excelente e interesante descripción de las investigaciones de Pavlov.

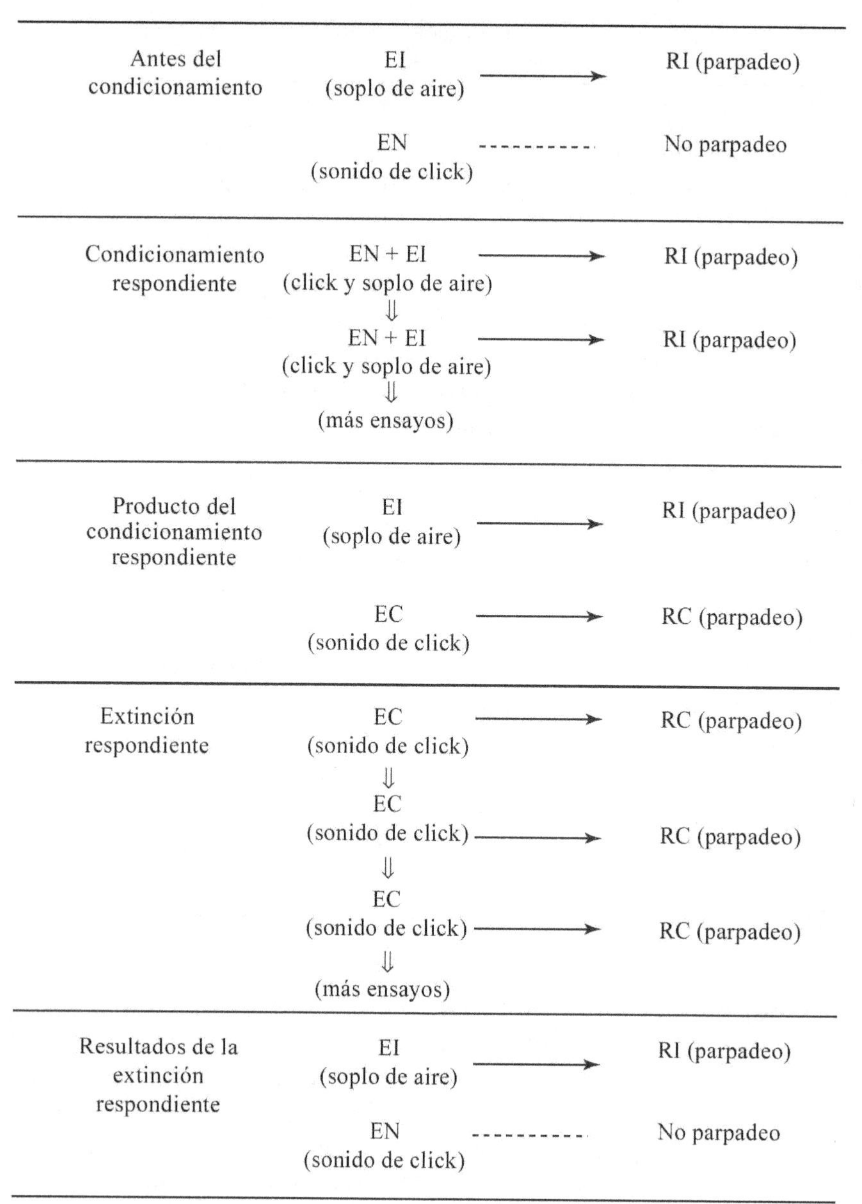

Figura 2.1 Representación esquemática del condicionamiento y la extinción respondiente. La primera parte de la tabla muestra un reflejo incondicionado: un soplo de aire (estímulo incondicionado o EI) elicita el parpadeo (una respuesta incondicionada o RI). Antes del condicionamiento, un sonido (un estímulo neutro o EN) no tenía efecto sobre el parpadeo. El condicionamiento respondiente consiste en un procedimiento de emparejamiento estímulo-estímulo, en el que el sonido se presenta repetidas veces justo antes, o de manera simultánea, al soplo de aire. El resultado del condicionamiento respondiente es un reflejo condicionado (RC): en este caso el sonido se ha convertido en estímulo condicionado (EC) que elicita el parpadeo cuando se presenta solo. Las dos últimas filas muestran el procedimiento y el resultado de la extinción respondiente: repetidas presentaciones del EC sin EI debilitan gradualmente su capacidad para elicitar el parpadeo hasta el punto de que el EC acaba convirtiéndose de nuevo en EN. El reflejo incondicionado se mantiene sin cambios antes, durante y después del condicionamiento respondiente.

condicionado. [7] El condicionamiento respondiente es más efectivo cuando el estímulo neutro (EN) es presentado inmediatamente antes o de forma simultánea al estímulo incondicionado (EI). Sin embargo, a veces se puede lograr cierto condicionamiento con un retraso considerable entre la presentación del estímulo neutro (EN) y la del estímulo incondicionado (EI) e incluso un condicionamiento hacia atrás en el que el estímulo incondicionado (EI) precede al estímulo neutro (EN).

[7] *Estímulo incondicionado* y *estímulo condicionado* son los términos más comúnmente utilizados para referirse al componente de estímulo de las relaciones respondientes. Sin embargo, debido a que los términos se refieren de forma ambigua tanto al efecto inmediato evocador del cambio de estímulo, como a su efecto permanente y demorado de alteración de la función (el efecto de condicionamiento de otros estímulos), Michael (1995) recomienda los términos *inductor incondicionado* (II) e *inductor condicionado* (IC) cuando se hace referencia a la función evocadora de estas variables.

Extinción respondiente

Pavlov también descubrió que una vez que se había establecido el reflejo condicionado, éste podía ser debilitado y cesar por completo en algunas ocasiones si el estímulo condicionado se presentaba repetidamente en ausencia del estímulo incondicionado. Por ejemplo, si el sonido del metrónomo se presentaba repetidamente sin ser acompañado de comida, perdía de forma gradual su capacidad de elicitar salivación. El procedimiento de presentar repetidamente un estímulo condicionado sin el estímulo incondicionado hasta que el primero deje de evocar la respuesta condicionada es denominado **extinción respondiente.**

La figura 2.1 muestra representaciones esquemáticas condicionamiento y extinción respondientes. En este ejemplo un soplo de aire de una máquina de pruebas de glaucoma es el estímulo incondicionado (EI) del reflejo de parpadeo. La presión del botón de la máquina por parte del oftalmólogo emite un sonido leve, que, antes del condicionamiento es un estímulo neutro (EN): no produce ningún efecto sobre el parpadeo. Tras ser emparejado con el soplo de aire tan sólo unas pocas veces, el sonido que emite la presión del botón se convierte en un estímulo condicionado (EC): evoca el parpadeo como reflejo condicionado.

Los reflejos condicionados también se pueden establecer mediante el emparejamiento estímulo-estímulo de un estímulo neutro con un estímulo condicionado. Esta forma de condicionamiento respondiente se conoce como **condicionamiento de orden superior** (o secundario). Por ejemplo, se puede dar un condicionamiento respondiente secundario en un paciente que ha aprendido a parpadear ante el sonido del botón de la máquina de glaucoma en una situación como la siguiente: el paciente detecta un leve movimiento del dedo del oftalmólogo (EN) justo antes de que toque el botón que hace el sonido (EC). Después de varios emparejamientos EN-EC, el movimiento del dedo del oftalmólogo puede convertirse en un estímulo condicionado capaz de provocar la respuesta de parpadeo.

La forma o topografía de las conductas respondientes cambian poco, si es que lo hacen, durante la vida de una persona. Existen dos excepciones: (a) algunos reflejos desaparecen con la maduración biológica, como el de agarrar un objeto colocado en la palma de la mano, que no se observa después de los 3 meses de edad (Bijou y Baer, 1965); y (b) varios reflejos incondicionados aparecen por primera vez en un momento más tardío de la vida, como aquellos relacionados con la activación sexual y la reproducción. En cambio, durante la vida de una persona un rango infinito de estímulos que inicialmente eran neutros (p. ej., el sonido agudo del taladro del dentista) puede llegar a elicitar respondientes (como un incremento del ritmo cardíaco y de la transpiración).

Las conductas respondientes representan un pequeño porcentaje de las típicas conductas de interés para el analista aplicado de la conducta. Como señaló Skinner (1953), "Los reflejos, condicionados o no, están principalmente relacionados con la fisiología interna del organismo. Sin embargo, nosotros estamos a menudo más interesados, en la conducta que tiene algún efecto sobre el mundo que nos rodea" (pág. 59). Es este último tipo de conducta, y el proceso por el que se aprende, lo que examinaremos a continuación.

Conducta operante

Una bebé en una cuna mueve sus manos y brazos, poniendo en marcha un móvil que cuelga sobre la cuna. La bebé está literalmente operando sobre su ambiente al provocar que el juguete se mueva y emita un sonido musical; es decir, al provocar cambios estimulares como consecuencia inmediata de su conducta. Sus movimientos cambian continuamente como resultado de esas consecuencias.

Los miembros de especies cuya única forma de interactuar con el mundo está genéticamente determinada por un conjunto fijo de respuestas tendrían dificultades para sobrevivir, y mucho más para prosperar, en un ambiente complejo que difiriera del ambiente en el que sus antepasados lejanos evolucionaron. Aunque la conducta respondiente comprende un conjunto importante de respuestas programadas, no permite a un organismo aprender de las consecuencias de sus actos. Un organismo cuya conducta no cambia por sus efectos sobre el ambiente no será capaz de adaptarse a un entorno cambiante.

Afortunadamente, además de su repertorio de conductas genéticamente heredadas, nuestra bebé vino al mundo con algunas conductas espontáneas sumamente maleables y modificables por sus consecuencias. Este tipo de conducta, llamada conducta operante, le permitirá aprender a lo largo de su vida nuevas respuestas crecientemente más complejas con las que poder vivir en un mundo cambiante.[8]

Conducta operante es cualquier conducta cuya frecuencia futura esté determinada principalmente por su historia de consecuencias. Al contrario que la conducta respondiente, la cual es provocada por eventos antecedentes, la conducta operante es seleccionada, moldeada y mantenida por las consecuencias que le siguieron en el pasado.

A diferencia de las conductas respondientes, cuya topografía y funciones básicas están predeterminadas, las conductas operantes pueden tomar una gran variedad de formas. La forma y la función de las conductas respondientes son constantes por lo que pueden ser identificadas por su topografía (p. ej. la forma básica y la función de la salivación son siempre las mismas). En comparación, sin embargo, el "significado" de una conducta operante no está determinado por su topografía. Las operantes se definen funcionalmente, por sus efectos.

---

[8]El verbo *emitir* es usado en conjunción con conducta operante. Su uso se adapta bien a la definición de conducta operante, permitiendo referirse a las consecuencias de la conducta como las principales variables de control. El verbo *elicitar* no es apropiado para la conducta operante porque implica que es un estímulo antecedente el que tiene principalmente el control sobre la conducta.

No es solamente que la misma conducta operante a menudo incluya respuestas con topografías muy diferentes (p. ej., en un restaurante se puede obtener agua con un gesto que apunta a un vaso de agua, o diciendo que sí a un camarero), sino que también, como explicó Skinner (1969), un mismo movimiento puede comprender diferentes operantes bajo diferentes condiciones.

> Dejar que caiga agua sobre las propias manos quizá se pueda describir adecuadamente como topografía, pero "lavarse las manos" es una "operante" definida por el hecho de que, cuando uno se ha comportado de esta forma en el pasado las manos se le han quedado limpias –una condición que se ha convertido en reforzante porque, por ejemplo, ha disminuido el riesgo de crítica por parte del entorno social o de contagio. Una conducta con exactamente la misma topografía puede ser parte de otra operante si el reforzamiento ha consistido en simple estimulación (p. ej. "hacerse cosquillas") de las manos o en la evocación de una conducta imitativa en un niño al que se le está enseñando a lavarse las manos. (Pág. 127)

La tabla 2.3 compara y contrasta los rasgos definitorios y las características clave de las conductas respondiente y operante.

Selección por consecuencias

> La conducta humana es el producto conjunto de (i) las contingencias de supervivencia responsables de la selección natural de las especies y (ii) las contingencias de reforzamiento responsables de los repertorios adquiridos por sus miembros, incluyendo (iii) las contingencias especiales mantenidas por el ambiente social. [En última instancia, por supuesto, es todo una cuestión de selección natural, ya que el condicionamiento operante es un proceso evolutivo, del cual las prácticas culturales son aplicaciones especiales.]
>
> —B. F. Skinner (1981, pág. 502)

La identificación por parte de Skinner de la selección operante por consecuencias y su posterior esclarecimiento ha sido adecuadamente denominada "revolucionaria" y "la piedra angular sobre la que descansan otros principios de conducta" (Glenn, 2004, pág. 134). La **selección por consecuencias** "aporta un nuevo paradigma a las ciencias de la vida conocidas como *seleccionismo*. Un principio básico de esta posición es que cualquier forma de vida, desde las células simples hasta las culturas complejas, evolucionan como resultado de la selección de la función" (Pennypacker, 1994, págs. 12-13).

La selección por consecuencias opera durante toda la vida de un organismo individual (**ontogenia**) y es un concepto paralelo al de Darwin (1872/1958) de selección natural en la historia evolutiva de las especies (**filogenia**). En respuesta a la pregunta, "¿Por qué las jirafas tienen el cuello largo?" Baum (1994) dio esta excelente descripción sobre la selección natural:

> La gran contribución de Darwin fue ver que un mecanismo relativamente simple podía explicar por qué la filogenia seguía su particular curso. La explicación sobre el cuello de las jirafas requiere una referencia a los nacimientos, vidas, y muertes de innumerables jirafas y antepasados de las jirafas a lo largo de muchos millones de años… Dentro de una población de organismos, los individuos varían. Varían en parte por factores ambientales (p. ej., nutrición), y también debido a la herencia genética. Entre los antepasados de las jirafas que vivían en lo que hoy es la Planicie del Serengeti, por ejemplo, la variación en los genes supuso que algunos ejemplares tuvieran cuellos más cortos y otros más largos. A medida que el clima cambiaba de forma gradual, aparecían nuevos tipos de vegetación más alta de forma más frecuente. Los antepasados de las jirafas cuyos cuellos eran más largos eran capaces de llegar más alto, comer más, que los que tenían un cuello medio. Como resultado, tuvieron una mejor salud, resistieron un poco mejor a las enfermedades, escaparon de los depredadores un poco mejor que la media. Cualquier individuo con el cuello más largo pudo morir sin descendencia, pero respecto al promedio de individuos tenían más descendientes que tendían a sobrevivir algo mejor que los demás y a producir a su vez mayor descendencia. Como los cuellos más largos se volvieron más frecuentes, se dieron lugar nuevas combinaciones genéticas, dando como resultado descendientes con el cuello aún más largos que los anteriores, y éstos sobrevivieron todavía mejor. Como las jirafas con el cuello más largo continuaron reproduciéndose más que aquellas con el cuello más corto, la longitud media del cuello siguió aumentando en la población. (pág. 52)

Al igual que la selección natural requiere una población de organismos individuales con características físicas variadas (p.j., jirafas con cuellos de diferentes longitudes), la selección operante por consecuencias requiere variabilidad de conductas. Aquellas conductas que producen resultados más favorables se seleccionan y "sobreviven", lo que lleva a un repertorio más adaptativo. La selección natural ha dotado a los seres humanos con una población inicial de conducta espontánea (por ejemplo, el balbuceo de los bebés y el

Tabla 2.3 Comparación y contraste de los rasgos definitorios y las características clave de la conducta Respondiente y Operante

Características o rasgos	*Conducta Respondiente*	*Conducta Operante*
Definición	Conducta elicitada por un estímulo antecedente.	Conducta seleccionada por sus consecuencias.
Unidad básica	Reflejo: un estímulo antecedente elicita una respuesta particular (E-R).	Clase de respuesta operante: un grupo de respuestas que producen el mismo efecto en el ambiente; descritas por la relación de contingencia de tres términos: condiciones estimulares antecedentes, conducta y consecuencia (A-B-C).
Ejemplos	Agarre y succión de un recién nacido; constricción de la pupila ante una luz brillante; tos o carraspeo ante la irritación de garganta; salivación al oler comida; retirada de la mano ante un estímulo doloroso; excitación ante estimulación sexual.	Hablar, andar, tocar el piano, montar en bici, contar el cambio, hacer un pastel, dar una patada a un balón, reírse ante una broma, pensar sobre un abuelo, leer este libro.
Partes del cuerpo (efectores) que suelen producir la respuesta (no es un rasgo definitorio)	Principalmente musculatura lisa y glándulas (cascada adrenalina); en ocasiones la musculatura estriada (esquelético) (p. ej., reflejo rotuliano).	Principalmente musculatura estriada (esquelética); en ocasiones musculatura lisa y glándulas.
Función o utilidad para el organismo individual	Mantiene una economía interna del organismo; proporciona un conjunto de respuestas de supervivencia "preparadas" que el organismo no tendría tiempo de aprender.	Permite la interacción eficaz y la adaptación a cualquier cambio ambiental que no se hubiera podido anticipar por la evolución.
Función o utilidad para la especie	Favorece la continuación de la especie indirectamente (los reflejos protectores ayudan a los individuos a sobrevivir hasta la edad reproductiva) y directamente (reflejos relacionados con la reproducción).	Individuos cuyas conductas son más sensibles a las consecuencias tienen mayor probabilidad de sobrevivir y reproducirse.
Proceso de condicionamiento	Condicionamiento Respondiente (también llamado clásico o Pavloviano): mediante un procedimiento de emparejamiento estímulo-estímulo en el que un estímulo neutro (EN) se presenta justo antes o de forma simultánea a un estímulo evocador incondicionado (EI) o condicionado (EC), el EN pasa a ser el EC que elicita la respuesta y se crea un reflejo condicionado (Véase Figura 2.1).	Condicionamiento operante: Algunos cambios estimulares que siguen inmediatamente a la respuesta van seguidos de un incremento (reforzamiento) o disminución (castigo) de la frecuencia de respuestas similares bajo condiciones parecidas. Previamente cambios estimulares neutros se convierten en reforzadores o castigos condicionados como resultado de un emparejamiento estímulo-estímulo con otros reforzadores o castigos.
Límites del Repertorio	La topografía y la función de las respondientes están determinadas por la evolución natural de las especies (filogenia). Todos los miembros biológicamente sanos de una especie poseen el mismo conjunto de reflejos incondicionados. Aunque no se aprenden nuevas formas de conducta respondiente, en el repertorio de un individuo pueden emerger un número infinito de reflejos condicionados debido al emparejamiento de estímulo-estímulo (ontogenia).	La topografía y la función del repertorio de conductas operantes de cada persona están seleccionadas por las consecuencias durante toda la vida del individuo (ontogenia). Pueden emerger nuevas y más complejas clases de respuestas operantes. Algunos productos de las respuestas operantes humanas (p. ej., aviones) permiten comportamientos que en principio serían imposibles para la estructura anatómica humana (p. ej., volar).

movimiento de sus extremidades) que es muy maleable y susceptible a la influencia de las consecuencias que le siguen. Como señaló Glenn (2004),

Mediante el equipamiento de los seres humanos con un repertorio de conductas ampliamente espontáneo, la selección natural dio a nuestra especie un gran margen para las adaptaciones locales de la conducta. Pero el repertorio espontáneo del ser humano podría ser letal sin la... susceptibilidad de la conducta humana a la selección operante. Aunque esta característica conductual es compartida por muchas especies, los seres humanos parecen ser los más sensibles a las contingencias conductuales de selección. (Schwartz, pág. 139)

Condicionamiento operante

El condicionamiento operante puede verse en cualquier lugar en las múltiples actividades de los seres humanos desde el nacimiento hasta la muerte... Está presente en nuestras discriminaciones más delicadas y en nuestras habilidades más sutiles; en nuestros hábitos ordinarios más tempranos y en los pensamientos creativos más refinados.

—Keller y Schoenfeld (1950, pág. 64)

El condicionamiento operante hace referencia al proceso y los efectos selectivos de las consecuencias sobre la conducta.[9] Desde la perspectiva del condicionamiento operante una consecuencia funcional es un cambio estimular que sigue a una determinada conducta en una secuencia temporal relativamente inmediata y que altera la frecuencia de este tipo de conducta en el futuro. "En el condicionamiento operante 'fortalecemos' una operante en el sentido de hacer una respuesta más probable o, de hecho, más frecuente" (Skinner, 1953, pág. 65). Si el movimiento y los sonidos producidos por el golpeteo de la bebé en el móvil incrementa la frecuencia de los movimientos de sus manos en dirección al juguete, se puede decir que ha sucedido un condicionamiento operante.

Cuando el condicionamiento operante consiste en un incremento en la frecuencia de la respuesta, ha tenido lugar *reforzamiento*, y la consecuencia responsable, en este caso el movimiento y el sonido del móvil, puede ser llamada **reforzador.**[10] Aunque el término "condicionamiento operante" suela usarse más a menudo para referirse a los efectos fortalecedores del reforzamiento, como Skinner describió anteriormente, también engloba el principio del castigo. Si el movimiento del móvil y los sonidos musicales dieran como resultado una disminución de la frecuencia de los movimientos de las manos del bebé, habría ocurrido un *castigo*, y el movimiento y el sonido del móvil serían llamados **castigo o estímulos punitivos.** Antes de examinar los principios del reforzamiento y del castigo más detenidamente, es importante identificar varios aspectos importantes referentes a cómo afectan las consecuencias a la conducta.

Las consecuencias sólo pueden afectar a la conducta futura

Las consecuencias afectan sólo a la conducta futura. Concretamente, una consecuencia conductual afecta a la frecuencia relativa con la que respuestas similares serán emitidas en el futuro bajo condiciones estimulares parecidas. Este punto puede parecer muy obvio porque es lógica y físicamente imposible que un evento afecte a la conducta que lo precede, cuando esta conducta sucede antes de la consecuencia. Sin embargo, la afirmación "la conducta es controlada por sus consecuencias" plantea esta cuestión (Ver el Cuadro 2.1 para más discusión sobre esta aparente falacia lógica).

Las consecuencias seleccionan clases de respuestas, no respuestas individuales

Las respuestas emitidas debido a los efectos del reforzamiento sobre las respuestas anteriores serán ligeramente diferentes de éstas, pero compartirán suficientes elementos con ellas como para producir la misma consecuencia.

El reforzamiento fortalece las respuestas que difieren en topografía de la respuesta reforzada. Cuando reforzamos la presión de una palanca, por ejemplo, o por decir "hola", las respuestas que difieren bastante en topografía se vuelven más probables. Esta es una característica de la conducta que tiene un fuerte valor de supervivencia..., ya que sería muy difícil para un organismo adquirir un repertorio eficaz si el reforzamiento fortaleciera solamente respuestas idénticas. (Skinner, 1969, pág. 131)

Estas respuestas topográficamente diferentes, pero funcionalmente similares constituyen una clase de respuesta operante. En realidad, "una operante es una clase de actos que tienen el mismo efecto en el ambiente" (Baum, 1994, pág. 75). Esta es la clase de respuesta que se ve fortalecida o debilitada por el condicionamiento operante. El concepto de clase de respuesta queda "implícito cuando se dice que el reforzamiento incrementa la frecuencia futura de un *tipo* de conducta que precede de forma inmediata al reforzamiento" (Michael, 2004, pág. 9). Y, como

---

[9]A menos que se indique lo contrario, el término *conducta* se referirá a conducta operante a partir de ahora en el texto.

[10]Skinner (1966) usó la tasa de respuesta como dato fundamental para su investigación. Fortalecer una operante es hacerla más frecuente. Sin embargo, la tasa (o frecuencia) no es la única dimensión medible y maleable de la conducta. Como veremos en los capítulos 3 y 4, en ocasiones la duración, latencia, magnitud, y/o topografía de los cambios de conducta tienen una gran importancia aplicada.

veremos en capítulos posteriores, el concepto de clase de respuesta es clave en el desarrollo y elaboración de una nueva conducta.

Si las consecuencias (o la evolución natural) seleccionaran sólo un rango muy pequeño de respuestas (o genotipos), el efecto sería "tender a la uniformidad y a la perfección de las variedades" (Moxley, 2004, pág. 110), lo que pondría a la conducta (o a la especie) en riesgo de extinción si el ambiente cambiara. Por ejemplo, si el movimiento y sonido del móvil reforzara sólo movimientos del brazo y de la mano que se realizaron de una forma determinada, movimientos similares no sobrevivirían y el bebé sería incapaz de ponerse en contacto con ese refuerzo si un día su madre montara el móvil con una ubicación diferente sobre la cuna.

Las consecuencias inmediatas tienen los mejores efectos

La conducta es más sensible a los cambios estimulares que ocurren inmediatamente después, o pasados pocos segundos, de las repuestas.

> Es esencial enfatizar la importancia de la inmediatez del reforzamiento. Los eventos que se retrasan más de unos segundos después de la respuesta no incrementarían *directamente* su frecuencia futura. Cuando una conducta humana es aparentemente afectada por consecuencias demasiado demoradas, el cambio se produce debido a la complejidad social humana y a la historia verbal, y no debería verse como un ejemplo de simple fortalecimiento de la conducta mediante reforzamiento… [Al igual que con el reforzamiento,] cuanto más tiempo pase entre la ocurrencia de la respuesta y el cambio estimular (entre R y E^P), menos efectivo será el castigo en cambiar la frecuencia de la respuesta objetivo, pero no se conoce demasiado sobre los límites superiores. (Michael, 2004, pág. 110, 36, énfasis en el original, palabras entre corchetes añadidas)

Las consecuencias seleccionan cualquier conducta

Reforzamiento y castigo son selectores con "igualdad de oportunidades". No es necesaria una conexión lógica o saludable o (a la larga) adaptativa entre una conducta y la consecuencia que funciona como fortalecedora o debilitadora. Cualquier conducta que preceda inmediatamente al reforzamiento (o castigo) será incrementada (o reducida).

Es la *relación temporal* entre la conducta y la consecuencia la que es funcional, no la topográfica o la lógica. "Por lo que se refiere al organismo, la única propiedad importante de la contingencia es temporal. El reforzador simplemente *sigue* a la respuesta. Cómo se produzca esto no es relevante" (Skinner, 1953, pág. 85, énfasis en el original). La naturaleza arbitraria con la que las conductas son reforzadas (o castigadas) en el condicionamiento operante queda ejemplificada por la aparición de conductas idiosincrásicas que no tienen un propósito aparente o función. Un ejemplo es una rutina supersticiosa de un jugador de póquer que golpea y ordena sus cartas de forma peculiar porque en el pasado movimientos similares fueron seguidos de partidas ganadas.

El condicionamiento operante ocurre automáticamente

El condicionamiento operante no requiere de la conciencia de la persona. "Una conexión reforzante no necesita ser obvia para el individuo [cuya conducta es] reforzada" (Skinner, 1953, pág. 75, se han añadido las palabras entre corchetes]. Esta afirmación se refiere a la **automaticidad del reforzamiento**; lo que significa, que la conducta es modificada por sus consecuencias independientemente de si el individuo es consciente de estar siendo reforzado.[11] Una persona no tiene que entender o verbalizar la relación entre su conducta y una consecuencia, ni siquiera tiene que saber que se ha dado una consecuencia, para que el reforzamiento "haga su trabajo".

Reforzamiento

El reforzamiento es el principio de conducta más importante y un elemento clave en la mayor parte de los programas de cambio de conducta diseñados por los analistas de conducta (Flora, 2004; Northup, Vollmer, y Serrett, 1993). Si una conducta es seguida muy de cerca en el tiempo por un evento estimular y como resultado la frecuencia futura de este tipo de conducta aumenta en condiciones similares, el **reforzamiento** ha tenido lugar.[12] A veces, la entrega de un solo reforzador tiene

[11]La *automaticidad del reforzamiento* es un concepto diferente al de *reforzamiento automático,* que se refiere a respuestas que producen su "propio" reforzamiento (p. ej., rascarse la picadura de un mosquito). El reforzamiento automático se describe en el Capítulo 11.

[12]El efecto fundamental del reforzamiento es a menudo descrito como un incremento de la probabilidad o intensidad de la conducta, y nosotros a veces utilizamos también estas expresiones. En la mayoría de los casos, sin embargo, utilizamos *frecuencia* para referirnos a dicho efecto, siguiendo el razonamiento de Michael (1995): "Yo utilizo frecuencia para referirme al número de respuestas por minuto, o número de respuestas relativas al número de oportunidades para una respuesta. De esta manera puedo evitar términos como probabilidad o

como resultado un cambio de conducta significativo, aunque es más frecuente que varias respuestas deban ir seguidas de reforzamiento antes de que tenga lugar un nivel de condicionamiento significativo.

La mayoría de los cambios estimulares que funcionan como reforzadores pueden describirse operacionalmente o bien como (a) un nuevo estímulo que se añade al ambiente (o uno ya existente que aumenta en intensidad), o bien como (b) la retirada de un estímulo presente en dicho ambiente (o la reducción de su intensidad). [13] Estas dos operaciones dan lugar a dos formas de reforzamiento, llamadas positivo y negativo (véase Figura 2.2).

El reforzamiento positivo ocurre cuando una conducta es seguida de forma inmediata por la presentación de un estímulo y, como resultado, ocurre de forma más frecuente en el futuro. El incremento en el golpeteo del juguete móvil de nuestra bebé, cuando al hacerlo produce movimiento y música, es un ejemplo de reforzamiento positivo. Igualmente, se habrá reforzado el juego independiente de un niño cuando aumenta como resultado de la atención y los elogios de su padre al jugar. El reforzamiento positivo y los procedimientos utilizados para promover conductas deseadas se describen en detalle en el Capítulo 11.

Cuando la frecuencia de una conducta aumenta porque en el pasado las respuestas han ido seguidas de la retirada o terminación de un estímulo, la operación se llama **reforzamiento negativo.** Skinner (1953) uso el término **estímulo aversivo** para referirse a, entre otras cosas, condiciones estimulares cuya terminación funcionaba como reforzamiento. Supongamos ahora que un padre programa el juguete móvil para que suene la música automáticamente durante un período de tiempo. Supongamos también que si la bebé golpea el móvil con sus manos o pies, la música parará inmediatamente durante unos segundos. Si la bebé empieza a golpear el juguete más frecuentemente ahora que al hacerlo termina la música, podemos decir que está funcionando el reforzamiento negativo, y podemos llamar a la música *aversivo.*

El reforzamiento negativo se caracteriza por el escape o evitación de las contingencias. La bebé escapó de la música golpeando el juguete móvil con la mano. Una persona que sale de la ducha en cuanto el agua quema escapa del agua excesivamente caliente. De igual manera, cuando la frecuencia de la conducta disruptiva de un alumno aumenta como resultado de ser enviado al despacho del director, podemos decir que ha ocurrido un reforzamiento negativo. Comportándose mal, el alumno escapa (o evita, dependiendo del momento de su conducta disruptiva) de la actividad del aula que le resulta aversiva.

El concepto de reforzamiento negativo ha confundido a muchos estudiantes de análisis de conducta. Gran parte de la confusión tiene su origen en la historia y desarrollo inicial inconsistente del término, así como en los libros de texto y profesores de psicología y educación que han utilizado el término de forma inexacta. [14] El error más común es equiparar el reforzamiento negativo con el castigo. Para ayudar a evitar este error, Michael (2004) propone lo siguiente:

> Piense sobre cómo respondería si alguien le preguntara (1) si le gusta o no el reforzamiento negativo; y (2) cuál prefiere, el reforzamiento positivo o el negativo. Su respuesta a la primera pregunta debería ser que a usted le gusta realmente el refuerzo negativo, que consiste en la retirada o terminación de una condición aversiva que ya estaba presente. El término *reforzamiento negativo* se refiere **solamente** a la terminación del estímulo. En un procedimiento de laboratorio, el estímulo debe, por supuesto, ser activado para que su terminación pueda hacerse contingente con la respuesta crítica. Nadie quiere que un estímulo aversivo sea activado, pero una vez que ya lo está, su terminación es generalmente deseable. Su repuesta a la segunda pregunta debería ser que no puede elegir sin conocer los detalles del reforzamiento positivo y negativo involucrados. El error común es elegir el reforzamiento positivo, pero la retirada de un dolor intenso es seguramente preferible a la presentación de una pequeña cantidad de dinero o un alimento, a menos que la privación de comida sea muy severa. (Pág.32, letras en cursiva y en negrita en el original)

El reforzamiento negativo será examinado con detalle en el Capítulo 12. Recordar que el término *reforzamiento* siempre implica un incremento en la tasa de respuesta y que los modificadores *positivo* y *negativo* describen el tipo de operación de cambio estimular que mejor define la consecuencia (es decir, añadir o retirar un estímulo) debería facilitar la discriminación y la aplicación de los principios del reforzamiento positivo y negativo.

Después de que una conducta haya sido establecida con reforzamiento, no es necesario reforzarla cada vez que ocurra. Muchas conductas se mantienen a altos

---

intensidad cuando se hace referencia a una conducta. Las variables de control para estos términos son problemáticas, y por ello, su uso fomenta un lenguaje de variables intervinientes, o una referencia implícita a algo distinto de un aspecto observable de la conducta" (pág. 274).

[13] Malott y Trojan Suarez (2004) se refieren a estas dos operaciones como "adición de estímulo" y "sustracción de estímulo."

[14] Para ver ejemplos y discusiones sobre las implicaciones de las representaciones imprecisas de los principios de conducta y el conductismo en libros de texto de Psicología y Educación, véase Cameron (2005), Cooke (1984), Heward (2005), Heward y Cooper (1992), y Todd y Morris (1983, 1992).

Cuadro 2.1

Cuando suena el teléfono: Un diálogo sobre el control de estímulos

El profesor estaba preparado para pasar a su siguiente punto, pero una mano levantada en la primera fila llamó su atención.

Profesor: ¿Si?

Estudiante: ¿Dice usted que la conducta operante, como hablar, escribir, correr, leer, conducir un coche, y casi todo lo que hacemos, está controlada por sus consecuencias, por las cosas que ocurren después de que se emita la respuesta?

Profesor: Sí, eso he dicho, sí.

Estudiante: Bueno, me resulta complicado. Cuando suena mi teléfono y lo descuelgo, es una respuesta operante, ¿verdad? Es decir, contestar al teléfono cuando suena no evolucionó genéticamente como reflejo para la supervivencia de la especie, por lo que estamos hablando de una conducta operante, ¿no es cierto?

Profesor: Es cierto.

Estudiante: De acuerdo. ¿Cómo podemos decir entonces que mi conducta de levantar el teléfono está controlada por sus consecuencias? Yo cojo el teléfono porque está sonando. Igual que todo el mundo. El sonido del teléfono controla la respuesta. Y el sonido no puede ser una consecuencia porque sucede antes de la respuesta.

El profesor vaciló con su respuesta el tiempo suficiente para que el alumno creyera que había sido un héroe al plantear que se trataba de un concepto teórico con poca o ninguna relevancia en el día a día de las personas. Compartiendo su sensación de victoria varios estudiantes quisieron hacer comentarios.

Otro estudiante: ¿Qué se puede decir sobre el hecho de pisar el freno ante una señal de stop? La señal controla la respuesta de frenar y eso tampoco es una consecuencia.

Un estudiante desde el fondo del aula: y por tomar un ejemplo común de una clase, cuando un alumno ve el problema 2+2 en su hoja de cálculo y escribe 4, la respuesta de la escritura tiene que ser controlada por el propio problema. ¿Si no, cómo podría alguien aprender las respuestas correctas a cualquier pregunta o problema?

Casi toda la clase: ¡Sí, eso es cierto!

Profesor: (con sonrisa perversa) Todos tienen razón… y yo también.

Alguien en la clase: ¿Qué quiere decir?

Profesor: Ese era justo mi siguiente punto, y esperaba que picaran. (El profesor sonríe agradeciendo al estudiante que inició el debate). Todos a nuestro alrededor, diariamente, estamos expuestos a cientos de condiciones de cambios estimulares. Todas las situaciones que habéis descrito son ejemplos excelentes de lo que los analistas de conducta denominamos control de estímulo. Cuando la frecuencia de una conducta determinada es mayor en presencia de un estímulo específico que en ausencia de éste, decimos que se ha dado control de estímulo. El control de estímulo es un principio muy importante y útil en análisis de conducta y será objeto de discusión durante este semestre.

Pero, esto es lo importante: Un estímulo discriminativo, el evento antecedente que sucede antes de la respuesta concreta, adquiere la habilidad de controlar una clase particular de respuesta porque ha sido asociado con determinadas consecuencias en el pasado. Por lo que no es el sonido del teléfono lo que hace que lo descuelgues, sino el hecho de que en el pasado cuando respondiste al teléfono apareció la voz de una persona al otro lado. Es el hecho de que esa persona te hable lo que actúa como consecuencia de descolgar el teléfono y lo que realmente controla la conducta al principio. Pero solamente levantas el teléfono cuando suena. ¿Por qué? Porque has aprendido que sólo te hablará alguien por el auricular si previamente ha sonado el teléfono. Por lo que podemos seguir hablando de que las consecuencias tienen el control final de la conducta operante, pero al emparejarse con consecuencias diferenciales, los estímulos antecedentes pueden indicar qué tipo de consecuencia será más probable. Este concepto se denomina contingencia de tres términos, y su comprensión, análisis y manipulación es fundamental para el análisis aplicado de la conducta.

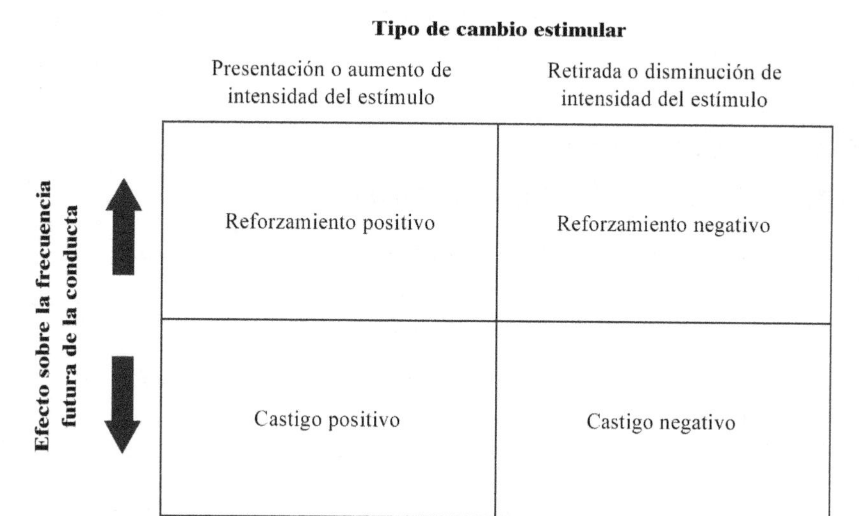

Figura 2.2 Tanto el reforzamiento positivo y negativo como el castigo positivo y negativo de definen por el tipo de operación de cambio estimular que sigue inmediatamente a la conducta y por el efecto que dicha operación tiene sobre la frecuencia futura de esa clase de conducta.

niveles con programas de *reforzamiento intermitente.* El Capítulo 13 describe varios *programas de reforzamiento* y sus efectos en la conducta. Sin embargo, si el reforzamiento es retirado para todos los miembros de una clase de respuesta previamente reforzada, un procedimiento basado en el principio de **extinción,** la frecuencia de la conducta irá disminuyendo gradualmente hasta llegar a sus niveles previos al reforzamiento o desaparecer por completo. El Capítulo 21 describe el principio de extinción y su aplicación para disminuir la conducta no deseada.

Castigo

El castigo, al igual que el reforzamiento, se define funcionalmente. Cuando una conducta es seguida por un cambio estimular que disminuye la frecuencia futura de este tipo de conducta en condiciones similares, podemos decir que ha tenido lugar el **castigo.** También, igual que el reforzamiento, el castigo puede darse debido a dos tipos de operaciones de cambio de estímulo. (Ver los dos cuadros inferiores de la figura 2.2)

Aunque, muchos analistas de conducta apoyan la definición de *castigo* como una consecuencia que disminuye la frecuencia futura de la conducta a la que sigue (Azrin y Holz, 1966), se han utilizado una gran variedad de términos en la literatura para referirse a los dos tipos de consecuencias que encajan con la definición. Por ejemplo, el Comité de Certificación de Analistas de Conducta (BACB, 2005) y autores de libros de texto (p. ej., Miltenberger, 2004) utilizan los términos *castigo positivo* y *castigo negativo,* de forma paralela a los términos de *reforzamiento positivo* y *reforzamiento negativo.* Como en el reforzamiento, los modificadores *positivo* y *negativo* no connotan la intención ni deseabilidad del cambio de conducta producido; sólo especifican cómo se produce el cambio estimular que sirve como consecuencia de castigo—si se presenta (positivo) o se retira (negativo).

Aunque los términos *castigo positivo* y *castigo negativo* son consistentes con los términos usados para diferenciar las dos operaciones de reforzamiento, son menos claros que los términos *castigo por presentación de estímulo* y *castigo por retirada de un reforzador positivo* utilizados para las dos operaciones de castigo por Whaley y Malott (1971) en su texto clásico *Principios Elementales de la Conducta.* Estos dos términos subrayan las diferencias de procedimiento entre las dos operaciones de castigo. Dichas diferencias son tan importantes como las del tipo de cambio estimular implicado (reforzador o punitivo) para la aplicación de una estrategia de reducción de conducta basada en el castigo. Foxx (1982) introdujo los términos *Castigo Tipo I* y *Castigo Tipo II* para el castigo por presentación de un estímulo y el castigo por retirada de un estímulo, respectivamente. Muchos analistas de conducta y profesores continúan utilizando la terminología de Foxx a día de hoy. Otros términos como *principio de penalti* también han sido utilizados para referirse al castigo negativo (Malott y Trojan Suarez, 2004). Sin embargo, debe recordarse que estos términos son sólo sustitutos breves para la terminología completa introducida por Whaley y Malott.

Como con el reforzamiento positivo y negativo, numerosos procedimientos de cambio de conducta incorporan las dos operaciones básicas de castigo. Aunque algunos libros de texto reservan el término *castigo* para procedimientos que implican castigo positivo (o Tipo I) y describen el *tiempo fuera del reforzamiento positivo* y el *coste de respuesta* como "principios" separados o tipos de castigo, ambos

Cuadro 2.2
Distinción entre principio de conducta y estrategia de cambio de conducta

Un principio de conducta describe una relación básica entre conducta-ambiente que ha sido demostrada repetidamente en cientos, e incluso miles, de experimentos. Un **principio de conducta** describe una relación funcional entre la conducta y una o más de sus variables de control (en forma de $y = fx$) que es generalizable para múltiples organismos individuales, especies, contextos y conductas. Un principio de conducta es una generalización empírica inferida de muchos experimentos. Los principios describen el funcionamiento de la conducta. Algunos ejemplos de principios son el reforzamiento, el castigo y la extinción.

En general, una estrategia de cambio de conducta es un método para poner en práctica, el conocimiento aportado por uno o más principios de conducta. Una **estrategia de cambio de conducta** es un método tecnológicamente sistemático, basado en la investigación para el cambio de conducta, que se deriva de uno o más principios básicos de conducta y que cuenta con la suficiente generalidad entre sujetos, contextos, y conductas como para garantizar su codificación y diseminación. Las estrategias de cambio de conducta constituyen el aspecto tecnológico del análisis aplicado de la conducta. Ejemplos de procedimientos de cambio de conducta incluyen el encadenamiento hacia atrás, el reforzamiento diferencial de otras conductas, el moldeamiento, el coste de respuesta y el tiempo fuera.

Por tanto que, los principios describen el funcionamiento de una conducta, mientras que las estrategias son la forma en la que los analistas de conducta ponen los principios a funcionar para ayudar a las personas a aprender y a utilizar conductas socialmente significativas. Existen relativamente pocos principios de conducta, pero hay muchas estrategias de cambio de conducta derivadas de éstos. Para aclararlo mejor, el reforzamiento es un principio de conducta porque describe una relación sistemática entre la conducta, una consecuencia inmediata y el incremento de la frecuencia de la conducta en el futuro ante condiciones similares. Sin embargo, la obtención de puntos en una economía de fichas o el uso de alabanzas sociales contingentes son estrategias de cambio de conducta derivadas del principio de reforzamiento. Para citar otro ejemplo, el castigo es un principio de conducta porque describe la relación establecida entre la presentación de una consecuencia y la disminución de la frecuencia de conductas similares en el futuro. El coste de respuesta y el tiempo fuera, por otro lado, son métodos de cambio de conducta; son dos estrategias diferentes utilizadas por los profesionales aplicados para poner en práctica el principio de castigo.

métodos de reducción de la conducta se derivan del castigo negativo (o Tipo II). Por lo tanto, el tiempo fuera y el coste de respuesta deberían ser considerados estrategias de cambio de conducta y *no* principios básicos de conducta.

El reforzamiento y el castigo pueden llevarse a cabo a través de cualquiera de sus dos operaciones correspondientes, dependiendo de si la consecuencia consiste en presentar un nuevo estímulo (o aumentar la intensidad de uno ya presente) o en retirarlo (o disminuir su intensidad) del ambiente (Morse y Kelleher, 1977; Skinner, 1953). Algunos analistas de conducta sostienen que desde un punto de vista funcional y teórico sólo son necesarios dos principios para describir los efectos básicos de las consecuencias sobre la conducta, el reforzamiento y el castigo.[15] Sin embargo, desde una perspectiva procedimental (un factor crítico para los analistas de conducta aplicados), un buen número de estrategias de cambio de conducta se derivan de cada una de las cuatro operaciones representadas en la Figura 2.2.

La mayoría de las estrategias de cambio conductual incluyen varios principios de conducta (Véase el Cuadro 2.2). Es importante para el analista de conducta tener una sólida comprensión de los principios básicos de conducta. Tal conocimiento permite un mejor análisis de las variables de control actuales, así como un diseño y una evaluación de las intervenciones conductuales más efectivos que permita identificar el papel que distintos principios pueden estar jugando en una situación dada.

Cambios estimulares que funcionan como reforzadores y como castigos (o estímulos punitivos)

Debido a que hablar de condicionamiento operante implica hablar de las consecuencias de la conducta, cualquiera que esté interesado en utilizar el condicionamiento operante para cambiar una conducta

[15]Michael (1975) y Baron y Galizio (2005) presentan argumentos convincentes de por qué los reforzamientos positivo y negativo son ejemplos de la misma relación operante fundamental. Este hecho es discutido en el Capítulo 12.

debe identificar y controlar la ocurrencia de las consecuencias relevantes. Para el analista aplicado de la conducta, por lo tanto, surge una pregunta importante, ¿Qué clases de cambios de estimulares funcionan como reforzadores y como estímulos punitivos?

Reforzamiento y castigo incondicionado

Algunos cambios estimulares funcionan como reforzadores incluso aunque el organismo no haya tenido una historia de aprendizaje concreta con ellos. Un cambio estimular que puede aumentar la frecuencia futura de una conducta haberse emparejado previamente con otra forma de reforzamiento se denomina **reforzador incondicionado.**[16] Por ejemplo, estímulos como la comida, el agua, y la estimulación sexual que permiten el mantenimiento biológico del organismo y la supervivencia de la especie suelen funcionar como reforzadores incondicionados. El uso de las palabras *puede* y *suelen* en las dos frases anteriores subraya el hecho de que la eficacia momentánea de un reforzador incondicionado es una función de las **operaciones motivacionales** que estén actuando en ese preciso momento. Por ejemplo, se necesita un cierto nivel de **privación** de comida para que la presentación de ésta funcione como reforzador. Sin embargo, la comida no será probablemente un reforzador para una persona que acaba de ingerir una gran cantidad de alimentos (una condición de **saciedad**). La naturaleza y funciones de las operaciones motivacionales se describen con detalle en el Capítulo 16.

De igual forma, un **estímulo punitivo incondicionado** (o un **castigo incondicionado**) es un cambio estimular que puede disminuir la frecuencia futura de cualquier conducta que lo preceda sin un emparejamiento previo con cualquier otra forma de castigo. Los castigos incondicionados incluyen la estimulación dolorosa que puede causar un daño en un tejido (es decir, un daño de las células del cuerpo). Sin embargo, prácticamente cualquier estímulo al cual sean sensibles los receptores del organismo –luz, sonido, y temperatura, por nombrar algunos –puede ser intensificado hasta el punto de que su presentación suprima una conducta aunque el estímulo esté por debajo de los niveles que realmente causan un daño en los tejidos (Bijou y Baer, 1965).

Los eventos que funcionan como reforzadores y castigos incondicionados son producto de la evolución natural de las especies (filogenia). Malott, Tillema y Glenn (1978) describieron la selección natural de "recompensas" y "aversivos" como sigue:[17]

> Algunas recompensas y aversivos controlan nuestras acciones debido a la forma en la que evolucionó nuestra especie; podemos llamarlas recompensas o aversivos no aprendidos. Heredamos una estructura biológica que causa que algunos estímulos sean recompensas o aversivos. Esta estructura evolucionó porque las recompensas ayudaron a nuestros antepasados a sobrevivir, mientras que los aversivos dificultaron su supervivencia. Algunas de estas recompensas no aprendidas, como la comida o los líquidos, nos ayudan a sobrevivir fortaleciendo nuestras células. Otras ayudan a nuestra especie a sobrevivir llevándonos a reproducirnos y a cuidar a nuestros hijos, como la estimulación gratificante que resulta del coito y de la lactancia. Y muchos aversivos no aprendidos dificultan nuestra supervivencia dañando nuestras células; tales aversivos incluyen quemaduras, cortes y contusiones. (pág. 9)

Aunque los reforzadores y estímulos punitivos incondicionados son muy importantes y necesarios para la supervivencia, relativamente pocas conductas de las que realizamos en nuestras rutinas diarias, como trabajar, jugar y socializar, están directamente controladas por estos eventos. Por ejemplo, aunque se gane el dinero que sirve para comprar comida yendo al trabajo cada día, comer esa comida está demasiado demorado en el tiempo como para ejercer un control operante directo sobre la conducta de ir a trabajar. Recuerde: la conducta está más afectada por sus consecuencias inmediatas.

Reforzadores y castigos condicionados

Los eventos estimulares o condiciones que están presentes o que ocurren justo antes o a la vez que otros reforzadores (o que otros estímulos punitivos) pueden

[16]Algunos autores utilizan los adjetivos *primario* o *no aprendido* para identificar *reforzadores* o *castigos incondicionados.*

[17]Además de utilizar el término *estímulo aversivo* como sinónimo de *reforzador negativo,* Skinner (1953) también utilizó el término para referirse a estímulos cuya presentación funciona como castigo, una práctica continuada por muchos analistas de conducta (p. ej., Alberto y Troutman, 2006; Malott y Trojan Suarez, 2004; Miltenberger, 2004). El término *estímulo aversivo* (y *control aversivo* cuando se habla de técnicas de cambio de conducta que incluyen a estos estímulos) es usado ampliamente en la literatura de análisis de conducta para referirse a una o más de las tres funciones conductuales siguientes: (a) un reforzador negativo si su terminación aumenta la conducta, (b) un castigo si su presentación disminuye la conducta, o (c) una operación motivacional si su presentación aumenta la frecuencia actual de conductas que sirvieron para ponerle fin en el pasado (Véase Capítulo 16). Al hablar o escribir técnicamente, los analistas de conducta deben ser cuidadosos con que el uso de términos ómnibus como *aversivo* no impliquen funciones sobre las que no pretendan hablar (Michael, 1995).

adquirir la habilidad de reforzar (o castigar) una conducta cuando aparecen más tarde ellos solos como consecuencias. Se denomina **reforzadores condicionados** y **estímulos punitivos** (o **castigos**) **condicionados,** a aquellos cambios que funcionan como reforzadores y castigos solamente debido a que han sido previamente emparejados con otros estímulos que realizan esas funciones. [18] El procedimiento de emparejamiento de estímulo-estímulo responsable de la creación de reforzadores o castigos condicionados es el mismo que se utiliza en el condicionamiento respondiente excepto en que el "resultado es un estímulo que funciona como un reforzador [o castigo] en lugar de un estímulo que elicitará una repuesta" (Michael, 2004, pág. 66, se han añadido las palabras entre corchetes).

Los reforzadores y los estímulos punitivos condicionados no están relacionados con ninguna necesidad biológica ni con estructuras anatómicas; su capacidad para modificar conductas es el resultado de la historia única de interacciones de cada persona con su ambiente (ontogenia). Debido a que no hay dos personas que experimenten el mundo de la misma manera, la lista de eventos que pueden funcionar como reforzadores y castigos condicionados en cualquier momento (ante una operación motivacional relevante) es idiosincrásica de cada individuo y está en constante cambio. Por otro lado, en la medida en que dos personas han tenido experiencias similares (p. ej.; escolarización, profesión, o cultura general), tienen mayor probabilidad de verse afectadas de forma parecida ante muchos eventos similares. Las alabanzas sociales y la atención son ejemplos de la variedad de reforzadores condicionados efectivos en nuestra cultura. Ya que la atención social y la aprobación (al igual que la desaprobación) suelen ir de la mano de otros muchos reforzadores (y castigos), ejercen un fuerte control sobre la conducta humana y serán presentados en capítulos posteriores cuando se hable de estrategias de cambio de conducta específicas.

Debido a que personas que viven en una cultura común comparten historias similares, es razonable que un profesional busque posibles reforzadores y castigos para un cliente determinado entre las clases de estímulos que han sido efectivos con otros clientes parecidos. Sin embargo, en un esfuerzo por ayudar al lector a establecer una comprensión fundamental de la naturaleza del condicionamiento operante, hemos decidido evitar presentar una lista de estímulos que puedan funcionar como reforzadores y castigos. Morse y Kelleher (1977) señalaron esta importante cuestión de forma muy acertada.

> Los reforzadores y los estímulos punitivos, como "cosas" ambientales, parecen tener una mayor realidad que aquellos cambios meramente temporales sobre una conducta en curso. Este punto de vista es engañoso. No hay un concepto que prediga con seguridad cuándo los eventos serán reforzadores o castigos; *las características definitorias de los reforzadores y castigos son cómo éstos cambian la conducta* [se añade la cursiva]. Eventos que incrementan o disminuyen la ocurrencia subsiguiente de una respuesta pueden no modificar otras respuestas de igual forma.
>
> En la definición del reforzamiento como la presentación de un reforzador contingente a una respuesta, se tiende a enfatizar el evento y a ignorar la importancia tanto de las relaciones contingentes, como de la conducta previa y posterior a esta situación dada. Es *la forma en que* [se añade la cursiva] cambian las conductas lo que define a los términos *reforzador* y *estímulo punitivo*; por lo tanto, la clave de estas definiciones es el cambio sistemático producido en la conducta. *No* es [cursiva añadida] apropiado suponer que eventos ambientales particulares, tales como la presentación de comida o las descargas eléctricas, actúan como reforzadores o castigos hasta que no se haya producido un cambio en la tasa de respuesta cuando el evento se haya programado en relación a repuestas específicas.
>
> Se dice que un estímulo emparejado con un reforzador se convierte en un reforzador condicionado, pero en realidad es la persona que se comporta la que ha cambiado y no el estímulo... Por supuesto, es útil hablar de reforzadores condicionados para abreviar... igual que es conveniente hablar de un reforzador en lugar de hablar de un evento que ha seguido a un ejemplo de una respuesta concreta y ha resultado en un incremento posterior de la ocurrencia de respuestas similares. Esto último puede ser engorroso, pero tiene la ventaja de contar con referentes empíricos. Debido a que muy diferentes respuestas pueden ser moldeadas por los eventos consecuentes, y a que una consecuencia dada suele ser eficaz modificando la conducta de diferentes individuos, se ha convertido en una práctica habitual hablar de los reforzadores sin especificar la conducta que está siendo modificada. Estas prácticas habituales tienen consecuencias desafortunadas. Llevan a la concepción errónea de que las respuestas son arbitrarias y de que el efecto reforzante o punitivo de un evento es una propiedad específica del mismo. (págs. 176-177, 180)

La cuestión señalada por Morse y Kelleher (1977) es de gran importancia para comprender las relaciones entre conducta y ambiente. Reforzamiento y castigo no son simplemente los productos de determinados eventos estimulares, que después llamamos reforzadores y castigos sin referencia a una conducta determinada ni a las condiciones ambientales. No hay propiedades inherentes o estándar de los estímulos que determinen su

[18] Algunos autores utilizan los adjetivos *secundarios* o *aprendidos* para referirse a *reforzadores y castigos condicionados*.

estatus como reforzadores y castigos. De hecho, un estímulo puede funcionar como reforzador positivo bajo unas determinadas condiciones y como reforzador negativo bajo condiciones diferentes. Al igual que los reforzadores positivos no se definen en términos de *placenteros* o *satisfactorios,* los estímulos aversivos no deben ser definidos en términos de *molestos* o *desagradables.* Los términos *reforzador* y *castigo* no deben ser usados teniendo en cuenta su supuesto efecto sobre la conducta o ninguna propiedad inherente al propio estímulo. Morse y Kelleher (1977) continuaron:

> Cuando los bordes de la tabla se designan en términos de clases de estímulo (positivo-negativo; agradable-dañino) y operaciones experimentales (presentación de estímulo-retirada de estímulo), las celdas de la tabla son, por definición, variedades de reforzamiento y castigo. Un primer problema es que los procesos indicados en las celdas quedan asumidos en la categoría "positivo-negativo" que se había usado para los estímulos; un segundo problema es que hay una asunción tácita de que la presentación o retirada de un estímulo tendrá un efecto invariable. Estas relaciones son más claras si se usan operaciones empíricas para nombrar las condiciones de los bordes... La definición de procesos conductuales depende de las observaciones empíricas realizadas. El mismo evento estimular bajo diferentes condiciones, puede incrementar la conducta o disminuirla. En el primer caso el proceso se denomina *reforzamiento* y en el segundo caso *castigo.* (pág. 180)

Aún a riesgo de redundancia, volveremos a especificar este importante concepto. Los reforzadores y los estímulos punitivos (castigos) denotan clases funcionales de eventos estimulares, la pertenencia a cada uno de ellos no está basada en la naturaleza física de los cambios estimulares en sí mismos. De hecho, dada la historia de una persona, su estado motivacional actual y las condiciones ambientales, "cualquier cambio estimular puede ser un 'reforzador' si las características de ese cambio y la relación temporal entre el cambio y la respuesta bajo observación son debidamente seleccionadas" (Schoenfeld, 1995, pág. 184). Por lo tanto, la frase "todo es relativo" es altamente relevante para comprender las relaciones funcionales entre conducta y ambiente.

La operante discriminada y la contingencia de tres términos

Hemos discutido el papel de las consecuencias a la hora de influir en la frecuencia futura de la conducta. Pero el condicionamiento operante hace mucho más que establecer una relación funcional entre la conducta y sus consecuencias. El condicionamiento operante también establece relaciones funcionales entre conducta y determinadas condiciones antecedentes.

> En comparación con las formulaciones si A entonces B (tal como las formulaciones estímulo-respuesta), la formulación AB debido a C es una afirmación general de que la relación entre un evento (B) y su contexto (A) se debe a las consecuencias (C)... Aplicada a la contingencia de tres términos de Skinner, la relación entre (A) el contexto y (B) la conducta existe debido a (C) las consecuencias que ocurrieron para las relaciones AB previas (ambiente-conducta). La idea [es] que el reforzamiento fortalece la relación contexto-conducta en lugar de simplemente la conducta. (Moxley, 2004, pág. 111)

El reforzamiento no sólo selecciona determinadas formas de conducta sino también las condiciones ambientales que en el futuro evocarán nuevos ejemplos de esta clase de respuesta. Una conducta que ocurre más frecuentemente ante determinadas condiciones antecedentes que ante otras es llamada **operante discriminada.** Debido a que una operante discriminada ocurre con mayor frecuencia en presencia de un estímulo dado que en ausencia de éste, se dice que está bajo **control de estímulo.** Responder al teléfono, una de las conductas rutinarias que analizaron el profesor y sus alumnos en el Cuadro 2.1, es una operante discriminada. El sonido del teléfono funciona como un **estímulo discriminativo (E^D)** para responder al teléfono. Respondemos al teléfono cuando suena, y no respondemos cuando está en silencio.

Al igual que los reforzadores o los estímulos punitivos no pueden ser identificados por sus características físicas, los estímulos no poseen dimensiones inherentes que les permitan funcionar como discriminativos. El condicionamiento operante pone la conducta bajo el control de varias propiedades o valores de los estímulos antecedentes (p. ej.; tamaño, forma, color, relación espacial con otro estímulo), y no se puede terminar a priori que características concretas son. (El control de estímulo se describe con detalle en el Capítulo 17.)

> Cualquier estímulo presente cuando una operante es reforzada adquiere control en el sentido de que la tasa de respuesta será mayor en su presencia. Este estímulo no actúa como evocador; no elicita la respuesta en el sentido de forzar su ocurrencia. Es simplemente un aspecto esencial de la situación en la que se produce y se refuerza una respuesta. La diferencia se hace clara denominándolo

Figura 2.3 Contingencias de tres términos que ilustran las operaciones de reforzamiento y castigo.

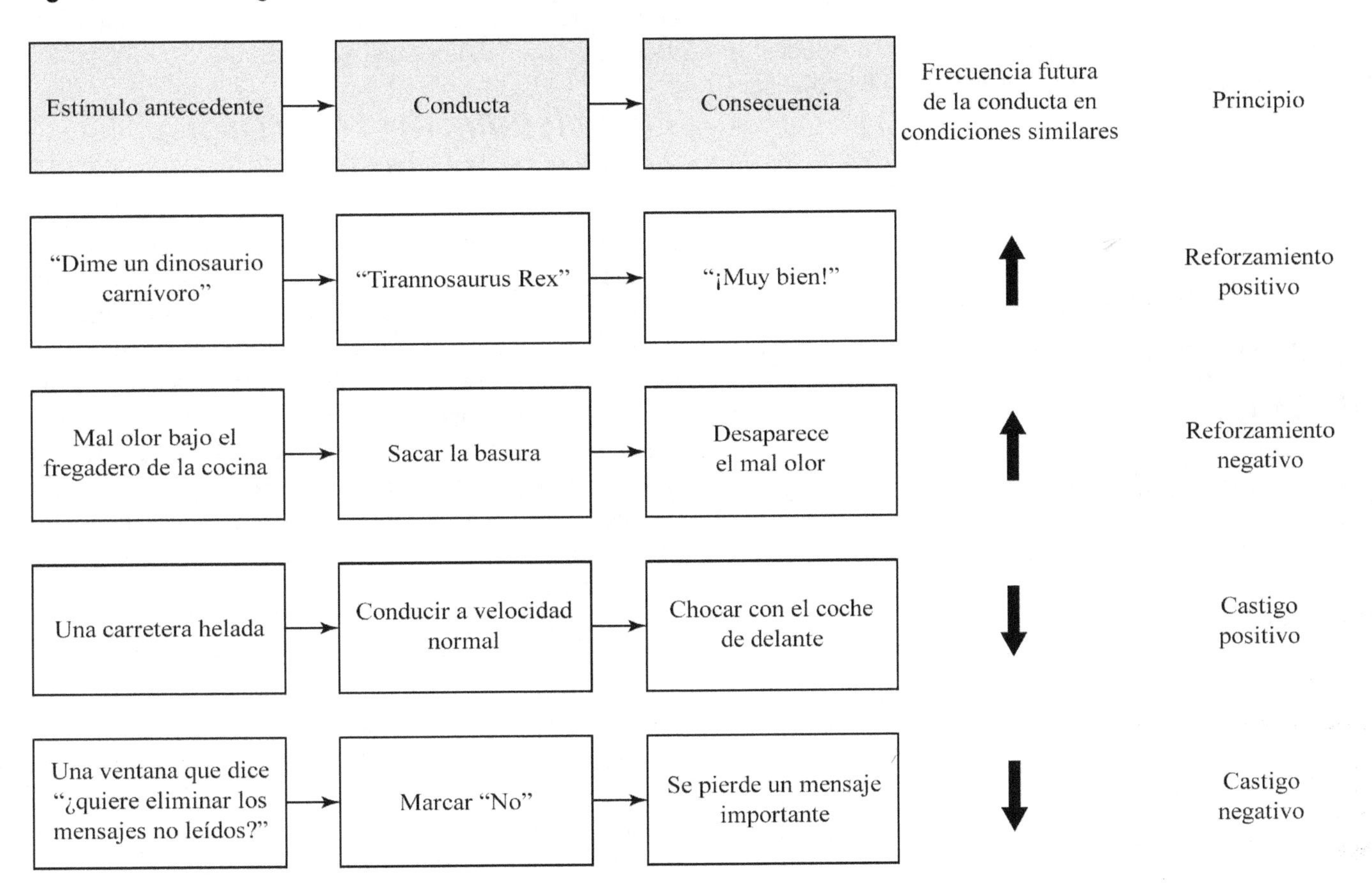

estímulo discriminativo o (E^D). Una formulación adecuada de la interacción entre un organismo y su ambiente debe especificar siempre tres cosas: (1) la situación en la que se da la respuesta; (2) la propia respuesta; y (3) las consecuencias reforzantes. Las interrelaciones entre ellas son las "contingencias de reforzamiento." (Skinner, 1969, pág. 7)

La operante discriminada tiene su origen en la contingencia de tres términos. La **contingencia de tres términos** (*a*ntecedente, *c*onducta y *c*onsecuencia) es a veces llamada el ABC del análisis de conducta. La Figura 2.3 muestra ejemplos de contingencias de tres términos para situaciones de reforzamiento positivo, reforzamiento negativo, castigo positivo y castigo negativo.[19] La mayor parte de lo que la ciencia del análisis de conducta ha descrito sobre la predicción y el control de la conducta humana está relacionado con la contingencia de tres términos, que es "considerada la unidad básica de estudio en el análisis de la conducta operante" (Glenn, Ellis y Greenspoon, 1992, pág. 1332).

El término **contingencia** aparece en la literatura de análisis de conducta con diferentes significados referidos a varios tipos de relaciones temporales y funcionales entre la conducta las variables antecedentes y consecuentes (Lattal, 1995; Lattal y Shahan, 1997; Vollmer y Hackenberg, 2001). Quizá la connotación más habitual del término es: *dependencia* de la ocurrencia de la conducta para que aparezca una consecuencia determinada. Cuando se dice que un reforzador (o un estímulo punitivo) es **contingente** a una conducta particular, la conducta debe ser emitida para que aparezca la consecuencia. Por ejemplo, después de decir "Nombra un dinosaurio carnívoro", la respuesta del maestro "¡Muy bien!" depende de la respuesta del alumno "Tiranosaurio Rex" (u otro dinosaurio de la misma clase).[20]

El término *contingencia* también es utilizado para referirse a la *contigüidad temporal* de una conducta y sus consecuencias. Como se indicó previamente, la conducta

[19] Los diagramas de contingencias, como el que se muestra en la Figura 2.3, son una forma eficaz de mostrar relaciones temporales y funcionales entre la conducta y varios eventos ambientales. Véase Mattaini (1995) para ver ejemplos de otros tipos de diagramas de contingencia y sugerencias para usarlos en la enseñanza y aprendizaje del análisis de conducta. La notación de estado es otro medio para visualizar las relaciones de contingencia complejas y los procedimientos experimentales (Mechner, 1959; Michael y Shafer, 1995).

[20] La expresión *hacer el reforzamiento contingente* describe la conducta del investigador o profesional: entregar el reforzador solamente cuando la conducta objetivo haya ocurrido.

es seleccionada por las consecuencias que la siguen inmediatamente después, con independencia de que esas consecuencias sean producidas por la conducta o dependan de ella. Este es el significado de contingencia en la afirmación de Skinner (1953), "En lo que respecta al organismo, la única propiedad importante de la contingencia es la temporal" (1953, pág. 85).

Reconocimiento de la complejidad de la conducta humana

> La conducta –humana o no –sigue siendo un tema muy difícil.
>
> —B. F. Skinner (1969, pág. 114)

El análisis experimental de la conducta ha descrito una serie de principios básicos –enunciados sobre cómo sucede la conducta en función de las variables ambientales. Estos principios, varios de los cuales ya se han presentado en este capítulo, han sido demostrados, verificados y replicados en cientos e incluso miles de experimentos, son hechos científicos.[21] Las estrategias de cambio de conducta derivadas de estos principios también han sido aplicadas, de formas cada vez más sofisticadas y eficaces, en una gran variedad de conductas humanas en contextos naturales. La mayor parte de este libro comprende un resumen de lo que se ha aprendido a partir de muchos de estos análisis aplicados de conducta.

La aplicación sistemática de las técnicas de análisis de conducta en ocasiones produce cambios de conducta de gran magnitud y velocidad, incluso en clientes cuya conducta había sido poco influida por otros tratamientos y que parecía intratable. Cuando se produce un resultado tan optimista (pero no raro), el analista de conducta novel debe resistir la tendencia a creer que sabemos más de lo que lo hacemos sobre predicción y control de la conducta humana. Como se señala en el Capítulo 1, el análisis aplicado de la conducta es una ciencia joven que aún no ha logrado la comprensión completa y el control tecnológico de la conducta humana.

Un desafío importante para el análisis aplicado de la conducta recae en el tratamiento de la complejidad de la conducta humana, especialmente en ambientes aplicados donde el control del laboratorio es imposible, poco práctico o poco ético. Muchos de los factores que contribuyen a la complejidad de la conducta parten de tres fuentes generales: la complejidad del repertorio conductual humano, la complejidad de las variables de control y las diferencias individuales.

Complejidad del repertorio conductual humano

Los seres humanos somos capaces de aprender un increíble rango de conductas. Las secuencias de respuesta, en ocasiones sin una aparente organización lógica, contribuyen a la complejidad de la conducta (Skinner, 1953). En una cadena de respuestas, los efectos producidos por una de las respuestas influyen en la emisión de las otras. Subir al altillo un abrigo de invierno lleva a descubrir un álbum viejo de fotos familiares, que provoca una llamada a la tía Helena, dándonos la oportunidad de obtener su receta de pastel de manzana, y así sucesivamente.

La conducta verbal puede ser el factor que más significativamente contribuye a la complejidad de la conducta humana (Donahoe y Palmer, 1994; Michael, 2003; Palmer, 1991; Skinner, 1957). El problema no es sólo generado por no reconocer la diferencia entre decir y hacer, sino que la conducta verbal en sí misma suele ser una variable de control para muchas otras conductas verbales y no verbales. El análisis de la conducta verbal aparece en el Capítulo 25.

El aprendizaje operante no ocurre siempre como un proceso lento y gradual. A veces, aparecen repertorios nuevos y complejos rápidamente con aparentemente poco condicionamiento directo (Epstein, 1991; Sidman, 1994). Un tipo de aprendizaje rápido es la *adición de una contingencia*, un proceso en el que una conducta que ha sido inicialmente seleccionada y moldeada en unas condiciones específicas es incorporada a otras condiciones diferentes y desempeña un papel nuevo en el repertorio de una persona (Adronis, 1983; Layng y Adronis, 1984). Johnson y Layng (1992, 1994) describieron algunos ejemplos de adición de contingencias en los que habilidades (componentes) simples (p. ej.; sumar, restar, multiplicar y despejar y resolver la X de una ecuación), cuando se aprendían de forma fluida, se combinaban sin una instrucción explícita para formar nuevos patrones complejos (compuestos) de conducta (p. ej.; ecuaciones complejas).

Distintas series de operantes interrelacionadas se combinan para formar nuevas operantes complejas (Glenn, 2004), que producen respuestas que a su vez hacen posible la adquisición de conductas más allá de las restricciones espaciales y mecánicas de la estructura anatómica.

[21]Como todos los hallazgos científicos, estos hechos son objeto de revisiones e incluso sustitución si en futuras investigaciones se obtienen mejores conclusiones.

> En el caso de los humanos, el rango de posibilidades puede ser infinito, especialmente porque los productos de conducta operante se han ido haciendo cada vez más complejos en el contexto de la evolución de las prácticas culturales. Por ejemplo, las restricciones anatómicas impedían la operante de volar en el repertorio humano sólo hasta que se construyeron los aviones como un producto conductual. El margen que dejaba la selección natural se ha ampliado mucho en la ontogenia de las unidades operantes. (Glenn et al., 1992, pág. 1332)

Complejidad de las variables de control

La conducta es seleccionada por sus consecuencias. Este megaprincipio de la conducta operante suena engañosamente (e ingenuamente) sencillo. Sin embargo, "como otros principios científicos, su forma simple enmascara la complejidad del universo que describe" (Glenn, 2004, pág. 134). El ambiente y sus efectos sobre la conducta con complejos.

Skinner (1957) señaló que, "(1) la fuerza de una respuesta individual puede ser, y normalmente es, función de más de una variable y (2) una variable individual normalmente afecta a más de una repuesta" (pág. 227). Aunque Skinner lo escribió haciendo referencia a la conducta verbal, la multiplicidad de causas y efectos es una característica de muchas de las relaciones entre conducta y ambiente. La covariación conductual ilustra un tipo de efecto múltiple. Por ejemplo, Sprague y Horner (1992) encontraron que bloquear la emisión de un problema de conducta disminuía la frecuencia de esta conducta pero producía un incremento colateral de otras topografías de la conducta problema de la misma clase funcional. Otro ejemplo de los efectos múltiples es que la presentación de un estímulo aversivo puede, además de suprimir la ocurrencia futura de la conducta a la que sigue, elicitar conductas respondientes y evocar conductas de escape y evitación, es decir, que se dan tres efectos diferentes a partir de un mismo evento.

Muchas conductas son el resultado de múltiples causas. En un fenómeno denominado *control combinado* (Lowenkron, 2004), dos estímulos discriminativos pueden combinarse para provocar una misma clase de repuesta. Las contingencias concurrentes pueden también combinarse para hacer una conducta más o menos probable en una situación determinada. Puede que devolvamos el cortacésped al vecino no sólo porque nos suele invitar a una taza de café, sino también para reducir el sentimiento de "culpabilidad" que nos suponía tener la máquina durante 2 semanas.

Las contingencias concurrentes a menudo compiten por el control de conductas incompatibles. No podemos ver un partido de béisbol y estudiar (adecuadamente) para un examen al día siguiente. Aunque no es un término técnico en el análisis de conducta, el concepto *suma algebraica* a veces se utiliza para describir el efecto de múltiples contingencias concurrentes sobre la conducta. Se piensa que la conducta que es emitida es el producto de las contingencias competidoras "anulando partes la una de la otra", como en una ecuación de álgebra.

Las jerarquías de clases de respuesta dentro de lo que se supone que es una única clase de respuesta pueden estar bajo el control de múltiples variables. Por ejemplo, Richman, Wacker, Asmus, Casey y Andelman (1999) encontraron que una topografía de una conducta agresiva era mantenida por un tipo de contingencia de reforzamiento mientras que otra forma de agresión estaba controlada por una contingencia diferente.

Todas estas contingencias complejas, concurrentes e interrelacionadas dificultan a los analistas de conducta identificar y controlar las variables relevantes. No debe sorprender que los contextos en los que trabajan los analistas aplicados de la conducta se describan a veces como lugares en los que el "reforzamiento ocurre en un entorno ruidoso" (Vollmer y Hackenberg, 2001, pág. 251).

En consecuencia, como analistas de conducta, debemos reconocer que el cambio de conducta significativo puede requerir tiempo y muchos ensayos y errores a medida que trabajamos en para comprender las interrelaciones y la complejidad de las variables de control. Don Baer (1987) damitió que algunos de los grandes problemas que atacan a la sociedad (p. ej., pobreza, adicción a sustancias, analfabetismo), dado nuestro nivel actual de tecnología, podrían ser demasiado difíciles de solucionar. Identificó tres barreras para solucionar estos problemas complejos:

> (a)No estamos capacitados para resolver estos grandes problemas pendientes, (b) todavía no hemos hecho el análisis de cómo poder capacitarnos para intentarlo, y (c) no hemos realizado el análisis de la tarea analítico-sistémica que será crucial para resolver estos problemas cuando nos capacitemos lo suficiente para ello... Desde mi experiencia, los proyectos que parecen arduos y largos lo son porque (a) no tengo un reforzador intermedio fuerte en comparación con los que ya hay en el sistema existente manteniendo el statu quo, e incluso aunque lo tenga y debo esperar el momento oportuno en el que opere un control débil, o (b) no cuento todavía con un análisis de tareas correcto del problema y debo avanzar mediante ensayo y error. En contraste, (c) cuando tengo un fuerte reforzador intermedio y cuento con el análisis de tareas correcto, los

problemas serán grandes porque el análisis de tarea requiere de una serie larga de cambios de conducta, tal vez en muchas personas, y aunque cada uno de ellos es relativamente fácil y rápido, el conjunto de éstos requiere más tiempo que esfuerzo, por lo que no es difícil, sino simplemente tedioso.

Diferencias individuales

No es necesario leer este libro para saber que las personas normalmente responden de muy diferente manera en distintas condiciones ambientales. La existencia de diferencias individuales se cita a veces como evidencia de que los principios de conducta basados en la selección ambiental no existen, al menos no de una forma en que podrían aportar los fundamentos para una tecnología robusta y fiable del cambio de conducta. Se argumenta por tanto que debido a que las personas suelen responder de forma diferente ante el mismo conjunto de contingencias el control de la conducta debe venir del interior de cada persona.

Como cada uno de nosotros experimentamos variadas contingencias de reforzamiento (y castigo), algunas conductas son fortalecidas (seleccionadas por las contingencias) y otras debilitadas. Esta es la naturaleza del condicionamiento operante, es decir, la naturaleza humana. Debido a que no hay dos personas que experimenten del mundo de la misma manera, cada uno de nosotros llega a una situación dada con una **historia de reforzamiento** diferente. El repertorio de conductas que cada persona trae a cualquier situación ha sido seleccionado, moldeado y mantenido por su historia única de reforzamiento. Cada repertorio humano único define a cada. Somos lo que hacemos, y hacemos lo que hemos aprendido a hacer. "Comienza como un organismo y se va convirtiendo en una persona o sí mismo conforme adquiere un repertorio de conducta" (Skinner, 1974, pág. 231).

Las diferencias individuales en respuesta a las condiciones estimulares actuales, por lo tanto, no necesitan ser atribuidas a diferencias en los rasgos o tendencias internas, sino al resultado ordenado de diferentes historias de reforzamiento. El analista de conducta debe tener en cuenta también la variabilidad en las capacidades sensoriales de la gente (p. ej., pérdida de audición o deficiencias visuales) y las diferencias en los mecanismos de respuesta (p. ej., parálisis cerebral) para diseñar los componentes des programa de forma tal que se asegure de que todas las personas a las que atienden tienen el máximo contacto con las contingencias relevantes (Heward, 2006).

Otros obstáculos en el control de la conducta en contextos aplicados

Para hacer todavía más difícil la tarea de enfrentarse a la complejidad de la conducta humana en ambientes aplicados "ruidosos" en los que la gente vive, trabaja y juega, a los analistas aplicados de la conducta se les impide a veces la implementación de un programa eficaz de cambio de conducta debido a cuestiones logísticas, financieras, socio-políticas, legales o éticas. Muchos analistas aplicados de la conducta trabajan para entidades con recursos limitados, en los que puede que la toma de datos para un análisis más completo sea imposible. Además, las personas directamente implicadas, sus padres, los gestores e incluso la sociedad en general, puede en ocasiones limitar las opciones del analista de conducta para una intervención eficaz (p. ej., "No queremos que los estudiantes trabajen por fichas"). Los aspectos legales o éticos también pueden limitar la identificación experimental de las variables de control para una conducta importante. Los aspectos éticos a tener en cuenta en el análisis de conducta se tratan en el Capítulo 29.

Cada una de estas dificultades prácticas combinadas con las complejidades de la conducta y el ambiente previamente mencionadas, hacen que la aplicación del análisis de conducta en conductas socialmente relevantes sea una tarea desafiante. Sin embargo, la tarea no tiene por qué ser abrumadora, y pocas tareas son tan gratificantes o tan importantes para la mejora de la humanidad.

A veces se dice que la explicación científica de la conducta humana de alguna manera disminuye la calidad o el disfrute de la experiencia humana. Por ejemplo, ¿reducirá nuestro creciente conocimiento sobre las variables responsables de la conducta creativa los sentimientos provocados por un bonito cuadro o una hermosa sinfonía, o nuestra valoración de los artistas que los han producido? Nosotros pensamos que no y lo animamos a que, mientras lee y estudia los conceptos básicos descritos en este capítulo y revisados con más detalle a lo largo del libro, tenga en cuenta la respuesta de Nevin (2005) de cómo una explicación científica de la conducta aporta enormemente a la experiencia humana:

> Al final de *El Origen de las Especies* (1859), Darwin nos invita a contemplar una ladera enmarañada, con sus plantas y sus aves, sus insectos y sus gusanos; para maravillarse con la complejidad, diversidad e interdependencia de sus habitantes; y sentir asombro ante el hecho de que todo se derive de las leyes de la reproducción, la competencia y la selección natural. Nuestro deleite con la ladera enredada y nuestro amor por sus habitantes no se ve disminuido por

nuestro conocimiento de las leyes de la evolución; tampoco debería verse disminuido nuestro deleite con el complejo mundo de la actividad humana por nuestros conocimiento tentativo, pero creciente de las leyes de la conducta. (Tony Nevin, comunicación personal, 19 de Diciembre, 2005)

Resumen

Conducta

1. En general la conducta es la actividad de los organismos vivos.
2. Técnicamente, la conducta es "ese segmento de la interacción del organismo con su ambiente que se caracteriza por un desplazamiento detectable en el espacio a través del tiempo de alguna parte del organismo y que resulta en un cambio medible en al menos un aspecto del ambiente (Johnston y Pennypacker, 1993, pág. 23).
3. El término *conducta* es usado generalmente en referencia a una clase o conjunto amplio de respuestas que comparten ciertas dimensiones topográficas o funciones.
4. El término *respuesta* hace referencia a una ocurrencia particular de una conducta.
5. La *topografía de respuesta* hace referencia a la forma física de la conducta.
6. Una clase de respuesta es un grupo de respuestas que varían en topografía y que producen el mismo efecto en el ambiente.
7. El término *repertorio* se puede referir a todas las conductas que puede hacer una persona o al conjunto de conductas relevantes en un contexto o tarea particular.

Ambiente

8. El ambiente es el contexto físico y las circunstancias en las que el organismo o una determinada parte del organismo existe.
9. Un estímulo es "un cambio de energía que afecta a un organismo a través de sus células receptoras" (Michael, 2004, pág. 7)
10. El ambiente influye en la conducta principalmente a través de cambios estimulares, no a través de condiciones estáticas.
11. Los eventos estimulares pueden ser descritos formalmente (por sus características físicas), temporalmente (por cuándo ocurren) y funcionalmente (por sus efectos en la conducta).
12. Una clase de estímulo es un grupo de estímulos que comparten elementos específicos comunes ya sean formales, temporales o dimensiones funcionales.
13. Las condiciones antecedentes o los cambios estimulares existen u ocurren antes de la conducta objetivo.
14. Las consecuencias son cambios estimulares que siguen a la conducta de interés.
15. Los cambios estimulares pueden tener uno o ambos de los siguientes dos efectos básicos sobre la conducta: (a) un efecto inmediato pero transitorio en el aumento o disminución de la frecuencia actual de la conducta, y (b) un efecto demorado pero relativamente permanente en términos de frecuencia de ese tipo de conducta en el futuro.

Conducta respondiente

16. La conducta respondiente es elicitada por estímulos antecedentes.
17. Un reflejo es una relación estímulo-respuesta consistente en un estímulo antecedente y la conducta respondiente que elicita (p. ej., luz intensa y contracción de la pupila).
18. Todos los miembros sanos de una especie dada nacen con el mismo repertorio de reflejos incondicionados.
19. El conjunto de un estímulo incondicionado (p. ej., comida) y la conducta respondiente que provoca (p.ej., salivación) se denomina reflejo incondicionado.
20. Los reflejos condicionados son producto del condicionamiento respondiente: un procedimiento de emparejamiento estímulo-estímulo en el que un estímulo neutro se presenta con un estímulo incondicionado hasta que el estímulo neutro se convierte en un estímulo condicionado que provoca la repuesta condicionada.
21. Emparejar un estímulo neutro con un estímulo condicionado también puede producir un reflejo condicionado, un proceso llamado condicionamiento respondiente de orden superior (o secundario).
22. La extinción respondiente ocurre cuando un estímulo condicionado es presentado repetidamente sin el estímulo incondicionado hasta que deja de provocar la respuesta condicionada.

Conducta operante

23. Una conducta operante es seleccionada por sus consecuencias.
24. Al contrario de la conducta respondiente, cuya topografía y funciones básicas estaban predeterminadas, la conducta operante puede alcanzar una variedad de formas virtualmente ilimitada.
25. La selección de la conducta por sus consecuencias opera durante la vida de un organismo individual (ontogenia) y es

un concepto paralelo al de selección natural de Darwin en la historia de la evolución de las especies (filogenia).

26. El condicionamiento operante, que comprende el reforzamiento y castigo, se refiere al proceso y efectos selectivos de las consecuencias sobre la conducta:

- Las consecuencias pueden afectar sólo a la conducta futura.
- Las consecuencias seleccionan clases de respuesta, no respuestas individuales.
- Las consecuencias inmediatas tienen un mayor efecto.
- Las consecuencias seleccionan cualquier conducta que las precede.
- El condicionamiento operante ocurre automáticamente.

27. La mayoría de los cambios estimulares que funcionan como reforzadores o como castigos pueden ser descritos como (a) un nuevo estímulo añadido al ambiente, o (b) la desaparición de un estímulo ya presente en el ambiente.

28. El reforzamiento positivo ocurre cuando una conducta es inmediatamente seguida por la presentación de un estímulo que incrementa la frecuencia futura de la conducta.

29. El reforzamiento negativo ocurre cuando una conducta es seguida inmediatamente por la retirada de un estímulo que incrementa la frecuencia futura de la conducta.

30. El término *estímulo aversivo* se usa con frecuencia para referirse a condiciones estimulares cuya finalización funciona como reforzamiento.

31. La extinción (retirada del reforzamiento a una conducta previamente reforzada) produce una disminución en la frecuencia de respuesta hasta llegar a niveles previos al reforzamiento inicial de la conducta.

32. El castigo positivo ocurre cuando una conducta es seguida por la presentación de un estímulo que disminuye la frecuencia futura de la conducta.

33. El castigo negativo ocurre cuando una conducta es seguida inmediatamente por la retirada de un estímulo que disminuye la frecuencia de la conducta.

34. Un principio de conducta describe una relación funcional entre la conducta y sus variables de control que tiene suficiente generalidad entre organismos, especies, ambientes y conductas.

35. Una estrategia de cambio de conducta es un método para el cambio de conducta sistemático tecnológicamente y que se deriva de uno o más principios básicos de conducta.

36. Los reforzadores y castigos incondicionados funcionan sin necesidad de una historia previa de aprendizaje.

37. Los cambios estimulares funcionan como reforzadores o castigos condicionados debido a un emparejamiento previo con otros reforzadores o castigos.

38. Una función importante de las operaciones motivacionales es alterar el valor reforzador o punitivo actual de los cambios estimulares. Por ejemplo, la privación o saciedad son operaciones motivacionales que hacen que la comida resulte más o menos eficaz como reforzador.

39. Una operante discriminada ocurre más frecuentemente bajo ciertas condiciones antecedentes que bajo otras, este hecho se llama control de estímulo.

40. El control de estímulo se refiere a la diferencia en las tasas de respuesta operante observadas en presencia o ausencia de estímulos antecedentes. Los estímulos antecedentes adquieren la capacidad de controlar la conducta operante por haber sido emparejados con determinadas consecuencias en el pasado.

41. La contingencia de tres términos (*a*ntecedente, *c*onducta y *c*onsecuencia) es la unidad básica de análisis en el análisis de la conducta operante.

42. Si un reforzador (o estímulo punitivo) es contingente con una conducta particular, la conducta debe ser emitida para que ocurra la consecuencia.

43. Todos los procedimientos de análisis aplicado de la conducta implican la manipulación de uno o más componentes de la contingencia de tres términos.

Reconocimiento de la complejidad de la conducta humana

44. Los humanos somos capaces de adquirir un gran repertorio de conductas. Las cadenas de respuesta y la conducta verbal también hacen a la conducta humana extremadamente compleja.

45. Las variables que gobiernan la conducta humana son con frecuencia altamente complejas. Muchas conductas tienen múltiples causas.

46. Las diferencias individuales en las historias de reforzamiento y las alteraciones orgánicas también hacen difícil el análisis y control de la conducta humana.

47. A los analistas aplicados de la conducta en ocasiones se les impide llevar a cabo un análisis eficaz de la conducta por cuestiones prácticas, logísticas, económicas, socio-políticas, legales o éticas.

PARTE 2

Selección, definición y medición de la conducta

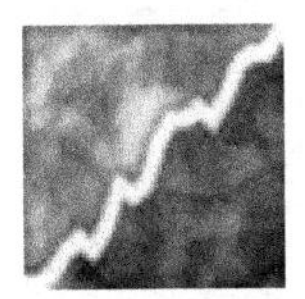

Un análisis aplicado de la conducta debe lograr y documentar cambios conductuales cuantificables que mejoren las vidas de las personas. Por lo tanto, la selección cuidadosa y la medición sistemática de la conducta son los fundamentos de la actividad del análisis aplicado de la conducta. El capítulo 3 describe los métodos que el análisis aplicado de la conducta utiliza para identificar y evaluar la relevancia social de las posibles conductas de interés, para priorizarlas y para definirlas de modo que permitan una medición precisa y fiable. El capítulo 4 explica el papel de la medición en el análisis aplicado de la conducta, identifica las dimensiones a través de las cuales se puede medir la conducta y describe los procedimientos de medida utilizados habitualmente por los analistas aplicados de la conducta. El capítulo 5 identifica las amenazas más habituales a la validez, a la precisión y a la fiabilidad de la medición conductual en situaciones aplicadas; hace recomendaciones para combatir estas amenazas y describe métodos para evaluar la calidad de la medición conductual.

CAPÍTULO 3

Selección y definición de las conductas de interés

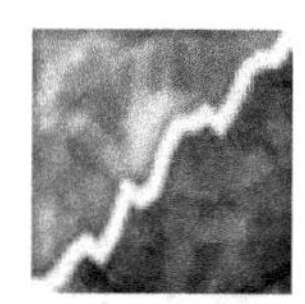

Términos clave

Conducta objetivo
Conducta pivote
Cuestionario conductual
Definición basada en la función
Definición basada en la topografía
Evaluación conductual
Evaluación ecológica
Inflexión conductual
Habilitación
Normalización
Observación anecdótica
Reactividad
Registro ABC
Relevancia de la regla de conducta
Validez social

Behavior Analyst Certification Board® BCBA®, BCBA-D®, BCaBA®, RBT® Lista de tareas para analistas de conducta (cuarta edición).

B.	Habilidades analítico-conductuales básicas: diseño experimental
B-01	Usar las dimensiones del análisis aplicado de la conducta (Baer, Wolf & Risley, 1968) para evaluar las intervenciones y determinar si son o no analítico-conductuales.
I.	**Responsabilidades para con el cliente: evaluación**
I-01	Definir la conducta en términos observables y medibles.
I-06	Realizar recomendaciones relativas a las conductas que deben ser establecidas, mantenidas, aumentadas o disminuidas.
J.	**Responsabilidades para con el cliente: intervención**
J-01	Declarar cuáles son los resultados que se esperan de la intervención en términos observables y medibles.
J-02	Identificar posibles estrategias de intervención de acuerdo a los resultados de la evaluación y a la evidencia científica disponible.
J-03	Seleccionar las estrategias de intervención de acuerdo a un análisis de tareas.
J-04	Seleccionar las estrategias de intervención de acuerdo a las preferencias del cliente.
J-05	Seleccionar las estrategias de intervención de acuerdo a los repertorios de conducta presentes.

(continúa en la página siguiente)

J.	Responsabilidades para con el cliente: intervención *(continuación)*
J-06	Seleccionar las estrategias de intervención de acuerdo el apoyo que recibe el cliente de su entorno.
J-07	Seleccionar las estrategias de intervención de acuerdo a las limitaciones ambientales o de recursos.
J-08	Seleccionar las estrategias de intervención de acuerdo a validez social.

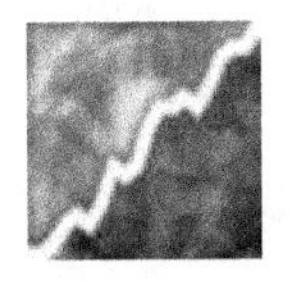

El análisis aplicado de la conducta se ocupa de mejorar la conducta de forma predecible y replicable; sin embargo, no actúa sobre cualquier conducta: los analistas aplicados de la conducta trabajan para mejorar *conductas socialmente relevantes* que tengan un significado inmediato y duradero tanto para la persona directamente involucrada como para aquellas que se relacionan con ella. Los analistas aplicados de la conducta trabajan, por ejemplo, en el desarrollo de las habilidades lingüísticas, sociales, motoras y académicas que permitan acceder a reforzadores y evitar estímulos punitivos. Antes de esto hay que dar un importante paso previo: la elección de las conductas *adecuadas* para su medida y modificación.

Este capítulo describe el papel de la evaluación en el análisis aplicado de la conducta, incluyendo los aspectos a considerar de forma previa a la evaluación, los métodos de evaluación utilizados por los analistas de la conducta, los problemas para determinar la relevancia social de las posibles conductas de interés (u objetivo), los aspectos a tener en cuenta para establecer prioridades entre dichas conductas y los criterios y dimensiones mediante los cuales deben definirse las conductas finalmente seleccionadas para permitir mediciones precisas y fiables.

El papel de la evaluación en el análisis aplicado de la conducta

La evaluación se considera el eje de un modelo de intervención sistemática de cuatro fases que incluye: valoración, planificación, implementación y evaluación (Taylor, 2006).

Definición y propósito de la evaluación conductual

Las evaluaciones psicológicas y educativas tradicionales habitualmente consisten en la aplicación de una serie de pruebas estandarizadas, referidas a la norma o al criterio, con el objetivo de determinar las fortalezas y debilidades de una persona en los dominios cognitivo, académico, social o psicomotor. La **evaluación conductual** implica una serie de métodos que incluyen la observación directa, entrevistas, cuestionarios y pruebas para la identificación y definición de los objetivos de cambio conductual. Además de identificar la conducta objetivo, una evaluación conductual exhaustiva descubrirá los recursos, las fortalezas, las relaciones significativas, las contingencias incompatibles, los factores de mantenimiento y generalización, así como los posibles reforzadores y aversivos que pueden incluirse en los planes de intervención para cambiar la conducta seleccionada (Snell y Brown, 2006).[1]

Linehan (1977) ofreció una descripción precisa del propósito de la evaluación conductual: "hacerse una idea de cuál es el problema del cliente y de cómo cambiarlo para que su vida sea mejor" (pág. 31). En el enunciado de Linehan queda implícita la idea de que la evaluación conductual es algo más que un ejercicio de describir y clasificar capacidades y déficits conductuales. La evaluación conductual va más allá de buscar una puntuación psicométrica, datos equivalentes, o medidas de clasificación, por muy valiosos que tales hallazgos puedan ser para otros propósitos. La evaluación conductual busca descubrir la función que cumple la conducta en el ambiente de la persona (p.ej., obtener

[1]La evaluación conductual de problemas de conducta a veces incluye un proceso de tres pasos, llamado *evaluación funcional de la conducta*, que se usa para identificar y manipular sistemáticamente los antecedentes y consecuencias que pueden estar funcionando como variables de control de los problemas. El capítulo 24 describe este proceso detalladamente.

reforzamiento positivo mediante la atención social, o reforzamiento negativo al escapar de una tarea). Los resultados de una evaluación conductual exhaustiva dan al analista de la conducta una idea de las variables que incrementan, disminuyen, mantienen o generalizan la conducta de interés. Una evaluación conductual bien construida y profunda proporciona un mapa a partir del cual pueden identificarse y comprenderse las variables controladoras de la conducta de interés. De este modo, las intervenciones siguientes pueden afrontarse de forma más directa y tener una mayor posibilidad de éxito. Como Bourret, Vollmer y Rapp (2004) señalaron: "la prueba crítica de... la evaluación es el grado en el que señala de manera diferencial una estrategia eficaz de enseñanza" (pág. 140).

Fases de la evaluación conductual

Hawkins (1979) conceptualizó la evaluación conductual como si tuviese forma de embudo, con una abertura ancha al inicio que se dirige hacia una salida estrecha y continua al final. Describió cinco fases o funciones de la evaluación conductual: (a) cribado y planteamiento general, (b) definición y cuantificación de los problemas o criterios de logro deseado, (c) señalamiento de la conducta sobre la que se va a intervenir, (d) monitorización del progreso, y (e) seguimiento. Aunque las cinco fases forman una secuencia cronológica general, a menudo se solapan. La parte III de este libro, "evaluación y análisis del cambio conductual", describe las etapas de monitorización y seguimiento de la evaluación. Este capítulo se ocupa de la evaluación previa a la intervención, de la selección y de la definición de la **conducta de interés** (**u objetivo**), es decir, de la conducta específica seleccionada para el cambio.

Para ejercer de forma eficiente, el analista aplicado de la conducta debe saber lo que constituye una conducta socialmente relevante, tener las habilidades técnicas necesarias para usar los métodos e instrumentos de evaluación apropiados, y ser capaz de seleccionar una estrategia de intervención adecuada a partir de los datos de la evaluación.[2] Por ejemplo, el especialista en lectura terapéutica debe conocer las conductas esenciales para leer de forma competente, ser capaz de determinar cuáles le faltan a un lector principiante o a uno que tiene dificultades con la lectura, y proporcionar una instrucción adecuada y efectiva como intervención. Del mismo modo, el terapeuta familiar y de pareja formado conductualmente debe ser conocedor del rango [49] de conductas que constituye una familia funcional, ser capaz de evaluar las dinámicas familiares con precisión y llevar a cabo intervenciones socialmente aceptables que reduzcan las interacciones disfuncionales. En resumen, cualquier analista debe ser conocedor del contexto de la conducta seleccionada como objetivo.

Un aspecto a tener en cuenta de forma previa a la evaluación

Antes de llevar a cabo una evaluación conductual formal o informal con el propósito de señalar la conducta objetivo, el analista debe abordar una cuestión fundamental: ¿Quién tiene la autoridad, el permiso, los recursos y las habilidades para llevar a cabo una evaluación e intervenir sobre la conducta? Si un profesional no tiene la autoridad o el permiso necesarios, entonces su papel en la evaluación e intervención queda restringido. Por ejemplo, supongamos que un analista de la conducta está en una cola junto a un padre que intenta manejar a un niño extraordinariamente disruptivo. ¿Tiene el analista autoridad o permiso para evaluar el problema o sugerir una intervención al padre? No; sin embargo, si el mismo episodio ocurriera después de que el padre hubiera requerido asesoramiento sobre tales problemas, el analista podría ofrecer evaluación y consejo. En efecto, el analista aplicado de la conducta debe, no solamente reconocer el papel de la evaluación en el continuo evaluación-intervención, sino también aquellas situaciones en las que es apropiado el uso de su conocimiento y habilidades.[3]

Métodos de evaluación utilizados por los analistas de la conducta

Los cuatro métodos de evaluación principales son: (a) entrevistas, (b) cuestionarios, (c) pruebas, y (d) observación directa. Las entrevistas y cuestionarios se consideran métodos de *evaluación indirecta* porque los datos obtenidos de estas medidas se derivan de la recogida, reconstrucción o estimación subjetiva de eventos. Las pruebas y la observación directa se consideran métodos de *evaluación directa* porque proporcionan información sobre la conducta de una persona conforme ocurre (Miltenberger, 2004). Aunque los métodos de evaluación indirecta a menudo proporcionan información útil, los de evaluación directa

[2]Ver O'Neill y otros (1997) para su discusión sobre *el análisis de la conducta competidora* como puente entre la evaluación funcional y los subsiguientes programas de intervención.

[3]El capítulo 29 examina detalladamente esta importante cuestión.

son preferibles porque aportan datos objetivos sobre la actuación real de la persona, no una interpretación, clasificación, o índice cualitativo de esa actuación (Hawkins, Mathews, y Hamdan, 1999; Heward, 2003). Además de ser conscientes de estos cuatro métodos de evaluación, los analistas pueden mejorar el desempeño de su trabajo teniendo en cuenta las implicaciones ecológicas de la evaluación.

Entrevistas

Las entrevistas de evaluación pueden hacerse a la persona de interés, a las personas que se relacionan frecuentemente con ésta (p.ej., maestros, padres, cuidadores…), o a todas ellas.

Entrevista a la persona

Una entrevista conductual suele ser un paso inicial y muy importante para identificar una lista de posibles conductas objetivo, que serán confirmadas o descartadas por la observación directa posterior. Las entrevistas pueden ser consideradas como un método de evaluación directa cuando la propia conducta verbal de la persona es un posible objetivo conductual (Hawkins, 1975).

Una entrevista conductual difiere de una entrevista tradicional en el tipo de preguntas que plantea y en el nivel de información que busca. Los analistas de la conducta se basan fundamentalmente en preguntas sobre *qué* y *cuándo* que se centran en las condiciones ambientales que existen antes, durante, y después de un episodio conductual, en lugar de en preguntas sobre *por qué*, que tienden a evocar explicaciones mentalistas poco valiosas para la comprensión del problema.

> Preguntar a los clientes por qué hacen algo presupone que conocen la respuesta y suele ser frustrante para ellos, porque probablemente no lo saben y parece que deberían (Kadushin, 1972). Las preguntas del tipo "por qué" generan razones "motivacionales" que normalmente no aportan información, tales como "Simplemente soy vago". En lugar de esto, se le debería preguntar al cliente "¿Qué sucede cuando…?". Así nos acercamos a lo que realmente sucede en el ambiente natural. La atención se dirige hacia la conducta mediante preguntas que se centran en esta, tales como: ¿Puedes ponerme un ejemplo de lo que [haces]? Cuando se obtiene un ejemplo, se puede solicitar otro hasta que se identifique el conjunto de conductas al que el cliente se refiere cuando emplea una determinada palabra. (Gambrill, 1977, pág. 153)

La figura 3.1 ofrece ejemplos de los tipos de preguntas sobre *qué* y *cuándo* que pueden utilizarse durante una entrevista de evaluación conductual. Esta serie de preguntas fue desarrollada por un consultor conductual en respuesta a un maestro que quería reducir la frecuencia de sus reacciones negativas a las actuaciones de los alumnos disruptivos. Se podrían elaborar preguntas similares para reconducir diferentes situaciones en centros e instituciones comunitarios (Sugai y Tindal, 1993)

El propósito principal de las preguntas de la entrevista de evaluación conductual de la figura 3.1 es identificar las variables que ocurren antes, durante, y después de la conducta de atención negativa del maestro. Identificar los eventos ambientales que correlacionan con la conducta aporta información muy valiosa para la formulación de hipótesis sobre las funciones controladoras de esas variables y para [50] la planificación de la intervención. La generación de hipótesis lleva a la manipulación experimental y al descubrimiento de relaciones funcionales (ver cap. 24).

Como ampliación de la entrevista se puede pedir a los clientes que completen cuestionarios o las llamadas encuestas de evaluación de necesidades. Unos y otras se han desarrollado en muchas áreas de intervención para matizar o ampliar el proceso de entrevista (Altschuld y Witkin, 2000). A veces, como resultado de una entrevista inicial, se le pide al cliente que registre su propia conducta en situaciones particulares. El autorregistro puede implicar hacer anotaciones o grabaciones de audio sobre eventos específicos.[4] Los datos recogidos por el cliente pueden ser útiles para seleccionar y definir las conductas sobre las que continuar la evaluación o sobre las que intervenir. Por ejemplo, un cliente que busca tratamiento conductual para dejar de fumar podría registrar el número de cigarrillos que fuma cada día y las condiciones en las que los fuma (p.ej., por la mañana en el descanso para el café, después de cenar o parado en pleno atasco). Estos datos recogidos por el cliente pueden arrojar luz sobre las condiciones antecedentes que correlacionan con la conducta objetivo.

Entrevista a terceras personas significativas

A veces el analista de la conducta o no puede entrevistar al cliente personalmente o necesita obtener información de personas que son importantes en la vida del mismo (p.ej., padres, maestros, compañeros de trabajo…). En

[4]Los procedimientos de autorregistro, un componente principal de muchas intervenciones de promoción de la autonomía personal, se describen en el capítulo 27.

Figura 3.1 Ejemplo de preguntas de la entrevista conductual.

Formulario de la entrevista de identificación de problemas

Razones de la derivación: el maestro solicitó ayuda para reducir su atención negativa a los alumnos que estaban gritando y desobedeciendo.

1. ¿Puede definir en sus propias palabras los problemas de conducta que motivaron su solicitud?
2. ¿Hay alguna otra conducta que realice como maestro que le preocupe en este momento?
3. Cuando atiende de forma negativa (es decir, cuando presta atención a los gritos y a la conducta desobediente), ¿qué suele suceder *inmediatamente antes* de que lo haga?
4. ¿Qué suele suceder *después* de que ocurra la conducta de atender negativamente?
5. ¿Cuáles son las reacciones de los alumnos cuando grita o atiende a su conducta desobediente?
6. ¿Qué conductas tienen que realizar los alumnos para que sea menos probable que les preste atención en un sentido negativo?
7. ¿Ha intentado otras intervenciones? ¿Cuál ha sido su efecto?

tales casos, el analista entrevistará a una o más de estas personas. Al describir un problema o déficit conductual, estas personas a menudo comienzan hablando en términos generales que no permiten identificar las conductas específicas a modificar y que suelen presuponer factores causales intrínsecos al cliente (p.ej., está asustada, es agresiva, está desmotivada o es floja). Al preguntar con distintas variaciones de las preguntas sobre *qué, cuándo* y *cómo*, el analista puede ayudar a estas personas a describir el problema en términos de conductas específicas y de eventos y condiciones ambientales asociados con éstas. Por ejemplo, las siguientes preguntas podrían usarse al entrevistar a unos padres que hubiesen pedido ayuda porque su hijo es "desobediente" e "inmaduro".

- ¿Qué suele estar haciendo Darío en los momentos en los que usted se suele referir a él como inmaduro o desobediente?
- ¿En qué momento del día le parece Darío más inmaduro (o desobediente)? ¿Qué suele estar haciendo Darío en ese momento?
- ¿Hay situaciones o lugares concretos en los que Darío sea desobediente o actúe con inmadurez? Si es así, ¿Dónde y qué hace?
- ¿De cuántas formas diferentes actúa Darío con inmadurez (o desobediencia)?
- ¿Cuál es la conducta desobediente más frecuente de Darío?
- ¿Cómo reaccionan usted y otros familiares cuando Darío se comporta así?
- Si Darío fuese tan maduro e independiente como a usted le gustaría, ¿Qué haría distinto de lo que hace ahora?

La figura 3.2 muestra un formulario que los padres u otras personas significativas pueden utilizar para empezar a identificar posibles conductas objetivo.

Además de buscar la ayuda de terceras personas significativas para identificar las conductas objetivo y las posibles variables de control que ayuden a diseñar un plan de intervención, el analista de la conducta puede también utilizar la entrevista para determinar el grado en el que estas personas están dispuestas y capacitadas para ayudar a implementar la intervención. Sin la colaboración de los padres, de los hermanos, de los maestros y del resto del personal, muchos programas de cambio conductual no podrían tener éxito.

Cuestionarios

Los cuestionarios conductuales y las escalas de valoración pueden utilizarse solos o combinados con entrevistas para identificar posibles conductas objetivo. Un **cuestionario de conducta** ofrece descripciones de conductas específicas (normalmente ordenadas jerárquicamente) y de las condiciones bajo las que cada conducta debe ocurrir. Pueden elaborarse cuestionarios específicos de cada situación (o programa) para evaluar una conducta particular (p.ej., lavarse los dientes) o un área de habilidad específica (p.ej., una habilidad social), pero la mayoría de los profesionales utilizan cuestionarios publicados para valorar un amplio rango de áreas (p.ej., *The Functional Assessment Checklist for Teachers and Staff* [March et al., 2000]).

Habitualmente se utiliza una escala tipo Likert que incluye información sobre eventos antecedentes y consecuentes que pueden afectar a la frecuencia, intensidad o duración de las conductas. Por ejemplo el *Child Behavior Checklist (CBCL)* consiste en varios formularios que recogen información del maestro, de los

Figura 3.2 Formulario que los padres u otras personas significativas pueden utilizar para generar listas iniciales de posibles conductas objetivo.

La lista de conductas 5+5

Nombre del niño o de la niña: ____________________

Persona que completa esta lista: ____________________

Relación de la persona que evalúa con el niño o la niña: ____________________

5 cosas buenas que ____ hace ahora	5 cosas que me gustaría que ____ aprendiera a hacer con más (o menos) frecuencia
1. ____________	1. ____________
2. ____________	2. ____________
3. ____________	3. ____________
4. ____________	4. ____________
5. ____________	5. ____________

Indicaciones: empiece enumerando en la columna de la izquierda 5 conductas deseables que su hijo o hija (o su estudiante) hace ya con regularidad; cosas que usted quiera que él o ella continue haciendo. Después, enumere en la columna de la derecha 5 conductas que le gustaría que hiciera con más frecuencia (cosas que hace a veces pero que debería hacer con más regularidad) o conductas indeseables que quiera que haga con menos frecuencia (o que no haga en absoluto). Puede enumerar más de 5 conductas en cada columna, pero intente identificar al menos 5 en cada una.

padres y del niño y puede ser utilizado con menores desde 5 hasta 18 años (Achenbach y Edelbrock, 1991). El formulario del maestro incluye 112 conductas (p.ej., “llora mucho”) que se valoran en una escala de 3 puntos: “Falso”, “A veces cierto”, o “A menudo cierto”. El *CBCL* también incluye ítems que representan competencias sociales y funcionamiento adaptativo tales como llevarse bien con los demás o actuar de forma alegre.

La *Escala de Conducta Adaptativa (ABS-S)* (Lambert, Nihira y Leland,1993) es otro cuestionario usado frecuentemente para evaluar la conducta adaptativa de los niños. La parte 1 de la *ABS-S* contiene 10 dominios relacionados con el funcionamiento autónomo y las habilidades de la vida diaria (p.ej., la hora de la comida, el uso del baño, el manejo del dinero, de los números o del tiempo); la parte 2 evalúa el nivel de conducta desadaptativa (inapropiada) del niño en siete áreas (p.ej., nivel de honradez, de conducta agresiva hacia sí mismo o integración social). Otra versión de la *Escala de Conducta Adaptativa, la ABS-RC*, evalúa esta conducta en espacios residenciales y comunitarios (Nihira, Leland y Lambert, 1993).

La información obtenida de los buenos cuestionarios de conducta (es decir, de aquellos con ítems objetivos y relevantes para la vida de la persona atendida) pueden ayudar a identificar conductas merecedoras de una evaluación más directa e intensiva.

Pruebas estandarizadas

Se han desarrollado literalmente miles de pruebas estandarizadas e instrumentos para la evaluación de la conducta (véase también Spies y Plake, 2005). Cuando se administra una *prueba estandarizada*, se plantean las mismas preguntas y tareas una forma previamente especificada y se utilizan los mismos criterios y procedimientos de puntuación. Algunas pruebas estandarizadas ofrecen puntuaciones referidas a la norma. Para desarrollar una *prueba referida a la norma*, se le administra primero a una amplia muestra de personas seleccionadas al azar entre la población con la que se va a utilizar la prueba. Después las puntuaciones de las personas de la muestra normativa se utilizan para representar la distribución de las puntuaciones entre la población general.

La mayoría de las pruebas estandarizadas del mercado; sin embargo, no conducen a la evaluación conductual porque sus resultados no pueden ser traducidos a las conductas que serán objetivo directo de instrucción o del tratamiento. Por ejemplo, los resultados de las pruebas estandarizadas utilizadas normalmente en los colegios, tales como el *Iowa Test of Basic Skills* (Hoover, Hieronymus, Dunbar y Frisbie, 1996) *Peabody Individual Achievement Test- R/NU (*Markwardt, 2005), y el *Wide Range Achievement Test-3 (WRAT)* (Wilkinson, 1994), podrían indicar que un alumno de cuarto grado de primaria muestra un desempeño correspondiente a tercer grado en matemáticas y a primer grado en lectura. Tal información podría ser útil para determinar el desempeño del alumno en esas materias en comparación con el resto de los alumnos, pero no indica las habilidades específicas que el alumno ha adquirido en matemáticas o lectura ni ofrece suficiente información contextual con la que iniciar un programa de enriquecimiento o de recuperación. Además, los analistas de la conducta pueden no estar autorizados para administrar una determinada prueba debido a los requisitos legales. Por ejemplo, sólo un titulado universitario en Psicología puede administrar algunos tipos de pruebas de inteligencia e inventarios de personalidad.

Las pruebas son muy útiles como instrumentos de evaluación conductual cuando proporcionan una medida directa de la ejecución de las conductas de interés. En los últimos años, un creciente número de maestros orientados conductualmente ha reconocido el valor de las evaluaciones referidas al criterio y basadas en el currículum para indicar exactamente qué habilidades necesitan aprender los alumnos e, igualmente importante, qué habilidades han adquirido ya (Browder, 2001; Howell,1998). Las evaluaciones basadas en el currículum pueden ser consideradas medidas directas de la actuación de los alumnos porque los datos obtenidos se basan específicamente en las tareas diarias que los alumnos realizan (Overton, 2006).

Observación directa

La observación directa y repetida de la conducta de la persona en su ambiente natural es el método más recomendable para decidir sobre qué conductas intervenir. Hay un formulario básico de observación continua y directa, descrito por primera vez por Bijou, Peterson y Ault (1968), que se llama **observación anecdótica,** o **registro ABC.** La observación anecdótica permite llevar un registro descriptivo y secuenciado temporalmente de todas las conductas de interés y de sus condiciones antecedentes y consecuentes conforme ocurren en el ambiente natural (Cooper,1981). Esta técnica proporciona información que puede ser utilizada para identificar posibles conductas objetivo.

Más que proporcionar datos sobre la frecuencia de una conducta específica, la observación anecdótica ofrece una descripción general de los patrones de conducta de la persona de interés. Este registro detallado de la conducta dentro de su contexto natural aporta información al propio individuo y a las demás personas implicadas en el programa de cambio conductual y es extremadamente útil para el diseño de intervenciones (Hawkins et al., 1999).

La descripción precisa de episodios conductuales conforme ocurren en tiempo real se ve facilitada por el uso de un formulario para registrar los antecedentes, las conductas y las consecuencias relevantes de forma secuenciada en el tiempo. Por ejemplo, Lo (2003) utilizó el formulario que se muestra en la figura 3.3 para registrar observaciones anecdóticas de un alumno de cuarto grado de educación especial cuya maestra se había quejado de que sus frecuentes conductas de hablar en clase y levantarse de su silla estaban dificultando su aprendizaje e interrumpiendo a toda la clase. (Las observaciones ABC pueden registrarse también en un cuestionario específico de antecedentes, conductas y consecuencias, que se haya creado individualmente para la persona atendida y que esté basado en la información obtenida previamente en las entrevistas y observaciones iniciales. (Ver figura 24.2).

El registro ABC requiere que el observador dedique toda su atención a la persona observada. Una maestra de una clase, por ejemplo, no podría usar este procedimiento de evaluación mientras realiza otras actividades, tales como dirigir un grupo de lectura, demostrar un problema matemático en la pizarra, o corregir las tareas. La observación anecdótica se lleva a cabo habitualmente durante periodos continuos de 20 a 30 minutos, y siempre y cuando se puedan repartir las responsabilidades temporalmente (p.ej., en la enseñanza en equipo). A continuación se presentan algunas directrices adicionales y sugerencias para llevar a cabo observaciones anecdóticas:

- Apunte todo lo que el cliente haga y diga así como todo lo que le suceda.
- Utilice sus propias abreviaturas para hacer el registro más eficiente, pero asegúrese de que sus anotaciones puedan completarse y de hecho se completen con precisión justo después de la sesión de observación.
- Registre sólo las acciones que vea o escuche, no interpretaciones sobre esas acciones.

Figura 3.3 Ejemplo de un formulario de registro ABC anecdótico.

Alumno: Alumno 4 Fecha: 3/10/03 Contexto: Aula de Educación Especial (hora de matemáticas)

Observador: Experimentador Hora de inicio: 2:40 P.M. Hora de finalización: 3:00 P.M.

Hora	Antecedentes (A)	Conducta (B)	Consecuencias (C)
2:40	La maestra dice a los alumnos que trabajen en silencio en sus fichas de matemáticas.	Anda alrededor de la habitación y mira a los demás alumnos.	La maestra dice: "todo el mundo está trabajando excepto tú. No hace falta que te diga lo que tienes que hacer".
	✓	Se sienta y hace ruidos raros con la boca.	Una compañera le dice: "¿te podrías callar por favor?".
	✓	Le dice a la compañera: "¿Quién, yo?". Y deja de hacer ruidos raros.	La compañera continúa trabajando.
2:41	Ficha de matemáticas.	Se sienta en su sitio y trabaja en silencio.	Nadie le presta atención.
	Ficha de matemáticas.	Aporrea el pupitre con las manos.	El auxiliar de educación especial le pide que pare.
2:45	Ficha de matemáticas.	Hace ruidos vocales.	Es ignorado por los demás.
	Ficha de matemáticas.	Grita el nombre de la maestra tres veces y va hacia ella con su ficha.	La maestra lo ayuda con sus preguntas.
2:47	Todo el mundo está trabajando en silencio.	Se levanta y abandona su sitio.	La maestra le pide que se siente y trabaje.
	✓	Se sienta y trabaja.	Es ignorado por los demás.
	Todo el mundo está trabajando en silencio.	Se levanta y le habla a un compañero.	La maestra le pide que se siente y trabaje.
	✓	Vuelve a su sitio y trabaja.	Es ignorado por los demás.
2:55	Ficha de matemáticas y nadie prestándole atención.	Agarra de la mano a un compañero y le pide ayuda con la ficha.	El compañero se niega.
	✓	Le pide a otro compañero que lo ayude.	El compañero lo ayuda.
2:58	✓	Le dice a la maestra que ha terminado el trabajo y que es su turno para utilizar el ordenador.	La maestra le pide que vuelva a su trabajo y le dice que no es su turno para utilizar el ordenador.
	✓	Gimotea porque no sea su turno de usar el ordenador.	La maestra le dice que otros alumnos están todavía trabajando con el ordenador y que busque un libro para leer.
	✓	Se queda detrás de un compañero que está jugando con el ordenador y lo mira jugar.	Es ignorado por la maestra.

Adaptado de *Functional Assessment and Individualized Intervention Plans: Increasing the Behavior Adjustment of Urban Learners in General and Special Education Settings* (pág. 317) Y. Lo. Tesis doctoral no publicada. Columbus, OH: The Ohio State University. Utilizado con permiso.

- Registre la secuencia temporal de cada respuesta de interés anotando lo que sucedió inmediatamente antes y después.
- Registre la duración estimada de cada muestra de la conducta de interés. Marque el tiempo de inicio y final dc cada episodio conductual.
- Sea consciente de que la observación anecdótica continuada es normalmente un método de registro intrusivo. La mayoría de la gente se comporta de un modo distinto delante de alguien que la observa mientras toma notas. Sabiendo esto, los observadores deberían ser lo menos intrusivos posible (p.ej., mantenerse a una distancia razonable del sujeto).

- Realice las observaciones a lo largo de un periodo de varios días para que disminuya el efecto de la novedad de ser observado y para que las sesiones repetidas de observación permitan obtener una imagen válida de la conducta cotidiana.

Evaluación ecológica

El analista de conducta entiende que la conducta humana es función de múltiples eventos y que muchos de ellos tienen efectos múltiples sobre la conducta (véase también Michael, 1995). Una aproximación ecológica a la reconoce las interrelaciones complejas entre el ambiente y la conducta. En una **evaluación ecológica** se recoge una buena cantidad de información sobre la persona y los diferentes ambientes en los que vive y trabaja. Entre los muchos factores que pueden afectar a la conducta de una persona están las condiciones fisiológicas, los aspectos físicos del ambiente (p.ej., la iluminación, la disposición de los asientos o el nivel de ruido), las interacciones con los demás, el ambiente del hogar y la historia de reforzamiento pasado. Cada uno de estos factores representa un área potencial de evaluación.

Aunque una evaluación ecológica exhaustiva aportará una gran cantidad de datos descriptivos, no debe olvidarse el propósito básico de la evaluación (identificar el problema de conducta más preocupante y las posibles formas de atenuarlo). Es fácil extralimitarse con el enfoque ecológico y recoger mucha más información de la necesaria. La evaluación ecológica puede ser costosa en términos de tiempo tanto para el profesional como para el cliente, y puede plantear dudas éticas e incluso legales respecto a la confidencialidad (Koocher y Keith-Spiegel, 1998). Al final, deberá ser el buen criterio del analista de conducta el que determine cuánta información es necesario recoger en cada caso. Escribiendo sobre el papel de la evaluación ecológica para los maestros de educación especial, Heron y Heward (1988) sugirieron que:

> La clave para utilizar la evaluación ecológica es saber *cuándo* utilizarla. Las evaluaciones ecológicas a gran escala por sí mismas no son recomendables para maestros encargados de enseñar un gran número de habilidades importantes a muchos niños en una cantidad limitada de tiempo. En la mayoría de los casos, el tiempo y el esfuerzo dedicados a llevar a cabo una evaluación ecológica exhaustiva serían mejor utilizados en la instrucción directa. Aunque los resultados de una evaluación ecológica puedan ser interesantes, éstos no siempre van a cambiar el curso de una intervención planificada. ¿Bajo qué condiciones aportará una evaluación ecológica datos que influyan significativamente en la intervención? Ese es el reto. Los educadores deben esforzarse para convertirse en agudos detectores de: (1) situaciones en las que la intervención programada tiene posibilidades de afectar a otras conductas del alumno además de a la conducta objetivo; y (2) situaciones en las que una intervención, que se consideraría eficaz si la conducta objetivo se tomara aisladamente, puede resultar ineficaz debido a otras variables ecológicas que entran en juego. Independientemente de la cantidad y el alcance de la información disponible sobre el alumno, un maestro debe tomar decisiones pedagógicas basadas en un análisis empírico de la conducta objetivo. En última instancia, el análisis cuidadoso (es decir, la medición directa y diaria) de la conducta de interés puede ser ineficaz debido al resto de variables ecológicas implicadas. (pág. 231)

Efectos reactivos de la evaluación directa

El término **reactividad** hace referencia a los efectos del procedimiento de evaluación sobre la conducta evaluada (Kazdin, 1979). Es más probable cuando la observación es *intrusiva* es decir, cuando la persona observada es consciente de la presencia y del propósito del observador (Kazdin, 2001) .Numerosos estudios han demostrado que la presencia de observadores en situaciones aplicadas puede influir en la conducta de un sujeto (Mercatoris y Craighead,1974; Surratt, Ulrich y Hawkins, 1969; White, 1977). Quizás los procedimientos de evaluación más intrusivos sean aquellos que requieren que el sujeto observe y registre su propia conducta. La investigación sobre el procedimiento de autorregistro muestra que este normalmente afecta a la conducta evaluada (Kirby, Fowler y Baer, 1991).[5]

Aunque los estudios sugieren también que, incluso cuando la presencia de un observador altera la conducta observada, los efectos reactivos suelen ser temporales (p.ej., Haynes y Horn, 1982; Kazdin, 1982). A pesar de todo, el analista de conducta debe utilizar métodos de evaluación que sean lo menos intrusivos posible, repetir las observaciones hasta que los efectos reactivos disminuyan, y tener en cuenta estos posibles efectos al interpretar los resultados de la observación.

---

[5] Los efectos reactivos de la evaluación no son necesariamente negativos. El autorregistro ha llegado a ser un procedimiento de tratamiento tanto como de evaluación; ver capítulo 27.

Evaluación de la relevancia social de las posibles conductas objetivo

En el pasado, cuando un maestro, un terapeuta, u otro profesional del ámbito de los servicios humanos y sociales determinaba que la conducta de un cliente debía de ser modificada, se hacían pocas preguntas. Se asumía que esa modificación sería beneficiosa para la persona. Esa presunción de benevolencia ya no es aceptable éticamente (si es que alguna vez lo fue). Debido a que el analista cuenta con una tecnología eficaz para cambiar la conducta en direcciones predeterminas, debe rendir cuentas de su actuación profesional. Tanto los objetivos como los argumentos que justifican [55] los programas de cambio de conducta deben estar abiertos al examen crítico de los "consumidores" (las personas atendidas y sus familias) y de otras personas que puedan verse afectadas (la sociedad) por el trabajo del analista de conducta. Al seleccionar las conductas objetivo, los profesionales deben tener en cuenta *de quién* es la conducta que se está evaluando (y cambiando) y por qué se está haciendo esto.

Las conductas objetivo no deben seleccionarse para beneficiar principalmente a terceras personas (p.ej., "Quédate quieto, cállate y sé dócil", en Winett y Winkler, 1972), ni para mantener el statu quo (Budd y Baer, 1976; Holland, 1978), o porque despierten el interés de alguien que se encuentre en la posición de cambiar esas conductas, como ilustra el siguiente episodio:

> Un brillante y concienzudo estudiante de postgrado estaba interesado en hacer sus tesis sobre un programa para niños gravemente disfuncionales. Quería enseñar a escribir a mano con letra minúscula y continua a un... niño [que] no sabía leer (excepto su nombre), ni escribir en letras mayúsculas, ni identificar fiablemente todas las letras del alfabeto. Yo le pregunté "¿Quién ha decidido que ese sea el próximo problema sobre el que trabajar?" (Hawkins, 1975, pág. 195)

Establecer un criterio sobre cuáles son las conductas que se deben cambiar es difícil. Aún así, los profesionales no carecen de indicaciones a la hora de elegir las conductas sobre las que intervenir. Numerosos autores han sugerido directrices y criterios para elegirlas (p.ej., Ayllon y Azrin, 1968; Bailey y Lessen, 1984; Bosch y Fuqua, 2001; Hawkins, 1984; Komaki, 1998; Rosales-Ruiz y Baer, 1997), todos los cuales giran en torno a una cuestión fundamental: ¿En qué medida mejora el cambio conductual propuesto la experiencia vital de la persona?

Una definición de habilitación

Hawkins (1984) sugirió que el significado potencial de cualquier cambio conductual debe ser juzgado dentro del contexto de la **habilitación**, que definió así:

> La habilitación (ajuste) es el grado en el que el repertorio conductual de la persona maximiza los reforzadores a corto y largo plazo tanto para el individuo como para los demás, y minimiza los estímulos punitivos a corto y largo plazo. (pág. 284)

Hawkins (1986) citó varias ventajas de esta definición diciendo que (a) es conceptualmente familiar para el analista de conducta, (b) define el tratamiento usando resultados medibles, (c) es aplicable a un amplio rango de actividades habilitadoras, (d) se ocupa de las necesidades individuales y sociales sin juzgar, (e) trata el ajuste a lo largo de un continuo de conducta adaptativa y no está impulsado por los déficits, y (f) es relativo cultural y situacionalmente.

Las valoraciones sobre cuanto contribuirá un cambio conductual particular a la habilitación (ajuste o competencia) general son difíciles de hacer. En muchos casos no sabemos lo útil o funcional que resultará un determinado cambio conductual (Baer, 1981, 1982), incluso aunque se pueda predecir su utilidad a corto plazo. A pesar de todo, los analistas aplicados de la conducta deben dar la máxima importancia a la selección de conductas objetivo que sean verdaderamente útiles y habilitadoras (Hawkins, 1991). En efecto, si una posible conducta objetivo cumple los criterios de habilitación, el individuo tendrá mayor probabilidad en el futuro de obtener reforzamiento adicional y de evitar el castigo.

Tanto desde una perspectiva ética como pragmática, cualquier conducta que se elija cambiar debe beneficiar a la persona directa o indirectamente. Examinar cada posible conducta objetivo de acuerdo con los diez aspectos descritos en las siguientes secciones servirá para clarificar su relevancia social relativa y su valor habilitador. La figura 3.4 resume estos aspectos en una hoja que puede utilizarse para evaluar los aspectos mencionados.

Figura 3.4 Hoja de registro de datos para la evaluación de la relevancia social de las posibles conductas objetivo.

Nombre de la persona atendida: ______________________ Fecha: ________

Persona que realizó la evaluación: ______________________

Relación entre ambas: ______________________

Conducta: ______________________

Consideraciones	Evaluación			Justificación/Comentarios
¿Puede esta conducta producir reforzamiento en el ambiente natural del cliente cuando la intervención termine?	Sí	No	No lo sé	
¿Es esta conducta un prerrequisito necesario para adquirir otra conducta más compleja y funcional?	Sí	No	No lo sé	
¿Esta conducta incrementará el acceso del cliente a ambientes en los que se puedan adquirir y utilizar otras habilidades importantes?	Sí	No	No lo sé	
¿La modificación de esta conducta predispondrá a los demás para interactuar con el cliente de un modo más apropiado y beneficioso?	Sí	No	No lo sé	
¿Es esta conducta una inflexión conductual o una conducta pivote?	Sí	No	No lo sé	
¿Es esta conducta apropiada para la edad del cliente?	Sí	No	No lo sé	
Si la conducta seleccionada tiene que reducirse o eliminarse, ¿se ha elegido una conducta adaptativa que la sustituya?	Sí	No	No lo sé	
¿Representa esta conducta el problema u objetivo real o sólo está indirectamente relacionada con este?	Sí	No	No lo sé	
¿Es sólo lenguaje o es la verdadera conducta de interés?	Sí	No	No lo sé	
Si el objetivo final no es una conducta, ¿ayudará la conducta seleccionada a lograrlo?	Sí	No	No lo sé	

Notas/comentarios: ______________________

____

____

¿Puede esta conducta recibir reforzamiento en el ambiente natural de la persona cuando la intervención termine?

Para determinar si una conducta seleccionada determinada es funcional es necesario que el analista, el entorno social significativo de la persona atendida, y, siempre que sea posible la propia persona atendida, se pregunten si el cambio de conducta propuesto será reforzado en la vida diaria. Ayllon y Azrin (1968) llamaron a esto la **relevancia de la regla de conducta;** lo que significa que una conducta objetivo debe seleccionarse sólo cuando se estime una alta probabilidad de que produzca reforzamiento en el entorno natural. Esta probabilidad determinará en gran medida el mantenimiento de la conducta y su posibilidad de originar beneficios a largo plazo para la persona.

Valorar si la ocurrencia de la conducta objetivo será reforzada después de la intervención puede ayudar a clarificar si el cambio de conducta se propone principalmente para el beneficio del individuo o para el de alguna otra persona. Por ejemplo, a pesar de los deseos o presión parental, sería de poco valor enseñar habilidades matemáticas a una alumna con trastornos graves del desarrollo y con déficits generalizados de la comunicación y de las habilidades sociales. La enseñanza de habilidades de comunicación que le permitan interactuar más eficazmente con su ambiente *actual* debe prevalecer sobre la enseñanza de habilidades que pueda usar en el *futuro* (p.ej., dar el cambio en la tienda). A veces las conductas objetivo no se seleccionan por su beneficio directo sino debido a un beneficio indirecto importante. Los beneficios indirectos pueden ocurrir de diferentes formas tal y como se describe en los próximos tres apartados.

¿Es esta conducta un prerrequisito necesario para adquirir otra más compleja y funcional?

Algunas conductas que no son importantes por sí mismas se seleccionan para su instrucción porque son prerrequisitos necesarios para aprender otras conductas funcionales. Por ejemplo, los avances en la investigación sobre la lectura han demostrado que enseñar a ser conscientes de los fonemas (p.ej., aislamiento del sonido: ¿cuál es el primer sonido en la palabra *nariz*?; fragmentación de los fonemas: ¿qué sonidos oyes en la palabra *grasa*?; selección de una palabra que suene distinta: ¿qué palabra empieza con un sonido diferente entre: *casa, coche, ficha, cama*?) a personas que no saben leer tiene efectos positivos sobre la adquisición de competencias lectoras (National Reading Panel, 2000).[6]

¿Esta conducta incrementará el acceso a ambientes en los que se puedan adquirir y utilizar otras habilidades importantes?

Hawkins (1986) describió la selección de "conductas de acceso" como un medio de producir beneficios indirectos en los clientes. Por ejemplo, a veces se enseña a los alumnos de educación especial a completar las páginas de su cuaderno de trabajo de forma cuidadosa y limpia, a interactuar educadamente con el maestro de la clase de educación general y a quedarse en su asiento durante la exposición del maestro. Estas conductas se enseñan con la idea de que incrementen su integración en una clase de educación general, y así facilitar su acceso a los programas generales de educación e instrucción.

¿Predispondrá este cambio conductual a los demás para interactuar con la persona de un modo más apropiado y beneficioso?

Otro tipo de beneficio indirecto sucede cuando un cambio de conducta es del máximo interés para alguien significativo en la vida de la persona directamente atendida. El cambio conductual puede permitir a esa persona significativa comportarse de un modo más beneficioso para el individuo. Por ejemplo, supongamos que un maestro quiere que los padres de sus alumnos implementen un programa de instrucción basado en el hogar, pensando que las habilidades lingüísticas de los alumnos mejorarán considerablemente si sus padres pasan tan sólo 10 minutos cada noche jugando a un juego de vocabulario con ellos. Al reunirse con los padres de una alumna, sin embargo; el maestro se da cuenta de que aunque también están preocupados por la baja competencia lingüística de la niña, tienen otras

[6] El beneficio indirecto de una conducta objetivo como prerrequisito necesario para otra conducta importante no debe confundirse con la enseñanza indirecta. La enseñanza indirecta implica seleccionar una conducta objetivo diferente del verdadero objetivo conductual debido a la creencia de que están relacionados (p.ej., hacer a los estudiantes con baja competencia lectora practicar la discriminación de formas o andar por una barra de equilibrios). La importancia de seleccionar una conducta objetivo directa se trata más adelante en esta sección.

necesidades y, según ellos, más urgentes (quieren que su hija limpie su habitación y ayude lavar los platos de la cena). Incluso aunque el maestro crea que recoger la habitación y lavar los platos no son tan importantes para el máximo bienestar de la niña como el desarrollo del lenguaje, estas tareas pueden suponer importantes objetivos conductuales si una habitación descuidada y un fregadero lleno de platos sucios impide interacciones positivas entre los padres y la niña (incluida la de jugar al juego de construcción de vocabulario). En este caso, los quehaceres cotidianos deberían ser seleccionados como conductas objetivo debido al beneficio directo e inmediato para los padres, con la expectativa de que estos ayuden con más probabilidad a su hija con las actividades escolares si están más satisfechos.

¿Es esta conducta una inflexión conductual o una conducta pivote?

Los analistas de conducta suelen usar un método de entrenamiento por bloques para desarrollar repertorios en los clientes. Por ejemplo, al enseñar una habilidad compleja (p.ej., multiplicación de dos dígitos), se enseñan antes habilidades más simples y más fácilmente alcanzables (p.ej., suma, reagrupación o multiplicación de un dígito), o para enseñar a atarse los cordones de los zapatos se enseña antes sistemáticamente a cruzar los cordones, y a hacer lazos y nudos. Conforme se van dominando los elementos que componen la habilidad, se van uniendo (p.ej., se encadenan) en repertorios progresivamente más complejos. En algún momento a lo largo de este continuo de habilidades del desarrollo, cuando la persona pone en práctica una habilidad en el nivel que se había establecido previamente como criterio, tiene lugar el reforzamiento, y es entonces cuando el profesional decide avanzar hacia el siguiente nivel de la habilidad. Este enfoque ha demostrado ser tan sistemático y metódico que los analistas de la conducta están estudiando formas de mejorar la eficacia del desarrollo de nuevas conductas. Elegir conductas objetivo que sean inflexiones conductuales o conductas pivote puede ayudar a incrementar dicha eficacia.

Inflexiones conductuales

Rosales-Ruiz y Baer (1997) definieron una **inflexión conductual** como:

> Una conducta que tiene consecuencias más allá de su propio cambio, algunas de las cuales se pueden considerar importantes… Lo que hace de un cambio conductual una inflexión es que expone el repertorio del individuo a nuevos ambientes, especialmente nuevos reforzadores y castigos, a nuevas contingencias, a nuevas respuestas, a nuevos controles estimulares, y a nuevos conjuntos de contingencias de mantenimiento o de eliminación. Cuando suceden algunos de estos eventos, el repertorio del individuo se amplía; se da un mantenimiento diferencialmente selectivo de este nuevo repertorio y de algunos viejos repertorios, que quizás le lleven a nuevas inflexiones. (pág. 534)

Rosales-Ruiz y Baer (1997) citaron como ejemplos de posibles inflexiones conductuales el gateo, la lectura y la imitación generalizada, porque "*abren de repente* el mundo del niño a nuevas contingencias que desarrollarán muchas conductas nuevas e importantes" (pág. 535, énfasis añadido). Las inflexiones conductuales son diferentes de las conductas componentes o prerrequisitas. Para un niño pequeño los movimientos específicos del brazo, la cabeza, la pierna, o los movimientos posturales serían conductas componentes del gateo, pero el gateo es la inflexión porque permite al niño entrar en contacto con nuevos ambientes y estímulos como fuentes de motivación y reforzamiento (p.ej., juguetes, padres), que a su vez abren un mundo nuevo de contingencias que pueden más adelante moldear y seleccionar otras conductas adaptativas.

> La importancia de las inflexiones se valora en función de (a) la amplitud de los cambios conductuales que posibilitan de forma regular, (b) si sistemáticamente exponen la conducta a nuevas inflexiones, y (c) la visión de la comunidad de si estos cambios son importantes para el organismo, lo que a su vez suele estar controlado por las normas sociales y expectativas sobre qué conductas se deberían desarrollar en los niños y cuándo debería ocurrir tal desarrollo. (Rosales-Ruiz y Baer, 1997, p.537)

Bosch y Fuqua (2001) sugirieron que clarificar "dimensiones a priori para determinar si una conducta puede ser una inflexión conductual es un paso importante para entender el potencial del concepto de inflexión" (pág. 125). Estos autores establecieron que una conducta puede ser una inflexión si reúne uno o más de los siguientes cinco criterios: "(a) acceso a nuevos reforzadores, contingencias y ambientes; (b) validez social; (c) productividad; (d) incompatibilidad con respuestas inapropiadas; y (e) número e importancia relativa de personas afectadas" (p.123). Cuantos más criterios satisfaga una conducta, más seguros podremos estar de que es una inflexión conductual. Al identificar y evaluar las conductas objetivo según su valor como inflexión, los profesionales aplicados pueden abrir "un mundo nuevo" de gran potencial para las personas a quienes atienden.

Conducta pivote

La conducta pivote ha surgido como un concepto interesante y prometedor en la investigación conductual, especialmente porque se relaciona con el tratamiento de personas con autismo y otros trastornos del desarrollo. R. L. Koegel y L. K. Koegel y sus colegas han examinado los enfoques de evaluación y tratamiento a lo largo de un amplio rango de áreas (p.ej., habilidades sociales, capacidades comunicativas o conductas molestas) (Koegel y Frea, 1993; Koegel y Koegel, 1988; Koegel, Koegel, y Schreibman, 1991). Expresado brevemente, una **conducta pivote** es aquella que, una vez aprendida, produce modificaciones correspondientes o covariaciones en otras conductas adaptativas no entrenadas. Por ejemplo, Koegel, Carter, y Koegel (2003) indicaron que enseñar a los niños con autismo a "iniciar por sí mismos" (p.ej., aproximarse a otros) puede ser una conducta pivote. Los "datos longitudinales obtenidos en niños con autismo sugieren que la presencia de iniciaciones puede funcionar como pronóstico de resultados más favorables a largo plazo y por lo tanto ser 'pivote' al servir para ampliar los cambios positivos en una buena cantidad de áreas " (pág. 134). Es decir, que la mejoría en las aproximaciones sociales puede funcionar como pivote para la aparición de clases de respuesta no entrenadas, tales como hacer preguntas e incrementar la producción y diversidad de la conversación.

Evaluar y seleccionar conductas pivote puede ser ventajoso tanto para el profesional como para la persona atendida. Desde la perspectiva del profesional, podría evaluar y entrenar conductas pivote en relativamente pocas sesiones que serían después puestas en práctica en contextos no entrenados o a través de respuestas no entrenadas (Koegel et al, 2003). Desde la perspectiva de la persona atendida, el aprendizaje de una conducta pivote acortaría la intervención, le ofrecería un nuevo repertorio con el que interactuar con su entorno, mejoraría la eficiencia del aprendizaje, e incrementaría las oportunidades de entrar en contacto con reforzadores. Como Koegel y sus colegas concluyeron: "el uso de procedimientos que enseñan al niño con discapacidad a provocar oportunidades para el aprendizaje del lenguaje en el ambiente natural puede ser especialmente útil para los especialistas en habla y lenguaje u otros profesionales de la educación especial que deseen prolongar el aprendizaje más allá de las sesiones de enseñanza" (pág. 143).

¿Es esta conducta apropiada para la edad del cliente?

Hace unos cuantos años era habitual ver cómo se les enseñaba a los adultos con trastornos del desarrollo conductas que un adulto no discapacitado no haría o, en todo caso, muy rara vez. Se creía—quizás como efecto secundario del concepto de edad mental—que una mujer de 35 años con las capacidades verbales de una niña de 10 debía jugar con muñecas. No es sólo que la selección de tales conductas sea degradante, sino que su ocurrencia disminuye la probabilidad de que otras personas del ambiente del individuo tengan ocasión de reforzar y de hecho refuercen conductas más deseables y adaptativas que podrían generar una vida más normalizada y gratificante.

El principio de **normalización** gira en torno al uso de ambientes, expectativas y procedimientos progresivamente más típicos "para establecer y mantener conductas personales que sean lo más normales posible desde el punto de vista cultural" (Wolfensberger, 1972, pág. 28). La normalización no es una técnica individual, sino una postura filosófica cuyo objetivo es lograr la mayor integración física y social posible de las personas con discapacidades en la sociedad general.

Además de las razones filosóficas y éticas para la selección de conductas objetivo apropiadas para la edad y el contexto, debe volver a enfatizarse que las conductas adaptativas, independientes y sociales que dan lugar a reforzamiento se mantienen con mayor probabilidad que las que no lo hacen. Por ejemplo, la instrucción en habilidades de ocio y tiempo libre tales como el deporte, las aficiones y las actividades musicales debería ser más funcional para un chico de 17 años que enseñarlo a jugar con camiones de juguete y bloques de construcción. Un adolescente con estas conductas (y más si se dan de una forma adaptativa) tiene mayores oportunidades de interactuar de forma típica con su grupo de iguales, lo que puede ayudarle a mantener las habilidades recién aprendidas y ofrecerle la oportunidad de aprender otras conductas adaptativas.

Si la conducta seleccionada va a reducirse o eliminarse, ¿qué conducta adaptativa la sustituirá?

Un profesional nunca debe planificar reducir o eliminar una conducta del repertorio de una persona sin (a) establecer una conducta adaptativa que ocupe su lugar y (b) diseñar un plan de intervención que asegure que se aprenda la conducta de sustitución. Los maestros y otros profesionales del ámbito de los servicios humanos y sociales deben preocuparse por construir repertorios positivos y adaptativos, no simplemente por reaccionar ante conductas que consideren problemáticas e intentar eliminarlas (Snell y Brown, 2006). Aunque la conducta desadaptativa de un niño pueda ser terriblemente irritante para los demás, o incluso llegar a hacer daño físico, lo cierto es que resulta funcional para el niño. Es decir, que la conducta desadaptativa le ha ayudado en el pasado a obtener reforzadores y a evitar o escapar de castigos. Un programa que simplemente le niega el acceso al reforzamiento no resulta constructivo ya que no le enseña conductas adaptativas para reemplazar a las inapropiadas.

Algunos de los métodos más efectivos y recomendables para la eliminación de la conducta no deseada se centran principalmente en el desarrollo de conductas de sustitución. Goldiamond (1974) recomendó que se utilizara un enfoque "constructivo" (frente a un enfoque de eliminación) en el análisis e intervención sobre los problemas conductuales. Bajo este enfoque constructivo la "solución a los problemas consiste en la construcción de repertorios (o en su restablecimiento o transferencia a nuevas situaciones) más que en su eliminación" (Goldiamond, 1974, pág. 14).

Si un caso grave no mejora con conductas de sustitución específicas y positivas, entonces un caso extremo no va a mejorar por eliminar la conducta objetivo indeseable. El maestro que, por ejemplo, quiera implementar un programa de cambio conductual para que los alumnos se queden en sus asientos durante el periodo de lectura debe de ir más allá de la simple idea de que "tienen que quedarse en su sitio para hacer la tarea". Debe seleccionar los materiales y diseñar las contingencias que faciliten el objetivo y motiven a los alumnos para desempeñar la tarea.

¿Esta conducta supone el problema real o está indirectamente relacionada con este?

Un error muy común en educación es enseñar una conducta relacionada en lugar de la verdadera conducta de interés. Muchos programas de cambio conductual han sido diseñados para incrementar conductas centradas en la tarea cuando el objetivo principal debería haber sido incrementar la producción de resultados de trabajo. Las conductas centradas en la tarea se seleccionan porque la gente que es productiva también tiende a estar centrada en la tarea; sin embargo, tal como se suele definir *estar centrado en la tarea,* es bastante posible que un alumno esté centrado en la tarea (es decir, en su sitio, en silencio y manipulando u orientado hacia los materiales académicos) y aún así no produzca ningún trabajo (o muy poco).

No debe confundirse la selección de las habilidades prerrequisitas necesarias para el desarrollo de una determinada conducta con la elección de conductas objetivo que no son las que motivan directamente el inicio de un análisis de conducta. Las habilidades prerrequisitas no se enseñan como conductas finales en sí mismas, sino como elementos necesarios para poder realizar la conducta final deseada. Las conductas indirectamente relacionadas, no son necesarias para cumplir el verdadero objetivo del programa, ni son resultados buscados por sí mismos. Al intentar detectar la falta de conexión con el objetivo del programa, el analista debe plantearse dos cuestiones: ¿es esta conducta un prerrequisito necesario para la conducta final deseada?, ¿el programa de aprendizaje realmente gira en torno a esta conducta?. Si cualquiera de estas preguntas se responde afirmativamente, esa conducta se puede seleccionar como objetivo.

¿Es sólo lenguaje o es la verdadera conducta de interés?

Muchas terapias no conductuales se basan fundamentalmente en lo que la gente *dice* sobre lo que hace y por qué lo hace. La conducta verbal de los clientes se considera importante porque se cree que refleja el estado interno del cliente y los procesos mentales que gobiernan su conducta. Por lo tanto, conseguir que una persona hable de modo diferente en torno a sí misma (p.ej., de una forma más saludable, positiva y menos infravalorada) se ve como un paso significativo en la resolución de los problemas de la persona. De hecho, ese cambio en actitud es considerado por algunos como el principal objetivo de la terapia.

Los analistas de conducta, por otro lado, distinguen entre lo que la gente dice y lo que la gente hace (Skinner,1953). Saber y hacer no son lo mismo. Conseguir que alguien entienda su conducta desadaptativa al ser capaz de hablar lógicamente sobre esta no significa necesariamente que su conducta vaya a cambiar en sentidos más constructivos. El jugador puede saber que las apuestas compulsivas están arruinando su vida y que sus pérdidas cesarían si simplemente dejara de apostar. Puede incluso ser capaz de verbalizar estos hechos a un terapeuta y afirmar muy convincentemente que no jugará más en el futuro, pero a pesar de todo, puede continuar apostando.

Debido a que la conducta verbal puede ser descriptiva de lo que la gente hace, a veces se confunde con la propia actuación. Una profesora en un instituto para delincuentes juveniles introdujo un nuevo programa de matemáticas que incluía juegos instructivos, ejercicios grupales, pruebas cronometradas y registros gráficos de los resultados. Los alumnos respondieron con muchos comentarios negativos: "Esto es una tontería", "Tío, no voy a apuntar lo que hago", "Ni siquiera voy a intentar hacer estas pruebas". Si la profesora hubiera atendido sólo a los comentarios de los estudiantes sobre el programa, lo habría descartado probablemente el primer día. Pero ella era consciente de que los comentarios negativos sobre el instituto y las tareas eran esperables entre el grupo de iguales de adolescentes delincuentes y de que muchas de estas observaciones negativas les habían permitido en el pasado evitar tareas que pensaban que no disfrutarían. Por tanto, la maestra ignoró los comentarios negativos, se ocupó de sus alumnos y los recompensó por la precisión y tasa de cálculo cuando participaban en el programa. En una semana los comentarios negativos habían cesado prácticamente y la ejecución de los alumnos en matemáticas era más alta que nunca.

Hay, por supuesto, situaciones en las que la conducta de interés *es* lo que el cliente dice. Ayudar a una persona a reducir el número de comentarios negativos que hace de sí misma e incrementar la frecuencia de los positivos es un ejemplo de un programa en el que el habla debe ser la conducta objetivo, no porque los comentarios negativos indiquen un pobre concepto de sí mismo, sino porque el problema es la conducta verbal del cliente.

En cada caso, se debe determinar qué conducta es exactamente la que se desea obtener como resultado del programa: ¿es una habilidad motora, o es una conducta verbal? En algunos casos, tanto las conductas de hacer como las de hablar podrían ser importantes. Un aprendiz que solicita un puesto de reparador de cortacéspedes puede obtener el puesto con mayor probabilidad si describe verbalmente cómo arreglaría el motor de arranque atascado de un cortacésped; sin embargo, es posible que, una vez contratado, pueda conservar su trabajo sólo si es habilidoso y eficiente al reparar cortacéspedes y no habla de lo que hace. Es improbable que una persona dure mucho en ese trabajo si es capaz de hablar sobre cómo hacer reparaciones pero no de hacerlas. Las conductas objetivo deben ser funcionales.

¿Qué pasa si el objetivo final del programa de cambio conductual no es una conducta?

Algunos de los cambios más importantes que la gente quiere hacer en su vida no consisten en conductas, sino en el resultado de determinadas conductas. La pérdida de peso es un ejemplo. Superficialmente podría parecer que la selección de la conducta objetivo es obvia y directa: perder peso. La cantidad de peso puede medirse de forma precisa; pero el peso, o más exactamente la pérdida de peso, no es una conducta. Perder peso no es una respuesta específica que pueda definirse y realizarse; es el producto de otras conductas, principalmente de la reducción de la ingesta y del incremento de ejercicio. Comer y hacer ejercicio son conductas y pueden especificarse y medirse en unidades concretas.

Algunos programas de pérdida de peso que en general estaban bien diseñados han fracasado porque las contingencias del cambio de conducta estaban centradas en el objetivo (pérdida de peso) y no en las conductas necesarias para producir el objetivo. Las conductas objetivo en un programa de pérdida de peso deben ser mediciones del consumo de comida y del nivel de ejercicio, con estrategias de intervención diseñadas hacia estas conductas (p.ej., De Luca y Holborn, 1992; McGuire, Wing, Klem y Hill, 1999). El peso debe medirse y registrarse durante un programa de pérdida de peso, no porque sea la conducta objetivo, sino porque la pérdida de peso muestra los efectos positivos del incremento de ejercicio o disminución de la ingesta.

Hay numerosos ejemplos de objetivos importantes que no son conductas, sino resultados finales de una conducta. Sacar buenas notas, por ejemplo, es un objetivo que debe ser analizado para determinar qué conductas producen mejores notas (p.ej., resolver problemas de matemáticas a través de la práctica guiada e independiente). Los analistas de conducta asistirán mejor a sus clientes en el logro sus metas si seleccionan conductas objetivo que estén relacionadas con ellas lo más directa y funcionalmente posible.

Algunas metas expresadas por los clientes no son el producto directo de una conducta objetivo específica, sino metas más amplias y generales: ser más exitoso, tener más amigos, ser más creativo, desarrollar la deportividad o mejorar el concepto de sí mismo. Claramente ninguna de estas metas viene definida por conductas específicas, y todas son más complejas respecto a sus componentes conductuales que la pérdida de peso u obtener mejores calificaciones en matemáticas. Metas tales como ser exitoso representan una clase de conductas relacionadas o un patrón general de respuesta. Son etiquetas utilizadas para describir a la gente que se comporta de determinadas formas. Seleccionar conductas objetivo que ayuden a las personas atendidas a obtener esos tipos de metas es incluso más difícil de lo que su complejidad sugiere porque las metas suelen tener un significado diferente para cada persona. Tener éxito puede implicar una amplia variedad de conductas. Una persona puede ver el éxito en términos de ingresos y categoría profesional. Para otra, éxito puede significar satisfacción laboral y buen uso del tiempo libre. Un importante papel del analista de la conducta durante la evaluación e identificación de conductas objetivo es el de ayudar a la persona a seleccionar y definir conductas, cuya incorporación resulte en que tanto el cliente como los demás evalúen su repertorio de la forma deseada.

Priorizar las conductas objetivo

Una vez que se identifica un conjunto de conductas objetivo, se deben tomar decisiones respecto a su prioridad relativa. A veces la información obtenida de la evaluación conductual señala hacia la necesidad de mejorar un aspecto particular del repertorio de la persona más que otro. Sin embargo; es mucho más frecuente que la evaluación revele una constelación de conductas relacionadas, y a veces no tan relacionadas, que es necesario cambiar. Cuando, después de una evaluación cuidadosa de todos los aspectos descritos en la sección previa, sigue quedando más de una conducta objetivo, surge la pregunta: ¿Qué conducta debería modificarse antes? Valorar cada conducta objetivo posible a la luz de las siguientes nueve cuestiones puede ayudar a determinar cuál de ellas debemos abordar en primer lugar y el orden relativo en el que debemos intervenir sobre el resto de las conductas.

1. *¿Plantea esta conducta algún peligro para el cliente o para los demás?* Las conductas que provocan daño o suponen una seria amenaza para la integridad física del cliente o de los demás deben ser prioritarias.

2. *¿Cuántas oportunidades tendrá la persona para poner en práctica la nueva conducta?* o *¿Con qué frecuencia ocurre este problema de conducta?* Un alumno que de forma sistemática escribe las letras al revés presenta un problema mayor que otro que sólo lo haga ocasionalmente. Si hay que elegir entre enseñar a un alumno de prácticas ocupacionales a empaquetar su almuerzo o a planear sus dos semanas de vacaciones anuales, la primera habilidad será prioritaria porque el futuro empleado tendrá que empaquetar su almuerzo a diario.

3. *¿Cuánto tiempo lleva sucediendo el problema o el déficit de la habilidad?* Un problema de conducta crónico (p.ej., acoso escolar) o un déficit de conducta (p.ej., falta de habilidades sociales) debe ser prioritario respecto a problemas que aparecen esporádicamente o de reciente aparición.

4. *¿Producirá la modificación de esta conducta tasas más altas de reforzamiento?* Si el resto de aspectos son iguales, una conducta que provoca niveles más altos y sostenidos de reforzamiento debe tener prioridad respecto a otra que produzca poco refuerzo adicional.

5. *¿Cuál será la importancia relativa de esta conducta para el futuro desarrollo de habilidades y para el funcionamiento independiente?* Cada conducta objetivo debe ser valorada en términos de su relación (p.ej., prerrequisito o apoyo) con otras conductas críticas necesarias para el aprendizaje y desarrollo óptimo de los máximos niveles de funcionamiento independiente en el futuro.

6. *¿El cambio de esta conducta reducirá la atención negativa o no deseable por parte de los demás?* Algunas conductas no son desadaptativas por sí mismas, sino como consecuencia de los problemas innecesarios que ocasionan al individuo. Algunas personas con trastornos del desarrollo y discapacidades motoras pueden tener dificultades durante la comida para utilizar apropiadamente cubiertos y servilletas, lo que reduce sus oportunidades de una interacción positiva en público. Sin duda, la educación y sensibilización de la gente está garantizada, pero sería ingenuo no tener en cuenta los efectos negativos de esa situación pública. Además, no enseñar habilidades más apropiadas para el momento de la comida sería hacer un mal servicio a la persona. Las muestras públicas o manierismos idiosincrásicos pueden ser conductas objetivo de alta prioridad si su modificación puede proporcionar el acceso a entornos más normalizados o a importantes ambientes de aprendizaje.

7. *¿Producirá esta nueva conducta reforzamiento para las personas significativas?* Aunque la conducta de una persona debería modificarse muy excepcionalmente (o nunca) por la mera conveniencia de los demás o por el mantenimiento del statu quo, no debe ignorarse el efecto de ciertos cambios conductuales sobre la vida de las personas significativas del sujeto de la intervención. Estas personas significativas suelen responder mejor a esta cuestión porque la gente que no está directamente implicada en la vida de alguien que necesita una intervención conductual para alcanzar su autonomía a menudo no tiene

> ni idea de lo reconfortante que es ver a tu hija con discapacidad intelectual de 19 años aprender a utilizar la cisterna del inodoro o señalar la comida cuando quiere repetir. Me imagino que el ciudadano medio no considerará significativo que Carmen adquiera estas

habilidades. Y, aunque no podemos saber cuánto aumenta la tasa de reforzamiento o castigo de Carmen el hecho de saber utilizar la cisterna del inodoro, puedo asegurar que aumenta la mía como padre (Hawkins, 1984, pág. 285).

8. *¿Con qué probabilidad vamos a poder cambiar esta conducta objetivo?* Algunas conductas son más difíciles de cambiar que otras. Al menos tres fuentes de información nos pueden ayudar a evaluar el nivel de dificultad del cambio de una conducta concreta. La primera, ¿qué dice la literatura sobre los intentos de cambiar esta conducta? Muchas de las conductas objetivo que afrontan los analistas aplicados de la conducta ya han sido estudiadas. Los profesionales deben de estar al tanto de las investigaciones publicadas en sus áreas de intervención. No [62] es sólo que tal conocimiento pueda mejorar la selección de técnicas probadas y eficaces para cambiar la conducta, sino que también puede ayudar a predecir el nivel de dificultad u oportunidad de éxito.

La segunda, ¿cuánta experiencia tiene el profesional? Deben tenerse en cuenta las propias competencias y experiencias con la conducta objetivo. Un maestro que haya trabajado muchos años con niños desobedientes y agresivos con buenos resultados, dispondrá de un conjunto de estrategias de manejo conductual eficaces preparadas para usarse en cualquier momento y podrá predecir éxito incluso con el niño más desafiante. En cambio, puede que este mismo maestro considere que está menos capacitado para asistir a un alumno en el desarrollo de sus competencias en escritura.

La tercera, ¿hasta qué punto se pueden controlar eficazmente las variables importantes del ambiente del cliente? Lo de menos es si *es posible* cambiar una determinada conducta. Lo importante en este caso es que, en un entorno aplicado, la identificación y manipulación sistemática de las variables controladoras de una conducta objetivo determinará que la conducta *cambie* de hecho o no.

La cuarta, ¿hay suficientes recursos disponibles para llevar a cabo la intervención con un nivel de fidelidad e intensidad suficiente como para alcanzar los resultados deseados? Por muy bien diseñado que esté un plan de tratamiento, si se pone en marcha sin el personal ni los recursos necesarios es muy probable que arroje resultados decepcionantes.

9. *¿Cuánto costará cambiar esta conducta?* Hay que tener en cuenta el coste antes de implementar cualquier programa sistemático de cambio de una conducta. Pero un análisis coste-beneficio de varias conductas objetivo posibles no implica que porque un programa de enseñanza sea caro, no deba de ser implementado. Hay tribunales que han determinado que la falta de fondos públicos no debe ser utilizada como excusa para no ofrecer una educación apropiada a todos los niños independientemente de la gravedad de su discapacidad (véase también Yell y Drasgow, 2000). El coste de un programa de cambio de conducta no puede determinarse sólo sumando los importes que podrían invertirse en equipamiento, en materiales, en transporte, o en salario del personal y aspectos similares. Hay que tener en cuenta también cuanto tiempo de la vida de los clientes requerirá el programa. Si, por ejemplo, la enseñanza de una destreza motora fina a una niña con discapacidad severa consume tanto tiempo de su vida diaria que le queda poco para aprender otras conductas importantes (p.ej., comunicación, ocio, y habilidades de autoayuda) o, simplemente para tener algo de tiempo libre, ese objetivo conductual puede resultar demasiado costoso.

Desarrollo y uso de una jerarquía de conductas objetivo

Asignar un valor numérico a cada una de una lista de posibles conductas objetivo puede generar una jerarquía de prioridades. En la figura 3.5 se muestra una jerarquía de este tipo; es una adaptación de un sistema descrito por Dardig y Heward (1981) para priorizar y seleccionar las metas de aprendizaje de alumnos con discapacidad. Se le asigna a cada conducta un número que representa su valor en cada una de las variables a priorizar (p.ej., 0 a 4 donde 0 no representa ningún valor o contribución y 4 representa el máximo valor o beneficio).

Los profesionales que trabajan en la planificación de programas de cambio conductual para determinadas poblaciones suelen sopesar las variables, requerir un valor máximo para algunas de ellas, y añadir otras que consideren especialmente importantes para sus metas generales. Por ejemplo, los profesionales que planifican programas de cambio de conducta para ancianos insistirán en que las conductas objetivo con beneficios inmediatos reciban alta prioridad. Los educadores que asisten a estudiantes de secundaria con discapacidades abogarán por factores tales como la importancia relativa de una conducta objetivo para el futuro desarrollo de habilidades y el funcionamiento independiente.

A veces el analista de conducta, la persona atendida y las personas significativas para esta, tienen metas incompatibles. Los padres pueden querer que su hija adolescente esté en casa a las 10.30 de la noche los fines de semana, pero la hija puede querer quedarse hasta más

Figura 3.5 Hoja de establecimiento de prioridades entre las posibles conductas objetivo.

Nombre de la persona atendida: ______________________ Fecha: ________

Persona que realiza la evaluación: ______________________

Relación entre ambas: ______________________

Indicaciones: utilice la clave que encontrará bajo estas líneas para valorar cualquier posible conducta objetivo según el grado en el que cumpla cada criterio. Añada la calificación de cada miembro del equipo. Las conductas con las puntuaciones totales más altas serían supuestamente las de mayor prioridad para la intervención. Se pueden añadir otros criterios relevantes para un programa particular o situación individual y los criterios se pueden sopesar de manera diferencial.

Clave: 0 = No o Nunca; 1 = Rara vez; 2 = Puede ser o A veces;
3 = Probablemente o Habitualmente; 4 = Sí o Siempre

	Posibles conductas objetivo			
Criterios para establecer prioridades	**(1)** _____	**(2)** _____	**(3)** _____	**(4)** _____
¿Supone esta conducta algún peligro para la persona o para los demás?	0 1 2 3 4	0 1 2 3 4	0 1 2 3 4	0 1 2 3 4
¿Cuántas oportunidades tendrá la persona para usar esta nueva habilidad en el ambiente natural? o ¿Con qué frecuencia ocurre la conducta problema?	0 1 2 3 4	0 1 2 3 4	0 1 2 3 4	0 1 2 3 4
¿Cuánto de duradero es el problema o déficit de habilidad?	0 1 2 3 4	0 1 2 3 4	0 1 2 3 4	0 1 2 3 4
¿Producirá este cambio conductual una tasa más alta de reforzamiento para la persona?	0 1 2 3 4	0 1 2 3 4	0 1 2 3 4	0 1 2 3 4
¿Cuál es la importancia relativa de esta conducta para el desarrollo futuro de habilidades y de un funcionamiento independiente?	0 1 2 3 4	0 1 2 3 4	0 1 2 3 4	0 1 2 3 4
¿Reducirá el cambio en esta conducta la atención negativa o no deseada por parte de los demás?	0 1 2 3 4	0 1 2 3 4	0 1 2 3 4	0 1 2 3 4
¿Producirá el cambio de esta conducta reforzamiento para las personas significativas?	0 1 2 3 4	0 1 2 3 4	0 1 2 3 4	0 1 2 3 4
¿Con qué probabilidad se va a tener éxito al cambiar esta conducta?	0 1 2 3 4	0 1 2 3 4	0 1 2 3 4	0 1 2 3 4
¿Cuánto costará cambiar esta conducta?	0 1 2 3 4	0 1 2 3 4	0 1 2 3 4	0 1 2 3 4
Total	____	____	____	____

tarde. El colegio puede querer que un analista de conducta desarrolle un programa para incrementar la adherencia de los alumnos a las normas sociales y de decoro. El analista puede creer que estos códigos están anticuados y no pertenecen a las competencias del colegio. ¿Quién decide lo que es mejor para quién?

Una forma de minimizar y superar los conflictos es obtener la participación de la persona atendida, de los padres, del personal o del órgano de dirección en el proceso de selección de metas. Por ejemplo, la ley requiere la participación activa de los padres y, si es posible, del alumno, en la selección de las metas (a corto y largo plazo) y de los procedimientos de tratamiento incluidos en la planificación de los servicios de educación especial (Individuals with Disabilities Education Improvement Act of 2004). Esa participación de todas las partes significativas puede evitar y resolver conflictos de metas, además de permitir que los participantes aporten información inestimable con relación a otros aspectos de la planificación del programa (p.ej., identificación de reforzadores probables). Revisando los resultados de la evaluación y permitiendo que cada participante aporte información sobre las ventajas relativas de cada conducta objetivo propuesta se suele llegar a un consenso en la dirección más idónea. Los planificadores del programa no deben establecer *a priori* que cualquier conducta situada en primer lugar sea necesariamente la conducta objetivo de máxima prioridad. Sin embargo; si las personas importantes implicadas en la vida del individuo pasan por un proceso de valoración como el que se muestra en la figura 3.5, probablemente identificarán áreas de acuerdo y desacuerdo que les lleven a discusiones posteriores sobre la selección de conductas objetivo y a la focalización en las preocupaciones fundamentales de los implicados.

Definición de las conductas objetivo

Antes de que una conducta pueda someterse a análisis, debe definirse de forma clara, objetiva y concisa. Al construir las definiciones de las conductas objetivo, los analistas de la conducta deben tener en cuenta las implicaciones funcionales y topográficas de sus definiciones.

Papel y relevancia de las definiciones de la conducta objetivo en el análisis aplicado de conducta

El análisis aplicado de la conducta obtiene su validez de su aproximación sistemática a la búsqueda y organización del conocimiento sobre la conducta humana. La validez del conocimiento científico en su forma más básica implica la replicabilidad. Cuando se pueden replicar los efectos conductuales predichos, se confirman los principios de la conducta y los métodos prácticos desarrollados. Si el analista emplea definiciones de la conducta no disponibles para otros científicos, la replicabilidad es menos probable. Sin esa replicabilidad, no se puede determinar la utilidad o el valor de los datos más allá de los propios participantes específicos, limitando por tanto el ordenado desarrollo de la disciplina como tecnología útil (Baer, Wolf y Risley, 1968). Sin definiciones explícitas y bien redactadas de las conductas objetivo, los investigadores serían incapaces de medir de forma precisa y fiable las mismas clases de respuesta dentro de un mismo estudio y entre diferentes estudios; o de agregar, comparar e interpretar sus datos.[7]

Las definiciones explícitas y bien redactadas de la conducta objetivo son también necesarias para los profesionales aplicados, que pueden estar menos preocupados por la replicabilidad o el desarrollo del área. La mayoría de los programas de análisis de la conducta no se llevan a cabo para el avance del área de conocimiento sino que son implementados por educadores, clínicos y otros profesionales del ámbito de los servicios humanos y sociales para mejorar las vidas de sus clientes. Sin embargo; en la aplicación del análisis de conducta está implícita una evaluación precisa y continua de la conducta objetivo, para la cual es imprescindible contar con una definición explicita de la conducta.

Un profesional aplicado preocupado por evaluar su trabajo y así poder ofrecer un servicio óptimo a sus clientes, podría preguntarse: "Si yo sé lo que quiero decir con [nombre de la conducta], ¿por qué debería redactar una definición concreta?". En primer lugar, una buena definición conductual es operacional. Permite obtener información completa sobre la ocurrencia o no ocurrencia de la conducta, y permite al profesional aplicar procedimientos de forma sistemática, precisa y secuenciada. En segundo lugar, una buena definición incrementa la probabilidad de una evaluación precisa y

---

[7]Los procedimientos para la medición precisa y fiable de la conducta se tratan en el capítulo 4.

Figura 3.6 Definiciones basadas en la función de varias conductas objetivo.

Creatividad infantil en la construcción con bloques

Las conductas infantiles de construcción con bloques se definieron según sus productos, es decir, las formas de los bloques. Los investigadores crearon una lista de 20 formas arbitrarias, pero que se observaban con frecuencia, incluyendo:

Arco: cualquier colocación de un bloque encima de otros dos más bajos y no contiguos.

Rampa: un bloque apoyado contra otro, o un bloque triangular situado contiguo a otro, para simular una rampa.

Piso: dos o más bloques situados uno encima de otro, el bloque de encima descansa únicamente sobre el inferior.

Torre: cualquier piso de dos o más bloques en el que el bloque inferior sea como mínimo el doble de alto que de ancho. (Goetz y Baer, 1973, págs. 210-211)

Ejercicio para chicos obesos

Montar en bicicleta estática: cada revolución de la rueda constituía una respuesta, que era registrada automáticamente por contadores magnéticos (DeLuca y Holborn, 1992, pág. 672).

Obediencia de los motoristas a las señales de detención

Los observadores valoraban que un vehículo hacía una *detención completa* si los neumáticos dejaban de rodar antes de que el vehículo entrara en la intersección (Van Houten y Retting, 2001, pág. 187).

Hábitos de seguridad para prevenir el juego con armas en niños

Tocar un arma de fuego: que el niño o la niña entre en contacto con el arma de fuego con cualquier parte de su cuerpo o con cualquier objeto (p.ej., un juguete) resultando en el disparo del arma.

Abandonar el área: que el niño o la niña salga de la habitación en la que se encuentre el arma de fuego dentro de los primeros 10 segundos siguientes (Himle, Miltenberger, Flessner, y Gatheridge, 2004, pág. 3).

creíble de la eficacia del programa. Una evaluación no sólo tiene que ser precisa para guiar las decisiones que se van tomando a lo largo del programa, sino que los datos deben de ser creíbles para aquellos especialmente interesados en la eficacia del programa. Por tanto, aunque el profesional pudiera no estar interesado en demostrar un determinado análisis como aportación al campo de conocimiento del análisis de la conducta, sí que debe estar siempre preocupado por demostrar la eficacia (es decir, rendir cuentas) a los propios interesados, a su entorno social significativo y a los órganos gestores.

Dos tipos de definiciones de la conducta objetivo

Las conductas objetivo pueden definirse funcionalmente o topográficamente.

Definiciones basadas en la función

Una **definición basada en la función** señala determinadas respuestas como miembros de la clase de respuesta objetivo únicamente por su efecto sobre el ambiente. Por ejemplo, Irvin, Thompson, Turner y Williams (1998) definieron el acto de llevarse las manos a la boca como cualquier conducta que resultara en "contacto de los dedos, manos, o muñeca con la boca, labios o lengua" (pág. 377). La figura 3.6 muestra varios ejemplos de definiciones basadas en la función.

El analista aplicado de la conducta debe utilizar definiciones de conductas objetivo basadas en la función siempre que sea posible por las siguientes razones:

- Una definición basada en la función incluye todas las formas relevantes de la clase de respuesta. En cambio, las definiciones basadas en una lista de topografías específicas podrían omitir algunos miembros relevantes de la clase de respuesta o incluir respuestas topográficas irrelevantes. Por ejemplo, definir los ofrecimientos de los niños para jugar con sus iguales según las cosas específicas que hagan o digan puede llevar a la omisión de respuestas a las

Figura 3.7 Definiciones basadas en la topografía para dos tipos de enunciados de la maestra.

Enunciados positivos generales

Los enunciados positivos generales se definieron como enunciados audibles de la maestra que se referían a una o más conductas o productos del trabajo de los alumnos como deseables o recomendables (p.ej., "¡Estoy orgullosa de vosotros!", "Buen trabajo a todos".). Los enunciados hechos a otros adultos presentes en la misma sala se registraban si eran audibles para los alumnos y hacían referencia directa a la conducta o a los productos del trabajo (p.ej., ¿no te impresiona lo silenciosamente que están trabajando hoy mis alumnos?). Una serie de comentarios positivos que no especificaban ni los nombres de los alumnos ni las conductas y que se daban con menos de dos segundos entre cada comentario se registraba como un único enunciado. Por ejemplo, si la maestra decía "Bien, bien, bien. Estoy tan impresionada" cuando revisaba el trabajo de tres o cuatro alumnos, se registraba como un único enunciado.

Las expresiones de la maestra que no se registraban como enunciados generales positivos incluían (a) enunciados que se referían a conductas específicas o a nombres de los alumnos, (b) enunciados neutros que indicaban sólo que una respuesta académica era correcta (p.ej., "Bien", "Correcto"), (c) enunciados positivos no relacionados con la conducta del alumno (p.ej., decir a un colega "gracias por entregar mis hojas de asistencia"), y (d) enunciados incomprensibles o inaudibles.

Enunciados positivos sobre conductas específicas

Los enunciados positivos sobre conductas específicas hacían referencia explícita a una conducta observable (p.ej., "Gracias por apartar tu lápiz"). Se podían referir a la conducta general de la clase (p.ej., "Lo habéis hecho muy bien volviendo a vuestro asiento en silencio") o a la ejecución académica (p.ej., "¡Ha sido una respuesta brillante!"). Para que se registraran como respuestas separadas, los enunciados positivos específicos estaban separados unos de otros por dos segundos o por una diferenciación de la conducta premiada. En otras palabras, si una maestra nombraba una conducta deseable y después enumeraba a muchos estudiantes que estaban demostrando esa conducta esto se registraba como un único enunciado (p.ej., Marisa, Tomás y Mario, lo habéis hecho muy bien al guardar vuestros materiales cuando habéis terminado de usarlos). Sin embargo; un comentario positivo de la maestra señalando varias conductas distintas se registraría como múltiples enunciados independientemente del intervalo entre el final de un comentario y el principio del siguiente. Por ejemplo, "Jaime, lo has hecho muy bien limpiando tan rápido; Carlos, gracias por retirar los cuadernos de trabajo; y clase, agradezco que os pongáis en fila silenciosamente" se registraría como tres enunciados positivos.

Adaptado de The Effects of Self-Scoring on Teachers' Positive Statements during Classroom Instruction (págs. 48-49) S.M.Silvestri. Unpublished doctoral dissertation. Columbus, OH: The Ohio State University. Utilizado con permiso.

que los iguales reaccionan con juego recíproco o incluir conductas que los iguales rechazan.

- El resultado o función de la conducta es lo más importante. Esto es así incluso para conductas objetivo en las que la forma o la estética es central para que resulten socialmente relevantes. Por ejemplo, los trazos fluidos de la pluma del calígrafo y los movimientos elegantes del gimnasta durante una rutina [65] de suelo son importantes (es decir, que han sido seleccionados) debido a su efecto o función sobre los demás (p.ej., premios de la profesora de caligrafía o altas notas de los jueces de gimnasia).
- Las definiciones funcionales suelen ser más simples y concisas que las basadas en la topografía, lo que lleva a una medición más fácil, precisa y fiable, y permite la aplicación sistemática de la intervención. Por ejemplo, en su estudio sobre las habilidades ejecutadas por jugadores de futbol americano, Wars y Carnes (2002) registraron un placaje correcto según una definición simple y clara: "si el atacante portador del balón es detenido" (pág. 3).

Las definiciones basadas en la función pueden ser utilizadas también en algunas situaciones en las que el analista no tiene acceso ni directo ni fiable a los resultados naturales de la conducta objetivo, o no puede utilizar esos resultados por razones éticas o de seguridad. En tales casos, se puede tener en cuenta una *definición basada en la función por poderes*. Por ejemplo, el resultado natural de que un niño se escape (es decir, que se aleje corriendo o andando de un cuidador sin su consentimiento) es que se pierde. Al definir esa fuga como "cualquier movimiento que se aleja del terapeuta más de 1.5 m sin permiso" (pág. 240), Tarbox, Wallace, y Williams (2003) fueron capaces de medir y tratar esta conducta objetivo socialmente relevante de una forma segura y significativa.

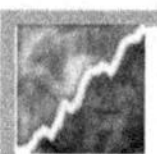
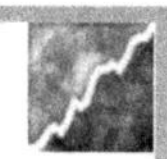

Cuadro 3.1
¿Cómo de graves son estos problemas de conducta?

Suponga que usted es un analista de conducta que se encuentra en la situación de diseñar y ayudar a implementar una intervención para cambiar las siguientes cuatro conductas:

1. Una niña levanta repetidamente el brazo, extendiendo y contrayendo sus dedos hacia la palma de sus manos en un movimiento de tipo tensión/distensión.
2. Un adulto con trastorno del desarrollo se aprieta el ojo con la mano, con el puño cerrado y frotándose el ojo rápido con los nudillos.
3. Varias veces al día un estudiante de secundaria tamborilea rítmicamente con los dedos, a veces en estallidos que duran de 10 a 15 minutos.
4. Una persona agarra y retuerce los brazos y piernas de otra repetidamente y con tanta fuerza que la otra persona hace un gesto de dolor y dice: "Ay!"

¿Cuánto problema representa la conducta para la persona o para aquellos que comparten su ambiente actual y futuro? ¿Clasificaría cada una de estas conductas como problemas de tipo medio, moderado o grave? ¿Cuánto de importante cree que sería seleccionar cada una de estas conductas para su reducción o eliminación de los repertorios de los cuatro individuos?:

Las respuestas apropiadas a estas preguntas no pueden encontrarse sólo en descripciones topográficas. El significado y la importancia relativa de cualquier conducta operante pueden ser determinados sólo en el contexto de los antecedentes y consecuencias ambientales que definen la conducta. Aquí está lo que cada una de estas cuatro personas de los ejemplos anteriores estaban haciendo realmente:

1. Una niña aprendiendo a decir adiós gestualmente.
2. Un hombre con alergias se frota el ojo para aliviar el picor.
3. Una estudiante mecanografiando un texto impredecible para incrementar su fluidez y duración en mecanografía.
4. Un fisioterapeuta dando un masaje relajante de la musculatura profunda a un cliente agradecido y feliz.

El analista aplicado de la conducta debe recordar que el significado de cualquier conducta viene determinado por su función, no por su forma. Las conductas no deben ser objetivo de cambio solamente por su topografía.

Nota: los ejemplos 1 y 2 están adaptados de Meyer y Evans, 1989, pág. 53.

Definiciones basadas en la topografía

Una **definición basada en la topografía** identifica los ejemplos de la conducta objetivo por su figura o forma. Estas definiciones deben utilizarse cuando el analista (a) no tiene un acceso directo, fiable o fácil al resultado funcional de la conducta objetivo, o (b) no puede basarse en la función de la conducta porque no todos los ejemplos de la conducta objetivo producen el resultado relevante en el ambiente natural o el resultado podría deberse a otros eventos. Por ejemplo, Silvestri (2004) definió y midió dos clases [66] de enunciados positivos de los maestros según las palabras que componían los enunciados, no según los resultados específicos que producían los comentarios (véase figura 3.7).

Las definiciones basadas en la topografía también pueden utilizarse con conductas objetivo en las que a veces el resultado relevante puede producirse en el ambiente natural por variaciones no deseadas de la clase de respuesta. Por ejemplo, como el pésimo lanzamiento de golf de una persona poco habilidosa a veces puede producir un buen resultado (es decir, que la pelota caiga en el césped), es mejor definir un buen lanzamiento por la posición y movimiento tanto del palo de golf como de los pies, caderas, cabeza y manos del golfista.

Redactar definiciones de conductas objetivo

Una buena definición de una conducta objetivo ofrece una descripción precisa, completa y concreta de la conducta a modificar (y por lo tanto a medir). También establece lo que no está incluido en la definición conductual. Excusarse por abandonar la mesa es una conducta observable y medible de la que se puede dar cuenta. En cambio, "tener buenos modales" no es una descripción de ninguna conducta particular; solamente implica una clase de respuesta general de conductas educadas y socialmente aceptables. Hawkins y Dobes (1977) describieron tres características de una buena definición:

1. La definición debe ser objetiva, referirse sólo a las características observables de la conducta (y el ambiente, si es necesario) o traducir cualquier término inferencial (tal como "expresar sentimientos hostiles", "la intención de ayudar", o "mostrar interés en") en otros más objetivos.
2. La definición deber ser clara, es decir, legible y no ambigua, de manera que los observadores experimentados puedan leerla rápido y parafrasearla con facilidad y precisión.
3. La definición debe ser completa, estableciendo los límites entre lo que debe incluirse como ejemplo de respuesta y lo que no, indicando así a los observadores las situaciones que van a ocurrir con mayor probabilidad y dejando poco a su valoración. (pág. 169)

Resumiendo, una buena definición debe ser objetiva, asegurándose de que los ejemplos específicos de la conducta definida puedan observarse y registrarse de forma fiable. Una definición objetiva aumenta la probabilidad de una evaluación precisa y creíble de la eficacia del programa. Segundo, una definición clara es tecnológica, lo que significa que permite a los demás usarla y replicarla (Baer et al., 1968). Una definición clara por tanto puede resultar operativa tanto para propósitos presentes como futuros. Finalmente, una definición completa discrimina entre lo que es y lo que no es un caso de la conducta objetivo. Una definición completa permite a los demás registrar la ocurrencia de la conducta objetivo, pero no ejemplos de no ocurrencia, de una forma estandarizada. Una definición completa es una descripción precisa de la conducta de interés. Observe cómo las definiciones de la conducta objetivo de las figuras 3.6 y 3.7 reúnen los estándares de ser objetivas, claras y completas.

Morris (1985) sugirió examinar la definición de una conducta objetivo mediante la formulación de tres preguntas:

1. ¿Puede usted contar el número de veces que la conducta ocurre en, por ejemplo, un periodo de 15 minutos, un periodo de 1 hora o de un día? O, ¿puede contar el número de minutos que tarda el niño en realizar la conducta?, es decir, ¿puede decirle a alguien que la conducta ocurrió "x" número de veces o "x" número de minutos hoy? (La respuesta debería ser "sí".)
2. ¿Sabrá un extraño exactamente qué buscar cuando usted le diga la conducta objetivo que está intentando modificar?, es decir, ¿se puede realmente ver al niño realizando la conducta cuando ésta ocurre? (La respuesta debería ser "sí").
3. ¿Puede usted descomponer la conducta objetivo en componentes conductuales más pequeños, cada uno de los cuales es más específico y observable que la conducta objetivo original? (La respuesta debería ser "no").

Al responder a la sugerencia de que quizás debiera elaborarse un manual de referencia con definiciones de conductas objetivo típicas porque incrementaría la probabilidad de replicar con exactitud el trabajo de los investigadores aplicados y ahorraría parte del tiempo dedicado a desarrollar y examinar definiciones sobre situaciones específicas, Baer (1985) ofreció el punto de vista que se expone a continuación. Los programas de análisis aplicado de la conducta se implementan debido a que alguien (p.ej., un maestro, un padre o el propio individuo) ha expresado la necesidad de cambiar una conducta. Una definición conductual sólo tiene validez para el análisis aplicado de la conducta si permite a los observadores capturar cada aspecto de la conducta que preocupa a la persona solicitante de ayuda y a ninguna otra. Por tanto, para ser válidas desde una perspectiva aplicada, las definiciones de las conductas objetivo deben implicar situaciones específicas. Los intentos de estandarizar las definiciones de conducta presuponen una similitud entre las distintas situaciones que, en realidad, es improbable.

Establecimiento de los criterios necesarios para el cambio conductual

Las conductas objetivo se seleccionan para su estudio desde el análisis aplicado de la conducta debido a su importancia para las personas implicadas. Los analistas aplicados de la conducta intentan aumentar, mantener y generalizar la ocurrencia de conductas deseables y disminuir la ocurrencia de conductas desadaptativas e indeseables. Se dice que el trabajo del análisis de conducta para seleccionar y modificar conductas importantes de modo que la vida de la persona cambie de forma positiva y relevante, tiene validez social.[8] Pero, ¿cuánto tiene que cambiar una conducta objetivo antes

[8]Un tercer componente de la validez social se refiere a la aceptación social de los métodos y procedimientos de tratamiento empleados para cambiar la conducta. La importancia de la validez social al evaluar el análisis aplicado de la conducta se discutirá en el capítulo 10.

de que suponga una diferencia significativa en la vida de la persona? Van Houten (1979) defendió la especificación de los resultados deseados *antes* de empezar la intervención conductual.

> Este paso [especificar los resultados] es tan importante como el paso previo [seleccionar conductas objetivo socialmente relevantes] si tenemos en cuenta que para la mayoría de las conductas existe un rango de respuestas dentro del cual la actuación es máximamente adaptativa. Cuando los límites de este rango son desconocidos para una conducta particular, puede que se termine el tratamiento cuando la actuación está aún por encima o por debajo de esos límites. Por tanto, la conducta no estaría sucediendo dentro de su rango óptimo…
>
> Para saber cuándo iniciar y terminar un tratamiento, los profesionales necesitan estándares socialmente validos hacia los que dirigirse. (Págs. 582 y 583)

Van Houten (1979) sugirió dos aproximaciones básicas para determinar metas socialmente válidas: (a) evaluar la actuación de la gente valorada como altamente competente, y (b) manipular experimentalmente los diferentes niveles de ejecución para determinar empíricamente lo que produce resultados óptimos.

Independientemente del método utilizado, especificar los objetivos del tratamiento de forma previa ofrece una guía para continuar o terminar un tratamiento. Además, establecer metas objetivas predeterminadas ayuda a eliminar desacuerdos o sesgos entre aquellos implicados en la evaluación de la eficacia de un programa.

Resumen

El papel de la evaluación en el análisis aplicado de la conducta

1. La evaluación conductual implica todo un conjunto de métodos de indagación que incluyen la observación directa, entrevistas, cuestionarios y pruebas para identificar y definir los objetivos del cambio conductual.

2. La evaluación conductual puede ser conceptualizada siguiendo la metáfora de un embudo, al tener una abertura ancha al principio que se dirige hacia una salida estrecha y continua al final.

3. La evaluación conductual consiste en cinco fases o funciones: (a) cribado y planteamiento general, (b) definición y cuantificación de los problemas o metas, (c) señalamiento de la conducta de interés (u objetivo), (d) monitorización del progreso, y (e) seguimiento.

4. Antes de llevar a cabo una evaluación conductual, el analista de conducta debe determinar si tiene o no la autoridad, el permiso, los recursos y las habilidades necesarias para evaluar y cambiar la conducta.

Métodos de evaluación utilizados por los analistas de conducta

5. Los cuatro métodos principales de evaluación son: entrevistas, cuestionarios, pruebas, y observación directa.

6. La entrevista con el cliente se utiliza para determinar su descripción de los problemas de conducta o de las metas a lograr. Se enfatizan las preguntas *qué, cuándo* y *dónde*, centrándose tanto en la conducta real del cliente como en las respuestas de las personas significativas de su entorno a esa conducta.

7. A veces se le aplican a la persona atendida cuestionarios y encuestas de evaluación de necesidades para completar la información recogida en la entrevista.

8. A veces se le pide a la persona atendida que registre ciertas situaciones o sus propias conductas. Estos datos pueden ser útiles para seleccionar y definir conductas objetivo.

9. Las personas significativas del individuo atendido pueden ser también entrevistadas para recoger información y, en algunos casos, para determinar si estarían dispuestos y capacitados para colaborar en la intervención.

10. La observación directa con un cuestionario que contenga descripciones específicas de varias habilidades puede indicar posibles conductas objetivo.

11. La observación anecdótica, también llamada registro ABC, permite anotar de forma descriptiva y temporalmente secuenciada todas las conductas de interés y sus condiciones antecedentes y consecuentes según ocurren en el ambiente natural de la persona.

12. La evaluación ecológica implica recoger una gran cantidad de información sobre la persona y el ambiente en el que vive y trabaja (p.ej., condiciones fisiológicas, aspectos físicos del ambiente, interacciones con los demás o historia pasada de reforzamiento). Una evaluación ecológica completa ni es necesaria ni está garantizada para la mayoría de los programas de análisis aplicado de la conducta.

13. La reactividad, el efecto de un procedimiento de evaluación sobre la conducta evaluada, es más probable cuando la persona observada es consciente de la presencia del observador y de su propósito. Los analistas de conducta deben utilizar métodos de evaluación lo menos intrusivos posible, repetir los episodios de observación hasta que disminuyan la reactividad aparente, y tener en cuenta la posible influencia de este efecto al interpretar los resultados de la observación.

Evaluación de la relevancia social de las posibles conductas objetivo

14. Las conductas seleccionadas como objetivo en el análisis aplicado de la conducta deben de ser socialmente relevantes y aumentar la habilitación (ajuste, competencia) de una persona.

15. La relevancia social relativa y el valor habilitador de una posible conducta objetivo se puede clarificar teniendo en cuenta las siguientes consideraciones:

- ¿Será la conducta reforzada en la vida diaria de la persona? La regla de la relevancia de la conducta requiere que la conducta objetivo produzca reforzamiento en el ambiente de la persona una vez terminada la intervención.
- ¿Es la conducta un prerrequisito necesario para adquirir una habilidad más compleja y funcional?
- ¿Incrementará la conducta el acceso de la persona a ambientes en los que se puedan adquirir o utilizar otras habilidades importantes?
- ¿Predispondrá la conducta a los demás para interactuar con la persona de una forma más apropiada y beneficiosa?
- ¿Es la conducta una inflexión conductual o una conducta pivote? Las inflexiones conductuales tienen consecuencias inmediatas y drásticas que se extienden más allá del propio cambio idiosincrásico debido a que exponen a la persona a nuevos ambientes, reforzadores, contingencias, respuestas, y controles estimulares. Adquirir una conducta pivote produce las correspondientes modificaciones o covariaciones en otras conductas no entrenadas.
- ¿Es la conducta apropiada para la edad de la persona?
- En el momento en el que una conducta se selecciona para su reducción o eliminación, se debe elegir una conducta adaptativa y deseable para sustituirla.
- ¿Representa la conducta el verdadero problema o meta o está sólo indirectamente relacionada con este?
- La conducta verbal de una persona no debe confundirse con la verdadera conducta de interés. Sin embargo; en algunas situaciones la conducta verbal debe ser seleccionada como objetivo.
- Si la meta de una persona no es una conducta específica, se deben seleccionar conductas objetivo que produzcan el efecto o estado deseado.

Priorizar las conductas objetivo

16. La evaluación suele revelar que hay más de una conducta o área de competencia que se debe seleccionar como objetivo. Se pueden establecer prioridades entre las distintas conductas objetivo posibles sometiendo cada una de ellas a una serie de preguntas clave relacionadas con su peligro relativo, su frecuencia, el tiempo que hace que se encuentra en el repertorio de la persona, su potencial para generar reforzamiento, su relevancia para el desarrollo de habilidades futuras y de funcionamiento independiente, su capacidad para reducir la atención negativa de los demás, su probabilidad de éxito y su coste.

17. La participación de la persona cuya conducta tiene que ser modificada, de sus padres o de otros miembros importantes de la familia, del personal y de los responsables de la gestión para identificar y priorizar las conductas de interés, puede ayudar a reducir los conflictos de objetivos.

Definición de las conductas objetivo

18. Definiciones explicitas y bien redactadas de conductas objetivo son necesarias para medir con precisión y fiabilidad las mismas clases de respuesta tanto en un mismo estudio como a través de varios estudios. También permiten sumar, comparar e interpretar los datos .

19. Las buenas definiciones de conductas objetivo son necesarias para que los profesionales aplicados puedan recoger datos precisos y creíbles para guiar las decisiones del programa en curso, aplicar procedimientos de forma sistemática y rendir cuentas a los clientes, a los padres y a los responsables de la gestión.

20. Las definiciones basadas en la función identifican ciertas respuestas como miembros de la clase de respuesta seleccionada únicamente por su efecto común sobre el ambiente.

21. Las definiciones basadas en la topografía identifican muestras de respuestas como miembros de la clase de conducta seleccionada únicamente por aspectos formales de la conducta.

22. Una buena definición debe de ser objetiva, clara y completa y debe discriminar entre lo que es y lo que no es un ejemplo de la conducta objetivo.

23. Una definición de la conducta es válida si permite a los observadores capturar cada aspecto de la conducta que preocupa al "solicitante" de la ayuda y ningún otro aspecto.

Establecimiento de los criterios necesarios para el cambio conductual

24. Un cambio de conducta tiene validez social si modifica algún aspecto de la vida de la persona de manera relevante.

25. Los criterios de resultados que especifican la extensión del cambio de conducta deseado o necesario deben determinarse antes de empezar el trabajo para modificar la conducta objetivo.

26. Dos aspectos para determinar los criterios de actuación socialmente validos son (a) evaluar la actuación de gente considerada altamente competente y (b) manipular experimentalmente diferentes niveles de actuación para determinar lo que produce resultados óptimos.

CAPÍTULO 4

Medición de la conducta

Términos clave

Aceleración
Artefacto
Comprobación de actividad programada
Duración
Ensayo discreto
Ensayos hasta el criterio
Extensión temporal
Frecuencia
Latencia de respuesta
Línea de tendencia de aceleración
Localización temporal
Magnitud
Medición
Medición de productos conductuales
Muestreo de tiempo
Muestreo momentáneo
Número total de respuestas
Operante libre
Porcentaje
Registro de eventos
Registro de intervalo parcial
Registro de intervalo total
Reproductibilidad
Tasa
Tiempo de aceleración
Tiempo entre respuestas (TER)
Topografía

Behavior Analyst Certification Board® BCBA®, BCBA-D®, BCaBA®, RBT® Lista de tareas para analistas de conducta (cuarta edición).

A.	Habilidades analítico-conductuales básicas: Medida
A-01	Medir la frecuencia (recuento de respuestas).
A-02	Medir la tasa (respuestas por unidad de tiempo).
A-03	Medir la duración.
A-04	Medir la latencia.
A-05	Medir el tiempo entre respuestas.
A-06	Medir el porcentaje de ocurrencia.
A-07	Medir los ensayos hasta el criterio.
A-12	Diseñar y aplicar métodos observacionales continuos (p.ej., registro de eventos).
A-13	Diseñar y aplicar métodos observacionales discontinuos (p.ej., registro de intervalo parcial y total, muestreo momentáneo).
A-14	Diseñar y aplicar métodos para medir la conducta de elección.
H.	**Responsabilidades para con el Cliente: Medida**
H-01	Seleccionar un sistema de medida apropiado para obtener datos representativos teniendo presente las dimensiones de la conducta y la logística involucrada en la observación y el registro de la conducta.

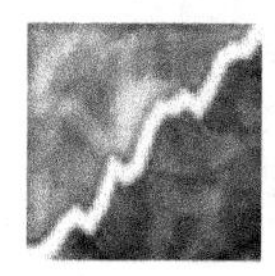

Lord Kelvin, el matemático y físico británico, dijo algo así como: "A menos que te puedas expresar sobre lo que estás hablando en números y puedas medirlo, tu conocimiento es pobre y poco satisfactorio". La medición (aplicación de categorías cuantitativas para describir y diferenciar los eventos naturales) proporciona la base para todos los descubrimientos científicos, además del desarrollo y aplicación de tecnologías eficaces derivadas de estos descubrimientos. La medición directa y frecuente proporciona uno de los fundamentos del análisis aplicado de la conducta. Los analistas de conducta utilizan la medición para detectar y comparar los efectos de diversos cambios ambientales sobre la adquisición, mantenimiento y generalización de conductas socialmente significativas.

¿Pero qué es lo que los analistas de conducta pueden y deberían medir sobre la conducta? ¿Cómo podrían obtenerse esas medidas? ¿Y qué deberíamos hacer con esas medidas una vez que se han obtenido? Este capítulo identifica las dimensiones que se pueden medir sobre una conducta y describe los métodos que los analistas de conducta utilizan habitualmente para medirla. Pero primero, examinaremos la definición y funciones de la medición en el análisis aplicado de la conducta.

Definición y funciones de la medición en el Análisis Aplicado de la Conducta

Medir es "el proceso de asignar números y unidades a características particulares de los objetos o eventos... Implica conectar un número, que representa la extensión de lo observado en una dimensión cuantitativa, a una unidad apropiada. El número y la unidad juntos constituyen la medida del evento o del objeto" (Johnston y Pennypacker, 1993a, págs. 91, 95). Una *dimensión cuantitativa* es la característica particular de un objeto o evento que está siendo medido. Por ejemplo, a la ocurrencia única de un fenómeno, digamos, la respuesta de "g-a-t-o" ante la pregunta "¿cómo se escribe *gato*?" se le podría asignar el número *1* y a esa unidad la categoría *correcto*. Al observarse un nuevo caso de esa misma clase de respuesta, podría cambiarse la categoría a *2 correctos*. Se podrían aplicar también otras categorías siguiendo una nomenclatura consensuada. Por ejemplo, si 8 de 10 respuestas observadas cumplen con una definición estandarizada de "correcto", la precisión de respuesta podría describirse con la categoría *80% de correctos*. Si las 8 respuestas correctas ocurrieron durante 1 minuto, se podría aplicar la categoría de *tasa* o *frecuencia* de 8 por minuto.

Bloom, Fisher y Orme (2003) que describen la medición como el acto o proceso de aplicar categorías cuantitativas o cualitativas a eventos, fenómenos o propiedades observadas, utilizando un conjunto de reglas por consenso para aplicar esas categorías a esos eventos, señalaban que el concepto de medición también incluye las características de aquello que es medido, la calidad o adecuación de los instrumentos de medición, las habilidades técnicas de quien mide, y cómo se utilizan las medidas obtenidas. Al final, la medición proporciona a los investigadores, profesionales y consumidores, una forma común para describir y comparar la conducta mediante un conjunto de etiquetas que comparten un significado común.

Los investigadores necesitan medir

La medición es la forma en que los científicos operacionalizan el empirismo. La medición objetiva permite (de hecho, requiere) a los científicos describir los fenómenos que observan de una forma precisa, consistente y públicamente verificable. Sin la medición, los tres niveles del conocimiento científico –descripción, predicción y control- podrían verse relegados a meras conjeturas, a los "prejuicios individuales, los gustos o las opiniones privadas del científico" (Zuriff, 1985, pág. 9). Ello nos llevaría a vivir en un mundo en que las suposiciones del alquimista sobre el elixir de la eterna juventud prevalecieran sobre las afirmaciones del químico derivadas de la experimentación.

Los analistas aplicados miden la conducta para obtener respuestas a cuestiones sobre la existencia y naturaleza de las relaciones funcionales entre conductas socialmente significativas y las variables ambientales. La medición permite la comparación de la conducta de una persona tanto dentro de un determinado ambiente como entre diferentes condiciones ambientales, y de esta forma ofrece la posibilidad de esbozar conclusiones basadas empíricamente sobre los efectos de estas condiciones en la conducta. Por ejemplo, Dunlap et al. (1994) midieron la implicación en la tarea y las conductas disruptivas de estudiantes con problemas conductuales y emocionales, en las condiciones "elección" y "no elección", para comprobar si permitir a esos estudiantes elegir las tareas académicas con las que querían trabajar influía en su implicación con esas tareas y en sus conductas disruptivas. La medición mostró el nivel de ambas conductas objetivo en las dos condiciones, hasta qué punto y cuánto cambiaron las conductas cuando se introdujo o retiró la elección de tareas, y hasta qué punto cambiaron o fueron estables las conductas durante cada condición.

La capacidad del investigador para conseguir una comprensión científica de la conducta depende de su capacidad para medirla. La medición ha hecho posible la detección y verificación de prácticamente todo lo que se ha descubierto sobre los efectos selectivos del ambiente sobre la conducta. Las bases de datos sobre todas las ramas del análisis básico y aplicado de la conducta consisten en colecciones organizadas de medidas conductuales. Prácticamente cada gráfico del *Journal of the Experimental Analysis of Bahavior* y el *Journal of Applied Behavior Analysis* muestra un registro en curso o un resumen de medidas conductuales. En suma, la medición proporciona la base misma para aprender y hablar sobre la conducta de forma científicamente significativa.[1]

Los profesionales aplicados necesitan medir

Los profesionales conductuales aplicados se dedican a mejorar las vidas de las personas para las que trabajan al cambiar conductas socialmente significativas. Para ello miden la conducta objetivo inicialmente para determinar su nivel actual y si ese nivel cumple un umbral mínimo para una intervención posterior. Si la intervención está justificada, el profesional mide el grado en el que han tenido éxito sus esfuerzos. Los profesionales miden la conducta para encontrar en qué grado y cuándo ha cambiado la conducta, la extensión y duración de esos cambios, la variabilidad o estabilidad de la conducta antes, durante y después del tratamiento, y si esos cambios importantes en la conducta han ocurrido también en otros contextos o situaciones, y si se han extendido a otras conductas.

Los profesionales comparan las mediciones de la conducta objetivo antes y después del tratamiento (a veces también incluyen medidas pre y post-tratamiento obtenidas en otros contextos y situaciones no tratadas), para evaluar los efectos globales de los programas de cambio de conducta (*evaluación sumativa*). Las medidas frecuentes de la conducta durante el tratamiento (*evaluación formativa*) permiten tomar decisiones de forma dinámica, basadas en datos, respecto a la continuación, modificación o finalización del tratamiento.

[1]La medición es necesaria pero no suficiente para obtener el conocimiento científico. Ver Capítulo 7.

Los profesionales que no obtienen o no toman frecuentes medidas de la conducta objetivo de intervención, son vulnerables a distintos tipos de errores que se podrían prevenir: (a) continuar un tratamiento que no es efectivo, cuando no hay un cambio real en la conducta, o (b) suspender un tratamiento efectivo porque a su juicio subjetivo no se detectan avances (p.ej., sin una medición, un profesor no podría saber que la lectura oral de un estudiante ha incrementado de 70 a 80 palabras por minuto). Así, la medición directa y frecuente permite a los profesionales detectar sus éxitos y, con igual importancia, también sus fallos de forma que puedan hacer nuevos cambios, que conviertan esos fallos en éxitos (Busher y Baer, 1994; Greenwood y Meheady, 1997).

> Nuestra tecnología del cambio conductual es también una tecnología de la medición de conducta y del diseño experimental; se han desarrollado como un paquete, y mientras permanezca dentro de ese paquete es una tarea de auto-evaluación. Sus éxitos tienen una magnitud conocida, sus fallos son detectados casi inmediatamente, y cualesquiera que sean los resultados, han de ser atribuidos a los procedimientos y los elementos introducidos, más que a coincidencias y eventos casuales (D. M. Baer, comunicación personal, 21 de octubre de 1982).

Además de permitir monitorizar los programas que se están llevando a cabo y poder tomar decisiones basadas en datos, la medición frecuente proporciona otros beneficios importantes tanto para los profesionales y como para los clientes:

- *La medición ayuda a los profesionales a optimizar su eficacia.* Para ser eficaz de forma óptima, un profesional debe maximizar la eficiencia del cambio conductual en términos de tiempo y recursos. Solo manteniendo un contacto continuo y cercano con los datos relevantes para los resultados se puede esperar tener una óptima eficacia y eficiencia (Bushel y Baer, 1994). Al comentar el papel crítico de la medición directa y frecuente para maximizar la eficacia en el aula, Sidman (2000) señalaba que los profesores "han de permanecer atentos a los mensajes de sus alumnos y estar preparados para probar y evaluar modificaciones [en sus métodos educativos]. Enseñar, pues, no es solo una forma de cambiar la conducta de los alumnos, sino un proceso social interactivo" (pág. 23, palabras añadidas entre corchetes).

- *La medición permite a los profesionales verificar la legitimidad de los tratamientos denominados "basados en la evidencia".* Se espera que los profesionales utilicen cada vez más, y en algunos campos es obligatorio por ley, intervenciones basadas en la evidencia. Una práctica basada en la evidencia es un tratamiento o método de intervención que se ha demostrado eficaz a través de una investigación científica amplia y de alta calidad. Por ejemplo, el Acta norteamericana de 2001 *No Child Left Behind Act* (Ley para que ningún niño se quede atrás) requiere que todas las escuelas públicas aseguren a los niños les enseñen profesores "altamente cualificados", utilizando métodos educativos y curriculares validados por una investigación científica rigurosa. Aunque se han propuesto guías e indicadores de calidad que tienen en cuenta el tipo (p.ej., ensayos clínicos aleatorizados, estudios de caso único) y la cantidad (p.ej., número de estudios publicados en revistas de prestigio, número mínimo de participantes) de investigación necesaria para calificar a un método de tratamiento como práctica basada en la evidencia, la probabilidad de tener un consenso completo es muy baja (p.ej., Horner, Carr, Halle, McGree, Odom y Wolery, 2007; US Departament of Education, 2003). Cuando se lleva a cabo un tratamiento, independientemente del tipo o cantidad de evidencia de investigación que lo apoye, los profesionales pueden y deberían utilizar medidas directas y frecuentes para verificar la eficacia con sus estudiantes u otro tipo de usuarios de sus servicios.

- *La medición ayuda a los profesionales a identificar y terminar con el uso de tratamientos basados en pseudociencia, modas, tendencias o ideologías.* Numerosos métodos y tratamientos educativos han sido aclamados por sus defensores como grandes avances. Muchos tratamientos controvertidos y propuestos como curas para las personas con autismo y otros trastornos del desarrollo (p.ej., comunicación asistida, terapia de contención, grandes dosis de vitaminas, dietas extrañas, chaqueta calmante, terapia con delfines) se han difundido entre el público con una ausencia absoluta de evidencia científica sobre su efectividad (Heflin y Simpson, 2002; Jacobson, Foxx y Mulick, 2005). El uso de algunas de estas terapias, consideradas como avanzadas, ha llevado a la desilusión y a la pérdida de un tiempo precioso para muchas personas con discapacidad y sus familias, e incluso en algunos casos a desastrosas consecuencias (Maurice, 1993). Aunque los estudios bien controlados han mostrado que muchos de esos métodos no son eficaces, e incluso cuando estos programas no están justificados, no suenan fiables y no hay evidencia científica de sus efectos, se bombardea a padres y profesionales con testimonios sinceros y bienintencionados. La medición es la mejor aliada de los profesionales en la búsqueda y verificación de tratamientos eficaces para separarlos de aquellos con un gran apoyo en forma de testimonios y publicidad engañosa en internet. Los profesionales deberían mantener un saludable escepticismo, reclamando siempre la eficacia.

Utilizando el "mito de la caverna" de Platón, como una metáfora para los profesores y profesionales que utilizan ideas no probadas y pseudo-educativas, Heron, Tincani, Peterson y Miller (2002) afirmaban que los profesionales serían mejores si adoptaran un punto de vista científico y dejaran de lado teorías y filosofías pseudoeducativas. Los profesionales que insisten en la medición directa y frecuente de toda la intervención o del programa de tratamiento, tendrán apoyo empírico en sus datos para defenderse contra las presiones políticas o sociales para adoptar tratamientos no probados. Ciertamente, estarán armados con lo que Carl Sagan (1996) denominaba "kit de detección de mentiras".

- *La medición permite a los profesionales rendir cuentas ante los usuarios directos de sus servicios, los consumidores, sus empleadores y la sociedad.* Medir los resultados de sus esfuerzos de forma directa y frecuente, ayuda a los profesionales a responder con seguridad preguntas de los padres y otros cuidadores sobre los efectos de sus esfuerzos.

- *La medición ayuda a los profesionales a conseguir estándares éticos.* Los códigos éticos para los analistas de conducta requieren la medición directa y frecuente de la conducta de interés (ver Capítulo 29). Determinar si se está respetando el derecho de una persona a recibir un tratamiento o educación eficaces, requiere la medición de la conducta para las que se solicitó esa intervención (Nakano, 2004; Van Houten et al., 1988). Un profesional conductual que no mida la naturaleza y extensión de los cambios conductuales relevantes de las personas a quienes atiende roza la negligencia. Dentro de un contexto educativo, Kauffman (2005) ofrecía esta perspectiva sobre las relaciones entre la medición y la ética práctica:

> [El] profesor que no puede o no desea identificar y medir las conductas relevantes del alumno al que enseña, probablemente no será muy efectivo… Así, pues, es un error fundamental no definir de forma precisa y no medir los excesos o déficits conductuales; es semejante a la mala práctica de una enfermera que decide no medir las constantes vitales (tasa cardíaca, tasa respiratoria, temperatura y presión arterial), arguyendo quizás que está demasiado ocupada, que su estimación subjetiva de los signos vitales es más que suficiente, que los signos vitales son solo estimaciones superficiales de la salud del paciente, o que los signos vitales no indican la naturaleza de la patología subyacente. La profesión de educar está dedicada a la tarea de cambiar la conducta de forma demostrable para mejor. Así pues, ¿qué se puede decir de una práctica educativa que no incluya la definición precisa y las

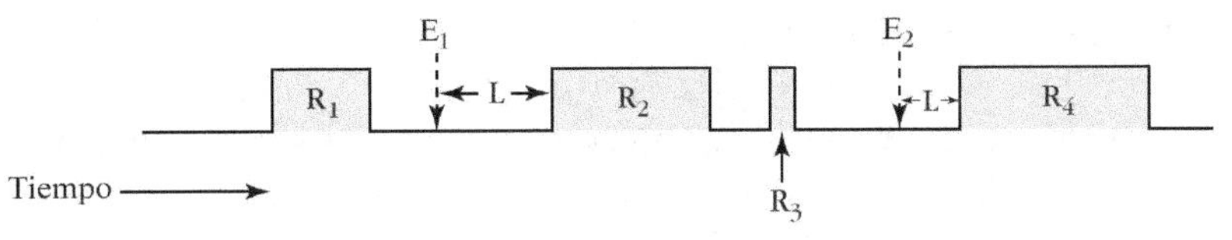

Figura 4.1 Representación esquemática de las dimensiones cuantitativas de reproductibilidad, extensión temporal y localización temporal. La reproductibilidad se muestra en la cuenta de cuatro casos de una clase de respuesta determinada (R_1, R_2, R_3 y R_4) dentro del periodo de observación. La extensión temporal (es decir, la duración) de cada respuesta se muestra por la porción elevada y sombreada en la línea temporal. Un aspecto de la distribución temporal de la respuesta, la latencia, se representa por el intervalo de tiempo (←L→) entre la aparición de dos estímulos antecedentes (E_1 y E_2) y el inicio de las dos respuestas que los siguen (R_2 y R_4).

medidas fiables del cambio conductual inducido por la metodología del profesor? Es indefendible. (pág. 439)

Dimensiones medibles de la conducta

Si un amigo te pide que midas una mesa de café, probablemente te preguntes porqué quiere medir la mesa. En otras palabras, ¿qué quiere que le diga la medición de la mesa?, ¿necesita conocer su altura, anchura y profundidad?, ¿necesita saber cuánto pesa? ¿Está quizás interesado en su color? Cada una de estas razones para medir la mesa requiere de la medición de una dimensión diferente (es decir, longitud, masa y reflexión de la luz).

La conducta, al igual que las mesas de café y cualquier entidad del mundo físico, tiene también elementos que pueden medirse (a través de la longitud, el peso, o el color, entre otros). Puesto que la conducta ocurre en un momento temporal y a través del tiempo, tiene tres propiedades fundamentales, o *dimensiones cuantitativas*, que el analista de conducta puede medir. Johnston y Pennypacker (1993a) describió estas tres propiedades como sigue:

- **Reproductibilidad** (o *número total de respuestas*): Los casos de una clase de respuesta pueden ocurrir repetidas veces a través del tiempo (es decir, la conducta puede contarse).
- **Extensión temporal:** Cada caso de la conducta que ocurra durante una determinada cantidad de tiempo (es decir, la duración de la conducta).
- **Localización temporal:** Cada caso de la conducta que ocurre en un determinado momento respecto a otros eventos (es decir, puede medirse cuándo ocurre la conducta).

La Figura 4.1 muestra una representación esquemática de la reproductibilidad, la extensión temporal y la localización temporal. Estas dimensiones cuantitativas, solas o en conjunto, proporcionan las medidas básicas y derivadas utilizadas por los analistas de conducta. En las siguientes páginas se hablará sobre otras dimensiones mensurables de la conducta así como de su forma y su intensidad.

Medidas basadas en la reproductibilidad de la respuesta

El número total de respuestas

El **número total de respuestas** es un simple recuento del número de ocurrencias de una conducta. Por ejemplo, el número de respuestas correctas e incorrectas escritas en una libreta de aritmética, el número de palabras escritas correctamente durante un dictado, el número de veces que un empleado comparte el coche para ir a trabajar, el número de periodos de clase que un estudiante llega tarde o el número de artilugios producidos en una fábrica.

Aunque a menudo la ocurrencia de una conducta es lo que más interesa, la medición del número total de respuestas por sí sola no proporciona suficiente información para permitir a los profesionales hacer análisis útiles o realizar decisiones sobre el programa. Por ejemplo, los datos que mostraban que Catalina había dado las respuestas correctas a 5, 10 y 15 problemas de divisiones largas en tres clases consecutivas de matemáticas, sugerían que estaba mejorando su rendimiento. Sin embargo, si las tres medidas de conteo se obtuvieron en periodos de observación de 5, 20 y 60 minutos, respectivamente, se obtendría una interpretación muy diferente del rendimiento de Catalina. Por tanto, el periodo de observación debería mencionarse siempre que se den medidas del número total de respuestas.

Tasa/Frecuencia

Combinar el periodo de observación con el número de respuestas proporciona una de las medidas más ampliamente utilizadas en el análisis de conducta, la **tasa** (o **frecuencia**) de respuesta, definida como el número de respuestas en una unidad de tiempo.[2] Una medición de tasa o frecuencia es una razón consistente en las dimensiones cuantitativas del número total de respuestas y el tiempo (periodo de observación en que se obtienen esas respuestas).

Convertir el número de respuestas en una tasa o frecuencia hace la medición más comprensible. Por ejemplo, conocer que Yolanda puede leer 95 palabras correctamente y 4 incorrectas en 1 minuto, o que las conductas autolesivas de Juan ocurrieron 17 veces en 1 hora, proporciona un contexto y una información relevante. Si se expresan las tres medidas anteriores sobre el rendimiento de Catalina como una tasa, observamos que realizó correctamente problemas de divisiones largas a tasas de 1,0; 0,5 y 0,25 por minuto en tres periodos consecutivos de clase.

Las seis reglas y directrices descritas a continuación ayudarán a los investigadores y profesionales aplicados a obtener, describir e interpretar los datos sobre el número total de respuestas y sobre la tasa de forma más apropiada.

Hacer siempre referencia al tiempo en el que se registra el número total de respuestas. Cuando informan sobre la tasa de respuesta, los investigadores y los profesionales deberían siempre incluir la duración del tiempo de observación, ya que comparar las medidas de tasa sin referencia al tiempo puede llevar a interpretaciones engañosas de los datos. Por ejemplo, si dos estudiantes leen el mismo texto con tasas iguales de 100 respuestas correctas por minuto, sin respuestas incorrectas, podría parecer que ambos muestran el mismo rendimiento. Sin embargo, sin conocer el tiempo de observación no puede llevarse a cabo una evaluación de estos dos tipos de ejecución. Considere, por ejemplo, que Sandra y Liliana corren ambas a una tasa de 7 kilómetros por minuto. No podemos comparar sus rendimientos sin referencia a las distancias que recorren. Así, correr 1 kilómetro a una tasa de 7 km/min es una clase diferente de conducta que correr a una tasa de 7 km/min en la distancia de un maratón.

Cuando el tiempo de observación cambia entre una sesión y otra, debe indicarse el tiempo utilizado para cada sesión en cada medida de tasa. Por ejemplo, en vez de tener un tiempo de observación establecido para cada respuesta de aritmética (p.ej., 1 minuto), el profesor podría registrar el tiempo total que le lleva al estudiante completar una serie determinada de problemas de aritmética durante cada sesión de clase. En esta situación, el profesor podría informar sobre las respuestas correctas o incorrectas por minuto en cada sesión y sobre la duración de cada sesión que sería variable de una vez a otra.

Calcular las tasas de respuestas correctas e incorrectas cuando se evalúa el desarrollo de habilidades. Cuando una persona puede dar respuestas correctas o incorrectas, se debería informar de la tasa de respuesta de cada conducta. Calcular la tasa de respuestas correctas o incorrectas es crucial para evaluar el desarrollo de habilidades, puesto que la mejora en la ejecución no puede evaluarse conociendo solamente la tasa de respuestas correctas. La tasa de respuestas correctas por si sola podría mostrar una mejora en el rendimiento, pero si las respuestas incorrectas también se incrementan, la mejora sería ilusoria. Las medidas conjuntas de tasa de respuestas correctas e incorrectas proporcionan información que ayuda al profesor a evaluar el progreso del estudiante. De manera ideal, la tasa de respuesta correcta se acelera hacia un criterio u objetivo de ejecución, y la tasa de respuestas incorrectas se desacelera hasta alcanzar un nivel bajo y estable. Además, informar sobre las tasas de respuestas correctas e incorrectas permite una evaluación de la precisión proporcional, mientras que mantiene las cantidades dimensionales de la medición (p.ej., 20 respuestas correctas y 5 incorrectas por minuto = 80% de precisión, o un múltiplo de 4 de precisión proporcional).

Las tasas de respuestas correctas e incorrectas proporcionan datos esenciales para la evaluación de la fluidez de una ejecución (es decir, del dominio) (Kubina, 2005). La evaluación de la fluidez requiere la medición del número de respuestas correctas e incorrectas en una unidad de tiempo (es decir, precisión proporcional). Los

---

[2]Aunque existen algunas diferencias técnicas entre tasa y frecuencia, los dos términos a menudo son intercambiables en la literatura sobre el análisis de conducta. Para ver una discusión sobre los diversos significados de los dos términos, así como ejemplos de diferentes métodos para calcular las proporciones combinando el número de respuestas y el tiempo, se puede consultar Johnston y Pennypacker (1993b, Reading 4: Describing Behavior with Ratios of Count and Time).

analistas no pueden evaluar la fluidez utilizando solamente la tasa de respuestas correctas, puesto que una ejecución fluida también debe ser precisa.

Tener en cuenta la complejidad variable de las respuestas. La tasa de respuesta es una medida sensible y apropiada para medir la adquisición de habilidades y el desarrollo de ejecuciones fluidas solamente cuando el nivel de dificultad y complejidad permanece constante de una respuesta a la siguiente dentro de una observación y entre diferentes observaciones. Las mediciones de las tasas de respuesta anteriormente discutidas se han considerado unidades completas en las que los requisitos de respuesta son esencialmente los mismos de una respuesta a la siguiente. Sin embargo, muchas conductas importantes se componen de dos o más conductas, y diferentes situaciones requieren de secuencias o combinaciones variadas de las conductas componentes.

Un método para medir la tasa de respuesta, teniendo en cuenta la complejidad variable de las conductas de múltiples componentes, es contar las operaciones necesarias para conseguir una respuesta correcta. Por ejemplo, para medir el rendimiento en el cálculo matemático de un estudiante, en vez de contar el número de sumas de dos y tres dígitos agrupándolos como correctos o incorrectos, el investigador podría considerar el número de pasos necesarios para completar la secuencia correcta en cada problema. Para calcular la tasa de respuestas, Helwig (1973) utilizó el número de operaciones necesarias para encontrar las respuestas a los problemas matemáticos. En cada sesión al alumno se le daban 20 problemas de multiplicación y división seleccionados aleatoriamente dentro de un conjunto de 120 problemas. El profesor registraba la duración de cada sesión. Todos los problemas eran de dos tipos: a x b = c y a / b = c. Se le pedía al alumno encontrar uno de los factores: el producto, el dividendo, el divisor o el cociente. Dependiendo del problema, se requería de una a cinco operaciones para encontrar el factor que faltaba. Por ejemplo, escribir la respuesta 275 ante el problema 55 x 5 = ¿? podía puntuarse como cuatro respuestas correctas puesto que encontrar el factor del interrogante requería cuatro operaciones:

1. Multiplicar las unidades: 5 x 5 = 25.
2. Escribir el 5 y llevarse las 2 decenas.
3. Multiplicar las decenas: 5 x 5(0) = 25(0).
4. Añadir las 2 decenas y escribir la suma (27).

Cuando había más de una forma de encontrar la respuesta, se consideraba la media del número de operaciones necesarias para ese problema. Por ejemplo, la respuesta al problema: 4 x ¿? = 164, podría obtenerse multiplicando con dos operaciones o dividiendo con cuatro operaciones. La media del número de operaciones era tres. Helwig contó el número de operaciones realizadas correcta o incorrectamente para cada grupo de 20 problemas, y calculó de esta forma la tasa de respuestas correctas e incorrectas.

Utilizar la tasa de respuestas para medir respuestas operantes libres. La tasa de respuestas es una medida útil para todas las conductas caracterizadas como operantes libres. El término **operante libre** se refiere a las conductas discretas, que tienen un punto de comienzo y de final, requieren un desplazamiento mínimo del organismo en el espacio y en el tiempo, pueden ser emitidas en cualquier momento, no requieren mucho tiempo para completarse, y pueden ser emitidas en un amplio rango de tasas de respuesta (Baer y Fowler, 1984). Skinner (1966) utilizó la tasa de respuesta de operante libre como la variable dependiente fundamental en el desarrollo del análisis experimental de la conducta. Presionar la palanca o picar la tecla son respuestas operantes libres utilizadas en los estudios de laboratorio animal. También los sujetos humanos en un experimento de laboratorio pueden presionar una tecla del ordenador. Muchas conductas socialmente significativas cumplen los criterios de operante libre: número de palabras leídas durante un periodo continuo de un minuto, número de golpes en la cabeza por minuto, número de trazos de letras escritos en tres minutos. Una persona puede dar estas respuestas en cualquier momento, cada respuesta discreta utiliza muy poco tiempo, y cada clase de respuestas puede producir un amplio rango de tasas.

La tasa de respuesta es la medición preferida para las operantes libres porque es sensible a los cambios en los valores de la conducta (p.ej., la lectura en voz alta puede ocurrir a tasas entre 0 y 250 o más palabras correctas por minuto), y también porque ofrece claridad y precisión al definir un número de respuestas por unidad de tiempo.

No utilizar la tasa para medir conductas que ocurren en ensayos discretos. La tasa de respuesta no es una medida útil para conductas que pueden ocurrir solamente en unas situaciones limitadas o restringidas. Por ejemplo, las tasas de respuesta de conductas que ocurren dentro de **ensayos discretos** están controladas por la oportunidad dada para emitir una respuesta. Los ensayos típicos de tipo discreto utilizados en los estudios de laboratorio con animales incluyen moverse por un laberinto o saltar en una caja de evitación. Otros ejemplos aplicados incluyen respuestas a una serie de tarjetas presentadas por el profesor, responder una pregunta indicada por el profesor, y señalar en una disposición de tres colores un color que iguala a otro presentado como muestra. En cada uno de estos ejemplos, la tasa de respuesta está controlada por la presentación de un estímulo antecedente. Puesto que las conductas que ocurren dentro de los ensayos discretos tienen una oportunidad limitada, deben emplearse mediciones tales como el porcentaje de respuestas emitidas en relación a las oportunidades dadas, o el número de ensayos hasta conseguir el criterio, pero no las medidas de tasa.

No utilizar la tasa para medir conductas continuas que ocurren durante un periodo extenso de tiempo. La tasa es también una medida pésima para conductas continuas que ocurren durante un periodo extenso de tiempo, tales como participar en juegos en el recreo, ensayar una obra, o participar en un centro de actividades. Tales conductas pueden medirse mejor si se registra la realización (o no realización) de esa actividad en un momento dado, se toman datos sobre su duración, o se estima la duración a partir de registros de intervalo.

Aceleración

Al igual que un coche acelera cuando el conductor presiona el acelerador, y desacelera cuando el conductor levanta el pie o pisa el freno, también las tasas de respuesta aceleran o desaceleran. La **aceleración** es una medida sobre cómo cambian la tasa de respuestas a lo largo del tiempo. La tasa de respuestas acelera cuando un sujeto responde cada vez más rápido en sucesivos periodos de observación, y desacelera cuando la emisión de respuestas se enlentece en sucesivas observaciones. La aceleración incluye tres dimensiones cuantitativas: *número total de respuestas por unidad de tiempo/unidad de tiempo*; o expresado de otra forma, *tasa/unidad de tiempo* (Graf y Lindsley, 2002; Johnston y Pennypacker, 1993a). La aceleración proporciona a los investigadores y profesionales una medida directa de los patrones dinámicos de los cambios de conducta, tales como las transiciones de un estado de respuesta a otro, y la adquisición de los niveles de fluidez en la ejecución (Cooper, 2005).

El *Gráfico de Aceleración Estándar* (ver Figura 6.14) proporciona un formato estándar para mostrar las medidas de aceleración (Pennypacker, Gutierrez y Lindsley, 2003). Hay cuatro tipos de Gráficos de Aceleración Estándar, que muestran la tasa como el número de respuestas (a) por minuto, (b) por semana, (c) por mes, y (d) por año. Estos cuatro gráficos proporcionan diferentes niveles de amplificación para ver e interpretar la aceleración. La tasa de respuesta se muestra en el eje vertical o eje *y*, los sucesivos periodos de tiempo en días, semanas, meses o años se presentan en el eje horizontal o eje *x*. Los profesores y otros profesionales conductuales utilizan a menudo el gráfico con la tasa del número de respuestas por minuto con un eje horizontal por días sucesivos.

La aceleración se muestra en todos los Gráficos de Aceleración Estándar por medio de una ***línea de tendencia de aceleración***, que es una línea recta dibujada a través de una serie de puntos en el gráfico que representa visualmente la dirección y grado de la tendencia de los datos.[3] La línea de tendencia muestra un factor con el que se multiplica (aceleración) o se divide (desaceleración) la tasa de respuesta a través de un periodo de tiempo (p.ej., la tasa por semana, por mes, por año o por década). El ***tiempo de aceleración*** es la veinteava parte (1/20) del eje horizontal de todos los Gráficos de Aceleración Estándar. Por ejemplo, el periodo de aceleración para un gráfico de días sucesivos es de una semana. El periodo de aceleración para un gráfico de semanas sucesivas es de un mes.

En todos los Gráficos de Aceleración Estándar hay una línea de tendencia trazada desde el ángulo inferior izquierdo hasta el ángulo superior derecho, que tiene una pendiente de 34°, y un factor de aceleración de dos, o aceleración de factor dos, ya que los cambios de aceleración o deceleración se expresan en múltiplos o divisores. Es este ángulo de 34° de aceleración, una medida lineal del cambio de conducta a través del tiempo, lo que hace que el gráfico sea estándar. Por ejemplo, si la tasa de respuesta fuese 20 por minuto el lunes, 40 por minuto el siguiente lunes, y 80 por minuto el tercer lunes, la línea de aceleración (es decir, la línea de tendencia) sobre un gráfico del mismo día de la semana presentado en semanas sucesivas, mostraría una aceleración de factor dos, doblando la tasa cada semana. Una aceleración de factor dos en un gráfico de semanas naturales sucesivas doblaría la tasa cada semana (p.ej., 20 en la primera semana, 40 en la segunda, y 80 en la tercera). En general, los valores de aceleración no deberían calcularse con menos de siete datos señalados en el gráfico. En el Capítulo 6 se proporciona más información para trazar e interpretar los datos en un Gráfico de Aceleración Estándar.

Medidas basadas en la extensión temporal

Duración

La **duración**, la cantidad de tiempo durante la cual ocurre la conducta, es la medida básica de la extensión temporal. Los investigadores y los profesionales miden

[3]Los métodos para calcular y dibujar líneas de tendencia se describen en el Capítulo 6.

la duración en unidades estandarizadas de tiempo (p.ej., Enrique trabajó hoy de forma cooperativa con su compañero-tutor durante 12 minutos y 24 segundos).

La duración es importante cuando se mide la cantidad de tiempo que una persona presenta la conducta de interés. Los analistas aplicados de la conducta miden la duración de las conductas objetivo que una persona realiza durante demasiado tiempo (o demasiado poco tiempo), tales como una rabieta que dura más de una hora en un niño con trastorno del desarrollo, o la conducta de un alumno que no dura más de 30 segundos seguidos haciendo una tarea académica.

La duración también es una medida apropiada para conductas que ocurren con una tasa muy elevada (p.ej., balancearse o sacudir rápidamente la cabeza, las manos o las piernas), o conductas continuadas orientadas hacia una tarea determinada que ocurren durante una larga extensión de tiempo (p.ej., juego cooperativo, conducta centrada en la tarea, conducta distraída de la tarea).

Los investigadores y profesionales conductuales generalmente toman uno de estos dos tipos de medidas de duración: la *duración total* por sesión o periodo observado, y la *duración por ocurrencia*.

Duración total por sesión. La duración total es una medida de la cantidad de tiempo acumulado durante el cual la persona está realizado la conducta objetivo. Los analistas aplicados de la conducta utilizan dos procedimientos para medir y registrar la duración total. Un método implica registrar la cantidad de tiempo acumulado durante el cual ocurre una conducta en un periodo específico de tiempo. Por ejemplo, un profesor que se da cuenta de que un niño de preescolar pasa demasiado tiempo jugando solo, podría registrar el tiempo total que el niño está jugando en solitario durante periodos de 30 minutos de juego libre. Como procedimiento, el profesor activa el cronómetro cuando el niño esté jugando en solitario. Cuando deje de hacer ese juego en solitario, el profesor para el cronómetro, pero no lo pone a cero. Cuando el niño vuelve a jugar en solitario de nuevo, el profesor vuelve a activar el cronómetro. Durante el transcurso de un periodo de juego libre de 30 minutos, el niño podría realizar 18 minutos de juego solitario. Si la duración de los periodos de juego libre cambian de un día para otro, el profesor podría registrar la duración total del juego solitario como un porcentaje del tiempo observado total (es decir, duración total de juego solitario / duración del periodo de juego libre x 100 = % de juego solitario en un periodo de juego libre). En este caso, los 18 minutos acumulados de juego en solitario en un periodo de 30 minutos, correspondería a un 60%.

Zhou, Iwata, Goff y Shore (2001) utilizaron la medición de la duración total para evaluar las preferencias de actividades de ocio en personas con graves trastornos del desarrollo. Utilizaron un cronómetro para registrar la interacción física con algún elemento (p.ej., sostener entre las manos un objeto) durante ensayos de 2 minutos. Midieron el contacto total en segundos sumando las duraciones a lo largo de tres ensayos de 2 minutos en cada evaluación. McCord, Iwata, Galensky, Ellingson y Thomson (2001) utilizaron un cronómetro para medir la duración total en segundos que dos adultos, con discapacidad intelectual severa, realizaban la conducta problemática (ver Figura 6.6).

El otro método para registrar la duración total es la cantidad de tiempo que una persona emplea en una actividad, o el tiempo que una persona necesita hasta completar una tarea específica, sin especificar un máximo ni un mínimo de periodo de observación. Por ejemplo, un psicólogo comunitario estudiando la cantidad de tiempo que las personas mayores pasan en un nuevo centro recreativo, podría registrar el número total de minutos por día que cada persona pasa en el centro.

Duración por ocurrencia. La duración por ocurrencia es una medida de la duración de tiempo que ocupa en cada ocasión una conducta objetivo determinada. Por ejemplo, supongamos que un estudiante abandona su silla frecuentemente y en tiempos variables de una ocasión a otra. Cada vez que el estudiante deja su silla, podría registrarse con un cronómetro la duración de su conducta de estar fuera de la silla. Cuando se levante de la silla se activa el cronómetro. Cuando vuelve, el cronómetro se para, se registra el tiempo total y se pone el cronómetro a cero. Cuando el estudiante vuelve a levantarse de la silla, el proceso se vuelve a repetir. Las medidas proporcionan datos sobre la duración de las diferentes ocasiones en que el estudiante ha estado sin sentarse en un periodo de observación determinado.

En un estudio para evaluar una intervención destinada a disminuir el exceso de ruido emitido por los niños en el autobús escolar, Greene, Bailey y Barber (1981) utilizaron un instrumento de registro que automáticamente registraba tanto el número de veces que el ruido excedía un determinado umbral, como la duración en segundos que cada estallido de ruido superaba umbral. Los investigadores utilizaron la media de la duración por ocurrencia de los periodos de ruido como medida para evaluar el efecto de la intervención.

Seleccionar y combinar la medición del número total de respuestas con la de la duración. Las medición del número de respuestas, de la duración total y de la duración por ocurrencia aportan visiones diferentes de una conducta. El número total de respuestas y la duración miden diferentes dimensiones cuantitativas de la conducta, y estas diferencias proporcionan la base para seleccionar qué dimensión medir. Los registros de eventos miden la reproductibilidad, mientras que la duración registra la medida de la extensión temporal. Por ejemplo, un profesor preocupado porque una alumna pasa "demasiado tiempo" fuera de su sitio, podría contar las veces que ella se levanta de su silla. La conducta es discreta y es poco probable que ocurra a una tasa tan elevada que sea difícil contarla. Puesto que cada ocasión en que la alumna abandona su sitio puede durar mucho tiempo, y la cantidad de tiempo que se pasa fuera del asiento es un aspecto socialmente significativo de la conducta escolar, el profesor podría en este caso utilizar el registro de la duración total que pasa fuera de su sitio.

Utilizar el número total de respuestas para medir esta conducta señala el número de veces que la estudiante se levanta de su silla. Una medida de la duración total indicará la cantidad y porcentaje de tiempo que la estudiante está fuera de su silla durante el periodo de observación. En este caso, debido a la mayor relevancia de la extensión temporal, la duración proporcionaría una medida mejor que la que daría el conteo. El profesor podría observar que la estudiante deja su silla una vez en un periodo de observación de 30 minutos. Una ocurrencia de esta conducta en 30 minutos podría no considerarse un problema. Sin embargo, si la estudiante permanece fuera de su silla durante 29 minutos de un periodo de observación de 30, se obtendría una visión muy diferente de esa conducta.

En esta situación, la duración por ocurrencia daría una medición mucho mejor que el número de respuestas o la duración total tomados aisladamente. Esto es así porque la duración por ocurrencia mide simultáneamente la reproductibilidad *y* la extensión temporal de la conducta. Una medición de la duración por ocurrencia daría al profesor información sobre el número de veces que la estudiante está fuera de su silla y la duración de cada ocurrencia. La duración por ocurrencia suele ser preferible a la duración total, puesto que es sensible al número de ocasiones de la conducta objetivo. Más aún, si se necesita medir la duración total para otros propósitos, se puede sumar la duración individual de cada conducta. Sin embargo, si fuese más importante la resistencia de la conducta (p.ej., respuestas académicas, movimientos), entonces el registro de la duración total podría ser suficiente (p.ej., lectura en voz alta durante 3 minutos, escritura libre durante 10 minutos, correr 10 kilómetros).

Medidas basadas en la localización temporal

Como se mencionó anteriormente, la localización temporal hace referencia a la ocurrencia de una conducta respecto a otros eventos de interés. Los dos tipos de eventos más utilizados por los investigadores como puntos de referencia para medir la localización temporal son la aparición de los estímulos antecedentes y la finalización de la respuesta previa. Estos dos puntos de referencia proporcionan el contexto para medir la latencia de respuesta y el tiempo entre respuestas, las dos medidas de localización temporal más frecuentemente empleadas en la literatura del análisis de conducta.

Latencia de respuesta

La **latencia de respuesta** (en general, *latencia*) es una medida del tiempo que transcurre entre un estímulo y el inicio de la respuesta siguiente. La latencia es una medida apropiada cuando el investigador o profesional está interesado en saber cuánto tiempo transcurre desde que hay oportunidad de emitir una conducta y el momento en que se inicia la conducta. Por ejemplo, un estudiante podría mostrar una demora excesiva para cumplir las indicaciones del profesor.[4] La latencia sería el tiempo que transcurre entre el final de la indicación del profesor y el momento en que el estudiante cumple esa indicación. El interés se puede centrar también en aquellas latencias que son demasiado cortas. Un estudiante podría dar respuestas incorrectas porque no espera a que el profesor termine las preguntas. Un adolescente que, en cuanto recibe una ligera provocación de un compañero, toma represalias sobre él, no tiene tiempo para considerar otras conductas alternativas que podrían calmar la situación y llevar a mejores interacciones.

Los investigadores informan habitualmente la latencia de respuesta a través de la media, la mediana y el rango de las latencias individuales medidas en cada periodo de observación. Por ejemplo, Lerman, Kelley, Vorndran, Kuhn y LaRue (2002) utilizaron la latencia para evaluar los efectos de diferentes magnitudes de reforzamiento (es decir, acceso al reforzador durante 20, 60 o 300 segundos) sobre la pausa post-reforzamiento. Los investigadores midieron el número de segundos desde el final de cada intervalo de acceso al reforzador hasta la primera ocurrencia de la conducta objetivo (una respuesta comunicativa). Calcularon y e hicieron gráficos de la media, la mediana y el rango de latencias medidas en cada sesión (ver Lerman et al., 2002, pág. 41).

---

[4]La *latencia* a menudo se utiliza para describir el tiempo entre el cambio en un estímulo antecedente y el inicio de una respuesta. Sin embargo, el término puede utilizarse para referirse a la media de la localización temporal de una respuesta respecto a cualquier tipo de evento antecedente. Ver Johnston y Pennypacker (1993b).

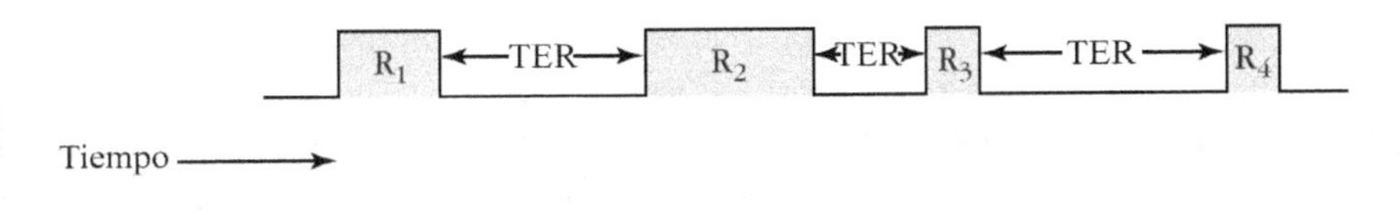

Figura 4.2 Representación esquemática de tres tiempos entre respuestas (TER). El tiempo entre respuestas es una forma habitual de medir la localización temporal que representa el intervalo de tiempo entre la terminación de una respuesta y el inicio de la siguiente.

Tiempo entre respuestas

El **tiempo entre respuestas** (TER) es la cantidad de tiempo que pasa entre dos ocurrencias consecutivas de una clase de respuesta. Al igual que la latencia, el tiempo entre respuestas es una medida de la localización temporal porque identifica cuándo ocurre un caso específico de una conducta respecto a otro evento (es decir, la respuesta previa). La Figura 4.2 muestra un esquema representativo del tiempo entre respuestas.

Aunque es una medida directa de la localización temporal, el tiempo entre respuestas está relacionado funcionalmente con la tasa de respuesta. Los tiempos entre respuestas cortos ocurren al tiempo que tasas de respuesta elevadas, y los tiempos entre respuestas largos aparecen se dan con tasas de respuesta bajas. Los analistas aplicados de la conducta miden el tiempo entre respuestas cuando resulta importante el tiempo entre dos ocurrencias de una clase de respuesta. El tiempo entre respuestas proporciona una medida básica para evaluar y llevar a cabo intervenciones que utilicen el reforzamiento diferencial de tasas bajas (RDTB), un procedimiento para reducir la tasa de respuesta utilizando el reforzamiento (ver el Capítulo 22). Al igual que la latencia, el tiempo entre respuestas se registra y representa habitualmente mediante la media (o la mediana) y el rango en un periodo determinado de observación.

Medidas derivadas

En el análisis aplicado de la conducta se utilizan habitualmente dos tipos de datos derivados de las medidas directas de la conducta: el porcentaje y los ensayos hasta el criterio.

Porcentaje

Un **porcentaje** es una razón (es decir, una proporción) formada mediante la combinación de cantidades de la misma dimensión, tales como el número total de respuestas (es decir, número/número) o el tiempo (es decir, duración/duración y latencia/latencia). Un porcentaje expresa la cantidad proporcional de algunos eventos en términos del número de veces que ocurre un evento cada 100 oportunidades de ocurrencia. Por ejemplo, si un estudiante responde correctamente 39 de 50 preguntas de un examen, un porcentaje de su precisión puede calcularse dividiendo el número de respuestas correctas por el número total de ítems del examen, y multiplicando el producto por 100 (39/50=0.78x100=78%).

El porcentaje se utiliza frecuentemente en el análisis aplicado de la conducta para hablar de la proporción de respuestas correctas totales. Por ejemplo, Ward y Carnes (2002), en un estudio para evaluar el desempeño de tres habilidades defensivas por parte de los defensas de un equipo estudiantil de fútbol, utilizaron la medida del porcentaje de ejecuciones correctas para ver el efecto del establecimiento público de objetivos. Los investigadores registraban la cantidad de carreras, anotaciones y placajes correctos e incorrectos de cada jugador, y calculaban los porcentajes de precisión basándose en el número de oportunidades para cada tipo de juego (Los datos de este estudio pueden verse en la Figura 9.3).

El porcentaje se utiliza también frecuentemente en el análisis aplicado de la conducta para informar sobre la proporción de intervalos de observación en los que ocurre la conducta objetivo. Normalmente estas medidas se presentan como una proporción de los intervalos dentro de una sesión (p.ej., ver Figura 21.4). El porcentaje puede calcularse también para una sesión de observación completa. En un estudio de Neef, Bicard y Endo (2001) en el que analizaban los efectos diferenciales de la tasa, la calidad y la inmediatez del reforzador así como del esfuerzo de la respuesta, sobre la conducta impulsiva de los estudiantes con un trastorno por déficit de atención con hiperactividad, utilizaron el porcentaje de tiempo que cada estudiante dedicaba a realizar dos grupos similares de problemas matemáticos (es decir, el tiempo que dedicaban a los problemas matemáticos que suponían el acceso a reforzadores demorados de alta calidad / tiempo total posible x 100 = %).

Los porcentajes se utilizan ampliamente en educación, psicología y los medios de comunicación, y la mayoría de la gente entiende una relación proporcional expresada como porcentaje. Sin embargo, a menudo los porcentajes se utilizan de manera inapropiada o se comprenden mal. Así pues, ofrecemos algunas notas aclaratorias para utilizar e interpretar los porcentajes de manera adecuada.

Los porcentajes reflejan de manera apropiada el nivel y los cambios de una conducta, cuando se calculan con un divisor (o denominador) de 100 o más. Sin embargo, muchos porcentajes utilizados por los investigadores y profesionales conductuales se calculan con divisores menores de 100. Las medidas de porcentajes basadas en divisores pequeños se ven muy afectadas por pequeños cambios en la conducta. Por ejemplo, un cambio en el número total de respuestas de solo 1 respuesta por cada 10 oportunidades cambia el porcentaje en un 10%. Guilford (1965) ya avisó de que es poco aconsejable calcular los porcentajes con divisores menores de 20. Para propósitos de investigación, recomendamos que siempre que sea posible, los analistas de conducta diseñen sistemas de medición en los que los porcentajes resultantes estén basados en un mínimo de 30 oportunidades de respuesta o intervalos de observación.

A veces, los cambios en un porcentaje pueden sugerir erróneamente que ha mejorado la ejecución. Por ejemplo, un porcentaje de precisión podría incrementarse aunque la frecuencia de respuestas incorrectas permanezca igual o peor. Imaginemos un estudiante cuya precisión al resolver problemas de matemáticas es del 50% el lunes (5 de 10 problemas respondidos correctamente), y del 60% el martes (12 de 20 problemas respondidos correctamente). Aunque la precisión proporcional ha mejorado, el número de errores se ha incrementado (desde 5 el lunes a 8 el martes).

Aunque ninguna otra medida informa sobre las relaciones proporcionales como lo hace el porcentaje, su uso como medida cuantitativa conductual es limitado, puesto que un porcentaje no es una dimensión cuantitativa.[5] Por ejemplo, el porcentaje no puede utilizarse para evaluar el desarrollo de la competencia o la fluidez de una conducta, porque no puede haber una evaluación de competencia sin referencia al número total de respuestas y al tiempo, aunque pueda mostrar la precisión proporcional de una conducta objetivo durante el desarrollo de esa competencia.

Otra limitación del porcentaje como medida del cambio de conducta es que se imponen límites superiores e inferiores a los datos. Por ejemplo, utilizar el porcentaje de respuestas correctas para evaluar la habilidad lectora de un estudiante impone un techo artificial a las medidas de ejecución. Un estudiante que lea correctamente el 100% de las palabras se presentaría como incapaz de mejorar debido a la medida utilizada.

Se pueden presentar diferentes porcentajes para el mismo grupo de datos, y cada porcentaje podría sugerir diferentes interpretaciones. Por ejemplo, imaginemos un estudiante que obtiene una puntuación de 4 aciertos (20%) en un pre-test de 20 ítems, y que en el post-test obtiene 16 aciertos (80%) con los mismos 20 ítems. La descripción más correcta de las mejoras del estudiante desde el pre-test hasta el post-test (60%) compararía estas dos medidas utilizando el mismo divisor original (20 ítems). Puesto que el estudiante puntuó 12 ítems correctos más en el post-test que en el pre-test, podría decirse que su ejecución ha experimentado un incremento (una ganancia en la puntuación) de un 60%. Pero, dado que la puntuación post-test del estudiante representa el cuádruple de mejora en las respuestas correctas, alguien podría decir también que la puntuación post-test ha mejorado un 300% respecto al pre-test, una interpretación completamente diferente de la anterior.

Aunque a veces se informa de porcentajes mayores del 100%, estrictamente hablando, es incorrecto hacer eso. Aunque un porcentaje de cambio conductual mayor del 100% pueda ser impresionante, es matemáticamente imposible. Un porcentaje es una medida *proporcional* de un conjunto de datos, donde x (la proporción) de y (el total) se expresa como 1 parte de 100. Una proporción de algo no puede exceder el total de ese algo o ser menos de cero (es decir, no hay algo así como un porcentaje negativo). El atleta favorito del entrenador, que "siempre da el 110%" simplemente no existe.[6]

Ensayos hasta el criterio

Los **ensayos hasta el criterio** miden el número de oportunidades de respuesta necesario para conseguir un determinado nivel de ejecución. Lo que constituya un ensayo ya va a depender de la naturaleza de la conducta objetivo y del nivel de ejecución deseado. Para una

[5]Puesto que los porcentajes son proporciones basadas en la misma dimensión cuantitativa, esa dimensión se ve anulada y no existe en el porcentaje. Por ejemplo, un porcentaje de precisión creado al dividir el número de respuestas correctas por el número de oportunidades, elimina el número de respuestas real. Sin embargo, las proporciones creadas desde dimensiones cuantitativas diferentes retienen las dimensiones de cada componente. Por ejemplo, la tasa retiene el número de unidades entre el tiempo. Para una explicación más detallada ver Johnston y Pennypacker (1993a).

[6]Cuando una persona dice que un porcentaje excede el 100% (p.ej., "Nuestro fondo creció un 120% durante la reciente bajada de mercados", probablemente está utilizando un porcentaje falseado *al comparar con* una unidad base anterior, no una proporción. En este ejemplo, los fondos incrementaron su valor un 20% en el mercado, 1.2 veces más que su valor anterior cuando bajaron los mercados.

habilidad como atarse los zapatos, cada oportunidad de atarse un zapato puede considerarse un ensayo, y los ensayos hasta el criterio serían el número de ensayos requeridos por el aprendiz para atarse el zapato correctamente sin ayuda. Para conductas que implican la resolución de problemas o discriminaciones que han de aplicarse a través de un gran número de ejemplos para resultar útiles, un ensayo podría consistir en un bloque o serie de oportunidades de respuesta consistentes en la presentación de ejemplares diferentes del problema o de la discriminación. Por ejemplo, un ensayo para discriminar entre los sonidos vocálicos corto y largo de la letra /*o*/, podría ser un bloque de 10 oportunidades de respuesta en el que cada oportunidad consistiera en la presentación aleatoria de una palabra que contuviera la letra /*o*/, con sonidos vocálicos largos o cortos (p.ej., *bote, vaso*). Los datos de ensayos hasta el criterio podrían presentarse en este caso como el número de bloques de 10 ensayos requeridos para aprender a pronunciar correctamente el sonido /o/ en esas 10 palabras. El número total de respuestas seria la medida básica de la que se derivasen los datos de ensayos hasta el criterio.

Otras medidas básicas, tales como la tasa, la duración y la latencia, pueden utilizarse también para determinar los datos de ensayos hasta el criterio. Por ejemplo, una medida de ensayos hasta el criterio para la resolución de restas de dos dígitos que requieran llevarse un dígito, podría ser el número de hojas de 20 problemas aleatoriamente generados y secuenciados, que el alumno tiene que completar antes de ser capaz de resolver los 20 problemas de una hoja en 3 minutos o menos.

Los datos de ensayos hasta el criterio se calculan a menudo como una medida *ex post facto* del "coste" de un tratamiento o método educativo. Por ejemplo, Trask-Tyler, Grossi y Heward (1994) utilizaron el número de ensayos instruccionales que necesitaron tres alumnos con trastornos del desarrollo y deficiencias visuales, para preparar tres tipos de platos a partir de sus recetas sin recibir ayuda dos veces consecutivas a lo largo de dos sesiones. Cada receta suponía entre 10 y 21 pasos.

Frecuentemente se utilizan los ensayos hasta el criterio para comparar la eficiencia relativa de dos o más tratamientos o métodos educativos. Por ejemplo, si un profesor quiere determinar si un alumno puede aprender a deletrear palabras de forma más eficiente con un método que con otro, podría comparar el número de ensayos de práctica semanal necesarios para que el alumno llegue a dominar el deletreo de un conjunto de palabras practicando con esas dos formas diferentes. A veces los datos de ensayos hasta el criterio se complementan con información del número de minutos de instrucción necesarios para conseguir determinados criterios de ejecución (p.ej., Haolcombe, Wolery, Werts y Hrenkevich, 1993; Repp, Karsh, Johnson y VanLaarhoven, 1994).

Las medidas de ensayos hasta el criterio pueden recopilarse y analizarse también como una variable dependiente a lo largo de un estudio. Por ejemplo, Baer (1987) registró y representó gráficamente los ensayos hasta el criterio, en una tarea de memoria con pares asociados, como variable dependiente en un estudio para evaluar los efectos de la cafeína sobre la conducta de niños de preescolar.

Los datos de ensayos hasta el criterio pueden ser útiles también para evaluar el incremento en la competencia para adquirir clases de conceptos relacionados. Por ejemplo, enseñar conceptos tales como el color rojo a un niño podría consistir en presentarle ítems "rojos" y "no rojos" y aplicar reforzamiento diferencial a las respuestas correctas. Los datos de ensayos hasta el criterio se registrarían a partir del número de ejemplares de "rojo" y "no-rojo" requeridos antes de que el niño adquiriera un nivel de ejecución determinado en esa discriminación. Los mismos procedimientos de instrucción y recolección de datos se utilizarían para enseñarle otros colores. Los datos que mostraran el dominio de cada uno de los nuevos colores con menor número de ensayos de instrucción que los del color anterior, serían la evidencia del aumento de la capacidad del niño para aprender conceptos de color.

Medidas de definición

Además de las dimensiones básicas y derivadas que ya se han discutido, la conducta también puede definirse y medirse por su forma e intensidad. Ni la forma (es decir, topografía) ni la intensidad (es decir, magnitud) de la respuesta son dimensiones cuantitativas fundamentales de la conducta, pero cada una de ellas representa un importante parámetro cuantitativo para definir y verificar la ocurrencia de muchas clases de respuestas. Cuando los investigadores y profesionales miden la topografía o la magnitud de respuesta, lo hacen para determinar si esa respuesta representa una ocurrencia de la conducta objetivo. Las ocurrencias de la conducta objetivo que son verificadas en base a su topografía o su magnitud, se miden después por uno o más aspectos del número total de respuestas, de la extensión o de la localización temporal. En otras palabras, medir la topografía o la magnitud a veces es necesario para determinar si han ocurrido casos de la clase de respuesta objetivo, pero la subsecuente cuantificación de estas respuestas se registra, presenta y analiza en términos de sus medidas fundamentales y derivadas de número de respuestas, tasa, duración, latencia, tiempo entre respuestas, porcentaje y ensayos hasta el criterio.

Figura 4.3 La topografía, forma física o configuración, es una dimensión medible de la conducta.

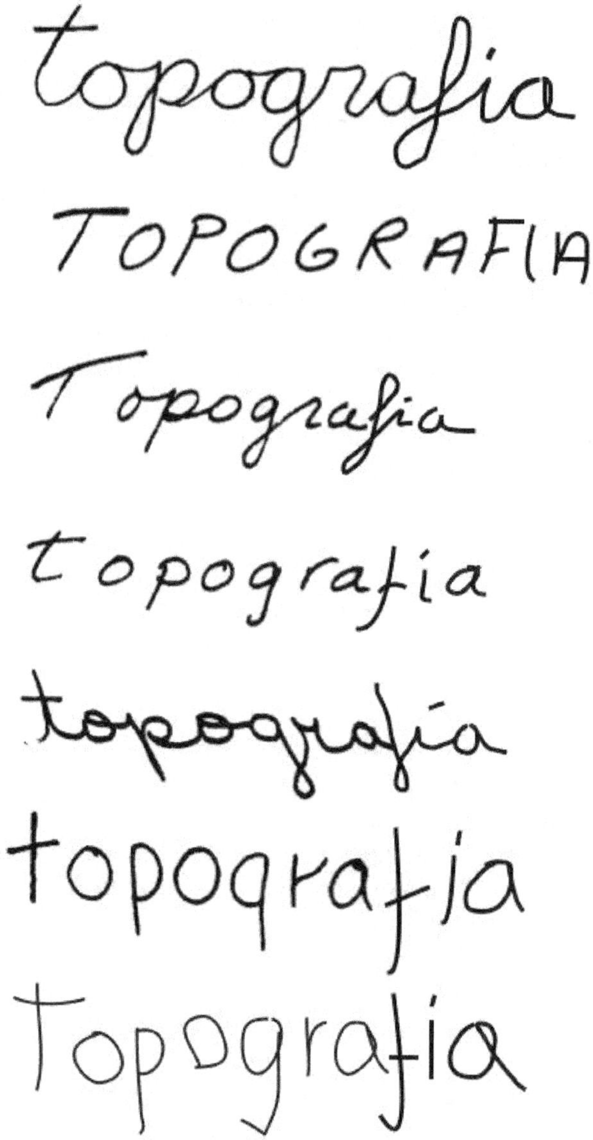

Topografía

La **topografía** se refiere a la conformación o forma física de una conducta, es una dimensión medible y maleable de la conducta. Es medible porque las respuestas con formas diferentes pueden ser detectadas y diferenciadas unas de otras. Es maleable porque las respuestas que tienen formas diferentes son moldeadas y seleccionadas por sus consecuencias.

Un grupo de respuestas con topografías bien diferentes pueden tener la misma función (es decir, formar una clase de respuestas). Por ejemplo, cada una de las formas de escribir la palabra topografía (como se muestra en la Figura 4.3) produciría el mismo efecto sobre el lector. Sin embargo, la pertenencia a algunas clases de respuesta está limitada a las respuestas que quedan dentro de un estrecho rango de topografías. Aunque cada una de las topografías mostradas en la Figura 4.3 cumpliría los criterios funcionales de la mayor parte de la comunicación escrita, ninguna alcanzaría el nivel esperado en un alumno aventajado de caligrafía.

La topografía tiene una importancia fundamental y obvia en las áreas de ejecución en las que la forma, el estilo, o destreza de la conducta tienen valor por sí mismos (p.ej., pintar, esculpir, bailar o practicar gimnasia rítmica). Medir y aplicar consecuencias diferenciales a las respuestas con topografías variadas es también importante cuando los resultados funcionales de una conducta están fuertemente relacionados con topografías específicas. Un estudiante que se siente con una buena postura y mire al profesor, recibirá atención positiva con mayor probabilidad y tendrá más oportunidades para participar académicamente que un estudiante con postura desgarbada y la cabeza sobre la mesa (Schwarz y Hawkins, 1970). Los jugadores de baloncesto que hacen los tiros libres de una forma determinada obtienen un mayor porcentaje de canastas que aquellos que lo hacen de una manera peculiar (Kladopoulos y McComas, 2001, ver Figura 6.3).

Trap, Milner-Davis, Josehp y Cooper (1978) midieron la topografía de la escritura manual de los estudiantes de primer curso. Tanto en las mayúsculas como en las minúsculas se utilizaron plantillas transparentes para detectar las desviaciones de las letras sobre el modelo (ver Figura 4.4). Los investigadores contaron el número de trazos de letras que cumplían con los criterios topográficos especificados (p.ej., que todos los trazos de las letras estuvieran dentro de los 2 mm de la plantilla, conectados, completos y con la longitud adecuada), y utilizaron el porcentaje trazos correctos escritos por cada alumno para evaluar tanto el efecto del *feedback* visual y verbal como el de la entrega de un certificado de logro, sobre la adquisición de las habilidades de escritura manual.

Magnitud

La **magnitud** se refiere a la fuerza o intensidad con que se emite una respuesta. Los resultados deseados de algunas conductas son contingentes a responder por encima de, por debajo de, o con una determinada intensidad o fuerza. Un destornillador ha de manejarse con la fuerza suficiente como para apretar o sacar un tornillo; un lápiz debe deslizarse sobre el papel con la fuerza suficiente como para dejar una marca legible. Por otro lado, si se aprieta demasiado un tornillo o tuerca es probable que se pase de rosca, y si se aprieta demasiado fuerte el lápiz puede que se rompa la punta.

También se ha medido en algunos estudios la intensidad del habla u otras vocalizaciones que pueden considerarse demasiado fuertes o demasiado débiles. Schwarz y Hawkins (1970) midieron la fuerza en la voz de Karen, una chica de sexto curso que hablaba tan débilmente en clase que su voz apenas era audible por los demás. La voz de Karen fue grabada en video durante dos periodos de clase cada día. (La cinta de video se utilizó también para obtener datos de otras conductas: tocarse la cara, y la cantidad de tiempo que Karen permanecía sentada con postura desgarbada). Los investigadores pasaron la cinta de video a un grabador de audio con indicador de volumen y contaron el número de veces que la aguja estaba por encima de un nivel específico. Schwarz y Hawkins utilizaron el número (proporción) de inflexiones de la aguja por cada 100 palabras emitidas por Karen como medida fundamental para evaluar el efecto de una intervención sobre el incremento de su volumen de voz durante las clases.

Figura 4.4 Ejemplos de contornos en una plantilla transparente utilizada para medir los bordes interiores y exteriores de las letras manuscritas, y una ilustración sobre cómo utilizar la plantilla transparente para medir la letra *m*. Puesto que el trazo vertical de la letra *m* sobrepasa el contorno superior, no cumple con los criterios de una topografía correcta.

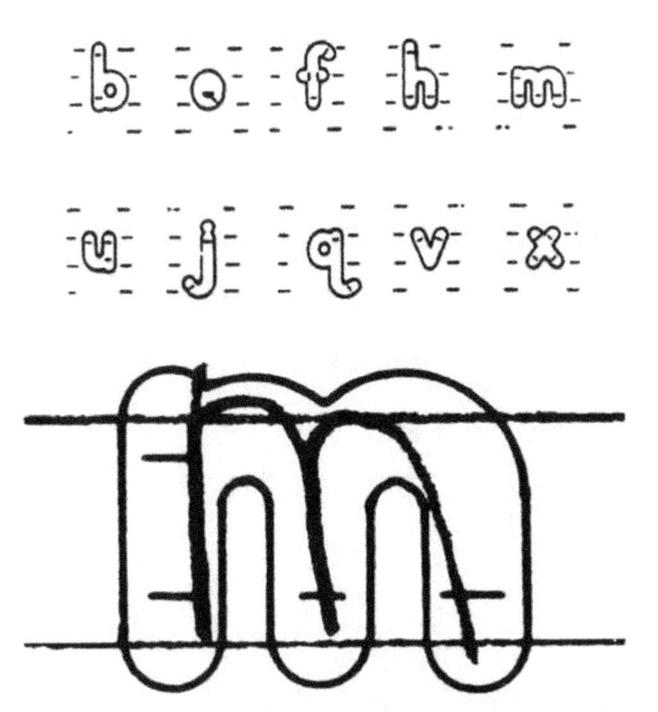

Tomado de "The Measurement of Manuscript Letter Strokes" J.J. Helwing, J.C. Johns, J.E. Normal, J.O. Cooper (1976). *Journal of Applied Behavior Analysis, 9,* pág. 231. © Copyright 1976 Society for the Experimental Analysis of Behavior Inc. Utilizado con permiso.

Greene et al. (1981) utilizaron un aparato de registro automático de sonido para medir la magnitud del ruido producido por los estudiantes de secundaria en el autobús escolar. El aparato podía ajustarse para activarse solamente con los sonidos que estuviesen por encima de un determinado umbral y registraba automáticamente tanto el número de veces que los estallidos de sonido sobrepasaban el umbral especificado (93 dB), como la duración total en segundos que el sonido permanecía por encima de ese umbral. Cuando el nivel excedía ese umbral, se activaba automáticamente una luz en un panel que los estudiantes podían ver. Cuando la luz se apagaba los estudiantes escuchaban música en el trayecto del autobús; cuando el número de estallidos de sonido estaba por debajo de un determinado criterio, participaban en un sorteo de premios. Esta intervención redujo drásticamente los estallidos de sonido y otros problemas de conducta en el autobús. Green y sus colegas utilizaron el número y la duración media por ocurrencia de estallidos de sonido, como medida para evaluar los efectos de la intervención.[7]

La Tabla 4.1 resume las dimensiones medibles de la conducta y los aspectos que hay que tener en cuenta para utilizarlas.

[7]Los investigadores a veces manipulan y controlan la topografía y la magnitud de una respuesta para evaluar sus posibles efectos como variables independientes. Piazza, Roane, Kenney, Boney y Abt (2002) analizaron en tres niñas los efectos de diferentes topografías de respuesta sobre la frecuencia de la conducta de pica (es decir, de la ingestión de sustancias no nutritivas que podrían ser perjudiciales para la salud). Los elementos que se solían ingerir durante los episodios de pica fueron colocados en diferentes lugares que requerían que los participantes respondiesen de diferentes formas para conseguirlos (p.ej., buscar, agacharse, tirarse al suelo o abrir una caja). Las respuestas de pica disminuyeron cuando se requerían respuestas con topografía más elaborada para conseguir estos elementos. Van Houten (1993) informó de con un niño que presentaba una conducta intensa, frecuente y duradera en el tiempo consistente en darse bofetadas, que disminuyó inmediatamente hasta cero cuando se le colocó una pulsera con un peso de 68 gramos. Estudios como estos sugieren que los problemas de conducta pueden reducirse cuando llevar a cabo esas conductas requiere un mayor esfuerzo de respuesta en términos de topografía o magnitud.

Tabla 4.1 Dimensiones fundamentales, derivadas y de definición con las que puede medirse y describirse una conducta.

Medidas fundamentales	*Cómo se calculan*	*Aspectos a tener en cuenta*
Número total de respuestas: El número de respuestas emitidas durante un periodo de observación.	Simplemente se cuenta el número de respuestas observadas. Julia hizo 5 comentarios durante los 10 minutos de debate de clase.	• Debe informarse de la duración del periodo de observación. • Es más útil para establecer comparaciones cuando el periodo observación es constante a través de todas las observaciones. • Utilizada para calcular otras medidas como la tasa/frecuencia, aceleración, porcentajes y ensayos hasta el criterio.
Tasa/Frecuencia: Una razón del número total de respuestas entre el tiempo de observación; a menudo se expresa como un número de respuestas por una unidad estandarizada de tiempo (p.ej., por minuto, hora o día).	Informa del número de respuestas registradas en el tiempo en que se llevaron a cabo las observaciones. Si los comentarios de Julia se registraron durante 10 minutos de clase, su tasa de respuesta podría ser 5 comentarios por 10 minutos. A menudo se calcula dividiendo el número de respuestas entre el número de unidades de tiempo estandarizadas en que se realizaron las observaciones. Julia hizo comentarios a una tasa de 0.5 por minuto.	• Si el tiempo de las observaciones varía entre mediciones, calcular con unidades estandarizadas de tiempo. • Minimizar falsas interpretaciones informando sobre el periodo de observación. • Evaluar el desarrollo de habilidades y la fluidez de la conducta requiere medir las tasas de respuestas correctas e incorrectas. • Se debe tener en cuenta la complejidad y dificultad de calcular las tasas de respuestas. • La tasa es la medida más sensible a los cambios en la reproductibilidad. • La medida preferida para operantes libres. • Una medida pobre para conductas que ocurren en ensayos discretos o conductas de larga duración. • Es la medida más sensible a la reproductibilidad de la conducta.
Medidas derivadas	*Cómo se calculan*	*Aspectos a tener en cuenta*
Aceleración: El cambio (aceleración o desaceleración) en la tasa de respuesta a través del tiempo.	Se calcula a partir de la Tasa; se expresa como un factor por el que la emisión de respuestas se está acelerando o desacelerando (multiplicando o dividiendo). Una línea de tendencia que conecta las tasas medias de comentarios de Julia durante 4 semanas, que pueden ser 0.1, 0.2, 0.4 y 0.8 comentarios por minuto respectivamente mostraría una aceleración de factor dos a la semana.	• Revela patrones dinámicos de los cambios de conducta tales como transiciones de un estado a otro y la adquisición de fluidez. • Se muestra en una línea de tendencia en un Gráfico de Aceleración Estándar (ver Capítulo 6). • Para calcularla se recomienda un mínimo de siete medidas de tasa.

(continúa en la siguiente página)

Tabla 4.1 ***(continuación)***

Medidas fundamentales	*Cómo se calculan*	*Aspectos a tener en cuenta*
Duración: La cantidad de tiempo en que ocurre la conducta.	*Duración total:* Hay dos métodos: (a) Sumar las cantidades individuales de tiempo de cada respuesta durante un periodo de observación; (b) Registrar el tiempo total individual que lleva una actividad o que necesita para que se termine, sin que tenga un máximo o mínimo periodo de observación. Julia ha tenido 1.5 minutos de intervenciones en la clase de hoy. *Duración por ocurrencia:* Registra el tiempo de duración de cada ocurrencia de la conducta; a menudo aparece como la media, mediana y rango de la duración por sesión. Julia hizo 6 comentarios hoy con una media de duración de 11 segundos, con un rango entre 3 y 24 segundos.	• Medida importante cuando la conducta objetivo es problemática porque ocurra con duraciones demasiado cortas o demasiado largas. • Medida útil para conductas que ocurren con tasas muy elevadas y cuando la precisión para el registro es difícil (p.ej., chasqueo de dedos). • Medida útil para conductas que no tienen un principio definido y que resultan difíciles de registrar (p.ej., canturrear). • Medida útil para conductas referidas a una tarea o conductas continuas (p.ej., juego cooperativo). • A menudo es preferible la duración por ocurrencia en vez de la duración total, puesto que incluye datos sobre el número total de respuestas y la duración total del tiempo. • Utilizar la duración total cuando el objetivo sea la resistencia de la conducta. • Medir la duración por ocurrencia implica contar las respuestas, por lo que se puede utilizar para calcular la tasa de respuesta.
Latencia de respuesta: El momento en el que ocurre una respuesta respecto a la ocurrencia de un estímulo antecedente.	Registrar el tiempo que pasa desde un evento estimular antecedente y el comienzo de la respuesta; a menudo se expresa a través de la media, la mediana y el rango de latencias por sesión. Julia hizo comentarios hoy con una latencia media de 30 segundos tras los comentarios de un compañero (rango entre 5 y 90 segundos).	• Medida importante cuando la conducta objetivo es un problema precisamente porque las latencias son muy cortas o muy largas. • Las latencias decrecientes pueden revelar que el individuo va adquiriendo progresivamente la habilidad entrenada.
Tiempo entre respuestas (TER): El momento en que ocurre una respuesta respecto a la ocurrencia de una respuesta previa.	Registrar el tiempo que pasa desde el fin de la respuesta previa al principio de la siguiente respuesta; a menudo aparece como la media o mediana y el rango de tiempo entre respuestas por sesión. Julia hizo comentarios hoy con una media de TER de 2 minutos, y un rango entre 10 segundos y 5 minutos.	• Medida importante cuando el foco del problema es el tiempo entre respuestas o el ritmo de esas respuestas. • Aunque es una medida de localización temporal, el tiempo entre respuestas correlaciona con la tasa de respuestas. • Es una medida importante cuando se evalúan y llevan a cabo tratamientos con reforzamiento diferencial de tasas decrecientes (ver Capítulo 22).

Tabla 4.1 (*continuación*)

Medidas derivadas	*Cómo se calculan*	*Aspectos a tener en cuenta*
Porcentaje: Una proporción, expresada como un número partido por 100; se expresa típicamente como la razón entre el número de cierto tipo de respuestas y el número de respuestas totales (u oportunidades o intervalos en los que esa respuesta podría haber ocurrido).	Dividir el número de respuestas que cumplen un criterio especificado (p.ej., respuestas correctas, respuestas con un tiempo entre respuestas mínimo o respuestas con una topografía particular) entre el número de respuestas totales emitidas (u oportunidades de respuesta), y multiplicarlo por 100. En la sesión de hoy, un 70% de los comentarios de Julia fueron relevantes al tema que se hablaba.	• Los porcentajes basados en un divisor menor de 20 pueden estar excesivamente influenciados por pequeños cambios en la conducta. Se recomienda un mínimo de 30 intervalos de observación u oportunidades de respuesta. • Los cambios en el porcentaje podrían sugerir erróneamente que hay una mejora en la ejecución. • Se debe informar siempre del divisor en el que se basa la medida de porcentaje. • No puede utilizarse para evaluar fluidez o competencia. • Impone límites superiores e inferiores a la ejecución (es decir, no se puede superar el 100%). • Con el mismo conjunto de datos puede informarse de porcentajes muy diferentes. • Para calcular el porcentaje global a partir de diferentes denominadores (p.ej., 90%=9/10, 87.5%=7/8, 33%=1/3, 100%=1/1) hay que dividir el numerador total de los porcentajes (p.ej., 18) entre el denominador total (p.ej., 81.8%=18/22). Una media de los porcentajes por sí mismos llevaría a un resultado diferente (p.ej., 90%+87.5%+33%+100%/4=77.6%).
Ensayos hasta el criterio: Número de respuestas, ensayos instruccionales u oportunidades necesarias para alcanzar un determinado criterio de ejecución.	Contar el número de respuestas o ensayos necesarios para que el aprendiz consiga un determinado criterio. Durante las sesiones de entrenamiento en debate llevadas a cabo en la sala de recursos, fueron necesarios 14 bloques de 10 oportunidades para que Julia consiguiese el criterio de 8 comentarios sobre el tema por cada 10 oportunidades.	• Proporciona una descripción *expost-facto* sobre el "coste" de un tratamiento o método educativo. • Resulta útil para comparar la eficiencia relativa de dos métodos de instrucción o entrenamiento diferentes. • Resulta útil para evaluar los cambios en la tasa conforme la persona que aprende va dominando una determinada habilidad o destreza.

Tabla 4.1 (*continuación*)

	Cómo se calculan	*Consideraciones*
Topografía: La configuración o forma física de una conducta.	Se utiliza para determinar si las respuestas cumplen un criterio topográfico; las respuestas que lo cumplen se miden y registran a través de una o más medidas fundamentales o derivadas (p.ej., porcentaje de respuestas que cumplen un criterio topográfico). Los movimientos de *swing* de Amanda cumplieron en un 85% el criterio establecido por el club de golf de ±2 grados desde la subida del palo hasta el golpeo de la bola.	• Medida importante cuando los resultados deseados en la conducta son contingentes a las respuestas que cumplen ciertas topografías. • Medida importante para áreas en que se evalúa la forma, la destreza o el estilo de ejecución.
Magnitud: La potencia, intensidad o fuerza de una conducta.	Se utiliza para determinar si las respuestas cumplen un criterio de magnitud; las respuestas que cumplen estos criterios se miden y registran a través de una o más medidas fundamentales o derivadas (p.ej., número total de respuestas que cumplen un criterio de magnitud). Jaime levantó 20 veces unas pesas de 27 kg.	• Medida importante cuando los resultados deseados en la conducta son contingentes a las respuestas que están dentro de un rango de magnitud determinado.

Procedimientos para medir la conducta

Los procedimientos de medición utilizados más frecuentemente por los analistas aplicados de la conducta incluyen los siguientes o una combinación de ellos: registro de eventos, control del tiempo y varios métodos de muestreo de tiempo.

Registro de eventos

El **registro de eventos** abarca una amplia variedad de procedimientos para detectar y registrar el número de veces que ocurre una conducta en la que estemos interesados. Por ejemplo, Cuvo, Lerch, Leurquin, Gaffaney y Poppen (1998) utilizaron el registro de eventos para analizar el efecto de los requisitos de la tarea y de los programas de reforzamiento en la conducta de elección de adultos con retraso cognitivo y niños de preescolar, mientras los participantes estaban realizando tareas apropiadas a su edad (es decir, los adultos seccionando cubiertos de plata, los niños lanzando bolas o saltando obstáculos). Los investigadores registraban cada cubierto seleccionado, cada bola arrojada, y cada obstáculo sobre el que se había saltado.

Instrumentos para registrar eventos

Aunque un papel y un lápiz son suficientes para registrar eventos, algunos de los siguientes instrumentos y procedimientos podrían facilitar ese proceso de contabilización.

- *Contadores de muñeca.* Los contadores de muñeca se utilizan para el recuento de las conductas del estudiante. Los golfistas utilizan estos contadores para registrar los golpes. La mayoría de los contadores de muñera registran de 0 a 99 respuestas. Estos contadores pueden comprarse en las tiendas de deportes o en los grandes almacenes.
- *Contadores digitales de mano.* Estos contadores digitales son similares a los contadores de muñeca. Los contadores digitales generalmente se utilizan en tiendas de comestibles, cafeterías, comedores militares y peajes para medir el número de personas a las que se ha servido. Estos contadores mecánicos están disponibles para contar en uno o varios canales y se llevan cómodamente en la palma de la mano. Con algo de práctica, los profesionales pueden utilizar los contadores de varios canales rápidamente y de manera fiable con una sola mano. Estos contadores digitales pueden conseguirse en los tiendas de materiales de oficina.
- *Contadores de ábaco de muñeca y con cordones de los zapatos.* Landry y McGreevy (1984) describieron dos tipos de contadores de ábaco para medir la conducta. El contador de ábaco de muñeca está hecho con cuentas y limpiadores de pipas (unos alambres finos forrados de fibras de algodón) que se enganchan en una pulsera de cuero para formar un ábaco con filas numeradas del uno al diez. Un observador puede contar desde 1 hasta 99 ocurrencias de una conducta deslizando las cuentas como en un ábaco. Las respuestas se cuentan de la misma forma en un ábaco con cordones de zapatos, excepto que las cuentas se deslizan por un cordón de zapato enganchado a un llavero que está sujeto al cinturón, a la hebilla, a un ojal, o cualquier otra parte de la ropa del observador.
- *Cinta adhesiva.* Los profesores pueden hacer marcas cortando partes de una cinta adhesiva y pegándola en sus manos o en su mesa.
- *Monedas, botones, clips.* Cualquiera de estos ítems puede cambiarse de un bolsillo a otro cada vez que ocurra la conducta objetivo.
- *Calculadoras pequeñas.* Las calculadoras de bolsillo también pueden utilizarse para registrar eventos.

El registro de eventos también se aplica a la medición de la conducta que se da en ensayos discretos, donde el número total de respuestas u oportunidades de respuesta de cada ensayo es 1 o 0, representando la ocurrencia o no de la conducta. La Figura 4.5 muestra un formulario utilizado para registrar la ocurrencia de respuestas de imitación por parte de un niño de preescolar con discapacidad y su compañero (que no tenía ningún tipo de discapacidad), dentro de una serie de ensayos instruccionales incluidos en las actividades habituales de clase (Walk, 2003). Para cada ensayo, el observador registraba la ocurrencia de una respuesta correcta, de ninguna respuesta, de una aproximación o de una respuesta inapropiada, que realizasen el niño destinatario de la intervención o su compañero, haciendo un círculo o una marca sobre las letras que representaban cada una de esas conductas. El formulario permitía también al observador registrar si el profesor ayudaba o elogiaba adecuadamente las conductas de imitación del niño.

Fecha de sesión: 21 de Mayo Número de sesión: 16 Observador: Jennie

Niño: Jordan Compañero: Ethan Día AEO: (SÍ) NO

Objetivo: Colocar bloques en una construcción Condición: 5 seg demora

Código: C = Correcto N = No respuesta A = Aproximación I = Incorrecto

Ensayo	Conducta objetivo	Conducta del profesor hacia el objetivo	Conducta del compañero	Elogios del profesor
1	(C) N A I	Ayuda (Elogio)	(C) N A I	(Elogio)
2	(C) N A I	Ayuda (Elogio)	(C) N A I	(Elogio)
3	(C) N A I	Ayuda (Elogio)	(C) N A I	(Elogio)
4	C N (A) I	(Ayuda) (Elogio)	(C) N A I	(Elogio)
5	(C) N A I	(Ayuda) (Elogio)	C N (A) I	Elogio
6	C N (A) I	(Ayuda) (Elogio)	(C) N A I	(Elogio)
7	(C) N A I	Ayuda (Elogio)	(C) N A I	(Elogio)
8	(C) N A I	Ayuda (Elogio)	(C) N A I	(Elogio)
9	(C) N A I	Ayuda (Elogio)	(C) N A I	(Elogio)
10	(C) N A I	Ayuda (Elogio)	(C) N A I	(Elogio)

Respuestas correctas del niño: 8 Respuestas correctas del compañero: 9

****

Objetivo: Colocar pegatinas en un papel Condición: 5 seg demora

Ensayo	Conducta objetivo	Conducta del profesor hacia el objetivo	Conducta del compañero	Elogios del profesor
1	(C) N A I	Ayuda (Elogio)	C (N) A I	Elogio
2	C N (A) I	(Ayuda) (Elogio)	(C) N A I	(Elogio)
3	C N (A) I	(Ayuda) (Elogio)	(C) N A I	(Elogio)
4	(C) N A I	Ayuda (Elogio)	(C) N A I	(Elogio)
5	C N (A) I	(Ayuda) (Elogio)	(C) N A I	(Elogio)
6	C N (A) I	Ayuda (Elogio)	C N A (I)	Elogio
7	C N A (I)	(Ayuda) Elogio	(C) N A I	(Elogio)
8	C N (A) I	(Ayuda) (Elogio)	(C) N A I	Elogio
9	(C) N A I	Ayuda (Elogio)	(C) N A I	(Elogio)
10	(C) N A I	Ayuda (Elogio)	(C) N A I	(Elogio)

Respuestas correctas del niño: 4 Respuestas correctas del compañero: 8

Figura 4.5 Formulario de registro de datos de la conducta de dos niños y un profesor durante una serie de ensayos discretos.

Tomado de *The effects of Embedded Instruction within the Context of a Small Group on the Acquisition in Imitation Skills of Young Children with Diabilities*, de J.E. Walk (2003), pág. 167. Tesis doctoral no publicada, Ohio State University. Adaptado con permiso.

Aspectos a tener en cuenta respecto al registro de eventos

El registro de eventos es fácil de realizar. La mayoría de la gente puede contabilizar conductas discretas de forma fiable, incluso la primera vez lo que haga. Si la tasa de respuesta no es demasiado alta, el registro de eventos no interfiere con otras actividades. Un profesor puede continuar con la clase mientras cuenta las ocurrencias de la conducta objetivo.

El registro de eventos proporciona una medida útil para la mayoría de las conductas. Sin embargo, cada ocurrencia de la conducta objetivo debe ser discreta, tener un punto de inicio y de final. El registro de eventos es aplicable a conductas objetivo tales como respuestas orales de los estudiantes a las preguntas del profesor, soluciones escritas a los problemas de matemáticas, y las alabanzas de un padre hacia su hijo o hija. Las conductas tales como canturrear son difíciles de medir porque un observador tendría dificultades para determinar cuándo termina un canturreo y empieza otro. El registro de eventos es difícil para conductas definidas sin una acción o una relación discreta específica con objetos, tales como estar jugando con materiales durante una actividad de juego libre. Puesto que jugar con objetos no representa una acción discreta específica, un observador tendría dificultades para juzgar en qué momento comienza la actividad y cuándo termina y empieza otra.

Otro aspecto a tener en cuenta respecto al registro de eventos es que la conducta objetivo no debería ocurrir a una tasa tan alta como para que el observador tenga dificultades para contar con exactitud cada ocurrencia de una conducta discreta.

Además, con el registro de eventos no se obtienen medidas precisas de las conductas de interés que ocurren durante largos periodos de tiempo, tales como permanecer en una tarea, escuchar, jugar solo, estar fuera del pupitre, o chuparse el dedo. Las conductas orientadas a una tarea o que son de carácter continuo (p.ej., "estar centrado en la tarea") son ejemplos de conductas objetivo para las que no sería muy apropiado utilizar el registro de eventos. Las clases de conducta de tipo continuo que ocurren a lo largo de un tiempo, generalmente no son el interés principal de los analistas aplicados de la conducta. Por ejemplo, leer en sí mismo resulta de menos interés que el número de palabras leídas correcta o incorrectamente, o el número de preguntas de comprensión lectora que el niño responde correcta o incorrectamente. De forma similar, la medición de las conductas que demuestran comprensión es más importante que la medición de la "conducta de escucha", y el número de respuestas académicas que emite un alumno durante un periodo de trabajo independiente es más importante que permanecer centrado en la tarea.

Control del tiempo

Los investigadores y profesionales utilizan una gran variedad de instrumentos y procedimientos de control del tiempo para medir la duración, la latencia y el tiempo entre respuestas.

Medir la duración de la conducta

Los investigadores aplicados utilizan a menudo sistemas semiautomáticos que utilizan el ordenador para registrar la duración de la conducta. Sin embargo, los profesionales suelen utilizar instrumentos no automáticos para registrar la duración. El instrumento no automático más preciso es un cronómetro digital. Los profesionales pueden utilizar un reloj de pared o de muñeca para medir la duración, pero las medidas obtenidas suelen ser menos precisas que las obtenidas con un cronómetro.

El procedimiento para registrar la duración total de una conducta objetivo en una sesión con un cronómetro es: (a) activar el cronómetro en cuanto comienza la conducta, y (b) parar el cronómetro al final del episodio. Entonces, sin ponerlo a cero, el observador comienza el cronómetro de nuevo cuando comienza la segunda ocurrencia de la conducta y vuelve a pararlo al final del segundo episodio. El observador continúa acumulando las duraciones de cada conducta de esta forma hasta que termine el periodo total de observación, y entonces pasa ese tiempo de duración total que muestra el cronómetro a una hoja de datos.

Gast et al. (2000) utilizaron el siguiente procedimiento para medir la duración con un pulsador de pie y una grabadora que permitía al profesional utilizar ambas manos para presentar el material de los estímulos e interactuar con los participantes de forma natural durante la sesión.

> La duración de la conducta objetivo del estudiante se registraba utilizando un grabador de audio con una cinta en blanco que la profesora activaba pisando un interruptor. Cuando el estudiante presentaba la conducta objetivo, la profesora activaba el interruptor y la cinta comenzaba a grabar. Cuando el estudiante paraba, la profesora paraba también la cinta activando el interruptor de nuevo. Al final de la sesión la profesora decía "fin", paraba la grabación y rebobinaba la cinta. [Después de la sesión la profesora] escuchaba la cinta desde el principio hasta la palabra "fin" y registraba la duración con un cronómetro. (pág. 398)

McEntee y Saunders (1997) registraron la duración por ocurrencia utilizando un sistema de código de barras, para medir (a) conductas funcionales y estereotipadas con objetos, y (b) estereotipias sin interacción con materiales y otras conductas atípicas. Crearon y dispusieron códigos de barras en una hoja con los datos para registrar las conductas de cuatro adolescentes con retraso severo y profundo. Un ordenador con un lector de código de barras y el *software* correspondiente, grababa el año, mes, día y hora de cada evento en particular. Los datos del código de barras proporcionaban las medidas de duración en tiempo real de las conductas de interacción con objetos y de las conductas atípicas.

Medir la latencia de respuesta y el tiempo entre respuestas

Los procedimientos para medir la latencia y el tiempo entre respuestas (TER) son similares a los utilizados para medir la duración. Medir la latencia requiere la detección precisa y el registro del tiempo que transcurre desde el conjunto estimular antecedente hasta la aparición de la conducta objetivo. Medir el tiempo entre respuestas requiere registrar el tiempo exacto que transcurre desde la finalización de cada ocurrencia de la conducta objetivo hasta el inicio de la siguiente. Wehby y Hollahan (2000) midieron, en un estudiante de primaria, la latencia para llevar a cabo las instrucciones en tareas de matemáticas. Utilizando un ordenador portátil con el software diseñado para detectar la latencia (ver Tapp, Wehby y Ellis, 1995, sobre el sistema de observación MOOSES), midieron la latencia desde la instrucción hasta su cumplimiento.

Muestreo temporal

El **muestreo de tiempo** se refiere a una serie de métodos para observar y registrar la conducta durante intervalos o en momentos específicos a lo largo del tiempo. El procedimiento fundamental implica dividir el periodo de observación en intervalos de tiempo, y registrar la presencia o ausencia de la conducta dentro o al final de cada intervalo.

El muestreo de tiempo fue desarrollado originalmente por los etólogos para estudiar la conducta de los animales en su ecosistema (Charlesworth y Spiker, 1975). Puesto que no era fácil o práctico observar a los animales de forma continua, estos científicos hicieron una planificación sistemática de intervalos de observación breves pero frecuentes. Las medidas obtenidas a partir de estas "muestras" se consideran representativas de la conducta durante el periodo completo en que se tomaron. Por ejemplo, la mayor parte de nuestro conocimiento sobre la conducta de los gorilas está basado en datos reunidos por la investigadora Jane Goodall utilizando métodos de observación con muestreo de tiempo.

Los analistas de conducta a menudo utilizan tres tipos de muestreo de tiempo: el registro de intervalo total, el registro de intervalo parcial, y el muestreo momentáneo.[8]

Registro de intervalo total

El registro de intervalo total a menudo se utiliza para medir conductas continuas (p.ej., juego cooperativo) o conductas que ocurren con tasas elevadas y en las que los observadores tienen dificultades para distinguir una respuesta de otra (p.ej., balanceo, canturreo), pero en las que sí pueden detectar si la conducta ocurre en un momento determinado. En **el registro de intervalo completo**, el periodo de observación se divide en series de intervalos breves de tiempo (típicamente de 5 a 10 segundos). Al final de cada intervalo, el observador registra si la conducta objetivo ocurrió *durante* ese intervalo. Si la conducta centrada en la tarea de un estudiante se mide a través de un registro de intervalo total de 10 segundos, el estudiante debería cumplir con la definición de esa tarea durante un intervalo completo, para que se pueda registrar que ha ocurrido en ese intervalo. En caso que el estudiante se centrase en la tarea solo 9 de los 10 segundos del intervalo, se registraría que no estaba centrado en la tarea en ese intervalo. Por lo tanto, los datos obtenidos con un registro de intervalo total subestiman el porcentaje total del periodo de observación en que realmente ocurre esa conducta. Cuanto más largo sea el intervalo de observación, en mayor grado subestimará el registro de intervalo total la ocurrencia real de la conducta.

Los datos obtenidos con el registro de intervalo total se presentan como el porcentaje de intervalos en los que ocurría la conducta objetivo respecto a los intervalos totales. Puesto que esa medida representa la proporción del periodo de observación completo en que la persona presentaba esa conducta, los datos del registro de intervalo total ofrecen una estimación de la duración total. Por ejemplo, supongamos que utilizamos un periodo de observación de intervalo total de 6 intervalos de 10 segundos cada uno (un rango de tiempo de un minuto). Si se hubiera registrado la ocurrencia de esa conducta en cuatro de los intervalos y su no ocurrencia en los dos restantes, nos daría una estimación total estimada de 40 segundos.

La Figura 4.6 muestra un ejemplo de un formulario de registro de intervalo total utilizado para medir la conducta centrada en la tarea de cuatro alumnos durante un periodo de trabajo académico individual (Ludwig, 2004). Cada minuto se dividía en cuatro intervalos de observación de 10 segundos; cada intervalo de observación era seguido de 5 segundos en los que el observador registraba la ocurrencia o no de la conducta objetivo durante esos 10 segundos precedentes. La observadora primero miraba al Estudiante 1 de forma continuada durante 10 segundos, después miraba hacia otro lugar durante los siguientes 5 segundos y registraba mediante un círculo en "si" o "no" en el formulario de registro si el alumno se había centrado en la tarea en los 10 segundos anteriores. Tras esos 5 segundos, la observadora miraba ahora al Estudiante 2 de forma continua durante 10 segundos, tras lo cual registraba su conducta en el formulario. Seguía el mismo procedimiento para observar y registrar la conducta de los Estudiantes 3 y 4. De esta forma, la conducta de estar centrado en la tarea de cada estudiante fue observada y registrada en intervalos de 10 segundos por minuto.

---

[8]En la literatura sobre el análisis aplicado de la conducta se utilizan varios términos para describir los procedimientos de medición que implican observar y registrar la conducta dentro o al final de los intervalos programados. Algunos autores utilizan el término *muestreo de tiempo* para referirse solamente al muestreo momentáneo. Nosotros incluimos el registro de intervalo completo y el de intervalo parcial bajo la rúbrica de muestreo de tiempo porque a menudo se lleva a cabo como un método de medición discontinua, para proporcionar una "muestra" representativa de la conducta de una persona durante el intervalo de observación.

Hoja de registro de trabajo en la tarea

Fecha: 7 de Mayo Grupo: 1 Sesión: 17

Observador: (Robin) Sesión AEO: ___Sí X No

Condición experimental: Línea-base En la tarea (Productividad)

Hora de inicio: 9:42 Hora final: 10:12

Intervalos 10 seg	Estudiante 1		Estudiante 2		Estudiante 3		Estudiante 4	
1	(SÍ)	NO	(SÍ)	NO	(SÍ)	NO	SÍ	(NO)
2	(SÍ)	NO	(SÍ)	NO	(SÍ)	NO	(SÍ)	NO
3	(SÍ)	NO	(SÍ)	NO	SÍ	(NO)	(SÍ)	NO
4	(SÍ)	NO	(SÍ)	NO	SÍ	(NO)	(SÍ)	NO
5	(SÍ)	NO	(SÍ)	NO	(SÍ)	NO	(SÍ)	NO
6	(SÍ)	NO	(SÍ)	NO	SÍ	(NO)	SÍ	(NO)
7	(SÍ)	NO	(SÍ)	NO	SÍ	(NO)	(SÍ)	NO
8	(SÍ)	NO	(SÍ)	NO	(SÍ)	NO	SÍ	(NO)
9	SÍ	(NO)	(SÍ)	NO	(SÍ)	NO	(SÍ)	NO
10	SÍ	(NO)	(SÍ)	NO	(SÍ)	NO	(SÍ)	NO
11	(SÍ)	NO	(SÍ)	NO	SÍ	(NO)	SÍ	(NO)
12	(SÍ)	NO	SÍ	(NO)	(SÍ)	NO	SÍ	(NO)
13	(SÍ)	NO	(SÍ)	NO	(SÍ)	NO	(SÍ)	NO
14	SÍ	(NO)	SÍ	(NO)	(SÍ)	NO	SÍ	(NO)
15	(SÍ)	NO	(SÍ)	NO	SÍ	(NO)	SÍ	(NO)
16	(SÍ)	NO	(SÍ)	NO	(SÍ)	NO	(SÍ)	NO
17	(SÍ)	NO	(SÍ)	NO	(SÍ)	NO	(SÍ)	NO
18	(SÍ)	NO	(SÍ)	NO	(SÍ)	NO	(SÍ)	NO
19	SÍ	(NO)	(SÍ)	NO	SÍ	(NO)	(SÍ)	NO
20	(SÍ)	NO	(SÍ)	NO	(SÍ)	NO	(SÍ)	NO
21	(SÍ)	NO	(SÍ)	NO	SÍ	(NO)	(SÍ)	NO
22	(SÍ)	NO	(SÍ)	NO	SÍ	(NO)	(SÍ)	NO
23	(SÍ)	NO	(SÍ)	NO	(SÍ)	NO	(SÍ)	NO
24	(SÍ)	NO	(SÍ)	NO	(SÍ)	NO	SÍ	(NO)
25	(SÍ)	NO	(SÍ)	NO	SÍ	(NO)	(SÍ)	NO
26	(SÍ)	NO	(SÍ)	NO	SÍ	(NO)	(SÍ)	NO
27	(SÍ)	NO	(SÍ)	NO	(SÍ)	NO	(SÍ)	NO
28	(SÍ)	NO	(SÍ)	NO	SÍ	(NO)	(SÍ)	NO
29	(SÍ)	NO	(SÍ)	NO	(SÍ)	NO	(SÍ)	NO
30	(SÍ)	NO	(SÍ)	NO	(SÍ)	NO	(SÍ)	NO
Totales	26	4	28	2	18	12	22	8
% Intervalos en la tarea	86,6%		93,3%		60,0%		73,3%	

(Sí) = Atiende a la tarea (No) = No atiende a la tarea

Figura 4.6 Formulario de observación utilizado para el registro de intervalo completo de cuatro estudiantes que estaban centrados en la tarea durante el periodo de trabajo independiente.

Tomado de *Smiley faces and spinners: Effects of self-monitoring of productivity with an indiscriminable contingency of reinforcement on the on-task behavior and academic productivity by kindergarteners during independent seatwork.* R.L. Ludwing, 2004, pág. 101. Tesis doctoral no publicada. Ohio State University. Adaptado con permiso.

Al continuar la misma secuencia de observación y registro de intervalos en los 30 minutos totales de observación, se obtuvieron treinta medidas (es decir, muestras) de 10 segundos cada uno sobre la conducta de cada estudiante. Los datos en la Figura 4.6 muestran que la observadora consideró que los cuatro alumnos habían estado centrados en la tarea durante la Sesión 17 un 87%, 93%, 60% y 73% de los intervalos, respectivamente. Aunque los datos intentan representar el nivel de la conducta de cada estudiante a través del periodo de observación, es importante recordar que cada estudiante fue observado solamente durante 5 minutos del periodo total de 30 minutos.

Los observadores que utilicen cualquier tipo de muestreo temporal deberían hacer siempre alguna forma de respuesta de registro en cada intervalo. Por ejemplo, un observador que utilice un formulario como el que se presenta en la Figura 4.6 debería registrar la ocurrencia o no ocurrencia de la conducta objetivo en cada intervalo por medio de un círculo en la palabra "sí" o "no". El hecho de dejar intervalos sin marcar incrementa la probabilidad de confundirse en el registro y marcar el resultado de la observación en el espacio equivocado.

Todos los métodos de muestreo temporal requieren un instrumento de control del tiempo para señalar el principio y el fin de cada observación y cada intervalo de registro. Los observadores que suelen utilizar papel, lápiz, carpetas, y temporizadores para medir los intervalos, generalmente usarán un cronómetro sujeto a la carpeta. Sin embargo, observar y registrar la conducta mientras se mira simultáneamente el cronómetro es probable que tenga un impacto negativo en la precisión de la medida. Una solución para este problema es que el observador escuche por auriculares un audio grabado previamente que actúe como señal de los intervalos de observación y registro. Por ejemplo, los observadores que utilicen un procedimiento de registro de intervalo total como el descrito anteriormente, podrían escuchar una grabación de audio con una secuencia de frases similares a éstas: "Observe al estudiante 1", 10 segundos después, "Registro del estudiante 1", 5 segundos, "Observe al estudiante 2", 10 segundos, "Registro del estudiante 2", y así sucesivamente.

Figura 4.7 Parte de un formulario utilizado para el registro de intervalo parcial de cuatro clases de respuesta en tres estudiantes.

	1	2	3	4
Estudiante 1	Ⓐ H S D N	Ⓐ H S D N	Ⓐ Ⓗ S D N	A H S D Ⓝ
Estudiante 2	A H Ⓢ Ⓓ N	A Ⓗ Ⓢ D N	A H S Ⓓ N	Ⓐ H S D N
Estudiante 3	A H S D Ⓝ	A H S Ⓓ N	Ⓐ H S Ⓓ N	A Ⓗ Ⓢ D N

Claves:
A = Respuesta académica
H = Hablar alto
S = Fuera de la silla
D = Otras conductas disruptivas
N = Ninguna ocurrencia de las conductas objetivo

También se pueden utilizar instrumentos de ayuda táctil para señalar los intervalos de observación. Por ejemplo, los sistemas *Gentle Reminder*® (dan@gentle-reminder.com) y *MotivAider*® (www.habit-change.com) son pequeños instrumentos de control del tiempo que vibran en intervalos programados por el usuario.

Registro de intervalo parcial

Cuando se utiliza un **registro de intervalo parcial**, el observador registra la conducta ocurrida *en cualquier momento* durante el intervalo. El muestreo parcial no tiene que ver con cuántas veces ocurre la conducta durante el intervalo, ni con cuánto se extiende la conducta en el intervalo. Si la conducta objetivo ocurre varias veces durante el intervalo, se puntúa como una única ocurrencia. Un observador que utilice el registro de intervalo parcial para medir la conducta disruptiva de un estudiante, podría marcar un intervalo si cualquier forma de la conducta disruptiva cumple los criterios de la definición y en cualquier extensión de tiempo durante el intervalo. Esto es, se podría puntuar como una conducta disruptiva en un intervalo aunque hubiese ocurrido solo desde el primer al sexto segundo del intervalo. Debido a esto, los datos obtenidos de un registro de intervalo parcial a menudo sobrestiman el porcentaje global de ocurrencia de la conducta en el periodo de observación (es decir, la duración total).

Los datos de intervalo parcial, al igual que los de intervalo total, se suelen presentar como el porcentaje de intervalos en los que se registra la conducta objetivo respecto al total de intervalos. Los datos de intervalo parcial se utilizan para representar la proporción del periodo observacional completo en la que ocurre la conducta objetivo, pero a diferencia del intervalo completo, los resultados no proporcionan ninguna información sobre la duración por ocurrencia. Esto es debido a que cualquier ocurrencia de la conducta objetivo, independientemente de lo breve que sea, hará que se puntúe un intervalo.

Si se utiliza el registro de intervalo parcial con intervalos muy pequeños para medir respuestas discretas de corta duración por ocurrencia, los datos proporcionan una estimación en bruto de la tasa mínima de respuesta. Por ejemplo, los datos que muestran que una conducta medida con registro de intervalo parcial con intervalos contiguos (es decir, intervalos sucesivos que no se separan en los momentos en que la conducta no es observada) de 6 segundos, ocurrió en el 50% del total de intervalos, indicaría una tasa de respuesta mínima de cinco respuestas por minuto (de media, al menos ocurrió una respuesta en 5 de los 10 intervalos por minuto). Aunque a menudo el registro de intervalo parcial sobrestima la duración total, es igual de probable que subestime la tasa de una conducta de alta frecuencia. Esto es debido a que un intervalo en el que una persona realice ocho sonidos no verbales, podría puntuarse igual que un intervalo en el que la persona haga un solo sonido. Cuando la evaluación y la comprensión de una conducta requieran una medida sensible y exacta de la tasa de respuesta, debería utilizarse el registro de eventos.

Puesto que un observador que utilice un registro de intervalo parcial necesita registrar solamente que una conducta ha ocurrido en cualquier punto de cada intervalo (comparado con tener que observar la conducta durante todo el tiempo en el intervalo de tiempo total), es posible medir múltiples conductas que ocurran simultáneamente. La Figura 4.7 muestra una parte de un formulario para medir cuatro clases de respuestas en tres alumnos, utilizando un registro de intervalo parcial de 20 segundos. El observador mira al Estudiante 1 durante los primeros 20 segundos del intervalo, al Estudiante 2 durante los siguientes 20 segundos, y al Estudiante 3 en los siguientes 20 segundos. Cada estudiante es observado durante 20 segundos en cada periodo de un minuto de observación. Si un estudiante realiza cualquiera de las conductas a medir en cualquier momento del intervalo, el observador marca las letras correspondientes a esas conductas. Si un estudiante no realiza ninguna de esas conductas, el observador marca N como indicativo de la no ocurrencia. Por ejemplo, durante el primer intervalo en el que se le observó el Estudiante 1 dijo "Océano Pacífico" (como respuesta académica). Durante el primer intervalo en que se observó a la Estudiante 2 ella se levantó de su silla y tiró un lápiz (una conducta dentro de la clase de respuestas clasificada como "otras conductas disruptivas"). El Estudiante 3 no emitió ninguna conducta de las cuatro conductas objetivo durante el primer intervalo en que se le observó.

Muestreo momentáneo

Un observador que utilice el **muestreo momentáneo de tiempo** registra si la conducta objetivo está ocurriendo en el momento en que termina cada intervalo de tiempo. Si está realizando un muestreo momentáneo con intervalos de 1 minuto, el observador miraría a la persona cuando se cumpla ese minuto, determinaría inmediatamente si está ocurriendo la conducta problema en ese momento, e indicaría esa decisión en el formulario de registro. Un minuto después (es decir, llevando 2 minutos en el periodo de observación), el observador miraría de nuevo a la persona y puntuaría la presencia o ausencia de la conducta objetivo. Este procedimiento continuaría así hasta el final del periodo completo de observación.

Al igual que los métodos de registro con intervalos, los datos de muestreo momentáneo se presentan típicamente como el porcentaje de intervalos en los que ocurrió la conducta respecto al total de intervalos, y se utilizan para estimar la proporción del periodo total de observación en la que ocurrió la conducta.

La mayor ventaja de un muestreo momentáneo es que el observador no debe estar atendiendo continuamente para medir, mientras que los métodos de registro de intervalo exigen su atención íntegra.

Puesto que con este procedimiento la persona es observada solo un breve momento, se perderá mucha conducta, por eso el muestreo momentáneo se utiliza fundamentalmente para medir conductas que suponen actividad continua, tales como estar realizando una tarea o una actividad, puesto que tales conductas son fácilmente identificables. El muestreo momentáneo no resulta recomendable para medir conductas de baja frecuencia y corta duración (Saudargas y Zanolli, 1990).

Una serie de estudios han comparado las medidas obtenidas por muestreo momentáneo utilizando intervalos con duración variable con medidas de la misma conducta obtenidas con registro de duración continua (p.ej., Gunter, Venn, Patrick, Miller y Kelly, 2003; Powell, Martindale, Kulp, Mantindale y Bauman, 1977; Powell, Martindale y Kulp, 1975; Simpson y Simpson, 1977; Saudargas y Zanolli, 1990; Test y Heward, 1984). En general, estas investigaciones han encontrado que el muestreo momentáneo tanto sobrestima como subestima los datos del registro de duración continua cuando los intervalos son mayores de 2 minutos. Con intervalos menores de 2 minutos, los datos obtenidos mediante muestreo momentáneo se acercan a los obtenidos utilizando duración continua.

Los resultados del estudio de Gunter et al. (2003) son representativos de este tipo de investigación. Compararon las medidas de la conducta de centrarse en la tarea en tres alumnos de primaria con trastornos emocionales y de conducta, durante siete sesiones obtenidas con un muestreo momentáneo de intervalos de 2, 4 y 6 minutos, con las medidas de la misma conducta obtenidas por un registro de duración continua. Las medidas con muestreo de 4 y 6 minutos produjeron patrones de datos que se diferenciaban fuertemente de los datos obtenidos por el registro de duración continua, pero los datos obtenidos utilizando intervalos de 2 minutos tenían una correspondencia elevada con los obtenidos mediante duración continua. La Figura 4.8 muestra los resultados de uno de estos alumnos.

Comprobación de actividad programada

Una variación del muestreo momentáneo de tiempo es la **comprobación de actividad programada**[9], que utiliza el número total de participantes para medir la "conducta de grupo". Un profesor que utilice la comprobación de actividad programada observa a un grupo de alumnos al final de cada intervalo de tiempo, cuenta cuántos ellos están realizando la actividad propuesta y lo registra junto con el número total de alumnos del grupo. Por ejemplo, Doke y Risley (1972) utilizó los datos obtenidos mediante la comprobación de actividad programada para comparar la participación del grupo en actividades escolares obligatorias y opcionales. Los observadores registraban el número de estudiantes que estaban realizando la actividad obligatoria u opcional al final de cada intervalo de 3

[9]N: del T.: Traducción del acrónimo original PLACHECK (*planned activity check*).

Figura 4.8 Comparación de dos tipos de medidas de la conducta centrada en la tarea en un alumno de primaria: unas obtenidas mediante muestreo de intervalos de 2, 4 y 6 minutos, y otras mediante el registro de duración continua.

Tomado de "Efficacy of using momentary time samples to determine on-task behavior of students with emotional/behavioral disorders".P.L. Gunter, M.L. Venn, J. Patrick, K.A. Miller y L. Kelly, 2013, *Education and Treatment of Children*, 26, pág. 406. Reimpreso con permiso.

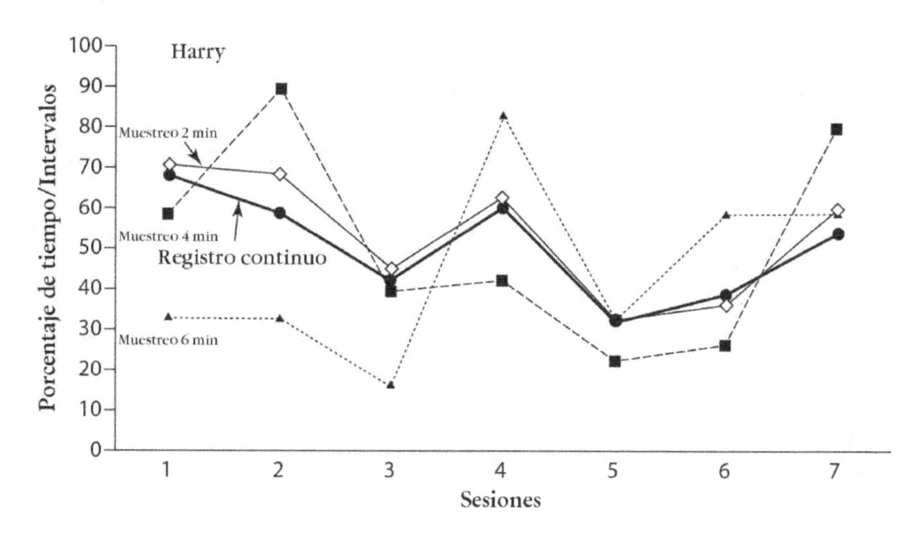

minutos, obteniendo así el número de niños que realmente participaban en cada una de las actividades. Informaron de estos datos como porcentajes de participación separados por actividades.

Dyer, Schwartz y Luce (1984) utilizaron una variación de la comprobación de actividad programada para medir el porcentaje de alumnos con discapacidad que vivían en una institución residencial, que realizaban actividades funcionales apropiadas a su edad. Conforme los alumnos entraban en la clase, eran observados individualmente para determinar la actividad concreta que realizaban. Se les observó en un orden predeterminado, durante no más de 10 segundos por estudiante.

Pueden encontrarse en la literatura otras variaciones de la comprobación de actividad programada, aunque generalmente se les denomina muestreo de tiempo o muestreo momentáneo. Por ejemplo, en un estudio que examinaba los efectos de las tarjetas de respuesta sobre las conductas disruptivas de alumnos de tercer curso durante las clases de matemáticas diarias, Armendariz y Umbreit (1999) registraron en intervalos de 1 minuto si cada estudiante presentaba conductas disruptivas en la clase. Al combinar los datos obtenidos con la comprobación de actividad programada a través de todas las sesiones con tarjetas sin respuesta (lineabase), y hacer una representación gráfica de estos resultados como el porcentaje de alumnos que estaba comportándose disruptivamente en cada intervalo de un minuto, y haciendo lo mismo con los datos de la comprobación de actividad programada de todas las sesiones con tarjetas de respuesta, Armendariz y Umbreit crearon una imagen clara y potente de las diferencias en "conducta de grupo" desde el inicio hasta el final de una clase típica en las que se utilizaban o no tarjetas de respuesta.

Figura 4.9 Comparación de distintos tipos de medidas de la misma conducta obtenidas mediante tres métodos de muestreo temporal, con las medidas obtenidas mediante el registro de duración continua.

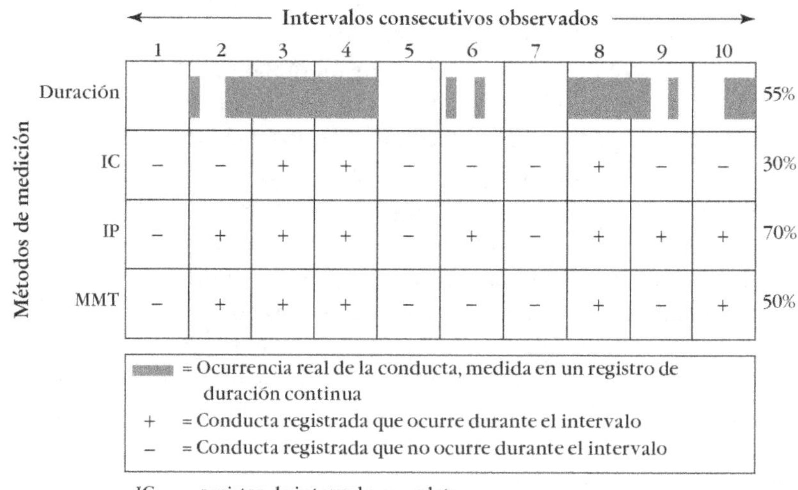

Reconocimiento de la variabilidad artefactual en las medidas de muestreo de tiempo

Como se ha mencionado anteriormente, los métodos de muestreo temporal proporcionan solamente una estimación de la ocurrencia real de la conducta. Diferentes procedimientos de muestreo producen diferentes resultados que pueden influir en las decisiones y las interpretaciones de un estudio. La Figura 4.9 ilustra justamente los diferentes resultados obtenidos al medir la misma conducta con diferentes métodos de muestreo de tiempo. Las barras sombreadas indican cuándo ocurría la conducta dentro de un periodo de observación dividido en 10 intervalos contiguos. Esas barras sombreadas revelan las tres dimensiones cuantitativas de la conducta: reproductibilidad (siete ocurrencias de la conducta), extensión temporal (la duración de cada respuesta) y la localización temporal (el tiempo entre respuestas viene determinado por el espacio entre las barras sombreadas).

Puesto que los métodos de muestreo utilizados en el análisis aplicado de la conducta a menudo se ven y se interpretan como medidas de proporción del total de los periodos de observación en que ocurre la conducta, es importante comparar los resultados de los métodos de muestreo con los obtenidos con medidas continuas de duración. Las medidas continuas revelan que la conducta mostrada en la Figura 4.9 ocurrió un 55% de las veces durante el periodo de observación. Cuando se registró el mismo periodo de observación pero con registros de intervalo total, las medias obtenidas subestimaban ampliamente la ocurrencia real de la conducta (es decir, 30% frente al 55%), mientras que el registro de intervalo parcial sobrestimaba también ampliamente su ocurrencia real (es decir, 70% frente al 55%), y por su parte, el muestreo momentáneo arrojaba una estimación más fiel a la ocurrencia real de la conducta (50% frente a 55%).

El hecho de que el muestreo momentáneo obtenga una medición que se aproxime más a la conducta real, no significa que sea el método preferido. Las distribuciones diferentes de una conducta (es decir, localización temporal) durante el periodo de observación, incluso de diferentes frecuencias y duraciones en la sesión, como se ha mostrado en la Figura 4.9, podrían generar resultados ampliamente diferentes para cada uno de los tres métodos de muestreo.

Las discrepancias obtenidas con diferentes métodos de medición se describen habitualmente en términos de la precisión o imprecisión relativa de cada método. Sin embargo, la precisión en este caso no es la cuestión. Si las barras sombreadas de la Figura 4.9 representan el valor real de la conducta, entonces cada uno de los métodos de muestreo se llevó a cabo con completa precisión, y los datos resultantes son justo los que deberían haberse obtenido con esos métodos. Un ejemplo de uso impreciso de uno de los métodos de medición sería que el observador al utilizar un registro de intervalo total hubiese marcado que la conducta había ocurrido en el Intervalo 2, cuando en realidad no había sido así de acuerdo con las reglas del registro de intervalo completo.

Pero si la conducta realmente ocurrió en el 55% del periodo de observación, ¿cómo deberíamos llamar a las medidas engañosas del 30% y del 70% si no son imprecisas? En este caso, las medidas engañosas son artefactos de los procedimientos de medición utilizados para obtenerlas. Un **artefacto** es algo que parece existir debido a la forma en que se ha examinado o medido. La medida del 30% obtenida por el registro de intervalo total, y el 70% obtenido con el registro de intervalo parcial, son artefactos de la forma en que se han llevado a cabo las medidas. El hecho de que los datos obtenidos con los registros de intervalo completo o parcial, subestimen o sobrestimen respectivamente la ocurrencia real de la conducta frente a un registro de duración continua es un ejemplo de artefactos muy bien conocidos.

Está claro que las mediciones de intervalos y el muestreo momentáneo provocan cierta variabilidad artefactual en los datos, por lo que hay que ser cuidadoso al interpretar los resultados obtenidos con estos métodos de medición. En el Capítulo 5 se discuten algunas causas de los artefactos de medición y cómo evitarlos.

Medición de la conducta con productos conductuales

La conducta puede medirse en tiempo real observando las acciones de una persona y registrando las respuestas en las que estemos interesados conforme ocurren. Por ejemplo, un profesor puede llevar una cuenta del número de veces que una alumna levanta la mano durante un debate de clase. Algunas conductas pueden medirse en tiempo real a partir de sus efectos sobre el ambiente, conforme esos efectos se producen. Por ejemplo, un entrenador de béisbol pulsa un contador de bolsillo cada vez que el bateador hace un lanzamiento hacia la línea derecha del campo del segunda base.

Algunas conductas pueden medirse después de que hayan ocurrido. Una conducta que produzca efectos consistentes en el ambiente puede medirse después de que haya ocurrido si esos efectos, o esos productos de la conducta, permanecen inalterados hasta que se realice la medición. Por ejemplo, si no se parase el vuelo de las pelotas golpeadas por el bateador en el béisbol, y por tanto las bolas cayesen y se quedasen en el campo de juego, el entrenador podría tomar datos sobre la ejecución de ese bateador contando, al final de su turno de juego, todas las bolas que se encontrasen al lado derecho del campo del segunda base.

Medir la conducta una vez que ha ocurrido, a través de sus efectos sobre el ambiente, se conoce como **medida de productos conductuales**. Este es un método ex post facto de recolección de datos puesto que las mediciones tienen lugar después que ocurra la conducta. Un producto conductual es un cambio en el ambiente producido por una conducta que dura lo suficiente como para que pueda tener lugar la medición.

Aunque a menudo se describe erróneamente como un método para medir la conducta, la medición de productos conductuales no se refiere a un procedimiento o método particular de medición. En vez de eso, se refiere al momento de la medición (es decir, después que haya ocurrido la conducta) y al medio (es decir, el efecto de esa conducta, no la conducta en si misma), a través de los cuales el evaluador tiene contacto (es decir, observa) con la conducta. Todos los métodos de medición descritos en este capítulo (registro de eventos, control y muestreo del tiempo) pueden aplicarse también a la medición de productos conductuales.

Los productos conductuales pueden ser resultados naturales o artificiales de la conducta. Son resultados naturales e importantes en un amplio rango de conductas socialmente significativas de los ambientes educativos, vocacionales, domésticos y comunitarios. Algunos ejemplos en educación incluyen las redacciones (Dorow y Boyle, 1998), la resolución de problemas matemáticos por escrito (Skinner, Fletcher, Wildmon y Belfiore, 1996), la ortografía de la escritura (McGuffin, Martz y Heron, 1997), las hojas de ejercicios terminadas (Albert, Heward y Hipper, 1999), la entrega de las tareas para casa (Albert, Nelson y Brennan, 2002), y las respuestas de los exámenes (p.ej., Gardner, Heward y Grossi, 1994). Otras conductas como fregar el suelo o los platos (Grossi y Heward, 1998), la incontinencia urinaria (Adkins y Mattews, 1997), hacer grafitis en las paredes (Mueller, Moore, Dogget y Tingstrom, 2000), reciclar papel o cristal (Brothers, Krants y McClannahan, 1994) y retirar la basura (Powers, Osborne y Anderson, 1973) también pueden ser medidos por los cambios naturales e importantes que provocan en el ambiente.

Muchas conductas socialmente significativas no tienen efectos directos en el ambiente físico. Leer en voz alta, sentarse con la postura adecuada, o el aleteo repetitivo, son conductas que no dejan productos naturales en el ambiente. Sin embargo, pueden hacerse mediciones de tales conductas *ex post facto* a través de productos conductuales artificiales. Por ejemplo, se puede grabar en audio a los estudiantes cuando leen en voz alta (Eckert, Ardoin, Daly y Martens, 2002), grabar en video a una chica al sentarse en clase (Schwarz y Hawkins, 1970) o a un chico que aletea continuamente (Ahearn, Clack, Gardenier, Chung y Dube, 2003), y de esta forma los investigadores obtendrían productos conductuales, aunque sean artificiales, para medir estas conductas.

A veces, los productos conductuales artificiales son útiles para medir las conductas que generan productos naturales temporales. Por ejemplo, Goetz y Baer (1973) midieron las variaciones en la forma en que los niños hacían construcciones con bloques, tomando fotografías de las construcciones finales que hacían los niños; y Twhig y Woods (2001) midieron la longitud de las uñas de las mano en personas que se comían las uñas.

Ventajas de la medición de productos conductuales

La medición de productos conductuales ofrece numerosas ventajas para los investigadores y los profesionales aplicados.

El profesional está libre para hacer otras tareas

Al no tener que observar y registrar la conducta conforme ocurre, el profesional puede hacer cualquier otra cosa durante el periodo de observación. Por ejemplo, una profesora que grabe en audio las preguntas, los comentarios o las intervenciones de los alumnos durante un debate de clase puede concentrarse en lo que los estudiantes dicen, proporcionar ayuda individual, etc.

Permite medir algunas conductas que ocurren en un momento o lugar inconveniente o inaccesible

Muchas conductas socialmente significativas ocurren en momentos inconvenientes y lugares que resultan inaccesibles para el investigador o el profesional. La

Figura 4.10 Formulario de registro del número total de respuestas y de la localización temporal de tres clases de enunciados del profesor grabadas en las sesiones.

Participante: T1 Fecha sesión: 23-Abril Condición experimental: Generalización de auto-evaluación

Observador: Susan Fecha observación: 23-Abril Duración de la observación: 15:00 Decimal: 15,0

Transcriba las afirmaciones positivas y negativas, los marcadores de tiempo correspondientes, y los marcadores de tiempo de las afirmaciones repetidas, en cada uno de los apartados siguientes.

Positivo genérico (transcribir el primer ejemplo)	Marcador tiempo	Marcador repeticiones		Positivo específico (transcribir el primer ejemplo)	Marcador tiempo	Marcador repeticiones		Negativo (transcribir el primer ejemplo)	Marcador tiempo	Marcador repeticiones	
Excelente	0:17	1:37	3:36	Me gusta cómo le ayudaste	1:05						
		4:00	4:15								
		7:45	9:11	Gracias por no hablar	1:57	2:10	3:28				
		10:22	10:34								
Maravilloso	0:26	1:44	1:59	Bien, una gran palabra	2:45	6:53	8:21				
		9:01	11:52			9:56					
		13:09		Has levantado la mano, bien hecho	3:37	4:33					
Bien	0:56	1:22	4:42	Bien, esa es una palabra nueva	3:46						
		5:27	5:47								
		6:16	6:38	Gracias por poner atención	4:56						
		8:44	9:25								
Perfecto	5:14	7:06	11:59	Gracias por no escribir	7:50						
Choca esos cinco	8:00										
Total: 28	% repeticiones: 83%			Total: 13	% repeticiones: 46%			0	% repeticiones:		
Número por minuto: 1,9				Número por minuto: 0,9							
Totales positivos: 41				Número por minuto: 2,7	% repeticiones: 71%						

Tomado de The effect of self-scoring on teachers's positive statements during classroom instruction de S.M. silvestri (2004), pág. 124. Tesis doctoral no publicada, Ohio State University. Utilizada con permiso.

medición de productos conductuales estaría indicada cuando fuese muy difícil observar la conducta tal como ocurre, bien porque la conducta ocurre muy pocas veces, en varios ambientes, o se extiende en periodos de tiempo muy largos. Por ejemplo, un profesor de música de guitarra puede pedir a su estudiante que grabe una parte de sus ejercicios diarios en su casa.

La medición puede ser más precisa, completa y continua

Aunque la medición de la conducta tal como ocurre proporciona el acceso más inmediato a los datos, no necesariamente proporciona los datos más precisos, completos y representativos. Una observadora que mida la conducta a través de sus productos conductuales puede tomarse su tiempo, revisar las puntuaciones de su hoja de registro, escuchar o ver la grabación una y otra vez. Las grabaciones de video permiten a la observadora verlas a velocidad lenta, detenerlas, y repetir partes de la sesión, literalmente puede "dejar quieta" la conducta para examinarla y medirla todas las veces que sea necesario. La observadora podría oír o ver aspectos o matices de la conducta que no había apreciado en la ejecución directa en vivo, incluso otras conductas que se le habían pasado.

La medición con productos conductuales permite reunir datos de múltiples participantes. Un observador puede ver una grabación una vez y fijarse en la conducta de un participante, después pasar la grabación otra vez y fijarse en la conducta de un segundo participante.

Las grabaciones de audio o video proporcionan datos sobre la ocurrencia de todos los ejemplos de una conducta objetivo (Miltenberger, Rapp y Long, 1999; Tapp y Walden, 2000). Al tener los productos conductuales de todas las ocurrencias de una conducta, se podría puntuar *a posteriori* a través de un temporizador digital (p.ej., en la cámara de video), colocar a cero los segundos en la primera imagen del principio de la sesión, y anotar el tiempo exacto en que comienza y termina una conducta. Más aún, hay ciertos programas de *software* que facilitan el registro y el análisis de los datos a partir de un control temporal exacto. PROCORDER es uno de estos sistemas de *software* para facilitar el registro y análisis de la conducta grabada en video. Según Miltenberger et al. (1999) "Con un registro del tiempo exacto en que comienza y termina una conducta objetivo en un periodo de observación de la sesión, podemos obtener la frecuencia (o tasa) o la duración de la conducta" (pág. 119).[10]

Facilita la recolección de datos sobre la fiabilidad entre observadores y la integridad del tratamiento

Las grabaciones de audio o video ayudan a las tareas de recolección de datos tales como obtener el acuerdo entre observadores (ver Capítulo 5) y evaluar la integridad del tratamiento (Capítulo 10). Los productos conductuales de la conducta permiten medidas repetidas de esa conducta, eliminando la necesidad de tener varios observadores en la situación de investigación o de tratamiento.

Permite la medición de conductas complejas y de múltiples clases de respuesta

Los productos conductuales, especialmente las grabaciones en video de la conducta, ofrecen la oportunidad de medir conductas complejas y múltiples clases de respuesta en un entorno social muy alborotado. Schwarz y Hawkins (1970) obtuvieron medidas de la postura, el volumen de voz y la conducta de tocarse la cara de una alumna de primaria a partir de grabaciones de video realizadas durante dos periodos de clase. Las tres conductas se seleccionaron como resultado de operacionalizar la "baja autoestima" de la niña. Los investigadores pudieron ver las grabaciones repetidamente y puntuar entonces las diferentes conductas. En este estudio, la niña también vio y evaluó su propia conducta en las grabaciones, como parte de la intervención.

La Figura 4.10 muestra un ejemplo de un formulario de registro utilizado por Silvertri (2004) para medir tres tipos de frases del profesor (genéricas positivas, específicas positivas y negativas) a partir de videograbaciones de las clases de impartía. (Ver figura 3.7 para una definición de estas conductas). El movimiento, las múltiples voces y el jaleo general que caracteriza a cualquier clase se combinan para hacer muy difícil, si no imposible, que un observador en vivo detecte y registre de forma fidedigna estas conductas. Cada profesor de los que participaba en este estudio llevaba un micrófono de solapa inalámbrico que transmitía la señal a un receptor conectado a una grabadora.

Determinación de si es apropiada la medición con productos conductuales

Las ventajas de la medición con productos conductuales son considerables, y podría pensarse que estos son siempre preferibles a una medición en tiempo real. Para ayudar al investigador o profesional a determinar si la medición con productos conductuales es apropiada, se deberían contestar estas cuatro preguntas: ¿Es necesaria la medición en tiempo real?, ¿puede medirse esa conducta mediante productos conductuales?, ¿obtener un producto conductual de tipo artificial afectará a esa conducta?, y ¿cuánto costará el proceso?

¿Es necesaria la medición en tiempo real?

Una de las características definitorias del análisis aplicado de la conducta y una de sus mayores fortalezas es el hecho de tomar decisiones basadas en datos sobre los procedimientos de investigación y tratamiento. Tomar decisiones basándose en los datos requiere algo más que la medición directa y frecuente de la conducta, requiere también un acceso continuo y adecuado a los datos que proporcionan esas medidas. Medir la conducta tal como ocurre proporciona el acceso más inmediato a los datos. Aunque la medición en tiempo real a través de productos conductuales puede llevarse a cabo en varias situaciones (p.ej.,

[10]Edwards y Christophersen (1993) describieron una grabación en video con control del tiempo (TLVCR) que registraba automáticamente en una cinta de dos horas, varias muestras de la conducta en periodos de observación entre 2 y 400 horas. Un TLVCR programado para registrar en un periodo de 12 horas podría registrar 0.10 de cada segundo. Este sistema puede ser útil para registrar conductas que se dan con muy baja frecuencia, y para conductas que ocurren durante largos periodos de tiempo (p.ej., la conducta de sueño de un niño).

contar las pelotas que aterrizan a la derecha del segunda base como el resultado del bateo del jugador), también pueden llevarse a cabo una vez que ha terminado la sesión educativa o experimental.

Las medidas tomadas de las grabaciones de audio o video no pueden obtenerse hasta que se ven esas grabaciones una vez que ha terminado la sesión. Si las decisiones sobre el tratamiento se han de tomar a partir de los datos sesión a sesión, esta demora en la medición de la conducta no tiene mayor problema dado que los datos se pueden obtener de las grabaciones antes de la próxima sesión. Sin embargo, cuando las decisiones del tratamiento han de tomarse en el momento de acuerdo a la conducta del participante durante la sesión, entonces es necesaria una medida en tiempo real. Pensemos en un analista de conducta que trata de reducir la tasa de conducta autolesiva de una persona proporcionando acceso contingente a un estímulo preferido de manera contingente al incremento del tiempo sin conducta autolesiva. La implementación precisa del protocolo de tratamiento requeriría mediciones en tiempo real del tiempo entre respuestas.

¿Puede medirse la conducta mediante productos conductuales?

No todas las conductas se pueden medir mediante productos conductuales. Algunas conductas producen cambios bastante permanentes en el ambiente que no resultan fiables para un propósito de medición. Por ejemplo, la conducta autolesiva a menudo produce efectos a largo plazo que pueden medirse después de que haya ocurrido la conducta (magulladuras, moratones, arañazos, incluso cortes y hematomas en la piel). Pero no podrían obtenerse medidas precisas de conducta autolesiva si se examinara de forma regular el cuerpo de la persona. La presencia de signos como una piel amoratada, abrasiones y otras marcas podría indicar que esa persona ha sido lesionada, pero quedarían muchas preguntas sin responder. ¿Cuántas veces ocurrieron las conductas autolesivas?, ¿hubo otras autolesiones que no dejaran marcas observables en la piel?, ¿se debe cada lesión en los tejidos a la conducta autolesiva? Estas son preguntas importantes para valorar los efectos de cualquier tratamiento. Con todo, no podrían responderse con seguridad puesto que estos productos conductuales no son tan precisos como para medir la conducta autolesiva. Las conductas que pueden medirse a través de productos conductuales han de cumplir dos requisitos:

Regla 1: Cada ocurrencia de la conducta objetivo debe producir el mismo producto conductual. Cada producto conductual debe ser el resultado de cada caso de la clase de respuestas medida. Todas las variantes en topografía de una conducta objetivo, y todas las respuestas con magnitud variable que cumplan la definición de una conducta objetivo, deben producir el mismo producto conductual. Por ejemplo, medir la productividad laboral de un empleado contando el número de aparatos ensamblados en su bandeja de "trabajo completado" se ajustaría a esta regla. Una ocurrencia de la conducta objetivo en este caso se define funcionalmente como un aparato correctamente ensamblado. Medir las conductas autolesivas a través de las marcas en la piel no se ajusta a esta regla porque algunas de estas conductas no dejan marchas evidentes.

Regla 2: El producto conductual debe ser producido solo por la conducta objetivo. Esta regla requiere que el producto conductual no sea el resultado de (a) cualquier otra conducta del participante que no sea la conducta objetivo, y (b) la conducta de cualquier otra persona diferente al participante. Por ejemplo, utilizar el número de aparatos correctamente ensamblados en la bandeja del empleado como forma de medir su productividad se ajustaría a esta Regla 2, siempre que el observador pueda asegurar que (a) el empleado no puso en su bandeja algún aparato que no estuviese totalmente ensamblado y (b) ninguno de los aparatos de la bandeja haya sido puesto ahí por algún otro empleado. Así pues, utilizar las marcas en la piel como un producto conductual para medir las conductas autolesivas tampoco cumple la Regla 2. Las marcas en la piel podrían ser producidas por otras conductas de esa persona (p.ej., haber corrido demasiado rápido llegando a tropezar y a golpearse la cabeza, o cualquier otra conducta peligrosa), o bien por la conducta de otra persona (p.ej., ser golpeado por alguien).

¿Obtener un producto conductual artificial afectará a la conducta?

Los investigadores y profesionales deberían tener siempre en cuenta la reactividad, es decir, el efecto que produce el procedimiento de medición en la conducta que se está midiendo. La reactividad es más probable cuando los procedimientos de observación y medición son intrusivos. Las medidas intrusivas alteran el ambiente, que a su vez puede afectar a la conducta que está siendo medida. Los productos conductuales obtenidos mediante equipos de grabación, ante cuya presencia las personas suelen comportarse de forma diferente, son un tipo de productos conductuales artificiales. Por ejemplo, utilizar una grabadora para registrar una conversación podría fomentar que el participante hablase más o quizás menos. Pero ha de reconocerse que la reactividad a la presencia de los observadores humanos es un fenómeno habitual, y los efectos de reactividad generalmente son temporales (p.ej., Haynes y Horn, 1982; Kazdin, 1982, 2001). De todas formas, es necesario anticipar la posible influencia que los instrumentos de registro podrían tener sobre la conducta objetivo.

¿Cuánto costará obtener y medir productos conductuales?

El aspecto final a tener en cuenta para determinar si la medición de una conducta mediante productos conductuales es apropiada o no, es la disponibilidad, el coste y el esfuerzo. Si se necesita un equipo de grabación para obtener un producto de conducta artificial, ¿está disponible en ese momento? Si no es así, ¿cuánto costará comprar o alquilar un equipo? ¿Cuánto tiempo y esfuerzo requerirá ponerlo en marcha, colocarlo y saber utilizarlo, teniendo en cuenta la duración del estudio o el programa de cambio conductual previsto?

Medición de la conducta con ayuda de ordenadores

Los sistemas informáticos, de *hardware* y *software* para la medición y el análisis de los datos conductuales se han ido haciendo más sofisticados y útiles, especialmente para los investigadores aplicados. Se han desarrollado software de registro y análisis de datos destinados a la medición observacional utilizando ordenadores portátiles (Kahn e Iwata, 2000; Repp y Kars, 1994), pequeños ordenadores de mano (Saudargas y Bunn, 1989), o PDA (Emerson, Reever y Felce, 2000). Algunos sistemas utilizan lector de código de barras para registrar datos (p.ej., McEntee y Saunders, 1997; Saunders, Saunders y Saunders, 1994; Tapp y Wehby, 2000). La mayoría de programas informáticos requieren sistemas operativos DOS o Windows. Solo una pequeña parte de los programas se han desarrollado para el sistema operativo Mac. Independientemente del sistema operativo que se utilice, Kahng e Iwata (2000) afirmaban:

> "Estos sistemas tienen el potencial de facilitar la tarea de observación, mejorando la fiabilidad y precisión de los registros, además de mejorar la eficiencia en el cálculo de datos y en la realización de gráficos, en comparación con los incómodos métodos tradicionales basados en papel y lápiz." (pág. 35).

Los avances en la tecnología de microchip han mejorado las capacidades de medición y análisis de datos de estos sistemas, y han hecho que el software sea progresivamente más fácil de aprender y de aplicar. Muchos de estos sistemas semiautomáticos pueden registrar gran número de eventos, incluyendo ensayos discretos, el número de respuestas por unidad de tiempo, la duración, la latencia, el tiempo entre respuestas, así como mediciones de muestreo de tiempo con intervalos fijos y variables. Estos sistemas pueden presentar los datos ya calculados como tasa, duración, latencia, tiempo entre respuestas, porcentaje de intervalos, porcentaje de ensayos y probabilidades condicionales.

Una ventaja distintiva de los sistemas de observación y medida con ordenadores es que al agregar tasas, análisis de series temporales, probabilidades condicionales, dependencias secuenciales, interrelaciones y combinaciones de eventos, los datos pueden agruparse y analizarse. Puesto que estos sistemas permiten el registro simultáneo de múltiples conductas a través de múltiples dimensiones, los resultados pueden examinarse y analizarse desde diferentes perspectivas que serían muy difíciles y llevaría mucho tiempo hacer con papel y lápiz.

Además de registrar la conducta y calcular los datos, estos sistemas proporcionan el análisis de la fiabilidad entre observadores (p.ej., menor/mayor, global, ocurrencia, no ocurrencia), y mediciones desde documentos de audio y video. Los sistemas semiautomáticos por ordenador, en comparación con los habituales de papel y lápiz, tienen el potencial de mejorar el acuerdo entre observadores, la fiabilidad de las medidas observacionales y la eficiencia del cálculo de datos (Kahn e Iwata, 1998).[11]

El valor práctico derivado de esa mayor eficiencia y facilidad de uso de los sistemas de medición asistidos por ordenador probablemente contribuirá a que aumente su uso entre los investigadores y profesionales que actualmente utilizan contadores mecánicos, cronómetros y papel y lápiz para sus observaciones.

---

[11]Las descripciones de las características y posibilidades de varios de los sistemas de medición conductual con ayuda de ordenadores puede encontrarse en las siguientes fuentes: Emerson, Reever y Felce (2000); Farrell (1991); Kahng e Iwata (1998, 2000); Repp, Harman, Felce, Vanacker y Karsh (1989); Saunders, Saunders y Saunders (1994); Tapp y Walden (2000), y Tapp y Wehby (2000).

Resumen

Definición y funciones de la medición en el análisis aplicado de la conducta

1. La medición es el proceso de aplicar categorías cuantitativas a propiedades observables de los eventos, utilizando un conjunto de reglas.
2. La medición es la forma en que los científicos operacionalizan el empirismo.
3. Sin la medición, los tres niveles del conocimiento científico –descripción, predicción y control- estarían relegados a meras conjeturas y opiniones.
4. Los analistas aplicados de conducta miden la conducta para obtener respuestas a las preguntas sobre la existencia y naturaleza de las relaciones funcionales entre las conductas socialmente significativas y las variables ambientales.
5. Los profesionales miden la conducta antes y después de un tratamiento para evaluar los efectos globales de sus intervenciones (valoración sumativa) y realizan frecuentes medidas de la conducta durante el tratamiento (evaluación formativa) para guiar las decisiones que tienen que ver con la continuación, modificación o terminación del tratamiento.
6. Sin las medidas frecuentes de las conductas objetivo de intervención, los profesionales podrían (a) continuar un tratamiento que no es efectivo, cuando no han ocurrido cambios reales en la conducta, y (b) abandonar un tratamiento efectivo porque las impresiones subjetivas no detectan una mejoría.
7. La medición también ayuda a los profesionales a optimizar su eficacia; a verificar la legitimidad de sus prácticas "basadas en la evidencia"; a identificar los tratamientos que están basados en pseudociencia, modas, tendencias o ideología; a responder ante los clientes, consumidores, empleados y ante la sociedad en general; y a cumplir estándares éticos.

Dimensiones medibles de la conducta

8. Puesto que la conducta ocurre dentro y a través del tiempo, hay tres dimensiones cuantitativas: reproductibilidad (es decir, número total de respuestas), extensión temporal (es decir, duración), y localización temporal (es decir, en qué momento del tiempo ocurre la conducta). Estas propiedades, solas o en combinación, constituyen las medidas básicas y derivadas que utilizan los analistas de conducta (ver resumen en Tabla 4.1).
9. El número total de respuestas es el número de respuestas emitidas durante un periodo de observación.
10. La tasa, o frecuencia, es la razón entre el número total de respuestas y el periodo de observación. A menudo se expresa como una cantidad por unidad de tiempo.
11. La aceleración es la medida del cambio (aceleración o desaceleración) en la tasa de respuestas por unidad de tiempo.
12. La duración es la cantidad tiempo en que ocurre la conducta.
13. La latencia de respuesta es la medida del tiempo que pasa entre el estímulo y el inicio de la respuesta subsecuente.
14. El tiempo entre respuestas (TER) es la cantidad de tiempo que pasa entre dos casos consecutivos de una clase de respuestas.
15. El porcentaje, una razón formada mediante la combinación de las mismas dimensiones cuantitativas, expresa la cantidad proporcional de un evento en términos del número de veces que ese evento ocurre por cada 100 oportunidades en que podría ocurrir.
16. Los ensayos hasta el criterio es una medida del número de oportunidades de respuesta para conseguir un determinado nivel de ejecución.
17. Aunque la forma (es decir, la topografía) y la intensidad de una respuesta (es decir, la magnitud) no son dimensiones cuantitativas fundamentales de la conducta, sí son parámetros importantes para definir y verificar la ocurrencia de muchas clases de respuestas.
18. La topografía se refiere a la configuración o la forma física de una conducta.
19. La magnitud se refiere a la fuerza o intensidad con que se emite una respuesta.

Procedimientos para medir la conducta

20. El registro de eventos abarca una amplia variedad de procedimientos para detectar y registrar el número de veces que se observa la conducta de interés.
21. Para medir la duración, la latencia de respuesta y el tiempo entre respuestas se utilizan una variedad procedimientos e instrumentos de control del tiempo.
22. El muestreo temporal consiste en una serie de métodos para observar y registrar la conducta durante intervalos o en momentos específicos de tiempo.
23. Los observadores que utilizan un registro de intervalo total dividen el periodo total de observación en una serie de intervalos de tiempo siempre iguales. Al final de cada intervalo, registran si la conducta ocurrió durante todo el intervalo.
24. Los observadores que utilizan un registro de intervalo parcial dividen el periodo total de observación en una serie de intervalos de tiempo siempre iguales. Al final de cada intervalo, registran si la conducta ocurrió al menos una vez en algún punto de ese intervalo.

25. Los observadores que utilizan un registro de muestreo momentáneo dividen el periodo de observación en una serie de intervalos siempre iguales. Al final de cada intervalo, registran si la conducta objetivo ha ocurrido en ese momento específico.

26. La comprobación de la actividad programada es una variación del muestreo momentáneo en la que el observador registra si cada individuo de un grupo está realizando la conducta objetivo.

27. Los artefactos en la medición son habituales en los muestreos de tiempo.

Medición de la conducta con productos conductuales

28. La medición de la conducta después de que haya ocurrido, midiendo sus efectos en el ambiente, se conoce como medición con productos conductuales.

29. La medición de muchas conductas puede realizarse mediante productos conductuales artificiales.

30. La medición con productos conductuales ofrece numerosas ventajas: el profesional está libre para hacer otras tareas; permite la medición de conductas que ocurren en un momento poco adecuado o en lugares inaccesibles; la medición puede ser más exacta, completa y continua; facilita la recolección de datos sobre la fiabilidad entre observadores y la integridad del tratamiento; y permite la medición de conductas complejas y múltiples clases de respuesta.

31. Si las decisiones sobre el tratamiento han de hacerse durante la sesión, momento a momento, la medición con productos conductuales no sería la indicada.

32. Para que la conducta sea susceptible de medirse mediante productos conductuales se han de cumplir dos reglas: Regla 1, cada ocurrencia de una conducta objetivo ha de producir siempre el mismo producto conductual. Regla 2, el producto conductual debe ser producido solamente por la conducta objetivo.

Medición de la conducta con ayuda de ordenadores

33. Los sistemas de *hardware* y *software* de medición y análisis de datos conductuales mediante ordenador se han hecho más sofisticados y fáciles de utilizar.

34. Se han desarrollado programas de *software* para la registro y análisis de datos que permiten hacer medidas observacionales utilizando ordenadores de sobremesa, portátiles, pequeños ordenadores de mano y PDA.

35. Algunos sistemas permiten el registro simultáneo de múltiples conductas a través de múltiples dimensiones. Los resultados se pueden examinar y analizar desde diferentes perspectivas, algo que sería difícil de llevar a cabo y consumiría mucho tiempo si se utilizasen métodos de papel y lápiz.

CAPÍTULO 5

Evaluación y mejora de la calidad de la medición conductual

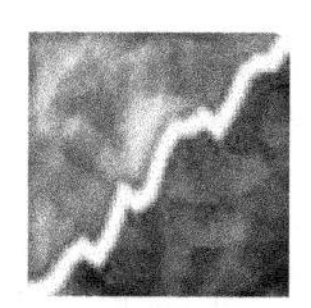

Términos clave

Acuerdo entre observadores (AEO)
Acuerdo entre observadores de duración media por ocurrencia.
Acuerdo entre observadores de intervalos puntuados
Acuerdo entre observadores de intervalos no puntuados
Acuerdo entre observadores de recuento total
Acuerdo entre observadores de duración total
Acuerdo entre observadores de número medio de respuestas por intervalo
Acuerdo entre observadores de recuento exacto por intervalos
Acuerdo entre observadores ensayo a ensayo
Acuerdo entre observadores intervalo a intervalo
Calibración
Credibilidad
Deriva del observador
Fiabilidad (o confiabilidad)
Medición continua
Medición directa
Medición discontinua
Medición indirecta
Observador ingenuo
Precisión
Reactividad del observador
Sesgo de medida
Validez
Valor observado
Valor verdadero

Behavior Analyst Certification Board® BCBA®, BCBA-D®, BCaBA®, RBT® Lista de tareas para analistas de conducta (cuarta edición).

A.	Habilidades analítico-conductuales básicas: medida
A-08	Determinar el nivel de acuerdo entre observadores.
A-09	Evaluar la precisión y fiabilidad de los procedimientos de medida.
H-01	Seleccionar un sistema de medida apropiado para obtener datos representativos teniendo presente las dimensiones de la conducta y la logística involucrada en la observación y el registro de la conducta.
H-02	Establecer un calendario de observación y los periodos en los que se llevará a cabo.

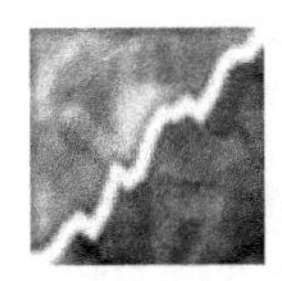

Los datos obtenidos mediante la medición de la conducta son la materia prima con la que los investigadores y profesionales de la conducta diseñan y evalúan su trabajo. Los analistas de aplicados de la conducta miden conductas socialmente relevantes para ayudar a determinar qué conductas hay que cambiar, para detectar y comparar los efectos de diferentes intervenciones sobre las conductas objeto del cambio, y para evaluar la adquisición, mantenimiento y generalización de los cambios.

Gran parte de lo que hacen los analistas de conducta, bien como investigadores, bien como profesionales aplicados, depende de las medidas utilizadas. Por ello, la legitimidad de los datos debe ser primordial. Algunas preguntas que debemos hacernos al respecto son: ¿los datos reflejan de manera significativa la razón (o razones) original para medir la conducta? ¿los datos representan el verdadero alcance de la conducta tal como realmente ocurrió? ¿los datos proporcionan una imagen coherente de la conducta? En otras palabras, ¿se puede confiar en los datos?

En el capítulo 4 se identificaron las dimensiones mensurables de la conducta y se describieron los métodos de medición más utilizados por el análisis aplicado de la conducta (ABA). Este capítulo se centra en la evaluación y mejora de la calidad de la medición conductual. Comenzamos definiendo los indicadores esenciales que debe tener una medición fidedigna de la conducta: validez, precisión y fiabilidad. A continuación, se identifican las amenazas comunes para la evaluación y se presentan sugerencias para *neutralizar* estas amenazas. Las secciones finales del capítulo detallan los procedimientos para evaluar la precisión, fiabilidad y credibilidad de las medidas de la conducta.

Indicadores de confianza de la medición

> Tres amigos aficionados al ciclismo -Juan, Tomás, y Guillermo- dieron juntos un largo paseo en bicicleta. Al terminar, Juan miró su pequeño cuentakilómetros montado en el manillar de la bicicleta y dijo: "Hemos hecho 68 kms. ¡Excelente!". Tomás dijo, "mi cuentakilómetros indica 67,5 kms. ¡Buen paseo, muchachos!". Guillermo mientras desmontaba y se frotaba la parte trasera, dijo: "¡Caramba, estoy que me duele todo! ¡Debemos haber hecho 100 kms!" Unos días más tarde, los tres amigos hicieron la misma ruta. En esta ocasión, el cuentakilómetros de Juan mostró 68 kilómetros, el de Tomás 70 kilómetros, y Guillermo, que ya no estaba con tantas agujetas como la vez anterior, dijo que habían hecho 90 kilómetros. Después de un tercer paseo en bicicleta por los mismos caminos rurales, Juan, Tomás y Guillermo afirmaron haber recorrido las distancias de 68, 65 y 80 kilómetros, respectivamente.

¿Son creíbles las medidas dadas por los tres ciclistas? ¿Cómo de creíbles? ¿Cuál de los datos de los tres amigos sería más útil para una explicación precisa de los kilómetros que realmente habían recorrido? Para tener utilidad científica, las medidas tienen que ser válidas, precisas y fiables. Las mediciones de los tres amigos ciclistas ¿tenían validez, precisión y fiabilidad?

Validez

Una medida tiene **validez** cuando nos aporta datos que están directamente relacionadas con el fenómeno medido y con la razón (o razones) para su medición. La determinación de la validez de la medición gira en torno a esta pregunta básica: ¿se midió una dimensión relevante de la conducta de interés de forma directa y adecuada?

¿Las mediciones de los kilómetros recorridos por los tres ciclistas tienen validez? Debido a que los ciclistas querían saber cuánto habían recorrido cada vez, el número de kilómetros recorridos era una dimensión relevante o válida de su conducta. Si el interés principal de los ciclistas hubiera sido cuánto tiempo habían estado pedaleando, o lo rápido que habían hecho el recorrido, el número de kilómetros recorridos no habría sido una medida válida. La utilización de los pequeños cuentakilómetros montados en el manillar de las bicicletas de Juan y Tomás para contabilizar directamente los kilómetros que estuvieron pedaleando, daría una medida válida. Pero Guillermo utilizó una medida indirecta (la relativa sensibilidad de su "parte trasera") para determinar el número de kilómetros que habían estado pedaleando. En este caso, la validez de los datos de kilometraje de Guillermo es sospechosa. Una medida directa de la conducta real siempre tendrá más validez que una medida indirecta, porque no requiere una inferencia sobre su relación con la conducta de interés; mientras que una medida indirecta siempre requiere de tal inferencia. Aunque el dolor pueda estar relacionado con la distancia recorrida, también se ve influido por factores tales como el tiempo en el sillín de la bicicleta, las buenas o malas condiciones de la carretera, la velocidad de la marcha, y lo mucho (o poco) que la persona haya practicado el ciclismo recientemente. Podríamos decir que el dolor como medida del kilometraje recorrido tiene poca validez.

La medición válida en el análisis aplicado de la conducta requiere tres elementos igualmente importantes: (a) la medición directa de una conducta objetivo socialmente relevante (véase el capítulo 3), (b) medir una dimensión (p.ej., tasa, duración) de la conducta objetivo que sea relevante para la cuestión principal que motiva la medición (véase el capítulo 4), y (c) asegurar que los datos son representativos de la ocurrencia de la conducta en las condiciones y durante el tiempo más adecuado para la cuestión que motiva la medición. Cuando cualquiera de estos elementos son sospechosos o no existen, sin importar la competencia técnica, es decir, la precisión y fiabilidad del proceso de medida mediante el cual se generaron los datos, la validez de los datos resultantes se verá comprometida, quizás hasta el punto de no tener sentido.

Precisión

En el contexto de la medición, la **precisión** se refiere al grado en el cual el **valor observado**, la etiqueta cuantitativa producida por la medición de un evento, coincide con el valor verdadero del evento, tal como se da en la realidad (Johnston y Pennypacker, 1993a). En otras palabras, una medida es precisa según su grado de correspondencia con el valor verdadero de la cosa medida. Un **valor verdadero** es una medida obtenida por procedimientos que son independientes y diferentes de aquellos que generan los datos que están siendo evaluados y para los que el investigador ha tomado "extraordinarias precauciones para asegurar que se han eliminado todas las posibles fuentes de error" (pág. 136).

¿Cómo de precisas fueron las medidas de los kilómetros recorridos por los tres ciclistas? Debido a que cada ciclista obtuvo una medida diferente de un mismo hecho, no parece que todos sus datos fueran precisos. El escepticismo en el recuento de los kilómetros recorridos por los tres ciclistas fue tal que Leo, un amigo de los tres, recorrió los mismos caminos rurales con un odómetro oficial homologado por el Departamento de Transporte, colocado en el defensa trasera de su automóvil. Al final de la ruta el odómetro marcaba 58 kilómetros. Utilizando la medida obtenida por el odómetro como el valor verdadero de la distancia de la ruta, Leo determinó que ninguna de las medidas dadas por los tres ciclistas era exacta, ya que todos los corredores habían sobreestimado el kilometraje real.

Al comparar el kilometraje recopilado por Juan, Tomás y Guillermo con el valor verdadero de la distancia de la ruta, Leo descubrió no solo que los datos de los ciclistas eran inexactos, sino también que los datos informados por los tres estaban contaminados por un tipo particular de error de medición llamado **sesgo de medida**. El sesgo de medida se refiere a un error no aleatorio en una medición; es decir, un error de medición que es probable que vaya en una dirección determinada. Cuando el error de medición es debido al azar, es tan probable sobreestimar como subestimar el verdadero valor de un evento. De manera que Juan, Tomás y Guillermo sobreestimaron considerablemente los kilómetros reales que habían recorrido. Sus datos contienen un sesgo de medida.

Fiabilidad

La **fiabilidad** describe el grado en el que un "procedimiento de medida obtiene el mismo valor cuando entra en contacto con el mismo fenómeno natural varias veces" (Johnston y Pennypacker, 1993a, pág. 138). En otras palabras, una medida fiable es una medida consistente. Al igual que la validez y la precisión, la fiabilidad es un concepto relativo; es una cuestión de grado. Cuanto más próximos están los valores obtenidos por una medida repetida del mismo evento, mayor será la fiabilidad. Y a la inversa, cuanto más difieran entre sí los valores observados en las medidas repetidas del mismo acontecimiento, menor será la fiabilidad.

¿Cómo de fiables fueron las mediciones de los ciclistas? Puesto que Juan obtuvo el mismo valor, 68 kilómetros, cada vez que midió la misma ruta, su medición tuvo una fiabilidad total. Las tres medidas de Tomás de la ruta (67.5, 70, y 65 kilómetros respectivamente) diferían unas de otras hasta 5 kilómetros. Por lo tanto, la medición de Tomás fue menos fiable que la de Juan. El sistema de medición de Guillermo fue el menos fiable de todos, obteniéndose valores para la misma ruta en un rango entre 80 y 100 kilómetros.

Importancia relativa de la validez, precisión y fiabilidad

La medición de la conducta debe proporcionar datos que permitan evaluar adecuadamente el cambio de conducta y orientar la toma de decisiones en la investigación y tratamiento. Los datos de mayor calidad, es decir, los datos más útiles y creíbles para el avance del conocimiento científico o para orientar la intervención basada en la evidencia, son generados por medidas válidas, precisas y fiables (ver figura 5.1). Validez, precisión y fiabilidad son conceptos relativos; cada uno de ellos puede variar de alto a bajo.

Para que los datos sean dignos de confianza, su medición debe ser válida y precisa. Si la medición no es válida, la precisión es dudosa. La medición precisa de una conducta que no es el foco de la investigación, o de una dimensión irrelevante de la conducta objetivo, o medir con precisión la conducta en circunstancias o en momentos no representativos de las condiciones y de los tiempos pertinentes, generará datos que no serán válidos para el análisis. Por otro lado, los datos obtenidos de la medición de una dimensión significativa de la conducta bajo las circunstancias y momentos relevantes, serán de poca utilidad si los valores observados representan la conducta de manera inexacta. Si las medidas son imprecisas, los datos obtenidos mediante procedimientos que en principio pudieran ser válidos, quedarán invalidados.

La fiabilidad no debe confundirse nunca con la precisión. Aunque la pequeña computadora de la bicicleta de Juan era una medida totalmente fiable, también era totalmente imprecisa.

> La preocupación por la fiabilidad de los datos sin tener en cuenta previamente su precisión sugiere que la fiabilidad a veces se confunde con la exactitud. Las preguntas para un investigador o una persona que lee un estudio publicado no deben ser, "¿Son fiables los datos?", sino "¿Los datos son precisos?" (Johnston y Pennypacker, 1993a, pág. 146).

Si la precisión es más importante que la fiabilidad, y lo es, ¿por qué los investigadores y los profesionales deberían estar preocupados con la fiabilidad de la medida? A pesar de que una alta fiabilidad no significa una alta precisión, una escasa fiabilidad revela siempre problemas con la precisión. Debido a que las mediciones de Tomás y de Guillermo no eran fiables, sabemos que al menos algunos de sus datos tampoco podían ser precisos. Ello debe llevarnos a comprobar la exactitud de las herramientas y procedimientos de medida.

Una medida altamente fiable es aquella que, cualquiera que sea el grado de precisión (o imprecisión) existente en el sistema de medida, será reflejada consistentemente por los datos. Si pudiéramos determinar que el pequeño cuentakilómetros de la bicicleta de Juan obtenía de forma fiable valores superiores a los valores reales en una cantidad o proporción constante, podríamos ajustar los datos restando dicha constante de imprecisión.

En las dos secciones siguientes del capítulo se describen los métodos para solventar las amenazas comunes a la validez, la precisión y la fiabilidad de la medición de la conducta.

Amenazas a la validez de las medidas

La validez de los datos conductuales se ve amenazada cuando la medición es indirecta, cuando se mide una dimensión equivocada de la conducta objetivo, o cuando la medición se lleva a cabo de tal manera que los datos que produce son un artefacto de las conductas reales.

Medidas indirectas

Las **medidas directas** se producen cuando "el fenómeno que es el foco de atención del experimento, es exactamente el mismo que el fenómeno que se mide" (Johnston y Pennypacker, 1993a, pág. 113). Por el contrario, las **medidas indirectas** se producen cuando "lo que realmente se mide es de alguna manera diferente" de la conducta diana (Johnston y Pennypacker, 1993a, pág. 113). Las medidas directas de la conducta generan más validez en los datos que las indirectas. Esto se debe a que la medición indirecta proporciona información "filtrada" (Komaki, 1998), lo cual obliga al profesional a hacer inferencias acerca de la relación entre el evento que se mide y la conducta real.

Las medidas indirectas se dan en las ocasiones en las que el profesional mide un aspecto que, sin ser la conducta de interés, se aproxima a ella o la sustituye. Un ejemplo de medida indirecta sería las respuestas de los niños a un cuestionario como medida de cómo

Figura 5.1 Las medidas precisas y fiables aportan datos con mayor credibilidad y utilidad para la investigación científica y para la práctica profesional basada en el conocimiento científico.

La medida que es ...

Válida	Precisa	Fiable	genera datos que son ...
Sí	Sí	Sí	... más útiles para el avance del conocimiento científico y para la práctica profesional basada en la evidencia.
No	Sí	Sí	... poco significativos para el propósito para el que se tomaron los datos.
Sí	No	Sí	... siempre incorrectos.[1]
Sí	Sí	No[2]	... algunas veces incorrectos.[3]

(1) Si los datos incorrectos se ajustaran según errores de medida sistemáticos de tamaño y dirección estándar, podrían utilizarse.

(2) Si la exactitud de cada dato puede confirmarse, la fiabilidad es un aspecto discutible. En la práctica, sin embargo, rara vez es posible. Por lo tanto, conocer la consistencia con la que se ha aplicado un sistema de medición válida y precisa contribuye al nivel de confianza en la fiabilidad global de los datos.

(3) El usuario es incapaz de separar los datos buenos de los malos.

son las relaciones con sus compañeros de clase. Mejor sería utilizar una medida directa de la cantidad de interacciones positivas y negativas que se dan entre los niños. La calificación del alumno en una prueba estandarizada de rendimiento en matemáticas como indicador de su dominio matemático incluida en el curriculum escolar, es otro ejemplo de medición indirecta. Aceptar la calificación del estudiante en la prueba de rendimiento como un reflejo válido de su habilidad curricular, requeriría realizar una inferencia. Por el contrario, la puntuación de un alumno en una prueba bien construida donde tuviera que resolver problemas de matemáticas de los contenidos recientemente estudiados, sería una medida directa, que no requeriría hacer inferencias respecto al desempeño curricular del alumno.

La medición indirecta no suele ser un problema para el análisis aplicado de la conducta porque precisamente su dimensión aplicada implica la selección y medición significativa (es decir, válida) de conductas socialmente relevantes. Pero, a veces, los investigadores o los profesionales aplicados no tienen acceso directo a la conducta de interés y por lo tanto deben utilizar algún tipo de medición indirecta. Por ejemplo, debido a que los investigadores que estudian la adherencia a los tratamientos médicos no pueden observar directamente la conducta de los pacientes en sus hogares, se basan en los datos de los autoinformes (p.ej., La Greca y Schuman, 1995)[1].

Las medidas indirectas se utilizan a veces para hacer inferencias acerca de eventos privados o estados afectivos. Por ejemplo, Green y Reid (1996) utilizaron medidas directas de la sonrisa para representar la "felicidad" en personas con profundas y múltiples discapacidades. Sin embargo, la investigación de los eventos privados no implica necesariamente el uso de medidas indirectas. Una persona entrenada para observar sus propios eventos privados, estaría midiendo la conducta meta de manera directa (p.ej., Kostewicz, Kubina y Cooper, 2000; Kubina, Haertel y Cooper, 1994).

Cada vez que se utilicen medidas indirectas, será responsabilidad del investigador proporcionar evidencia de que el evento directamente medido refleja, de manera fiable y significativa, algo acerca de la conducta sobre la que se desea sacar conclusiones (Johnston y Pennypacker, 1993a). En otras palabras, le corresponde al investigador demostrar convincentemente la validez de sus datos. Aunque a veces se intenta, la validez no se puede lograr simplemente asociando el nombre de la cosa que uno afirma estar midiendo con lo realmente medido. Respecto a este punto, Marr (2003) contó la

[1] Algunas estrategias para incrementar la precisión de los autoinformes pueden encontrarse en Critchfield, Tucker, and Vuchinich (1998) y en Finney, Putnam y Boyd (1998).

siguiente anécdota sobre Abraham Lincoln:

- "Señor, ¿cuántas patas tiene este burro?"
- "Cuatro, Sr. Lincoln".
- "¿Y cuántos rabos tiene?"
- "Uno, Sr. Lincoln".
- "Ahora bien, señor. Y si llamásemos pata al rabo; ¿Cuántas patas tendría el burro? "
- "Cinco, Sr. Lincoln".
- "No señor, usted no puede convertir un rabo en pata solo con cambiarle el nombre" (págs. 66–67).

Medida de la dimensión equivocada de la conducta objetivo

La validez de la medición de la conducta se ve mucho más a menudo amenazada por la elección de una dimensión equivocada de la conducta objetivo, que por hacer una medición indirecta. Una medida válida debe aportar datos relevantes capaces de responder a las preguntas claves de lo que se está buscando sobre la conducta que se mide. La validez se ve comprometida cuando la medición aporta valores de una dimensión inadecuada o irrelevante para el motivo por el que estamos midiendo la conducta.

Johnston y Pennypacker (1980) proporcionan un excelente ejemplo de la importancia de medir una dimensión que se ajuste a las razones por las que realizamos la medida. "Meter una regla en un recipiente para calentar agua cuando la temperatura está subiendo, nos dará una medida altamente fiable de la profundidad del agua, pero nos dirá muy poco acerca del cambio de temperatura" (pág. 192). Mientras que las unidades de medida de la regla son muy adecuadas para medir la longitud, no son en absoluto válidas para medir la temperatura. Si el propósito de medir el agua es determinar si se ha alcanzado la temperatura ideal para hacer una taza de té, un termómetro sería la herramienta de medición correcta.

Si estamos interesados en medir la habilidad que tiene un estudiante para leer durante periodos prolongados (perseverancia lectora), el contar el número de palabras correctas e incorrectas leídas por minuto, sin medir el tiempo total que el estudiante ha estado leyendo, no proporcionará datos válidos sobre la perseverancia lectora. El número de palabras leídas por minuto por sí solo no tiene que ver con la razón por la que se realizó la medición de la lectura (perseverancia lectora). Para medir la perseverancia, el profesional tendría que hacer referencia a la duración del período de lectura (p.ej., 30 minutos). De la misma manera, medir el porcentaje de ensayos en los que un estudiante da una respuesta correcta, no proporcionará datos válidos sobre la fluidez de una habilidad concreta del alumno, mientras que el medir el número de respuestas correctas por minuto y el cambio en la tasa de respuesta (aceleración), sí permitiría conocer su fluidez.

Artefactos de medida

La medida directa de una dimensión significativa de una conducta objetivo socialmente relevante no garantiza que la medida sea válida. La validez se reduce cuando los datos, no importa lo precisos o fiables que sean, no nos proporcionan una muestra significativa (es decir, válida) de la conducta. Un *artefacto* ocurre cuando los datos nos dan una idea infundada o engañosa de la conducta debido a la forma en que se llevó a cabo la medición. Como indicamos en el capítulo 4, un *artefacto de medida* es algo que es consecuencia de la forma en que se mide la conducta. Medidas discontinuas, periodos de medición mal programados, y el uso de escalas de medida insensibles o restrictivas son las causas más frecuentes de los artefactos de medida.

Medidas discontinuas

Dado que la conducta es un fenómeno dinámico y continuo que cambia con el tiempo, la medida continua es la regla de oro en la investigación conductual. La **medida continua** es la medición llevada a cabo de tal manera que se detectan todos y cada uno los casos del tipo de respuesta que nos interesa durante el periodo de observación (Johnston y Pennypacker, 1993a). La **medida discontinua** describe cualquier otra forma de medida en la que no se pueden detectar todas y cada una de las respuestas de interés. Las medidas discontinuas, no importa lo precisas y fiables que sean, pueden ser fuente de artefactos en los datos.

Un estudio realizado por Thomson, Holmber y Baer (1974), ofrece una buena demostración de la diversidad de artefactos de los datos que pueden originar las medidas discontinuas. Un único observador muy experimentado utilizó tres procedimientos diferentes para realizar un muestreo temporal de observación para medir la conducta de cuatro sujetos (dos profesores y dos niños) en un aula de educación infantil durante sesiones de 64 minutos. Thomson y sus colegas denominaron a los tres procedimientos de muestreo temporal: contiguo, alternante y secuencial. Con cada procedimiento de muestreo temporal, una cuarta parte del tiempo de observación (16 minutos) fue asignado a cada uno de los cuatro sujetos.

Cuando se utilizó la observación *contigua*, el observador registraba la conducta del sujeto 1 a lo largo de los primeros 16 minutos de la sesión; registraba la conducta del sujeto 2 durante el segundo período de 16 minutos, y así sucesivamente hasta que se terminaron de observar a los cuatro participantes. En el modo de observación *alternante*, los sujetos 1 y 2 fueron observados en intervalos alternos durante la primera mitad de la sesión, y los sujetos 3 y 4 se observaron en la misma forma durante la última mitad de la sesión. En concreto, el alumno 1 fue observado durante los primeros 4 minutos, el alumno 2 durante los 4 minutos siguientes, el sujeto 1 durante los 4 minutos siguientes, y así sucesivamente hasta finalizar el período de 32 minutos. A continuación se utilizó el mismo procedimiento para los alumnos 3 y 4 durante los últimos 32 minutos de la sesión. El sistema de registro de observación *secuencial* rotó de forma sistemática a los cuatro sujetos cada 4 minutos de observación. Se observó al sujeto 1 durante los primeros 4 minutos, al sujeto 2 durante el segundo período de 4 minutos, al sujeto 3 durante el tercer período de 4 minutos, y al sujeto 4 durante el cuarto período de 4 minutos. Esta secuencia se repitió cuatro veces para proporcionar un total de 64 minutos de observación.

Para conocer el porcentaje de la varianza debida a los artefactos de los datos asociada a cada programa de muestreo temporal, Thomson y sus colegas (1974) compararon los datos del observador con las "tasas reales" para cada sujeto obtenidas mediante una medida continua de cada uno de ellos en las mismas sesiones de 64 minutos. Los resultados del estudio mostraron claramente que los programas de observación alternante y contiguos generaban medidas menos representativas (y por lo tanto, menos válidas) de las conductas objetivo (a menudo variaba más del 50% respecto al registro continuo), mientras que el procedimiento de observación de muestreo secuencial daba resultados que estaban más cerca de los datos obtenidos a través del registro continuo (del 4 al 11% de la varianza respecto al registro continuo).

A pesar de sus inherentes limitaciones, las medidas discontinuas se utilizan en muchos estudios de análisis aplicado de la conducta en los que un solo observador mide la conducta de varios sujetos en una misma sesión. La minimización de las amenazas para la validez de las medidas discontinuas se puede alcanzar con una cuidadosa programación de los períodos de observación y medida. Medidas poco frecuentes, no importa lo precisas y fiables que sean, a menudo producen resultados que son artefactos de medida. Aunque una sola medida revele la presencia o ausencia de la conducta objetivo en un momento dado en el tiempo, puede que no sea representativa del valor típico de la conducta[2]. Como regla general, las observaciones deben ser programadas diaria o frecuentemente, incluso si solo se hace por períodos breves.

Lo ideal sería que cada vez que ocurra la conducta que nos interesa pudiera ser registrada. Sin embargo, cuando los recursos disponibles dificultan las medidas continuas a lo largo de todo el periodo de observación, es necesario el uso de procedimientos de muestreo. Un procedimiento de muestreo puede ser suficiente para el análisis y la toma de decisiones si las muestras representan unos valores válidos de los auténticos parámetros de la conducta de interés. Cuando la medida no puede ser continua durante un período de observación, es preferible obtener una muestra de la ocurrencia de la conducta objetivo a partir de numerosos y breves intervalos de observación distribuidos uniformemente a lo largo de la sesión, en vez de utilizar un menor número de intervalos y menos frecuentes (Thomson et al., 1974; Thompson, Symons y Felce, 2000). Por ejemplo, la medición de la conducta de un sujeto en treinta intervalos de 10 segundos distribuidos por igual dentro de una sesión de 30 minutos, probablemente proporcionará datos más representativos que si observamos a la persona por un solo período de 5 minutos durante la media hora.

Medir la conducta en intervalos de observación demasiado cortos o excesivamente largos puede proporcionar datos que a groso modo sobreestimen o subestimen la verdadera ocurrencia de la conducta. Por ejemplo, la medición de la conducta no centrada en la tarea mediante el registro de intervalo parcial de 10 minutos puede aportar datos que mostrarían al más diligente de los alumnos como si nunca estuviese haciendo la tarea de clase.

---

[2]Medidas sencillas, tales como pruebas pre-test y post-test, pueden proporcionar información valiosa sobre el conocimiento y las habilidades de una persona antes y después de llevar a cabo un tratamiento o un procedimiento instruccional. El Cap. 28 trata el uso de *sondeos*: medidas ocasionales pero sistemáticas, para evaluar el mantenimiento y la generalización de la conducta.

Períodos de medida inadecuadamente programados

Un programa de observación debe estar organizado para que haya igual oportunidad de ocurrencia o no ocurrencia de la conducta durante las sesiones de observación, y las condiciones ambientales deben ser consistentes de una sesión a la siguiente. Cuando no se cumplen ninguno de estos requisitos, los datos resultantes pueden ser poco representativos y carecer de validez. Si los períodos de observación son programados en momentos o lugares en los que la frecuencia de la conducta es atípica, los datos puede que no representen los momentos en los que ocurre con alta o baja frecuencia. Por ejemplo, medir la permanencia en la tarea de un alumno durante solo los primeros 5 minutos de una actividad de aprendizaje cooperativo grupal que dura 20 minutos cada día, puede aportarnos datos que muestren que la conducta centrada en la tarea es más frecuente de lo que realmente es.

Cuando utilizamos los datos para evaluar los efectos de una intervención conductual, se deben seleccionar los tiempos de observación más rigurosos. Es decir, la conducta objetivo debe medirse durante aquellos momentos en los que sea más probable que su frecuencia de ocurrencia sea diferente de los resultados deseados y previstos por el tratamiento. Las medidas de las conductas que nos hemos propuesto reducir deben realizarse en aquellos momentos en los sea más probable que las conductas objetivo ocurran en sus tasas de respuesta más altas. A la inversa, las conductas seleccionadas para que aumenten con nuestra intervención se deben medir cuando la alta frecuencia de respuesta sea menos probable. Si una intervención no se ha previsto, como podría ser el caso de un estudio descriptivo, es importante seleccionar los tiempos de observación en los que sea más probable que ocurran los datos más representativos de la conducta.

Escalas de medida intensivas y limitadas

Los artefactos en los datos pueden ser resultado del uso de escalas de medida que no sean capaces de detectar todos los valores relevantes, o que son insensibles a los cambios significativos en la conducta. Los datos obtenidos con una escala de medida que no detecta la gama completa de variaciones de la conducta, pueden llevarnos a pensar erróneamente que la conducta no puede ocurrir por debajo o por encima de los valores obtenidos debido a que la escala ha impuesto un suelo o un techo artificial. Por ejemplo, la medición de la fluidez de la lectura oral de un alumno al darle para que lea un pasaje de 100 palabras en 1 minuto, puede aportarnos datos de que su velocidad lectora máxima es de 100 palabras por minuto.

Una escala de medida que sea excesivamente sensible o insuficientemente sensible a los cambios de conducta relevantes puede producir datos que sugieran erróneamente que ha ocurrido un cambio de conducta significativo o que no ha ocurrido dicho cambio cuando en realidad si ha tenido lugar. Por ejemplo, si usamos una escala de medida que tiene un grado de precisión del 10% sobre una escala de 100 para evaluar los efectos de una intervención en la mejora de los procedimientos de control de calidad de una fábrica, dicha escala no mostrará cambios importantes en el desempeño si la mejora en el porcentaje de aparatos fabricados correctamente con respecto a una lineabase del 92%, se encuentra en un rango del 97% al 98%, suponiendo que ese rango marque la diferencia entre un nivel de desempeño aceptable (o económicamente rentable en este ejemplo) o inaceptable.

Amenazas a la precisión y fiabilidad de las medidas

La mayor amenaza para la precisión y fiabilidad de los datos en el análisis aplicado de la conducta es el error humano. A diferencia del análisis experimental de la conducta, en el que la medición está generalmente automatizada y digitalizada, la mayoría de las investigaciones en el análisis aplicado de la conducta utilizan observadores humanos para medir la conducta[3]. Los factores que contribuyen a los errores humanos incluyen sistemas de medición mal diseñados, una inadecuada capacitación de los observadores y las propias expectativas creadas sobre cuál debería ser la tendencia de los datos.

[3]Recomendamos el uso de dispositivos automáticos de registro de datos siempre que sea posible. Por ejemplo, para medir la cantidad de ejercicio realizado por los niños en bicicletas estáticas, DeLuca y Holborn (1992) utilizaron contadores magnéticos que registraban automáticamente el número de vueltas que daban las ruedas.

Sistemas de medición mal diseñados

Los sistemas de medición engorrosos y difíciles de utilizar generan una pérdida de precisión y fiabilidad. La recolección de datos conductuales en entornos aplicados requiere atención, decisión, y perseverancia. Cuanto más exigente y difícil de usar sea un sistema de medida, menor probabilidad habrá de que un observador detecte y registre todos los casos en que aparezca la conducta objetivo. Una simplificación del sistema de medida, minimizará los errores.

La complejidad de la medición incluye variables tales como el número de personas observadas, el número de conductas a registrar, la duración de los períodos totales de observación, o la duración de los intervalos de observación. Por ejemplo, la observación de varias personas simultáneamente es más compleja que la observación de una sola persona; registrar varias conductas, es más complejo que registrar solo una; el uso de intervalos contiguos de 5 segundos de observación sin tiempo entre los intervalos, es más difícil que un sistema en el que hayamos dejado tiempo para el registro de los datos.

Las recomendaciones específicas que se pueden dar relativas a la reducción de la complejidad de las observaciones, dependerán de la naturaleza específica del estudio. Cuando se utilizan medidas de muestreo temporal, los especialistas en análisis aplicado de la conducta pueden considerar realizar modificaciones tales como: disminuir el número de personas o conductas a observar al mismo tiempo, reducir la duración de las sesiones de observación (p.ej., de 30 a 15 minutos), y aumentar la duración de los intervalos (p.ej., de 5 a 10 segundos). Alargar el entrenamiento práctico de los observadores, establecer un criterio más alto para llegar al dominio de los códigos de registro, y proporcionarles una retroalimentación más frecuente son aspectos que pueden reducir los posibles efectos negativos de las medidas conductuales complejas.

Entrenamiento inadecuado del observador

Se debe prestar una cuidadosa atención a la selección y formación de los observadores. Su entrenamiento explícito y sistemático es esencial para la recolección de datos fiables. Los sistemas de observación y de codificación requieren observadores que sepan discriminar bien entre la ocurrencia y la no ocurrencia de determinados tipos de conductas o eventos, a menudo complejos y dinámicos, y registrar sus observaciones en una hoja de registro o en un sistema automatizado. Los observadores deben aprender las definiciones de cada tipo de respuesta o evento, un sistema de códigos de anotación para cada variable, un conjunto de procedimientos de registro (p.ej., pulsar una tecla en un teclado) y un método para corregir los errores de observación (p.ej., escribir un signo más en lugar de un signo menos, pulsar la tecla F6 en lugar de la tecla F5).

Selección cuidadosa de los observadores

A los investigadores a menudo les resulta difícil encontrar observadores voluntarios. Pero no todos los voluntarios deben ser aceptados para recibir formación en las técnicas de registro de datos. Los observadores potenciales deben ser entrevistados para comprobar su experiencia anterior en tareas de observación y medición, su disponibilidad actual y los compromisos a los que pueden llegar, su ética profesional, su motivación y sus habilidades sociales generales. La entrevista podría incluir una prueba previa para determinar su habilidad inicial para la realizar observaciones. Esto puede conseguirse pidiéndoles que visualicen unos breves vídeos donde aparezcan conductas similares a las que tendrían que observar y comprobando su desempeño frente a un criterio determinado.

Formación de observadores competentes

El aprendiz de observador debe alcanzar un criterio de competencia especificado antes de realizar observaciones en contextos aplicados concretos. Durante la formación, los observadores deben practicar registrando diferentes ejemplos y contraejemplos de la conducta objetivo y recibir una retroalimentación específica de su desempeño. Deben realizar diferentes sesiones de prácticas antes de pasar a la recolección de datos reales. La formación debe continuar hasta conseguir un criterio predeterminado (p.ej., el 95% de precisión durante dos o tres sesiones consecutivas). Así, por ejemplo, en los cursos de entrenamiento de observadores militares para la realización de tareas de mantenimiento preventivo de material militar pesado, Komaki (1998) requería tres sesiones consecutivas de al menos el 90% de coincidencia con un valor pre-establecido.

Se pueden utilizar varios métodos para entrenar a los observadores. Estos incluyen ejemplos con viñetas, descripciones narrativas, secuencias de vídeo, juegos de rol, y sesiones de práctica en el entorno en el que se tomarán los datos reales. Las sesiones de práctica en entornos naturales son especialmente útiles porque permiten que, tanto los observadores como los participantes puedan adaptarse a la presencia el uno del otro, y se puedan reducir los efectos reactivos de la presencia de observadores sobre su conducta. La capacitación de los observadores puede seguir, por ejemplo, los siguientes pasos:

Paso 1 Los alumnos leen las definiciones de la conducta objetivo y se familiarizan con los formularios de recolección de datos, con los procedimientos de registro, y el con el uso adecuado de cualquiera de los procedimientos de medida (p.ej., grabadoras, cronómetros, ordenadores portátiles, dispositivos electrónicos o escáner de códigos de barras).

Paso 2 Los alumnos practican el registro de conductas mediante narraciones descriptivas de secuencias donde aparecen conductas simples, hasta que obtengan una precisión del 100% durante un número predeterminado de ejemplos.

Paso 3 Los alumnos practican con registros de mayor duración, mediante descripciones de secuencias narrativas donde aparecen conductas más complejas, hasta que obtengan una precisión del 100% en un número predeterminado de episodios.

Paso 4 Los alumnos practican la observación y el registro de datos de secuencias grabadas en vídeo (o representadas mediante *role play)* representativas de la conducta objetivo y que se dan con la misma velocidad y complejidad con la que se producen en el entorno natural. Las secuencias utilizadas para la formación deberían ser escritas y secuenciadas para proporcionar a los alumnos ocasiones de practicar con discriminaciones cada vez más difíciles entre la ocurrencia y la no ocurrencia de la conducta objetivo. Pedir a los alumnos que puntúen la misma serie de secuencias de conducta una segunda vez y comparar la fiabilidad de sus medidas proporciona una evaluación de la fiabilidad con la que están aplicando el sistema de medida. Los observadores en formación permanecen en este 4° paso hasta que sus datos alcancen los criterios de fiabilidad y precisión preestablecidos. (Si el estudio implicaba la recopilación de datos a partir de productos conductuales, tales como hojas de tareas o escritos académicos, los pasos 2 a 4 deberían facilitar a los alumnos la práctica con sistemas de puntuación cada vez más complejos y con ejemplos más difíciles de puntuar).

Paso 5 La práctica de la recolección de datos en el entorno real es la última fase del entrenamiento de los observadores. Un observador experimentado acompaña al alumno y al mismo tiempo que él, pero de manera independiente, registran las conductas objetivo. Cada sesión práctica termina comparando las hojas de datos obtenidas por el aprendiz y el observador experimentado, analizando todos los casos dudosos o imprevistos. La formación continúa hasta que se alcanza el criterio de acuerdo preestablecido entre el observador experimentado y el alumno (p. ej., alcanzar el 90% de acuerdo en tres sesiones consecutivas).

Formación continua para minimizar la deriva del observador

En el transcurso de una intervención conductual, los observadores a veces alteran, sin saberlo, la forma en que aplican un sistema de medición. A esto lo denominamos **deriva del observador**. Estos cambios no deseados en la forma en que se reúnen los datos pueden producir errores de medición. La deriva del observador por lo general implica un cambio en la interpretación que hace el observador de la definición inicial de la conducta objetivo. Se produce cuando los observadores expanden o comprimen la definición original de la conducta objetivo. Por ejemplo, la deriva del observador podría ser responsable de que las mismas conductas de un niño que fueron registradas por un observador como ejemplos de conducta de “rehusar hacer una tarea”, durante los primeros días de la semana, sean registradas como ejemplos de “cumplimiento de la tarea” durante los últimos días de la misma semana. Los observadores no suelen ser conscientes de esta deriva en su forma de medir.

La deriva del observador puede ser minimizada mediante sesiones de reentrenamiento o de repaso de vez en cuando a lo largo de la investigación. La formación continua ofrece la oportunidad de que los observadores reciban retroalimentación frecuente sobre la precisión y fiabilidad de sus medidas. La formación continua puede hacerse de manera regular y programada (p.ej., un día concreto a la semana) o de forma aleatoria.

Influencias no deseadas sobre los observadores

Los registros de datos solo deberían estar influenciados por la ocurrencia o no ocurrencia real de la conducta objetivo para la cual los observadores han sido entrenados. Sin embargo, en la práctica hay una gran variedad de posibles influencias no deseadas sobre los observadores que pueden poner en peligro la precisión y fiabilidad de los datos. Las causas más comunes de este tipo de error de medición son dos: expectativas erróneas que pueda tener el observador acerca de los resultados esperados y el hecho de saber que también hay otros observadores midiendo la misma conducta.

Expectativas del observador

Las expectativas del observador de que la conducta objetivo debería ocurrir en ciertas condiciones particulares, o que debería cambiar cuando se ha aplicado un procedimiento de intervención conductual, representan una grave amenaza para la precisión de las medidas. Por ejemplo, si un observador cree que la aplicación por el profesor de la economía de fichas debería disminuir la frecuencia de la conducta inapropiada de los alumnos, podría llegar a registrar un menor número de conductas inapropiadas durante la condición de reforzamiento con fichas, que si no tuviera esas expectativas. Los datos que están influenciados por las expectativas del observador o la determinación del investigador por conseguir resultados satisfactorios para la investigación, son un ejemplo de sesgo de medida.

La manera más segura para minimizar el sesgo de medida causado por las expectativas del observador es el uso de **observadores ingenuos**. Un observador totalmente ingenuo es aquél que desconoce la finalidad del estudio o las condiciones experimentales durante el período de observación. Los investigadores deben comunicar a los observadores que van a recibir una información limitada sobre el propósito del estudio y por qué es así. Sin embargo, el mantenimiento de esta *ingenuidad* en los observadores a menudo es difícil y, en ocasiones, imposible.

Cuando los observadores son conscientes de la finalidad o de los resultados esperados en una investigación, el sesgo de medida puede ser minimizado mediante el uso de definiciones de la conducta objetivo y procedimientos de registro que den una imagen concreta de la conducta (p.ej., que el registro de la conducta centrada en la tarea tenga un intervalo de 10 segundos de duración en lugar de 5 segundos), mediante la discusión franca y reiterada con los observadores acerca de la importancia de recopilar datos de manera precisa, y mediante la retroalimentación frecuente en la medida en que sus datos coincidan con los verdaderos valores o con los datos obtenidos por los observadores ingenuos. Los observadores no deberían recibir información sobre la medida en que sus datos confirman o contradicen los resultados de la hipótesis planteada, o sobre los objetivos de la intervención conductual.

Reactividad del observador

El error de medición resultante del hecho de ser consciente de que otros observadores están evaluando sus datos, se denomina **reactividad del observador**. Al igual que la reactividad puede ocurrir cuando los participantes son conscientes de que se está observando su conducta, la conducta de los observadores (es decir, los datos que registre e informe) puede ser influenciados por el conocimiento de que otros van a evaluarlos. Por ejemplo, saber que otro observador está mirando la misma conducta y al mismo tiempo, o que supervisarán su medida a través de vídeo o de audio, puede generar reactividad del observador. Si el observador anticipa que otro observador registrará la conducta de una manera determinada, sus datos pueden ser influenciados por lo que el otro observador le haya dicho que va a registrar.

La supervisión de los observadores de la manera más discreta posible, y de una forma impredecible, ayudaría a reducir la reactividad del observador. Distribuir a los observadores a cierta distancia unos de otros, reduciría la probabilidad de que sus medidas se vean influenciadas durante el período de observación. Los espejos unidireccionales en algunos entornos de investigación y clínicos eliminan el contacto visual entre los observadores primarios y secundarios. Si las sesiones se graban en vídeo, el observador secundario puede registrar la conducta en un momento posterior y el observador principal nunca entraría en contacto con el observador secundario. Cuando no es posible disponer de un espejo unidireccional, y la grabación en audio o en vídeo pueda considerarse intrusiva, el observador secundario puede empezar a medir la conducta en un momento ignorado para el observador principal. Por ejemplo, si el observador primario comienza el registro con el primer intervalo de medición, el observador secundario podría comenzar a medir la conducta después de que hayan transcurrido 10 minutos. Los intervalos utilizados para las comparaciones comenzarían tras esos 10 minutos, haciendo caso omiso de aquellos intervalos que el observador primario ha registrado previamente.

Evaluación de la precisión y fiabilidad de las medidas conductuales

Después de diseñar un sistema de medida que nos dé una muestra válida de la conducta objetivo y, tras formar a los observadores para que puedan utilizarlo de manera precisa y fiable, la siguiente tarea que tiene que hacer el investigador será evaluar la precisión y fiabilidad de los datos. Esencialmente, todos los procedimientos para la evaluación de la precisión y fiabilidad de los datos de conducta implican alguna forma de "medición del sistema de medida".

Evaluación de la precisión de la medida

Una medida es precisa cuando los valores observados (es decir, los números obtenidos mediante la medición de un evento) coinciden con los valores verdaderos del evento. La razón fundamental para determinar la precisión de los datos es obvia: Nadie quiere extraer conclusiones en su investigación o tomar decisiones sobre un tratamiento basados en datos erróneos. Más específicamente, la realización de evaluaciones precisas tiene cuatro objetivos relacionados entre sí. En primer lugar, es importante determinar al inicio de un análisis si los datos son lo suficientemente buenos como para fundamentar la toma de decisiones experimentales o el inicio de una intervención conductual. A quien primero debe tratar de convencer el investigador o el profesional aplicado de que los datos son precisos, es a sí mismo. En segundo lugar, la precisión de las evaluaciones permite descubrir y corregir los casos concretos de error en la medida. Los otros dos procedimientos para evaluar la calidad de los datos que se discutirán más adelante en este capítulo (fiabilidad y acuerdo entre observadores), pueden alertar al investigador de la probabilidad de errores de medida, pero ninguno de ellos identifica el tipo de error. Solamente la evaluación directa de la precisión de la medida permite a los profesionales detectar y corregir los datos erróneos.

Una tercera razón para la realización de evaluaciones de la precisión es revelar patrones consistentes del error de medida, que pueden llevarnos a la mejora global o **calibración** del sistema de medición. Cuando el error de medida es constante en su dirección y valores, los datos pueden ajustarse para compensar el error. Por ejemplo, sabiendo que la pequeña computadora instalada en la bicicleta de Juan obtuvo de forma fiable una medida de 68 kilómetros, para una ruta que tenía 58 kilómetros reales, condujo a los ciclistas no solo a la corrección de los datos (en este caso, admitiendo entre ellos y a su amigo Leo que no habían pedaleado tantos kilómetros como afirmaban inicialmente), sino a la calibración del instrumento de medida para que los futuros registros fueran más precisos (en este caso, el ajuste de las dimensiones de la circunferencia de la rueda registradas en la computadora de la bicicleta de Juan).

La calibración de cualquier dispositivo de medida, se trate de un dispositivo mecánico o de un observador humano, implica la comparación de los datos obtenidos por el dispositivo con los valores verdaderos. La medida obtenida por el odómetro sirvió como valor verdadero para la calibración del cuentakilómetros de la bicicleta de Juan. La calibración de un dispositivo de tiempo, como un cronómetro o un temporizador, se podría hacer en referencia a un patrón físico conocido: el "reloj atómico"[4]. Si no se detectan diferencias al comparar el dispositivo de tiempo frente al reloj atómico, o si las diferencias son tolerables para los fines previstos en la medición, la calibración sería satisfactoria. Si se encuentran diferencias significativas, tendría que ajustarse de nuevo al estándar del dispositivo de medida. Recomendamos realizar evaluaciones frecuentes de la precisión en las etapas iniciales de un análisis de la conducta. De esta manera, si las evaluaciones nos dan una gran precisión, se pueden llevar a cabo evaluaciones menos frecuentes para verificar la calibración de los registros.

La cuarta razón para llevar a cabo evaluaciones de la precisión es garantizar a los usuarios que los datos son precisos. Incluyendo los resultados de las evaluaciones de precisión en los informes de

[4] La hora oficial en España se mantiene según el Real Instituto y Observatorio de la Armada (ROA) de San Fernando (Cádiz). Hay relojes atómicos que registran variaciones de una mil millonésima parte de un segundo por día, o de 1 segundo cada 6 millones de años.

investigación, ayudamos a los lectores a juzgar la fiabilidad de los datos que se ofrecen para su interpretación.

Establecimiento de los valores verdaderos

"Solo hay una manera de evaluar la precisión de un conjunto de medidas: comparando los valores observados con los valores verdaderos. La comparación es relativamente fácil; el reto es, a menudo, la obtención de medidas de conductas que legítimamente se puedan considerar valores verdaderos" (Johnston y Pennypacker, 1993a, pág. 138). Como se ha definido anteriormente, un *valor verdadero* es una medida obtenida por procedimientos que son independientes y diferentes de los que generaron los datos evaluados y para los que el investigador ha tomado "precauciones especiales o extraordinarias para garantizar que todas las potenciales fuentes de error han sido controladas" (pág. 136).

Los valores verdaderos para algunas conductas son evidentes y aceptados universalmente. Por ejemplo, la obtención de los valores verdaderos de respuestas correctas en las áreas académicas como las matemáticas y la ortografía es sencilla. La respuesta correcta al problema de aritmética "2 + 2 =?" tiene un valor verdadero de 4. El *Diccionario de la Real Academia* es una fuente de valores verdaderos para comprobar la precisión de la medición de la ortografía de palabras en español[5]. Aunque no sean universales, los valores verdaderos para muchas conductas socialmente relevantes, de interés para los investigadores y los profesionales aplicados, pueden estar condicionalmente establecidos en relación a un contexto concreto. Por ejemplo, la respuesta correcta a la pregunta "nombre los tres almidones recomendados como espesantes de salsas para carnes" en una prueba para estudiantes de una escuela de cocina no tiene un valor verdadero universal. Sin embargo, se puede encontrar un valor verdadero relevante para los estudiantes que hacen la prueba entre los materiales dados por el profesor del curso de cocina.

Los valores verdaderos para cada uno de los ejemplos anteriores se obtuvieron a través de fuentes independientes. El establecimiento de los valores verdaderos para muchas conductas estudiadas por el análisis aplicado de la conducta es difícil, debido a que el proceso para determinar un valor verdadero debe ser diferente de los procedimientos de medición utilizados para obtener los datos con los que se desea comparar. Por ejemplo, la determinación de los valores verdaderos de ocurrencias de una conducta como el juego cooperativo entre los niños es difícil, porque la única manera de fijar cualquier valor para esta conducta es medirla con los mismos procedimientos de observación utilizados para registrar los datos iniciales.

Puede ser fácil confundir los valores verdaderos con valores aparentemente verdaderos. Por ejemplo, supongamos que cuatro observadores bien entrenados ven un video de las interacciones entre profesor y alumno. Su tarea es identificar el valor verdadero de todas las veces en las que el profesor elogia de manera contingente los logros académicos del alumno. Cada observador ve el video de forma independiente y cuenta todas las veces que ocurren los elogios contingentes del maestro. Después de registrar sus respectivas observaciones, los cuatro observadores comparten sus medidas, discuten los desacuerdos, y sugieren posibles explicaciones. A continuación, los observadores registran de forma independiente los elogios contingentes por segunda vez. Una vez más comparten y discuten sus resultados. Después de repetir el proceso varias veces, todos los observadores están de acuerdo en que se han registrado todos los casos de los elogios. Sin embargo, los observadores no generaron un *valor verdadero* de los elogios del profesor, por dos razones: (1) Los observadores no pudieron calibrar sus medidas de los elogios de manera independiente, y (2) el proceso utilizado para identificar todas los casos de elogios, puede ser parcial (p.ej., uno de los observadores podría haber convencido a los otros de que sus medidas representaban el valor verdadero). Cuando no se pueden establecer valores verdaderos, los investigadores deben basarse en el cálculo de la fiabilidad y en las medidas de acuerdo entre observadores para evaluar la calidad de sus registros.

Procedimientos de evaluación de la precisión

Una forma sencilla para calcular la precisión de una medida es comparar la correspondencia de cada dato evaluado con su valor verdadero. Por ejemplo, un profesional evalúa la precisión de las puntuaciones del desempeño de un alumno en una prueba de ortografía de 30 palabras. Para ello debería comparar la puntuación dada a cada palabra en la prueba con el

[5] La ortografía de una palabra puede que cambie (p.ej., *facer* se convirtió en *hacer; solo* se escribe ahora *solo*), en tales casos se establece un nuevo valor verdadero.

valor verdadero de esa palabra, que sería la que aparece en el diccionario. Cada palabra en la prueba que coincida con la ortografía correcta, registrada por el observador, sería una medida exacta; al igual que cada palabra puntuada como incorrecta sería aquella que no coincida con la ortografía del diccionario. Si la puntuación fue de 29, sobre un total de 30 palabras, le corresponde una precisión del 96,7%.

A pesar de que un solo profesional podría evaluar la precisión de los datos que ha reunido, a menudo se utilizan varios observadores independientes. Brown, Dunne y Cooper (1996) describieron los procedimientos que utilizaron para evaluar la precisión de la medida en un estudio sobre la comprensión de la lectura oral. En el estudio referido se trataba de fomentar el recuerdo de información realizado por alumnos con necesidades educativas especiales, facilitada por el profesor a través de grabaciones audiovisuales que contenían informaciones de diverso tipo, como por ejemplo, etiquetas de productos comerciales, instrucciones de uso de algunos productos, consejos sobre cómo cuidarse cuando se está enfermo, etc. Utilizaron tres condiciones experimentales, en una de ellas el alumno escuchaba una grabación que tenía que reproducir inmediatamente después de un tiempo máximo de un minuto. El audio de la respuesta del alumno también se grababa. Los evaluadores trabajaban con las grabaciones de las respuestas de los alumnos. El registro se hacía de la siguiente manera:

> Para evaluar la precisión de nuestras medidas, un observador independiente revisaba cada día la grabación de audio de la repetición del mensaje oral que había oído un minuto antes un alumno. Este procedimiento proporcionaba una medida del grado en que nuestros datos se parecían al valor verdadero de las respuestas correctas e incorrectas reales del audio. El observador independiente seleccionaba un audio cada día extrayendo el nombre de un estudiante al azar, y luego escuchaba la grabación, anotando las respuestas correctas e incorrectas, siguiendo el mismo criterio utilizado por el profesor. Las puntuaciones del observador se comparaban con las puntuaciones del profesor. Si había alguna discrepancia, el observador y el profesor revisaban juntos la grabación (es decir, el valor verdadero) para identificar la causa de la discrepancia y corregían el error de recuento de respuestas en la hoja de registro y en el Gráfico de Aceleración Estándar. El observador también utilizaba un cronómetro para registrar la duración del audio y así asegurar la precisión de los controles de tiempo. Habíamos planeado pedir al profesor que volviera a controlar el tiempo de la repetición del mensaje y que recalculara la frecuencia por minuto de cada discrepancia en el control del tiempo de más de 5 segundos. Sin embargo, todos los periodos cumplieron la definición de precisión de 5 segundos (pág. 392).

Informe de evaluación de la precisión

Además de describir los procedimientos utilizados para evaluar la precisión de los datos, los investigadores deben informar del número y porcentaje de medidas en los que se verificó, el grado de precisión encontrado, el error de medida detectado, y si esos errores fueron corregidos. Brown y sus colegas (1996) informaron de la siguiente manera sobre los resultados de la precisión de su evaluación:

> El observador independiente y el profesor tuvieron un acuerdo del 100% en 23 de las 37 sesiones controladas. Ambos revisaban la grabación conjuntamente para identificar el origen de los errores de medida en las 14 sesiones que contenían discrepancias y se corregían los errores. Se volvió a comprobar la precisión de los datos en las 37 sesiones y después se registraron en el Gráfico de Aceleración Estándar. La magnitud de los errores de medida era muy pequeña, a menudo una diferencia de 1 a 3 discrepancias (pág. 392).

Una descripción completa de los resultados de esta evaluación ayuda a los lectores a valorar la precisión de los datos. Por ejemplo, supongamos que una investigadora informa de que se llevaron a cabo las pruebas de precisión sobre el 20% de los datos seleccionados de forma aleatoria. Que se encontró un 97% de precisión y un 3% de error, y que se corrigieron los datos evaluados en lo que fue necesario. Un lector de este estudio sabría que el 20% de los datos son 100% exactos y estaría bastante seguro de que el 80% restante (es decir, todas las medidas que no se verificaron) tienen una precisión del 97%.

Evaluación de la fiabilidad de la medida

La medición es fiable cuando se obtienen los mismos valores en las medidas repetidas de un mismo evento. La fiabilidad se da cuando un mismo observador mide el mismo conjunto de respuestas en distintos momentos, bien de conductas procedentes de archivos audiovisuales o bien de productos conductuales. Cuanto más frecuente es un patrón estable de observación, más fiable será la medida (Thompson et al., 2000). Por el contrario, si no se consiguen valores similares repitiendo las observaciones, los datos no se consideran fiables. Esto genera incertidumbre sobre la precisión, que es el principal indicador de la calidad de la medida.

Como ya hemos señalado reiteradamente, los datos fiables no son necesariamente datos precisos. Como los tres ciclistas descubrieron en el ejemplo, una medida totalmente fiable (es decir, consistente) puede estar completamente equivocada. La confianza en la fiabilidad de la medida como base para determinar su precisión, sería algo así como advirtió el filósofo Wittgenstein (1953): "Es como si alguien se comprase varios ejemplares del mismo periódico para asegurarse de que lo que dice es verdad" (pág. 94).

En muchos estudios de investigación y en la mayoría de las intervenciones aplicadas, la comprobación de la precisión de todas y cada una de las medidas no es posible o factible. En otros casos, los valores verdaderos para la medida de la conducta objetivo pueden ser difíciles de establecer. Si no es posible confirmar la precisión de cada dato, o bien los valores verdaderos no están disponibles, pero el sistema de medida se ha aplicado con un alto grado de coherencia, esto avalaría la fiabilidad global de los datos. A pesar de que una alta fiabilidad no puede garantizarnos sin más una alta precisión, un bajo nivel en los indicadores de fiabilidad sería lo suficientemente sospechoso como para considerar que debe corregirse el sistema de medida.

La evaluación de la fiabilidad de la medida requiere de un producto conductual natural o artificial para que el observador pueda volver a medir el mismo evento una y otra vez. Por ejemplo, la fiabilidad de la medida del número de adjetivos y verbos de acción en las redacciones realizadas por los alumnos podría conseguirse haciendo que el observador puntuara varias veces las redacciones de los alumnos. La fiabilidad de la medida de la cantidad y el tipo de ayuda, así como la retroalimentación dada por los padres a sus hijos mientras comen en familia pueden ser evaluadas repetidamente por el observador visionando y puntuando dos veces los vídeos y comparando después los datos obtenidos en las dos mediciones.

Los observadores no deben volver a registrar el mismo producto conductual inmediatamente después de haberlo medido por primera vez. Si lo hacen así, podría ocurrir que la medida de la segunda evaluación se viera influenciada por la puntuación inicial. Para evitar esta posible influencia, un investigador puede elegir al azar ensayos ya puntuados anteriormente para ser registrados de nuevo por los observadores.

Uso del acuerdo entre observadores para evaluar la medición de la conducta

El **acuerdo entre observadores (AEO)** es el indicador más habitual para medir la calidad de la evaluación en el análisis aplicado de la conducta. Hace referencia al grado en el que dos o más observadores independientes informan de los mismos valores observados después de medir los mismos eventos. Existen numerosas técnicas para el cálculo del acuerdo entre observadores, cada una de las cuales ofrece una visión diferente de la extensión y la naturaleza del acuerdo y el desacuerdo (p.ej., Hartmann, 1977; Hawkins y Dotson, 1975; Page y Iwata, 1986; Poling, Methot y LeSage, 1995; Repp, Dietz, Boles, Diet y Repp, 1976).

Usos y ventajas del acuerdo entre observadores (AEO)

El cálculo del acuerdo entre observadores tiene cuatro objetivos. En primer lugar, un cierto nivel de acuerdo entre observadores se puede utilizar como base para determinar la competencia de los nuevos observadores. Como se señaló anteriormente, un alto grado de coincidencia entre un observador recién formado y un observador experimentado, proporciona un índice objetivo de la medida en que el observador novato sabe medir la conducta de la misma manera que lo hace el observador experimentado.

En segundo lugar, la evaluación sistemática del acuerdo entre observadores en el transcurso de un estudio puede detectar la deriva del observador. Cuando los observadores obtienen los mismos valores (o casi los mismos) al inicio del estudio trabajo (es decir, el AEO es alto), y más adelante obtienen valores diferentes de los mismos eventos (esto es, el AEO es ahora bajo), uno de los observadores puede estar utilizando una definición inadecuada de la conducta objetivo. El desajuste del acuerdo entre observadores no puede indicarnos con certeza qué datos están siendo influidos por la deriva del observador (o cualquier otra razón que explique la falta de acuerdo). Pero esta información revela la necesidad de volver a realizar una evaluación de los datos o el reciclaje de los observadores.

En tercer lugar, conocer que dos o más observadores obtienen constantemente datos similares, incrementa la confianza en que la definición de la conducta objetivo estaba clara y sin ambigüedades, y que los códigos de medida no eran excesivamente complejos. En cuarto lugar, en los casos en que se utilizan múltiples observadores en la recolección de datos, los valores altos del acuerdo entre observadores incrementan la confianza en que la variabilidad de los datos no es función de cada observador y, por lo tanto, que los cambios en los valores muy probablemente reflejan los cambios en la conducta real.

Las dos primeras razones para evaluar el acuerdo entre observadores son proactivas: ayudan a los investigadores a determinar y describir el grado en el que los observadores han cumplido con los criterios establecidos durante la formación previa y a detectar la posible deriva de los observadores. Los otros dos beneficios del acuerdo entre observadores son descriptores sumativos de la coherencia de la medida entre los diferentes observadores. Al informar sobre los resultados de la evaluación del acuerdo entre observadores, los investigadores permiten a los usuarios juzgar la **credibilidad** relativa de los datos, a fin de poder concluir si estos son merecedores de confianza y dignos de interpretación.

Requisitos para obtener medidas válidas de acuerdo entre observadores

La validez del acuerdo entre observadores depende de tres importantes criterios. Aunque estos criterios quizás sean obvios, es importante hacerlos explícitos. Cuando hay dos (o más) observadores deben (a) utilizar el mismo código de observación y medida, (b) observar y medir a los mismos participantes y eventos, y (c) observar y registrar la conducta de manera independiente, sin que ninguno influya en el otro.

Los observadores deben utilizar el mismo sistema de medida

El acuerdo entre observadores motivado por cualquiera de las cuatro razones expuestas anteriormente, requiere que los observadores utilicen las mismas definiciones de la conducta objetivo, iguales códigos y procedimientos de observación, así como dispositivos de medición análogos. Más allá de utilizar el mismo sistema de medición, todos los observadores que participan en el cálculo del acuerdo entre observadores para evaluar la credibilidad de los datos (a diferencia de la evaluación de desempeño de los observadores durante el entrenamiento), deberían haber recibido una formación idéntica en el sistema de medida utilizado y haber alcanzado el mismo nivel de competencia en su uso.

Los observadores deben medir los mismos eventos

Los observadores deben ser capaces de observar al mismo sujeto (o sujetos) en el mismo intervalo de observación. El acuerdo entre observadores en los datos obtenidos mediante medidas en tiempo real requiere que ambos observadores se encuentren *in situ*. Los observadores en tiempo real deben situarse de tal manera que cada uno tenga una visión similar del sujeto y del entorno. Dos observadores sentados en los lados opuestos de un aula, por ejemplo, podrían obtener medidas diferentes de la misma conducta, ya que sus ángulos de visión podrían hacer que solo uno de los observadores viera o escuchara algunas de las ocurrencias de la conducta objetivo.

Los observadores deben comenzar y terminar el período de observación al mismo tiempo. Incluso una diferencia de unos pocos segundos entre observadores puede generar desacuerdos significativos en la medida. Para remediar esta situación, los relojes se podrían sincronizar antes de que comenzase la recolección de datos y fuera del contexto de observación, con el acuerdo de que la recopilación de datos se iniciase realmente en un momento predeterminado (p.ej., justo al comienzo del minuto 5). Alternativamente, pero esto sería menos deseable, un observador podría señalar al otro el momento exacto en que comienza el período de observación.

Un procedimiento común y eficiente sería que ambos observadores escuchasen por los auriculares la misma grabación de audio que marcase el comienzo y el final de cada intervalo de observación (véase el capítulo 4). Existen adaptadores de bajo coste para compartir el audio que permiten conectar los auriculares de dos personas a un mismo aparato, facilitando que los observadores reciban señales simultáneas e independientes.

Para el cálculo del acuerdo entre observadores respecto a datos obtenidos a partir de productos conductuales, los observadores no necesitarían medir la conducta de forma simultánea. Por ejemplo, los observadores pueden ver de forma independiente un video (o escuchar un audio) y registrar los datos en distintos momentos. Los procedimientos de medición deben seguirse por igual. Se debe garantizar que cada observador vea o escuche los mismos archivos de grabación y que inicie y detenga sus observaciones exactamente en el mismo punto. Hay que garantizar también que los dos observadores midan los mismos componentes de la conducta objetivo disponible en los productos conductuales naturales, tales como las tareas académicas o las piezas fabricadas por los operarios de una fábrica. Para ello, se puede marcar con claridad sobre el producto conductual el número de sesión, la fecha, la condición y el nombre del participante, así como custodiar los productos conductuales para garantizar que no se vean alterados hasta que el segundo observador haya realizado su medida.

Los observadores deben ser independientes

El tercer ingrediente esencial para la evaluación del acuerdo entre observadores es asegurar que ningún observador se ve influenciado por las medidas que toma el otro. Cada uno debe estar en su lugar para garantizar la independencia entre observadores. Por ejemplo, los observadores que llevan a cabo la medición en tiempo real de la conducta "deben estar situados de modo que no puedan ver ni oír cuando el otro observa y registra una respuesta" (Johnston y Pennypacker, 1993a, pág. 147). No deben de estar situados muy cerca el uno del otro, de manera que sus registros no se vean influenciados.

Si se le da al segundo observador hojas con tareas académicas o trabajos escritos por los alumnos que ya han sido marcadas por otro observador, se violaría el principio de independencia de los observadores. Para mantener la independencia, el segundo observador podría poner su puntuación en fotocopias de las hojas con las tareas no alteradas por las marcas del otro observador.

Métodos de cálculo del acuerdo entre observadores

Existen numerosos métodos para el cálculo del acuerdo entre observadores, cada uno de ellos ofrece una visión diferente del alcance y la naturaleza del acuerdo o desacuerdo entre observadores (p.ej., Hartmann, 1977; Hawkins y Dotson, 1975; Page y Iwata, 1986; Poling, Methot y LeSage, 1995; Repp, Dietz, Boles, Dietz y Repp, 1976). A continuación se explican cada uno de esos métodos de cálculo que a su vez se basan en los tres métodos principales de medida de la conducta descritos en el capítulo 4: registro de eventos, control del tiempo y registro de intervalos o muestreo temporal. Aunque a veces se utilizan otros cálculos estadísticos, lo más común en el análisis aplicado de la conducta es utilizar el porcentaje de acuerdo entre observadores[6]. Por lo tanto, presentamos las fórmulas para el cálculo de dicho porcentaje para cada tipo de acuerdo entre observadores.

Acuerdo entre observadores para datos obtenidos mediante el registro de eventos

Los diferentes métodos para calcular el acuerdo entre observadores respecto a los datos obtenidos mediante el registro de eventos se basan en la comparación de (a) el número total de eventos registrados por cada observador durante el periodo de medida, (b) los eventos contabilizados por cada observador durante la serie de intervalos de observación distribuidos durante el periodo de medida, o (c) el recuento ensayo a ensayo de los eventos registrados como 1 o 0 (presencia o ausencia de la conducta) realizado por cada observador.

Acuerdo entre observadores de recuento total.[7] El indicador más simple del acuerdo entre observadores

---

[6] El acuerdo entre observadores se puede calcular mediante correlaciones producto-momento, que van desde +1 hasta -1. Sin embargo, expresar el acuerdo entre observadores mediante coeficientes de correlación presenta dos debilidades importantes: (a) Los coeficientes altos se pueden alcanzar si un observador registra más ocurrencias de la conducta que el otro, y (b) los coeficientes de correlación no proporcionan ninguna garantía de que los observadores coincidieron en la ocurrencia de cualquier ejemplo dado de conducta (Poling et al., 1995). Hartmann (1977) describió el uso del índice *kappa (k)* como una medida del acuerdo entre observadores. El índice *kappa* fue desarrollado por Cohen (1960) como un procedimiento para determinar la proporción de acuerdo esperado entre los observadores como resultado del azar. Sin embargo, el estadístico *k* rara vez aparece en la literatura especializada sobre análisis de conducta.

[7] En la literatura especializada sobre análisis aplicado de la conducta se utilizan múltiples términos para los mismos métodos de cálculo del acuerdo entre observadores y los mismos términos se utilizan a veces con significados distintos. Creemos que los términos utilizados aquí representan las convenciones más comunes de la disciplina. Aquí hemos presentado diferentes términos en un esfuerzo por señalar y preservar algunas

para los datos obtenidos mediante el registro de eventos compara la cantidad total de eventos registrados por cada observador en cada período de medición. El **acuerdo entre observadores de recuento total** se expresa como el porcentaje de acuerdo entre el total de las respuestas registradas por los dos observadores y se calcula dividiendo la cantidad menor de eventos registrados entre la mayor y multiplicando el resultado por 100, tal y como como se muestra en la siguiente fórmula:

$$\frac{\text{Cantidad menor}}{\text{Cantidad mayor}} \text{ x } 100 = \text{ \%AEO de recuento total}$$

Por ejemplo, supongamos que un educador registra que Miguel, un niño de 9 años, dice 10 palabras groseras en un período de observación de 30 minutos; y que un segundo observador registra que fueron 9 durante ese mismo período de observación. El acuerdo entre observadores de recuento total para ese período de observación sería 90%, es decir, (9/10) x 100 = 90%.

Se debe tener mucho cuidado al interpretar el acuerdo entre observadores de recuento total, porque un alto grado de acuerdo no nos da ninguna garantía de que los dos observadores hayan registrado la conducta de la misma manera. Por ejemplo, la siguiente es una de las innumerables maneras en las que los datos comunicados por los dos observadores que han contabilizado las palabras groseras de Miguel podrían no representar un acuerdo del 90%. La educadora podría haber registrado las 10 ocurrencias en su hoja de registro durante los primeros 15 minutos del período de observación total (de 30 minutos), mientras que, durante esos primeros 15 minutos, el segundo observador podría haber registrado solo 4 de las 9 ocurrencias que marcó en total.

Acuerdo entre observadores de número medio de respuestas por intervalo. Podemos incrementar la probabilidad de que los observadores hayan registrado los mismos eventos, de varias formas: (a) dividiendo el período total de observación en una serie de tiempos de registro más pequeños, (b) haciendo que los observadores registren el número de ocurrencias de la conducta dentro de cada intervalo, (c) calculando el acuerdo en el recuento realizado por los observadores dentro de cada intervalo, y (d) utilizando los acuerdos por intervalo como base para el cálculo del acuerdo entre observadores para el período total de observación. Los datos hipotéticos que se muestran en la figura 5.2 ilustran dos métodos para calcular este tipo de acuerdo entre observadores: el recuento medio por intervalo y el recuento exacto por intervalo. Durante un período de 30 minutos de observación, dos observadores registraron de manera independiente el número de veces que cada uno de ellos fue testigo de la conducta de interés a lo largo de seis intervalos de 5 minutos cada uno.

A pesar de que cada observador registró un total de 15 respuestas en los 30 minutos, sus hojas de registro revelan un alto grado de desacuerdo dentro del período de observación. Aunque el acuerdo entre observadores de recuento total para todo el período de observación fue del 100%, la concordancia entre los dos observadores dentro de cada intervalo de 5 minutos tuvo un rango del 0% al 100%, dando un acuerdo entre observadores de número medio de respuestas por intervalo del 65,3%.

El **acuerdo entre observadores de número medio de respuestas por intervalo** se calcula mediante la siguiente fórmula:

% AEO de núm. medio de respuestas por intervalo =

$$100 \text{ x } \frac{[\text{AEO intervalo } 1 + \text{AEO intervalo } 2 + \text{AEO intervalo N}]}{n \text{ intervalos}}$$

Acuerdo entre observadores de recuento exacto por intervalos. La descripción más rigurosa del acuerdo entre observadores para la mayoría de los conjuntos de datos obtenidos mediante registro de eventos se obtiene calculando el **acuerdo entre observadores de recuento exacto por intervalos**: el porcentaje del total de los intervalos en los que dos observadores obtienen el mismo registro. En la figura 5.2 se muestra dos observadores que registraron el mismo número de respuestas en dos de los seis intervalos y obtuvieron un acuerdo entre observadores de recuento exacto por intervalos del 33%.

La siguiente formula ilustra la manera de calcular el acuerdo entre observadores de recuento exacto por intervalos:

% AEO de recuento exacto por intervalos =

$$100 \text{ x } \frac{\text{Número de intervalos con el 100 \% de AEO}}{(n \text{ intervalos})}$$

Acuerdo entre observadores ensayo a ensayo. El acuerdo entre dos observadores que miden la ocurrencia o no ocurrencia de las conductas discretas

distinciones significativas entre variaciones de las medidas de acuerdo entre observadores.

Figura 5.2 Dos métodos para calcular el acuerdo entre observadores (AEO) en el registro de datos de intervalos cortos.

Intervalo (tiempo)	Observador 1	Observador 2	AEO por intervalo
1 (1:00-1:05)	///	//	2/3 = 67%
2 (1:05-1:10)	///	///	3/3 = 100%
3 (1:10-1:15)	/	//	1/2 = 50%
4 (1:15-1:20)	////	///	3/4 = 75%
5 (1:20-1:25)	0	/	0/1 = 0%
6 (1:25-1:30)	////	////	4/4 = 100%
	Total = 15	Total = 15	AEO de número medio de respuestas por intervalo = 65.3% AEO de recuento exacto por intervalo = 33%

para las que el número total de respuestas de cada ensayo, puede ser solo de 0 o de 1, se puede calcular comparando el número total de respuestas de cada observador, o el número de respuestas ensayo a ensayo. El cálculo del acuerdo entre observadores ensayo a ensayo utiliza la misma fórmula que el de recuento total para los datos de una operante libre: el menor valor menor contabilizado por uno de los observadores se divide entre el valor mayor contabilizado por el otro y se multiplica el resultado por 100. En este caso el número de ensayos en los que cada observador registró la ocurrencia de la conducta sería el valor a contabilizar. Por ejemplo, supongamos que un investigador y un observador independiente midieron la ocurrencia o no ocurrencia de la sonrisa de un niño durante cada uno de los 20 ensayos en los que el investigador mostraba al niño una imagen divertida. Los dos observadores compararon sus hojas de datos al final de la sesión y descubrieron que se registraron sonrisas en 14 y 15 ensayos, respectivamente. El acuerdo entre observadores de recuento total para la sesión sería del 93% (es decir, 14/15 × 100 = 93,3%). Un investigador inexperto podría concluir que la conducta de interés fue bien definida y medida de manera consistente por ambos observadores. Sin embargo, esta conclusión puede ser inadecuada.

El acuerdo entre observadores de recuento total de datos discretos está sujeto a las mismas limitaciones que el de datos de operante libre. Tiende a sobreestimar el grado de acuerdo real y no indica el número de repuestas, o qué respuestas, ensayos o ítems han planteado problemas. La comparación de los números totales de respuestas contabilizadas como 14 y 15 por los dos observadores sugería desacuerdo sobre la aparición de la conducta “sonrisa” en solamente 1 de cada 20 ensayos. Sin embargo, es posible que cualquiera de los 6 ensayos marcados como "sin sonrisa" por el experimentador se puntuase como "sonrisa" por parte del segundo observador y que cualquiera de los 5 ensayos marcados por el segundo observador como "sin sonrisa" fuese puntuado como "sonrisa" por el experimentador. Por lo tanto, un acuerdo entre observadores de recuento total del 93% podría sobrestimar la concordancia real con la que los dos observadores midieron la conducta del niño durante la sesión.

Un índice más fiable y significativo del acuerdo entre observadores para datos discretos es el **acuerdo entre observadores ensayo a ensayo**, que se calcula mediante la siguiente fórmula:

$$\% \text{ AEO ensayo a ensayo} = 100 \times \frac{\text{Número de ensayos (o ítems) de acuerdo}}{\text{Número total de ensayos (o ítems)}}$$

Si se aplicara este índice a los datos de la conducta de sonreír antes referida con el peor grado posible de acuerdo del ejemplo anterior (es decir, si los 6 ensayos señalados como “sin sonrisa” por el primer observador fuesen marcados por el segundo como “con sonrisa” y los 5 señalados como “sin sonrisa” por el segundo fuesen señalados como “con sonrisa” por el primero) el acuerdo sería de un 45% (9 acuerdos/20 ensayos totales ×100).

Acuerdo entre observadores sobre los datos obtenidos mediante control del tiempo

El acuerdo entre observadores respecto a datos obtenidos a partir del control de la duración, de la latencia de respuesta, o del tiempo entre respuestas, se obtiene y se calcula esencialmente de la misma manera que el obtenido a partir del registro de eventos. Dos observadores de manera independiente registran la duración, la latencia, o el tiempo entre respuestas de la conducta objetivo, y el acuerdo entre observadores se basa en la comparación ya sea del tiempo total obtenido por cada observador durante la sesión, ya sea de los tiempos registrados por cada observador para la duración de cada ocurrencia de la conducta o de cada latencia o tiempo entre respuestas.

El acuerdo entre observadores de duración total. El **acuerdo entre observadores de duración total** se calcula dividiendo la menor de las duraciones indicada por los observadores entre la mayor y multiplicando el resultado por 100.

$$\frac{\text{Duración menor}}{\text{Duración mayor}} \times 100 = \%\ \text{AEO de duración total}$$

Al igual que sucede con el acuerdo entre observadores de recuento total en los datos procedentes del registro de eventos, obtener un valor alto en el acuerdo entre observadores de duración total no ofrece ninguna garantía de que los observadores registraran las mismas duraciones para las mismas ocurrencias de la conducta. Esto se debe a que, al realizar el cálculo mencionado, puede perderse una cantidad importante de desacuerdos entre los registros temporales de cada respuesta aportados por cada observador. Por ejemplo, supongamos que dos observadores registraron las siguientes duraciones en segundos para cada una de las cinco veces en las que apareció una conducta:

	R1	R2	R3	R4	R5
Observador 1	35	15	9	14	17
Duración total = 90 segundos					
Observador 2	29	21	7	14	14
Duración total = 85 segundos					

El acuerdo entre observadores de duración total para estos datos es de un 94% (es decir, 85/90 × 100 = 94,4%). Sin embargo, tan solo en una ocasión los dos observadores registraron el mismo tiempo; y sus tiempos de respuesta específica variaron hasta 6 segundos en algunos casos. Si bien se reconoce esta limitación del acuerdo entre observadores de duración total, lo cierto es que cuando el tiempo total se registra y analiza como variable dependiente, su uso es apropiado. Cuando sea posible, el acuerdo entre observadores de duración total debe complementarse con el de duración media por ocurrencia, que se describe a continuación.

Acuerdo entre observadores de duración media por ocurrencia. Este porcentaje debe calcularse en función de los datos de duración de cada ocurrencia. Por lo general se trata de una medida más rigurosa y significativa del acuerdo entre observadores de duración total. La fórmula para el cálculo del **acuerdo entre observadores de duración media por ocurrencia** es similar a la que se utiliza para determinar el acuerdo entre observadores de número medio de respuestas por intervalo:

$$\%\ \text{AEO de duración media por ocurrencia} =$$

$$100 \times \frac{(\text{AEO Dur R1} + \text{AEO Dur R2} + \text{AEO Dur Rn})}{n \text{ respuestas con AEO Dur}}$$

La aplicación de esta fórmula a las cinco respuestas presentadas en el ejemplo anterior, conllevaría los siguientes pasos elementales:

1. Calcular el acuerdo entre observadores de duración por ocurrencia para cada respuesta:
   R1, 29 ÷ 35 = 0,83; R2, 15 ÷ 21 = 0,71; R3, 7 ÷ 9 = 0,78; R4, 14 ÷ 14 = 1,0; y R5, 14 ÷ 17 = 0,82
2. Sumar cada uno de los valores individuales obtenidos anteriormente:
   0,83 + 0,71 + 0,78 + 1,00 + 0,82 = 4,14
3. Dividir el valor obtenido en la suma anterior entre el número total de respuestas para las que los dos observadores han registrado la duración:
   4.14 ÷ 5 = 0.828
4. Multiplicar por 100 y redondear al valor más próximo: 0,828 × 100 = 83%

Esta fórmula elemental también se utiliza para calcular el *acuerdo entre observadores de latencia media de respuesta* o el de *tiempo medio entre*

Figura 5.3 En el cálculo del acuerdo entre observadores (AEO) intervalo a intervalo, el número de intervalos en los que ambos observadores hayan estado de acuerdo sobre la ocurrencia o la no ocurrencia de la conducta (intervalos sombreados), se divide entre el número total de intervalos de observación. El acuerdo entre observadores intervalo a intervalo de los datos que se muestran aquí es del 70% (7/10).

AEO intervalo a intervalo

Intervalo nº →	1	2	3	4	5	6	7	8	9	10
Observador 1	X	X	X	0	X	X	0	X	X	0
Observador 2	0	X	X	0	X	0	0	0	X	0

X= se registró la ocurrencia de la conducta durante el intervalo

0 = no se registró la ocurrencia de la conducta durante el intervalo

respuestas. Los registros de la duración de las latencias o de los tiempos entre respuestas de un observador en una sesión nunca deben sumarse, ni debe compararse el tiempo total de un observador con el de otro como base para calcular los acuerdos entre observadores de latencia y de tiempo entre respuestas.

Además de proporcionar información sobre el acuerdo medio por ocurrencia, la evaluación del acuerdo entre observadores respecto a los datos obtenidos mediante control del tiempo se puede mejorar con información sobre el rango de las diferencias entre las duraciones registradas por cada observador y sobre el porcentaje de respuestas que los dos observadores han puntuado dentro de un cierto margen de error. Por ejemplo: el acuerdo entre observadores de duración media por ocurrencia para la conducta de seguir instrucciones de Teresa fue del 87% (rango del 63 al 100%), y el 96% de todos los registros tomados por el observador secundario se encontraban a ±2 segundos de las medidas obtenidas por el observador principal.

Acuerdo entre observadores para datos obtenidos mediante registro de intervalos/muestreo temporal

Las tres técnicas comúnmente utilizadas por los analistas aplicados de la conducta para calcular el acuerdo entre observadores para datos obtenidos mediante registro de intervalos son: el acuerdo entre observadores intervalo a intervalo, el acuerdo entre observadores de intervalo puntuado, y acuerdo entre observadores de intervalo no puntuado.

Acuerdo entre observadores intervalo a intervalo.

Figura 5.4 El acuerdo entre observadores (AEO) de intervalos puntuados se calcula utilizando sólo aquellos intervalos en los que alguno de los observadores haya registrado la ocurrencia de la conducta (intervalos sombreados). El acuerdo entre observadores de intervalos puntuados para los datos que se muestran aquí es del 33% (1/3).

AEO de intervalos puntuados

Intervalo nº →	1	2	3	4	5	6	7	8	9	10
Observador 1	X	0	X	0	0	0	0	0	0	0
Observador 2	0	0	X	0	0	0	0	0	X	0

X= se registró la ocurrencia de la conducta durante el intervalo

0 = no se registró la ocurrencia de la conducta durante el intervalo

Cuando se utiliza este acuerdo entre observadores (también conocido como método de intervalo total), el registro del observador principal para cada intervalo se compara con el registro del observador secundario para el mismo intervalo. La fórmula para el cálculo del **acuerdo entre observadores intervalo a intervalo** es la siguiente:

$$\%\ \text{AEO intervalo a intervalo} = 100 \times \frac{\text{N° de intervalos de acuerdo}}{\text{N° de intervalos de acuerdo} + \text{N° de intervalos en desacuerdo}}$$

Los datos hipotéticos de la figura 5.3 muestran el método para el cálculo del acuerdo entre observadores intervalo a intervalo basado en los datos de dos observadores que registraron la ocurrencia (X) y la no ocurrencia (0) de la conducta en 10 intervalos de observación. Las hojas de datos de los observadores indican que estuvieron de acuerdo en la ocurrencia o no ocurrencia de la conducta durante siete intervalos (intervalos de 2, 3, 4, 5, 7, 9 y 10). El acuerdo entre observadores intervalo a intervalo para este conjunto de datos es del 70% (7 / [7 + 3] × 100 = 70%).

Es probable que el acuerdo entre observadores intervalo a intervalo sobreestime el grado de acuerdo real cuando se miden conductas que tienen frecuencias muy bajas o muy altas. Esto se debe a que este tipo de acuerdo entre observadores puede presentar datos de acuerdo accidentales o debidos al azar. Por ejemplo, en una conducta cuya frecuencia de ocurrencia real sea solo de 1 o 2 intervalos de cada 10, incluso un observador poco entrenado y poco fiable que pase por alto algunas de las pocas ocurrencias de la conducta y que las registre erróneamente en intervalos en los que no ocurre, probablemente marcará la mayoría de los intervalos como de no ocurrencia de la conducta. En este caso el acuerdo entre observadores intervalo a intervalo sería muy alto. Dos métodos de acuerdo entre observadores que minimizan los efectos del azar en los registros de intervalo para conductas de tasas muy bajas o muy altas son el de intervalo puntuado y el de intervalo no puntuado (Hawkins y Dotson, 1975).

Acuerdo entre observadores de intervalo puntuado. Solo se utilizan en el cálculo del **acuerdo entre observadores de intervalo puntuado** aquellos intervalos en los que uno o ambos observadores registran la ocurrencia de la conducta objetivo. El acuerdo se daría cuando los dos observadores hayan registrado la ocurrencia de la conducta en el mismo intervalo. El desacuerdo ocurriría cuando en cada intervalo en el que un observador haya registrado la ocurrencia de la conducta, el otro haya registrado su no ocurrencia. Por ejemplo, para los datos que se muestran en la figura 5.4, solamente los intervalos de 1, 3 y 9 se utilizarían en el cálculo del acuerdo entre observadores de intervalo puntuado (X), porque solo en esos tres intervalos alguno de los observadores registró la ocurrencia de la conducta. Los intervalos de 2, 4, 5, 6, 7, 8 y 10 no se tendrían en cuenta para el cálculo, debido a que ambos observadores registraron que la conducta no se produjo en esos intervalos (0). Dado que los dos observadores estuvieron de acuerdo en que la conducta se produjo en un solo intervalo (n° 3) de los tres registrados, el acuerdo entre observadores de intervalo puntuado sería del 33% (1 intervalo de acuerdo / [1 intervalo de acuerdo + 2 intervalos de desacuerdo] × 100 = 33%).

Este tipo de acuerdo entre observadores es el más apropiado en el caso de conductas de tasas bajas porque ignora los intervalos en los cuales es altamente probable un acuerdo por casualidad, dado que la conducta es muy poco frecuente. Por ejemplo, usando el método de acuerdo entre observadores intervalo a intervalo para los datos de la figura 5.4 se obtendría un acuerdo del 80%. Para evitar el exceso de medidas engañosas se recomienda utilizar el acuerdo entre observadores de intervalo puntuado en conductas cuya frecuencia es inferior al 30%.

Acuerdo entre observadores de intervalo no puntuado. Para el cálculo del **acuerdo entre observadores de intervalo no puntuado** solamente se utilizan los intervalos en los que uno o ambos observadores registraron la no ocurrencia de la conducta objetivo. Se contabiliza un acuerdo cuando ambos observadores registraron la no ocurrencia de la conducta en el mismo intervalo. Se contabiliza un desacuerdo cuando un observador registró la ocurrencia en un intervalo y el otro no. Por ejemplo, en la figura 5.5, solo se utilizan los datos de los intervalos de 1, 4, 7 y 10 para el cálculo del acuerdo entre observadores de intervalo no puntuado, porque al menos un observador registró la no ocurrencia de la conducta en esos intervalos. Los dos observadores estuvieron de acuerdo en que la conducta no se produjo en los intervalos de 4 y 7. Por lo tanto, el acuerdo entre observadores de intervalo no puntuado en este ejemplo es del 50% (2 intervalos de acuerdo ÷ [2 intervalos de acuerdo + 2 intervalos de desacuerdo] × 100 = 50%).

Este tipo de acuerdo entre observadores se suele

Figura 5.5. El acuerdo entre observadores (AEO) de intervalos no puntuados se calcula utilizando únicamente los intervalos en los que algún observador haya registrado la no ocurrencia de la conducta (intervalos sombreados). El acuerdo entre observadores de intervalos no puntuados de los datos que se muestran aquí es del 50% (2/4).

AEO de intervalo no puntuado

Intervalo nº →	1	2	3	4	5	6	7	8	9	10
Observador 1	X	X	X	0	X	X	0	X	X	0
Observador 2	0	X	X	0	X	X	0	X	X	X

X= se registró la ocurrencia de la conducta durante el intervalo
0 = no se registró la ocurrencia de la conducta durante el intervalo

utilizar para conductas de tasas relativamente altas. Proporciona una evaluación más rigurosa que el acuerdo entre observadores de intervalo a intervalo. Para evitar valores de acuerdo entre observadores sobreestimados o engañosos, se recomienda utilizar el acuerdo entre observadores no puntuado en conductas con frecuencias superiores al 70%.

Aspectos a tener en cuenta para la selección, obtención y comunicación del acuerdo entre observadores

Las directrices y recomendaciones que aparecen a continuación se organizan en forma de preguntas sobre la utilización del acuerdo entre observadores para evaluar la calidad de la medición de la conducta.

¿Con qué frecuencia y en qué momento debemos calcular el acuerdo entre observadores?

El acuerdo entre observadores se debe evaluar en cada condición y fase de un estudio y se debe distribuir a través de varios días de la semana, horas del día, contextos y observadores. Al programar los cálculos del acuerdo entre observadores de esta manera se garantiza que los resultados ofrezcan una imagen válida de todos los datos obtenidos. La práctica actual y las recomendaciones de los autores de los textos sobre métodos de investigación conductual sugieren que debe calcularse el acuerdo entre observadores durante al menos el 20% de las sesiones de un estudio y preferiblemente entre el 25% y el 33% de las sesiones (Kennedy, 2005; Poling et al, 1995). En general, los estudios que utilizan datos obtenidos a través de registros en tiempo real evalúan el acuerdo entre observadores para un porcentaje más alto de sesiones que los estudios en los que los datos se obtienen a partir de productos conductuales.

La frecuencia con la que los datos deberían evaluarse mediante el acuerdo entre observadores variará en función de la complejidad del código de medida, del número y la experiencia de los observadores, de la variedad de condiciones en la intervención conductual, de las fases del estudio, y de los propios porcentajes de acuerdo entre observadores obtenidos. Los cálculos del acuerdo entre observadores se deben llevar a cabo de manera más frecuente en los estudios que implican sistemas de medida nuevos y complejos, cuando los observadores sean inexpertos, y cuando haya numerosas condiciones y fases en la intervención. Si los métodos de cálculo apropiados del acuerdo entre observadores revelan altos niveles de acuerdo al principio de un estudio, se podrá disminuir el número y la proporción de las sesiones de evaluación del acuerdo a medida que se avanza el estudio. Por ejemplo, al principio de un análisis de conducta el cálculo del acuerdo entre observadores podría realizarse cada sesión, y posteriormente reducirse a una vez cada cuatro o cinco sesiones.

¿Para qué tipo de variables debemos obtener y comunicar el acuerdo entre observadores?

En general, los investigadores deben hacer referencia al acuerdo entre observadores al mismo nivel en el que comunican y analizan los resultados generales de su estudio. Por ejemplo, un investigador está estudiando en cuatro niños los efectos relativos de dos condiciones de tratamiento sobre dos conductas diferentes, en dos contextos distintos. Debe informar sobre los resultados del acuerdo entre observadores respecto a las dos conductas, para cada participante, teniendo en cuenta cada condición de tratamiento y cada contexto. Esto permitiría a quienes lean el estudio juzgar la credibilidad relativa de los datos dentro de cada componente experimental.

¿Qué método de cálculo del acuerdo entre observadores debemos usar?

Deberán usarse los métodos de cálculo más rigurosos, frente a aquellos otros que sean más propensos a sobrestimar los acuerdos por azar. Con los datos obtenidos mediante el registro de eventos utilizados para evaluar la precisión de la ejecución, se recomienda utilizar el acuerdo entre observadores general, ensayo a ensayo, o ítem a ítem, tal vez complementado con cálculos del acuerdo entre observadores diferenciando para respuestas correctas e incorrectas. Para los datos obtenidos mediante registros de intervalo o de muestreo de tiempo, se recomienda que se calcule el acuerdo entre observadores intervalo a intervalo, junto a los de intervalo puntuado y no puntuado, dependiendo de la frecuencia relativa de la conducta. En situaciones en las que los registros de la conducta objetivo realizados por el observador primario abarquen hasta aproximadamente el 30% de los intervalos, el acuerdo entre observadores de intervalo puntuado proporciona una información rigurosa. Y a la inversa, cuando sean iguales o superiores al 70% de los intervalos, es el acuerdo entre observadores de intervalo no puntuado el que debe complementar al de intervalo a intervalo. Si la tasa de ocurrencia de la conducta objetivo cambia de muy baja a muy alta o viceversa, a través de las diferentes condiciones o fases de un estudio, debe calcularse tanto el acuerdo entre observadores de intervalo puntuado como el de intervalo no puntuado.

En caso de duda sobre qué tipo de acuerdo entre observadores utilizar, el hecho de calcular y presentar varias de ellas ayudará al lector a tomar sus propias decisiones en cuanto a la credibilidad de los datos. Sin embargo, si la aceptación de esos datos para la interpretación o la toma de decisiones depende de la fórmula que se elija para calcular el acuerdo entre observadores, sabremos que existen verdaderos problemas respecto al nivel de confianza de los datos y que deben solucionarse.

¿Cuáles son los porcentajes aceptables de los acuerdos entre observadores?

Un acuerdo entre observadores cercano al 100%, obtenido de manera rigurosa nos indica una alta credibilidad de los datos. La convención general aceptada en el análisis aplicado de la conducta es que los índices de acuerdo entre observadores no deben ser inferiores al 80% cuando se utilizan registros de observación. Sin embargo, como Kennedy (2005) señaló: "No hay ninguna justificación científica de por qué es necesario el 80%, excepto la extensa historia de los investigadores que han utilizado este porcentaje como punto de referencia y que han tenido éxito en su actividad investigadora" (pág. 120).

Miller (1997) recomendó que el acuerdo entre observadores fuese del 90% o mayor para una medida bien establecida y al menos del 80% para una variable nueva. Existen diferentes factores en juego que pueden hacer que un criterio del 80% o del 90% sea demasiado bajo o demasiado alto. Un acuerdo entre observadores del 90% referido al número de palabras contenidas en las redacciones del alumnado, plantea serias dudas sobre la fiabilidad de los datos. Los valores de los acuerdos entre observadores obtenidos respecto a productos conductuales deben estar cercanos al 100% para garantizar su credibilidad. Sin embargo, algunos analistas aceptan valores de acuerdo entre observadores del 75% cuando se miden de manera simultánea múltiples conductas por parte de varios sujetos y en un contexto complejo, sobre todo si el cálculo se basa en un número suficiente de evaluaciones con un rango de variación pequeño (p.ej., del 73 al 80%).

La magnitud del cambio en la conducta revelado por los datos también se debe tener en cuenta al determinar un nivel aceptable de acuerdo entre observadores. Cuando el cambio en la frecuencia de la conducta de una condición a otra es pequeño, la variabilidad de los datos podría indicarnos una observación inconsistente, más que un cambio real en la conducta. Por lo tanto, cuanto menor es el cambio en la conducta al modificar las condiciones, mayor debe ser el criterio para un porcentaje de acuerdo entre observadores aceptable (Kennedy, 2005).

¿Cómo deben presentarse los resultados de un acuerdo entre observadores?

Los valores del acuerdo entre observadores pueden presentarse como una narración descriptiva, en una tabla, o de manera gráfica. Sea cual sea el formato que se elija, es importante tener en cuenta cómo, cuándo y con qué frecuencia se evaluó el acuerdo entre observadores.

Formato narración descriptiva. El método más común para la presentación de acuerdo entre observadores es una simple descripción de la media y el rango de los porcentajes de acuerdo. Por ejemplo, Craft, Alber y Heward (1998) describen los métodos y resultados de los acuerdos entre observadores en un estudio en el que se midieron cuatro variables dependientes de la siguiente manera:

Búsqueda de atención por parte de los alumnos y elogios del profesor. Un segundo observador estuvo presente en 12 de las 40 sesiones del estudio (30%). Los dos observadores registraron de manera independiente y simultánea a 4 alumnos, contabilizando el número de respuestas de solicitud de atención, así como las felicitaciones con las que los profesores respondían. Las notas descriptivas registradas por los observadores permitieron identificar cada uno de los episodios de búsqueda de atención a efectos del cálculo del acuerdo entre observadores. El acuerdo entre observadores se calculó episodio por episodio dividiendo el número total de acuerdos entre la suma del número total de acuerdos y desacuerdos y multiplicando el resultado por 100. Los acuerdos de la frecuencia de la búsqueda de atención por parte de los alumnos variaron en un rango del 88 % al 100%. El acuerdo de la frecuencia de las solicitudes de atención que fueron seguidas de felicitaciones del profesor fue del 100% para los cuatro alumnos. El acuerdo para la frecuencia de las solicitudes de atención que no fueron seguidas de felicitaciones osciló entre el 93% y el 100%.

Tabla 5.1 Resultados del acuerdo entre observadores (AEO) para cada una de las variables dependientes y por cada participante y condición experimental.

Se muestran los rangos y porcentajes medios de los acuerdos entre observadores para las conductas de interacción verbal con guion, las respuestas verbales espontáneas y la interacción verbal sin guion.

	Condición									
Tipo de	*Lineabase*		*Enseñanza*		*Nuevo receptor*		*Desvanecimiento del guion*		*Nuevas actividades*	
Interacción	*Rango*	*M*	*Rango*	*M*	*Rango*	*M*	*Rango*	*M*	*Rango*	*M*
Con guion										
David			88-100	94		100		100		
Jeremiah			89-100	98		100		—[a]		
Ben			80-100	98		90		—[a]		
Espontánea										
David			75-100	95	87-88	88	90-100	95		
Jeremiah			83-100	95	92-100	96		—[a]		
Ben			75-100	95		95		—[a]		
Sin guión										
David		100		100	87-88	88	97-100	98	98-100	98
Jeremiah		100		100	88-100	94	93-100	96		99
Ben		100		100		100	92-93	92	98-100	99

[a] No hay datos disponibles de las respuestas con guion o espontáneas en la condición de desvanecimiento porque el acuerdo entre observadores se obtuvo después de que se retiraran los guiones (es decir, debido a que no había guiones solamente podían darse respuestas sin guion).

Tomado de "Social Interaction Skills for children with Autism: A Script-Fading Procedure for Begenning Readers" P.J Krantz y L.E.McClannahan, 1998, *Journal of Applied Behavior Analysis, 31,* pág.196. ©Copyright 1998 Society for the Experimental Analysis of Behavior, Inc. Reimpreso con permiso.

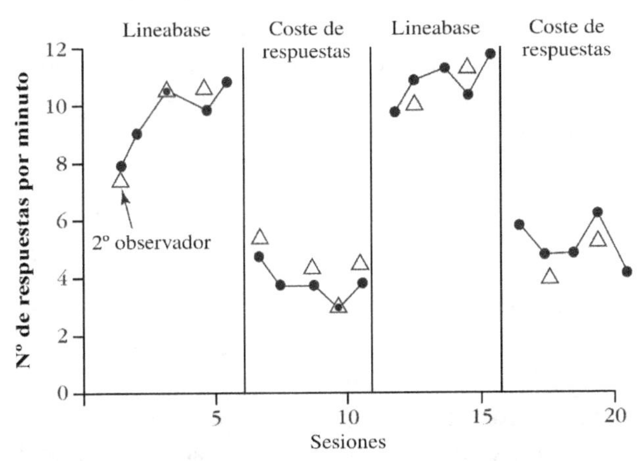

Figura 5.6. La representación gráfica de los datos obtenidos por un segundo observador sobre los obtenidos por el observador principal aporta una indicación visual del grado y características del acuerdo entre observadores.

> *Finalización y precisión de tareas académicas.* Un segundo observador registró de forma independiente la finalización del trabajo académico de cada alumno y su precisión durante 10 sesiones del estudio (25%). El acuerdo entre observadores tanto para la terminación como para la precisión de las tareas de las hojas de ortografía, fue del 100% para los 4 alumnos.

Formato tabla. Un ejemplo de informe del acuerdo entre observadores en este formato se muestra en la tabla 5.1. Krantz y McClannahan (1998) informaron del rango y valores medios del acuerdo entre observadores calculado para tres tipos de respuestas de interacción social de tres niños a través de cada una de las condiciones experimentales.

Formato gráfico. El acuerdo entre observadores puede representarse de manera visual trazando los valores obtenidas por el observador secundario en un gráfico que disponga de los datos del observador primario, como se muestra en la figura 5.6. Mirando los datos de los dos observadores en la figura se ve rápidamente el grado de concordancia entre ellos y la existencia de algún sesgo en la observación. La ausencia de un sesgo de observación en el estudio hipotético de la figura 5.6, se deduce porque las medidas del observador secundario cambian en concordancia con las medidas del observador primario. Aunque los dos observadores obtienen la misma medida en solamente 2 de las 10 sesiones en las que se evaluó el acuerdo entre observadores (sesiones 3 y 8), el hecho de que ningún observador registrara consistentemente medidas mucho más altas o más bajas que el otro, sugiere la ausencia de sesgo del observador. Una ausencia de sesgo por lo general se indica con un patrón aleatorio de sobreestimación o subestimación. Otra manera de mostrar gráficamente los valores del acuerdo entre observadores que mejoran la credibilidad de la medida se ilustra también a partir de los datos en la figura 5.6. Cuando los datos registrados por el observador principal muestran claramente el cambio en la conducta según las condiciones o fases de registro, y todas las medidas aportadas por el observador secundario coinciden con el rango de valores obtenidos por el observador primario, podemos confiar en que los datos representan los cambios reales en la conducta, y no que se trata de una deriva del observador o de contingencias que se deben a aspectos no experimentales.

Aunque las publicaciones en el ámbito del análisis aplicado de la conducta rara vez incluyen gráficos con los índices de acuerdo entre observadores, la utilización de estos gráficos durante el estudio es una manera sencilla de detectar patrones de consistencia (o inconsistencia) con los que los observadores están midiendo la conducta que pueden no ser tan evidentes en la comparación de los porcentajes.

¿Qué método utilizar para evaluar la calidad de la medida: precisión, fiabilidad, o acuerdo entre observadores?

Las evaluaciones de la precisión de la medida, de la fiabilidad y del grado en que diferentes observadores obtienen los mismos valores, proporcionan distintos indicadores de la calidad de los datos. El motivo final de cualquier tipo de evaluación de la calidad de la medida es obtener evidencia cuantitativa que pueda ser usada para dos propósitos: mejorar la medición durante el curso de una investigación y convencer a otros de la credibilidad de los datos.

Tras asegurar la validez de lo que se está midiendo y cómo se está midiendo, los analistas aplicados de la conducta deben elegir evaluar la precisión de la medida siempre que sea posible, en lugar de la fiabilidad o el acuerdo entre observadores. Si se puede determinar que todas las medidas en un conjunto de datos cumplen con un criterio de precisión aceptable, no es necesario comprobar la fiabilidad de la medida ni el acuerdo entre observadores.

Cuando no sea posible evaluar la precisión porque los valores reales no estén disponibles, la evaluación de la fiabilidad sería el siguiente mejor indicador de la calidad de los datos. Si los productos conductuales naturales o artificiales pueden ser registrados, los analistas aplicados de la conducta pueden evaluar la fiabilidad de la medida, permitiendo a los lectores del estudio comprobar que los observadores han medido la conducta consistentemente en todas las sesiones, condiciones y fases.

Cuando los valores reales y los productos conductuales no estén disponibles, el acuerdo entre observadores proporciona un buen nivel de credibilidad de los datos. Aunque el acuerdo entre observadores no es un indicador directo de la validez, la precisión o la fiabilidad de la medida, ha demostrado ser una valiosa herramienta de investigación en el análisis aplicado de la conducta. La información sobre el acuerdo entre observadores ha sido un componente esperado y solicitado en las publicaciones sobre análisis aplicado de la conducta desde hace varias décadas. A pesar de sus limitaciones, "las medidas del acuerdo entre observadores tan ampliamente utilizadas en este campo son relevantes" (Baer, 1977, pág. 119) para desarrollar una tecnología robusta sobre el cambio de conducta.

> El porcentaje de acuerdo, en el paradigma de registro de intervalos, tiene un significado directo y útil: ¿con qué frecuencia los dos observadores que están utilizando las mismas definiciones de la conducta, reconocen que se produce o no dicha conducta en un mismo momento? Las dos respuestas "Están de acuerdo acerca de su ocurrencia en un X% de los intervalos, y sobre su no ocurrencia en un Y% de los intervalos" son muy útiles (Baer, 1977, pág. 118).

Los investigadores pueden utilizar distintos procedimientos para evaluar un mismo grupo de datos. Cuando se disponga del tiempo y los recursos necesarios, incluso sería deseable incluir combinaciones de diferentes sistemas de evaluación. Los analistas aplicados de la conducta pueden utilizar cualquier combinación (p.ej., precisión más acuerdo entre observadores, o bien fiabilidad más acuerdo entre observadores). Además, algunos aspectos de los datos se pueden evaluar respecto a su precisión o su fiabilidad, mientras que en otros se puede evaluar el acuerdo entre observadores. En el ejemplo anterior de la evaluación de la precisión publicada por Brown y sus colegas (1996), se incluían evaluaciones de la precisión y del acuerdo entre observadores. Observadores independientes registraron las respuestas correctas e incorrectas de los alumnos. Cuando el acuerdo entre observadores era inferior al 100%, se evaluaba la precisión de los datos. El acuerdo entre observadores se utilizó como una evaluación para mejorar la credibilidad, y también como un procedimiento para seleccionar los datos sobre los que evaluar la precisión.

Resumen

Indicadores de confianza de la medición

1. Para tener utilidad científica, las medidas deben ser válidas, precisas y fiables.
2. La medición válida en el análisis aplicado de la conducta requiere tres elementos igualmente importantes: (a) la medición directa de una conducta objetivo socialmente significativa, (b) la medición de una dimensión de la conducta objetivo que sea relevante para la cuestión que nos preocupa acerca de la conducta, y (c) la garantía de que los datos son representativos de la conducta bajo las condiciones y en los momentos más apropiados para la razón que nos ha llevado a medirla.
3. Una medida es precisa cuando los valores observados coinciden con sus valores verdaderos.
4. Una medida es fiable cuando se obtienen los mismos valores mediante medidas repetidas del mismo evento.

Amenazas a la validez de las medidas

5. Las medidas indirectas (medidas de conductas diferentes a la conducta objetivo) son una amenaza para la validez, ya que requieren que el profesional haga inferencias acerca de la relación entre los datos obtenidos y la conducta objetivo.
6. Un investigador que emplea una medida indirecta debe proporcionar evidencia de que la conducta medida refleja de una manera fiable y significativa algo acerca de la conducta objetivo.
7. Medir una dimensión de la conducta que sea poco adecuada, o irrelevante, en relación a los motivos que nos llevaron a registrar esa conducta, pone en peligro la validez.
8. Los artefactos de medida son los datos que dan una imagen engañosa de la conducta debido a la manera que

se llevó a cabo el registro. La medición discontinua, las observaciones mal programadas, y las escalas de medida insensibles o restrictivas son causas frecuentes de artefactos de medida.

Amenazas a la precisión y fiabilidad de las medidas

9. La mayoría de las investigaciones en análisis aplicado de la conducta utilizan observadores humanos para registrar la conducta. El error humano es la mayor fuente de amenaza a la precisión y la fiabilidad de los datos.

10. Los factores que contribuyen a los errores de medida incluyen los sistemas de registro mal diseñados, observadores poco entrenados y expectativas concretas sobre la dirección que deberían tomar los datos.

11. Los observadores deben recibir una formación sistemática, practicar con el sistema de medición y cumplir con los criterios de precisión y fiabilidad predeterminados antes de registrar los datos.

12. La deriva del observador (cambios no intencionados en la forma en que un observador utiliza un sistema de medida), se puede minimizar mediante nuevas sesiones de entrenamiento, donde se facilite retroalimentación sobre la precisión y fiabilidad del registro.

13. Las expectativas del observador o el conocimiento sobre los resultados esperados o deseados pueden debilitar la precisión y fiabilidad de los datos.

14. Los observadores no deben recibir información acerca de en qué medida sus registros confirman o no los datos esperados.

15. El sesgo de medida causado por las expectativas del observador se puede evitar mediante el uso de observadores ingenuos.

16. La reactividad del observador es el error de medida causado por el conocimiento que el observador tiene de que otras personas van a evaluar sus registros.

Evaluación de la precisión y fiabilidad de las medidas conductuales

17. Los investigadores y profesionales que evalúan la precisión de sus datos pueden (a) determinar de forma temprana en el análisis si los datos se pueden utilizar para tomar decisiones experimentales o de tratamiento, (b) identificar y corregir los errores de medida, (c) detectar patrones consistentes de errores de medida que puedan conducir a la mejora o al ajuste del sistema de medida, y (d) comunicar la credibilidad relativa de los datos a los demás.

18. La evaluación de la precisión de la medida es un proceso sencillo que calcula la correspondencia de cada medida, o dato, evaluados con su valor verdadero.

19. Los valores verdaderos para muchas conductas de interés para los analistas aplicados de la conducta, son evidentes y universalmente aceptados o se pueden establecer de forma condicional en un contexto específico. Los valores verdaderos para algunas conductas (p.ej., el juego cooperativo) son difíciles de establecer, debido a que el proceso para determinar su valor verdadero debe de ser diferente de los procedimientos de medida utilizados para obtener los datos que se desean comparar con el valor verdadero.

20. Saber en qué medida los observadores están realizando un registro válido y preciso proporciona un indicador útil de la fiabilidad global de los datos.

21. La evaluación de la fiabilidad de la medida requiere que haya un producto conductual (natural o artificial) para que el observador pueda medir varias veces los mismos eventos conductuales.

22. Aunque una alta fiabilidad en los datos no asegura una alta precisión, un bajo nivel de fiabilidad es algo lo suficientemente sospechoso como para dudar de los datos hasta que los problemas del sistema de medida se determinen y se solucionen.

Uso del acuerdo entre observadores para evaluar la medida de la conducta

23. El indicador más usado de la calidad de la medida en el análisis aplicado de la conducta es el acuerdo entre observadores (AEO), es decir, el grado en el que dos o más observadores independientes informan de los mismos valores observados después de medir los mismos eventos.

24. Los investigadores y los profesionales utilizan el acuerdo entre observadores para (a) determinar la competencia de los nuevos observadores, (b) detectar la deriva del observador, (c) juzgar si la definición de la conducta objetivo es clara y el sistema no es demasiado difícil de usar, y (d) convencer a los demás de la credibilidad relativa de los datos.

25. El cálculo del acuerdo entre observadores requiere que dos o más observadores (a) utilicen los mismos códigos de observación y sistema de medida, (b) observen y midan a los mismos participantes y eventos, y (c) observen y registren la conducta sin estar influenciados por otros observadores.

26. Existen numerosas técnicas para el cálculo del acuerdo entre observadores, cada una de las cuales ofrece una visión algo diferente de la extensión y naturaleza del acuerdo o desacuerdo entre los observadores.

27. El porcentaje de acuerdo entre observadores es la convención más común para informar del acuerdo entre observadores en el análisis aplicado de la conducta.

28. El acuerdo entre observadores de los datos obtenidos mediante el registro de eventos se puede calcular mediante la comparación de (a) el número total de eventos registrados por cada observador durante el periodo de medida, (b) los valores registrados por cada observador durante la serie de intervalos de tiempo breves, dentro del periodo de medida, o (c) el recuento de cada observador de los valores de presencia (1) o ausencia (0) de la conducta, ensayo a ensayo.

29. El acuerdo entre observadores de recuento total es el indicador más simple y directo para utilizar con los datos obtenidos mediante el registro de eventos, y el acuerdo entre observadores de recuento exacto por intervalos es el más riguroso para la mayoría de los conjuntos de datos obtenidos mediante registro de eventos.

30. El acuerdo entre observadores para los datos obtenidos mediante el control de la duración de la conducta, de la latencia de respuesta, o del tiempo entre respuestas (TER), se calcula de la misma manera que para los datos procedentes de registro de eventos.

31. El acuerdo entre observadores de duración total se calcula dividiendo la duración más corta de las informadas por los observadores entre la más larga. El acuerdo entre observadores de duración media por ocurrencia es una forma más rigurosa y significativa de evaluar el acuerdo entre observadores de la duración total de los datos y debe calcularse siempre para datos de duración por ocurrencia.

32. Hay tres técnicas comúnmente utilizados para calcular el acuerdo entre observadores de intervalos como son: el acuerdo entre observadores intervalo a intervalo, el acuerdo entre observadores de intervalos puntuados y el acuerdo entre observadores de intervalos no puntuados.

33. Debido a que a veces el acuerdo entre observadores intervalo a intervalo puede darse por azar, es probable que sobreestime el grado de acuerdo cuando los observadores miden conductas de tasas muy bajas o muy altas.

34. Se recomienda el acuerdo entre observadores de intervalos puntuados para las conductas de frecuencias relativamente bajas y el acuerdo entre observadores de intervalos no puntuados para las conductas de frecuencia relativamente altas.

35. El acuerdo entre observadores se debe evaluar en cada condición y fase de un estudio y se debe distribuir entre los diferentes días de la semana, horas del día, contextos y observadores.

36. Los investigadores deben obtener e informar de los índices de acuerdo entre observadores de la misma manera en que se presentan y analizan los resultados generales de su estudio.

37. Se deben usar los métodos más estrictos y rigurosos de evaluación del acuerdo entre observadores, en lugar de aquellos que pueden sobreestimar los acuerdos entre observadores por coincidencias azarosas.

38. La convención establecida para considerar un índice de acuerdo entre observadores como aceptable es de un mínimo del 80%, pero no puede haber ningún criterio predeterminado. La naturaleza de la conducta que se está midiendo y el grado del cambio conductual es lo que se debe tener en cuenta para determinar el porcentaje aceptable de acuerdo entre observadores.

39. Los resultados del acuerdo entre observadores pueden presentarse de manera narrativa, en una tabla o en un gráfico.

40. Los investigadores pueden utilizar diferentes combinaciones de índices para evaluar la calidad de sus registros (p.ej., la precisión más el acuerdo entre observadores, o bien la fiabilidad más el acuerdo entre observadores).

PARTE 3

Evaluación y análisis del cambio de conducta

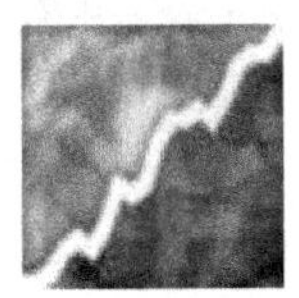

En la Parte 2 describíamos los aspectos a tener en cuenta y los procedimientos para la selección y definición de las conductas de interés y discutíamos en detalle los métodos para la medición de la conducta. También examinamos las técnicas para la mejora, la evaluación y la documentación de la veracidad de la medición. El producto de esta medición, al que llamamos *datos*, es el medio mediante el cual los analistas de conducta realizan su trabajo. Pero, ¿qué hace el analista de conducta con los datos? Los cinco capítulos de la Parte 3 están dedicados a la presentación e interpretación de los datos conductuales y al diseño, la realización y la evaluación de experimentos dirigidos al análisis de los efectos de la intervención.

En el Capítulo 6 describimos la representación gráfica usada por los investigadores, los profesionales y los consumidores para comprender los datos conductuales. También revisamos los aspectos a tener en cuenta para la selección, la construcción y la interpretación de los tipos de gráficos principales que los analistas de conducta usan con mayor frecuencia. Aunque la medición y la representación gráfica de los datos pueden mostrar el momento y magnitud del cambio de conducta, por sí solos no pueden revelar qué factores produjeron el cambio de conducta. Los Capítulos 7 a 10 están dedicados al *análisis* en análisis aplicado de la conducta. El Capítulo 7 describe los componentes requeridos en cualquier experimento en análisis de conducta y explica cómo los investigadores y profesionales aplicados aplican la ley de valores iniciales y los tres elementos de la lógica básica (predicción, verificación y replicación) para buscar y verificar relaciones funcionales entre la conducta y sus variables controladoras. En el Capítulo 8 y 9 se describen la lógica y la utilización de los diseños de reversión, alternantes, de lineabase múltiple y de criterio cambiante, que son los diseños experimentales usados más habitualmente en análisis aplicado de la conducta. El Capítulo 10 se ocupa de un conjunto variado de temas necesarios para el desarrollo de una comprensión más completa de la investigación conductual. A partir de la asunción de que los métodos de investigación de cualquier ciencia deben de reflejar las características de su objeto de estudio, examinaremos la importancia de analizar la conducta al nivel del cliente, usuario o participante individual, comentaremos el valor de la flexibilidad en el diseño experimental, identificaremos algunos factores de confusión habituales que afectan a la validez interna de los experimentos, presentaremos los métodos para la evaluación de la validez social del análisis aplicado de la conducta, y describiremos como se usa la replicación para determinar la validez externa de la investigación . Concluiremos el Capítulo 10 y la Parte 3 con una serie de cuestiones que deben tomarse en consideración al evaluar la "bondad" de un estudio publicado en análisis aplicado de la conducta.

CAPÍTULO 6

Construcción e interpretación de representaciones gráficas de datos conductuales

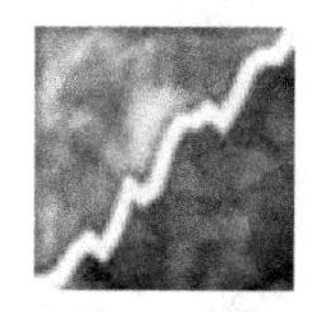

Términos clave

Análisis visual
Datos
Gráfico
Gráfico de barras
Gráfico de dispersión
Gráfico de línea
Gráfico semilogarítmico
Gráfico de Aceleración Estándar
Línea de datos
Línea de tendencia de mitad dividida
Nivel
Registro acumulativo
Tasa de respuesta local
Tasa de respuesta total
Tendencia
Variabilidad
Variable dependiente
Variable independiente

Behavior Analyst Certification Board® BCBA®, BCBA-D®, BCaBA®, RBT® Lista de tareas para analistas de conducta (cuarta edición).

A.	Habilidades analítico-conductuales básicas: medida
A-10	Diseñar, representar gráficamente e interpretar datos usando gráficos de intervalo constante.
A-11	Diseñar, representar gráficamente e interpretar datos usando un registro acumulativo.
H.	**Medida**
H-03	Seleccionar una forma de presentar los datos que permita trasmitir de forma efectiva las relaciones cuantitativas observadas.
J.	**Responsabilidades para con el cliente: intervención**
J-15	Interpretar y apoyar la toma de decisiones en los datos mostrados en varios formatos.

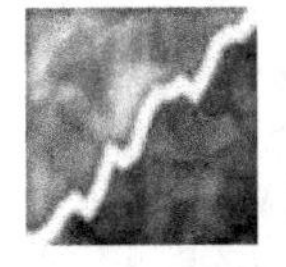

Los analistas aplicados de la conducta documentan y cuantifican el cambio conductual mediante medidas directas y repetidas de la conducta. El producto de estas medidas, denominado **datos**, es el medio mediante el cual los analistas de conducta realizan su trabajo. En su uso coloquial, la palabra *dato* se refiere a una amplia variedad de informaciones, en ocasiones imprecisas y subjetivas, que se presentan como hechos. En su uso científico la palabra significa "los resultados de la medida, generalmente de forma cuantitativa" (Johnston y Pennypacker 1993a, pág. 365).

Debido a que el cambio de conducta es un proceso continuo y dinámico, tanto los profesionales aplicados como los investigadores deben mantener un contacto continuo con la conducta que está siendo investigada. Los datos obtenidos en un programa de cambio de conducta o en una investigación son el medio que permite dicho contacto. Estos conforman la base empírica de cada una de las decisiones importantes que hay que tomar, por ejemplo, continuar con el procedimiento iniciado, probar una intervención diferente, restituir una condición previa. No obstante, la toma de decisiones válidas y fiables a partir de datos brutos (series de números) resulta difícil, si no imposible, además de ineficaz. La inspección de un conjunto considerable de datos numéricos mostraría solo cambios considerables en el rendimiento, o la ausencia de cambio alguno, pudiéndose obviar aspectos importantes del proceso de cambio de conducta.

Examinemos los tres conjuntos de datos a continuación. Cada uno de ellos está compuesto por una serie de números que representan medidas consecutivas de conductas de interés específicas. El primer conjunto muestra los resultados de medidas sucesivas de un número de respuestas emitidas bajo dos condiciones diferentes (A y B).

Condición A	**Condición B**
120, 125, 115, 130,	114, 110, 115, 121,
126, 130, 123, 120,	110, 116, 107, 120,
120, 127	115, 112

A continuación presentamos datos que muestran medidas consecutivas en el porcentaje de respuestas correctas:

80, 82, 78, 85, 80, 90, 85, 85, 90, 92

El tercer conjunto de datos está compuesto por medidas de respuestas por minuto de una conducta de interés obtenidas en días escolares sucesivos:

65, 72, 63, 60, 55, 68, 71, 65, 65, 62, 70, 75, 79, 63, 60

¿Qué nos dicen estos números? ¿Qué conclusiones podemos extraer de cada uno de estos conjuntos de datos? ¿Cuánto tiempo te llevó el alcanzar dichas conclusiones? ¿Qué confianza en dichas conclusiones tienes? ¿Podrías interpretar los datos si el conjunto

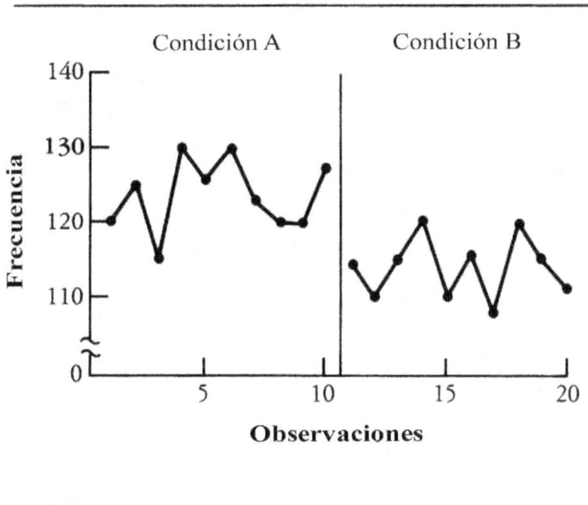

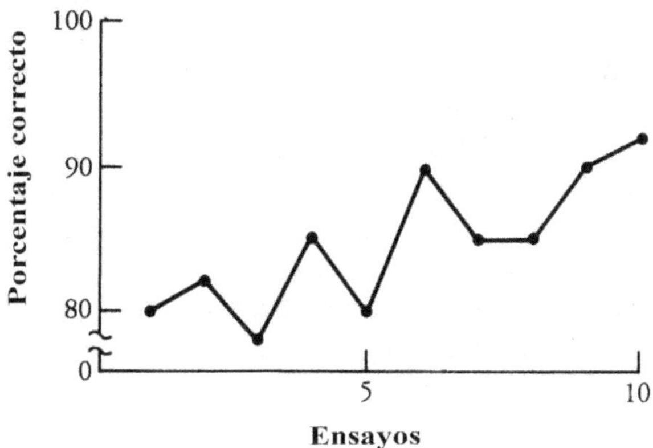

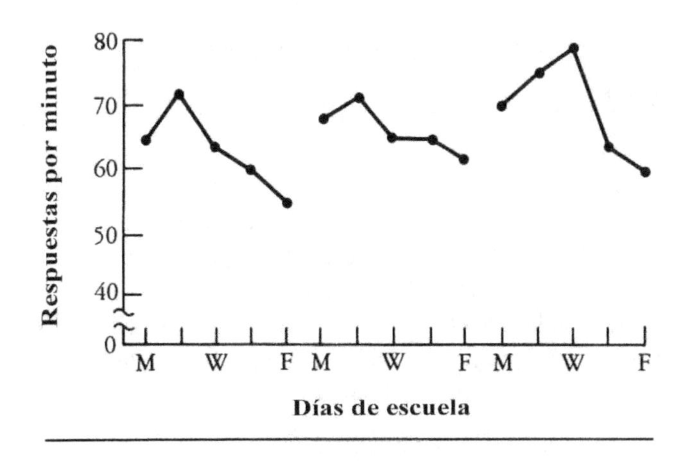

Figura 6.1 En el gráfico se observan tres grupos de datos hipotéticos que ilustran los cambios en el nivel de respuesta a través de las condiciones (arriba), tendencia (en medio), y variabilidad cíclica (abajo).

estuviera compuesto de muchas más medidas? ¿Cómo de probable sería que otras personas interesadas en el programa de cambio conductual o en la investigación alcanzasen las mismas conclusiones? ¿Cómo podríamos comunicar estos datos a otras personas de forma directa y eficaz?

Los **gráficos** son formatos relativamente sencillos que muestran visualmente la relación entre una serie de medidas y las variables de interés. Su uso nos ayuda a dar sentido a la información cuantitativa. Son el mecanismo principal con el que cuentan los analistas aplicados de la conducta para organizar, almacenar, interpretar y comunicar los resultados de su trabajo. La Figura 6.1 incluye un gráfico para cada uno de los conjuntos de datos presentados previamente. El gráfico superior muestra que el nivel de respuesta en la Condición B es inferior al que existe en la Condición A. El gráfico central muestra claramente una tendencia ascendente a lo largo del tiempo en la medida de la respuesta. Por último, en el gráfico interior observamos un patrón variable de respuesta caracterizado por una tendencia ascendente durante la primera parte de cada semana y decreciente hacia el final de la cada semana. Los gráficos de la Figura 6.1 ilustran tres propiedades fundamentales del cambio de conducta a medida que este ocurre a lo largo del tiempo: el nivel, la tendencia y la variabilidad. Cada una de estas propiedades será tratada en detalle en un capítulo posterior. La representación gráfica de datos conductuales ha demostrado ser un medio efectivo para la detección, el análisis, y la comunicación de estos aspectos del cambio de conducta.

Fines y ventajas de la representación gráfica de datos conductuales

Numerosos autores han evaluado los beneficios del uso del gráfico como vehículo principal para la interpretación y comunicación de los resultados de intervenciones e investigaciones conductuales (p.ej., Baer, 1977; Johnston y Pennypacker, 1993a; Michael, 1974; Parsonson, 2003; Parsonson y Baer, 1986, 1992; Sidman, 1960). Parsonson y Baer (1978) lo dijeron de la mejor forma:

> En esencia, la función de un gráfico es la de comunicar de forma rápida, comprensible y atractiva, conjuntos de datos que permitan un análisis rápido y preciso de los hechos (pág. 134).

La representación gráfica y el análisis visual de datos conductuales tienen, al menos, seis ventajas. En primer lugar, la representación de cada medida de la conducta en un gráfico justo después de haber realizado la observación permite al profesional aplicado o al investigador tener acceso inmediato al registro visual de la conducta en curso. Por tanto, en lugar de esperar a que el estudio o el programa de aprendizaje concluyan, el cambio de conducta es evaluado de forma continua, permitiendo así que el tratamiento y las decisiones experimentales puedan adaptarse al desempeño del participante. Los gráficos "aportan un contacto cercano y continuo con los resultados" que puede conducir a "mejores estrategias de instrucción cuya superioridad puede ser medida" (Bushell & Baer, 1994, pág. 9).

En segundo lugar, el contacto directo y continuo con los datos en un formato preparado para analizarse de forma inmediata permite al investigador y al profesional la exploración de variaciones interesantes en la conducta a medida que estas ocurren. Algunos de los hallazgos más importantes en análisis de conducta han sido posibles gracias a que los investigadores se han dejado guiar por sus datos en lugar de seguir planes experimentales preestablecidos (Sidman, 1960, 1994; Skinner, 1956).

En tercer lugar los gráficos, al igual que los análisis estadísticos del cambio de conducta, son instrumentos que pueden ayudar al profesional o al experimentador a interpretar los resultados de un estudio o tratamiento (Michael, 1974). A diferencia de las pruebas estadísticas de inferencia usadas en la investigación comparativa de grupos, el análisis visual de datos gráficos requiere menos tiempo, es relativamente fácil de aprender, no impone un nivel arbitrario para determinar la significación del cambio de conducta y no requiere que los datos se ajusten a ciertas propiedades matemáticas o asunciones estadísticas a fin de poder ser analizados.

En cuarto lugar, el análisis visual es un método conservador para determinar la significación del cambio de conducta. Un cambio de conducta considerado estadísticamente significativo de acuerdo a una prueba estadística, puede resultar poco convincente cuando los datos son representados en un gráfico que muestra el rango, la variabilidad, las tendencias y el grado de solapamiento en los datos, tanto dentro de una condición experimental como entre condiciones experimentales. Las intervenciones que producen efectos débiles o inestables rara vez son mencionadas en análisis aplicado de la conducta como hallazgos importantes. Por el contrario, esos hallazgos de efectos débiles o inestables conducirán a la realización de nuevos experimentos a fin de descubrir las variables de control que permitan inducir cambios sostenidos y fiables en la conducta. Por tanto, el cribado de variables débiles en favor de intervenciones robustas ha permitido a los analistas de conducta desarrollar una tecnología útil del cambio de conducta (Baer, 1977).[1]

En quinto lugar, los gráficos permiten y facilitan la interpretación y valoración independiente del significado y la magnitud del cambio de conducta. En lugar de confiar en conclusiones basadas en manipulaciones estadísticas de los datos o en las interpretaciones de un autor, el lector de literatura conductual puede (y debe) realizar su propio análisis visual de los datos a fin de llegar a sus propias conclusiones de forma independiente.[2]

En sexto lugar, además de la función principal de mostrar relaciones entre los cambios en la conducta y las manipulaciones de las variables realizadas por el profesional o el investigador, los gráficos también pueden ser fuentes útiles de retroalimentación para las personas cuya conducta se está analizando. (p.ej., DeVries, Burnettte, & Redmon, 1991; Stack & Milan, 1993). Representar gráficamente el propio desempeño también se ha demostrado como una intervención eficaz sobre una gran variedad de objetivos académicos y conductuales (p.ej., Fisk and Carnine, 1975; Winette, Neale y Grier, 1979).

Tipos de gráficos utilizadas en el análisis aplicado de la conducta.

Los formatos de representación gráfica usados con más frecuencia en análisis aplicado de la conducta son los gráficos de línea, los gráficos de barras, los registros acumulativos, los gráficos semilogarítmicos y los gráficos de dispersión.[3]

Gráficos de línea

El **gráfico de línea** o polígono de frecuencia es el formato de gráfico más común en análisis aplicado de la conducta. Incluye un plano cartesiano o bidimensional formado por la intersección de dos líneas perpendiculares. Cualquier punto dentro del plano representa una relación específica entre dos dimensiones descritas por la intersección de las dos líneas referidas a cada uno de los ejes del plano. En análisis aplicado de la conducta, cada punto del gráfico de línea muestra el nivel de alguna dimensión cuantificable de la conducta de interés (**variable dependiente**) en relación a un punto específico del tiempo o de una condición ambiental (**variable independiente**) que estaba presente cuando se tomó la medida. La comparación de puntos en un gráfico revela la presencia y la magnitud de los cambios en el nivel, la tendencia y la variabilidad tanto dentro de una condición como entre condiciones.

Partes de un gráfico de línea básico

Pese a que varían considerablemente en su apariencia final, todos los gráficos de línea comparten ciertos elementos. Las partes básicas de un gráfico de línea simple aparecen en la Figura 6.2 y están descritas en las siguientes secciones.

1. Eje horizontal. El eje *horizontal*, también denominado eje *x* o eje *de abscisas*, es una línea recta horizontal que, frecuentemente, representa el paso del tiempo y la presencia, ausencia, y valor de la variable independiente. Una característica que define al análisis aplicado de la conducta es la medida repetida de la conducta a lo largo del tiempo. El tiempo es la dimensión inevitable en la que tienen lugar las manipulaciones de la variable independiente. En la mayoría de los gráficos de línea el paso del tiempo está marcado en intervalos iguales a lo largo del eje horizontal. El eje horizontal de la Figura 6.2 muestra sesiones sucesivas de 10 minutos en las que se medían eventos de conducta destructiva (incluyendo intentos). En este estudio se realizaron entre 8 y 10 sesiones al día (Fisher, Lindauer, Alterson y Thompson, 1998).

El eje horizontal de algunos gráficos representa diferentes valores de la variable independiente en lugar del tiempo. Por ejemplo, el eje horizontal en uno de los gráficos de Lalli, Mace, Livezey y Kates (1998) representaba una escala que iba desde 0,5 metros a 9,0 metros a fin de mostrar el grado en que la conducta autolesiva en una niña con discapacidad intelectual grave se reducía a medida que la distancia entre el terapeuta y la niña se incrementaba.

2. Eje vertical. El eje *vertical*, también denominado eje *y* o eje *de ordenadas*, es una línea vertical ubicada en el extremo izquierdo del eje horizontal. El eje vertical con frecuencia representa un rango de valores de la variable dependiente que en análisis aplicado de la conducta es alguna dimensión cuantificable de la conducta. La intersección de los ejes horizontal y vertical

[1] En el Capítulo 10 se presenta una comparación del análisis visual de datos gráficos con las inferencias apoyadas en pruebas estadísticas.

[2] Los gráficos, así como los estadísticos, pueden ser manipulados a fin de hacer ciertas interpretaciones de los datos más o menos probables. No obstante, a diferencia de los estadísticos la mayoría de los gráficos usados en análisis de la conducta aportan un acceso directo a los datos permitiendo al lector crítico rehacer el gráfico si así lo desea.

[3] N. del T.: También llamados gráficos distribuidos o gráficos XY.

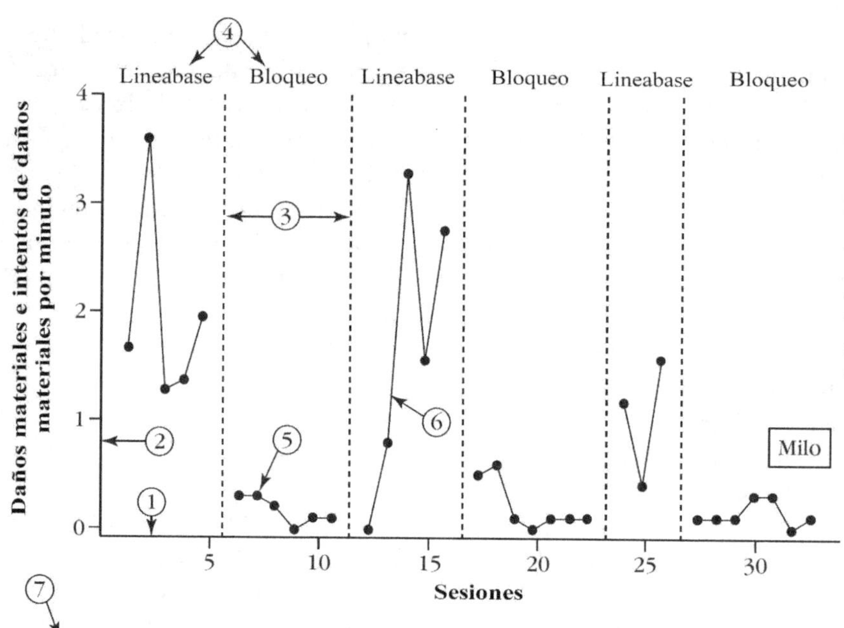

Tasa de daños materiales (más los intentos) durante la línea base y la condición de bloqueo de Milo.

Figura 6.2 Partes principales de un gráfico de línea simple: (1) eje horizontal, (2) eje vertical, (3) líneas de cambio de condición, (4) nombres de la condición, (5) datos, (6) trayectoria de los datos, y (7) leyenda de la figura.

Tomado de "Assessment and Treatment of Destructive Behavior Maintained by Stereotypic Object Manipulation" W. W. Fisher, S. E Lindauer, C. J. Alterson y R. H. Thompson, 1998, *Journal of Applied Behavior Analysis, 31*, pág 522. © Copyright 1998 Society for the Experimental Analysis of Behavior, Inc. Usado con permiso.

se denomina el *origen* y con frecuencia, aunque no siempre, representa el valor cero de la variable dependiente. La práctica común es marcar el eje vertical con un escala de intervalos regulares. En un eje *vertical de intervalos regulares* distancias iguales representan cambios iguales en la cantidad de conducta. El eje vertical de la Figura 6.2 representa el número de conductas destructivas (ó intentos) por minuto sobre un rango de 0 a 4 respuestas por minuto.

3. Líneas de cambio de condición. Las *líneas de cambio de condición* son líneas verticales ubicadas sobre el eje horizontal a fin de indicar los momentos temporales en los que hubo un cambio en la variable independiente. Las líneas de cambio de condición en la Figura 6.2 coinciden con la introducción y retirada de una intervención denominada bloqueo. Las líneas de cambio de condición pueden dibujarse como líneas sólidas o intermitentes. A fin de diferenciar los cambios menores de los cambios importantes en la variable independiente, cuando el cambio es relativamente menor deben usarse líneas intermitentes, mientras que los cambios mayores deben mostrarse con líneas sólidas (ver Figura 6.18).

4. Etiquetas de condición. Las *etiquetas de condición* son palabras o frases descripticas breves impresas sobre la parte superior del gráfico y paralelas a la línea horizontal. Estas etiquetas identifican la condición experimental, es decir, la presencia o ausencia de la variable independiente o de algún valor de esta que estaba siendo aplicado durante cada fase del estudio.[4]

5. Datos. Cada *dato* en un gráfico representa: (a) la medida cuantificable de la conducta de interés registrada durante un periodo de observación determinado y (b) el tiempo o la condición experimental bajo la cual esa medida particular fue realizada. Si tomamos dos datos de la Figura 6.2 como ejemplos, podemos ver como en la Sesión 5, la última sesión de la primera fase de lineabase, la conducta destructiva y los intentos de conducta destructiva ocurrieron a una tasa de aproximadamente 2 respuestas por minuto, mientras que en la Sesión 9, la cuarta sesión de la primera fase de bloqueo, no se registró ningún caso de la conducta de interés.

6. Trayectoria de datos. La conexión mediante una línea recta de datos sucesivos dentro de una condición crea una **trayectoria de datos**. La trayectoria de datos representa el nivel y la tendencia de la conducta a lo largo de sucesivos datos y debe centrar nuestra atención durante la interpretación y el análisis de los datos de un gráfico. Debido a que la conducta rara vez se observa y registra de forma continua en el análisis aplicado de la conducta, la trayectoria de datos representa una estimación del curso real tomado por la conducta durante el tiempo transcurrido entre dos medidas. Cuantas más

[4] Los términos *condición* y *fase* están relacionados, pero no son sinónimos. La *condición* indica las manipulaciones ambientales que están siendo aplicadas en un momento dado, mientras que la *fase* se refiere a un periodo de tiempo dentro de un estudio o programa de cambio de conducta. Por ejemplo, el estudio mostrado en la Figura 6.2 incluye dos condiciones (lineabase y bloqueo) y seis fases.

medidas y, por tanto, más datos por unidad de tiempo dispongamos (suponiendo que dispongamos de un sistema de observación y registro precisos), mayor confianza podremos depositar en la historia que transmite la trayectoria de datos.

7. Título de la Figura. El título de la figura es una descripción concisa que, junto con las etiquetas de los ejes y de las condiciones, aporta al lector la información suficiente para identificar las variables independiente y dependiente. El título de figura puede también describir los símbolos que se encuentran en el gráfico y destacar eventos no planeados que puedan haber afectado a la variable dependiente (ver Figura 6.6), así como aclarar cualquier aspecto del gráfico que pueda inducir a confusión (ver Figura 6.7).

Variaciones del gráfico de línea: varias trayectorias de datos

El gráfico de líneas es un instrumento muy versátil para mostrar el cambio de conducta. Mientras que la Figura 6.2 es un ejemplo de gráfico de línea en su forma más simple (una trayectoria de datos mostrando una serie de medidas sucesivas de conducta a través del tiempo y las correspondientes condiciones experimentales), con la adición de múltiples trayectorias de datos, el gráfico de línea puede mostrar relaciones más complejas del ambiente con la conducta. Los gráficos con varias trayectorias de datos se utilizan con frecuencia en análisis aplicado de la conducta para mostrar (a) dos o más dimensiones de la misma conducta, (b) dos o más conductas diferentes, (c) la misma conducta en diferentes condiciones experimentales, (d) cambios en la conducta de interés con respecto a las condiciones alternantes de una variable independiente, y (e) la conducta de dos o más participantes.

Dos o más dimensiones de la misma conducta. Mostrar múltiples dimensiones de la variable dependiente en el mismo gráfico permite el análisis visual de los efectos absolutos y relativos de la variable independiente en esas dimensiones. La Figura 6.3 muestra los resultados de un estudio de los efectos del entrenamiento de tres miembros de un equipo de baloncesto universitario femenino mostrando tanto las faltas como los tiros a canasta realizados correctamente (Kladopoulos y McComas, 2001). La trayectoria de datos creada mediante la conexión de los triángulos abiertos (o vacíos) muestra los cambios en el porcentaje de tiros libres ejecutados con el estilo adecuado, mientras que la trayectoria de datos que conecta los círculos sólidos (o rellenos) revela el porcentaje de tiros libres puntuados. Los autores registraron y representaron gráficamente un único estilo considerado adecuado para ejecutar los tiros libres, por tanto no habrían sabido si cualquier mejora en la conducta de interés en la que se centraba el entrenamiento (estilo correcto de tiros libres) coincidía con el efecto que se esperaba que tuviese la conducta sobre el aspecto que da validez social a la intervención. Mediante la medida y representación gráfica tanto del estilo como del resultado del tiro en el mismo gráfico, los experimentadores pudieron analizar los efectos de sus procedimientos de tratamiento en dos dimensiones críticas de la variable dependiente.

De dos o más conductas diferentes. En ocasiones utilizamos múltiples trayectorias de datos para facilitar la comparación simultánea de los efectos de manipulaciones experimentales en dos o más conductas diferentes. La determinación de la covariación de dos conductas en función de los cambios en la variable independiente se logra más fácilmente si ambas se pueden visualizar en el mismo espacio cartesiano. La Figura 6.4 muestra el porcentaje de intervalos en los que un niño con autismo exhibió estereotipia (movimientos repetitivos del cuerpo tales como mecerse) en tres condiciones y el número de veces que el niño levantó la mano para obtener atención en la condición de atención, realizó un signo para obtener un descanso en la condición de demanda, y realizó un signo para acceder a estímulos tangibles preferidos en la condición "sin atención" como parte de un estudio de entrenamiento en comunicación funcional (Kennedy, Meyer, Knowles, y Shukla, 2000)[5]. Mediante el registro y representación gráfica tanto de la conducta estereotipada como de la conducta apropiada, los investigadores lograron determinar si el aumento de respuestas alternativas de comunicación (levantar la mano y hacer signos) eran seguidas de reducciones en la conducta estereotípica. Tengamos en cuenta que la Figura 6.4 incorpora un segundo eje vertical que representa la frecuencia de signos a fin de mostrar las unidades de medida adecuadas. Debido a las diferencias de escala, los lectores de gráficos con eje vertical doble deben examinarlas con cuidado, sobre todo cuando se evalúa la magnitud del cambio de conducta.

Medidas de la misma conducta en diferentes condiciones. A veces utilizamos múltiples trayectorias de datos para representar medidas de la misma conducta tomadas bajo condiciones experimentales diferentes que se alternan a lo largo de una fase experimental. La Figura 6.5 muestra el número

[5] El entrenamiento en comunicación funcional se describe en el Capítulo 23.

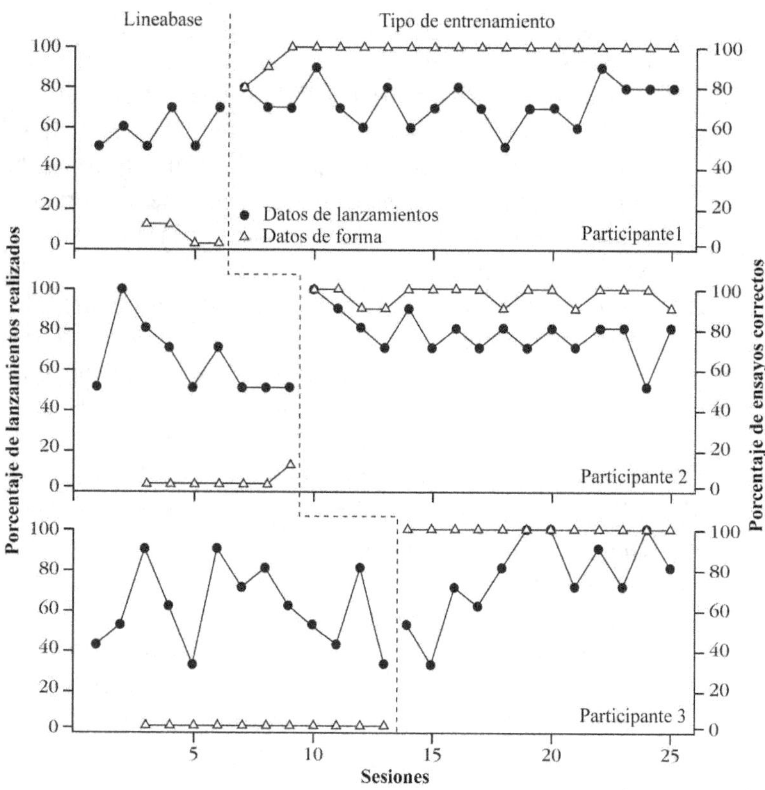

Figura 6.3 Gráfico que utiliza múltiples trayectorias de datos para mostrar los efectos de la variable independiente (tipo de entrenamiento) en las dos dimensiones (precisión y topografía) de la conducta objetivo.

Tomado de "The Effects of Form Training on Foul-Shooting Performance in Members of a Women's College Basketball Team" C. N. Kladopoulos y J. J. McComas, 2001, *Journal of Applied Behavior Analysis, 34,* pág 331. © Copyright 2001 Society for the Experimental Analysis of Behavior, Inc. Usado con permiso.

de respuestas autolesivas por minuto de una niña de 6 años con trastorno del desarrollo en cuatro condiciones diferentes (Moore, Mueller, DuBard, Roberts, y Sterling-Turner, 2002). La representación gráfica de una conducta de un individuo bajo múltiples condiciones en el mismo conjunto de ejes permite la comparación visual directa de las diferencias entre los niveles absolutos de respuesta en cada momento, así como la comparación de los cambios relativos en el desempeño a través del tiempo.

Modificación de los valores de una variable independiente. También utilizamos gráficos con múltiples trayectorias de datos para mostrar los cambios en la conducta de interés (mostrada en una trayectoria de datos) con relación a la evolución de los valores de la variable independiente (representada por una segunda trayectoria de datos). En cada uno de los dos gráficos de la Figura 6.6 una trayectoria de datos muestra la duración de los problemas de conducta (representada en segundos sobre el eje vertical izquierdo) con respecto a los cambios en el nivel de ruido, que se representan en la segunda trayectoria de datos (representada en decibelios sobre el eje vertical derecho) (McCord, Iwata, Galensky, Ellingson, y Thomson, 2001).

La misma conducta de dos o más participantes. Podemos emplear múltiples trayectorias de datos para mostrar la conducta de dos o más participantes en el mismo gráfico.

Dependiendo de los niveles y la variabilidad de los datos contenidos en cada trayectoria de datos podremos mostrar más o menos trayectorias de datos en un mismo conjunto de ejes, en general utilizaremos hasta un máximo de cuatro trayectorias de datos diferentes en un mismo conjunto de ejes. Sin embargo, no existe una regla fija. Por ejemplo, Didden, Prinsen, y Sigafoos muestran cinco trayectorias de datos en un solo gráfico (2000, pág. 319). Si mostramos demasiadas trayectorias de datos en el mismo gráfico, las ventajas de poder hacer comparaciones adicionales pueden ser superadas por la distracción de un exceso de "ruido" visual. Es posible utilizar otros métodos de visualización en las ocasiones en las que hay más de cuatro trayectorias de datos a representar en el mismo gráfico[6]. Por ejemplo, Gutowski y Stromer (2003) utilizaron eficazmente barras rayadas y sombreadas en combinación con trayectorias de datos convencionales (líneas) para mostrar el número de palabras habladas y el porcentaje de respuestas correctas

[6] Un excelente ejemplo de la combinación de técnicas de representación visual es el uso de los gráficos espacio-tiempo-historia propuestas por Charles Minard y que permiten ilustrar las interrelaciones de seis variables usando como ejemplo datos de la desafortunada campaña rusa de Napoleón de 1812-1813 (ver Tufte, 1983, p. 41). En testimonio de Tufte, el gráfico de Minard es quizá "el mejor gráfico estadístico que se haya creado jamás (pág. 40).

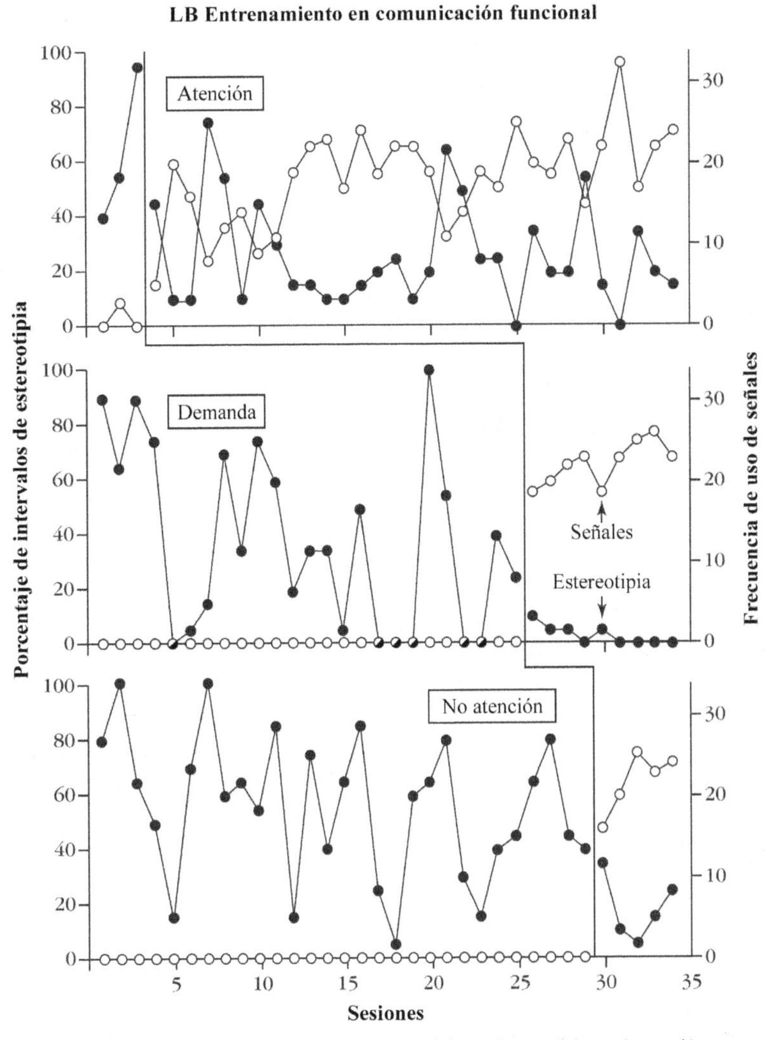

Figura 6.4 Gráfico con múltiples trayectorias de datos que muestran dos conductas diferentes de un participante durante la lineabase y el entrenamiento a través de tres condiciones diferentes. Fíjese en las diferentes dimensiones y escalas de los ejes verticales duales.

Tomado de "Analyzing the Multiple Functions of Stereotypical Behavior for Students with Autism: Implications for Assessment and Treatment" C. H. Kennedy, K. A. Meyer, T. Knowles y S. Shukla, 2000, *Journal of Applied Behavior Analysis, 33,* pág 565.

Figura 2. Número de veces que James presenta estereotipias en las condiciones de atención, demanda, y no atención. Los datos están dispuestos según el porcentaje de intervalos de estereotipa sobre el eje Y izquierdo, y según el número de veces que se utilizan señales en cada sesión sobre el eje Y derecho.

de igualación a la muestra en individuos con discapacidad intelectual (véase la Figura 6.7).

Gráficos de barras

El **gráfico de barras** o histograma, es un formato simple y versátil para resumir gráficamente los datos de la conducta. Al igual que el gráfico de líneas, el de barras se basa en un plano cartesiano y comparte la mayoría de las características del gráfico de líneas con una diferencia principal: el gráfico de barras no tiene datos correspondientes a las sucesivas medidas de respuesta a lo largo del tiempo. Estos gráficos pueden tomar una amplia variedad de formas para permitir comparaciones rápidas y fáciles del desempeño en varias condiciones o de varios participantes.

Los gráficos de barras tienen dos funciones principales en el análisis aplicado de la conducta. En primer lugar, se utilizan para mostrar y comparar conjuntos discretos de datos que no están relacionados entre ellos por una dimensión subyacente común que esté escalada sobre el eje horizontal. Por ejemplo, en un estudio sobre el efecto de las operaciones de establecimiento en la evaluación de las preferencias de cuatro niños, Gottschalk, Libby, y Graff (2000) utilizaron gráficos de barras que mostraban el porcentaje de ensayos en los que los niños tomaban varios objetos (ver Figura 6.8).

Otro uso común de los gráficos de barras consiste en ofrecer un resumen visual de la actuación de un participante o grupo de participantes durante las diferentes condiciones de un experimento. Por ejemplo, la Figura 6.9 muestra el porcentaje medio de ejercicios de deletreo realizados en cada hoja de trabajo y el porcentaje medio de ejercicios de deletreo realizados correctamente en cada hoja de trabajo por parte de cuatro estudiantes tanto durante la lineabase como en las

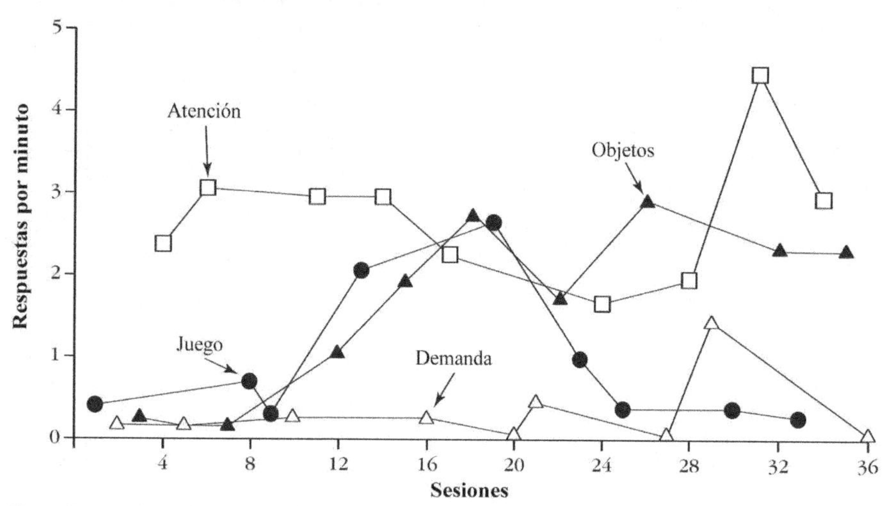

Figura 1. Tasa de conductas autolesivas durante un análisis funcional inicial.

Figura 6.5 Gráfico con múltiples trayectorias de datos que muestran la medición de la misma conducta bajo cuatro condiciones diferentes.

Tomado de "The Influence of Therapist Attention on Self-Injury during a Tangible Condition" J. W. Moore, M. M. Mueller, M. Dubard, D. S. Roberts y H. E. Sterling-Turner, 2002, *Journal of Applied Behavior Analysis, 35,* pág 285. © Copyright 2002 Society for the Experimental Analysis of Behavior, Inc. Usado con permiso.

condiciones de generalización y mantenimiento posterior a la fase de entrenamiento que consistió en enseñar a cada niño a obtener la atención del profesor mientras trabajaban en sus tareas (Craft, Alber y Heward, 1998).

Los gráficos de barras sacrifican la presentación de la variabilidad y de las tendencias en la conducta (que son evidentes en un gráfico de líneas) a cambio de la eficiencia de resumir y comparar grandes cantidades de datos en un formato simple y fácil de interpretar. Hay que mirarlas sabiendo que pueden enmascarar una importante variabilidad de los datos. Aunque los gráficos de barras se utilizan normalmente para presentar una

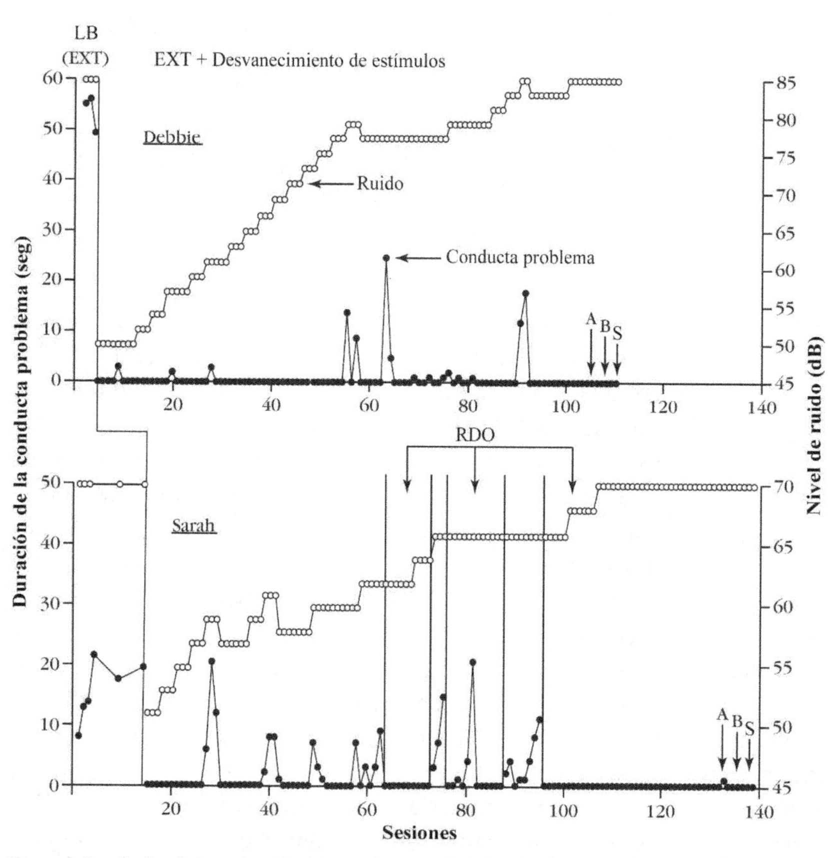

Figura 4. Resultados de la evaluación del tratamiento de Debbie y Sarah. Las sesiones marcadas con la A y la B que están cerca del final del tratamiento indican dos sondeos de generalización en el ambiente natural la S indica un sondeo de seguimiento.

Figura 6.6 En este gráfico se usan dos trayectorias de datos para mostrar la duración de un problema de conducta (variable dependiente) de dos adultos con severa discapacidad intelectual, a medida que el nivel de ruido aumentaba gradualmente (variable independiente).

Tomado de "Functional Analysis and Treatment of Problem Behavior Evoked by Noise" B. E. McCord, B. A. Iwata, T. L. Galensky, S.A. Ellingson y R. J. Thomson, 2001, *Journal of Applied Behavior Analysis, 34,* pág 457. © Copyright 2001 Society for the Experimental Analysis of Behavior, Inc. Usado con permiso.

Figura 6.7 En este gráfico se usa una combinación de barras y datos para representar los cambios en dos clases de respuesta respecto a dos tipos de estímulos de igualación bajo diferentes condiciones de ayuda.

Tomado de "Delayed Matching to Two-Picture Samples by Individuals With and Without Disabilities: An Analysis of the Role of Naming" S. J. Gutowski y Robert Stromer, 2003, *Journal of Applied Behavior Analysis, 36,* pág 498. © Copyright 2003 Society for the Experimental Analysis of Behavior, Inc. Reimpreso con permiso.

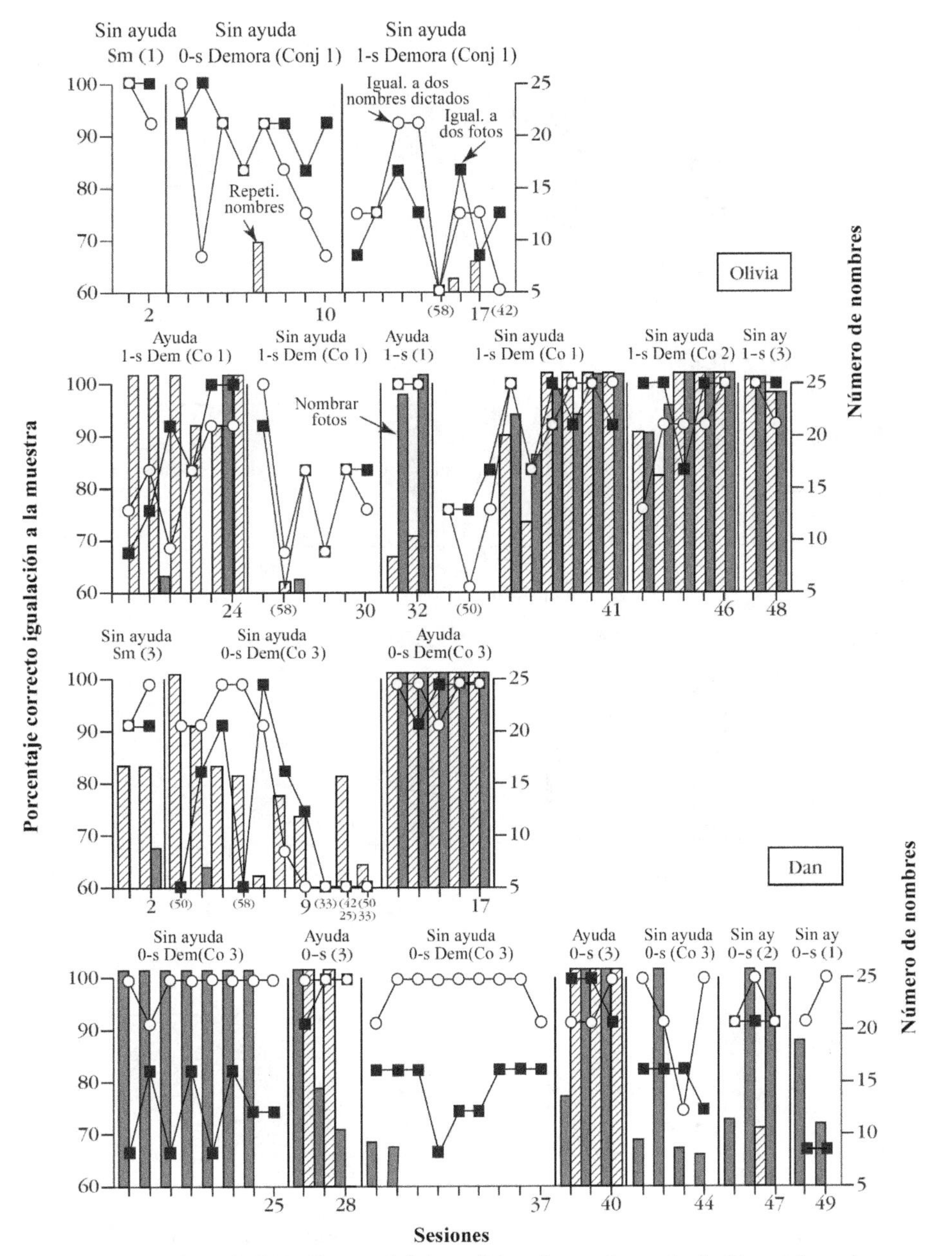

Figura 4. Resultados de Olivia y Dan a través de las condiciones de no ayuda y ayudas simultáneas y demoradas: los círculos vacíos y los cuadrados rellenos, muestran los porcentajes de emparejamientos correctos. Las barras rayadas y sombreadas muestran el número de nombres dichos durante los ensayos con las muestras de dos nombres y dos fotos, respectivamente. Las barras con una raya horizontal (sobre la abscisa) indican el número de nombres que superan 25.

medida de tendencia central, tales como la media o la mediana de la puntuación para cada condición, el rango de medidas representadas por la media también puede ser incorporado en la representación (p.ej., véase la Figura 5 en Lerman, Kelley, Vorndran, Kuhn, y LaRue, 2002).

Registros acumulativos

El **registro acumulativo** fue desarrollado por Skinner como el principal medio de representación de datos en el análisis experimental de la conducta. El registro acumulativo puede generarse de forma automática (ver Figura 6.10). En un libro en el que se resumen seis años de investigación experimental sobre programas de reforzamiento, Ferster y Skinner (1957) describen los registros acumulados de la siguiente manera:

> Un gráfico que muestra el número de respuestas sobre el eje de ordenadas y el paso del tiempo sobre el eje de abscisas ha demostrado ser la representación más conveniente de la conducta observada en esta investigación. Afortunadamente, dicho registro "acumulativo" puede hacerse directamente en el momento del experimento. El registro representa datos en bruto, pero también permite una inspección directa de la tasa y los

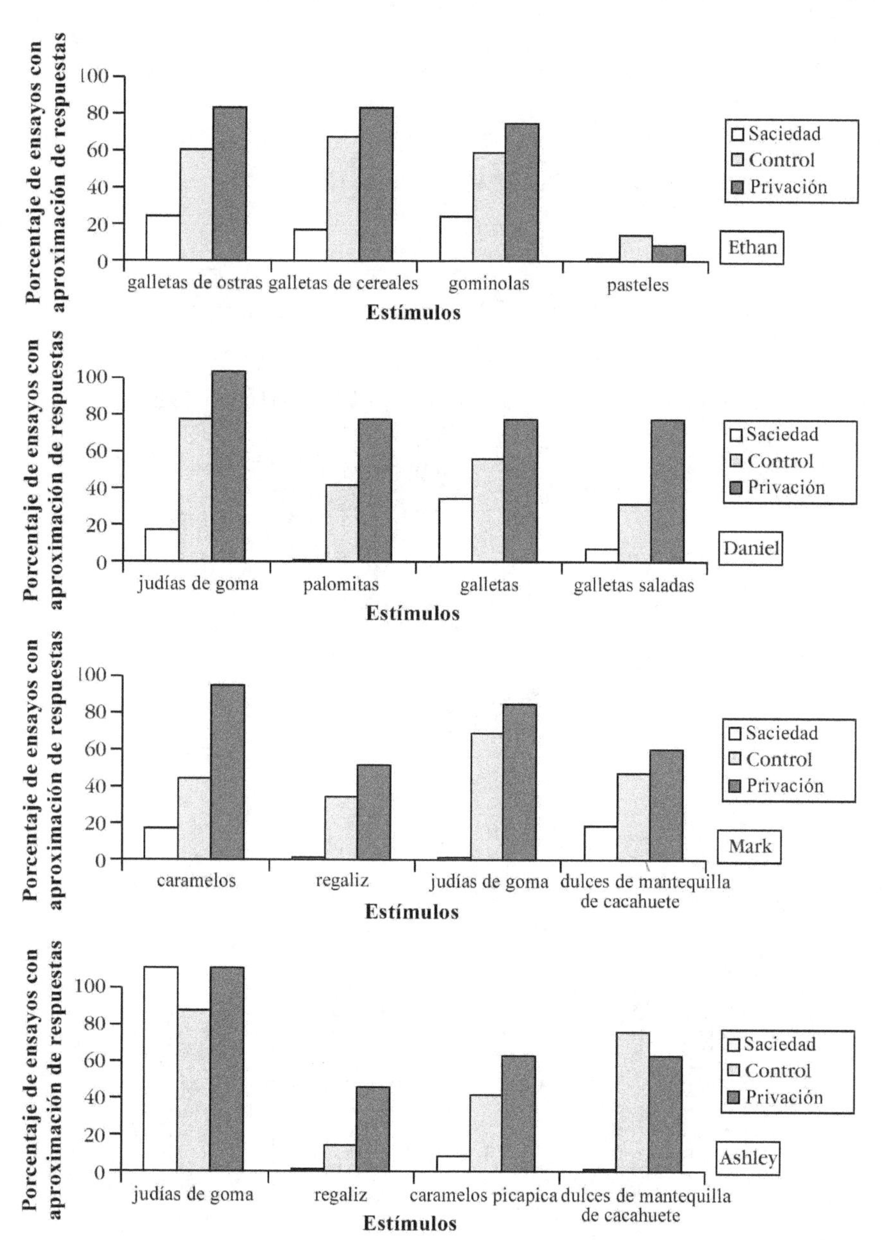

Figura 1. Porcentaje de aproximación de respuestas a través de diferentes condiciones para Ethan, Daniel, Mark, and Ashley.

Figura 6.8 Gráfico de barras usado para resumir y presentar los resultados de las medidas tomadas bajo condiciones discretas a falta de una dimensión subyacente según la cual se pudiera graduar el eje horizontal (p.ej., tiempo, duración de la presentación del estímulo).

Tomado de "The Effects of Establishing Operations on Preference Assessment Outcomes" J. M. Gottschalk, M. E. Libby y R. B. Graff, 2000, *Journal of Applied Behavior Analysis, 33,* pág 87. © Copyright 2000 Society for the Experimental Analysis of Behavior, Inc. Reimpreso con permiso.

cambios en la tasa de la conducta que no es posible cuando la conducta se observa directamente. . . . Cada vez que la paloma responde, la pluma se desplaza verticalmente un paso a través del papel. Al mismo tiempo, el papel se desplaza horizontalmente de forma continua con el paso del tiempo. Si el animal no responde, quedará dibujada una línea horizontal en la dirección en la que se introduce el papel en la máquina. Cuanto más rápido responda el animal experimental, tanto más empinada será la línea resultante (pág. 23).

Cuando los registros acumulativos se trazan a mano oson creados con un programa de ordenador, que es el caso más frecuente en el análisis aplicado de la conducta, se añade el número de respuestas registradas durante cada período de observación (de ahí el término *acumulativo*) al número total de respuestas registrado en todos los períodos de observación anteriores. En un registro acumulativo el valor del eje *y* de cualquier punto de datos representa el número total de respuestas registradas desde el comienzo de la toma de datos. La excepción se produce cuando el número total de respuestas ha excedido el límite superior de la escala del eje *y*, en cuyo caso la trayectoria de datos en una curva acumulativa se restablece al valor 0 del eje *y* para empezar su ascenso de nuevo. Los registros acumulativos se utilizan casi siempre con datos de frecuencia, aunque otras dimensiones de la conducta, tales como la duración y la latencia, se pueden visualizar de forma acumulativa.

La Figura 6.11 es un ejemplo de registro acumulativo de la literatura aplicada (Neef, Iwata y Page, 1980).

Figura 6.9 Gráfico de barras donde se comparan los niveles medios de dos dimensiones de la actuación de los participantes en las condiciones experimentales.

Tomado de "Teaching Elementary Students with Developmental Disabilities to Recruit Teacher Attention in a General Education Classroom: Effects on Teacher Praise and Academic Productivity" M. A. Craft, S. R. Alber y W. L. Heward, 1998, *Journal of Applied Behavior Analysis, 31,* pág 410. © Copyright 1998 Society for the Experimental Analysis of Behavior, Inc. Reimpreso con permiso.

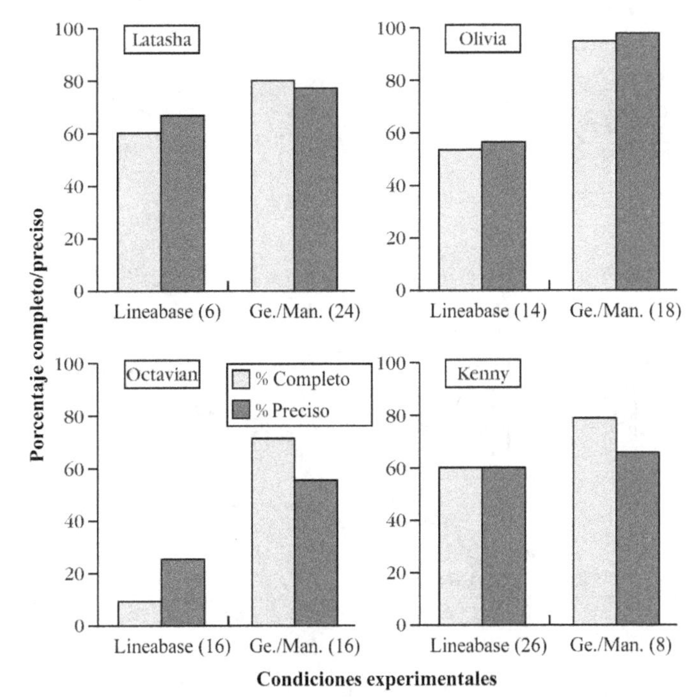

Figura 4. Porcentaje medio de deletreo de elementos por ficha completados y porcentaje medio de precisión por cada estudiante durante la línea base y combinado con las condiciones de programas de generalización y mantenimiento. Los números entre paréntesis enseñan el número total de sesiones por condición.

Muestra el número acumulado de palabras correctamente deletreadas por una persona con discapacidad intelectual durante la lineabase y en las dos condiciones de intervención. El gráfico muestra que el individuo domina una sola palabra durante las 12 sesiones de la lineabase (elogio social de las respuestas con ortografía correcta y reescritura por tres veces de las palabras mal escritas), un total de 22 palabras bajo la condición de palabras intercaladas (procedimientos de lineabase más presentación de una palabra aprendida previamente después de cada palabra desconocida), y un total de 11 palabras bajo la condición de alta densidad de reforzamiento (procedimientos de lineabase más elogio social dado después de cada ensayo para las conductas relacionados con tareas tales como prestar atención y escribir correctamente).

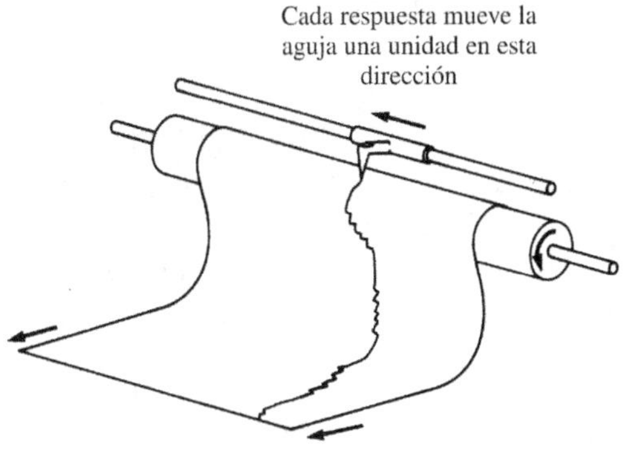

Además del número total de respuestas registradas en cualquier momento del tiempo, los registros acumulativos muestran las tasas globales y locales de la respuesta. La tasa es el número de respuestas emitidas por unidad de tiempo, normalmente se expresa como respuestas por minuto en el análisis aplicado de la conducta. Una **tasa de respuesta global** es la tasa media de respuesta durante un período de tiempo determinado, por ejemplo, durante una sesión, fase o condición de un experimento. Las tasas globales se calculan dividiendo el número total de respuestas registradas durante el periodo entre el número de períodos de observación indicados en el eje horizontal. En la Figura 6.11 las tasas de respuesta global son 0.46 y 0.23 palabras por sesión para las condiciones de palabras intercaladas y alta densidad de reforzamiento, respectivamente[7].

En un registro acumulativo, cuanto más pronunciada sea la pendiente, más alta es la tasa de respuesta. Para producir una representación visual de una tasa global en

Cada respuesta mueve la aguja una unidad en esta dirección

Figura 6.10 Diagrama de registro acumulativo.

Tomado de *Schedules of Reinforcement*, pág 24-25, C. B. Ferster y B. F. Skinner, 1957,Upper Saddle River, NJ: Prentice Hall. © Copyright 1957 Prentice Hall. Usado con permiso.

[7] Técnicamente, la Figura 6.11 no representa tasas de respuesta verdaderas debido a que los autores presentan el número de palabras deletreadas correctamente y no la velocidad con la que fueron deletreadas. Sin embargo, la pendiente de cada serie de datos representa los diversos grados de destreza ortográfica alcanzados en cada sesión dentro del contexto de un total de 10 nuevas palabras presentadas por sesión.

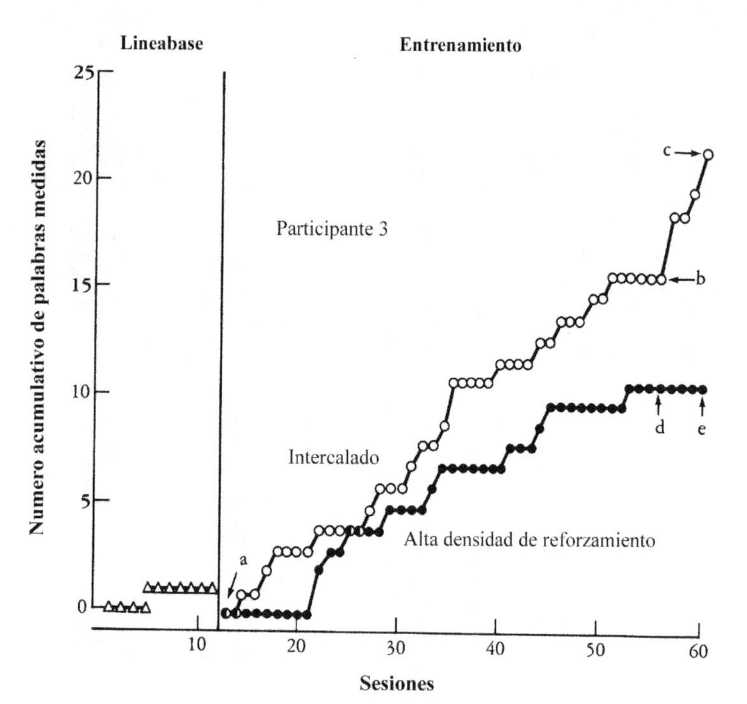

Figura 6.11 Gráfico acumulativo del número de palabras deletreadas que un hombre con discapacidad intelectual aprendió durante la lineabase, el entrenamiento intercalado y el entrenamiento con alta densidad de reforzamiento. Los puntos a-e se añadieron para ilustrar las diferencias entre las tasas de repuestas locales y generales.

Tomado de "The Effects of Interpersal Training Versus High Density Reinforcement on Spelling Acquisition and Retention" N. A. Neef, B.A. Iwata y T. J. Page, 1980, *Journal of Applied Behavior Analysis, 13,* pág 156. © Copyright 1980 Society for the Experimental Analysis of Behavior, Inc. Adaptado con permiso.

un gráfico acumulativo, los puntos primero y último de los datos de una serie dada de observaciones deben estar conectados por una línea recta. En la Figura 6.11, la línea recta que une los puntos A y C representaría la tasa global del alumno en el deletreo de palabras en la condición de palabras intercaladas. Una línea recta que une los puntos A y E representaría la tasa global durante la condición de alta densidad de reforzamiento. Las tasas relativas de respuesta se pueden determinar mediante la comparación visual de las pendientes de dichas líneas; cuanto más pronunciada es la pendiente, mayor es la tasa de respuesta. Una comparación visual de las pendientes A-C y A-E muestra que la condición de palabras intercaladas produjo la tasa de respuesta global más alta.

Las tasas de respuesta a menudo fluctúan a lo largo del tiempo. El término **tasa de respuesta local** se refiere a la tasa de respuesta presente durante períodos de tiempo más pequeños que aquellos en los que se ha dado la tasa global. Durante las últimas cuatro sesiones del estudio que se muestran en la Figura 6.11, el alumno exhibió una tasa local de respuesta durante la fase de palabras intercaladas (pendiente B-C) que era considerablemente más alta que la tasa global para esa condición. Al mismo tiempo, su nivel de conducta durante las últimas cuatro sesiones de la condición de alta densidad de reforzamiento (pendiente D-E) muestra una tasa de respuesta local más baja que su tasa global para esa condición.

Una leyenda que indique la inclinación de algunas tasas representativas puede ayudar considerablemente a la determinación y comparación de las tasas de respuesta relativas tanto *dentro de* como *entre* las curvas acumulativas representadas en el mismo conjunto de ejes (véase por ejemplo Kennedy y Souza, 1995, Figura 2). Sin embargo, las tasas muy altas de respuesta son difíciles de comparar visualmente entre sí en los registros acumulativos.

> Pese a que la tasa de respuesta es directamente proporcional a la pendiente de la curva, en pendientes por encima de 80 grados pequeñas diferencias en el ángulo representan diferencias muy grandes en la tasa; y aunque estas pueden medirse con precisión, no pueden evaluarse fácilmente mediante inspección visual" (Ferster y Skinner, 1957, págs. 24-25)

A pesar de que los registros acumulativos derivados del registro continuo son la forma más directa de representación gráfica de los datos disponibles, otras dos características de la conducta, además de la comparación de las tasas muy altas, son difíciles de determinar en algunos registros acumulativos. En primer lugar, aunque el número total de respuestas se puede ver fácilmente en un gráfico acumulativo desde el inicio de la recolección de datos, el número de respuestas registradas en una sesión dada puede ser difícil de determinar tomando el número de datos y la escala del eje vertical. En segundo lugar, los cambios graduales en la pendiente de una tasa a otra pueden ser difíciles de detectar en un registro acumulativo.

Hay cuatro situaciones en las que un registro acumulativo puede ser preferible al gráfico de líneas no acumulativo. En primer lugar, los registros acumulativos son deseables cuando es importante el número total de respuestas emitidas a través del tiempo o cuando el progreso hacia una meta específica se puede medir en unidades acumulativas de conducta. El número de palabras nuevas aprendidas, dinero obtenido, o kilómetros recorridos por un corredor de maratón son ejemplos de ello. Un vistazo a los datos más recientes del gráfico nos indica la cantidad total de conducta producida hasta ese momento.

En segundo lugar, un gráfico acumulativo también podría ser más eficaz que los no acumulativos cuando se utiliza como fuente de retroalimentación para el participante. Esto se debe a que tanto el progreso total como la tasa relativa de respuestas se detectan fácilmente mediante inspección visual (Weber, 2002).

En tercer lugar, un registro acumulativo se debe utilizar cuando la conducta en cuestión tenga una sola oportunidad de ocurrencia o no ocurrencia por cada sesión de observación. En estos casos los efectos de cualquier intervención son más fáciles de detectar en un gráfico acumulativo que en uno no acumulativo. La Figura 6.12 muestra los mismos datos representados en los dos tipos de gráficos. El gráfico acumulativo muestra claramente una relación entre la conducta y la intervención, mientras que la no acumulativa da la impresión visual de que la variabilidad de los datos es mayor de lo que realmente es.

En cuarto lugar, los registros acumulativos pueden "revelar las intrincadas relaciones que se dan entre la conducta y las variables ambientales" (Johnston y Pennypacker, 1993a, pág. 317). La Figura 6.13 es un excelente ejemplo de cómo un gráfico acumulativo permite un análisis detallado del cambio de conducta (Hanley, Iwata, y Thompson, 2001). Trazando los datos de las sesiones individuales de forma acumulativa en intervalos de 10 segundos, los investigadores identificaron patrones de respuesta que no son evidentes en un gráfico no acumulativo. La comparación de las trayectorias de datos de los tres programas de reforzamiento cuyos resultados se representan gráficamente de forma acumulativa (Múltiple #106, Mixto #107 y Mixto #112) muestra un nivel inadecuado de la respuesta alternativa en los programas mixtos. También se observan las ventajas de incluir un estímulo correlacionado con el programa (Múltiple #106). En este estudio la respuesta alternativa a la conducta autolesiva y de agresión consistía en pulsar un interruptor que activaba un altavoz que reproducía el mensaje "habla conmigo, por favor".

Gráficos semilogarítmicos

Todos los gráficos descritos hasta ahora son gráficos de intervalos regulares en los que la distancia entre dos puntos consecutivos en cada eje es siempre la misma. En el eje *x* la distancia entre la sesión 1 y la sesión 2 es igual a la distancia entre la sesión 11 y la 12; mientras que en el eje *y*, la distancia entre 10 y 20 respuestas por minuto es igual a la distancia entre 35 y 45 respuestas por minuto. Es decir, en estos gráficos cualquier intervalo de valores dado dentro del eje *y* corresponde al mismo cambio en la conducta, ya sea este un aumento o una

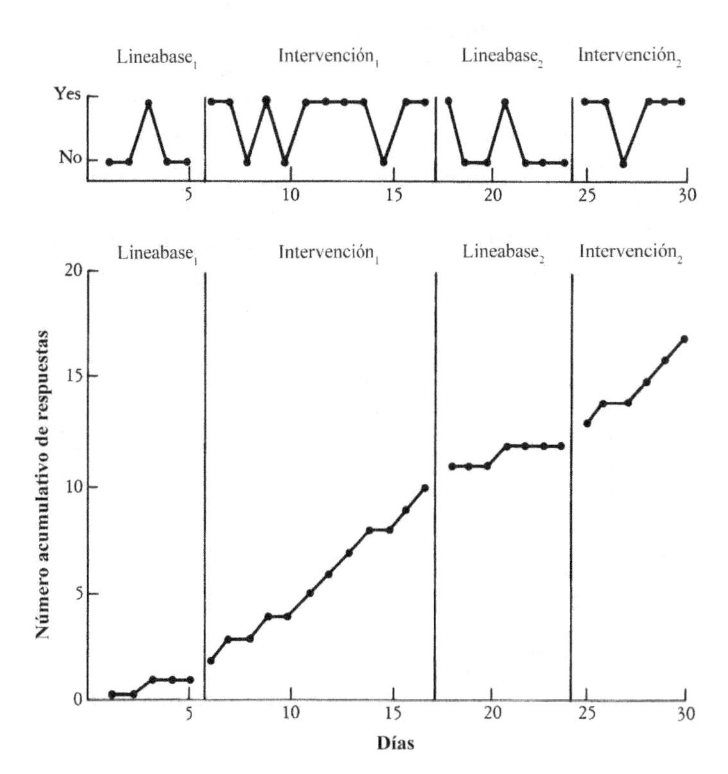

Figura 6.12 Presentación del mismo conjunto de datos hipotéticos trazados en los gráficos acumulativos y no acumulativos. Los gráficos acumulativos revelan de manera más clara los patrones y los cambios en la forma de responder para conductas que pueden ocurrir una sola vez durante cada periodo de medida.

Tomado de *Working with Parents of Handicapped Children*, pág 100, W.L. Heward, J. C. Darding y A. Rossett, 1979, Columbus, OH: Charles E. Merrill. © Copyright 1979 Charles E. Merrill. Usado con permiso.

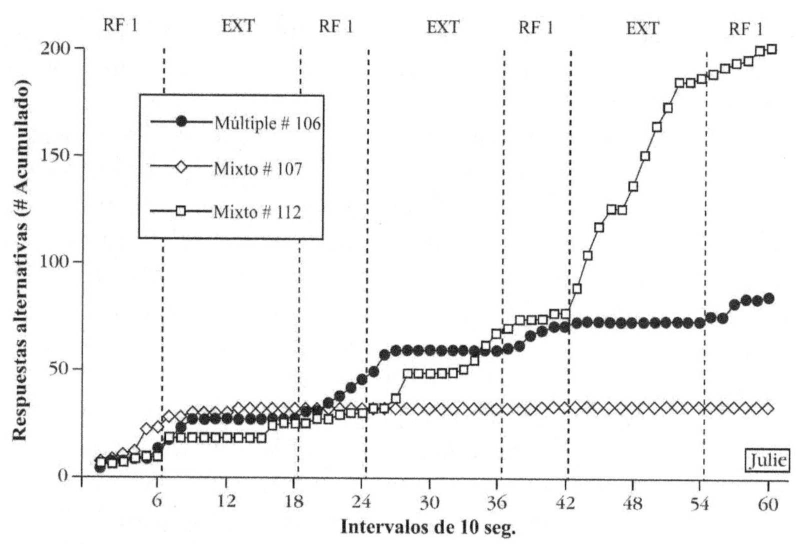

Figura 4. Número acumulado de respuestas alternativas a lo largo de los programas componentes para tres sesiones tomados de la evaluación de Julie de para los estímulos de programas correlacionados .Los símbolos vacíos representan dos sesiones con programas mixtos, mientras que la sesión representada por círculos rellenos representa una sesión con un programa múltiple.

Figura 6.13 Registro acumulativo usado para hacer un análisis detallado y comparativo de la conducta a través de los componentes de programas de reforzamiento múltiple y mixto durante sesiones específicas del estudio.

Tomado de "Reinforcement Schedule Thinning Following Treatment with Functional Communication Training" G. P. Hanley, B. A. Iwata y R. H. Thompson, 2001, *Journal of Applied Behavior Analysis, 34,* pág 33. © Copyright 2001 Society for the Experimental Analysis of Behavior, Inc. Usado con permiso.

disminución.

Otra forma de expresar el cambio de conducta es presentarlo de forma proporcional o relativa. Las escalas logarítmicas son muy adecuadas para visualizar y comunicar un cambio proporcional. En una escala logarítmica, cambios relativos iguales en la variable que se está midiendo están representados por la misma distancia en el eje *y*. Dado que la conducta ocurre a lo largo del tiempo y este progresa en intervalos iguales, el eje *x* permanece dividido en intervalos iguales y solo el eje *y* se presenta en escala logarítmica. Por lo tanto, un **gráfico semilogarítmico** es aquella en la que un solo eje se escala de forma proporcional o relativa.

En los gráficos semilogarítmicos todos los cambios de conducta de igual proporción son representados por distancias verticales iguales en el eje vertical, independientemente de los valores absolutos de dichos cambios. Por ejemplo, una duplicación de la tasa de respuesta de 4 a 8 por minuto aparecería en un gráfico semilogarítmico con la misma cantidad de cambio sobre el eje *y* como una duplicación de 50 a 100 respuestas por minuto. Del mismo modo, una disminución en la respuesta de 75 a 50 respuestas por minuto (una disminución de un tercio) ocuparía la misma distancia en el eje vertical que un cambio de 12 a 8 respuestas por minuto (una disminución de un tercio).

La Figura 6.14 muestra los mismos datos trazados en un gráfico de intervalos regulares (a veces llamado gráfico aritmético o aditivo) y en un gráfico semilogarítmico (a veces llamado gráfico de razón o multiplicativo). El cambio de conducta que aparece como una curva exponencial en el gráfico aritmético aparece como una línea recta en el semilogarítmico. El eje vertical en el gráfico semilogarítmico de la Figura 6.14 se escala de acuerdo a un factor multiplicativo de 2 (o logaritmo en base 2), lo que significa que cada ciclo que ascendemos en el eje *y* se duplica la variable con respecto al valor inferior.

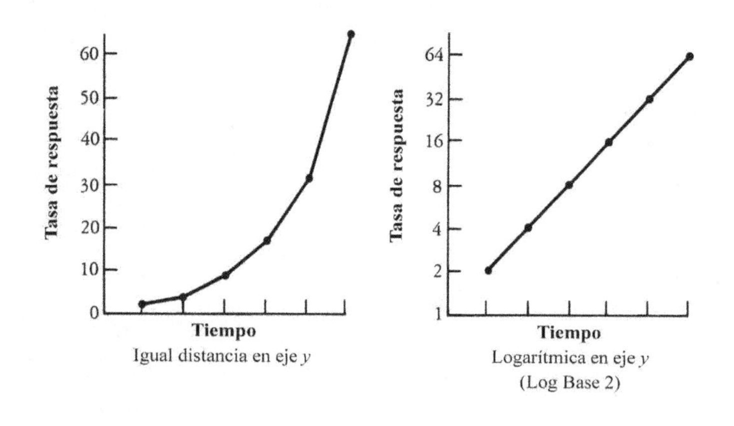

Figura 6.14 Presentación del mismo conjunto de datos trazados en una escala aritmética de intervalos regulares (izquierda) y en una escala de razón de proporciones regulares (derecha).

Gráfico de aceleración estándar

En la década de 1960, Ogden Lindsley desarrolló el **Gráfico de Aceleración Estándar** a fin de proporcionar un medio estandarizado para el registro y el análisis de los cambios en frecuencia de la conducta a lo largo del tiempo (Lindsley, 1971; Pennypacker, Gutiérrez y Lindsley, 2003). El Gráfico de Aceleración Estándar es un gráfico semilogarítmico con seis ciclos con un factor multiplicativo de 10 en el eje vertical que se puede acomodar desde tasas de respuesta tan bajas como una respuesta cada 24 horas (0.000695 por minuto) hasta tasas tan altas como 1000 respuestas por minuto.

Hay cuatro tipos de gráficos estándar, que se diferencian entre sí por la escala en el eje horizontal: un gráfico diario con 140 días naturales, semanal, mensual y anual. El gráfico diario que se muestra en la Figura 6.15 es el más utilizado. En la Tabla 6.1 se describen las principales partes del Gráfico de Aceleración Estándar y las convenciones básicas de dicho gráfico.

El tamaño del gráfico y el sistema de escalamiento de sus ejes no determinan el carácter *estándar* del mismo. Por el contrario, lo que lo hace estándar es la representación uniforme de la *aceleración*, que es una medida lineal del cambio de frecuencia a través del tiempo. En otras palabras, es el factor por el cual la frecuencia se multiplica o se divide por unidad de tiempo. Los términos *aceleración* o *desaceleración* se usan para describir ejecuciones aceleradas o desaceleradas.

Una línea trazada desde el ángulo inferior izquierdo hasta el ángulo superior derecho tiene una pendiente de 34° en todos los Gráficos de Aceleración Estándar. Esta pendiente tiene un valor de aceleración de factor dos (la aceleración se expresa como factores multiplicativos,

Figura 6.15 Gráfico de Aceleración Estándar donde se muestran las convenciones básicas para crear gráficos. Ver tabla 6.1 para su explicación.

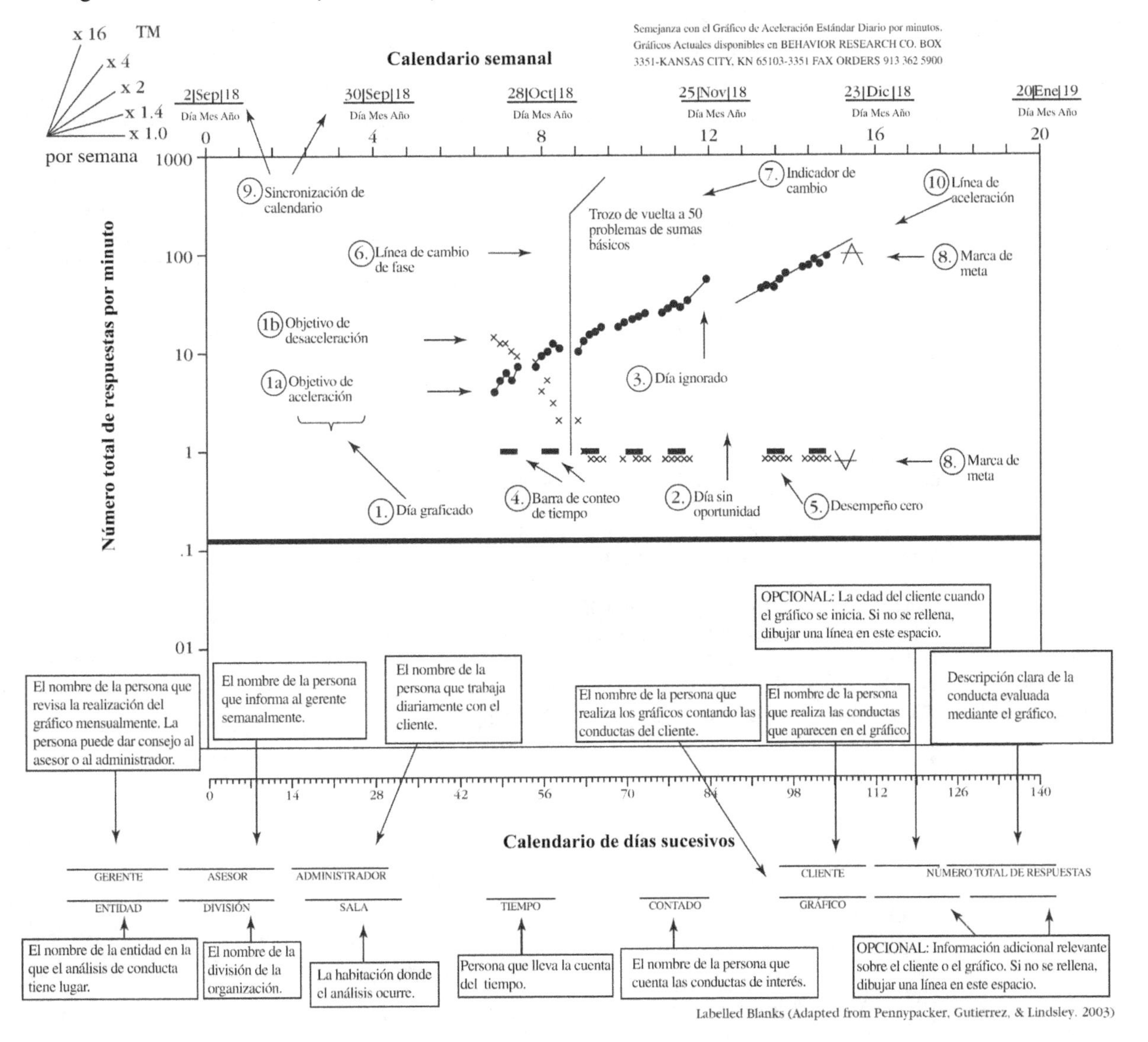

Tabla 6.1 Convenciones gráficas básicas del gráfico diario de aceleración estándar (ver Fig. 6.15).

Término	*Definición*	*Representación Gráfica*
1. Día graficado	Día en el que la conducta es registrada y trasladada al gráfico.	1. Graficar la frecuencia de la conducta en el gráfico en la línea de día apropiada. 2. Conectar los días graficados a excepción de aquellos separados por una línea de separación de fases, un día sin oportunidad o un día ignorado.
a) Objetivo de aceleración	Respuestas del estudiante que se desean acelerar.	Graficar un punto (•) en la línea de día apropiada.
b) Objetivo de desaceleración	Respuestas del estudiante que se desean desacelerar.	Graficar una (x) en la línea de día apropiada.
2. Día sin oportunidad	Día en el que *no hay oportunidad* de que ocurra la conducta.	Omitir el día.
3. Día ignorado	Día en el que la conducta pudo haber ocurrido pero no fue registrada	Omitir el día (conectar datos separados por días ignorados).
4. Barra de conteo de tiempo (también denominado suelo de registro)	Indica en el gráfico el desempeño mínimo del estudiante distinto de cero definido como "una vez por tiempo de conteo".	Dibujar una línea horizontal discontinua de la línea de día del martes a la del jueves.
5. Desempeño cero	Ausencia de desempeño registrado durante el periodo de registro.	Línea inmediatamente inferior a la barra de conteo de tiempo.
6. Línea de cambio de fase	Línea dibujada en el espacio entre el último día de una fase y el primero de la siguiente.	Línea vertical desde la parte superior del gráfico a la barra de conteo de tiempo.
7. Indicador de cambio	Palabras, símbolos, o frases escritas en el gráfico que indican cambios dentro de una fase	Escribir palabra, símbolo o frase. Se puede usar una flecha (➔) para indicar que un cambio sigue vigente en una fase posterior.
8. Marca de meta	Símbolo usado para representar (a) la frecuencia deseada y (b) la fecha deseada en la que alcanzar la frecuencia.	Usar horquillas ascendentes para indicar aceleración (^) o descendentes para indicar desaceleración (⌄) en el día de meta apropiado. Sitúa la barra horizontal en la frecuencia deseada. La marca está formada por la combinación de la horquilla y la línea.
9. Sincronización de calendario	Tiempo estándar para comenzar cualquier gráfico.	El ejemplo muestra un gráfico cuatrimestral. Se identifica la fecha en la que se inicia cada mes de registro.
10. Línea de aceleración	Línea recta dibujada cruzando siete o más días. La línea indica la cantidad de mejora que ha tenido lugar en un determinado periodo de tiempo. Se dibuja una nueva línea para cada fase tanto para el objetivo de aceleración como para el de desaceleración (nota: para proyectos que no sean de investigación es suficiente con dibujar la línea de aceleración a mano alzada).	Objetivo de aceleración Objetivo de desaceleración

Extraído de *Journal of Precision Teaching and Celeration, 19*(1), págs. 49–50.

Figura 6.16 Gráfico de aceleración estándar donde se muestran las convenciones avanzadas para crear gráficos. Ver tabla 6.2 para su explicación.

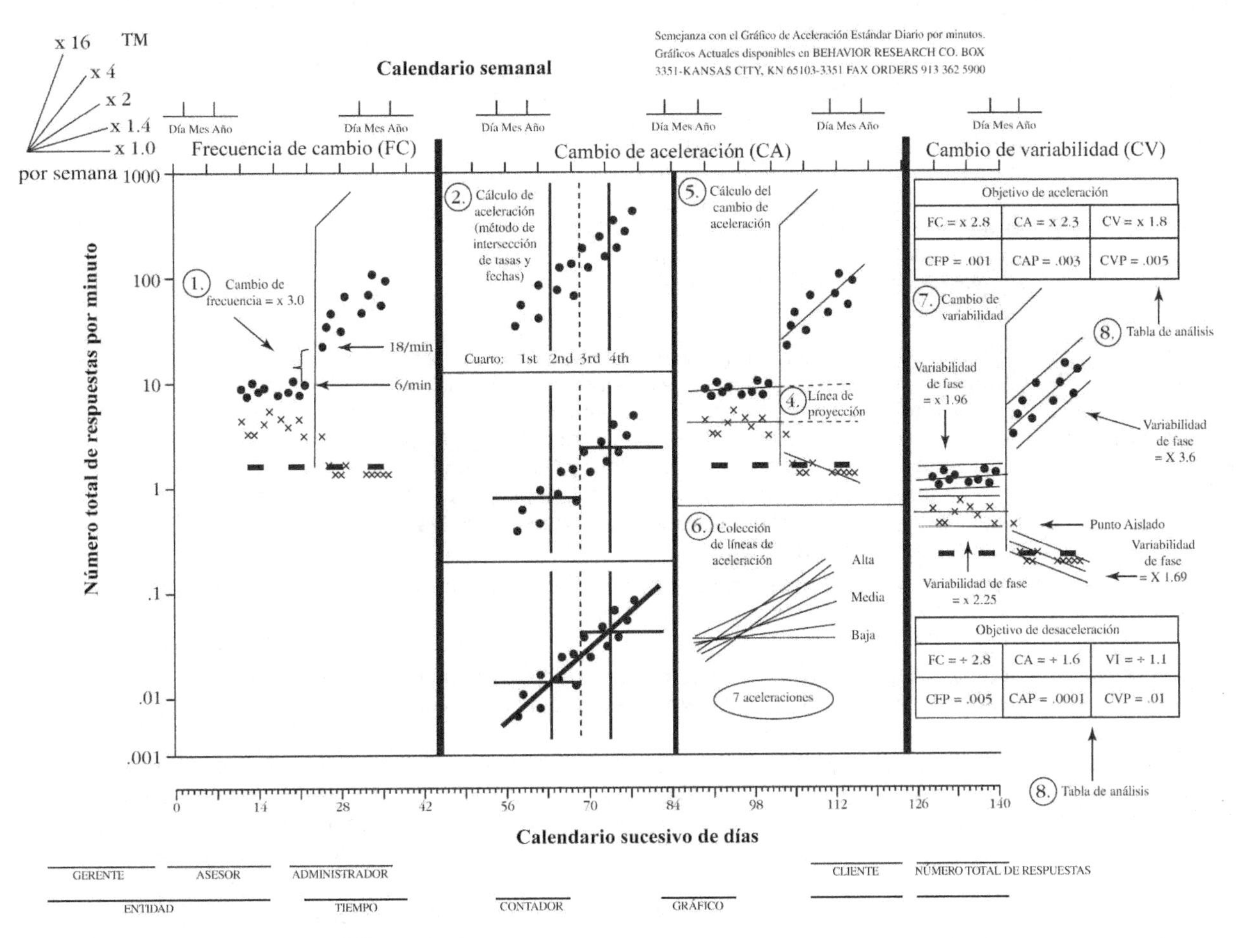

Tomado de *Journal of Precision Teaching and Celeration, 19* (1), pág 54. © Copyright 2002 The Standard Celeration Society. Usado con permiso.

mientras que la desaceleración se expresa como factores divisores). Una aceleración de factor dos es una duplicación de la frecuencia dentro de un periodo de aceleración. El período de aceleración para el gráfico diario es de una semana; de un mes para el gráfico semanal, de 6 meses para el gráfico mensual, y de 5 años para el gráfico anual.

Se ha desarrollado un sistema de toma de decisiones relativas a la instrucción, llamado *enseñanza de precisión*, pensado para usarse con el Gráfico de Aceleración Estándar[8]. La enseñanza de precisión se apoya en los siguientes supuestos: (a) el aprendizaje debe medirse como un cambio en la tasa de respuesta, (b) en la mayoría de los casos el aprendizaje se produce en forma de cambios proporcionales en la conducta, y (c) los cambios pasados en el desempeño ayudan a proyectar el aprendizaje futuro.

La enseñanza de precisión se centra en la aceleración, no en la frecuencia específica de respuestas correctas e incorrectas. El hecho de que la frecuencia específica no sea un dato destacado en el Gráfico de Aceleración Estándar se hace evidente en que el gráfico redondea la mayoría de los valores de frecuencia. Un profesional aplicado o un investigador podría decir: "yo no uso el Gráfico de Aceleración Estándar porque mirándolo no puedo saber si el estudiante emite 24, 25, 26, o 27 respuestas". Sin embargo, el propósito del gráfico hace semejante diferenciación irrelevante, ya que es la aceleración, no la frecuencia específica, el aspecto de interés. Que la frecuencia sea de 24 o 27 tendrá un efecto mínimo en la línea de aceleración.

La Figura 6.16 y las descripciones de la Tabla 6.2 muestran las convenciones gráficas usadas por maestros de enseñanza de precisión. El lector puede hallar explicaciones detalladas del Gráfico de Aceleración Estándar y sus usos en Cooper, Kubina, y Malanga

[8]Existen descripciones detalladas y ejemplos de aplicaciones de enseñanza de precisión en la revista *Journal of Precision Teaching* y Aceleración, también en la página web de la Standard Celeration Society (http://celeration.org/), y en las referencias a continuación: Binder (1996), Kubina y Cooper (2001), Lindsley (1990, 1992, 1996), Potts, Eshleman, y Cooper (1993), West, Young, y Spooner (1990), y White y Haring (1980).

Tabla 6.2 Convenciones gráficas avanzadas de la gráfica diaria de aceleración estándar (ver Fig. 6.16).

Término	*Definición*	*Representación Gráfica*
Frecuencia		
Cambio de frecuencia (CF) (o salto en frecuencia)	Los signos de multiplicación (x) o división (÷) comparan la frecuencia final de una fase con la frecuencia inicial en la siguiente fase. Obtén el cambio de frecuencia comparando (1) la frecuencia en la que la línea de aceleración cruza el *último* día de una fase con (2) la frecuencia en la que la línea de aceleración cruza el *primer* día de la siguiente fase (p.ej., una salto de frecuencia de 6 por minuto a 18 por minuto equivale a un cambio de frecuencia de x3.0)	Sitúa la abreviatura en la parte superior izquierda de la tabla de análisis. Indica el valor con una "x" o un signo "÷" (p.ej., FC = x3.0).
Aceleración:		
Cálculo de la aceleración o desaceleración (método de intersección de tasas y fechas)	El proceso de determinar gráficamente la línea de aceleración (también conocida como "línea de ajuste óptimo) consiste en (1) dividir las frecuencias de cada fase en cuatro cuartos iguales incluyendo días ignorados y sin oportunidad, (2) hallar la mediana de la frecuencia de cada mitad, y (3) unir con una línea los dos puntos creados de la intersección entre las líneas de median de ambas mitades y las correspondientes líneas de cuarto de cada mitad.	Ver figura 6.16
Localizador de aceleración.	Fragmento de papel transparente con líneas de aceleración que puede usarse para computar los valores de la línea de aceleración.	Disponible comercialmente o fácil de hacer usando los alores en el eje vertical del gráfico de aceleración estándar.
Línea de proyección	Línea discontinua que se extiende proyectada hacia el futuro que ofrece una predicción que permite el cálculo de los valores del cambio de aceleración	Ver figura 6.16
Cambio de aceleración (CA) (o subir o bajar)	Los signos de multiplicación (x) o división (÷) que caracterizan los cambios en frecuencia de una fase con respecto de otra (p.ej., la aceleración bajo de x1.3 a ÷1.33; CC = ÷1.7).	Sitúa la abreviatura "CA" en la celda central de la fila superior de la tabla de análisis con el valor correspondiente antecedido por el signo x o ÷ según corresponda (p.ej., CC = ÷1.7).
Colección de líneas de aceleración	Grupo de tres o más aceleraciones de diferentes estudiantes relativas a la misma conducta en aproximadamente el mismo periodo de tiempo.	Identifica numéricamente las líneas correspondientes a aceleraciones elevadas, medias y bajas dentro de la colección e identificar el número de líneas en la colección.
Cambio de variabilidad (CV)	Valor de multiplicación (x) o división (÷) que caracteriza el cambio de variabilidad entre dos fases comparando la variabilidad de cada una de las fases (p.ej., un cambio de variabilidad de 5.0 a 1.4 produciría una CV = ÷3.6).	Indica "CV=" en la celda superior derecha de la tabla de análisis seguido de el signo de multiplicación o división y el valor correspondiente (VI = ÷3.6).
Tabla de análisis.	Resume el cambio numérico referente a los efectos de la variable(s) independientes sobre la frecuencia, aceleración y variabilidad entre dos fases.	Sitúa la tabla de análisis entre las dos fases que se estén comparando. Para metas de aceleración sitúa la tabla sobre los datos. Para metas de deceleración sitúa la tabla bajo los datos.
Opcional		
Valor *p* del cambio de frecuencia (CFP).	Indica la probabilidad de que el cambio en frecuencia analizado haya sucedido por azar (se usa la prueba de probabilidad exacta de Fisher).	Indicar CFP y en el ángulo superior izquierdo de la tabal de análisis (p.ej., CFP = 0.0001).
Valor *p* del cambio de aceleración (CAP).	Indica la probabilidad de que el cambio en aceleración analizado haya sucedido por azar (se usa la prueba de probabilidad exacta de Fisher).	Indicar CAP y en el ángulo superior izquierdo de la tabal de análisis (p.ej., CAP = 0.0001).
Valor *p* del cambio de variabilidad (CVP).	Indica la probabilidad de que el cambio en variabilidad analizado haya sucedido por azar (se usa la prueba de probabilidad exacta de Fisher).	Indicar CVP y en el ángulo superior izquierdo de la tabal de análisis (p.ej., CVP = 0.0001).

Extraído de *Journal of Precision Teaching and Celeration, 19*(1), págs. 52-53. © Copyright 2002 The Standard Celeration Society. Usado con permiso.

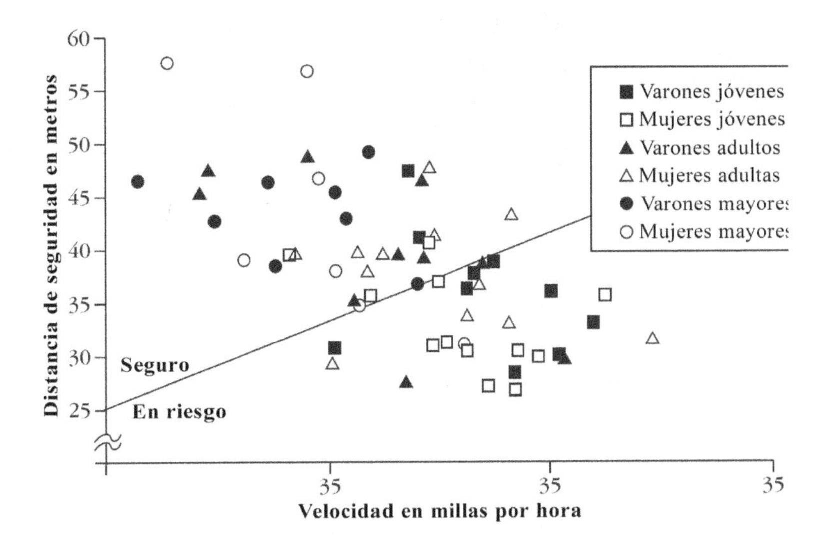

Figura 6.17 Gráfico de dispersión en el que se observan las conductas de individuos de distintos grupos demográficos en relación con las medidas estándar de conducción segura.

Tomado de "A Technology to Measure Multiple Driving Behaviors without Self- Report or Participant Reactivity" T. E. Boyce y E. S. Geller, 2001, *Journal of Applied Behavior Analysis, 34,* pág 49. © Copyright 2001 Society for the Experimental Analysis of Behavior, Inc. Usado con permiso.

(1998), Graf y Lindsley (2002) y Pennypacker, Gutiérrez, y Lindsley (2003).

Gráfico de dispersión

Un **gráfico de dispersión** es una representación gráfica que muestra la distribución relativa de una medida en un eje con respecto a otra medida representada en el eje opuesto. La localización de los datos en un diagrama de dispersión es, por tanto, el resultado de dos medidas independientes. Los diagramas de dispersión muestran el grado en que la cantidad de cambios en el valor de la variable representada por un eje se correlacionan con los cambios en el valor de la variable representada por el otro eje. Los patrones de datos que se agrupan formando líneas o grupos en el plano pueden sugerir ciertas relaciones.

Los diagramas de dispersión pueden revelar relaciones entre diferentes subconjuntos de datos. Por ejemplo, Boyce y Geller (2001) crearon el diagrama de dispersión que se muestra en la Figura 6.17 a fin de evaluar cómo la pertenencia a diferentes grupos demográficos se relacionaba con la velocidad de conducción y la distancia de seguridad, ambos indicadores de seguridad en la conducción (p.ej., la proporción de puntos de datos para los varones jóvenes que caen en la zona de riesgo del gráfico en comparación con la proporción de conductores de otros grupos). Cada dato muestra la conducta de un solo conductor en términos de velocidad y distancia de seguridad. Dependiendo de la combinación entre velocidad y distancia de seguridad se consideraba que el estilo de conducción era seguro o con riesgo de accidentes. Tales datos podrían ser utilizados para orientar intervenciones para ciertos grupos demográficos.

Los analistas de conducta a veces usan los diagramas de dispersión para descubrir la distribución temporal de una conducta objetivo (p.ej., Kahng et al, 1998; Symons, McDonald, y Wehby, 1998; Touchette, MacDonald, y Langer, 1985). Touchette et al. describen un procedimiento para observar y registrar la conducta en un diagrama de dispersión que muestra gráficamente si la ocurrencia de la conducta se asocia con ciertos períodos de tiempo. El uso de gráficos de dispersión se describe con más detalle en el Capítulo 24.

Construcción de gráficos de línea

Las habilidades necesarias para la construcción de gráficos eficaces que no induzcan a errores de interpretación son importantes en el repertorio de todo analista de conducta. A medida que se ha desarrollado el análisis aplicado de la conducta, se han establecido ciertas convenciones estilísticas y expectativas con respecto a la construcción de gráficos. Un gráfico eficaz debe presentar los datos de manera precisa, completa y clara, facilitando lo máximo posible la comprensión del lector. El creador de gráficos debe esforzarse por cumplir con cada uno de estos requerimientos permaneciendo alerta a las características de diseño y construcción del gráfico que pudieran provocar distorsiones o sesgos.

A pesar del papel prominente del gráfico en el análisis aplicado de la conducta, se han publicado relativamente pocos informes detallados sobre cómo construir gráficos conductuales. Las excepciones más notables han sido los capítulos de Parsonson y Baer (1978, 1986) y una revisión de trabajos gráficos de Johnston y Pennypacker (1980, 1993a). Las recomendaciones de estas y otras fuentes autorizadas (*Journal of Applied Behavior Analysis*, 2000; American

Figura 6.18 Gráfico con datos hipotéticos que ilustran una serie de convenciones y directrices para la representación gráfica.

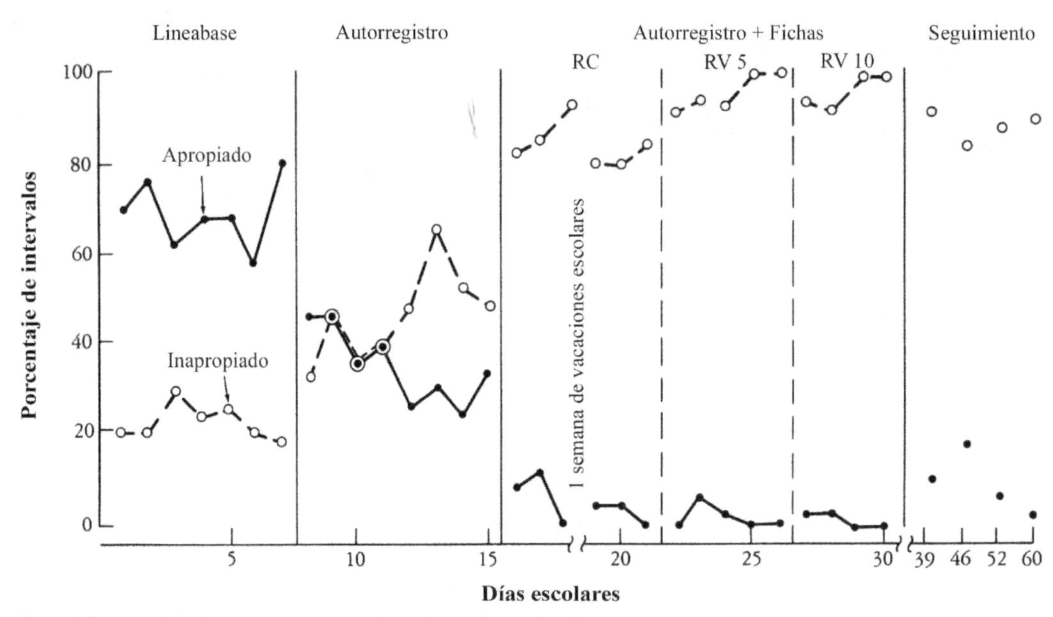

Figura 1. Porcentaje de intervalos de 10 segundos en los cuales un niño de 8 años emitía conductas de estudio, apropiada e inapropiadamente. Cada intervalo fue registrado como apropiado, inapropiado o ninguno de los dos, por lo que las dos conductas no siempre alcanzaban un total de 100%.

Psychological Association, 2001; Tufte, 1983, 1990) han sido utilizadas en la preparación de este capítulo. Además, hemos examinado cientos de gráficos publicados en la literatura de análisis aplicado de la conducta en un esfuerzo por descubrir qué características comunican la información necesaria con mayor claridad.

Pese a que existen algunas reglas para la construcción de gráficos, la adhesión a las siguientes convenciones se traducirá en representaciones gráficas claras, bien diseñadas, y consistentes en formato y apariencia con la práctica actual. Aunque la mayoría de las recomendaciones están ilustradas por los gráficos presentados en este texto, las Figuras 6.18 y 6.19 se han diseñado para servir de modelo para la mayoría de las prácticas sugeridas aquí. Las recomendaciones dadas aquí se aplican a todos los gráficos conductuales. Sin embargo, cada conjunto de datos particular así como las condiciones en que estos son obtenidos plantea dificultades específicas para el autor de gráficos conductuales.

Dibujo, escala y título de los ejes

Relación de los ejes vertical y horizontal

La longitud relativa del eje vertical con respecto al eje horizontal, en combinación con las escalas de los ejes, determina el grado en el que un gráfico acentúa o minimiza la variabilidad en un determinado conjunto de datos. La legibilidad de un gráfico se ve reforzada por una relación equilibrada entre la altura y la anchura de modo que los datos no se encuentran ni demasiado cerca ni demasiado separados. Se recomienda una longitud relativa del eje vertical con respecto al horizontal de 5:8 (Johnston y Pennypacker, 1980) a 3:4 (Katzenberg, 1975). Tufte (1983), cuyo libro *The Visual Display of Quantittive Information* [*La representación visual de información cuantitativa*] es una estupenda colección de directrices y ejemplos de técnicas gráficas efectivas. En esta obra se recomienda una proporción 1:1,6 del eje vertical con respecto al eje horizontal.

Un eje vertical que es aproximadamente dos tercios de la longitud del eje horizontal es adecuado en la mayoría de los gráficos conductuales. En ocasiones en las que se representan varios gráficos unos encima de otros en una misma figura, o cuando el número de datos que se representa en el eje horizontal es muy elevado, la longitud del eje vertical con respecto al eje horizontal se puede reducir (ver ejemplos en las Figuras 6.3 y 6.7).

Escalamiento del eje horizontal

El eje horizontal se debe escalar en intervalos iguales, representando por tanto cada unidad de izquierda a derecha igual sucesión cronológica de períodos de tiempo u oportunidades de respuesta durante los que la

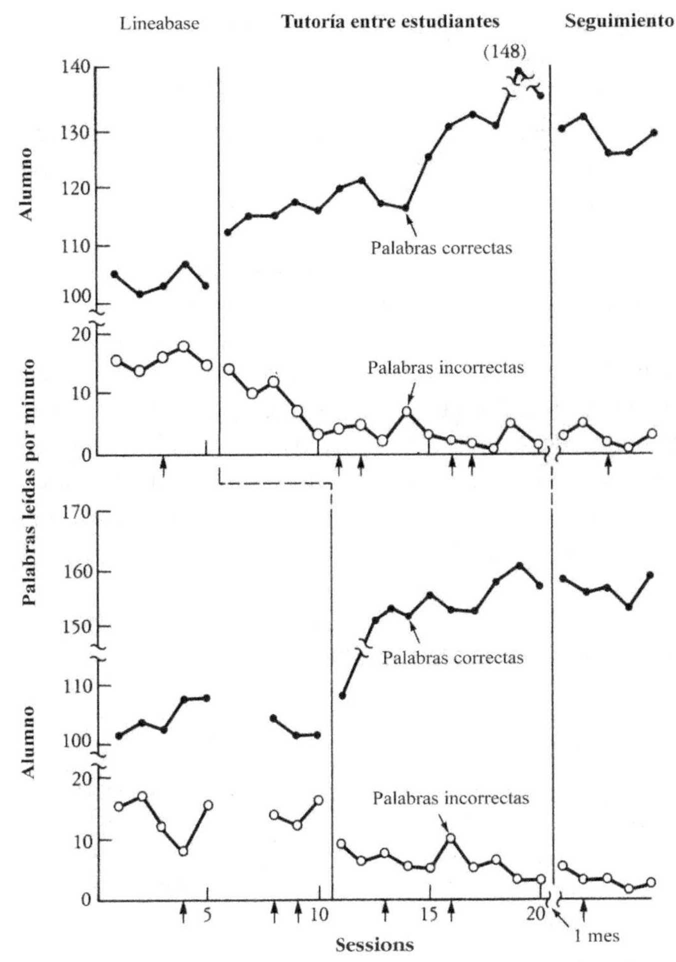

Figura 1. Número de palabras leídas correcta e incorrectamente durante 1 minuto de sondeo tras cada sesión. Las flechas bajo el eje horizontal indican las sesiones en las cuales el alumno utilizó material de lectura que había traído de casa. La pausa en la trayectoria de datos del estudiante 2 se debió a dos días que no asistió a clase.

Figura 6.19 Gráfico con datos hipotéticos que ilustran una serie de convenciones y directrices para la representación gráfica.

conducta es medida y de los que se deriva una interpretación específica del cambio de conducta (p.ej., en términos de días, sesiones, ensayos, etc.). Cuando se deben trazar muchos datos, no es necesario marcar cada punto a lo largo del eje *x*. En lugar de ello, y para evitar sobrecargar el gráfico, usaremos puntos espaciados regularmente a lo largo del eje horizontal (p.ej., marcas numeradas cada 5, 10 o 20 sesiones).

Cuando dos o más conjuntos de ejes se apilan verticalmente y cada eje horizontal representa el mismo marco temporal, no es necesario numerar las marcas en los ejes horizontales de los niveles superiores. Sin embargo, las marcas que corresponden a los números que aparecen en el eje horizontal del gráfico inferior deben de colocarse en cada eje horizontal para facilitar la comparación de la conducta representada en los gráficos apilados en cualquier punto temporal (ver Figura 6.4).

Representación de discontinuidades temporales en el eje horizontal

El cambio de conducta, su medición, y todas las manipulaciones de tratamiento o variables experimentales se producen a lo largo del tiempo. Por lo tanto, el tiempo es una variable fundamental en todos los experimentos y que no debe ser distorsionada o representada arbitrariamente en el gráfico. Por tanto, cada unidad de tiempo debe ser igualmente espaciada a lo largo del eje horizontal representando cantidades iguales de tiempo. Las discontinuidades en la progresión del tiempo en el eje horizontal deben ser indicadas como un salto en la escala. Es decir, un espacio abierto en el eje con una línea ondulada en cada extremo de dicho espacio. Las discontinuidades en la escala del eje *x* pueden también indicar períodos de tiempo en los que no se tomaron datos o sugerir una situación en la que los datos regularmente espaciados representan mediciones consecutivas tomadas en intervalos de tiempo desiguales (véase por ejemplo la condición de seguimiento en el eje horizontal de la Figura 6.18 en la que se utilizan días escolares como unidad de tiempo).

Cuando se produce la medición a través de observaciones consecutivas (por ejemplo, historias leídas, comidas o interacciones) en lugar de a través de unidades regulares de tiempo, el eje horizontal todavía sirve como una representación visual de la progresión del tiempo debido a que los datos representados en ella han sucedido de forma consecutiva, es decir, unos detrás de los otros. El documento del cual forma parte el gráfico deberá indicar el tiempo real en que se realizaron las mediciones consecutivas (por ejemplo, "dos o tres sesiones de tutorías entre compañeros realizadas cada semana escolar"), mientras que las discontinuidades temporales deben estar claramente marcadas mediante saltos de escala (véase la Figura 6.19).

Titulación del eje horizontal

La dimensión representada en la escala del eje horizontal debe ser identificada en un breve cuadro de texto o etiqueta impresa y centrada a continuación y en paralelo al eje.

Escalamiento del eje vertical

El uso de intervalos regulares en la escala del eje vertical es la característica más significativa de un gráfico, pues determina la manera en que los cambios en el nivel y la variabilidad en los datos serán representados. La práctica común es numerar el origen con un 0 (en los gráficos acumulativos la parte inferior del eje vertical debe ser 0) y luego numerar el resto del eje vertical de manera que toda la gama de valores representados en el conjunto de datos puedan ser alojados dentro del área del gráfico. El aumento de la distancia en el eje vertical entre cada unidad de medida aumenta la variabilidad de los datos, mientras que la reducción de las unidades de medida en el eje vertical reduce la variabilidad aparente del conjunto de datos. El autor del gráfico debe examinar el conjunto de datos usando varias escalas del eje vertical, a fin de evitar una posible distorsión en los datos que conduzca a interpretaciones inadecuadas.

La importancia social de los distintos grados de cambio de conducta debe tenerse en cuenta a la hora de establecer la escala del eje vertical. Si cambios relativamente pequeños en el desempeño tienen relevancia social, la escala del eje *y* debe reflejar un rango de valores más restringido. Por ejemplo, para mostrar los resultados de un programa de entrenamiento en seguridad laboral en el que el porcentaje de pasos correctamente ejecutados por parte de los trabajadores en una lista de comprobación aumentó después de la intervención a un 100% con respecto a una lineabase del 80-90%, el eje vertical debería centrarse en el rango del 80% al 100%. Por otra parte, la escala del eje vertical debe contraerse cuando cambios numéricamente pequeños en la conducta no sean socialmente relevantes y el grado de variabilidad (que queda reducida por la compresión del eje vertical) sea de poco interés.

La numeración con orientación horizontal de las marcas regularmente espaciadas del eje vertical facilitará el uso de la escala. El eje vertical no debe extenderse más allá de la última marca numerada.

Cuando el conjunto de datos incluye varios valores iguales a cero, es habitual elevar el origen del eje vertical ligeramente por encima del eje horizontal a fin de evitar el solapamiento de los puntos de datos sobre el eje horizontal. Esto produce un gráfico más limpio y ayuda al lector a diferenciar los valores iguales a cero de aquellos valores próximos a cero (ver Figura 6.18).

En la mayoría de los casos, no se aplican discontinuidades al eje vertical, especialmente si la trayectoria de datos cruza sobre la discontinuidad. Sin embargo, cuando dos conjuntos de datos son muy diferentes y rangos de datos no solapados están representados sobre el mismo eje *y*, una discontinuidad en la escala permitirá separar la gama de medidas incluidas en cada conjunto de datos (ver Figura 6.19).

En los gráficos compuestos por múltiples conjuntos de datos (p.ej., gráfico de un diseño de lineabase múltiple), es recomendable que todos los ejes verticales estén escalados de igual modo, es decir, que la misma distancia de cada eje vertical represente cambios iguales en la conducta a fin de facilitar la comparación de datos en los distintos gráficos. En estos gráficos, y siempre que sea posible, las mismas posiciones en cada eje vertical deberán representar valores absolutos iguales de la variable dependiente. Cuando las diferencias entre las medidas de conducta de los gráficos individuales y los de un gráfico múltiple produzcan un eje vertical excesivamente largo, se recomienda utilizar un salto de escala a fin de destacar la diferencia en valores absolutos, lo que permite preservar la comparación de los cambios de conducta con respecto a un eje vertical de idéntica escala.

Titulación del eje vertical

Un título breve, centrado y situado a la izquierda del eje *y* en paralelo a este deberá identificar la dimensión representada en el eje. En gráficos múltiples un solo título puede ser suficiente para identificar todos los ejes verticales, suponiendo que las dimensiones de estos sean idénticas. Las etiquetas adicionales que identifican las diferentes conductas (o algún otro aspecto relevante) representados dentro de cada conjunto de ejes a veces se imprimen a la izquierda y paralelos a cada eje vertical. Estas etiquetas de gráficos individuales dentro de un gráfico múltiple deben imprimirse en un tipo de letra de menor tamaño al de la etiqueta que identifica la dimensión de todos los ejes verticales y a la derecha de esta.

Identificación de las condiciones experimentales

Líneas de cambio de condición

Las líneas verticales que se extienden hacia arriba desde el eje horizontal indican cambios en el tratamiento o los procedimientos experimentales. Las líneas del cambio de condición deben colocarse después (a la derecha) del dato que representa la última medida realizada antes de la modificación de la condición experimental. La primera medida que aparece después de dicha línea será por tanto el primer dato obtenido después del cambio de condición o procedimiento. De esta manera los datos caen claramente a ambos lados de las líneas de cambio de condición y nunca sobre las propias líneas. Dibujaremos las líneas de cambio de condición a una altura igual a la altura del eje vertical a fin de ayudar al lector a determinar con facilidad la condición a la que pertenecen datos que estén próximos a la parte superior del eje vertical.

Las líneas del cambio de condición pueden ser dibujadas con líneas continuas o discontinuas. Sin embargo, cuando un programa de tratamiento o experimento incluye cambios relativamente menores dentro de una condición en curso, podemos combinar líneas continuas y discontinuas para distinguir cambios mayores y menores en las condiciones. Por ejemplo, las líneas continuas en la Figura 6.18 cambian desde una fase de lineabase a otra de autorregistro, seguida por otra de autorregistro más economía de fichas, seguida a su vez por condiciones de seguimiento, mientras que, las líneas de puntos indican el paso desde un programa de reforzamiento continuo (RC) hasta un programa de reforzamiento variable de criterio 5 (RV 5) y otro de criterio 10 (RV 10) durante la condición de autorregistro más economía de fichas.

Cuando la misma manipulación de una variable independiente se produce en diferentes puntos a lo largo de los ejes horizontales de las gráficos que componen un gráfico múltiple, utilizaremos una línea poligonal que conecte las líneas de cambio de condición en los respectivos gráficos a fin de que sea fácil seguir la secuencia y el orden temporal de eventos dentro del experimento (ver Figura 6.19).

Los eventos no planificados que se producen durante un programa de experimentación o tratamiento, así como cambios menores en el procedimiento que no justifican una línea de cambio de condición, pueden indicarse mediante la colocación de pequeñas flechas, asteriscos u otros símbolos junto a los datos relevantes (ver Figura 6.6) o simplemente bajo el eje *x* (véase la Figura 6.19). La leyenda de la figura deberá explicar el significado de los símbolos especiales presentes en el gráfico.

Títulos de condición

Los títulos que identifican las condiciones vigentes durante cada período de un experimento aparecerán centrados por encima del espacio delimitado por las líneas del cambio de condición. Siempre que el espacio lo permita, los títulos de condición deberán ser paralelos al eje horizontal. Los títulos deben ser breves pero descriptivos (p.ej., el título *Reforzamiento social* sería preferible al de *Tratamiento*). Los títulos deben ser consistentes con los términos utilizados en la sección del informe donde se describe la condición y del cual el gráfico forma parte. Se pueden utilizar abreviaturas cuando por razones de espacio o diseño del gráfico no sea posible presentar el título completo. A cada condición le corresponderá un solo título en la parte superior de la misma y que se extenderá a lo largo de los títulos que identifiquen los cambios de menor importancia dentro de esa condición (ver Figura 6.18). En ocasiones se agregan números a los títulos de condición para indicar las veces que dicha condición ha sido aplicada a lo largo del estudio (p.ej., lineabase 1, lineabase 2).

Dibujo del gráfico

Datos

Si se realiza el gráfico a mano, los analistas de conducta deben tener mucho cuidado de garantizar que dato se traza exactamente en la coordenada de los valores de los ejes horizontal (tiempo) y vertical (medida de la conducta) que correspondan. La colocación incorrecta de los datos es una fuente innecesaria de error que puede conducir a fallos en el juicio clínico o en el método experimental. La colocación precisa de los datos puede facilitarse mediante el uso de papel milimetrado o cuadriculado con un tamaño de cuadrícula adecuado a los datos que se desea representar. Cuando existan muchos valores del eje *y* que deban representarse, deberemos usar un papel cuadriculado con muchas líneas por centímetro.[9]

En el caso de que un dato caiga más allá del rango de los valores descritos por la escala del eje vertical podemos representarlo en el valor máximo del eje vertical acompañado del valor numérico real del dato entre paréntesis. La adición de discontinuidades en las líneas de conexión del dato en cuestión puede también ayudar a poner de relieve su discrepancia (véase la sesión 19 de la Figura 6.19).

Los datos deben estar marcados con símbolos que puedan ser diferenciados fácilmente de la trayectoria de datos sobre la que van situados. Cuando solo se muestra una única serie de datos en un gráfico, se utilizan más a menudo puntos sólidos. Cuando hay varios conjuntos de datos trazados sobre el mismo conjunto de ejes, utilizaremos un símbolo geométrico diferente para cada serie de datos. Los símbolos asociados con cada serie de datos deben seleccionarse de manera que el valor de cada dato pueda identificarse claramente cuando caiga cerca o en las mismas coordenadas del área del gráfico (véanse las sesiones 9 a 11 de la Figura 6.18).

Trayectorias de datos

Las trayectorias de datos se crean dibujando una línea recta desde el centro del símbolo correspondiente a cada dato hasta el centro del siguiente. Todos los datos de un determinado conjunto de datos están conectados de esta manera con las siguientes excepciones:

- Los datos que caen a ambos lados de una línea de cambio de condición no están conectados.
- Los datos no deben conectarse a través de un lapso de tiempo significativo en el que no se haya medido la conducta. Ello implica que la trayectoria de datos resultante representará el nivel y la tendencia de la conducta durante el lapso de tiempo en el que no se realizó la medición.
- Los datos no deben conectarse a través de discontinuidades de tiempo en el eje horizontal (véase el periodo de vacaciones escolares representado en la Figura 6.18).
- Los datos a ambos lados de un periodo de medición regular en el que no se tomaron datos, se destruyeron, se perdieron, o simplemente, no estaban disponibles (p.ej., por ausencia del participante o fallo en el equipo de grabación) no deben unirse entre sí (véase por ejemplo la lineabase del gráfico inferior de la Figura 6.18).
- Los datos dentro de una fase de seguimiento no deben de conectarse entre sí (véase la Figura 6.18) a menos que representen medidas sucesivas espaciadas en el tiempo de la misma manera que las medidas obtenidas durante el resto del experimento (ver Figura 6.19).
- Si un dato cae más allá de los valores descritos por la escala del eje vertical, deberán introducirse discontinuidades en la trayectoria de datos que conecten ese valor con los que entran dentro del rango descrito (ver sesión 19 del gráfico superior de la Figura 6.19).

Cuando hay varias trayectorias de datos dentro del mismo área del gráfico, podemos usar diferentes estilos de líneas, además de diferentes símbolos a fin de distinguir fácilmente las diferentes trayectorias de datos (véase la figura 6.19). La conducta representada por cada trayectoria de datos debe estar claramente identificada, ya sea por medio de marcas con flechas dibujadas en la trayectoria de datos (ver Figuras 6.18 y 6.19) o de una leyenda que explique los símbolos y estilos de línea (véase la Figura 6.13). Cuando dos conjuntos de datos siguen la misma trayectoria deberemos dibujar sus líneas cercanas y paralelas entre sí para ayudar a clarificar la situación (véase la figura 6.18, Sesiones 9-11).

Leyendas de las figuras

La leyenda se presentará por debajo del gráfico. Debe incluir una descripción concisa, aunque completa, de la figura. También debe dirigir la atención del lector hacia cualquier característica del gráfico que pudiera pasarse por alto (p.ej., cambios de escala) y debe explicar el significado de los símbolos añadidos que representen eventos especiales.

Uso del color

Los gráficos, en general, deben ser impresos en color negro monocromo. Aunque el uso de color puede aumentar su atractivo y resaltar eficazmente ciertas características, se desaconseja su uso en presentaciones

[9] Aunque la mayoría de los gráficos publicados en revistas de análisis de conducta desde mediados de la década de 1990 han sido creadas con programas informáticos que garantizan la precisa ubicación de los datos, el saber cómo dibujar gráficos a mano es aun una habilidad importante para los analistas de conducta, ya que, a menudo se utilizan gráficos hechos a mano para tomar decisiones de tratamiento de forma inmediata.

científicas. Debe hacerse todo lo posible para que los datos representados gráficamente sean interpretables por sí mismos. El uso del color puede inducir a la percepción de aspectos del desempeño o efectos experimentales que difieran de cómo serían percibidos si se representaran en negro. El hecho de que los gráficos y las tablas puedan reproducirse en revistas y libros es otra razón para usar el color negro.

Aplicaciones informáticas para la construcción de gráficos

Los programas de software para la producción de gráficos son cada vez más sofisticados y fáciles de usar. La mayoría de los gráficos que se muestran en este libro han sido construidos con aplicaciones informáticas. A pesar de que los programas de procesamiento gráfico ofrecen un ahorro de tiempo significativo con relación a los gráficos dibujados a mano, deberemos seleccionar cuidadosamente las escalas de los ejes y cerciorarnos de que la resolución de la impresora sea adecuada al nivel de detalle del gráfico.

Dixon et al. (2009) aportan una introducción a la creación de gráficos de diseños experimentales de caso único con Microsoft Excel. Existe un tutorial en www.prenhall.com/cooper para la construcción de gráficos conductuales basado en las instrucciones creadas por Silvestri (2005) para Microsoft Excel.

Interpretación de los gráficos

Los efectos de una intervención que produce cambios ostensibles, reproducibles y duraderos en la conducta pueden verse fácilmente en un gráfico bien diseñada. Las personas con poco o ningún entrenamiento formal en análisis de conducta pueden leer correctamente el gráfico en tales casos. Muchas veces, sin embargo, los cambios de conducta no son tan grandes, consistentes, o duraderos. Por ejemplo, la conducta a veces cambia de forma esporádica, transitoria, demorada o aparentemente al azar. En otras ocasiones puede que la conducta no cambie apenas. Los gráficos que muestran estos tipos de patrones de datos a menudo revelan sutilezas igualmente importantes e interesantes sobre la conducta y sus variables de control.

Los analistas de conducta emplean una forma sistemática de evaluación conocida como **análisis visual** y que permite interpretar los datos que se muestran gráficamente. El análisis visual de los datos de un estudio analítico-conductual permite responder dos preguntas principales: (a) ¿se modificó la conducta de una manera significativa?, y (b) en caso afirmativo, ¿en qué medida puede ser el cambio de conducta atribuible a la variable independiente? Aunque no hay reglas formales para el análisis visual, la naturaleza dinámica de la conducta, la necesidad científica y tecnológica de descubrir intervenciones eficaces, y el requisito aplicado de producir niveles socialmente significativos de cambios en el desempeño se combinan para centrar la atención interpretativa del analista de conducta en ciertas propiedades fundamentales comunes a todos los datos conductuales: (a) grado y tipo de variabilidad, (b) nivel, y (c) tendencias. El análisis visual implica un examen de cada una de estas características dentro y a través de las diferentes condiciones y fases de un experimento.

Tal y como Johnston y Pennypacker (1993b) señalan con acierto "es imposible interpretar los datos gráficos sin ser influenciado por diversas características del propio gráfico" (pág. 320). Por lo tanto, antes de intentar interpretar el significado de los datos que se muestran en un gráfico, el autor debe examinar cuidadosamente la construcción general del gráfico. En primer lugar, la leyenda de la figura, los títulos de los ejes y todos los títulos de condición deberán leerse para comprender de forma básica el gráfico. El lector debe luego buscar en la escala de cada eje, tomando nota de la ubicación, valor numérico e importancia relativa de las discontinuidades en la escala, si las hubiera.

A continuación, se debe hacer un seguimiento visual de cada trayectoria de datos para determinar si estos están conectados correctamente. Luego confirmaremos si cada dato representa una sola medición u observación, o si representa un "bloque" al ser un promedio de múltiples mediciones. A continuación nos plantearemos si los datos muestran la conducta de un solo sujeto o de un grupo de sujetos. Si el gráfico muestra datos en bloque o datos grupales, observaremos si se aporta alguna indicación del rango de variación en los datos (p.ej., Armendáriz y Umbreit, 1999; Epstein et al., 1981); o si los propios datos permiten determinar la cantidad de variabilidad que fue eliminada durante el proceso de agregación. Pensemos en un ejemplo en el que el eje horizontal represente semanas y cada dato represente la puntuación media semanal de un estudiante en pruebas diarias de ortografía compuestas por cinco palabras cada una. En tal caso, los datos que caigan cerca de cero o en el extremo superior de la escala, por ejemplo una puntuación de 4.8, no plantearían ningún problema, ya que dicha puntuación es el resultado de variaciones mínimas en las puntuaciones diarias. Sin embargo, los datos que caigan cerca del centro de la escala, tal como 2 o 3, pueden ser el resultado tanto de un desempeño estable como altamente variable.

Si sospechamos de la presencia de distorsión en los datos causada por el estilo de construcción del gráfico, deberemos contener cualquier juicio interpretativo hasta que los datos sean representados nuevamente evitando dicha distorsión. La distorsión debida a la pérdida de información en el proceso de agregación de datos no es una cuestión que pueda remediarse con facilidad. El lector deberá considerar el informe como incompleto y evitar cualquier conclusión o interpretación hasta que tenga acceso a los datos en bruto.

Solo cuando el lector esté satisfecho con la construcción del gráfico y se minimice el posible riesgo de distorsión de los eventos conductuales y ambientales representados, podrá proceder a examinar los datos. Cuando así sea, se procederá a examinar los datos y a evaluar qué información nos aportan sobre la conducta medida en cada condición del estudio.

Análisis visual dentro de las condiciones experimentales

Los datos dentro de una condición dada se examinan para determinar (a) su número, (b) su naturaleza y la extensión de su variabilidad, (c) el nivel absoluto y relativo de la medida de la conducta, y (d) la dirección y pendiente de las posibles tendencias en los datos.

Número de puntos de datos

En primer lugar, el lector debe determinar la cantidad de datos referidos en cada condición. Esto implica un simple recuento de los datos. Como regla general, cuantas más mediciones de la variable dependiente por unidad de tiempo se realicen y cuanto mayor sea el período de tiempo durante el que se produjo la medición, más confianza se puede depositar en la estimación que la trayectoria de datos hace del curso verdadero del cambio de conducta (suponiendo, claro está, que la observación y el sistema de medida sean válidos y precisos).

El número de datos necesarios para proporcionar un registro creíble de la conducta durante una condición dada también depende de cuántas veces la misma condición haya sido repetida durante el estudio. Como regla general, se necesitan menos datos en replicaciones subsiguientes de una condición experimental si los datos representan el mismo nivel y tendencia en el desempeño observados en aplicaciones previas de la condición en cuestión.

Es importante tener en cuenta la literatura analítico-conductual a fin de determinar cuántos datos son suficientes. En general, se requieren fases de menor extensión en experimentos que investigan las relaciones entre variables previamente estudiadas o bien establecidas, si los resultados son concordantes con los de estudios anteriores. Por el contrario, se necesitan más datos para demostrar nuevos hallazgos, ya se estén utilizando variables conocidas o estudiadas por primera vez.

Hay otras excepciones a la regla "cuantos más datos mejor" .Existen aspectos éticos que no permiten la medida repetida de ciertas conductas (p.ej., conducta autolesiva) bajo condiciones experimentales en las que hay poca o ninguna posibilidad de mejora (p.ej., durante una condición de lineabase sin tratamiento o una condición que pueda exacerbar los problemas de conducta). También tiene poco sentido medir repetidamente situaciones en las que no es lógicamente plausible que la conducta pueda ocurrir (p.ej., número de respuestas correctas a problemas de división cuando el estudiante no ha aprendido a multiplicar y restar). Tampoco se requieren muchos puntos de datos para demostrar que la conducta no se produjo cuando en realidad no tuvo oportunidad de ocurrir.

La familiaridad con la clase de respuesta medida y las condiciones en que fue medida pueden ser de gran ayuda al lector de un gráfico para determinar cuántos datos constituyen un grado de credibilidad adecuado. La cantidad de datos necesarios en una condición también está determinada en parte por las estrategias analíticas empleadas en un estudio dado. Las estrategias de diseño experimental se describen en los capítulos 7 a 10.

Variabilidad

Llamamos **variabilidad** a la frecuencia y grado en que múltiples medidas de una conducta obtenidas a lo largo del tiempo producen diferentes valores. Un alto grado de variabilidad dentro en una determinada condición por lo general indica que el investigador o el profesional aplicado ha logrado muy poco control sobre los factores que influyen en la conducta. (Una excepción importante a esta norma se da cuando el propósito de una intervención es producir un alto grado de variabilidad.) En general, cuanto mayor es la variabilidad dentro de una condición dada, mayor es el número datos necesarios para establecer un patrón predecible de desempeño. Por el contrario, se requieren menos puntos de datos para presentar un patrón predecible de rendimiento cuando esos datos revelan relativamente poca variabilidad.

Nivel

El valor de la escala del eje vertical alrededor del cual un

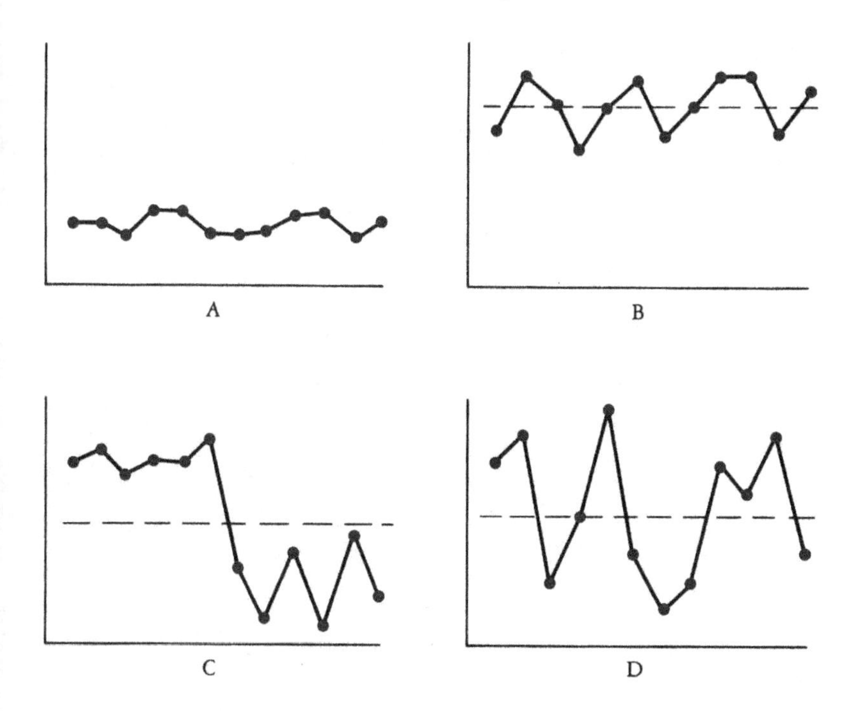

Figura 6.20 Cuatro trayectorias de datos que ilustran (A) un nivel bajo y estable de respuestas; (B) un nivel alto y variable de respuestas; (C) un nivel alto y estable de respuestas seguido por un nivel bajo y más variable de respuestas; y (D) un patrón extremadamente variable de respuestas sin un indicativo general del nivel de respuestas. Las líneas horizontales discontinuas de las gráficas B,C y D representan el nivel medio de respuestas.

conjunto de medidas de conducta converge se llama **nivel**. En el análisis visual de datos conductuales, el nivel se examina dentro de una condición en términos de su valor absoluto (media, mediana o rango) en la escala del eje *y*, el grado de estabilidad o variabilidad y la magnitud del cambio de un nivel a otro. Los gráficos de la Figura 6.20 ilustran cuatro combinaciones diferentes de nivel y la variabilidad.

El nivel medio de una serie de medidas de conducta dentro de una condición se puede ilustrar gráficamente mediante la adición de una línea de nivel medio, es decir, una línea horizontal que pasa por una serie de datos dentro de una condición en el punto del eje vertical igual al valor promedio de la serie de medidas (por ejemplo, Gilbert, Williams, y McLaughlin, 1996). Aunque las líneas de nivel medio proporcionan un resumen intuitivo del nivel de desempeño dentro de una condición o fase, deben utilizarse e interpretarse con precaución. Con trayectorias de datos altamente estables, las líneas de nivel medio no plantean serios inconvenientes. Sin embargo, cuanto menor es la variabilidad que hay dentro de una serie de puntos de datos, tanto menor será la necesidad de usar una línea de nivel medio. Por ejemplo, una línea de nivel medio serviría de poco en el Gráfico A de la Figura 6.20. Pese a que las líneas de nivel medio están presentes en los gráficos B, C y D de la Figura 6.20, el gráfico B es la única de las tres para la que una línea de nivel medio proporcionaría un resumen visual apropiado. La línea de nivel medio en el Gráfico C no es representativa de cualquier medida de la conducta tomada durante la fase. Los datos del Gráfico C muestran una conducta de la que puede decirse que ocurre en dos niveles durante la condición en curso requiriéndose mayores análisis para determinar el factor o factores responsables del claro cambio de niveles. La línea de nivel medio en el Gráfico D también es inapropiada debido a que la variabilidad de los datos es tan grande que solo 4 de los 12 caen cerca de la línea de nivel medio.

Una línea de mediana es otro método para resumir visualmente la cantidad total de conducta en una condición. Debido a que una línea de mediana representa el desempeño típico dentro de una condición, está menos influenciada por una o dos medidas que están muy alejadas del rango de las medidas restantes. Por lo tanto, se debe utilizar una línea de mediana en lugar de una línea de nivel medio para representar gráficamente la tendencia central de una serie de puntos de datos que incluye valores atípicos, ya sean estos altos o bajos.

El cambio en el nivel dentro de una condición se determina calculando la diferencia en valores absolutos del primer dato de la condición con respecto del último en las unidades especificadas en el eje *y*. Otro método, algo menos influido por la variabilidad de los datos, consiste en comparar la diferencia entre el valor de la mediana de los tres primeros puntos de datos de la condición con el valor de la mediana de los tres puntos de datos finales de la condición (Koenig & Kunzelmann, 1980).

Tendencia

La **tendencia** es la dirección general que sigue una serie de datos. Las tendencias se describen en términos de su dirección (tendencia creciente, decreciente, o cero), su

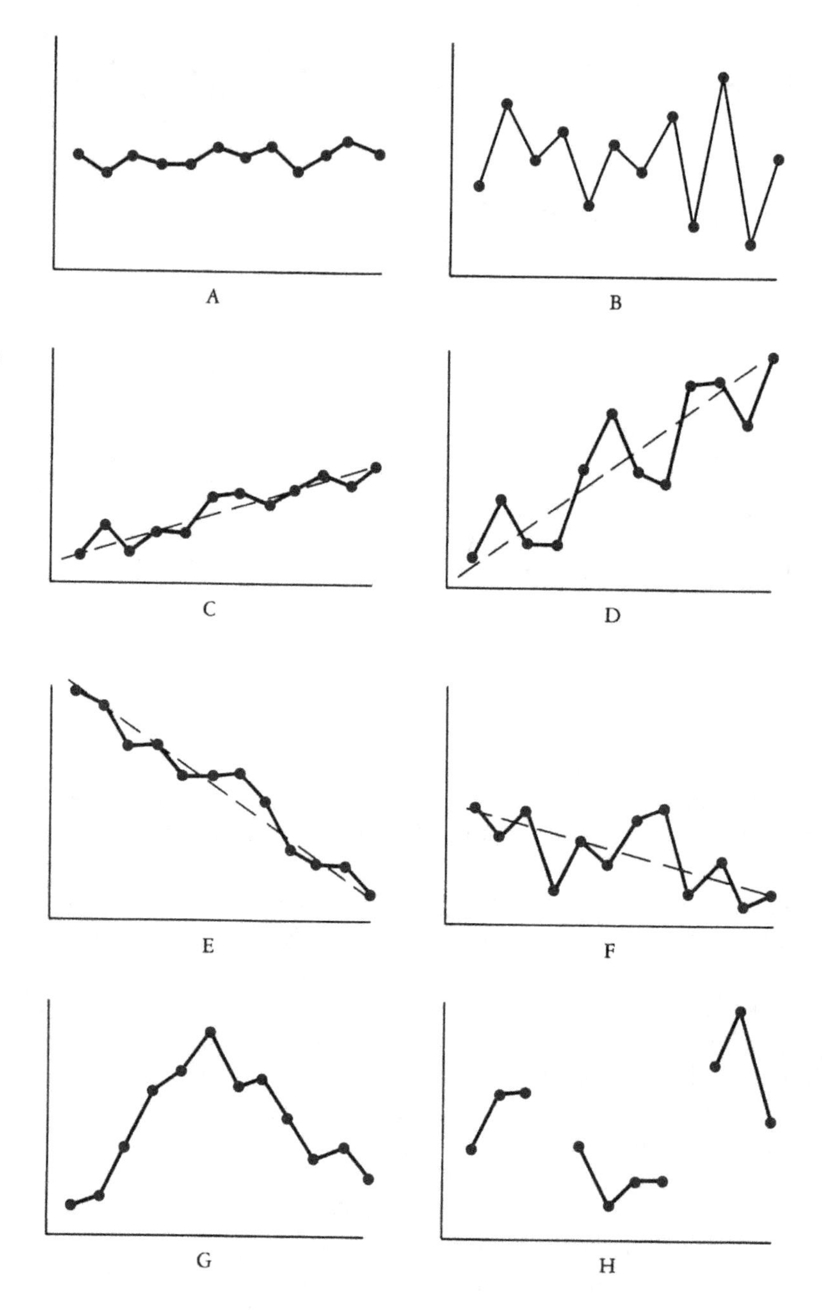

Figura 6.21 Trayectorias de datos que indican varias combinaciones de la dirección en la tendencia, el grado y la variabilidad: (A) tendencia cero, alta estabilidad; (B) tendencia cero, alta variabilidad; (C) incremento gradual y estable de la tendencia; (D) rápido y variable incremento de la tendencia; (E) rápido y estable decrecimiento de la tendencia; (F) decrecimiento gradual y variable de la tendencia; (G) rápido incremento de la tendencia seguido por un rápido decrecimiento de la tendencia; (H) no hay tendencia significativa, demasiada variabilidad y falta de datos. Se han añadido líneas de tendencia de mitad dividida a las gráficas de la C a la F.

grado o pendiente, y su variabilidad medida como la diferencia de los datos con respecto a la línea de tendencia. Los gráficos de la Figura 6.21 ilustran diversas tendencias. La dirección y la pendiente de la tendencia en una serie de datos pueden representarse visualmente como una línea recta trazada a través de los datos llamada línea de tendencia o línea de progreso. Se han desarrollado varios métodos para el cálculo y ajuste de las líneas de tendencia en una serie de datos. La forma más sencilla de hacerlo sería inspeccionar los datos gráficos y dibujar a mano alzada una línea recta que, según estimemos, se ajuste lo mejor posible a los datos. Según Lindsley (1985), en el caso de haber uno o dos datos que caigan más allá de la gama de los valores más frecuentes en una serie de datos, deberemos ignorarlos al dibujar la línea de tendencia. Aunque el método a mano alzada puede ser útil para el lector del gráfico y es la manera más rápida de dibujar líneas de tendencia, sobre todo si no tenemos acceso a los datos brutos, estas líneas pueden no siempre ser precisas y por lo general no se usan en los gráficos de estudios publicados.

Las líneas de tendencia también se pueden calcular mediante una fórmula de regresión lineal llamada de mínimos cuadrados (McCain y McCleary, 1979; Parsonson y Baer, 1978). Las líneas de tendencia determinadas de esta manera son más fiables ya que la misma serie de datos siempre producirá la misma línea de tendencia. La desventaja de este método es que el cálculo de la línea de regresión puede ser tedioso. No obstante, los programas de procesamiento gráfico suelen incluir funcionalidades para el cálculo y representación de las líneas de tendencia, eliminándose así el tiempo

Figura 6.22 Cómo dibujar una línea de tendencia de mitad dividida a través una serie de datos representados gráficamente.

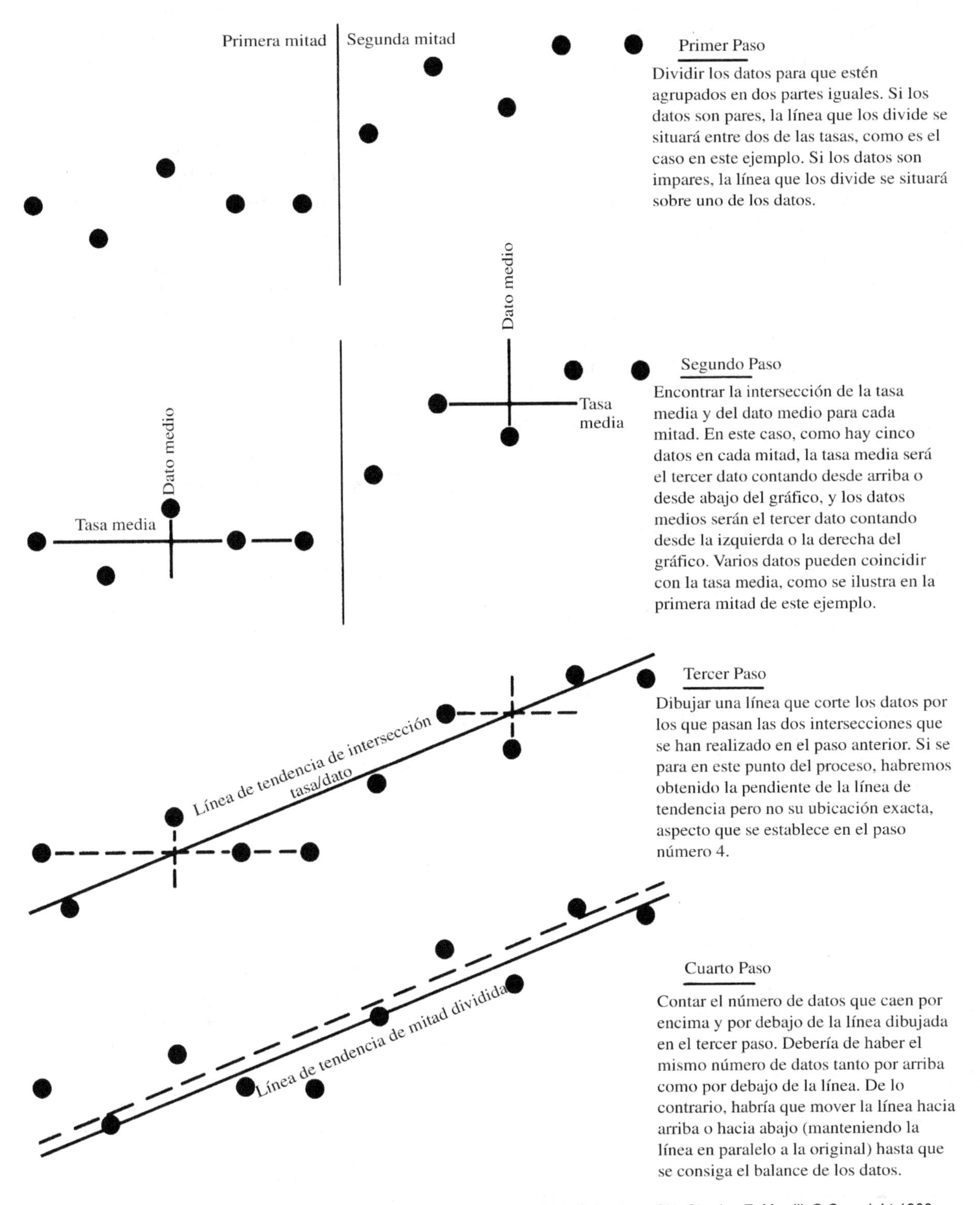

Tomado de *Exceptional Teaching, pág 118* , O. R. White y N. G. Haring, 1980, Columbus, OH: Charles E. Merrill. © Copyright 1980 Charles E. Merrill. Adaptado con permiso.

necesario para su cálculo.

Un método de cálculo y dibujo de líneas de tendencia que es más fiable que el método de mano alzada y menos tedioso que el método de regresión lineal es la **línea de tendencia de mitad dividida**. Esta técnica fue desarrollada por White (1971, 2005) para su uso con datos de frecuencia en gráficos semilogarítmicos, y ha demostrado ser una técnica útil para predecir la conducta futura a partir de estos datos. Este procedimiento puede utilizarse también en gráficos no semilogarítmicos pero debe advertirse de que en tales casos aporta solo una estimación que resume la tendencia global (Bailey, 1984). La Figura 6.22 proporciona una ilustración paso a paso de cómo dibujar líneas de tendencia de mitad dividida. No podemos dibujar una línea de tendencia con ningún método mediante el cruce de una discontinuidad en el eje vertical, y como regla general tampoco debe hacerse en el caso de discontinuidades en el eje horizontal.

El grado específico de aceleración o desaceleración de las tendencias en los datos representados en los gráficos semilogarítmicos se puede cuantificar en términos numéricos. Por ejemplo, en el Gráfico de Aceleración Estándar diario una aceleración de factor dos indica que la tasa de respuesta se duplica cada semana, y si el factor es de 1,25 significa que la tasa de respuesta se incrementa un cuarto cada semana. Un factor de división de dos significa que cada semana la tasa de respuesta será la mitad de lo que era la semana anterior, y si el factor de división es de 1,5 significa que la frecuencia se desacelera en un tercio semanalmente.

No existe una manera directa de determinar visualmente, a partir de datos representados en gráficos de intervalos regulares, las tasas específicas a las que las tendencias aumentan o disminuyen. Sin embargo, la comparación visual de las líneas de tendencia dibujadas a través de los datos en los gráficos de intervalos regulares puede proporcionar información importante acerca de las tasas relativas de cambio de conducta.

Una tendencia puede ser muy estable cuando todos los puntos de datos caen cerca de la línea de tendencia (véase la Figura 6.21, Gráficos C y E). La serie de datos también puede seguir una tendencia a pesar de que exista un alto grado de variabilidad (véase la Figura 6.21, Gráficos D y F).

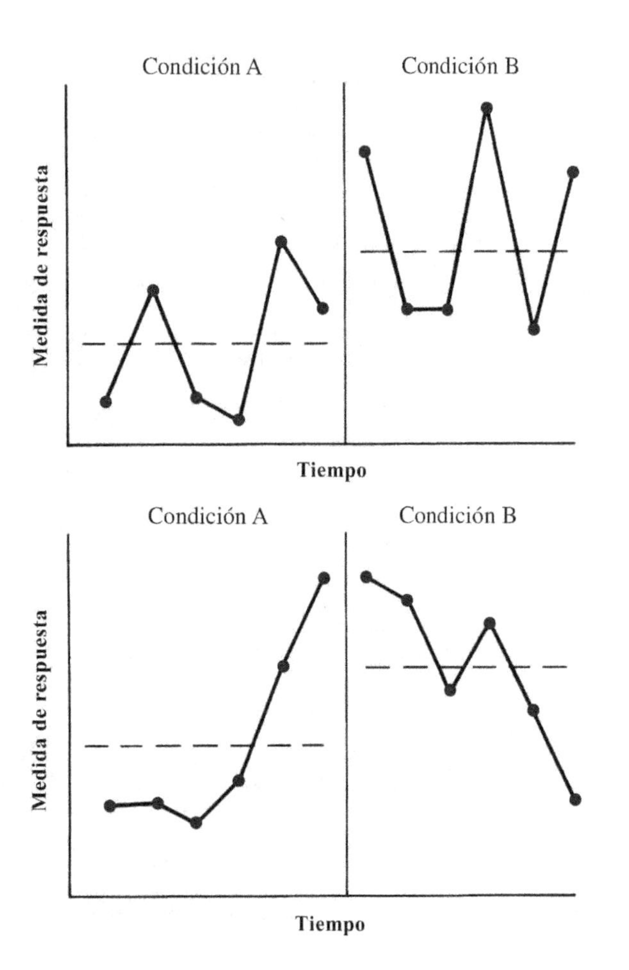

Figura 6.23 Uso inapropiado de líneas de nivel medio, promoviendo una interpretación general de un nivel más alto de respuestas en la condición B cuando hay una extrema variabilidad (gráfico superior) y cuando las tendencias justifican conclusiones diferentes (gráfico inferior).

Análisis visual entre condiciones

Después de la inspección de los datos dentro de cada condición o fase de un estudio, continuaremos el análisis visual con una comparación de los datos entre condiciones. La extracción de las conclusiones adecuadas implica la comparación de las propiedades previamente comentadas (nivel, tendencia y variabilidad), pero, esta vez entre varias condiciones.

Una línea de cambio de condición indica que se ha manipulado una variable independiente en el punto temporal del eje horizontal sobre el que se sitúa dicha línea. Para determinar si se produce un cambio de conducta inmediato en ese punto, es necesario examinar la diferencia entre el último dato de la condición previa situado justo antes de la línea de cambio de condición y el primer dato de la nueva condición.

Los datos también pueden compararse en términos del nivel general de conducta en cada condición a comparar. En general, cuando todos los datos de una condición caen fuera del rango de valores de la condición contigua (es decir, no existe solapamiento entre los valores más altos obtenidos en una condición y los valores más bajos obtenidos en la otra), no hay duda de que la conducta ha cambiado en una condición con respecto de la siguiente. Cuando muchos datos en condiciones adyacentes se superponen entre sí en el eje vertical, tendremos menos confianza a la hora de atribuir un efecto de la variable independiente debido al cambio de condición.[10]

[10] Interpretar un cambio de conducta como el resultado de la manipulación de una variable independiente dependerá del diseño experimental utilizado en el estudio. Las estrategias y tácticas para el diseño de experimentos se presentan en los Capítulos 7 a 10.

La líneas de nivel medio o de mediana pueden ser útiles para examinar la diferencia en el nivel de conducta global en las condiciones a comparar. Sin embargo, el uso de líneas de media o mediana como instrumento para resumir y comparar la tendencia central general de varias condiciones plantea dos problemas graves. En primer lugar, el lector de un gráfico debe evitar "dejarse abrumar por diferencias aparentemente notables de nivel en presencia de una variabilidad no controlada elevada" (Johnston y Pennypacker, 1980, pág. 351). El énfasis sobre los valores medios de cambio de conducta en un gráfico puede conducir al espectador a creer que se obtuvo un mayor grado de control experimental del que justifican los datos. En el gráfico superior de la Figura 6.23 la mitad de los puntos de datos en la Condición B caen dentro del rango de valores de las medidas tomadas durante la Condición A. No obstante, las líneas de nivel medio sugieren un claro cambio en la conducta. En segundo lugar, las medidas de tendencia central pueden ocultar tendencias importantes en los datos que requieren interpretaciones diferentes a las sugeridas por la tendencia central. Pese a que la línea media o la mediana representan con precisión el rendimiento medio o típico, estas no ofrecen indicación alguna de aumento o disminución en la conducta. En el gráfico inferior de la Figura 6.23, por ejemplo, la línea media sugiere un mayor nivel de rendimiento en la Condición B que en la condición A, pero un examen de tendencia ofrece una imagen muy diferente del cambio de conducta dentro y entre las Condiciones A y B.

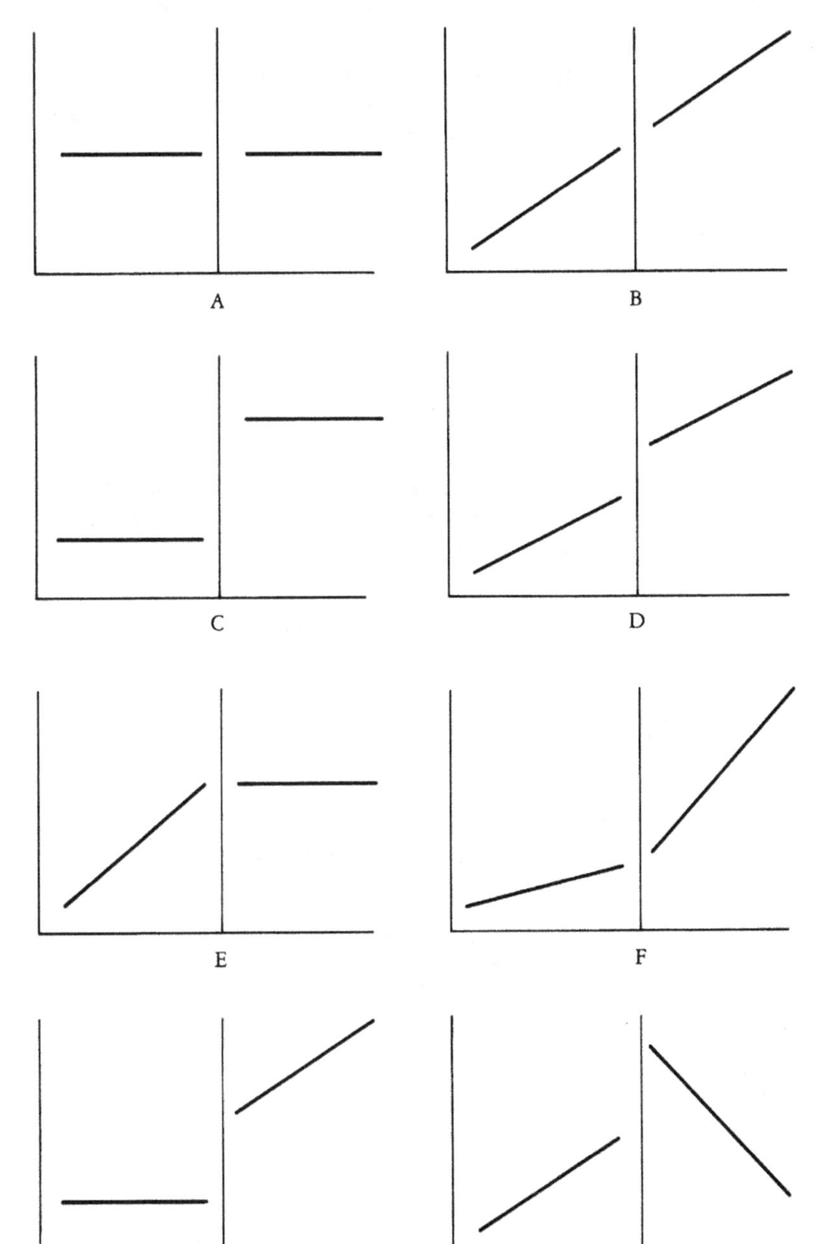

Figura 6.24 Trayectorias de datos diseñadas para ilustrar las diferentes combinaciones del cambio (o la ausencia de cambio) de nivel y de tendencia entre dos condiciones adyacentes: las gráficas A y B no presentan cambio ni en el nivel ni en la tendencia entre las dos condiciones. Las gráficas C y D presentan cambios en el nivel pero no en la tendencia. Las gráficas E y F no muestran un cambio inmediato en el nivel, pero sí en la tendencia. Y las gráficas G y H muestran cambios tanto en el nivel como en la tendencia.

Tomado de "Time-Series Analysis in Operant Research" R. R. Jones, R. S. Vaught y M. R. Weinrott, 1977, *Journal of Applied Behavior Analysis, 10,* pág 157. © Copyright 1977 Society for the Experimental Analysis of Behavior, Inc. Adaptado con permiso.

La interpretación de datos conductuales requiere diferenciar los cambios en nivel que se producen al poco de iniciarse una condición de aquellos que continúan estando presentes después de que la condición haya estado activa por un tiempo considerable. Tales efectos demorados o temporales pueden indicar que la variable independiente debe estar presente por algún tiempo antes de que los cambios de conducta se consoliden, o que el cambio de nivel fue el efecto momentáneo de una variable no controlada. En cualquiera de estos casos se requiere una investigación más detallada a fin de aislar y controlar las variables relevantes.

El análisis visual de los datos entre condiciones adyacentes requiere de un análisis de las tendencias exhibidas por los datos en cada condición para determinar si la tendencia que se encuentra en la primera condición cambia de dirección o pendiente en la condición subsiguiente. En la práctica cada dato en una serie contribuye tanto al nivel como a la tendencia, por tanto ambos aspectos se consideran conjuntamente. La Figura 6.24 presenta trayectorias de datos estilizados que ilustran cuatro combinaciones básicas del cambio o ausencia de cambio en el nivel y la tendencia entre condiciones adyacentes. Por supuesto, muchos otros patrones de datos podrían presentar las mismas características. Los gráficos idealizados, al eliminar la variabilidad presente en la mayoría de series de datos, permiten resaltar el nivel y la tendencia.

El análisis visual incluye no solo el examen y la comparación de los cambios en el nivel y la tendencia entre las condiciones adyacentes, sino también un examen del nivel de la conducta en condiciones similares. Interpretar lo que los datos de una intervención analítico-conductual significan requiere algo más que el análisis visual y la identificación y descripción del nivel, la tendencia y la variabilidad. Cuando se demuestra el cambio de conducta en el transcurso de un programa de tratamiento o de investigación, la siguiente cuestión a plantearse es, ¿fue el cambio de conducta una función del tratamiento o de las variables experimentales? Los capítulos restantes de la Parte 3 del libro describen las estrategias y tácticas de diseño experimental utilizadas en el análisis aplicado de la conducta.

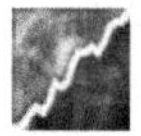

Resumen

1. Los analistas de conducta documentan y cuantifican el cambio de conducta mediante su medida directa y repetida. El producto de dichas medidas es lo que llamamos datos.

2. Los gráficos son estructuras relativamente simples que pretenden mostrar visualmente las relaciones entre una serie de medidas y una o más variables relevantes.

Representación gráfica de datos conductuales: Función y ventajas

3. La representación gráfica de cada medida de la conducta ofrece al profesional o investigador un registro visual inmediato y continuo de la conducta del participante. Ello permite que las decisiones sobre el tratamiento y el curso del experimento sean sensibles a la conducta del participante.

4. El contacto directo y continuo con los datos en un formato fácilmente analizable permite al profesional aplicado o al investigador identificar y explorar posibles variaciones de interés en la conducta a medida que estas ocurren.

5. La representación gráfica de los datos facilita la interpretación de los resultados experimentales y es un método rápido y relativamente fácil de aprender que no impone niveles arbitrarios de significación en el proceso de evaluación del cambio de conducta.

6. El análisis visual de los datos gráficos es un método conservador para determinar la importancia de un cambio de conducta. Solo las variables que son capaces de producir efectos significativos de forma repetida se consideran significativas, mientras que las variables débiles e inestables son descartadas.

7. Los gráficos permiten y hacen posible que terceras personas puedan realizar juicios independientes sobre el significado y la importancia del cambio de conducta.

8. Los gráficos pueden servir como fuentes eficaces de retroalimentación para las personas que ven su conducta representada gráficamente.

Tipos de gráficos utilizados en el análisis aplicado de la conducta

9. Los gráficos de línea son el formato más habitual de representación gráfica de los datos conductuales. Incluyen un plano cartesiano o bidimensional formado por la intersección de dos líneas perpendiculares.

10. Las partes principales del gráfico de línea son el eje horizontal (también llamado el eje *x*), el eje vertical (también llamado el eje *y*), las líneas de cambio de condición, los títulos de condición, los datos, la trayectoria de datos y la leyenda de la figura.

11. Los gráficos con varias trayectorias de datos en el mismo conjunto de ejes se utilizan en análisis de conducta para mostrar (a) dos o más dimensiones de la misma conducta, (b) dos o más conductas diferentes, (c) la misma conducta bajo condiciones diferentes y alternantes, (d) los cambios en la conducta de interés en relación con los valores

cambiantes de una variable independiente, y (e) la conducta de dos o más participantes.

12. Un segundo eje vertical dibujado a la derecha del eje horizontal se utiliza para mostrar diferentes escalas correspondientes a varias series de datos.

13. Los gráficos de barras se utilizan con dos fines principales: (a) visualizar datos discretos no vinculados a una misma dimensión subyacente que sirva de escala del eje horizontal y (b) resumir y permitir la comparación de la conducta de un participante o grupo de participantes en varias condiciones de un experimento.

14. Cada dato en un registro acumulativo representa el número total de respuestas emitidas por el sujeto desde el inicio de la medida. Cuanto más empinada sea la pendiente de la trayectoria de datos en un gráfico acumulativo, tanto mayor será la tasa de respuesta.

15. La tasa total de respuesta hace referencia a la tasa promedio de respuesta a lo largo de un período de tiempo determinado. La tasa de respuesta local hace referencia a la tasa de respuesta durante un período de tiempo más breve dentro de un plazo mayor para el que se ha calculado una tasa de respuesta global.

16. Los registros acumulativos son especialmente eficaces para la visualización de datos cuando (a) el número total de respuestas realizadas a lo largo del tiempo es importante, (b) el gráfico se utiliza como fuente de retroalimentación para el sujeto, (c) la conducta de interés puede ocurrir solo una vez por periodo de medida, y (d) se desea realizar un análisis fino de cada ocurrencia de la conducta durante el experimento.

17. Los gráficos semilogarítmicos utilizan un eje *y* con una escala logarítmica de manera que cambios de conducta de igual proporción (p.ej., duplicaciones de la respuesta) son representados por la misma distancia sobre el eje vertical.

18. El Gráfico de Aceleración Estándar está compuesto de seis ciclos de multiplicación-división que permiten representar visualmente la aceleración de la respuesta a lo largo del tiempo, de tal modo que cambios en la frecuencia de la respuesta descritos por un mismo factor multiplicativo o de división producen una trayectoria de datos lineal.

19. Un diagrama de dispersión o gráfico XY muestra la distribución relativa de medidas individuales en un conjunto de datos con respecto a las variables representadas por los ejes *x* e *y*.

Construcción de gráficos de línea

20. El eje vertical se dibuja con una longitud de aproximadamente dos tercios la del eje horizontal.

21. El eje horizontal está escalado en intervalos iguales. Cada intervalo representa de izquierda a derecha la sucesión cronológica de períodos de tiempo iguales dentro dc los cuales fue medida la conducta.

22. Las discontinuidades de tiempo se indican en el eje horizontal como saltos en la escala.

23. El eje vertical representa la dimensión de la conducta medida, el rango de valores de las medidas obtenidos y la importancia social de los diversos niveles de cambio en la conducta de interés.

24. Las líneas de cambio de condición indican cambios en el programa de tratamiento o la manipulación de una variable independiente y son dibujadas como líneas verticales de idéntica altura al eje vertical.

25. Un título breve y descriptivo identifica cada condición del experimento o programa de cambio de conducta.

26. Los datos deben colocarse en el punto preciso y en forma de símbolos sólidos y considerablemente más anchos que la línea de conexión. Cuando se utilizan múltiples series de datos en un mismo gráfico, se utilizan diferentes símbolos geométricos para distinguir cada serie.

27. Las trayectorias de datos se crean mediante la conexión de datos sucesivos con una línea recta.

28. Los datos sucesivos no deben conectarse cuando (a) caen a ambos lados de una línea de cambio de condición, (b) están separados por un período de tiempo significativo en el que no se midió la conducta, (c) están separados por discontinuidades temporales indicadas en el eje horizontal, (d) caen a ambos lados de un periodo de medida en el que los datos no se tomaron, se perdieron, fueron destruidos, o no están disponibles por el motivo que fuere, (e) corresponden a un periodo de seguimiento que no está espaciado en el tiempo de la misma manera que el resto del estudio, o (f) el dato cae fuera del rango de valores escalados en el eje vertical.

29. La leyenda de la figura proporciona una descripción concisa, aunque completa, del gráfico y da toda la información necesaria para interpretarlo.

30. Generalmente se recomienda que los gráficos conductuales se impriman en negro a fin de que el código de color no resalte inadvertidamente alguna de las series de datos.

Interpretación de datos conductuales en un gráfico

31. El análisis visual permite responder a dos preguntas: (a) ¿fue el cambio de conducta socialmente significativo?, y (b) si lo fue, ¿podemos atribuir el cambio de conducta a la variable independiente?

32. Antes de comenzar a evaluar los datos que se muestran en un gráfico, debemos realizar un examen cuidadoso de cómo ha sido construido. Si sospechamos de que hay distorsión debida al estilo de construcción del gráfico, los datos deben volver a trazarse en un nuevo conjunto de ejes que elimine dicha distorsión antes de aventurarnos a hacer una interpretación.

33. Los datos agregados que representan el rendimiento medio de un grupo de sujetos deben ser interpretados con cautela teniendo en cuenta que puede haber un grado de variabilidad importante que haya quedado oculto en el proceso de agregación.

34. El análisis visual dentro de una condición se centra en el número de datos, en el nivel de conducta, en la variabilidad de la conducta, y en la dirección y pendiente de cualquier posible tendencia en los datos.

35. Como regla general, cuantos más datos haya en una condición y mayor sea la estabilidad de dichos datos, más confianza podremos depositar en la estimación del nivel de conducta real que hace la trayectoria de datos durante ese periodo de tiempo. A mayor variabilidad en las medidas de conducta dentro de una condición, mayor será la necesidad de tomar datos adicionales.

36. La *variabilidad* se refiere a la frecuencia y el grado en el que múltiples medidas de conducta producen diferentes resultados. Un alto grado de variabilidad dentro de una determinada condición suele indicar que se ha logrado poco o ningún control experimental sobre los factores que influyen en la conducta.

37. El *nivel* hace referencia al valor del eje vertical alrededor del cual convergen una serie de datos. Cuando los datos en una condición coinciden o son cercanos a un nivel específico, consideramos que la conducta tiene un nivel estable. Cuanto más varíen las medidas de conducta unas con respecto de otras, tanto mayor será la variabilidad con respecto al nivel medio. En casos de extrema variabilidad, los datos no aportarán evidencia de que exista un nivel específico de conducta.

38. Las líneas media o mediana se añaden en ocasiones a los gráficos para representar el nivel medio o típico de conducta durante una condición. Estás líneas deberán interpretarse con cuidado ya que pueden oscurecer la variabilidad y la tendencia presentes en los datos.

39. La *tendencia* es la dirección general que sigue una serie de datos. Se describe en función de su dirección (creciente, decreciente o tendencia cero), su pendiente (gradual o abrupta) y la variabilidad de los datos con relación a la línea ideal de tendencia.

40. La dirección y pendiente de la tendencia se pueden representar visualmente trazando una línea de tendencia o de progreso a través de una serie de datos. Las líneas de tendencia pueden dibujarse a mano alzada, usando la ecuación de regresión de mínimos cuadrados, o usando el método de línea de tendencia de mitad dividida. Este último método permite extraer la línea de tendencia de forma rápida y fiable, y ha demostrado su utilidad para analizar cambios en la conducta.

41. El análisis visual de los datos a través de varias condiciones ayuda a determinar si se dan cambios de nivel, de variabilidad o de tendencia, y en qué medida dichos cambios fueron significativos al comparar unas condiciones experimentales con otras.

CAPÍTULO 7

Análisis del cambio de conducta: Asunciones y estrategias básicas

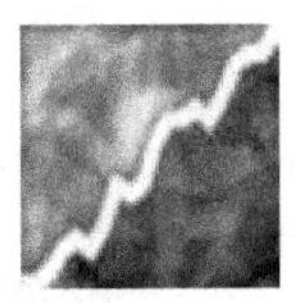

Términos clave

Afirmación del consecuente
Análisis paramétrico
Control experimental
Diseño AB
Diseño de caso único
Diseño experimental
Efectos de práctica
Estado estable de respuesta
Ley de valores iniciales
Línea base
Línea base ascendente
Línea base descendente
Línea base estable
Línea base variable
Lógica de la línea base
Predicción
Pregunta experimental
Replicación
Validez externa
Validez interna
Variable dependiente
Variable extraña
Variable independiente
Verificación

Behavior Analyst Certification Board® BCBA®, BCBA-D®, BCaBA®, RBT® Lista de tareas para analistas de conducta (cuarta edición).

B.	Habilidades analítico-conductuales básicas: diseño experimental
B-03	Manipular variables independientes a fin de demostrar sus efectos en variables dependientes.
B-11	Realizar un análisis paramétrico, es decir determinar los valores paramétricos de las consecuencias, como por ejemplo su duración o magnitud
J.	**Responsabilidades para con el cliente: intervención**
J-09	Identificar y solucionar cuestiones éticas cuando usemos diseños experimentales necesarios para demostrar la efectividad del tratamiento.
FK.	**Conocimientos adicionales: definir y dar ejemplos de**
FK-33	Relaciones funcionales.

La medición de la conducta sirve para mostrar dónde, cuándo y cuánto ha cambiado, pero la medición, por sí misma, no muestra por qué o, más exactamente, *cómo* se dio el cambio de conducta. Una tecnología útil del cambio de conducta requiere una profunda comprensión de las variables ambientales que han producido el cambio deseado. Sin este conocimiento, los esfuerzos para cambiar la conducta podrían considerarse solamente un intento a la aventura que consiste en seleccionar procedimientos de cambio de conducta aleatoriamente, como si fuera un libro de recetas, con muy poca o ninguna generalización de unas situaciones a otras.

La búsqueda y demostración de relaciones funcionales y fiables entre conductas socialmente importantes y las variables que las controlan es una de las características definitorias del análisis aplicado de la conducta. Una de las mayores fortalezas del análisis aplicado de la conducta es su insistencia en la experimentación como método de prueba, lo que posibilita y exige el desarrollo, la autocorrección y la búsqueda de efectividad.

> Nuestra tecnología del cambio conductual es también una tecnología de la medición de la conducta y del diseño experimental; se ha desarrollo como un bloque y siempre que se mantenga en ese bloque será una práctica autoevaluadora. Sus éxitos son éxitos de magnitud conocida; sus fracasos pueden detectarse inmediatamente como fracasos; y cualesquiera que sean sus resultados puede ser atribuidos a factores y procedimientos conocidos en lugar de a eventos casuales o coincidencias (D. M. Baer, comunicación personal, 21 de Octubre de 1982).

Debe llevarse a cabo un análisis experimental para determinar si una conducta determinada actua en relación a determinados cambios que se dan en el ambiente y, en su caso, cómo lo hace. Este capítulo nos presenta los conceptos y estrategias básicas del *análisis* en el análisis aplicado de la conducta[1]. El capítulo comienza con una breve revisión de algunos conceptos generales de la ciencia, seguido de una exposición acerca de dos características definitorias y dos asunciones sobre la naturaleza de la conducta que determinan los métodos experimentales más apropiados para el tema de interés. Posteriormente, el capítulo describe los componentes necesarios de cualquier experimento en análisis aplicado de la conducta y termina explicando la lógica básica que guía los métodos experimentales usados en el análisis aplicado de la conducta.

Conceptos y asunciones básicas del análisis de conducta

Tal y como se discutió en el Capítulo 1, los científicos comparten un conjunto de perspectivas que incluyen asunciones acerca de la naturaleza del fenómeno que están estudiando (determinismo), el tipo de información que debería ser recopilada sobre el fenómeno de interés (empirismo), la forma en la que deberíamos preguntarnos sobre el funcionamiento de la naturaleza para examinarla de la forma más eficaz posible (experimentación) y cómo deberían juzgarse los resultados de la experimentación (con parsimonia y con duda filosófica). Estas actitudes se aplican a todas las disciplinas científicas, incluyendo el estudio científico de la conducta. "Las características básicas de la ciencia no están restringidas a ninguna materia en particular" (Skinner, 1953, pág. 11).

El objetivo general de la ciencia es alcanzar el conocimiento del fenómeno estudiado (conductas socialmente relevantes en el caso del análisis aplicado de la conducta). La ciencia permite varios grados de conocimiento en tres niveles: descripción, predicción y control. En primer lugar, la observación sistemática permite el conocimiento del fenómeno natural posibilitando a los científicos describirlo con exactitud. Este tipo de conocimiento descriptivo da lugar a una recopilación de hechos sobre los eventos observados. Hechos que pueden ser cuantificados y clasificados, un elemento importante en cualquier disciplina científica.

Un segundo nivel de conocimiento científico ocurre cuando la observación repetida revela que dos eventos covarían consistentemente. Esto implica que la ocurrencia de un evento (ej., el matrimonio), se asocia con la ocurrencia de otro evento en cierto grado fiable de probabilidad (ej., esperanza de vida más larga). La covariación sistemática entre dos eventos, denominada *correlación*, puede usarse para predecir la probabilidad con la que un evento ocurrirá basándose en la presencia del otro.

La habilidad para predecir exitosamente es uno de los resultados más útiles de la ciencia; la predicción permite

[1] El análisis de conducta se ha beneficiado inmensamente de dos considerables contribuciones a la literatura sobre el método experimental: *Tactics of Scientific Research* (1960/1988) de Sidman y *Strategies and Tactics of Human Behavioral Research* (1980/1993a) de Johnston y Pennypacker (1980, 1993a). Ambos libros se consideran lecturas esenciales y trabajos de referencia para cualquier estudiante o profesional serio de análisis de conducta y queremos reconocerles el papel tan significativo que han jugado en la preparación de este capítulo.

la preparación. Sin embargo, el mayor beneficio potencial se deriva del tercer y más alto nivel de conocimiento científico, que viene del establecimiento de control experimental. "El método experimental es un método para el aislamiento de las variables relevantes dentro de un patrón de eventos. Los métodos que se basan solamente en correlaciones observadas, sin intervención experimental, son por naturaleza ambiguos" (Dinsmoor, 2003, pág. 152).

Control experimental: el camino y el objetivo del análisis de conducta

La conducta es la interacción entre un organismo y su ambiente, y como mejor se analiza es midiendo la forma en que cambia como resultado de las variaciones impuestas en el ambiente. Esta afirmación representa tanto la estrategia general como el objetivo de la investigación conductual: demostrar que los cambios medidos en la conducta objetivo han ocurrido a causa de los cambios manipulados experimentalmente en el ambiente.

El **control experimental** se logra cuando un cambio predecible en la conducta (la variable dependiente) se puede producir de forma fiable mediante la manipulación sistemática de algún aspecto del ambiente de la persona (la variable independiente). Determinar experimentalmente los efectos de la manipulación ambiental sobre la conducta y demostrar que esos efectos pueden ser producidos fiablemente constituyen el *análisis* del análisis aplicado de la conducta. Un análisis de la conducta se logra cuando ha quedado demostrada convincentemente la relación funcional y fiable entre la conducta y algún aspecto concreto del ambiente. El conocimiento de las relaciones funcionales permite al analista de conducta modificar las conductas de manera significativa y fiable.

El análisis de conducta "requiere una demostración plausible de los eventos que pueden ser responsables de la ocurrencia o la no ocurrencia de esa conducta. Un investigador ha logrado analizar la conducta cuando es capaz de ejercer control sobre ella" (Baer, Wolf & Risley, 1964, pág. 84).[2] La definición original análisis de Baer y otros resalta un punto importante. La búsqueda y el valor que se da desde el análisis de conducta al aislamiento experimental de una variable ambiental determinada, de la que la conducta ha mostrado ser una función, suelen ser malinterpretados como apoyos a concepciones simplistas de las causas de la conducta. El hecho de que la conducta cambie como función de una variable dada, no excluye que pueda variar como función de otras variables. De este modo, Baer y otros describen un análisis experimental como una demostración convincente de que una variable *puede* ser responsable del cambio de conducta observado. Aunque un análisis completo (es decir, la comprensión) de una conducta no se ha logrado hasta que todas las múltiples causas han sido explicadas, un análisis *aplicado* (es decir, útil tecnológicamente) se logra cuando el investigador ha aislado una variable ambiental (o un grupo de variables que operan juntas como un paquete de tratamiento) que de manera fiable produce cambios de conducta socialmente significativos. Un análisis *aplicado* de la conducta requiere, además, que la conducta objetivo sea función de un evento ambiental que pueda ser ética y prácticamente manipulado.

Los experimentos que muestran convincentemente que los cambios en la conducta son función de la variable independiente y no el resultado de variables incontroladas o desconocidas, se consideran con alto grado de **validez interna**. Un estudio sin validez interna no puede generar afirmaciones significativas sobre la relación funcional analizada en el experimento, tampoco puede usarse para afirmar nada sobre la generalización de los resultados para otras personas, situaciones o conductas.[3]

Cuando se planifica una investigación y cuando se están analizando los datos obtenidos, el investigador debe estar siempre alerta ante las amenazas a la validez interna. Las variables no controladas que se sabe o se sospecha que ejercen una influencia en la variable dependiente se llaman **variables extrañas**. Por ejemplo, imagine que un investigador quiere analizar el efecto de las diapositivas que un profesor entrega a los estudiantes de biología de un instituto para seguir una clase, midiéndolo por las puntuaciones que obtienen en el examen del día siguiente. Una variable extraña potencial que el investigador deberá tener en cuenta sería el nivel de cambio en el interés y en el conocimiento general sobre el contenido curricular de los estudiantes (p. ej., las puntuaciones altas de un estudiante en un examen posteriormente a la clase de vida marina, podría deberse al conocimiento previo sobre pesca y no a las notas entregadas en esa clase).

Un factor principal en la evaluación de la validez interna de un experimento es el grado en el que este permite eliminar o controlar los efectos de las variables

[2] La audiencia del investigador determina en última instancia si una relación funcional es creíble o convincente. Exploraremos la credibilidad de los resultados de investigación más adelante, en el Capítulo 10.

[3] La **validez externa** se refiere comúnmente al grado en el que los resultados de un estudio son generalizables a otros sujetos, contextos o conductas. Las estrategias para evaluar y ampliar la validez externa de relaciones funcionales experimentalmente demostradas se discuten en el Capítulo 10.

extrañas mientras se sigue analizando la pregunta de investigación. Es imposible eliminar todas las fuentes de variables extrañas en un experimento, aunque el investigador siempre se esfuerce por lograrlo. En realidad, el objetivo de un diseño experimental es eliminar todas las variables extrañas posibles y mantener constante la influencia del resto variables, a excepción de la variable independiente que se manipula a propósito para determinar sus efectos.

Conducta: características definitorias y asunciones que guían su análisis.

> La conducta es una materia de estudio, no porque sea inaccesible, sino porque es extremadamente complicada. Dado que es un proceso, y no una cosa, no puede retenerse fácilmente para su observación. Cambia, fluye, es efímera y por esta razón, implica grandes exigencias técnicas sobre el ingenio y la energía del científico.
>
> —*B. F. Skinner (1953, pág. 15)*

El modo en que una ciencia define su objeto de estudio ejerce una profunda influencia e impone ciertas limitaciones a las estrategias experimentales que serán más eficaces para llegar a su comprensión. "Con el fin de que el científico estudie la conducta de la manera más eficaz posible, es necesario que los métodos de la ciencia se acomoden a las características de su objeto de estudio" (Johnston & Pennypacker, 1993a, pág.117). Los métodos experimentales del análisis de conducta están guiados por dos características definitorias de la conducta: (a) el hecho de que la conducta es un fenómeno individual y (b) el hecho de que la conducta es un fenómeno continuo; y por dos asunciones sobre su naturaleza: (a) la conducta está determinada y (b) la variabilidad conductual es extrínseca al organismo.

La conducta es un fenómeno individual

Si la conducta se define como la interacción de una persona con el ambiente, una ciencia que trata de encontrar los principios generales o las leyes que gobiernan la conducta debe estudiar la conducta de los individuos. Los grupos de personas no se comportan, las personas lo hacen. Por consiguiente, la estrategia experimental del análisis de conducta se basa en métodos de análisis intrasujeto (o de caso único).

El rendimiento promedio de un grupo de individuos es, a menudo, interesante y puede suponer una información muy útil, dependiendo de los métodos por los que los individuos fueron seleccionados dentro del grupo, posibilitando establecer la probabilidad del rendimiento promedio dentro de la población más grande representada por este grupo. Sin embargo, "los datos de grupo" no dan información sobre la conducta de un individuo o de cómo un individuo podría comportarse en el futuro. Por ejemplo, aunque los políticos y los ciudadanos pudieran estar justificadamente interesados en el incremento medio de la comprensión lectora de los estudiantes al pasar de un ciclo a otro, esa información será de muy poca ayuda para un profesor que deba decidir cómo mejorar las habilidades de comprensión lectora de un estudiante determinado.

No obstante, saber cómo se relacionan el ambiente y la conducta en muchos individuos es vital. Una ciencia de la conducta contribuye al desarrollo de una tecnología útil del cambio de conducta solamente en la medida en la que identifique relaciones funcionales generalizadas a través de los individuos. El problema está en cómo alcanzar esa generalización. El analista de conducta ha encontrado que la generalización de los principios conductuales a través de las personas se alcanza mejor mediante la réplica en nuevos sujetos de las relaciones funcionales ya demostradas.

La conducta es un fenómeno continuo y dinámico

Del mismo modo en que la conducta no puede darse en el vacío (debe ocurrir en algún lugar) también debe ocurrir en momentos determinados del tiempo. La conducta no es un evento estático; tiene lugar y cambia a través del tiempo. Por lo tanto, ni las medidas simples ni las medidas múltiples esporádicas pueden darnos una descripción adecuada de la conducta. Únicamente la medición continua a través del tiempo da lugar a un registro completo de la conducta, conforme ocurre en su contexto y con sus influencias ambientales. Dado que una verdadera medición continua es rara vez viable en contextos aplicados, las medidas repetidas sistemáticas de la conducta (tal y como se describen en los Capítulos 4 y 5) han llegado a ser la marca distintiva del análisis aplicado de la conducta.

La conducta está determinada

Tal y como se discutió en el Capítulo 1, todos los científicos sostienen la asunción de que el universo es un lugar regulado y ordenado, y donde cualquier fenómeno natural ocurre en relación a otros eventos naturales.

> La piedra angular de toda la investigación científica es el orden. En el análisis experimental de la conducta, la regularidad de la relación entre las variables ambientales y la conducta del sujeto es, al mismo tiempo, el supuesto que opera sobre todos los procesos del experimentador, el hecho observado que permite hacer eso y el objetivo en el que continuamente se focalizan las decisiones experimentales. Es decir, que el experimentador comienza con la asunción de que la conducta del sujeto es el resultado de las variables ambientales (en oposición a la idea de que no haya ninguna causa) (Johnson & Pennypacker, 1993a, pág. 238).

En otras palabras, la ocurrencia de cualquier evento está determinado por las relaciones funcionales que mantiene con otros eventos. El analista de conducta considera la conducta como un fenómeno natural que, como todos los fenómenos naturales, está determinado. A pesar de que el determinismo se mantiene siempre como una suposición, ya que no puede probarse, es una suposición que tiene fuerte apoyo empírico.

> Los datos acumulados desde todas las disciplinas científicas, indican que el *determinismo* se da en toda la naturaleza. Ha quedado claro que la *ley del determinismo*, que implica que todas las cosas están determinadas, se aplica al área de la conducta también... Al observar la conducta real hemos encontrado que en la situación 1, la conducta ha sido causada; en la situación 2, la conducta ha sido causada; en la situación 3, la conducta ha sido causada...; y en la situación 1001, la conducta ha sido causada. Cada vez que el experimentador introduce una variable independiente que provoque alguna conducta o algún cambio en la conducta, tenemos más evidencia *empírica* de que la conducta es causada o está determinada (Malott, General & Snapper, 1973, págs. 170,175).

La variabilidad conductual es extrínseca al organismo

Cuando todas las condiciones durante una fase de un experimento se mantienen constantes, y las medidas repetidas de la conducta muestran muchos cambios en los datos (es decir, que el sujeto no responde de manera consistente), se dice que la conducta muestra variabilidad.

La aproximación más comúnmente utilizada en psicología y en otras ciencias sociales y conductuales (p. ej., educación, sociología y ciencia política), plantea dos asunciones en relación a esta variabilidad: (a) la variabilidad conductual es una característica intrínseca del organismo y (b) la variabilidad conductual se distribuye aleatoriamente entre los individuos de cualquier población. Estas dos asunciones tienen implicaciones metodológicas críticas: (a) intentar controlar experimentalmente la variabilidad es una pérdida de tiempo, ya que simplemente existe y (b) mediante el promedio de la ejecución de sujetos individuales dentro de grupos grandes, la naturaleza aleatoria de la variabilidad puede ser estadísticamente controlada o neutralizada. Ambas hipótesis acerca de la variabilidad son probablemente falsas (la evidencia empírica señala en la dirección opuesta), y los métodos que alientan son perjudiciales para una ciencia de la conducta. "Las variables no se cancelan estadísticamente. Simplemente se entierran para que sus efectos no se vean" (Sidman, 1960/1988, pág. 162).[4]

Los analistas de conducta abordan la variabilidad en sus datos de manera muy diferente. Un supuesto fundamental que subyace al diseño y guía la realización de experimentos en análisis de conducta es que, más que ser una característica intrínseca del organismo, la variabilidad de la conducta es el resultado de la influencia ambiental: la variable independiente con la que el investigador busca producir cambios, algún aspecto no controlado del propio experimento o de fuera del experimento.

El supuesto de variabilidad extrínseca produce la siguiente implicación metodológica: en vez de promediar el desempeño de muchos sujetos en un intento de enmascarar la variabilidad (y, como resultado, perder la oportunidad de entenderla y controlarla), el analista de conducta manipula experimentalmente los factores sospechosos de causar la variabilidad. La búsqueda de los factores causales contribuye a la comprensión de la conducta, porque la demostración experimental de una fuente de variabilidad implica control experimental y, por lo tanto, otra relación funcional. De hecho, "encontrar estas respuestas puede resultar más gratificante que responder a la pregunta experimental original" (Johnston y Pennypacker, 1980, pág. 226).

Desde un punto de vista puramente científico, el rastreo experimental de las fuentes de variabilidad es siempre el enfoque preferido. Sin embargo, el analista aplicado de la conducta con un problema que resolver, debe tomar a menudo la variabilidad tal como se presenta (Sidman, 1960/1988). A veces, el investigador aplicado no tiene ni el tiempo ni los recursos para manipular experimentalmente ni siquiera las fuentes sospechosas y probables de variabilidad (p.ej., un maestro que interactúa con un alumno solo durante una parte del día,

[4] Algunos investigadores utilizan los diseños de comparación grupal no solo para neutralizar la variabilidad distribuida aleatoriamente sino también para producir los resultados que que ellos creen que tendrán más validez externa. Los métodos de comparación grupal y los métodos experimentales intrasujeto se comparan en el capítulo 10.

no tiene ninguna esperanza de controlar las muchas variables de fuera del aula). En la mayoría de los contextos, el analista aplicado de la conducta busca una variable de tratamiento suficientemente robusta para superar la variabilidad inducida por variables no controladas y producir los efectos deseados sobre la conducta objetivo (Baer, 1977b).

Componentes de los experimentos en análisis aplicado de la conducta

> Para mandar sobre la naturaleza hay que obedecerla... pero esta moneda tiene otra cara. Una vez se la obedece, se puede mandar sobre ella.
>
> —*B. F. Skinner (1956, pág. 232).*

La experimentación es el camino que sigue el científico para descubrir reglas naturales. Los descubrimientos que son válidos y fiables pueden contribuir a la tecnología del cambio efectivo de la conducta. Todos los experimentos en análisis aplicado de la conducta incluyen los siguientes componentes esenciales:

- Al menos un participante (sujeto)
- Al menos una conducta (variable dependiente)
- Al menos un contexto
- Un sistema que permita medir la conducta y hacer análisis visuales continuos de los datos
- Al menos un tratamiento o condición de intervención (variable independiente)
- La manipulación de la variable independiente para poder ver sus efectos sobre la variable dependiente, si existen (diseño experimental)

Debido a que la razón de llevar a cabo un experimento es aprender algo sobre la naturaleza, un planteamiento experimental bien planeado empieza con una pregunta específica sobre la naturaleza.

Pregunta experimental

> Realizamos experimentos con el fin de encontrar algo que no conocemos.
>
> —*Murray Sidman (1960/1988, pág. 214).*

Para el análisis aplicado de la conducta, la expresión de Sidman de "algo que no conocemos" se lanza en forma de pregunta sobre la existencia o la naturaleza específica de una relación funcional entre la mejora significativa de conductas socialmente relevantes y una o más de las variables que la controlan. Una **pregunta experimental** "es un enunciado corto pero específico sobre lo que el experimentador quiere aprender al llevar a cabo el experimento" (Johnson y Pennypacker, 1993b, pág. 366). En los estudios publicados en el ámbito del análisis aplicado de la conducta, la pregunta experimental (o de investigación) toma a veces la forma explícita de una pregunta, como en los siguientes ejemplos:

- Entre corregir después de cada palabra de una lista de 10 o hacerlo al final toda la lista: ¿Qué método de autocorrección producirá mejores efectos para (a) la adquisición del deletreo de nuevas palabras, y (b) el mantenimiento de las palabras ya adquiridas (medidas ambas cosas mediante un examen al final de la semana), en alumnos de primaria con dificultades de aprendizaje? (Morton, Heward y Alber, 1998).
- ¿Cuál es el efecto de entrenar a estudiantes de secundaria con dificultades de aprendizaje en captar la atención del profesor de una clase de educación especial sobre estos cuatro aspectos de una clase de educación regular: (a) el número de respuestas de captación de la atención del profesor, (b) el número de elogios que reciben del profesor, (c) el número de correcciones que recibe el estudiante del profesor (d) la productividad académica y la precisión de los estudiantes? (Alber, Heward y Hippler, 1999, pág. 225).

Sin embargo, con más frecuencia, la pregunta experimental está implícita dentro de un enunciado sobre el objetivo del estudio. Por ejemplo:

- El objetivo del presente estudio fue comparar la eficacia relativa entre dos tratamientos para el rechazo de la comida (la no retirada de la cuchara y la guía física), y evaluar la ocurrencia de conductas producida por cada procedimiento (Ahearn, Kerwin, Eicher, Shantz y Swearingin, 1996, pág. 322).
- El presente estudio se llevó a cabo para determinar si la reversión de hábitos es efectiva en el tratamiento de los tics verbales en niños con síndrome de Tourette (Woods, Twohig, Flessner y Roloff, 2003, pág. 109).
- El objetivo de este estudio fue determinar si la conducta autolesiva observada durante la condición de tangible se estaba confundiendo con la atención ofrecida simultáneamente por el terapeuta (Moore, Mueller, Dubard, Roberts y Sterling-Turner, 2002, pág. 283).
- El objetivo de este estudio fue determinar si las

comidas diarias que ocurrían de forma natural afectaban negativamente las sesiones posteriores donde se utilizaban como reforzares los alimentos especialmente preferidos (Zhou, Iwata, y Shore, 2002, págs. 411-412).

Tanto si la pregunta experimental se hace explícitamente en forma de pregunta como si se hace implícitamente en forma de enunciado del objetivo, todos los aspectos del diseño y la ejecución del experimento deben partir de ella.

> Un buen diseño es aquel que responde a la pregunta convincentemente y, por ello, debe ser construido a partir de la misma y probado a través de argumentos en ese contexto específico (a veces llamado "línea de pensamiento"), en lugar de imitar el diseño de algún libro de texto. (Baer, Wolf y Risley, 1987, pág. 319).

Sujeto

Los experimentos en análisis aplicado de la conducta suelen denominarse diseños de **sujeto único** (o *caso único*). Esto no es así porque los estudios en análisis de conducta necesariamente tengan que hacerse con un solo sujeto (aunque algunos sí), sino porque la lógica experimental o el razonamiento para analizar el cambio de la conducta, generalmente utiliza al sujeto como su propio control[5]. En otras palabras, se obtienen medidas repetidas de la conducta de cada sujeto conforme se somete a cada condición del estudio (p.ej., la presencia y la ausencia de la variable independiente). A menudo el sujeto se expone varias veces a cada condición a lo largo del curso del experimento. Las medidas de la conducta del sujeto durante cada fase del estudio nos dan la base para comparar los efectos de las variables experimentales conforme se presentan o se retiran en las subsecuentes condiciones.

Aunque la mayoría de los estudios en análisis aplicado de la conducta incluyen más de un sujeto (de cuatro a ocho es lo común), los datos de cada sujeto se toman y se representan gráficamente por separado[6]. En lugar de usar un *diseño de caso único*, para referirnos a los experimentos donde cada sujeto es su propio control, algunos autores utilizan más acertadamente términos como *diseño intrasujeto*.

A veces, el analista de conducta puede interesarse por evaluar el efecto total de una variable de tratamiento dentro de un grupo de sujetos, por ejemplo, el número de tareas para casa completadas por los miembros de una clase de primaria. En esos casos, el número total de tareas completas debería medirse, representarse gráficamente y analizarse como una variable dependiente dentro de un "diseño de caso único". Sin embargo, debe recordarse que, a no ser que los datos de cada alumno se representen gráficamente y se interpreten, no se habrá analizado la conducta individual de cada uno y los datos grupales podrían no ser representativos de ningún sujeto individual.

El uso de un único participante, o de un número pequeño de participantes, cada uno de los cuales se considera un experimento íntegro, contrasta fuertemente con los diseños de comparación de grupos usados tradicionalmente en psicología y en otras ciencias sociales que utilizan grandes cantidades de sujetos[7]. Los defensores de los diseños de comparación de grupos creen que el empleo de un número alto de sujetos controla la variabilidad que hemos tratado anteriormente e incrementa la generalización (validez externa) de los resultados a la población desde la que se seleccionaron los sujetos. Las ventajas y las desventajas de una aproximación experimental basada en las comparaciones intrasujeto de la conducta de sujetos individuales frente a la comparación de la ejecución media de diferentes grupos de sujetos se discutirán en el Capítulo 10. De momento, dejamos aquí esta cuestión con la astuta observación de Johnston y Pennypacker (1993b):

> Cuando se aplican bien, los procedimientos de diseño intrasujeto preservan las características puras de la conducta, no contaminadas por la variabilidad entresujeto.

---

[5] Se ha hecho habitual en la literatura sobre análisis aplicado de la conducta llamar a la persona cuya conducta es la variable dependiente de un experimento *participante*, en lugar del término más tradicional, *sujeto*. Nosotros usamos ambos términos en este texto e instamos a los lectores a tener en cuenta la perspectiva de Sidman (2000) a este respecto: "Nosotros no nos permitimos llamar a nuestros sujetos "sujetos". El término es supuestamente deshumanizante y por ello se supone que deberíamos llamarlos "participantes". Creo que esto está totalmente equivocado. Los experimentadores también son participantes en sus experimentos. ¿Cómo nos hace percibir la ciencia y a los científicos el hecho de no considerarlos como participantes? ¿Son los experimentadores simples robots que siguen reglas científicas prescritas e irrompibles? ¿Se supone que deben simplemente manipular las variables y anotar fríamente los resultados de sus manipulaciones? El separarlos como manipuladores no participantes y registradores de la conducta de los participantes realmente deshumaniza no solo a los experimentadores, sino también al proceso científico por completo".

[6] Un experimento de Rindfuss, Al-Attrash, Morrison y Heward (1998), ofrece un buen ejemplo del grado en el que el término *investigación de sujeto único* puede no ser apropiado. Se usó un diseño de reversión intrasujeto para evaluar los efectos de las tarjetas de respuesta en las puntuaciones de un examen y un cuestionario que obtenían 85 estudiantes de la clase de Historia Americana pertenecientes a cinco grupos distintos del mismo curso de secundaria. Aunque en este estudio participó un gran grupo de sujetos, realmente consistió en 85 experimentos individuales ¡o en 1 experimento y 84 réplicas!

[7] Para ver una revisión histórica sobre la investigación de caso único, ver Kennedy (2005).

> Por el contrario, las mejores aplicaciones de diseños entre grupos oscurecen la representación de la conducta de varias formas, sobretodo mezclando la variabilidad entresujetos con la variabilidad inducida por el tratamiento (pág. 188).

Conducta: variable dependiente

La conducta objetivo en un experimento de análisis aplicado de la conducta, o más precisamente, una dimensión medible de la conducta (p.ej., tasa o duración), se llama la **variable dependiente**. Se llama así precisamente porque el experimento se diseña para determinar si la conducta es *dependiente de* (es decir, es función de) la variable (o variables) independiente manipulada por el investigador. (El criterio y los procedimientos para seleccionar y definir las clases de respuesta que cumplen los requisitos de *aplicado* para el análisis aplicado de la conducta se describieron en el Capítulo 3).

En algunos estudios, se mide más de una conducta. Una de las razones para medir múltiples conductas es aportar patrones de datos que puedan servir como control para la evaluación y replicación de los efectos de una variable independiente aplicada secuencialmente a cada una de las conductas.[8] Una segunda razón para medir múltiples variables dependientes es evaluar la presencia y el alcance de los efectos de la variable independiente en otras conductas, más allá de la clase de respuestas a la que se aplicó directamente. Esta estrategia se usa para determinar si la variable independiente tuvo efectos colaterales, deseables o indeseables, en otras conductas de interés. A esas conductas nos referimos como variables dependientes secundarias. El experimentador obtiene medidas regulares de su tasa de ocurrencia, aunque quizás no con la misma frecuencia con la que miden y registran las variables dependientes primarias.

Una razón más para medir múltiples conductas es determinar si se dan cambios en la conducta de una persona distinta al sujeto durante el curso de un experimento y si esos cambios podrían explicar cambios en la conducta del sujeto. Esta estrategia se utiliza, principalmente, como estrategia de control en la evaluación de los efectos de una posible variable extraña. Las conductas medidas adicionalmente no son variables dependientes verdaderas en el análisis en curso. Por ejemplo, en un estudio clásico en el que se analizaron los efectos del autorregistro sobre la conducta de estudio en clase en una chica de secundaria. Broden, Hall y Mitts (1971), observaron y registraron el número de veces que el profesor de la chica le prestaba atención a lo largo del experimento. Si se hubiese encontrado que la atención del profesor covariaba con los cambios en la conducta de estudio, la relación funcional entre el autorregistro y la conducta de estudio no se habría demostrado. En este caso probablemente se habría identificado la atención del profesor como una posible variable extraña y los objetivos de la investigación habrían cambiado para controlarla experimentalmente (es decir, para mantener constante la atención del profesor), o manipular y analizar sistemáticamente sus efectos. Sin embargo, los datos revelaron que no se dio una relación funcional entre la atención del profesor y la conducta de estudio durante las primeras cuatro fases del experimento, que era el momento en el que más preocupaba que la atención del profesor pudiera actuar como variable extraña.

Contexto

> Controla el ambiente y verás orden en la conducta.
> —*B. F. Skinner (1967, pág. 399).*

Las relaciones funcionales se demuestran cuando las variaciones en la conducta pueden atribuirse a la realización de operaciones específicas sobre el ambiente. El **control experimental** se alcanza cuando un cambio predecible en la conducta (la variable dependiente), puede producirse de forma fiable y repetida a través de la manipulación sistemática de algún aspecto del ambiente del sujeto (la variable independiente). Para hacer estas atribuciones correctamente, el experimentador debe, entre otras cosas, controlar dos tipos de variables ambientales. En primer lugar, el experimentador debe controlar la variable independiente presentándola, retirándola o variando su valor. En segundo lugar, debe controlar, manteniéndolos constantes, todos los demás aspectos del ambiente experimental (las **variables extrañas)**, para prevenir variaciones ambientales no planeadas. Estos dos procedimientos, la manipulación precisa de la variable independiente y el mantenimiento de la constancia en cualquier otro aspecto relevante del ambiente experimental, definen el segundo significado del *control experimental*.

En la investigación básica de laboratorio, el espacio experimental se diseña y se equipa para maximizar el control experimental. La iluminación, la temperatura y el sonido, por ejemplo, se mantienen constantes y un equipo programado virtualmente garantiza la presentación de los estímulos antecedentes y de las consecuencias tal como está planeado. Los analistas

[8] Esta es la característica distintiva del *diseño de línea base múltiple con varias conductas*, una estrategia experimental ampliamente utilizada en análisis aplicado de la conducta. Los diseños de línea base múltiple y de criterio cambiante se presentan en el Capítulo 9.

aplicados de la conducta, sin embargo, llevan a cabo sus estudios en contextos donde suceden conductas socialmente importantes de forma natural: el aula, la casa o el trabajo. Es imposible controlar todos los aspectos de un ambiente aplicado; y para añadir otra dificultad, los sujetos están en el contexto experimental solo durante una parte del día, trayendo consigo las influencias de los eventos y las contingencias que operan en otros contextos.

A pesar de la complejidad y la naturaleza cambiante de los contextos aplicados, el analista de conducta debe hacer todos los esfuerzos por mantener constantes todos los aspectos del ambiente que puedan ser relevantes. Cuando aparecen variaciones no planeadas, el investigador debe o bien esperar hasta que sus efectos hayan pasado, o bien incorporarlas al diseño del experimento. En cualquier evento, las medidas repetidas de la conducta del sujeto son el barómetro para evaluar si los cambios no planificados en el ambiente deberían preocuparnos.

Los estudios aplicados se llevan a cabo, generalmente, en más de un ambiente. Los investigadores a veces toman medidas concurrentes de la misma conducta en múltiples contextos, como control para analizar los efectos de una variable independiente que se aplica secuencialmente a la conducta en cada contexto.[9] Además, los datos se suelen tomar en múltiples contextos para evaluar el grado en el que los cambios conductuales observados en el primer contexto han alcanzado también a los otros contextos. (Las estrategias para promover la generalización del cambio de conducta a través de diferentes ambientes se describen en el Capítulo 28).

Sistema de medida y análisis visual continuo

Los estudiantes principiantes de análisis de conducta a veces creen que la disciplina se preocupa de cuestiones y procedimientos relacionados con la observación y la medida de la conducta. Quieren proseguir con el análisis. Sin embargo, los resultados de cualquier experimento solamente pueden presentarse e interpretarse según lo que se estuviera midiendo, y los procedimientos de observación y registro utilizados en el estudio determinan no solo lo que fue medido, sino también si se midió bien (es decir, cómo de representativa de la conducta del sujeto es la estimación dada por los datos experimentales, teniendo en cuenta que todas las medidas de la conducta, sin importar la frecuencia y la precisión técnica, son estimaciones de valores reales). Es crítico que los procedimientos de observación y registro se lleven a cabo de una manera completamente estandarizada a través de todas las sesiones del experimento. La estandarización incluye todos los aspectos del sistema de medida, desde la definición de la conducta objetivo (variable dependiente) hasta la programación del calendario de observaciones, la forma en que se transfieren los datos brutos de las hojas de registro a las hojas de resumen de la sesión o la manera en que se representan los datos gráficamente. Como se detalla en el Capítulo 5, un cambio inesperado en las tácticas de medida puede dar como resultado una variabilidad no deseada o efectos del tratamiento confusos.

El capítulo anterior describió la ventaja que supone para el investigador conductual el mantener contacto directo con los datos experimentales mediante la inspección visual continua de las representaciones gráficas. El analista de conducta debe desarrollar habilidades para reconocer cambios en el nivel, la tendencia y el grado de variabilidad de los datos. Dado que la conducta es un fenómeno continuo y dinámico, los experimentos diseñados para descubrir sus variables de control deben permitir al investigador inspeccionar y responder a los datos continuamente a medida que el estudio progresa. Solo de esta manera el analista de conducta puede estar listo para manipular las características del ambiente en el momento y de la manera que mejor revelará las relaciones funcionales y minimizará los efectos de las variables extrañas.

Intervención o tratamiento: variable independiente

El analista de conducta busca relaciones fiables entre la conducta y las variables ambientales de las que es función. El aspecto particular del ambiente que el experimentador manipula para averiguar si afecta a la conducta del sujeto se denomina **variable independiente.** Denominado, a veces, *intervención, tratamiento o variable experimental*, este componente de un experimento se denomina variable independiente, porque el investigador puede controlarla o manipularla, independientemente de la conducta del sujeto o de cualquier otro evento. (Aunque, como veremos más adelante, manipular la variable independiente sin tener en cuenta lo que suceda con la variable dependiente, es imprudente). Mientras que todos los cambios que deben realizarse en el contexto experimental para llevar a cabo el estudio (por ejemplo, la adición de observadores para

[9] Esta estrategia de análisis se conoce como *diseño de línea base múltiple con varios contextos.* Los diseños de línea base múltiple se presentan en el Capítulo 9.

medir la conducta) se hacen con el objetivo de minimizar sus efectos sobre la variable dependiente, "los cambios en la variable independiente son organizados por el experimentador con el fin de maximizar... su influencia sobre la respuesta" (Johnston & Pennypacker, 1980, pág. 260).

La manipulación de la variable independiente: el diseño experimental

El **diseño experimental** es la disposición particular de las condiciones en un estudio para poder realizar una comparación significativa de los efectos de la presencia, ausencia o valores diferentes de la variable independiente. Las variables independientes pueden ser presentadas, retiradas, aumentadas o disminuidas en su valor o combinadas entre conductas, contextos y sujetos en un número infinito de formas[10]. Sin embargo, solo hay dos tipos básicos de cambios en la variable independiente que pueden hacerse con respecto a la conducta de un sujeto dado en un ambiente dado.

> Se puede introducir una nueva condición o reintroducir una vieja... Los diseños experimentales son meramente arreglos temporales de varias condiciones nuevas y viejas a través de las conductas y los contextos de maneras que produzcan datos que sean convincentes para el investigador y la audiencia (Johnston & Pennypacker, 1980, pág. 270).

En el caso más simple, desde una perspectiva analítica, pero no necesariamente desde un punto de vista práctico, se puede manipular una variable independiente para que esté presente o ausente durante cada período de tiempo o fase del estudio. Cuando la variable independiente se encuentra en cualquiera de estas condiciones durante un estudio, el experimento se denomina no paramétrico. Por el contrario, un **análisis paramétrico** busca descubrir los efectos diferenciales de un rango de valores de la variable independiente. Por ejemplo, Lerman, Kelley, Vorndran, Kuhn y LaRue (2002) realizaron un estudio paramétrico cuando evaluaron los efectos de diferentes magnitudes del reforzador (es decir, 20 segundos, 60 segundos o 300 segundos de acceso a los juguetes o de escape de las demandas) sobre la duración de la pausa post-reforzamiento y la resistencia a la extinción. A veces se utilizan experimentos paramétricos porque una relación funcional puede ser más generalizable si se basa en varios valores de la variable independiente.

En ocasiones el investigador está interesado en comparar los efectos de varias alternativas de tratamiento. En este caso, múltiples variables independientes forman parte del experimento. Por ejemplo, quizás se evalúen dos tratamientos por separado, así como los efectos de un tercer tratamiento, que representa una combinación de ambas variables. Sin embargo, incluso en experimentos con múltiples variables independientes, el investigador debe prestar atención a una regla simple pero fundamental de experimentación: *cambiar solo una variable cada vez*. Solo de esta manera el analista de conducta puede atribuir cualquier cambio medido en la conducta a una variable independiente específica. Si dos o más variables se alteran simultáneamente y se observan cambios en la variable dependiente, no se puede sacar ninguna conclusión con respecto a la contribución de ninguna de las variables alteradas al cambio de conducta. Si dos variables cambiaron al mismo tiempo, ambas podrían haber contribuido igualmente al cambio de conducta resultante, o una de las variables podría haber sido la única o la mayor responsable del cambio, o podría haber tenido un efecto negativo o contraproducente, pero la otra variable independiente fue lo suficientemente fuerte como para superar este efecto, resultando en una ganancia neta. Cualquiera de estas explicaciones o combinaciones de ellas pueden haber influido en el cambio.

Como se indicó anteriormente, el análisis aplicado de la conducta suele realizar sus experimentos en ambientes "ruidosos" donde se requieren tratamientos eficaces por razones relacionadas con la seguridad personal o con circunstancias extremas. En tales casos, los analistas aplicados de la conducta, a veces "empaquetan" tratamientos múltiples bien documentados y eficaces, sabiendo que se están introduciendo múltiples variables independientes. Como comentamos anteriormente, un paquete de intervención es aquel en el que múltiples variables independientes se combinan o se agrupan en un programa (p.ej., economía de fichas + elogio + autorregistro + tiempo fuera). Sin embargo, desde la perspectiva del análisis experimental, la regla todavía se mantiene. Al manipular un paquete de tratamiento, el experimentador debe asegurarse de que todo el paquete se presenta o se retira cada vez que se produce una manipulación. En esta situación, es importante entender que todo el paquete está siendo evaluado, no los componentes discretos que forman el paquete. Si en un momento posterior, el analista decide determinar las contribuciones relativas de cada parte del paquete, se

[10] ¿Cuántos diseños experimentales existen? Debido a que el diseño de un experimento incluye una cuidadosa selección y consideración de todos los componentes discutidos aquí (es decir, sujetos, contextos, conducta, etc.), sin contar la replicación directa de experimentos, se podría decir que hay tantos diseños experimentales como experimentos.

necesitará realizar un análisis de componentes. Los Capítulos 8 y 9 describen las estrategias experimentales para el análisis de componentes.

No hay diseños experimentales generalizados disponibles para un problema de investigación dado (Baer et al., 1987, Johnston & Pennypacker, 1980, 1993a, Sidman, 1960/1988, Skinner, 1956, 1966). El investigador no debe quedar limitado por "diseños" de libro de texto que (a) requieran supuestos previos sobre la naturaleza de las relaciones funcionales que uno busque investigar y (b) puedan ser insensibles a cambios imprevistos en la conducta. En cambio, el analista de conducta debe seleccionar y combinar las estrategias experimentales que mejor se adapten a la pregunta de investigación, mientras permanece siempre preparado para "explorar variables relevantes manipulándolas en un diseño improvisado y rápidamente cambiante" (Skinner, 1966, pág. 21).

Simultáneo, y en gran medida responsable, al crecimiento y éxito del análisis aplicado de la conducta ha sido el desarrollo y perfeccionamiento de un poderoso grupo de estrategias experimentales, extremadamente flexibles, para el análisis de las relaciones entre la conducta y el ambiente. Las estrategias más ampliamente utilizadas se describirán detalladamente en los capítulos 8 y 9. Sin embargo, para seleccionar, modificar y combinar más eficazmente estas estrategias en experimentos convincentes, el analista de conducta debe primero comprender completamente el razonamiento experimental, o lógica en la que se basan las comparaciones experimentales intrasujeto.

La ley de los valores iniciales y la lógica de la línea base

El **estado estable de respuesta**, que "puede definirse como un patrón de respuesta que exhibe relativamente poca variación en las medidas de sus dimensiones a lo largo de un periodo de tiempo" (Johnston y Pennypacker, 1993a, pág. 199), aporta la base para una poderosa forma de razonamiento experimental utilizado habitualmente en análisis de conducta, llamado lógica de la línea base. La **lógica de la línea base** incluye tres elementos (predicción, verificación y replicación), cada uno de los cuales se apoya en un enfoque experimental general llamado ley de los valores iniciales. La **ley de los valores iniciales** implica exponer repetidamente al sujeto a una condición dada mientras se intenta eliminar o controlar cualquier influencia extraña sobre su conducta y obtener un patrón estable de respuesta antes de introducir la siguiente condición.

Naturaleza y función de los datos de la línea base

El analista de conducta descubre las relaciones entre la conducta y el entorno comparando los datos generados por las medidas repetidas de la conducta de un sujeto bajo las diferentes condiciones ambientales del experimento. El método más común para evaluar los efectos de una variable dada es obtener una medida continua de la conducta en su ausencia. Los datos originales sirven como la **línea base** para cualquier cambio observado en la conducta cuando se aplica la variable independiente. Una línea base sirve como una condición de control y no significa necesariamente la ausencia de instrucción o tratamiento como tal, solo la ausencia de una variable independiente específica que tenga interés experimental.

¿Por qué establecer una línea base?

Desde una perspectiva puramente científica o analítica, el objetivo primordial para establecer un nivel básico de respuesta, es utilizar la conducta del sujeto en ausencia de la variable independiente como base objetiva para detectar los efectos de la variable independiente cuando se introduzca en el futuro. De cualquier manera, la obtención de datos de línea base puede producir una serie de beneficios aplicados. Por un lado, la observación sistemática de la conducta objetivo antes de que se introduzca una variable de tratamiento proporciona la oportunidad de buscar y anotar eventos ambientales que ocurren justo antes y justo después de la conducta. Tales descripciones empíricamente obtenidas de correlaciones entre antecedentes, conductas y consecuencias suelen ser de gran valor en la planificación de una intervención eficaz (véase el Capítulo 24). Por ejemplo, las observaciones de líneas base que revelan que los estallidos disruptivos de un niño son seguidos de manera consistente por la atención de los padres o maestros, se pueden usar en el diseño de una intervención para ignorar el estallido y aplicar atención contingente tras la conducta deseada.

En segundo lugar, los datos de línea base pueden aportar una valiosa orientación para establecer el criterio inicial de reforzamiento, un paso particularmente importante cuando se pone en práctica una contingencia por primera vez (véase el Capítulo 11). Si el criterio es demasiado alto, el sujeto nunca entra en contacto con la contingencia; si es demasiado bajo, se puede esperar poca o ninguna mejora.

Desde una perspectiva práctica, una tercera razón para tomar datos de línea base se refiere a los méritos de la medición objetiva frente a la opinión subjetiva. A veces los resultados de la medición sistemática de la línea base llevan al analista de conducta o a las personas significativas del participante o usuario de modificar sus perspectivas sobre la necesidad y el valor de intentar cambiar la conducta. Por ejemplo, a lo mejor una conducta sobre la que se consideraba necesario intervenir debido a varias ocurrencias recientes y extremas, deja de ser un objetivo porque los datos de la línea base muestran que está disminuyendo. O tal vez, la topografía de una conducta atrajo la atención excesiva de maestros o padres, pero la medición objetiva de la línea base a lo largo de varios días revela que la conducta no ocurre con una frecuencia que justifique una intervención.

Tipos de patrones de línea base

Se muestran en la Figura 7.1 ejemplos de cuatro patrones de datos generados a veces por la medición de la línea base. Debe hacerse hincapié en que estas líneas base hipotéticas representan solo cuatro ejemplos de la gran variedad de patrones de datos de línea base que un experimentador o profesional aplicado pueden encontrar. Las posibles combinaciones de diferentes niveles, tendencias y grados de variabilidad son, por supuesto, infinitas. Sin embargo, en un esfuerzo por orientar al analista de conducta principiante, se darán algunas aclaraciones generales sobre las decisiones experimentales que podrían estar justificadas a partir de los patrones de datos mostrados en la Figura 7.1.

El gráfico A muestra una **línea base estable** relativamente. Los datos no muestran evidencia de una tendencia ascendente o descendente, y todas las medidas están dentro de un rango de valores pequeño. Una línea base estable proporciona la situación más deseable, en la que encontrar los efectos de una variable independiente. Si los cambios de nivel, tendencia o variabilidad coinciden con la introducción de una variable independiente en una línea base tan estable como la mostrada en el Gráfico A, se puede sospechar razonablemente que esos cambios puedan estar relacionados con la variable independiente.

Los datos de los Gráficos B y C representan una **línea base ascendente** y una **línea base descendente**, respectivamente. La trayectoria de datos en el Gráfico B muestra una tendencia creciente en la conducta a lo largo del tiempo, mientras que la trayectoria de datos en el Gráfico C muestra una tendencia decreciente. El analista aplicado de la conducta debe tratar los datos de las líneas base ascendente y descendente con cautela. Por definición, las variables dependientes en el análisis aplicado de la conducta se seleccionan porque representan conductas objetivo que necesitan ser cambiadas. Sin embargo, las líneas base ascendentes y descendentes revelan conductas actualmente en proceso de cambio. El efecto de una variable independiente introducida en este punto, probablemente se verá oscurecido o confundido por las variables responsables del cambio que ya está ocurriendo. Pero, ¿qué pasa si el investigador aplicado necesita cambiar la conducta inmediatamente? La perspectiva aplicada puede ayudar a resolver este dilema.

El hecho de que una variable de tratamiento deba introducirse va a depender de si la tendencia de la línea base implica mejora o deterioro de la conducta. Cuando una línea base ascendente o descendente representa un cambio de conducta en la dirección terapéuticamente deseada, el investigador debe interrumpir la aplicación del tratamiento y seguir tomando datos de la variable dependiente bajo condiciones de línea base. Cuando la conducta deja de mejorar (evidenciado por la línea base) o empieza a deteriorarse, se puede aplicar la variable independiente. Si la tendencia no se estabiliza y la conducta sigue mejorando, el problema original podría no estar ya presente, y no habría ninguna razón para introducir el tratamiento como estaba previsto (aunque el investigador podría estar motivado para aislar y analizar las variables responsables de la mejoría "espontánea"). La introducción de una variable independiente a una conducta que ya está mejorando hace que sea difícil y a menudo imposible afirmar que cualquier continuación de la mejoría es función de la variable independiente.

Una línea base ascendente o descendente que representa un deterioro significativo de la conducta indica una aplicación inmediata de la variable independiente. Desde una perspectiva aplicada, la decisión de intervenir es obvia: la conducta del sujeto se está deteriorando y se debe introducir un tratamiento diseñado para mejorarla. Una variable independiente capaz de influir en el cambio de conducta deseado a pesar de que haya otras variables "empujando" en la dirección opuesta, será probablemente una variable robusta, que será una adición bienvenida a la lista de tratamientos eficaces del analista de conducta. La decisión de introducir una variable de tratamiento en una línea base que muestra deterioro también es sólida desde una perspectiva analítica que se discutirá en la siguiente sección.

El Gráfico D de la Figura 7.1 muestra una **línea base variable** o inestable. Los datos del Gráfico D muestran solo uno de los muchos patrones posibles de respuesta inestable. Los datos no caen constantemente dentro de un rango estrecho de valores, ni sugieren ninguna tendencia clara. La introducción de la variable independiente en presencia de tal variabilidad es imprudente desde el punto de vista experimental. Se supone que la variabilidad es el resultado de variables ambientales que,

Figura 7.1 Patrones de datos que ilustran líneas base estables (A), ascendentes (B), descendentes (C) y variables (D).

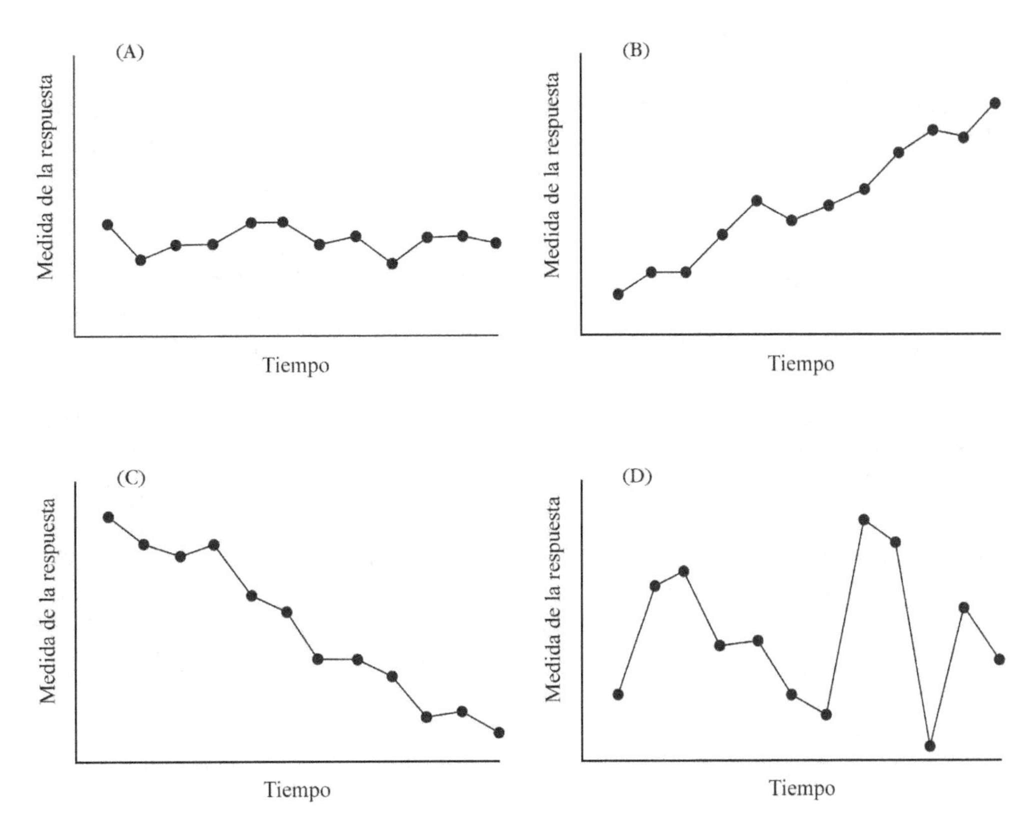

en el caso mostrado por el Gráfico D, parecen estar operando de manera no controlada. Antes de que el investigador pueda analizar eficazmente los efectos de una variable independiente, estas fuentes incontroladas de variabilidad deben ser aisladas y controladas.

La línea base de respuestas estables proporciona un índice del grado de control experimental que el investigador ha establecido. Johnston y Pennypacker destacaron este punto en ambas ediciones de *Strategies and Tactics of Human Behavior* Research:

> Si una respuesta inaceptablemente variable ocurre en condiciones de línea base, esto es una afirmación de que el investigador probablemente no está preparado para introducir la condiciones de tratamiento, que implicaría agregar una variable independiente cuyos efectos van a ser cuestionados (1993a, página 201).

Estos autores fueron más directos y contundentes en la primera edición de su texto:

> Si no se puede obtener una respuesta suficientemente estable, el experimentador no está en posición de añadir una variable independiente de influencia sospechada pero desconocida. Hacer esto sería complejizar la confusión y conducir hacia una mayor ignorancia (1980, pág. 229).

Una vez más, sin embargo, los aspectos aplicados deben equilibrarse con las actividades puramente científicas. Puede que el problema aplicado no pueda esperar a ser resuelto (por ejemplo, conducta autolesiva severa). O bien, las variables extrañas en el entorno del sujeto y el escenario (o escenarios) de la investigación pueden, simplemente, estar más allá del control del experimentador.[11] En tales situaciones, la variable independiente se introduce con la esperanza de producir una respuesta estable en su presencia. Sidman (1960/1988) estuvo de acuerdo en que "el ingeniero conductual normalmente debe tomar la variabilidad tal como se la encuentra, y tratar con ella como un hecho inevitable de la vida" (pág. 192).

Predicción

La **predicción** puede definirse como "el resultado anticipado de una medición actualmente desconocida o futura. Es el uso más elegante de la cuantificación sobre la cual descansa la validación de toda la actividad científica y tecnológica" (Johnston & Pennypacker, 1980, pág. 120). La Figura 7.2 muestra una serie de medidas hipotéticas que representan un patrón estable de respuesta de línea base. La consistencia de los cinco

[11] El investigador aplicado debe evitar asumir automáticamente que la variabilidad no deseada es función de variables que están más allá de su capacidad o recursos de aislamiento y control, dado que esa asunción le llevaría a dejar de investigar las relaciones funcionales potencialmente importantes.

primeros datos de la serie fomenta la predicción de que, si no se producen cambios en el entorno del sujeto, las medidas posteriores caerán dentro del rango de valores obtenidos hasta el momento. De hecho, se toma una sexta medida que da credibilidad a esta predicción. La misma predicción se hace de nuevo, esta vez con más confianza, y otra medida de conducta muestra que es correcta. A lo largo de una línea base (o cualquier otra condición experimental), se hace una predicción continua y se confirma hasta que el investigador tiene razones para creer que la medida de respuesta no cambiará apreciablemente en las presentes condiciones. Los datos incluidos dentro de la parte sombreada de la Figura 7.2 representan medidas no obtenidas pero previstas de respuesta futura bajo "condiciones ambientales relativamente constantes".[12] Dada la estabilidad de las medidas obtenidas, pocos científicos experimentados tendrían nada en contra de esta predicción.

¿Cuántas medidas deben tomarse antes de que un experimentador pueda utilizar una serie de datos para predecir la futura conducta con confianza? Baer et al. (1968) recomendaron continuar la medición de la línea base hasta que "su estabilidad sea clara". Aunque no hay respuestas establecidas, se pueden hacer algunas afirmaciones generales sobre el poder predictivo de los niveles estables. En igualdad de condiciones, muchas mediciones son mejores que algunas; y cuanto más largo sea el período de tiempo en el que se obtiene una respuesta estable, mejor será el poder predictivo de esas medidas. Además, si el experimentador no está seguro de si la medición ha producido una respuesta estable es que con toda probabilidad no ha sido así, y se deben tomar más datos antes de introducir la variable independiente. Por último, el conocimiento del investigador de las características de la conducta de interés bajo condiciones constantes es de gran valor para decidir cuándo dar por finalizada la medición de la línea base e introducir la variable independiente. Este conocimiento se puede extraer de la experiencia personal en la obtención de líneas base estables en clases de respuesta similares y de la familiaridad con los patrones de respuesta de línea base encontrados en la literatura publicada.

Debe quedar claro que los consejos tales como "tomar datos de línea base durante por lo menos cinco sesiones" u "obtener medidas de línea base durante dos semanas consecutivas" son erróneos o ingenuos. Dependiendo de la situación, cinco datos obtenidos a lo largo de una o dos semanas de condiciones de línea base pueden o no proporcionar una imagen convincente del estado estable de respuesta. La pregunta que debe abordarse es: ¿Los datos son suficientemente estables para servir de base para la comparación experimental? Esta pregunta solo puede responderse mediante la predicción y la confirmación continuas utilizando medidas repetidas en un entorno en el que todas las condiciones relevantes se mantienen constantes.

Los analistas de conducta a menudo están interesados en analizar relaciones funcionales entre una variable de instrucción y la adquisición de nuevas habilidades. En tales situaciones, a veces se supone que las medidas de línea base son cero. Por ejemplo, se podría esperar que las observaciones repetidas de un niño que nunca se ha atado los zapatos producirían una línea base perfectamente estable de cero respuestas correctas. Sin embargo, las observaciones casuales que nunca han demostrado que un niño utilice una habilidad particular no constituyen una base de referencia científicamente válida y no deben utilizarse para justificar ninguna afirmación sobre los efectos de la instrucción. Podría ser que si se le dieran repetidas oportunidades para responder, el niño comenzara a emitir la conducta objetivo a una tasa diferente de cero. El término **efectos de práctica** se refiere a las mejoras en el rendimiento que resultan de las repetidas oportunidades de emitir la conducta para que se puedan obtener mediciones de línea base. Por ejemplo, el hecho de intentar obtener datos de línea base estable para estudiantes que realizan problemas aritméticos puede resultar en una mejoría de los niveles de respuesta simplemente como resultado de la práctica repetida inherente al proceso de medición. Los efectos de práctica confunden un estudio, haciendo

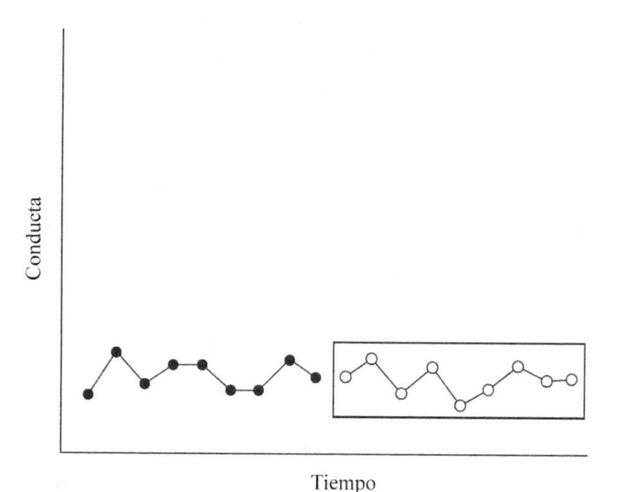

Figura 7.2 Los puntos sólidos representan medidas reales de conducta que darían en una línea base estable; los puntos abiertos dentro del recuadro representan el nivel de respuesta que se predeciría a partir de las medidas obtenidas, en caso de que el ambiente permaneciera constante.

[12]"La referencia anterior a "condiciones ambientales relativamente constantes" significa solo que el experimentador no produce a sabiendas variaciones no controladas en eventos ambientales relacionados funcionalmente" (Johnston y Pennypacker, 1980, pág. 222).

imposible separar y explicar los efectos de práctica y los de la instrucción sobre el rendimiento final del estudiante. Las medidas de línea base repetidas deberían usarse o bien para revelar la existencia, o bien para demostrar la inexistencia de los efectos de práctica. Cuando se sospecha o se encuentran efectos de práctica, la recolección de datos de línea base debe continuar hasta que se alcance el estado estable de respuesta.

La necesidad de demostrar una línea base estable y de controlar empíricamente los efectos de práctica no requiere que los analistas aplicados de la conducta no introduzcan el tratamiento o intervención necesarios. No se obtiene nada registrando líneas base innecesariamente largas de conductas que no se pueda esperar, razonablemente, que estén en el repertorio del sujeto. Por ejemplo, muchas conductas no pueden darse a menos que el sujeto sea competente en ciertas conductas prerrequisitas; No existe posibilidad de que un niño se ate los zapatos si actualmente no sabe sujetar los cordones, o de que un estudiante resuelva divisiones si no sabe restar ni multiplicar. Ampliar la obtención de datos de línea base en tales casos es innecesario. Tales medidas "no representan un nivel cero de conducta sino una oportunidad nula de conducta, y no hay necesidad de documentar con datos bien medidos que la conducta no ocurre cuando no puede ocurrir" (Horner y Baer, 1978, p 190).

Afortunadamente, los analistas aplicados de la conducta no necesitan ni abandonar el uso de la ley de los valores iniciales de respuesta ni medir una conducta inexistente a expensas del inicio del tratamiento. El diseño de sondeos múltiples, descrito en el Capítulo 9, es una estrategia experimental que permite el uso de la lógica del estado estable para analizar las relaciones funcionales entre la instrucción y la adquisición de conductas que eran inexistentes en el repertorio del sujeto antes de la introducción de la variable independiente.

Afirmación del consecuente

El poder predictivo del estado estable de respuesta permite al analista de conducta emplear una clase de lógica inductiva conocida como **afirmación del consecuente** (Johnston & Pennypacker, 1980). Cuando un experimentador introduce una variable independiente tras una línea base estable, se hace una suposición explícita: si la variable independiente no se hubiera aplicado, la conducta, como se indica por la trayectoria de datos de línea base, no habría cambiado. El experimentador también predice que (o más precisamente, se cuestiona si) la variable independiente dará lugar a un cambio en la conducta.

El razonamiento lógico detrás de la afirmación del consecuente comienza con un verdadero enunciado sobre el antecedente y el consecuente (si A entonces B) y procede de la siguiente manera:

1. Si A es verdadero, entonces B es verdadero.
2. Se encuentra que B es verdadero.
3. Por lo tanto, A es verdadero.

La versión del analista de conducta es la siguiente:

1. Si la variable independiente es un factor de control para el conducta (A), entonces los datos obtenidos en presencia de la variable independiente mostrarán que la conducta ha cambiado (B).
2. Cuando la variable independiente está presente, los datos muestran que el conducta ha cambiado (B es verdadero).
3. Por lo tanto, la variable independiente es una variable de control para el conducta (por lo tanto, A es verdadero).

La lógica, por supuesto, es defectuosa; otros factores podrían ser responsables de la veracidad de A. Pero, como se demostrará, un experimento exitoso (es decir, convincente) afirma varias posibilidades de "si A entonces B", cada una de las cuales reduce la probabilidad de que otros factores aparte de la variable independiente sean responsables de los cambios observados en el conducta.

Los datos que se muestran en las Figuras de la 7.3 a la 7.5 ilustran cómo la predicción, la verificación y la replicación se emplean en un experimento hipotético que utiliza un diseño de inversión, una de las tácticas analíticas más comunes y poderosas utilizadas por los analistas de conducta. La Figura 7.3 muestra una afirmación del consecuente exitoso. El estado estable de respuesta durante la línea base permitió la predicción de que, si no se hicieran cambios en el entorno, la medición continua produciría datos similares a los de la parte sombreada del gráfico. Se introdujo después la variable independiente, y las medidas repetidas de la variable dependiente durante esta condición de tratamiento mostraron que la conducta, de hecho, cambió. Esto permite dos comparaciones, una real y otra hipotética. En primer lugar, la diferencia real entre las medidas obtenidas en presencia de la variable independiente y el nivel de la línea base de respuesta, representa el alcance de un posible efecto de la variable independiente y apoya la predicción de que el tratamiento cambiaría la conducta.

La segunda comparación, hipotética, es entre los

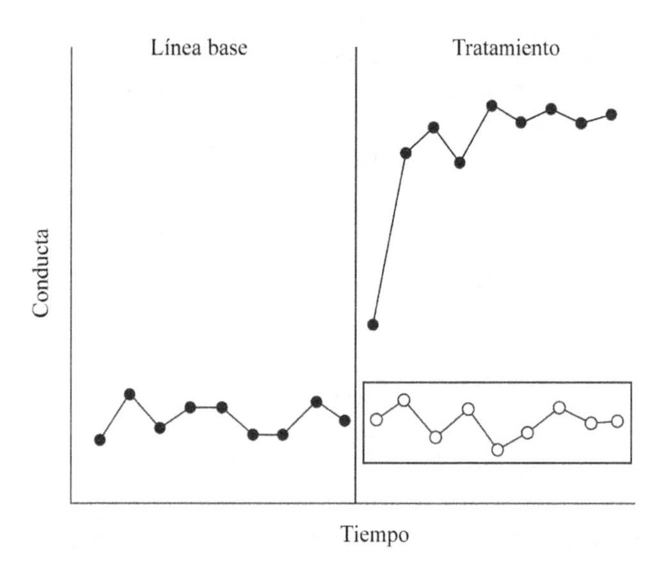

Figura 7.3 Afirmación del consecuente que apoya la posibilidad de que exista una relación funcional entre la conducta y la variable de tratamiento. Las medidas obtenidas en presencia de la variable de tratamiento difieren del nivel previsto de respuesta en su ausencia (puntos abiertos dentro del cuadro).

datos obtenidos en la condición de tratamiento y las medidas predichas si no se hubiera introducido la variable de tratamiento (es decir, los datos abiertos que están dentro del cuadro de la figura 7.3). Esta comparación representa la aproximación hipotética del diseño experimental ideal, pero imposible de alcanzar: la medición y comparación simultánea de la conducta de un sujeto individual tanto en la presencia como en ausencia de la variable de tratamiento (Risley, 1969).

Aunque los datos de la Figura 7.3 confirman el enunciado inicial sobre el antececente y el consecuente (se ha observado un cambio en la conducta en presencia de la variable independiente), no hay garantías para afirmar una relación funcional entre la variable independiente y dependiente en este punto. El experimento no ha descartado todavía la posibilidad de que otras variables sean responsables del cambio en la conducta. Por ejemplo, tal vez algún otro evento responsable del cambio de conducta ocurrió al mismo tiempo en el que se introdujo la variable independiente.[13]

Podemos hacer en este punto una afirmación más firme sobre la relación entre el tratamiento y la conducta si *no* se observan cambios en la variable dependiente en presencia de la variable independiente. Suponiendo medidas precisas de la conducta y un sistema de medición sensible a los cambios en la conducta, que no haya ningún cambio de conducta en presencia de la variable independiente constituye una desconfirmación del consecuente (se demostró que B no es cierto), y la variable independiente se elimina como variable de control. Sin embargo, la eliminación de un tratamiento del conjunto de las variables controladoras a partir de los efectos no observados presupone un control experimental del más alto orden (Johnston & Pennypacker, 1993a).

Sin embargo, en la situación ilustrada en la Figura 7.3, se observó un cambio en la conducta en presencia de la variable independiente, revelando una correlación entre la variable independiente y el cambio de conducta. ¿Hasta qué punto fue el cambio observado en la conducta una función de la variable independiente? Para responder a esta pregunta, el analista de conducta emplea el siguiente componente de la lógica de línea de base: la verificación.

Verificación

El experimentador puede aumentar la probabilidad de que un cambio observado en la conducta esté funcionalmente relacionado con la introducción de la variable independiente mediante la verificación de la predicción original de las medidas de línea base invariables. La **verificación** puede lograrse demostrando que el nivel previo de respuesta de la línea base habría permanecido inalterado si la variable independiente no hubiera sido introducida (Risley, 1969). Si esto se puede demostrar, esta operación verifica la exactitud de la predicción original de la línea base estable continua y reduce la probabilidad de que alguna variable no controlada (extraña) fuese responsable del cambio observado en la conducta. Una vez más, el razonamiento implicado en la afirmación del consecuente es la lógica que subyace a la estrategia experimental.

La Figura 7.4 ilustra la verificación del efecto en nuestro experimento hipotético. Cuando se ha establecido el estado estable de respuesta en presencia de la variable independiente, el investigador elimina la variable de tratamiento, volviendo así a las condiciones de línea base. Esta estrategia permite realizar dos enunciados diferentes sobre los antecedentes y los consecuentes. El primer enunciado y su afirmación siguen este patrón:

1. Si la variable independiente es un factor de control para la conducta (A), entonces su eliminación

[13]Aunque los experimentos consistentes en una condición de pretratamiento de línea base seguida de una condición de tratamiento (denominados **diseño A-B**), no permiten ni la verificación de la predicción de la respuesta continua a los niveles de línea base ni la replicación de los efectos de la variable independiente, los estudios que utilizan diseños A-B pueden aportar hallazgos importantes y útiles (p.ej., Azrin y Wesolowski, 1974, Reid, Parsons, Phillips y Green, 1993).

Figura 7.4 Verificación del nivel predicho de la línea base mediante la finalización o retirada de la variable de tratamiento. Las medidas obtenidas durante la Línea base 2 (puntos sólidos dentro del área sombreada) muestran una verificación exitosa y una segunda confirmación del resultado basada en una comparación con el nivel predicho de respuestas ante la presencia continuada de la variable de tratamiento (puntos abiertos en la Línea base 2).

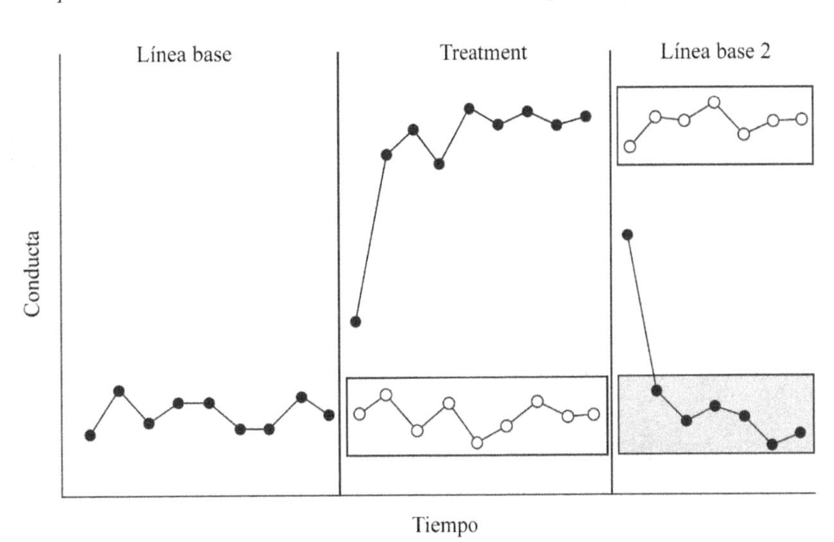

coincidirá con cambios en la medida de respuesta (B).

2. La eliminación de la variable independiente va acompañada de cambios en la conducta (B es verdadero).
3. Por lo tanto, la variable independiente controla la respuesta (por lo tanto, A es verdadero).

El segundo enunciado y afirmación sigue este patrón:

1. Si la condición de línea base original controlaba la conducta (A), entonces un retorno a las condiciones de línea base resultaría en niveles similares de respuesta (B).
2. Se restablece la condición de línea base y se observan niveles de respuesta similares a los obtenidos durante la fase de línea base original (B es verdadero).
3. Por lo tanto, la condición de línea base controlaba la conducta tanto entonces como ahora (por lo tanto, A es verdadero).

Las seis medidas incluidas en el área sombreada obtenidas durante la lineabase 2 de nuestro experimento hipotético en la Figura 7.4 verifican la predicción hecha a partir de la lineabase 1. Los puntos abiertos dentro del rectángulo de la lineabase 2 representan el nivel predicho de respuesta si la variable independiente no hubiera sido retirada. (El componente de predicción de la lógica de la lineabase se aplica al estado estable de respuesta obtenido durante cualquier fase de un experimento, sea la lineabase o las condiciones de tratamiento). La diferencia entre los datos realmente obtenidos durante el tratamiento (datos sólidos) y los datos obtenidos durante la lineabase 2 (datos sólidos) confirma el primer enunciado "si A entonces B": si el tratamiento es una variable de control, entonces su eliminación dará lugar a cambios en la conducta. La similitud entre las medidas obtenidas durante la lineabase 2 y las obtenidas durante la lineabase 1 confirma el segundo enunciado "si A entonces B": si las condiciones de la lineabase controlaban la conducta antes, la reintroducción de esas condiciones resultará en niveles de respuesta similares.

Una vez más, por supuesto, los cambios observados en la conducta asociados con la aplicación y la retirada de la variable independiente están sujetos a interpretaciones distintas de la reivindicación de una relación funcional entre los dos eventos. Sin embargo, el argumento de la existencia de una relación funcional es cada vez más fuerte. Cuando se aplicó la variable independiente, se observó un cambio de conducta; cuando la variable independiente fue retirada, la conducta cambió nuevamente y la respuesta regresó a los niveles de lineabase. En la medida en que el experimentador controle efectivamente la presencia y ausencia de la variable independiente y mantenga constantes todas las otras variables del contexto experimental que puedan influir en la conducta, parece probable una relación funcional: se ha producido un cambio de conducta importante e invertido por la introducción y la retirada de la variable independiente. El proceso de verificación reduce la probabilidad de que una variable distinta a la independiente sea responsable de los cambios de conducta observados.

¿Constituye esta estrategia de predicción y verificación una demostración suficiente de una relación funcional? ¿Y si alguna variable no controlada estuviese covariando con la variable independiente en los momentos de su presentación y retirada, y fuese realmente la responsable de los cambios observados en la conducta? Si este fuera el caso, afirmar una relación funcional entre la conducta objetivo y la variable independiente sería, en el mejor de los casos, inexacto y, en el peor de los casos, podría terminar con la búsqueda de las variables reales que controlan la conducta y cuya identificación y control contribuirían a una tecnología

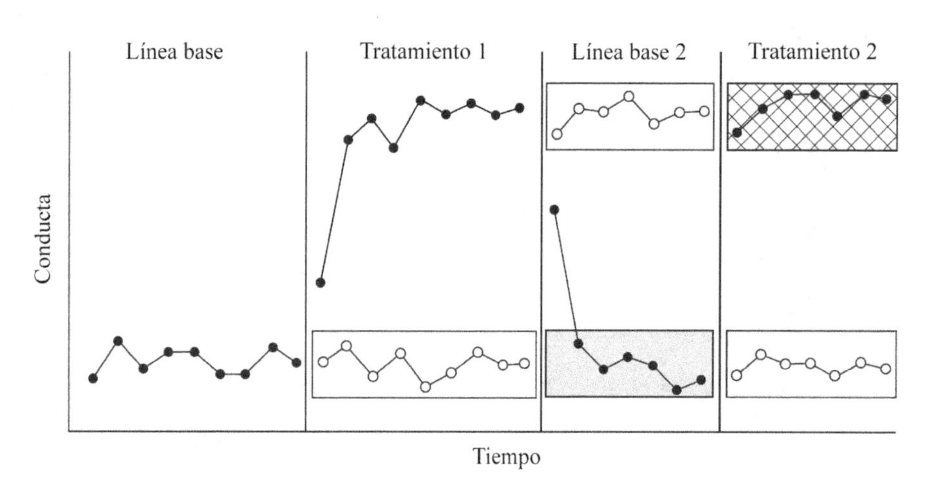

Figura 7.5 Replicación del efecto experimental lograda mediante la reintroducción de la variable de tratamiento. Las medidas obtenidas durante el Tratamiento 2 (puntos del área sombreada con cuadrícula) nos sitúan en mejor posición para establecer una relación funcional entre la variable de tratamiento y la conducta objetivo.

eficaz y fiable de cambio del conducta.

El investigador (y el lector de la investigación) debidamente escéptico también cuestionará la fiabilidad del efecto obtenido. ¿Cómo de fiable es el cambio de conducta verificado? ¿Era la aparente relación funcional un fenómeno fugaz o la aplicación repetida de la variable independiente producirá de forma fiable (es decir, consistente) un patrón similar de cambio de conducta? Un diseño experimental eficaz (es decir, convincente) proporciona datos que responden a estas importantes preguntas. Para investigar la fiabilidad incierta, el analista de conducta emplea el componente final, y tal vez más importante, de la lógica de la lineabase y del diseño experimental: la replicación.

Replicación

La replicación es la esencia de la credibilidad.

—*Baer, Wolf y Risley (1968, pág. 95)*

Dentro del contexto de cualquier experimento dado, **replicación** significa repetir la manipulación de las variables independientes realizadas previamente en el estudio y obtener resultados similares.[14] La replicación dentro de un experimento tiene dos propósitos importantes. Primero, replicar un cambio de conducta previamente observado reduce la probabilidad de que una variable distinta de la independiente sea responsable del cambio de conducta observado dos veces. En segundo lugar, la replicación demuestra la fiabilidad del cambio de conducta: se puede hacer que vuelva a suceder.

La Figura 7.5 añade el componente de replicación a nuestro experimento hipotético. Después de obtener el estado estable de respuesta durante la línea base 2, se introduce de nuevo la variable independiente; esta es la fase de tratamiento 2. En la medida en que los datos obtenidos durante la segunda aplicación del tratamiento (datos del área sombreada con cuadrícula) se asemejan al nivel de respuesta observado durante el tratamiento 1, se ha producido la replicación. Nuestro experimento hipotético ha producido ahora una poderosa evidencia de que existe una relación funcional entre la variable independiente y la variable dependiente. El grado en que se confía en la existencia de una relación funcional se basa en numerosos factores, algunos de los más importantes son la precisión y la sensibilidad del sistema de medición, el grado de control que el experimentador mantuvo sobre todas las variables relevantes, la duración de las fases experimentales, la estabilidad de la respuesta dentro de cada fase y la velocidad, magnitud y consistencia del cambio de conducta entre las condiciones. Si el diseño experimental satisface cada uno de estos aspectos y además los datos obtenidos los apoyan entonces la replicación del efecto se convierte, tal vez, en el factor más crítico para poder hablar de una relación funcional.

Una variable independiente se puede manipular muchas veces dentro de un experimento con el objetivo de replicar efecto. El número de repeticiones necesarias para demostrar convincentemente una relación funcional está relacionado con muchos aspectos, incluyendo todos los enumerados, así como con la existencia de otros experimentos similares que han producido los mismos efectos.

[14]La replicación también se refiere a la repetición de experimentos para determinar la fiabilidad de las relaciones funcionales encontradas en experimentos previos y el grado al que esos hallazgos pueden extenderse a otros sujetos, contextos o conductas (es decir, la generalización o validez externa). La replicación de experimentos se examina en el Capítulo 10.

Resumen

Introducción

1. La medición de la conducta puede mostrar si esta ha cambiado y cuánto, pero no puede revelar por sí misma cómo se ha producido dicho cambio.

2. Es necesario el conocimiento de una relación funcional específica entre la conducta y el ambiente para desarrollar una tecnología útil y sistemática del cambio de conducta.

3. Debe llevarse a cabo un análisis experimental para determinar la función de una determinada conducta en relación a eventos ambientales específicos.

Conceptos y asunciones básicas del análisis de conducta

4. El objetivo general de la ciencia es lograr la comprensión del fenómeno bajo estudio (conductas socialmente relevantes en el caso del análisis aplicado de la conducta).

5. La ciencia produce comprensión a tres niveles: descripción, predicción y control.

6. La investigación descriptiva muestra una acumulación de hechos sobre los eventos observados, hechos que pueden ser cuantificados y clasificados.

7. Una correlación existe cuando dos eventos covarían sistemáticamente. Las predicciones se hacen sobre la probabilidad de que un evento ocurra a partir de la ocurrencia de otro.

8. Los mayores beneficios potenciales de la ciencia se derivan del tercer y más alto nivel de comprensión científica, que viene del establecimiento de control experimental.

9. El control experimental se alcanza cuando un cambio predecible en la conducta (variable dependiente) se puede producir de manera fiable mediante la manipulación sistemática de algún aspecto del ambiente de la persona (variable independiente).

10. Un análisis funcional no elimina la posibilidad de que la conducta en estudio sea también función de otras variables.

11. Un experimento que muestra convincentemente que los cambios en la conducta son una función de la variable independiente y el resultado de variables no controladas o desconocidas, tiene validez interna.

12. La validez externa se refiere al grado en el que los resultados de un estudio son generalizables a otros sujetos, contextos o conductas.

13. Las variables extrañas son aquellas que ejercen una influencia desconocida o incontrolable sobre la variable dependiente.

14. Dado que la conducta es un fenómeno individual, la estrategia experimental en análisis de conducta está basada en métodos de análisis intrasujeto (o de caso único).

15. Dado que la conducta es un fenómeno continuo que ocurre y cambia a través del tiempo, las medidas repetidas de la conducta son una característica distintiva del análisis aplicado de la conducta.

16. La asunción del determinismo guía la metodología del análisis de conducta.

17. Los métodos experimentales en análisis de conducta se basan en la asunción de que la variabilidad es extrínseca al organismo, es decir, que viene impuesta por las variables ambientales y que no es un rasgo intrínseco del organismo.

18. En lugar de enmascarar la variabilidad haciendo la media de la ejecución de muchos sujetos, el analista de conducta trata de aislar y manipular experimentalmente los factores ambientales responsables de esa variabilidad.

Componentes de los experimentos en análisis aplicado de la conducta

19. La pregunta experimental es un enunciado de lo que el investigador está buscando al llevar a cabo ese experimento, y debería guiar y verse reflejada en todos los aspectos de la investigación.

20. Los experimentos en análisis aplicado de la conducta son, generalmente, investigaciones con diseños de *sujeto único (o de caso único)*, ya que la lógica de la experimentación o el razonamiento para analizar el cambio de conducta generalmente emplea al sujeto como su propio control.

21. La variable dependiente en un experimento en análisis aplicado de la conducta es una dimensión cuantificable y medible de la conducta objetivo.

22. Hay tres razones importantes por las que los analistas de conducta utilizan medidas de múltiples respuestas (variables dependientes) en algunos estudios son: (a) aportar trayectorias de datos adicionales que sirvan como control para evaluar y replicar los efectos de la variable independiente, que ha sido aplicada secuencialmente a cada conducta; (b) evaluar la generalización de los efectos del tratamiento a conductas diferentes a la clase de respuesta a la que se le aplicó la variable independiente; (c) determinar si durante el curso de un experimento ocurren cambios en la conducta de una persona diferente al sujeto y si esos cambios podrían, a su vez, explicar los cambios observados en el conducta del sujeto.

23. Además de la manipulación precisa de la variable independiente, el analista de conducta debe mantener constantes todos los demás aspectos del contesto experimental (las variables extrañas) para prevenir variaciones ambientales no planeadas.

24. Cuando ocurren eventos no planeados o variaciones en el contexto experimental, el analista de conducta debe o bien esperar a que pasen sus efectos o bien incorporarlos dentro del diseño del experimento.

25. La observación y los procedimientos de medida deben conducirse de manera estandarizada a lo largo de todo el experimento.

26. Dado que la conducta es un fenómeno continuo y dinámico, es necesaria la inspección visual de los datos de manera continuada durante el curso del experimento para identificar los cambios en el nivel, la tendencia o variabilidad conforme ocurren.

27. Los cambios en la variable independiente se hacen en un esfuerzo para maximizar los efectos sobre la conducta objetivo.

28. El término *diseño experimental* hace referencia a la forma en la que la variable independiente se manipula en el estudio.

29. Aunque es posible un número infinito de diseños experimentales, como resultado de todas las formas en las que las variables independientes pueden ser manipuladas y combinadas, solamente hay dos formas básicas de cambiar la variable independiente: introduciendo una condición nueva o reintroduciendo una condición vieja.

30. Un estudio paramétrico compara los efectos diferenciales de un rango de diferentes valores de la variable independiente.

31. La regla fundamental de un diseño experimental es cambiar solamente una variable cada vez.

32. En lugar de seguir de forma rígida diseños experimentales preestablecidos, el analista de conducta debería seleccionar estrategias experimentales que se ajusten a la pregunta de investigación original, mientras se prepara para "explorar variables relevantes mediante su manipulación en un diseño improvisado y que cambia rápidamente" (Skinner, 1966, pág. 21).

La ley de los valores iniciales y la lógica de la línea base

33. El estado estable de respuesta permite al analista de conducta emplear una forma poderosa de razonamiento inductivo, a veces llamado lógica de la línea base. La lógica de la línea base implica tres elementos: predicción, verificación y replicación.

34. El método más común para evaluar los efectos de una variable determinada es llevar a cabo una serie de medidas en su ausencia. Estos datos previos a la intervención sirven como línea base para determinar y evaluar cualquier cambio posterior en la conducta.

35. Una condición de línea base no necesariamente significa la ausencia de instrucción o tratamiento per se, simplemente la ausencia de la variable independiente específica que es objeto de nuestro interés.

36. Además del objetivo principal de establecer una línea base objetiva para evaluar los efectos de la variable independiente, existen otras tres razones para recolectar datos de línea base: (a) La observación sistemática de la conducta objetivo de forma previa a la intervención, a veces permite obtener información sobre correlaciones entre antecedentes, conductas y consecuentes que pueden ser útiles para planificar una intervención efectiva; (b) los datos de línea base pueden ser una guía muy útil para establecer el criterio inicial de reforzamiento; (c) a veces los datos de línea base pueden revelar que la conducta objetivo no precisa de intervención.

37. Cuatro patrones posibles de línea base son: estable, ascendente, descendente y variable.

38. La variable independiente se debería introducir cuando se ha alcanzado estabilidad en la línea base.

39. La variable independiente no debería introducirse si la línea base ascendente o descendente indica una mejora de la conducta.

40. La variable independiente debería introducirse si la línea base ascendente o descendente indica un deterioro de la conducta.

41. La variable independiente no debería introducirse ante una línea base inestable o muy variable.

42. La predicción de la conducta futura bajo condiciones ambientales relativamente constantes se puede hacer basándonos en medidas repetidas de la conducta que muestran poca o ninguna variabilidad.

43. En general, dada una respuesta estable, cuantos más datos se recojan y cuanto más largo sea el periodo en el que se obtienen, más probabilidades hay de que la predicción sea precisa.

44. Los efectos de práctica hacen referencia a las mejoras en la ejecución como resultado de las oportunidades de emitir la conducta que son necesarias para obtener las medidas repetidas.

45. La medición extendida de la línea base no es necesaria para conductas que no tienen una oportunidad lógica de ocurrir.

46. El razonamiento inductivo al que llamamos afirmación del consecuente, descansa en el corazón de la lógica de la línea base.

47. Aunque la lógica de la afirmación del consecuente no es completamente sólida (otros eventos pueden haber causado el cambio de la conducta), un diseño experimental eficaz confirma varias veces "si A entonces B", eliminando así otros factores responsables de los cambios observados en la conducta.

48. La verificación de la predicción se logra cuando se demuestra que el nivel previo de respuesta durante la línea base habría permanecido sin cambios si la variable independiente no se hubiera introducido.

49. La replicación en un experimento significa reproducir un cambio de conducta observado previamente mediante la reintroducción de la variable independiente. La replicación reduce la probabilidad de que una variable distinta a la independiente sea la responsable del cambio de conducta y demuestra la fiabilidad de dicho cambio.

CAPÍTULO 8

Diseños alternantes y de reversión

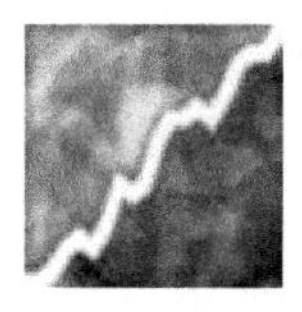

Términos clave

Diseño ABA
Diseño ABAB
Diseño alternante
Diseño BAB
Diseño multielemento
Diseño de retirada
Diseño de reversión
Diseño de reversión de tratamientos múltiples
Efectos de secuencia
Interferencia por tratamientos múltiples
Irreversibilidad
Técnica de reversión basada en el reforzamiento diferencial de conductas incompatibles/alternativas (RDI/RDA)
Técnica de reversión basada en el reforzamiento diferencial de otras conductas (RDO)
Técnica de reversión basada en el reforzamiento no contingente (RNC)

Behavior Analyst Certification Board® BCBA®, BCBA-D®, BCaBA®, RBT® Lista de tareas para analistas de conducta (tercera edición).

B.	Habilidades analítico-conductuales básicas: diseño experimental
B-03	Manipular variables independientes a fin de mostrar sus efectos en variables dependientes.
B-04	Usar el diseño de retirada.
B-05	Usar diseños alternantes también conocidos como multielemento, de tratamientos simultáneos, o de programas múltiple o concurrentes.
J.	**Responsabilidades para con el cliente: intervención**
J-09	Identificar y solucionar cuestiones éticas cuando usemos diseños experimentales necesarios para demostrar la efectividad del tratamiento

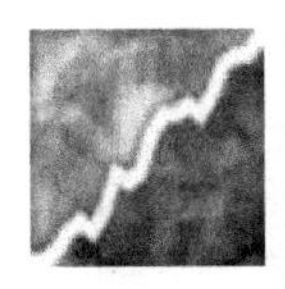

En este capítulo se describen los diseños alternantes y de reversión, que son dos técnicas de análisis experimental ampliamente usadas por los analistas de la conducta. En el diseño de reversión, los efectos resultantes de introducir, retirar (o "revertir" el foco de), y reintroducir la variable independiente se observan en la conducta objetivo. En el diseño alternante, dos o más condiciones experimentales se alternan rápidamente, y los efectos diferenciales se observan en la conducta. Explicamos cómo cada diseño incorpora los tres elementos de la ley de valores iniciales—predicción, verificación y replicación—y presentamos ejemplos ilustrando las variaciones más notorias de cada diseño. También presentaremos los aspectos a tener en cuenta para seleccionar y usar los diseños alternantes y de reversión.

Diseño de reversión

Un experimento que usa un **diseño de reversión** implica la realización de mediciones repetidas de la conducta en un contexto determinado, lo cual requiere al menos tres fases consecutivas: (a) una fase inicial con lineabase en donde la variable independiente está ausente, (b) una fase de intervención durante la cual la variable independiente se introduce y permanece en contacto con la conducta, y (c) un regreso a las condiciones de la lineabase que se consigue al retirar la variable independiente. En el sistema de notación utilizado ampliamente para describir diseños experimentales en análisis aplicado de la conducta, las letras mayúsculas *A* y *B* denotan la primera y segunda condición, respectivamente, que se introducen en el experimento. Normalmente, los datos de la lineabase (A) se toman después de haber alcanzado un estado estable de respuesta. Posteriormente, se aplica una condición de intervención (B) que implica la presencia de un tratamiento: la variable independiente. Un experimento que implica una reversión se describe como un **diseño ABA.** Aunque en la literatura se pueden encontrar estudios que usan un diseño ABA (p. ej., Christle y Schuster, 2003; Geller, Pterson y Talbott, 1982; Jacobson, Brushell y Risley, 1969; Stilzer, Bigelow, Liebson y Hawthorne, 1982), el **diseño ABAB** es preferido ya que en él se reintroduce la condición B que permite replicar los efectos del tratamiento, lo cual sustenta la demostración del control experimental (ver Figura 8.1).[1]

El diseño de reversión ABAB es el diseño intrasujetos más potente y sencillo para demostrar una relación funcional entre una manipulación ambiental y una conducta. Cuando se revela una relación funcional con un diseño de reversión, los datos muestran cómo opera la conducta.

> En cuanto a las explicaciones, la que brinda el diseño de reversión es buena. En respuesta a la pregunta "¿Cómo opera esta respuesta?" podríamos señalar de manera demostrable que funciona del modo en que lo hace [p. ej., ver Figura 8.1.] Por supuesto también puede operar de otras formas; pero tendríamos que esperar a ver los gráficos adecuados antes de estar de acuerdo en que opera de otro modo (Baer, 1975, pág. 19).

Lo que señala Baer no puede pasarse por alto: mostrar que una conducta opera de una forma predecible y fiable en la presencia o ausencia de una variable, aporta únicamente una respuesta a la pregunta ¿cómo opera esta conducta? Pueden existir (y seguro que existen) otras variables que controlen la clase de respuesta de interés. La necesidad de realizar más experimentación para explorar esas otras posibilidades dependerá de la importancia social y científica de la obtención de un análisis más completo.

Lógica y funcionamiento del diseño de reversión

Risley (2005) describió la lógica y el funcionamiento del diseño de reversión de la siguiente forma:

> El diseño de reversión o ABAB que Wolf reinventó, tomando como referencia los ejemplos iniciales sobre medicina experimental de Claude Bernard, implicaba establecer una lineabase de suficientes observaciones repetidas y cuantificadas para poder observar y predecir

[1]Algunos autores usan el término ***diseño de retirada*** para describir experimentos basados en un análisis ABAB, y usan únicamente el término *diseño de reversión* para estudios en los que el foco conductual de la variable del tratamiento es revertido (o cambiado por otra conducta), tal como en las técnicas de reversión de reforzamiento diferencial de otras conductas y reforzamiento diferencial de conductas incompatibles o alternativas, que son descritas más adelante en este capítulo (p. ej., Leitenberg, 1973; Poling, Method y LeSage, 1995). Sin embargo, el sentido más común en que se usa el término *diseño de reversión* en la literatura de análisis de conducta, incluye tanto retirada como reversión de la variable independiente, haciendo referencia al intento del investigador de demostrar "reversibilidad conductual" (Baer, Wolf y Risley, 1968; Thompson y Iwata, 2005). Además, el concepto *diseño de retirada* es usado a veces para describir un experimento en el que la variable de tratamiento se retira secuencial o parcialmente después de que sus efectos hayan sido analizados en un intento de promover el mantenimiento de la conducta objetivo (Rusch y Kazdin, 1981).

Figura 8.1 Prototipo gráfico del diseño de reversión ABAB.

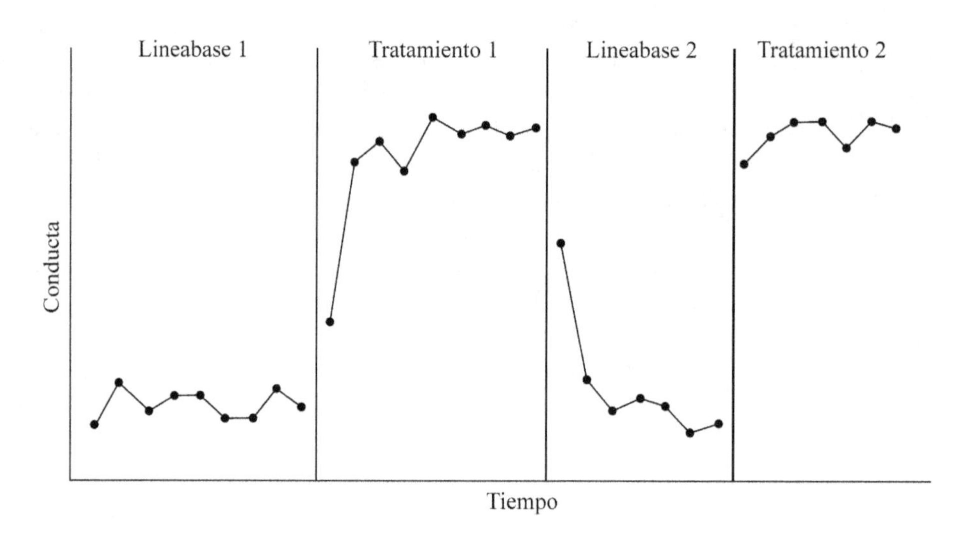

tendencias en el futuro cercano (A); para después alterar las condiciones y analizar si las observaciones repetidas resultan distintas a las predicciones (B); para luego volver a cambiar y analizar si las observaciones repetidas confirman las predicciones iniciales (A); y finalmente, para reintroducir las condiciones modificadas y analizar si las observaciones repetidas vuelven a ser diferentes de las predicciones (B). (págs. 280-281)[2]

Ya que el diseño de reversión fue usado en el capítulo 7 para ilustrar la lógica de la lineabase, será suficiente realizar un breve resumen del papel de la predicción, verificación y replicación en el diseño de reversión. La figura 8.2 muestra los mismos datos que la figura 8.1 con la adición de los puntos abiertos que representan las medidas predichas de la conducta si las condiciones de la fase anterior se hubieran mantenido iguales. La variable independiente se introduce después de que se obtenga un patrón estable de respuestas, o una tendencia no terapéutica en la Lineabase 1. En nuestro experimento hipotético, las medidas obtenidas durante el Tratamiento 1 cuando se comparan con las obtenidas en la Lineabase 1 y con las predichas a partir de esta, muestran que hubo cambio en la conducta y que coincidió con la intervención. Tras alcanzar un estado estable de respuesta en el Tratamiento 1, la variable independiente se retira y las condiciones de lineabase son restablecidas. Si el nivel de respuesta en la Lineabase 2 es el mismo o está estrechamente próximo a las medidas obtenidas en la Lineabase 1, entonces se obtiene la *verificación* de la predicción de los datos de la Lineabase 1. En otras palabras, si no se hubiese introducido la intervención y si la condición inicial de lineabase hubiese permanecido igual, la trayectoria de los datos predicha aparecería como se muestra en la Lineabase 2. Cuando la retirada de la variable independiente resulta en una reversión del cambio conductual asociado con su introducción, se puede afirmar con contundencia que la intervención es responsable del cambio observado en la conducta. Si al reintroducir la variable independiente en el Tratamiento 2, se reproduce el cambio conductual observado en el Tratamiento 1, se habrá logrado la *replicación* del efecto y se habrá demostrado una relación funcional. En otras palabras, si la intervención hubiese continuado y no se hubiese introducido la segunda lineabase, la trayectoria de datos predicha aparecería tal como se muestra en el Tratamiento 2.

Romaniuk y colegas (2002) aportaron un excelente ejemplo de un diseño ABAB. Tres alumnos con trastornos del desarrollo que solían mostrar problemas de conducta (p. ej., pegar, morder, gimotear, llorar, levantarse del asiento o hacer gestos, ruidos y comentarios inapropiados) cuando se les ponían ejercicios académicos en el experimento. Un análisis funcional previo al experimento (ver capítulo 24) había mostrado que los problemas de conducta de cada alumno se mantenían mediante escape de las tareas asignadas (es decir, que ocurrían con mayor frecuencia cuando eran seguidos de que se les permitiera hacer un descanso en la tarea). Los investigadores querían determinar si el permitir que los estudiantes eligieran la actividad en la que trabajar, reduciría la frecuencia de los problemas de conducta, a pesar de que su ocurrencia tuviese todavía como consecuencia el descanso de la tarea. El experimento consistió en dos condiciones: no elección (A) y elección (B). Se asignó a ambas condiciones el mismo grupo de tareas.

[2]Risley (1997, 2005) señala a Montrose Wolf como el primero en diseñar experimentos usando diseños con lineabase de reversión y múltiples. "Los métodos de investigación que Wolf usó por primera vez en estos estudios fueron innovadores. Esta metodología vino a definir el análisis aplicado de la conducta" (págs. 280-281).

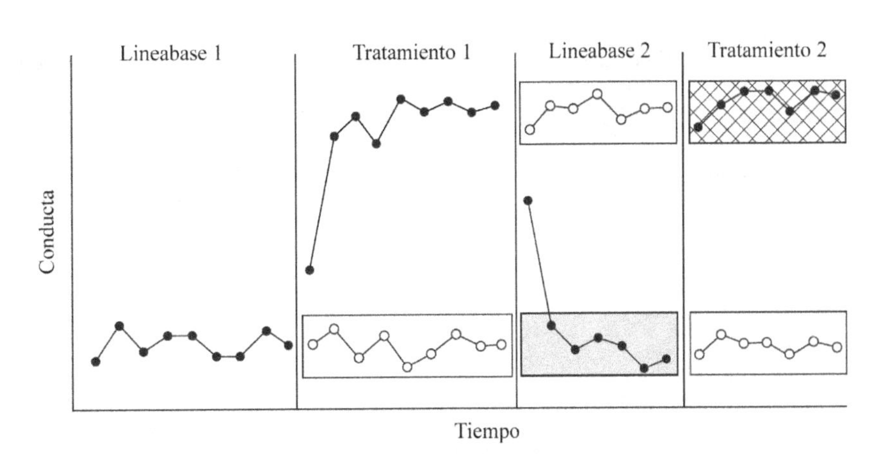

Figura 8.2 Ilustración del diseño de reversión ABAB. Los puntos abiertos representan los datos predichos si se mantienen las condiciones de la fase previa. Los datos recogidos durante la Lineabase 2 (dentro del área sombreada) verifican las predicciones de la Lineabase 1. Los datos del Tratamiento 2 (dentro del área sombreada con cuadrícula) replican los efectos del experimento.

Cada sesión durante la condición "no elección" comenzaba con la entrega de la tarea al estudiante por parte del investigador, seguido de la explicación "esta es la tarea en la que deberás trabajar hoy" o "es hora de trabajar sobre ____" (pág. 353). Durante la condición de elección (B), el investigador distribuía los materiales de trabajo entre cuatro y seis tareas distintas en una mesa delante del alumno y preguntaba "¿En qué tarea quieres trabajar hoy? (pág. 353). También se le decía al alumno que podía cambiar de tareas en cualquier momento de la sesión si así lo pedía. Si se daban problemas de conductas, el investigador decía "puedes tomarte un descanso" y se le daba un descanso de 10 segundos.

La figura 8.3 muestra los resultados del experimento. Los datos muestran una clara relación funcional entre la posibilidad de elegir en qué tarea trabajar y la reducción de la ocurrencia de problemas de conducta en el caso de los tres alumnos. El porcentaje del tiempo por sesión en el que cada alumno mostraba problemas de conducta (registrado como una medida de duración total obtenida al grabar el segundo de inicio y el de finalización, usando el cronómetro de la videograbadora) disminuyó abruptamente desde los niveles de la condición de "no elección" (lineabase), cuando se implementó la condición de "elección", regresó (revirtió) a los niveles de la lineabase cuando se retiró la condición de "elección", y disminuyó de nuevo cuando la condición de "elección" se restableció. El diseño ABAB permitió a Romanieuk y colegas realizar una demostración sencilla y sin ambigüedades de que las reducciones significativas de los problemas de conducta de cada alumno eran función de que se les permitiera elegir entre tareas.

En la década de 1960 y los comienzos de 1970 los analistas aplicados de la conducta se apoyaban casi exclusivamente en el diseño de reversión ABAB, que tuvo un papel tan dominante en los comienzos del análisis aplicado de la conducta, que llegó a ser el símbolo del campo (Baer, 1975). Esto fue sin duda debido a, o al menos en parte, la habilidad del diseño de reversión para exponer las variables por lo que son (fuertes y fiables o débiles e inestables). Otra razón de la influencia del diseño de reversión puede ser que había pocas estrategias analíticas alternativas, disponibles en ese momento, que combinaran de forma eficaz los elementos experimentales intrasujeto de predicción, verificación y replicación. Aunque el diseño de reversión es solo uno de los muchos diseños experimentales que están disponibles hoy en día para los analistas de la conducta, el sencillo y simple diseño ABAB continúa teniendo un papel importante en la literatura del análisis de la conducta (p. ej., Anderson y Long, 2002 [ver figura 21.2]; Ashbaugh y Peck, 1998 [ver figura 15.7]; Cowdery, Iwata y Pace, 1990 [ver figura 22.7]; Deaver, Miltenberger y Stricker, 2001 [ver figura 21.3]; Gardner, Heward y Grossi, 1994; Levondoski y Cartledge, 2000,, Lindberg, Iwata, Kahng DeLeon, 1999 [ver figura 22.7]; Mazaleski, Iwata, Rodgers, Vollmer y Zarcone, 1994; Taylor y Alber, 2003; Umbreit, Lane, y Dejud, 2004)

Variaciones del diseño ABAB

Muchas investigaciones en análisis aplicado de la conducta usan variaciones o extensiones del diseño ABAB.

Reversiones repetidas

Tal vez la variación más común del diseño de reversión ABAB es la simple extensión en la que la variable independiente se retira y reintroduce una segunda vez; ABABAB (ver el gráfico de Maggie en la figura 8.3). Cada presentación y retirada adicional que reproduce los efectos en la conducta previamente observados incrementa la probabilidad de que los cambios en la conducta sean el resultado de la manipulación de la variable independiente. Si se mantiene el resto de cosas

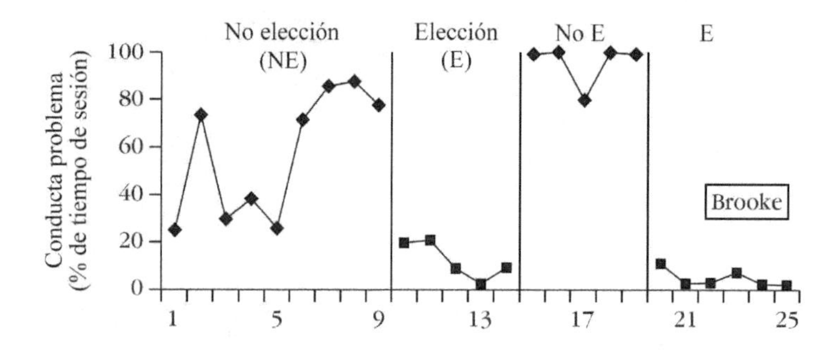

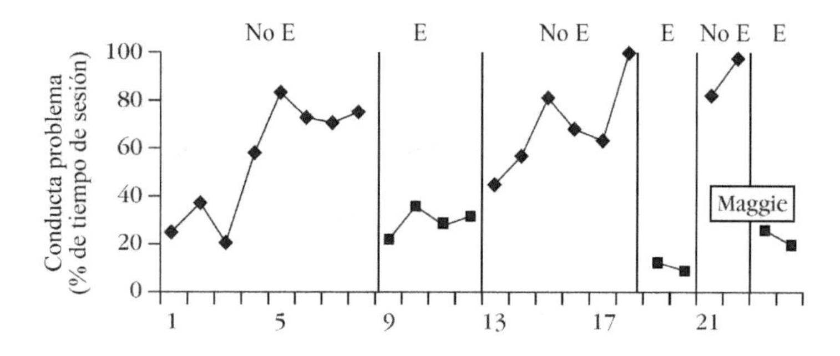

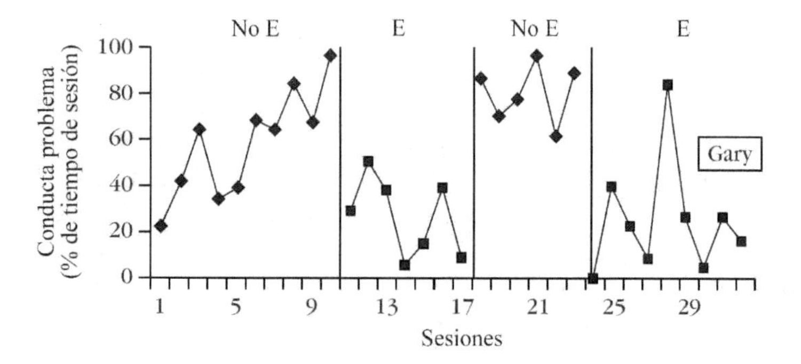

Figura 8.3 Un diseño de reversión ABAB.

Tomado de "The Influence of Activity Choice on Problems Behaviors Maintained by Escape versus Attention" C. Romaniuk, R. Miltenberger, C. Conyers, N. Jenner, M. Jurgen y C. Ringenberg, 2002, *Journal of Applied Behavior Analysis, 35*, pág. 357. © Copyright 2002 Society for the Experimental Analysis of Behavior, Inc. Reimpreso con permiso.

igual, un experimento que incorpora múltiples reversiones, presenta una demostración más convincente y persuasiva de una relación funcional de lo que lo haría un experimento con una sola reversión (p. ej., Fisher, Lindauer, Alterson y Thompson, 1998 [figura 6.2]; Steege et al., 1990). Dicho esto, también es posible llegar a un punto de redundancia en donde los resultados de un análisis no mejoran significativamente al adicionar más reversiones.

Diseño BAB

El **diseño BAB** comienza con la aplicación de la variable independiente: el tratamiento. Tras alcanzar respuestas estables durante la fase inicial del tratamiento (B), se retira la variable independiente. Si la conducta empeora en ausencia de la variable independiente (la condición A), la variable tratamiento se reintroduce en un intento por retomar el nivel de respuesta obtenido durante la fase inicial, lo que verificaría la predicción basada en la trayectoria de los datos obtenida durante la fase inicial del tratamiento.

En comparación con el diseño ABA, el diseño BAB es preferible desde un punto de vista aplicado ya que el estudio culmina con el uso de la variable de tratamiento. Sin embargo, para demostrar una relación funcional entre la variable independiente y la dependiente, el diseño BAB es el más débil de los dos ya que no permite una evaluación de los efectos de la variable independiente en el nivel de respuesta previo a la intervención. La condición de no intervención (A) en un diseño BAB no puede verificar una predicción de una lineabase inexistente. Esta debilidad puede ser remediada con la retirada y posterior reintroducción de la variable independiente, como en el diseño BABAB (p. ej., Dixon, Benedict y Larson, 2001 [ver figura 22.1])

Ya que el diseño BAB no aporta datos para determinar si las medidas de la conducta tomadas en la condición A representan el desempeño previo a la intervención, no pueden descartarse los efectos de secuencia: el nivel de conducta observado durante la condición A puede estar influenciado por el hecho de que la condición de tratamiento lo precedió. Sin embargo, existen situaciones exigentes en las que no se pueden tomar datos de lineabase inicial. Por ejemplo, el diseño BAB puede ser apropiado con conductas objetivo que implican daño físico o peligro para el participante u otros. En tales situaciones, demorar un tratamiento posiblemente efectivo hasta que se pueda obtener un patrón estable de respuesta como lineabase, puede presentar problemas éticos. Por ejemplo, Murphy, Ruprecht, Baggio y Nunes (1979) usaron un diseño BAB para evaluar la eficacia del castigo moderado combinado con reforzamiento en el número de respuestas autolesivas de estrangulamiento[3] de un hombre de 24 años de edad con una discapacidad cognitiva profunda. Tras implementar el tratamiento durante 24 sesiones, se retiró durante las siguientes tres sesiones, en las que se registró un aumento grande e inmediato de las respuestas de estrangulamiento (ver figura 8.4). La reintroducción del paquete de tratamiento reprodujo los niveles conductuales vistos durante la fase inicial de tratamiento. El número medio de respuestas de estrangulamiento durante cada fase del estudio BAB fue 22, 265 y 24, respectivamente.

A pesar de la impresionante reducción de la conducta, los resultados del estudio de Murphy y sus colegas usando el diseño BAB, pudo mejorarse tomando datos objetivos sobre el nivel de conducta previo a la primera intervención. Probablemente, los investigadores no reunieron datos sobre la lineabase inicial debido a razones prácticas y éticas. Informaron de forma anecdótica de que las respuestas de estrangulamiento eran una media de 434 al día de forma previa a su intervención, momento en el que el personal de la escuela usaba distintos procedimientos para reducir las conductas autolesivas. Esta información anecdótica incrementó la credibilidad de la relación funcional sugerida por los datos experimentales del diseño BAB.

Existen al menos otras dos situaciones más en las que el diseño BAB puede ser recomendable en lugar del tradicional diseño ABAB. Estas son (a) cuando un tratamiento ya está siendo implementado (p. ej., Marholin, Touchette y Stuart, 1979; Pace y Troyer, 2000) y (b) cuando el analista de conducta tiene tiempo limitado para demostrar resultados significativos a nivel práctico y social. Por ejemplo, se les solicitó a Robinson, Newby y Ganzell (1981) crear un sistema de manejo conductual para una clase de 18 niños hiperactivos, con el requisito de que la eficacia del programa debía demostrarse en un lapso de 4 semanas. Dado "el requisito de lograr eficacia en cuatro semanas, se utilizó un diseño BAB" (págs. 310-311).

Diseño de reversión de tratamientos múltiples

Aquellos experimentos que usan el diseño de reversión para comparar los efectos de dos o más condiciones experimentales con la lineabase o entre sí, utilizan el **diseño de reversión de tratamiento múltiple.** Las letras C, D, etc., indican condiciones adicionales, como en el diseño ABCACBC utilizado por Falcomata, Roane, Hovanetz, Kettering y Keeney (2004); el diseño ABABCBC utilizado por Freeland y Noell (1999); el diseño ABCBCBC utilizado por Lerman, Kelley, Vorndran, Kuhn y LaRue (2002); el diseño ABACADACAD utilizado por Weeks y Gaylord-Ross (1981); y el diseño ABABB+CBB+C de Jason y Liotta (1982). En su totalidad, estos diseños son considerados variaciones del diseño de reversión porque representan el método experimental y la lógica de la estrategia de reversión: las respuestas de cada fase aportan datos de lineabase (o condición de control) para una fase subsecuente (predicción), las variables independientes se retiran en un intento de reproducir los niveles conductuales observados en las condiciones previas (verificación), y cada variable independiente que contribuye al análisis se introduce al menos dos veces (replicación). Las variables independientes se pueden introducir, retirar, cambiar de valor, combinar, y manipular de alguna otra forma para producir una infinita variedad de diseños experimentales.

Por ejemplo, Kennedy y Souza (1995) usaron un diseño ABCBCACAC para analizar y comparar los efectos de dos tipos de fuentes de estimulación competidoras sobre la conducta de hurgarse el ojo de un alumno de 19 años con discapacidad profunda. Germán llevaba 12 años hurgándose el ojo con su dedo índice en momentos de inactividad, como los que se daban después del almuerzo o esperando el autobús. Las dos condiciones del tratamiento fueron: música (B) y videojuego (C). Durante la condición de música, se le daba a Germán una radio y unos auriculares. La radio estaba sintonizada a su emisora favorita, según su profesor y su familia. Germán tenía acceso libre a la música durante esta condición, y se podía quitar los auriculares cuando quisiera. Durante la condición de videojuego, se le daba una videoconsola en la que podía

[3]N. del T.: Según Osborne et al. esta conducta se entiende como el "uso de las manos o manipulación de prendas de vestir para ejercer presión en las superficies anterolaterales del cuello". Osborne, J.G., Peine, H., Darvish, R., Blakclock, H. y Jenson, W. R. (1995). Positive procedures and generalized self-choking. *Behavioral Interventions, 10,* 211-223. doi: 10.1002/bin.2360100404.

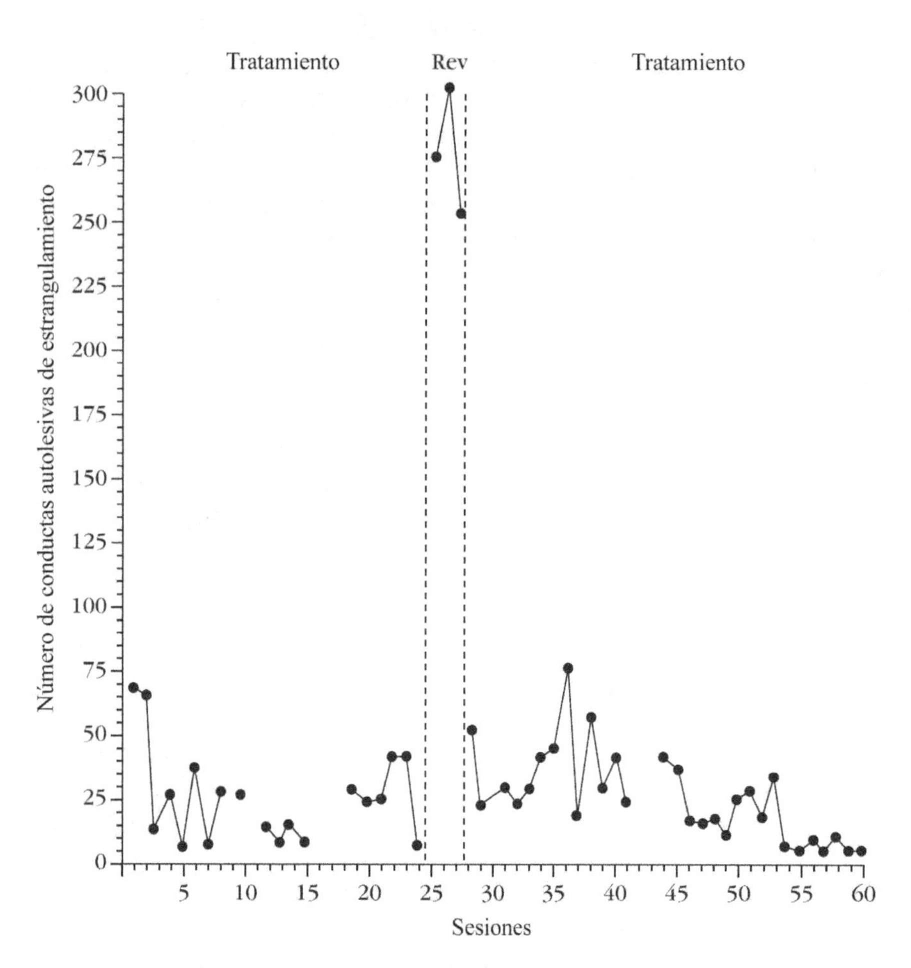

Figura 8.4 Un diseño de reversión ABAB.

Tomado de "The Use of Mild Punishment in Combination with Reinforcement of Alternate Behaviors to Reduce the Self-Injurious Behavior of a Profoundly Retarded Individual" R.J. Murphy, M.J Ruprecht, P. Baggio y D.L. Nunes, 1979, *AAESPH Review*, *4*, pág. 191. © Copyright 1979. *AESPH Review*. Reimpreso con permiso.

observar gran variedad de patrones visuales e imágenes sin sonido. Al igual que en la condición de música, a Germán se le daba acceso libre al videojuego y podía dejar de usarlo en el momento que quisiera.

La figura 8.5 muestra los resultados del estudio. Siguiendo una fase inicial de Lineabase (A) en la que Germán se hurgaba el ojo una media de 4 veces cada hora, se introdujo la condición de música y la conducta objetivo disminuyó a una media de 2.8 cada hora. Después, se introdujo la condición de videojuego (C) y la conducta disminuyó a 1.1 cada hora. Las mediciones obtenidas en las siguientes dos fases, es decir, la reintroducción de música (B) seguida por una segunda fase de videojuego (C), replicaron los niveles de respuesta previos en cada condición. Esta porción BCBC del experimento mostró una relación funcional entre la condición de videojuego y una baja frecuencia de la conducta de hurgar los ojos en comparación con la música. Las cinco fases finales del experimento (CACAC) proporcionaron una comparación experimental entre el videojuego y la condición de lineabase (sin tratamiento).

En la mayoría de las ocasiones, los diseños extensos que incluyen múltiples variables independientes no se planean previamente. En vez de seguir una estructura predeterminada y rígida que dicte cuándo y cómo se deben hacer las manipulaciones experimentales, el analista aplicado de la conducta toma decisiones basadas en constantes evaluaciones de los datos.

> En este sentido, un experimento individual puede ser visto como un número consecutivo de diseños que son necesarios colectivamente para clarificar las relaciones entre las variables independientes y dependientes. Por lo tanto, algunas decisiones del diseño pueden tomarse en respuesta a los datos que se van revelando a medida que la investigación progresa. Este tipo de diseño anima al investigador a buscar de forma más dinámica la solución a los problemas del control experimental a medida que van apareciendo (Johnston y Pennypacker, 1989, págs. 250-251).

Los estudiantes de análisis aplicado de la conducta no deben interpretar esta descripción del diseño experimental como una recomendación para una aproximación totalmente libre a la manipulación de las variables independientes. El investigador siempre debe procurar seguir la regla de cambiar solo una variable cada vez y debe entender las oportunidades de realizar comparaciones legítimas y las limitaciones para la extracción de conclusiones que pueden surgir a partir de una secuencia de manipulaciones determinada.

Figura 8.5 Ejemplo de un diseño de reversión de tratamientos múltiples (ABCBCACAC).

Tomado de "Functional Analysis and Treatment of Eye Poking" C.H. Kennedy y G. Souza, 1995, *Journal of Applied Behavior Analysis, 28*, pág. 33. © Copyright 1995. Society for the Experimental Analysis of Behavior, Inc. Reimpreso con permiso.

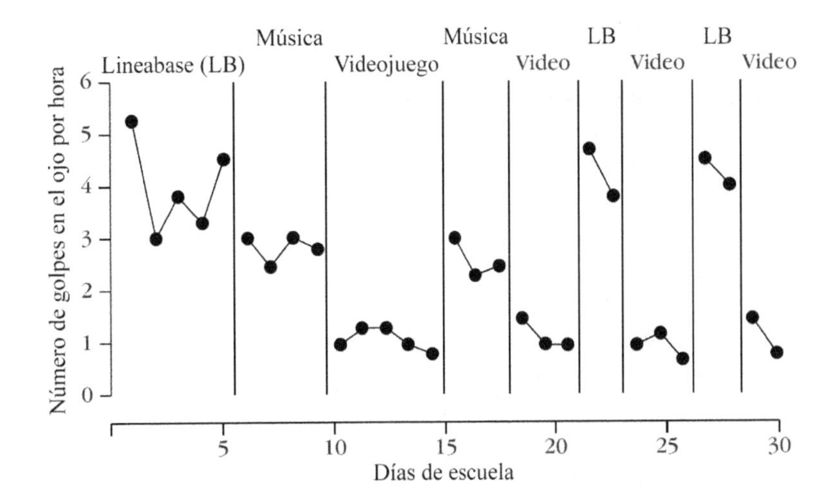

Los experimentos que usan el diseño de reversión para comparar dos o más tratamientos son vulnerables a la confusión mediante los efectos de secuencia. Los **efectos de secuencia** son efectos sobre la conducta de un sujeto en una condición determinada que son el resultado de la experiencia del sujeto en una condición previa. Por ejemplo, se debe tener precaución al interpretar los resultados de un diseño ABCBC que resulta de la siguiente secuencia de eventos bastante común en la práctica: después de la lineabase (A), un tratamiento inicial (B) es implementado y se observa poca o ninguna mejora conductual. Un segundo tratamiento (C) es posteriormente implementado, y la conducta mejora. Se implementa una reversión al reintroducir el primer tratamiento (B), seguido por la reincorporación del segundo tratamiento (C) (p. ej., Foxx y Shapiro, 1978 [figura 15.3]). En este caso, solo se puede hablar de los efectos de C cuando es posterior a B. Retomar los niveles de respuesta originales de la lineabase antes de introducir la segunda condición de tratamiento (es decir, una secuencia ABACAC) reduce la amenaza de los efectos de secuencia (o ayuda a exponerlos tal como son).

Por ejemplo, un diseño ABABCBC permite realizar comparaciones directas de B a A y de C a B, pero no de C a A. Un diseño experimental que consiste en ABABB+CBB+C (p. ej., Jason y Liotta, 1982) permite realizar una evaluación de los efectos de adición o de interacción de B+C, pero no permite conocer las contribuciones individuales de C. Y en ambos ejemplos, es imposible determinar los efectos, si existen, que C podría tener sobre la conducta si hubiese sido implementado antes que B. Manipular cada condición en el experimento para que se precedan y se sigan unas a otras (p. ej., ABABCBCACAC) es la única forma segura de saberlo. Sin embargo, manipular condiciones múltiples requiere una gran cantidad de tiempo y recursos, y este tipo de diseños se vuelven susceptibles de confusión debido a las variables de maduración y otras variables históricas no controladas por el investigador.

Técnica de reversión basada en el reforzamiento no contingente (RNC)

Con respecto a intervenciones que usan reforzamiento positivo, se puede hipotetizar que los cambios conductuales observados se deben a que el participante se siente mejor con respecto a sí mismo gracias al ambiente mejorado por el reforzamiento, y no porque una clase específica de respuesta haya sido seguida inmediatamente por un reforzamiento contingente. Este tipo de hipótesis se suele plantear cuando se realizan intervenciones que implican reforzamiento social. Por ejemplo, una persona puede afirmar que no importa *cómo* elogió o prestó atención el profesor; la conducta de los estudiantes mejoró debido a que los elogios y a la atención crearon un ambiente agradable y de apoyo. O por el contrario, si las mejoras conductuales observadas durante la condición de reforzamiento contingente se pierden en una condición en donde la misma consecuencia es administrada en la misma cantidad, independientemente de la ocurrencia de la conducta objetivo, se puede probar una relación funcional entre el reforzamiento contingente y los cambios en la conducta. En otras palabras, tal técnica de control experimental puede demostrar que el cambio en la conducta es el resultado de un reforzamiento *contingente*, no por una simple presentación o por contacto con el evento estimular (Thompson e Iwata, 2005).

Una investigación de Baer y Wolf (1970a) sobre los efectos del reforzamiento social del profesor, en la cooperación en el juego de niños de preescolar, aporta un excelente ejemplo de la **técnica de reversión basada en el reforzamiento no contingente (RNC)** (figura 8.6). Los autores describen el uso y el propósito del diseño de la siguiente forma:

> [Los profesores registraron en primer lugar] líneas base de la cooperación y otras conductas relacionadas de la niña, y de sus propias interacciones con ella. Diez días de observación mostraron que la niña estaba alrededor del 50% del día cerca de sus iguales (lo que quiere decir que estaba como máximo a una distancia de 1 metro en espacios cerrados, o de 2 metros en espacios abiertos). A pesar de esta frecuente proximidad, la niña pasaba solamente alrededor del 2% de su día en juegos de cooperación con los demás niños. Se encontró que los profesores interactuaban con esta niña alrededor del 20% del día, no siempre de forma agradable. Por lo tanto, los profesores establecían un periodo intensivo de reforzamiento social, ofrecido en cualquier circunstancia, sin ningún requerimiento en cuanto a la respuesta, y no exclusivamente por juego cooperativo: los profesores se turnaban para quedarse cerca a la niña, prestaban mucha atención a sus actividades, le ofrecían materiales, y sonreían o reían junto a ella de forma alegre y con admiración. Los resultados de 7 días con este reforzamiento social no contingente fueron bastante claros: el juego cooperativo de la niña no cambió en ningún sentido, a pesar de que los otros niños del grupo se interesaban por la escena, ofreciéndole casi el doble de oportunidades para tener una interacción cooperativa con ellos. No habiéndose dado cambios significativos durante estos 7 días, los profesores comenzaron a aplicar su plan de reforzamiento de la conducta cooperativa... El reforzamiento social contingente, usado en cantidades inferiores a la mitad que en los periodos no contingentes, incrementó el juego cooperativo habitual de la niña del habitual 2% al 40% en el transcurso de 12 días de reforzamiento. En este punto, en beneficio de la certidumbre, los profesores discontinuaron el uso del reforzamiento contingente a favor del uso del no contingente. En el transcurso de 4 días, perdieron casi por completo toda la conducta cooperativa que habían obtenido durante el periodo de reforzamiento de la investigación, mostrando un promedio del 5% de juego cooperativo durante este periodo. Naturalmente, la investigación concluyó con la reinstauración del reforzamiento social contingente, una recuperación de los niveles deseables de juego cooperativo, y una reducción gradual del rol del profesor en el mantenimiento de la conducta (págs. 14-15).

Usar el RNC como condición de control para

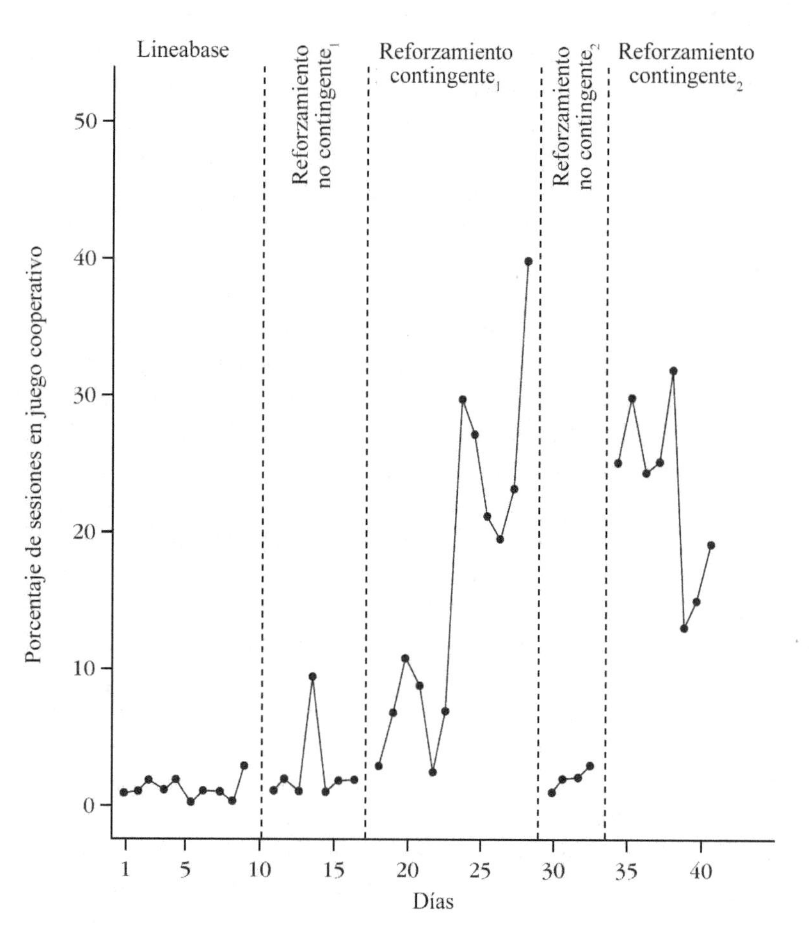

Figura 8.6 Diseño de reversión con reforzamiento no contingente (RNC) como técnica de control.

Tomado de "Recent Examples of Behavior Modification in Pre-School Settings" D.M. Baer y M.M Wolf en *Behavior Modification in Clinical Psychology*, págs. 14-15, editado por C. Neuringer y J.L. Michael, 1970, Upper Saddle River, NJ: Prentice Hall. © Copyright 1970.Prentice Hall. Reimpreso con permiso.

demostrar una relación funcional tiene ventajas cuando no es posible o no es apropiado eliminar completamente la actividad o el evento usado como reforzamiento contingente. Por ejemplo, Lattal (1969) utilizó el RNC como condición de control para revertir los efectos del uso del permiso para nadar como reforzamiento para lavarse los dientes en niños de un campamento de verano. En la condición de reforzamiento contingente, los niños solamente podían ir a nadar si se habían lavado los dientes; en la condición de reforzamiento no contingente, se les permitía nadar aunque no se lavasen los dientes. Se vio que los niños del campamento se lavaban los dientes con más frecuencia durante la condición de reforzamiento contingente.

El procedimiento común es administrar el RNC siguiendo un programa temporal fijo o variable independientemente de la conducta del sujeto. Una debilidad potencial de este procedimiento de control se ve claramente cuando la fase anterior de reforzamiento contingente ha dado lugar a una alta tasa de la conducta deseada, puesto que, ante tal situación, es probable que ciertos ejemplos de RNC, administrados según el programa predeterminado, sucedan en un corto lapso de tiempo posterior a la ocurrencia de la conducta objetivo, y que, por tanto, tengan una función inesperada o de "reforzamiento accidental" (Thompson e Iwata, 2005). De hecho, se puede dar lugar de manera inadvertida a un programa de reforzamiento intermitente que puede resultar en niveles de desempeño incluso más altos que los que se obtenían bajo el reforzamiento contingente. (Los programas de reforzamiento intermitente y sus efectos se describen en el capítulo 13). En tales casos, el investigador puede valorar el uso de una de las dos técnicas descritas a continuación, ambas de las cuales implican la reversión del foco conductual de la contingencia.[4]

Técnica de reversión basada en el reforzamiento diferencial de otras conductas (RDO)

Una forma de asegurar que el reforzamiento no siga inmediatamente la conducta objetivo, es administrar el reforzamiento inmediatamente después de que el sujeto realice *cualquier conducta que no sea la conducta objetivo.* Con el **técnica de reversión basada en el reforzamiento diferencial de otras conductas (RDO)**, la condición de control consiste en administrar el evento que se sospecha que funciona como reforzamiento a continuación de la emisión de cualquier conducta que no sea la de interés (p. ej., Baer, Peterson y Sherman, 1967; Osbourne, 1969; Poulson, 1983). Por ejemplo, Reynolds y Risley (1968) usaron la atención contingente de la profesora para incrementar la frecuencia del habla en una niña de 4 años incluida en un programa de preescolar para niños desfavorecidos. Tras un periodo de atención contingente de la profesora respecto a las verbalizaciones, en el que el habla de la niña se incrementó desde una lineabase media del 11% de los intervalos observados hasta el 75%, se implementó una condición de RDO durante la cual los profesores atendían a la niña por cualquier conducta excepto por el habla. Durante los 6 días de RDO, las verbalizaciones de la niña bajaron al 6%. Después la profesora volvió a atender de forma contingente al habla, y las verbalizaciones de la niña "se incrementaron inmediatamente hasta una media del 51%" (pág. 259).

Técnica de reversión basada en el reforzamiento diferencial de conductas incompatibles/ alternativas (RDI/RDA)

Durante la condición de control en una **técnica de reversión basada en el reforzamiento diferencial de conductas incompatibles/alternativas (RDI/RDA),** la ocurrencia de una conducta específica que es o incompatible con la conducta objetivo (es decir, que las dos conductas no pueden ser emitidas al mismo tiempo), o alternativa a la conducta objetivo, es seguida inmediatamente por la misma consecuencia que fue previamente administrada como reforzamiento contingente para la conducta objetivo. La investigación de Goetz y Baer (1973) sobre los efectos de los elogios del profesor en el juego creativo de niños de preescolar con bloques de construcción, ilustra el uso de una condición control con RDI. La figura 8.7 muestra la cantidad de formas diferentes que tres niños participantes en el experimento construyeron con las fichas (p. ej., arcos, torres, techos o rampas). Durante la lineabase (los datos están señalados con la letra *N*), "el profesor se sentaba al lado de la niña mientras ella construía las figuras con los bloques, prestando mucha atención pero en silencio, sin mostrar críticas o entusiasmo con respecto al uso de los bloques" (pág. 212). Durante la

[4]En un sentido estricto, usar el RNC como técnica de control experimental para demostrar que la aplicación contingente de un reforzamiento es requisito para su eficacia no es una variación distinta del diseño de reversión ABA. Técnicamente, la técnica de reversión RNC, así como las técnicas de reversión que utilizan el reforzamiento diferencial de otras conductas (RDO) y el reforzamiento diferencial de conductas incompatibles/alternativas (RDI/RDA) descritas a continuación, son diseños de tratamiento múltiple. Por ejemplo, en el estudio de Baer y Wolf (1970a) sobre el reforzamiento social mostrado en la figura 8.6, se usó un diseño ABCBC, en el que B representaba la condición de RNC, y C representaba la condición de reforzamiento contingente.

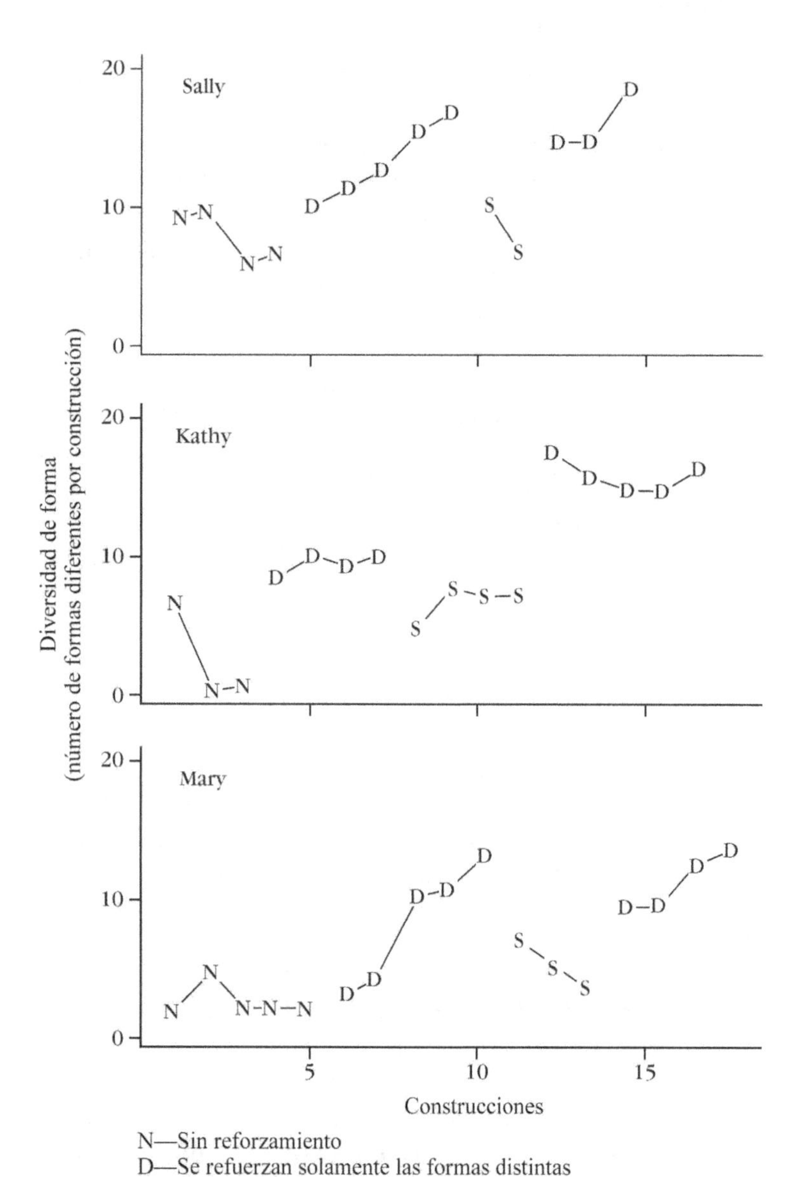

Figura 8.7 Diseño de reversión con reforzamiento diferencial de conductas incompatibles (RDI) como técnica de control.

Tomado de "Social Control of Form Diversity and the Emergence of New Forms in Children's Blockbuilding" E.M. Goetz y D.M. Baer, 1973, *Journal of Applied Behavior Analysis,6,* pág. 213. © Copyright 1973. Society for the Experimental Analysis of Behavior, Inc. Reimpreso con permiso.

siguiente fase (los datos señalados con la letra *D*), "el profesor señalaba con interés, entusiasmo y aprecio cada vez que la niña usaba o reordenaba los bloques para crear una forma que no había sido construida en sesiones pasadas. "¡es muy bonito!, ¡es diferente al otro!" (pág. 212). Posteriormente, tras un evidente incremento en la diversidad de las formas, en lugar de retirar los elogios y regresar a la condición inicial de lineabase, el profesor hacía elogios descriptivos únicamente cuando los niños construían las mismas formas (los datos representados con la letra *S*). "Por lo tanto, en la siguientes dos a cuatro sesiones, el profesor continuaba mostrando interés, entusiasmo y aprecio, pero únicamente en los momentos en los que la niña usaba o reordenaba las fichas para replicar una forma ya creada en esa sesión… por tanto, no se reforzaba la creación de una nueva forma, pero sí cada vez que se reutilizaba esa forma a partir de ese momento... "¡qué bonito, otro arco! (pág. 212). La fase final de la investigación implicaba regresar a los elogios descriptivos a la creación de diferentes formas. Los resultados muestran que la diversidad de la forma de las construcciones con bloques de los niños era función de los elogios y comentarios del profesor. La técnica de reversión basada en el RDI permitió a Goetz y Baer determinar que no eran únicamente los elogios y los comentarios que el profesor hacia sobre las figuras lo que llevaba a que los niños construyeran formas cada vez más creativas sino que el elogio y la atención tenían que ser contingentes a la construcción de formas diferentes para producir un incremento en la diversidad de formas.[5]

[5] El grado en el que se puede atribuir el incremento de la diversidad de las formas construidas con bloques a la atención y los elogios

Valoración de la conveniencia del diseño de reversión

La ventaja principal del diseño de reversión es su capacidad de aportar una demostración clara de la existencia (o ausencia) de una relación funcional entre las variables independientes y dependientes. Un investigador que de forma fiable activa y desactiva la conducta objetivo al presentar o retirar una variable específica hace una demostración clara y convincente de control experimental. Además, el diseño de reversión permite la cuantificación del cambio conductual respecto a los niveles de respuesta previos a la intervención. Y el regreso a la lineabase aporta información sobre la necesidad de programar el mantenimiento. Además, un diseño completo ABAB termina con la aplicación de la condición de tratamiento[6].

A pesar de sus fortalezas como herramienta analítica, el diseño de reversión acarrea algunas desventajas científicas y sociales potenciales, que deben tenerse en cuanta antes de usarlo. Hay dos aspectos a tener en cuenta: la irreversibilidad, que afecta a la utilidad científica del diseño; y las cuestiones sociales, educativas y éticas relacionadas con la retirada de una intervención claramente efectiva.

Irreversibilidad: un aspecto científico

Un diseño de reversión no es apropiado para evaluar los efectos de una variable de tratamiento que, por su propia naturaleza, no se puede retirar una vez presentada. Aunque las variables independientes que implican contingencias de reforzamiento y castigo se pueden manipular con cierta seguridad (o se presenta o se retira la contingencia) una variable independiente tal como aportar información o modelado, una vez presentada, no puede retirarse. Por ejemplo, un diseño de reversión no sería un elemento efectivo de un experimento que investigara los efectos de asistir a un curso de formación para profesores en activo durante el cual los participantes observaran a un profesor experto usar elogios y atención contingente con los estudiantes. Tras haber oído la lógica de estas técnicas a los participantes no se les puede retirar la experiencia a la que ya se les ha expuesto. Tal tipo de intervenciones se consideran irreversibles.

La irreversibilidad de la variable dependiente debe tenerse en cuenta para determinar si una reversión sería una técnica analítica efectiva. La **irreversibilidad** conductual significa que el nivel de conducta observado en una fase anterior no puede reproducirse después incluso aunque las condiciones experimentales sean las mismas que en la fase más temprana (Sidman, 1960). Una vez mejoradas, muchas conductas de interés para el analista aplicado de la conducta se mantienen en su nuevo nivel mejorado incluso aunque la intervención responsable del cambio se haya retirado. Desde el punto de vista clínico o educativo, tal situación es deseable: el cambio conductual persiste incluso sin tratamiento continuo. Sin embargo, la irreversibilidad es un problema si la demostración del papel de la variable independiente en el cambio conductual depende de la verificación mediante el restablecimiento de los niveles de respuesta de la lineabase.

Por ejemplo, la lineabase podría revelar tasas muy bajas, incluso inexistentes, de habla e interacción social en una niña pequeña. Se podría implementar una intervención consistente en reforzamiento social de la profesora por hablar e interactuar, y tras un tiempo la niña podría hablar e interactuar con sus iguales con una frecuencia y forma similar a la de sus compañeros de clase. La variable independiente, el reforzamiento de la profesora, podría retirarse con la intención de retomar las tasas de habla e interacción de la lineabase. Pero puede que la niña continúe hablando e interactuando con sus compañeros incluso aunque se retire la intervención responsable de los cambios iniciales en la conducta. En este caso, una fuente de reforzamiento que no está bajo control del investigador (que sus compañeros le hablen y jueguen con ella como consecuencia de que ella haya aumentado su realización de estas conductas) puede mantener altas las tasas de conducta después de que el profesor haya dejado de reforzar la conducta. Ante tal irreversibilidad, un diseño ABAB no podría revelar una relación funcional entre la variable independiente y la conducta objetivo.

A pesar de todo ello, uno de los objetivos más importantes del análisis aplicado de la conducta es el de establecer conductas socialmente importantes a través de los tratamientos experimentales para que la conducta entre en contacto con "comunidades de reforzamiento" naturales para mantener las mejoras conductuales en ausencia del tratamiento (Baer y Wolf, 1970b). Cuando se sospecha irreversibilidad, los investigadores pueden valorar la posibilidad de usar, además de las técnicas de control mencionadas, otras técnicas experimentales, en particular el diseño de lineabase múltiple que se describe en el capítulo 9.

("que bonito"), o a la retroalimentación descriptiva ("...este es diferente") de los comentarios de los profesores, no se puede determinar en esta investigación ya que la atención social y la retroalimentación descriptiva se administraron conjuntamente.

[6] Manipulaciones adicionales en forma de retirada parcial o secuencial de los componentes de la intervención se realizan cuando es necesario o deseable que la conducta continúe en su nivel mejorado en ausencia de intervención (véase también., Rusch y Kazdin, 1981).

Retirar una intervención eficaz: un aspecto social, educativo y ético

Aunque la retirada de una intervención eficaz para evaluar su papel sobre el cambio conductual puede demostrar sin ambigüedades el control experimental, supone una causa legítima de preocupación. Debemos cuestionarnos la conveniencia de cualquier procedimiento que permita (o, de hecho, busque) que se deteriore una conducta mejorada hasta los niveles de la lineabase. Se han tratado diferentes aspectos que son fuente de preocupación respecto a esta característica fundamental del diseño de reversión. Aunque los diferentes aspectos se solapan considerablemente, pueden clasificarse según su base principalmente social, educativa o ética.

Aspectos sociales. El análisis aplicado de la conducta es, por definición, un proyecto social. Las conductas son seleccionadas, definidas, observadas, medidas y modificadas por y para las personas. Algunas veces las personas involucradas en un análisis aplicado de la conducta (gestores, profesores, padres y participantes) protestan ante la retirada de una intervención que han relacionado con un cambio conductual deseable. Aunque la reversión puede proporcionar la imagen más imparcial de la relación entre la conducta y el ambiente que estemos estudiando, puede que no sea la técnica analítica de preferencia debido a que algunos participantes esenciales para el experimento no quieran que la intervención se retire. Cuando un diseño de reversión ofrece científicamente la mejor aproximación experimental y no presenta problemas éticos, el analista de conducta puede elegir explicar la operación y el propósito de la técnica a aquellos que no la quieren. Pero no es prudente intentar una reversión sin el total consentimiento de las personas involucradas, especialmente de las personas encargadas de retirar la intervención (Tawney y Gast, 1984). Sin su cooperación, la integridad del procedimiento se vería comprometida. Por ejemplo, las personas que estuviesen en contra de retirar el tratamiento podrían sabotear el regreso a las condiciones de lineabase implementando la intervención, o al menos, las partes de esta que consideren más importantes.

Cuestiones clínicas y educativas. Estas suelen hacer referencia a la pérdida de tiempo instruccional durante las fases de reversión, así como a la posibilidad de que las mejoras conductuales observadas durante la intervención no sean retomadas cuando el tratamiento se retome después del retorno a las condiciones de lineabase. Estamos de acuerdo con Stolz (1978) cuando afirma que "las reversiones ampliadas son injustificables". Si los niveles de respuesta previos a la intervención son alcanzados rápidamente, las fases de reversión pueden ser cortas. En algunas ocasiones tan solo hacen falta tres o cuatro sesiones para mostrar que las tasas iniciales de la lineabase se han reproducido (p. ej., Ashbaugh y Peck, 1998 [figura 15.7]; Cowdery, Iwata y Pace, 1990 [figura 22.6]). Dos o tres reversiones breves pueden demostrar convincentemente el control experimental. La preocupación respecto a que la mejoría de la conducta no regrese cuando se reintroduzca la variable de tratamiento, aunque es comprensible, no ha recibido apoyo empírico. Cientos de artículos publicados han mostrado que la conducta adquirida en unas condiciones ambientales determinadas puede ser readquirida rápidamente durante las siguientes aplicaciones de las mismas condiciones.

Aspectos Éticos. Debe tenerse en cuenta muy seriamente la cuestión ética cuando se está valorando la posibilidad de usar el diseño de reversión para evaluar el tratamiento de las conductas autolesivas o peligrosas. Con conductas autolesivas o agresivas moderadas, fases cortas de reversión consistentes en uno o dos sondeos de lineabase pueden aportar a veces la evidencia empírica necesaria para revelar una relación funcional (p. ej., Kelley, Jarvie, Middlebrook, McNeer y Drabman, 1984; Luce, Delquadri y Hall, 1980; Murphy et al., 1979 [figura 8.4]). Por ejemplo, en el estudio de Kodak, Grow y Northrup (2004) en el que se evaluó el tratamiento para la fuga de un niño con trastorno por déficit de atención con hiperactividad, se regresó a las condiciones de línea base en una sola sesión (ver figura 8.8).

Sin embargo, se podría determinar que para algunas conductas la retirada de la intervención relacionada con la mejoría, aunque sea solo para un sondeo de una sola sesión, sería inapropiado por razones éticas. En tales casos se deben utilizar diseños experimentales que no utilicen la técnica de reversión.

Diseño alternante

Una pregunta importante y frecuentemente realizada por profesores, terapeutas y otros profesionales responsables del cambio de conducta es, ¿cuál de estos tratamientos será más eficaz con este estudiante o cliente? En muchas ocasiones, la literatura de investigación, la experiencia del analista, o las extensiones lógicas de los principios de la conducta señalan varias intervenciones posibles.

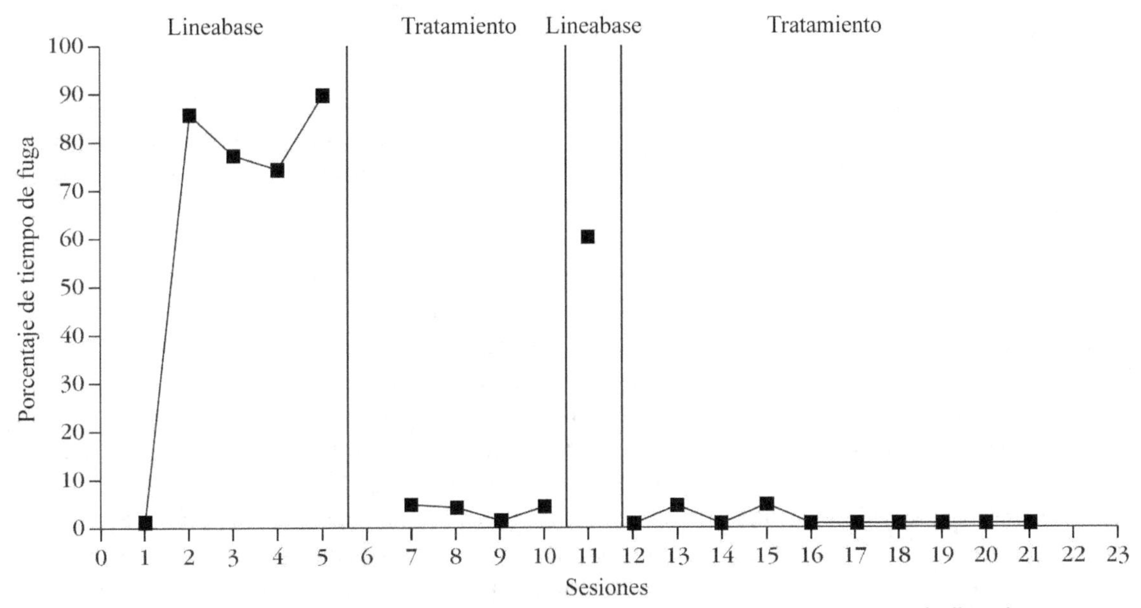

Figura 8.8 Diseño de reversión con sondeo de una sola sesión de regreso a la lineabase para evaluar y verificar los efectos del tratamiento para una conducta potencialmente peligrosa.

Tomado de "Functional Analysis and Treatment of Elopement for a Child with Attention Deficit Hyperactivity Disorder" T. Kodak, L. Grow y J. Northrup, 2004, *Journal of Applied Behavior Analysis, 37*, pág. 231. © Copyright 2004. Society for the Experimental Analysis of Behavior, Inc. Reimpreso con permiso.

Determinar cuál de entre todas las posibilidades de tratamiento o combinaciones de tratamientos va a producir la mayor mejoría en la conducta es la tarea principal de los analistas aplicados de la conducta. Como se dijo anteriormente, aunque el diseño de reversión de tratamientos múltiples (p. ej., ABCBC) puede usarse para comparar los efectos de dos o más tratamientos, tales diseños tienen algunas limitaciones inherentes a ellos. Ya que los diferentes tratamientos en un diseño de reversión de tratamientos múltiples se implementan durante fases distintas que ocurren en un orden particular, el diseño es particularmente vulnerable a la confusión debida a los efectos de secuencia (p. ej., puede que el tratamiento C solamente haya producido su efecto debido a que fue presentado después del tratamiento B, y no porque fuese más robusto en sí mismo). Una segunda desventaja en la comparación de tratamientos múltiples con la técnica de reversión es la cantidad de tiempo que se necesita para demostrar efectos diferenciales. La mayoría de las conductas señaladas por profesores y terapeutas para su modificación, son seleccionadas porque necesitan mejorías inmediatas. Para el analista aplicado de la conducta es importante contar con un diseño experimental que revele rápidamente el tratamiento más eficaz entre todas las aproximaciones posibles.

El diseño alternante aporta un método eficaz y experimentalmente sólido para comparar los efectos de dos o más tratamientos. El término *diseño alternante*, propuesto por Barlow y Hayes (1979), comunica acertadamente la operación del diseño. Otros términos usados en la literatura del análisis aplicado de la conducta para referirse a esta técnica analítica incluyen ***diseño multielemento*** (Ulman y Sulzer-Azaroff, 1975), *diseño de programas múltiples* (Hersen y Barlow, 1976), *diseño de programas concurrentes* (Hersen y Barlow, 1976) y *diseño de tratamientos simultáneos* (Kazdin y Hartmann, 1978).[7]

Operación y lógica del diseño alternante

El **diseño alternante** se caracteriza por la alternancia rápida de dos o más tratamientos (es decir, variables independientes) mientras se miden los efectos en la conducta objetivo (es decir, la variable dependiente). En contraste con el diseño de reversión en el que, en una fase particular, las manipulaciones experimentales se realizan tras obtener un estado estable de respuesta, en el

[7]Un diseño en el que dos o más tratamientos son concurrentes o simultáneamente presentados, y en el que el sujeto puede elegir entre los tratamientos, se denomina programa concurrente o diseño de tratamientos simultáneos. Algunas publicaciones han sido descritas por sus autores como diseños de tratamiento simultáneo, pero de hecho han usado diseños alternantes. Barlow y Hayes (1979) solo pudieron encontrar un ejemplo legítimo de un diseño de tratamientos simultáneos en la literatura aplicada: un estudio realizado por Browning (1967) en donde se compararon tres técnicas para reducir la conducta de alardeo de un niño de 10 años.

diseño alternante las distintas intervenciones se manipulan independientemente del nivel de respuesta. El diseño se basa en el principio conductual de la discriminación de estímulo (ver capítulo 17). Para ayudar al sujeto a discriminar que condición de tratamiento se está implementando en cada sesión, se asocia a cada tratamiento un estímulo distinto (p. ej., una señal, una instrucción verbal o folios de diferentes colores).

> Los datos son representados gráficamente por separado para cada intervención con el fin de aportar una representación visual adecuada de los efectos de cada tratamiento. Ya que factores de confusión tales como el tiempo de administración se han neutralizado (supuestamente) mediante contrabalanceo, además de que los dos tratamientos son fácilmente discriminables por los sujetos debido a las instrucciones u otros estímulos discriminativos, las diferencias en las representaciones gráficas individuales de los cambios conductuales que corresponden a cada tratamiento deberían ser atribuibles al tratamiento en sí, permitiendo una comparación directa entre dos (o más) tratamientos (Barlow y Hayes, 1979, pág. 200)

La figura 8.9 muestra un prototipo gráfico de un diseño alternante que compara los efectos de dos tratamientos, A y B, en algunas medidas de respuesta. En un diseño alternante, los distintos tratamientos pueden ser alternados de varias formas. Por ejemplo, los tratamientos podrían (a) alternarse a través de sesiones diarias, un tratamiento en curso cada día; (b) suministrarse en sesiones separadas del mismo día; o (c) implementarse cada uno durante una parte de la misma sesión. Contrabalancear los días de la semana, los momentos del día, las secuencia en la que los tratamientos ocurren (p. ej., el primer o el segundo cada día), las personas que los administran, etc., reduce la probabilidad de que cualquier diferencia observada en la conducta sea el resultado de variables diferentes a los propios tratamientos. Por ejemplo, asumamos que los Tratamientos A y B de la figura 8.9 se aplicaran cada uno en una sesión única de 30 minutos diarios, con una secuencia diaria de dos tratamientos que se determinan lanzando una moneda al aire.

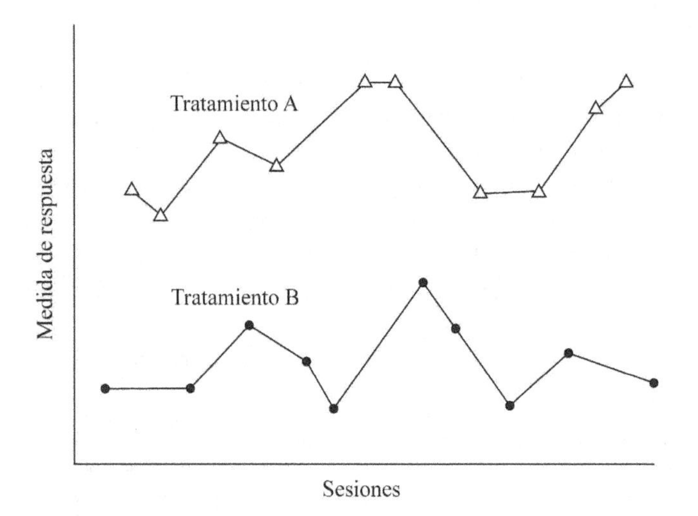

Figura 8.9 Prototipo gráfico de un diseño alternante que compara los efectos diferenciales de dos tratamientos (A y B).

Los datos en la figura 8.9 están representados en el eje horizontal de modo que reflejen la secuencia real de los tratamientos cada día. Por lo tanto, el eje horizontal se llama *sesiones*, y cada par consecutivo de sesiones ocurría en un mismo día. Algunos informes publicados de experimentos que usaban diseño alternante, en los que se presentaban diariamente (o en cada sesión) dos o más tratamientos, agrupan las medidas obtenidas durante cada tratamiento encima de los mismos puntos del eje horizontal, por lo que dan a entender que los tratamientos se aplicaron simultáneamente. Esta práctica esconde el orden temporal de los eventos y tiene la desafortunada consecuencia de hacer más difícil para el investigador o el lector el descubrimiento de los posibles efectos de secuencia.

En el diseño alternante se encuentran los tres componentes de la ley de los valores iniciales (predicción, verificación y replicación). Sin embargo, ninguno de esos componentes se identifica claramente con una fase separada del diseño. En un diseño alternante, cada dato sucesivo de un tratamiento específico cumple tres papeles: aporta (a) una base para la *predicción* de los futuros niveles de respuesta bajo este tratamiento, (b) la *verificación* potencial de las predicciones previas del desempeño bajo el tratamiento y (c) la oportunidad de *replicación* de los efectos previos producidos por este tratamiento.

Para ver esta lógica desarrollada, el lector puede colocar un pedazo de papel sobre todos los datos de la figura 8.9 excepto los correspondientes a las primeras cinco sesiones de cada tratamiento. Las partes visibles de las trayectorias de datos sientan las bases para la predicción del futuro desempeño bajo cada tratamiento. Si se mueve el pedazo de papel hacia la derecha se revelan los dos datos del siguiente día, cada uno de los cuales sirve de verificación de las predicciones anteriores. A medida que se reúnen más datos, se fortalecen las predicciones de los niveles de respuesta particulares dentro de cada tratamiento mediante la continua verificación (si estos datos adicionales conforman los mismos niveles o tendencia que sus predecesores). La replicación ocurre cada vez que el

Tratamiento A es restablecido y las mediciones revelan respuestas similares a las anteriores bajo el mismo tratamiento, y diferentes de las obtenidas bajo el Tratamiento B. De la misma forma, se consigue otra pequeña replicación cada vez que la reintroducción del Tratamiento B produce como resultado medidas similares a las anteriores bajo el mismo tratamiento y diferentes a los niveles de respuesta obtenidos bajo el Tratamiento A. Una secuencia constante de verificación y replicación es evidencia del control experimental y fortalece la confianza del investigador en la existencia de una relación funcional entre los dos tratamientos y los diferentes niveles de repuesta.

La presencia y el grado del control experimental en un diseño alternante se determina mediante inspección visual de las diferencias entre las trayectorias de datos que representan cada tratamiento. En este ejemplo, el control experimental es definido como la evidencia objetiva y fiable de que los diferentes niveles de respuesta se producen de manera predecible y fiable mediante la presencia de los diferentes tratamientos. Cuando las trayectorias de datos de dos tratamientos no se solapan entre ellas, ni muestran niveles estables o tendencias opuestas, se evidencia una clara demostración de control experimental. Tal es el caso en la figura 8.9, en la que no hay yuxtaposición de las trayectorias de datos y la imagen de los efectos diferenciales es clara. Cuando se da yuxtaposición de las trayectorias de datos, todavía se puede demostrar algún grado de control experimental sobre la conducta objetivo si la mayoría de los datos de un tratamiento determinado se ubican fuera del rango de valores de la mayoría de los datos del tratamiento con el que está siendo contrastado.

El alcance de cualquier efecto diferencial producido por dos tratamientos es determinado por la distancia vertical (o fraccionamiento) entre sus respectivas trayectorias de datos y cuantificado mediante la escala del eje vertical. A mayor distancia vertical, mayor es el efecto diferencial de los dos tratamientos sobre las medidas de la respuesta. Es posible mostrar control experimental entre dos tratamientos pero que sea socialmente irrelevante en cuanto a la cantidad de cambio conductual. Por ejemplo, se puede demostrar control experimental para un tratamiento que reduzca la conducta autolesiva severa de un sujeto de 10 ocurrencias por hora a dos por hora, pero que el participante continúe realizando conductas de automutilación. Sin embargo, si el eje vertical se escala significativamente cuanto mayor sea la separación entre las trayectorias de datos sobre el eje vertical, más alta será la probabilidad de que la diferencia represente un efecto socialmente significativo.

Los datos de un experimento que comparaba los efectos de dos tipos de recompensas grupales contingentes sobre la precisión ortográfica de alumnos de cuarto grado con bajo rendimiento (Morgan, 1978), ilustran como los diseños alternantes muestran control experimental y cuantificación de los efectos diferenciales. Los seis niños del estudio se dividieron en dos grupos, cada uno de los cuales incluía a tres niños con el mismo nivel de habilidades ortográficas según los resultados de una prueba aplicada previamente. Cada día del experimento los alumnos realizaban una prueba de ortografía de cinco palabras, para lo cual recibían la lista de palabras el día anterior, y se les dejaba estudiar 5 minutos antes de hacer la prueba. Se usaron tres condiciones distintas en el diseño alternante: (a) *sin juego,* en la que las pruebas de ortografía se calificaban inmediatamente, se les devolvían a los alumnos, y comenzaba la siguiente actividad escolar programada; (b) *juego,* en la que las pruebas se calificaban inmediatamente, cada miembro del equipo con mejor calificación recibía un Certificado de Logro y se le permitía levantarse del asiento y celebrarlo; y (c) *juego extra*, que consistía en el mismo procedimiento que en la condición de juego, además de que cada alumno del equipo ganador también recibía un pequeño regalo (p. ej., una pegatina o un lápiz).

Los resultados del Alumno 3 (ver figura 8.10) muestran que el control experimental sobre la precisión ortográfica se obtenía entre la condición "sin juego" y las condiciones de "juego" y "juego extra". Solamente los dos primeros datos de la condición "sin juego" se solaparon con las puntuaciones más bajas obtenidas durante las condiciones "juego" y "juego extra". Sin embargo, las trayectorias de datos para estas dos últimas condiciones se solaparon en su totalidad y continuamente durante todo el estudio, revelando que no existía una diferencia significativa de precisión ortográfica entre ambos tratamientos. La distancia vertical entre las trayectorias de datos representa la cantidad de mejoría en precisión ortográfica entre la condición "sin juego" y las condiciones "juego" y "juego extra". La diferencia media entre las dos condiciones de juego y la condición "sin juego" fue de dos palabras por cada prueba. Si esta diferencia representa una mejoría significativa es una pregunta educativa, no estadística o matemática, pero la mayoría de educadores y padres estaría de acuerdo en que un incremento de dos palabras escritas correctamente en una lista de cinco palabras es socialmente significativo, especialmente si esa ganancia puede mantenerse semana tras semana. El efecto acumulativo de un año escolar de 180 días sería impresionante. Para el Alumno 3 no hubo virtualmente ninguna diferencia entre las condiciones "juego" y "juego extra". Sin embargo, incluso una diferencia más grande en la media

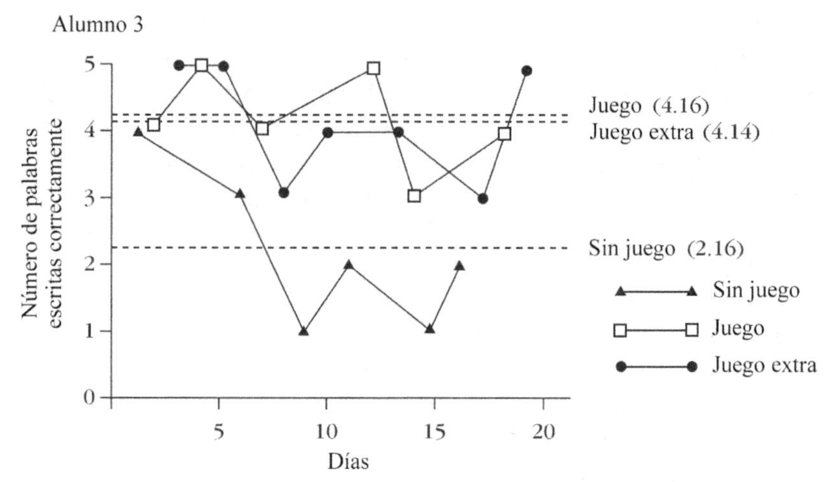

Figura 8.10 Diseño alternante que compara los efectos de tres tratamientos distintos en la precisión ortográfica de un alumno de cuatro grado.

Tomado de *Comparison of Two "Good Behavior Game" Group Contingencies on the Spelling Accuracy of Fourth-Grade Students* Q. E. Morgan 1978, Tesis de maestría no publicada, The Ohio State University. Reimpreso con permiso.

no habría contribuido a las conclusiones del estudio debido a la falta de control experimental entre esos dos tratamientos.

El Alumno 6 obtuvo consistentemente mayores puntuaciones en la condición "juego extra" que en las condiciones "juego" o "sin juego" (ver figura 8.11). Para el Alumno 6 se demostró control experimental entre el tratamiento de "juego extra" y los otros dos tratamientos, pero no entre las condiciones "sin juego" y "juego". Como hemos dicho, la diferencia entre las respuestas a los tratamientos se cuantifica con la distancia entre las trayectorias de datos. En este caso hubo una diferencia media de 1.55 palabras correctamente escritas en cada prueba entre las condiciones "sin juego" y "juego extra".

Las figuras 8.10 y 8.11 ilustran otros dos aspectos importantes con respecto al diseño alternante. Primero, los dos gráficos muestran cómo un diseño alternante permite una rápida comparación de las intervenciones. Aunque el estudio se hubiese fortalecido con la toma de datos adicionales, tras 20 sesiones el profesor tuvo suficiente evidencia empírica para seleccionar la consecuencia más efectiva para cada estudiante. Si se hubiesen comparado solo dos condiciones, se hubiesen necesitado incluso menos sesiones para identificar la intervención más efectiva. Segundo, estos datos resaltan la importancia de evaluar los efectos del tratamiento a un nivel individual. Los seis niños escribieron correctamente más palabras en una o en las dos condiciones de juego, que en la condición "sin juego". Sin embargo, la precisión ortográfica del Alumno 3 mejoró de la misma forma por la contingencia de "juego" o de "juego extra", mientras que la ortografía del Alumno 6 mejoró únicamente cuando había posibilidad de obtener un premio tangible.

Variaciones del diseño alternante

El diseño alternante puede usarse para comparar uno o más tratamientos con una condición sin tratamiento o de lineabase, para evaluar las contribuciones relativas de los componentes individuales de un paquete de

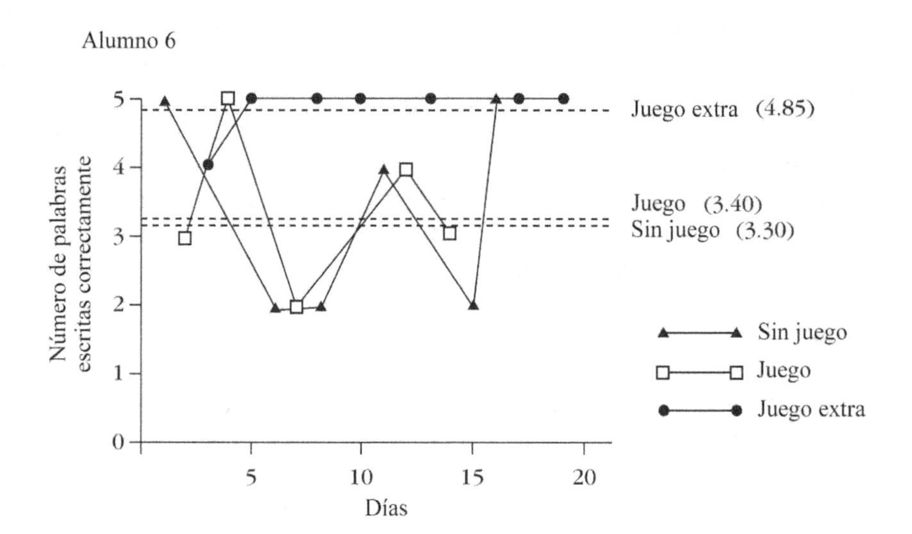

Figura 8.11 Diseño alternante que compara los efectos de tres tratamientos distintos en la precisión ortográfica de un alumno de cuatro grado.

Tomado de *Comparison of Two "Good Behavior Game" Group Contingencies on the Spelling Accuracy of Fourth-Grade Students* Q. E. Morgan 1978, tesis de maestría sin publicar, The Ohio State University. Reimpreso con permiso.

intervención y para realizar investigaciones paramétricas en las que se alternen valores distintos de una variable independiente para determinar los efectos diferenciales en el cambio conductual. Dentro de las variaciones más comunes del diseño alternante están:

- Diseño alternante de fase única sin condición de control de no tratamiento.
- Diseño de fase única en la que se alternan dos o más condiciones, una de las cuales es una condición de control.
- Diseño de dos fases que consiste en una fase inicial de lineabase seguida de una fase en la que se alternan dos o más condiciones (una de la cuales puede ser una condición de control).
- Diseño de tres fases que consiste en una fase inicial de lineabase, en una segunda fase en la que se alternan dos o más condiciones (una de las cuales puede ser una condición de control), y una fase final en la que solamente se implementa el tratamiento que ha demostrado ser más efectivo.

Diseño alternante sin condición control

Una de las aplicaciones del diseño alternante consiste en un experimento de una sola fase en la que se comparan los efectos de dos o más condiciones de tratamiento (p. ej., Barbetta, Heron, y Heward, 1993; McNeish, Heron y Okyere, 1992; Morton, Heward y Alber, 1998). Una investigación realizada por Belfiore, Skinner y Ferkis (1995) nos ofrece un excelente ejemplo de este diseño. Los investigadores compararon los efectos de dos procedimientos instruccionales (repetición de ensayo vs repetición de respuesta) sobre el aprendizaje de palabras escritas por tres alumnos de primaria con deficiencias de aprendizaje de la lectura. Se creó una lista inicial de entrenamiento de cinco palabras para cada condición mediante la selección aleatoria a partir de un grupo de palabras desconocidas (determinadas en una prueba previa realizada a cada alumno). Cada sesión empezó con una evaluación no instruccional de las palabras desconocidas y de entrenamiento, seguido por las dos condiciones. El orden de las condiciones instruccionales fue contrabalanceado a través de las sesiones. Si se lograba decir correctamente una palabra durante tres evaluaciones no instruccionales consecutivas se consideraban dominada y se reemplazaba por una palabra desconocida.

La condición de "repetición de ensayos" consistía en una sola oportunidad de respuesta por palabra tras cada uno de los cinco ensayos de práctica intercalados. El investigador colocaba una tarjeta con una palabra sobre una mesa y decía "mira la palabra y pronúnciala". Si el alumno daba una respuesta correcta en 3 segundos, el investigador decía "sí, la palabra es ___" (pág. 347). Si la respuesta inicial era incorrecta, o si el alumno no respondía en 3 segundos, el investigador decía "No, la palabra es ___", y el alumno repetía la palabra. Luego, el investigador presentaba la siguiente tarjeta con una palabra y el procedimiento se repetía hasta realizar cinco ensayos (antecedente, respuesta y retroalimentación) por cada palabra.

La condición de "repetición de respuesta" también consistió en cinco oportunidades por cada palabra, pero las cinco respuestas ocurrían en un solo ensayo para cada palabra. El investigador colocaba una tarjeta con una palabra sobre una mesa y decía "mira la palabra y pronúnciala". Si el alumno daba la respuesta correcta en 3 segundos, el investigador decía "Sí, la palabra es ___, por favor repite la palabra cuatro veces más" (pág. 347). Si la respuesta del alumno era incorrecta o no respondía en 3 segundos, el investigador decía "no, la palabra es ___". Luego, el estudiante repetía la palabra y se le pedía que la repitiera cuatro veces más.

La figura 8.12 muestra la totalidad de palabras dominadas por cada estudiante bajo ambas condiciones. Aunque el número correcto de respuestas por palabra durante la instrucción fue idéntico en ambas condiciones, todos los alumnos tuvieron altas tasas de aprendizaje de palabras nuevas en la condición de repetición de ensayos. Estos resultados obtenidos durante el diseño alternante simple permitieron a Belfiore y colegas (1995) concluir que "la repetición de respuesta fuera del contexto del ensayo de aprendizaje (es decir, de la contingencia de tres términos) no era tan efectiva como la repetición que incluía los estímulos antecedente y consecuente de la respuesta correcta" (pág. 348).

Diseño alternante con condición control

Aunque no es un requisito imprescindible, se suele incorporar una condición de control como uno de los tratamientos a comparar en un diseño alternante. Por ejemplo, la condición "sin juego" de la investigación de Morgan (1978) se usó como condición de control frente a la cual se compararon las puntuaciones en ortografía de las condiciones "juego" y "juego extra" (ver figura 8.10 y 8.11).

Incluir la condición de control como una de las condiciones experimentales de un diseño alternante ofrece información valiosa sobre cualquier diferencia entre el nivel de respuesta bajo tratamiento y aquel que se da cuando no se aplica tratamiento. Sin embargo, las

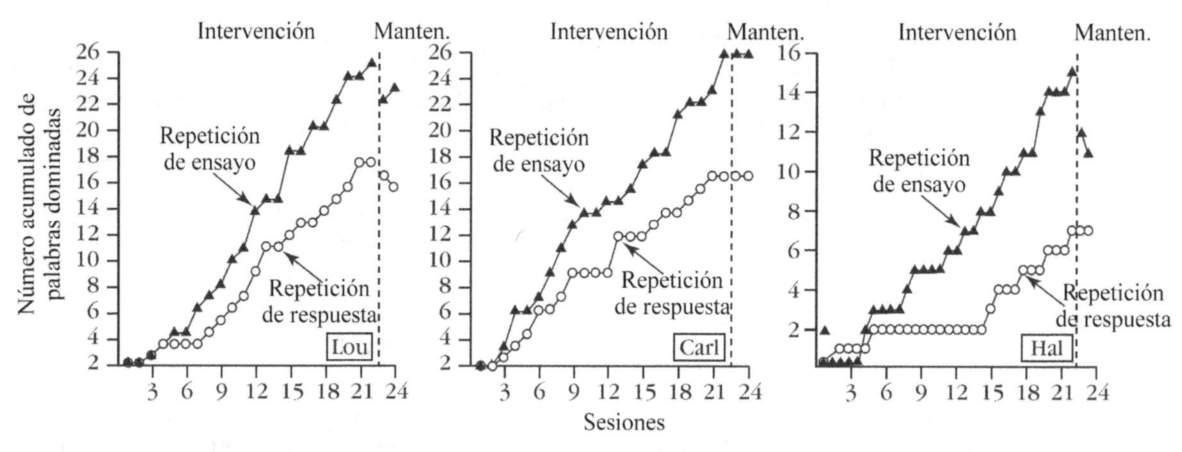

Figura 8.12 Diseño alternante de una sola fase sin una condición de control en la que no se aplique tratamiento.

Tomado de "Effects of Response and Trial Repetition on Sight-Word Training for Students with Learning Disabilities" P. J. Belfiore, C. H. Skinner y M. A. Ferkis, 1995, *Journal of Applied Behavior Analysis, 28*, pág. 348. © Copyright 1995. Society for the Experimental Analysis of Behavior, Inc. Reimpreso con permiso.

medidas obtenidas durante la condición de control no deben considerarse representativas del nivel desconocido de respuesta previo a la intervención. Puede ser que representen solamente los niveles de la conducta bajo la condición de control cuando se intercala en una serie continua de condiciones de tratamiento, y que no representen los niveles de conducta previos al comienzo del diseño alternante.

Diseño alternante con una lineabase inicial

Los investigadores que usan la técnica alternante, suelen usar un diseño experimental de dos fases en el que se toman medidas de lineabase hasta obtener un nivel estable de respuesta o una tendencia no terapéutica antes de la fase de tratamientos alternantes (p. ej., Martens, Lochner y Kelly, 1992 [ver figura 13.6]). En algunas ocasiones la condición de lineabase se mantiene durante la fase de tratamientos alternantes como una condición de control.

Un estudio realizado por J. Singh y N. Singh (1985) ofrece un ejemplo excelente de diseño alternante que incorpora una fase inicial de lineabase. La investigación evaluaba la eficacia relativa de dos procedimientos para reducir el número de errores en la lectura oral de alumnos con retraso mental. La primera fase del estudio consistió en una condición de lineabase de 10 días en la que se le daba a cada alumno un párrafo nuevo de 100 palabras tres veces cada día y se le decía "Aquí está la historia para esta sesión. Quiero que la leas. Hazlo lo mejor posible para no cometer errores" (pág. 66). El investigador se sentaba cerca pero ni ayudaba al alumno, ni corregía sus errores, ni prestaba atención a sus autocorrecciones. Si el alumno pedía ayuda con palabras nuevas o difíciles, se le animaba a continuar leyendo.

Durante la fase de tratamientos alternantes, se presentaron tres condiciones diferentes cada día en sesiones separadas de alrededor de cinco minutos cada una: "control" (los mismos procedimientos usados durante la lineabase), "suministro de palabras" y "análisis de palabras". Para minimizar los efectos de secuencia y de arrastre de una condición a la otra, las tres condiciones se presentaron al azar cada día, cada condición era precedida por instrucciones específicas que identificaban el procedimiento a implementar, y las sesiones consecutivas estaban separadas por un intervalo de, al menos, 5 minutos. Durante la condición de "suministro de palabras", a cada estudiante se le decía "Aquí está la historia para esta sesión. Quiero que la leas. Te ayudaré si cometes errores. Te diré la palabra correcta mientras tú escuchas y la señalas en el libro. Después de esto quiero que repitas la palabra. Hazlo lo mejor posible para no cometer errores" (pág. 67). El investigador le decía la palabra correcta al alumno cuando cometía un error, le pedía que repitiera una vez la palabra correcta, y le indicaba que siguiera leyendo. Durante la condición de "análisis de palabras", a cada estudiante se le decía "Aquí está la historia para esta sesión. Quiero que la leas. Te ayudaré si cometes errores. Te ayudaré a pronunciar la palabra y luego podrás leerla correctamente antes de seguir leyendo el resto de la historia. Hazlo lo mejor posible para no cometer errores" (pág. 67). Cuando se cometían errores en esta condición, el investigador dirigía la atención del alumno hacia los elementos fonéticos de la palabra y le pedía que pronunciara correctamente cada sílaba de esta. Después el investigador le pedía al alumno que leyera la palabra

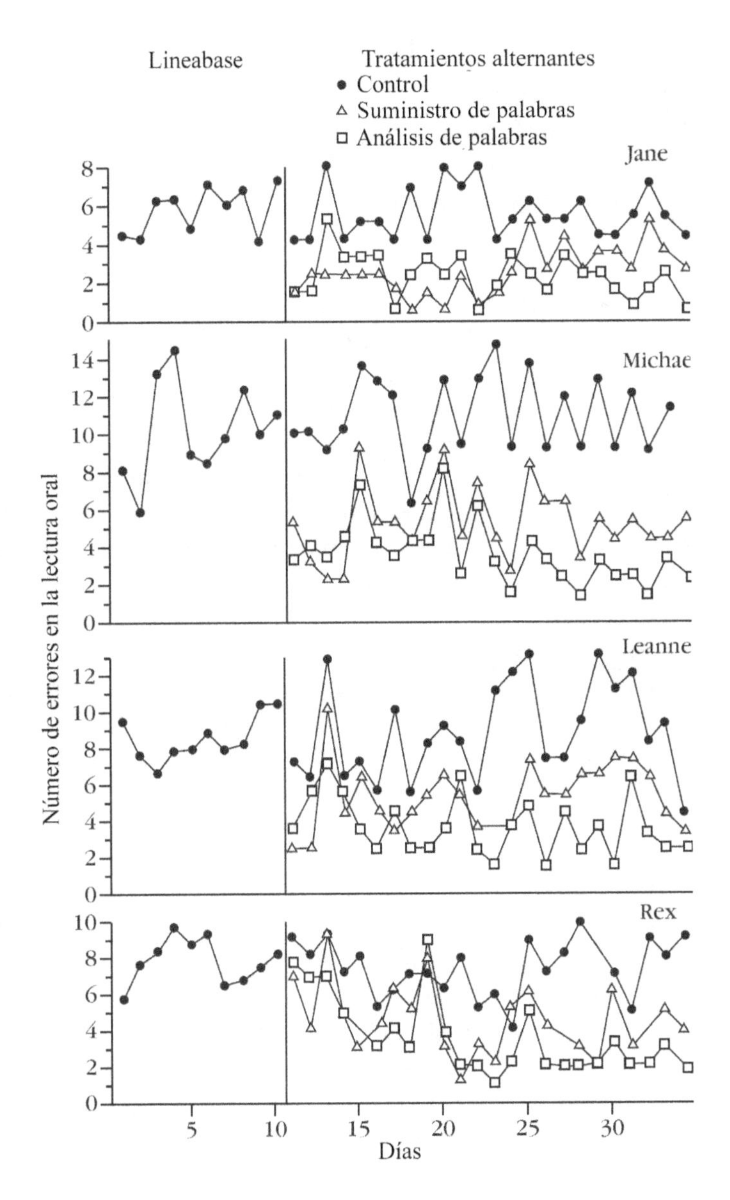

Figura 8.13 Diseño alternante con una lineabase inicial.

Tomado de *"Comparison of Word-Supply and Word-Analysis Error-Correction Procedures on Oral Reading by Mentally Retarded Children"* J. Singh y N. Singh, 1985, *American Journal of Mental Deficiency, 90,* pág. 67. © Copyright 1985. *American Journal of Mental Deficiency.* Reimpreso con permiso.

entera a una velocidad normal y le indicaba que continuara leyendo.

Los resultados de los cuatro alumnos que participaron en este estudio se muestran en la figura 8.13. Cada dato de la lineabase es la media del número de errores de las tres sesiones diarias. Aunque los datos de cada condición son altamente variables (tal vez debido a la dificultad variable de las historias usadas), se evidencia control experimental. Los cuatro alumnos cometieron menos errores durante las condiciones de "suministro de palabras" y de "análisis de palabras", que en la condición de control. Aunque el control experimental entre las condiciones de "suministro de palabras" y "análisis de palabras" no fue completo debido a cierto solapamiento de las trayectorias de datos, también se demostró, ya que todos los alumnos cometieron menos errores durante la condición de análisis de palabras.

Al comenzar el estudio con una fase de lineabase, J. Singh y N. Singh (1985) pudieron comparar el nivel de respuesta obtenido durante cada tratamiento con el nivel natural de desempeño no contaminado por la introducción de la historia ni por la corrección de errores. Además, la lineabase inicial sirvió como base para la predicción y evaluación de las medidas obtenidas durante las sesiones de control de la fase de tratamientos alternantes. Las medidas obtenidas en la condición de control coincidieron con la frecuencia de errores relativamente alta observada durante la lineabase, aportando evidencia de que (a) la distancia vertical entre las trayectorias de datos de las dos condiciones de tratamiento ("suministro de palabras" y "análisis de palabras") y de la condición de "control" representan la cantidad de mejoría producida por cada tratamiento y (b) la frecuencia de errores durante la condición de "control" no se vio influida por la reducción de errores durante los otros dos tratamientos (es decir, no se generalizó la reducción de errores de lectura de los párrafos tratados a los que no lo fueron).

Diseño alternante con una lineabase inicial y una fase final con el mejor tratamiento

Una variación ampliamente utilizada del diseño alternante consiste en tres fases secuenciales: una fase inicial de lineabase, una segunda fase de comparación de tratamientos alternantes, y una fase final en la que se aplica solamente el tratamiento más efectivo (p. ej., Heckaman, Alber, Hooper y Heward, 1998; Kennedy y Souza, 1995, Estudio 4; Ollendick, Matson, Esvelt-Dawson y Shapiro, 1980; N. Singh, 1990; N. Singh y J. Singh, 1984; N. Singh y Winton, 1985). Tincani (2004) utilizó un diseño alternante con una lineabase inicial y una fase final con el mejor tratamiento para investigar la eficacia relativa de los entrenamientos en lenguaje de signos y en intercambio de imágenes para la adquisición de mandos (pedir sus cosas favoritas) en dos niños con autismo.[8] Una pregunta experimental relacionada con esto era si existía una relación entre las habilidades motoras de imitación previas de los niños y sus

[8]El mando es uno de los seis tipos de operantes verbales elementales identificadas por Skinner (1957). El capítulo 25 describe el análisis de la conducta verbal realizado por Skinner y su importancia en el análisis aplicado de la conducta.

habilidades para aprender mandos a través del lenguaje de signos o del intercambio de imágenes. Se realizaron dos evaluaciones por cada alumno antes de la lineabase: una sobre la preferencia de estímulo (Pace, Ivancic, Edwards, Iwata y Page, 1985) para identificar una lista de 10 a 12 elementos preferidos (p. ej., bebidas, comestibles o juguetes) y otras sobre las habilidades de cada alumno para imitar 27 movimientos de las manos, los brazos y los dedos, similares a las requeridas en el lenguaje de signos.[9]

El propósito de la lineabase era asegurarse de que antes del entrenamiento los participantes no sabían pedir sus elementos preferidos mediante el intercambio de imágenes, el lenguaje de signos o el habla. Los ensayos de la lineabase consistían en darle al alumno de 10 a 20 segundos de acceso no contingente a uno de sus elementos preferidos, retirárselo brevemente y situarlo fuera de su alcance. Después se colocaba delante del alumno una imagen de 5x5 cm del elemento. Si en los siguientes 10 segundos el alumno colocaba la lámina con la imagen en la mano del investigador, nombraba el elemento mediante lenguaje de signos u oralmente, el investigador le permitía el acceso al elemento. Si no sucedía nada de esto, el elemento se retiraba y se presentaba el siguiente de la lista. Tras tres sesiones de lineabase, durante las que ningún participante emitiera ningún mando independiente en ninguna modalidad, comenzó la fase de tratamientos alternantes.

Los procedimientos de entrenamiento en lenguaje de signos se adaptaron a partir del libro de Sundberg y Partington *Teaching Language to Children with Autism or Other Developmental Disabilities (1998*). Se enseñó para cada elemento el signo más simple de la Lengua de Signos Americana. Los procedimientos usados en la condición de entrenamiento en intercambio de imágenes se adaptaron a partir del manual de Bondy y Frost (2002) *Sistema de comunicación por intercambio de imágenes* (PECS por sus siglas en inglés). En ambas condiciones, el entrenamiento sobre cada elemento preferido comprendía de cinco a siete ensayos por sesión, o hasta que el participante dejaba de mostrar interés por el elemento. En este punto se comenzaba el entrenamiento con el siguiente elemento y se continuaba así hasta que se presentaban los 10 o 12 elementos de la lista de preferencias. Durante la fase final del estudio, cada participante recibía o solamente entrenamiento en lenguaje de signos o solamente entrenamiento en intercambio de imágenes, dependiendo de qué método había sido más exitoso durante la fase de tratamientos alternantes.

[9] Los procedimientos para la evaluación de las preferencias de estímulos se describen en el capítulo 11.

El porcentaje de mandos independientes emitidos por los dos estudiantes durante el estudio se muestran en la figuras 8.14 (Jennifer) y 8.15 (Carl). Para Jennifer, el entrenamiento en intercambio de imágenes fue claramente más eficaz que el lenguaje de signos. Jennifer había mostrado bajas habilidades de imitación motora en la evaluación previa a la lineabase, imitando correctamente solo el 20% de los movimientos. En cambio Carl, tras una pequeña modificación en el procedimiento de entrenamiento en lenguaje de signos para eliminar su dependencia de las ayudas, emitió con más frecuencia mandos independientes durante el entrenamiento en lenguaje de signos que durante el entrenamiento en intercambio de imágenes. Las habilidades de imitación motora previas de Carl eran mejores que las de Jennifer, habiendo imitado correctamente el 43% de los movimientos durante la evaluación previa a la lineabase.

Este estudio subraya la importancia de los análisis individuales y de la exploración de las posibles influencias de variables no manipuladas durante el estudio. Al discutir los resultados del estudio, Tincani (2004) señalaba que

> Para realizar una intervención con personas sin habilidades manuales de imitación motora, lo que incluye a muchos niños con autismo, puede ser más apropiado el entrenamiento en intercambio de imágenes, al menos en términos de la adquisición inicial de mandos. Jennifer tenía bajas habilidades manuales de imitación motora antes de la intervención y aprendió el intercambio de imágenes más rápido que el lenguaje de signos. Para aquellos participantes con moderadas habilidades manuales de imitación motora, el entrenamiento en lenguaje de signos puede ser igual o más apropiado. Carl tenía habilidades manuales de imitación motora moderadas antes de la intervención y aprendió lenguaje de signos más rápido que el intercambio de imágenes (pág. 160).

Ventajas del diseño alternante

El diseño alternante ofrece numerosas ventajas para la evaluación y comparación de dos o más variables independientes. La mayoría de los beneficios citados a continuación fueron descritos por Ulman y Sulzer-Azaroff (1975), a quienes se considera los primeros en llamar la atención sobre la lógica y las posibilidades del diseño alternante en la comunidad del análisis aplicado de la conducta.

No requiere retirada del tratamiento

Una gran ventaja del diseño alternante es que no requiere que el investigador retire un tratamiento evidentemente efectivo para demostrar una relación funcional, por lo que permite evitar los problemas éticos que presentaba el diseño de reversión. Sin embargo, al margen de los aspectos éticos, los gestores y los profesores aceptan con más facilidad un diseño alternante que un diseño de reversión incluso aunque el primero incluya una condición de control. "Parece que recuperar las condiciones de lineabase cada varios días es más aceptable para un profesor que establecer un nivel alto de la conducta deseable durante mucho tiempo para restablecer luego las conductas de la lineabase" (Ulman y Sulzer-Azaroff, 1975, pág. 385).

Velocidad de comparación

La comparación experimental de dos o más tratamientos suele poder hacerse rápidamente en el diseño alternante. En un estudio con un diseño alternante se logró determinar en solo cuatro días la superioridad de un tratamiento sobre el otro para el incremento de la conducta cooperativa de un niño de 6 años (McCullough, Cornell, McDaniel y Mueller, 1974). La capacidad del diseño alternante para producir rápidamente resultados útiles es una de las principales razones por la que es la técnica experimental básica usada en análisis funcional de la conducta (ver capítulo 24 y figuras 24.4, 24.5, 24.6 y 24.9).

Cuando los efectos de distintos tratamientos son

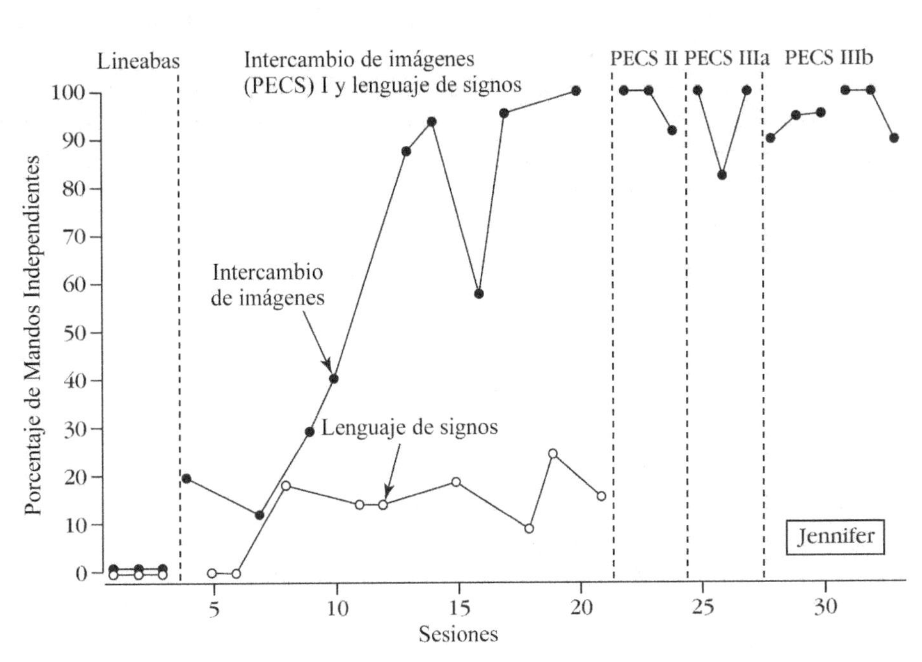

Figura 8.14 Diseño alternante con una lineabase inicial y una condición final en la que se aplica solo el mejor tratamiento.

Tomado de *"Comparing the Picture Exchange Communication System and Sign Language Training for Children with Autism"* M. Tincani, 2004, *Focus on Autism and Other Developmental Disabilities, 19,* pág. 160. © Copyright 2004. Pro-Ed. Utilizado con permiso.

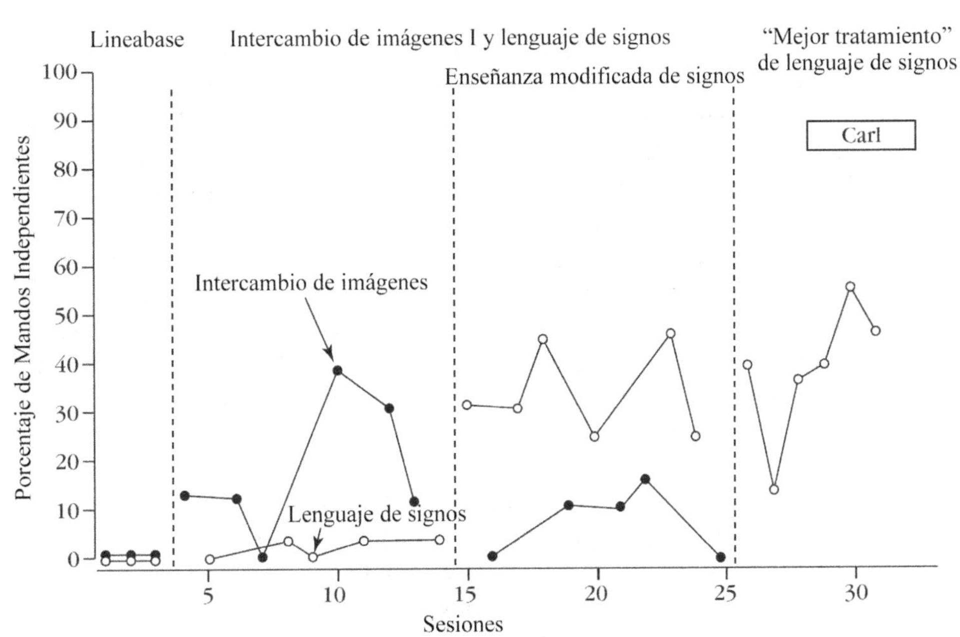

Figura 8.15 Diseño alternante con una lineabase inicial y una condición final en la que se aplica solo el mejor tratamiento.

Tomado de *"Comparing the Picture Exchange Communication System and Sign Language Training for Children with Autism"* M. Tincani, 2004, *Focus on Autism and Other Developmental Disabilities, 19,* pág. 159. © Copyright 2004. Pro-Ed. Utilizado con permiso.

evidentes en etapas tempranas del diseño alternante, el investigador puede cambiar la intervención y programar solamente los tratamientos más eficaces. La eficiencia del diseño alternante puede ofrecer al investigador datos importantes incluso cuando el experimento debe finalizarse tempranamente (Ulman y Sulzer-Azaroff, 1975). Por otro lado, un diseño de reversión o de lineabase múltiple, debe completarse para mostrar una relación funcional.

Minimiza el problema de la irreversibilidad

Algunas conductas, incluso aunque hayan sido instauradas o modificadas mediante la intervención, no regresan a los niveles de la lineabase cuando la intervención se retira y, por tanto, se resisten al análisis con un diseño ABAB. Sin embargo, la alternancia rápida de las condiciones de tratamiento y de lineabase puede revelar diferencias entre las dos condiciones, especialmente en las etapas tempranas del experimento, antes de que los niveles de respuesta de la lineabase (condición de control) se hayan aproximado a los de la condición de tratamiento.

Minimiza los efectos de secuencia

Un diseño alternante, cuando se realiza correctamente, minimiza el grado en el que los resultados de la investigación pueden confundirse con los efectos de secuencia. Los efectos de secuencia representan una amenaza a la validez interna de cualquier experimento, pero especialmente de aquellos que implican tratamientos múltiples. La preocupación que generan los efectos de secuencia se puede resumir con una simple pregunta: ¿los resultados serían los mismos si la secuencia de los tratamientos hubiese sido distinta? Los efectos de secuencia pueden ser extremadamente difíciles de controlar en experimentos que usan técnicas de reversión o de técnicas múltiples (ver capítulo 9) para comparar dos o más variables independientes ya que cada condición experimental debe permanecer en efecto durante bastante tiempo, produciendo de esta forma una secuencia específica de eventos. Sin embargo, en un diseño alternante, las variables independientes se alternan rápidamente entre sí de una forma aleatoria que no produce una secuencia particular. Además, cada tratamiento se aplica durante periodos cortos de tiempo, reduciendo la probabilidad de que se den efectos de arrastre (O'Brien, 1968). La capacidad para minimizar los efectos de secuencia hace del diseño alternante una poderosa herramienta para realizar análisis complejos de la conducta.

Se puede utilizar con datos inestables

La determinación de relaciones funcionales entre la conducta y el ambiente con datos inestables supone un serio problema para el analista aplicado de la conducta. El uso del estado estable de respuesta para predecir, verificar y replicar los cambios conductuales es el pilar de la lógica experimental en análisis de conducta (Sidman, 1960). Sin embargo, obtener un estado estable de respuesta en la lineabase es extremadamente difícil para muchas conductas socialmente relevantes, que son del interés para los analistas de conducta. Solamente el hecho de darle al sujeto oportunidades repetidas para que emita una respuesta objetivo puede mejorar gradualmente el desempeño. Aunque los efectos de práctica requieren una investigación empírica específica debido a su importancia aplicada y científica (Greenwood, Delquadri y Hall, 1984; Johnston y Pennypacker, 1993a), las líneas base inestables a las que dan lugar se convierten en un problema para el análisis de las variables de intervención. El cambio en la dificultad de las tareas inherente al avance en una programación educativa con material progresivamente más complejo, hace difícil la obtención de estados estables de respuesta en muchas conductas académicas.

Debido a que en un diseño alternante las diferentes condiciones de tratamiento se alternan rápidamente, a que cada tratamiento se presenta varias veces, y a que ninguna condición en particular dura mucho, se puede suponer que los posibles efectos de práctica, de cambio en la dificultad de la tareas, de maduración u otras variables históricas, estarán presentes en la misma proporción en cada tratamiento y, por lo tanto, no afectarán diferencialmente a una condición más que a otra. Por ejemplo, aunque cada una de las dos trayectorias de datos, que representan el desempeño en lectura de un alumno bajo dos procedimientos de enseñanza diferentes, muestren tendencias ascendentes y variables que puedan ser debidas a los efectos de práctica y a materiales curriculares no equivalentes, cualquier separación vertical estable entre las trayectorias de datos puede ser atribuida a diferencias en los procedimientos de enseñanza.

Puede usarse para evaluar la generalización de los efectos

Alternando varias condiciones de interés, un investigador puede evaluar continuamente el grado de generalización del cambio conductual de un tratamiento eficaz a otra condición de interés. Por ejemplo, en un estudio sobre la conducta de pica, de N. Singh y Winton (1985), alternaron los terapeutas en la última fase del experimento, y de esta forma pudieron determinar la eficacia del tratamiento de sobrecorreción cuando lo administraban diferentes personas.

La intervención puede comenzar inmediatamente

Aunque generalmente se prefiere determinar el nivel de respuesta previo a la intervención, la necesidad clínica de intentar cambiar inmediatamente algunas conductas, impide la medición repetida en ausencia de intervención. Cuando es necesario, se puede usar un diseño alternante sin una fase inicial de lineabase.

Valoración de la conveniencia del diseño alternante

Las ventajas del diseño alternante son significativas. Sin embargo, como con cualquier otra técnica experimental, el diseño alternante presenta ciertas desventajas y deja sin responder ciertas preguntas que solo pueden ser abordadas con experimentación adicional.

Interferencia por tratamientos múltiples

La característica principal del diseño alternante es la rápida alternancia entre dos o más variables independientes al margen de las medidas conductuales que se obtengan bajo cada tratamiento. Aunque esta rápida alternancia minimiza los efectos de secuencia y reduce el tiempo requerido para comparar los tratamientos, plantea la duda de si los efectos observados bajo cualquiera de los tratamientos aplicados serían los mismos si cada tratamiento fuese implementado de manera individual. La **interferencia por tratamientos múltiples** hace referencia a los efectos de confusión de un tratamiento sobre la conducta de un sujeto que está siendo influida por los efectos de otro tratamiento administrado en el mismo estudio.

En el diseño alternante siempre se debe tener en cuenta la posibilidad de que se esté dando interferencia por tratamientos múltiples (Barlow y Hayes, 1979; McGonigle, Rojahn, Dixon y Strain, 1987). Sin embargo, si a la fase de tratamientos alternantes, le sigue una fase en la que se aplica únicamente la condición de tratamiento más eficaz, el investigador puede evaluar los efectos de ese tratamiento cuando se aplica individualmente.

La naturaleza artificial de los tratamientos rápidamente alternados

El cambio rápido de un tratamiento a otro no refleja la forma en la que típicamente se aplican las intervenciones clínicas o educativas. Desde una perspectiva instruccional, el cambio de los tratamientos puede considerarse artificial o poco deseable. Sin embargo, en la mayoría de los casos la rápida comparación entre los tratamientos que ofrece el diseño alternante compensa las preocupaciones con respecto a su naturaleza artificial. Las preocupaciones respecto a si los participantes pueden sufrir efectos negativos por la rápida alternancia entre las condiciones es una pregunta empírica que solo puede ser respondida por medio de la experimentación. Además, puede ser útil para los profesionales aplicados recordar que uno de los propósitos del diseño alternante es el identificar lo antes posible una intervención eficaz para que el participante no tenga que soportar aproximaciones instruccionales ineficaces o tratamientos que puedan retrasar el progreso hacia los objetivos educativos. En definitiva, las ventajas de alternar rápidamente los tratamientos pesan más que cualquier efecto indeseable que dichas manipulaciones puedan causar.

Capacidad limitada

Aunque el diseño alternante provee un método elegante y científicamente sólido para comparar efectos diferenciales de dos o más tratamientos, éste no es un diseño abierto en donde un número ilimitado de tratamientos puede ser comparado. Aunque se han reportado diseños alternantes con hasta cinco condiciones (p. ej., Didden, Prinson y Sigafoos, 2000), en la mayoría de las situaciones un máximo de cuatro condiciones diferentes (una de las cuales puede ser una condición control de no tratamiento) pueden ser comparadas efectivamente dentro de una sola fase de un diseño alternante, y en muchas instancias solo dos tratamientos distintos pueden ser incluidos. Para separar los efectos de cada condición de tratamiento de cualquier otro efecto que pueda ser causado por aspectos del diseño alternante, cada tratamiento debe ser contrabalanceado cuidadosamente a través de todos los aspectos potencialmente relevantes de su aplicación, (p. ej., hora del día, orden de la presentación, situaciones, terapeutas). En muchas situaciones aplicadas la logística de contrabalancear y entregar más de dos o tres tratamientos puede ser complicada y podría causar que el experimento necesite muchas sesiones para completarse. Además, muchos tratamientos que compiten puede decrementar la habilidad del sujeto de discriminar entre los tratamientos, reduciendo de esta forma la efectividad del diseño.

Selección de los tratamientos

Aunque, teóricamente un diseño alternante puede usarse para comparar los efectos de dos tratamientos discretos cualquiera, en realidad el diseño es más limitado. Para aumentar la probabilidad de discriminación entre condiciones (es decir, la obtención fiable de diferencias medibles en la conducta), los tratamientos deben mostrar diferencias significativas entre sí. Por ejemplo, un investigador que usa un diseño alternante para estudiar los efectos del tamaño del grupo en el desempeño académico de los estudiantes durante la instrucción, puede incluir condiciones de 4, 10 y 20 estudiantes. Sin embargo, es menos probable que se encuentren relaciones funcionales entre el tamaño del grupo y el desempeño académico si se alternan condiciones de 6, 7 y 8 estudiantes. Aun así, no se debe incluir una condición de tratamiento en un diseño alternante solo porque pueda producir una trayectoria de datos que pueda diferenciarse fácilmente de otra condición. Lo aplicado en el análisis aplicado de la conducta implica tanto la naturaleza de las condiciones de tratamiento como la naturaleza de las conductas investigadas (Wolf, 1978). Un aspecto importante a tener en cuenta al seleccionar las condiciones de tratamiento debe ser la medida en la que son representativas de las prácticas actuales o las prácticas que realmente podrían implementarse. Por ejemplo, aunque podría ser útil un estudio que comparara los efectos sobre el desempeño en matemáticas de pasar 5, 10 y 30 minutos cada día lectivo haciendo tareas en casa de esta materia, un estudio que comparara los efectos de 5, 10 minutos y 3 horas diarias de tareas de matemáticas, probablemente no lo fuese. Incluso aunque tal estudio encontrara que pasar 3 horas al día haciendo tareas de matemáticas es extremadamente efectivo para mejorar los logros académicos en esa materia, pocos profesores, padres, gestores o estudiantes, llevarían a cabo un programa que requiriera dedicar 3 horas cada día a una única materia.

Otro aspecto a tener en cuenta es que puede que algunas intervenciones no produzcan cambios conductuales importantes hasta que se implementen de forma consistente durante un periodo continuo de tiempo.

> Cuando se emplea un diseño multielemento con lineabase, que haya datos que se solapan no necesariamente elimina la posible eficacia de un procedimiento experimental. La alternancia sesión a sesión de las condiciones puede ocultar efectos que podrían observarse si se presentara la misma condición durante varias sesiones consecutivas. Es entonces posible que un tratamiento en particular pueda probar su eficacia con un diseño de reversión o de lineabase múltiple, pero no con un diseño multielemento con lineabase (Ulman y Sulzer-Azaroff, 1975, pág. 382).

La sospecha de que un tratamiento dado pueda ser eficaz si se presenta individualmente durante un periodo amplio de tiempo es una cuestión empírica que solo puede ser explorada apropiadamente mediante experimentación. Aunque si la aplicación de un solo tratamiento produce mejoras conductuales, el profesional aplicado habrá cumplido su objetivo y no necesita hacer nada más. Sin embargo, el investigador aplicado que está interesado en determinar el control experimental, puede volver al diseño alternante y comparar el desempeño de un solo tratamiento con el de otra intervención.

Resumen

Diseño de reversión

1. La técnica de reversión (ABA) conlleva mediciones repetidas de la conducta en una situación específica durante tres fases consecutivas: (a) una fase de lineabase (ausencia de la variable independiente), (b) una fase de tratamiento (introducción de la variable independiente), y (c) un retorno a las condiciones de la lineabase (retirada de la variable independiente).
2. El diseño de reversión se fortalece en gran medida con la reintroducción de la variable independiente en la forma de un diseño ABAB. El diseño ABAB es el diseño intrasujeto más claro y generalmente más poderoso para demostrar relaciones funcionales.

Variaciones del diseño ABAB

3. Extender el diseño ABAB con reversiones repetidas puede aportar una demostración más convincente de una relación funcional de lo que lo haría un diseño con una sola reversión.

4. El diseño de reversión BAB puede ser usado con conductas objetivo en las que una fase inicial de lineabase sea inapropiada o imposible por razones éticas y prácticas.

5. El diseño de reversión de tratamientos múltiples usa la técnica de reversión para comparar los efectos de dos o más condiciones experimentales con la lineabase o entre sí.

6. Los diseños de reversión de tratamientos múltiples son particularmente susceptibles a la confusión por efectos secuenciales.

7. La técnica de reversión basada en el reforzamiento no contingente (RNC) permite el análisis individual de la contingencia del reforzamiento.

8. Las técnicas de reversión que incorporan condiciones de control basadas en el reforzamiento diferencial de otras conductas (RDO) y reforzamiento diferencial de conductas incompatibles/alternativas (RDI/RDA) también pueden usarse para demostrar los efectos del reforzamiento contingente.

Valoración de la conveniencia del diseño de reversión

9. Un diseño experimental basado en una técnica de reversión es ineficaz para evaluar los efectos de una variable de tratamiento que, por naturaleza, no puede retirarse una vez presentada (p. ej., instrucción o modelado).

10. Una vez mejoradas, algunas conductas no se podrán revertir a niveles de lineabase aunque la variable independiente haya sido retirada. Tal irreversibilidad conductual impide el uso eficaz del diseño de reversión.

11. La retirada de una variable de tratamiento claramente eficaz para verificar científicamente su función en el cambio conductual suele generar ciertas preocupaciones legítimas de corte social, educativo y ético.

12. En algunas ocasiones, fases de reversión muy breves, o incluso sondeos de una sola sesión de lineabase, pueden demostrar la credibilidad del control experimental.

Diseño alternante

13. El diseño alternante compara dos o más tratamientos distintos (es decir, las variables independientes), mientras se miden sus efectos en la conducta objetivo (es decir, la variable independiente).

14. En un diseño alternante, cada dato sucesivo de cada tratamiento específico juega tres papeles: aporta (a) una base para la *predicción* de los futuros niveles de respuesta bajo ese tratamiento, (b) la *verificación* potencial de las predicciones previas del desempeño bajo ese tratamiento, y (c) la oportunidad de *replicación* de los efectos previos producidos por ese tratamiento.

15. En un diseño alternante, el control experimental se demuestra cuando las trayectorias de datos de dos tratamientos diferentes se solapan poco o nada.

16. El alcance del efecto diferencial de dos tratamientos se determina según la distancia vertical entre sus respectivas trayectorias de datos y se cuantifica según la escala del eje vertical.

Variaciones del diseño alternante

17. Algunas variaciones comunes del diseño alternante son las siguientes:
    - Diseño alternante de una sola fase, sin condición de control
    - Diseño de una sola fase con una condición de control
    - Diseño de dos fases: una fase inicial de lineabase seguida por una fase de tratamientos alternantes
    - Diseño de tres fases: una fase inicial de lineabase seguida por una fase de tratamientos alternantes y una fase final con el mejor tratamiento

Ventajas del diseño alternante

18. Las ventajas del diseño alternante son:
    - No requiere retirar el tratamiento.
    - Compara rápidamente la eficacia relativa de los tratamientos.
    - Minimiza el problema de la irreversibilidad.
    - Minimiza los efectos de secuencia.
    - Puede usarse con patrones de datos inestables.
    - Puede usarse para evaluar la generalización de los efectos.
    - La intervención puede comenzar de manera inmediata.

Valoración de la conveniencia del diseño alternante

19. El diseño alternante es susceptible a la interferencia por tratamientos múltiples. Sin embargo, si la fase de alternancia de tratamientos va seguida de una fase en la que solo se administra un tratamiento, el investigador puede evaluar los efectos de ese tratamiento de manera individual.

20. El cambio rápido de un tratamiento a otro no refleja la manera típica en la que se aplican las intervenciones y puede considerarse artificial y poco deseable.

21. Una fase de alternancia de tratamientos habitualmente se limita a un máximo de cuatro condiciones de tratamiento distintas.

22. El diseño alternante es más eficaz para encontrar efectos diferenciales entre condiciones de tratamiento significativamente diferentes entre sí.

23. El diseño alternante no es eficaz para evaluar los efectos de una variable independiente que produce cambios conductuales importantes solamente cuando se aplica consistentemente durante un periodo continuo de tiempo.

CAPÍTULO 9

Diseños de lineabase múltiple y de criterio cambiante

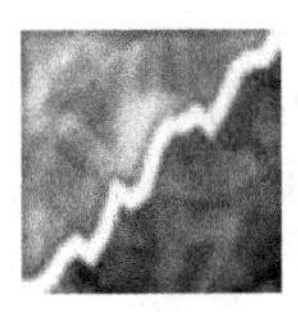

Términos clave

Diseño de criterio cambiante
Diseño de lineabase múltiple
Diseño de lineabase múltiple con varias conductas
Diseño de lineabase múltiple con varios contextos
Diseño de lineabase múltiple con varios sujetos
Diseño de lineabase múltiple demorado
Diseño de sondeos múltiples

Behavior Analyst Certification Board® BCBA®, BCBA-D®, BCaBA®, RBT® Lista de tareas para analistas de conducta (cuarta edición).

B.	Habilidades analítico-conductuales básicas: diseño experimental
B-03	Manipular variables independientes a fin de demostrar sus efectos en variables dependientes.
B-06	Usar diseños de criterio cambiante.
B-07	Usar diseños de lineabase múltiple.
J.	**Responsabilidad para con el cliente: intervención**
J-09	Identificar y solucionar cuestiones éticas cuando usemos diseños experimentales necesarios para demostrar la efectividad del tratamiento.

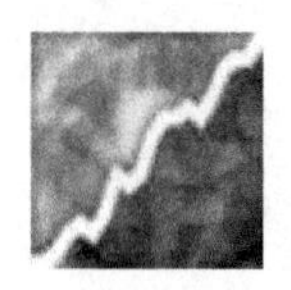

Este capítulo describe dos técnicas experimentales adicionales para analizar las relaciones entre la conducta y el ambiente: el diseño de lineabase múltiple y el diseño de criterio cambiante. En un diseño de lineabase múltiple, tras reunir los datos iniciales de lineabase simultáneamente en dos o más conductas, contextos o personas, el analista de conducta aplica la variable tratamiento de forma secuencial a través de estas conductas, contextos o personas y observa sus efectos. El diseño de criterio cambiante se utiliza para analizar las mejoras en la conducta como función del progresivo incremento del criterio en el nivel de respuesta requerido para el reforzamiento. En ambos diseños, tanto el control experimental como la relación funcional se demuestran cuando la conducta cambia desde un nivel estable de lineabase a un nuevo nivel estable después de introducir la variable independiente, o de establecer un nuevo criterio.

Diseño de lineabase múltiple

El diseño de lineabase múltiple es el diseño experimental más ampliamente utilizado en análisis aplicado de la conducta para evaluar los efectos de la intervención. Es una técnica sumamente versátil que permite a los investigadores y a los profesionales aplicados analizar los efectos de una variable independiente a través de múltiples conductas, contextos o sujetos sin necesidad de retirar la variable de tratamiento para verificar que las mejoras en la conducta son el resultado directo de la aplicación del tratamiento. Como recordará el lector, el diseño de reversión, por definición, requiere la retirada de la variable independiente para confirmar la predicción establecida en la lineabase. No es así en el diseño de lineabase múltiple.

Aplicación y lógica del diseñode lineabase múltiple

Baer, Wolf y Risley (1968) fueron los primeros en describir el **diseño de lineabase múltiple** en la literatura del análisis aplicado de la conducta. Presentaron este diseño como una alternativa al diseño de reversión para dos situaciones: (a) cuando la conducta objetivo es previsiblemente irreversible o (b) cuando revertir las condiciones es inapropiado, inviable o poco ético. La Figura 9.1 ilustra la explicación que dan Baer y sus colegas de la aplicación básica del diseño de lineabase múltiple.

> En la técnica de lineabase múltiple, se identifican y miden durante un tiempo un número de conductas con el objetivo de establecer líneas base con las que contrastar los cambios. Una vez establecidas estas líneas base, el experimentador aplica una variable experimental a una de esas conductas, produce un cambio en ella y, quizás, observe poco o ningún cambio en las otras líneas base. En caso afirmativo, en lugar de revertir el cambio recién producido, aplica la variable experimental a una de las otras conductas, que actualmente permanecen inalteradas. Si en este punto se observan cambios en la otra conducta, se obtiene evidencia de que la variable experimental es en realidad eficaz y de que el cambio previo no era simplemente debido a la casualidad. Entonces, la variable puede ser aplicada a la siguiente conducta y así. El experimentador trata de mostrar que está manejando una variable experimental real y que cada conducta cambia sustancialmente solo debido a la aplicación de la variable experimental. (pág. 94).

El diseño de lineabase múltiple puede ser de tres tipos:

- Diseño de lineabase múltiple con varias conductas, que incluye dos o más conductas diferentes del mismo sujeto
- Diseño de lineabase múltiple con varios contextos, que incluye la misma conducta de un mismo sujeto en dos o más contextos, situaciones o períodos de tiempo diferentes
- Diseño de lineabase múltiple a través de varios sujetos, que incluye la misma conducta de dos o más participantes (o grupos) diferentes

Aunque solo una de las formas básicas del diseño de lineabase múltiple se denomina "con varias conductas", todos los diseños de lineabase múltiple conllevan la aplicación prolongada de una variable de tratamiento a través de conductas técnicamente diferentes (en el sentido de independientes). Es decir, que en el diseño de lineabase múltiple con varios contextos, aunque la ejecución del sujeto de la misma conducta objetivo se mida en dos o más contextos, cada combinación de la conducta con el contexto se puede conceptualizar y tratar como una conducta diferente a la hora de analizarla. De igual forma, en un diseño de lineabase múltiple con varios sujetos, cada combinación de un sujeto con la conducta funciona como una conducta diferente en la aplicación del diseño.

La Figura 9.2 muestra el mismo conjunto de datos

Figura 9.1 Prototipo de gráfico de un diseño de lineabase múltiple.

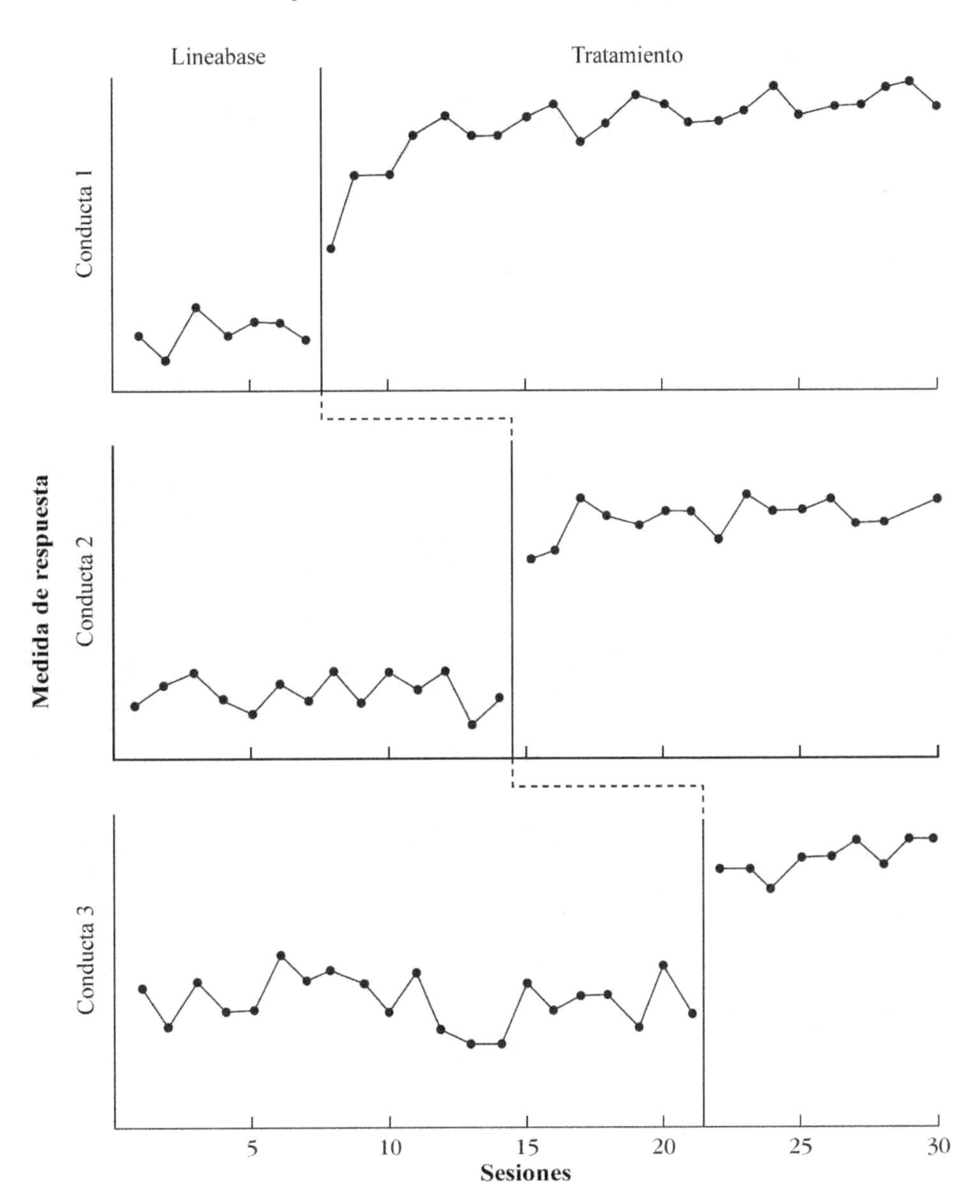

representados en la Figura 9.1 con la incorporación de los datos que representan las medidas predichas si las condiciones de la lineabase no hubiesen sido alteradas y de las áreas sombreadas que representan cómo los tres elementos de la lógica de la lineabase (predicción, verificación y replicación) se operacionalizan en el diseño de lineabase múltiple.[1] Cuando se alcanza una lineabase estable de respuesta para la Conducta 1, se hace la *predicción* de que si el ambiente se mantuviera constante, las medidas continuas revelarían niveles similares de respuesta. Cuando la confianza del investigador en tal predicción es justificadamente elevada, se aplica la variable independiente a la Conducta 1. Los datos representados con puntos abiertos (o vacíos) en la fase de tratamiento para la Conducta 1 representan el nivel de respuesta predicho. Los datos representados con puntos sólidos muestran la medida actual obtenida para la Conducta 1 durante la condición tratamiento. Estos datos mostrarían una discrepancia con el nivel de respuesta predicho si no se produjesen cambios en el ambiente, sugiriendo, por tanto, que el tratamiento puede ser responsable del cambio en la conducta. La recolección de datos para la Conducta 1 en

[1] Aunque la mayoría de las representaciones gráficas creadas o seleccionadas para este texto como ejemplos de técnicas de diseño experimental muestran datos graficados sobre ejes verticales no acumulativos, se le recuerda al lector que cualquier dato medido repetidamente utilizando cualquier tipo de diseño experimental puede ser representado en dos tipos de gráficos: no acumulativo o acumulativo. Por ejemplo, Lalli, Zanolli y Wohn (1994) y Mueller, Moore, Doggett y Tingstrom (2000) usaron gráficos acumulativos para representar los datos obtenidos en experimentos en los que utilizaron el diseño de lineabase múltiple; y Kennedy y Souza (1995) y Sunberg, Endicott y Eigenheer (2000) representaron los datos que obtuvieron con diseños de reversión en gráficos acumulativos. Los estudiantes de análisis aplicado de la conducta deben tener cuidado de no confundir las diferentes técnicas usadas para la representación gráfica de los datos con las técnicas de análisis experimental.

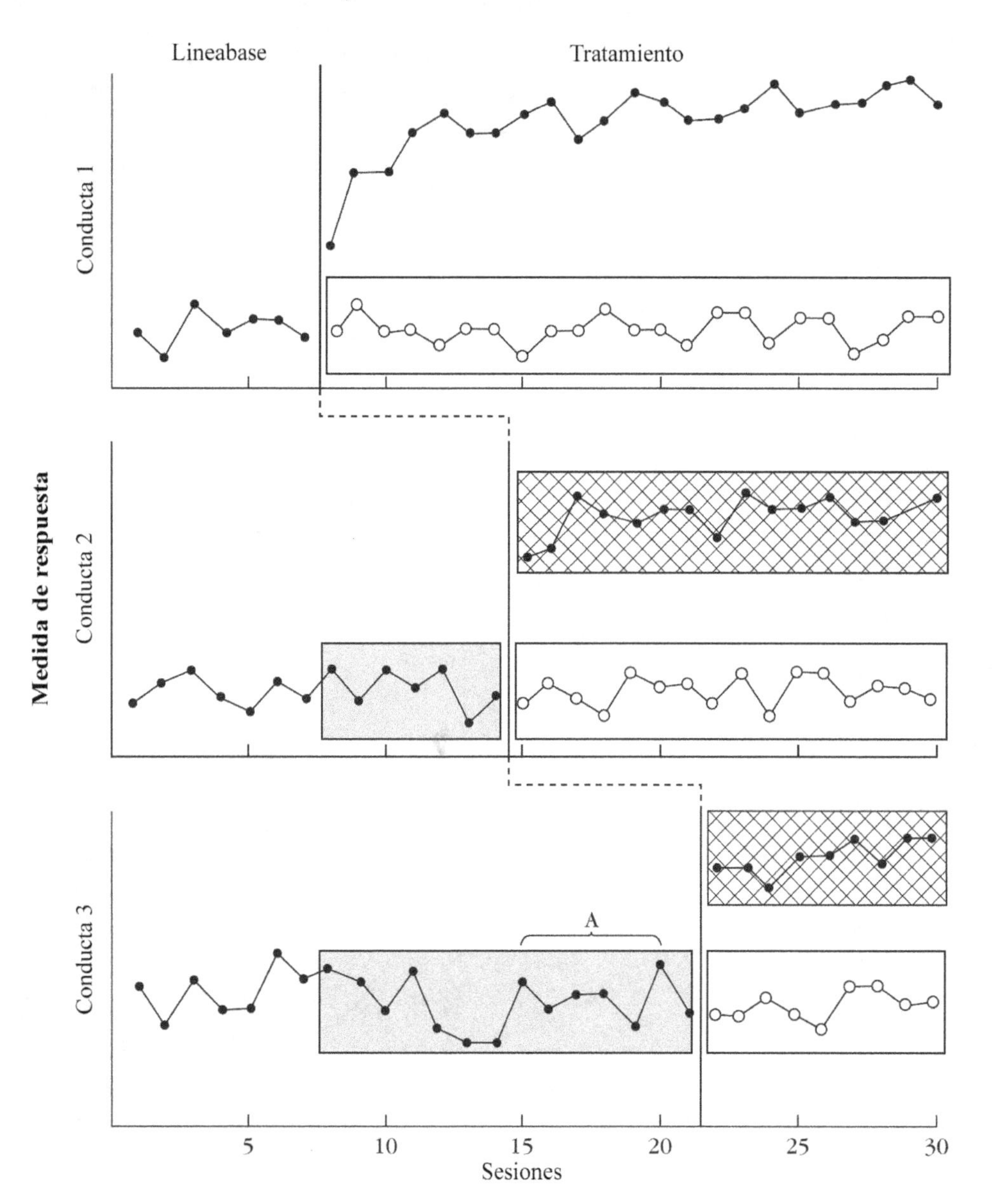

Figura 9.2 Prototipo de gráfico de un diseño de lineabase múltiple con trayectoria sombreada añadida para mostrar los elementos de la lógica de la lineabase. Los puntos vacíos representan las medidas predichas en el caso de que la condición de lineabase permaneciese inalterada. Los datos de la lineabase para las Conductas 2 y 3 dentro de las áreas sombreadas verifican la predicción planteada para la Conducta 1. Los datos de la lineabase de la Conducta 3 dentro del corchete A verifican la predicción planteada para la Conducta 2. Los datos obtenidos durante la condición de tratamiento para las Conductas 2 y 3 (área sombreada con cuadrícula) ofrecen las replicaciones del efecto experimental.

un diseño de lineabase múltiple cumple la misma función que la recolección de datos durante las dos primeras fases de un diseño de reversión de tipo ABAB.

Las medidas continuadas de lineabase de otras conductas del experimento ofrecen la posibilidad de verificar la predicción realizada para la Conducta 1. En un diseño de lineabase múltiple, la *verificación* de un nivel predicho de respuesta para una conducta se obtiene si se observa poco o ningún cambio en la trayectoria de datos de las conductas que aún permanecen expuestas a las condiciones bajo las cuales se hizo la predicción. En la Figura 9.2 aquellas secciones de la trayectoria de datos de la condición de lineabase de las Conductas 2 y 3 que aparecen dentro de los cuadros sombreados verifican la predicción para la Conducta 1. En este punto del experimento se pueden plantear dos conclusiones: (a) la predicción de que la Conducta 1 no cambiaría en un ambiente constante es válida porque el ambiente se mantuvo constante para las Conductas 2 y 3 y sus niveles de respuesta permanecieron inalterados; y (b) los cambios observados en la Conducta 1 fueron provocados por la variable independiente porque solo la Conducta 1 fue expuesta a la variable independiente y solo la Conducta 1 cambió.

En un diseño de lineabase múltiple, la función de la variable independiente en el cambio de una conducta dada se infiere por la ausencia de cambio en las conductas que no han sido tratadas. Sin embargo, la verificación de la función no se demuestra directamente en este diseño (como sí sucede en el diseño de resversión), lo que hace del diseño de lineabase múltiple una técnica inherentemente débil (es decir, menos convincente desde la perspectiva del control experimental) para revelar una relación funcional entre la variable independiente y la conducta objetivo. Sin embargo, el diseño de lineabase múltiple compensa en cierta medida esta debilidad permitiendo verificar o refutar una serie de predicciones similares. La predicción de la Conducta 1 en la Figura 9.2 no se verifica exclusivamente por las tendencias estables de las líneas base de las Conductas 2 y 3, sino que la porción de datos de la lineabase de la Conducta 3 delimitada por el corchete también supone la verificación de la predicción formulada para la Conducta 2.

Cuando el nivel de respuesta para la Conducta 1 bajo la condición de tratamiento se estabiliza o alcanza un criterio de ejecución predefinido, se aplica la variable independiente a la Conducta 2. Si la Conducta 2 cambia de forma similar al cambio observado en la Conducta 1, se habrá obtenido la *replicación* del efecto de la variable independiente (representada por la trayectoria de datos sombreada con cuadrícula). Una vez que la Conducta 2 se estabiliza o alcanza un criterio de ejecución predeterminado, se aplica la variable independiente a la Conducta 3 para comprobar si el efecto se replica. Se puede aplicar la variable independiente en las mismas condiciones a conductas adicionales hasta que se establezca una demostración (o refutación) convincente de la relación funcional y todas las conductas objetivo hayan recibido tratamiento.

Como en el caso de la verificación, la replicación del efecto específico de la variable independiente en cada conducta de un diseño de lineabase múltiple no se manipula directamente. En lugar de eso, la universalidad del efecto de la variable independiente sobre las conductas incluidas en el experimento se demuestra mediante la aplicación de dicha variable independiente a varias conductas. Asumir la medición precisa y un adecuado control experimental de las variables relevantes (es decir, que el único factor ambiental que cambia durante el curso del experimento debe ser la presencia o ausencia de la variable independiente), cada vez que una conducta cambia cuando, y solo cuando, se introduce la variable independiente, aumenta la confianza en la existencia de una relación funcional.

¿Cuántas conductas, contextos o sujetos diferentes debe incluir un diseño de lineabase múltiple para garantizar una demostración creible de relación funcional? Baer, Wolf y Risley (1968) sugirieron que el número de replicaciones necesarias en cualquier diseño es, en última instancia, un asunto que decide el lector de la investigación. En este sentido, un experimento que use un diseño de lineabase múltiple debe contener necesariamente un número mínimo de replicaciones como para convencer a aquellos a quienes se invita a reaccionar ante el experimento y las propuestas del investigador (p.ej., maestros, gestores, padres, agentes de financiación, editores de revistas, etc.). Un diseño de lineabase múltiple de dos niveles supone un experimento completo y puede ofrecer un sólido respaldo a la eficacia de la variable independiente (p.ej., Lindberg, Iwata, Roscoe, Worsdell, y Hanley, 2003 [ver Figura 23.2]; McCord, Iwata, Galensky, Ellingson, y Thomson, 2001 [ver Figura 6.6]; Newstrom, McLaughlin, y Sweeney, 1999 [ver Figura 26.2]; Test, Spooner, Keul, y Grossi, 1990 [ver Figura 20.7]). Mc Clannahan, McGee, MacDuff y Krantz (1990) realizaron un estudio en el que emplearon un diseño de lineabase multiple en el que se iba implementando la variable independiente de forma secuencial en un diseño de ocho niveles con 12 participantes. Los diseños de lineabase multiple de entre tres y cinco niveles son los más communes. Cuando los efectos de la variable independiente son replicados de forma sustancial y fiable, un diseño de lineabase multiple de tres o cuatro niveles proporciona una demostración convincente del efecto experimental. Claramente, mientras más replicaciones se lleven a cabo, más convincente será la demostración.

Algunos de los primeros ejemplos de diseño de lineabase multiple de la literatura del análisis aplicado de la conducta fueron los estudios realizados por Risley y Hart (1968); Barrish, Saunders, y Wolf (1969); Barton, Guess, Garcia, y Baer (1970); Panyan, Boozer, y Morris (1970); así como Schwarz y Hawkins (1970). Algunas de las aplicaciones pioneras del diseño de lineabase multiple no se identifican fácilmente como tales mediante observación incidental: puede que los autores no identificaran el diseño experimental como un diseño de lineabase multiple (p.ej., Schwarz y Hawkins, 1970), o que no utilizaran la práctica actualmente más común de apilar entre sí los niveles del diseño de tal forma que todos los datos se representen gráficamente en la misma figura (p.ej., Maloney y Hopkins, 1973; McAllister, Stachowiak, Baer, y Conderman, 1969; Schwarz y Hawkins, 1970).

En 1970, Vance Hall, Connie Cristler, Sharon Cranston y Bonnie Tucke publicaron un artículo que describía tres experimentos, cada uno de los cuales constituía un ejemplo de cada una de las formas básicas del diseño de lineabase multiple: con varias conductas, con varios contextos y con varios sujetos. Dicho artículo fue importante no solo porque proporcionara unas excelentes ilustraciones que aún hoy sirven como modelos del diseño de lineabase multiple, sino también porque los estudios fueron llevados a cabo por maestros y padres, demostrando que los profesionales aplicados "pueden llevar a cabo estudios importantes y significativos en contextos naturales usando los recursos disponibles para ellos" (pág. 255).

Diseño de lineabase múltiple con varias conductas

El **diseño de lineabase múltiple con varias conductas** comienza con la medida simultánea de dos o más

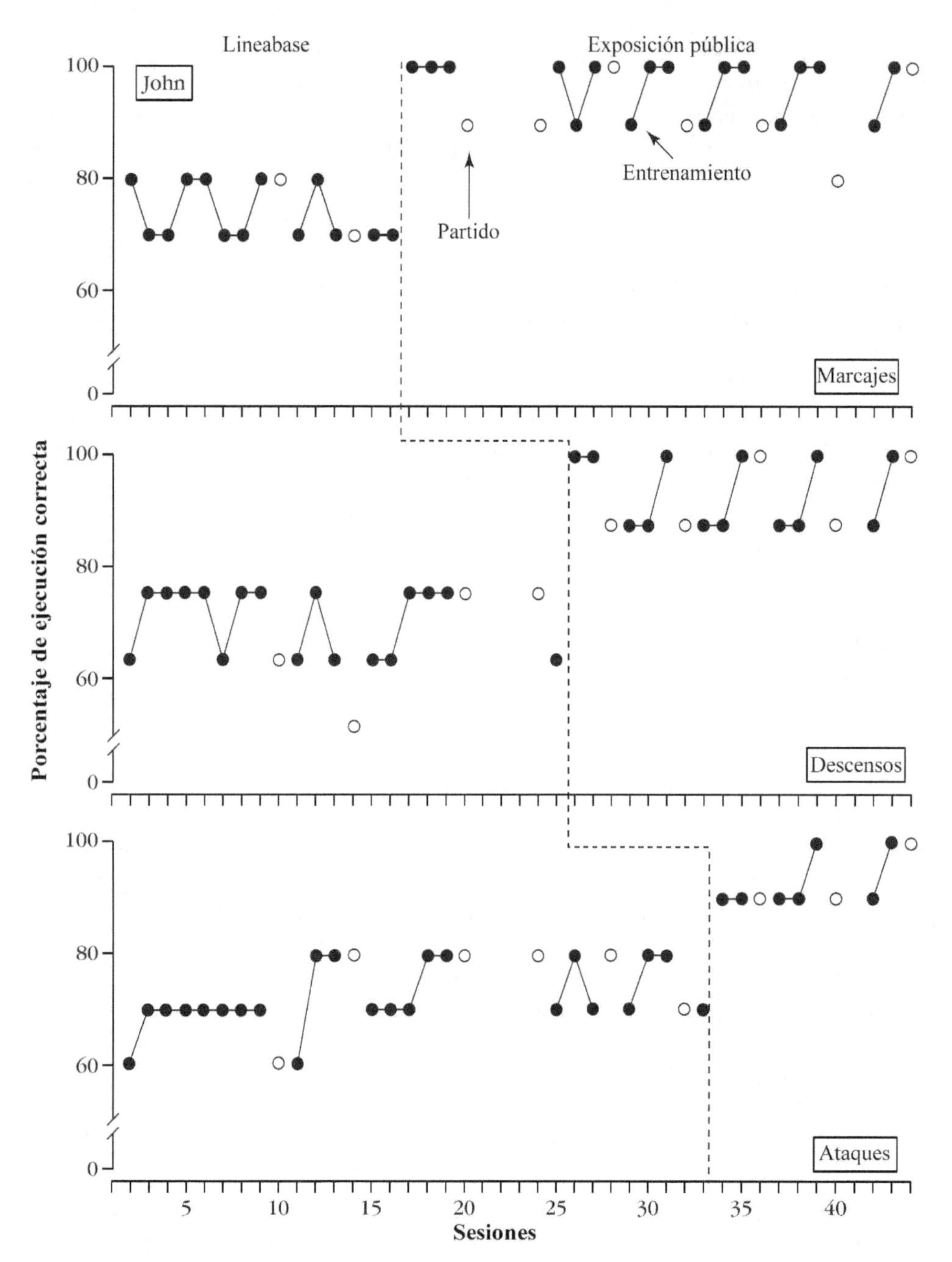

Figura 9.3 Un diseño de lineabase múltiple con varias conductas que muestra el porcentaje de marcajes, descensos y ataques correctos de un jugador de un equipo estudiantil de fútbol americano durante los entrenamientos y los partidos.

Tomado de "Effects of Posting Self-Set Goals on Collegiate Football Players'Skill Execution During Practice and Games" P.Ward and M.Carnes, 2002, *Journal of Applied Behavior Analysis, 35,* pág.5. © Copyright 2002 Society for the Experimental Analysis of Behavior, Inc. Reimpreso con permiso.

conductas de un único participante. Tras obtener en la condición de lineabase un nivel estable de respuesta, el investigador aplica la variable independiente a una de las conductas mientras mantiene las condiciones de lineabase para las demás conductas. Cuando se alcanza un nivel estable de respuesta o un criterio de ejecución predeterminado para la primera conducta, se aplica la variable independiente a la siguiente conducta y así sucesivamente (p.ej., Bell, Young, Salzberg, y West, 1991; Gena, Krantz, McClannahan, y Poulson, 1996; Higgins, Williams, y McLaughlin, 2001 [ver Figura 26.8]).

Ward y Carnes (2002) usaron un diseño de lineabase multiple con varias conductas para evaluar los efectos del autoestablecimiento de metas y de la exposición pública sobre la ejecución de tres habilidades de cinco defensas de un equipo de fútbol americano de instituto: (a) *marcaje,*en la cual el defensa se coloca para cubrir un área específica en el campo durante una jugada de pase o desde la línea de golpeo en una carrera; (b) *descenso,*en la cual el defensa se mueve a la posción correcta dependiendo de la alineación ofensiva del equipo; y (c) *ataques*. Una cámara de video grababa los movimientos de los jugadores durante todas las sesiones de entrenamiento y juego. Se recopilaron datos relativos a las primeras 10 oportunidades que cada jugador tuvo para mostrar cada habilidad. Los marcajes y los descensos se consideraban correctos si el jugador se movía a la zona indicada en el libro de jugadas del entrenador; los ataques se anotaban como correctos

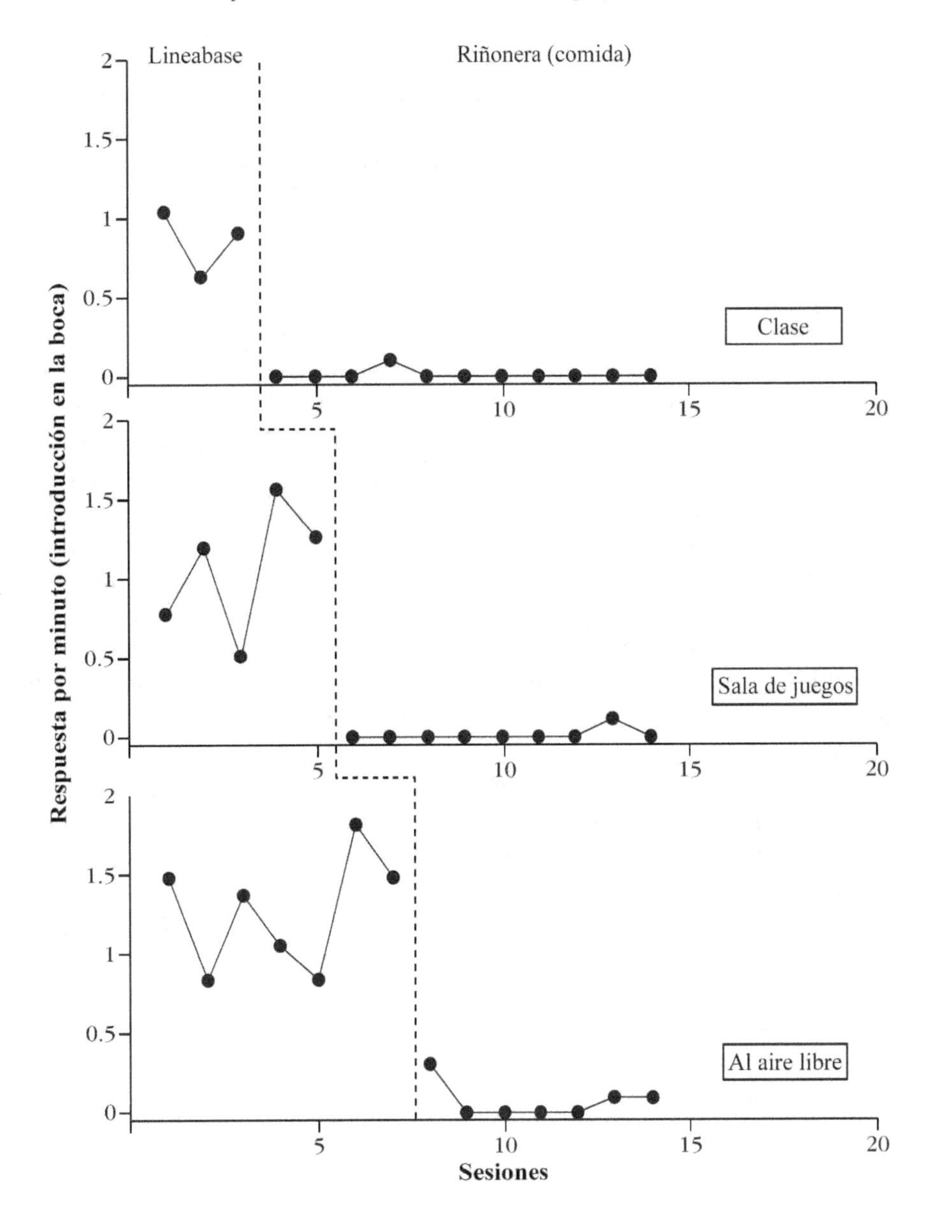

Figura 9.4 Un diseño de lineabase múltiple con varios contextos que muestra el número de introducciones de objetos en la boca por minuto durante las condiciones de lineabase y de tratamiento.

Tomado de "The Effects of Noncontingent Access to Food on the Rate of Object Mouthing across Three Settings" H.S. Roane, M.L.Kelly, and W.W.Fisher, 2003, *Journal of Applied Behavior Analysis, 36,* pág.581. © Copyright 2003 Society for the Experimental Analysis of Behavior, Inc. Reimpreso con permiso.

siempre que se conseguía detener al jugador que llevaba el balón en la jugada ofensiva.

Tras la lineabase, cada jugador se reunía con uno de los investigadores y que le describía el rendimiento medio de la lineabase para una habilidad dada. Se les pedía a los jugadores que estableciesen un objetivo de ejecución para las sesiones de entrenamiento; no se establecía ningún objetivo para los partidos. El rango de respuestas correctas durante la lineabase para los cinco jugadores oscilaba entre el 60 y el 80% y todos los jugadores establecieron como objetivo alcanzar una ejecución correcta del 90%. Se les informó a todos los jugadores de que la ejecución de cada session sería publicada en una tabla con anterioridad a la siguiente sesión de entrenamiento. Se colocaba una S (sí) o una N (no) junto al nombre de cada jugador para indicar si había alcanzado su objetivo o no. Únicamente se publicaba en la tabla la ejecución en la habilidad sobre la que se estaba interviniendo. La tabla se situó en una pared del vestuario donde todos los jugadores del equipo pudieran verla. El entrenador explicó el propósito de la tabla a los demás miembros del equipo. En la tabla no se publicaba la ejecución de los jugadores durante los partidos.

Se muestran los resultados de uno de los jugadores, John, en la Figura 9.3. John alcanzó e incluso sobrepasó el objetivo establecido del 90% de ejecución correcta durante todos los entrenamientos y para cada una de las tres habilidades. Por otra parte, su mejora en la ejecución se generalizó a los partidos. Se obtuvo el mismo patrón de resultados para cada uno de los otros cuatro jugadores que participaron en el estudio, ilustrando que el diseño de lineabase multiple con varias conductas es una estrategia experimental de caso único en la que cada sujeto actúa como control experimental de sí mismo. Cada jugador constituía un experimento completo, en este caso replicado con los otros cuatro participantes.

Diseño de lineabase múltiple con varios contextos

En el **diseño de lineabase múltiple con varios contextos**, una única conducta de una persona (o de un grupo) es el objetivo en dos o más contextos o condiciones diferentes (p.ej., lugar, momentos del día, etc). Después de que se demuestre una respuesta estable bajo las condiciones de lineabase, se introduce la variable independiente en uno de los contextos mientras las condiciones de lineabase permanecen presentes en los demás contextos. Cuando se produce el máximo cambio en la conducta o se alcanza el nivel de ejecución establecido como criterio en el primer contexto, se aplica la variable independiente al segundo contexto y así sucesivamente.

Roane, Kelly y Fisher (2003) emplearon un diseño de lineabase múltiple para evaluar los efectos de un tratamiento diseñado para reducir la tasa a la que un niño de 8 años se llevaba objetos no comestibles a la boca. Jaime, que había sido diagnosticado de autismo, parálisis cerebral y retraso mental moderado, tenía antecedentes de introducirse objetos en la boca, tales como muñecos, ropa, papeles, plantas, corteza de los árboles y tierra.

Los datos sobre la introducción de objetos en la boca por parte de Jaime se tomaron de forma concurrente en la clase, en la sala de juegos y al aire libre (tres contextos en los que había gran cantidad de objetos no comestibles y en los que los cuidadores habían informado de que Jaime presentaba ese problema de conducta. En cada uno de esos contextos los observadores contabilizaron, de forma no intrusiva, el número de veces que Jaime introducía un objeto no comestible más adentro del plano que conformaban sus labios, durante sesiones de 10 minutos. Los investigadores comunicaron que los episodios en los que Jaime se introducía objetos en la boca consistían normalmente en una serie de episodios discretos, más que en un acto continuo y que normalmente se colocaba múltiples objetos (objetos no comestibles y comida) simultáneamente en la boca.

Roane y colaboradores (2003) describieron las condiciones de lineabase y tratamiento de Jaime como sigue:

> Desarrollamos la condición de lineabase basándonos en los resultados del análisis funcional, que mostraron que la introducción de objetos en la boca estaba mantenida mediante reforzamiento automático y que era independiente de las consecuencias sociales. Durante la lineabase un terapeuta estaba presente (a una distancia de Jaime aproximada de entre 1.5 y 3 metros), pero cada ocurrencia de la conducta objetivo era ignorada (es decir, no se presentó ninguna consecuencia social ante la conducta y se le permitió a Jaime introducirse objetos en la boca). No había comida disponible durante la lineabase. La condición de tratamiento fue idéntica a la de lineabase, excepto por el hecho de que Jaime tenía acceso de forma continua a comestibles que con antelación habían sido identificados como competidores de la conducta de introducirse objetos en la boca: chicles, dulces y caramelos. Jaime llevaba alrededor de su cintura una riñonera que contenía todos estos artículos. (pág. 580-581)[2]

La secuencia gradual en la que se implementó el tratamiento en cada contexto y los resultados se muestran en la Figura 9.4. Durante la lineabase, Jaime se introdujo objetos en la boca a unas tasas medias de 0.9, 1.1 y 1.2 respuestas por minuto en la clase, en la sala de juegos y al aire libre, respectivamente. La introducción de la riñonera con comestibles en cada contexto produjo un descenso inmediato de la tasa de la conducta objetivo hasta cero o próxima a cero. Durante el tratamiento, Jaime, se introducía en la boca los comestibles de la riñonera a una tasa media de 0.01, 0.01 y 0.07 respuestas por minuto en la clase, en la sala de juegos y al aire libre, respectivamente. El diseño de lineabase múltiple con varios contextos reveló una clara relación funcional entre el tratamiento y la frecuencia con la que Jaime se llevaba objetos a la boca. Ninguna medida obtenida durante la condición de tratamiento fue tan elevada como la menor de las medidas obtenidas durante la condición de lineabase. Durante 22 de las 27 sesiones de tratamiento en los tres contextos, Jaime no se llevó ningún objeto no comestible a la boca.

Como sucedía en el estudio de Roane y colaboradores (2003), las trayectorias de datos que comprenden los diferentes niveles de un diseño de lineabase múltiple con varios contextos normalmente se obtienen en diferentes ambientes físicos (p.ej., Cushing y Kennedy, 1997; Dalton, Martella, y Marchand-Martella, 1999). Sin embargo, los diferentes "contextos" de un diseño de lineabase múltiple con varios contextos se pueden dar en la misma localización física y ser diferentes entre sí debido a las diferentes contingencias que estén operando, la presencia o ausencia de ciertas personas o los diferentes momentos del día. Por ejemplo, en un estudio de Parker y colaboradores (1984) la presencia o ausencia de otras personas en la sala de enseñanza marcaba los diferentes contextos (ambientes) en los que se evaluaban los efectos de la variable independiente. Las condiciones de atención, demanda y no atención (es decir, las contingencias que operaban) constituían los diferentes contextos en un estudio de Kennedy, Meyer, Knowles y Shukla (2000, ver Figura 6.4) en el que empleó un diseño de lineabase múltiple. En un estudio de Dunlap, Kern-

[2] El análisis funcional y el reforzamiento automático se describen en los Capítulos 24 y 11, respectivamente.

Dunlap, Clarke y Robbins (1991) en el que utilizaron un diseño de lineabase múltiple, los momentos de la mañana y de la tarde de un día de clase funcionaban como diferentes contextos para analizar los efectos de las revisiones curriculares sobre la conducta disruptiva y de distracción de las tareas académicas de un alumno.

En alguno de los estudios que emplean un diseño de lineabase múltiple con varios contextos, los participantes varían, cambian e, incluso, quizás son desconocidos para los investigadores. Por ejemplo, Van Houten y Malenfant (2004) usaron un diseño de lineabase múltiple con dos pasos de peatones de calles muy concurridas y bulliciosas para evaluar los efectos de la aplicación de un programa intensivo de conducción sobre el porcentaje de ocasiones en las que los conductores cedían el paso a los peatones y sobre el número de conflictos entre los conductores de vehículos a motor y los peatones. Watson (1996) usó un diseño de lineabase múltiple con varias salas de descanso en un campus universitario para evaluar la eficacia de la presencia de señalización sobre la reducción de las pintadas en los baños.

Diseño de lineabase múltiple con varios sujetos

En el **diseño de lineabase multiple con varios sujetos**, se selecciona una conducta objetivo en dos o más sujetos (o grupos) en el mismo contexto. Una vez alcanzado un nivel estable de respuesta en la condición de lineabase, se aplica la variable independiente a uno de los sujetos mientras se mantienen las condiciones de lineabase para los demás sujetos. Cuando se alcanza el criterio predeterminado o un nivel de respuesta estable para el primer sujeto, se aplica la variable independiente a otro sujeto y así sucesivamente. El diseño de lineabase multiple con varios sujetos es el más ámpliamente utilizado de los tres tipos, en parte debido a que tanto los maestros como los clínicos y otros profesionales aplicados deben atender con frecuencia a más de un estudiante, cliente o usuario que necesita aprender la misma habilidad o reducir o eliminar el mismo problema de conducta (p.ej., Craft, Alber, y Heward, 1998; Kahng, Iwata, DeLeon, y Wallace, 2000 [ver Figura 23.1]; Killu, Sainato, Davis, Ospelt, y Paul, 1998 [ver Figura 23.3]; Kladopoulos y McComas, 2001 [ver Figura 6.3]). A veces se emplea un diseño de lineabase multiple con diferentes "grupos" de participantes (p.ej., Dixon y Holcomb, 2000 [ver Figura 13.7]; Lewis, Powers, Kelk, y Newcomer, 2002 [ver Figura 26.12]; White y Bailey, 1990 [ver Figura 15.2]).

Krantz y McClannahan (1993) utilizaron un diseño de lineabase multiple con varios sujetos para investigar los efectos de introducir y desvanecer guiones para enseñar a niños con autismo a interactuar con sus iguales. Los cuatro participantes, con edades comprendidas entre los 9 y los 12 años, presentaban severos déficits de comunicación y habilidades mínimas o ausentes a nivel académico, social y de ocio. Con anterioridad al estudio, cada uno de los niños había aprendido a seguir primero una agenda de actividades con fotografías (Wacker y Berg, 1983) y, después, una agenda de actividades escrita que les servía de ayuda a lo largo de una cadena de actividades académicas, de autocuidado y de ocio. Aunque sus maestros modelaban las interacciones sociales, instigaban verbalmente a los niños para que interactuaran y les aportaban (de manera contingente a la interacción) elogios y acceso a sus actividades o alimentos favoritos, los niños consistentemente fallaban a la hora de iniciar interacciones sin la ayuda de los adultos.

Cada session consistía en un intervalo continuo de 10 minutos en el que unos observadores registraban el número de veces en el que cada niño iniciaba y respondía a un igual mientras permanecía ocupado en tres actividades artísticas (dibujar, colorear y pintar) que se alternaban en las sesiones a lo largo del estudio. Krantz y McClannahan (1993) describieron las variables dependientes como sigue:

> Se definió *inicio hacia los iguales* como una afirmación o una pregunta inteligible que no había sido instigada o fruto de la ayuda de un adulto, que se dirigía hacia otro niño o niña usando su propio nombre o mirando hacia él o ella y que era independiente de la vocalización previa del hablante porque suponía un cambio en el tema o en el receptor de la interacción… *Las interacciones guionizadas (o guiadas)* eran aquellas que coincidían con el guion escrito,…p. ej., "Ross, me gusta tu dibujo." *Las interacciones no guionizadas (o no guiadas)* diferían de las anteriores en más que en simples cambios en conjunciones, artículos, preposiciones, pronombres o tiempos verbales; la pregunta, "¿necesitas más papel?" se registró como un inicio no guionizado ya que el nombre "papel" no se encontraba en el guion. Se definió *respuesta* como cualquier expresión contextual (palabra, frase u oración) sin ayuda del maestro y que ocurría dentro de los 5 segundos posteriores a una afirmación o pregunta dirigida a un niño… Ejemplos de respuestas eran "¿qué?", "vale" y "sí" (pág. 24)

Durante la lineabase cada niño tenía en su sitio material de arte y una hoja de papel con las instrucciones: "haz tu arte" y "habla mucho". El maestro ayudaba a cada niño para que leyese las instrucciones y después se retiraba. Durante la condición de guion, las dos instrucciones escritas en la condición de lineabase eran complementadas con guiones que consistían en 10 afirmaciones y preguntas como: "{nombre}, ¿te gustó {nadar/patinar/montar en bici} fuera hoy?" "{Nombre}, ¿quieres usar uno de mis {lápices/ceras/pinceles}" (pág. 124). Inmediatamente antes de cada sesión, el maestro completaba las zonas en blanco de cada guion de tal forma que reflejasen las actividades que los niños habían realizado o que estaban planeando y los objetos presentes en la clase. El guion de cada niño incluía los nombres de los otros tres y el orden de las afirmaciones y de las preguntas variaban en las sesiones y entre los niños.

La condición de guion se aplicó con un niño cada vez, de forma escalonada (ver Figura 9.5). Inicialmente el maestro guiaba manualmente al niño a través del guion, señalándole para que leyera el enunciado o afirmación a otro niño y para que hiciese una marca de verificación cerca de la afirmación tras leerla. Krantz y McClannahan (1993) describieron los procedimientos de ayuda y desvanecimiento del guion como sigue:

> Situado tras el participante, el maestro lo guiaba manualmente para que éste tomara un lápiz, apuntara a una intrucción , pregunta o afirmación escrita y moviera el lápiz por debajo del texto. Si era necesario, el maestro también guiaba manualmente la cabeza del niño para que mirara al otro niño hacia el que iba dirigido el enunciado o la pregunta. Si el niño no verbalizaba el enunciado o la pregunta en 5 segundos, el procedimiento de guia manual anterior se repetía. Si el niño leía o decía el enunciado o leía o realizaba la pregunta, el maestro usaba el mismo tipo

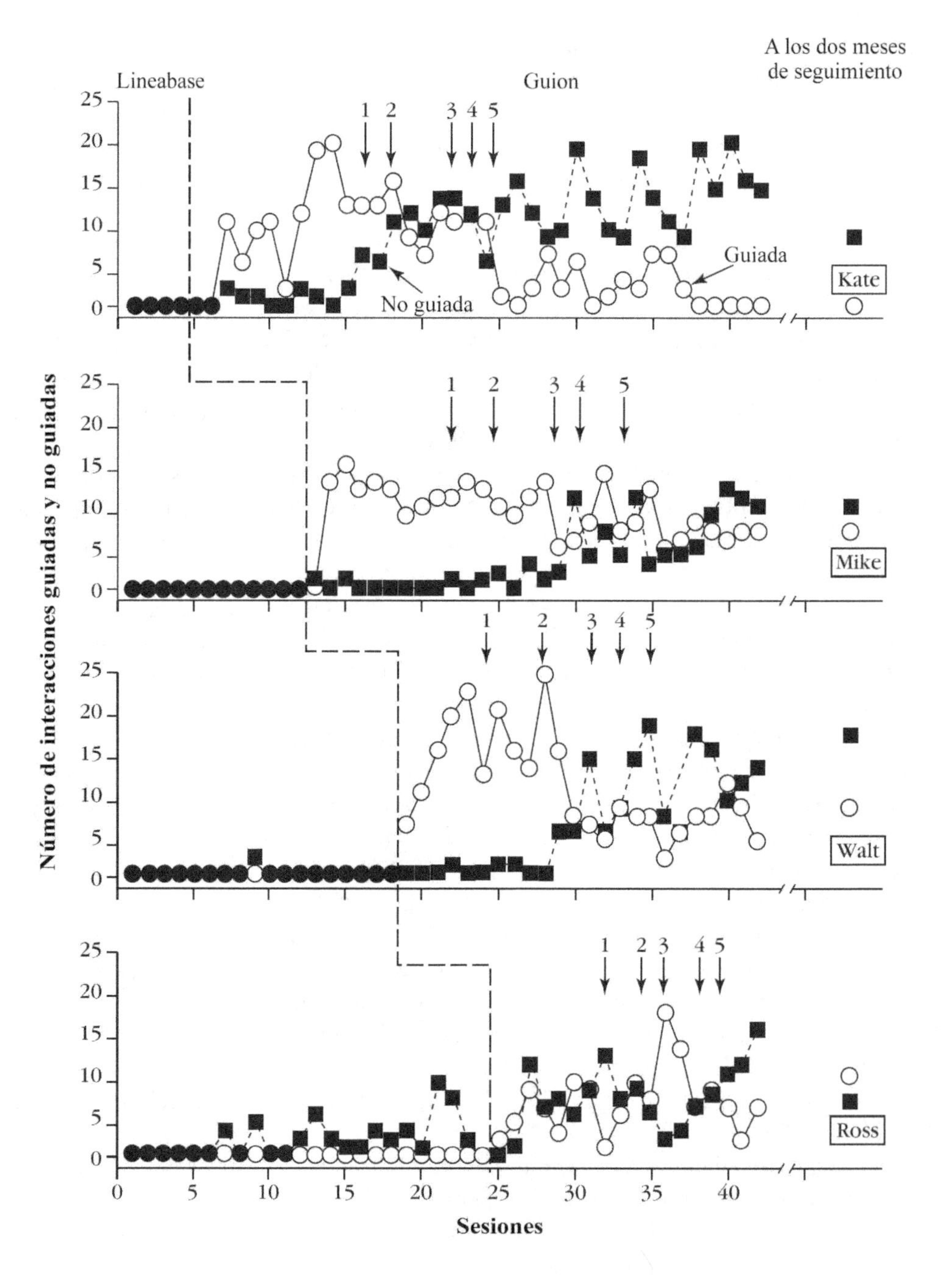

Figura 9.5 Un diseño de lineabase múltiple con varios sujetos que muestra el número de inicios de interacciones hacia los compañeros guiadas y no guiadas de cuatro niños con autismo durante las sesiones de lineabase, guion y seguimiento. Las flechas indican los momentos en los que ocurren los pasos del desvanecimiento.

Tomado de "Teaching Children with Autism to Initiate to Peers: Effects of a Script-Fading Procedure" P.J. Krantz and L.E.McClannahan, 1993, *Journal of Applied Behavior Analysis, 26*, pág. 129. © Copyright 1993 Society for the Experimental Analysis of Behavior, Inc. Reimpreso con permiso.

de guía manual para asegurarse de que el niño colocaba una marca de verificación a la izquierda del guion.

La ayuda manual se desvaneció tan rápido como fue possible; no ayudó a Kate, a Mike, a Walt ni a Ross después de las sesiones 15, 18, 23 y 27, respectivamente, y el maestro permaneció en la periferia de la clase durante las siguientes sesiones. Después de que la guía manual se hubiera desvanecido en el caso de un niño concreto, comenzaba el desvanecimiento del guion. Los guiones se fueron desvaneciendo desde el final hacia el principio durante cinco fases. Por ejemplo, los pasos para desvanecer la pregunta: "Mike, ¿qué prefieres hacer en los *Viernes de diversión*" eran (a) "Mike, ¿qué prefieres hacer?", (b) "Mike, ¿qué prefieres?", (c) "Mike, ¿qué?", (d) "M" y (e) "." (pág. 125)

Kate y Mike, que nunca iniciaron ninguna interacción durante la lineabase, obtuvieron una media de inicios por sesión de 15 y 13, respectivamente, durante la condición de guion. Los inicios en las interacciones de Walt aumentaron desde una media en la lineabase de 0.1 a 17 durante la condición de guion y Ross alcanzó un promedio de 14 inicios por sesión durante la condición de guion en comparación con 2 durante la condición de lineabase. A medida que se desvanecían los guiones, la frecuencia de interacciones sin guion para cada uno de los niños aumentó. Después de que se devanecieran los guiones, la frecuencia de inicios de interacción de los cuatro participantes estaba dentro del mismo rango que en una muestra de tres niños de desarrollo típico. Los investigadores aplicaron el desvanecimiento progresivo de guiones con cada participante en respuesta a su ejecución, no de acuerdo a una programación predeterminada, manteniendo así la flexibilidad necesaria para examinar las relaciones entre la conducta y el ambiente que son centrales para la ciencia de la conducta.

Sin embargo, debido al hecho de que cada sujeto no servía como control de sí mismo, este estudio ilustra que el diseño de lineabase multiple con varios sujetos no es un verdadero diseño de caso único. En su lugar, la verificación de las predicciones basadas en los datos de lineabase para cada sujeto deben ser inferidas de las medidas relativamente inalteradas de la conducta de otros sujetos que permanecen aún en la condición de lineabase y la replicación de los efectos debe inferirse de los cambios en la conducta de otros sujetos cuando entran en contacto con la variable independiente. Esto supone tanto una debilidad como una potencial ventaja del diseño de lineabase multiple con varios sujetos (Johnston y Pennypacker, 1993a) que se discutirá más adelante en este capítulo.

Variaciones del diseño de lineabase múltiple

Dos variaciones del diseño de lineabase múltiple son el diseño de sondeos múltiples y el diseño de lineabase múltiple demorado. El diseño de sondeos múltiples permite al analista de conducta extender la aplicación y la lógica de la técnica de lineabase múltiple a conductas o situaciones en las cuales la medida simultánea de todas las conductas, o bien no es necesaria, o bien es potencialmente reactiva, poco práctica o muy costosa. La técnica de lineabase múltiple demorada se puede usar cuando un diseño de reversión previsto ya no es posible o demuestra ser ineficaz; puede incluso añadir niveles adicionales a un diseño de lineabase múltiple ya en funcionamiento, como sería el caso si se incorporaran nuevos sujetos a un estudio en curso.

Diseño de sondeos múltiples

El **diseño de sondeos múltiples**, descrito por primera vez por Horner y Baer (1978), es un método de análisis de la relación entre la variable independiente y la adquisición de una aproximación sucesiva o secuencia de tarea. A diferencia del diseño de lineabase múltiple (en el cual los datos se obtienen de manera simultánea en la fase de lineabase para cada conducta, contexto o sujeto del experimento), en el diseño de sondeos múltiples, son las mediciones intermitentes o sondeos las que proporcionan las bases para determinar si el cambio de conducta se ha producido antes de la intervención. Según Horner y Baer, cuando el diseño de sondeos múltiples se aplica a una cadena o secuencia de conductas relacionadas que se deben aprender, proporciona respuestas a cuatro preguntas: (a) ¿Cuál es el nivel inicial de ejecución de cada paso (conducta) de la secuencia (o cadena)? (b) ¿Qué ocurre si se dan oportunidades secuenciales para ejecutar cada paso de la cadena de forma previa a que sea enseñado? (c) ¿Qué ocurre con cada paso una vez que se enseña o se entrena? Y (d) ¿Qué ocurre con la ejecución de los pasos de la secuencia que no han sido enseñados una vez que se alcanza el criterio de ejecución en el paso inmediatamente anterior?

La Figura 9.6 muestra un gráfico prototípico de un diseño de sondeos múltiples. Aunque los investigadores han desarrollado muchas variaciones de la técnica de sondeos múltiples, el diseño básico posee tres características claves: (a) se lleva a cabo un sondeo inicial para determinar el nivel de ejecución del sujeto en cada conducta de la secuencia; (b) se obtienen una serie de medidas de lineabase para cada conducta o paso de la

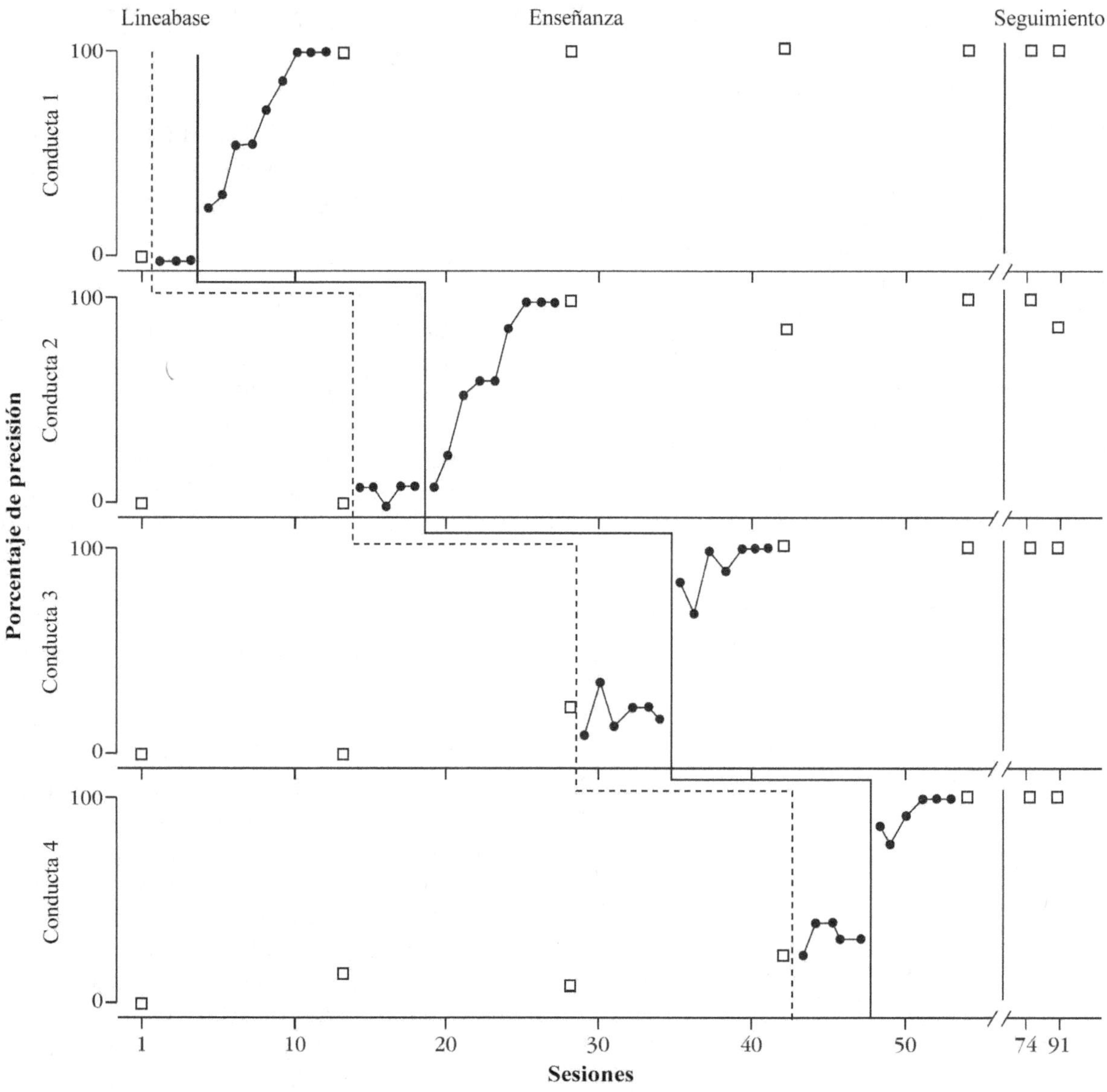

Figura 9.6 Prototipo de gráfico de un diseño de sondeos múltiples. Los puntos cuadrados representan los resultados de las sesiones de sondeo en las que se examina la secuencia completa o grupo de conductas (1-4).

secuencia de forma previa al comienzo de su entrenamiento o enseñanza y (c) una vez alcanzado el criterio de ejecución en cualquier conducta (o paso) ya entrenada, se realiza un sondeo en cada paso de la secuencia para determinar si se están dando cambios en la ejecución de algún otro paso.

Thompson, Braam y Fuqua (1982) utilizaron un diseño de sondeos múltiples para analizar los efectos de un procedimiento instruccional compuesto de ayudas y reforzamiento con fichas para la adquisición de una cadena compleja de habilidades de lavado de ropa por parte tres alumnos con discapacidad. Mediante la observación de otras personas haciendo la colada, se determinó un detallado análisis de tareas de 74 respuestas discretas que se organizaron en siete componentes principales (p.ej., clasificar la ropa, cargar la lavadora, etc.). Se evaluó la ejecución de cada alumno a través de sesisones de sondeo y de lineabase que precedían a la enseñanza de cada componente. Las sesiones de sondeo y de lineabase comenzaban dando la instrucción al alumno de que hiciese la colada. Cuando el alumno emitía una respuesta incorrecta o no emitía conducta en un intervalo de 5 segundos sin ningún tipo de ayuda, se situaba al alumno fuera del área de la lavandería. Entonces el instructor realizaba la respuesta correcta y llamaba al estudiante para que volviese al área y así evaluar el resto de la secuencia de lavado.

Las sesiones de sondeo se diferenciaban de las de lineabase en dos aspectos. En primer lugar, en el sondeo se medía

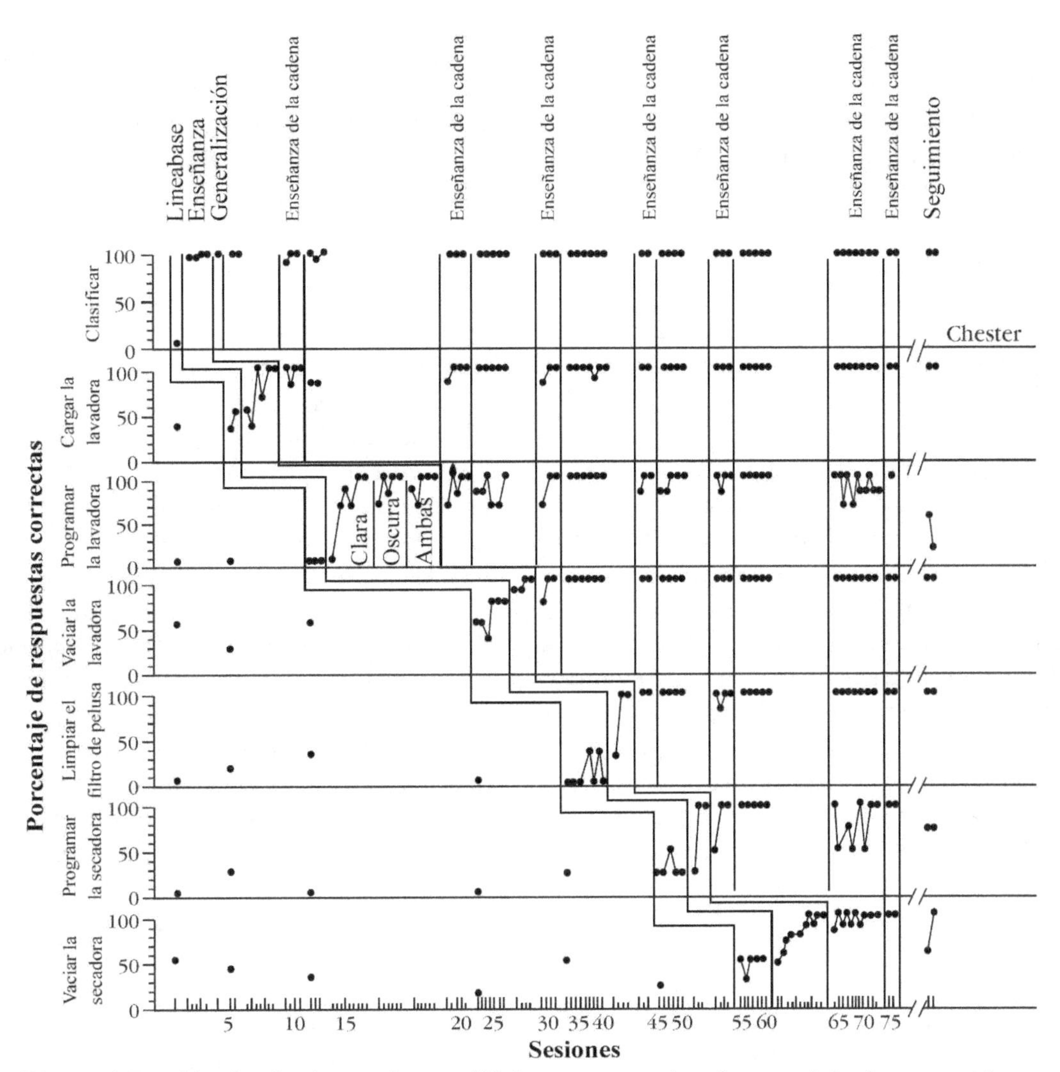

Figura 9.7 Un diseño de sondeos múltiples que muestra el porcentaje de respuestas correctas para cada ensayo en cada componente de una tarea de lavandería por parte de un joven con discapacidad intelectual. Las líneas verticales más gruesas y largas sobre el eje horizontal representan las sucesivas sesiones de enseñanza; las más finas y cortas indican ensayos dentro de cada sesión.

Tomado de "Training and Generalization of Laundry Skills: A Multiple-Probe Evaluation with Handicapped Persons" T.J. Thompson, S.J.Braam, and R.W.Fuqua, 1982, *Journal of Applied Behavior Analysis, 15*, pág. 180. © Copyright 1982 Society for the Experimental Analysis of Behavior, Inc. Reimpreso con permiso.

cada respuesta en la cadena completa y se realizaba inmediatamente antes de la lineabase y de la enseñanza de cada componente. Las sesiones de lineabase se realizaban a continuación del sondeo y solo se medían los componentes previamente enseñados más el componente que había que enseñar. Se recopilaron los datos de lineabase de un número variable de sesiones consecutivas de forma inmediatamente anterior a las sesiones de enseñanza. En segundo lugar, no se proporcionaron ni fichas ni elogios descriptivos durante los sondeos. Durante la lineabase, se entregaban fichas únicamente para las respuestas anteriormente enseñadas... A continuación de la lineabase, se enseñaba cada componente usando un procedimiento de 3 ayudas graduales (Horner y Keilitz, 1975), que consistía en instrucción verbal, modelado y guía gradual. Si un nivel de ayuda fallaba para producir la respuesta correcta en 5 segundos, se introducía el siguiente nivel... Cuando el alumno realizaba un componente con una precisión del 100% en dos ensayos consecutivos, se le pedía que realizase la cadena completa de la colada desde el principio hasta el componente dominado más recientemente. Se enseñaba la cadena completa de componentes dominados previamente (condición de enseñanza de la cadena) hasta que se ejecutaba sin errores ni ayudas durante dos ensayos consecutivos (Thompson, Braam, y Fuqua, 1982, pág. 179)

La Figura 9.7 muestra los resultados de Chester, uno de los alumnos. Chester alcanzó un bajo porcentaje de respuestas correctas durante las sesiones de sondeo y de lineabase, pero alcanzó un 100 % de precisión después de que se le enseñara cada componente. Durante un sondeo de generalización realizado en una lavandería de la comunidad tras la fase de enseñanza, Chester alcanzó un porcentaje de respuestas correctas del 82% de un total de 74 respuestas de la cadena. Se necesitaron cinco sesiones adicionales para volver a enseñarle las respuestas realizadas incorrectamente durante el sondeo de generalización y también las "respuestas adicionales necesarias debido a la presencia de una ranura para introducir las monedas y a las diferencias entre la lavandería de entrenamiento y la de la comunidad" (pág. 179). En dos sesiones de seguimiento realizadas 10 meses después de la fase de enseñanza, Chester alcanzó un 90% de precisión incluso aunque no había realizado la colada durante los últimos 2 meses. Se obtuvieron resultados similares con los otros dos alumnos que participaron en el estudio.

Thompson y colaboradores (1982) añadieron la condición de enseñanza de la cadena a su estudio porque consideraban que era improbable que los componentes que se habían enseñado como habilidades independientes se emitieran en la secuencia correcta sin tal práctica. Debemos señalar que los experimentadores no comenzaban a enseñar un nuevo componente hasta que se alcanzaba un nivel estable de respuesta durante las observaciones de la lineabase (ver los datos de lineabase para los cuatro escalones inferiores en la Figura 9.7). Demorar la enseñanza de esta manera permite una clara demostración de la relación funcional entre la enseñanza y la adquisición de la habilidad.

El diseño de sondeos múltiples es particularmente apropiado para evaluar los efectos de la instrucción sobre las secuencias de habilidades en las que es altamente improbable que el sujeto pueda mejorar la ejecución de los últimos pasos de la secuencia sin haber adquirido los pasos previos. Por ejemplo, las medidas repetidas de la exactitud con la que resuelve divisiones un estudiante que carece de habilidades para la suma, la resta y la multiplicación añadirían poco a nuestro análisis. Horner y Baer (1978) expresaron este aspecto extremadamente bien:

> Las puntuaciones inevitables de cero sobre la lineabase de la división no tienen significado real: la puntuación en la división podría no ser nada más que cero (o diferente de cero debido al azar, dependiendo del formato de la prueba) y no hay sentido en medirla. Tales medidas constituyen un modo de *guardar las formas*: completan la imagen de una lineabase múltiple, cierto, pero de un modo ilusorio. No representan tanto cero conducta como cero oportunidad para que la conducta ocurra y no es necesario documentar con datos adecuadamente medidos que la conducta no ocurre cuando no puede ocurrir. (pág. 190)

Así, el diseño de sondeos múltiples evita la necesidad de recolectar datos de lineabase por mero ritual cuando la ejecución de cualquier componente de la cadena o secuencia es imposible o poco probable sin la adquisición de los otros componentes que le preceden. Además de los dos usos ya mencionados (analizar los efectos de la instrucción en secuencias complejas de habilidades y reducir la cantidad de medidas de lineabase para conductas que no tienen posibilidad de ocurrencia) la técnica de sondeos múltiples también constituye una estrategia experimental eficaz para situaciones en las que las medidas prolongadas de lineabase pueden provocar cierta reacción, ser poco prácticas o muy costosas. Las medidas repetidas de una habilidad en una condición en la que no se está aplicando ningún tratamiento pueden resultar aversivas para algunos estudiantes; y puede dar lugar a extinción, aburrimiento u otras respuestas no deseables. En su discusión sobre los diseños de lineabase múltiple, Cuvo (1979) sugirió que los investigadores debían reconocer que "hay una equilibrio entre administrar repetidamente la medida de la variable dependiente con el objetivo de establecer una lineabase estable, por un lado, y arriesgarse a una ejecución deficiente al someter a los participantes a una experiencia potencialmente aversiva, por otro lado" (págs. 222-223). Además, la evaluación completa de todas las habilidades de una secuencia puede requerir demasiado tiempo que podría, por otra parte, emplearse en la instrucción.

Otros ejemplos de diseños de sondeos múltiples se pueden encontrar en Arntzen, Halstadtr y Halstadtr (2003); Coleman-Martin y Wolff Heller (2004); O'Reilly, Green y Braunling-McMorrow, (1990); y Werts, Caldwell and Wolery (1996, ver Figura 20.6).

Diseño de lineabase múltiple demorado

El **diseño de lineabase múltiple demorado** es una técnica experimental mediante la cual se llevan a cabo en primer lugar una lineabase inicial y una intervención y posteriormente se van añadiendo de forma escalonada o demorada líneas base subsiguientes (Heward, 1978). La Figura 9.8 muestra un gráfico prototípico del diseño de lineabase múltiple demorado. Este diseño emplea la misma lógica experimental que el diseño de lineabase múltiple con la excepción de que los datos procedentes de las líneas base comienzan después de que la variable independiente haya comenzado a aplicarse a conductas, contextos o sujetos anteriores y que no puede utilizarse para verificar las predicciones basadas en niveles anteriores del diseño. En la Figura 9.8 las medidas de lineabase en las Conductas 2 y 3 comenzaron suficientemente pronto como para que dichos datos

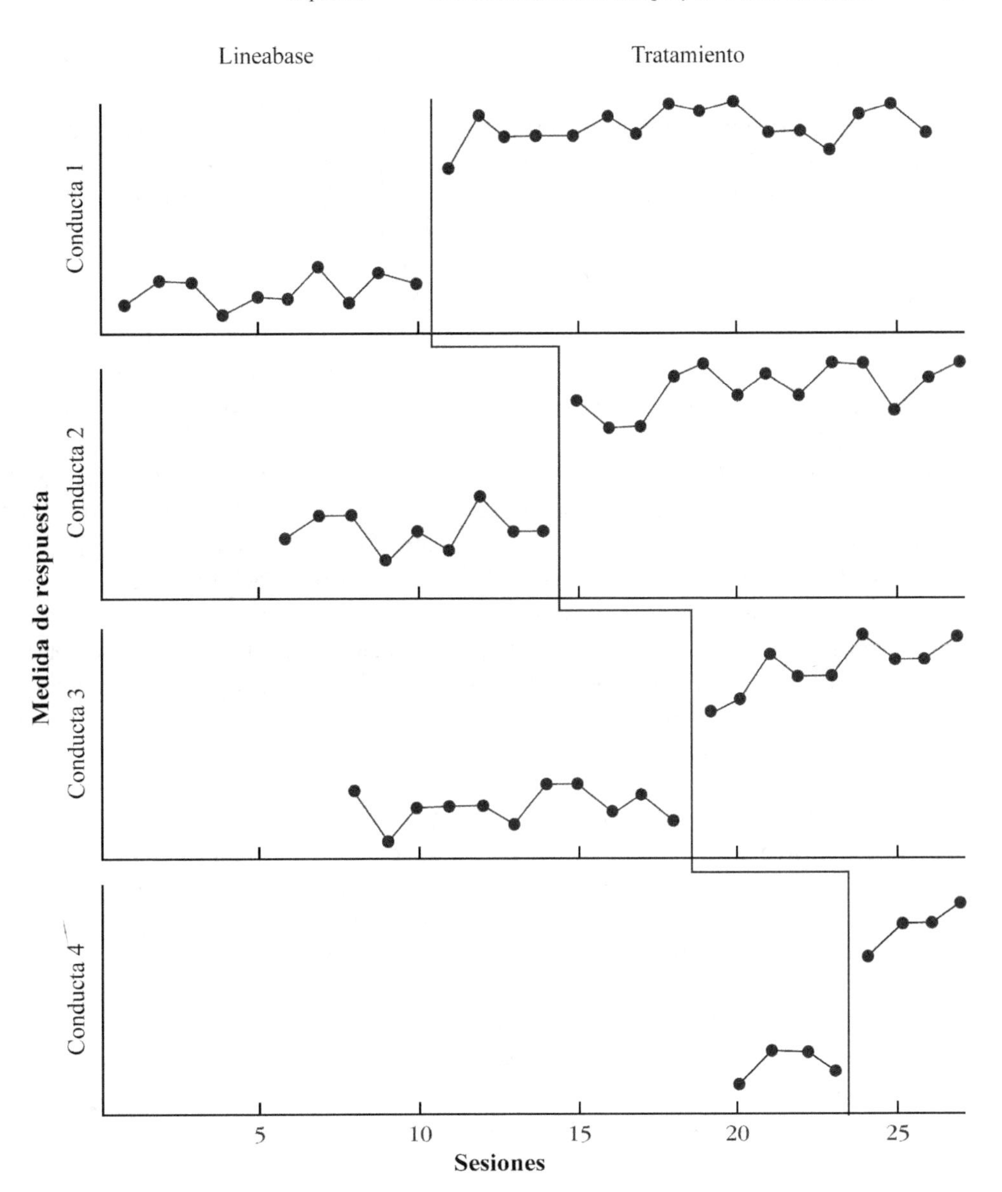

Figura 9.8 Prototipo de gráfico de un diseño de lineabase múltiple demorado.

fuesen utilizados para verificar la predicción hecha para la Conducta 1. Los cuatro datos finales de la lineabase para la Conducta 3 también verifican la predicción para la Conducta 2. Sin embargo, las medidas de lineabase para la Conducta 4 comienzan después de que la variable independiente haya sido aplicada a cada una de las conductas previas, limitando así el papel del diseño para una demostración adicional de la replicación.

Un diseño de lineabase múltiple demorado puede permitir al analista de conducta llevar a cabo investigaciones en ciertos ambientes en los que otras técnicas experimentales no se pueden implementar. Heward (1978) sugirió tres situaciones concretas.

- *Un diseño de reversión ya no es deseable o posible.* En contextos aplicados el ambiente de investigación puede cambiar, impidiendo el uso de un diseño de reversión previamente planificado. Tales cambios pueden implicar cambios en el ambiente del propio sujeto que hacen que ya no sea probable que la conducta objetivo vuelva a los niveles basales, o cambios en la conducta de padres, maestros o gestores, así como del sujeto o cliente o del propio analista de conducta que, por una serie de razones, hacen que ya no sea deseable o posible un diseño de reversión previamente planeado… Si hay otras conductas, contextos o sujetos apropiados para la aplicación de la variable independiente, el analista de conducta podría usar la técnica de lineabase múltiple demorada y aun así buscar evidencia de una relación funcional.
- *Recursos limitados, consideraciones éticas o dificultades práctica, impiden un diseño de lineabase múltiple convencional.* Esta situación ocurre cuando el analista de conducta solo controla los recursos suficientes inicialmente para recolectar datos e intervenir en una conducta, un contexto o un sujeto y otra estrategia de investigación es inapropiada. Puede ser que como resultado de la primera intervención, haya más recursos disponibles para recopilar líneas base adicionales. Esto podría ocurrir como resultado

de la mejora de ciertas conductas cuya topografía o tasa pretratamiento requería un gasto excesivo de recursos de personal. O podría ser que un gestor reacio, después de observar el éxito en los resultados de la primera intervención, aporte los recursos necesarios para un análisis adicional. Las consideraciones éticas pueden imposibilitar que se realicen extensas medidas de lineabase de ciertas conductas (p.ej., Linscheid, Iwata, Ricketts, Williams y Griffin, 1990). También este epígrafe agruparía las "dificultades prácticas" citadas por Hobbs y Holt (1976) como motivo por el que retrasar la medida de la lineabase en uno de los tres contextos.

- *Una "nueva" conducta, contexto o sujeto llega a estar disponible.* Una técnica de lineabase múltiple demorada se podría emplear cuando originalmente se planeó otro diseño de investigación, pero es preferible un análisis de lineabase múltiple debido a cambios en el ambiente (p.ej., el sujeto comienza a emitir otra conducta, el sujeto puede comenzar a emitir la conducta objetivo original en otro contexto o sujetos adicionales pueden comenzar a exhibir la misma conducta objetivo (adaptado de págs. 5-6).

Los investigadores han empleado la técnica de lineabase múltiple demorada para evaluar los efectos de una gran variedad de intervenciones (p.ej., Baer, Williams, Osnes, y Stokes, 1984; Copeland, Brown, y Hall, 1974; Hobbs y Holt, 1976; Jones, Fremouw, y Carples, 1977; Linscheid et al., 1990; Risley y Hart, 1968; Schepis, Reid, Behrmann, y Sutton, 1998; White y Bailey, 1990 [Figura 15.1]). Poche, Brouwer y Swearingen (1981) emplearon un diseño de lineabase múltiple demorado para evaluar los efectos de un programa de enseñanza diseñado para prevenir el secuestro de niños por parte de adultos. Fueron seleccionados como sujetos tres niños de desarrollo típico de preescolar, porque durante una prueba de cribado o valoración cada uno de ellos había accedido a marcharse con un adulto extraño. La variable dependiente era el nivel de idoneidad de las respuestas de autoprotección que emitía cada niño cuando un adulto sospechoso se aproximaba hacia él e intentaba atraerlo y apartarlo con un señuelo simple ("¿Te gustaría dar un paseo?"), un señuelo autoritario ("Tu maestro me dijo que debías venir conmigo"), o un señuelo incentivador ("Tengo una bonita sorpresa en mi coche. ¿Te gustaría venir conmigo y verla?").

Cada sesión comenzaba con que el maestro del niño lo acompañaba fuera y luego fingía tener que volver al edificio por alguna razón. El adulto sospechoso (un cómplice de los experimentadores, pero desconocido para el niño) entonces se aproximaba al niño y le presentaba un señuelo. El cómplice servía, además, como observador calificando la respuesta de la niña en una escala de 0 a 6, en la que una puntuación de 6 representaba la respuesta deseada (decir "no, tengo que preguntarle a mi maestro" y retirarse, al menos, 20 pies de la persona sospechosa en un intervalo de 3 segundos) y una puntuación de 0 indicaba que el niño se alejó cierta distancia del edificio escolar junto al sospechoso. El entrenamiento consistía en modelado, ensayo conductual y reforzamiento social por las respuestas correctas.

La Figura 9.9 muestra los resultados del programa de entrenamiento. Durante la lineabase los tres niños respondieron con conducta de autoprotección a unas tasas de 0 o 1. Los tres niños dominaron las respuestas correctas cuando los señuelos eran incentivadores tras recibir de una a tres sesiones de entrenamiento, requiriendo todos ellos una o dos sesiones más para dominar las respuestas correctas en el caso de los otros dos tipos de señuelos. En total, el entrenamiento requirió aproximadamente 90 minutos por niño distribuidos entre cinco o seis sesiones. Todos los niños respondieron de forma correcta cuando se les presentaron los señuelos en sondeos de generalización a una distancia del edificio escolar de entre 45 y 120 metros.

Aunque cada lineabase en este estudio era igual de extensa (es decir, tenía el mismo número de puntos de datos), contradiciendo la regla general de que las líneas de base deberían variar significativamente entre ellas en longitud en un diseño de lineabase múltiple, hay dos buenas razones por las que Poche y colaboradores comenzaron el entrenamiento con cada sujeto en el momento en que lo hicieron. Primero, la casi total estabilidad de la ejecución durante la lineabase de cada niño proporcionaba una amplia base para evaluar el programa de enseñanza (la única excepción a la completa vulnerabilidad a los señuelos de los adultos sospechosos ocurrió cuando Stan se quedó cerca del sospechoso en vez de irse realmente con él en su cuarta observación de lineabase). Segundo, y más importante, la naturaleza de la conducta objetivo requería que se enseñase a cada niño tan pronto como fuese posible. Aunque la medición continuada de las líneas base de distintas longitudes en cada uno de los diferentes niveles de un diseño de lineabase múltiple representa una práctica adecuada desde el punto de vista meramente experimental, las consideraciones éticas de tal práctica en este ejemplo serían altamente cuestionables, dado el potencial daño de exponer a un niño repetidamente a señuelos de adultos mientras se le priva del entrenamiento adecuado.

El diseño de lineabase múltiple demorado presenta varias limitaciones (Heward, 1978). Primero, desde una perspectiva aplicada, este diseño no es adecuado si requiere que el analista de conducta espere demasiado para modificar conductas importantes, aunque este es un problema inherente a todos los diseños de lineabase múltiple. Segundo, en un diseño de lineabase múltiple demorado existe la tendencia de que las fases de

Figura 9.9 Un diseño de lineabase múltiple demorado que muestra el nivel de idoneidad de las respuestas de autoprotección durante los sondeos de lineabase, enseñanza y generalización en los contextos de la escuela y la comunidad. Los símbolos sólidos indican los datos reunidos cerca de la escuela y los vacíos los datos reunidos lejos de esta.

Tomado de "Teaching Self-Protection to Young Children" C.Poche, R.Brouwer, and M.Swearingen, 1981, *Journal of Applied Behavior Analysis, 14*, pág. 174. © Copyright 1981 Society for the Experimental Analysis of Behavior, Inc. Reimpreso con permiso.

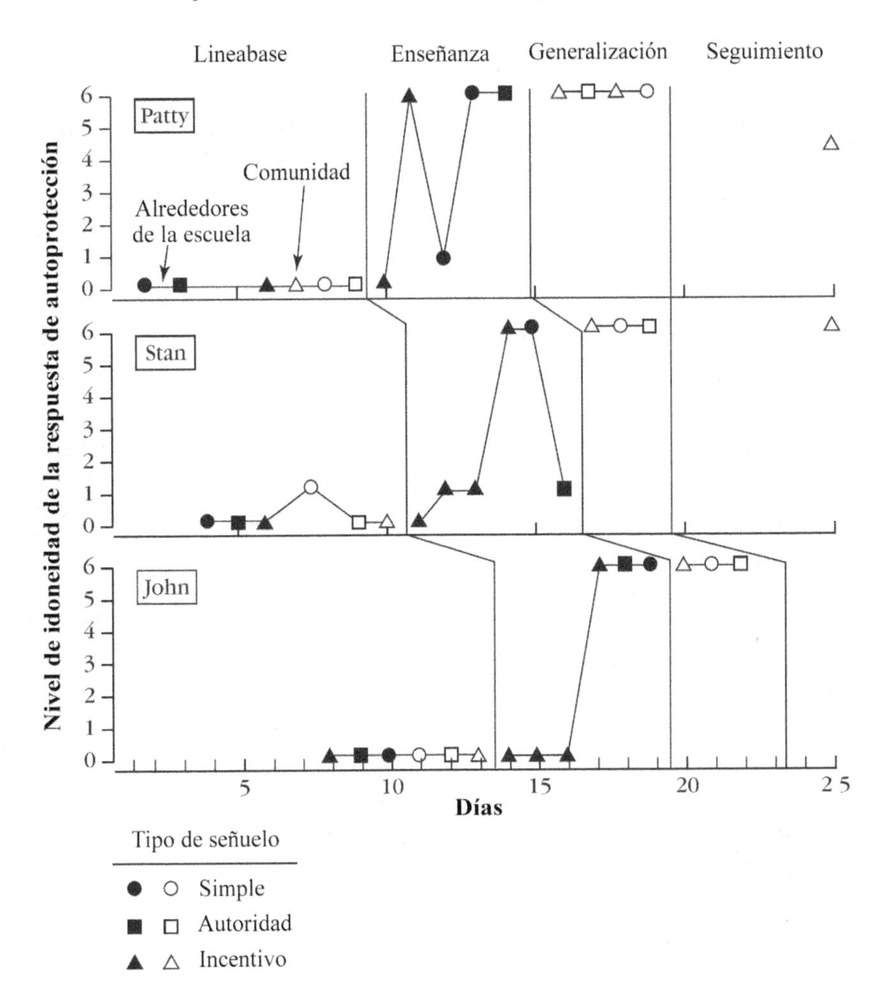

lineabase demorada contengan menos datos que los que se encuentran en un diseño de lineabase múltiple estándar, en el que todas las líneas de base comienzan simultáneamente, dando como resultado fases de lineabase de longitud considerable y variada. Las líneas base largas, si son estables, aportan un poder predictivo tal que permite demostraciones convincentes de control experimental. Los analistas de conducta que utilicen cualquier tipo de diseño de lineabase múltiple deben estar seguros de que todas las líneas base, independientemente del momento en el que se iniciaron, poseen una longitud suficiente y variada como para proporcionar una base creíble para comparar los efectos experimentales. Una tercera limitación del diseño de lineabase múltiple demorado es que puede enmascarar la interdependencia de variables dependientes.

> La fortaleza de cualquier diseño de lineabase múltiple es que se observa poco o ningún cambio en la conducta sobre la que aún no se ha intervenido hasta que, y solo hasta que, el experimentador aplica la variable independiente. En un diseño de lineabase múltiple demorado los datos reunidos a partir de las mediciones de "lineabase demorada" de las posteriores conductas pueden representar cambios en la ejecución debidos a la manipulación experimental de las anteriores conductas en el diseño y, por tanto, pueden no representar el verdadero nivel preexperimental… En estos casos la lineabase múltiple demorada podría resultar en un "falso negativo" y puede que el experimentador erróneamente concluya que la intervención no ha sido efectiva para las posteriores conductas, cuando en realidad la ausencia de datos de lineabase simultáneos no permite descubrir que las conductas covarían. Esta es una gran debilidad del diseño de lineabase múltiple demorado y lo convierte en una estrategia de investigación de segunda elección, siempre que se pueda emplear un diseño de lineabase múltiple convencional. Sin embargo, esta limitación puede y debe combatirse siempre que sea posible comenzando las líneas de base posteriores al menos varias sesiones antes de la intervención en las líneas base previas (Heward, 1978, pág. 8–9).

Tanto el diseño de sondeos múltiples como el diseño de lineabase mútliple demorado ofrecen al analista aplicado de la conducta técnicas alternativas para aplicar un análisis de lineabase múltiple en los casos en los que las mediciones muy extensas de lineabase múltiple son innecesarias, poco prácticas, muy costosas o no están disponibles. Quizás la aplicación más útil de la técnica de lineabase múltiple demorada sea la adición de niveles a un diseño de lineabase múltiple que ya esté funcionando. Siempre que una lineabase múltiple pueda ser complementada con pruebas realizadas con antelación en el curso del estudio, el control experimental resultará fortalecido. Como regla general, cuantos más datos de lineabase mejor.

Supuestos y directrices para el uso de diseños de lineabase múltiple

Como cada técnica experimental, el diseño de lineabase múltiple requiere que el investigador realice ciertas suposiciones sobre cómo funcionan las relaciones entre la conducta y el ambiente bajo investigación, a pesar de que el descubrimiento de la existencia y funcionamiento de estas relaciones sea la razón prioritaria para realizar la investigación. En este sentido, el diseño de experimentos conductuales se asemeja a un juego de adivinanzas empírico: el investigador supone, los datos responden. El investigador realiza suposiciones, hipótesis en un sentido formal, sobre la conducta y su relación con las variables de control y luego construye experimentos diseñados para producir datos capaces de verificar o refutar esas conjeturas.[3]

Debido a que en el diseño de lineabase múltiple la verificación y la replicación dependen de lo que ocurre, o no ocurre, a otras conductas como resultado de la aplicación secuencial de la variable independiente, el investigador debe tener particular cuidado a la hora de planificar y de llevar a cabo el diseño de una manera que permita el mayor grado de confianza en cualquiera de las relaciones que sugieran los datos. Aunque el diseño de lineabase múltiple aparenta ser engañosamente simple, aplicarlo de manera exitosa entraña más que la mera selección de dos o más conductas, contextos o sujetos, que la recolección de algunos datos de lineabase y, que la introducción posterior de la condición de tratamiento a una conducta tras otra. Sugerimos las siguientes directrices para diseñar y llevar a cabo experimentos utilizando diseños de lineabase múltiple.

Seleccionar líneas base independientes, pero funcionalmente similares

La demostración de una relación funcional en un diseño de lineabase múltiple depende de que ocurran dos cosas: (a) la conducta durante la condición de lineabase no muestra cambios en el nivel, la variabilidad o la tendencia mientras que cuando está en contacto con la variable independiente sí cambia; (b) cada conducta cambia cuando, y solo cuando, se le aplica la variable independiente. Así, el investigador debe hacer dos suposiciones, que a veces pueden parecer contradictorias, acerca de las conductas objeto de análisis en un diseño de lineabase múltiple. Las suposiciones son que las conductas son funcionalmente independientes unas de otras (las conductas no covarían la una con la otra) y, sin embargo, las conductas comparten suficiente similitud como para cambiar una vez se les aplique la misma variable independiente que a la conducta anterior (Tawney y Gast, 1984). Un error en cualquiera de estas suposiciones puede dar lugar a un fracaso en la demostración de una relación funcional.

Por ejemplo, supongamos que se aplica la variable independiente a la primera conducta y constatamos cambios en el nivel o en la tendencia, pero las demás conductas que permanecen en condición de lineabase cambian también. ¿Significan los cambios en las conductas que permanecen en lineabase que una variable que no ha sido controlada es responsable de los cambios en todas las conductas y que la variable independiente es un tratamiento eficaz? ¿O los cambios simultáneos en conductas no sometidas a tratamiento implican que los cambios en la primera conducta se debieron a la variable independiente y se han generalizado a las demás conductas? O supongamos, en cambio, que la primera conducta cambia cuando se introduce la variable independiente, pero las siguientes conductas no cambian cuando se introduce la variable independiente. ¿Supone este fallo en la replicación que un factor diferente a la variable independiente ha sido el responsable del cambio observado en la primera conducta? ¿O esto significa solamente que las siguientes conductas no actúan como una función de la variable experimental, dejando abierta la posibilidad de que el cambio observado en la primera conducta se viera afectado por la variable independiente?

Las respuestas a estas cuestiones se pueden buscar

---

[3] *Hipótesis,* en el sentido en que aquí usamos el término, no se debería confundir con los modelos de comprobación de hipótesis formales que utilizan la estadística inferencial para confirmar o refutar una hipótesis deducida de una teoría. Como señalaron Johnston y Pennypacker (1993a) "Los investigadores no necesitan exponer una hipótesis si se están cuestionando una pregunta acerca de la naturaleza. Cuando la cuestión experimental simplemente se pregunta sobre la relación entre la variable independiente y la dependiente, no existe razón científica para realizar una predicción sobre lo que se descubrirá a partir de los datos" (pág. 48). Sin embargo, Johnston y Pennypacker (1980) también reconocían que "constantemente están siendo sometidas a pruebas experimentales hipótesis más modestas, aunque solo sea para establecer una mayor confianza en los detalles de las presuntas relaciones de control. Cada vez que un experimentador o experimentadora se dispone a confirmar las consecuencias de una proposición particular, está comprobando una hipótesis, aunque es raro encontrarse con el uso de este tipo de lenguaje [en análisis de conducta]. La comprobación de hipótesis, en este sentido relativamente informal, orienta el diseño de los experimentos sin que el investigador se ciegue a la importancia de los resultados inesperados" (pág. 38-39).

solo a través de más manipulaciones experimentales. En los dos tipos de fracasos de la demostración del control experimental, el diseño de lineabase múltiple no excluye la posibilidad de una relación funcional entre la variable independiente y la conducta que cambió cuando esta se aplicó. En el primer ejemplo, el fracaso para demostrar el control experimental con el diseño planeado inicialmente es compensado por la oportunidad de investigar y, posiblemente, aislar una variable suficientemente sólida como para cambiar múltiples conductas simultáneamente. Descubrir variables que de forma fiable producen cambios generalizados sobre varias conductas, contextos o sujetos es un importante objetivo del análisis aplicado de la conducta; y si el experimentador está seguro de que todas las demás variables relevantes se han mantenido constantes antes, durante y después de los cambios observados en las conductas, la variable independiente inicial es la primera candidata para posterior investigación.

En la segunda situación, que mostraba la incapacidad para replicar los cambios de una conducta a otra, el experimentador puede buscar la posibilidad de una relación funcional entre la variable independiente y la primera conducta, quizás usando una técnica de reversión e intentando descubrir después una intervención efectiva para las conductas que no cambiaron. Otra posibilidad es retirar la variable independiente inicial totalmente y buscar otro tratamiento que pudiera ser eficaz con todas las conductas objetivo.

Seleccionar líneas base múltiples concurrentes y relacionadas de forma plausible

En sus esfuerzos por asegurar la independencia funcional de las conductas en un diseño de lineabase múltiple, los experimentadores no deberían seleccionar clases de respuesta o contextos tan poco relacionados entre sí que no ofrezcan ninguna posibilidad de comparación. Para que la medición actual de lineabase de una conducta proporcione la base más sólida para verificar la predicción de otra conducta a la que se le ha aplicado la variable independiente, se deben dar dos condiciones: (a) las dos conductas deben medirse simultáneamente y (b) todas las variables relevantes que puedan influir en una conducta deben poder influir en la otra conducta. Los estudios que emplean el enfoque de lineabase múltiple con varios sujetos y contextos, con frecuencia fuerzan la lógica del diseño más allá de sus capacidades. Por ejemplo, usar mediciones de lineabase estable de la obediencia de un niño a las demandas de sus padres como base para verificar el efecto de la intervención en la conducta de obediencia de otro niño que vive con otra familia es una práctica cuestionable. El conjunto de variables que influyen en los dos niños se diferencian, con seguridad, en algo más que en la presencia o ausencia de la variable experimental.

> Existen algunos límites importantes para la determinación de las múltiples combinaciones entre sujeto y contexto que vayan a funcionar como parte del mismo experimento. Para que múltiples conductas y contextos sean parte del mismo diseño y, por tanto, aumenten el razonamiento experimental, las condiciones experimentales generales bajo las cuales las dos respuestas (ya sean dos respuestas de un sujeto o una respuesta de cada sujeto) son emitidas y medidas deben darse simultáneamente…La exposición [a la variable independiente] no tiene que ser simultánea para las diferentes combinaciones de sujeto y contexto, [pero] las condiciones de tratamiento deben ser idénticas, junto con las variables extrañas asociadas, sobre las dos respuestas y contextos. Esto se debe a que las condiciones impuestas sobre una de las combinaciones entre conducta y contexto deben tener la *oportunidad* de influir en la otra combinación ente conducta y contexto al mismo tiempo, con independencia de la condición que realmente prevalezca sobre la segunda… De ello se desprende que usar las respuestas de dos sujetos, si cada uno de ellos las emite en diferentes contextos, no cumpliría el requisito de que haya una oportunidad para detectar el efecto del tratamiento. Una condición de tratamiento [así como un sinfín de otras variables posiblemente responsables de los cambios en la conducta de un sujeto] podría, entonces, no entrar en contacto con la respuesta del otro sujeto, porque la respuesta del segundo sujeto ocurriría en un lugar completamente diferente…Generalmente, mientras mayor sea la plausibilidad de que dos respuestas se vean afectadas por un único tratamiento [así como las demás variables relevantes] más poderosa será la demostración de control experimental evidenciada por los datos que muestran un cambio únicamente en una conducta (Johnston and Pennypacker, 1980, pág. 276–278)

Se deben satisfacer los requisitos de concurrencia e influencia plausible para cumplir con el componente de verificación de la lógica de la lineabase en el diseño de lineabase múltiple. Sin embargo, la replicación del efecto se demuestra cada vez que un nivel estable de lineabase cambia debido a la introducción de la variable independiente, más o menos con independencia de dónde y cuándo se aplique esta. Tales líneas base no concurrentes o no vinculadas pueden aportar datos valiosos acerca de la generalidad de la eficacia del tratamiento.[4]

---

[4] Una serie relacionada de diseños AB a través de diferentes conductas, contextos o participantes en la que cada secuencia AB es

Este debate no debe interpretarse como que un diseño de lineabase múltiple válido (es decir, lógicamente completo) no se puede llevar a cabo con diferentes sujetos, cada uno de los cuales responda en diferentes contextos. Numerosos estudios que usan múltiples líneas base mixtas con sujetos, clases de respuesta y contextos, han contribuido al desarrollo de una tecnología eficaz del cambio de conducta (p.ej., Dixon et al., 1998; Durand, 1999 [ver Figura 23.4]; Ryan, Ormond, Imwold, y Rotunda, 2002).

Imaginemos un experimento diseñado para analizar los efectos de una particular intervención de formación al profesorado, tal vez un taller o seminario sobre el uso de ciertas técnicas para aumentar las oportunidades que tiene cada alumno de responder durante la enseñanza en grupo. La medición concurrente se hace sobre la frecuencia de oportunidades de respuesta del alumno en el aula de los maestros que participan en el estudio. Después de que se hayan establecido líneas base estables, se le ofrece el taller primero a un maestro (o grupo de maestros) y finalmente, en forma de lineabase múltiple escalonada, a todos los maestros.

En este ejemplo, incluso aunque los diferentes sujetos (maestros) emitan la conducta en diferentes contextos (diferentes aulas) la comparación de sus condiciones de lineabase es experimentalmente adecuada porque las variables que probablemente influyan en sus estilos de enseñanza están operando en un ambiente más amplio y compartido en el que todos ellos emiten la conducta (la escuela y la comunidad educativa). Sin embargo, siempre que se propongan o publiquen experimentos que involucren respuestas de diferentes sujetos en diferentes contextos, los investigadores y los lectores de las investigaciones deberían ver las comparaciones de las líneas base con una mirada crítica sobre la lógica de las relaciones entre unas y otras.

No aplicar la variable independiente a la siguiente conducta demasiado pronto

Subrayamos que para que ocurra la verificación en un diseño de lineabase múltiple, se debe establecer claramente que cuando se aplica la variable independiente a una conducta y se percibe cambio, las otras conductas que aún no han sido tratadas van a mostrar poco o ningún cambio. La posibilidad de realizar una poderosa demostración de control experimental ha sido mermada en muchos estudios porque la variable independiente se ha aplicado sobre las siguientes conductas demasiado pronto. Aunque el requisito de la aplicación secuencial de la técnica de la lineabase múltiple se cumple incluso introduciendo la variable independiente en intervalos de tiempo contiguos, el razonamiento experimental que permiten las manipulaciones tan poco espaciadas es mínimo.

> La influencia de variables desconocidas, simultáneas, o extrañas que pudieran estar presentes podría ser trascendente, incluso un día o dos después. Este problema se puede evitar demostrando la estabilidad continuada de la respuesta para la segunda combinación entre conducta y contexto tanto durante como después de la introducción del tratamiento en la primera combinación hasta que haya transcurrido un periodo suficiente de tiempo que permita detectar cualquier efecto que pudiera aparecer en la segunda combinación. (Johnston y Pennypacker, 1980, pág. 283)

Variar significativamente las longitudes de las líneas base múltiples

Generalmente, cuanto más varíen entre sí respecto a la longitud las fases de lineabase, más fuerte será el diseño de lineabase múltiple. Las líneas base de significativamente diferentes longitudes resultan en la conclusión inequívoca (suponiendo una variable de tratamiento eficaz) no solo de que cada conducta cambia cuando se le aplica la variable independiente sino también de que no cambia hasta que se le aplica dicha variable. Si las diferentes líneas base son de la misma o similar longitud, existe la posibilidad de que los cambios observados cuando se introduce la variable independiente sean el resultado de una variable extraña, como la práctica o la reactividad a la observación y medida en lugar de una función de la variable experimental.

> Estos efectos … que llamamos práctica, adaptación, calentamiento, autoanálisis, etc.; lo que quiera que sean y cualesquiera sean sus nombres, son controlados por el diseño de lineabase múltiple a través de la variación sistemática del intervalo de tiempo (sesiones, días, o semanas) en el que ocurren con antelación a la introducción del paquete de entrenamiento…Tal control es

---

realizada en un punto diferente en el tiempo, a veces se llama *diseño de lineabase multiple no concurrente* (Watson y Workman, 1981). La ausencia de medidas concurrentes, sin embargo, viola y efectivamente neutraliza la lógica experimental del diseño de lineabase multiple. Colocar los gráficos de tres diseños AB en la misma página y vincularlos entre ellos con una línea discontínua, podría producir algo que se "pareciese" a un diseño de lineabase múltiple, pero hacerlo así es de cuestionable valor y es probable que induzca a error a los lectores por sugerir un mayor grado de control experimental del que existe. Recomendamos describir tales estudios como una serie de recopilaciones de diseños AB y de representaciones gráficas de los resultados de una manera tal que claramente represente el marco temporal real en el que cada secuencia AB ocurrió con respecto a las otras (p.ej., Harvey, May, y Kennedy, 2004, Figura 2).

esencial, y cuando el diseño consiste únicamente en dos líneas base, entonces el número de datos de cada una, previo a la intervención experimental, debería diferir tan radicalmente como fuera posible al menos en un factor dos. No concibo que no se procure lograr una variación sistemática de las longitudes de las líneas base previas a la intervención y que no sea una variación lo más grande posible. No hacer esto… debilita el diseño demasiado como para proporcionar credibilidad. (D. M. Baer, durante una comunicación personal, el 2 de junio de 1978)

Intervenir primero sobre la lineabase más estable

En un diseño de lineabase múltiple ideal, la variable independiente no se aplica a ninguna de las conductas hasta que se alcancen niveles estables de respuesta para cada una. Sin embargo, al analista aplicado de la conducta a veces se le niega la opción de demorar el tratamiento únicamente por el hecho de aumentar la fortaleza de un análisis experimental. Cuando la intervención debe empezar antes de que la estabilidad se haga evidente en cada nivel del diseño, la variable independiente se debe aplicar a la conducta, contexto o sujeto que muestre un nivel más estable de respuesta en la lineabase. Por ejemplo, si se diseña un estudio para evaluar los efectos de un procedimiento de enseñanza sobre la tasa de cálculo matemático de cuatro estudiantes y no hay razón a priori para enseñar a los estudiantes en ninguna secuencia particular, se debería comenzar con el estudiante que mostrara la lineabase más estable. Sin embargo, se debería seguir esta recomendación solo cuando la mayoría de las líneas base del diseño mostraran una estabilidad razonable.

La aplicación secuencial de la variable independiente se debería hacer según la mayor estabilidad en el momento de cada aplicación sucesiva. De nuevo, sin embargo, deben atenderse las realidades del mundo aplicado. La relevancia social de cambiar una conducta particular debe a veces prevalecer sobre el deseo de alcanzar los requisitos del diseño experimental.

Valoración de la conveniencia del diseño de lineabase múltiple

El diseño de lineabase múltiple ofrece ventajas significativas, lo que, sin duda, explica su uso generalizado por los investigadores y profesionales. Estas ventajas, sin embargo, deben sopesarse frente a las limitaciones y debilidades del diseño para determinar su adecuación ante cualquier situación dada.

Ventajas del diseño de lineabase múltiple

Probablemente la ventaja más importante del diseño de lineabase múltiple es que no requiere la retirada de un tratamiento aparentemente efectivo para demostrar control experimental. Este es un aspecto crítico para conductas objetivo que implican autolesiones o peligro para los demás. Esta característica del diseño de lineabase múltiple también lo hace un método apropiado para evaluar los efectos de las variables independientes que, por su naturaleza, no pueden ser retiradas y para investigar conductas objetivo que son probablemente (o con seguridad) irreversibles (p.ej., Duker y van Lent, 1991). De manera adicional, debido a que el diseño de lineabase múltiple no necesita una reversión de los beneficios del tratamiento a los niveles basales, los padres, los maestros o los gestores pueden aceptarlo más fácilmente como método para demostrar los efectos de una intervención.

El requisito del diseño de lineabase múltiple de tener que aplicar secuencialmente la variable independiente a través de múltiples conductas, contextos o sujetos complementa la práctica habitual de muchos profesionales aplicados cuyo objetivo es desarrollar múltiples cambios de conducta. A los maestros se les encarga ayudar a que muchos estudiantes aprendan múltiples habilidades para utilizarlas en múltiples contextos. Así mismo, los clínicos necesitan normalmente ayudar a sus clientes a mejorar en más de una clase de respuesta y a emitir una conducta más adaptativa en varios contextos. El diseño de lineabase múltiple es idealmente el adecuado para evaluar los múltiples cambios progresivos de conducta buscados por muchos profesionales en el contexto aplicado.

Debido a que el diseño de lineabase múltiple implica la medición concurrente de dos o más conductas, sujetos o contextos, es útil en la evaluación de la ocurrencia, la generalización o el cambio de conducta. La observación simultánea de varias conductas proporciona al analista de conducta la oportunidad de determinar la covariación entre ellas como resultado de la manipulación de la variable independiente (Hersen y Barlow, 1976). Aunque los cambios producidos en aquellas conductas que aún permanecen bajo la condición de lineabase eliminan la capacidad del diseño de lineabase múltiple de demostrar control experimental, tales cambios muestran la posibilidad de que la variable independiente sea capaz de producir mejoras conductuales con la generalidad deseable, lo que sugiere un conjunto adicional de cuestiones de investigación y técnicas analíticas (p.ej., Odom, Hoyson, Jamieson, y Strain, 1985).

Finalmente, el diseño de lineabase múltiple tiene la ventaja de ser relativamente fácil de conceptualizar ofreciendo, por tanto, una técnica experimental eficaz para maestros y padres que no están formalmente instruidos en métodos de investigación (Hall et al., 1970).

Limitaciones del diseño de lineabase múltiple

El diseño de lineabase múltiple presenta al menos tres limitaciones científicas o aspectos a tener en cuenta. Primero, puede no permitir una demostración de control experimental incluso aunque exista una relación funcional entre la variable independiente y las conductas a las que se aplica. Los cambios producidos en las conductas que aún permanecen en la condición de lineabase que son similares a los cambios concurrentes en una conducta en la condición de tratamiento imposibilitan la demostración de una relación funcional dentro del diseño original. Segundo, desde cierta perspectiva, el diseño de lineabase múltiple es un método más débil para mostrar control experimental que el diseño de reversión. Esto se debe a que la verificación de la predicción de la lineabase realizada para cada conducta dentro de un diseño de lineabase múltiple no se demuestra directamente con esa conducta, sino que debe ser inferida por la ausencia de cambio en otras conductas. Esta debilidad del diseño, sin embargo, debe sopesarse frente a la ventaja de que proporciona múltiples replicaciones en diferentes conductas, contextos o sujetos. Tercero, el diseño de lineabase múltiple ofrece más información sobre la eficacia de la variable tratamiento que sobre la función de cualquier conducta objetivo particular.

> Consistentemente, [el] diseño de lineabase múltiple es más un análisis experimental de la técnica usada para alterar la respuesta que de la propia respuesta. En el diseño de reversión la respuesta se pone en funcionamiento una y otra vez; en los diseños de lineabase múltiple es sobre todo la técnica la que se pone en funcionamiento una y otra vez y las respuestas o bien operan una vez cada una [si se usan diferentes respuestas] o bien una sola respuesta opera una vez por cada contexto o una vez para cada sujeto. No se muestra un funcionamiento reiterativo de la misma respuesta en el mismo sujeto o en el mismo contexto. Pero, mientras que se renuncia al funcionamiento repetitivo de la respuesta, el funcionamiento reiterado y diverso de la técnica experimental se maximiza, cosa que no ocurriría en el diseño de reversión. (Baer, 1975, pág. 22)

Dos aspectos aplicados importantes que deben evaluarse para determinar la idoneidad del diseño de lineabase múltiple son el tiempo y los recursos necesarios para su implementación. Debido a que la variable de tratamiento no se puede aplicar a posteriores conductas, contextos o sujetos hasta que sus efectos se observen en las conductas, contextos o sujetos previos, el diseño de lineabase múltiple requiere que las conductas, contextos y sujetos sean privados de la intervención, quizás por mucho tiempo. Esta demora plantea problemas prácticos y éticos. Un tratamiento no puede ser demorado para ciertas conductas. La importancia de estas conductas hace que retrasar el tratamiento no sea práctico. Y como Stolz (1978) indicaba "si la intervención es generalmente conocida por ser eficaz, negarla simplemente para alcanzar un diseño de lineabase múltiple podría no ser ético" (pág.33). Segundo, se deben tener en cuenta los recursos utilizados para llevar a cabo las medidas concurrentes de múltiples conductas. El uso de un diseño de lineabase múltiple puede ser particularmente costoso cuando la conducta debe observarse y medirse en varios contextos. Sin embargo, cuando se puede justificar el uso intermitente de sondeos durante la lineabase en lugar de mediciones continuas (Horner y Baer, 1978), el coste de medir simultáneamente múltiples conductas se puede reducir.

Diseño de criterio cambiante

El diseño de criterio cambiante se puede usar para evaluar los efectos de un tratamiento que se aplica de una manera gradual o por etapas a una única conducta objetivo. El diseño de criterio cambiante fue descrito por primera vez en la literatura del análisis aplicado de la conducta en dos artículos que Vance Hall publicó junto a otros autores (Hall y Fox, 1977; Hartmann y Hall, 1976).

Aplicación y lógica del diseño de criterio cambiante

El lector puede consultar la Figura 9.10 antes y después de leer la descripción que Hartmann y Hall (1976) realizaron del **diseño de criterio cambiante.**

> El diseño requiere observaciones iniciales de lineabase de una única conducta objetivo. Esta fase de lineabase va seguida de la implementación de un programa de tratamiento en cada fase de una serie de fases de tratamiento. Cada fase del tratamiento conlleva un cambio gradual en la tasa usada como criterio de la conducta objetivo. Por tanto, cada fase del diseño proporciona una lineabase para la siguiente fase. Cuando la tasa de la conducta objetivo cambia con cada cambio progresivo de

criterio, se consigue replicar el cambio terapéutico y se demuestra el control experimental. (pág. 527)

El funcionamiento de dos componentes de la lógica de la lineabase (predicción y replicación) es evidente en el diseño de criterio cambiante. Cuando se alcanza un nivel de respuesta estable dentro de cada fase del diseño, se efectúa una predicción del futuro nivel de respuesta. La replicación ocurre cada vez que el nivel de conducta cambia de forma sistemática cuando cambia el criterio. La verificación de las predicciones fundamentadas en cada fase no es tan obvia en este diseño, pero puede ser abordada de dos formas. Primero, variar la longitud de las fases sistemáticamente permite una forma de verificación autoevidente. La predicción establece que el nivel de respuesta no variará si el criterio no cambia. Cuando el criterio no cambia y la respuesta continúa estable, se verifica la predicción. Cuando dentro del diseño se puede mostrar que los niveles de respuesta no cambian a menos que cambie el criterio, independientemente de la variedad en las longitudes de las fases, se evidencia el control experimental. Hall y Fox (1977) sugerían otra posibilidad para la verificación: "El experimentador puede volver a un criterio anterior y si la conducta se ajusta a este nivel de criterio, entonces existe un argumento convincente para un alto grado de control conductual" (pág. 154). Tal inversión del criterio se muestra en la penúltima fase de la Figura 9.10. Aunque volver a un nivel de criterio anterior requiere una breve interrupción de las continuas mejoras en la conducta, la técnica de reversión fortalece el análisis considerablemente y debe incluirse en el diseño de criterio cambiante a menos que otros factores indiquen su inconveniencia.

Una forma de contextualizar el diseño de criterio cambiante es como una variación del diseño de lineabase múltiple. Tanto Hartmann y Hall (1976, pág. 530) como Hall y Fox (1977, pág. 164) representaron gráficamente los datos extraídos de experimentos realizados con un diseño de criterio cambiante en un formato de lineabase múltiple con cada nivel de la lineabase múltiple mostrando la ocurrencia o no ocurrencia de la conducta objetivo en uno de los niveles del criterio utilizados en el experimento. Una línea vertical de cambio de condición que se situaba sobre los diferentes niveles señalaba cuando se elevaba el criterio para el reforzamiento hasta el nivel representado por cada escalón de datos. Al graficar si la conducta objetivo se emitía durante cada sesión al nivel o por encima del nivel representado en cada escalón, tanto antes como después del cambio de criterio en ese nivel, se revelaba una especie de análisis de lineabase múltiple. Sin embargo, la fortaleza del argumento de lineabase múltiple no es tan convincente porque las "diferentes" conductas representadas por cada escalón no son independientes entre sí. Por ejemplo, si una conducta objetivo se emite 10 veces en una sesión, todos los escalones que representan un criterio por debajo de 10 respuestas tendrían que mostrar que se produjo la conducta y todos los escalones que representan criterios de 11 o más tendrían que mostrar la no ocurrencia de la conducta o cero respuesta. La mayoría de los niveles que parecerían mostrar la verificación y la replicación del efecto, de hecho, solo podría mostrar estos resultados debido a los eventos graficados en otro nivel. Un diseño de lineabase múltiple proporciona una demostración convincente de control experimental porque las medidas obtenidas para cada conducta en el diseño son una función de las variables de

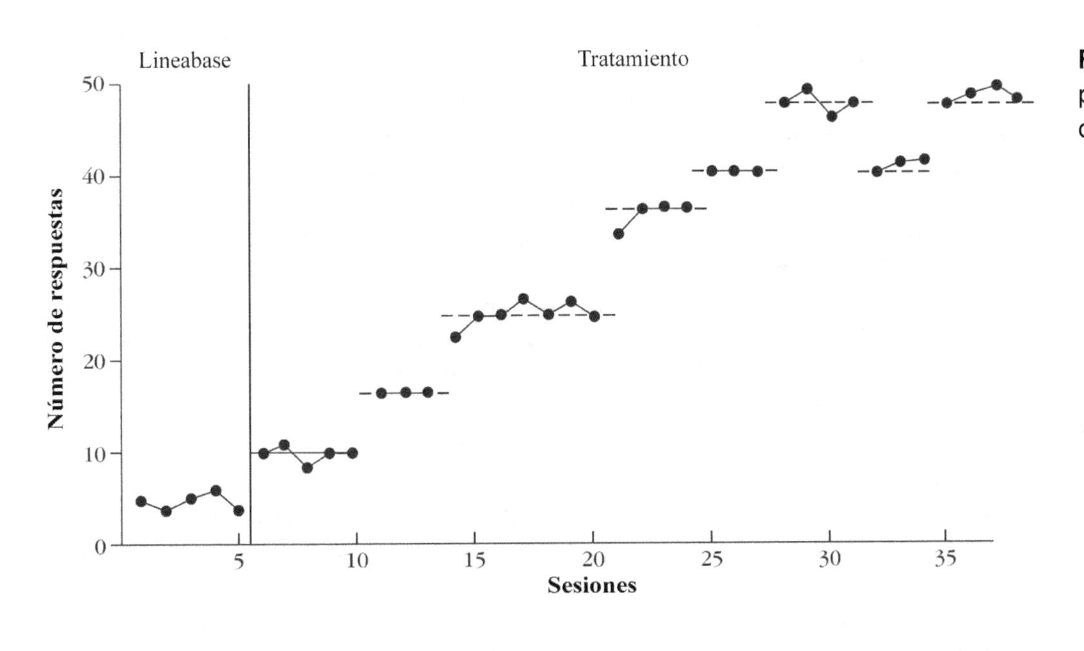

Figura 9.10 Gráfico prototipo de un diseño de criterio cambiante.

control para esa conducta, y no artefactos de la medida de otra conducta. Por tanto, transformar los datos de un diseño de criterio cambiante a un formato de lineabase múltiple muy escalonado a menudo se traducirá en una imagen sesgada a favor del control experimental.

A pesar de que el diseño de lineabase múltiple no es completamente análogo, el diseño de criterio cambiante puede conceptualizarse como un método para analizar el desarrollo de nuevas conductas. Como Sidman (1960) indicó, "Es posible hacer contingente el reforzamiento a un valor especificado de algún aspecto de la conducta y tratar ese valor como una clase de respuesta por derecho propio" (pág. 391). El diseño de criterio cambiante puede ser una técnica eficaz para mostrar la repetida producción de nuevas tasas de conducta como función de las manipulaciones de la variable independiente (es decir, de los cambios de criterio).

Aparte de los experimentos incluidos en los trabajos de Hartmann y Hall (1976) y Hall y Fox (1977), ha habido relativamente pocos ejemplos de diseños de criterio cambiante puros publicados en la literatura del análisis aplicado de la conducta (p.ej., DeLuca y Holborn, 1992 [ver Figura 13.2]; Foxx y Rubinoff, 1979; Johnston y McLaughlin, 1982). Algunos investigadores han empleado una técnica de criterio cambiante como un elemento analítico dentro de un diseño mayor (p.ej., Martella, Leonard, Marchand-Martella, y Agran, 1993; Schleien, Wehman, y Kiernan, 1981).

Allen y Evans (2001) utilizaron un diseño de criterio cambiante para evaluar los efectos de una intervención cuyo objetivo era reducir el excesivo control de los niveles de azúcar en sangre de Amy, una niña de 15 años de edad diagnosticada de diabetes dependiente de insulina, aproximadamente 2 años antes del estudio. Las personas con este tipo de diabetes deben evitar la hipoglucemia (es decir, niveles bajos de azúcar en sangre), una condición que produce un conjunto de síntomas tales como dolores de cabeza, mareos, temblores, alteraciones de la visión y el aumento de la frecuencia cardíaca y que puede conducir a convulsiones y pérdida de conciencia. Debido a que los episodios de hipoglucemia son físicamente desagradables y que pueden ser una fuente de vergüenza social, algunos pacientes se comportan de forma hipervigilante para evitarlos comprobando con más frecuencia de lo necesario si los niveles de azúcar en sangre son bajos y manteniendo deliberadamente altos niveles de azúcar en sangre. Esto conduce a un pobre control metabólico y aumenta el riesgo de complicaciones tales como ceguera, insuficiencia renal y enfermedad cardíaca.

En casa los padres de Amy la ayudaban a vigilar sus niveles de azúcar en sangre y a aplicarse las inyecciones de insulina; en la escuela, Amy comprobaba sus niveles de azúcar en sangre de forma independiente. Su médico le había recomendado a Amy que mantuviese sus niveles de azúcar en sangre entre 75 y 150 mg/dl, lo que requería que se revisase sus niveles de azúcar en sangre entre 6 y 12 veces al día. Poco tiempo después de haber sido diagnosticada de diabetes, Amy experimentó un único episodio en el que su nivel de azúcar en sangre cayó a 40 mg/dl y experimentó los síntomas físicos, aunque no perdió la conciencia. Tras ese episodio, Amy comenzó a comprobar sus niveles de glucosa más y más a menudo hasta que en el momento de su derivación se estaba realizando de 80 a 90 controles por día, lo que suponía un gasto para sus padres de 600$ por semana en tiras reactivas de glucosa. Amy, además, mantenía sus niveles de glucosa en sangre entre 275 y 300 mg/dl, muy por encima de los niveles recomendados para un buen control metabólico.

Tras una condición de lineabase de 5 días, se comenzó un tratamiento en el que Amy y sus padres fueron expuestos a una cantidad progresivamente menor de información sobre sus niveles de glucosa en sangre. Durante un período de 9 meses los padres de Amy redujeron gradualmente el número de tiras de prueba que se le daban cada día, comenzando con 60 tiras durante la primera fase del tratamiento. Allen y Evans (2001) explicaban la condición de tratamiento y el método para cambiar el criterio como sigue:

> Los padres expresaban su temor a que, independientemente del nivel del criterio, Amy pudiera encontrarse en una situación en la que fuese necesaria una comprobación adicional. La preocupación sobre la adherencia al protocolo de exposición por parte de los padres resultó en un protocolo gradual en el que Amy podría ganar una pequeña cantidad adicional de tiras reactivas más allá de los límites establecidos por los padres. Podría ganar una tira reactiva adicional por cada media hora empleada en realizar tareas del hogar. Se le permitía a Amy ganar un máximo de cinco tiras adicionales por encima del criterio cuando el criterio era de 20 tiras reactivas o más y de dos tiras reactivas adicionales cuando el criterio se estableció por debajo de 20. El acceso a las tiras reactivas se redujo gradualmente, con los padres estableciendo los criterios a los que estaban dispuestos a adherirse. Los cambios de criterio eran contingentes a que Amy redujese con éxito el uso total de tiras de prueba por debajo del criterio durante 3 días consecutivos. (pág. 498)

La Figura 9.11 muestra los cambios de criterio y el número de veces que Amy vigilaba su nivel de glucosa en sangre durante los últimos 10 días de cada nivel de criterio. Los resultados muestran claramente que Amy respondió bien al tratamiento y que rara vez excedió el criterio. En el transcurso del programa de tratamiento de 9 meses, Amy redujo el número de veces en que vigilaba

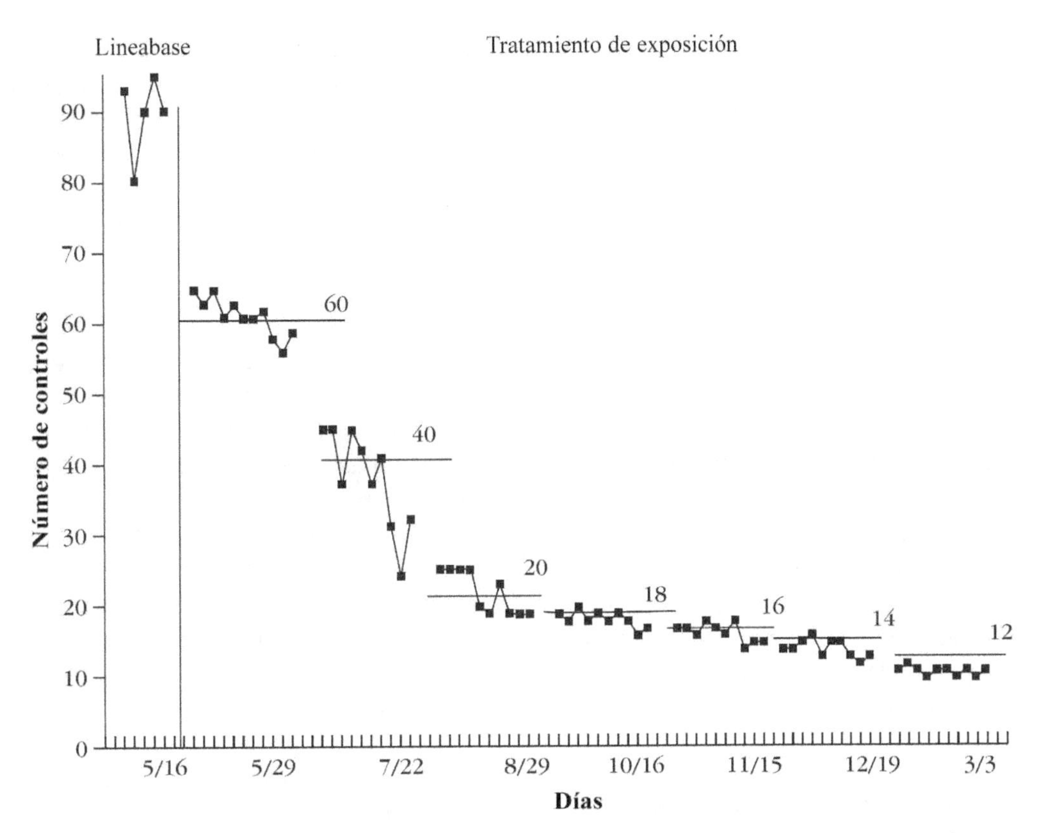

Figura 9.11 Un diseño de criterio cambiante que muestra el número de controles del nivel de glucosa en sangre realizados durante los últimos 10 días de cada nivel de criterio. Las líneas discontinuas y sus correspondientes números indican el máximo de tiras reactivas asignado en cada nivel. Los controles por encima de los niveles del criterio se realizaron con las tiras conseguidas por Amy.

Tomado de "Exposure-Based Treatment to Control Excessive Blood Glucose Monitoring" K.D.Allen and J.H.Evans, *2001, Journal of Applied Behavior Analysis, 12*, p. 499.

su azucar en sangre de entre 80 a 95 veces por día durante la lineabase a menos de 12 por día, un nivel que mantenía a los 3 meses de seguimiento. Los padres de Amy indicaron que no tenían intención de disminuir el criterio más. Una preocupación era que Amy pudiera mantener altos niveles de azúcar en sangre durante el tratamiento. Los autores informaron de que sus niveles de azúcar en sangre aumentaron inicialmente durante el tratamiento, pero disminuyeron gradualmente durante el programa de tratamiento a un rango de 125 a 175 mg/dl, lo que quedaba dentro o cerca del nivel recomendado.

Aunque la figura muestra solo los datos para los últimos 10 días de cada nivel del criterio, es probable que las fases variaran en longitud.[5] El estudio consistió en siete cambios de criterio de dos magnitudes, 20 y 2. Aunque una mayor variación en la magnitud de los cambios de criterio y la vuelta a un nivel más alto de criterio previamente alcanzado podría haber proporcionado una demostración más convincente de control experimental, los aspectos prácticos y éticos de haberlo hecho serían cuestionables. Como siempre, el analista aplicado de la conducta, debe equilibrar el interés experimental con la necesidad de mejorar la conducta de la forma más eficaz, eficiente y ética.

Este estudio ilustra muy bien la flexibilidad del diseño de criterio cambiante y es un buen ejemplo del trabajo conjunto entre los analistas de conducta y los clientes o usuarios. "Debido a que los padres se les permitió regular el alcance de cada cambio de criterio, la intervención fue bastante larga. Sin embargo, al permitir que los padres pudieran adaptar su propia exposición a niveles aceptables, la adherencia al procedimiento general se pudo mejorar." (Allen y Evans, 2001, pág. 500)

Directrices para el uso del diseño de criterio cambiante

La correcta implementación del diseño de criterio

[5]Los datos sobre el número de revisiones realizadas por Amy a lo largo de la intervención están disponibles en Allen y Evans (2001).

cambiante requiere la manipulación cuidadosa de tres factores del diseño: la longitud de las fases, la magnitud de los cambios de criterio y el número de cambios de criterio.

Extensión de las fases

Dado que cada fase del diseño de criterio cambiante sirve como lineabase para comparar los cambios medidos en la respuesta de la siguiente fase, cada fase debe ser lo suficientemente larga como para alcanzar estabilidad en la respuesta. "Cada fase del tratamiento debe ser lo suficientemente larga como para permitir que la tasa de una determinada conducta objetivo se estabilice en una tasa nueva y diferente; es la estabilidad tras realizar el cambio y previa a la introducción del siguiente cambio en el criterio, lo que es crucial para producir una demostración convincente de control" (Hartmann y Hall, 1976, p. 531). Las conductas objetivo que cambian más lentamente requieren, por tanto, fases más largas.

La extensión de las fases en un diseño de criterio cambiante debe variar considerablemente para incrementar la validez del diseño. Para que el control experimental sea evidente en este tipo de diseño, la conducta objetivo no solo debe cambiar al nivel requerido por el nuevo criterio de una manera predecible (preferiblemente de forma inmediata), sino que también debe adaptarse al nuevo criterio durante el tiempo que este se encuentre vigente. Cuando la conducta objetivo va alcanzando progresivamente criterios más exigentes que se mantienen por un tiempo determinado, se reduce la probabilidad de que los cambios observados en la conducta sean una función de otros factores diferentes a la variable independiente (p.ej., la maduración, el efecto de la práctica, etc.). En la mayoría de las situaciones el investigador no debería establecer de antemano un número predeterminado de sesiones durante las cuales cada nivel de criterio permanezca en vigor. Lo recomendable es que sean los datos los que guíen la decisión de si extender la extensión de una fase concreta o si introducir un nuevo criterio.

Magnitud de los cambios de criterio

Variar el tamaño de los cambios de criterio permite una demostración más convincente de control experimental. Cuando los cambios en la conducta objetivo no solo ocurren en el momento en el que se introduce un nuevo criterio, sino que también cambian en proporción al nivel especificado por el nuevo criterio, se fortalece la probabilidad de una relación funcional. En general, el cambio inmediato en una conducta objetivo para alcanzar un cuantioso cambio en el criterio es más impactante que un cambio en la conducta en respuesta a un cambio reducido en el criterio. Sin embargo, surgen dos problemas si los cambios en el criterio son demasiado vastos. Primero, dejando a un lado las consideraciones prácticas, y hablando desde el punto de vista del diseño, grandes cambios de criterio pueden impedir que se lleven a cabo un número suficiente de cambios (el tercer factor del diseño) debido a que el nivel final de rendimiento se alcanza antes. El segundo problema se plantea desde un punto de vista aplicado: los cambios de criterio no pueden ser tan extensos como para entrar en conflicto con las buenas prácticas instruccionales. Los cambios de criterio deben tener una dimensión tal como para ser apreciables, pero no tanto como para ser inalcanzables. Por lo tanto, la variabilidad de los datos en cada fase se debe tener en cuenta para la determinación del tamaño de los cambios de criterio. Se pueden emplear menores cambios en el criterio con niveles muy estables de respuestas, mientras que se requieren cambios de criterio de mayor tamaño para demostrar el cambio de conducta en presencia de alta variabilidad de los datos (Hartmann y Hall, 1976).

Cuando los analistas de conducta utilizan un diseño de criterio cambiante, deben evitar imponer límites artificiales a los niveles de respuesta que son posibles en cada fase. Un error evidente de este tipo sería proponer a un estudiante que resuelva solo cinco problemas de matemáticas cuando el criterio para el reforzamiento es de cinco problemas. Aunque el estudiante pudiera completar menos de cinco problemas, se ha eliminado la posibilidad de sobrepasar el criterio resultando, quizás, en un gráfico de aspecto impresionante, pero gravemente afectado por un procedimiento experimental pobre.

Número de cambios de criterio

En general, mientras más cambia la conducta objetivo para alcanzar el criterio, más convincente es la demostración de control experimental. Por ejemplo, ocho cambios de criterio, uno de los cuales era una reversion a un nivel anterior, fueron aplicados en el diseño de criterio cambiante ilustrado en la Figura 9.10, y Allen y Evans (2001) realizaron siete cambios de criterio (Figura 9.11). En ambos casos se produjo un número suficiente de cambios de criterio como para demostrar control experimental. Sin embargo, el experimentador no puede simplemente añadir un número cualquiera de cambios de criterio al diseño. El número de cambios de criterio que es posible dentro de un diseño de criterio cambiante se interrelaciona con la extension de las fases y la magnitud de los cambios de criterio. Fases más extensas implican que el tiempo necesario para completer el análisis aumenta; Con un tiempo limitado para realizar un estudio, mientras mayor sea el número de fases, más corta debe ser cada una.

Valoración de la conveniencia del diseño de criterio cambiante

El diseño de criterio cambiante es un complemento útil al conjunto de técnicas del analista de conducta para evaluar el cambio sistemático de la conducta. Al igual que el diseño de lineabase múltiple, no requiere retirar las mejoras de la conducta. Sin embargo, las reversiones parciales a los niveles anteriores de rendimiento mejoran la capacidad del diseño para demostrar el control experimental. A diferencia del diseño de lineabase múltiple, solo se requiere una conducta objetivo.

Varias características del diseño de criterio cambiante limitan su rango de aplicación. Se puede utilizar este diseño solo con conductas objetivo que ya están en el repertorio del sujeto y que se prestan a una modificación gradual. Sin embargo, esta no es una limitación tan grave como pudiera parecer. Por ejemplo, los estudiantes desempeñan muchas habilidades académicas en algún grado, pero no a una tasa útil. Muchas de estas habilidades (p.ej., resolver problemas de matemáticas, leer, etc.) son apropiadas para un análisis con un diseño de criterio cambiante. Permitir que los estudiantes progresen tan eficientemente como sea posible, mientras que alcanzan los requisitos del análisis de criterio cambiante puede ser especialmente difícil. Tawney y Gast (1984) señalaron que "el reto de identificar los niveles de criterio que permitan la demostración de control experimental, sin impedir las tasas óptimas de aprendizaje" es problemático con todos los diseños de criterio cambiante (pág. 298).

Aunque a veces se sugiere el diseño de criterio cambiante como técnica experimental para analizar los efectos de programas de moldeamiento, no es apropiado para este propósito. En el moldeamiento, una nueva conducta que no está en el repertorio de la persona se desarrolla mediante el reforzamiento de respuestas que alcanzan gradualmente un criterio cambiante, llamadas aproximaciones sucesivas hacia la conducta final (ver Capítulo 19). Sin embargo, los criterios de respuesta cambiantes empleados en el moldeamiento son de naturaleza topográfica, requiriendo diferentes formas de la conducta en cada nivel. Sin embargo, el diseño de sondeos múltiples (Horner y Baer, 1978), es un diseño apropiado para analizar un programa de moldeamiento porque cada criterio nuevo de respuesta (aproximación sucesiva) representa una clase de respuesta diferente cuya frecuencia de ocurrencia no es totalmente dependiente de la frecuencia de las conductas que alcanzan otros criterios del programa de moldeamiento. Por el contrario, el diseño de criterio cambiante es más adecuado para evaluar los efectos de las técnicas de instrucción sobre los cambios graduales en la tasa, frecuencia, precisión, duración o latencia de una única conducta objetivo.

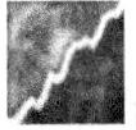

Resumen

Diseño de lineabase múltiple

1. En un diseño de lineabase múltiple se llevan a cabo medidas simultáneas de lineabase en dos o más conductas. Tras alcanzarse una respuesta estable de lineabase, se aplica la variable independiente a una de las conductas mientras la condición de lineabase permanece para las otras conductas. Tras observar un máximo de cambio en la primera conducta, la variable independiente se aplica, entonces, de modo secuencial a las otras conductas en el diseño.

2. En un diseño de lineabase múltiple el control experimental se demuestra a través de cada cambio en la conducta cuando, y solo cuando, se aplica la variable independiente.

3. El diseño de lineabase múltiple asume tres formas básicas: (a) diseño de linebase múltiple con varias conductas que consiste en dos o más conductas del mismo sujeto; (b) el diseño de lineabase múltiple con varios contextos que consiste en la misma conducta del mismo sujeto en dos o

4. más contextos diferentes; y (c) el diseño de lineabase múltiple con varios sujetos que consiste en la misma conducta de dos o más participantes diferentes.

Variaciones del diseño de lineabase múltiple

5. El diseño de sondeos múltiples es eficaz para evaluar los efectos del entrenamiento en una secuencia (o cadena) de habilidades en la que es muy poco probable que la ejecución del sujeto en los últimos pasos de la secuencia pueda mejorar sin que se le hayan enseñado, o domine, las etapas iniciales de la cadena. El diseño de sondeos múltiples también es apropiado en aquellas situaciones en las que las medidas prolongadas de lineabase puedan dar lugar a reactividad, sean poco prácticas o muy costosas.

6. En un diseño de sondeos múltiples, las mediciones intermitentes o sondeos, se llevan a cabo en todas las conductas del diseño al comienzo del experimento.Después los sondeos se realizan cada vez que el sujeto ha conseguido dominar una de las conductas o habilidades de

la secuencia. Justo antes de la enseñanza de cada conducta, se toman una serie de medidas de lineabase hasta que se logra una estabilidad de los datos.

7. El diseño de lineabase múltiple demorado proporciona una técnica analítica en aquellas situaciones en las que: (a) un diseño de reversión previamente planeado no es en determinado momento deseable o posible; (b) los recursos limitados impiden que se emplee un diseño de lineabase múltiple convencional; o (c) comienza a estar accesible una nueva conducta, contexto o sujeto.

8. En un diseño de lineabase múltiple demorado, las mediciones de las líneas base de las siguientes conductas comienzan en algún momento después de que se midan las líneas base de las conductas anteriores en el diseño. Únicamente puede utilizarse para verificar las predicciones realizadas para las primeras conductas las líneas base que se empiezan a medir mientras las conductas anteriores en el diseño permanecen bajo las condiciones de lineabase.

9. Las limitaciones del diseño de lineabase múltiple demorado incluyen (a) tener que esperar demasiado tiempo para modificar ciertas conductas, (b) una tendencia de las fases de líneas base a contener demasiado pocos datos y (c) el hecho de que las líneas base comiencen después de que la variable independiente se haya aplicado a las conductas previas en el diseño puede enmascarar la interdependencia (covariación) de conductas.

Supuestos y directrices para el uso de los diseños de lineabase múltiple

10. Las conductas incluidas en un diseño de lineabase múltiple deben ser funcionalmente independientes unas de otras (es decir, no deben covariar) y deben tener la misma probabilidad de cambiar cuando la variable independiente se les aplica.

11. Las conductas seleccionadas en un diseño de lineabase múltiple deben medirse de forma concurrente y deben tener la misma oportunidad de ser influidas por el mismo conjunto de variables relevantes.

12. En un diseño de lineabase múltiple, la variable independiente no debe aplicarse a la siguiente conducta hasta que la conducta previa haya cambiado al máximo y haya transcurrido un período de tiempo suficiente como para detectar cualquier efecto sobre las conductas que aún permanecen en la condición de lineabase.

13. Las longitudes de las fases en la condición de lineabase para las diferentes conductas dentro de un diseño de lineabase múltiple deben variar significativamente.

14. En igualdad de condiciones, la variable independiente debe aplicarse en primer lugar a la conducta que muestra un nivel más estable de respuesta en la lineabase.

15. La realización de una fase de reversión en uno o más niveles de un diseño de lineabase múltiple puede fortalecer la demostración de una relación funcional.

Valoración de la conveniencia de los diseños de lineabase múltiple

16. Las ventajas del diseño de lineabase múltiple incluyen el hecho de que (a) no requiere la retirada de un tratamiento aparentemente efectivo, (b) la implementación secuencial de la variable independiente se adapta a tanto a la práctica profesional de los maestro como a la de muchos clínicos cuya tarea es modificar múltiples conductas en diferentes contextos y sujetos, (c) las medidas concurrentes de múltiples conductas permiten un seguimiento directo de la generalización del cambio de conducta y (d) este diseño es relativamente sencillo de conceptualizar e implementar.

17. Las limitaciones del diseño de lineabase múltiple incluyen el hecho de que (a) si dos o más conductas en este diseño covarían, el diseño puede no demostrar una relación funcional que exista; (b) debido a que la verificación se puede inferir de la ausencia de cambio en otras conductas, el diseño de lineabase múltiple es inherentemente más débil que el diseño de reversión a la hora de mostrar control experimental entre la variable independiente y una conducta dada; (c) el diseño de lineabase múltiple es más una evaluación de la eficacia general de la variable independiente que un análisis de las conductas involucradas en el diseño y (d) llevar a cabo un experimento mediante un diseño de lineabase múltiple requiere un tiempo y unos recursos considerables.

Diseño de criterio cambiante

18. El diseño de criterio cambiante se emplea para evaluar los efectos de un tratamiento en la mejora gradual o por etapas de una conducta que ya está en el repertorio del sujeto.

19. Una vez alcanzado un nivel de respuesta estable en la lineabase, comienza la primera fase de tratamiento en la que se aplica reforzamiento (o castigo) generalmente de forma contingente al rendimiento del sujeto a un nivel específico (criterio). Este diseño implica una serie de fases de tratamiento, cada una de las cuales requiere una mejora en el nivel de rendimiento con respecto a las fases previas. En el diseño de criterio cambiante el control experimental se demuestra cuando la conducta del sujeto se ajusta estrechamente a los criterios que se modifican gradualmente.

20. Tres características se combinan para determinar el potencial del diseño de criterio cambiante a la hora de demostrar el control experimental: (a) la longitud de las fases, (b) la magnitud de los cambios de criterio y (c) el número de cambios de criterio. La credibilidad del diseño de criterio cambiante se ve fortalecida si se restablece un criterio anterior y la conducta del sujeto torna al nivel observado con anterioridad en virtud de ese criterio.

Valoración de la conveniencia del diseño de criterio cambiante

21. Las principales ventajas del diseño de criterio cambiante son que (a) no requiere la retirada o reversión de un tratamiento aparentemente efectivo y (b) que permite un análisis experimental dentro del contexto en el que una conducta mejora gradualmente complementando, así, la práctica de numerosos docentes.

22. Las limitaciones del diseño de criterio cambiante son que la conducta objetivo debe estar ya presente en el repertorio del sujeto y que incorporar las características necesarias del diseño puede impedir que se alcancen tasas óptimas de aprendizaje.

CAPÍTULO 10

Planificación y evaluación de la investigación en análisis aplicado de la conducta

Términos clave

Análisis de componentes
Doble ciego
Control mediante placebo
Deriva del tratamiento
Error tipo I
Error tipo II
Integridad del tratamiento
Replicación
Replicación directa
Replicación sistemática

Behavior Analyst Certification Board® BCBA®, BCBA-D®, BCaBA®, RBT® Lista de tareas para analistas de conducta (cuarta edición).

B.	Habilidades analítico-conductuales básicas: diseño experimental
B-03	Manipular variables independientes a fin de demostrar sus efectos en variables dependientes.
B-10	Realizar un análisis de componentes (p.ej., determinar los componentes efectivos de un paquete de intervención).
K.	**Responsabilidad para con el cliente: aplicación, gestión y supervisión**
K-05	Diseñar y usar sistemas para monitorizar la integridad del tratamiento.

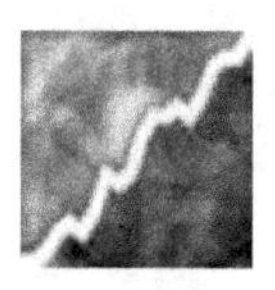

En los capítulos anteriores hemos señalado los aspectos a tener en cuenta y los procedimientos para seleccionar las conductas objetivo, así como las estrategias detalladas para diseñar sistemas de medición, también hemos presentado directrices para exponer e interpretar los datos conductuales, y hemos descrito las estrategias experimentales para mostrar si los cambios observados en la conducta de interés pueden ser atribuidos a la intervención. Este capítulo completa la información descrita hasta el momento, examinando cuestiones y aspectos que se deben tener en cuenta cuando se diseña, se replica y se evalúa la investigación conductual. Comenzaremos repasando el papel central que tiene el sujeto individual en la investigación conductual. Posteriormente, seguiremos con una discusión sobre el valor y la importancia de la flexibilidad en del diseño experimental.

La importancia del sujeto individual en la investigación conductual

Para lograr la eficacia máxima, los métodos de investigación de cualquier ciencia deben respetar las características definitorias del objeto de estudio de dicha ciencia. El análisis de conducta (una ciencia dedicada a descubrir y entender las variables que controlan la conducta) define su objeto de estudio como la actividad de los organismos vivos; un fenómeno dinámico que ocurre al nivel del organismo individual. Por lo tanto, los métodos de investigación que son utilizados con más frecuencia por los analistas de conducta ofrecen la medición repetida de la conducta de organismos individuales (el único lugar, por definición, donde se puede encontrar la conducta). Este énfasis en la conducta de sujetos individuales ha permitido que los analistas de conducta descubran y mejoren las intervenciones eficaces para un amplio rango de conductas socialmente relevantes.

Para profundizar en la importancia que tiene este énfasis en el individuo para el análisis aplicado de la conducta, lo contrastaremos con un modelo de investigación que gira en torno a la comparación de datos que representan las medidas agregadas de diferentes grupos de sujetos. Esta aproximación al diseño y la evaluación de experimentos basada en la comparación grupal ha predominado en "la investigación conductual" que se ha llevado a cabo en los ámbitos de la psicología, la educación y otras ciencias sociales durante varias décadas.

Breve resumen de un experimento de comparación grupal

El formato básico de la experimentación de comparación grupal se describe a continuación.[1] Se selecciona de manera aleatoria una muestra de sujetos (p.ej., sesenta alumnos de primer grado que aún no han aprendido a leer) entre una población (p. ej., todos los alumnos de primer grado de una zona escolar, que aún no sepan leer) que sea relevante para la pregunta de investigación. (p.ej., ¿El programa de fonética intensiva XYZ ayudará a los alumnos de primer grado que aún no saben leer a mejorar su capacidad para decodificar un texto impredecible?). Los alumnos son divididos de manera aleatoria en dos grupos: el grupo experimental y el grupo control. Se obtiene una medida inicial (pre-test) de la variable dependiente (por ejemplo, la puntuación en un examen de habilidades de decodificación) de todos los sujetos, después se combinan las puntuaciones individuales obtenidas por los sujetos de cada grupo, y se obtiene el promedio y la desviación estándar de las puntuaciones de cada grupo en el pre-test. A continuación los sujetos del grupo experimental son expuestos a la variable independiente (p. ej., 6 semanas del programa XYZ), que no se les administra a los sujetos del grupo control. Después de que se haya completado el programa de tratamiento, se obtiene una medida post-test de la variable dependiente para todos los sujetos a partir de la cual se calcula el promedio y la deviación estándar de las puntuaciones post-test para cada grupo.[2] El investigador, entonces, compara cualquier cambio obtenido entre las puntuaciones pre-test y post-test de cada grupo, aplicando pruebas estadísticas a los datos que le permitan hacer inferencias sobre la probabilidad de que las diferencias entre el desempeño de los grupos pueda atribuirse a la variable independiente. Por ejemplo, suponiendo que las medias de las puntuaciones del pre-test hayan sido similares para los dos grupos, y que los datos post-test indiquen una mejoría en la puntuación media del grupo experimental, pero no del grupo control, los análisis estadísticos indicarían la probabilidad matemática de que esas diferencias hayan sido obtenidas al azar. Cuando una

---

[1] Este resumen breve de la forma más simple de diseño de comparación grupal omite información y detalles importantes. Los lectores interesados en una explicación más completa y en ejemplos de métodos de investigación grupal deberían consultar fuentes especializadas y reconocidas como el texto de Campbell y Stanley (1966).

[2] Quizás en parte porque el investigador debe poner atención a "las demandas logísticas del manejo de un batallón de sujetos" (Johnston y Pennypacker, 1980, pág. 256), los diseños de grupos se caracterizan por tener pocas medidas de la variable dependiente (con frecuencia, solo dos medidas: pre-test y post-test).

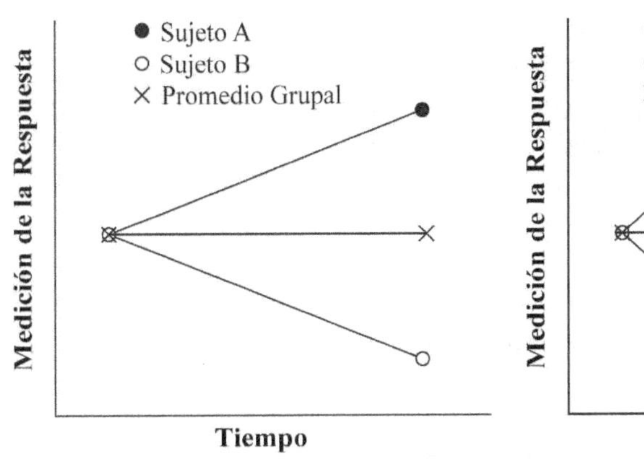

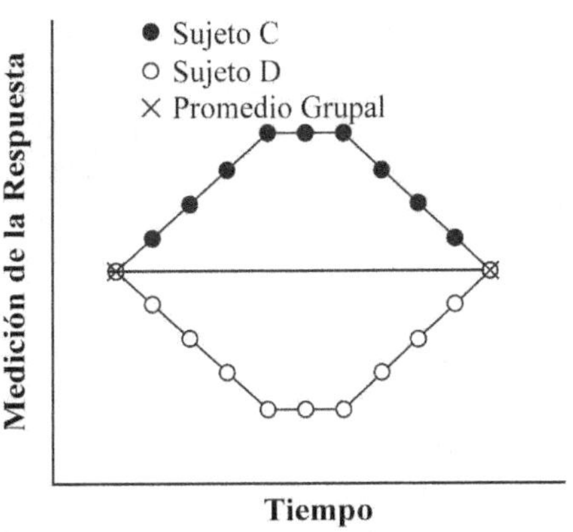

Figura 10.1 Datos hipotéticos que muestran que la ejecución promedio de un grupo de sujetos puede no representar la conducta de un sujeto.

prueba estadística excluye el azar como factor probable, el investigador infiere que la variable independiente es la responsable de los efectos observados sobre la variable dependiente (p. ej., la mejoría de la puntuación media del grupo experimental desde el pre-test al post-test).

Los investigadores que combinan y comparan medidas de grupos de sujetos de esta manera, lo hacen por dos razones principales, que fueron tratadas en el Capítulo 7. En primer lugar, los defensores de los diseños de grupos suponen que promediar las medidas del desempeño de muchos sujetos permite controlar la variabilidad entre sujetos; por lo tanto, suponen que cualquier cambio en el desempeño es un efecto de la variable independiente. La segunda razón fundamental por la cual se usan grupos grandes de sujetos es la suposición de que al incrementar la cantidad de sujetos se incrementa la validez externa de los resultados del estudio. En otras palabras, si una variable del tratamiento es eficaz con los sujetos del grupo experimental lo será, de igual manera, con otros sujetos de la población de la que se extrajo la muestra. La suposición de que la generalidad de resultados se incrementa será discutida más delante en el capítulo, en la sección de replicación. En la siguiente sección, comentaremos la primera razón para el uso de grupos de sujetos (la suposición de que controla la variabilidad entre sujetos). Nuestra discusión identifica tres fuentes de preocupación básicas respecto a los diseños de comparación grupal típicos, que están muy relacionadas con el razonamiento experimental.[3]

[3]El objetivo de este texto no es abordar en profundidad los problemas derivados de la mezcla de datos que provienen de muchos sujetos. Sugerimos a los estudiantes que deseen obtener una comprensión más completa de esta importante cuestión que lean los textos de Johnston y Pennypacker (1980, 1993b), y de Sidman (1960).

Los datos grupales no son representativos del desempeño de sujetos individuales

Por definición, el análisis aplicado de la conducta se ocupa de la mejoría de la conducta del individuo. Conocer un cambio en el desempeño promedio de un grupo de sujetos no releva nada sobre el desempeño individual. Es posible que el desempeño promedio de los sujetos del grupo experimental haya mejorado, mientras que desempeño de algunos sujetos no haya cambiado y el de otros incluso se haya deteriorado. Es igualmente posible que la mayoría de los sujetos no hayan mejorado, que algunos hayan empeorado, y que unos pocos hayan mejorado lo suficiente como para generar una mejoría promedio general que sea estadísticamente significativa.

En defensa del enfoque de comparación grupal, se podría decir que sirve para mostrar que un tratamiento es generalmente eficaz, que ningún tratamiento funciona para todos, que las personas responden de manera diferente, etc. Pero, el hecho de que el desempeño promedio de un grupo mejore con determinado tratamiento no es razón suficiente para adoptarlo, particularmente para aquellas personas que están sumamente necesitadas de ayuda académica, social, o respecto a otro tipo de cuestiones conductuales. La eficacia general es insuficiente; es necesario descubrir cuáles son los factores responsables de la mejoría en el desempeño de unos y de la falta de mejoría de otros. Para que un tratamiento sea máximamente útil, es necesario entenderlo al nivel en el que la gente tiene contacto con él y se ve afectada por él; es decir, a nivel individual.

Los gráficos de la Figura 10.1 ilustran algunas de las falsas conclusiones a las que se puede llegar cuando las interpretaciones que un investigador hace de un estudio están basadas en las puntuaciones grupales medias. Cada gráfico presenta datos hipotéticos del desempeño individual y el promedio grupal de dos grupos, de dos sujetos cada uno. Los datos muestran que no hubo ningún cambio en la media de la respuesta desde el pre-test hasta el post-test, en ninguno de los grupos. Los datos grupales del pre-test y el post-test en ambos gráficos de la Figura 10.1 sugerirían que la variable independiente no tuvo ningún efecto sobre la conducta de los sujetos. Sin embargo, el gráfico de la izquierda muestra que el desempeño del Sujeto A mejoró entre el pre-test y el post-test, mientras que el del Sujeto B se deterioró en el mismo período de tiempo[4]. El gráfico de la derecha muestra que a pesar de que las medidas de pre-test y post-test del Sujeto C y el Sujeto D son idénticas, si se hubieran obtenido medidas repetidas de la conducta de ambos sujetos entre el pre-test y el post-test, se hubiera detectado la variabilidad entre e intrasujeto.

Los datos grupales enmascaran la variabilidad de los datos

Otro problema asociado al desempeño promedio de un grupo de sujetos es que esconde la variabilidad de los datos. Incluso si se hubieran obtenido medidas repetidas de la conducta del Sujeto C y del Sujeto D entre el pre-test y el post-test tal como se muestra en la Figura 10.1, un investigador que confiara en el desempeño promedio del grupo como principal indicador del cambio de conducta no sabría que dicha conducta presentó variabilidad, tanto entre sujetos, como intrasujeto.

Cuando las medidas repetidas revelan niveles significativos de variabilidad, es necesario implementar una búsqueda experimental con el objetivo de identificar y controlar los factores responsables de dicha variabilidad. La creencia común de que los efectos de las variables que no están controladas en un estudio pueden ser, de alguna manera, controladas mediante manipulaciones estadísticas de la variable dependiente, es falsa.

> El control estadístico jamás sustituye al control experimental… La única manera de determinar si las variables no controladas influyen o no sobre los datos, es inspeccionar los datos de la manera más detallada, y al nivel más básico posible. Generalmente, esto significa un análisis dato a dato respecto a cada sujeto. No se consigue nada al combinar los datos estadísticamente para esconder esos efectos. (Johnston y Pennypacker, 1980, pág. 371).

> En lugar de controlar las fuentes de variabilidad antes del hecho, el enfoque de comparación grupal enfatiza su control estadístico, después del hecho. Estas dos tácticas no tienen los mismos efectos en la base de datos. Mientras que los esfuerzos para controlar la variabilidad real resultan en un mejor control de las respuestas, y por tanto en una imagen más clara de los efectos de cada condición, la manipulación estadística de los datos variables no puede eliminar los efectos que ya están presentes en estos. (Johnston y Pennypacker, 1993b, pág. 184).

El intento de anular la variabilidad a través de la manipulación estadística ni elimina dicha variabilidad de los datos ni controla las variables responsables de ella. El investigador que atribuye los efectos de variables no controladas o desconocidas al azar, se aleja aún más de la posibilidad de identificar y analizar las variables importantes. En su gran trabajo, *Tácticas de Investigación Científica,* Sidman (1960) trató repetida y vehementemente esta cuestión tan crucial.

> Para algunos investigadores, el azar es simplemente el nombre de los efectos combinados de las variables no controladas. Si esas variables pueden, de hecho, ser controladas, entonces el azar, en este sentido, es solamente una excusa para llevar a cabo investigación poco rigurosa. No hacen falta más comentarios. Si las variables no controladas son, en realidad, variables desconocidas, entonces, el azar es, como ya ha señalado Boring (1941), un sinónimo de ignorancia… Uno de los aspectos más desalentadores y a la vez más desafiantes de la ciencia de la conducta es la sensibilidad de la conducta a una amplia diversidad de variables. Pero las variables no pueden anularse, simplemente son enterradas para que no puedan verse. La razón fundamental para la inmovilización estadística de las variables no deseadas se basa en la idea de que son de naturaleza aleatoria. La suposición de la aleatoriedad de las variables no controladas, no solo no ha sido probada, sino que además es muy improbable. Hay pocos, si es que los hay, fenómenos aleatorios en el mundo conductual. (págs. 45, 162-163).

Sidman (1960) también se expresó respecto a la manera en que los investigadores hacen uso de la estadística para intentar manejar los efectos de secuencia problemáticos.

> Tiene un truco debajo de la manga. Al promediar juntos los datos de ambos sujetos en la Condición A y, de nuevo en la Condición B, se "anulan" los efectos de orden. De esa manera, se evita completamente el problema de irreversibilidad. Con una operación simple de aritmética, dos sujetos se han convertido en uno, y una variable ha sido eliminada.

[4] Los datos del post-test en el gráfico de la izquierda de la Figura 10.1 recuerdan al hombre que tenía los pies metidos en un cubo con hielo mientras que su cabeza ardía. Cuando se le preguntó cómo se sentía, el hombre, respondió: "Como media, me siento bien".

> Sin embargo, la variable no ha desaparecido. Puede ser que los números hayan desaparecido al sumarlos y restarlos. Cinco manzanas menos tres manzanas son dos manzanas. Los números cambian fácilmente con unos cuantos trazos del bolígrafo. Sin embargo, alguien se tiene que comerse las manzanas antes de que desaparezcan (pág. 250).

"Comerse" las manzanas para controlar los efectos de cualquier variable puede conseguirse solamente de dos maneras: (a) manteniendo la variable constante a lo largo del experimento, o (b) aislando el factor sospechoso como variable independiente y manipulando su presencia, ausencia, y valor durante el experimento.

No se da replicación intrasujeto a partir de los diseños grupales

La tercera debilidad del modelo de investigación que usa la estadística inferencial para comparar grupos es que se pierde el poder de replicar efectos en los sujetos individuales. Una de las fortalezas más importantes de los diseños experimentales intrasujeto es que pueden demonstrar convincentemente que existe una relación funcional mediante la replicación dentro del propio diseño. Aunque la investigación en análisis aplicado de la conducta frecuentemente incluye la participación de varios sujetos, cada sujeto es considerado como un experimento separado. Aunque los analistas de conducta suelen mostrar y describir los datos de todos los sujetos como grupo, la definición y la interpretación de los efectos experimentales se basan en los datos de cada sujeto individual. Los analistas de conducta deben prestar atención al consejo de Johnston y Pennypacker (1980): "Un efecto que aparece solamente después de que los datos individuales hayan sido combinados es probablemente un artefacto y no representa ningún proceso conductual real" (pág. 257).

Esto no significa que el desempeño general de un grupo de sujetos no pueda o no deba ser estudiado con las estrategias y técnicas del análisis aplicado de la conducta. Existen muchas situaciones aplicadas en las que el desempeño general de un grupo tiene importancia social. Por ejemplo, Brothers, Krantz y McClannahan (1994) evaluaron una intervención, cuyo objetivo era incrementar el número kilos de papel de oficina que 25 empleados reciclaban en una escuela. Sin embargo, es importante recordar que los datos de un grupo no pueden representar el desempeño individual de los participantes como individuos. Por ejemplo, Lloyd, Eberhardt y Drake (1996) compararon los efectos de las contingencias de reforzamiento grupales frente a las individuales (en el contexto de las condiciones de estudio colaborativo grupal) sobre las puntuaciones en los exámenes de los alumnos de una clase de español. Los resultados mostraron que las contingencias grupales generaron mejores puntuaciones medias para todo el grupo en comparación con la condición de contingencias individuales. Sin embargo, los beneficios generales a nivel grupal se vieron mitigados debido a los resultados diferenciales de los estudiantes individuales. Cuando los resultados grupales no representan a los desempeños individuales, los investigadores deben complementar los datos grupales con los individuales, preferiblemente de manera gráfica (p. ej., Lloyd et al., 1996; Ryan y Hemmes, 2005).

Sin embargo, en algunas ocasiones el analista de conducta no tendrá la posibilidad de controlar el acceso de los sujetos a la situación experimental y a las contingencias, o ni siquiera de identificar quiénes son los sujetos (p. ej. Van Houten y Malenfant, 2004; Watson, 1996). En ese caso, la variable dependiente debe de consistir en todas las respuestas emitidas por los individuos que tienen contacto con la situación experimental. Este enfoque es usado con frecuencia en la investigación analítico conductual basada en la comunidad. Por ejemplo, se han reunido y analizado datos grupales en variables dependientes tales como el control de la basura en un campus universitario (Bacon-Prue, Blount, Pickering, y Drabman, 1980), el uso compartido del automóvil en estudiantes universitarios (Jacobs, Fairbanks, Poche, y Bailey, 1982), el seguimiento de los conductores de las señales de tráfico (Van Houten y Malenfant, 2004), el uso del cinturones de seguridad infantiles en los carritos del supermercados (Barker, Bailey, y Lee, 2004) y la reducción de pintadas en las paredes de los aseos públicos (Watson, 1996).

La importancia de la flexibilidad en el diseño experimental

Un diseño experimental eficaz es cualquier combinación del tipo y la secuencia de las manipulaciones de la variable independiente que produzca datos que sean interesantes y convincentes para el investigador y su audiencia. En este contexto, el concepto *diseño* es particularmente apropiado; el investigador conductual eficaz debe *diseñar* activamente cada experimento de manera cumpla su *diseño* único. No hay diseños experimentales prefabricados entre los cuales se pueda seleccionar uno. Los prototipos de diseño que se presentaron en los últimos dos capítulos son ejemplos de técnicas analíticas que permiten una forma de razonamiento y control experimental que se ha mostrado eficaz para el avance en nuestra compresión de un amplio rango de fenómenos de interés para los analistas aplicados de la conducta. Johnston y Pennypacker (1980, 1993a) han sido claros y consistentes al decir que "la sospecha que algunas personas tienen acerca de la existencia de tipos de diseños experimentales genéricos que deben ser cultivados" se opone a la práctica de una ciencia de la conducta.

> Con el fin de explicar cómo diseñar e interpretar las comparaciones intrasujeto, es tentador desarrollar categorías de disposiciones o diseños. Casi siempre, esto requiere asignar un nombre a cada categoría, lo que sugiere que dichas categorías son esencialmente diferentes unas de otras (1993a, pág. 267).
>
> La necesidad de crear comparaciones útiles no puede ser reducida a un libro de cocina con reglas simples ni formulas.... Esto confunde a algunos estudiantes, al sugerir que los distintos tipos de disposiciones tienen funciones específicas y al fracasar en animarlos a comprender los aspectos subyacentes que abren paso a opciones experimentales ilimitadas. (1993[a], pág. 285)

Sidman (1960) fue incluso más firme en su advertencia respecto a los efectos no deseados que puede tener el que un investigador se adhiera a la creencia de que existen una serie de reglas del diseño experimental.

> Es posible que se crea que los ejemplos constituyen una serie de reglas que deben ser seguidas cuando se diseña un experimento. Considero firmemente que esta creencia podría ser desastrosa. Sería posible decir que cada regla tiene una excepción; sin embargo, además de una frase desgastada, no es lo suficientemente firme. Tampoco se es lo suficientemente firme cuando se dice relajadamente que las reglas del diseño experimental son flexibles, y que deben ser seguidas solo cuando sea apropiado. El hecho es que *no hay reglas de diseño experimental* (pág. 214).

Estamos de acuerdo con Sidman. El estudiante de análisis aplicado de la conducta no debe creer que las técnicas analíticas descritas en los Capítulos 8 y 9 constituyen diseños experimentales[5] por sí mismas. Aun así, creemos que presentar algunas de las técnicas analíticas más comunes, como lo hicimos en los Capítulos 8 y 9, es útil, por dos razones. En primer lugar, la inmensa mayoría de estudios que han impulsado el campo del análisis aplicado de la conducta han usado diseños experimentales que incorporaron una o más de esas técnicas analíticas. En segundo lugar, creemos que el estudiante principiante de análisis aplicado de la conducta se beneficia ampliamente de una presentación de ejemplos específicos de técnicas experimentales aisladas y de su aplicación; es el primer paso para aprender los supuestos y principios estratégicos que guían la selección y la composición de las técnicas analíticas para convertirse en un diseño experimental que responda las preguntas de investigación de manera eficaz y convincente.

Diseños experimentales que combinan técnicas analíticas

La combinación de técnicas de lineabase múltiple y de reversión puede permitir una demostración más convincente del control experimental que cualquiera de ellas por separado. Por ejemplo, al eliminar la variable del tratamiento (regresando a la lineabase) y volver a aplicarla en uno o más niveles de un diseño de lineabase múltiple, los investigadores son capaces de determinar la existencia de una relación funcional entre la variable independiente y cada una de las conductas, contextos, o sujetos del elemento de la lineabase múltiple, a la vez que analizan la eficacia de la variable independiente a través de los niveles (p.ej., Alexander, 1985; Ahearn, 2003; Barker, Bailey, y Lee, 2004; Blew, Schwartz, y Luce, 1985; Bowers, Woods, Carlyon, y Friman, 2000; Heward y Eachus, 1979; Miller y Kelley, 1994 [ver Figura 26.3]; Zhou, Goff, y Iwata, 2000).

Para contestar las preguntas de investigación, con frecuencia, los investigadores preparan diseños experimentales que combinan varias técnicas analíticas. Por ejemplo, es común que los investigadores evalúen varios tratamientos a la vez, aplicando cada uno de ellos de manera secuencial, en forma de lineabase múltiple (p.ej., Bay-Hinitz, Peterson, y Quilitch, 1994; Iwata, Pace, Cowdery, y Miltenberger, 1994; Van Houten, Malenfant, y Rolider, 1985; Wahler y Fox, 1980; Yeaton y Bailey, 1983). Los diseños experimentales que combinan técnicas de lineabase múltiple, de reversión y de tratamientos alternantes también pueden establecer una base para comparar los efectos de dos o más variables independientes o para realizar un **análisis de componentes** de los elementos de un paquete de tratamiento. Por ejemplo, los diseños experimentales empleados por L.J. Cooper y sus colaboradores (1995) usaban comparaciones de tratamientos alternantes dentro de una secuencia de múltiples reversiones del tratamiento

---

[5] Las técnicas analíticas que se presentaron en los Capítulos 8 y 9 no deben considerarse exclusivamente como diseños experimentales por otra razón: todos los experimentos incorporan elementos de diseños, además del tipo y la secuencia de las manipulaciones de la variable independiente (p.ej., sujetos, contexto, variable dependiente, sistema de medición, etc.).

para identificar las variables activas en paquetes de tratamiento para niños con trastornos alimenticios.

Haring y Kennedy (1990) usaron una técnica de lineabase múltiple con varios contextos y de reversión en su diseño experimental para comparar la eficacia del tiempo fuera y del reforzamiento diferencial de otras conductas (RDO) sobre la frecuencia de problemas de conducta de dos estudiantes de secundaria con discapacidades severas (ver Figura 10.2) [6] . Con frecuencia, Sandra y Raff emitían conductas repetitivas y estereotipadas que resultaban problemáticas (p.ej., balancearse, emitir vocalizaciones muy altas, aletear, escupir) e interferían con las actividades del aula y de la comunidad. Además de evaluar los efectos del tiempo fuera y del RDO en comparación con una lineabase sin tratamiento, el diseño experimental también les permitió a los investigadores realizar dos comparaciones de los efectos relativos de cada tratamiento durante una tarea académica y en un contexto de descanso. Con este diseño, Haring y Kennedy hallaron que el tiempo fuera y el RDO producían resultados diferentes dependiendo del contexto de actividades en el que eran aplicados. Para ambos estudiantes, el RDO fue más eficaz que el tiempo fuera para reducir los problemas de conducta en el período de trabajo; mientras que se obtuvo el resultado opuesto en el período de descanso, en el que el tiempo fuera eliminó los problemas de conducta y el RDO no fue eficaz.

Los investigadores también han incorporado tratamientos alternantes en diseños que contienen elementos de lineabase múltiple. Por ejemplo, Ahearn, Kerwin, Eicher, Shantz y Swearingin (1996) evaluaron los efectos relativos de dos tratamientos para el rechazo de la comida en un diseño de tratamientos alternantes que se implementó usando un formato de lineabase múltiple con varios sujetos. De igual manera, McGee, Krantz, y McClannahan (1985) evaluaron los efectos de varios procedimientos para enseñar lenguaje a niños autistas usando un diseño experimental que incorporaba tratamientos alternantes dentro de una lineabase múltiple con varias conductas, que era a su vez, incorporado en un formato de lineabase múltiple con varios sujetos. Zanolli y Daggett (1998) investigaron los efectos de la tasa de reforzamiento sobre las interacciones sociales espontáneas de niños retraídos socialmente con un diseño experimental que consistía en una lineabase múltiple, tratamientos alternantes y técnicas de reversión.

La Figura 10.3 muestra cómo Sisson y Barrett (1984) incorporaron un componente de sondeos múltiples con varias conductas, un análisis de tratamientos alternantes, y un elemento de lineabase múltiple con varias conductas en un diseño que comparaba los efectos de dos procedimientos para enseñar lenguaje. Este diseño permitió a los investigadores comprobar la superioridad del método de comunicación total para estos dos niños, y el hecho de que la aplicación directa del tratamiento era necesaria para que se diera el aprendizaje de oraciones específicas. Los resultados de un tercer sujeto revelaron una relación funcional de la misma forma y en la misma dirección que la que se encontró en los niños cuyos resultados se muestran en la Figura 10.3, pero no tan fuertemente a favor del procedimiento de comunicación total.

Nuestra intención al describir varios experimentos que combinaron técnicas analíticas no es ofrecer ninguno de estos ejemplos como diseños modelo. Los presentamos, en cambio, como ilustraciones del número infinito de diseños experimentales posibles mediante la disposición de diferentes combinaciones y secuencias de manipulaciones de la variable independiente. En cada ejemplo los diseños experimentales más eficaces (es decir, convincentes) son aquellos que usan la evaluación continua de los datos de los sujetos individuales como base para emplear los tres elementos de la lógica de lineabase: predicción, verificación y replicación.

Validez interna: control de las fuentes potenciales de confusión en el diseño experimental

Un experimento es interesante, convincente y aporta información que puede ser máximamente útil desde el punto de vista aplicado, cuando aporta una demonstración clara, y sin ambigüedades, de que la variable independiente fue responsable, por sí sola, del cambio de conducta observado. Se considera que los experimentos que muestran una relación funcional clara tienen un alto nivel de validez interna. La fortaleza de un diseño experimental está determinada por el grado en el cual (a) demuestra un efecto fiable (es decir, la manipulación repetida de la variable independiente produce un patrón consistente de cambio en la conducta) y (b) elimina o reduce la posibilidad de que otros factores, aparte de la variable independiente, hayan producido el cambio de conducta (es decir, controla las variables de confusión).

Cuando se usa el término *control experimental*, que se suele usar para indicar que el investigador puede reproducir fiablemente un cambio específico de conducta al manipular la variable independiente, queda implícita la idea de que el investigador controla la conducta del

[6] Las técnicas de tiempo fuera y reforzamiento diferencial de otras conductas se explican en los Capítulos 15 y 22, respectivamente.

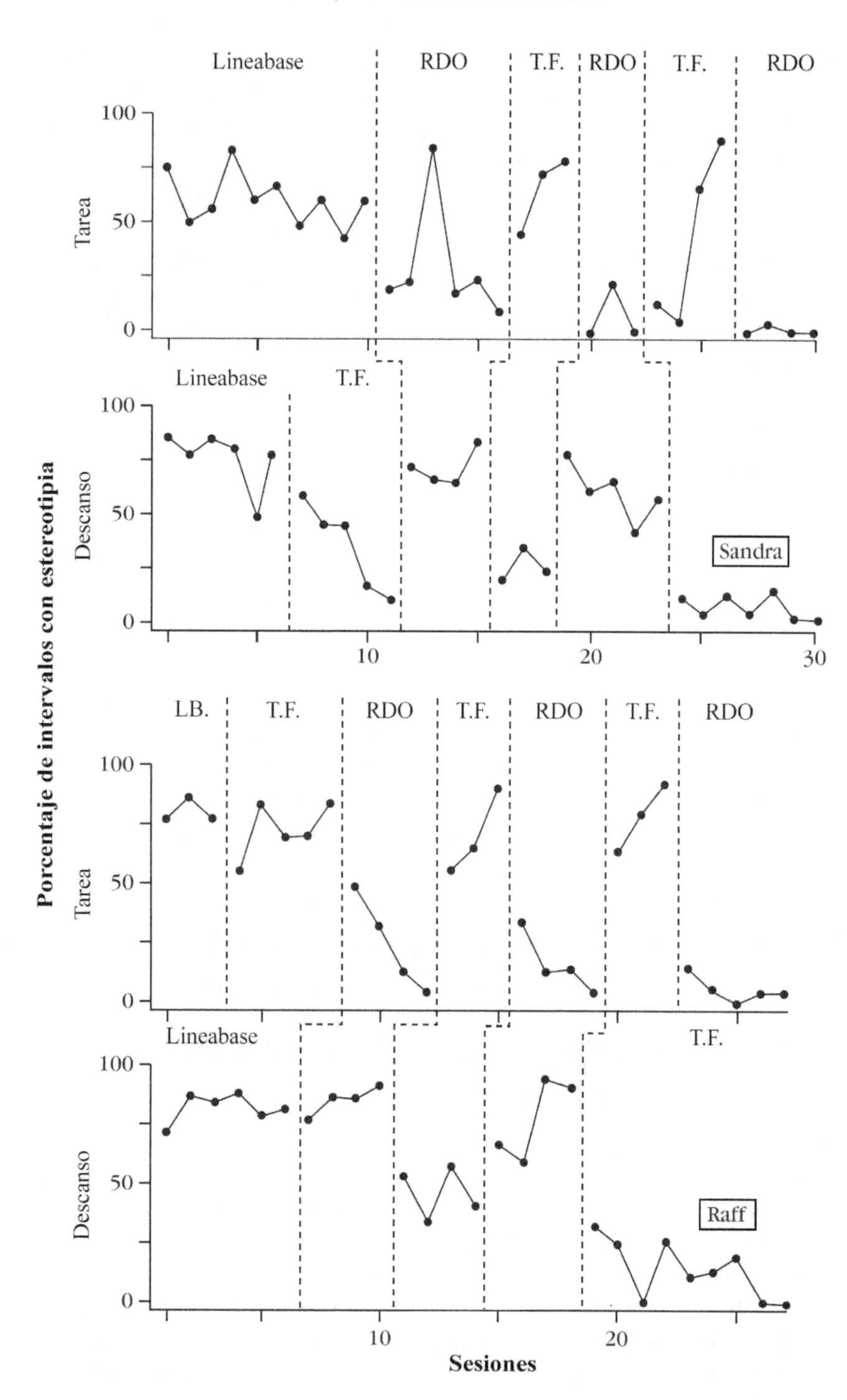

Figura 10.2 Diseño experimental que emplea múltiples líneas de base en varios contextos y técnicas de reversión que fueron contrabalanceadas entre dos sujetos para analizar los efectos de las condiciones de tiempo fuera (T.F.) y de reforzamiento diferencial de otras conductas (RDO).

Tomado de "Contextual Control of Problem Behavior" T. G. Haring y C. H. Kennedy, 1990, *Journal of Applied Behavior Analysis, 23,* págs. 239–240. © Copyright 1990 Society for the Experimental Analysis of Behavior. Reimpreso con permiso.

sujeto. Sin embargo, el término "control de la *conducta*" es erróneo porque el investigador solamente puede controlar algún aspecto del *ambiente* del sujeto. De esa manera, el nivel de control experimental obtenido por una investigadora se refiere al grado en cuál ella controla todas las variables relevantes de un experimento dado. La investigadora ejerce dicho control en el contexto del diseño experimental, que a pesar de haber sido cuidadosamente planificado con anterioridad, tomará su forma definitiva como resultado de la evaluación continua y de la respuesta a los datos de la investigadora.

Como ya hemos mencionado en el Capítulo 7, un diseño experimental eficaz revela una relación funcional fiable entre las variables independiente y dependiente (si esta relación existe) y a la vez, minimiza la probabilidad de que los cambios de conducta observados sean el resultado de variables desconocidas o no controladas. Un experimento tiene un grado alto de validez interna cuando los cambios en la variable dependiente solamente pueden ser atribuidos a una relación funcional con la variable independiente. Tanto cuando se planifica un experimento, como cuando posteriormente se examinan los datos reales de un estudio en curso, el investigador siempre debe estar alerta para detectar amenazas a la

Figura 10.3 Diseño experimental que emplea una técnica de tratamientos alternantes, un sondeo múltiple, y una lineabase múltiple a lo largo del análisis de conductas.

Tomado de "Alternating Treatments Comparison of Oral and Total Communication Training with Minimally Verbal Retarded Children" L. A. Sisson y R. P. Barrett, 1984, *Journal of Applied Behavior Analysis, 17,* pág. 562. © Copyright 1984 Society for the Experimental Analysis of Behavior. Reimpreso con permiso.

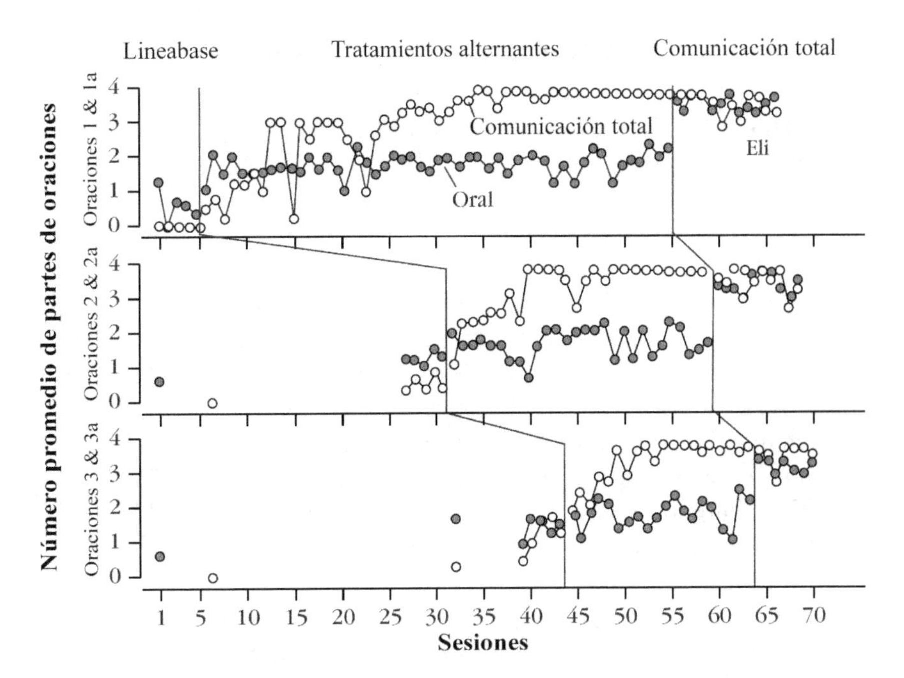

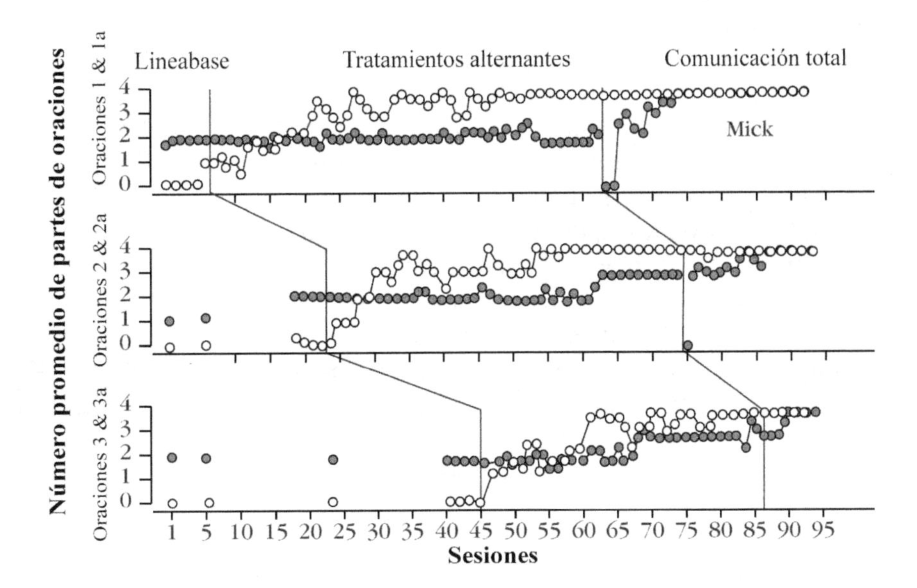

validez interna. Aquellos factores no controlados que son conocidos o de los cuales se sospecha que hayan ejercido alguna influencia en la variable dependiente se llaman *variables de confusión*. Una gran parte del trabajo y los esfuerzos del investigador durante el curso de un estudio están dirigidos a eliminar o controlar las variables de confusión.

El principal recurso que los analistas aplicados de la conducta tienen para evaluar el grado de control experimental que han alcanzado es la obtención de un estado estable de respuesta. Para separar los efectos de la variable independiente de los de las potenciales variables extrañas, se requiere evidencia clara y empírica de que la variable extraña potencial no está presente, ha permanecido constante en todas las condiciones experimentales o que ha sido aislada para su manipulación como variable independiente. Cualquier experimento puede ser afectado por, virtualmente, un número ilimitado de potenciales variables extrañas; y, como con cualquier aspecto del diseño experimental, no existe un conjunto de reglas establecido para identificar y controlar variables de confusión a las que los investigadores puedan referirse. Sin embargo, hay algunas fuentes comunes y probables de confusión que pueden identificarse, así como algunas técnicas que pueden tenerse en cuenta para controlarlas. Las variables extrañas se pueden clasificar según su relación con uno de los cuatro elementos de un experimento: el sujeto o sujetos, el contexto, la medición de la variable dependiente y la variable independiente.

El sujeto como fuente de confusión

Existen diversidad de variables relacionadas con el sujeto que pueden confundir los resultados de un estudio. La *maduración,* es decir, los cambios que tienen lugar en el sujeto a lo largo del experimento, es una posible variable extraña. Por ejemplo, la mejoría en el desempeño de un sujeto durante las últimas fases de un estudio puede haberse debido al crecimiento físico o a la adquisición de conductas académicas, sociales, o de otro tipo y no estar relacionada con las manipulaciones de la variable independiente. Los diseños experimentales que incorporan condiciones que cambian rápidamente, o múltiples introducciones y retiradas de la variable independiente controlan los efectos de maduración de manera efectiva.

En la mayoría de la investigación en análisis aplicado de la conducta, un sujeto se encuentra en el contexto experimental y en contacto con las contingencias implementadas por el investigador solamente durante una parte del día. Como en cualquier otro estudio, se supone que la conducta de cada sujeto será principalmente una función de las condiciones experimentales que estén operando. Sin embargo, en realidad, la conducta de cada sujeto puede haber sido influida por eventos que hayan sucedido fuera del experimento. Por ejemplo, imaginemos que la frecuencia de las aportaciones que alguien hace a un debate en clase es la variable dependiente de un estudio. Ahora, supongamos que justo antes de la clase, un estudiante que ha estado participando en el debate frecuentemente se ha peleado en la cafetería e interviene mucho menos en comparación con sesiones anteriores. Este cambio en la conducta del estudiante puede o no ser resultado de la pelea en la cafetería. Si la pelea coincide con un cambio en la variable independiente, podría ser difícil detectar o separar los efectos de la condición experimental de aquellos del evento que sucedió fuera del experimento.

A pesar de que el investigador puede ser consciente de algunos eventos que son causas probables de variabilidad durante un estudio, muchas otras posibles variables extrañas pueden pasar desapercibidas. Las medidas repetidas pueden funcionar a la vez como forma de control y como mecanismo de detección de la presencia y los efectos de dichas variables. Las variables no controladas responsables de que el sujeto tenga "un mal día" o un inusual "buen día" son particularmente problemáticas en los diseños de investigación con pocas medidas, o medidas muy esporádicas de la variable dependiente. Ésta es una de las mayores debilidades de usar comparaciones entre las medidas pre-test y post-test para evaluar los efectos de un programa de tratamiento.

Debido a que los experimentos que comparan grupos se basan en las similitudes de los sujetos en algunas características relevantes (p. ej., el género, la edad, la etnia, el origen cultural y lingüístico, las habilidades actuales), son vulnerables a la confusión derivada de las diferencias ente los sujetos. Por el contrario, la preocupación acerca de que las características de uno o varios sujetos puedan confundir los resultados de un experimento no es habitual en los estudios de caso único que se realizan en análisis aplicado de la conducta. En primer lugar, una persona participará en un estudio porque se beneficiará si la conducta objetivo cambia de manera exitosa. En segundo lugar, las características idiosincráticas de un sujeto no pueden confundir un estudio que usa un diseño experimental verdaderamente intrasujeto. Con la excepción del diseño de lineabase múltiple con varios sujetos, cada participante de un estudio conductual funciona como su propio control, lo que garantiza sujetos que encajan en todas las condiciones experimentales porque son la misma persona. En tercer lugar, la validez externa de los resultados de un análisis de caso único no depende del grado en el que el sujeto comparta determinadas características con los demás. El grado en el que una relación funcional se aplica a otros sujetos se establece mediante la replicación del experimento con diferentes sujetos.

El contexto como fuente de confusión

La mayoría de los analistas de la conducta llevan a cabo estudio en contextos naturales en los cuales hay variables que están fuera del alcance de su control. Los estudios en contextos naturales son más propensos a la confusión procedente de eventos no controlados que los estudios que se llevan a cabo en laboratorios donde las variables extrañas pueden ser controladas más eficazmente. Aun así, el investigador aplicado cuenta con algunos recursos para minimizar los efectos perniciosos del contexto como fuente de confusión. Por ejemplo, cuando el investigador aplicado observa que algún evento ajeno al experimento ha coincidido con cambios con los datos, debe mantener todos los aspectos del experimento constantes, hasta que la medición repetida muestre niveles estables de respuesta. Si el evento no planificado parece tener un efecto fuerte sobre la conducta de interés, o se convierte en objeto de interés por sí mismo, y es susceptible a la manipulación experimental, el investigador debe tratarlo como una variable independiente y explorar sus posibles efectos de manera experimental.

Los investigadores aplicados que están preocupados

por el contexto como fuente de confusión también deben estar atentos al reforzamiento de "contrabando" tanto dentro como fuera del contexto experimental. Un buen ejemplo de como el contexto puede ser una fuente de confusión es cuando, sin el conocimiento del experimentador, los sujetos tienen acceso libre a los reforzadores potenciales. En ese caso, la eficacia de esas consecuencias como reforzadores disminuye.

La medición como fuente de confusión

Los Capítulos 4 y 5 discutieron muchos factores que deben tenerse en cuenta al diseñar un sistema de medición que sea preciso y no reactivo. Sin embargo, también es posible que dentro de un sistema de medición bien planeado existan numerosas fuentes de confusión. Por ejemplo, los datos pueden ser fuente de confusión debido a la deriva del observador, la influencia de la conducta del experimentador sobre los observadores, o al sesgo del observador. A pesar de que, ciertamente, en un contexto aplicado es difícil preservar la ingenuidad de los observadores debido a que suelen estar presentes cuando se implementa la variable independiente, para reducir la posibilidad de que sean fuente de confusión a través del sesgo del observador es importante que los observadores no conozcan ni las condiciones ni los resultados esperados del estudio. De forma relacionada, cuando los observadores registran productos conductuales, es importante que dichos productos no contengan información que ayude a identificar quién los ha generado y en qué condición experimental. Se recomienda que los observadores completen las hojas de registro de las condiciones de lineabase y de tratamiento de manera aleatoria para reducir la posibilidad de que la deriva o sesgo del observador confunda los datos en alguna fase de las condiciones de tratamiento (Este procedimiento es más apropiado para controlar la deriva o sesgo del observador cuando se evalúa la precisión después de un experimento o el acuerdo entre observadores.)

Si no es posible desarrollar un método de observación que no sea intrusivo (p. ej., un sistema oculto como un espejo de unidireccional u observaciones a cierta distancia del sujeto), siempre se debe considerar la reactividad del sujeto al procedimiento de medición como una posible fuente de confusión. Para minimizar este factor de confusión, el experimentador debe mantener las condiciones de lineabase durante un tiempo suficientemente largo como para que cualquier efecto de la reactividad del sujeto desaparezca y la respuesta se estabilice. En el caso de que la reactividad a la medición produzca efectos indeseables (p.ej., conducta agresiva o pérdida de productividad), y que no sea posible usar un procedimiento de medida menos intrusivo, se recomienda utilizar sondeos intermitentes de la conducta. Las mediciones también pueden generar confusión como resultado de los efectos de práctica, de la adaptación, y de la preparación, especialmente durante las fases iniciales de lineabase. Nuevamente, el procedimiento adecuado es continuar las condiciones de lineabase, o bien hasta alcanzar niveles estables de respuesta, o bien hasta que se reduzca la variabilidad de la respuesta. Los sondeos intermitentes no deben utilizarse para medir la lineabase de conductas susceptibles a los efectos de práctica, debido a que dichos efectos ocurrirán también durante las condiciones de intervención, en las que la medición es más frecuente, produciendo confusión con los efectos de la variable independiente.

La variable independiente como fuente de confusión

La mayoría de las variables independientes son polifacéticas; es decir, que generalmente implican más de una condición de tratamiento que aquella que interesa específicamente al investigador. Por ejemplo, el efecto de una economía de fichas sobre la productividad académica de unos alumnos puede incluir elementos de confusión procedentes de la influencia de otras variables tales como la relación personal entre los estudiantes y el maestro que administra las fichas, las interacciones sociales que se originan mediante la entrega e intercambio de fichas, la expectativa del maestro y los alumnos de que su desempeño mejorará cuando la economía de fichas se implemente, etc. Si el propósito es analizar los efectos de la economía de fichas per se, el resto de variables extrañas potenciales debe controlarse.

Schwarz y Hawkins (1970) ofrecieron un buen ejemplo de procedimiento de control diseñado para descartar un aspecto asociado con el tratamiento como responsable del cambio de conducta. Los investigadores evaluaron los efectos del reforzamiento con fichas sobre tres conductas desadaptativas de una alumna de primaria descrita como severamente retraída. Durante el tratamiento, el terapeuta y la niña se reunían todos los días al final de la jornada escolar y veían un vídeo que se había grabado ese día sobre las conductas de la niña en el aula. El terapeuta administraba fichas contingentes a la aparición en el vídeo de una disminución progresiva de la ocurrencia de conductas desadaptativas.

Schwarz y Hawkins detectaron una posible variable de confusión "al acecho" en su estudio. Los investigadores pensaron que aunque se diese una mejoría como función del tratamiento, seguiría siendo posible preguntarse si la conducta de la alumna había mejorado debido a que la atención positiva y las recompensas del terapeuta habían mejorado su autoconcepto, lo que cambiaría sus conductas desadaptativas en el aula porque eran síntomas de un concepto bajo de sí misma. En ese caso, Schwarz y Hawkins no podrían confiar plenamente en que las fichas jugaran un papel importante en el cambio de la conducta. Por eso, los investigadores anticiparon esta posible variable de confusión y la controlaron de una manera simple y directa. Después de la lineabase, implementaron una condición en la que el terapeuta se reunía con la niña todos los días después de clase y le prestaba atención y reforzamiento con fichas cuando había mejorías en su escritura. Durante esta fase de control, las tres conductas de interés (tocarse el rostro, caminar con los hombros caídos y hablar en voz baja) no mostraron ningún cambio. De esta manera, los investigadores incrementaron su confianza en la conclusión de que la mejoría de la conducta de la niña durante las fases de intervención subsecuentes se debía al reforzamiento con fichas.

Cuando los investigadores médicos diseñan experimentos para evaluar los efectos de un fármaco, usan una técnica llamada **control mediante placebo** para separar los efectos que podrán producirse como resultado de la expectativa que tiene el sujeto de mejorar después de que se les aplique un fármaco, de los efectos realmente producidos por el fármaco. En el típico diseño de comparación entre grupos, los sujetos del grupo experimental reciben el fármaco real, mientras que los sujetos del grupo control reciben píldoras de placebo que contienen una sustancia inerte, pero tienen el mismo aspecto, textura y sabor que las píldoras que contienen el fármaco a evaluar.

Los analistas aplicados de la conducta han empleado también control mediante placebo en experimentos de caso único. Por ejemplo, en un estudio que evaluaba un tratamiento farmacológico para la impulsividad de alumnos diagnosticados de trastorno por déficit de atención con hiperactividad (TDAH), Neef, Bicard, Endo, Coury, y Aman (2005) le pidieron a un farmacéutico que preparara placebos y medicamentos en cápsulas idénticas de gelatina en cantidades suficientes para una semana por cada niño. Ni los estudiantes ni los observadores sabían si un niño en particular había recibido el medicamento o el placebo. Cuando ni el sujeto (o sujetos) ni los observadores saben si la variable independiente está presente o ausente de una sesión a otra, estamos aplicando el procedimiento de control conocido como **doble ciego**. El procedimiento de doble ciego elimina las variables de confusión que pueden presentarse como resultado de las expectativas del sujeto, de las de los padres y maestros, del tratamiento diferencial por parte de los demás, o del sesgo del observador.

La integridad del tratamiento

Los resultados de muchos experimentos se han visto influidos por factores de confusión debido a la aplicación inconsistente de la variable independiente. El investigador debe esforzarse intensamente para asegurarse de que la variable independiente se aplica exactamente como se planificó y de que no se administran, inadvertidamente y de manera simultánea, otras variables no planificadas. Los términos **integridad del tratamiento y fidelidad de procedimiento** se refieren al grado en el cual la variable independiente se aplica de la manera en que se planificó originalmente.

La baja integridad del tratamiento representa una fuente importante de confusión que hace difícil, si no imposible, interpretar los resultados de un experimento con confianza. Los datos de un experimento en el cual la variable independiente se administró de manera inapropiada, inconsistente, parcial o en valores más altos o más bajos de los previstos, pueden llevar a conclusiones que, dependiendo de los resultados obtenidos, representen un falso positivo (afirmando que una relación funcional existe cuando no es así) o un falso negativo (descartando una relación funcional que, de hecho, sí existe). Si, en esta situación, una relación funcional parece evidente al analizar los datos, no se puede estar seguro de si la variable de tratamiento descrita por el investigador ha sido la responsable, o si los efectos son función de elementos extraños o no controlados debidos al modo en el que se ha aplicado finalmente la intervención. Por otro lado, también puede ser una equivocación concluir que la variable independiente no ha sido eficaz porque no haya cambiado la conducta objetivo. En otras palabas, si la variable independiente se hubiera aplicado tal como se había planeado, podría haber sido eficaz.

En los contextos aplicados existen varias amenazas a la integridad del tratamiento (Billingsley, White, y Munson, 1980; Gresham, Gansle, y Noell, 1993; Peterson, Homer, y Wonderlich, 1982). El sesgo del investigador puede llevarle a administrar la variable independiente de manera injustamente ventajosa respecto a la lineabase o las condiciones de comparación. La **deriva de tratamiento** ocurre cuando la forma en que se aplica la variable independiente durante las fases finales de un experimento es diferente a la manera en que se aplicó en las fases iniciales. La deriva de tratamiento puede deberse a la complejidad de la variable independiente, que dificulte a las personas que administran el tratamiento la implementación de todos los elementos de manera consistente a lo largo de todo el experimento. Las contingencias que influyen en la conducta de las personas responsables de implementar la variable independiente también pueden resultar en la deriva de tratamiento. Por ejemplo, puede suceder que una maestra implemente solamente aquellos aspectos de un procedimiento que aprueba y aplique la intervención completa solo cuando el experimentador esté presente.

Una definición operacional precisa. Para alcanzar un nivel alto de integridad del tratamiento hay que empezar desarrollando una definición operacional precisa y completa de los procedimientos del tratamiento. Además de proporcionar la base para el entrenamiento de las personas que van a implementar la intervención y de evaluar el nivel de integridad del tratamiento alcanzada, las definiciones operacionales de las condiciones de tratamiento son un requisito para satisfacer la dimensión tecnológica del análisis aplicado de la conducta (Baer et al., 1968). Cuando un investigador no proporciona una definición operacional explícita de la variable del tratamiento impide la diseminación y el uso apropiado de la intervención por parte de aquellos que la implementan, y complica la posibilidad de que otros investigadores repliquen y, en última instancia validen los resultados.

Greshman y colaborares (1993) recomendaron que las descripciones de la variable independiente fuesen juzgadas según los mismos estándares de precisión y claridad que se utilizan para evaluar la calidad de las definiciones de la variable dependiente. Por consiguiente, deben ser claras, concisas, sin ambigüedades y objetivas. De manera más específica, Greshman y sus colaboradores también sugirieron que los tratamientos fuesen definidos operacionalmente en cada una de las siguientes cuatro dimensiones: verbal, física, espacial y temporal. Estos autores utilizaron la definición de un procedimiento de tiempo fuera de Mace, Page, Ivancic y O'Brien (1986) como ejemplo de definición operacional de una variable independiente.

> (a) Inmediatamente después de que ocurriera la conducta objetivo (dimensión temporal), (b) el terapeuta dijo "No, tienes un tiempo fuera" (dimensión verbal), (c) y dirigió al niño, por el brazo, a una silla previamente asignada para el tiempo fuera (dimensión física), (d) sentó al niño, mirando hacia la esquina, (e) Si el niño se despegaba del asiento de tiempo fuera o si giraba la cabeza más de 45 grados (dimensión espacial), el terapeuta usaba la menor cantidad de fuerza necesaria para llevarlo a cumplir el procedimiento de tiempo fuera (dimensión física). (f) Tras 2 minutos (dimensión temporal), el terapeuta giraba la silla de tiempo fuera 45 grados de la esquina (dimensión física y espacial) y se retiraba (dimensión física). (págs. 261-262).

Simplifica, estandariza y automatiza. Cuando se planifica un experimento, dar una alta prioridad a la simplificación y estandarización de la variable independiente, así como a la formación y práctica basadas en un criterio de las personas que administrarán el tratamiento, aumenta la integridad del tratamiento. Los tratamientos que son simples, precisos y breves, y que requieren relativamente poco esfuerzo tienen mayor probabilidad de ser aplicados consistentemente que aquellos que no lo son. Las técnicas que son sencillas, y fáciles de aplicar también tienen mayor probabilidad de ser aceptadas y usadas por los profesionales aplicados, y, por lo tanto, poseen cierto grado de validez social percibida por la propia persona que las aplica. La sencillez es, por supuesto, una preocupación relativa, no un mandato; en algunos casos, producir un cambio en una conducta socialmente relevante puede requerir la aplicación de intervenciones intensas y complicadas durante un período largo de tiempo y con la intervención de muchas personas. Baer (1987) señaló esto de manera sucinta cuando declaró:

> Los problemas de larga duración son simplemente aquellos en los cuales el análisis de tareas requiere cambios en toda una serie de conductas, tal vez en muchas personas, y aunque cambiar cada conducta es relativamente fácil y rápido, cambiar toda la serie no requiere tanto esfuerzo como tiempo; de manera que no es difícil sino simplemente tedioso. (Págs. 336-337)

Los profesionales aplicados no deben sentirse frustrados o consternados ante las intervenciones complejas; solamente necesitan darse cuenta de lo que dicha complejidad implica para la integridad del tratamiento. Sin embargo, a igualdad del resto de factores, un tratamiento simple y breve será, probablemente, aplicado con mayor precisión y consistencia que uno complejo y extenso.

Para asegurarse de que la variable independiente se implementa de manera consistente, los experimentadores deben estandarizar todos los aspectos de la misma que sea posible teniendo en cuenta el coste los aspectos prácticos. La estandarización del tratamiento puede alcanzarse de varias maneras. Cuando un tratamiento requiere una secuencia compleja o extensa de conductas, dar un guion a la persona que lo tiene que administrar puede mejorar la precisión y la consistencia con las que se aplica el tratamiento. Por ejemplo, Heron, Heward, Cooke y Hill (1983) colocaron un guion con el plan de la lección en transparencias para asegurarse de que se implementaba consistentemente entre los distintos grupos de niños un programa de formación basado en la tutorización entre iguales en toda la clase

Si automatizar la intervención no la compromete de ninguna manera, los investigadores podrían valorar la posibilidad de "enlatar" la variable independiente de manera que una máquina administrara el tratamiento. Aunque Heron y sus colaboradores (1983) podrían haber presentado el entrenamiento para tutores en vídeo, con el propósito de eliminar cualquier variable extraña debida a las pequeñas diferencias en la presentación de la lección por parte del maestro en cada grupo y por cada conjunto de habilidades de tutorización; al usar una presentación "enlatada" se habrían eliminado también los aspectos personales e interactivos deseados del programa de entrenamiento. Algunas variables del tratamiento se adaptan bien a su presentación automatizada, debido a que dicha automatización no limita el atractivo del tratamiento ni reduce seriamente su validez social, en términos aceptabilidad o aplicabilidad práctica (p.ej., el uso de programas presentados en vídeo para modelar la conservación de la energía en un complejo residencial).

El entrenamiento y la práctica. El entrenamiento en la implementación adecuada de la variable independiente aporta a las personas responsables de aplicar el tratamiento o las sesiones experimentales las habilidades y el conocimiento necesario para llevar a cabo el tratamiento. Sería un error, por parte del investigador, suponer que las competencia general y la experiencia de una persona en un contexto experimental (p. ej., el aula) garantiza la aplicación correcta y consistente de una variable independiente en ese contexto (p. ej., la implementación de un programa de tutorización entre iguales).

Como se ha mencionado con anterioridad, los guiones que detallan los procedimientos de un tratamiento, las tarjetas de referencia u otros dispositivos que sirven de recordatorio y guía a través de los pasos de una intervención, pueden ser de ayuda. Sin embargo, los investigadores no deben asumir que la mera entrega de un guion detallado a la persona que aplicará la intervención garantizará un grado alto de integridad del tratamiento. Mueller y sus colaboradores encontraron que fue necesaria una combinación de instrucciones verbales, modelado, y ensayo para que los padres implementaran protocolos de alimentación pediátrica con un nivel alto de integridad del tratamiento. La retroalimentación sobre el desempeño también mejora la integridad con la que los padres y profesionales implementan planes de apoyo conductual y técnicas didácticas explícitas (p.ej., Codding, Feinberg, Dunn, y Pace, 2005; Sarakoff y Strumey, 2004; Witt, Noell, LaFleur, y Mortenson, 1997).

La evaluación de la integridad del tratamiento. A pesar de que la simplificación, la estandarización y el entrenamiento, ayudan a incrementar el grado de integridad del tratamiento, no la garantizan. Si existe alguna duda sobre la aplicación correcta y consistente de la variable independiente, los investigadores deben aportar datos sobre la precisión y fiabilidad de la variable independiente (Peterson et al., 1982; Wolery, 1994). Los datos acerca de la integridad del tratamiento informan sobre el grado en el que la implementación real de todas las condiciones experimentales del estudio coinciden con las descripciones de la sección del método de un informe de investigación.[7]

A pesar de que el control eficaz de la presencia y la ausencia de la variable independiente es un requisito de un experimento con validez interna, los analistas aplicados de la conducta no siempre han realizado los esfuerzos suficientes para asegurarse de la integridad de la variable independiente. Dos revisiones de artículos publicadas en el *Journal of Applied Behavior Analysis* de 1968 a 1990 encontraron que la mayoría de los autores no había informado sobre los datos de la evaluación del grado con el cual la variable independiente se había aplicado de manera correcta y consistente (Gresham et al., 1993; Peterson et al., 1982). Peterson y sus colaboradores advirtieron que se había desarrollado un "estándar doble curioso" en el análisis aplicado de la conducta, según el cual los datos sobre el acuerdo entre observadores de la variable dependiente se requerían para poder publicar un artículo mientras que nunca se requería o se informaba sobre los mismos datos respecto a la variable independiente.

Peterson y sus colaboradores (1982) sugirieron que la tecnología desarrollada para la evaluación y el incremento de la precisión y la credibilidad de las medidas de la variable dependiente (ver Capítulo 5) es completamente aplicable a la toma de datos sobre la integridad del tratamiento. De manera importante, los datos de observación y el registro de la variable independiente le indican al experimentador si es necesario ajustar algún aspecto relacionado con la persona que implementa el tratamiento para asegurarse de que su conducta se corresponde con el valor real de la variable independiente. La observación y el ajuste le permiten al investigador la posibilidad continuada de volver a entrenar a los implementadores cuando sea necesario para asegurar un nivel alto de integridad del tratamiento en el transcurso del experimento.

La Figura 10.4 muestra un formulario usado por observadores entrenados para registrar datos sobre la

[7]Se pueden manipular diferentes niveles o grados de integridad del tratamiento como si fuesen variables independientes para analizar los efectos de la implementación total (frente a la parcial) de una intervención, o varios tipos de "errores" del tratamiento (p.ej., Holcombe, Wolery, y Snyder, 1994; Vollmer, Roane, Ringdahl, y Marcus, 1999).

integridad del tratamiento en un estudio que evaluaba los efectos de diferentes calidades y duraciones del reforzamiento para trabajar con problemas conductuales, seguimiento de instrucciones y comunicación en el marco de un paquete de tratamiento para problemas de conducta mantenidos por escape (Van Norman, 2005). Los observadores vieron videos de sesiones que habían sido seleccionadas aleatoriamente, cada uno de los cuales representaba aproximadamente de un tercio a la mitad del total de sesiones en cada condición y fase del estudio. Para calcular el porcentaje de integridad del tratamiento de cada condición se dividió el número de pasos completados correctamente por el experimentador durante una sesión entre el número total de pasos completados.

Esta descripción general de las fuentes potenciales de variables extrañas está, necesariamente, incompleta. Además, la presentación de una lista completa de amenazas posibles a la validez interna podría sugerir que un investigador solamente necesita controlar las variables de esa lista y no preocuparse por nada más. En realidad, la lista de variables extrañas potenciales es única para cada experimento. El investigador eficaz es aquel que cuestiona y explora la influencia del mayor número posible de variables relevantes. Ningún diseño experimental puede controlar todas las variables extrañas posibles; el reto es reducirlas, eliminarlas, o identificar la influencia del mayor número posible de ellas.

Validez social: la evaluación del valor aplicado de los cambios de conducta y de los tratamientos que los hacen posibles

En su artículo destacado "Social Validity: The Case for Subjective Measurement or How Applied Behavior Analysis Is Finding Its Heart," Montrose Wolf (1978) propuso el entonces "concepto radical de que los clientes (incluidos los padres y cuidadores de las personas dependientes, e incluso aquellas personas cuyos impuestos sufragan los programas sociales) debían entender y admirar los objetivos, los resultados y los métodos de una intervención (Risley, 2005, pág. 284). Wolf recomendó que la validez social de un estudio en análisis aplicado de la conducta debían de ser evaluados de tres maneras: la relevancia social de la conducta de interés, la conveniencia de los procedimientos y la importancia social de los resultados.

Aunque la evaluación de la validez social puede incrementar la probabilidad de que un estudio sea publicado y puede ayudar en la mercadotecnia y las

Video Clip # 1-1AL Iniciales del Evaluador: E. B. Fecha: 07/06/2005

Fase 1/A (SD)

Pasos del procedimiento	Oportunidades	Correcto	% Correcto	Sí	No	N/A
1. El instructor da un aviso de la tarea al inicio de la sesión, p.ej., "es hora de trabajar" o algo similar.				(S)	N	N/A
2. Si el participante no responde, el instructor representa la opción al remplazar los materiales o recomenzar las contingencias.	—	—	—	S	N	(N/A)
3. La tarjeta de descanso (o algo similar) se presenta de manera simultánea (en un espacio de 3 segundos) con los materiales de la tarea.	卌 卌 卌 |	卌 卌 卌 |	16/16	(S)	N	N/A
4. Después de dar la opción de la tarea (al tocar materiales asociados con la tarea) a. Remover los materiales de la tarea. b. Presentar un reloj con la tarjeta verde. c. Dar acceso a los objetos más preferidos. d. Jugar con el participante por 1 minuto.	卌 ||	卌 ||	7/7	(S)	N	N/A
5. Después de la solicitud de un descanso a. Remover los materiales de la tarea. b. Presentar un reloj con la tarjeta amarilla. c. Dar acceso a los objetos más o menos preferidos y hacer comentarios neutrales por 30 segundos.	卌 |||	卌 |||	8/8	(S)	N	N/A
6. Después del problema de conducta, en los próximos 10 segundos, el instructor a. Remueve los materiales de la tarea o de juego. b. Presenta la tarjeta roja. c. No le presta atención ni le da objetos durante 10 segundos.				S	N	(N/A)

7. ¿En qué lado se presentó la tarjeta de descanso (o algo similar) (a la derecha = D o izquierda = I *del participante*) para cada una de las presentaciones.	D	D	I	I	I	D	I	D	D	I	D	I	D	I	I	D				

Figura 10.4 Ejemplo de un formulario usado para registrar los datos de la integridad del tratamiento.

Tomado de "The Effects of Functional Communication Training, Choice Making, and an Adjusting Work Schedule on Problem Behavior Maintained by Negative Reinforcement" R. K. Van Norman, 2005, pág. 204. Tesis doctoral no publicada. Columbus, Ohio: The Ohio State University. Adaptado con permiso.

relaciones públicas de los programas conductuales (Hawkins, 1991; Winett, Moore, y Anderson, 1991), el propósito fundamental de la evaluación de validez social es "ayudar a elegir y guiar el desarrollo y las aplicaciones del programa [de cambio de la conducta]" (Baer y Schwartz, 1991, pág. 231). Las evaluaciones de la validez social se realizan comúnmente haciéndole a los consumidores directos de un programa de cambio de conducta (los alumnos, los clientes o los participantes una de investigación) o a un grupo de consumidores indirectos (p. ej., familiares, maestros, terapeutas o personas de la comunidad) una serie de preguntas acerca de su grado de satisfacción con la relevancia e importancia de los objetivos del programa, la aceptabilidad de los procedimientos y el valor de los resultados del cambio de conducta obtenidos.[8]

Las declaraciones por parte de los profesionales aplicados y los lectores (o consumidores) de un estudio afirmando que consideran un tratamiento o programa aceptable y eficaz no deben considerarse evidencia de que el programa fuese eficaz, o si lo fue, de que seguirán usando esos métodos. Es necesario recordar la advertencia de Baer, Wolf y Risley (1968) acerca de que "la descripción verbal de un sujeto sobre su propia conducta no verbal no sería aceptada normalmente como medida de su conducta real" (pág. 93), Hawkins (1991) recomendó usar el término *satisfacción del consumidor* en lugar de *validez social* debido a que reconoce que lo que típicamente se obtiene en una evaluación de la validez social es "esencialmente una colección de opiniones del consumidor" (pág. 205), la validez de las cuales no ha sido aún determinada.

> Al medir los juicios verbales de los consumidores, solamente nos queda esperar que dichas conductas verbales estén suficientemente controladas por las variables que son directamente relevantes para la tarea de habilitación que se está llevando a cabo, y por tanto que predigan, de algún grado, los resultados habilitadores. La validez de los juicios del consumidor aún no ha sido establecida; y no deben ser vistos como un criterio de validez, sino como una segunda opinión de una persona común que puede o no estar mejor informado y tener una opinión menos sesgada que el investigador. (pág. 212)

La validación de la relevancia social de los objetivos del cambio de conducta

La validez social de los objetivos del cambio de conducta comienza con una descripción clara de esos objetivos.

> Para evaluar la importancia social de los objetivos, el investigador debe ser preciso acerca de los objetivos del cambio de conducta en los niveles de (a) el objetivo social general (p. ej. mejorar la crianza de los hijos, mejorar las habilidades sociales, mejorar la salud cardiovascular, incrementar la independencia), (b) las categorías de la conducta que están, hipotéticamente, relacionadas con el objetivo general (p. ej., la crianza de los hijos: dar retroalimentación respecto a las instrucciones, el uso del tiempo fuera, etc.), y (c) las respuestas incluidas en la categoría conductual de interés (p. ej., el uso del tiempo fuera: dirigir al niño a un lugar apartado del resto de la gente, instruirlo a "sentarse apartado" durante una duración específica de tiempo, etc.) La validación social puede ser realizada para cualquiera de estos niveles de objetivos. (Fawcett, 1991, págs. 235-236).

Van Houten (1979) sugirió dos maneras básicas de determinar objetivos socialmente válidos: (a) evaluar el desempeño de personas que son consideradas competentes, y (b) manipular diferentes niveles de desempeño de manera experimental, para determinar empíricamente qué nivel produce resultados óptimos. Las observaciones del desempeño de personas típicas pueden usarse para identificar y validar los objetivos de cambio conductuales y el nivel de desempeño que se quiere alcanzar. Para llegar a un criterio de desempeño socialmente válido en un programa de entrenamiento en habilidades sociales de dos adultos con discapacidades que trabajaban en un restaurante, Grossi, Kimball, y Heward (1994) observaron a cuatro empleados sin discapacidades de un restaurante durante un periodo de 2 semanas, para determinar la frecuencia con la cual los empleados respondían a las interacciones de otros empleados. Los resultados de estas observaciones relevaron que los empleados sin discapacidades respondieron a una media del 90% de las interacciones. Este nivel de desempeño se seleccionó como objetivo de los dos empleados de interés para este estudio.

Un estudio realizado por Warren, Rogers-Warren, y Baer (1976) supuso un buen ejemplo de evaluación de los efectos de diferentes niveles de desempeño para determinar resultados socialmente válidos. Los investigadores evaluaron el efecto de las diferentes frecuencias con las que los niños ofrecieron compartir materiales de juego con sus compañeros sobre las reacciones de sus compañeros a estas ofertas. Encontraron que los compañeros aceptaban las ofertas de manera más consistente cuando las ofertas se hacían con una frecuencia media; es decir, ni demasiado frecuentemente ni muy rara vez.

[8] Una discusión más detallada de la validez social y de los procedimientos para su evaluación puede consultarse en Fuqua y Schwade (1986), Van Houten (1979), Wolf (1978), y la sección especial sobre validez social en el número de verano de 1991 del *Journal of Applied Behavior Analysis*.

La validación de la aceptación social de las intervenciones

Se han desarrollado varias escalas y cuestionarios que tienen como propósito obtener las opiniones de los consumidores sobre la aceptabilidad de las intervenciones conductuales. Por ejemplo, la *Intervention Rating Profile* es una escala tipo Likert de 15 ítem, usada para evaluar la aceptabilidad de las intervenciones en el aula (Martens, Witt, Elliott, y Darveaux, 1985). La *Treatment Acceptability Rating Form* (TARF) consta de 20 preguntas con las que los padres puntúan la aceptabilidad de los tratamientos conductuales usados en una clínica ambulatoria (Reimers y Wacker, 1988). La Figura 10.5, muestra una versión de la TARF modificada por el experimentador, que usó Van Norman (2005) para obtener información sobre la aceptabilidad de un tratamiento por parte de los padres, los maestros, los terapeutas y el personal de ayuda conductual de los participantes en el tratamiento. A pesar de que algunas personas a las cuales se aplicó el cuestionario habían sido testigos, o habían visto un vídeo de la intervención mientras se le administraba al alumno, se leyó la siguiente descripción de la intervención a cada uno de los consumidores, antes de que contestara el cuestionario:

> Primero, realizamos una evaluación para descubrir lo que motivaba a Zachary a emitir conductas problemáticas como lanzar materiales, golpear a las personas, y dejarse caer al suelo. Encontramos que Zachary emitía conductas problemáticas, en alguna medida, para escapar o evitar que se le pidiera que realizara algunas tareas.
>
> En seguida, le enseñamos a Zachary a solicitar un descanso como conducta de sustitución mediante la ayuda física, y la asociación de la respuesta de solicitar un descanso con el acceso a un objeto altamente preferido, mucha atención y un descanso largo (3 minutos).
>
> Entonces, le dimos a Zachary la opción de solicitar hacer la tarea simplemente al tocar los materiales de trabajo (lo que era esencialmente realizar el primer paso de la tarea) y tener acceso a objetos altamente preferidos, atención y un descanso de duración larga (1 minuto) o pedir un descanso y tener acceso a un objeto moderadamente preferido y a un periodo de descanso más corto (30 segundos). En cualquier momento durante este procedimiento en el que Zachary emitiera una conducta problemática se le daba un descanso de 10 segundos sin atención y sin actividades u objetos.
>
> Finalmente, continuamos dándole a Zachary la opción de solicitar una tarea, un descanso, o emitir la conducta problemática, sin embargo, ahora era necesario que Sebastián siguiera un mayor número de instrucciones relacionadas con la tarea antes de que se le diera acceso a sus actividades altamente preferidas, a atención y a un descanso de 1 minuto. En cada sesión, se incrementó el número de instrucciones relacionadas con la tarea que debía seguir antes de darle acceso al tipo de descanso altamente preferido. La ayuda física solamente se usó durante la fase inicial para enseñarle a Zachary nuevas respuestas, concretamente a solicitar un descanso y a solicitar hacer la tarea. En cualquier otro momento, Zachary hizo todas las elecciones de manera independiente cuando estas le fueron presentadas.

La validación de la importancia social de los cambios de conducta

Los métodos para evaluar la validez social de los resultados incluyen (a) comparar el desempeño de los participantes con aquel de una muestra normativa, (b) pedir a los consumidores que evalúen la validez social del desempeño de los participantes, (c) pedir a los expertos que evalúen el desempeño de los participantes, (d) usar instrumentos de medida estandarizados, y (e) evaluar el nuevo nivel de desempeño de los participantes en su ambiente natural.

Muestra normativa

Van den Pol y sus colaboradores (1981) usaron el desempeño de una muestra normativa de clientes de un restaurante de comida rápida para evaluar la validez social del desempeño posterior a un programa de entrenamiento en un grupo de adultos jóvenes con discapacidad a los que se les había enseñado cómo pedir y pagar su comida sin ayuda. Los investigadores simplemente observaron 10 clientes típicos, seleccionados aleatoriamente, que habían pedido y consumido una comida en restaurantes de comida rápida. Registraron la precisión con la que estos clientes desempeñaron cada paso de un análisis de tarea de 22 pasos. El desempeño de los participantes en el sondeo que se realizó en la fase de seguimiento igualó o excedió a aquel de los clientes de la muestra normativa en casi todas las habilidades, excepto en 4 de las 22.

El uso de muestras normativas para evaluar la validez social del cambio de conducta no se limita a las comparaciones que se hacen después de haber implementado el tratamiento. También es posible comparar la conducta de los sujetos con sondeos continuos de la conducta de una muestra normativa. De esa manera se obtiene una evaluación de cuánta mejoría ha habido y de cuánto se necesita mejorar todavía. Un ejemplo excelente de una evaluación continua de la validez social es un estudio elaborado por Rhode,

Figura 10.5 Ejemplos de preguntas adaptadas de la Treatment Acceptability Rating Form – Revised (Reimers and Wacker, 1988) para obtener la opinión de los consumidores sobre la aceptabilidad de los procedimientos de intervención utilizados para tratar las conductas desafiantes en estudiantes de secundaria con discapacidad severa.

Treatment Acceptability Rating Form—Revised (TARF-R)

1. ¿Cuánto de clara es su comprensión de los procedimientos sugeridos?

Nada claro			Neutral			Muy claro

2. ¿Cuánto de aceptables son las estrategias para abordar sus preocupaciones acerca del estudiante identificado?

Nada aceptables			Neutral			Muy aceptables

3. ¿Cuánto de dispuesto está usted a implementar los procedimientos sugeridos del modo en que fueron descritos?

Nada dispuesto/a			Neutral			Muy dispuesto/a

4. Teniendo en cuenta la conducta del estudiante identificado, ¿cómo de razonables le parecen los procedimientos sugeridos?

Nada razonables			Neutral			Muy razonable

5. ¿Cuánto de costoso será implementar estas estrategias?

Nada			Neutral			Muy

11. ¿Cuánto de disruptivo será para su clase el hecho de implementar los procedimientos sugeridos?

Nada disruptivo			Neutral			Muy disruptivo

13. ¿Cuánto de asumibles económicamente le resultan estos procedimientos?

Nada costeables			Neutral			Muy costeables

14. ¿Cuánto le gustan los procedimientos sugeridos?

No me gustan nada			Neutral			Me gustan mucho

17. ¿Cuánto malestar es probable que experimente el estudiante sobre el que se va a intervenir como resultado de estos procedimientos?

Ninguno			Neutral			Ninguno

19. ¿Cuánto de dispuesto estaría usted a cambiar la rutina de su clase para implementar estos procedimientos?

Nada dispuesto/a			Neutral			Muy dispuesto/a

20. ¿Cómo de bien encajan estos procedimientos con la rutina de su clase?

Nada bien			Neutral			Muy bien

Tomado de "The Effects of Functional Communication Training, Choice Making, and an Adjusting Work Schedule on Problem Behavior Maintained by Negative Reinforcement" R.K. Van Norman ,2005, págs. 248-256. Tesis doctoral no publicada. Columbus, OH. The Ohio State University. Usado con permiso.

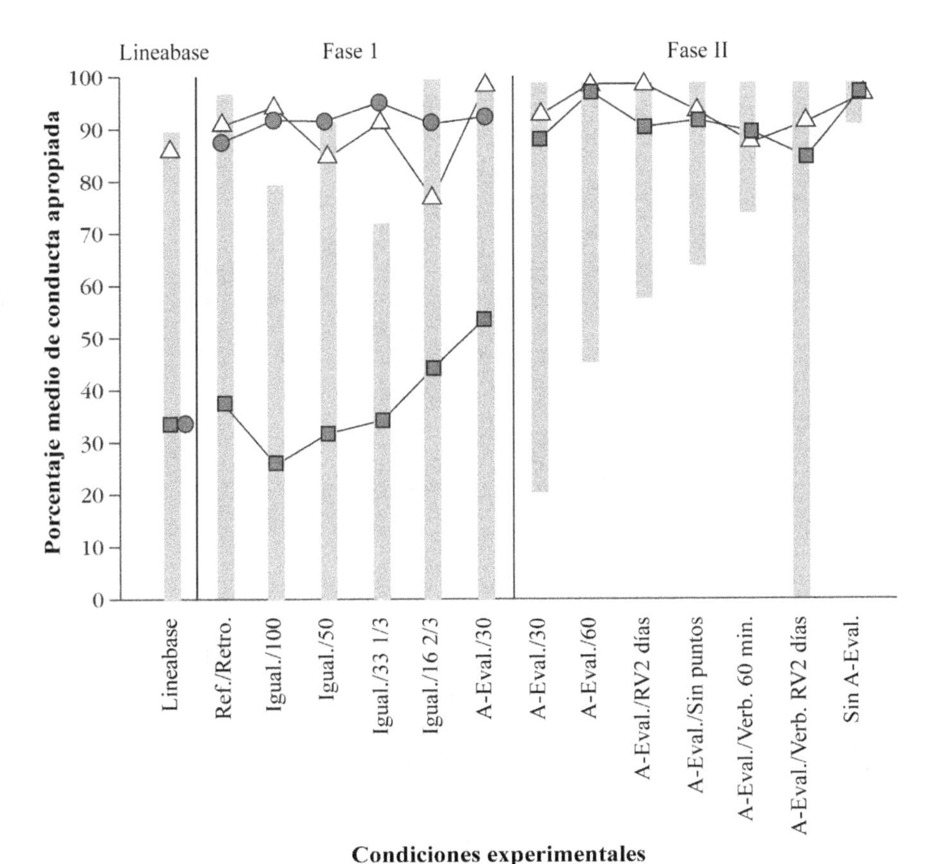

Figura 10.6 Ejemplo del uso de medidas de la conducta de una muestra normativa estándar con el fin de evaluar la validez social de los resultados de un programa de cambio conductual.

Tomado de "Generalization and Maintenance of Treatment Gains of Behaviorally Handicapped Students from Resource Rooms to Regular Classrooms Using Self-Evaluation Procedures" G. Rhode, D.P. Morgan y K.R.Young, 1983, *Journal of Applied Behavior Analysis, 16*, pág 184 . © Copyright 1984 Society for the Experimental Analysis of Behavior. Adaptado con permiso.

Morgan y Young (1983) en el que se utilizaron reforzamiento con fichas y procedimientos de autoevaluación para mejorar la conducta en el aula de seis alumnos con trastornos de conducta. El objetivo general del estudio era ayudar a los seis alumnos a mejorar las conductas apropiadas en el aula (p. ej., seguir las reglas, terminar trabajos asignados por la maestra o contestar a preguntas relevantes voluntariamente) y disminuir las conductas inapropiadas (p. ej., discutir, no seguir las instrucciones o agredir) de manera que fueran aceptados y tuvieran éxito en aulas convencionales (de educación general). Al menos una vez al día a lo largo de las 17 semanas que duró el estudio los investigadores seleccionaban aleatoriamente a compañeros de las clases convencionales para observar su conducta. Para obtener datos de esta muestra normativa se utilizaron los mismos códigos y procedimientos que para evaluar la conducta de los seis alumnos para los que se diseñó el tratamiento.

La Figura 10.6 muestra la media y el rango de la conducta apropiada de los seis alumnos, en cada condición y fase del estudio, comparada con la de la muestra normativa. (Los gráficos individuales de todos los sujetos que muestran el porcentaje de conducta apropiada en el aula convencional y en el salón de recursos en las casi 90 sesiones también fueron incluidos en el artículo de Rhode y sus colaboradores). Durante la lineabase, el nivel de conducta apropiado de los 6 sujetos de la intervención era mucho más bajo que la de sus compañeros sin ninguna discapacidad. Durante la Fase I del estudio, en la cual los sujetos aprendieron a autoevaluarse, su conducta en el salón de recursos mejoró al nivel de sus compañeros del aula convencional. Sin embargo, cuando los sujetos estuvieron en el aula convencional durante la Fase 1, su conducta fue peor comparada con la de los otros alumnos de la muestra normativa. A medida que la Fase II avanzaba, lo que implicaba varias estrategias de generalización y mantenimiento de los avances del tratamiento, el nivel medio de conducta apropiada de los seis sujetos igualó a la de sus compañeros sin discapacidad, y la variabilidad entre estos seis alumnos disminuyó (con excepción de un sujeto que emitió conductas inapropiadas durante una sesión en la penúltima condición).

Figura 10.7 Formulario para obtener la opinión del consumidor con respecto a la validez social de los resultados de una intervención usada para tratar conductas retadoras de estudiantes de secundaria con discapacidades severas.

Social Validity of Results Questionnaire

Instrucciones: Video Clip # _____

Por favor, observe el video y elija una de las cinco opciones que mejor describe el grado con el cual Ud. está de acuerdo o en desacuerdo con los siguientes tres enunciados.

1. El estudiante está realizando tareas académicas o vocacionales, está bien sentado en su asiento y está prestando atención al maestro o a los materiales.

1	2	3	4	5
Totalmente en desacuerdo	En desacuerdo	Indeciso	De acuerdo	Totalmente de acuerdo

2. El estudiante está llevando a cabo conductas desafiantes y no le está prestando atención al maestro o a los materiales.

1	2	3	4	5
Totalmente en desacuerdo	En desacuerdo	Indeciso	De acuerdo	Totalmente de acuerdo

3. El estudiante parece tener emociones positivas (p.ej., sonriendo, riendo, etc).

1	2	3	4	5
Totalmente en desacuerdo	En desacuerdo	Indeciso	De acuerdo	Totalmente de acuerdo

Comentarios acerca de la conducta del estudiante en el video: ____________________

____

____

Comentarios generales acerca de la conducta del estudiante: ____________________

____

____

Nombre (opcional): ____

Parentesco con el estudiante del vídeo (opcional): ____________________

Tomado de "The Effects of Functional Communication Training, Choice Making, and an Adjusting Work Schedule on Problem Behavior Maintained by Negative Reinforcement" R.K. Van Norman ,2005, págs. 248-256. Tesis doctoral no publicada. Columbus, OH. The Ohio State University. Adaptado con permiso.

La opinión del consumidor

El método de evaluación de la validez social usado con más frecuencia consiste en preguntar a los consumidores, incluyendo a los sujetos y a los clientes o usuarios de los servicios conductuales cuando sea posible, si opinan que se dieron cambios de conducta durante el estudio o el programa, y en ese caso, si fueron importantes y valiosos. La Figura 10.7 muestra el cuestionario que Van Norman (2005) utilizó para obtener la opinión de los consumidores (es decir, de los padres, los maestros, los asistentes de los maestros, los gestores escolares, los empleados de apoyo conductual, un terapeuta ocupacional, un psicólogo escolar y un ayudante del psicólogo) acerca de la validez social de los resultados de una intervención diseñada para reducir conductas difíciles mantenidas por escape. Van Norman creó una serie de video clips de 5 minutos que provenían de una selección aleatoria de sesiones de antes y después de la intervención y puso los videos en orden aleatorio en un CD. Los evaluadores de la validez social no sabían si los videos eran de una sesión de antes o después de la intervención. Después de ver cada uno de los videos, el consumidor contestó el cuestionario que aparece en la Figura 10.7.

La evaluación del experto

Se puede pedir a los expertos que evalúen la validez social de algunos cambios de conducta. Por ejemplo, White (1991) evaluó la validez social de los cambios en las habilidades para tomar notas sin ayuda sobre unas conferencias de estudios sociales, en alumnos de bachillerato con discapacidad del aprendizaje, como resultado de su exposición a notas guiadas preparadas por el maestro. Para realizar la evaluación, White (1991) le pidió a 17 maestros de secundaria de ciencias sociales que calificaran las notas tomadas en las conferencias durante la lineabase y posteriormente a la intervención respecto a tres dimensiones: (1) precisión y completitud, comparadas con el contenido de la conferencia; (2) utilidad para la preparación de los exámenes sobre el contenido de las conferencias; y (3) comparación de las notas con aquellas tomadas por alumnos de educación general típicos. (Los maestros no sabían si las notas que estaban evaluando provenían de la condición de lineabase o de la posterior a la intervención).

Fawcett (1991) observó que, "Si la valoración de los expertos no es suficientemente alta, [los investigadores deben de] considerar qué más podrían haber hecho para programar la validez social. A pesar de los mayores esfuerzos, las evaluaciones pueden mostrar que los objetivos de investigación son evaluados como insignificantes, los procedimientos de intervención como inaceptables o los resultados como poco importantes, por parte de los consumidores que los evalúan." (pág. 238).

Pruebas estandarizadas

Las pruebas estandarizadas también pueden utilizarse para evaluar la validez social de los resultados de algunos programas de cambio de conducta. Iwata, Pace, Kissel, Nau y Farber (1990) desarrollaron la *Self-Injury Truma Scale (SITS)* para ayudar a investigadores y terapeutas a medir el número, el tipo, la severidad y la ubicación de heridas producidas por las conductas autolesivas. La SITS proporciona un Índice Numérico y un Índice de Severidad con puntuaciones del 0 al 5, y una estimación del riesgo actual. A pesar de que los datos recolectados en un programa de tratamiento pueden mostrar una disminución significativa de las conductas que producen autolesiones (p. ej. hurgarse los ojos, golpearse el rostro con las palmas de las manos o golpearse la cabeza contra una superficie plana) la relevancia social del tratamiento debe ser validada con evidencia de una reducción de las lesiones. Iwata y sus colaboradores escribieron:

> … la relevancia social de la conducta se encuentra en su resultado traumático. La medición de las lesiones físicas antes del tratamiento puede establecer el hecho de que un cliente o sujeto de hecho muestra conductas que requieren atención seria.… Por otro lado, la medición de las lesiones después del tratamiento puede corroborar los cambios observados en la conducta debido a que la disminución de la respuesta que produce la lesión por debajo de cierto nivel debe ser reflejada mediante la desaparición final del trauma visible desaparezca. En estas dos situaciones, los datos sobre las heridas proporcionan una manera de evaluar la validez social. (Wolf, 1978, págs. 99-100)

Twohig y Woods (2001) usaron la *SITS* para validar los resultados de un procedimiento de reversión del hábito para evitar que dos hombres adultos se pellizcaran y rasgaran la piel constantemente. Ambos hombres refirieron que se habían pellizcado y rasgado la piel de manera crónica desde la infancia, rasgándose la piel desde las puntas de los dedos y las uñas, lo cual ocasionaba sangrado, cicatrices e infecciones. Dos observadores evaluaron, de forma independiente, fotografías de las manos de los dos hombres tomadas durante las fases previa y posterior al tratamiento, así como durante la de seguimiento, usando la *SITS*. Las puntuaciones del Índice Numérico (IN) y del Índice de Severidad (IS) para las fotografías de la fase de previa al tratamiento fueron de 1 y 2, respectivamente, lo que indicaba de una a cuatro heridas en cualquiera de las dos manos y desgarros superficiales y diferenciados en la piel. Las puntuaciones del IN y del IS de 0 en las fotografías de la fase posterior al tratamiento indicaron que no había heridas visibles. En las fotos de la fase de seguimiento, tomadas 4 meses después de que el tratamiento hubiese terminado, las puntuaciones de ambos índices fueron de 1, indicando piel roja o irritada.

La prueba del mundo real

Quizás la manera más socialmente valida de evaluar la validez social de la nueva conducta adquirida por una persona es someter la conducta a la prueba más auténtica: el ambiente natural. Por ejemplo, la validez de que tres adolescentes con problemas de aprendizaje habían aprendido sobre normas y señales de tráfico quedó demostrada cuando los adolescentes aprobaron su examen de conducir en la oficina de tráfico local y recibieron sus permisos temporales de conducir (Test y Heward, 1983).

De manera similar, la validez social de las habilidades de cocina que aprendieron tres estudiantes de secundaria con trastornos del desarrollo y discapacidades visuales se evaluó frecuentemente cuando sus amigos llegaron al final de las sesiones de sondeo para probar la comida que los alumnos habían preparado (Trask-Tyler, Grossi, y Heward, 1994). Además de aportar una evaluación directa y auténtica de la validez social, la prueba del mundo real permite que el repertorio conductual de la persona entre en contacto con las contingencias de reforzamiento que ocurren de manera natural en el ambiente, lo cual puede ayudar a mantener y generalizar las nuevas conductas adquiridas.

La validez externa: replicación de experimentos para determinar la generalización de los resultados de investigación

La *validez externa* se refiere al grado con el cuál una relación funcional considerada fiable y socialmente válida en un experimento determinado se mantiene en condiciones diferentes. Una intervención que solamente funciona bajo un conjunto determinado de condiciones y que es ineficaz cuando cualquier aspecto del experimento original es alterado, contribuye limitadamente al desarrollo de una tecnología del cambio de conducta fiable e útil. Cuando un experimento que ha sido cuidadosamente controlado muestra que un tratamiento determinado produce mejoría consistente y socialmente significativa en la conducta objetivo de un sujeto, es pertinente hacerse las siguientes preguntas: ¿Será este tratamiento tan eficaz si se aplica a otras conductas? ¿El procedimiento continuará funcionando si es modificado de alguna manera (p.ej., si se implementara en un momento diferente del día, por otra persona, o con una programación diferente)? ¿Funcionará en un contexto diferente al del experimento original? ¿Funcionará con participantes de edades, orígenes, o repertorios diferentes? Las preguntas sobre la validez externa no son abstractas o retóricas; son preguntas empíricas que deben ser contestadas a partir de métodos empíricos.

Una relación funcional con validez externa o posibilidad de generalización seguirá operando bajo una gran variedad de condiciones. La validez externa es una cuestión de grado, no una propiedad de todo o nada. Una relación funcional que no puede ser reproducida bajo ninguna otra condición que no sea aquella de las variables originales (incluyendo el sujeto original), no posee validez externa. En el otro extremo del continuo, un procedimiento que es eficaz en cualquier momento, bajo cualquier condición, en cualquier contexto, con cualquier conducta, y para cualquier sujeto tiene generalidad completa (aunque es una situación improbable). La mayoría de las relaciones funcionales se encuentran en algún lugar entre los dos extremos del continuo, y aquellas que tienen posibilidades más altas de generalización contribuyen de manera importante al análisis aplicado de la conducta. Los investigadores que utilizan métodos de investigación de comparación de grupos tienen un enfoque de la cuestión de la validez externa muy diferente al de los investigadores que usan métodos de investigación intrasujetos.

La validez externa y la investigación con diseños grupales

Como hemos mencionado previamente, quienes investigan usando diseños experimentales de comparación grupal sostienen dos ventajas del uso de grupos grandes de sujetos. Además de suponer que agregar los datos de un grupo de sujetos controlará la variabilidad entre sujetos, suponen que incluir muchos sujetos en un experimento incrementa la validez externa de los resultados de un estudio. Superficialmente, esta suposición es perfectamente lógica, y cuando se mira al nivel adecuado de extrapolación, también es verdadera. Con cuantos más sujetos se haya demostrado una relación funcional, más probable es que la misma relación funcional exista en otros sujetos que compartan características similares. De hecho, precisamente el modo en el que los analistas aplicados de la conducta documentan la validez externa es mediante la demostración de una relación funcional con varios sujetos y en contextos diferentes.

Sin embargo, el investigador que sostenga que los resultados de un estudio de comparación grupal se pueden generalizar a otros *individuos* de la población de la que se extrajeron los sujetos experimentales incumple una premisa fundamental del método de comparación grupal e ignora una característica definitoria de la conducta. Las inferencias apropiadas de los resultados de un estudio de diseño grupal son de la muestra a la *población*, no de la muestra al individuo (Fisher, 1956). Los métodos cuidadosos de muestreo aleatorio que se utilizan en la investigación de diseño grupal se emplean para asegurar que los participantes en un estudio representan una muestra heterogénea de todas las características relevantes que se encuentran en la población de la cual fueron seleccionados. De hecho, cuanto más representativa sea la muestra de la población de la que se extrajo, menos significativos son los resultados para ningún sujeto individual. "La única afirmación que puede hacerse es respecto a la respuesta media de un grupo con características específicas que, desgraciadamente, son difíciles de duplicar" (Hersen y Barlow, 1976, pág. 56).

Un segundo problema inherente al intento de extender los resultados de un estudio de comparación grupal a otras personas (y, en ocasiones, a menos que se sea cuidadoso, incluso a uno de los sujetos que participaron en el estudio, como ha sido ilustrado en la Figura 10.1) es que el experimento de diseño grupal no demuestra la relación funcional entre la conducta de ningún sujeto y algún aspecto de su ambiente. En otras palaras, desde la perspectiva del análisis de conducta, no existe nada en los resultados de un experimento de diseño grupal que pueda tener validez externa; no hay nada que generalizar. Johnston y Pennypacker (1993a) llamaron la atención sobre este punto de forma elocuente en repetidas ocasiones.

> Los diseños entre grupos tienden a poner la carroza antes del caballo. La técnica de presentar diferentes niveles de la variable independiente a diferentes grupos compuestos por un gran número de sujetos, y de considerar sus respuestas de manera colectiva preguntándose si representarán a la parte de la población que no ha sido examinada, aporta comparaciones que no describen a ningún miembro de ninguno de los grupos. Al no centrarse en los individuos ni cuidar el control experimental, estos métodos tradicionales reducen las oportunidades de descubrir en primer lugar relaciones ordenadas, haciendo por tanto que la cuestión de la generalización a los sujetos sea irrelevante (1993a, pág. 352).
>
> El objetivo principal del investigador es obtener datos que verdaderamente representen la relación entre las condiciones experimentales y la variable dependiente para cada sujeto. Si esto no se consigue, lo demás no importa. Solamente cuando los resultados son "verdaderos" es cuando la cuestión de la significatividad o universalidad de estos resultados se vuelve relevante. (1993a, pág. 250)

Los diseños de comparación grupal e inferencia estadística han dominado la investigación en psicología, educación, y las otras ciencias sociales durante mucho tiempo. A pesar de su dominancia tan prolongada, la medida en la cual esta tradición de investigación ha contribuido a una tecnología eficaz del cambio de la conducta es cuestionable (Baer, 1977b; Birnbrauer, 1981; Michael, 1974). El campo de la educación es quizás el ejemplo más claro de la incapacidad de la investigación de diseños grupales para aportar datos que lleven a una mejora de la práctica (Greer, 1983; Heward y Cooper, 1992). Los métodos didácticos usados en el aula están a menudo más influenciados por modas, por el estilo personal de cada maestro y por ideología, que por el conocimiento acumulativo y la comprensión que hemos obtenido a partir del análisis experimental riguroso y continuado de las variables de las que el aprendizaje es función (Heron, Tincani, Peterson, y Miller, 2005; Kozloff, 2005; Zane, 2005).

Los métodos experimentales de comparación grupal son inapropiados para contestar las preguntas de principal interés para el analista aplicado de la conducta (preguntas empíricas que solamente pueden ser abordadas mediante el análisis de la medición repetida de la conducta individual en todas las condiciones relevantes). Estamos de acuerdo con Johnston y Pennypacker (1993b):

> Nos parece que el razonamiento que subyace tanto a los procedimientos ajenos al objeto de estudio y a los objetivos de una ciencia natural de la conducta como a la supuesta utilidad de las comparaciones grupales, es extremadamente limitado, sin importar lo elegante que pueda ser el tratamiento matemático de los datos que se utilice ... [la experimentación por medio de las comparación grupal constituye] un proceso de investigación científica que opera casi a la inversa; en lugar de emplear preguntas acerca de los fenómenos naturales para guiar las decisiones del diseño experimental, los modelos de diseño dictan tanto la forma como el contenido de las preguntas a investigar. Esto no es solo antitético al papel establecido que la investigación tiene en la ciencia, sino que, de igual manera el tipo de preguntas que pueden hacerse en los diseños de comparación grupal son, en gran medida inapropiadas o irrelevantes para aumentar la comprensión de los determinantes de la conducta (págs. 94-95)

Nuestra discusión de las limitaciones inherentes a los diseños de comparación grupal para el análisis de la conducta no debe ser confundida con una posición de que los diseños grupales y la inferencia estadística no tiene valor como método de investigación para buscar conocimiento empírico sobre el mundo. Por el contrario, los diseños de comparación grupal y la inferencia estadística son herramientas altamente eficaces en la búsqueda de respuestas para la clase de preguntas para las que fueron creados. Los experimentos de comparación grupal bien diseñados y bien ejecutados pueden aportarnos respuestas con un grado específico de fiabilidad (es decir, probabilidad) a preguntas relacionadas con evaluaciones a gran escala. Por ejemplo, una departamento gubernamental está menos interesado en los de efectos de una nueva regulación sobre un individuo en particular (e incluso menos interesada en si existe una relación funcional entre la regulación y la conducta de la persona) que en la probabilidad de que la conducta de un porcentaje predecible de la población sea afectada por la regulación.

La primera cuestión es de carácter conductual y los métodos experimentales del análisis de conducta proveen los medios para investigarla. La última pregunta es de carácter actuarial, y se contesta mejor mediante métodos de muestreo aleatorio, comparación grupal e inferencia estadística.

La validez externa y el análisis aplicado de la conducta

La validez externa (posibilidad de generalización) de los resultados de investigación en el análisis aplicado de la conducta es evaluada, establecida y especificada a través de la replicación de los experimentos.

> Para saber si un resultado particular será obtenido por un sujeto en otro estudio o en circunstancias aplicadas, lo que realmente necesitamos saber es qué variables son necesarias para hacer que un efecto ocurra, qué variables evitarán que el efecto ocurra, y qué variables modularán dicho efecto… Esta información no puede ser obtenida al incrementar el tamaño de los grupos experimental y control. Esto requiere realizar una serie de experimentos para identificar y estudiar las variables que puedan corresponder a cada una de estas tres categorías. (Johnston y Pennypacker, 1993a, pág. 251)

En este contexto, la **replicación** se refiere a la repetición de un experimento previo.[9] Sidman (1960) describió dos tipos principales de replicación científica: directa y sistemática.

Replicación directa

En una **replicación directa**, el investigador hace todo lo posible por duplicar exactamente las condiciones de un experimento anterior. Si el mismo sujeto participa en una replicación directa, el estudio es una *replicación directa intrasujeto.* La replicación intrasujeto dentro de un experimento es una de las características definitorias de la investigación del análisis aplicado de la conducta y la técnica principal para establecer la existencia de una relación funcional. Una *replicación directa entre sujetos* mantiene todos los aspectos de un experimento previo, con la excepción de que sujetos diferentes, aunque similares, participan en el experimento (es decir, los sujetos tienen la misma edad y repertorios conductuales similares). La replicación entre sujetos es el método principal para determinar el grado en el que los resultados de la investigación se pueden generalizar a otros sujetos.

El amplio número de variables no controladas de un contexto natural hacen que la replicación directa fuera del laboratorio sea sumamente difícil. A pesar de esto, la replicación entre sujetos es la regla más que la excepción en el análisis aplicado de la conducta. Aunque un número considerable de estudios de caso único tienen un solo sujeto (p. ej., Ahearn, 2003; Dixon y Falcomata, 2004; Kodak, Grow y Northrup, 2004; Tarbox, Williams, y Friman, 2004), la gran mayoría de los estudios publicados en el análisis aplicado de la conducta incluyen replicaciones directas entre sujeto. Esto es porque, con frecuencia, cada sujeto se considera como un experimento en sí mismo. Por ejemplo, un estudio de análisis de conducta en el que la variable independiente es manipulada de la misma manera para seis sujetos en el mismo contexto resulta en cinco replicaciones.

Replicación sistemática

La replicación directa de experimentos demuestra la fiabilidad de una relación funcional, pero la generalidad de los resultados a otras condiciones solamente puede ser establecida a partir de la experimentación repetida en la cual las condiciones de interés son variadas de manera intencional y sistemática. En una **replicación sistemática** el investigador varía, de manera intencional, uno o más aspectos de un experimento previo. Cuando una replicación sistemática reproduce los resultados de una investigación anterior de manera exitosa, no solamente demuestra la fiabilidad de los resultados previos, sino también la validez externa al mostrar que el mismo efecto puede ser obtenido en condiciones diferentes. En una replicación sistemática, cualquier aspecto de un experimento previo puede ser alterado: los sujetos, el contexto, la administración de la variable independiente y las conductas de interés.

A pesar de que la replicación sistemática ofrece recompensas potenciales mayores que la replicación directa porque puede darnos conocimientos nuevos acerca de las variables que se investigan, está acompañada de cierto riesgo. Sidman (1960) describió la replicación sistemática como una apuesta, pero una apuesta que vale la pena hacer.

[9] Johnston y Pennypacker (1980) señalaron una distinción entre replicar un experimento y reproducir sus resultados. Ellos declaraban que la calidad de la replicación debe ser juzgada solamente por "el grado en que las manipulaciones ambientales equivalentes asociadas con [el experimento original] son duplicadas…. De esa manera, uno replica procedimientos con el objetivo de reproducir sus efectos" (págs. 303-304). Sin embargo, cuando la mayoría de los investigadores informan de un "fracaso al replicar", quieren decir que los resultados de la replicación no se correspondieron con los resultados obtenidos en la investigación anterior (p. ej., Ecott, Foate, Taylor y Critchfield, 1999; Friendling y O'Leary, 1979).

Si la replicación sistemática falla, el experimento original tendrá que ser repetido, de manera contraria, no hay forma de determinar si el fallo de replicación obedece a la introducción de variables nuevas en el segundo experimento o bien si el control de los factores relevantes en el primer experimento fue inadecuado.

Por otro lado, si la replicación sistemática funciona, la recompensa es magnífica. No solamente se habrá incrementado la fiabilidad de los resultados originales, sino también su posibilidad de generalización a otros organismos *y* a otros procedimientos experimentales se verá mejorada de manera significativa. Aún más, hay datos adicionales disponibles que no se hubieran obtenido por medio de una repetición simple del primer experimento (págs. 111-112)

Sidman continuó explicando que el manejo económico prudente de recursos limitados también debe jugar un papel importante en la determinación del científico con respecto a cómo debe llevarse a cabo un programa de investigación. La replicación directa de un experimento largo y costoso puede aportar datos solamente sobre la fiabilidad de una relación funcional, mientras que la replicación sistemática puede aportar información sobre la fiabilidad y generalización del fenómeno que se investiga, así como información nueva para experimentación adicional.

La validez externa de los resultados de la investigación mediante comparación grupal se ve como una característica inherente de un experimento dado, como algo que puede ser evaluado directamente al examinar los métodos utilizados para realizar el estudio (p. ej., los procedimientos de muestreo). Si esa lógica se extiende a los experimentos de caso único, entonces los resultados de los experimentos de caso único no pueden tener ninguna validez externa. Sin embargo, como dijo Birnbrauer (1981), la validez externa no es algo que el estudio *tiene*, sino que es el producto de muchos estudios. La validez externa solamente puede ser alcanzada a través de un proceso activo de replicación sistemática.

La posibilidad de generalización se establece, o más bien se limita, al acumular estudios que son internamente válidos *y* al colocar los resultados en un contexto sistemático, es decir, al buscar los principios y parámetros que los procedimientos específicos parecen enunciar. Los estudios más informativos se preguntan *¿cómo* puede un resultado positivo previo ser repetido en las circunstancias presentes, con el problema presente? (pág. 122)

Una gran parte de la literatura del análisis aplicado de la conducta consiste en replicaciones sistemáticas. De hecho, uno podría argumentar, de manera bastante persuasiva, que casi todos los estudios del análisis aplicado de la conducta son una replicación sistemática en al menos un aspecto de un experimento anterior. Incluso cuando los autores no han comunicado dicha información, virtualmente todos los experimentos que se han publicado tienen similitudes en el procedimiento con experimentos previos. Sin embargo, en el sentido en que utilizamos el término aquí, la replicación sistemática se refiere a los esfuerzos coordinados y orientados a establecer y especificar la posibilidad de generalización de la relación funcional. Por ejemplo, Hamlet, Axelrod y Kuerschner (1984) encontraron una relación funcional entre el requerimiento de contacto visual (p. ej., "[Nombre], se gira") y el seguimiento de las instrucciones de un adulto en dos niños de 11 años de edad. En el mismo artículo publicado se incluyeron las seis replicaciones llevadas a cabo por los mismos investigadores en un periodo de un año con nueve estudiantes de entre 2 y 21 años de edad. Se produjeron resultados similares en ocho de los nueve sujetos de las replicaciones. A pesar de que algunos considerarán que este es un ejemplo de replicación directa entre sujetos, las replicaciones de Hamlet y sus colaboradores se hicieron en varios contextos (es decir, en aulas, hogares e instituciones) y por consiguiente, debe verse como una serie de replicaciones sistemáticas que demostraron no solo la fiabilidad de los resultados sino también la posibilidad de generalización considerable entre sujetos de diferentes edades y en diferentes contextos.

En ocasiones, las replicaciones sistemáticas entre varios sujetos revelan diferentes patrones de efectos, que pueden estudiarse como una función de las características específicas del sujeto o de las variables del contexto. Por ejemplo, Hagopian, Fisher, Sullivan, Acquisto y LeBlanc (1998) informaron de los resultados de una serie de replicaciones sistemáticas con 21 casos de entrenamiento en comunicación funcional con y sin extinción y castigo en pacientes internos.[10] Lerman, Iwata, Shore y DeLeon (1997) encontraron que aligerar los programas de castigo de razón fija a castigo intermitente produjo efectos diferentes en la conducta autolesiva de cinco adultos con retraso mental profundo.

Algunas replicaciones sistemáticas son intentos de reproducir los resultados comunicados por otro investigador en una situación o contexto ligeramente diferente. Por ejemplo, Saigh y Umar (1983) reprodujeron, con éxito, en un aula sudanesa los resultados positivos originalmente comunicados respecto al Juego de la Buena Conducta en un aula estadounidense (Barrish, Saunders y Wolf, 1969; ver la

[10] El entrenamiento en comunicación funcional (ECF) es descrito en el Capítulo 24.

Figura 26.13). Saigh y Umar comunicaron que "se estableció un nivel considerable de apoyo para la utilidad transcultural del juego" (pág. 343)

En ocasiones, los investigadores informan de experimentos múltiples donde cada experimento es una replicación sistemática que investiga las variables que influyen sobre una relación funcional determinada. Por ejemplo, Fisher y sus colaboradores (1993) elaboraron cuatro estudios diseñados para explorar la eficacia del entrenamiento en comunicación funcional (ECF) con y sin extinción y castigo.

La replicación sistemática es evidente cuando un equipo de investigación prosigue en una línea consistente de estudios relacionados a través del tiempo. Ejemplos de este modelo de replicación se pueden encontrar en los estudios de Van Houten y sus colaboradores sobre las variables que afectan a la conducta de los conductores de vehículos motorizados y a la seguridad de los transeúntes (p.ej., Huybers, Van Houten, y Malenfant, 2004; Van Houten y Nau, 1981, 1983; Van Houten, Nau, y Marini, 1980; Van Houten y Malenfant, 2004; Van Houten, Malenfant, y Rolider, 1985; Van Houten y Retting, 2001); en los experimentos de Neef, Markel y sus colaboradores sobre la impulsividad de alumnos diagnosticados de trastorno de atención con hiperactividad (TDAH) (p.ej., Bicard y Neef, 2002; Ferreri, Neef, y Wait, 2006; Neef, Bicard, y Endo, 2001; Neef, Bicard, Endo, Coury, y Aman, 2005; Neef, Markel et al., 2005); y la línea de investigación de Miltenberger y sus colaboradores sobre la enseñanza de habilidades de seguridad a niños (p.ej., Himle, Miltenberger, Flessner, y Gatheridge, 2004; Himle, Miltenberger, Gatheridge y Flessner, 2004; Johnson, Miltenberger et al., 2005; Johnson, Miltenberger et al., 2006; Miltenberger et al., 2004; Miltenberger et al., 2005).

En muchas ocasiones, las replicaciones sistemáticas necesarias para explorar y ampliar una línea significativa de investigación requieren los esfuerzos independientes de investigadores que estando en diferentes lugares conocen su trabajo mutuamente y lo desarrollan basándose en los respectivos avances. Cuando equipos de investigadores independientes en diferentes lugares geográficos informan de resultados similares, el resultado neto es un acervo de conocimiento con integridad científica y valor tecnológico significativos. Este esfuerzo colectivo acelera y mejora la evaluación rigurosa de las intervenciones necesaria para el desarrollo y perfeccionamiento de las prácticas basadas en la evidencia (Horner et al., 2005; Peters y Heron, 1993). Uno de los ejemplos de equipos de investigadores independientes que desde varios lugares geográficos comunican replicaciones sistemáticas es un conjunto creciente de estudios sobre los efectos de las tarjetas de respuesta sobre la implicación académica, el aprendizaje y la manera de comportarse de los estudiantes durante las clases. Los investigadores han informado de un patrón similar de resultados (un incremento en la participación durante la instrucción, mejor retención del contenido de la lección, y reducción de las conductas distraídas de la actividad académica o disruptivas) con las tarjetas de respuesta en un amplio rango de estudiantes (alumnos de educación general, alumnos de educación especial, estudiantes de un segundo idioma), contenido del currículo (p. ej., matemáticas, ciencia, ciencias sociales, ortografía), y de contextos educativos (p. ej., aulas de primaria, de secundaria, de bachillerato y de universidad) (p.ej., Armendariz y Umbreit, 1999; Cavanaugh, Heward, y Donelson, 1996; Christle y Schuster, 2003; Davis y O'Neill, 2004; Gardner, Heward, y Grossi, 1994; Kellum, Carr, y Dozier, 2001; Lambert, Cartledge, Lo, y Heward, 2006; Marmolejo, Wilder, y Bradley, 2004).

La evaluación de la investigación en análisis aplicado de la conducta

Una lista de todas las expectativas y características de una investigación ejemplar en análisis aplicado de la conducta sería muy larga. Hasta el momento hemos identificado un número considerable de requisitos de un buen análisis aplicado de la conducta. Nuestro propósito es resumir esos requisitos en una secuencia de preguntas que uno puede hacerse para evaluar la calidad de la investigación en análisis aplicado de la conducta. Esas preguntas pueden organizarse en cuatro grupos principales: validez interna, validez social, validez externa y significación teórica y científica.

Validez interna

Para determinar si se ha hecho un análisis de conducta, el lector de un estudio de análisis aplicado de la conducta debe decidir si se ha demostrado una relación funcional. Esta decisión requiere de un examen cuidadoso del sistema de medición, del diseño experimental y del grado con el cual el investigador controló las variables extrañas potenciales, así como un meticuloso análisis visual e interpretación de los datos.

Definición y medición de la variable dependiente

El paso inicial al evaluar la validez interna es decidir si se aceptan los datos como medidas válidas y precisas de

Figura 10.8 Preguntas que deberían hacerse al evaluar la definición y medición de la variable dependiente en un estudio de análisis aplicado de la conducta.

- ¿Se definió la variable dependiente de forma precisa, completa y que no resulte ambigua?
- ¿Se dieron ejemplos de la conducta objetivo y de las conductas que no serían objetivo, si esto resultaba clarificador?
- ¿Se especificaron las dimensiones medibles (p.ej., tasa, duración) más relevantes de la conducta objetivo (tasa, duración)?
- ¿Se midieron también las conductas concomitantes importantes?
- ¿Fueron los procedimientos de observación y registro los adecuados para la conducta objetivo?
- ¿Aportaron las mediciones datos válidos (significativos) para el problema de investigación?
- ¿Era la escala de medida suficientemente amplia y sensible para captar los cambios socialmente significativos en la conducta?
- ¿Los autores han aportado suficiente información durante la formación y el ajuste de los observadores?
- ¿Qué procedimientos se usaron para evaluar y garantizar la precisión de la medida?
- ¿Se informó de las evaluaciones del acuerdo entre observadores (AEO) a los niveles a los que los resultados del estudio se presentan (p.ej., por sujeto y por condición experimental)?
- ¿Se programaron las sesiones de observación durante los momentos, actividades y lugares más relevantes para el problema de investigación?
- ¿Se hicieron las observaciones con la suficiente frecuencia y lo suficientemente seguidas como para proporcionar una estimación convincente del cambio conductual a lo largo del tiempo?
- ¿Hubo alguna contingencia operando en el estudio que pudiera haber influido en la conducta de los observadores?
- ¿Había alguna indicación de que la variable dependiente pudiera haber sido reactiva al sistema de medida? Si es así, ¿se utilizaron procedimientos para evaluar y controlar la reactividad?
- ¿Se informó de las evaluaciones de la precisión o fiabilidad de los datos?

la conducta objetivo a lo largo del experimento. Algunos de los aspectos importantes que hay que tener en cuenta para tomar esta decisión aparecen en las preguntas que se muestran en la Figura 10.8.

Representación gráfica

Si los datos se aceptan como una representación válida y precisa de la variable dependiente a lo largo del experimento, como siguiente paso el lector debe evaluar el grado de estabilidad de la conducta objetivo durante cada fase del estudio. Sin embargo, antes de evaluar la estabilidad de las trayectorias de datos, el lector debe examinar la representación gráfica por si hay alguna fuente de distorsión (p.ej., las escalas de los ejes, distorsiones del tiempo en el eje horizontal, etc.; ver el Capítulo 6). El investigador o el consumidor que sospeche de que algún elemento de un gráfico pueda sugerir interpretaciones erróneas de los datos debe reconfigurar el gráfico usando un conjunto nuevo de ejes a una escala correcta. En la evaluación de la estabilidad de la variable dependiente en cada una de las fases de un experimento, se debe tener en cuenta la duración de la fase o condición, así como la presencia de tendencias en las trayectorias de datos. El lector debe preguntarse si las condiciones manipuladas en cada fase podrían haber producido efectos de práctica. De ser así, ¿es posible que estos efectos se hayan manifestado antes de que las variables experimentales hubieran sido manipuladas?

La significatividad de las condiciones de lineabase

Debe tenerse en cuenta la representatividad de las condiciones de lineabase para evaluar la ejecución subsecuente en presencia de la variable independiente. En otras palabras, ¿fueron las condiciones de lineabase significativas en relación con la conducta objetivo, el contexto y las preguntas de investigación que exploraba el experimento? Por ejemplo, consideremos dos experimentos, llevados a cabo por Miller, Hall y Heward (1995), que evaluaron los efectos de dos procedimientos para la realización de ensayos de 1 minuto durante una sesión de práctica diaria de 10 minutos, sobre la tasa y la precisión con que unos alumnos resolvían problemas de matemáticas. A lo largo de todas las condiciones y fases en ambos experimentos, a los alumnos se les indicó que contestarán el mayor número de problemas posibles y se les daba retroalimentación sobre su ejecución. A lo largo de los dos experimentos, las hojas de trabajo de los estudiantes se marcaron y puntuaron de la siguiente manera:

> Los experimentadores marcaron las hojas de trabajo de cada estudiante con una "X" junto a las respuestas incorrectas. El número de respuestas correctas sobre el número total de problemas resueltos se anotaba en la parte superior de la primera hoja, junto con un comentario positivo para motivar a los estudiantes a seguir intentándolo. Si la puntuación de un estudiante era menor que su puntuación previa más alta, se escribían en su hoja comentarios escritos como "¡Sigue intentándolo, Sally!" "¡Trabaja más rápido!" o "¡Continua trabajando duro!". Cuando un estudiante alcanzaba su puntuación más alta hasta el momento, recibía comentarios escritos como "¡Muy bien, Jimmy! "¡Ésta es tu mejor puntuación"!. Si el estudiante obtenía una puntuación igual a la más alta obtenida anteriormente recibía comentarios escritos como "¡Obtuviste de nuevo tu puntuación más alta!"

Al inicio de cada sesión, las hojas de trabajo marcadas y puntuadas del día anterior se le devolvían a los alumnos. Cada sesión durante la condición de 10 minutos de trabajo continuo que funcionaba como lineabase empezaba con los maestros de cada clase diciendo a los alumnos: "Quiero que trabajéis con ahínco y os esforcéis al máximo. Contestad al mayor número de problemas posible. No os preocupéis si no resolvéis todos los problemas. Hay más problemas en las hojas de trabajo de los que cualquier persona podría resolver en 10 minutos. Simplemente hacedlo lo mejor posible" (pág. 326).

La fase de lineabase inicial (A) era seguida de dos condiciones cronometradas (B) y (C) en un diseño ABABCBC. Los resultados para los alumnos de ambas aulas mostraron una relación funcional clara entre las dos condiciones cronometradas y el incremento de la proporción de respuestas correctas y precisas respecto a la condición de lineabase. Sin embargo, si los maestros no hubieran dado instrucciones a los alumnos ni les hubieran recordado que lo hicieran lo mejor posible y que contestaran al máximo de problemas que pudiesen al inicio de cada condición de lineabase, y si los alumnos no hubieran recibido retroalimentación en sus hojas de trabajo, la mejoría durante las condiciones cronometradas hubiera sido puesta en duda. Incluso en el caso de que la relación funcional hubiese sido demostrada en contra de las condiciones de lineabase, los investigadores aplicados y otros consumidores podrían haber cuestionado la importancia de los resultados. Tal vez los niños simplemente no sabían que debían trabajar con rapidez. O bien, tal vez los estudiantes hubieran resuelto problemas en la condición de lineabase con la misma alta proporción que en las condiciones cronometradas si se les hubiera dicho que "trabajaran rápido" y hubieran recibido retroalimentación en su ejecución, elogios sobre sus mejorías y motivación para contestar más problemas. Al incluir las instrucciones diarias de trabajar con ahínco y resolver el mayor número posible de problemas, y al devolver las hojas de trabajo a los estudiantes como componentes de la condición de lineabase, Miller y sus colaboradores obtuvieron patrones válidos durante la lineabase con los cuales se podían comparar los efectos de las dos condiciones cronometradas.

Diseño experimental

El diseño experimental debe ser examinado para determinar qué tipo de razonamiento experimental permite. ¿Cuáles son los elementos del diseño que hacen posible la predicción, verificación y replicación? ¿Es el diseño apropiado para las preguntas de investigación que se plantean en el estudio? ¿El diseño controla de manera eficaz las variables extrañas? ¿El diseño provee las bases para el análisis de componentes o paramétrico, en caso de ser necesario?

Análisis visual e interpretación

A pesar de que se han recomendado varios métodos estadísticos para evaluar los datos conductuales y determinar la existencia de una relación funcional en diseños de caso único (p.ej., Gentile, Rhoden, y Klein, 1972; Hartmann, 1974; Hartmann et al., 1980; Jones, Vaught, y Weinrott, 1977; Pfadt y Wheeler, 1995; Sideridis y Greenwood, 1996), la inspección visual sigue siendo el método usado más comúnmente, y el que creemos que es el más apropiado para interpretar los datos en el análisis aplicado de la conducta. A continuación presentaremos, de manera breve, los cuatro factores que favorecen al análisis visual por encima de las pruebas de significación estadística en el análisis aplicado de la conducta.

Para empezar, los analistas aplicados de la conducta tienen poco interés en saber si un cambio de conducta es estadísticamente significativo. Los analistas aplicados de la conducta están más preocupados por producir cambios conductuales que sean socialmente significativos: "Si un problema ha sido resuelto, puedes *verlo*; si es necesario

El investigador concluye que las relaciones funcionales existen	Las relaciones funcionales existen en la naturaleza: Sí	Las relaciones funcionales existen en la naturaleza: No
Sí	Conclusión correcta	Error Tipo I (falso positivo)
No	Error Tipo II (falso negativo)	Conclusión correcta

Figura 10.9 Idealmente, un diseño experimental y los métodos de análisis de datos ayudan a un investigador a concluir, de manera correcta, que una relación funcional existe (o no existe) cuando realmente esto sucede así en la naturaleza. Concluir que los resultados de un experimento revelan una relación funcional cuando dicha relación no existe en la naturaleza es un Error Tipo I. Y a la inversa, concluir que una variable independiente no tuvo efecto alguno en la variable dependiente cuando en realidad dicha relación sí ocurrió es un Error Tipo II.

realizar pruebas de significación estadística, no tienes la solución" (Baer, 1997a, pág. 171).

En segundo lugar, el análisis visual sirve para identificar las variables que producen efectos fuertes, grandes y fiables, y que contribuyen a una tecnología robusta y eficaz del cambio de conducta. Por otro lado, las pruebas poderosas de análisis estadístico pueden detectar la más mínima correlación posible entre las variables independiente y dependiente, lo que puede llevar a la inclusión de variables débiles y poco fiables a dicha tecnología.

Es posible cometer dos tipos de errores cuando se intenta determinar el efecto experimental (ver la Figura 10.9). Un **Error Tipo I** (también conocido como *falso positivo*) se comete cuando el investigador concluye que la variable independiente tuvo un efecto en la variable dependiente, cuando en realidad no existe tal relación en la naturaleza. Un **Error Tipo II** (también conocido como *falso negativo*) es lo opuesto al Error Tipo I. En este caso, el investigador concluye que una variable independiente no tuvo ningún efecto sobre la variable dependiente, cuando en realidad sí lo tuvo. Idealmente, un investigador que usa técnicas experimentales bien razonadas en combinación con un diseño experimental firme y con el apoyo de métodos apropiados de análisis de datos, concluirá, de manera correcta, si existe o no una relación funcional entre las variables independiente y dependiente.

Baer (1997b) señaló que la confianza del analista de conducta en la inspección visual para determinar los efectos experimentales resulta en una incidencia baja de Errores Tipo I, pero incrementa la comisión de Errores Tipo II. El investigador que confía en las pruebas de significación estadística para determinar los efectos experimentales comete muchos más Errores Tipo I que el analista de conducta, pero pierde pocas, si es que pierde alguna, de las variables que pueden producir algún efecto.

> Los científicos que cometen relativamente muchos Errores Tipo 1 están obligados a memorizar listas muy largas de variables que se supone que influyen en varias conductas, una parte de las cuales no son variables en lo absoluto. Por otro lado, los científicos que cometen muy pocos Errores Tipo 1 tienen listas relativamente cortas de variables que recordar. Además, y de manera más importante, frecuentemente solamente las variables más robustas y eficaces conforman esa lista. Aquellos que se arriesgan a cometer Errores Tipo 1 más frecuentemente descubrirán una serie de variables débiles. Sin ninguna duda, ellos sabrán más, aunque una parte considerable de lo que saben es incorrecto, y otra parte aún más extensa es engañoso… Aquellos que mantienen baja la probabilidad de cometer Errores Tipo 2 no suelen rechazar una relación funcional, en comparación con aquellos con mayor probabilidad de cometer Errores Tipo 2. De nuevo el profesional con más probabilidad de cometer Errores Tipo 2 sabrá más, pero la naturaleza de ese conocimiento adicional, con frecuencia, muestra debilidad, inconsistencia de la función, o la especialización… Los investigadores que usan diseños de caso único… necesariamente caen en probabilidades bajas de cometer Errores Tipo 1 y probabilidades altas de cometer Errores Tipo 2, en comparación con sus colegas del paradigma de comparación grupal. Como resultado, aprenden sobre menos variables, pero estas son, generalmente, más poderosas, generales, fiables, y, muy importante, en ocasiones, accionables. Éstas son exactamente las variables sobre las que una tecnología de la conducta debería ser construida. (Baer, 1977b, págs. 170-171)

Un tercer problema de usar métodos estadísticos para determinar la existencia de relaciones funcionales en datos conductuales ocurre con conjuntos de datos que están en los límites y presentan una variabilidad significativa. Estos conjuntos de datos deben motivar al investigador a involucrarse en experimentación adicional para lograr un control experimental más consistente y para descubrir los factores que causan dicha variabilidad. El investigador que renuncia a la experimentación adicional a favor de aceptar los resultados de una prueba de significación estadística como evidencia de una relación funcional se arriesga a dejar resultados importantes en el campo de lo desconocido.

> La situación en la que una prueba de significación puede parecer de ayuda suele ser aquella con tanta variabilidad no controlada en la variable dependiente que ni el experimentador ni sus lectores pueden estar seguros de que haya una relación interpretable. Esto es evidencia de que la conducta relevante no está bajo buen control experimental, una situación que requiere experimentación más eficaz, no ayuda interpretativa más compleja (Michael, 1974, pág. 650)

Cuarto, las pruebas estadísticas de significación pueden ser aplicadas solo a los conjuntos de datos que cumplen algunos criterios predeterminados. Si los métodos estadísticos para determinar los efectos experimentales se convirtieran en una herramienta valorada en el análisis aplicado de la conducta, podría ocurrir que los investigadores empezaran a diseñar sus experimentos para que dichas pruebas pudieran calcularse. Esto resultaría en una pérdida de flexibilidad en el diseño experimental que podría ser contraproducente para el desarrollo continuo del análisis de conducta (Johnston y Pennypacker, 1993b; Michael, 1974).

Validez social

El lector de un estudio publicado en análisis aplicado de la conducta debe juzgar si la conducta de interés es socialmente significativa, si los procedimientos son apropiados, y si los resultados son socialmente relevantes (Wolf, 1978).

El Capítulo 3 detalla muchos de los aspectos que deben guiar al analista aplicado de la conducta en el momento de seleccionar las conductas de interés. La validez social de la variable dependiente debe ser evaluada a la luz de esos factores. En última instancia, todos los aspectos relevantes para la selección de la conducta de interés señalan a una pregunta: ¿El aumento (o la disminución) de la dimensión medida de esta conducta mejorará la vida de la persona directa o indirectamente?

La variable independiente debe ser evaluada, no solamente en términos de sus efectos sobre la variable dependiente, sino también en términos de su aceptabilidad social, su complejidad, su posibilidad de aplicación práctica y su coste. Al margen de su eficacia, los tratamientos que los padres, los terapeutas o los clientes consideran inaceptables o indeseables por alguna razón, muy probablemente no serán empleados. Por consiguiente, dichos tratamientos nunca tendrán la oportunidad de contribuir a la tecnología del cambio de conducta. Lo mismo puede decirse de las variables independientes que son extremadamente complejas y difíciles de aprender, enseñar y aplicar. De manera similar, los tratamientos que requieren grandes cantidades de tiempo o dinero para implementarse pueden tener menos validez social que aquellos que pueden ser aplicados de manera más rápida y menos costosa.

Aunque el cambio de conducta sea claramente visible en una representación gráfica, puede ser que no sea una mejoría socialmente válida para el participante o para las personas relevantes de su ambiente. Cuando se evalúan los resultados de un estudio de análisis aplicado de la conducta, el lector debe hacerse preguntas como las siguientes: ¿Está el participante (o las personas relevantes en su vida) mejor ahora que la conducta ha cambiado? ¿Este nuevo nivel de ejecución resultará en un incremento del reforzamiento (o una reducción del castigo) para el sujeto ahora o en el futuro? (Hawkins, 1984). En algunos casos, es relevante preguntarse si el sujeto (o sus personas significativas) cree que su conducta ha mejorado (Wolf, 1978).

Mantenimiento y generalización del cambio de conducta

Las mejorías de la conducta son más beneficiosas cuando son duraderas, aparecen en otros ambientes apropiados y se generalizan a otras conductas relacionadas. Uno de los objetivos principales del análisis aplicado de la conducta es producir este tipo de efectos (El Capítulo 28 examina estrategias y técnicas para facilitar el mantenimiento y la generalización del cambio de conducta). Al evaluar estudios de investigación en el marco del análisis aplicado de la conducta, los consumidores deben tener en cuenta el mantenimiento y la generalización del cambio de conducta. Un cambio de conducta impresionante que no dura o que está limitado a un contexto de entrenamiento especializado puede no resultar significativo socialmente. ¿Los investigadores comunicaron los resultados de la evaluación sobre mantenimiento y generalización de la conducta realizada mediante observaciones de seguimiento y mediciones en contextos distintos a los de entrenamiento? Es más, si no se demostró mantenimiento ni generalización en dicho seguimiento, ¿modificaron los experimentadores el diseño e implementaron procedimientos destinados a producir y analizar el mantenimiento o la generalización? De manera adicional, el lector debe preguntarse si la generalización de la respuesta (cambios en conductas funcionalmente similares que no fueron entrenadas específicamente y que han ocurrido al mismo tiempo que los cambios en las conductas de interés) es un asunto a valorar en un estudio determinado. De haber sido así, ¿trataron los experimentadores de evaluar, analizar, o discutir este fenómeno?

Validez externa

Como se abordó anteriormente en este capítulo, la posibilidad de generalización de los resultados de un experimento a otros sujetos, contextos y conductas no puede ser evaluada solamente mediante los aspectos intrínsecos del estudio. La posibilidad de generalización de una relación entre el ambiente y la conducta solamente puede ser establecida a través de un proceso activo de replicación sistemática. Por consiguiente, el lector de un estudio de análisis aplicado de la conducta debe comparar los resultados de ese estudio con los de otros estudios de investigación publicados con los que comparta características relevantes. Los autores de un artículo publicado identifican en la introducción los experimentos que consideran más relevantes. Para juzgar un estudio de manera eficaz en cuanto a su validez externa, con frecuencia el lector debe localizar estudios previos en la literatura y comparar sus resultados con los del experimento actual.

Aunque la validez externa no debe considerarse una característica de un estudio en sí mismo (Birnbrauer, 1981), varias características de un experimento sugieren al lector el nivel probable de generalización de los resultados. Por ejemplo, un experimento que demostrara una relación funcional similar en seis sujetos de diferentes edades, orígenes, y reportorios actuales indicaría una probabilidad más alta de generalización a otros sujetos que un experimento idéntico que demostrara los mismos resultados en seis sujetos de la misma edad, orígenes y repertorio actual. De manera similar, si el experimento hubiera sido llevado a cabo en varios contextos y un número diferente de personas administrase la variable independiente, se podría esperar aún mayor confianza en la validez externa de los resultados.

Importancia teórica y sentido conceptual

Un experimento publicado también debe ser evaluado en términos de su mérito científico. Es posible que un estudio demuestre claramente una relación funcional entre la variable independiente y una conducta de interés socialmente relevante (y por tanto ser considerado significativo desde una perspectiva aplicada) y aun así contribuya muy poco al avance del campo de estudio.[11] Es posible reproducir un cambio de conducta importante de manera fiable, y, al mismo tiempo, no comprender qué variables son responsables de dicha relación funcional. Sidman (1960) hizo una distinción entre esta clase de fiabilidad simple y la "reproducibilidad bien informada", un nivel más completo de análisis en el cual todos los factores importantes han sido identificados y son controlados.

La necesidad de análisis más profundos de conductas socialmente relevantes

Aunque ningún analista de conducta dudaría de la necesidad de replicación sistemática y del papel central que juega en el desarrollo de una tecnología eficaz del cambio de conducta, y a pesar de que la literatura aporta evidencia suficiente de que al menos una forma laxa de replicación sistemática se lleva a cabo habitualmente, un examen más crítico de la literatura sugiere la necesidad de un análisis más profundo de las relaciones funcionales estudiadas. Muchos autores han abordado la importancia de centrarse en el aspecto analítico del análisis aplicado de la conducta tanto como en el aplicado (p. ej., Baer, 1991; Birnbrauer, 1979, 1981; Deitz, 1982; Hayes, 1991; Iwata, 1991; Michael, 1980; Morris, 1991; Johnston, 1991; Pennypacker, 1981). Después de examinar la mayoría de los artículos experimentales publicados en los 10 primeros volúmenes del *Journal of Applied Behavior Analysis* (1968 a 1977), Hayes, Rincover y Solnick (1980) concluyeron que se había dado una deriva técnica en el área que se alejaba de los análisis conceptuales y se enfocaba en la cura de los clientes. Advirtieron de una probable pérdida de comprensión científica como resultado de centrarse solamente en los aspectos técnicos de la mejoría de la conducta en contextos aplicados, y recomendaron hacer un mayor esfuerzo para realizar análisis de conducta más profundos.

[11]Es importante recordar que, aunque una parte de la investigación en análisis aplicado de la conducta pueda ser justamente criticada por ser superficial debido a que aporta poco a la compresión conceptual de la conducta, los estudios que mejoran conductas objetivo significativas a niveles socialmente válidos mediante la aplicación de una variable de tratamiento también socialmente válida (sea parte de un paquete de tratamiento o no) nunca son superficiales para los participantes ni para las personas significativas de su ambiente.

> La importancia de los análisis de componentes, de los análisis paramétricos y de otros acercamientos analíticos más sofisticados, se suele encontrar menos en el "control" (en un sentido aplicado inmediato) y más en la "comprensión" (en un sentido científico). Puede ser que la conducta agresiva se controle fácilmente a través del castigo, sin contribuir de manera significativa a la comprensión de la agresión… Por ejemplo, si se cuenta con un programa eficaz, puede que no sea obvio el valor que tiene realizar un análisis de componentes. Sin embargo, estos análisis más complicados pueden incrementar nuestro conocimiento de las variables funcionales reales y por consiguiente, aumentar nuestra capacidad de generar programas conductuales más generales y eficientes. Quizás, hemos ido demasiado lejos en nuestro intento de ser *inmediatamente* aplicados en lugar de ser *definitivamente* más efectivos, al no fomentar más estudios análogos y analíticos que tengan implicaciones terapéuticas (Hayes, Rincover y Solnick, 1980, págs. 282-283)

Baer, Wolf y Risley (1987), en el número del vigésimo aniversario del *Journal of Applied Behavior Analysis*, escribieron sobre la necesidad de cambiar el enfoque de las demonstraciones del cambio de conducta (por muy convincentes que sean) a un análisis más completo y una comprensión conceptual de los principios que yacen bajo las demostraciones exitosas.

> Hace 20 años, *analítico* indicaba un diseño experimental convincente, y *conceptual* indicaba relevancia para una teoría comprehensiva de la conducta. Ahora, el análisis aplicado de la conducta es considerado como una disciplina analítica solamente cuando muestra, de manera convincente, cómo llevar a cabo cambios específicos en la conducta *y* cuando sus métodos de cambio de conducta tienen sentido sistemático y conceptual. En los últimos 20 años, en algunas ocasiones, hemos demostrado de manera convincente que habíamos cambiando la conducta tal como se había especificado, pero usando métodos que no tenían sentido sistemático o conceptual (es decir, no estaba claro *porqué* habían funcionado). Esos casos nos permiten ver que, en ocasiones, a pesar de haber sido convincentemente aplicados y conductuales, no fuimos lo suficientemente analíticos. (Pág. 318)

Estamos de acuerdo con la necesidad de análisis más sofisticados y profundos de las variables que controlan conductas socialmente importantes. Afortunadamente, una revisión de la literatura reciente revela muchos ejemplos de análisis de componentes y paramétricos que son pasos necesarios hacia una comprensión más completa de la conducta (comprensión que es un prerrequisito para el desarrollo de una tecnología profundamente eficaz del cambio de conducta). Varios de los estudios que hemos citado en este capítulo como ejemplos de replicación sistemática incorporaron análisis de componentes y paramétricos.

El grado de generalización de un fenómeno se conoce solamente cuando todas las condiciones necesarias y suficientes para su reproducibilidad se han especificado. Solamente cuando todas las variables que influyen en una relación funcional han sido identificadas y explicadas se puede decir que un análisis está completo. Incluso en ese momento, la noción de análisis completo es engañosa: "Una exploración o consideración posterior de cada variable de una relación funcional, de manera inevitable, revela nueva variabilidad y el análisis debe comenzar de nuevo, el análisis de la conducta nunca puede estar completo" (Pennypacker, 1981, pág. 159).

La evaluación de la significación científica tiene en cuenta aspectos como la descripción que los autores hacen sobre la tecnología del experimento, y su interpretación y discusión de los resultados. ¿Se describen los procedimientos con suficiente detalle como para que al menos los aspectos únicos del estudio puedan replicarse?[12]

Los lectores deben tener en cuenta el nivel de integridad conceptual presentado en un informe experimental. ¿La revisión de la literatura muestra una integración cuidadosa del estudio con la investigación previa? ¿La revisión de la literatura justifica suficientemente las preguntas de investigación del estudio? ¿Las conclusiones de los investigadores se basan en los datos obtenidos en el estudio? ¿Han respetado los autores la diferencia entre los principios básicos de la conducta y las técnicas de cambio de conducta? ¿Los autores especulan más allá de los datos sin aclarar que lo están haciendo? ¿Los autores sugieren vías de investigación adicional que pudieran ayudar a analizar el problema estudiado con más profundidad? ¿Es el estudio importante por otras razones además de por los resultados obtenidos? Por ejemplo, un experimento que muestra una técnica de medición nueva, investiga una variable dependiente o independiente nueva, o incorpora una técnica nueva para controlar las variables extrañas, puede contribuir al avance científico del análisis de la conducta aunque el estudio no haya podido alcanzar control experimental o producir un cambio socialmente significativo en la conducta.

Hay varios criterios y aspectos a tener en cuenta cuando se evalúa la calidad de un estudio publicado en

---

[12] Idealmente, las descripciones de los procedimientos publicadas deben incluir suficientes detalles como para permitir a un investigador experimentado replicar el experimento. Sin embargo, las limitaciones de espacio de la mayoría de las revistas científicas, generalmente, no permite tal grado de detalle. La práctica común y recomendada al replicar un estudio publicado es pedir los protocolos de investigación completos a los investigadores originales.

análisis aplicado de la conducta. A pesar de que cada uno de los criterios es importante en un nivel u otro, es poco probable que un experimento los cumpla todos, y esto ni siquiera es necesario para que el experimento se considere de buena calidad. Sin embargo, la incorporación del máximo número de criterios posible en un estudio mejora su relevancia social y su valor científico como un análisis aplicado de la conducta.

Resumen

La importancia del sujeto individual en la investigación conductual

1. El interés de los analistas aplicados de la conducta sobre la conducta de los sujetos individuales les ha permitido descubrir y afinar intervenciones eficaces para un amplio rango de conductas socialmente significativas.

2. Conocer que la ejecución promedio de un grupo de sujetos ha cambiado no revela nada sobre la ejecución de los sujetos individuales.

3. Para ser máximamente útil, un tratamiento debe entenderse al nivel en el cual la gente entra en contacto con él y se ve afectada por él: el nivel individual.

4. Cuando la medición repetida revela variabilidad significativa, el investigador debe de intentar identificar y controlar los factores responsables de dicha variabilidad.

5. El intento de cancelar la variabilidad usando la manipulación estadística ni elimina su presencia en los datos ni controla las variables responsables de dicha variabilidad.

6. El investigador que atribuye el efecto de las variables extrañas o no controladas al azar tiene pocas probabilidades de identificar y analizar variables importantes.

7. Para controlar los efectos de cualquier variable, un investigador debe, o bien mantenerla constante a través de todo el experimento, o bien, manipularla como una variable independiente.

8. Una gran fortaleza de los diseños experimentales intrasujeto es que aportan una demonstración convincente de la relación funcional debido a la replicación dentro del propio diseño.

9. La ejecución general de un grupo es socialmente significativa en muchas situaciones.

10. Cuando los resultados del grupo no representan la ejecución individual, los investigadores deben complementar los datos grupales con resultados individuales.

11. Cuando el analista de la conducta no puede controlar el acceso al contexto experimental o identificar los sujetos individuales, la variable dependiente debe consistir en las respuestas emitidas por aquellos individuos que entran en el contexto experimental.

La importancia de la flexibilidad en el diseño experimental

12. Un buen diseño experimental es cualquier secuencia y tipo de manipulaciones de la variable independiente que produzca datos que respondan la pregunta de investigación de manera eficaz y convincente.

13. Para explorar la pregunta de investigación, con frecuencia, un experimentador debe planificar un diseño experimental que emplee una combinación de técnicas analíticas.

14. Los diseños experimentales más eficaces utilizan la evaluación continua de los datos de sujetos individuales como la base para aplicar los tres elementos de la lógica de la lineabase: predicción, verificación y replicación.

Validez interna: control de las fuentes potenciales de confusión en el diseño experimental

15. Los experimentos que tienen un nivel alto de validez interna demuestran una relación funcional clara entre la variable independiente y la conducta de interés.

16. La fortaleza de un diseño experimental está determinada por el grado con el cual (a) demuestra un efecto fiable y (b) elimina o reduce la posibilidad de que otros factores, diferentes a la variable independiente hayan producido el cambio de conducta.

17. La frase *control de la conducta* es técnicamente imprecisa porque el experimentador solamente controla algunos aspectos del ambiente del sujeto.

18. Una variable extraña es un factor no controlado y que se sabe o sospecha que ejerce cierta influencia en la variable dependiente.

19. El estado estable de respuesta es el medio principal mediante el cual el analista aplicado de la conducta evalúa el grado de control experimental.

20. Las variables extrañas pueden estar relacionadas principalmente con uno de los siguientes cuatro elementos de un experimento: el sujeto, el contexto, la medición de la variable dependiente, y la variable independiente.

21. Un control mediante placebo está diseñado para separar cualquier efecto producido por las expectativas de mejoría del sujeto como resultado de recibir tratamiento, de los efectos realmente producidos por el tratamiento.

22. Con el procedimiento de doble ciego ni el sujeto ni los observadores saben cuándo está presente o ausente la variable independiente.

23. La integridad del tratamiento se refiere al grado en el que se implementa la variable independiente tal y como se había planificado.

24. Una integridad del tratamiento baja constituye una fuente de confusión, haciendo difícil, si no imposible, interpretar los resultados con confianza.

25. La deriva del tratamiento representa una amenaza a la integridad del tratamiento que ocurre cuando la variable independiente se aplica de manera diferente durante las últimas fases de un experimento que durante las primeras fases.

26. El logro de un nivel alto de integridad del tratamiento comienza con una definición operacional de los procedimientos de tratamiento.

27. Los tratamientos que son simples, precisos y breves y que requieren relativamente poco esfuerzo tienen más probabilidad de ser administrados con consistencia que aquellos que no lo son.

28. Los investigadores no deben suponer que el nivel general de competencia o experiencia de una persona en el contexto experimental, o que el hecho de darle instrucciones escritas detalladas a los responsables de implementar el tratamiento, vayan a garantizar un alto grado de integridad del tratamiento.

29. Los datos sobre la integridad del tratamiento miden el grado con el que la implementación real de los procedimientos experimentales se corresponde con su descripción en la sección de metodología del informe de investigación.

Validez social: la evaluación del valor aplicado de los cambios de conducta y de los tratamientos que los hacen posibles

30. La validez social de un análisis aplicado de la conducta puede ser evaluada en tres aspectos: la relevancia social de la conducta de interés, la conveniencia de los procedimientos y la importancia social de los resultados.

31. Con frecuencia, las evaluaciones de la validez social son realizadas a través de la opinión del consumidor.

32. Los objetivos socialmente válidos se pueden determinar empíricamente evaluando la ejecución de personas que son altamente competentes, y manipulando diferentes niveles de ejecución de manera experimental para determinar resultados socialmente válidos.

33. Se han desarrollado varias escalas y cuestionarios para obtener la opinión de los consumidores acerca de la aceptabilidad de las intervenciones conductuales.

34. Los métodos para evaluar la validez social de los resultados incluyen: (a) comparar la ejecución de los participantes con la de una muestra normativa, (b) usar un instrumento de evaluación estandarizado, (c) pedir a los consumidores que estimen la validez social de la ejecución de los participantes, (d) pedir a expertos que evalúen la ejecución de los participantes y (e) evaluar el nuevo nivel de ejecución de los participantes en el ambiente natural.

Validez externa: replicación de experimentos para determinar la generalización de los resultados de investigación

35. La validez externa se refiere al grado con el cual una relación funcional fiable y socialmente valida identificada en un experimento se mantiene en condiciones diferentes.

36. En un estudio de diseño grupal, las inferencias correctas sobre los resultados se dan de la muestra a la población y no de la muestra al individuo.

37. Debido a que un experimento de diseño grupal no demuestra una relación funcional entre la conducta de ningún sujeto y algún aspecto de su ambiente, la validez externa de los resultados es irrelevante.

38. A pesar de que los diseños de comparación grupal y las pruebas de significación estadística son herramientas necesarias y eficaces para ciertos tipos de preguntas de investigación, han contribuido poco a una tecnología eficaz del cambio de conducta.

39. La posibilidad de generalización de los resultados de investigación en análisis aplicado de la conducta se evalúa, establece y especifica a través de la replicación experimental.

40. En una replicación directa el investigador se asegura de duplicar con exactitud las condiciones de un experimento previo.

41. En una replicación sistemática, el investigador varía a propósito uno o más aspectos de un experimento previo.

42. Cuando una replicación sistemática reproduce exitosamente los resultados de una investigación previa, no solamente demuestra la fiabilidad de los resultados anteriores sino que también aumenta su validez externa al mostrar que se puede obtener el mismo efecto en condiciones diferentes.

43. La replicación sistemática ocurre tanto de manera planificada como no planificada a través del trabajo de muchos investigadores en una misma área, y resulta en un conjunto de conocimientos con gran integridad científica y valor tecnológico.

La evaluación de la investigación en análisis aplicado de la conducta

44. La calidad y el valor de un estudio en análisis aplicado de la conducta puede evaluarse buscando respuestas a una secuencia de preguntas relacionadas con la validez interna, la validez social, la validez externa y la importancia científica y teórica del estudio.

45. Un Error Tipo I ocurre cuando un investigador concluye que la variable independiente tuvo un efecto sobre la variable dependiente cuando en realidad no fue así. Un Error Tipo II ocurre cuando un investigador concluye que la variable independiente no tuvo ningún efecto sobre la variable dependiente cuando en realidad sí lo tuvo.

46. El análisis visual identifica eficazmente las variables que producen efectos fuertes, grandes y fiables, lo que contribuye a una tecnología robusta y eficaz del cambio de conducta. Los análisis estadísticos detectan la mínima correlación posible entre las variables independiente y dependiente, lo que puede llevar a la identificación e inclusión de variables débiles y no fiables en la tecnología.

47. Un estudio puede demonstrar una relación funcional entre la variable independiente y una conducta objetivo socialmente válida (y por consiguiente, ser significativo desde una perspectiva aplicada) sin contribuir al avance del campo científico.

48. Un análisis se puede considerar completo solamente cuando todas las variables que influyen en una relación funcional han sido identificadas y explicadas.

49. Cuando se evalúa la importancia científica de un informe de investigación, los lectores deben considerar la descripción tecnológica del experimento, la interpretación y discusión de los resultados, y el nivel de sentido e integridad conceptual.

PARTE 4

Reforzamiento

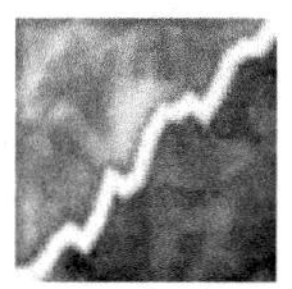

Los tres capítulos que componen la Parte 4 están dedicados al reforzamiento, el principio del análisis de conducta más importante y ampliamente usado. El reforzamiento (una relación entre la conducta y la consecuencia aparentemente simple) es la pieza fundamental para la selección de la conducta operante. En el Capítulo 11, dedicado al Reforzamiento Positivo, examinaremos la operación y el efecto definitorio del reforzamiento, describiremos brevemente como las condiciones de los estímulos antecedentes modulan los efectos del reforzamiento, discutiremos los factores que influyen sobre la eficacia del reforzamiento, identificaremos como los estímulos adquieren una función reforzante y los tipos de eventos que suelen funcionar como reforzadores, detallaremos los métodos que sirven para identificar reforzadores potenciales y evaluar sus efectos, esbozaremos las técnicas de control experimental utilizadas para verificar que una contingencia de reforzamiento positivo es responsable de un incremento de respuesta, y ofreceremos varias directrices para usar el reforzamiento de forma eficaz.

En el Capítulo 12, Brian Iwata y Richard Smith describen uno de los principios de la conducta más consistentemente malinterpretados, el reforzamiento negativo, definido como una contingencia operante en la que la respuesta aumenta debido a que provoca la finalización, reducción, o aplazamiento de un estímulo. Iwata y Smith definen el reforzamiento negativo, lo comparan y contrastan con el reforzamiento positivo y el castigo, distinguen entre contingencias de escape y de evitación, describen los eventos que pueden funcionar como reforzadores negativos, ilustran las maneras en las que el reforzamiento negativo puede usarse para fortalecer la conducta deseada, y abordan los aspectos éticos que surgen cuando se utiliza el reforzamiento negativo.

Uno de los hallazgos más importantes de Skinner fue que el reforzamiento no debe ocurrir después de cada respuesta. De hecho, las respuestas que están bajo diferentes programas intermitentes de reforzamiento (en los cuales el reforzamiento ocurre después de algunas, pero no todas, las presentaciones de la conducta objetivo) tienen tasas más altas y consistentes que las que están bajo un programa de reforzamiento continuo en el que cada presentación de la conducta es reforzada. En el Capítulo 13, dedicado a los Programas de Reforzamiento, describimos algunas de las formas en las que puede programarse el reforzamiento a partir de varias combinaciones de criterios de respuesta y temporales, e identificaremos los patrones de respuesta característicos de cada programa. El profesional aplicado que entiende la influencia de los programas de reforzamiento es capaz de programar dicho reforzamiento para lograr la adquisición eficaz y eficiente de nuevas habilidades, la mejoría de la ejecución y la fortaleza de habilidades ya establecidas, y el mantenimiento de los cambios conductuales, una vez terminada la intervención, en el ambiente habitual de la persona que ha adquirido las nuevas habilidades.

CAPÍTULO 11

Reforzamiento positivo

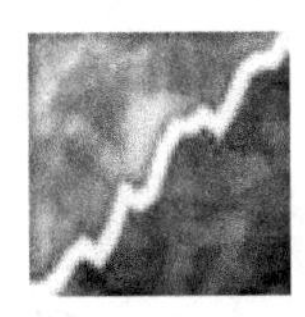

Términos clave

Evaluación de preferencias de estímulo
Evaluación de reforzadores
Hipótesis de la privación de respuesta
Principio de Premack
Reforzador condicionado
Reforzador condicionado generalizado
Reforzador incondicionado
Reforzador positivo
Reforzamiento automático
Reforzamiento positivo

Behavior Analyst Certification Board® BCBA®, BCBA-D®, BCaBA®, RBT® Lista de tareas para analistas de conducta (cuarta edición).

D.	Habilidades analítico-conductuales básicas: elementos fundamentales del cambio de conducta
D-01	Usar reforzamiento positivo y negativo.
D-02	Usar programas de reforzamiento ajustando sus parámetros
D-05	Usar moldeamiento.
E.	**Habilidades analítico-conductuales básicas: procedimientos específicos de cambio de conducta**
E-10	Usar el principio de Premack.
FK.	**Conocimientos adicionales: definir y dar ejemplos de:**
FK-15	Condicionamiento operante.
FK-17	Reforzamiento incondicionado.
FK-18	Reforzamiento condicionado.
FK-41	Conducta moldeada por las contingencias.
FK-42	Conducta gobernada por reglas.

> En retrospectiva, me parece que lo más importante que aprendí durante mis estudios de grado provino de otro estudiante, Burrhus Frederic Skinner (yo lo llamaba Burrhus, otros lo llamaban Fred). Este hombre tenía una caja dentro de la cual había una caja más pequeña en la que él ponía a una rata hambrienta. Cuando el animal, durante su exploración, oprimía la palanca que salía de una de las paredes, una bolita de comida se descargaba en una bandeja que había debajo de la palanca. Bajo tales condiciones, la rata aprendía en cuestión de minutos, a veces segundos, a conseguir su comida presionando la palanca. El animal continuaba presionando la palanca, algunas veces a una tasa alta, cuando las bolitas se suministraban solo de vez en cuando, y si el suministro se interrumpía completamente, el animal continuaba trabajando por un tiempo.
>
> —Fred Keller (1982, pág. 7)

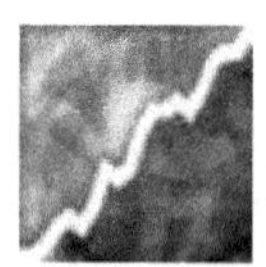

A pesar de que algunas personas todavía creen que los hallazgos provenientes de la investigación de laboratorio en aprendizaje animal no se pueden aplicar a la conducta humana, ya a mediados de la década de 1960 los investigadores con una orientación aplicada habían establecido la importancia del reforzamiento positivo en la educación e intervención. “Es apropiado decir que sin los análisis detallados del reforzamiento en el laboratorio de Skinner (Skinner, 1938), hoy en día no existiría el campo de ‘análisis aplicado de la conducta’, al menos no como lo conocemos ahora” (Vollmer y Hackenberg, 2001, pág. 241). El reforzamiento positivo es el principio del análisis de conducta más importante y más ampliamente aplicado.

Precisamente el artículo principal del número inaugural del *Journal of Applied Behavior Analysis* informó sobre varios experimentos que demostraban los efectos del reforzamiento positivo en la conducta de estudiantes (Hall, Lund, y Jackson, 1968). Seis alumnos de primaria que mostraban conductas molestas o se distraían frecuentemente participaron en este estudio clásico. La variable dependiente, la conducta de estudio, se definió individualmente para cada estudiante dependiendo de la asignatura que estuviera cursando, pero en general consistía en que el estudiante estuviera sentado y orientado hacía el objeto o la persona apropiada (p.ej., mirando hacia los materiales de clase o hacia la profesora) y en que participara en clase (p.ej., escribir las instrucciones para hacer tarea o responder las preguntas de la profesora). La variable independiente era la atención de la profesora, controlada con una clave desplegada por un observador (que levantaba un cuadrado pequeño de papel de colores que era poco probable que alumno bajo estudio detectara). Cuando se mostraba esta señal la profesora prestaba atención al niño, ya fuere acercándose a su puesto de trabajo, haciéndole un comentario verbal, dándole una palmadita en el hombro, o algo similar.

Los efectos de la atención contingente de la profesora sobre la conducta de los seis alumnos fueron sorprendentes. La Figura 11.1 muestra los resultados de Robbie, un niño de tercer grado escogido para participar en el estudio porque era “un estudiante particularmente molesto que trabajaba poco” (pág. 3). Durante la

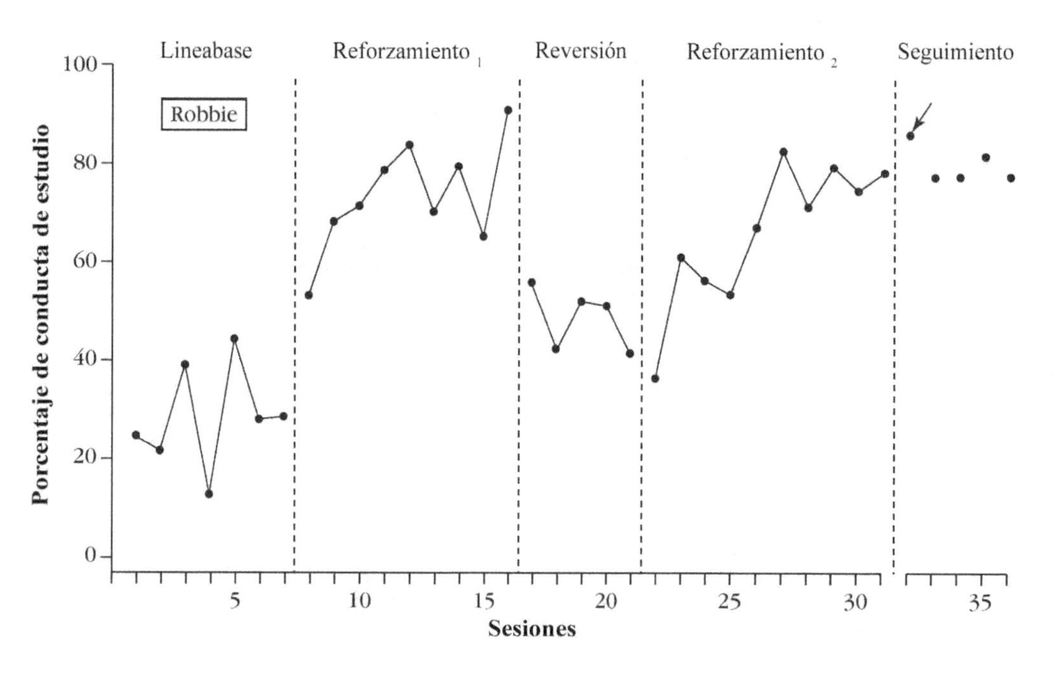

Figura 11.1 Porcentaje de intervalos de conducta académica de un estudiante de tercer grado durante la lineabase y las condiciones de reforzamiento. La flecha en la primera sesión de seguimiento indica el momento en el cual se discontinuaron las indicaciones a la profesora para que prestara atención.

Tomado de “Effects of Teacher Attention on Study Behavior” R. V. Hall, D. Lund, y D. Jackson, 1968, *Journal of Applied Behavior Analysis, 1*, pág. 3. © Copyright 1968, Society for the Experimental Analysis of Behavior, Inc. Reimpreso con permiso.

lineabase, Robbie estudiaba en promedio el 25% de los periodos observados. Durante el resto del tiempo manipulaba bandas de caucho y objetos en su bolsillo, hablaba y reía con otros estudiantes, y jugaba con un envase de leche vacío que había conservado de su merienda. La mayor parte de la atención que Robbie recibió durante la lineabase ocurrió después de estas conductas no relacionadas con estudiar. Durante la lineabase, la profesora de Robbie solía instarlo a trabajar en sus tareas, a que se deshiciera del envase de leche, y que dejara de molestar a sus compañeros de clase.

Al finalizar la lineabase, los investigadores le mostraron a la profesora un gráfico de la conducta de estudio de Robbie y los resultados de estudios previos en los que la atención contingente había mejorado la conducta infantil; también trataron los aspectos básicos de la presentación de reforzamiento social. Hall y colaboradores (1968) describieron de la siguiente manera el procedimiento implementado durante las dos fases de reforzamiento:

> Cuando Robbie había dedicado 1 minuto continuo al estudio el observador le mostraba la señal a la profesora, ante la cual ella se aproximaba al niño y le decía "Muy buen trabajo Robbie", "Veo que estás estudiando", o un comentario similar. La profesora dejó de prestar atención por conductas diferentes a la de estudiar, incluyendo aquellas que eran inapropiadas o molestas para la clase. (pág. 4)

Durante la condición de Reforzamiento 1, la conducta de estudio de Robbie se incrementó hasta una media del 71%. Cuando se hizo una reversión a las condiciones de lineabase, su conducta de estudio disminuyó hasta una media del 50%; pero, cuando la profesora volvió a atender de manera contingente a la conducta de estudio (Reforzamiento 2), dicha conducta se recuperó y estabilizó hasta un nivel que variaba entre el 70 y el 80% de los intervalos observados. Los resultados de las observaciones de seguimiento durante un periodo de 14 semanas posterior a que se hubiese dejado de presentar la señal a la profesora, mostraron que la conducta de estudio de Robbie se había mantenido al 79%. La profesora informó sobre cambios conductuales positivos asociados con el incremento en la conducta de estudio de Robbie. Durante la última semana de la condición de Reforzamiento 2, Robbie completó sus tareas de ortografía de forma más consistente y su conducta inadecuada disminuyó, además continuaba estudiando mientras se tomaba su leche y posteriormente no jugaba con el recipiente vacío.

La intervención implementada por la profesora de Robbie para ayudarlo a ser más eficaz en clase se basaba en el reforzamiento positivo. En este capítulo examinamos la definición y la naturaleza del reforzamiento positivo, describimos métodos para la identificación de reforzadores potenciales y la evaluación de sus efectos, esbozamos las técnicas de control experimental para verificar si una contingencia de reforzamiento positivo es el responsable del incremento de las respuestas, y ofrecemos directrices para el uso eficaz del reforzamiento positivo.

Definición y naturaleza del reforzamiento positivo

El principio del reforzamiento positivo es engañosamente simple. "La relación funcional operante básica del reforzamiento es la siguiente: cuando un tipo de conducta (R) es seguido de reforzamiento (E^R) habrá un incremento en la frecuencia de ese tipo de conducta en el futuro" (Michael, 2004, pág. 30).[1] Sin embargo, y de acuerdo con las ideas de Michael y otros autores, se deben de tener en cuenta tres criterios relacionados con las condiciones bajo las cuales ocurren los efectos del reforzamiento. A saber: (a) la demora entre la respuesta y el inicio de la consecuencia; (b) las condiciones estimulares presentes cuando la respuesta es emitida, y (c) la fuerza de la motivación actual con respecto a la consecuencia. En esta sección examinaremos estos criterios y otros conceptos necesarios para adquirir una comprensión plena de como "funciona" el reforzamiento.

Operación y efecto definitorio del reforzamiento positivo

El **reforzamiento positivo** ocurre cuando una respuesta es seguida inmediatamente por la *presentación* de un estímulo, y como resultado, respuestas similares ocurren con mayor frecuencia en el futuro. La Figura 11.2 ilustra la contingencia de dos términos (una respuesta es seguida en un corto espacio de tiempo por la presentación de un estímulo) y el efecto sobre las respuestas futuras que define el reforzamiento positivo. Esta contingencia de dos términos es el elemento

---

[1]Varios términos como *fortalecimiento de la conducta* o *incremento de la probabilidad de respuestas futuras*, son usados en ocasiones por analistas de conducta para describir el efecto básico del reforzamiento. Aunque estos términos aparecen ocasionalmente en este libro, debido a que reconocemos la preocupación de Michael (1995) respecto a que el uso de esas expresiones "favorezca un lenguaje de variables intervinientes, o una referencia implícita a algo diferente de los aspectos observables de la conducta" (pág. 274), usaremos más frecuentemente *incremento de la frecuencia futura* para referirnos al efecto principal del reforzamiento.

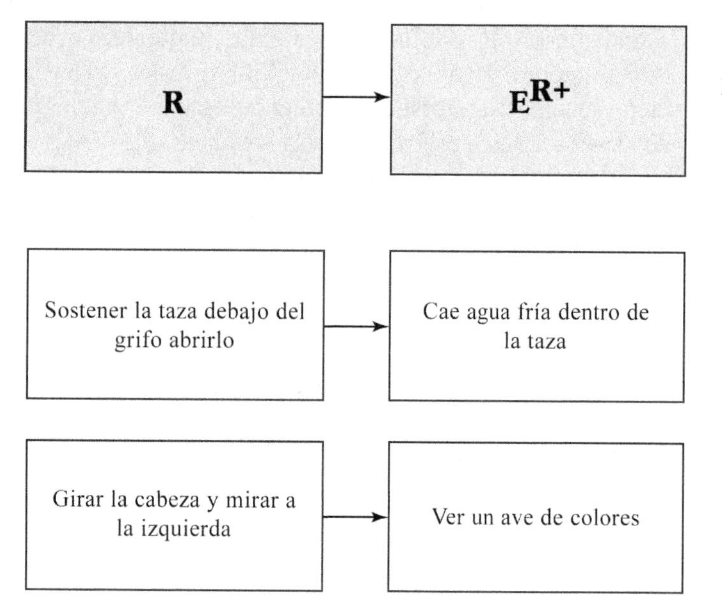

Figura 11.2 Contingencia de dos términos que ilustra el reforzamiento positivo: una respuesta (R) es seguida inmediatamente por un cambio de estímulo (E^{R+}) que produce un incremento de la frecuencia de respuestas similares en el futuro.

fundamental para la selección de toda la conducta operante (Glenn, Ellis, y Greenspoon, 1992).

El estímulo que ocurre como consecuencia y que es responsable del incremento subsiguiente de las respuestas es llamado **reforzador positivo,** o simplemente reforzador. La atención de la maestra, en forma de comentarios positivos, fue el reforzador que incrementó la conducta de estudio de Robbie. El agua fría cayendo en una taza y el avistamiento de un ave colorida son los reforzadores para las dos conductas que se muestran en la Figura 11.2.

Es importante recordar que un reforzador no puede afectar a la respuesta a la que sigue en el tiempo. El reforzamiento solo incrementa la frecuencia con la cual respuestas similares se emiten en el futuro.

> No es correcto decir que el reforzamiento operante "fortalece la respuesta que le precede". La respuesta ya ha ocurrido y no puede ser cambiada. Lo que cambia es la probabilidad futura de respuestas de la misma clase. Es la operante como clase de conducta, en vez de la respuesta como ejemplo particular de conducta, la que es condicionada. (Skinner, 1953, pág. 87)

Skinner (1966) usó la tasa de respuesta como dato fundamental en su investigación sobre el reforzamiento. Fortalecer una operante es hacer que esta ocurra más frecuentemente.[2] Sin embargo, la tasa (o la frecuencia) no es la única dimensión de la conducta seleccionada, moldeada, y mantenida mediante reforzamiento. La duración, la latencia, la magnitud, o la topografía de la conducta también pueden ser fortalecidas mediante reforzamiento. Por ejemplo, si el reforzamiento solo ocurre después de aquellas respuestas que caen dentro de un rango de magnitud (esto es, por encima de un mínimo de fuerza, pero por debajo de un máximo) y las respuestas por fuera de dicho rango no son seguidas por reforzamiento, el efecto será un incremento en la frecuencia de las respuestas que quedan dentro de ese rango. El reforzamiento contingente sobre respuestas que corresponden con criterios múltiples fortalecerá al subconjunto de respuestas que cumplan dichos criterios (p.ej., las respuestas de un golfista que esté practicando golpes cortos de 3 metros deben de ocurrir dentro de un rango reducido de fuerza y forma para que sean exitosas).

Importancia de la inmediatez del reforzamiento

Es esencial enfatizar la importancia de la inmediatez del reforzamiento. Los efectos directos del reforzamiento implican "relaciones temporales entre la conducta y sus consecuencias del orden de pocos segundos" (Michael, 2004, pág. 161). La investigación con sujetos no humanos sugiere que en un extremo del continuo hasta un máximo de 30 segundos pueden transcurrir sin que sea crítica la pérdida del efecto (p.ej., Byrne, LeSage y Poling, 1997; Critchfield y Lattal, 1993; Wilkenfeld, Nickel, Blakely y Poling, 1992). Sin embargo, una demora entre la respuesta y el reforzamiento de 1 segundo será menos eficaz que una de 0 segundos. Esto es debido a que durante dicha demora ocurren otras

[2]Cuando la consecuencia que produjo un incremento en las respuestas futuras se describe mejor como la *terminación* o la *retirada* de un estímulo que se encuentra presente, es que ha ocurrido reforzamiento negativo. La naturaleza fundamental y los criterios del reforzamiento positivo y del reforzamiento negativo son los mismos. El reforzamiento negativo se examina con detalle en el Capítulo 12.

conductas diferentes a la conducta objetivo y es la conducta temporalmente más cercana a la presentación del reforzador la que quedará fortalecida. En palabras de Sidman (1960), "si el reforzador no ocurre inmediatamente después de la respuesta requerida para su ocurrencia, seguirá a cualquier otra conducta. Entonces su efecto principal se dará sobre la conducta que tenga, sin duda de manera fortuita, la relación temporal más cercana con el reforzamiento" (pág. 371).

Malott y Trojan Suarez (2004) abordaron la importancia de la inmediatez de la siguiente manera:

> Si el reforzador ha de reforzar una respuesta en particular, este debe ocurrir inmediatamente después de dicha respuesta. ¿Pero cuánto de inmediato es inmediatamente? No disponemos de datos experimentales acerca de este asunto para el caso de seres humanos, pero la investigación en animales no verbales indica que uno o dos minutos van más allá del límite (incluso 30 segundos llegan a ser críticos). Y si usted habla de estos límites con la mayoría de los analistas de conducta que trabajan con niños no verbales, estarían de acuerdo. Ellos abandonarían sus trabajos si tuvieran que esperar 60 segundos antes de presentar cada reforzador a estos niños. Tal tipo de demora es una buena forma de garantizar que no ocurra ningún aprendizaje, incluso en seres humanos (al menos ningún aprendizaje deseable).
>
> Así que, si usted está intentando reforzar una respuesta, no sobrepase el límite de los 60 segundos. En cambio, acérquese al otro límite, el de los 0 segundos. El efecto directo del reforzamiento decae rápidamente a medida que se incrementa la demora, incluso aunque sean 3 o 4 segundos. Hasta un segundo de demora puede reforzar la conducta equivocada. Si usted le pide a un niño pequeño que lo mire y presenta el reforzador 1 segundo después de la respuesta, podría terminar reforzando que mire en la dirección incorrecta. Así que un problema con el reforzamiento demorado es que este refuerza la respuesta incorrecta, aquella que ocurrió justo antes de la presentación del reforzador. (pág. 6)

Un malentendido común es que las consecuencias demoradas pueden reforzar conducta incluso aunque ocurran días, semanas, o años después de que las respuestas hayan ocurrido. "Cuando la conducta humana es afectada aparentemente por consecuencias muy demoradas, el cambio se logra gracias a la compleja historia social y verbal del ser humano, y no debe ser considerado como un ejemplo de simple fortalecimiento de la conducta producido mediante reforzamiento (Michael, 2004, pág. 36).

Por ejemplo, suponga que una estudiante de piano practicó de forma diligente durante varios meses preparándose para una competición estatal, en la cual recibió el primer premio por su ejecución como solista. Aunque algunos podrían creer que el premio reforzó su práctica diaria y persistente, estarían equivocados. Las consecuencias demoradas no refuerzan la conducta directamente sino que pueden, en combinación con el lenguaje, *influir* en la conducta futura a través del control instruccional y el seguimiento de reglas. Una *regla* es una descripción verbal de una contingencia conductual (p.ej., "Los nabos sembrados antes del 15 de agosto producirán cosecha antes de la llegada del frio invernal"). Aprender a seguir reglas es una de las formas a través de las cuales la conducta de una persona puede estar bajo el control de consecuencias demasiado demoradas como para influir sobre la conducta directamente. Una frase del maestro de piano del tipo "Si practicas tus ejercicios todos los días durante una hora desde ahora hasta el momento de la competición podrías ganar el primer premio" podría haber funcionado como una regla que influyó sobre la práctica diaria de piano de la estudiante. Se consideraría entonces que dicha práctica diaria estaría *gobernada por reglas.*[3] Las siguientes condiciones constituyen buenos indicadores de que una determinada conducta es producto del control instruccional o del seguimiento de reglas en vez del efecto directo del reforzamiento (Malott, 1988; Michael, 2004).

- No hay una consecuencia inmediata evidente para la conducta.
- La demora entre la respuesta y la consecuencia es mayor de 30 segundos.
- Se observan cambios en la conducta sin que ocurra reforzamiento.
- Se da un incremento sustancial en la frecuencia de la conducta después de un ejemplo de reforzamiento.
- No hay una consecuencia para la conducta, ni siquiera reforzamiento automático, pero la regla existe.

El reforzamiento no es un concepto circular

Un malentendido muy común es que el reforzamiento es el producto de un razonamiento circular, y por lo tanto no contribuye realmente a la comprensión de la conducta. El razonamiento circular es un tipo de lógica

---

[3] Se pueden encontrar discusiones excelentes sobre la conducta gobernada por reglas en Baum (1994); Chase y Danforth (1991); Hayes (1989); Hayes, Zettle, y Rosenfarb (1989); Malott y Garcia (1991); Malott y Trojan Suarez (2004); Reitman y Gross (1996); y Vaughan (1989).

Tabla 11.1 El vocabulario del reforzamiento*.

Término	*Restricciones*	*Ejemplos*
Reforzador (sustantivo)	Es un estímulo	Se usaron bolas de alimento como reforzadores para las respuestas de la rata sobre la palanca
Reforzante (adjetivo)	Una propiedad del estímulo	El estímulo reforzante se produjo con más frecuencia que los otros estímulos no reforzantes.
Reforzamiento (sustantivo)	Como operación implica la presentación de consecuencias cuando una respuesta ocurre.	El programa de reforzamiento de razón fija presentaba comida cada 10 picotazos en el objetivo.
	Como proceso implica el incremento de la respuesta como resultado del reforzamiento.	El experimento con monos demostró que se produjo reforzamiento mediante consecuencias sociales.
Reforzar (verbo)	Como operación implica presentar consecuencias cuando una respuesta ocurre. Las respuestas son reforzadas, no los organismos.	Cuando se utilizó un periodo de juego libre para reforzar la finalización de las tareas escolares, las calificaciones del niño mejoraron.
	Como proceso implica un aumento de las respuestas a través de una operación de reforzamiento.	El experimento fue diseñado para averiguar si las estrellas doradas reforzarían el juego cooperativo entre alumnos de primer grado.

* Este vocabulario es apropiado solamente si se cumplen tres condiciones: (1) Una respuesta produce las consecuencias; (2) ese tipo de respuesta ocurre más frecuentemente cuando produce dichas consecuencias que cuando no las produce; (3) el incremento en las respuestas ocurre *porque* la respuesta tiene esas consecuencias. Un vocabulario paralelo es apropiado al castigo (incluyendo *castigo* o *estímulo punitivo* como estímulo y *castigar* como verbo), con la diferencia de que la consecuencia de castigo hace que las respuestas ocurran menos frecuentemente (en lugar de más).

Tomado de *Learning, Interim* (4 ed.) A. C. Catania, 2007, pág. 69. Cornwall-on-Hudson, NY: Sloan Publishing.

defectuosa en la que el nombre usado para describir un efecto se usa incorrectamente como la causa de dicho fenómeno. Esta confusión entre causa y efecto es circular porque el efecto observado constituye el único fundamento para identificar la supuesta causa. En el razonamiento circular la presunta causa no es independiente de su efecto, son lo mismo.

Considérese el siguiente ejemplo de razonamiento circular que ocurre habitualmente en educación: las dificultades persistentes de un estudiante para aprender a leer (el efecto) lleva a un diagnóstico de discapacidad del aprendizaje, la cual es luego propuesta como explicación del problema de lectura: "El problema de lectura de Pablo se debe a su discapacidad de aprendizaje" ¿Cómo se sabe que Pablo tiene dicha discapacidad? Porque no ha aprendido a leer ¿Por qué no ha aprendido a leer? Porque su discapacidad de aprendizaje se lo ha impedido. Así continuaría el argumento.

De forma similar se trataría de un caso de razonamiento circular si dijéramos que la atención del profesor incrementó la conducta de estudio de Robbie *porque* esta es un reforzador. Sin embargo, la afirmación correcta sería que, teniendo en cuenta que la conducta de estudio de Robbie se incrementó cuando (y solo cuando) fue seguida inmediatamente por la atención del profesor, se concluye que la atención del profesor es un reforzador. La diferencia trasciende al asunto de la dirección de la relación, o a un truco semántico. En el razonamiento circular, la presunta causa no es manipulada como variable independiente para determinar si afecta a la conducta; bajo ese razonamiento tal manipulación no es posible porque la causa y el efecto son lo mismo. La discapacidad de Pablo no puede ser manipulada como variable independiente porque según se usa el concepto en este ejemplo no es nada diferente al nombre que se le dio a la variable dependiente (efecto).

El reforzamiento no es un concepto circular porque los dos componentes de la relación respuesta-consecuencia pueden separarse, lo que permite que la presentación de la consecuencia pueda manipularse para determinar si incrementa la frecuencia de la conducta a la que es contingente. Epstein (1982) lo describe de la siguiente manera:

> Si podemos demostrar que una respuesta se incrementa en frecuencia porque (y solo porque) es seguida por un estímulo en particular, llamamos a este estímulo *reforzador* y a su presentación *reforzamiento*. Nótese la falta de circularidad. *Reforzamiento* es el término que invocamos cuando observamos ciertas relaciones entre eventos en el mundo... [sin embargo,] Si decimos, por ejemplo, que un estímulo particular fortalece una respuesta *porque* es un reforzador, estaremos usando el término *reforzador* de

> forma circular. Lo llamamos *reforzador*, de hecho, *porque* fortalece la conducta. (pág. 4)

Epstein (1982) explica la diferencia entre usar un principio empíricamente demostrado como el reforzamiento en una aproximación teórica de la conducta, y el uso de un argumento circular.

> En algunos de sus escritos Skinner especula sobre que alguna forma de conducta (p.ej., la conducta verbal) se ha desarrollado a través del reforzamiento. Él sugiere que, por ejemplo, cierta conducta es fuerte *porque* fue reforzada. Este uso del concepto no es circular, solo es especulativa o interpretativa. Usar el lenguaje del reforzamiento de esta manera es razonable cuando se ha acumulado una base de datos considerable… Cuando Skinner atribuye alguna forma de conducta cotidiana a reforzadores pasados está haciendo una conjetura plausible basada en una acumulación de datos considerable y en los principios de la conducta establecidos bajo condiciones controladas. (pág. 4)

Usado correctamente, el término *reforzamiento* describe una relación funcional empíricamente demostrada (o especulativa, en un análisis teórico o conceptual) entre un cambio estimular (consecuencia) que ocurre inmediatamente después de una respuesta y un incremento de la frecuencia futura de respuestas similares. La Tabla 11.1 muestra restricciones y ejemplos del uso apropiado de los términos *reforzador*, *reforzante*, *reforzamiento*, y *reforzar* sugeridos por Catania (1998). El Cuadro 11.1 describe cuatro errores que se cometen muy a menudo cuando se escribe y se habla sobre reforzamiento.

El reforzamiento hace relevantes las condiciones estimulares antecedentes

El reforzamiento hace más que incrementar la frecuencia futura de la conducta a la que sigue; también cambia la función de los estímulos que preceden inmediatamente a la conducta reforzada. Algunos eventos antecedentes adquieren la habilidad de evocar (hacer más probable) ejemplos de la clase de respuesta reforzada debido a que han sido temporalmente emparejados con la contingencia respuesta-reforzador. Como se introdujo en el Capítulo 2, un *estímulo discriminativo* (E^D) es un estímulo antecedente que correlaciona con la disponibilidad de reforzamiento para una clase de respuestas particular. Responder en la presencia del E^D produce reforzamiento, y responder en la ausencia del E^D (una condición llamada *estímulo delta* - E^{Δ}-) no lo produce. Como resultado de esta historia de reforzamiento, una persona aprende a presentar más respuestas in la presencia de E^D que en su ausencia. Se considera entonces que la conducta está bajo *control de estímulos* (ver Capítulo 17).

Con la adición del E^D la contingencia de dos términos del reforzamiento se transforma en la contingencia de tres términos de la *operante discriminada*. La Figura 11.3 muestra ejemplos de contingencias de tres términos para reforzamiento positivo. Suponiendo que el agua fría sea actualmente reforzante y que la persona tenga una historia de recibir agua fría solamente bajo la llave azul del dispensador, es más probable que sostenga su taza debajo del grifo azul del dispensador (que debajo del grifo rojo). De forma similar, suponiendo que ver a un ave colorida sea actualmente reforzante y que una persona tenga una historia de ver aves con más frecuencia cuando mira hacía el lugar del que proviene su canto (comparado, por ejemplo, con el lugar del que provienen otros sonidos o el silencio), girará la cabeza y mirará a la izquierda con mayor frecuencia cuando el canto venga de ese lado.

El reforzamiento depende de la motivación

La frase *suponiendo que el agua fría sea actualmente reforzante* en el párrafo anterior incluye otra clave para entender el reforzamiento. Aunque el reforzamiento es comúnmente entendido como una manera de motivar a las personas (y puede serlo), la eficacia momentánea de cualquier cambio estimular como reforzador depende del nivel de motivación existente con respecto a dicho cambio de estímulo. Como se introdujo en el Capítulo 2, las *operaciones motivacionales* alteran el valor actual de los cambios de estímulo como reforzadores.

> Las operaciones motivacionales son variables ambientales que tienen dos efectos sobre la conducta: (1) alteran la eficacia reforzante operante de algunos estímulos específicos, objetos o eventos (el efecto de alteración del valor); y (2) alteran la frecuencia momentánea de toda la conducta que ha sido reforzada por esos estímulos, objetos, o eventos (el efecto de alteración de la conducta). El efecto de alteración del valor, al igual que la demora entre la respuesta y el reforzamiento, es relevante para la eficacia del reforzador en el momento del condicionamiento, y afirmar que la consecuencia es una forma de reforzamiento implica que una operación motivacional relevante está activa y tiene suficiente fuerza. (pág. 31)

En otras palabras, para que un cambio estimular

Cuadro 11.1
Errores comunes al hablar o escribir sobre reforzamiento

Un prerrequisito para la descripción significativa de una actividad científica es disponer de un conjunto de términos técnicos. Comunicar eficazmente el diseño, la implementación y los resultados de un análisis aplicado de la conducta depende del uso preciso del lenguaje técnico de la disciplina. El lenguaje del reforzamiento incluye algunos de los elementos más importantes del vocabulario del analista de conducta.

En este cuadro identificamos cuatro errores que cometen a menudo los estudiantes de análisis aplicado de la conducta cuando describen intervenciones basadas en el reforzamiento. Quizás el error más común (confundir el reforzamiento negativo con el castigo) no va a tratarse aquí. Ese error se presentó en el Capítulo 2 y recibe atención adicional en el Capítulo 12.

Reforzar a la persona

Aunque es apropiado hablar de presentarle un *reforzador* a un aprendiz (p.ej., "el maestro le daba una ficha a Roberto cada vez que hacía una pregunta"), afirmaciones del tipo "el maestro reforzó a Roberto cuando hizo una pregunta" y "Claudia fue reforzada con elogios cada vez que deletreaba una palabra correctamente" son incorrectos. Se refuerzan las *conductas*, no las personas. El maestro de Roberto reforzó la conducta de hacer preguntas, no a Roberto. Por supuesto, el reforzamiento actúa y afecta a la persona en su conjunto, ya que refuerza conductas que forman parte del repertorio del individuo. Sin embargo, el énfasis procedimental y el efecto principal del reforzamiento está en las conductas a las que sigue.

La práctica como reforzamiento para una habilidad

Los educadores en ocasiones dicen que los estudiantes deben practicar una habilidad porque "practicar refuerza la habilidad". Esta frase no representa ningún problema si quien la dice está describiendo un resultado típico de la práctica con la connotación del lenguaje cotidiano de *reforzar,* como es el caso de "hacer algo más fuerte" (p.ej., reforzar el cemento al introducir barras de acero en este). Los ensayos y la práctica bien diseñados de una habilidad habitualmente producen mejor ejecución respecto a la retención, la reducción de la latencia, tasas más altas de respuesta o mayor resistencia (p.ej., Johnson y Layng, 1994; Swanson y Sachse-Lee, 2000). Desafortunadamente, frases como "la práctica refuerza la habilidad" suelen usarse e interpretarse de forma incorrecta como parte del uso técnico del condicionamiento operante.

Aunque una habilidad que ha sido practicada usualmente es más fuerte como resultado de dicha práctica, la práctica en sí misma no puede ser el *reforzador* de la conducta practicada. La práctica se refiere a la forma en la cual la habilidad objetivo es emitida (p.ej., responder tantos problemas de matemáticas cómo sea posible en 1 minuto). Practicar es una conducta que puede ser reforzada con varias consecuencias tales como acceder a una actividad preferida (p.ej., "practica resolver estos problemas de matemáticas y luego tendrás 10 minutos de tiempo libre"). Dependiendo de la historia del aprendizaje y las preferencias de la persona, la oportunidad para practicar una habilidad puede funcionar como reforzamiento para otra habilidad (p.ej., "termina tus problemas de matemáticas y luego tendrás la posibilidad de practicar lectura durante 10 minutos").

Reforzamiento artificial

En ocasiones se hace una distinción entre reforzadores naturales y artificiales, como en esta afirmación: "a medida que la tasa de éxito de los estudiantes aumenta, detenemos gradualmente el uso de reforzadores artificiales, del tipo juguetes y calcomanías, y aumentamos el uso de reforzadores naturales". Algunos autores han sugerido que las aplicaciones de los principios de la conducta llevan a un "control artificial" (p.ej., Smith, 1992). Una contingencia conducta-consecuencia puede ser o no efectiva como reforzamiento, pero ninguno de sus elementos (la conducta, la consecuencia, o el cambio conductual resultante) es o puede ser artificial.

Las contingencias de reforzamiento y los estímulos usados como reforzadores en cualquier programa de cambio conductual son siempre planificados (de lo contrario no habría necesidad de establecer un programa de reforzamiento) pero nunca son artificiales (Skinner, 1982). La distinción relevante cuando se habla de contingencias de reforzamiento no es entre contingencias naturales o artificiales, sino entre contingencias que ya existían en un ambiente dado antes del inicio del programa de cambio conductual y aquellas que son planeadas como parte de dicho programa (Kimball y Heward, 1993). Aunque la eficacia final de un programa de cambio conductual puede depender de que se transfiera el control desde las contingencias planificadas a las contingencias naturales,no existe tal cosa como el reforzamiento artificial.

Reforzamiento y retroalimentación como sinónimos

Algunas personas usan equivocadamente los términos *reforzamiento* y *retroalimentación* de forma intercambiable cuando hablan o escriben. Aunque los dos términos se refieren a diferentes operaciones y resultados, cada término incluye parcialmente al otro. *Retroalimentación* es la información que una persona recibe con respecto a un aspecto particular de su conducta después de llevarla a cabo (p.ej., "Muy bien Carolina. Dos monedas de 25 centavos equivalen a una de 50 centravos"). La retroalimentación se da casi siempre en forma de descripciones verbales de la ejecución, pero también puede darse de otras maneras como vibraciones o luces (p.ej., Greene, Bailey, y Barber, 1981). Dado que la retroalimentación es una consecuencia que muy a menudo resulta en un incremento de la conducta, en ocasiones se llega a la conclusión equivocada de que el reforzamiento implica retroalimentación o que es el término conductista para retroalimentación.

El reforzamiento siempre incrementa la frecuencia futura de la respuesta. La retroalimentación puede resultar en: (a) un incremento de la frecuencia futura de la ejecución del aprendiz como efecto de reforzamiento o una señal o instrucción respecto a cómo responder la siguiente vez (p.ej., "Jairo, tu escritura está mejorando, pero no olvides poner la línea horizontal en la *t* "), o (b) una reducción en la frecuencia de algún aspecto de la ejecución del aprendiz como una función de castigo o instrucción (p.ej., "bajaste tu hombro en ese último lanzamiento de la pelota, no hagas eso"). La retroalimentación puede tener efectos múltiples, incrementar un aspecto de la ejecución y reducir otro. La retroalimentación también puede no tener ningún efecto en las respuestas futuras.

El reforzamiento se define funcionalmente por su efecto en las respuestas futuras; la retroalimentación es definida por sus características formales (información acerca de un aspecto de la ejecución). Ninguna de estas operaciones es necesaria ni suficiente para la otra. Es decir, que el reforzamiento puede ocurrir en ausencia de retroalimentación, y la retroalimentación puede ocurrir sin que se dé un efecto de reforzamiento.

Algunas veces el lenguaje del sentido común es mejor

El lenguaje técnico del análisis de conducta es complejo, y dominarlo no es un asunto sencillo. Los estudiantes que acaban de iniciar su formación en análisis de conducta no son los únicos que cometen errores de terminología. Profesionales bien entrenados, investigadores consagrados, y autores con mucha experiencia también cometen errores de vez en cuando al hablar y escribir sobre análisis de conducta. Usar conceptos y principios conductuales (tales como el del reforzamiento positivo) para explicar situaciones complejas que involucran múltiples procesos y variables desconocidas y no controladas es un error en el que de vez en cuando incurren los analistas de la conducta más meticulosos.

En vez de invocar la terminología y los conceptos del reforzamiento para explicar la influencia de consecuencias temporalmente distantes de la conducta, es quizás más sabio seguir el consejo de Jack Michael (2004) y usar simplemente lenguaje cotidiano descriptivo y el sentido común.

> El uso incorrecto del lenguaje técnico es peor que el lenguaje del sentido común porque sugiere que la situación se comprende satisfactoriamente y puede hacer desistir de intentos de análisis más serios en el futuro. Hasta que no seamos capaces de aportar un análisis preciso y completo de los diferentes procesos relevantes a los efectos indirectos [del reforzamiento], es preferible hacer uso de un lenguaje descriptivo cotidiano. Por tanto, diga que "la consecución exitosa de fondos *muy probablemente lleve a* que se hagan esfuerzos similares en el futuro", pero no lo haga como si tuviera la ciencia de la conducta respaldándolo. Deje de referirse a los acuerdos exitosos en disputas laborales como reforzamiento de las huelgas, y a la elección exitosa de un candidato como reforzamiento de la actividad política... Aunque, sin lugar a dudas, las buenas calificaciones son muchas veces responsables del mantenimiento de la conducta de estudio, no diga que éstas son un reforzamiento eficaz para dicha conducta; sencillamente diga que son responsables por el mantenimiento de esa conducta. Las restricciones de este tipo nos privarán de oportunidades para mostrar (incorrectamente) nuestro conocimiento técnico, pero eso es lo mejor que nos puede pasar (pág. 165, énfasis en el original).

"funcione" como reforzador en un momento dado, la persona que aprende esa contingencia debe *quererlo* o *desearlo* previamente. Esta es una aclaración crítica en términos de las condiciones ambientales bajo las cuales se verán los efectos del reforzamiento. Michael (2004) explicó esta condición de la siguiente forma:

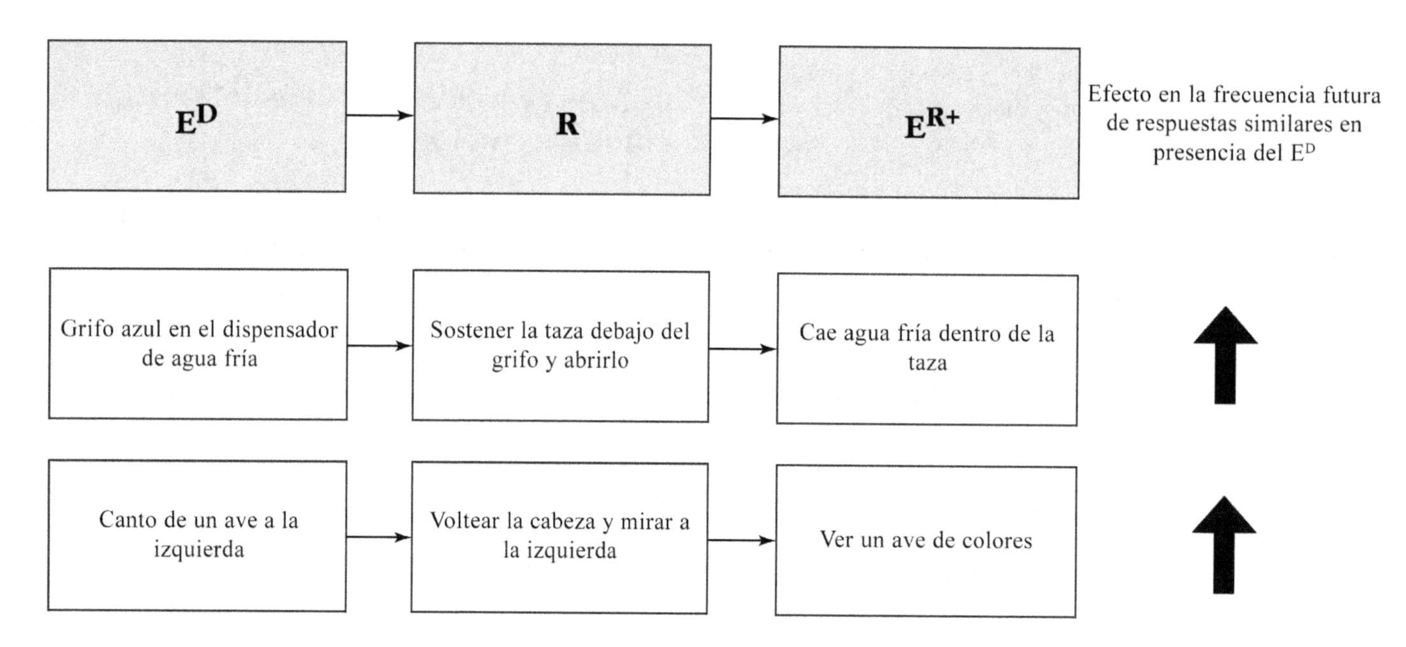

Figura 11.3 Contingencia de tres términos que ilustra el reforzamiento positivo de una operante discriminada: una respuesta (R) emitida en presencia de un estímulo discriminativo (E^D) es seguida inmediatamente por un cambio de estímulo (E^{R+}), lo que resulta en un incremento en la frecuencia de respuestas similares en el futuro cuando el E^D esté presente. Una operante discriminada es el producto de una historia de condicionamiento en la cual las respuestas que ocurrieron en presencia del E^D produjeron reforzamiento, mientras que respuestas similares que ocurrieron en ausencia de dicho E^D (una condición llamada estímulo delta [E^Δ]) no han sido reforzadas (o han producido reforzamiento de menor cantidad o cualidad que en presencia del S^D).

> El efecto de alteración de la conducta es relevante para el incremento de la frecuencia futura de la conducta reforzada, y debe ser considerado como un tercer criterio para la relación de reforzamiento operante: en una situación estimular dada (E) cuando un tipo de conducta (R) es seguido inmediatamente por reforzamiento (E^R) habrá un incremento en la frecuencia futura de ese tipo de conducta en las mismas o similares condiciones estimulares. *Sin embargo, el incremento en la frecuencia será observado únicamente cuando la operación motivacional relevante para el reforzamiento que se utilizó esté activa de nuevo.* (pág. 31, énfasis en el original)

Las operaciones motivacionales pueden ser de dos tipos: una operación motivacional que incrementa la eficacia actual de un reforzador y se llama *operación de establecimiento (OE)* (p.ej., la privación de alimento hace que la comida sea más eficaz como reforzador); y otra que disminuye la eficacia actual de un reforzador y se denomina *operación de abolición (OA)* (p.ej., la ingesta de alimento reduce la eficacia de la comida como reforzador).[4]

El añadir la *operación de establecimiento* a la operante discriminada resulta en una contingencia de cuatro términos como la que se muestra en la Figura 11.4. Pasar muchas horas en una habitación calurosa y mal ventilada es una operación de establecimiento que (a) hace que el agua se más efectiva como reforzador, y (b) incrementa la frecuencia momentánea de conductas que han producido agua en el pasado. De forma similar, el hecho de que un guardabosques informe antes de una excusión de que cualquier caminante que describa el color del ave que emite un determinado sonido recibirá un bono de $5 para la tienda de regalos, constituye una operación de establecimiento que (a) hará que el avistamiento del ave sea un reforzamiento eficaz y (b) incrementará la frecuencia de todas las conductas (p. ej., girar la cabeza y mirar alrededor) que han producido consecuencias similares (en este caso, ver la fuente de los sonidos) en el pasado.

De la forma más simple, las operaciones de establecimiento determinan lo que un individuo *quiere* o *desea* en un momento particular. Las operaciones de establecimiento son dinámicas, siempre están cambiando. El valor del reforzador (el deseo) aumenta con el incremento de los niveles de privación y decrece con los niveles de saciedad. Vollmer e Iwata (1991) demostraron como la eficacia de tres clases de estímulo (comida, música y atención social) variaba bajo

[4]Las operaciones motivacionales se describen en detalle en el Capítulo 16.

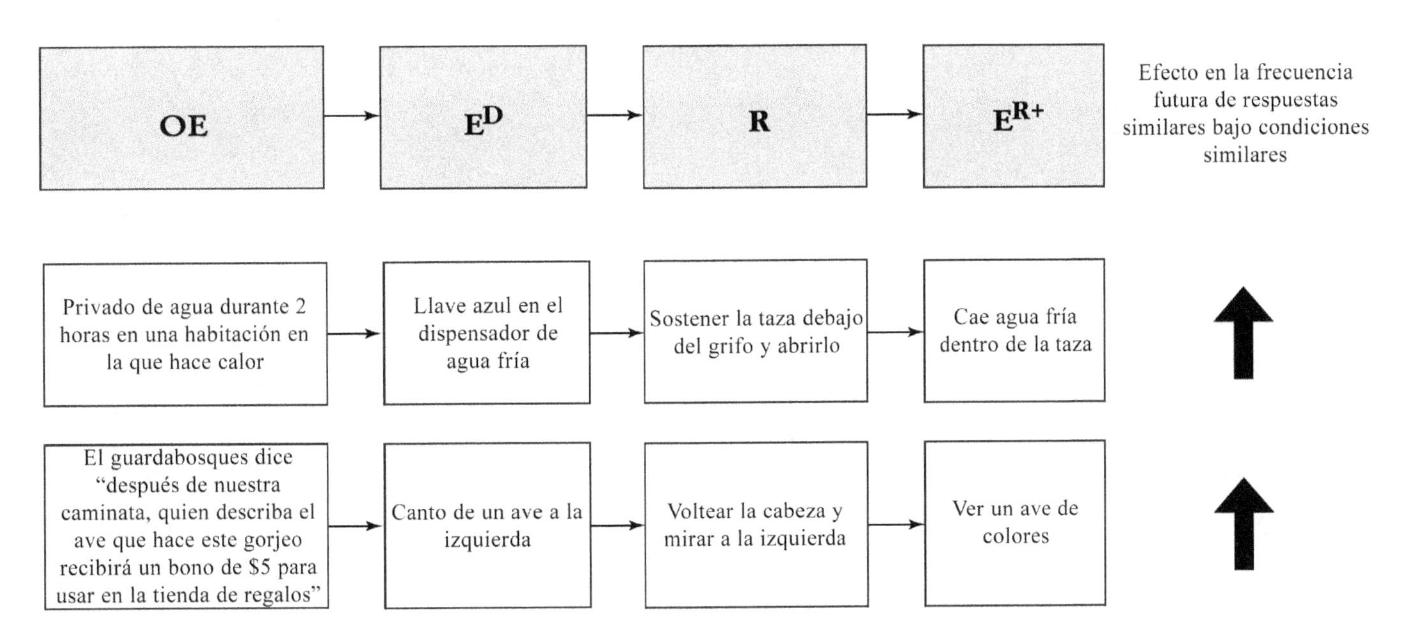

Figura 11.4 Contingencia de cuatro términos que ilustra el reforzamiento positivo de una operante discriminada emitida durante una operación motivacional: una operación de establecimiento (OE) incrementa la eficacia momentánea de un cambio estimular como reforzador, lo cual a su vez hace que el (E^D) evoque con mayor probabilidad la conducta que ha sido reforzada por ese cambio estimular en el pasado.

condiciones de privación y saciedad. Los participantes fueron cinco adultos con discapacidades del desarrollo y la variable dependiente era el número de respuestas por minuto en dos tareas motoras (presionar un botón o sacar piezas de una caja y meterlas en otra caja). Todas las sesiones fueron de 10 minutos y comenzaban cuando el experimentador decía: "Haz esto [nombre del participante]," mientras modelaba la respuesta. Durante la lineabase las respuestas de los participantes no recibían ninguna consecuencia programada. Durante las condiciones de privación y saciedad, las respuestas eran seguidas por la presentación de comida, música, o atención social. Inicialmente cada respuesta era seguida por una consecuencia programada, después se fue espaciando gradualmente hasta que solo se aplicaba la consecuencia cada tres, luego cada cinco y, finalmente, cada diez respuestas.

Se utilizaron diferentes procedimientos para generar las condiciones de privación y saciedad para cada clase de estímulos. Respecto a la comida, por ejemplo, las sesiones de las condiciones de lineabase y privación se llevaron a cabo 30 minutos antes del horario del almuerzo; las sesiones de la condición de saciedad se llevaron a cabo dentro de los 15 minutos siguientes al almuerzo. Para la atención social, las sesiones de las condiciones de lineabase y privación se llevaron a cabo inmediatamente después de un periodo de 15 minutos en el cual el participante había estado solo o se había detectado que no había tenido interacción social con otra persona. Inmediatamente antes de cada sesión de la condición de saciedad, el experimentador establecía una interacción social continua con el participante durante 15 minutos (p.ej., jugaban algo sencillo o conversaban).

Los cinco participantes respondieron con tasas más altas durante la condición de privación que durante la de saciedad. La Figura 11.5 muestra los efectos de la privación y la saciedad de atención social sobre la eficacia de la atención social para reforzar la conducta de dos de los participantes del estudio, Donny y Sam. Otros investigadores han publicado hallazgos similares respecto a los efectos de la privación y la saciedad de varios estímulos y eventos en calidad de operaciones motivacionales que afectan a la eficacia relativa del reforzamiento (p. ej., Gewirtz y Baer, 1958; Klatt, Sherman, y Sheldon, 2000; North y Iwata, 2005; Zhou, Iwata, y Shore, 2002).

Automaticidad del reforzamiento

> Una conexión reforzante no tiene por qué ser obvia para el individuo reforzado.
>
> —B. F. Skinner (1953, pág. 75)

El hecho de que una persona no tenga por qué entender o verbalizar la relación entre sus acciones y la consecuencia reforzante, o ni siquiera darse cuenta de que una consecuencia ha ocurrido, para que el reforzamiento tenga lugar se denomina *automaticidad del reforzamiento*. Skinner (1983) ofrece un ejemplo

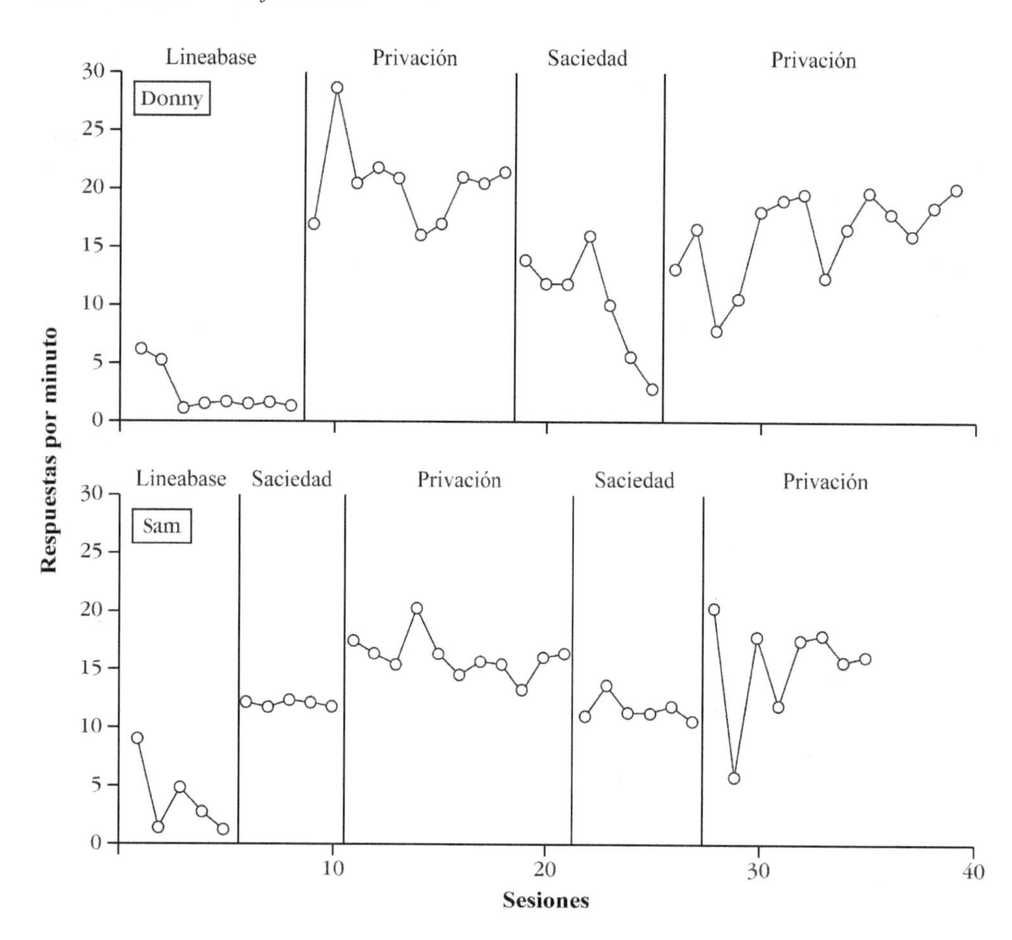

Figura 11.5 Respuestas por minuto de dos estudiantes durante la lineabase y cuando la atención social se usó como reforzamiento bajo condiciones de privación y saciedad de atención social.

Tomado de "Establishing Operations and Reinforcement Effects" T. R. Vollmer y B. A. Iwata, 1997, *Journal of Applied Behavior Analysis, 24*, pág. 288. © Copyright 1991 Society for the Experimental Analysis of Behavior, Inc. Reimpreso con permiso.

interesante de automaticidad en el tercer y último volumen de su autobiografía, *A Matter of Consequences*, donde describía un incidente que tuvo lugar en una reunión de académicos distinguidos que habían sido invitados para discutir el papel de la intención en la actividad política. En un momento de la reunión, el psicólogo Erick Fromm comenzó a argumentar que "las personas no eran palomas", quizás queriendo decir que un análisis operante basado en el reforzamiento positivo no podría explicar la conducta humana, que es el resultado del pensamiento y el libre albedrio. Skinner nos narra así lo que ocurrió a continuación:

> Decidí que algo debía hacerse. En un pedazo de papel escribí, "Presten atención a la mano izquierda de Fromm. Voy a moldear [reforzar mediante aproximaciones sucesivas] un movimiento de picar o cortar" y lo pasé a Halleck [un miembro del grupo]. Fromm estaba sentado directamente en frente mío, al otro lado de la mesa y me hablaba principalmente a mí. Giré mi silla un poco de tal forma que pudiera verlo de reojo. Él gesticulaba mucho cuando hablaba, y cada vez que levantaba su mano izquierda yo lo miraba directamente. Si bajaba su mano entonces yo asentía y sonreía. En cinco minutos él ya estaba cortando el aire tan vigorosamente que su reloj en repetidas ocasiones se le resbaló por la mano. (págs. 150–151, las palabras entre paréntesis fueron añadidas)

Arbitrariedad de la conducta seleccionada

> Hasta donde le atañe al organismo, la única propiedad importante de la contingencia es la temporal.
>
> —B. F. Skinner (1953, pág. 85)

No es necesaria una conexión lógica o adaptativa entre la conducta y la consecuencia reforzante para que el reforzamiento tenga lugar. En otras palabras, el reforzamiento fortalecerá cualquier conducta que lo anteceda inmediatamente. Esta naturaleza arbitraria de la conducta seleccionada es crítica para entender la noción de reforzamiento. Otras relaciones (p. ej., lo que es lógico, deseable, útil o apropiado) deben competir con la relación temporal crítica entre la conducta y la consecuencia. "Decir que el reforzamiento es contingente a una respuesta puede significar nada más que este ocurrió después de la respuesta... el condicionamiento tiene lugar presumiblemente debido a la relación temporal únicamente, expresada en términos del orden y la proximidad de la respuesta y el reforzamiento" (Skinner, 1948, pág. 168).

Skinner (1948) demostró la naturaleza arbitraria de las conductas seleccionadas mediante reforzamiento en uno de sus artículos experimentales más reconocidos, "'Superstición' en la paloma". Skinner le daba a las palomas una pequeña cantidad de alimento cada 15 segundos, "sin relación alguna con la conducta del ave" (pág. 168). El hecho de que el reforzamiento fortalecía a cualquier conducta que lo antecediera se hizo evidente rápidamente. Seis de las ocho palomas desarrollaron conductas idiosincráticas "tan claramente definidas que dos observadores podían estar de acuerdo completamente contando los ejemplos" (pág. 168). Una paloma caminaba alrededor de la caja en sentido contrario al de las manecillas del reloj, y otra metía repetidamente su cabeza en uno de los rincones superiores de la caja. Dos aves adquirieron "un movimiento pendular de la cabeza y el cuerpo, en el cual la cabeza se extendía hacía adelante y se balanceaba de derecha a izquierda con un movimiento rápido seguido de un retorno más o menos lento" (pág. 169). Las palomas no habían mostrado ninguna de estas conductas con una fuerza evidente durante la adaptación a la caja o antes de que el alimento fuera presentado periódicamente.

Cualquiera que fuera la conducta que las palomas estuvieran desplegando cuando el comedero aparecía tendía a repetirse, lo que hacía más probable que ocurriera de nuevo cuando el comedero volvía a estar disponible. En otras palabras, el reforzamiento no era contingente (en el sentido de dependiente) a la conducta; era solo una coincidencia que el reforzamiento a veces fuera subsiguiente a la conducta. Dicha conducta accidentalmente reforzada es llamada "supersticiosa" porque no tiene influencia sobre el reforzamiento que le sigue. Los humanos muestran muchas conductas supersticiosas. Los deportes proporcionan un sinnúmero de ejemplos: Un jugador de baloncesto se acomoda sus pantalones antes de lanzar el balón en un tiro libre, un golfista carga consigo su marcador de pelotas de la suerte, un bateador hace la misma secuencia de ajuste de sus mangas antes de cada lanzamiento, un fanático del futbol universitario viste un collar de apariencia graciosa hecho de nueces para atraer buena suerte a su equipo.[5]

La importancia de entender la arbitrariedad del reforzamiento va más allá de proporcionar posibles explicaciones para el desarrollo de conductas inofensivas idiosincráticas y supersticiosas. La naturaleza arbitraria de la selección del reforzamiento puede explicar la adquisición y mantenimiento de muchas conductas inapropiadas y de difícil manejo. Por ejemplo, la atención social que un cuidador provee en un intento bondadoso por consolar o distraer a una persona que se hiere a sí misma, puede ayudar a moldear y mantener la propia conducta que dicho cuidado está intentando prevenir o eliminar. Kahng, Iwata, Thompson y Hanley (2000) documentaron con un análisis funcional que el reforzamiento social mantenía la conducta autolesiva y la agresión de tres adultos con discapacidades del desarrollo. Los datos de Kahng y colaboradores respaldaron la hipótesis de que las conductas aberrantes podrían haber sido seleccionadas y mantenidas mediante atención social debido a la arbitrariedad del reforzamiento.

Reforzamiento automático

Algunas conductas producen su propio reforzamiento independientemente de la mediación de otros individuos. Por ejemplo, rascarse la picadura de un insecto alivia la picazón. Los analistas de conducta usan el término ***reforzamiento automático*** para identificar una relación conducta-reforzamiento que ocurre sin que otras personas presenten las consecuencias (Vaughan y Michael, 1982; Vollmer, 1994, 2006). El reforzamiento automático ocurre de forma independiente a la mediación de otros individuos. Los productos de las respuestas que funcionan como reforzamiento automático suelen ser consecuencias sensoriales producidas naturalmente que "suenan bien, tienen buen aspecto, saben bien, huelen bien, se sienten bien al tacto, o el movimiento en sí mismo es agradable" (Rincover, 1981, pág. 1).

Las conductas autoestimulatorias persistentes, repetitivas, y sin propósito (p. ej., chasquear los dedos, girar la cabeza, balancear el cuerpo, caminar de puntillas, tirarse del cabello, o, manipularse partes del cuerpo) pueden producir estímulos sensoriales que tienen la función de reforzamiento automático. Tal "autoestimulación" es considerada uno de los factores responsables en el mantenimiento de la conducta autolesiva (Iwata, Dorsey, Slifer, Bauman y Richman, 1994), los movimientos estereotipados repetitivos y los "hábitos nerviosos" del tipo tirarse del pelo (Rapp, Miltenberger, Galensky, Ellingson, y Long, 1999), morderse las uñas, mordisquearse los labios, y la manipulación de objetos del tipo girar continuamente un lápiz o juguetear con un collar o brazalete (Miltenberger, Fuqua y Woods, 1998).

Los productos de la respuesta que funcionan como reforzamiento automático pueden ser reforzadores incondicionados o estímulos previamente neutros que en virtud de su emparejamiento con otras formas de reforzamiento se convierten en reforzadores

[5]Es un error suponer que toda la conducta supersticiosa es el resultado directo del reforzamiento accidental. Muchas conductas supersticiosas resultan muy probablemente del seguimiento de prácticas culturales. Por ejemplo, jugadores de béisbol de secundaria pueden vestir sus gorras al revés y hacía atrás cuando se requieren varias anotaciones en una parte avanzada de un partido porque han visto a los jugadores de las ligas mayores hacer lo mismo en circunstancias similares.

condicionados. Sundberg, Michael, Partington y Sundberg (1996) describieron una historia de condicionamiento de dos etapas que da cuenta de este tipo de reforzamiento automático condicionado.

> Por ejemplo, una persona puede persistir en cantar o tararear una canción mientras vuelve a casa tras ver una película a pesar de que no sea obvio el reforzamiento directo por cantar. Para que esta conducta ocurra como como resultado del reforzamiento automático, es necesario que se dé una historia de condicionamiento particular de dos etapas. En la primera etapa, un estímulo (p. ej., una canción) debe ser emparejado con una forma ya existente de reforzamiento condicionado o incondicionado (p. ej., una película agradable, palomitas de maíz, un momento placentero). Como resultado, el nuevo estímulo puede convertirse en una forma de reforzamiento condicionado (p. ej., escuchar la canción puede ahora ser una nueva forma de reforzamiento condicionado). En la segunda etapa, la emisión de la respuesta (por cualquier razón) genera un producto de respuesta (es decir, los estímulos auditivos producidos por cantar) que tiene similitud topográfica con ese estímulo previamente neutro (es decir, la canción), y ahora se puede fortalecer a sí misma. (págs. 22-23)

Varios teóricos han sugerido que el reforzamiento automático puede ayudar a explicar el balbuceo de los bebés, y como este cambia naturalmente, sin la aparente intervención de los demás, desde vocalizaciones indiferenciadas hasta los sonidos del habla de su lenguaje nativo (p.ej., Bijou y Baer, 1965; Mowrer, 1950; Skinner, 1957; Staats y Staats, 1963; Vaughan y Michael, 1982). Los cuidadores (p.ej., la madre o el padre) hablan y cantan frecuentemente mientras sostienen, alimentan y bañan al bebé. Como resultado del emparejamiento frecuente con varios reforzadores (p. ej., comida y calor) los sonidos de la voz del cuidador pueden convertirse en reforzadores condicionados para el bebé. El balbuceo del bebé es reforzado automáticamente cuando los sonidos que produce igualan o se asemejan a los del cuidador. En ese momento, "el bebé estando solo en la guardería puede reforzar automáticamente su propia conducta vocal exploratoria cuando produce sonidos que ha oido en el discurso de otros individuos" (Skinner, 1957, pág. 58).

Aunque la idea de que el reforzamiento automático es un factor importante en la adquisición temprana del lenguaje ha sido propuesta durante muchos años, solo recientemente han aparecido en la literatura análisis experimentales de ese fenómeno (p. ej., Miguel, Carr, y Michael, 2002; Sundberg et al., 1996; Yoon y Bennett, 2000). Sundberg y colaboradores (1996) publicaron el primer estudio que demostró los efectos de un procedimiento de emparejamiento estímulo-estímulo sobre la frecuencia con la cual los niños emitían sonidos vocales novedosos sin reforzamiento directo o ayudas para responder. Los participantes fueron cinco niños de 2 a 4 años con un amplio rango de capacidades lingüísticas. Durante la condición previa al emparejamiento (lineabase) los padres y los educadores a domicilio se sentaron a unos metros de distancia del niño y registraron cada palabra o sonido vocal producido por el niño mientras jugaba con varios juguetes. Los datos se recolectaron en intervalos consecutivos de 1 minuto y los adultos no interactuaron con el participante durante la lineabase. El procedimiento de emparejamiento estímulo-estímulo consistió en que un adulto familiar al niño se aproximaba a este, emitía sonidos vocales, palabras o frases objetivo, e inmediatamente después presentaba un estímulo que previamente había sido demostrado como reforzador para el niño (p. ej., cosquillas, elogios, o saltar en un trampolín). Este procedimiento de emparejamiento estímulo-estímulo se repetía 15 veces por minuto, de 1 a 2 minutos. El adulto usaba una amplia variedad de entonaciones cuando producía el sonido, palabra o frase objetivo. Durante la condición post-emparejamiento, que comenzó inmediatamente después de los emparejamientos estímulo-estímulo, el adulto se alejaba del niño y las condiciones eran iguales que en la de pre-emparejamiento.

Los emparejamientos estímulo-estímulo de un sonido vocal, palabra o frase con un reforzador determinado produjeron un incremento en la frecuencia de la palabra objetivo durante la condición de post-emparejamiento para los cinco niños. La Figura 11.6 muestra los resultados de una muestra representativa de uno a tres emparejamientos realizados con el Sujeto 2, un niño de 4 años con autismo. El Sujeto 2 tenía un repertorio verbal de más de 200 mandos, tactos, e intraverbales, pero raramente emitía vocalizaciones espontáneas o se involucraba en juego vocal.[6] Durante la condición de pre-emparejamiento, el niño no decía la palabra objetivo y emitía otras cuatro vocalizaciones a una tasa media de 0.5 por minuto. El procedimiento de emparejamiento estímulo-estímulo consistía en que la palabra *manzana* se emparejaba con cosquillas aproximadamente 15 veces en 60 segundos. Inmediatamente después del emparejamiento, el sujeto dijo la palabra "manzana" 17 veces en 4 minutos, es decir, a una tasa de 4.25 respuestas por minuto. Además, el niño dijo "cosquillas" cuatro veces durante el primer minuto de la condición de post-emparejamiento. Los resultados de Sundberg y

[6] Mandos, tactos, e intraverbales, las tres operantes verbales fundamentales descritas inicialmente por Skinner (1957), se explican en el Capítulo 25.

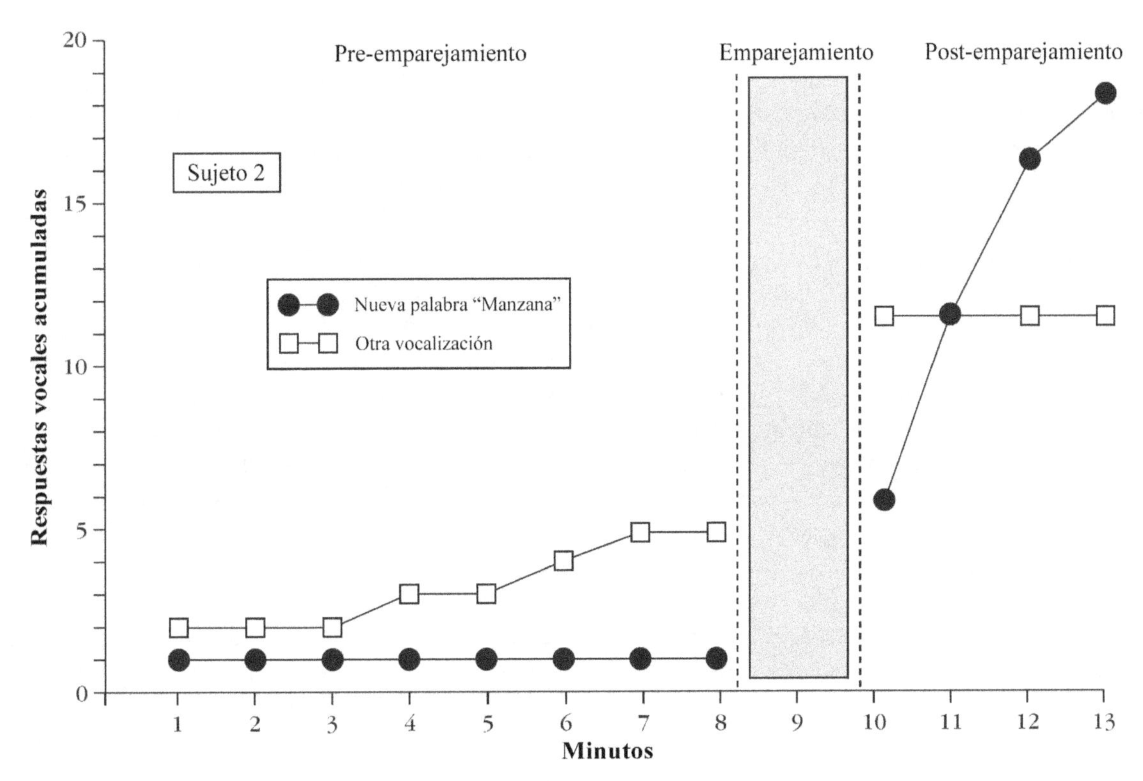

Figura 11.6 Número acumulado de veces que un niño de 4 años con autismo vocalizó la palabra "manzana" antes y después de que esa palabra se emparejara repetidamente con una forma de reforzamiento determinada. El reforzamiento automático puede explicar el incremento en frecuencia de las vocalizaciones de la palabra "manzana" después del emparejamiento.

Tomado de "Automatic Reinforcement" M. L. Sundberg, J. Michael, J.W. Partington, y C. A. Sundberg, 1996, "Repertoire-Altering Effects of Remote Contingencies" *The Analysis of Verbal Behavior, 13*, pág. 27. © Copyright 1996 Association for Behavior Analysis, Inc. Usado con permiso.

colaboradores ofrecen evidencia de que los productos de las respuestas vocales del niño pudieron haber funcionado como reforzamiento condicionado automático después de haber sido emparejados con otras formas de reforzamiento.

Kennedy (1994) ha señalado que el término *reforzamiento automático* ha sido usado con dos sentidos en el análisis aplicado de la conducta. En el primer caso, el reforzamiento automático es determinado por la ausencia de mediación social (Vollmer, 1994; 2006). En el segundo caso, cuando las evaluaciones funcionales de la conducta no identifican un reforzador para una conducta persistente, algunos analistas de la conducta consideran la hipótesis de que el reforzamiento automático es la variable controladora (véase el Capítulo 24 sobre evaluación funcional de la conducta). Cuando las conductas autolesivas ocurren en la ausencia de atención social u otra forma de reforzamiento conocidas, se asume con bastante frecuencia que el reforzamiento automático podría estar involucrado (p. ej., Fisher, Lindauer, Alterson, y Thompson, 1998; Ringdahl, Vollmer, Marcus, y Roane, 1997; Roscoe, Iwata, y Goh, 1998). Los esfuerzos por determinar si una conducta puede estar mantenida mediante reforzamiento automático y, de der posible, aislar o sustituir la fuente de ese reforzamiento, tienen implicaciones importantes sobre el diseño de intervenciones para, o bien aprovechar las ventajas de la naturaleza reforzante automática de la conducta, o bien contrarrestarla (véanse los Capítulos 21, 22, y 23).

Para resumir los usos y limitaciones del reforzamiento automático como concepto, Vollmer (2006) ha sugerido que:

- Los profesionales aplicados deben reconocer que no todo el reforzamiento es planificado o socialmente mediado.
- Puede que algunas conductas mantenidas mediante reforzamiento automático (p.ej., autoestimulación o estereotipias) no se puedan reducir o eliminar con algunos procedimientos (p. ej., tiempo fuera, ignorar a propósito, o extinción).
- Aplicarle la etiqueta *reforzamiento automático* sin mucho detenimiento a un fenómeno puede limitar nuestro análisis y efectividad debido a que descarta esfuerzos adicionales para identificar el verdadero reforzador que mantiene la conducta.

- Cuando es difícil manipular las contingencias mediadas socialmente o sencillamente estas no están disponibles, los profesionales deben considerar el reforzamiento automático como un objetivo potencial.

Clasificación de los reforzadores

En esta sección revisamos la clasificación técnica de los reforzadores según su origen y otras categorías prácticas mediante las que los profesionales aplicados e investigadores suelen describir y clasificar los reforzadores a partir de sus propiedades formales. El lector debe saber, en cualquier caso, que todos los reforzadores, independientemente de su tipo o clasificación, son iguales con respecto a su característica más importante (definitoria): todos los reforzadores incrementan la frecuencia futura de la conducta que los precede inmediatamente.

Clasificación de los reforzadores según su origen

Como se introdujo en el Capítulo 2, hay dos tipos básicos de reforzadores según su origen, es decir, según si son el producto de la evolución de la especie (reforzador incondicionado) o el resultado de la historia de aprendizaje del individuo (reforzador condicionado).

Reforzadores incondicionados

Un ***reforzador incondicionado*** es un cambio estimular que ejerce una función de reforzamiento a pesar de que la persona que aprende esa contingencia no tenga una historia de aprendizaje particular con dicho cambio estimular. (Algunos autores usan los términos *reforzador primario* y *reforzador no aprendido* como sinónimos de reforzador incondicionado). Dado que los reforzadores incondicionados son el producto de la historia evolutiva de la especie (filogenia), todos los miembros de la especie intactos son más o menos susceptibles al reforzamiento mediante los mismos reforzadores incondicionados. Por ejemplo, agua, comida, oxígeno, calor, y estimulación sexual son ejemplos de estímulos que no tienen que pasar por una historia de aprendizaje para que funcionen como reforzadores. La comida funcionará como un reforzador incondicionado para un humano privado de alimento; el agua funcionará como un reforzador incondicionado para una persona privada de líquido, etc.

El contacto humano puede ser también un reforzador incondicionado (Gewirtz y Pelaez-Nogueras, 2000). Pelaez-Nogueras y colaboradores encontraron que los bebes preferían las interacciones cara a cara que incluían estimulación táctil. Se implementaron dos tratamientos de condicionamiento en un orden alternado y contrabalanceado. Durante la condición "táctil", las respuestas de contacto visual de los bebes fueron seguidas inmediatamente de atención (contacto visual), sonrisas, arrullos, y frotes de las piernas y pies por parte de un adulto. Las respuestas de contacto visual de los bebes durante la condición "no táctil" fueron seguidas por contacto visual, sonrisas y arrullos de un adulto, pero en este caso el adulto no tocaba al bebé. Todos los bebes del estudio mostraron contacto visual con duraciones mayores, sonrieron y vocalizaron con tasas más altas, y pasaron menos tiempo llorando y quejándose en la condición táctil. A partir de estos hallazgos y los producidos por otros estudios, Pelaez-Nogueras y colegas concluyeron que "estos resultados sugieren que...la estimulación táctil puede funcionar como un reforzador primario para la conducta infantil" (pág. 199).

Reforzadores condicionados

Un **reforzador condicionado** (a veces llamado *reforzador secundario* o *aprendido*) es un estímulo previamente neutro que ha adquirido la capacidad de funcionar como reforzador a través de emparejamientos estímulo-estímulo con uno o más reforzadores condicionados o incondicionados. A través de emparejamientos repetidos, el estímulo previamente neutro adquiere la capacidad del reforzador con el que fue emparejado.[7] Por ejemplo, una vez que un tono haya sido emparejado repetidamente con comida cuando esta se haya presentado como reforzador, el tono funcionará como reforzador cada vez que una operación de establecimiento esté actuando y haga de la comida un reforzador eficaz.

Los estímulos neutrales también pueden convertirse en reforzadores condicionados para humanos sin el emparejamiento físico con otro reforzador a través de un proceso de emparejamiento que Alessi (1992) denominó *condicionamiento verbal analógico*.

> Por ejemplo, a un grupo de niños de prescolar que han estado recibiendo dulces M&M por su buen desempeño en la escuela se les pueden mostrar trozos de papel amarillos y decirles "Los niños más grandes trabajan por estos trozos

---

[7]Recuerde que es el ambiente, no el sujeto que aprende, el que hace el emparejamiento. El sujeto no es quien "asocia" los dos estímulos.

> de papel amarillo" (Engelmann, 1975, págs. 98–100). Varios niños del grupo inmediatamente rehusarán a aceptar los M&M y trabajarán más duro aceptando únicamente el papel amarillo como recompensa.
>
> Podríamos decir que los trozos de papel amarillo funcionan como "reforzadores aprendidos". La investigación de laboratorio nos indica que los estímulos neutrales se convierten en reforzadores únicamente a través de emparejamientos con reforzadores primarios (u otros "reforzadores aprendidos"). El papel amarillo adquiere propiedades reforzantes más poderosas que los reforzadores primarios M&M, lo que se demuestra en el hecho de que los niños rechazaran los M&M y exigieran en cambio piezas de papel amarillo (debe suponerse para el ejemplo que los niños no habían sido saciados de los M&M justo antes de la sesión) (pág. 1368).

A veces se ha creído que el "poder" de un reforzador condicionado está determinado por el número de veces que este ha sido emparejado con otros reforzadores. Sin embargo, la idea de que "A mayor número de emparejamientos entre un tono y la comida, más reforzante será el tono" no es del todo precisa. Aunque varios emparejamientos incrementarán la probabilidad de que el tono funcione como reforzador condicionado (aunque a veces un solo emparejamiento es suficiente), la efectividad momentánea de un tono como reforzador estará en función de la operación de establecimiento relevante para el reforzador con el que se ha emparejado el reforzador condicionado. Un tono que ha sido emparejado únicamente con comida funcionará como reforzador para alguien que ha sido privado de alimento, pero tendrá poco efecto si esa persona acaba de consumir mucha comida, independientemente del número de veces que el tono haya sido emparejado con la comida.

Un **reforzador condicionado generalizado** es un reforzador condicionado que, como resultado de haber sido emparejado con varios reforzadores incondicionados y condicionados, para ser efectivo no depende de que actualmente esté funcionando una operación de establecimiento para una forma particular de reforzamiento. Por ejemplo, la atención social (proximidad, contacto visual, halagos, etc.) es un reforzador condicionado generalizado para muchas personas porque ocurre simultáneamente con muchos reforzadores. Cuantos más sean los reforzadores con los cuales el reforzador condicionado generalizado ha sido emparejado, mayor será la probabilidad de que este sea efectivo en una situación particular. El dinero es un reforzador condicionado generalizado cuya eficacia es usualmente independiente de las operaciones de establecimiento que estén activas en un determinado momento; esto es debido a que puede ser intercambiado por una variedad casi ilimitada de reforzadores.

En ocasiones se asume que un reforzador condicionado es generalizado porque puede funcionar como reforzador para un amplio rango de conductas. Sin embargo, esto no es correcto dado que cualquier reforzador es capaz de fortalecer cualquier conducta que le preceda en ocurrencia. Un reforzador condicionado es considerado generalizado porque es efectivo como reforzador a través de un amplio rango de operaciones de establecimiento. Debido a esta versatilidad, los reforzadores condicionados generalizados ofrecen grandes ventajas para los profesionales aplicados, quienes muy a menudo tienen un control limitado de las operaciones de establecimiento para reforzadores particulares.

Los reforzadores condicionados generalizados son el fundamento para implementar una *economía de fichas,* un sistema basado en el reforzamiento que permite favorecer varias conductas de varios individuos (p. ej., Higgins, Williams, y McLaughlin, 2001; Phillips, Phillips, Fixen, y Wolf, 1971). En una economía de fichas los participantes reciben fichas (p. ej., puntos, marcas de verificación, fichas de póquer, etc.) de forma contingente a una gran variedad de conductas objetivo. Los participantes acumulan las fichas y las intercambian en momentos específicos por el elemento que elijan de un conjunto de reforzadores previamente establecido (p. ej., tiempo libre, tiempo para usar el ordenador, o aperitivos). En el Capítulo 26 se ofrecen ejemplos de economías de fichas y las directrices para su diseño e implementación.

Clasificación de los reforzadores según sus propiedades formales

Cuando los analistas aplicados de la conducta describen los reforzadores a partir de sus propiedades físicas (una práctica que favorece la comunicación entre los investigadores, los profesionales aplicados, las agencias proveedoras de servicios y los clientes o usuarios a quienes estas sirven) los reforzadores se clasifican típicamente en comestibles, sensoriales, tangibles, de actividad, o sociales.

Reforzadores comestibles

Los investigadores y profesionales aplicados han usado pequeñas porciones de comida, aperitivos salados, dulces y sorbos de bebidas como reforzadores. Un uso interesante e importante de los alimentos como reforzadores se da en el tratamiento de rechazo crónico de la comida en niños. Por ejemplo, Riordan, Iwata,

Finney, Wohl, y Stanley (1984) usaron "alimentos favoritos" como reforzadores para incrementar la ingesta de comida en cuatro niños alojados en una institución hospitalaria. El programa de tratamiento consistió en entregar alimentos favoritos (p. ej., cereales, yogur, fruta enlatada o helado) de forma contingente al consumo de la comida objetivo (p. ej., vegetales, pan o huevos).

Kelley, Piazza, Fisher, y Oberdorff (2003) también usaron reforzadores comestibles para incrementar la conducta de beber en vaso de un niño de 3 años llamado Al, que fue admitido a un programa de tratamiento diario para el rechazo de alimento y la dependencia del biberón. Los investigadores midieron el porcentaje de ensayos en los cuales Al consumía 7.5 mililitros de tres tipos de líquido usando un vaso. Durante la lineabase, en la que se elogiaba a Al por beber del vaso, su ingesta promedio en términos de ensayos fue del 0% de jugo de naranja, del 44.6% de agua, y del 12.5% de batido de chocolate. Durante el componente de reforzamiento positivo para intervenir sobre la conducta de beber en vaso, cada vez que Al consumía alguna bebida el terapeuta lo halagaba (igual que durante la lineabase) y le daba una cucharada de duraznos (uno de sus alimentos preferidos). Durante esta fase de reforzamiento positivo Al consumió las tres bebidas en un 100% de los ensayos.

Reforzadores sensoriales

Varias formas de estimulación sensorial tales como la vibración (p. ej., un instrumento para hacer masajes), la estimulación táctil (p. ej., las cosquillas, las caricias con un objeto de plumas), las luces brillantes o intermitentes, y la música se han usado de manera eficaz como reforzadores (p. ej., Bailey y Meyerson, 1969; Ferrari y Harris, 1981; Gast et al., 2000; Hume y Crossman, 1992; Rincover y Newsom, 1985; Vollmer e Iwata, 1991).

Reforzadores tangibles

Artículos tales como pegatinas, abalorios, materiales escolares, tarjetas de juego, y juguetes pequeños suelen servir como reforzadores tangibles. El valor intrínseco de un objeto es irrelevante en términos de su eficacia como reforzador positivo. Prácticamente cualquier elemento tangible puede servir como reforzador. ¡Recuerde a los niños del jardín de infancia mencionados por Engelmann (1975), quienes trabajaban por pedazos de papel!

Reforzadores de actividad

Cuando la oportunidad de realizar una conducta en particular sirve como reforzador, esa conducta puede ser denominada reforzador de actividad. Los reforzadores de actividad pueden ser actividades diarias (p. ej., jugar a un juego de mesa, leer como esparcimiento o escuchar música), privilegios (p. ej., almorzar con el profesor, lanzar la pelota en el gimnasio, ser el primero de la fila), o eventos especiales (p. ej., hacer una visita al zoológico).

McEvoy y Brady (1988) evaluaron los efectos del acceso contingente a los materiales de juego sobre la terminación de las tareas de matemáticas en tres alumnos con autismo y trastornos de la conducta. Durante la lineabase, el maestro les pidió a los alumnos que completaran los problemas de matemáticas de la mejor forma que pudieran; si terminaban las tareas antes de que pasara un periodo de 6 minutos debían o bien terminar otros trabajos pendientes o "encontrar algo más que hacer". El maestro no proporcionaba ninguna otra instrucción o ayuda para que los estudiantes completaran las tareas pero sí alababa la terminación de la tarea en el tiempo establecido.

En el primer día de la intervención de cada alumno se le llevaba a otra sala y se le mostraban varios juguetes y materiales de juego. El maestro le decía al alumno que tendría aproximadamente 6 minutos para jugar con los materiales si cumplía con el criterio establecido para la terminación de los problemas de matemáticas. La Figura 11.7 muestra los resultados: durante la lineabase, la tasa a la cual los tres alumnos completaron correctamente los problemas fue, o bien baja (Dicky), o bien altamente variable (Ken y Jimmy). Cuando se introdujo el acceso contingente a las actividades de juego, la tasa de finalización de tareas de cada estudiante se incrementó y finalmente sobrepasó los niveles del criterio.

Premack (1959) hipotetizó que los reforzadores de actividad podrían identificarse a partir de la distribución relativa de la conducta en una situación de operante libre. Premack consideraba que las conductas en sí mismas podrían ser usadas como reforzadores, y que la frecuencia relativa de la conducta era un factor importante para determinar cuánto de efectiva podía ser una determinada conducta al utilizarla como reforzador si la oportunidad para realizar esa conducta fuese contingente a la realización previa de otra conducta. El **Principio de Premack** puede definirse de la siguiente manera: si la oportunidad para realizar una conducta que ocurre con una tasa relativamente alta en una situación de operante libre (o de lineabase) se hace contingente a la ocurrencia de una conducta de baja frecuencia, la primera conducta funcionará como reforzador de la conducta de baja frecuencia. Una contingencia basada en el principio de Premack (conocida informalmente como la "Ley de la Abuela") para un estudiante que típicamente dedica mucho más tiempo a ver televisión

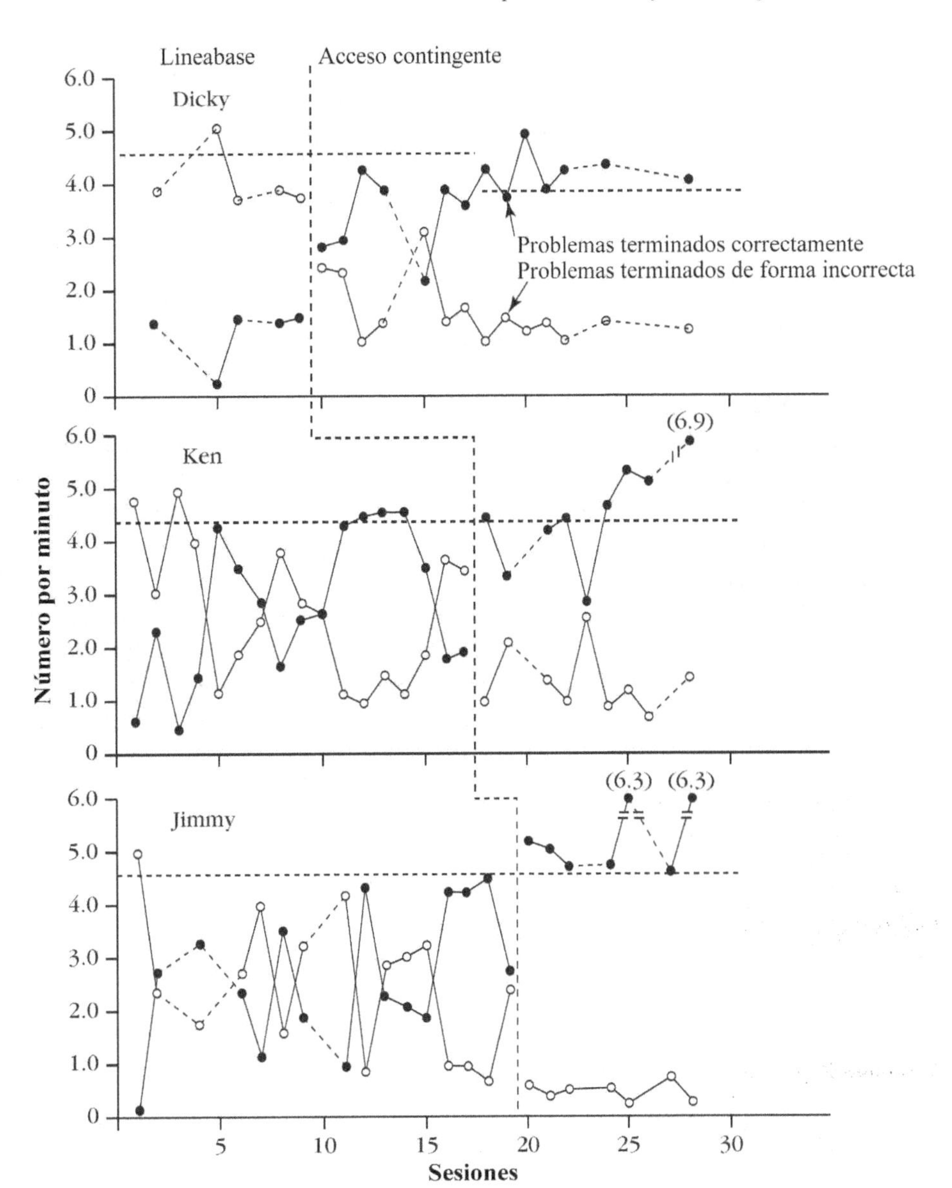

Figura 11.7 Número de problemas de matemáticas completados correcta e incorrectamente por minuto por tres estudiantes de educación especial durante las condiciones de lineabase y de acceso contingente a los materiales de juego. Las líneas punteadas horizontales indican los criterios.

Tomado de "Contingent Access to Play Materials as an Academic Motivator for Autistic and Behavior Disordered Children" M. A. McEvoy y M. P. Brady, 1988, *Education and Treatment of Children, 11,* pág. 15. © Copyright 1998 Editorial Review Board of Education and Treatment of Children. Usado con permiso.

que a hacer tareas escolares, podría ser: "Cuando hayas terminado tus tareas podrás ver la televisión"

A partir del concepto de Premack, Timberlake y Allison (1974) propusieron la **hipótesis de la privación de respuesta** como modelo para la predecir dos cosas: si el acceso a una conducta (la conducta contingente) funcionaría como reforzamiento para otra conducta (la respuesta instrumental) según las tasas relativas con las que ocurre cada conducta durante la lineabase; y si el acceso a la conducta contingente realmente representa una restricción en comparación con el nivel de dedicación a la conducta observado durante la lineabase. Se supone que la restricción del acceso a una conducta actúa como una forma de privación que funciona como operación de establecimiento, haciendo, por tanto, que la oportunidad para dedicarse a una conducta restringida funcione como una forma eficaz de reforzamiento (Allison, 1993; Iwata y Michael, 1994).

Iwata y Michael (1994) citaron una serie de tres estudios realizados por Konarski y colegas para demostrar la veracidad e importancia aplicada de la hipótesis de la privación de respuesta. En un primer estudio, cuando a un grupo de alumnos se les daba acceso a colorear (una conducta de alta probabilidad) de forma contingente a la terminación de unos problemas de matemáticas (una conducta de baja probabilidad), los alumnos dedicaban más tiempo a las matemáticas. Sin embargo, este efecto solo ocurría cuando el programa de reforzamiento implicaba una restricción de la cantidad de tiempo disponible para colorear en comparación con la lineabase (Konarski, Johnson, Crowell, y Whitman, 1980). Los investigadores encontraron que una contingencia según la cual los estudiantes podían ganar *más tiempo* para colorear que el que utilizaban durante la lineabase era ineficaz. Estos hallazgos se reprodujeron en un estudio subsiguiente en el que el acceso a la lectura (o a problemas de matemáticas, dependiendo del sujeto) era contingente a hacer tareas de matemáticas (o a leer)

(Konarski, Crowell, Johnson, y Whitman, 1982). En un tercer estudio, Konarski, Crowell, y Duggan (1985) llevaron la hipótesis de la privación de respuesta un paso más allá al examinar la "reversibilidad del reforzamiento" a nivel intrasujeto; es decir, dedicarse a cualquiera de las dos actividades (leer o matemáticas) podía servir como reforzamiento para el incremento de la otra actividad, esto en una condición de privación de respuesta para la actividad contingente. La privación de leer como respuesta contingente resultó en incrementos en matemáticas (respuesta instrumental). De forma contraria, la privación de matemáticas como respuesta contingente produjo incrementos en lectura. En los tres estudios, la restricción de respuesta fue el factor clave que determinó que el acceso a la respuesta contingente podría ser reforzante.

Iwata y Michael (1994) concluyeron que los resultados en conjunto de los estudios de Konarski y colaboradores demuestran cada una de las tres predicciones basadas en la hipótesis de la privación de respuesta (suponga en los siguientes ejemplos que la proporción entre las tasas de la línea base para hacer tareas las tareas escolares y ver la televisión es de 1:2):

- Se da el reforzamiento de una conducta objetivo de baja tasa de ocurrencia si se restringe el acceso a una conducta contingente de alta tasa de ocurrencia por debajo de los niveles de lineabase (p.ej., 30 minutos de hacer tareas dan acceso a 30 minutos de ver la televisión).
- No se da el reforzamiento de una conducta de baja tasa de ocurrencia si el acceso a una conducta contingente alta tasa de ocurrencia no se restringe por debajo de los niveles de la lineabase (p.ej., 30 minutos de hacer tareas dan acceso a 90 minutos de ver la televisión).
- Se da el reforzamiento de una conducta objetivo de alta tasa de ocurrencia si se restringe el acceso a una conducta de baja tasa de ocurrencia por debajo de los niveles de la lineabase (p.ej., 30 minutos de televisión permiten el acceso a 5 minutos de tareas escolares).

A pesar de reconocer que los profesionales aplicados rara vez diseñan programas para incrementar la tasa de conductas que ya ocurren a altos niveles (p.ej., ver televisión), Iwata y Michael (1994) señalaron lo siguiente:

> Hay muchas ocasiones en las que se desea producir una ejecución altamente acelerada (p.ej., como en el rendimiento académico o deportivo de excelencia que ya es bueno desde el comienzo). En esos casos, no se requeriría encontrar una actividad que ocurriera a una tasa más alta para que sirviera como reforzador si se pudiera establecer un programa de privación adecuado para una actividad que ocurriera a una tasa relativamente baja (pág. 186)

Al igual que ocurre con el resto de categorías descriptivas de reforzadores, no existe una lista a priori que indique que actividades funcionarán o no como reforzadores. Una actividad que funcione como un reforzador eficaz para una persona puede tener un efecto muy diferente sobre la conducta de otro individuo. Por ejemplo, en el estudio de Konarski, Crowell y colaboradores (1982) el acceso a las matemáticas funcionó para tres alumnos como reforzador para incrementar la lectura, mientras que el acceso a la lectura sirvió como reforzador para completar problemas de matemáticas en un cuarto estudiante. Hace muchos años una caricatura clásica hizo evidente este punto; en ella se mostraban dos estudiantes limpiando de forma dedicada la pizarra y los borradores al finalizar el día lectivo. Un estudiante le dice al otro, "¡¿Tú estás limpiando esto como castigo?! Yo estoy haciéndolo como recompensa por completar mi tarea".

Reforzadores sociales

El contacto físico (p.ej., los abrazos o las palmadas en la espalda), la cercanía (p.ej., acercarse, estar de pie o sentado cerca a otra persona, etc.), la atención y los elogios, son ejemplos de eventos que suelen funcionar como reforzadores sociales. La atención de los adultos es una de las formas de reforzamiento más poderosa y efectiva para los niños. Los efectos casi universales de la atención social contingente como reforzador han llevado a algunos analistas de conducta a especular que algunos aspectos de la atención social podrían implicar un reforzador incondicionado (p.ej., Gewirtz y Pelaez-Nogueras, 2000; Vollmer y Hackenberg, 2001).

Las demostraciones experimentales y hallazgos originales sobre el poder de la atención social de los adultos como reforzador para la conducta de los niños se llevaron a cabo en una serie de cuatro estudios diseñados por Montrose Wolf e implementados por maestros de preescolar en el Institute of Child Development en la Universidad de Washington a inicios de los años 60 (Allen, Hart, Buell, Harris, y Wolf, 1964; Harris, Johnston, Kelly, y Wolf, 1964; Hart, Allen, Buell, Harris, y Wolf, 1964; Johnston, Kelly, Harris, y Wolf, 1966). Risley (2005), describiendo estos estudios preliminares, escribió:

> ¡Nunca habíamos visto tal poder! La velocidad y la magnitud de los efectos sobre la conducta de los niños en el mundo real mediante simples ajustes de algo tan común

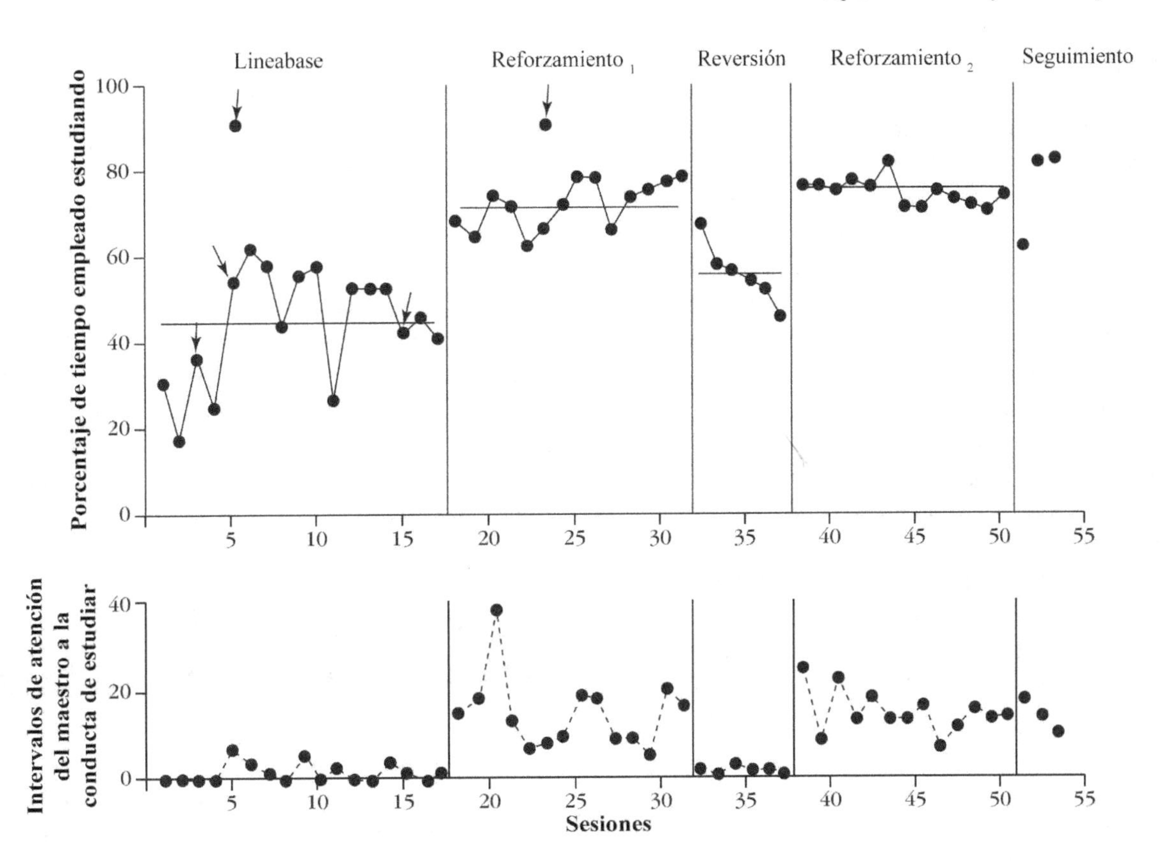

Figura 11.8 Registro de la conducta de estudiar en clase y de la atención del maestro para la conducta de estudiar durante el período de lectura en un aula sexto grado. Lineabase = antes de los procedimientos experimentales; reforzamiento 1 = aumento de la atención del maestro por estudiar; reversión = eliminación de la atención del maestro por estudiar; reforzamiento 2 = regreso del aumento de la atención del maestro por estudiar. Las pruebas de la fase de seguimiento se llegaron hasta 20 semanas después de la terminación de los procedimientos experimentales.

Tomado de "Instructing Beginning Teachers in Reinforcement Procedures Which Improve Classroom Control" R. V. Hall, M. Panyan, D. Rabon, y M. Broden, 1968, *Journal of Applied Behavior Analysis, 1,* pág. 317. © Copyright Society for the Experimental Analysis of Behavior, Inc. Reimpreso con permiso.

como la atención de los adultos fueron sorprendentes. Cuarenta años más tarde, el reforzamiento social (atención positiva, alabanzas, o "atraparlos siendo buenos") se ha convertido en la máxima de los programas de asesoramiento y formación de padres y profesores en América, haciendo de este, posiblemente, el descubrimiento más influyente de la psicología moderna. (pág. 280)

Debido a la gran importancia de este bien conocido, pero poco usado fenómeno, se describe a continuación un segundo estudio que demuestra los efectos de la atención contingente como reforzador de la conducta de los niños. El primer volumen de la *Journal of Applied Behavior Analysis* incluye al menos siete estudios que se desarrollaron a partir de las investigaciones sobre reforzamiento social de Wolf y sus colaboradores.[8] R. Vance Hall y colaboradores llevaron a cabo dos de estos estudios. Al igual que el estudio de Hall, Lund, y Jackson (1968), del cual se seleccionó el ejemplo de la profesora que utilizó el reforzamiento positivo con Robbie con el que se presentó este capítulo, los tres experimentos publicados por Hall, Panyan, Rabon, y Broden (1968) nos siguen sirviendo como demostraciones poderosas del efecto de la atención del maestro como reforzador social.

En uno de estos experimentos participó un maestro que se encontraba en su primer año de profesión y cuya clase de 30 alumnos de sexto grado exhibía tan altas tasas de conducta disruptiva y de distracción respecto a

[8]El primer volumen de la *Journal of Applied Behavior Analysis* (1968) es un tesoro de los estudios clásicos en los que simples y elegantes diseños experimentales revelaron los efectos poderosos del condicionamiento operante y el manejo de contingencias. Animamos a cualquier estudiante interesado en el análisis aplicado de la conducta a leerlo de principio a fin.

las tareas, que el director del colegio describía la clase como "completamente fuera de control". A lo largo del estudio, Hall, Panyan, y colaboradores (1968) midieron la atención del maestro y la conducta de los alumnos durante un periodo continuo de observación de 30 minutos en la primera hora de la jornada escolar. Los investigadores utilizaron un procedimiento de observación y registro de intervalo parcial de 10 segundos para medir la conducta de estudio (p.ej., hacer la tarea, mirar el libro o responder a las preguntas del maestro) y otras conductas distintas a la de estudio (p.ej., hablar fuerte, permanecer fuera de su asiento, mirar por la ventana, pelear o empujar a un compañero de clase, etc.). Los observadores también registraron la ocurrencia de las respuestas de atención del maestro en cada intervalo. Cada ejemplo de atención verbal del maestro, definido como un comentario dirigido a un alumno o grupo de alumnos, se registró con un "+" si iba seguida por conductas de estudio apropiadas, y con un "-" si iba seguida de otras conductas distintas a la de estudio.

Durante la lineabase, la clase dedicó una media del 44% del tiempo a estudiar, y el maestro realizó un promedio 1.4 cometarios a continuación de la conducta de estudio por sesión (véase Figura 11.8). "Casi sin excepción esos [comentarios] que siguieron a la conducta de estudiar fueron de aprobación y aquellos que seguían a las otras conductas eran en forma de amonestación verbal" (Hall, Panyan et al., 1968, pág. 316). El nivel de conducta de estudio de la clase fue de un 90% al día cuando el maestro de apoyo presentaba una lección de demostración. En tres ocasiones durante la lineabase el director se reunió con el maestro para discutir sus procedimientos de organización en un esfuerzo por mejorar la conducta de los alumnos. Dichas sesiones de asesoramiento dieron como resultado que el maestro escribiera todas las lecciones en el tablero (después de la primera reunión) y cambiara la ubicación de los asientos del aula (después de la tercera reunión). Esos cambios no tuvieron ningún efecto sobre la conducta de los alumnos.

Antes del primer día de la condición de reforzamiento, se le mostraron al maestro los datos de lineabase sobre la conducta de estudiar en clase y la frecuencia de la atención del maestro tras dicha conducta. Se instruyó al maestro para incrementar la frecuencia de los comentarios positivos a los alumnos cuando se estuvieran dedicando a actividades de estudio. Después de cada sesión, durante esta condición, se mostraban al maestro los datos sobre el nivel de la conducta de estudiar en clase y la frecuencia de sus comentarios contingentes a la misma. Durante la primera fase de reforzamiento, los comentarios del maestro que seguían a la conducta de estudio aumentaron hasta una frecuencia media de 14.6 y el nivel medio de la conducta de estudio fue del 72%. El maestro, el director y los observadores informaron de que la clase estaba más bajo control y de que el ruido había disminuido significativamente.

Durante una breve reversión a las condiciones de lineabase, el maestro no proporcionó "casi ningún refuerzo para la conducta de estudiar", observándose una fuerte tendencia descendente en la conducta. El maestro, el director, y los observadores informaron de que las conductas disruptivas y el ruido volvieron a aparecer durante esta fase. Las condiciones de reforzamiento fueron reinstauradas en una fase posterior, resultando en una media de 14 comentarios del maestro tras la conducta objetivo, y del 76% de los intervalos de conducta de estudio.

Identificación de reforzadores potenciales

> En el laboratorio, hemos aprendido a usar una prueba sencilla: coloque un dulce en la palma de su mano, muéstreselo a un niño o a una niña, cierre el puño con bastante fuerza alrededor del dulce, y observe si el niño o la niña trata de separar sus dedos para llegar al dulce. Si él o ella hace tal cosa, incluso si usted sostiene los dulces con cada vez más fuerza, el dulce es, obviamente, un reforzador.
>
> —Murray Sidman (2000, pág.18)

El éxito de muchos programas de modificación de conducta depende de que exista un reforzador eficaz que el profesional aplicado o el investigador pueda controlar. Afortunadamente, identificar reforzadores eficaces y accesibles para la mayoría de las personas es relativamente fácil. Sidman (2000) describió un método simple y rápido para determinar si un dulce podría funcionar como reforzador. Sin embargo, no todos los estímulos, eventos, o actividades que pueden funcionar como reforzadores caben en la palma de la mano.

La identificación de reforzadores sólidos y fiables para muchos de los alumnos con discapacidades severas y múltiples plantea un gran reto. Aunque muchos eventos comunes sirven como reforzadores eficaces para la mayoría de las personas (p. ej., alabanzas, música, tiempo libre o fichas), estos estímulos pueden no ser reforzadores para todos el mundo. Se perdería mucho tiempo, energía y recursos si las intervenciones fallaran debido a que el profesional aplicado empleara un presunto reforzador, en vez de uno real.

Además, las preferencias por un reforzador cambian, y la naturaleza transitoria de las preferencias ha sido publicada repetidamente en la literatura (Carr, Nicholson, y Higbee, 2000; DeLeon et al., 2001;

Kennedy y Haring, 1993; Logan y Gast, 2001; Ortiz y Carr, 2000; Roane, Vollmer, Ringdahl, y Marcus, 1998). La evaluación de las preferencias puede cambiar con la edad de persona, el nivel de interés, la hora del día, las interacciones sociales con los iguales, y la presencia de ciertas operaciones de establecimiento (Gottschalk, Libby, & Graff, 2000, véase Figura 6.8). Lo que un maestro pregunta en septiembre para determinar las preferencias puede tener que repetirse un mes después (o antes). Del mismo modo, un terapeuta que pregunta a un paciente lo que lo refuerza en la sesión de la mañana puede encontrar que este estimulo no se indica como un elemento preferido en la sesión de la tarde.

Después de revisar 13 estudios publicados que evaluaban las preferencias y reforzadores en personas con múltiples y profundas discapacidades, Logan y Gast (2001) concluyeron que los estímulos preferidos no siempre funcionan como reforzadores, y que las preferencias por un estímulo en un momento dado cambiaban más adelante. Adicionalmente, las personas con discapacidades del desarrollo de severas a profundas pueden participar en actividades durante un tiempo tan limitado que es difícil determinar si un cambio estimular es un reforzador.

Para afrontar el reto de identificar reforzadores eficaces, investigadores y profesionales aplicados han desarrollado una serie de procedimientos que se incluyen bajo los dos conceptos vinculados de evaluación de preferencias de estímulo y evaluación de reforzadores. La evaluación de preferencias de estímulo y la evaluación de reforzadores a menudo se llevan a cabo en tándem, tal como lo describen Piazza, Fisher, Hagopian, Bowman, y Toole (1996):

> Durante las evaluaciones de preferencias, se evaluó un número relativamente grande de estímulos para identificar los estímulos preferidos. Los efectos reforzantes de un pequeño subconjunto de estímulos (es decir, los estímulos altamente preferidos) se midieron después durante la evaluación de reforzadores. Aunque la evaluación de preferencias es un procedimiento eficiente para identificar potenciales reforzadores a partir de un gran número de estímulos, no evalúa los efectos reforzantes de los estímulos. (págs. 1-2)

La evaluación de preferencias de estímulos identifica los estímulos que probablemente sirvan como reforzadores, y la evaluación de reforzadores pone los potenciales reforzadores directamente a prueba mediante su presentación contingente a la ocurrencia de una conducta y la medición de cualquier efecto sobre la tasa de respuesta. En esta sección se describen una variedad de técnicas desarrolladas por los investigadores y profesionales aplicados para realizar evaluaciones de la preferencia de estímulos y de reforzadores (véase Figura 11.9). En conjunto, estos métodos forman un continuo de procedimientos que van desde los simples y rápidos a los de mayor complejidad e inversión temporal.

Evaluación de preferencias de estímulo

La **evaluación de preferencias de estímulo** hace referencia a una serie de procedimientos usados para determinar (a) los estímulos que la persona prefiere, (b) el valor relativo de preferencia de dichos estímulos (alta preferencia versus baja preferencia), y (c) las condiciones bajo las cuales estos valores de preferencia cambian cuando las demandas de la tarea, los estados de privación, o los programas de reforzamiento son modificados. En términos generales, la evaluación de preferencias de estímulo se lleva a cabo normalmente mediante un proceso de dos pasos: (1) se recolecta un gran número de estímulos que podrían ser utilizados como reforzadores, y (2) se le presentan dichos estímulos sistemáticamente a la persona objetivo para identificar las preferencias. Es esencial para los profesionales aplicados reducir el campo de posibles estímulos a aquellos que tienen buenas posibilidades de funcionar como reforzadores.

En términos más específicos, la evaluación de preferencias de estímulo puede ser realizada usando tres métodos básicos: preguntado a la persona (o a su entorno más cercano y significativo) para identificar los estímulos preferidos; observando a la persona interactuar con varios estímulos en una situación de operante libre; y midiendo las respuestas de la persona en una prueba basada en ensayos presentado estímulos múltiples o por pares. En la elección del método a utilizar, los profesionales deben equilibrar dos perspectivas competidoras: (a) la obtención de la máxima cantidad de datos de evaluación de preferencias dentro del menor tiempo posible pero sin falsos positivos (es decir, sin la creencia de que se prefiere un estímulo cuando no es así), versus (b) la ejecución de una evaluación intensiva en tiempo y esfuerzo que retrasará la intervención pero que puede dar resultados más concluyentes.

Preguntar acerca de preferencias de estímulo

La preferencia de una persona por varios estímulos podría determinarse simplemente preguntando a la persona que le gusta. Preguntar puede reducir en gran medida el tiempo necesario para la evaluación de preferencias, y a menudo aporta información que puede

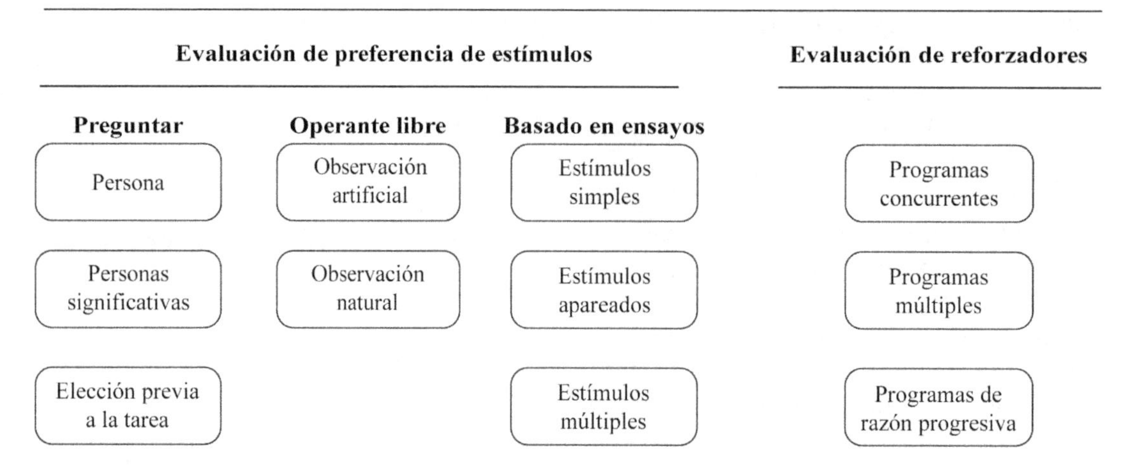

Figura 11.9 Métodos de evaluación de preferencia de estímulos y de reforzadores para identificar reforzadores potenciales.

ser integrada en un programa de intervención. Existen diversas formas de hacer dicha indagación: preguntado directamente a la persona objetivo, preguntando a las personas significativas de su vida, o presentándole una evaluación de elección previa a la tarea.

Preguntar a la persona objetivo. Un sencillo método para determinar la preferencia de un estímulo es preguntarle directamente a la persona lo que le gusta. Las variaciones habituales de este método incluyen preguntas abiertas, proporcionar a la persona una lista de opciones o pedirle que ordene una lista de alternativas.

- *Preguntas abiertas.* Dependiendo las habilidades lingüísticas de la persona objetivo, se puede hacer una evaluación abierta de las preferencias de forma oral o escrita. Se puede pedir a la persona que nombre sus preferencias entre las categorías generales de los reforzadores, por ejemplo: ¿Qué le gusta hacer en su tiempo libre? ¿Cuáles son sus comidas y bebidas favoritas? ¿Hay algún tipo de música o artista que le guste? Se puede lograr una evaluación abierta simplemente pidiéndole a la persona que enumere tantas actividades y elementos favoritos como sea posible y que indique no solo las cosas favoritas de la vida cotidiana, sino también artículos y actividades especiales. La Figura 26.6 es simplemente una hoja con líneas numeradas en la cual los miembros de la familia pueden identificar posibles recompensas que les gustaría obtener por la realización de tareas en contratos de contingencias.
- *Formato de elección.* Este formato puede incluir preguntas como las siguientes: "¿Para conseguir qué serías capaz de hacer un trabajo muy duro? ¿Prefieres conseguir comestibles como patatas fritas, galletas o palomitas de maíz, o más bien prefieres hacer actividades artísticas, jugar a videojuegos o ir a la biblioteca?" (Northup, George, Jones, Broussard, y Vollmer, 1996, pág. 204)
- *Ordenar preferencias.* Se puede proporcionar a la persona una lista de elementos o estímulos y pedirle que las clasifique por orden de preferencia de mayor a menor.

Para personas con habilidades lingüísticas limitadas se pueden presentar los elementos mediante imágenes, iconos o, preferiblemente, los estímulos reales. Por ejemplo, un maestro, puede preguntar a uno de sus alumnos mientras señala un icono, "¿Te gusta beber jugo, utilizar el ordenador, usar el autobús, o ver la televisión?" el alumno simplemente debe indicar gestualmente sí o no.

Se han desarrollado cuestionarios para medir las preferencias de los alumnos. Por ejemplo, los maestros de educación primaria pueden usar el *Child Reinforcement Survey*, que incluye 36 recompensas en cuatro categorías: elementos comestibles (p.ej., fruta o palomitas de maíz), elementos tangibles (p.ej., calcomanías), actividades (p.ej., proyectos de arte, juegos de ordenador), y atención social (p.ej., un maestro o amigo dice: "Me gusta que…") (Fantuzzo, Rohrbeck, Hightower, y Work, 1991). Otros cuestionarios son el *School Reinforcement Survey Schedule* diseñado para alumnos de 9 a 17 años (Holmes, Cautela, Simpson, Motes, y Gold, 1998) y la *Reinforcement Assessment for Individuals with Severe Disabilities* Fisher, Piazza, Bowman, y Almari, 1996).

Aunque preguntar por las preferencias personales es relativamente sencillo, no es infalible para confirmar que las opciones preferidas posteriormente servirán como reforzadores. "La pobre correspondencia entre los autoinformes verbales y la conducta posterior ha sido señalada desde hace tiempo y, a menudo demostrada" (Northup, 2000, pág. 335). A pesar de que un niño puede identificar los dibujos animados como un evento preferido, el acceso a estos puede funcionar como reforzador únicamente cuando el niño está en su casa el sábado por la mañana, pero no en la casa de su abuela el domingo por la noche.

Además, los cuestionarios no pueden distinguir con precisión lo que los niños dicen que es de alta preferencia y baja preferencia como reforzadores. Northup (2000) encontró que las preferencias de los niños con trastorno por déficit de atención con hiperactividad (TDAH) no se elevaron más allá de los niveles del azar cuando los resultados de las encuestas se compararon con la función de reforzamiento de los estímulos. "El número relativamente alto de falsos positivos y el bajo número de falsos negativos de nuevo sugieren que los cuestionarios pueden identificar con mayor precisión los estímulos que no son reforzadores que aquellos que lo son" (pág. 337). Solamente preguntar a los niños sus preferencias podría dar lugar a falsos positivos (es decir, que los niños elijan un evento o estímulo como reforzador, pero que este no sea reforzante).

Preguntar a personas significativas. Un grupo de reforzadores potenciales se puede obtener pidiendo a los padres, a los hermanos, a los amigos o a los cuidadores que identifiquen las actividades, artículos, alimentos, aficiones, o juguetes que creen que la persona objetivo de la evaluación prefiere. Por ejemplo, la *Reinforcement Assessment for Individuals with Severe Disabilities (RAISD)* es un protocolo de entrevista que pide a los cuidadores que identifiquen los estímulos preferidos en los ámbitos visual, auditivo, olfativo, comestible, táctil y social (Fisher et al., 1996). Una vez identificados los estímulos, las personas significativas los ordenan según su alta o baja preferencia. Finalmente, se les pide que identifiquen las condiciones en las que consideran que elementos específicos podrían funcionar como reforzadores (p.ej., galletas con leche versus solo galletas). De nuevo, aunque estos estímulos identificados como altamente preferidos por las personas significativas no siempre son reforzadores eficaces, suelen serlo.

Ofrecer una elección previa a la tarea. En este método el profesional le pide al participante que elija lo que quiere obtener por hacer una tarea. El participante entonces elige una de las dos o tres opciones presentadas (Piazza et al., 1996). Todos los estímulos presentados como opciones previas a la tarea habrán sido identificados mediante otros procedimientos de evaluación de preferencias. Por ejemplo, un maestro podría decir lo siguiente: "Roberto, cuando termines tus problemas de matemáticas, puedes jugar 10 minutos a los barcos con Martín, leer en voz baja, o ayudar a la señorita Ortiz a preparar el cartel de ciencias sociales ¿Qué actividad quieres conseguir?" La consecuencia elegida por el alumno no es necesariamente más eficaz como reforzador que una seleccionada por el investigador o el profesional aplicado (Smith, Iwata y Shore, 1995).

Observación de operante libre

Las actividades a las que una persona se dedica con mayor frecuencia cuando tiene la posibilidad de elegir libremente, pueden funcionar como reforzadores eficaces cuando se hacen contingentes a conductas de baja probabilidad. La observación y registro de las actividades que una persona realiza cuando puede elegir durante un periodo de libre acceso a numerosas actividades se llama *observación de operante libre.* Se registra la duración total del tiempo que la persona invierte en cada estímulo o actividad. Cuanta más duradera sea la interacción con un elemento, más fuerte es la inferencia de que es un elemento preferido.

Procedimentalmente, la persona tiene acceso ilimitado y simultáneo, o bien a un conjunto predeterminado de elementos o actividades, o bien a materiales y actividades que están naturalmente disponibles en el ambiente. No hay demandas de respuesta, y todos los estímulos están a la vista y al alcance de la persona. Nunca se retirarán los elementos después de ser seleccionados. De acuerdo con Ortiz y Carr (2000), la situación de operante libre produce con menor probabilidad la aparición de conductas atípicas que se observarían si se eliminara un estímulo. Las observaciones de operante libre pueden ser artificiales o llevadas a cabo en ambientes naturales.

Observación de operante libre en un contexto artificial. Los profesionales aplicados usan observaciones artificiales para determinar cuándo, cómo y hasta qué punto interactúa una persona con cada uno de los estímulos de un conjunto predeterminado de actividades y materiales. La observación es artificial porque el investigador o el profesional aplicado "saca" del ambiente de la persona una serie de elementos que pueden ser de su interés.

La evaluación de operante libre presupone que la persona tiene el suficiente tiempo para moverse y explorar el ambiente y tiene la oportunidad para experimentar con cada uno de los estímulos, materiales, o actividades. Justo antes del periodo de observación de operante libre, se expone de forma breve y no contingente cada uno de los elementos al participante.

Figura 11.10 Número de minutos que Miguel invierte en realizar actividades durante 2 horas de tiempo libre después del colegio.

Actividad	Lun	Mar	Mie	Jue	Vie	Total
Lectura de ocio	—	10	—	10	—	20
Ver televisión	35	50	60	30	30	205
Hablar por teléfono con amigos	15	15	10	20	10	70
Jugar a videojuegos	70	45	40	60	80	295
Jugar con juguete de construcción	—	—	10	—	—	10
Minutos observados	**120**	**120**	**120**	**120**	**120**	**600**

Entonces se colocan todos los elementos a la vista y de modo que sean fácilmente accesibles para que la persona pueda probarlos y elegir libremente entre ellos. Los observadores registran la duración total de la interacción con cada estímulo, artículo o actividad.

Observación de operante libre en un contexto natural. La observación natural de operante libre se lleva a cabo en el ambiente cotidiano del participante (p.ej., el patio de juegos, el aula o el hogar). De la manera menos intrusiva posible, el observador toma nota de cómo el alumno distribuye su tiempo y registra el número de minutos que dedica a cada actividad. Por ejemplo, la Figura 11.10 muestra cómo un adolescente, Miguel, distribuye su tiempo libre durante 2 horas cada día después del colegio. Los padres de Miguel recopilaron estos datos llevando una tabla del número total de minutos que su hijo dedicaba a cada actividad. La columna de resumen de la semana muestra que Miguel estuvo jugando a videojuegos, viendo la televisión y hablando por teléfono con sus amigos, todos los días. En dos días diferentes Miguel pasó 10 minutos leyendo un libro de la biblioteca y jugando con un nuevo juguete de construcción durante un breve periodo el miércoles. Dos actividades (ver la televisión y jugar a videojuegos) fueron las más frecuentes y duraderas. Si los padres de Miguel desearan aplicar el principio de Premack presentado anteriormente en este capítulo, para aumentar la cantidad de tiempo que el chico invierte en leer por placer o en jugar con el juguete de construcción (es decir, en las conductas de baja probabilidad), podrían hacer contingentes las conductas de ver la televisión o jugar a videojuegos (es decir, las conductas de alta probabilidad) a la lectura y al juego de construcción.

Métodos basados en ensayos

En la evaluación de preferencias de estímulo mediante métodos basados en ensayos, los estímulos se presentan en series de ensayos y las respuestas del participante ante los estímulos se miden como índices de preferencia. En estos métodos de evaluación de las preferencias se registran uno o más de estos tres indicadores de la conducta: aproximación, contacto (DeLeon e Iwata, 1996), e interacción con el estímulo (DeLeon, Iwata, Conners, y Wallace, 1999; Hagopian, Rush, Lewin, y Long, 2001; Roane et al., 1998). Las respuestas de *aproximación* incluyen típicamente cualquier movimiento detectable de la persona hacia el estímulo (p.ej., dirigir la mirada, girar la cabeza, inclinar el cuerpo o alargar la mano), las respuestas de *contacto* se anotan cada vez que la persona toca o sostiene el estímulo, y la *interacción* es una medida del tiempo total o porcentaje de los intervalos observados en los que la persona interactúa con el estímulo (p.ej., el tiempo que una persona sostiene un instrumento para hacer masajes sobre su pierna). Se presupone que con cuanta más frecuencia una persona se aproxime, toque o sostenga, o interactúe con un estímulo, mayor es la probabilidad de que dicho estímulo sea de su preferencia. Tal como señalaron DeLeon y colaboradores (1999), "la duración del contacto con el estímulo es un índice valido del valor del reforzador" (pág. 114).

Los estímulos preferidos en ocasiones se clasifican como de preferencia alta (PA), de preferencia media (PM), o de preferencia baja (PB) según unos criterios predeterminados (p.ej., los estímulos seleccionados el 75% o más del tiempo son de preferencia alta) (Carr, Nicolson, y Higbee, 2000; Northup, 2000; Pace, Ivancic, Edwards, Iwata, y Page, 1985; Piazza et al., 1996). Una suposición implícita, pero comprobable, es que un estímulo de muy alta preferencia funcionará como reforzador. Aunque esta suposición no se cumple siempre (Higbee, Carr, y Harrison, 2000), se ha demostrado que es una estimación eficiente con la que se puede comenzar.

Las distintas variaciones de la evaluación de preferencias de estímulo basada en ensayos pueden agruparse según el método de presentación en la de estímulo único (elección sucesiva), la de pares de estímulos (elección forzosa), y la de estímulos múltiples.

Estímulo único. Un método de presentación de un estímulo único, también llamado método de "elección sucesiva", representa la evaluación más simple disponible para determinar la preferencia. En pocas palabras, se presenta un estímulo y se registra la reacción de la persona al mismo. La presentación de un estímulo cada vez "puede ser muy adecuada para las personas que tienen dificultades para seleccionar entre dos o más estímulos" (Hagopian et al., 2001, pág. 477).

Se presentan los estímulos objetivo aleatoriamente de uno en uno a través de todos los sistemas sensoriales (es decir, visual, auditivo, vestibular, táctil, olfativo, gustativo, y multisensorial) y se registra la reacción de la persona ante cada estímulo (Logan, Jacobs et al., 2001; Pace et al., 1985). Las respuestas de aproximación o rechazo se registran en términos de ocurrencia (ocurre o no), frecuencia (p.ej., numero de contactos por minuto) o duración (es decir, el tiempo empleado con un objeto). Después del registro, se presenta el siguiente elemento de la secuencia. Por ejemplo, un espejo puede ser presentado para determinar la cantidad de tiempo que la persona mira en él, lo toca, o lo rechaza (es decir, lo deja a un lado). Cada elemento debe ser presentado varias veces, y el orden de presentación debe variar.

Pares de estímulos. Cada ensayo del método de presentación por pares de estímulos, también llamado método de "elección forzosa", consiste en presentar simultáneamente dos estímulos y registrar cuál de los dos elige el participante. Durante el curso de la evaluación, cada estímulo se empareja al azar con todos los demás estímulos del conjunto (Fisher et al., 1992). Los datos de una evaluación por pares muestran cuantas veces se elige cada estímulo y a partir de ahí los estímulos se ordenan según la preferencia alta, media y baja. Piazza y colaboradores (1996) usaron de 66 a 120 ensayos de pares de estímulos para determinar preferencias altas, medias y bajas. Pace y colaboradores (1985) encontraron que la presentación de estímulos por pares produjo distinciones más precisas entre los elementos de alta y baja preferencia que la presentación de estímulos únicos. En ocasiones la presentación por pares supera a la de estímulo único respecto a la identificación definitiva de reforzadores (Paclawskyj y Vollmer, 1995).

Debido a que se deben presentar todos los posibles pares de estímulos, la evaluación por pares puede tomar más tiempo que la presentación simultánea de un conjunto de estímulos múltiples (descrito en la siguiente sección). Sin embargo, DeLeon e Iwata (1996) argumentaron que de todas formas el método de evaluación por pares puede ser temporalmente más eficiente, teniendo porque "los resultados más consistentes producidos por el método de evaluación por pares, pueden indicar que se pueden determinar preferencias estables en pocas sesiones o incluso en una única sesión" (pág. 520).

Estímulos múltiples. El método de presentación de estímulos múltiples es una extensión del procedimiento de presentación por pares desarrollado por Fisher y colaboradores (1992). La persona elige un estímulo preferido entre una serie de tres o más estímulos (Windsor, Piche, y Locke, 1994). Con la presentación de múltiples estímulos juntos, el tiempo de evaluación se reduce. Por ejemplo, en lugar de presentar una serie de ensayos que incluyan todos los posibles pares de estímulos de un grupo de seis elementos hasta que se presenten todos los pares, se presentan los seis estímulos simultáneamente.

Las dos principales variaciones de la evaluación de preferencias de estímulos múltiples son la de estímulos múltiples con reposición y la de estímulos múltiples sin reposición. La diferencia entre las dos está en los estímulos que son eliminados o reemplazados, como preparación para el siguiente ensayo, después de que la persona indique una preferencia entre los elementos mostrados. En el procedimiento de estímulos múltiples con reposición, el elemento escogido por el participante permanece entre el conjunto de estímulos y los artículos que no fueron seleccionados se sustituyen por otros nuevos. En el procedimiento de estímulos múltiples sin reposición se retira el elemento seleccionado, los elementos restantes se reorganizan, y se da comienzo al siguiente ensayo con un número reducido de estímulos en el conjunto.

En cualquiera de los casos, cada uno de los ensayos comienza preguntando al participante "¿Cuál te gusta más?" (Higbee et al., 2000) "Elige uno" (Ciccone, Graff, y Ahearn, 2005) y se continúa hasta que todos los elementos del conjunto original, o del conjunto que se está reduciendo progresivamente, se han seleccionado. La secuencia total se suele repetir varias veces, aunque en una sola ronda de ensayos puede identificar los estímulos que funcionan como reforzadores (Carr et al., 2000).

Los estímulos presentados en cada uno de los ensayos pueden ser objetos tangibles en sí mismos, imágenes de los elementos o descripciones verbales. Higbee, Carr, y Harrison (1999) utilizaron una variación del procedimiento de estímulos múltiples que incluía una selección de preferencias de estímulo basada en objetos tangibles versus imágenes de los objetos. Los objetos tangibles produjeron una mayor variación y distribución de las preferencias que las imágenes. Cohen-Almeida, Graff, y Ahearn (2000) encontraron que la evaluación de objetos tangibles era casi tan eficaz como la evaluación de las preferencias verbales, pero los clientes completaron la evaluación de preferencias verbales en menos tiempo.

DeLeon e Iwata (1996) usaron una adaptación de las presentaciones de estímulos múltiples y de estímulos por pares que describieron como una *evaluación breve de estímulo* para reducir el tiempo necesario para determinar las preferencias de estímulo. Básicamente, en la evaluación de estímulo breve, una vez que un estímulo particular es escogido no regresa al conjunto, al que solo regresan los elementos que no fueron escogidos. Los siguientes ensayos presentan un número reducido de elementos entre los cuales escoger (Carr et al., 2000; DeLeon et al., 2001; Roane et al., 1998). DeLeon e Iwata (1996) encontraron que el método de estímulos múltiples sin reposición identificaba los elementos preferidos en aproximadamente la mitad del tiempo que el procedimiento de estímulos múltiples con reemplazo. De acuerdo con Higbee y colaboradores (2000), "Con un procedimiento breve de preferencia de estímulo, los profesionales aplicados cuentan con un método para la identificación de reforzadores que es a la vez eficiente y preciso" (págs. 72-73).

Directrices para la selección y uso de las evaluaciones de preferencias de estímulo

Los profesionales aplicados pueden combinar los procedimientos de evaluación para comparar los métodos de estímulo único y los métodos por pares, estos últimos con los de estímulos múltiples, o los de operante libre con los basados en ensayos (Ortiz y Carr, 2000). En la práctica del día a día, las presentaciones breves de estímulo usando enfoques comparativos podrían facilitar la identificación del reforzador, acelerando así las posibles intervenciones usando dichos reforzadores. En resumen, el objetivo de la evaluación de preferencias de estímulo es identificar los estímulos que tienen más probabilidad de funcionar como reforzadores. Cada método para evaluar preferencias tiene ventajas y limitaciones (Roane et al., 1998). Los profesionales pueden encontrar las siguientes directrices de utilidad cuando realicen la evaluación de preferencias de estímulo (DeLeon e Iwata, 1996; Gottschalk et al., 2000; Higbee et al., 2000; Ortiz y Carr, 2000; Roane et al., 1998; Roscoe, Iwata, y Kahng, 1999):

- Supervise las actividades del participante durante el periodo de tiempo previo a la sesión de evaluación para estar al tanto de las operaciones de establecimiento que pueden afectar a los resultados.
- Utilice opciones de evaluación de preferencias de estímulo que equilibren el coste-beneficio de las evaluaciones breves (con posibles falsos positivos) con evaluaciones más prolongadas que tal vez retrasen la identificación del reforzador.
- Equilibre el uso de un método de preferencias de estímulo que pueda producir una jerarquía de los estímulos preferidos con un método de evaluación que no implique jerarquías pero que se aplique con más frecuencia para contrarrestar los cambios en las preferencias.
- Cuando el tiempo sea limitado, lleve a cabo una evaluación de preferencias de estímulo breve con una menor cantidad de elementos.
- Cuando sea posible, combine los datos de múltiples métodos y fuentes de evaluación de preferencias de estímulo (p.ej., preguntar al participante y a sus personas significativas, observar en operante libre, dar una elección previa a la tarea, y aplicar métodos basados en ensayos).

Evaluación de reforzadores

> La única manera de saber si un determinado evento es reforzante para un determinado organismo bajo ciertas condiciones es hacer una prueba directa.
>
> —B. F. Skinner (1953, págs.72-73)

Puede que los estímulos de alta preferencia no siempre funcionen como reforzadores (Higbee et al., 2000); incluso el dulce que intentaba sacar un niño de la mano de Sidman podría no haber funcionado como reforzador en determinadas condiciones. A la inversa, los estímulos menos preferidos pueden servir como reforzadores bajo ciertas condiciones (Gottschalk et al., 2000). La única manera de saber con seguridad si un estímulo determinado sirve como reforzador es presentarlo inmediatamente a la ocurrencia de la conducta y registrar sus efectos sobre la emisión de respuestas.

El concepto **evaluación de reforzadores** hace referencia a una serie de métodos directos basados en los datos, usados para presentar uno o más estímulos de forma contingente a la respuesta objetivo y a partir de ahí medir los efectos futuros sobre la tasa de respuesta. Investigadores y profesionales aplicados han desarrollado métodos de evaluación de reforzadores para determinar los efectos relativos de un estímulo como reforzador bajo condiciones diferentes y cambiantes, y para evaluar la eficacia comparativa de múltiples estímulos como reforzadores para una conducta determinada bajo condiciones específicas. La evaluación de reforzadores se logra, a menudo, mediante la presentación de estímulos que se sospecha que son reforzadores de manera contingente a la respuesta en programas de reforzamiento concurrentes, múltiples o progresivos de razón.[9]

Evaluación de reforzadores en programas de reforzamiento concurrentes

Cuando dos o más contingencias de reforzamiento operan independiente y simultáneamente para dos o más conductas decimos que está en ejecución un *programa de reforzamiento concurrente*. Cuando se usa como vehículo para la evaluación de reforzadores, un programa concurrente enfrenta esencialmente dos estímulos, uno contra otro, para ver cuál de ellos producirá el mayor incremento en la respuesta cuando se presente como consecuencia de la conducta. Si la persona asigna una mayor proporción de respuestas a un componente del programa concurrente que al otro, el estímulo utilizado como consecuencia contingente en dicho componente es el reforzador más eficaz. Por ejemplo, usar un programa concurrente de esta manera evidencia la eficacia relativa de los estímulos de preferencia alta (PA) y preferencia baja (PB) como reforzadores (Koehler, Iwata, Roscoe, Rolider, y O'Steen, 2005; Piazza et al., 1996).

Los programas concurrentes también pueden usarse para determinar las diferencias entre los efectos de reforzamiento *absolutos* y *relativos* de los estímulos. Es decir, ¿un estímulo de preferencia baja que ahora se presente de forma contingente en ausencia del estímulo de preferencia alta puede servir como reforzador? Roscoe y colaboradores (1999) usaron un programa concurrente para comparar los efectos como reforzadores de distintos estímulos de preferencias altas y bajas en ocho adultos con discapacidades del desarrollo. Después de las evaluaciones de preferencias, se estableció un programa concurrente de reforzamiento utilizando los estímulos de alta y baja preferencia. La respuesta objetivo era presionar cualquiera de dos pequeños interruptores eléctricos. Cada interruptor era de un color diferente y al presionarlos se iluminaba una pequeña luz en el centro de cada uno. Se llevó a cabo una condición de entrenamiento antes de la lineabase para instaurar la respuesta de opresión sobre el interruptor en el repertorio de los sujetos y así poder exponerlos a las consecuencias de responder. Durante la lineabase, presionar cualquiera de los interruptores no tenía ninguna consecuencia programada. Durante la fase de reforzamiento, un estímulo alta preferencia se colocó en un plato detrás de uno de los interruptores y otro estímulo de baja preferencia se colocó en otro plato detrás del otro interruptor. Todas las respuestas sobre cada uno de los interruptores dieron como resultado que el participante recibiera inmediatamente el elemento que había en el plato situado detrás del respectivo interruptor (es decir, en un programa de reforzamiento de Razón Fija 1).

Bajo el programa de reforzamiento concurrente que

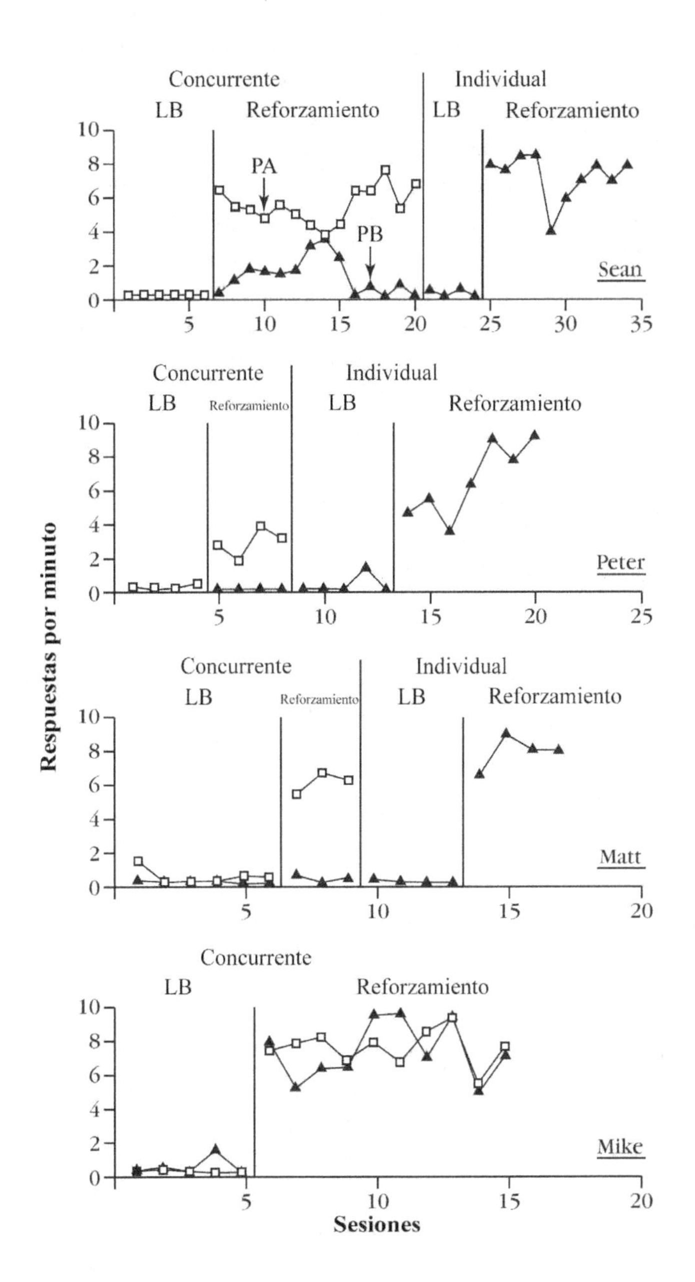

Figura 11.11 Respuestas por minuto durante las condiciones de lineabase y de reforzamiento de un programa concurrente y un programa individual para cuatro adultos con retraso mental.

Tomado de "Relative versus Absolute Reinforcement Effects: Implications for Preference Assessments" E. M. Roscoe, B. A. Iwata, y S. Kahng. 1999, *Journal of Applied Behavior Analysis*, 32, pág. 489. © Copyright 1999 Society for the Experimental Analysis of Behavior, Inc. Reimpreso con permiso.

[9] Estos y otros tipos de programas de reforzamiento son descritos en el Capítulo 13.

permitía al participante escoger reforzadores en el mismo programa de reforzamiento, la mayoría de los participantes asignó la mayoría de sus respuestas al interruptor que producía el estímulo de alta preferencia como reforzador (p.ej., véase los resultados de Sean, Peter, y Matt en la Figura 11.11). Sin embargo, estos mismos participantes mostraron incrementos en los niveles de respuesta, similares a los niveles obtenidos para los estímulos de alta preferencia en el programa concurrente, cuando posteriormente se les presentó la oportunidad de obtener el estímulo de baja preferencia en una contingencia de programa único (es decir, se les presentó un único panel para oprimir). El estudio de Roscoe y colaboradores (1999) demostró como los programas concurrentes pueden ser utilizados para identificar los efectos relativos de los estímulos como reforzadores. El estudio también mostró que los efectos potenciales de los estímulos como reforzadores pueden quedar enmascarados o ensombrecidos cuando un estímulo se enfrenta a otro en un programa concurrente. En tal caso, un estímulo potencialmente reforzante podría ser descartado prematuramente.

Evaluación de reforzadores en programas de reforzamiento múltiple

Un *programa de reforzamiento múltiple* consiste en dos o más programas de reforzamiento componentes para una sola respuesta con un único componente efectivo en cualquier momento dado. Un estímulo discriminativo (S^D) señala la presencia de cada programa componente, y dicho estímulo está presente mientras el programa está vigente. Una manera en que un programa múltiple podría usarse para la evaluación de reforzadores seria presentar el mismo estímulo de manera contingente (es decir, dependiente de la respuesta) a cada ocurrencia de la conducta objetivo en uno de los componentes del programa múltiple y siguiendo un programa de tiempo fijo (es decir, independiente de la respuesta) en el otro componente. Por ejemplo, si una profesional aplicada quisiera utilizar un programa múltiple para evaluar si la atención social funciona como reforzador, se podría proporcionar atención social contingente a la ocurrencia de juegos cooperativos cuando uno de los componentes del programa múltiple estuviese vigente, y durante el otro componente la profesional podría presentar la misma cantidad y tipo de atención social, pero en un programa de tiempo fijo independiente del juego cooperativo (es decir, un reforzamiento no contingente). La maestra podría aplicar el programa dependiente de la respuesta durante el periodo de juego de la mañana, y el programa independiente de la respuesta durante el periodo de juego de la tarde. Si la atención social funcionara como reforzador, el juego cooperativo probablemente aumentaría por encima de las tasas registradas en la lineabase durante los periodos de la mañana, y la atención probablemente no tendría ningún efecto en el periodo de la tarde dada la poca relación con el juego cooperativo. Esta situación sigue un programa de reforzamiento múltiple teniendo porque hay una clase de conducta (es decir, el juego cooperativo), un estímulo discriminativo para cada una de las contingencias en vigor (es decir, los periodos de juego de las mañanas y las tardes), y diferentes condiciones de refuerzo (es decir, dependientes e independientes de la respuesta).

Evaluación de reforzadores en programas de reforzamiento progresivos de razón

La evaluación de preferencias de estímulo con bajos criterios de respuesta (p.ej., Razón Fija 1 o RF1) puede no ser un predictor del estímulo como reforzador cuando se presenta con criterios de respuesta más altos (p.ej., en un programa de Razón Fija 10 (RF10), un alumno debe completar 10 problemas para obtener el reforzador). Como DeLeon, Iwata, Goh, y Worsdell (1997) señalaron:

> Los métodos de evaluación actuales pueden hacer predicciones inexactas acerca de la eficacia del reforzador cuando la tarea utilizada en sistemas de entrenamiento requiere más respuestas o más esfuerzo antes de la entrega del reforzador… para algunas clases de reforzadores, incrementos simultáneos en los criterios del programa pueden magnificar pequeñas diferencias en las preferencias que no son detectables cuando los criterios son bajos. En tales casos, una evaluación de preferencias de estímulo que implica programas con criterios de respuesta bajos (RF1) no predice con precisión la potencia relativa de reforzadores bajo criterios de respuesta aumentados. (Págs. 440, 446)

Los programas progresivos de razón proporcionan un marco para evaluar la eficacia relativa de un estímulo como reforzador conforme se incrementan los criterios de respuesta. En un *programa de reforzamiento progresivo de razón* los criterios de respuesta para el reforzamiento se incrementan sistemáticamente a través del tiempo independientemente de la conducta del participante. En un programa progresivo de razón, el profesional aplicado requiere gradualmente más respuestas para presentar el estímulo preferido hasta que se alcance un punto de ruptura y la tasa de respuesta descienda (Roane, Lerman, y Vorndran, 2001). Por ejemplo, inicialmente cada respuesta es reforzada (RF1), entonces el reforzamiento pasa a darse después de cada segunda respuesta (RF2), a continuación, tras cada quinta, décima y vigésima repuesta (RF5, RF10 y RF20). En algún momento, un estímulo preferido puede dejar de funcionar como reforzador (Tustin, 1994).

DeLeon y colaboradores (1997) utilizaron un programa progresivo de razón dentro de uno concurrente para probar la eficacia relativa de dos estímulos preferidos similares (p.ej., galleta dulce y galleta salada) y de dos estímulos diferentes (p.ej., bebida y globo) como reforzadores para la presión de un interruptor por parte de Elaine y Rick, dos adultos con retraso mental. Uno de los interruptores era azul y el otro amarillo. Los experimentadores colocaron dos reforzadores en bandejas separadas, cada una detrás de cada interruptor. Cada ensayo (24 por sesión para Rick; y 14 por sesión para Elaine) consistía en que el participante presionaba uno de los interruptores e inmediatamente recibía el elemento ubicado detrás de este. Durante la primera fase, se utilizó un programa Razón Fija 1 (es decir, cada respuesta producía un elemento de la bandeja). Luego, el criterio de respuesta para obtener los elementos aumentó gradualmente (RF2, RF5, RF10, y RF20).

Elaine y Rick respondieron con tasas de respuesta similares para los estímulos diferentes durante la fase de RF1 (véase las dos graficas superiores en la Figura 11.12). Cuando aumentaron los criterios de respuesta para obtener los estímulos diferentes, Elaine y Rick continuaron distribuyendo las respuestas entre ambos interruptores. Sin embargo, cuando los reforzadores inicialmente equivalentes y similares (comida en RF1) se compararon bajo incrementos en los criterios de respuesta, se dieron tasas de respuesta que demostraron preferencias claras y coherentes (véanse los dos gráficos inferiores en la Figura 11.12). Por ejemplo, cuando Elaine tuvo que esforzarse más para recibir comida, aplicó la mayoría de sus respuestas sobre el interruptor

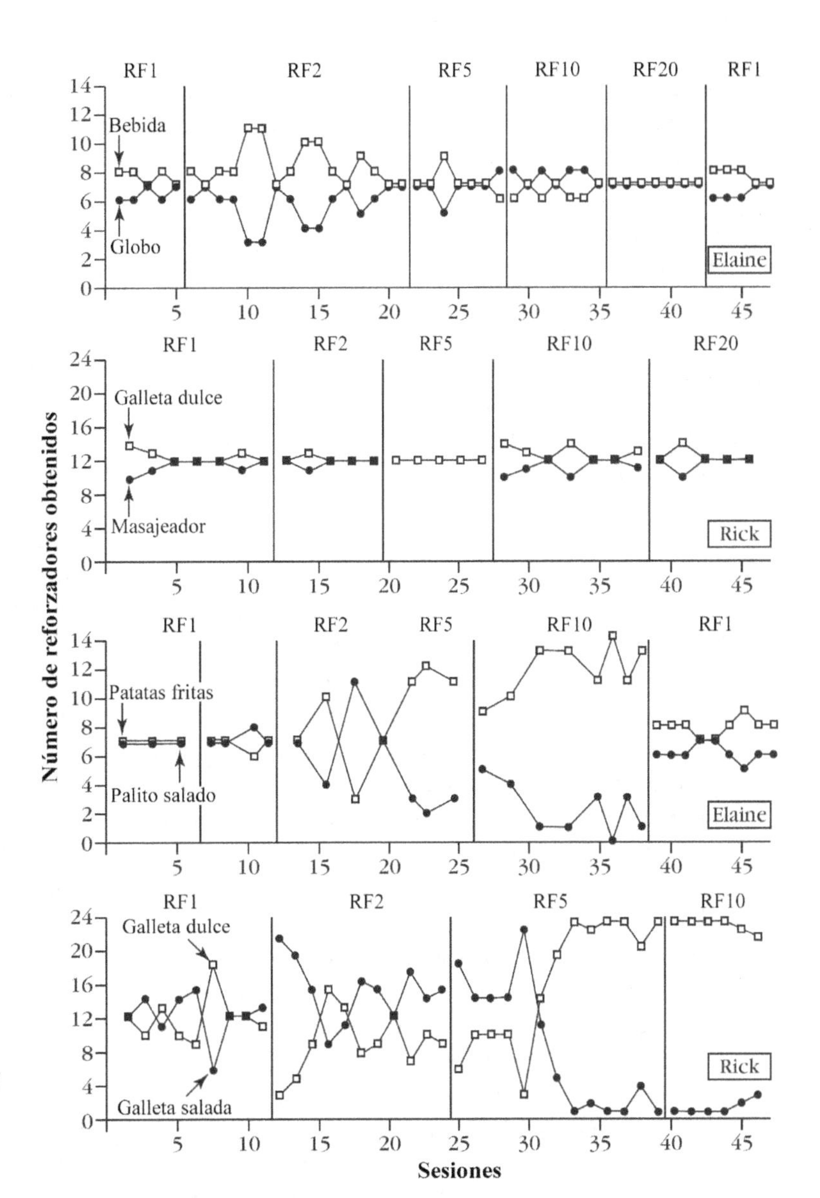

Figura 11.12 Respuestas por minuto durante las condiciones de lineabase y de reforzamiento de un programa concurrente y un programa individual para cuatro adultos con retraso mental.

Tomado de "Emergence of Reinforcer Preference as a Function of Schedule Requirements and Stimulus Similarity" I. G. DeLeon, B. A. Iwata, H. Goh, y A. S.Worsdell, 1997, *Journal of Applied Behavior Analysis, 30*, pág. 444. © Copyright 1997 Society for the Experimental Analysis of Behavior, Inc. Reimpreso con permiso.

que producía patatas fritas en lugar de en el que proporcionaba los palitos salados. Del mismo modo, conforme el número de respuestas requeridas para la obtención del reforzador aumentaba, Rick mostraba una preferencia clara por las galletas dulces sobre las saladas. Estos resultados sugieren que "para algunas clases de reforzadores, el incremento simultaneo en los criterios del programa puede magnificar diferencias pequeñas en las preferencias que no se detectan cuando los criterios son bajos" (DeLeon et al., 1997, pág. 446).

Incrementar los criterios de respuesta dentro de un programa concurrente puede, además de reflejar el efecto de dicho incremento sobre la elección entre reforzadores, revelar si dos reforzadores son sustituibles entre sí y bajo qué condiciones. Si dos reforzadores tienen la misma función (es decir, son eficaces bajo la misma operación de establecimiento), un incremento del coste (es decir, del criterio de respuesta) para uno de los reforzadores dará lugar a la disminución del consumo de dicho elemento si hay disponible un reforzador sustituto (Green y Freed, 1993). DeLeon y colaboradores (1997) usaron una persona hipotética con una ligera preferencia por la Coca-Cola sobre la Pepsi, como analogía para explicar los resultados mostrados en la Figura 11.12.

> Suponiendo que la Coca-Cola y la Pepsi están disponibles a $1.00 por botella y que una persona tiene una ligera preferencia por la Coca-Cola, el individuo puede hacer sus elecciones bastante uniformemente, tal vez como función de la saciación periódica del elemento preferido, pero con una ligera selección superior de la Coca-Cola. Ahora supongamos que el coste de cada una incrementa a $5.00 por botella. A este precio la preferencia por la Coca-Cola probablemente sea más marcada. Por el contrario, una situación similar que implique a la Coca-Cola y a billetes de autobús puede producir resultados diferentes. Una vez más, con un precio de $1.00 por cada uno, una elección más o menos igual entre las dos opciones no sería sorprendente, suponiendo que las operaciones de establecimiento para cada una sean momentáneamente equivalentes en valor. Sin embargo, dichos elementos son claramente diferentes en su función y no son sustituibles; es decir, que la persona no es libre de cambiar uno por otro y continuar recibiendo funcionalmente el mismo reforzador en la misma proporción. En este caso, es muy probable que la persona siga escogiendo igual, incluso cuando el precio de ambos reforzadores aumente sustancialmente.
>
> Lo mismo puede decirse de los resultados obtenidos en el presente estudio. Cuando las opciones implican dos elementos sustituibles, como una galleta salada y una dulce, los aumentos simultáneos en el coste de cada uno pueden haber "forzado" la expresión de una ligera preferencia por uno de los estímulos. Sin embargo, cuando los reforzadores con poca probabilidad de ser sustitutos entre sí, tales como las galletas dulces y el instrumento para hacer masajes, estaban simultáneamente disponibles y eran igualmente preferidos, los incrementos en el coste tuvieron un efecto limitado sobre la preferencia. (págs. 446-447)

A pesar que el estímulo X y el estímulo Y puedan funcionar como reforzadores cuando las demandas de la tarea son bajas, o cuando el programa de reforzamiento es denso, cuando las demandas de la tarea aumentan o el programa se vuelve más inclinado (es decir, se requieren más respuestas por reforzador), los participantes podrían elegir solamente el estímulo Y. DeLeon y colaboradores (1997) señalaron que los profesionales aplicados que están atentos a estas relaciones podrían ser más escépticos sobre la creencia de que las preferencias originales pueden mantenerse bajo condiciones medio ambientales cambiantes y más juiciosos en la forma en que planifican la presentación de reforzadores a la tarea asignada una vez que la intervención está en marcha. Es decir, que podría ser mejor conservar algunos tipos de estímulos preferidos para cuando las demandas de la tarea son altas en lugar de sustituirlos por otros estímulos igualmente preferidos cuando las demandas son bajas.

Procedimientos de control para el reforzamiento positivo

Los procedimientos de control para el reforzamiento positivo son usados para manipular la presentación contingente de un potencial reforzador y observar cualquier efecto sobre la futura frecuencia de la conducta. El *control,* según el sentido en el que usamos el término en este texto, requiere una demostración experimental de que la presentación de un estímulo contingente a la ocurrencia de una respuesta objetivo funciona como reforzamiento positivo. El control se demuestra comparando las tasas de respuesta en ausencia y en presencia de una contingencia y demostrando así que con la presencia o la ausencia de la contingencia la conducta se activa y desactiva, o incrementa y disminuye (Baer, Wolf, y Risley, 1968). Históricamente, los investigadores y los profesionales aplicados han usado la técnica de reversión como la principal técnica de control para el reforzamiento positivo. Brevemente, la técnica de reversión incluye dos condiciones y un mínimo de cuatro fases (es decir, *ABAB*). En la condición *A*, la conducta se mide a lo largo del tiempo hasta que alcanza estabilidad en ausencia de la contingencia de reforzamiento. La ausencia de la contingencia es la condición de *control.* En la condición *B*, se presenta la contingencia de reforzamiento; la misma conducta objetivo continúa midiéndose para evaluar los efectos del cambio estimular. La presencia de la contingencia de reforzamiento es la condición *experimental*. Si la tasa de respuesta se incrementa en presencia de la contingencia, el analista retira la contingencia de reforzamiento y vuelve a aplicar las condiciones *A* y *B* con el objetivo de identificar si la ausencia y presencia de la contingencia disminuye e incrementa la conducta objetivo.

Sin embargo, utilizar la extinción como condición de control durante la fase de reversión presenta problemas conceptuales y prácticos. En primer lugar, la retirada del reforzamiento puede resultar en efectos secundarios de extinción (p.ej., un incremento inicial de la tasa de respuesta, respuestas emocionales o agresión – véase el Capitulo 21), que afectan a la demostración del control. En segundo lugar, en algunas situaciones puede ser imposible retirar completamente la contingencia de reforzamiento (Thompson e Iwata, 2005). Por ejemplo, es poco probable que un maestro pueda retirar completamente su atención durante la condición *A*. Además de estos inconvenientes, Thompson e Iwata (2005) señalaron que, a pesar de que la

> extinción a menudo ha tenido éxito en la reversión de los efectos del reforzamiento positivo sobre la conducta, su uso como procedimiento de control presenta dificultades interpretativas. Esencialmente, la extinción no aísla adecuadamente la *contingencia* de reforzamiento como variable controladora de la respuesta objetivo, porque la mera presentación del estímulo no puede descartarse como explicación igualmente viable. (pág. 261, énfasis añadido)

De acuerdo con Thompson e Iwata (2005), "el procedimiento de control ideal para el reforzamiento positivo elimina la relación contingente entre la ocurrencia de la respuesta objetivo y la presentación del estímulo mientras se controlan los efectos de la presentación del estímulo solo" (pág. 259). Ellos revisaron la eficacia de tres variaciones de las técnicas de reversión como procedimientos de control para determinar el reforzamiento: reforzamiento no contingente (RNC), reforzamiento diferencial de otras conductas (RDO), y reforzamiento diferencial de conductas alternativas (RDA).[10]

Reforzamiento no contingente

El *reforzamiento no contingente* (RNC) es la presentación de un reforzador potencial en un programa de tiempo fijo (TF) o en uno de tiempo variable (TV) independientemente de la ocurrencia de la conducta objetivo. La presentación del potencial reforzador de forma independiente a la emisión de la respuesta elimina la relación contingente entre la conducta objetivo y la presentación del estímulo permitiendo al mismo tiempo detectar cualquier efecto de la presentación del estímulo solo. De este modo, el RNC satisface los criterios de Thompson e Iwata (2005) para un procedimiento de control ideal del reforzamiento positivo.

El RNC como técnica de reversión debe implicar un mínimo de cinco fases (*ABCBC*): *A* es una condición de lineabase; *B* es una condición de RNC, donde el reforzador potencial es presentado en un programa de intervalo fijo o variable independiente de la conducta objetivo; y *C* es una condición en la cual el reforzador potencial es presentado contingentemente a la ocurrencia de la conducta objetivo. Las condiciones *B* y *C* se repiten para saber si el nivel de respuesta disminuye y aumenta en función de la ausencia y presencia de la contingencia respuesta-consecuencia. La calidad, cantidad y tasa del reforzamiento debe ser aproximadamente la misma durante las condiciones contingente y no contingente (*B* y *C*) del análisis.

El RNC a menudo produce persistencia en la respuesta, tal vez debido al reforzamiento accidental que a veces se produce en un programa independiente de la respuesta, o porque las operaciones de establecimiento similares y las condiciones estimulares antecedentes evocan persistencia de la respuesta. Cualquiera que sea la causa, la persistencia de la respuesta es una limitación del procedimiento de control basado en el RNC porque hace que la consecución del efecto de reversión (reducción en la respuesta) lleve más tiempo que la técnica de reversión con extinción. Lograr el efecto puede requerir un contacto prolongado con el programa de RNC.

Reforzamiento diferencial de otras conductas

Un profesional aplicado que esté usando el *reforzamiento diferencial de otras conductas (RDO)* estará presentando un potencial reforzador siempre que la conducta objetivo no ocurra durante un intervalo de tiempo específico. El RDO como técnica de reversión incluye un mínimo de cinco fases (es decir, *ABCBC*): *A* es una condición de lineabase; *B* es una condición de reforzamiento, en la cual el reforzador potencial se presenta de manera contingente a la ocurrencia de la conducta objetivo; y *C* es la condición de control basada en el RDO, en la cual el potencial reforzador es presentado en ausencia de la conducta objetivo. El analista entonces repite las condiciones *B* y *C* para determinar si el nivel de las

[10] El Capítulo 8 presenta las técnicas de control ABA, RNC, RDO y RDA en el contexto de los diseños experimentales de caso único.

respuestas disminuye y aumenta como función de la ausencia y presencia de la contingencia respuesta-consecuencia.

El programa RDO permite la presentación continua de la contingencia de reforzamiento durante las fases de reversión del procedimiento de control. En una de las condiciones, la contingencia se activa con la ocurrencia de la conducta objetivo, mientras que, en la otra condición, la contingencia se activa con la omisión de la conducta objetivo. El procedimiento de control basado en RDO puede producir el efecto de reversión en menor tiempo que el programa RNC, tal vez debido a la eliminación del refuerzo accidental de las conductas objetivo.

Reforzamiento diferencial de conductas alternativas

Cuando un *reforzamiento diferencial de conductas alternativas (RDA)* se usa como condición de control, el reforzador potencial se presenta de manera contingente a la ocurrencia de una alternativa deseable a la conducta objetivo.[11] La técnica de reversión basada en RDA incluye un mínimo de cinco fases (es decir, *ABCBC*): *A* es una condición de lineabase; *B* es una condición de reforzamiento, en la cual el reforzador potencial es presentado de manera contingente a la ocurrencia de la conducta objetivo; y *C* es la condición en la cual el reforzador potencial se presenta contingentemente a la ocurrencia de una conducta alternativa (es decir, RDA). El analista entonces repite las fases *B* y *C* para determinar si el nivel de respuestas disminuye y aumenta en función de la ausencia y presencia de la contingencia respuesta-consecuencia.

Thompson e Iwata (2005) resumieron las limitaciones de usar el RDO y el RDA como procedimientos de control para evaluar el reforzamiento positivo:

> [Los programas de RDO y RDA] introducen una nueva contingencia que no se presentaba en las condiciones experimentales originales. Como resultado, las reducciones en la respuesta objetivo bajo la condición de reversión pueden atribuirse, o bien a (a) la finalización de la contingencia entre la respuesta objetivo y el reforzamiento, o bien a (b) la introducción del reforzamiento de la usencia de la respuesta objetivo o de la ocurrencia de una respuesta competitiva. Además, dado que el reforzamiento proporcionado es contingente a algunas de las características de la respuesta durante la contingencia de reversión, puede ser difícil controlar la tasa de presentación del estímulo a través de las condiciones experimentales y de control. Si la respuesta no se reduce rápidamente (RDO) o se reacomoda en las diferentes respuestas que producen reforzamiento (RDA), la tasa de reforzamiento en la condición de control puede ser baja en comparación con la tasa de reforzamiento en las condiciones experimentales. Cuando esto ocurre, la estrategia de reversión de contingencias es funcionalmente similar al procedimiento de extinción convencional. (pág. 267)

Dados los aspectos a tener en cuenta para aplicar la técnica de reversión con extinción y sus tres variedades, Thompson e Iwata (2005) concluyeron que el RNC ofrece la demostración de los efectos del reforzamiento positivo más completa y con menos factores de confusión.

El uso eficaz del reforzamiento

Ofrecemos a los profesionales aplicados nueve directrices para la implementación eficaz del reforzamiento positivo. Estas directrices provienen de tres fuentes principales: la literatura de investigación del análisis experimental de la conducta, del análisis conductual aplicado y de nuestras experiencias personales.

Establezca un criterio de reforzamiento inicial fácil de conseguir

Un error común en la aplicación del reforzamiento es el establecimiento de un criterio inicial de reforzamiento demasiado alto, que impide que la conducta de la persona entre en contacto con la contingencia. Para utilizar el reforzamiento con eficacia, los profesionales aplicados deben de establecer un criterio inicial que permita que las primeras respuestas de los participantes produzcan reforzamiento, y entonces incrementar el criterio de reforzamiento gradualmente a medida que mejora el rendimiento. Heward (1980) sugirió el siguiente método para establecer el criterio inicial de reforzamiento basado en los niveles de respuesta del participante durante la lineabase (véase Figura 11.13).

> Para una conducta que se desea incrementar, se establece el criterio inicial por encima del promedio de la ejecución del niño durante la lineabase y por debajo o igual que su mejor

[11] En el Capítulo 22 se describe el uso de RDO y RDA como como técnicas de cambio de conducta para disminuir la frecuencia de conductas no deseadas.

Figura 11.13 Ejemplos del uso de los datos del desempeño inicial (es decir, de la lineabase) de la persona objetivo para establecer un criterio inicial para el reforzamiento.

Las formulas de establecimiento de criterio son

Para incrementar conductas:

Promedio de línea base < criterio inicial ≤ el desempeño más alto durante la lineabase

Para disminuir conductas:

Promedio de línea base > criterio inicial ≥ el desempeño más bajo durante la lineabase

Ejemplos

Conducta objetivo	**Objetivo de desempeño**	**El mínimo**	**El máximo**	**Promedio de lineabase**	**Rango para el criterio inicial**
Jugar solo	Incrementar	2 min.	14 min.	6 min.	7-14 min.
Identificar las letras del alfabeto	Incrementar	4 letras	9 letras	5 letras	6-9 letras
Número de ejercicios de piernas completados	Incrementar	0	22	8	9-22
Porcentaje de problemas de matemáticas correctamente resueltos	Incrementar	25%	60%	34%	40-60%
Número de errores de escritura en una letra	Disminuir	16	28	22	16-21
Número de calorías consumidas por día	Disminuir	2,260	3,980	2,950	2,260-2,900

Tomado de "A Formula for Individualizing Initial Criteria for Reinforcement" W. L. Heward, 1980, *Exceptional Teacher, 1* (9), pág. 8. © Copyright 1980 *Exceptional Teacher.* Usado con permiso.

desempeño de la lineabase. Para una conducta que se desea disminuir en frecuencia, el criterio inicial debe fijarse por debajo del promedio de las respuestas del niño durante la lineabase y mayor o igual a su desempeño más bajo de la lineabase. (pág. 7)

Utilice reforzadores de alta calidad y suficiente magnitud

Los reforzadores que mantienen un determinado nivel de respuesta en tareas simples pueden ser ineficaces para producir niveles similares en tareas de mayor dificultad o duración. Los profesionales aplicados probablemente necesiten usar un reforzador de mayor calidad para las conductas que requieran más esfuerzo o resistencia. A veces, un estímulo altamente preferido, elegido durante la evaluación de preferencias, funciona como reforzador de alta calidad. Neef y colaboradores (1992), por ejemplo, encontraron que las conductas que recibieron reforzamiento a tasas bajas, pero con reforzadores de alta calidad, incrementaron en frecuencia, mientras que las conductas que recibieron tasas altas de reforzamiento con reforzadores de baja calidad disminuyeron en frecuencia. La calidad del reforzador está también relacionada con las otras consecuencias disponibles en ese instante para una misma respuesta de la persona.

Los analistas aplicados de la conducta definen la magnitud (o cantidad) de un reforzador como (a) la duración del acceso al reforzador, (b) el número de reforzadores por unidad de tiempo (es decir, la *tasa de reforzador*), o (c) la intensidad del reforzador. Los incrementos en la magnitud del reforzador pueden correlacionar con incrementos en la efectividad de la relación conducta-reforzador. Sin embargo, no se conocen bien los efectos de la magnitud del reforzador porque "pocos estudios aplicados han examinado los efectos de la magnitud sobre la respuesta en condiciones de una única operante" (Lerman, Kelly, Vorndran, Kuhn, y LaRue, 2002, pág. 30). En general, los aspectos a tener en cuenta para determinar la cantidad de reforzamiento a utilizar debe seguir la siguiente máxima: "Reforzar abundantemente, pero no quedarse sin provisiones". Por lo tanto, sugerimos que la cantidad de reforzamiento sea proporcional a la calidad de reforzador y al esfuerzo requerido para emitir la respuesta objetivo.

Utilice reforzadores variados para mantener operaciones de establecimiento potentes

A menudo la potencia de los reforzadores puede disminuir con el uso frecuente. La presentación en exceso de un reforzador específico hace probable la disminución momentánea de su eficacia debido a la saciedad. Los profesionales aplicados pueden minimizar los efectos de la saciedad usando reforzadores variados. Si leer un libro específico de deportes funciona como reforzador y un maestro se basa únicamente en este reforzador, al final, la lectura de ese libro puede dejar de producir reforzamiento. A la inversa, reforzadores conocidos que no siempre están disponibles pueden haber incrementado su eficacia cuando se vuelven a introducir. Si un maestro demuestra que "sentarse en la primera fila" es un reforzador, el uso de este reforzador una vez a la semana puede incrementar su efecto reforzante en comparación con cuando se usa frecuentemente.

Variar los reforzadores puede permitir que estímulos menos preferidos funcionan como reforzadores. Por ejemplo, Bowman et al. (1997) encontraron que algunas personas respondían mejor a una variedad de estímulos de baja preferencia que al acceso continuo a un solo estímulo de alta preferencia. Además, el uso de una variedad de reforzadores puede mantener la potencia de cada uno de los reforzadores más alta. Por ejemplo, Egel (1981) encontró que las respuestas correctas de los estudiantes y las conductas centradas en la tarea aumentaban cuando tenían acceso a uno de los tres reforzadores seleccionados al azar entre los ensayos versus una condición de reforzamiento constante en la que uno de los estímulos se presentaba después de cada ensayo exitoso. Incluso dentro de una misma sesión, los maestros podían permitir que los estudiantes seleccionasen varias consecuencias de un listado. De igual manera, hacer variaciones en una de las propiedades de un reforzador puede mantener su potencia reforzante por un tiempo más prolongado. Si se utilizan tebeos como reforzadores, disponer de una serie de géneros de tebeos probablemente mantenga su potencia.

Utilice contingencias de reforzamiento directas en lugar de indirectas cuando sea posible

Con una contingencia de reforzamiento directa, emitir la respuesta objetivo produce acceso directo al reforzador; la contingencia no requiere ningún paso intermedio. Con una contingencia de reforzamiento indirecta, la respuesta no produce directamente el reforzamiento, el profesional presenta el reforzador. Algunas investigaciones sugieren que las contingencias de reforzamiento directas pueden mejorar el desempeño (Koegel y Williams, 1980; Williams, Koegel, y Egel, 1981). Por ejemplo, Thompson e Iwata (2000) vincularon las definiciones de contingencias directas e indirectas a la diferencia entre reforzamiento automático (es decir, directo) y reforzamiento mediado socialmente (es decir, indirecto) y resumieron su investigación sobre la adquisición de respuesta bajo contingencias de reforzamiento directas e indirectas de esta manera:

> Bajo ambas contingencias, completar tareas idénticas (abrir uno de los diferentes tipos de contenedores) produjo el acceso a reforzadores idénticos. Bajo la contingencia directa, el reforzador estaba ubicado dentro del contenedor que se debía abrir; bajo la contingencia indirecta, el terapeuta tenía el reforzador y lo entregaba al participante cuando se completaba la tarea. Uno de los participantes realizó inmediatamente la tarea con un 100% de precisión bajo ambas contingencias. Tres de los participantes mostraron, o bien mejoras más inmediatas en el desempeño, o bien de mayor magnitud bajo la contingencia directa. Los dos participantes restantes mostraron incrementos en el desempeño únicamente bajo la contingencia de reforzamiento directo. Los datos recolectados sobre la ocurrencia de conductas "irrelevantes" bajo las contingencias indirectas (p.ej., tratar de alcanzar el reforzador en lugar de realizar la tarea) proporcionaron algunas pruebas de que estas conductas pueden haber interferido con la ejecución de la tarea y de que su aparición era una función del control diferencial de estímulo. (Pág. 1)

Siempre que sea posible, los profesionales aplicados deben utilizar contingencias de reforzamiento directas, especialmente con personas con repertorios de conducta limitados.

Combine las ayudas a la respuesta y el reforzamiento

Las ayudas a las respuestas son estímulos antecedentes complementarios usados para dar lugar a una respuesta correcta en presencia de un S^D que finalmente controlará la conducta. Los analistas aplicados de la conducta proporcionan ayudas a la respuesta antes o durante la ejecución de una conducta objetivo. Tres de las principales formas de ayudas a la respuesta son las instrucciones verbales, el modelado y la guía física.

En cuanto a las instrucciones verbales, a veces describir las contingencias (es decir, dar instrucciones verbales) puede funcionar como una operación motivacional para los alumnos con habilidades verbales, de modo que hace más probable que alumno entre en contacto con mayor rapidez con el reforzador. Por ejemplo, Mayfield y Chase (2002) explicaron las contingencias de reforzamiento a estudiantes de bachillerato que estaban aprendiendo cinco reglas básicas de álgebra.

> Se les describieron los procedimientos de reforzamiento a los participantes en las instrucciones generales suministradas al inicio del estudio. Los participantes ganaban dinero por las respuestas correctas en todas las pruebas y no se les sancionaba por las respuestas incorrectas. Durante las sesiones posteriores a la prueba, se les presentó a los participantes un registro de sus ganancias totales en la prueba. Esta fue la única retroalimentación proporcionada en relación a su desempeño. (Pág.111).

Bourret, Vollmer, and Rapp (2004) usaron ayudas verbales a la respuesta durante la evaluación de los repertorios de mandos verbales vocales de tres participantes con autismo.

> Cada sesión de evaluación de la vocalización consto de 10 ensayos, cada uno de 1 minuto de duración. Se aplicaba una ayuda no especificada [describir la contingencia] 10 segundos antes del comienzo del ensayo (p.ej., "Si lo quieres, pídemelo"). Durante 20 segundos del ensayo se aplicaba una ayuda que incluía un modelo de la pronunciación objetivo completa (p.ej., "Si lo quieres, di 'ficha' "). A los 30 segundos después del inicio del ensayo se ayudaba al participante a decir solo el primer fonema de la respuesta especifica (p.ej., "Si lo quieres, di 'f' ").

El Capítulo 17 proporciona discusiones adicionales sobre las ayudas a la respuesta, incluyendo procedimientos específicos para combinar estas ayudas con el reforzamiento, y ejemplos adicionales del uso de las instrucciones verbales, el modelado y la guía física.

Refuerce inicialmente cada ocurrencia de la conducta

Proporcione reforzamiento para cada ocurrencia de la conducta objetivo (es decir, aplique reforzamiento continuo) para fortalecer la conducta, principalmente durante las etapas iniciales del aprendizaje de una nueva conducta. Después que la conducta sea establecida, disminuya gradualmente la tasa de reforzamiento de modo que no todas las ocurrencias de la conducta sean reforzadas (es decir, aplique reforzamiento intermitente). Por ejemplo, un profesor puede reforzar inicialmente cada respuesta correcta ante las palabras básicas impresas en tarjetas y después usar un programa de razón para disminuir la tasa de reforzamiento. Para dar firmeza a las respuestas después del aprendizaje inicial, proporcione un reforzador después de dos respuestas correctas durante unos ensayos, a continuación, después de cada cuatro respuestas correctas, etc. Hanley y colaboradores (2001) gradualmente cambiaron de un programa de reforzamiento denso de Intervalo Fijo (IF) de 1 segundo (en este tipo de programa la primera respuesta objetivo que seguía al final del intervalo producía reforzamiento) a programas con los siguientes incrementos en los intervalos: 2 s., 4 s., 8 s., 16 s., 25 s., 35 s., 46 s., y finalmente a un IF de 58 s. Por ejemplo, las respuestas que ocurrieron antes del final del IF de 58 segundos no fueron reforzadas, mientras que la primera respuesta después de dicho intervalo sí. El Capítulo 13 proporciona más información sobre el uso del reforzamiento continuo e intermitente.

Utilice atención contingente y alabanzas descriptivas

Como se mencionó anteriormente en este capítulo, la atención social y las alabanzas son reforzadores poderosos para muchas personas. Sin embargo, las mejoras conductuales que siguen a las alabanzas suelen incluir algo más, o algo completamente diferente, que los efectos directos de reforzamiento. Michael (2004) abordó el error conceptual común de asumir que los incrementos en la respuesta que siguen a las alabanzas y la atención son función del reforzamiento.

> Tenga en cuenta el uso habitual de *alabanzas descriptivas*, que implican proporcionar algunas señales sociales de aprobación (como una sonrisa junto con algún comentario como "¡buen trabajo!") *y, además*, una descripción breve de la conducta responsable de la aprobación ("¡Me gusta la manera en la que tu…!"). Cuando se hacen tales alabanzas a personas con habilidades verbales normales por encima de los 5 o 6 años de edad, probablemente funcionan como formas de instrucción o como reglas, como si la persona que hace la alabanza dijese: "Si quieres seguir teniendo mi aprobación tienes que…". Por ejemplo, un supervisor de una fábrica camina hacia un empleado que está limpiando aceite derramado en el suelo, sonríe ampliamente, y dice, "George, en serio me gusta que estés limpiando la mancha

> antes de que alguien lo pise. Es muy considerado por tu parte". Ahora suponga que George se ocupa de limpiar las manchas de aceite de ese momento en adelante (un cambio bastante grande de conducta teniendo en cuenta que fue seguida por un único ejemplo de reforzamiento). Podemos sospechar que la alabanza funcionó no solamente como reforzamiento sino más bien como una forma de regla o instrucción, y que George, por diversas razones, se aplica a sí mismo instrucciones similares cada vez que vuelve a caer aceite al suelo. (Págs. 164-165, énfasis en el original)

En un estudio desarrollado por Goetz y Baer (1973) investigaron los efectos de las alabanzas del maestro sobre el juegos creativo con bloques de construcción en niños de preescolar, usaron alabanzas descriptivas en una de las condiciones del estudio. "El maestro comentaba con interés, entusiasmo y alegría cada vez que el niño colocaba y reordenaba los bloques con el fin de crear una forma que no se hubiese construido previamente en esa sesión… '¡Oh, eso es muy bonito, es diferente!' " (pág. 212). Las tres niñas de 4 años incrementaron la diversidad de formas de sus construcciones con bloques durante cada fase con alabanzas descriptivas contingentes. Goetz y Baer no llevaron a cabo un análisis de componentes para determinar qué parte del incremento en el desempeño de las niñas puede ser atribuido al reforzamiento positivo por atención ("¡Eso está muy bien!") o a la retroalimentación que recibían ("¡Eso es diferente!"), que les permitía crear una regla a seguir ("al construir *cosas diferentes* con los bloques se consigue la atención del maestro."). Los autores conjeturaron que

> para algunos niños, cada una de ellas [atención reforzante y alabanzas descriptivas] puede ser suficiente sin la otra, pero para otros niños, la mezcla de las dos es más efectiva que cada una por separado. Si esto es así, entonces para propósitos aplicados probablemente la mejor técnica que se puede utilizar con los niños en general es un paquete de atención positiva y de alabanzas descriptivas. (Pág. 216, se añadieron las palabras de los corchetes)

Recomendamos que, en ausencia de datos que muestren que la atención y las alabanzas hayan producido efectos contrarios a los deseados en una persona determinada, los profesionales aplicados incorporen las alabanzas y la atención contingentes a cualquier intervención que implique reforzamiento positivo.

Incremente gradualmente la demora entre la respuesta y el reforzamiento

En un punto anterior habíamos recomendado que los profesionales reforzaran cada ocurrencia de la conducta objetivo durante las fases iniciales de aprendizaje, y que después espaciaran la entrega de reforzadores mediante el cambio a un programa de reforzamiento intermitente. Teniendo en cuenta que las consecuencias que mantienen el nivel de respuesta en los ambientes naturales suelen ser demoradas, Stromer, McComas, y Rehfeldt (2000) nos recordaron que usar programas de reforzamiento continuo e intermitente podría ser justo el primer paso para programar consecuencias en situaciones de la vida diaria. "Establecer los ejemplos iniciales de un repertorio de conducta típicamente requiere el uso de consecuencias programadas que ocurran inmediatamente después de la respuesta objetivo. Sin embargo, el trabajo del analista aplicado de la conducta implica el uso estratégico de reforzamiento demorado. Las conductas que producen reforzamiento demorado son altamente adaptativas para la vida cotidiana, pero pueden ser difíciles de establecer y mantener "(pág. 359).[12]

Algunos ejemplos de técnicas que los analistas aplicados de la conducta han usado para ayudar a las personas a aprender a responder eficazmente mediante consecuencias demoradas incluyen: (a) un intervalo de demora del reforzamiento que comienza siendo corto y luego aumenta gradualmente (Dixon, Rehfeldt, y Randich, 2003; Schweitzer y Sulzer-Azaroff, 1988); (b) un incremento gradual en el trabajo requerido durante la demora (Dixon y Holcomb, 2000); (c) una actividad durante la demora para "llenar el vacío" entre la conducta y el reforzador (Mischel, Ebbesen, y Zeiss, 1972); y, enfatizando, (d) instrucciones verbales como garantía de que el reforzador estará disponible después de la demora (p.ej., "El extracto mostrará la cantidad de dinero que se coloca en una cuenta de ahorro para ti. Se te darán todas la cantidad de tu cuenta de ahorros el [día]" (Neef, Mace, y Shade, 1993, pág. 39).

---

[12] Pasar de un programa de reforzamiento continuo a otro de reforzamiento intermitente a veces se describe como un medio para aumentar la demora del reforzador (p.ej., Alberto y Troutman, 2006; Kazdin, 2001). Sin embargo, un programa de reforzamiento intermitente no implica una "demora en el reforzamiento" a menos que se especifique. Aunque solo algunas ocurrencias de la conducta objetivo son reforzadas en un programa de reforzamiento intermitente (véase el Capítulo 13), el reforzador es presentado inmediatamente después de la respuesta que cumpla la contingencia. Por ejemplo, en un programa de reforzamiento de razón fija 10, cada décima respuesta produce reforzamiento inmediato. La *demora del reforzamiento* describe el lapso de tiempo entre la respuesta y la presentación del reforzador cuando la contingencia se ha cumplido (p.ej., el reforzador se presenta 45 segundos después de cada décima respuesta).

Presentamos con mayor amplitud el uso de consecuencias demoradas para promover la generalización y el mantenimiento de los cambios de conducta en el Capítulo 28.

Cambie gradualmente los reforzadores artificiales por los naturales

Terminamos este capítulo con un fragmento de Murray Sidman (2000) en el que cuenta de forma esclarecedora y estimulante lo que aprendió en los "primeros días" de aplicación de los principios de conducta a la conducta humana. Al describir un proyecto realizado entre 1965 y 1975 que hizo énfasis en el uso del reforzamiento positivo con hombres entre 6 y 20 años que estaban diagnosticados de retraso mental y vivían en una institución del estado, Sidman recordó como la introducción de fichas como reforzadores condicionados generalizados llevó finalmente a las alabanzas por parte del personal del proyecto, y más tarde, al propio aprendizaje a convertirse en poderosos reforzadores para los muchachos.

> Comenzamos con fichas, que tienen la ventaja de ser visibles y de fácil manejo. Después, cuando los chicos habían aprendido a ahorrar las fichas y a comprender los números, pudimos introducir los puntos. Para algunos, los puntos llevaban finalmente al dinero. A medida que los chicos veían lo contentos que estábamos cuando ganaban fichas y puntos, esto les trajo otros reforzadores, nuestra alegría también se hizo importante para ellos, y fuimos capaces de usar la alabanza como reforzador. Como aprendieron más y más, muchos de los chicos encontraron que lo que aprendían les permitía manejar más eficazmente su mundo gradualmente creciente. Para ellos, el propio aprendizaje se hizo reforzante. (pág. 19)

El éxito en la manipulación del medio ambiente puede ser el reforzador natural fundamental. Como Skinner (1989) señaló, este poderoso reforzador "no tiene que ser utilizado artificialmente para fines de instrucción; no está relacionado con ningún tipo particular de conducta y por lo tanto siempre está disponible. Lo llamamos *éxito.*" (pág. 91)

Resumen

Definición y naturaleza del reforzamiento positivo

1. El reforzamiento positivo es una relación funcional definida por una contingencia de dos términos: Una respuesta es seguida inmediatamente por la presentación de un estímulo, y como resultado, respuestas similares se producen con mayor frecuencia en el futuro.
2. El cambio estimular responsable del aumento en la respuesta es llamado reforzador.
3. La importancia de la inmediatez del reforzamiento debe enfatizarse; un retraso de solo 1 segundo entre la respuesta y el reforzador puede disminuir los efectos previstos porque la conducta temporalmente más cercana a la presentación del reforzador es la que se verá reforzada.
4. Los efectos de las consecuencias muy demoradas sobre la conducta humana no deben atribuirse al efecto directo del reforzamiento.
5. Una concepción errónea mantenida por algunos es que el reforzamiento es un término circular. El razonamiento circular es una forma de lógica defectuosa en el que la causa y el efecto se confunden y no son independientes el uno del otro. El reforzamiento no es un concepto circular debido a que los dos componentes de la relación respuesta-consecuencia se pueden separar y se puede manipular la consecuencia para determinar si aumenta la frecuencia de la conducta a la que sigue.
6. Además de aumentar la frecuencia futura de la conducta a la que sigue, el reforzamiento cambia la función del estímulo antecedente. Un estímulo antecedente que evoca la conducta porque correlaciona con la disponibilidad del reforzamiento es llamado estímulo discriminativo (S^D).
7. Una operante discriminada se define por una contingencia de tres términos $S^D \rightarrow R \rightarrow S^{R+}$.
8. La eficacia momentánea de cualquier cambio estimular como reforzador despende del nivel existente de motivación con respecto a dicho cambio. Una operación de establecimiento (OE) (p.ej., la privación) aumenta la eficacia actual del reforzador; una operación de supresión (OS) (p.ej., la saciedad) disminuye la eficacia actual de un reforzador.
9. Una descripción completa del reforzamiento de una operante discriminada implica una contingencia de cuatro términos: OE $\rightarrow S^D \rightarrow R \rightarrow S^{R+}$
10. La automaticidad del reforzamiento hace referencia al hecho de que una persona no tiene que comprender o estar al tanto de la relación entre su conducta y una consecuencia reforzante para que el reforzamiento ocurra.
11. El reforzamiento fortalece cualquier conducta que le precede inmediatamente; no es necesaria ninguna conexión lógica o adaptativa entre la conducta y la consecuencia reforzante.

12. El desarrollo de conductas supersticiosas que suele darse cuando el reforzamiento se presenta en un programa de tiempo fijo independiente de la conducta del sujeto demuestra la naturaleza arbitraria de las conductas seleccionadas mediante reforzamiento.

13. El reforzamiento automático se produce cuando la conducta produce su propio reforzamiento independientemente de la mediación de otros.

Clasificación de los reforzadores

14. Los reforzadores incondicionados son estímulos que funcionan como reforzadores sin necesidad de una historia de aprendizaje. Son el producto del desarrollo filogenético, lo que significa que todos los miembros de la especie son susceptibles a las mismas propiedades del estímulo.

15. Los reforzadores condicionados son estímulos previamente neutros que funcionan como reforzadores como resultado de su emparejamiento con uno o más reforzadores.

16. Un reforzador condicionado generalizado es un reforzador condicionado que, como resultado de haber sido emparejado con muchos reforzadores incondicionados y condicionados, no depende para ser eficaz de que esté funcionando en ese momento una operación de establecimiento específica para una forma particular de reforzamiento.

17. Cuando los reforzadores se describen por sus propiedades físicas, por lo general se clasifican como comestibles, sensoriales, tangibles, actividades, o reforzadores sociales.

18. El principio de Premack establece que hacer la oportunidad de realizar una conducta de alta probabilidad contingente a la ocurrencia de una conducta de baja frecuencia funcionará como reforzador de la conducta de baja frecuencia.

19. La hipótesis de privación de respuesta es un modelo para predecir si el acceso contingente a una conducta funcionará como reforzador para desarrollar otra conducta según si el acceso a la conducta contingente supone una restricción de la actividad en comparación con los niveles de ejecución de la lineabase.

Identificación de reforzadores potenciales

20. La evaluación de preferencias de estímulo hace referencia a una serie de procedimientos usados para determinar (a) los estímulos que una persona prefiere, (b) los valores de preferencia relativos (altos versus bajos) de dichos estímulos, y (c) las condiciones bajo las cuales dichas preferencias se mantienen vigentes.

21. La evaluación de preferencias de estímulo se puede realizar preguntando a la persona objetivo o a su entorno social significativo lo que la persona objetivo prefiere, realizando observaciones de operante libre, y realizando evaluaciones basadas en ensayos (es decir, presentaciones de estímulo único, de pares de estímulos, o de estímulos múltiples).

22. Los estímulos preferidos no siempre funcionan como reforzadores, y las preferencias de estímulos suelen cambiar con el tiempo.

23. La evaluación de reforzadores hace referencia a una serie de métodos directos, basados en datos, para determinar los efectos relativos de un estímulo como reforzador bajo condiciones diferentes y cambiantes o la eficacia comparativa de múltiples estímulos como reforzadores de una conducta determinada y bajo condiciones específicas. La evaluación de reforzadores se suele llevar a cabo con programas de reforzamiento concurrente, con programas de reforzamiento múltiple, y con programas de reforzamiento progresivo.

Procedimientos de control para el reforzamiento positivo

24. Los procedimientos de control para el reforzamiento positivo son usados para manipular la presentación de un reforzador potencial y observar cualquier efecto sobre la frecuencia futura de la conducta. Requieren una demostración fiable de que la presentación contingente a la ocurrencia de la respuesta objetivo funciona como un reforzador positivo. El control se demuestra comparando las tasas de respuesta en ausencia y en presencia de la contingencia y, mostrando entonces que con la ausencia y presencia de la contingencia la conducta se puede activar y desactivar, o incrementar y disminuir.

25. Además de un diseño de reversión mediante la retirada de la contingencia de reforzamiento (es decir, la extinción), se pueden usar el reforzamiento no contingente (RNC), el reforzamiento diferencial de otras conductas (RDO), y el reforzamiento diferencial de conductas alternativas (RDA) como condiciones de control para el reforzamiento.

El uso eficaz del reforzamiento

26. Las directrices para incrementar la eficacia de las intervenciones de reforzamiento positivo incluyen:
    - Establezca un criterio de reforzamiento inicial fácilmente alcanzable.
    - Utilice reforzadores de alta calidad y de suficiente magnitud.
    - Utilice reforzadores variados.
    - Utilice reforzamiento directo en lugar de indirecto siempre que sea posible.
    - Combine ayudas a la respuesta y reforzamiento.
    - Refuerce cada ocurrencia de la conducta inicialmente, y a continuación, aligerar gradualmente el programa de reforzamiento.
    - Utilice alabanzas y atención contingentes.
    - Incremente gradualmente la demora ente la respuesta y el reforzamiento.
    - Cambie gradualmente los reforzadores artificiales por los naturales.

CAPÍTULO 12

Reforzamiento negativo

Términos clave

Contingencia de evitación
Contingencia de escape
Evitación discriminada
Evitación de operante libre
Reforzamiento negativo
Reforzador negativo condicionado
Reforzador negativo incondicionado

Behavior Analyst Certification Board® BCBA®, BCBA-D®, BCaBA®, RBT® Lista de tareas para analistas de conducta (cuarta edición).

FK.	Conocimientos adicionales: definir y dar ejemplos de:
FK-17	Reforzamiento incondicionado.
FK-18	Reforzamiento condicionado.
C.	**Habilidades analítico-conductuales básicas: consideraciones relativas al cambio de conducta.**
C-01	Identificar y prepararse para los posibles efectos no deseados del reforzamiento.
D.	**Habilidades analítico-conductuales básicas: elementos fundamentales del cambio de conducta.**
D-01	Usar reforzamiento positivo y negativo.
D-02	Usar programas de reforzamiento ajustando sus parámetros.
D-15	Identificar y usar estímulos punitivos.

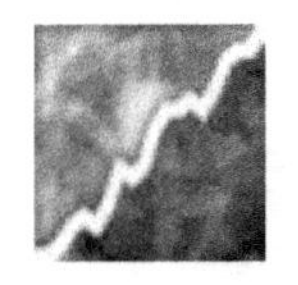

En el capítulo 11 se describió el principio más fundamental del aprendizaje: el reforzamiento positivo. Su uso en programas educativos y terapéuticos es algo tan común que los términos *reforzamiento positivo* y *reforzamiento* se han convertido casi en sinónimos; de hecho, el término lego usado habitualmente para reforzamiento es simplemente *premio*. Como se señaló en el capítulo 11, el reforzamiento positivo implica un incremento en la respuesta como función de la *presentación* de un estímulo. Pues bien, de forma complementaria, una respuesta puede llevar a la *terminación* de un estímulo, como sucede cuando apagamos el despertador por la mañana, que tiene como resultado el cese del ruido. Cuando una respuesta aumenta como resultado de la terminación de un estímulo, el aprendizaje ha ocurrido a través del *reforzamiento negativo*. En este capítulo se amplía la exposición sobre las contingencias operantes al incluir la descripción del reforzamiento negativo. A continuación definiremos dicho reforzamiento, distinguiremos entre las contingencias de escape y evitación, describiremos los eventos que pueden servir como base para el reforzamiento negativo, ilustraremos las formas en las que este puede usarse para fortalecer la conducta, y trataremos los aspectos éticos a tener en cuenta cuando se utiliza esta forma de reforzamiento. Remitimos a los lectores interesados en abordajes más detallados de la investigación básica y aplicada sobre el reforzamiento negativo a las revisiones de Hineline (1977) e Iwata (1987).

Definición de reforzamiento negativo

Una contingencia de **reforzamiento negativo** es aquella según la cual la ocurrencia de una respuesta produce la retirada, finalización, reducción, o aplazamiento de un estímulo, lo que conlleva un incremento en la ocurrencia futura de esta respuesta. Una descripción completa del reforzamiento negativo requiere la especificación de su contingencia de cuatro términos (ver figura 12.1): (a) la operación de establecimiento (OE) para la conducta mantenida mediante reforzamiento negativo es un evento antecedente en cuya presencia el escape (la finalización del evento) es reforzante, (b) el estímulo discriminativo (E^D) es otro evento antecedente en cuya presencia una respuesta es reforzada con mayor probabilidad, (c) la respuesta es el acto que produce reforzamiento, y (d) el reforzador es la finalización del evento que servía como operación de establecimiento.

Reforzamiento positivo versus negativo

Los reforzamientos positivo y negativo tienen un efecto similar sobre la conducta que consiste en que ambos producen un incremento en la respuesta. Se diferencian; sin embargo, respecto al tipo de cambio estimular que sigue a la conducta, tal como se ilustra en la Figura 12.2. En ambos ejemplos, un cambio estimular (consecuencia) fortalece la conducta que lo precede: pedir a tu hermano que te prepare la merienda se fortalece al obtener comida; protegerte de la lluvia se fortalece al evitar mojarte. Pero mientras que la conducta mantenida mediante reforzamiento positivo produce un estímulo que estaba ausente antes de la respuesta, la conducta mantenida mediante reforzamiento negativo pone fin a un estímulo que estaba presente antes de responder: la comida no estaba disponible antes de pedirla pero si después (reforzamiento positivo); la lluvia te caía sobre la ropa antes de levantar el periódico pero no después (reforzamiento negativo).

Por tanto, la distinción clave entre el reforzamiento positivo y negativo se basa en el tipo de cambio estimular que ocurre tras la respuesta. Muchos cambios estimulares tienen un inicio y fin discretos e implican una operación de "todo o nada". Por ejemplo, uno puede ver fácilmente el efecto de encender la televisión (reforzamiento positivo) o apagar la luz en el dormitorio (reforzamiento negativo). Otros cambios estimulares se

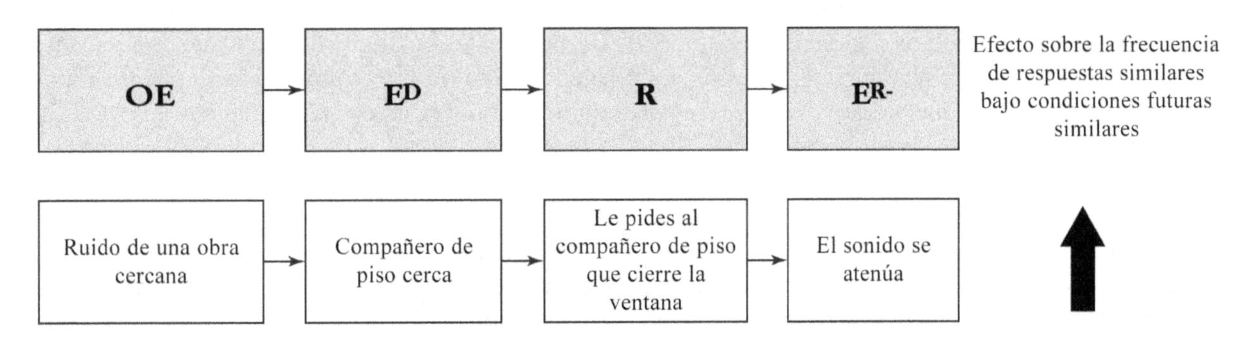

Figura 12.1 Contingencia de cuatro términos con un ejemplo de reforzamiento negativo.

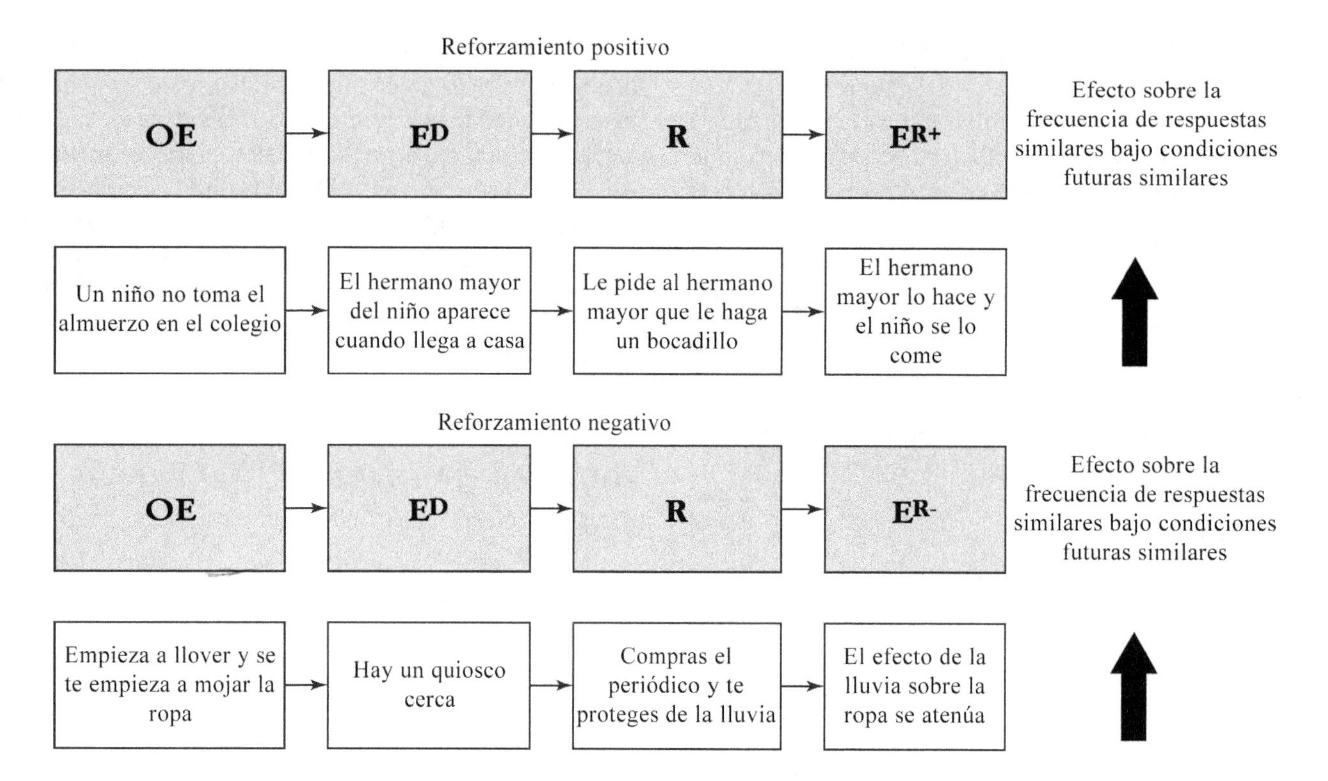

Figura 12.2 Contingencia de cuatro términos ilustrando las similitudes y diferencias entre reforzamiento positivo y negativo.

dan sobre un continuo de menos a más, tales como subir el volumen del equipo de sonido para oírlo mejor (reforzamiento positivo) o bajarlo cuando es demasiado alto (reforzamiento negativo). A veces; sin embargo, es difícil determinar si un incremento de la respuesta es fruto del reforzamiento positivo o negativo porque el cambio estimular es ambiguo. Por ejemplo, aunque un cambio de temperatura puede ser medido cuantitativamente de modo que sepamos si esta aumentó o disminuyó siguiendo a la conducta, no está claro si subir el calefactor cuando la temperatura es de 4ºC es un ejemplo de reforzamiento positivo porque la respuesta "produjo calor" o negativo porque la respuesta "quitó el frio". Otro ejemplo se puede encontrar en un estudio clásico de Osborne (1969) sobre el uso del tiempo libre como reforzador en el aula. Durante la lineabase, se observó que los alumnos se levantaban de sus asientos con frecuencia durante el tiempo de trabajo. Durante el tratamiento, se les dio a los alumnos 5 minutos de tiempo libre si se quedaban en sus asientos durante periodos de trabajo de 10 minutos, y la conducta de permanecer en su asiento aumentó. A primera vista, la contingencia de tiempo libre parece implicar reforzamiento negativo (finalización de la exigencia de quedarse en su sitio de forma contingente con la conducta adecuada). Como Osborne apuntó; sin embargo, las actividades (juegos, interacción social, etc.) a las que los alumnos tenían acceso durante el tiempo libre podían haber funcionado como reforzamiento positivo.

Dada la naturaleza ambigua de algunos cambios estimulares, Michael (1975) sugirió que la distinción entre reforzamiento positivo y negativo, basada en si un estímulo era presentado o retirado, podía ser innecesaria. En cambio, él señaló la importancia de especificar el tipo de cambio ambiental producido por una respuesta en términos de las características clave del estímulo de modo que incluyeran tanto las condiciones "pre-cambio" como las "post-cambio". Esta práctica, según él, eliminaría la necesidad de describir la transición entre las condiciones previas y posteriores al cambio en términos de la presentación o retirada de estímulos y facilitaría una comprensión completa de las relaciones funcionales entre ambiente y conducta.

Poco ha cambiado desde la publicación del artículo de Michael (1975); la distinción entre reforzamiento positivo y negativo continua enfatizándose en cada uno de los textos sobre principios del aprendizaje, y las menciones al término *reforzamiento negativo* incluso han aumentado en la investigación aplicada (Iwata, 2006). En un intento de renovar la discusión, Baron y Galizio (2005) reiteraron la posición de Michael e incluyeron algunos puntos adicionales de énfasis.

El asunto terminológico es complejo y debe considerarse desde varias perspectivas—conceptual, procedimental e histórica—y no está resuelto en el momento actual. Remitimos a los lectores interesados en el tema a una serie de reacciones recopiladas en Baron y Galizio (Chase, 2006; Iwata, 2006; Lattal y Lattal, 2006; Marr, 2006; Michael, 2006; Sidman, 2006) y a su réplica (Baron y Galizio, 2006).

Reforzamiento negativo versus castigo

El reforzamiento negativo se confunde a veces con el castigo por dos razones. Primero, como el término lego para reforzamiento positivo es premio, la gente erróneamente considera el reforzamiento negativo como el término técnico para lo opuesto al reforzamiento (el castigo). Los términos *positivo* y *negativo*; sin embargo, no se refieren a "bueno" y "malo" sino al tipo de cambio estimular (presentación frente a finalización) que sigue a la conducta (Catania, 1998). Una segunda fuente de confusión se deriva del hecho de que los estímulos implicados tanto en el reforzamiento negativo como en el castigo son considerados "aversivos" por la mayoría de la gente.[1] Aunque es cierto que el mismo estímulo puede servir como reforzador negativo en un contexto y como castigo en un contexto diferente, tanto la naturaleza del cambio estimular como su efecto sobre la conducta difieren. En una contingencia de reforzamiento negativo, un estímulo que estaba presente finaliza al producirse una respuesta, lo que lleva a incremento en la misma; en una contingencia de castigo, un estímulo que estaba ausente se presenta tras una repuesta, lo que lleva a su disminución. Por tanto, una respuesta que acaba con un ruido fuerte incrementará como función del reforzamiento negativo, pero una que produzca tal ruido disminuirá como función del castigo (ver Capítulo 14 para una exposición más extensa del castigo).

Contingencias de evitación y escape

En su forma más simple, el reforzamiento negativo implica una **contingencia de escape**, en la cual una respuesta acaba con (produce el escape de) un estímulo que se está produciendo. Uno de los primeros estudios de Keller (1941) ilustra la típica investigación de laboratorio sobre escape. Cuando una rata era situada en una cámara experimental, y una luz brillante era encendida, la rata rápidamente aprendía a presionar una palanca que apagaba la luz. El estudio de Osborne (1969) sobre contingencias de tiempo libre puede servir también como ejemplo de aprendizaje de escape en un contexto aplicado. En la medida en que la característica importante de la contingencia era la finalización de las exigencias de la tarea, la conducta de permanecer en el asiento durante periodos de trabajo de 10 minutos producía 5 minutos de escape.

Aunque las situaciones que implican escape se encuentran comúnmente en la vida cotidiana (p.ej., nos giramos para evitar ruidos altos, entornamos nuestros ojos ante el sol, huimos de un agresor, etc.), la mayoría de la conducta mantenida mediante reforzamiento negativo se caracteriza por una **contingencia de evitación**, en la que una respuesta previene o aplaza la presentación de un estímulo. Volviendo al ejemplo previo de laboratorio, un experimentador puede disponer las contingencias de tal modo que a la presentación de la luz intensa le preceda otro estímulo tal como un tono, de modo que una respuesta en presencia del tono elimine la presentación de la luz o la posponga hasta que el tono se presente de nuevo. Este tipo de disposición de las contingencias se ha llamado **evitación discriminada,** según la cual responder en presencia de una señal previene la aparición del estímulo ante el cual se emitía la respuesta de escape. Debido a que las respuestas en presencia del tono son reforzadas, mientras que aquellas en la ausencia del tono no tienen efecto, el tono funciona como estímulo discriminativo (E^D) en cuya presencia la respuesta es reforzada con mayor probabilidad. (Ver Capítulo 17 para obtener más información sobre el control de estímulos).

La conducta de evitación también puede adquirirse en ausencia de una señal. Suponga que el experimentador establece un programa en el que una luz intensa se enciende durante 5 segundos de cada 30, y una respuesta (o cierto número de respuestas) emitida en cualquier momento durante el intervalo reinicia el reloj a cero. Este tipo de programación se conoce como **evitación de operante libre** porque la conducta de evitación es "libre para ocurrir" en cualquier momento y pospondrá la presentación de la luz intensa.

Cada uno de los tres tipos de contingencias descritas anteriormente fue ilustrado en un ingenioso estudio por Azrin, Rubin, O'Brien, Ayllon, y Roll (1968) sobre postura corporal (ver Figura 12.3). Los participantes llevaban un aparato que cerraba un circuito eléctrico cuando se encorvaban. El cierre del interruptor producía un clic audible, que era seguido 3 segundos más tarde por un tono de 55 dB. Cuando la corrección postural tenía lugar cuando el tono estaba presente lo apagaba (escape), pero si la corrección ocurría durante los 3 segundos que seguían al clic lo prevenía (evitación discriminada). Además, el mantenimiento de una postura

[1]El término *aversivo* no pretende describir una característica inherente de un estímulo sino, más bien, un estímulo cuya presentación funciona como castigo o cuya retirada funciona como reforzamiento negativo.

Figura 12.3 Los tres tipos de contingencias de reforzamiento negativo utilizados por Azrin et al. (1968) para el mantenimiento de una postura adecuada.

Evitación de operante libre

Mantenimiento de la postura adecuada → Evitación del clic y el tono

Evitación discriminada

Encorvamiento (postura inadecuada) → Clic audible

Corrección postural en los 3 segundos posteriores al clic → Evitación del tono

Escape

Encorvamiento (postura inadecuada) → Clic audible

No corrección postural en los 3 segundos siguientes → Tono de 55 dB

Corrección postural → Desaparece el tono

correcta prevenía el clic (evitación de operante libre). Un ejemplo hipotético relacionado con el manejo de las tareas escolares también ilustra estas contingencias. Un padre que envía a un hijo a su habitación inmediatamente después del colegio y no le permite salir hasta que acaba sus tareas ha dispuesto una contingencia de escape: acabar las tareas produce escape de la habitación. Un padre que primero lanza una advertencia (p.ej., "Si no empiezas tus deberes en 10 minutos, tendrás que hacerlos en tu habitación") ha dispuesto una contingencia de evitación discriminada: empezar las tareas siguiendo la advertencia evita tenerlas que hacer en la habitación. Finalmente, el padre que espera hasta más tarde para imponer el requisito de la habitación ha dispuesto una contingencia de evitación de operante libre: acabar las tareas en cualquier momento después del colegio evita tener que hacerlas en la habitación más tarde.

Características del reforzamiento negativo

Respuestas adquiridas y mantenidas mediante reforzamiento negativo

Es un hecho bien conocido que la estimulación aversiva produce una gran variedad de respuestas (Hutchinchon, 1977). Algunas de estas pueden ser respondientes (como en las acciones reflejas ante estímulos intensos), aunque este capítulo se centra en las operantes. Recuerde que la presentación de un estímulo aversivo sirve como operación de establecimiento para el escape y da lugar a la conducta que ya había producido escape de estimulación similar en el pasado. Cualquier respuesta que ponga fin con éxito a esta estimulación quedará fortalecida; como resultado, un amplio rango de conductas puede ser adquirido y mantenido mediante reforzamiento negativo. Todas estas conductas son adaptativas porque permiten interactuar eficazmente con el ambiente; sin embargo, algunas de ellas, son más apropiadas socialmente que otras. Como veremos más adelante, el reforzamiento negativo puede jugar un papel importante en el desarrollo de habilidades académicas, pero también puede explicar el desarrollo de conducta disruptiva o peligrosa.

Eventos que sirven como reforzadores negativos

Al exponer los tipos de estímulos que pueden fortalecer la conducta a través del reforzamiento negativo, surge un problema cuando se intenta usar la misma terminología que se aplica a la descripción de reforzadores positivos. Es bastante común referirse a los reforzadores positivos enumerando cosas como la comida, el dinero, los elogios, etc. Es; sin embargo, la presentación del estímulo lo que fortalece la conducta: es la presentación de comida, y no la comida per se, el reforzador positivo. A pesar de esto, con frecuencia nos limitamos a enumerar los estímulos y asumimos que la "presentación" se sobreentiende. De forma similar, decir que los reforzadores negativos incluyen choques eléctricos, ruido, reprimendas parentales, etc., es una descripción incompleta. Es importante recordar que un estímulo descrito como reforzador negativo conlleva su retirada porque, como se apuntó previamente, el mismo estímulo sirve como operación de establecimiento cuando se presenta de forma previa a la conducta y como castigo cuando se presenta siguiendo a la conducta.

Historia de aprendizaje

Como en el caso de los reforzadores positivos, los negativos influyen en la conducta porque (a) tenemos la capacidad heredada de responder a ellos o (b) sus efectos han sido establecidos a través de una historia de aprendizaje. Los estímulos cuya retirada fortalece la conducta en ausencia de aprendizaje previo son **reforzadores negativos incondicionados.** Estos estímulos son eventos típicamente nocivos tales como un choque eléctrico, un ruido fuerte, una luz intensa, una temperatura excesivamente alta o baja, o una fuerte presión ejercida contra el cuerpo. De hecho, cualquier fuente de dolor o malestar (p.ej., un dolor de cabeza) ocasionará conducta, y cualquier respuesta que elimine el malestar con éxito será reforzada. Otros estímulos son **reforzadores negativos condicionados,** ya que son eventos previamente neutrales que adquieren sus efectos a través del emparejamiento con un reforzador negativo (incondicionado o condicionado) ya existente. Un ciclista, por ejemplo, suele dirigirse a casa cuando ve un cielo muy cubierto porque las nubes oscuras suelen correlacionar con tormenta. Varias formas de coerción social, tales como las advertencias parentales, son, tal vez, los reforzadores negativos condicionados más comúnmente encontrados. Por ejemplo, recordar a un niño que limpie su habitación puede tener poco efecto sobre la conducta del niño salvo que la ausencia de respuesta sea seguida por otra consecuencia tal como tener que quedarse en la habitación hasta que esté limpia. En la medida en que la advertencia sea "respaldada" de forma fiable enviando al niño a su habitación, el niño acabará respondiendo solamente para detener o prevenir la advertencia. Es interesante puntualizar que, en el caso del reforzamiento negativo, los eventos neutrales (cielo oscuro, advertencia) funcionan como (a) estímulos discriminativos porque responder en su presencia constituye la evitación de otra consecuencia y como (b) reforzadores negativos condicionados porque se convierten ellos mismos en estímulos a evitar o de los que escapar.

La fuente de reforzamiento negativo

Otra forma de clasificar los reforzadores negativos se basa en la forma en la que se retiran (es decir, su fuente). En el Capítulo 11, se distinguió entre el reforzamiento mediado socialmente en el que la consecuencia se deriva de la acción de otra persona, y el reforzamiento automático, en el que la consecuencia se produce directamente mediante una respuesta independiente de las acciones de otro. Esta distinción también se aplica al reforzamiento negativo. Volviendo al ejemplo de la Figura 12.1, podemos ver que la finalización del ruido de construcción fue un ejemplo de *reforzamiento social negativo* (la acción del compañero de piso cerró la ventana). La persona molesta por el ruido; sin embargo, podría haber cruzado la habitación y cerrar la ventana *(reforzamiento automático negativo).*Este ejemplo ilustra el hecho de que muchos reforzadores pueden ser retirados o finalizados de cualquiera de las dos formas: uno puede consultar a un médico cuando tiene dolor de cabeza (social) o tomar un analgésico (automático), pedir ayuda al profesor con un problema difícil (social) o insistir hasta resolverlo (automático), y así sucesivamente.

Tener en cuenta la fuente de reforzamiento negativo puede facilitar el diseño de intervenciones para el cambio conductual al determinar el foco de intervención. Por ejemplo, cuando se enfrenta a una tarea laboral confusa, un empleado puede terminarla incorrectamente solo para librarse de ella (reforzamiento automático) o pedir ayuda (reforzamiento social). Además de reasignar al empleado, la solución más rápida sería reforzar la búsqueda de ayuda ofreciendo asistencia. Al final; sin embargo, el supervisor querría enseñar al empleado las habilidades necesarias para completar la tarea de forma independiente.

Identificación del contexto de reforzamiento negativo

En el Capítulo 11 se señalaron varias formas de identificar los reforzadores positivos; la diferencia con los negativos es que se debe poner el mismo énfasis sobre los eventos antecedentes (operaciones de establecimiento) que sobre la consecuencia reforzante porque, una vez que la conducta ocurre, el reforzador negativo puede haber desaparecido y no se puede observar. La identificación de operaciones de establecimiento puede ser difícil con personas que tienen habilidades verbales limitadas y no pueden decirle a nadie que están experimentando estimulación aversiva. Estas personas pueden llevar a cabo otras conductas, tales como berrinches, intentos de abandonar la situación, conducta destructiva, agresión, o incluso autolesiones. Weeks y Gaylord-Ross (1981), por ejemplo, observaron a alumnos con discapacidades severas cuando se les presentaba una tarea difícil, una fácil, o ninguna tarea. Durante la condición "sin tarea" no ocurrió ningún problema conductual o en todo caso, muy leve, mientras que los problemas conductuales ocurrieron con mayor frecuencia en la condición "tarea difícil" que en la condición "tarea fácil". Estos resultados sugerían que los problemas de conducta de los alumnos eran mantenidos por el escape de las exigencias de la tarea y que las tareas difíciles eran más "aversivas" que las fáciles; sin embargo, debido a que las consecuencias que seguían a los problemas de conducta eran desconocidas, es posible que la conducta fuese mantenida por alguna otra consecuencia, tal como la atención, que funcionaría como reforzador positivo.

Iwata, Dorsey, Slifer, Bauman, y Richman (1994) desarrollaron un método para identificar los tipos de contingencias que mantienen la conducta problema observando a gente bajo una serie de condiciones que diferían tanto con respecto a eventos antecedentes como consecuentes. Una condición implicaba la presentación de exigencias de tarea (OE) y la retirada de esas exigencias (escape) cuando ocurrían problemas de conducta; las tasas más altas de problemas de conducta bajo esta condición en relación con otras indicaron que estas conductas eran mantenidas mediante reforzamiento negativo (vea el Capítulo 24 para profundizar en este enfoque de la evaluación).

Smith, Iwata, Goh, y Shore (1995) ampliaron los hallazgos de Weeks y Gaylord-Ross (1995) y de Iwata et al. (1994) al identificar algunas características de las exigencias de la tarea que la hacen aversiva. Tras determinar que los problemas de conducta de sus participantes (personas con discapacidad severa) eran mantenidos por el escape de las exigencias de la tarea, Smith y sus colegas examinaron varias dimensiones a lo largo de las cuales las tareas podían diferir: grado de novedad, duración de la sesión de trabajo y tasa de presentación de las exigencias. Los resultados de uno de estos análisis se muestran en la Figura 12.4, que representa frecuencias de distribución y registros acumulativos de los problemas de conducta desde el principio hasta el final de las sesiones. Estos datos ilustran la importancia de las evaluaciones individuales para identificar la base del reforzamiento negativo puesto que dos participantes (Evelyn y Landon) mostraron tasas elevadas de conducta disruptiva conforme las sesiones de trabajo progresaban, mientras que otros dos (Milt y Stan) mostraron la tendencia opuesta.

Factores que influyen en la efectividad del reforzamiento negativo

Los factores que determinan si una contingencia de reforzamiento negativo será efectiva para cambiar una conducta son similares a aquellos que influyen en el reforzamiento positivo (ver Capítulo 11) y están relacionados con (a) la fortaleza de la contingencia y (b) la presencia de contingencias incompatibles. En general, el reforzamiento negativo para una determinada respuesta será más efectivo bajo las siguientes condiciones:

1. Que el cambio estimular siga *inmediatamente* a la ocurrencia de nuestra respuesta objetivo.
2. Que la *magnitud* del reforzamiento, es decir, la diferencia entre la estimulación previa y posterior a la respuesta, sea grande.
3. Que la ocurrencia de la respuesta objetivo produzca *consistentemente* escape o aplazamiento de la operación de establecimiento.
4. Que no haya reforzamiento *disponible* para respuestas incompatibles (que no sean nuestra conducta objetivo).

Aplicaciones del reforzamiento negativo

El reforzamiento negativo es un principio fundamental del aprendizaje que ha sido estudiado extensamente en investigación básica (Hineline, 1977). Aunque se pueden encontrar muchos ejemplos de aprendizaje de evitación y escape en la vida cotidiana, la investigación en análisis aplicado de conducta ha hecho mayor hincapié en el uso del reforzamiento positivo respecto al negativo, principalmente debido a razones éticas, que se señalan en la sección final de este capítulo. Aún así, el reforzamiento negativo se ha usado como medio para establecer una gran variedad de conductas. Esta sección ilustra varios usos terapéuticos del reforzamiento negativo, así como el papel no intencionado que puede jugar en el fortalecimiento de problemas de conducta.

Adquisición y mantenimiento de la conducta apropiada

Rechazo crónico de la comida

Los problemas de alimentación pediátricos son comunes y especialmente prevalentes entre niños con trastornos del desarrollo. Estos problemas pueden tomar una gran variedad de formas, incluyendo alimentación selectiva, problemas para consumir alimentos sólidos, y rechazo absoluto a la comida, y pueden ser suficientemente serios como para requerir la alimentación por sonda u otros

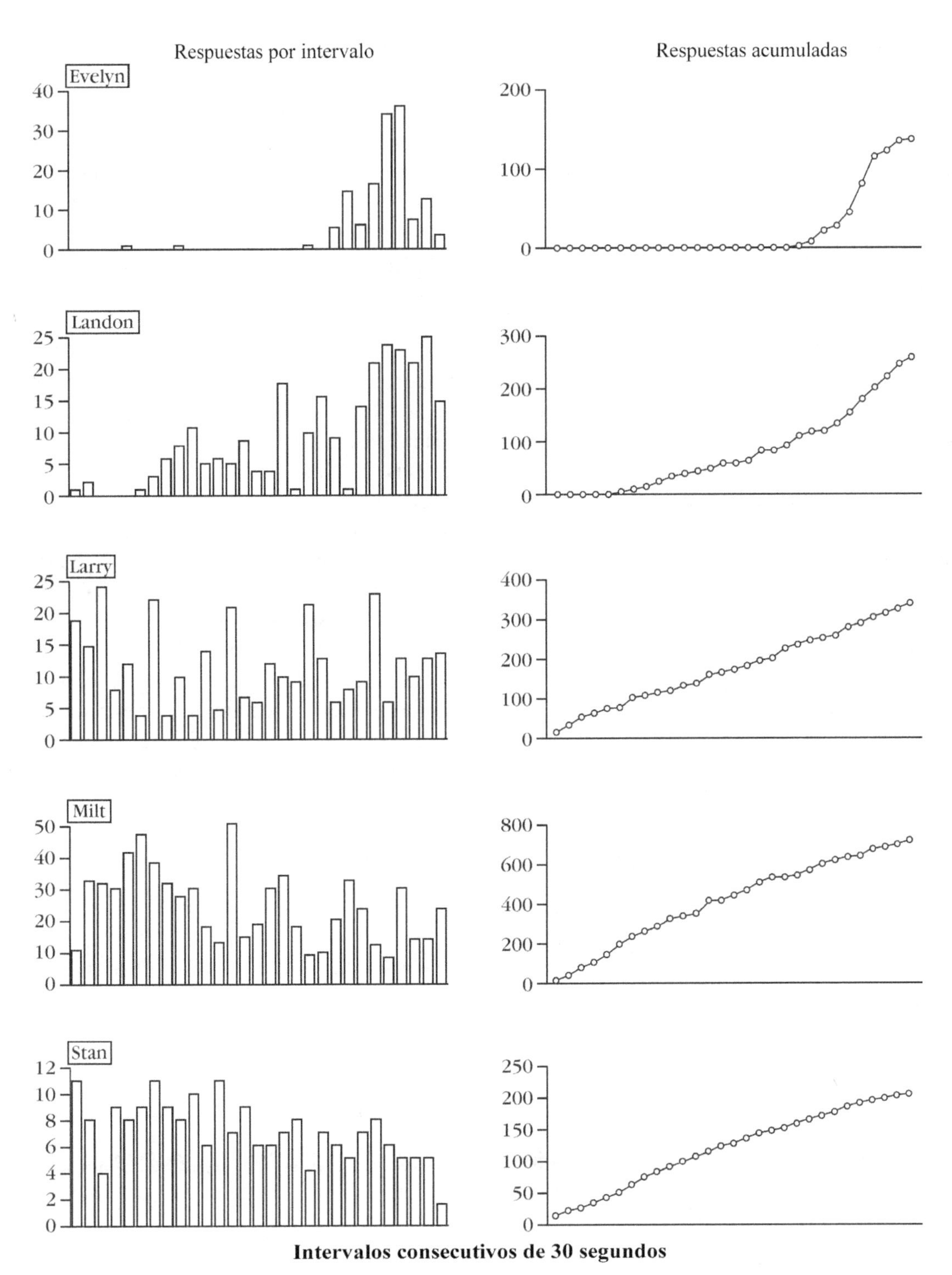

Figura 12.4
Distribuciones de frecuencia (columna izquierda) y registro acumulativo (columna derecha) de la conducta autolesiva de cinco adultos con trastornos del desarrollo a lo largo de una serie de sesiones de trabajo.

Tomado de "Analysis of Establishing Operations for Self-Injury Maintained by Escape" R. G. Smith, B. A. Iwata, H. Goh, y B. A. Shore. 1995, *Journal of Applied Behavior Analysis*, 28, pág. 526. © Copyright 1995 Society for the Experimental Analysis of Behavior, Inc. Reimpreso con permiso.

medios artificiales para asegurar adecuados aportes nutricionales. Una gran proporción de los problemas de alimentación no puede ser atribuido a causas médicas sino que parece deberse a respuestas aprendidas mantenidas probablemente mediante escape o evitación.

Los resultados de una serie de estudios han mostrado que las intervenciones basadas en el aprendizaje operante pueden ser altamente efectivas para tratar muchos trastornos alimentarios de la infancia, y un estudio de Ahearn, Kerwin, Eicher, Shantz, y Sweaeingin (1996) ilustró el uso del reforzamiento negativo como forma de intervención. Tres niños ingresados en un hospital que tenían historias de rechazo crónico a la comida fueron observados primero bajo una condición de lineabase (reforzamiento positivo) en la que la comida era presentada y el acceso a juguetes estaba disponible de forma contingente a la aceptación de la comida. El rechazo a la comida; sin embargo producía escape debido a que finalizaba la prueba. Posteriormente, los experimentadores compararon los efectos de dos intervenciones. Una condición de tratamiento (no retirada de la cuchara) implicaba presentar la comida y mantener la cuchara situada ante el labio inferior del niño hasta que aceptaba la ingesta. El otro tratamiento (guía física) implicaba presentar la comida y , si el niño no la aceptaba, abrirle la boca hasta poder introducir la comida. Ambos tratamientos implicaban una contingencia de reforzamiento negativo porque la aceptación de la comida ponía fin al ensayo al producir la retirada de la cuchara o la evitación de la guía física.

La figura 12.5 muestra los resultados obtenidos para los tres niños. Todos ellos exhibieron bajas tasas de aceptación durante la lineabase a pesar de la disponibilidad de reforzamiento positivo. Las dos intervenciones fueron implementadas en un diseño entre sujetos de lineabase múltiple y fueron comparados en un diseño multielemento. Como puede verse en la segunda fase del estudio, ambas intervenciones produjeron incrementos inmediatos y grandes en la aceptación de la comida. Estos resultados mostraron que el reforzamiento positivo para la conducta apropiada puede tener efectos limitados si otras conductas (rechazo) producen reforzamiento negativo, y que el reforzamiento negativo que mantiene la conducta problema puede ser usado para establecer conducta alternativa.

Estrategias de corrección

Como se señaló en el Capítulo 11, el reforzamiento positivo es un componente motivacional básico de la instrucción efectiva. Los profesores habitualmente dan premios, privilegios, y otras formas de recompensa contingentes con la actuación correcta. Otro procedimiento habitual, aunque haya recibido menos atención que el reforzamiento positivo, implica la corrección de los errores del alumnado mediante la repetición de una prueba de aprendizaje, o bien haciendo al estudiante practicar de nuevo la ejecución correcta, o bien dándole tareas adicionales. En la medida en que una ejecución adecuada evite estos métodos de corrección, la mejoría puede ser función tanto del reforzamiento negativo como del positivo.

Worsdell et al. (2005) examinaron la contribución relativa de estas contingencias durante la adquisición de una conducta. La tarea de aprendizaje implicaba la lectura de palabras presentadas en tarjetas, y la intervención de interés era la repetición correcta de palabras que se habían leído incorrectamente. Como señalaron los autores, el procedimiento permitía la práctica adicional de respuestas correctas pero también representaba una contingencia de evitación. Para separar

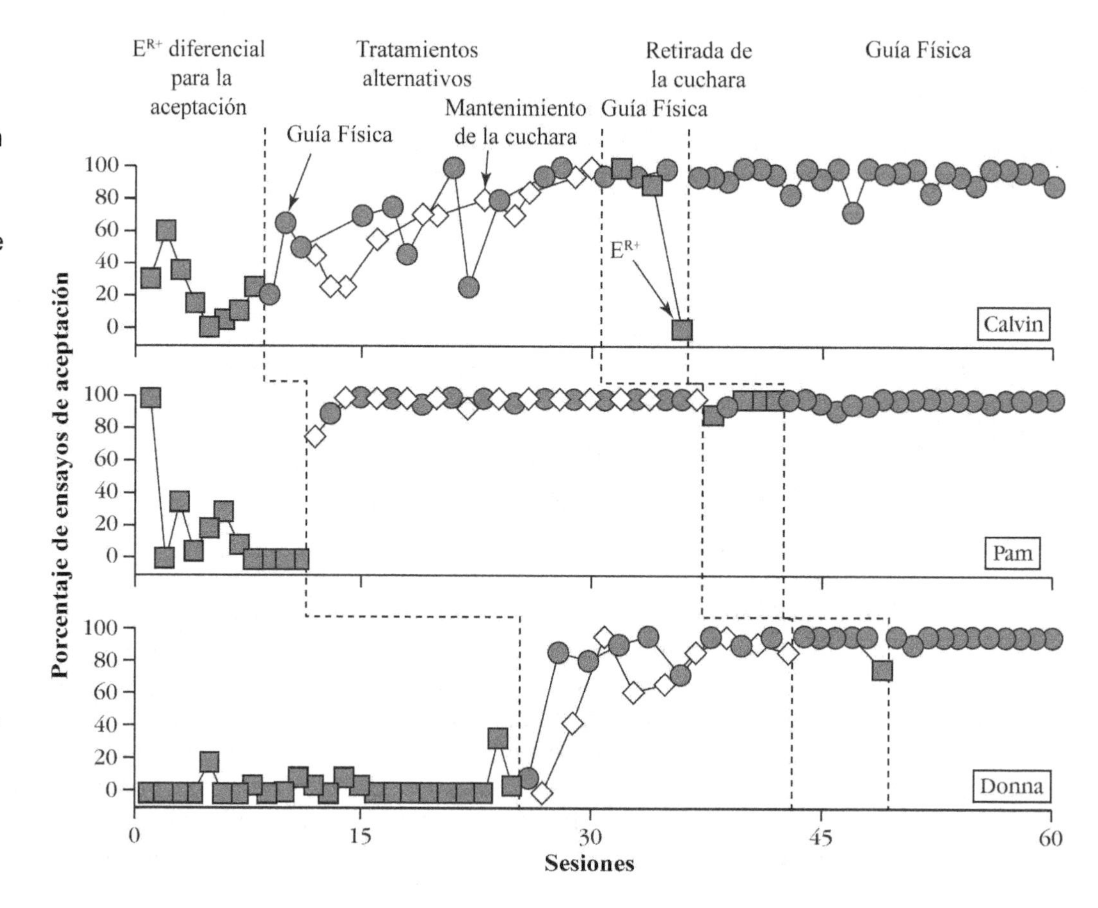

Figura 12.5
Porcentaje de ensayos en los que tres niños con historias de rechazo crónico a la comida aceptaron comer durante una condición de línea de base de reforzamiento positivo y dos condiciones de tratamiento: no retirada de la cuchara y guía física, ambas de las cuales implicaban una contingencia de reforzamiento negativo.

Tomado de "An Alternating Treatments Comparison of Two Intensive Interventions of Food Refusal" W. H. Ahearn, M. E. Kerwin, P. S. Eicher, J. Shantz, y W. Swearingin, 1996, *Journal of Applied Behavior Analysis*, 29, pág. 326. © Copyright 1996 Society for the Experimental Analysis of Behavior, Inc. Reimpreso con permiso.

estos efectos (en el estudio 3), los autores implementaron dos condiciones de corrección. En la condición "relevante", que combinaba los efectos de la práctica y el reforzamiento negativo, los estudiantes tenían que repetir cinco veces la lectura de cada palabra de forma contingente a cada error. En la condición "irrelevante" tenían que repetir cinco veces la lectura de una palabra distinta al objetivo de forma contingente al error. La condición irrelevante contenía solo la contingencia de reforzamiento negativo porque la repetición de palabras irrelevantes no ofrecía práctica en leer bien las palabras erróneas.

La figura 12.6 muestra los resultados del Estudio 3, expresado como el número acumulado de palabras superadas por los 9 participantes. La actuación de todos los participantes mejoró durante ambas condiciones de corrección en relación con la lineabase, donde no se llevó a cabo ningún procedimiento corrector. La actuación de los 3 participantes (Tess, Ariel, y Ernie) fue mejor durante la corrección relevante. Sin embargo, la actuación de Mark fue claramente superior durante la corrección irrelevante, y la actuación de los 5 participantes restantes (Haley, Becky, Kara, Maisy y Seth) fue similar en ambas condiciones. Por tanto, todos los participantes mostraron mejoría en la ejecución lectora incluso cuando practicaban con palabras irrelevantes, y la mayoría de los participantes (6 de 9) lo hicieron tan bien o mejor practicando con palabras

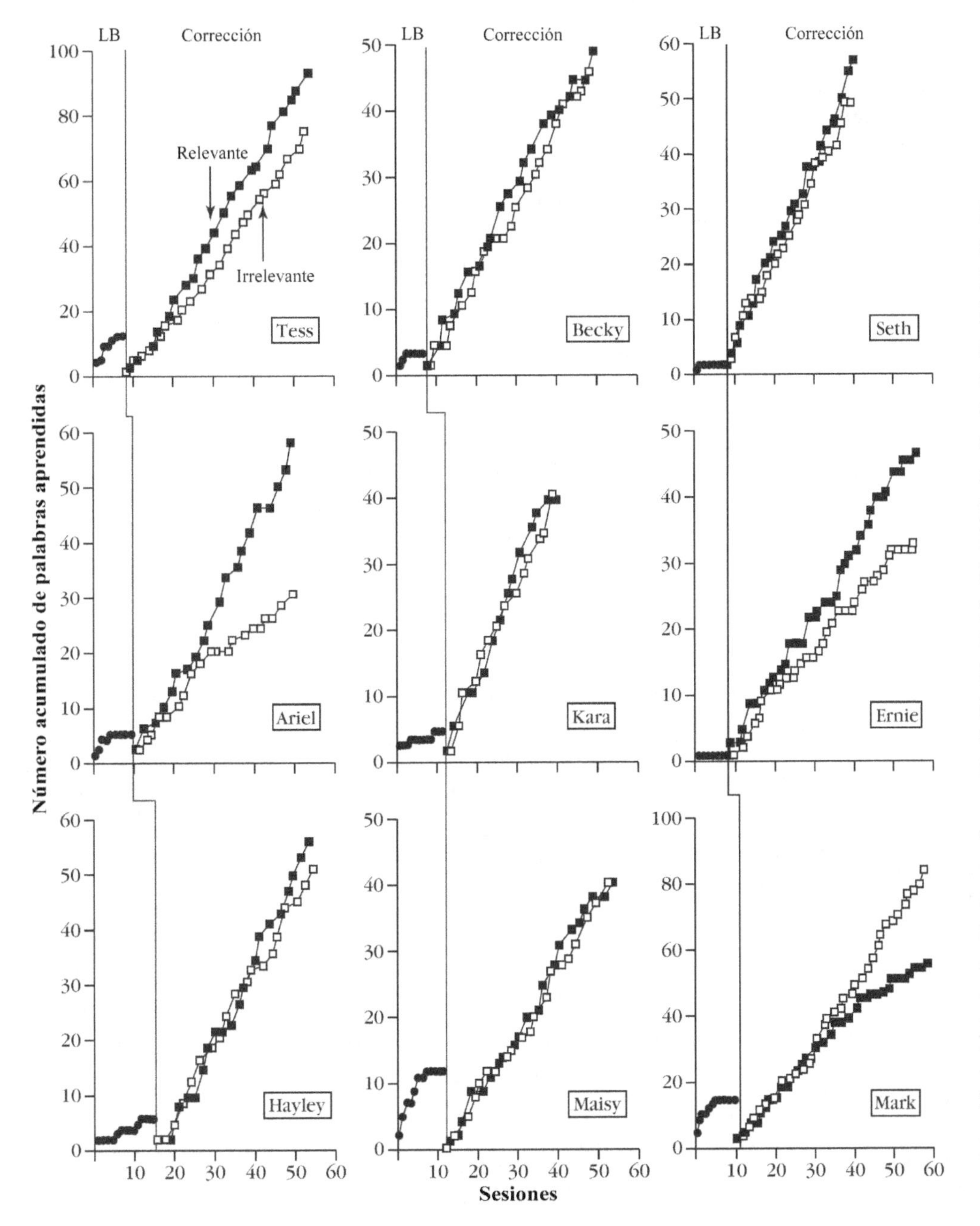

Figura 12.6 Número acumulado de palabras leídas correctamente durante la líneabase (reforzamiento positivo de respuestas correctas) y durante dos condiciones de corrección de errores; una en la que las repuestas correctas permitían evitar la practica de las palabras leídas incorrectamente (relevante), y otra en la que las respuestas correctas permitían evitar la práctica de palabras no relacionadas con aquellas leídas incorrectamente (irrelevante). Las mejoras de desempeño en la condición "irrelevante" indican que el reforzamiento negativo juega un papel en los procedimientos de corrección de errores

Tomado de "Analysis of Response Repetition as an Error Correction Strategy During Sight-Word Reading" S. Worsdell, B. A. Iwata, C. L. Dozier, A. D. Johnson, P. L. Neidert, y J. L. Thompson, 2005, *Journal of Applied Behavior Analysis*, 38, pág. 524. © Copyright 2005Society for the Experimental Analysis of Behavior, Inc. Reimpreso con permiso.

irrelevantes que con relevantes. Estos resultados sugieren que el éxito de muchos procedimientos correctores pueden ser debidos al menos en parte al reforzamiento negativo.

Adquisición y mantenimiento de los problemas de conducta

Los procedimientos de instrucción bien diseñados mantienen un alto grado de desempeño de la tarea y conducen a mejoras en el aprendizaje. Ocasionalmente; sin embargo, la presentación de tareas puede funcionar como operación de establecimiento para la conducta de escape debido a la naturaleza difícil o repetitiva de las exigencias de la actividad. Las formas iniciales de escape pueden incluir falta de atención o formas moderadas de conducta disruptiva. En la medida en que el reforzamiento positivo del desempeño sea inferior al óptimo, los intentos de escapar pueden persistir e incluso ascender a formas más severas de conducta disruptiva. De hecho, la investigación sobre la evaluación y tratamiento de los problemas de conducta ha mostrado que el escape de las exigencias de tarea es una fuente común de reforzamiento negativo para la destrucción de la propiedad, para la agresión e incluso para la conducta autolesiva. Este tema se desarrolla más extensamente en el Capítulo 24 y se ha incluido aquí también debido a su especial relevancia para el reforzamiento negativo.

O'Reilly (1995) llevó a acabo una evaluación de la conducta agresiva episódica de una persona. El participante era un adulto con retraso mental severo que asistía a un programa ocupacional de día. Para determinar si la conducta agresiva era mantenida por reforzamiento positivo o negativo, O'Reilly observó al participante bajo dos condiciones, que se alternaban en un diseño multielemento. En una condición (atención), un terapeuta ignoraba al participante (OE) excepto para reprimirle posteriormente a la agresión (reforzamiento positivo). En la segunda condición (exigencia), un terapeuta le presentaba tareas difíciles (OE) y ponía fin al ensayo en cuanto se daba la agresión (reforzamiento negativo).

Como muestra la Figura 12.7, la conducta ocurría con más frecuencia en la condición de exigencia, lo que indica que era mantenida mediante reforzamiento negativo. Como datos anecdóticos sugerían que el participante también era agresivo con más probabilidad tras noches en las que no había dormido bien, los datos para ambas condiciones fueron divididos según si el participante dormía más o menos de 5 horas la noche anterior. Las tasas más altas de agresión ocurrieron tras la deprivación de sueño. Estos datos son especialmente interesantes porque ilustran la influencia de dos eventos antecedentes sobre la conducta mantenida mediante reforzamiento negativo: las tareas funcionaban como operaciones de establecimiento para el escape pero más aun con déficit de sueño.

Estrategias de sustitución conductual

Los problemas de conducta mantenidos mediante reforzamiento negativo pueden ser tratados de varias formas. Una estrategia es fortalecer una conducta alternativa más apropiada socialmente utilizando el

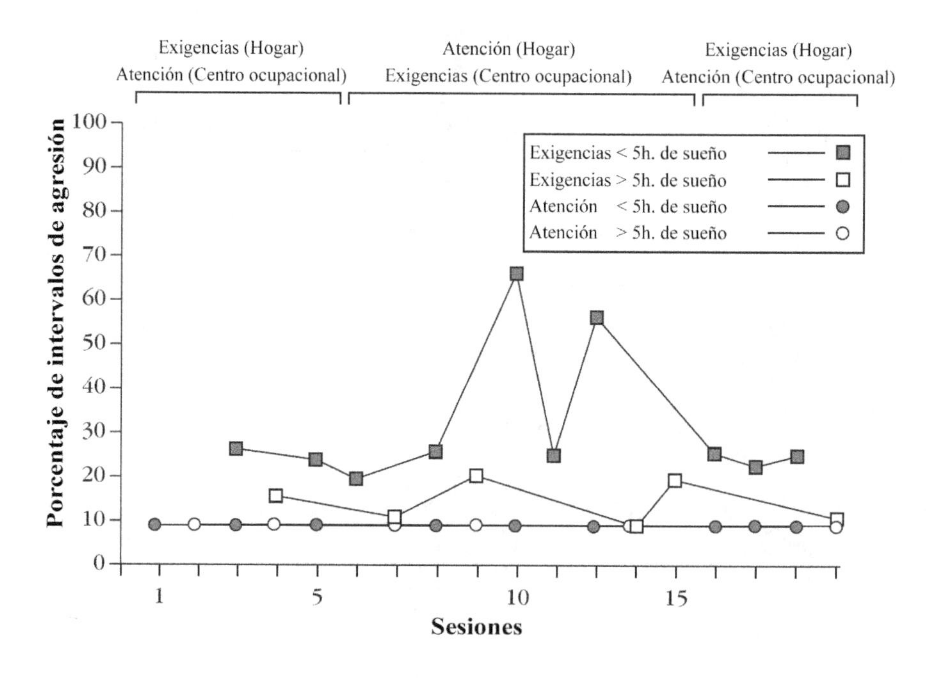

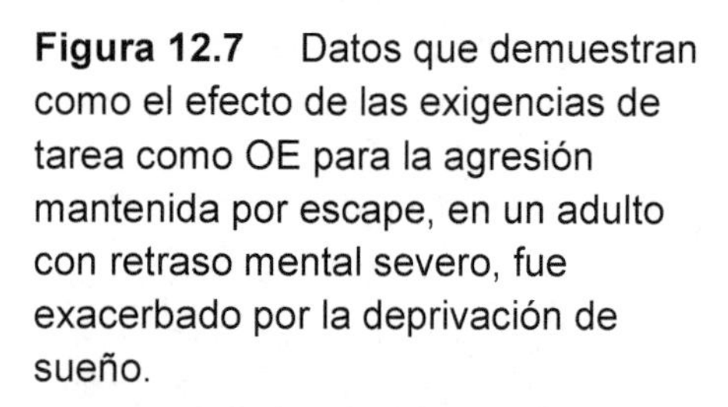

Figura 12.7 Datos que demuestran como el efecto de las exigencias de tarea como OE para la agresión mantenida por escape, en un adulto con retraso mental severo, fue exacerbado por la deprivación de sueño.

Tomado de "Functional Analysis and Treatment of Escape-Maintained Aggression Correlated with Sleep Deprivation" M. F. O'Reilly, 1995, *Journal of Applied Behavior Analysis*, 28, pág. 226. © Copyright 1995 Society for the Experimental Analysis of Behavior, Inc. Reimpreso con permiso.

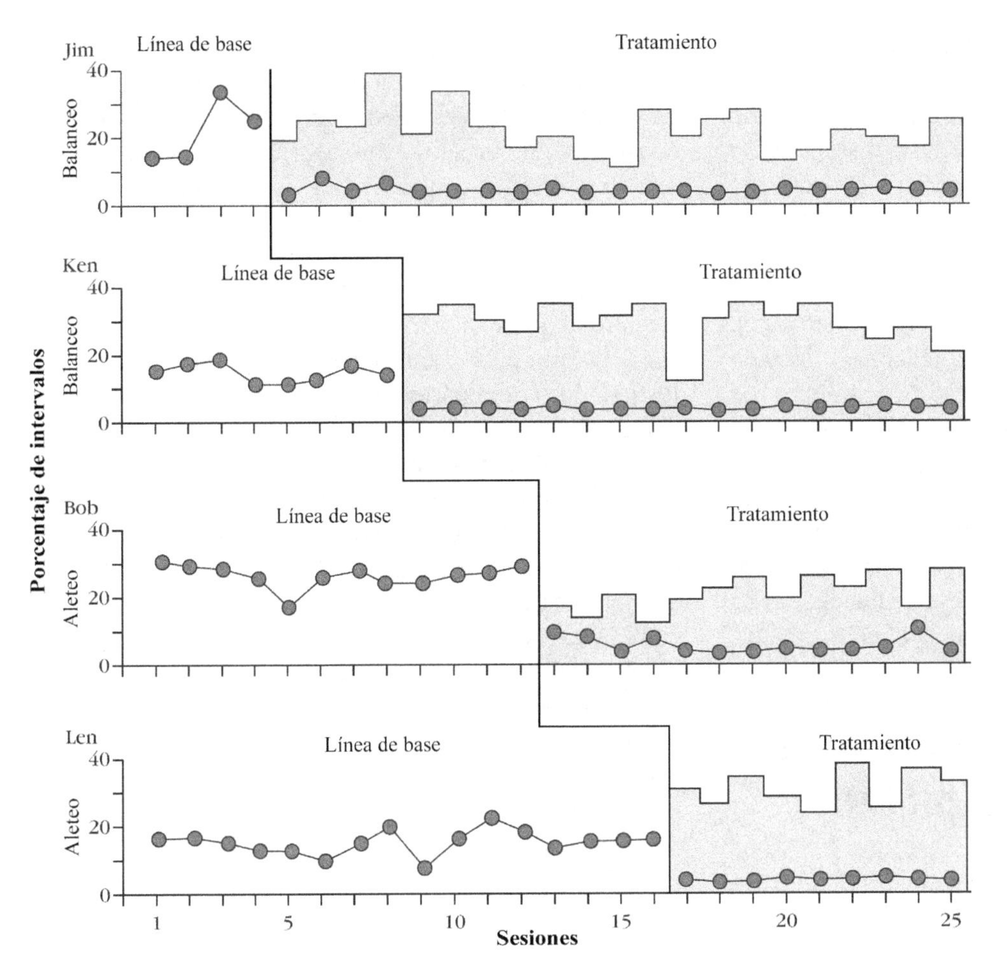

Figura 12.8 Porcentaje de intervalos de conducta estereotipada, mantenida por el escape de las exigencias de tarea, en cuatro alumnos de educación especial durante la línea de base y el tratamiento en el que se les enseñaba una respuesta alternativa ("Ayúdame") para obtener asistencia con la tarea. Las barras sombreadas muestran la utilización de los alumnos de la respuesta "Ayúdame".

Tomado de "Social Influences on 'Self-Stimulatory' Behavior: Analysis and Treatment Application" V. M. Durand, y E. G. Carr, E. G., 1987, *Journal of Applied Behavior Analysis*, 20, 128. © Copyright 1987 Society for the Experimental Analysis of Behavior, Inc. Reimpreso con permiso.

reforzamiento negativo, como se ilustró en un estudio de Durand y Carr (1987). Después de determinar que las conductas "estereotipadas" de cuatro alumnos de educación especial eran mantenidas por el escape de las exigencias, los autores enseñaron a los alumnos una respuesta alternativa ("Ayúdame"), que era seguida por la asistencia con la tarea que se estaba realizando. Como puede verse en la Figura 12.8, todos los alumnos mostraban niveles de moderados a altos de estereotipia durante la lineabase. Después de que se les enseñara a usar la expresión "Ayúdame", los alumnos empezaron a mostrar esta conducta, y su estereotipia disminuyó.

Los resultados del estudio de Durand y Carr (1987) mostraron que una conducta no deseable podría reemplazarse por otra deseable; sin embargo, la conducta de sustitución se podría considerar por debajo de lo ideal

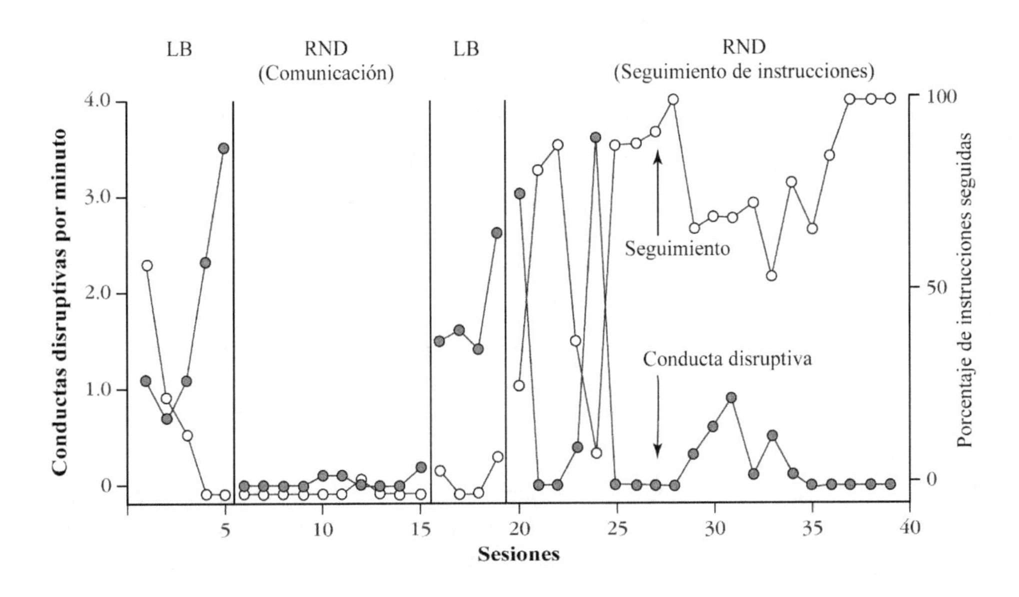

Figura 12.9 Conductas disruptivas y de seguimiento de instrucciones en una niña de cinco años en líneabase y en dos condiciones de reforzamiento negativo diferencial.

Tomado de "Effects of Differential Negative Reinforcement on Disruption and Compliance" B. A. Marcus y T. R. Vollmer. 1995, *Journal of Applied Behavior Analysis*, 28, pág. 230. © Copyright 1995 Society for the Experimental Analysis of Behavior, Inc. Reimpreso con permiso.

porque no facilitó necesariamente una mejor ejecución de la tarea. Esto se demostró en un estudio posterior de Marcus y Vollmer (1995). Después de tomar los datos de la lineabase sobre la conducta obediente y disruptiva de una niña pequeña, los autores compararon los efectos de dos tratamientos en un diseño reversible. En una condición, que se había llamado comunicación RND (reforzamiento negativo diferencial), se daba a la niña un pequeño descanso de la tarea cuando ella decía "Terminado". En la segunda condición, llamada obediencia RND, se le daba el descanso después de cumplir una instrucción (el criterio para el descanso fue más tarde incrementado a cumplir con tres instrucciones). Los resultados de esta comparación (ver Figura 12.9) mostraron que ambos tratamientos produjeron reducciones claras en la conducta disruptiva; sin embargo, solo la condición de obediencia RND produjo una mejoría en la ejecución de la tarea.

Aspectos éticos del uso del reforzamiento negativo

Las preocupaciones éticas sobre el uso del reforzamiento positivo y negativo son similares y se derivan de la dureza de los eventos antecedentes (OE) de la conducta. La mayoría de las operaciones de establecimiento para la conducta mantenida mediante reforzamiento positivo consisten en estados de deprivación, que, si son extremos, pueden constituir una vulneración de derechos. Por otro lado, la mayoría de las operaciones de establecimiento para la conducta mantenida mediante reforzamiento negativo consiste en eventos aversivos. Eventos extremadamente nocivos, cuando se presentan como estímulos antecedentes, pueden no estar justificados como parte de un programa típico de cambio conductual.

Otra preocupación respecto al reforzamiento negativo es que la presencia de estímulos aversivos puede generar por sí misma conductas incompatibles con la que se desea instaurar (Hutchinson, 1977; Myer, 1971). Por ejemplo, un niño socialmente retraído, cuando se sitúa entre otros, puede gritar y salir corriendo en lugar de jugar con sus iguales, y salir corriendo es incompatible con la interacción social. Por último, los efectos indeseables típicamente asociados con el castigo (ver Capítulo 14) podrían tenerse en cuenta al implementar programas de cambio conductual basados en el reforzamiento negativo.

Resumen

Definición de reforzamiento negativo

1. El reforzamiento negativo implica la finalización, reducción o aplazamiento de un estímulo de forma contingente con la ocurrencia de una respuesta, lo que conlleva un incremento en la ocurrencia futura de esa respuesta.

2. Una contingencia de reforzamiento negativo implica (a) una operación de establecimiento (OE) en cuya presencia el escape es reforzante, (b) un estímulo discriminativo (E^D) en cuya presencia una respuesta es reforzada con más probabilidad, (c) la respuesta que produce el reforzamiento, y (d) la finalización del evento que funcionaba como operación de establecimiento.

3. Los reforzamientos positivo y negativo son similares en que ambos llevan a un incremento de la respuesta; difieren en que el reforzamiento positivo implica la presentación contingente de un estímulo mientras que el negativo implica la finalización contingente del mismo.

4. El reforzamiento negativo y el castigo difieren en que (a) el reforzamiento negativo implica la terminación contingente de un estímulo mientras que el castigo implica la estimulación contingente, y (b) el reforzamiento negativo lleva a un incremento de la respuesta, mientras que el castigo lleva a un descenso de la misma.

Contingencias de escape y de evitación

5. Una contingencia de escape es aquella en la que la respuesta pone fin a un estímulo que estaba presente. Una contingencia de evitación es aquella en la cual la respuesta aplaza o previene la presentación de un estímulo.

6. En la evitación discriminada, responder en presencia de una señal previene la presentación del estímulo; en la evitación de operante libre, responder en cualquier momento previene la presentación del estímulo.

Características del reforzamiento negativo.

7. Cualquier respuesta que ponga fin a la estimulación aversiva será fortalecida; como resultado, se puede adquirir y mantener mediante reforzamiento negativo un amplio rango de conductas.

8. El reforzamiento negativo puede jugar un papel muy importante en el desarrollo de habilidades académicas, pero también puede tener que ver con el desarrollo de conducta disruptiva o peligrosa.

9. Los reforzadores negativos incondicionados son estímulos cuya retirada fortalece la conducta en ausencia de aprendizaje previo. Los reforzadores negativos

condicionados son estímulos cuya retirada fortalece la conducta como resultado del emparejamiento previo con otros reforzadores negativos.

10. El reforzamiento social negativo implica la finalización de un estímulo a través de la acción de otra persona. El reforzamiento automático negativo implica la finalización del estímulo como resultado directo de una respuesta.

11. La identificación de reforzadores negativos requiere la especificación de las condiciones estimulares previas y posteriores a la respuesta.

12. En general, el reforzamiento negativo para una determinada respuesta será más efectivo cuando (a) el cambio estimular siga inmediatamente a la ocurrencia de la respuesta deseada, (b) la magnitud del reforzamiento sea grande, (c) la respuesta deseada produzca de forma consistente el escape o el aplazamiento de la operación de establecimiento, y (d) no haya reforzamiento disponible para las respuestas incompatibles con la deseada.

Aplicaciones del reforzamiento negativo.

13. Aunque el reforzamiento negativo es un principio fundamental del aprendizaje que ha sido estudiado extensamente en la investigación básica, el análisis aplicado de conducta ha priorizado el uso del reforzamiento positivo frente al negativo.

14. Los investigadores aplicados han explorado los usos terapéuticos del reforzamiento negativo para tratar los problemas de alimentación pediátricos.

15. La mejoría de la ejecución académica como resultado de los métodos de corrección que implican repetir una prueba de aprendizaje, haciendo al estudiante practicar la ejecución correcta, o dándole trabajo adicional puede ser función del reforzamiento negativo.

16. La presentación de exigencias de tarea durante el proceso de instrucción puede funcionar como operación de establecimiento para el escape; formas iniciales de escape pueden incluir falta de atención o formas moderadas de conducta disruptiva. En la medida en que el reforzamiento positivo de la obediencia sea inferior al óptimo, la conducta de escape puede persistir e incluso aumentar en escalada.

17. Una estrategia para tratar los problemas de conducta mantenidos mediante reforzamiento negativo es fortalecer también mediante dicho reforzamiento una conducta alternativa que sea socialmente más apropiada.

Aspectos éticos del uso del reforzamiento negativo.

18. Las preocupaciones éticas respecto al uso del reforzamiento positivo y negativo son similares y surgen de la dureza de los eventos antecedentes (OE) que dan lugar a la aparición de la conducta. La mayoría de las operaciones de establecimiento de la conducta mantenida mediante reforzamiento negativo se pueden considerar eventos aversivos. Los eventos excesivamente nocivos, cuando se presentan como estímulos antecedentes, no pueden ser justificados como parte de un programa de cambio conductual típico.

19. Otra preocupación respecto al reforzamiento negativo es que la propia presencia de estímulos aversivos puede generar por sí misma conductas incompatibles con la adquisición de la conducta deseada.

CAPÍTULO 13

Programas de reforzamiento

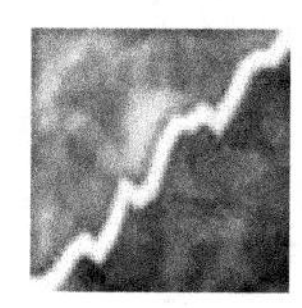

Términos clave

Aligeramiento del programa de reforzamiento
Conductas inducidas por programa
Espera limitada
Forzar la razón
Intervalo fijo
Intervalo variable
Ley de igualación
Pausa post-reforzamiento
Programa alternativo
Programa concurrente
Programa conjuntivo
Programa de reforzamiento
Programa de reforzamiento combinado
Programa de reforzamiento encadenado
Programa de reforzamiento intermitente
Programa de reforzamiento progresivo
Programa mixto programas mixtos
Programa múltiple
Programa tándem
Razón fija
Razón variable
Reforzamiento continuo
Reforzamiento diferencial de tasas altas (RDTA)
Reforzamiento diferencial de tasas bajas (RDTB)
Reforzamiento diferencial de tasas decrecientes (RDTD)

Behavior Analyst Certification Board® BCBA®, BCBA-D®, BCaBA®, RBT® Lista de tareas para analistas de conducta (cuarta edición).

D.	Habilidades analítico-conductuales básicas: elementos fundamentales del cambio de conducta.
D-02	Usar programas de reforzamiento ajustando sus parámetros.
D-21	Usar reforzamiento diferencial (de tasas altas, de conductas alternativas, de conductas incompatibles, de tasas bajas, de otras conductas).
E.	**Habilidades analítico-conductuales básicas: procedimientos específicos de cambio de conducta.**
E-08	Aplicar la ley de igualación y reconocer los factores que afectan a la conducta de elección

Un **programa de reforzamiento** es una regla que describe una contingencia de reforzamiento, esas disposiciones ambientales que determinan las condiciones por las cuales las conductas serán reforzadas. El reforzamiento continuo y la extinción proporcionan los límites de todos los demás programas de reforzamiento. Un programa de **reforzamiento continuo** proporciona reforzamiento para cada ocurrencia de la conducta. Por ejemplo, un maestro que utilice un programa de reforzamiento continuo elogiaría a una estudiante cada vez que esta identificara correctamente una palabra que hubiera visto. Algunos ejemplos de conductas que tienden a producir reforzamiento continuo incluyen girar un grifo de agua (el agua sale), responder al teléfono después de que suene (se oye una voz), y meter dinero en una máquina expendedora (se obtiene un producto). Durante la extinción, ninguna ocurrencia de la conducta produce reforzamiento. (Para una descripción detallada de la extinción, véase el Capítulo 21.)

Reforzamiento intermitente

Entre el reforzamiento continuo y la extinción hay muchas posibilidades de **programas de reforzamiento intermitente,** en los que algunas ocurrencias de la conducta, pero no todas, son reforzadas. Solo las ocurrencias seleccionadas de la conducta producen reforzamiento en los programas de reforzamiento intermitente. El programa de reforzamiento continuo se utiliza para fortalecer la conducta, sobre todo durante las etapas iniciales del aprendizaje de nuevas conductas. Los analistas aplicados de la conducta utilizan el reforzamiento intermitente para mantener las conductas ya establecidas.

Mantenimiento de la conducta

El mantenimiento de la conducta hace referencia a un cambio duradero en la conducta. Sin importar el tipo de técnica de cambio de conducta empleado o el grado de éxito durante el tratamiento, los analistas aplicados de la conducta deben preocuparse de mantener los logros después de terminar un programa de tratamiento. Por ejemplo, María está en séptimo curso y estudia francés, su primera asignatura de lengua extranjera. Después de unas semanas, el profesor informa a los padres de María de que la niña está mostrando malos resultados en francés y de que cree que se debe a la falta de práctica y estudio diarios de ese idioma. Los padres y el profesor deciden que María lleve un registro en el mural de la familia cada tarde que estudie francés durante 30 minutos. Los padres de María la elogian cuando practica y estudia francés, y además la animan con la tarea. Durante una reunión de seguimiento 3 semanas más tarde, los padres y el profesor deciden que María lo ha hecho tan bien que el procedimiento de registro se puede interrumpir. Desafortunadamente, pocos días después, María se va quedando atrás en francés.

Se desarrolló un programa exitoso para establecer la práctica diaria de francés, pero los logros no se mantuvieron después de quitar el procedimiento de registro. Los padres y el profesor no establecieron procedimientos de reforzamiento intermitente. Veamos lo que pasó y lo que podría haber sucedido. Se utilizó correctamente el reforzamiento continuo para desarrollar la conducta diaria de estudio. Sin embargo, después de que dicha conducta se estableciese y el procedimiento de registro fuese retirado, los padres deberían haber seguido alabando y animando la práctica diaria pero ofreciendo progresivamente un menor número de expresiones de ánimo y elogio. Los padres podrían haber elogiado los logros de María después de cada dos días de práctica diaria de francés, después cada cuatro días, luego una vez por semana, y así sucesivamente. Con el elogio intermitente, María podría haber continuado la práctica diaria después de quitar el procedimiento de registro.

El progreso hacia el reforzamiento natural

Un objetivo importante de la mayoría de los programas de cambio de conducta es conseguir que las actividades, estímulos, o eventos que ocurren de forma natural, lleguen a funcionar como reforzadores. Es más deseable que la gente lea porque le gusta leer, en lugar de obtener reforzamiento artificial de un profesor o de los padres; que se participe en actividades deportivas por el disfrute de la actividad, en lugar de hacerlo por un título o por prescripción médica; que se ayude en casa por la satisfacción personal que conlleva, en lugar de por ganarse una paga. El reforzamiento intermitente suele ser necesario para el progreso hacia el reforzamiento natural. A pesar de que algunas personas pasan horas cada día practicando con un instrumento musical porque disfrutan de la actividad, es muy probable que esta conducta tan persistente se haya desarrollado de forma gradual. Al principio, el estudiante de música necesita gran cantidad de reforzamiento para continuar la actividad: "Hoy has tocado muy bien", "No puedo creer lo bien que lo has hecho", "Tu madre me dijo que recibiste el primer puesto en el concurso, ¡eso es genial!" Estas consecuencias sociales se emparejan con otras provenientes de profesores, familiares y compañeros. A medida que el estudiante desarrolla más el dominio de la música, las consecuencias externas ocurren con menos frecuencia, de forma intermitente. Finalmente, el estudiante pasa largos periodos tocando sin recibir reforzamiento de los demás porque el propio hecho de generar música se ha convertido en un reforzador por hacer esa actividad.

Algunos podrían explicar la transición de nuestro estudiante de música de ser una "persona reforzada externamente" a ser un "músico que se refuerza a sí mismo" como el desarrollo de la motivación intrínseca, lo que parece dar a entender que algo dentro de la persona se encargara de mantener la conducta. Este análisis es incorrecto desde un punto de vista conductual. Los analistas aplicados de la conducta describen la motivación intrínseca como el reforzamiento que se recibe mediante la manipulación del entorno físico. Algunas personas van en bicicleta, de mochileros, leen, escriben, o ayudan a los demás, porque las propias manipulaciones del entorno proporcionan reforzamiento por dedicarse a esas actividades.

Definición de los programas de reforzamiento intermitente básicos

Programas de razón y de intervalo

Los analistas aplicados de la conducta directa o indirectamente aplican programas de reforzamiento intermitente de razón e intervalo en la mayoría de los programas de tratamiento, especialmente programas de razón (Lattal y Neef, 1996). Los programas de razón requieren una serie de respuestas antes de que una de ellas produzca reforzamiento. Si el criterio de razón para una conducta es de 10 respuestas correctas, solo la décima respuesta correcta produce reforzamiento. Los programas de intervalo requieren un lapso de tiempo antes de que una respuesta produzca reforzamiento. Si el criterio de intervalo es de 5 minutos, se reforzará de manera contingente la primera respuesta correcta que se produzca después de que hayan transcurrido 5 minutos desde la última respuesta reforzada.

Los programas de razón requieren que se emita un número de respuestas por cada reforzamiento; el paso del tiempo no cambia dicho requisito numérico. La tasa de respuesta del participante, sin embargo, determina la tasa de reforzamiento. Cuanto más rápido se complete el requisito de la razón, antes se producirá el reforzamiento. Por el contrario, los programas de intervalo requieren que haya pasado un tiempo antes de que una sola respuesta produzca reforzamiento. El número total de respuestas emitidas en un programa de intervalo es irrelevante para el momento y la frecuencia de entrega del reforzador. La emisión de una alta tasa de respuesta durante un programa de intervalo no aumenta la tasa de reforzamiento. El reforzamiento es contingente solo cuando ocurre una respuesta después de que haya transcurrido el tiempo requerido. La disponibilidad del reforzamiento está controlada por el tiempo en los programas de intervalo, y la tasa de reforzamiento está "autocontrolada" en los programas de razón, lo que significa que cuanto más rápidamente se complete el criterio de razón, antes se producirá el reforzamiento.

Programas fijos y variables

Los analistas aplicados de la conducta pueden organizar los programas de razón e intervalo de modo que el reforzamiento se aplique siguiendo una contingencia fija o variable. Con un programa fijo, la razón de la respuesta o el criterio temporal son constantes. Con un programa variable, la razón de la respuesta o el criterio temporal pueden cambiar de una respuesta reforzada a la siguiente. Las combinaciones de las contingencias de razón o intervalo, y fijas o variables, definen los cuatro programas básicos de reforzamiento intermitente: razón fija, razón variable, intervalo fijo, e intervalo variable.

En las siguientes secciones se definen los cuatro programas básicos de reforzamiento intermitente, se darán ejemplos de cada programa, y se presentarán algunos efectos bien establecidos de los programas según se deriva de la investigación básica.

Definición de razón fija

Un programa de reforzamiento de **razón fija** requiere la realización de una serie de respuestas para producir un reforzador. Por ejemplo, en un programa de razón fija 4 cada cuarta respuesta correcta (u objetivo) produce reforzamiento. Un programa de razón fija 15 significa que se requieren 15 respuestas para producir reforzamiento. Skinner (1938) conceptualizó cada criterio de razón como una unidad de respuesta. En consecuencia, la unidad de respuesta produce el reforzador, no solo la última respuesta de la razón.

Algunas tareas comerciales e industriales se pagan siguiendo programas de razón fija (p.ej., el trabajo a destajo). Un trabajador podría recibir un pago después de completar un número determinado de tareas (p.ej., el montaje de 15 piezas de un equipo o recolectar una caja de naranjas). Un estudiante puede recibir, o bien una cara feliz después de aprender a leer 5 palabras nuevas, o bien un cierto número de puntos después de completar 10 problemas de matemáticas.

De Luca y Holborn (1990) publicaron una comparación entre la tasa de pedaleo en bicicleta estática de niños obesos y no obesos en condiciones de lineabase y bajo un programa reforzamiento intermitente de razón fija. En las condiciones de lineabase y razón fija el ejercicio duraba lo mismo. Después de establecer una tasa estable de pedaleo durante la lineabase, De Luca y Holborn introdujeron un programa de razón fija que igualaba la tasa de reforzamiento producido durante la lineabase. Todos los participantes aumentaron su tasa de pedaleo con la introducción del programa de razón fija.

Efectos de los programas de razón fija

Consistencia en la ejecución

Los programas de razón fija producen un patrón típico de respuesta: (a) después de la primera respuesta que cumple el criterio de razón, el participante completa las respuestas requeridas con poca vacilación entre las mismas; y (b) una **pausa post-reforzamiento** sigue a cada reforzamiento (es decir, el participante deja de responder durante un tiempo después de que se aplique cada reforzador). El tamaño de la razón influye en la duración de la pausa post-reforzamiento: los criterios de razón grandes producen pausas largas; las razones pequeñas producen pausas cortas.

Tasa de respuesta

Los programas de razón fija suelen producir altas tasas de respuesta. Responder rápido en los programas de razón fija maximiza la aplicación del reforzamiento debido a que cuanto más rápida sea la tasa de respuesta, mayor será la tasa de reforzamiento. La gente trabaja rápidamente con una razón fija, ya que reciben reforzamiento con cada cumplimiento del criterio de razón. Los mecanógrafos que trabajan por cuenta propia por lo general lo hacen bajo un programa de razón fija. Reciben una cantidad fija por el trabajo contratado. Una mecanógrafa que tenga que completar un manuscrito de 25 páginas es probable que teclee a la máxima velocidad. Cuanto antes esté listo el manuscrito, antes se recibe el pago, y más trabajo se puede terminar en un día.

El tamaño de la razón puede influir en la tasa de respuesta en los programas de razón fija. Hasta cierto punto, cuanto mayor sea el criterio de razón, mayor será la tasa de respuesta. Un profesor podría reforzar cada tercera respuesta correcta a problemas aritméticos. Con este criterio de razón, el estudiante podría completar 12 problemas dentro del tiempo especificado, obteniendo reforzamiento cuatro veces. El estudiante podría completar más problemas en menos tiempo si el profesor hubiese dispuesto que el reforzamiento fuese contingente con la emisión de 12 respuestas correctas en vez de 3. Cuanto más alta es la razón más probable es que produzca una mayor tasa de respuesta. La tasa de respuesta disminuye, sin embargo, si el criterio de razón es demasiado grande. La razón máxima se determina en parte por la historia pasada de reforzamiento de razón fija del participante, por las operaciones motivacionales, por la calidad del reforzador, y por los procedimientos que cambian el criterio de razón. Por ejemplo, si el

Definición: Reforzamiento suministrado de manera contingente a la emisión de un número específico de respuestas.

Efectos del Programa: Después del reforzamiento, se produce una pausa post-reforzamiento. Tras dicha pausa, el criterio de razón se completa con una frecuencia de respuesta alta y con muy poca vacilación entre respuestas. El tamaño de la razón afecta tanto a la pausa como a la tasa.

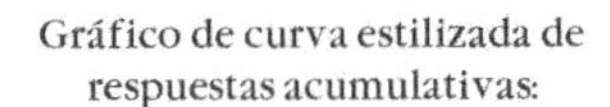

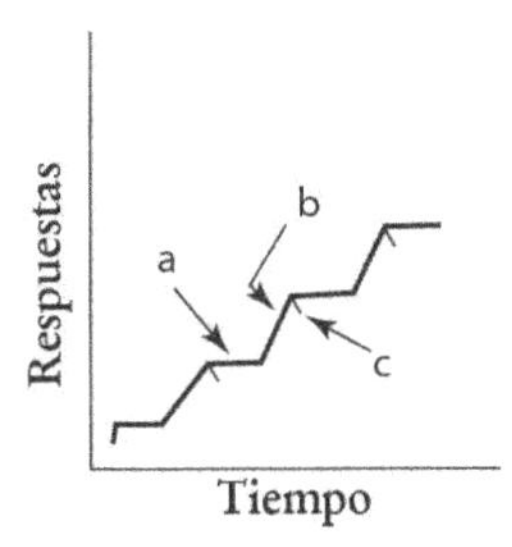

a = pausa post-reforzamiento

b = alta tasa de la respuesta "correr"

c = reforzador suministrado tras la emisión de *n* respuestas

Figura 13.1 Resumen de los efectos del programa de razón fija (RF) durante el reforzamiento en curso.

criterio de razón se eleva gradualmente durante un período prolongado de tiempo, se pueden alcanzar un criterio extremadamente alto.

La figura 13.1 resume los efectos típicamente encontrados en los programas de reforzamiento de razón fija.

Definición de razón variable

Un programa de reforzamiento de **razón variable** requiere la realización de un número variable de respuestas para producir un reforzador. El número que representa el promedio de las respuestas necesarias para obtener reforzamiento identifica el programa de razón variable. Por ejemplo, con un programa de razón variable

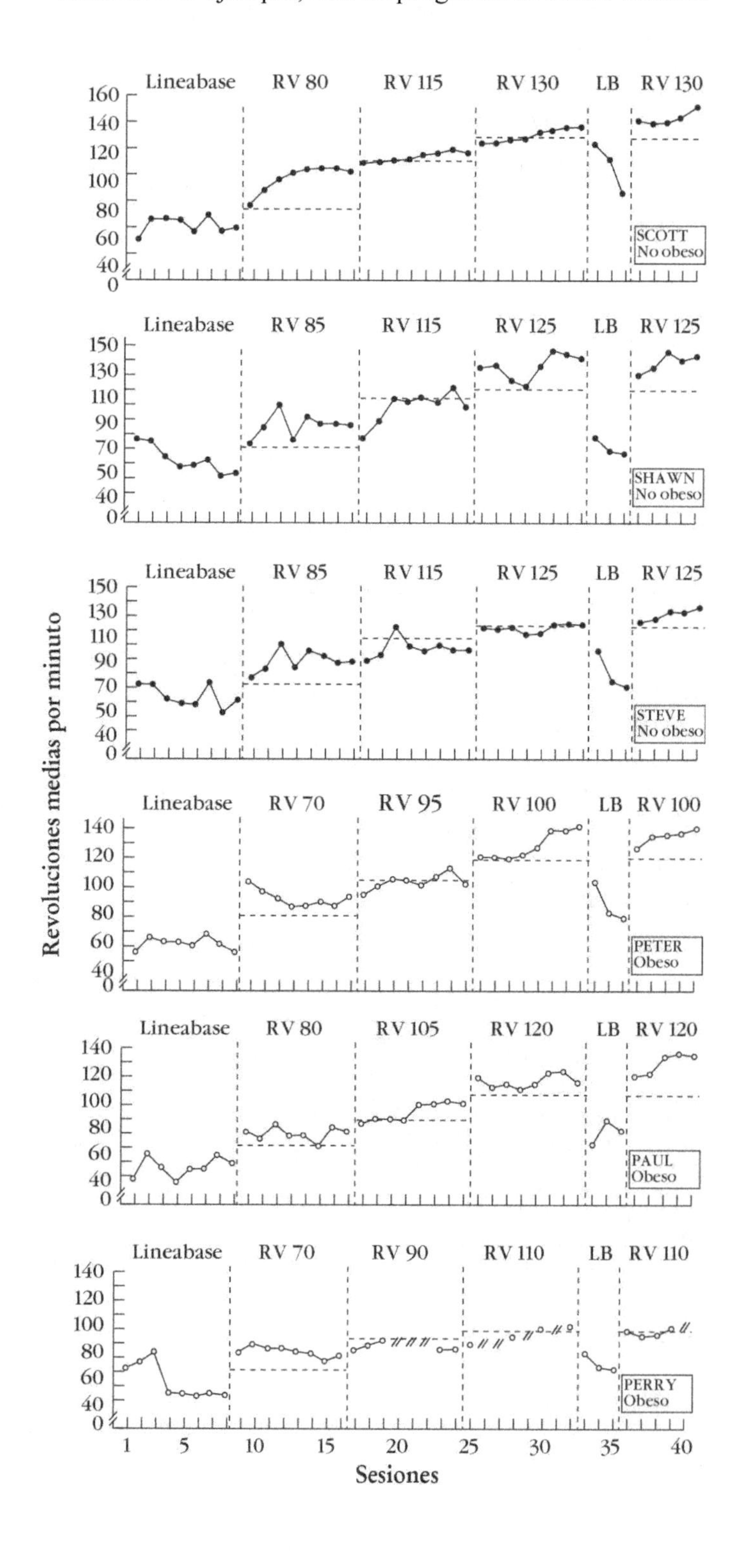

Figura 13.2 Media de revoluciones por minuto durante la lineabase, Razón Variable 1(Rango RV de 70 a 85), Razón Variable 2 (Rango RV de 90 a 115), Razón Variable 3 (Rango RV de 100 a 130), vuelta a la lineabase, y vuelta a la fase de Razón Variable 3 con sujetos obesos y no obesos.

Tomado de "Effects of a Variable-Ratio Reinforcement Schedule with Changing Criteria on Exercise in Obese and Nonobese Boys" R. V. De Luca y S.W. Holborn, 1992, *Journal of Applied Behavior Analysis*, 25, pág. 642.

de 10 cada media de diez respuestas correctas produce reforzamiento. El reforzador puede venir después de 1 respuesta, 20 respuestas, 3 respuestas, 13 respuestas, o *n* respuestas, pero el número promedio de respuestas requeridas para el reforzamiento es de 10 (por ejemplo, 1 + 20 + 3 + 13 + 18 = 55; 55/5 = 10).

El funcionamiento de una máquina tragaperras ofrece un buen ejemplo de un programa de razón variable. Estas máquinas están programadas para dar dinero solo una cierta proporción de las veces que se juega. Un jugador no puede predecir cuándo será la próxima vez que la máquina dará premio. El jugador podría ganar 2 o 3 veces seguidas y luego no volver a ganar en las próximas 20 o más jugadas.

De Luca y Holborn (1992) examinaron los efectos de un programa de razón variable sobre la cadencia de pedaleo en una bicicleta estática de tres niños obesos y de tres que no eran obesos. Los niños podían utilizar la bicicleta estática de lunes a viernes durante cada semana del estudio, pero no se les animaba de ninguna manera a hacerlo. Los participantes recibían la instrucción de "haz ejercicio todo el tiempo que quieras" para establecer la condición de lineabase. De Luca y Holborn introdujeron el programa de reforzamiento de razón variable después de establecer una lineabase estable para la tasa de pedaleo. Calcularon el número medio de revoluciones de pedaleo por minuto de la lineabase y programaron la primera contingencia de razón variable en una tasa de pedaleo aproximadamente el 15% más rápida que la media de la lineabase. Los niños recibían puntos de acuerdo a un programa de razón variable para intercambiarlos por reforzadores. De Luca y Holborn aumentaron el programa de razón variable en dos ocasiones, con un 15% de aumento cada vez. Todos los participantes mostraron aumentos sistemáticos en su tasa de pedaleo con cada valor de razón variable, lo que significa que cuanto mayor sea la razón variable, más alta será la tasa de respuesta. De Luca y Holborn informaron de que el programa de razón variable produjo mayores tasas de respuesta que el programa de razón fija de su estudio anterior (De Luca y Holborn, 1990). La figura 13.2 presenta las actuaciones de los participantes durante las condiciones de lineabase y de razón variable (es decir, razón variable con rangos de 70 a 85, de 90 a 115 y de 100 a 130).

Las conductas de los estudiantes suelen producir reforzamiento después de cumplir con razones variables. Normalmente un estudiante no puede predecir cuándo se le hará una pregunta y se le dará reforzamiento. Las buenas notas, los premios o los ascensos de nivel, pueden venir tras un número impredecible de respuestas. Y en la comprobación del trabajo individual, el profesor podría reforzar el trabajo de un estudiante después de la finalización de 10 tareas, el de otro después de solo 3 tareas, y así sucesivamente.

Efectos del programa de razón variable

Consistencia en la ejecución

Los programas de razón variable producen tasas consistentes y estables de respuesta. No suelen producir pausas post-reforzamiento, como sí sucedía en los programas de razón fija. Tal vez la ausencia de pausas en la respuesta se debe a la falta de información sobre cuándo producirá reforzamiento la siguiente respuesta. Se continua con una respuesta constante porque la siguiente respuesta puede producir reforzamiento.

Tasa de respuesta

Al igual que el programa de razón fija, el de razón variable tiende a producir una tasa de respuesta rápida. También como en el programa de razón fija, el tamaño de la razón influye en la tasa de respuesta. Hasta cierto punto, cuanto mayor sea el criterio de razón, mayor será la tasa de respuesta. De nuevo, como los programas de razón fija, cuando el criterio de razón variable se eleva gradualmente durante un período prolongado de tiempo, los participantes responderán a criterios extremadamente altos de razón. La figura 13.3 resume los efectos normalmente producidos por los programas de reforzamiento de razón variable.

Programas de razón variable en contextos aplicados

Los investigadores básicos utilizan ordenadores para seleccionar y programar contingencias de reforzamiento de razón variable. Los programas de razón variable utilizados en situaciones aplicadas rara vez se implementan con un enfoque planificado y sistemático. En otras palabras, el reforzador se presenta por casualidad, al azar en la mayoría de las intervenciones. Esta presentación no sistemática de reforzamiento no es un uso eficaz de los programas de razón variable. Los profesores pueden seleccionar y planificar previamente programas de razón variable que se aproximen a los que se utilizan en investigación básica. Por ejemplo, los profesores pueden planificar razones variables (a) seleccionando una razón máxima para una determinada actividad (por ejemplo, 15 respuestas) y (b) utilizando una tabla de números aleatorios para producir las razones

Definition: Reforzamiento suministrado de manera contingente a la emisión de un número variable de respuestas.

Efectos del Programa: El criterio de razón se completa con una frecuencia de respuesta alta y con muy poca vacilación entre respuestas. Las pausas post-reforzamiento no son características de los programas de razón variable. El tamaño de los requisitos de razón afecta a la tasa de respuesta.

Gráfico de curva estilizada de respuestas acumulativas:

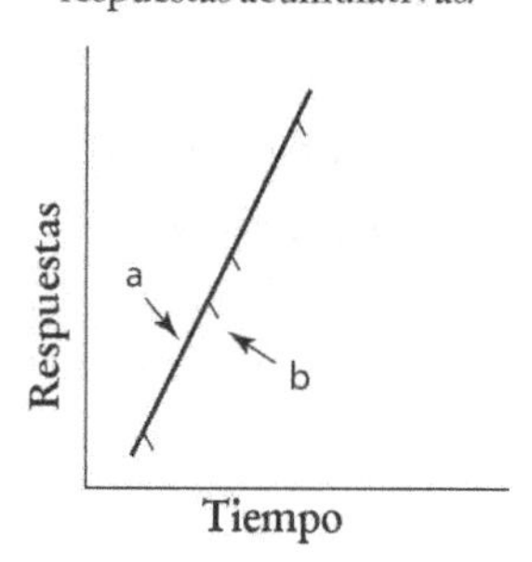

a = tasa de respuesta alta y continua
b = reforzamiento suministrado tras la emisión de un número variable de respuestas requeridas

Figura 13.3 Resumen de los efectos del programa de razón variable (RV) durante el reforzamiento en curso.

variables específicas para el programa de reforzamiento. Una tabla de números aleatorios puede resultar en la siguiente secuencia de razones: 8, 1, 1, 14, 3, 10, 14, 15, y 6, produciendo un programa de reforzamiento de razón variable 8 (como media cada octava respuesta produce el reforzador) con razones que van de 1 a 15 respuestas.

Los profesores pueden aplicar los siguientes procedimientos de razón variable como contingencias de reforzamiento individuales o grupales para la conducta académica o social:

Procedimiento de razón variable del tres en raya

1. El profesor establece un número máximo para el estudiante individual o el grupo. Cuanto mayor sea el número máximo seleccionado, mayores serán las probabilidades de cumplimiento de la contingencia. Por ejemplo, 1 oportunidad de cada 100 tiene menos posibilidades de ser seleccionada que 1 posibilidad entre 20.
2. El profesor le da al individuo o grupo una rejilla de tres en raya.
3. Los estudiantes ponen en cada cuadrado de la rejilla un número no mayor que el número máximo. Por ejemplo, si el número máximo es 30, la hoja de recuento podría tener este aspecto:

1	20	13
3	5	30
7	11	6

4. El profesor rellena una caja o algún otro tipo de recipiente con trozos numerados de papel (con números que no superen el número máximo). Cada número se debe incluir varias veces; por ejemplo, cinco unos, cinco doses, cinco treses.
5. De manera contingente a la ocurrencia de la conducta objetivo, los estudiantes retiran un trozo de papel de la caja. Si el número que aparece en el papel se corresponde con un número de la hoja de tres en raya, los estudiantes marcan ese número en la cuadrícula.
6. El reforzador se presenta cuando los estudiantes han marcado tres números en una fila horizontal, vertical o diagonal.

Por ejemplo, un estudiante podría retirar un trozo de papel por cada tarea para casa completada. Como consecuencia por haber marcado tres números en una fila se podría utilizar la selección de una actividad del panel de trabajo de clase (por ejemplo, ser ayudante del profesor, reunir el dinero para la leche, ayudar con el proyector, etc.).

Procedimiento de razón variable de la lotería de clase

1. Los estudiantes escriben sus nombres en tarjetas después de completar con éxito las tareas asignadas.
2. Los estudiantes ponen tarjetas firmadas en una caja situada en la mesa del profesor.
3. Después de un intervalo de tiempo establecido (p.ej., 1 semana), el profesor extrae una tarjeta firmada de la caja y declara a ese estudiante como el ganador. La lotería puede tener primer, segundo y tercer lugar, o cualquier número de ganadores. Cuantas más tarjetas ganen los estudiantes, mayor será la probabilidad de que una de sus tarjetas sea seleccionada.

Los profesores han utilizado las loterías en el aula con

toda una serie de logros académicos, como la lectura de libros que no son obligatorios. Por ejemplo, por cada libro leído, los estudiantes escriben su nombre y el título del libro que han leído en una tarjeta. Cada 2 semanas, el profesor saca una tarjeta de la caja y le da al estudiante ganador un nuevo libro. Para hacer del libro una consecuencia especialmente deseable, el profesor da a los estudiantes el privilegio de poder devolver el libro a la escuela, marcado con el nombre del estudiante, la clase y la fecha (p.ej., *Bruno López, quinto curso, donó este libro a la Biblioteca de la Escuela Primaria el 22 de mayo de 2007*).

Procedimiento de razón variable del calendario de pupitre

1. Los estudiantes reciben calendarios de pupitre con hojas de fecha sueltas fijadas a la base del calendario.
2. El profesor retira las hojas de fecha sueltas de la base del calendario.
3. El profesor establece una razón máxima para los estudiantes.
4. El profesor numera unas tarjetas consecutivamente desde 1 hasta la razón máxima. Se incluyen varias tarjetas para cada número (p.ej., cinco del número uno, cinco del número dos, etc.). Si se desea una razón media grande, el profesor incluiría números más grandes; para razones medias pequeñas, el profesor utilizaría un número menor.
5. El profesor utiliza una perforadora de papel para perforar agujeros en las tarjetas para sujetarlas a la base del calendario.
6. El profesor o estudiante baraja las tarjetas para cuasi-aleatorizar el orden y sujetarlas boca abajo a la base del calendario.
7. Los estudiantes producen sus propios programas de razón variable dando la vuelta a una tarjeta cada vez. Después de cumplir con el criterio de razón, los estudiantes dan la vuelta a la segunda tarjeta para producir la siguiente razón, y así sucesivamente.

Los estudiantes pueden utilizar la base del calendario de escritorio para diseñar programas de razón variable para la mayoría de las áreas curriculares (p.ej., aritmética). Por ejemplo, después de recibir una hoja de cálculo aritmético, el estudiante da vuelta a la primera tarjeta. Tiene escrito un 5. Después de completar cinco problemas, levanta la mano para indicar a su profesor que ha completado el requisito de la razón. El profesor comprueba las respuestas del estudiante, proporciona retroalimentación, y presenta la consecuencia por los problemas acertados. El estudiante da la vuelta a la segunda tarjeta; el requisito de la razón es 1. Después de completar ese único problema, el estudiante recibe otra consecuencia y da la vuelta a la tercera tarjeta. Esta vez la razón es de 14. El ciclo continúa hasta que se utilizan todas las tarjetas. A continuación se pueden añadir nuevas tarjetas o volver a barajar las antiguas para crear una nueva secuencia de números. El promedio de los números no cambia con el nuevo orden.

Programas de intervalo fijo

En un **programa de reforzamiento de intervalo fijo** se presenta un reforzador tras la primera respuesta que se dé después de que haya transcurrido una duración fija de tiempo. Con un programa de intervalo fijo de 3 minutos, la primera respuesta que se dé después de que hayan transcurrido 3 minutos produce el reforzador. Un malentendido procedimental común con el programa de intervalo fijo es asumir que el transcurso del tiempo por sí solo es suficiente para la entrega de un reforzador, suponiendo que el reforzador se entrega al final de cada intervalo de tiempo fijo. Sin embargo, puede transcurrir más tiempo que el del intervalo fijo entre las respuestas reforzadas. El reforzador está disponible después de que haya transcurrido el intervalo de tiempo fijo, y se encontrará disponible hasta la primera respuesta. Cuando la primera respuesta tiene lugar en algún momento después de transcurrido un intervalo fijo, esa respuesta se refuerza de inmediato, y con la presentación del reforzador empieza a contar el tiempo de otro intervalo fijo. Este ciclo de intervalo fijo se repite hasta el final de la sesión.

Son difíciles de encontrar ejemplos reales de programas de intervalo fijo en la vida cotidiana. Sin embargo, algunas situaciones se aproximan y en realidad funcionan como programas de intervalo fijo. Por ejemplo, a menudo el correo se entrega cada día en torno a una hora fija. Un individuo puede mirar muchas veces en el buzón para ver si hay correo, pero solo la primera vez que lo haga después de la entrega del correo producirá reforzamiento. Muchos ejemplos de programas de intervalo fijo descritos en los libros de texto, como el ejemplo del correo, no se ajustan a la definición de programa de intervalo fijo, pero se parecen. Por ejemplo, recibir un cheque como salario por el trabajo de la hora, día, semana o mes es contingente con la primera respuesta del día de pago que produce el cheque. Por supuesto, recibir el cheque requiere muchas respuestas durante el intervalo que finalmente conducen a recibirlo. En un verdadero programa de intervalo fijo, las respuestas durante el intervalo no influirían en el reforzamiento.

Los programas de intervalo fijo son relativamente

fáciles de usar en el contexto aplicado. Un profesor podría presentar reforzamiento de acuerdo a un programa de intervalo fijo de 2 minutos por las respuestas correctas en una hoja de cálculo aritmético. El profesor o el estudiante podrían utilizar un temporizador electrónico con una función de cuenta atrás para indicar el transcurso del intervalo de 2 minutos. La primera respuesta correcta del estudiante después del intervalo produciría reforzamiento, y entonces el profesor pondría a cero el temporizador para el inicio de otro intervalo de 2 minutos. Del mismo modo, el profesor podría usar pequeños instrumentos de temporización tales como el *Gentle Reminder* (dan@gentlereminder.com) y el *MotivAiders* (www.habitchange.com) que vibran para indicar el transcurso de un intervalo.

Efectos del programa de intervalo fijo

Consistencia en la ejecución

Los programas de intervalo fijo se caracterizan por producir una pausa post-reforzamiento en la tasa de respuesta durante la primera parte del intervalo. Hacia el final del intervalo se evidencia una tasa de respuesta inicialmente lenta pero acelerada, alcanzando por lo general una tasa máxima justo antes de la presentación del reforzador. Esta tasa de respuesta gradualmente acelerada hacia el final del intervalo se llama *festón del intervalo fijo* debido a las curvas redondeadas que se muestran en un gráfico acumulativo (véase la figura 13.4).

Los efectos de pausa post-reforzamiento y festón pueden verse en muchas situaciones cotidianas. Cuando a los estudiantes universitarios se les asigna un trabajo para el final del trimestre, por lo general no van inmediatamente a la biblioteca y comienzan a trabajar en el documento. Es más normal que esperen unos días o semanas antes de comenzar a trabajar. Sin embargo, a medida que se acerca la fecha límite, su trabajo aumenta de forma acelerada, y muchos están escribiendo el borrador final justo antes de la clase. Estudiar para un examen final o intermedio es otro ejemplo del efecto de festón del intervalo fijo.

Estos ejemplos con los efectos de pausa post-reforzamiento y festón parecen estar producidos por los programas de reforzamiento de intervalo fijo. No se deben, sin embargo, q que como en el ejemplo del cheque, los estudiantes universitarios deban completar muchas respuestas durante el intervalo para escribir el trabajo u obtener una buena calificación en los exámenes, ni a que el trabajo y los exámenes tengan plazos. Con los programas de intervalo fijo, las respuestas durante el intervalo son irrelevantes, y la respuesta en los programas de intervalo fijo no tiene plazos.

¿Por qué produce un programa de intervalo fijo ese efecto característico de pausa y festón? Después de ajustarse a un programa de intervalo fijo, los participantes aprenden (a) a discriminar el transcurso del tiempo y (b) que las respuestas emitidas justo después de una respuesta reforzada nunca son reforzadas. Por lo tanto, la extinción durante la primera parte del intervalo podría explicar la pausa post-reforzamiento. Los efectos de los programas de reforzamiento de intervalo fijo y de razón fija se parecen en que ambos programas producen pausas post-reforzamiento. Sin embargo, es importante

Definición: La primera respuesta correcta tras una cantidad de tiempo constante y previamente establecido produce el reforzador.

Efectos del Programa: El programa de intervalo fijo (IF) genera una tasa de respuesta que varía entre lenta y moderada con una pausa en la emisión de respuestas que sigue al reforzamiento. La emisión de respuestas comienza a acelerarse hacia el final del intervalo.

Gráfico de curva estilizada de respuestas acumulativas:

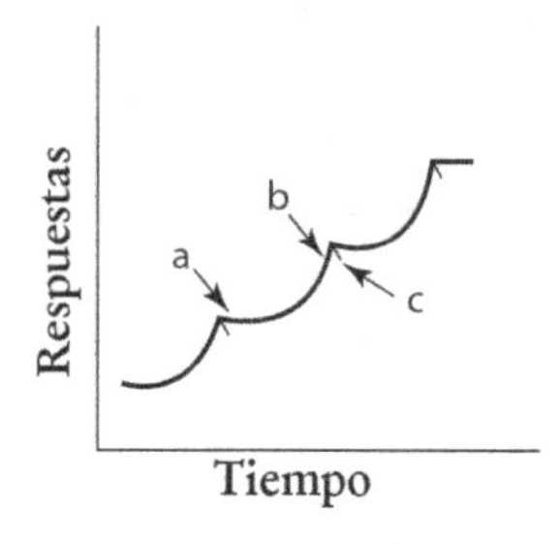

a = pausa post-reforzamiento
b = incremento en las tasas de respuesta conforme el intervalo avanza y el reforzador se hace disponible
c = entrega del reforzamiento de manera contingente a la primera respuesta correcta tras el intervalo

Figura 13.4 Resumen de los efectos del programa de IF durante el reforzamiento en curso.

reconocer las diferentes características de la conducta que emergen en cada programa. Las respuestas bajo un programa de razón fija se emiten a una tasa constante hasta completar el criterio de razón, mientras que las respuestas bajo un programa de intervalo fijo comienzan a una tasa lenta y se aceleran hacia el final de cada intervalo.

Tasa de respuesta

En general, los programas de intervalo fijo tienden a producir tasas de respuesta de bajas a moderadas. La duración del intervalo de tiempo influye en la pausa post-reforzamiento y en la tasa de respuesta; hasta un límite, cuanto mayor sea el criterio de intervalo fijo, más larga será la pausa post-reforzamiento y menor será la tasa global de respuesta.

Programas de intervalo variable

En un **programa de reforzamiento de intervalo variable** se presenta el reforzador tras la primera respuesta correcta después del transcurso de duraciones variables de tiempo. La característica distintiva de los programas de intervalo variable es que "los intervalos entre reforzamientos varían en un orden aleatorio o casi aleatorio" (Ferster y Skinner, 1957, pág. 326). Los analistas de conducta utilizan el promedio (es decir, la media) del intervalo de tiempo previo a la oportunidad de reforzamiento para describir los programas de intervalo variable. Por ejemplo, en un programa de intervalo variable de 5 minutos la duración media de los intervalos entre el reforzamiento y la siguiente oportunidad de reforzamiento es de 5 minutos. La duración real de los intervalos en un programa de intervalo variable de 5 minutos podría ser de 2, de 5, de 3, de 10 minutos, o de *n* minutos (o segundos).

Un ejemplo de reforzamiento de intervalo variable en situaciones cotidianas se produce cuando una persona llama por teléfono a otra cuya línea está ocupada. Este es un programa de intervalo variable porque es necesario un intervalo de tiempo variable para que la segunda persona termine la conversación telefónica y cuelgue, de manera que pueda entrar otra llamada. Después de ese intervalo, la primera marcación del número de la segunda persona probablemente producirá una respuesta (el reforzador). El número de respuestas (intentos) no influye en la disponibilidad de reforzamiento en un programa de intervalo variable; no importa cuántas veces se haya marcado el número ocupado, la llamada no se completará hasta que la línea esté libre. Y el intervalo de tiempo es impredecible en un programa de intervalo variable: la señal de ocupado puede durar un tiempo corto o largo.

Efectos del programa de intervalo variable

Consistencia en la ejecución

Un programa de reforzamiento de intervalo variable tiende a producir una tasa constante y estable de respuesta. La pendiente del programa de intervalo variable en un gráfico acumulativo es uniforme y con pocas pausas en la respuesta (véase la figura 13.5). Un programa de intervalo variable típicamente produce pocas dudas entre las respuestas. Por ejemplo, los exámenes sorpresa en momentos impredecibles tienden a ocasionar una conducta de estudio más consistente en los estudiantes que hacer pruebas programadas a intervalos fijos de tiempo. Por otra parte, los estudiantes son menos

Definición: La primera respuesta correcta tras intervalos variables de tiempo produce el reforzador.

Efectos del Programa: El programa de intervalo variable (IV) genera una tasa de respuesta de lenta a moderada, que es constante y estable. Hay muy pocas pausas post-reforzamiento, si es que ocurre alguna, en este programa.

Gráfico de curva estilizada de respuestas acumulativas:

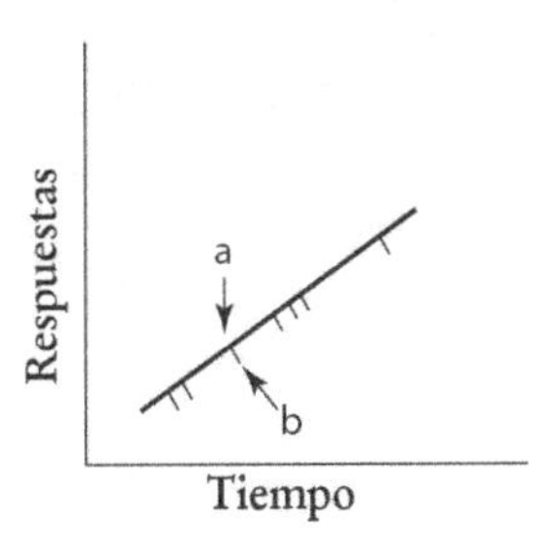

a = tasa de respuesta estable; muy pocas o ninguna pausa post-reforzamiento
b = suministro del reforzador

Figura 13.5 Resumen de los efectos del programa de intervalo variable (IV) durante el reforzamiento en curso.

propensos a involucrarse en conductas que compitan con las tareas académicas durante los períodos de instrucción y estudio cuando es probable que haya un examen sorpresa. El examen sorpresa se utiliza a menudo como ejemplo de programa de intervalo variable debido a que el efecto de su funcionamiento es similar al de una ejecución de intervalo variable. Sin embargo, el examen sorpresa no representa un verdadero programa de intervalo variable debido a las respuestas requeridas durante el intervalo, y la fecha límite para recibir reforzamiento.

Tasa de respuesta

Los programas de reforzamiento de intervalo variable tienden a producir tasas de respuesta de bajas a moderadas. Al igual que en el programa de intervalo fijo, la duración media de los intervalos de tiempo en los programas de intervalo variable influye en la tasa de respuesta; hasta un cierto límite, cuanto mayor sea el intervalo promedio, menor será la tasa global de respuesta. La figura 13.5 resume los efectos producidos típicamente por los programas de intervalo variable durante el reforzamiento en curso.

Programas de intervalo variable en contextos aplicados

Los investigadores básicos utilizan ordenadores para seleccionar y diseñar programas de reforzamiento de intervalo variable, al igual que hacen con los programas de razón variable. Los profesores rara vez aplican programas de intervalo variable de forma planificada y sistemática. Por ejemplo, un profesor puede programar un temporizador electrónico de cuenta atrás con diversos intervalos de tiempo que vayan de 1 a 10 minutos, sin ningún plan previo de qué intervalos serán utilizados o en qué orden. Esta selección de intervalos a medida que vayan saliendo se aproxima a los requisitos básicos de un programa de intervalo variable; sin embargo, no es la forma más efectiva de presentación del reforzamiento en un programa de intervalo variable. Una aplicación planificada y sistemática de intervalos variados de tiempo debería aumentar la eficacia de un programa de intervalo variable.

Por ejemplo, los analistas aplicados de la conducta pueden seleccionar el intervalo de tiempo máximo, ya sea en segundos o minutos, que vaya a mantener la conducta y que siga siendo apropiado para la situación. Preferiblemente, los analistas aplicados de la conducta utilizarán los datos de una evaluación directa para guiar la selección de la duración máxima del intervalo variable, o por lo menos el juicio clínico basado en la observación directa. Los analistas pueden utilizar una tabla de números aleatorios para seleccionar los diversos intervalos de entre 1 y el intervalo máximo, y luego identificar el programa de intervalo variable mediante el cálculo de un valor medio para el programa de intervalo variable. El programa de intervalo variable puede necesitar ajustes tras la selección de los intervalos de tiempo. Por ejemplo, si un intervalo medio de tiempo mayor parece razonable, el profesor puede reemplazar algunos de los intervalos más pequeños por otros más grandes. A la inversa, si el promedio parece demasiado grande, los profesores pueden sustituir algunos de los intervalos mayores por otros más pequeños.

Programas de intervalo con espera limitada

Cuando se añade una **espera limitada** a un programa de intervalo, el reforzamiento sigue estando disponible por un tiempo finito después de que haya transcurrido el intervalo fijo o variable. El participante perderá la oportunidad de recibir reforzamiento si la respuesta requerida no se produce dentro del límite de tiempo. Por ejemplo, en un programa de intervalo fijo de 5 minutos con una espera limitada de 30 segundos, se refuerza la primera respuesta correcta después de transcurridos 5 minutos, pero solo si la respuesta se produce dentro de los 30 segundos posteriores al final del intervalo de 5 minutos. Si no se produce ninguna respuesta dentro de esos 30 segundos, la oportunidad para el reforzamiento se da por perdida y comienza un nuevo intervalo. La abreviatura EL identifica los programas de intervalo que utilizan espera limitada (p.ej., intervalo fijo 5 minutos EL 30 segundos, intervalo variable 3 minutos EL 1 minuto). Las esperas limitadas con los programas de intervalo normalmente no cambian las características generales de la respuesta de los programas de intervalo fijo y variable más allá de un posible aumento de la tasa de respuesta.

Martens, Lochner, y Kelly (1992) utilizaron un programa de reforzamiento social de intervalo variable para aumentar la implicación académica de dos niños de 8 años de edad en una clase de tercer curso. El profesor informó de que los niños presentaban importantes conductas de distracción de la tarea. El experimentador llevaba un auricular conectado a una grabadora que contenía una cinta con señales de tiempo fijo de 20 segundos. La grabación se programó de acuerdo con un programa de reforzamiento de intervalo variable en el que solo algunos de los intervalos de 20 segundos daban la oportunidad de recibir reforzamiento en forma de

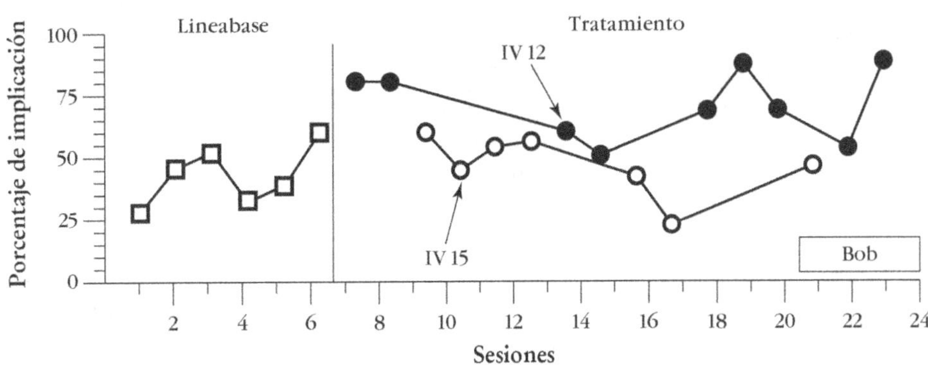

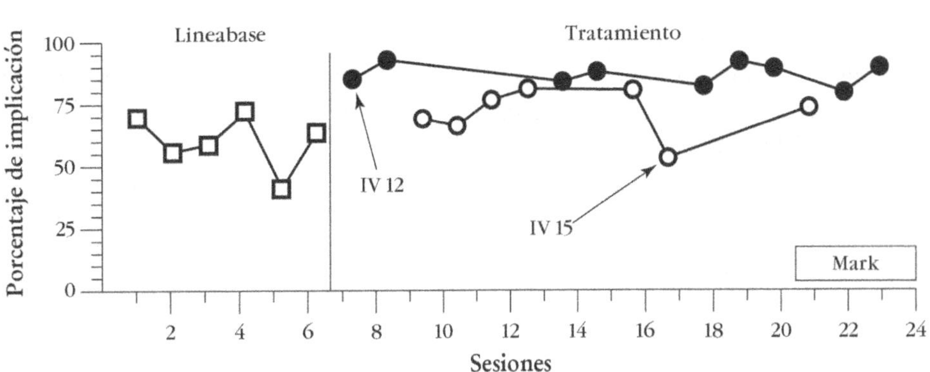

Figura 13.6 Porcentaje de implicación académica de cada sujeto a lo largo de todas las condiciones del experimento 2.

Tomado de "The Effects of a Variable-Interval Reinforcement on Academic Engagement: A Demonstration of Matching Theory" B.K. Martens, D.G. Lochner y S.Q. Kelly, 1992, *Journal of Applied Behavior Analysis*, 25, pág. 149. © Copyright 1992 Society for the Experimental Analysis of Behavior, Inc. Reimpreso con permiso.

elogio verbal por la implicación en tareas académicas. Si los chicos no estaban dedicados a hacer tareas académicas cuando el tiempo del intervalo variable se cumplía, perdían esa oportunidad de reforzamiento hasta la próxima señal. Por lo tanto, este programa de intervalo variable implicaba un tiempo muy corto de espera limitada para la disponibilidad del reforzamiento. Después de la lineabase, el experimentador elogiaba de manera contingente siguiendo un programa de intervalo variable de 5 minutos o uno de intervalo variable de 2 minutos que alternaba cada día de forma casi aleatoria. La dedicación académica de ambos chicos en el programa de intervalo variable de 5 minutos se pareció a la de la lineabase. Ambos alumnos tuvieron un mayor porcentaje de dedicación académica bajo el programa de intervalo variable de 2 minutos que en las otras dos condiciones mencionadas. La figura 13.6 presenta los porcentajes de dedicación académica a lo largo de la lineabase y de las dos condiciones de intervalo variable.

Aligeramiento del reforzamiento intermitente

Los analistas aplicados de la conducta suelen usar uno de dos procedimientos posibles de **aligeramiento del programa**. Según el primer procedimiento, se aligera un programa existente aumentando gradualmente la razón de la respuesta o la duración del intervalo de tiempo. Si un estudiante ha respondido con éxito a las operaciones de suma y respondió bien a un programa de reforzamiento continuo durante dos o tres sesiones, el profesor podría relajar la contingencia de reforzamiento lentamente desde el reforzamiento de cada suma correcta (reforzamiento continuo) a un programa de reforzamiento de razón variable 2 o 3. La conducta del estudiante debe guiar la progresión desde un programa denso (es decir, en el que las respuestas producen reforzamiento frecuente) a un programa ligero (es decir, aquel en el que las respuestas producen reforzamiento menos frecuente). Los analistas aplicados de la conducta deberían utilizar pequeños aumentos de cambios programados durante el aligeramiento y la evaluación continua del desempeño del estudiante, para ajustar el proceso de aligeramiento y evitar la pérdida de mejoras previas.

Siguiendo el segundo procedimiento, los profesores suelen utilizar instrucciones para comunicar con claridad el programa de reforzamiento, lo que facilita una transición suave durante el proceso de aligeramiento. Las instrucciones incluyen reglas, indicaciones y señales. Los participantes no necesitan tener conocimiento de las contingencias ambientales para que el reforzamiento intermitente sea eficaz, pero las instrucciones podrían aumentar la eficacia de las intervenciones cuando a los participantes se les dice que conductas son las que producen reforzamiento.

Como resultado de aumentos bruscos en el criterio de

razón cuando se pasa de programas de reforzamiento más densos a más ligeros se puede **forzar la razón**. Este hecho se asocia normalmente con características de conducta como la evitación, la agresión y la ocurrencia de pausas impredecibles en la respuesta. Los analistas aplicados de la conducta deberían reducir el criterio de razón cuando sea evidente que se ha forzado. El analista puede de nuevo aligerar gradualmente el criterio de razón después de la recuperación de la conducta. Los aumentos pequeños y graduales del criterio de razón ayudan a evitar que se fuerce la razón. También se forzará la razón cuando se haga tan grande que el reforzamiento no pueda mantener el nivel de respuesta o que el criterio de respuesta exceda las capacidades fisiológicas del participante.

Variaciones en los programas de reforzamiento intermitente básicos

Programas de reforzamiento diferencial de tasas de respuesta

Los analistas aplicados de la conducta con frecuencia se encuentran con problemas de conducta que resultan de la tasa a la que las personas realizan ciertas conductas. Responder con muy poca frecuencia, o con demasiada frecuencia, puede ser perjudicial para las interacciones sociales o el aprendizaje académico. El reforzamiento diferencial proporciona una intervención para los problemas de conducta asociados con la tasa de respuesta. El reforzamiento diferencial de tasas particulares de conducta es una variación de los programas de razón. La entrega del reforzador es contingente a las respuestas que se produzcan a una tasa más alta o más baja que algún criterio predeterminado. El reforzamiento de las respuestas a una tasa más alta que un criterio predeterminado se llama **reforzamiento diferencial de tasas altas (RDTA).** Cuando se refuerzan las respuestas solo cuando se dan a una tasa más baja que el criterio, el programa presenta **reforzamiento diferencial de tasas bajas (RDTB).** Los programas RDTA producen una tasa alta de respuesta mientras que los programas RDTB producen una tasa baja de respuesta.

Los analistas aplicados de la conducta utilizan tres definiciones de los programas de RDTA y RDTB. La primera definición establece que el reforzamiento solo está disponible para las respuestas que están separadas entre sí por una duración determinada de tiempo. Esta primera definición se denomina a veces RDTB o RDTA de respuestas espaciadas. Un tiempo entre respuesta (TER) identifica el tiempo que transcurre entre dos respuestas. El TER y la tasa de respuesta están funcionalmente relacionados. Los tiempos entre respuesta largos producen tasas bajas de respuesta; los tiempos entre respuesta cortos producen tasas altas de respuesta. Responder en un programa RDTA produce reforzamiento cada vez que se da una respuesta antes de que haya transcurrido un criterio de tiempo. Si el criterio de tiempo es de 30 segundos, la respuesta del participante produce reforzamiento solo cuando el TER es de 30 segundos o menos.

Bajo el programa de RDTB una respuesta produce reforzamiento cuando ocurre después de que haya transcurrido un criterio de tiempo. Si el criterio de tiempo establecido es de nuevo 30 segundos, una respuesta produce reforzamiento solo cuando el TER es de 30 segundos o más.

Esta primera definición de los programas de RDTA y RDTB como programas de reforzamiento del TER se ha utilizado casi exclusivamente en el laboratorio. Hay dos razones aparentes para su falta de aplicación en los contextos aplicados: (a) la mayoría de las contextos aplicados no tienen suficiente equipamiento automatizado para medir el TER y para suministrar el reforzamiento utilizando un criterio de TER; y (b) el reforzamiento se entrega por lo general, pero no necesariamente, después de cada respuesta que cumpla con el criterio del TER. Tal reforzamiento frecuente interrumpiría la actividad del estudiante en la mayoría de ambientes educativos. Sin embargo, con el mayor uso de ordenadores en la práctica tutorial y la actividad académica, habrá oportunidades cada vez mayores para la utilización de programas de reforzamiento basados en el TER para acelerar o desacelerar las respuestas académicas. Los ordenadores pueden controlar las pausas entre las respuestas académicas y proporcionar consecuencias por cada respuesta que satisfaga el criterio del TER, con poca alteración en la actividad instruccional.

Basándose en los procedimientos de laboratorio para la programación de los programas RDTB presentados anteriormente, Deitz (1977) etiquetó y describió dos procedimientos adicionales para el uso de reforzamiento diferencial de tasas de respuesta en contextos aplicados: RDTA o RDTB de sesión completa, y RDTA y RDTB de intervalo. Deitz utilizó inicialmente los procedimientos de sesión completa e intervalo como una intervención de RDTB para problemas de conducta. Los procedimientos de sesión completa e intervalo, sin embargo, se aplican también para el RDTA.

En un programa de RDTA de sesión completa se

presenta reforzamiento si el número total de respuestas durante la sesión cumple o supera un número criterio. Si el participante emite menos del número especificado de respuestas durante la sesión, la conducta no se refuerza. El programa RDTB de sesión completa es procedimentalmente igual que el programa de RDTA, excepto que se presenta reforzamiento por responder en el criterio límite o por debajo. Si el participante emite más del número especificado de respuestas durante la sesión, el reforzador no se presenta.

La definición de intervalo para los programas de RDTA y RDTB consiste en que el reforzamiento está disponible solo para las respuestas que se produzcan a una tasa mínima o una tasa máxima dentro de periodos cortos de tiempo durante la sesión. Para aplicar un programa de reforzamiento diferencial de intervalo de tasas altas, el analista aplicado de la conducta organiza la sesión de instrucción en intervalos de tiempo iguales y dispensa un reforzador al final de cada intervalo cuando el estudiante emite un número de respuestas igual a, o mayor que, un criterio establecido. El programa de reforzamiento diferencial de intervalo de tasas bajas es procedimentalmente igual que el de tasas altas con la excepción de que se proporciona reforzamiento por responder en o por debajo del criterio límite.

El programa de **reforzamiento diferencial de tasas decrecientes (RDTD)** proporciona reforzamiento al final de un intervalo de tiempo predeterminado cuando el número de respuestas es menor que un criterio que se reduce gradualmente a lo largo de los intervalos según la ejecución del individuo (p.ej., menos de cinco respuestas en 5 minutos, menos de cuatro respuestas en 5 minutos, menos de tres respuestas en 5 minutos, etc.). Deitz y Repp (1973) utilizaron una contingencia grupal de RDTD para reducir las conversaciones que no tenían que ver con las tareas académicas en 15 chicas de los últimos cursos de bachillerato. Establecieron el primer criterio límite de RDTD en cinco o menos ocurrencias de la conducta de conversar durante cada sesión de clase de 50 minutos. Los criterios límite se redujeron gradualmente a tres o menos, uno o menos, y por último a ninguna respuesta. Las estudiantes conseguían un viernes libre de asistir a clase si de lunes a jueves hablaban por debajo del límite establecido para el RDTD.

El ejemplo anterior de programa RDTD utilizó un procedimiento idéntico al descrito para la el RDTB de sesión completa. El RDTD es también una variación procedimental de los programas de RDTB de intervalo descritos por Deitz (1977) y Deitz y Repp (1983). El procedimiento típico para el uso de un programa de RDTB de intervalo como intervención sobre los problemas de conducta proporciona reforzamiento contingente por la emisión de una o ninguna respuesta en un intervalo corto. Después de que el problema de conducta se estabilice en el criterio inicial, el analista aplicado de la conducta mantiene el criterio máximo de una o ninguna respuesta por intervalo, pero aumenta la duración de los intervalos de la sesión para disminuir aún más la conducta. El aumento de la duración de los intervalos de la sesión continúa gradualmente hasta que el problema de conducta una tasa final de respuesta baja.

Deitz y Repp (1983), posteriormente, programaron el RDTB de intervalo con el criterio de más de una respuesta por intervalo, y después disminuyeron gradualmente el número máximo de respuestas por intervalo mientras que la duración del intervalo se mantuvo constante (p. ej., menos de cinco respuestas en 5 minutos, menos de cuatro respuestas en 5 minutos, menos de tres respuestas en 5 minutos, etc.). El programa del RDTD y el programa de RDTB de intervalo que utiliza un criterio máximo mayor de una respuesta por intervalo son términos diferentes para referirse al mismo procedimiento. Los programas de RDTB de sesión completa y de intervalo tienen una larga historia de aplicación en el análisis aplicado de la conducta. (Para una descripción detallada del reforzamiento diferencial de la tasa de respuesta, véase el Capítulo 22.) El RDTD ofrece a los analistas aplicados de la conducta una nueva, y quizás mejor, etiqueta para el procedimiento de RDTB de intervalo.

Programas de reforzamiento progresivos

Un **programa de reforzamiento progresivo** sistemáticamente aligera cada oportunidad sucesiva de reforzamiento independientemente de la conducta del participante. Los programas progresivos de razón y de intervalo cambian el criterio del programa utilizando (a) progresiones aritméticas que añaden una cantidad constante por cada razón o intervalo sucesivo o (b) progresiones geométricas que añaden sucesivamente una proporción constante a la razón o el intervalo precedente (Lattal y Neef, 1996). Los programas progresivos de reforzamiento se utilizan a menudo para la evaluación de reforzadores y para la intervención conductual, como se describirá en las siguientes secciones. (Véase también el Capítulo 14.)

Utilización de los programas progresivos para la evaluación de reforzadores

Los analistas aplicados de la conducta normalmente utilizan un programa denso de reforzamiento (p.ej., reforzamiento continuo) durante la evaluación de reforzadores mientras presentan estímulos preferidos para aumentar o mantener la conducta existente. Sin embargo; Roane, Lerman, y Vorndran (2001) advirtieron de que "los efectos de reforzamiento obtenidos durante la típica evaluación de reforzadores pueden tener una capacidad limitada de generalización de cara a la eficacia del tratamiento cuando se utilice el aligeramiento del programa y otras disposiciones de reforzamiento complejas" (pág. 146). Hicieron una importante advertencia clínica al mostrar que dos reforzadores podrían ser igualmente eficaces en programas de reforzamiento densos, pero diferencialmente eficaces cuando el programa de reforzamiento requiere más respuestas por reforzador. Los programas progresivos de reforzamiento proporcionan un procedimiento de evaluación que permite la identificación de reforzadores que puedan mantener los efectos del tratamiento a lo largo de los sucesivos aumentos del criterio del programa. Durante la sesión, los programas progresivos son típicamente aligerados hasta el "punto de ruptura", en el que el participante deja de responder. La comparación de los puntos de ruptura y del correspondiente número de respuestas asociadas a cada reforzador puede identificar efectos relativos de reforzamiento.

Utilización de los programas progresivos para la intervención

Los analistas aplicados de la conducta han utilizado los programas progresivos para desarrollar el autocontrol (p.ej., Binder, Dixon, y Ghezzi, 2000; Dixon y Cummins, 2001). Por ejemplo, Dixon y Holcomb (2000) utilizaron un programa progresivo para desarrollar conductas de trabajo cooperativo y autocontrol en seis adultos con diagnóstico dual de retraso mental y trastornos psiquiátricos. Los adultos participaron en dos grupos compuestos por tres hombres en el grupo 1 y tres mujeres en el grupo 2. Durante una condición de lineabase natural, los grupos recibieron instrucciones para intercambiar o compartir cartas con el fin de completar una tarea cooperativa de clasificación en mazos por categorías (es decir, corazones con corazones, etc.). Dixon y Holcomb dieron por finalizada la sesión de lineabase natural del grupo cuando uno de los adultos dejó de clasificar las cartas.

Los grupos recibían puntos por trabajar en la tarea de clasificación de cartas durante la condición de lineabase de elección y la condición de entrenamiento en autocontrol, y luego podrían intercambiar los puntos conseguidos por artículos tales como reproductores de música o bebidas, valorados de 3 a 100 puntos.

Durante las condiciones de lineabase de elección, los participantes podían elegir entre obtener 3 puntos de forma inmediata antes de clasificar las cartas u obtener 6 puntos de forma demorada después de haber clasificado las cartas. Ambos grupos eligieron el número más pequeño e inmediato de puntos en lugar de la cantidad más grande y demorada del reforzador.

Durante el entrenamiento de autocontrol, a los participantes se les preguntaba mientras trabajaban en una tarea cooperativa, "¿desea 3 puntos ahora, o le gustaría 6 puntos después de clasificar las cartas durante Z minutos o segundos?" (págs. 612-613). La demora fue inicialmente de 0 segundos para ambos grupos. La demora progresiva del reforzamiento variaba desde incrementos de 60 hasta 90 segundos después de cada sesión en la que la ejecución del grupo cumplía con el criterio exacto del número de segundos de dedicación a la tarea. Los objetivos finales de demora del reforzador fueron de 490 segundos para el grupo 1 y de 772 segundos para el grupo 2. Ambos grupos lograron estos objetivos de demora del reforzamiento. Tras la introducción del procedimiento de demora progresiva, ambos grupos mejoraron su implicación en el trabajo cooperativo y el autocontrol necesario para seleccionar demoras del reforzamiento progresivamente mayores que resultaban en la obtención de más puntos. La figura 13.7 muestra el rendimiento de ambos grupos de adultos en la lineabase natural, en la lineabase de elección, y en la condición de entrenamiento en autocontrol.

Programas combinados de reforzamiento

Los analistas aplicados de la conducta combinan los elementos de reforzamiento continuo, los cuatro programas de reforzamiento intermitente, el reforzamiento diferencial de varias tasas de respuesta y la extinción, para formar **programas combinados** de reforzamiento. Los elementos de estos programas básicos pueden ocurrir

- sucesiva o simultáneamente;
- con o sin estímulos discriminativos; y
- como una contingencia de reforzamiento por cada elemento de forma independiente, o como una contingencia formada por la combinación de todos los elementos (Ferster y Skinner, 1957).

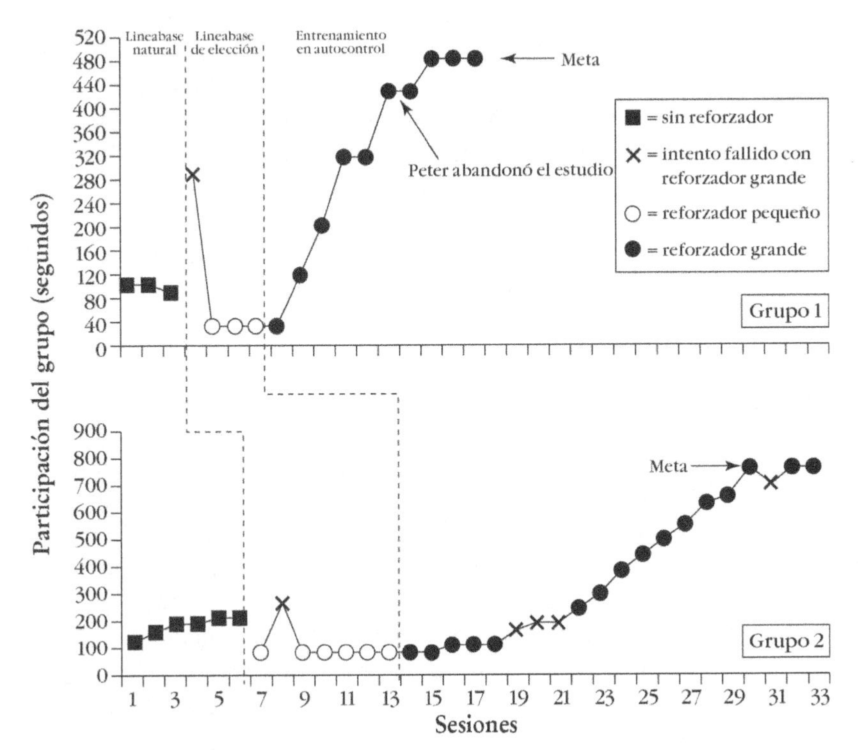

Figura 13.7 Segundos de participación en la actividad de demora concurrente consistente en la clasificación de cartas durante las condiciones de lineabase natural, de lineabase de elección y de entrenamiento en autocontrol de cada grupo de participantes. Los círculos sólidos representan la ejecución en el nivel de criterio exacto, y la x representa el número de segundos de participación por debajo del criterio establecido.

Tomado de "Teaching Self-Control to Small Groups of Dually Diagnosed Adults" M.R. Dixon y S. Holcomb, 2000, *Journal of Applied Behavior Analysis*, 33, pág. 613. © Copyright 1992 Society for the Experimental Analysis of Behavior, Inc. Reimpreso con permiso.

Programas concurrentes

Un **programa concurrente** de reforzamiento se produce cuando (a) dos o más contingencias de reforzamiento (b) operan independientemente y de forma simultánea (c) para dos o más conductas. La gente en el ambiente natural tiene oportunidades de tomar decisiones entre eventos simultáneamente disponibles. Por ejemplo, Sonia recibe una paga semanal de sus padres contingente a hacer diariamente las tareas domésticas y a practicar violonchelo. Después del colegio, puede elegir el momento de hacer las tareas domésticas y de practicar violonchelo, y puede distribuir sus respuestas entre estos dos programas de reforzamiento disponibles de forma simultánea. Los analistas aplicados de la conducta utilizan programas concurrentes para la evaluación de reforzadores y para las intervenciones conductuales.

Utilización de los programas concurrentes para la evaluación de reforzadores

Los analistas aplicados de la conducta han utilizado ampliamente los programas concurrentes para ofrecer posibilidades de elección en la evaluación de preferencias por las consecuencias, y en la evaluación de las cantidades de respuesta (p.ej., fuerza o amplitud) y de las cantidades de reforzador (p.ej., tasa, duración, inmediatez o cantidad). Medir los niveles de respuesta en los programas concurrentes proporciona un procedimiento de evaluación deseable porque (a) el participante hace elecciones, (b) las elecciones que se hacen durante la evaluación se aproximan al ambiente natural, (c) el programa es eficaz en la generación de hipótesis acerca de los reforzadores potenciales que operan en el entorno del participante, y (d) estas evaluaciones requieren que el participante elija entre estímulos en lugar de indicar la preferencia por un estímulo determinado (Adelinis, Piazza, y Goh, 2001; Neef, Bicard, y Endo, 2001; Piazza y col., 1999).

Roane, Vollmer, Ringdahl, y Marcus (1998) presentaron 10 artículos a un participante, 2 artículos a la vez. El participante tenía 5 segundos para seleccionar 1 artículo mediante el uso de una respuesta de alcance con la que intentaba tocar el artículo seleccionado. Como consecuencia de la selección, el participante recibía el artículo durante 20 segundos. El analista daba ayudas verbales a la respuesta si el participante no respondía en 5 segundos, esperando otros 5 segundos para la ocurrencia de la respuesta solicitada. Se eliminaban artículos de la evaluación (a) si no se elegían durante las primeras cinco presentaciones o (b) si se elegían dos o menos veces durante las primeras siete presentaciones. El participante hacía un total de 10 elecciones entre los artículos restantes. El número de elecciones de cada 10 oportunidades sirvió como índice de preferencia.

Utilización de los programas concurrentes para la intervención

Los analistas aplicados de la conducta han utilizado ampliamente los programas concurrentes para mejorar las competencias vocacionales, académicas y sociales en situaciones aplicadas (p.ej., Cuvo, Lerch, Leurquin, Gaffaney, y Poppen, 1998; Reid, Parsons, Green, y Browning, 2001; Romaniuk et al., 2002). Por ejemplo, Hoch, McComas, Johnson, Faranda, y Guenther (2002) dispusieron dos alternativas de respuesta concurrentes en tres niños con autismo. Los niños podían jugar en un contexto con un compañero o hermano, o jugar solos en otro contexto. Hoch y sus colaboradores manipularon la duración del acceso a los juguetes (es decir, la magnitud del reforzador) y la preferencia (es decir, la calidad del reforzador). En una condición, la magnitud y la calidad del reforzador eran iguales en ambos contextos. En la otra condición, la magnitud y la calidad del reforzador eran mayores en el contexto de juego en el que estaban con el compañero o hermano que en contexto solitario. Con la introducción de la condición de mayor magnitud y calidad del reforzador, los chicos se dedicaron a jugar más en el contexto con el compañero o hermano que en el contexto en el que estaban solos. La magnitud y la calidad del reforzador influyeron en las elecciones hechas por los tres niños. La figura 13.8 representa el porcentaje de distribución de las respuestas en los lugares de juego concurrente.

Ejecuciones concurrentes: la formalización de la ley de la igualación

Cuvo y sus colegas (1998) informaron que los programas concurrentes normalmente producen dos patrones de respuesta. Con los programas concurrentes de intervalo (fijo o variable), los participantes "no suelen asignar la totalidad de sus respuestas exclusivamente al mejor programa [es decir, al programa que resulta en la mayor tasa de reforzamiento]; más bien, distribuyen sus respuesta entre los dos programas para igualar o aproximarse a la proporción de reforzamiento que

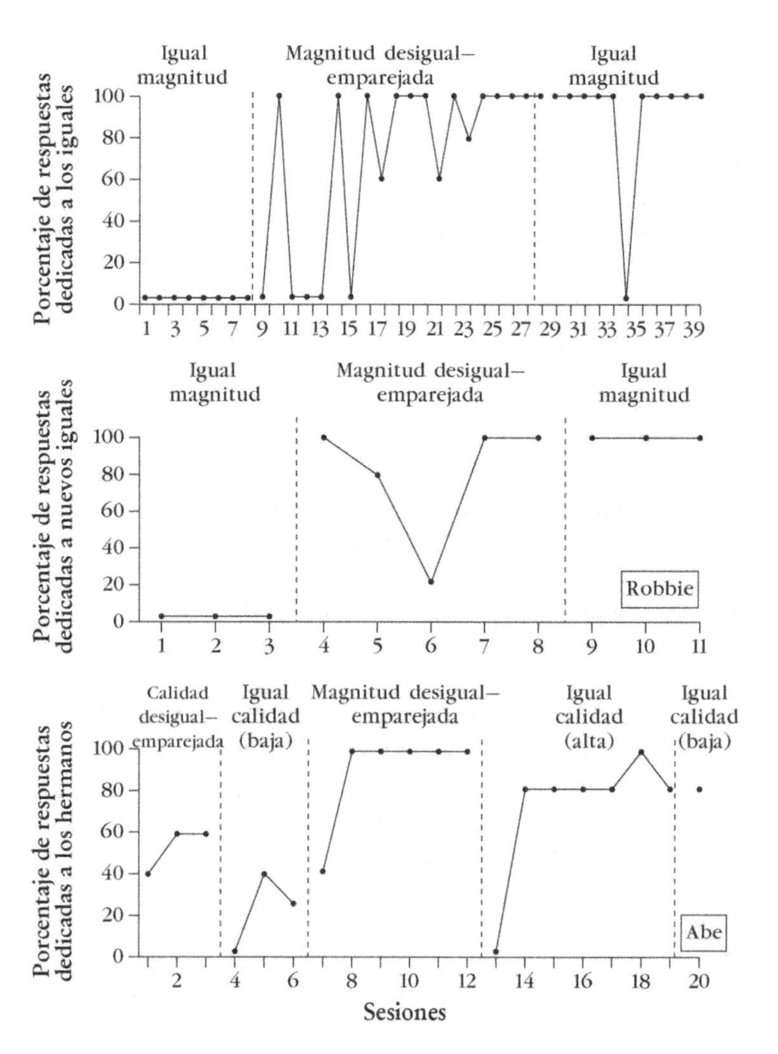

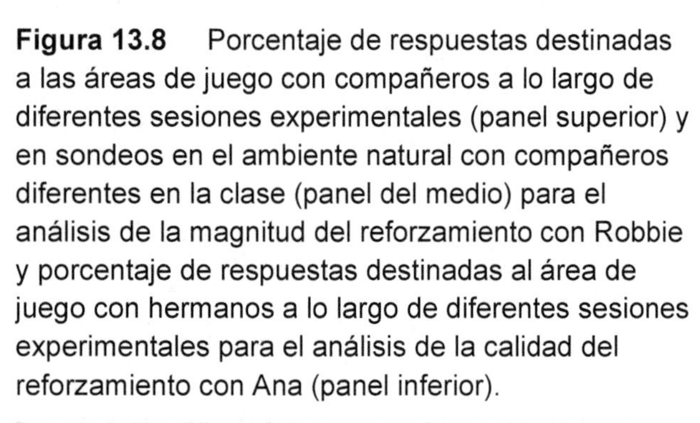

Figura 13.8 Porcentaje de respuestas destinadas a las áreas de juego con compañeros a lo largo de diferentes sesiones experimentales (panel superior) y en sondeos en el ambiente natural con compañeros diferentes en la clase (panel del medio) para el análisis de la magnitud del reforzamiento con Robbie y porcentaje de respuestas destinadas al área de juego con hermanos a lo largo de diferentes sesiones experimentales para el análisis de la calidad del reforzamiento con Ana (panel inferior).

Tomado de "The Effects of Magnitude and Quality of Reinforcement on Choice Responding During Play Activities" H. Hoch, J.J McComas, L.Johnson, N. Faranda y S.L. Guenther, 2002, *Journal of Applied Behavior Analysis, 35,* pág. 177. © Copyright 1992 Society for the Experimental Analysis of Behavior, Inc. Reimpreso con permiso.

realmente se obtiene en cada programa por separado" (pág. 43). Por el contrario, con los programas concurrentes de razón (fija o variable), los participantes son sensibles a los programas de razón y tienden a maximizar el reforzamiento respondiendo principalmente a la razón que produce la mayor tasa de reforzamiento.

Williams (1973) identificó tres tipos de interacciones que se obtienen con los programas concurrentes. En primer lugar, cuando se programa un reforzamiento similar para cada una de las respuestas concurrentes, la respuesta que produzca la mayor frecuencia de reforzamiento aumentará en tasa mientras que se dará una disminución correspondiente en la tasa de respuesta de la otra alternativa. En segundo lugar, cuando una respuesta produce reforzamiento y la otra produce castigo, las respuestas asociadas con el castigo disminuirán. Esta disminución puede producir una mayor tasa de respuesta para la conducta que produce reforzamiento. En tercer lugar, con un programa concurrente diseñado para que una respuesta produzca reforzamiento y la otra respuesta produzca la evitación de un estímulo aversivo, la tasa de respuesta de evitación se acelerará con un aumento en la intensidad o la frecuencia del estímulo aversivo. A medida que se acelera la tasa de la respuesta de evitación, la tasa de respuesta típica del programa de reforzamiento disminuirá.

Las características de ejecución en los programas concurrentes detallados anteriormente por Cuvo y colaboradores y por Williams son consistentes con las relaciones formalizadas por Herrnstein (1961, 1970) en la **ley de igualación.** La ley de igualación da cuenta de la distribución de las respuestas entre las opciones disponibles en los programas concurrentes de reforzamiento. Básicamente, la tasa de respuesta normalmente es proporcional a la tasa de reforzamiento recibido en cada alternativa elección.

Programas discriminativos de reforzamiento

Programas múltiples

Un **programa múltiple** presenta dos o más programas básicos de reforzamiento en una secuencia alternada, por lo general al azar. Los programas básicos dentro del programa múltiple se producen sucesivamente y de forma independiente. Un estímulo discriminativo se correlaciona con cada programa básico y está presente mientras el programa esté vigente.

Las conductas académicas pueden llegar a ser sensibles al control de programas múltiples de reforzamiento. Un estudiante puede responder a problemas aritméticos básicos con su profesor, y también con su tutor. Con el profesor, el estudiante responde a los problemas aritméticos durante la instrucción en grupos pequeños mientras que el tutor le ofrece más tarde instrucción individual y práctica de los problemas. Esta situación sigue un programa múltiple porque hay una clase de conducta (es decir, las operaciones matemáticas), un estímulo discriminativo para cada contingencia en vigor (es decir, profesor/tutor y grupo pequeño/actuación individual), y diferentes condiciones de reforzamiento (es decir, el reforzamiento es menos frecuente en la enseñanza en grupo). En otro ejemplo cotidiano de programa múltiple, Jaime ayuda a su madre y a su padre a limpiar la casa los viernes por la tarde y los sábados por la mañana. Jaime limpia la habitación y el baño de su abuela los viernes por la tarde, y el salón y el baño de abajo los sábados por la mañana. Jaime recibe 5 dólares cada semana por la limpieza de las estancias de su abuela, pero no recibe dinero por la limpieza del salón o el baño de abajo. De nuevo, hay una clase de conducta de interés (es decir, limpiar la casa), una señal para cada contingencia en vigor (es decir, las habitaciones de la abuela los viernes y las otras habitaciones los sábados), y diferentes programas de reforzamiento asociados a las diferentes señales (es decir, 5 dólares por las habitaciones de la abuela y nada de paga por las otras habitaciones).

Programas encadenados

Un **programa encadenado** es similar a un programa múltiple. Tanto los programas múltiples como los encadenados tienen dos o más criterios de programas básicos que se producen sucesivamente, y tienen un estímulo discriminativo correlacionado con cada programa independiente. Un programa encadenado difiere de un programa múltiple de tres maneras. En primer lugar, los programas básicos en un programa encadenado siempre se producen en un orden específico, nunca en el orden aleatorio o impredecible de los programas múltiples. En segundo lugar, la conducta puede ser la misma para todos los elementos de la cadena, o se pueden requerir diferentes conductas para los diferentes elementos de la cadena. En tercer lugar, el reforzador condicionado por responder en el primer elemento de una cadena es la presentación del segundo elemento; el reforzador condicionado por responder en el segundo elemento es la presentación del tercer elemento, y así sucesivamente hasta que se hayan completado todos los elementos de la cadena en una secuencia específica. El último elemento normalmente produce reforzamiento incondicionado en un entorno de laboratorio, o reforzamiento incondicionado o condicionado en situaciones aplicadas.

El siguiente ejemplo muestra una secuencia compleja de diferentes conductas que deben ocurrir en un orden específico. Para cambiar la dirección en una bicicleta, el mecánico debe completar una cadena con 13 componentes: (1) desconectar el cable del freno delantero; (2) quitar el manillar y el vástago; (3) quitar la rueda delantera; (4) quitar la tuerca; (5) desatornillar la potencia (6) separar la horquilla del marco; (7) revisar la potencia; (8) engrasar y reemplazar las bolas del cojinete del extremo inferior; (9) engrasar y reemplazar las bolas del cojinete del extremo superior; (10) engrasar las roscas de la columna de dirección; (11) poner la horquilla en el marco y encajar la potencia; (12) volver a colocar la arandela de seguridad; (13) ajustar y bloquear la dirección. El resultado final (es decir, una dirección de bicicleta limpia, engrasada y ajustada) es contingente a la finalización de los 13 componentes. (Para una descripción detallada de las cadenas conductuales y de cómo los analistas aplicados de la conducta ayudan a las personas a aprender cadenas conductuales nuevas y más complejas, véase el Capítulo 20).

Programas no discriminativos de reforzamiento

Programas mixtos

El **programa mixto** usa un procedimiento idéntico al de los programas múltiples, excepto porque el programa mixto no tiene estímulos discriminativos correlacionados con los programas independientes. Por ejemplo, con un programa mixto de razón fija 10 e intervalo fijo 1, el reforzamiento a veces se produce después de que se completen 10 respuestas y otras veces tras la primera respuesta correcta después de que haya transcurrido un intervalo de 1 minuto desde el reforzador anterior.

Programas tándem

El **programa tándem** utiliza un procedimiento idéntico al del programa encadenado, excepto que, como sucede en el programa mixto, el programa tándem no utiliza estímulos discriminativos para los elementos de la cadena. Después de que un participante emita 15 respuestas en un tándem de razón fija 15 e intervalo fijo 2, la primera respuesta correcta después de transcurridos 2 minutos producirá el reforzador.

Los estímulos antecedentes parecen relacionarse funcionalmente con la ocurrencia de la mayoría de las conductas en el ambiente natural, por tanto, los programas mixtos y tándem probablemente tienen poca aplicabilidad práctica en este momento. Sin embargo, la investigación básica ha dado lugar a una cantidad considerable de datos relativos sobre los efectos de los programas mixtos y tándem sobre la conducta. Se entenderá más claramente la forma en la que los analistas aplicados de la conducta pueden utilizar con eficacia los programas mixtos y tándem en la evaluación, la intervención y el análisis a medida que se siga desarrollando el conocimiento básico en análisis aplicado de la conducta.

Programas de reforzamiento que combinan el número de respuestas y el tiempo

Programas alternativos

En un **programa alternativo** se presenta el reforzamiento cada vez que se cumple el criterio de un programa de razón o de un programa de intervalo (los programas básicos que componen el alternativo), independientemente del criterio de cuál de los componentes del programa se cumplió primero. Con un programa alternativo de razón fija 50 e intervalo fijo minutos, el reforzamiento se entrega cada vez que se cumple cualquiera de estas dos condiciones: (a) 50 respuestas correctas, siempre que no haya transcurrido el intervalo de 5 minutos; o (b) la primera respuesta después del transcurso de 5 minutos, siempre que se hayan emitido menos de 50 respuestas.

Por ejemplo, un profesor que utilice un programa de reforzamiento alternativo de razón fija 25 e intervalo fijo 3 minutos asigna 25 problemas de matemáticas y evalúa las respuestas correctas e incorrectas del estudiante cuando han transcurrido 3 minutos. Si el estudiante completa los 25 problemas antes del transcurso de los 3 minutos, el profesor comprueba las respuestas del estudiante y proporciona una consecuencia conforme al programa de razón fija 25. Sin embargo, si el criterio de razón de 25 problemas matemáticos no se ha completado transcurridos los 3 minutos, la primera respuesta correcta después de 3 minutos produce reforzamiento. El programa alternativo ofrece la ventaja de una segunda oportunidad de reforzamiento si el estudiante no ha cumplido el criterio de razón fija en un período razonable de tiempo. El intervalo fijo proporciona reforzamiento por una respuesta, y esa respuesta reforzada podría alentar a continuar respondiendo con el nuevo inicio del criterio de razón fija.

Programas conjuntivos

Un **programa conjuntivo** de reforzamiento se da siempre que el reforzamiento siga al cumplimiento de los criterios de respuesta tanto de un programa de razón como de uno de intervalo. Por ejemplo, la conducta de un estudiante produce reforzamiento cuando hayan transcurrido al menos 2 minutos y se hayan realizado 50 respuestas. Esta disposición constituye un programa de reforzamiento conjuntivo de intervalo fijo 2 y razón fija 50. Con el programa de reforzamiento conjuntivo, la primera respuesta después de la conclusión del intervalo de tiempo produce reforzamiento si se ha completado el criterio numérico de respuestas.

Un niño de 14 años de edad con autismo tenía tasas altas de agresión hacia dos de sus cuatro terapeutas durante la instrucción. Las tasas más altas de agresión se dirigían hacia los dos terapeutas que ya habían trabajado con el niño en un centro de tratamiento diferente. Progar y colaboradores (2001) intervinieron para reducir los niveles de agresión con los terapeutas del otro centro a los niveles que se producían con los otros dos terapeutas de la institución actual. La agresión del niño se producía en situaciones de demanda (por ejemplo, hacer la cama) y se mantenía mediante escape. En la intervención inicial se utilizaron tres consecuencias: (1) 10 minutos de tiempo fuera en una silla por intentos de asfixiar, (2) extinción del escape (véase el Capítulo 21), y (3) reforzamiento diferencial de otras conductas (RDO, véase el Capítulo 22) por la ausencia de agresión durante las sesiones de 10 minutos. Esta intervención fue idéntica al tratamiento utilizado con el niño en el otro centro y resultó ineficaz para reducir la agresividad del niño en el entorno actual.

Debido a la ineficacia de la intervención inicial, Progar y sus colaboradores añadieron a su intervención inicial un programa de reforzamiento conjuntivo que incluía los programas básicos de razón fija y de reforzamiento diferencial de otras conductas de intervalo variable. Se entregaban reforzadores comestibles contingentes al cumplimiento de una tarea de tres componentes tal como limpiar el polvo u ordenar objetos (es decir, razón fija 3) y a la ausencia de agresión durante un intervalo medio de 2,5 minutos (es decir, reforzamiento diferencial de otras conductas de intervalo variable de 150 segundos). Cualquier ocurrencia de agresión restablecía el programa conjuntivo. (Nota: El restablecimiento de este programa conjuntivo utilizó un procedimiento estándar, ya que cualquier ocurrencia de la conducta problema durante el intervalo reiniciaba inmediatamente el contador al principio del intervalo). Progar y colaboradores demostraron que el programa conjuntivo de razón fija y reforzamiento diferencial de otras conductas de intervalo variable produjo una reducción sustancial de la agresión dirigida hacia los dos terapeutas provenientes de la institución previa de tratamiento.

Duvinsky y Poppen (1982) encontraron que la ejecución humana en un programa conjuntivo está influida por los criterios de razón e intervalo. Cuando el criterio de la tarea es altos en relación con el criterio de intervalo, la gente tiende a trabajar de manera constante en la tarea a lo largo del tiempo disponible. Sin embargo, las personas son propensas a involucrarse en conductas distintas a las necesarias para cumplir la tarea cuando hay un intervalo de tiempo grande y un bajo criterio de razón.

La Tabla 13.1 ofrece un resumen de las características de los programas combinados de reforzamiento.

Reflexiones sobre la aplicación de los programas de reforzamiento en los ámbitos aplicados

Investigación aplicada con programas intermitentes

Los investigadores básicos han analizado sistemáticamente los efectos de los programas de reforzamiento intermitente sobre la ejecución de los organismos (p.ej., Ferster y Skinner, 1957). Sus resultados han dado lugar a que los efectos de los programas estén bien establecidos. Los efectos de estos programas cuentan son generalizables a muchas especies, clases de respuesta, y laboratorios. Sin embargo, una revisión de la literatura aplicada sobre los efectos de los programas (p.ej., *Journal of Applied Behavior Analysis*, de 1968 a 2006) revelará que los analistas aplicados de la conducta no se han interesado por el análisis de los efectos de los programas, como sí lo han hecho los investigadores básicos. En consecuencia, los efectos de los programas no se han documentado claramente en situaciones aplicadas. Distintas variables no controladas propias de las situaciones aplicadas influyen en la sensibilidad e insensibilidad del participante al programa de reforzamiento, algunas de ellas se incluyen entre las siguientes:

1. Las instrucciones dadas por el analista aplicado de la conducta, las instrucciones que se da el propio participante a sí mismo, y las ayudas ambientales (p.ej., calendarios o relojes) hacen a los participantes

Tabla 13.1 Resumen y comparación de las características de las dimensiones básicas de los programas compuestos de reforzamiento.

	Nombre del Programa Compuesto						
Dimensión	*Concurrente*	*Múltiple*	*Encadenado*	*Mixto*	*Tándem*	*Alternativo*	*Conjuntivo*
Número de programas de reforzamiento básico que tienen lugar	2 o más	2 o más	2 o más	2 o más	2 o más	2 o más	2 o más
Número de clases de respuestas implicadas	2 o más	1	1 o más	1	1 o más	1	1
Estímulo discriminativo o señal asociada con cada programa compuesto	Posible	Sí	Sí	No	No	Posible	Posible
Presentaciones sucesivas de programas básicos	No	Sí	Sí	Sí	Sí	No	No
Presentaciones simultáneas de programas básicos	Sí	No	No	No	No	Sí	Sí
Reforzamiento limitado al componente final del programa básico	No	No	Sí	No	Sí	No	Sí
Reforzamiento de los componentes independientes del programa básico	Sí	Sí	No	Sí	No	Sí	No

humanos resistentes al control temporal del programa.

2. Las historias pasadas de respuesta ante programas de reforzamiento intermitente pueden afectar a la sensibilidad o insensibilidad respecto al programa actual.

3. La historia inmediatamente anterior en programas de reforzamiento puede afectar a la ejecución actual en el programa más que las historias del pasado remoto.

4. Las respuestas secuenciales necesarias en muchas aplicaciones de los programas de reforzamiento intermitente (p.ej., el trabajo asociado a la paga o el estudio para un examen sorpresa) se utilizan con poca frecuencia, en particular con programas de intervalo.

5. Las operaciones de establecimiento no controladas unidas a los programas de reforzamiento en contextos aplicados, distorsionarán los efectos de los programas.

En este capítulo ya se han presentado algunos efectos bien establecidos, a partir de la investigación básica, de los programas. Los analistas aplicados de la conducta, sin embargo, deben tener cuidado al extrapolar estos efectos a las situaciones aplicadas, por las siguientes razones:

1. La mayoría de las aplicaciones de programas de reforzamiento solo se aproximan a los verdaderos programas de reforzamiento del laboratorio, en especial los programas de intervalo que raramente pueden ocurrir en ambientes naturales (Nevin, 1998).

2. Muchas variables no controladas en los contextos aplicados influirán en la sensibilidad e insensibilidad del participante al programa de reforzamiento (Madden, Chase, y Joyce, 1998).

Investigación aplicada con programas combinados

Los investigadores aplicados rara vez han analizado los efectos de los programas de reforzamiento combinados, con las notables excepciones de los programas concurrentes y, en menor grado, los programas encadenados. Los investigadores aplicados deberían incluir el análisis de los programas combinados en sus agendas de investigación, puesto que una mejor comprensión de los efectos de estos programas sobre la conducta influirá en el avance del análisis aplicado de la conducta y de sus posibles aplicaciones. Este punto de vista es importante porque los programas de reforzamiento combinados actúan directamente, y a través de la interacción con otras variables ambientales, sobre la conducta humana (p.ej., estímulos antecedentes, operaciones motivacionales, etc.) (Lattal y Neef, 1996).

Investigación aplicada con conductas inducidas por programa

En este capítulo se ha hecho hincapié sobre los efectos de los programas de reforzamiento sobre conductas específicas que producen reforzamiento. Otras conductas pueden ocurrir cuando un individuo responde a una contingencia de reforzamiento determinada. Estas otras conductas se producen independientemente del control del programa. Ejemplos típicos de tales conductas incluyen todo lo que se suele hacer para "rellenar" el tiempo, como: garabatear, fumar, cotillear, beber, etc. Tales conductas se denominan **conductas inducidas por programa** cuando su frecuencia aumenta como efecto secundario de otras conductas mantenidas por un programa de reforzamiento (Falk, 1961, 1971).

Se ha desarrollado un cuerpo sustancial de literatura experimental sobre muchos tipos de conductas inducidas por programa en sujetos no humanos (ver revisiones, Staddon, 1977; Wetherington, 1982) y alguna investigación básica con sujetos humanos (p.ej., Kachanoff, Leveille, McLelland, y Wayner, 1973; Lasiter, 1979). Algunos ejemplos diversos y comunes de conductas inducidas por programa observadas en experimentos de laboratorio incluyen la agresión, la defecación, la pica y la conducta de correr en una rueda. Algunos problemas de conducta excesivos y comunes en humanos podrían desarrollarse como conductas inducidas por programa (p.ej., el consumo de drogas, de tabaco, de cafeína y de alcohol; la ingesta excesiva; el mordisqueo de uñas; la autoestimulación, y las autolesiones). Estas potencialmente excesivas conductas inducidas por programa son socialmente relevantes, pero la posibilidad de que tales excesos se desarrollen y se mantengan como conductas inducidas por programa ha sido esencialmente ignorada en el análisis aplicado de la conducta.

Foster (1978), en una publicación extensa para los lectores del *Journal of Applied Behavior Analysis,* señaló que los analistas aplicados de la conducta han descuidado el área potencialmente importante de las conductas inducidas por programa. Indicó que el análisis aplicado de la conducta no tiene una base de datos o de conocimiento de los fenómenos inducidos. Del mismo modo, Epling y Pierce (1983) reclamaron que los analistas aplicados de la conducta extiendan los hallazgos basados en el laboratorio sobre la conducta inducida por programa a la comprensión y el control de la conducta humana socialmente significativa. Hasta donde conocemos, el artículo de Lerman, Iwata, Zarcone, y Ringdahl (1994) ofrece la única investigación sobre conducta inducida por programa publicada en el *Journal of Applied Behavior Analysis* desde 1968 hasta 2006. Lerman y colaboradores realizaron una evaluación de la conducta estereotipada y autolesiva como respuestas inducidas por programa. Los datos de este estudio preliminar sugieren que el reforzamiento intermitente no indujo la autolesión, pero con algunos individuos, la conducta estereotipada mostró características de conducta inducida por programa.

Foster (1978) y Epling y Pierce (1983) advirtieron de que muchos profesores y terapeutas pueden aplicar intervenciones directamente sobre las conductas inducidas por programa en lugar de sobre las variables funcionalmente relacionadas con su ocurrencia. Estas intervenciones directas pueden ser inútiles y costosas en términos de dinero, tiempo y esfuerzo, porque las conductas inducidas por programa parecen resistentes a las intervenciones que utilizan contingencias operantes.

La condición bajo la cual se desarrollan y mantienen las conductas inducidas por programa es un área importante para la futura investigación en el análisis aplicado de la conducta y permitirá que se avance en esta ciencia aplicada proporcionando una base importante para la mejora de las prácticas en terapia e instrucción.

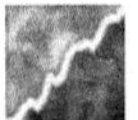

Resumen

Reforzamiento intermitente

1. Un programa de reforzamiento es una regla que establece la probabilidad de que una ocurrencia específica de una conducta produzca reforzamiento.
2. Solo las ocurrencias seleccionadas de la conducta producen reforzamiento en un programa de reforzamiento intermitente.
3. Los analistas aplicados de la conducta utilizan el reforzamiento continuo durante las etapas iniciales del aprendizaje y para el fortalecimiento de la conducta.
4. Los analistas aplicados de la conducta utilizan el reforzamiento intermitente para el mantenimiento de la conducta.

Definición de los programas de reforzamiento intermitente básicos

5. Un programa de razón fija requiere un determinado número de respuestas antes de que una respuesta produzca reforzamiento.

6. Una razón variable requiere un número variable de respuestas antes de la entrega de reforzamiento.

7. Un programa de intervalo fijo proporciona reforzamiento por la primera respuesta que se emite después de haya transcurrido un período de tiempo constante determinado desde la última respuesta reforzada.

8. Un programa de intervalo variable proporciona reforzamiento por la primera respuesta que se emite después del transcurso de una duración variable de tiempo desde la última respuesta reforzada

9. Cuando se añade una espera limitada a un programa de intervalo, el reforzamiento sigue estando disponible durante un tiempo finito después del transcurso del intervalo fijo o variable.

10. Cada programa básico de reforzamiento tiene características de respuesta únicas que determinan la consistencia de las respuestas, la tasa de respuesta, y la ejecución durante la extinción.

Aligeramiento del reforzamiento intermitente

11. Los analistas aplicados de la conducta suelen usar uno de entre dos posibles procedimientos para aligerar los programas de reforzamiento. Un programa se aligera gradualmente aumentando la razón de respuesta o aumentando gradualmente la duración del intervalo de tiempo.

12. Los analistas aplicados de la conducta deben utilizar cambios en el programa que impliquen pequeños incrementos durante el aligeramiento y la evaluación continua de la ejecución del aprendiz para ajustar el proceso de aligeramiento y evitar la pérdida de mejoras previas.

13. Como resultado de aumentos bruscos en los criterios de razón cuando se pasa de programas de reforzamiento más densos a más ligeros se puede forzar la razón.

Variaciones en los programas de reforzamiento intermitente básicos

14. El reforzamiento diferencial de tasas altas (RDTA) y el reforzamiento diferencial de tasas bajas (RDTB) son variaciones de los programas de razón y especifican que el reforzamiento se presentará de manera contingente a que las respuestas ocurran por encima o por debajo de las tasas de respuesta establecidas como criterio.

15. El programa de reforzamiento diferencial de tasas decrecientes proporciona reforzamiento al final de un intervalo de tiempo predeterminado cuando el número de respuestas está por debajo de un criterio. El criterio de respuesta se reduce gradualmente a lo largo de los intervalos en función de la ejecución del individuo.

16. Los programas de reforzamiento progresivos aligeran sistemáticamente cada oportunidad de reforzamiento sucesivo independientemente de la conducta del participante.

Programas combinados de reforzamiento

17. El reforzamiento continuo, los cuatro programas de reforzamiento intermitentes simples, el reforzamiento diferencial de tasas de respuesta, y la extinción, cuando se combinan, producen programas de reforzamiento combinados.

18. Los programas combinados de reforzamiento incluyen los programas: concurrente, múltiple, encadenado, mixto, tándem, alternativo y conjuntivo

Reflexiones sobre la aplicación de los programas de reforzamiento en los ámbitos aplicados

19. Se han presentado en este capítulo algunos de los efectos de los programas bien establecidos y obtenidos en la investigación básica. Los analistas aplicados de la conducta, sin embargo, deben tener cuidado al extrapolar estos efectos a los ámbitos aplicados.

20. Los investigadores aplicados deben incluir un análisis de los programas intermitentes básicos y de los programas combinados en sus agendas de investigación. Una mejor comprensión de los efectos de los programas en los ámbitos aplicados permitirá el avance del análisis aplicado de la conducta y de sus aplicaciones.

21. Las condiciones en las que se desarrollan y mantienen las conductas inducidas por programa son un área importante para la investigación futura en el análisis aplicado de la conducta.

PARTE 5

El castigo

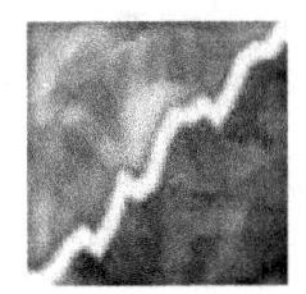

El castigo nos enseña a no repetir respuestas que nos causen daño. Aunque el castigo se suele considerar algo malo (una desafortunada contrapartida del reforzamiento), es tan importante para el aprendizaje como el reforzamiento. Aprender de las consecuencias que provocan dolor, malestar o pérdida de reforzadores tiene valor para la supervivencia de los organismos individuales y de las especies.

Como ocurre con el reforzamiento, un cambio estimular que ejerce como consecuencia en una contingencia de castigo puede ser descrito como uno de estos dos tipos de operaciones: se presenta un estímulo nuevo o se retira un estímulo existente. En el capítulo 14, *Castigo por presentación de estímulo*, definiremos el principio básico del castigo y distinguiremos entre el castigo positivo y el negativo según la naturaleza operacional de la consecuencia de la supresión de la respuesta. El resto del capítulo se centra en el castigo positivo; hablaremos de sus efectos secundarios y sus limitaciones, identificaremos los factores que influyen en su eficacia, describiremos varios ejemplos de intervenciones que implican su utilización, daremos directrices para utilizar el castigo eficazmente y abordaremos los aspectos éticos relacionados con su uso. En el capítulo 15, *Castigo por eliminación de estímulo,* describiremos dos estrategias para el cambio de conducta basadas en el castigo negativo: el tiempo fuera de reforzamiento positivo y el coste de respuesta. Pondremos ejemplos sobre como los analistas aplicados de la conducta han utilizado el tiempo fuera y el coste de respuesta para reducir o eliminar conductas no deseadas, y ofrecemos directrices para implementar eficazmente estas dos estrategias.

CAPÍTULO 14

Castigo por presentación de estímulo

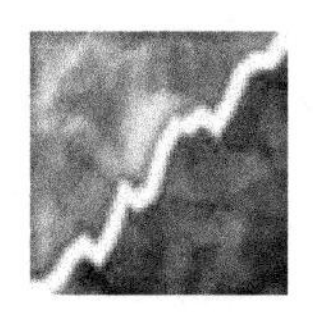

Términos clave

Bloqueo de respuesta
Castigo
Castigo condicionado
Castigo condicionado generalizado
Castigo incondicionado
Castigo negativo
Castigo positivo
Contraste conductual
Estímulo discriminativo (ED) para el castigo
Estímulo punitivo
Sobrecorrección
Sobrecorrección con práctica positiva
Sobrecorrección restitutiva

Behavior Analyst Certification Board® BCBA®, BCBA-D®, BCaBA®, RBT® Lista de tareas para analistas de conducta (cuarta edición).

C	Habilidades analítico-conductuales básicas: consideraciones relativas al cambio de conducta
C-02	Identificar y prepararse para los posibles efectos no deseados del castigo
D	**Habilidades analítico-conductuales básicas: elementos fundamentales del cambio de conducta**
D-15	Identificar y usar estímulos punitivos.
D-16	Usar castigo positivo y negativo.
D-17	Usar programas de castigo ajustando sus parámetros
FK	**Conocimientos adicionales. Definir y dar ejemplos de:**
FK-19	Castigo incondicionado
FK-20	Castigo condicionado

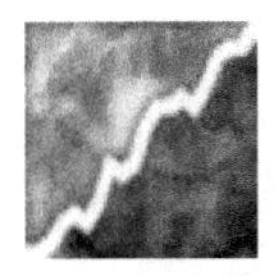

¿Te has golpeado alguna vez un dedo del pie mientras caminabas demasiado rápido en una habitación oscura y a partir de ahí has empezado a caminar lentamente mientras buscabas el interruptor de la luz? ¿Has dejado alguna vez comida sin vigilar en una fiesta de la playa y tras ver como una gaviota se la lleva has evitado dar la espalda al resto de los alimentos que sacas de la cesta? Si has tenido estas o similares experiencias, te has beneficiado del castigo.

Puede resultar extraño que nos refiramos a alguien que se ha golpeado un dedo del pie o que ha perdido su comida como beneficiario en lugar de como "victima" del castigo. Aunque muchas personas consideran el castigo como algo malo, la contrapartida negativa del reforzamiento, el castigo es tan importante para el aprendizaje como el reforzamiento. Aprender de las consecuencias que producen dolor, malestar o pérdida de reforzadores tiene valor de supervivencia para los organismos individuales y para las especies. El castigo nos enseña a no repetir respuestas que nos causan daño. Afortunadamente, no suelen ser necesarios muchos dedos del pie magullados ni mucha comida perdida para reducir la frecuencia de las conductas que provocan esos resultados.

Aunque el castigo es un fenómeno natural que "sucede como el viento y la lluvia" (Vollmer, 2002, pág. 469) y es uno de los principios básicos del condicionamiento operante, se suele entender mal, aplicarse erróneamente y su uso puede generar controversia. Al menos algunas de las concepciones erróneas y controversias que aparecen alrededor del uso del castigo en los programas de cambio conductual provienen de confundir el castigo como principio de la conducta identificado empíricamente con la amplia variedad de connotaciones cotidianas y legales del concepto. Un significado común del castigo es la aplicación de consecuencias negativas (como pueden ser el dolor físico, el daño psicológico y la pérdida de privilegios o bienes) con el propósito de enseñar una lección a una persona que se ha portado mal para que no vuelva a repetir la mala acción. El castigo es habitualmente utilizado como un acto de venganza por parte de la persona o agencia que lo administra, o para dar "una lección a otros" sobre cómo comportarse. Los castigos impuestos por el sistema legal, como el encarcelamiento o las multas, suelen considerarse como un proceso mediante el cual los delincuentes detenidos pagan su deuda con la sociedad.

Estas concepciones cotidianas y legales del castigo, aunque tienen varios grados de validez dentro de sus propios contextos, tienen poco o nada que ver con el castigo como principio de conducta. En la connotación cotidiana del castigo, la mayoría de la gente estaría de acuerdo en que un profesor que envía a un estudiante al despacho del Director por haber molestado en clase, o un agente de policía que expide una multa a un motorista que circula demasiado rápido, ha castigado al infractor. Sin embargo, como principio de conducta, el castigo va sobre *castigar a la persona*, el castigo es una contingencia respuesta → consecuencia que suprime la frecuencia futura de respuestas similares. Desde la perspectiva tanto de la ciencia como de la práctica del análisis de conducta, la visita al despacho del Director no castiga la mala conducta en clase a menos que la frecuencia de esta conducta se reduzca como consecuencia de esta visita, y la multa del policía no es un castigo para el exceso de velocidad, a menos que el motorista circule con menos frecuencia que antes de la multa por encima del límite de velocidad.

En este capítulo definiremos el principio del castigo, discutiremos sus efectos secundarios y limitaciones, identificaremos los factores que influyen en su eficacia, describiremos ejemplos de varias estrategias del cambio de conducta que incluyen el uso del castigo, abordaremos los aspectos éticos a tener en cuenta para su aplicación y presentaremos las directrices para usarlo eficazmente. En la sección final del capítulo, subrayaremos la necesidad de una mayor cantidad de investigación básica y aplicada sobre el castigo y reiteraremos la recomendación de Iwata (1988), de que los analistas de conducta consideren al castigo con estimulación contingente como una tecnología por defecto que se debe implementar solo cuando otras intervenciones han fallado.

Definición y naturaleza del castigo

Esta sección presenta la relación funcional básica que define al castigo, las dos operaciones mediante las cuales se puede implementar el castigo, los efectos discriminativos del castigo, la recuperación del castigo, los castigos condicionados e incondicionados, los factores que influyen en la eficacia del castigo, y los posibles efectos secundarios y problemas del castigo.

Operación y efecto definitorio del castigo

Al igual que el reforzamiento, el castigo es una relación funcional conducta → consecuencia de dos términos definida por sus efectos sobre la frecuencia futura de la conducta. El **castigo** ocurre cuando una respuesta es

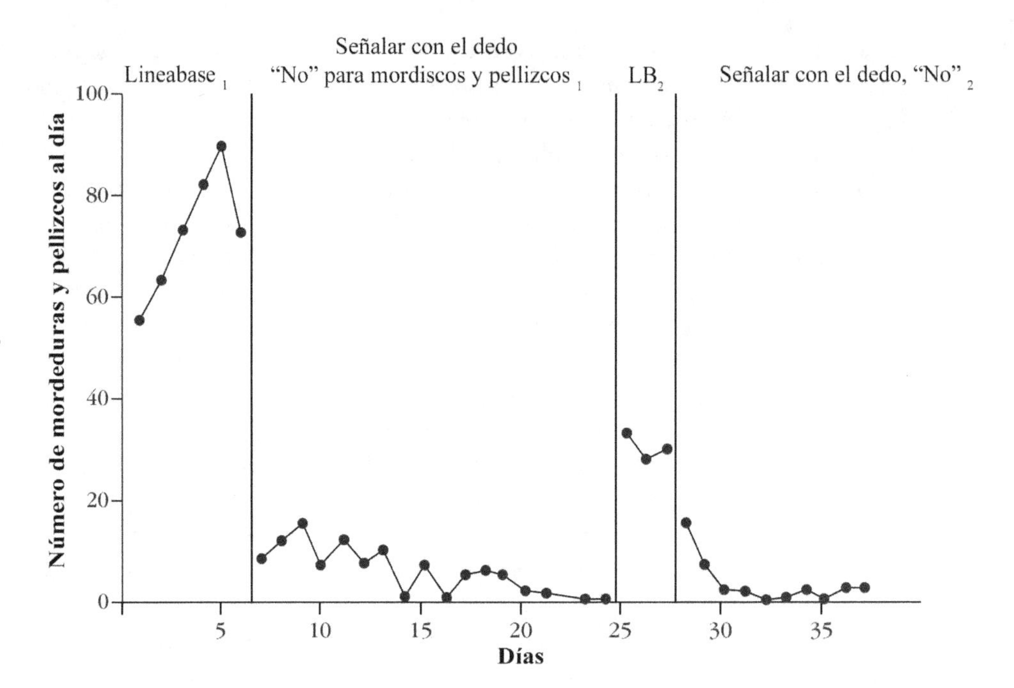

Figura 14.1 Número de mordiscos y pellizcos al día de una niña de 7 años durante las condiciones de lineabase y castigo (decir "No" y señalar con el dedo).

Tomado de " The Effective Use of Punishment to Modify Behavior in the Classroom" R. V. Hall, S. Axelrod, M. Foundopoulos, J. Shellman, R. A. Campbell, y S. S. Cranston, 1971. *Educational Technology, 11* (4), pág. 25. © Copyright 1971 Educational Technology. Usado con permiso.

seguida inmediatamente por un cambio estimular que disminuye la futura frecuencia de respuestas similares (Azrin y Holz, 1996).

Un estudio pionero de Hall et al (1971) nos ofrece un sencillo ejemplo de castigo. Andrea, una niña de 7 años con problemas de audición, pellizcaba y mordía no solamente a sí misma, sino a sus compañeros, a la profesora y a cualquier visitante de la clase a la menor oportunidad, y era tan problemática que el profesor informó de que la educación académica era imposible" (pág.24). Durante un periodo de lineabase inicial de 6 días, Andrea pellizcó y mordió una media de 71.8 veces por día. Cuando Andrea mordía o pellizcaba a alguien durante la condición de intervención, su profesora inmediatamente iba hacia ella con el brazo extendido y gritaba "¡No!". Durante el primer día de intervención, la frecuencia con la que Andrea pellizcaba y mordía disminuyó sensiblemente (ver Figura 14.1). Su conducta agresiva siguió una tendencia descendente a lo largo de toda la fase inicial de intervención, terminando en una media de 5.4 incidentes al día. Un regreso de tres días a las condiciones de lineabase resultó en que Andrea mordía y pellizcaba una media de 30 veces al día. Cuando la profesora reinstauró la intervención, apuntando con el dedo y gritando "¡No!" cada vez que Andrea pellizcaba o mordía, el problema de conducta de Andrea bajó a 3.1 incidentes por día. En la segunda fase de la intervención, la profesora informó de que los compañeros de clase de Andrea ya no la evitaban, quizás porque la conducta de acercarse a Andrea era castigada con menos frecuencia con pellizcos y mordiscos.

Es importante señalar que el castigo no se define ni por las acciones de la persona que ejecuta las consecuencias (en el caso del castigo mediado socialmente) ni por la naturaleza de esas consecuencias.[1] Se debería observar una disminución de la frecuencia futura de ocurrencia de la conducta antes de que una intervención basada en las consecuencias pueda identificarse como castigo. La intervención que tuvo éxito en la reducción de la frecuencia de los pellizcos y bocados de Andrea (su profesora señalando con el dedo y diciendo "¡No!"), se clasifica como un tratamiento basado en el castigo solamente por sus efectos de supresión. Si Andrea hubiera continuado pellizcando y mordiendo al mismo nivel que en la lineabase tras la aplicación de la intervención, la acción de la profesora no habría sido castigo.

Debido a que la presentación de castigos suele evocar conducta incompatible con la conducta castigada, los efectos inmediatos de supresión del castigo pueden sobreestimarse fácilmente. Michael (2004) explicó y aportó un buen ejemplo:

> La disminución de la frecuencia de la respuesta castigada que es debida a haber sido seguida por un castigo, no se verá claramente hasta que la conducta evocada por los cambios estimulares punitivos haya cesado. Debido a que el efecto evocador del cambio estimular punitivo (como respondiente incondicionada, como estímulo evocador

[1]Aunque el término *castigos automático* se usa con poca frecuencia en la literatura del análisis de conducta, es parecido al *reforzamiento automático*. El castigo automático ocurre cuando una consecuencia punitiva (p.ej., un dedo quemado) es el resultado inevitable de una respuesta que no está mediada socialmente (p.ej., tocar una estufa caliente)

condicionado, como estímulo discriminativo o como operación motivacional) van en la misma dirección que el cambio futuro debido al castigo como consecuencia de la respuesta (debilitamiento de la conducta castigada), el primero puede ser fácilmente malinterpretado como el último. Por ejemplo, cuando la conducta inadecuada de un niño va seguida de una severa reprimenda, la conducta inadecuada cesará inmediatamente, pero principalmente debido a que la reprimenda controla una conducta incompatible con la conducta inadecuada (prestar atención al adulto que está riñendo, negando la responsabilidad de la conducta inapropiada, presentando conducta emocional como el llanto, etc. Este súbito y total cese de la respuesta inadecuada, no implica sin embargo, una reducción en la frecuencia futura de dicha conducta, que sería el efecto real del castigo (págs. 36-37).

Otro factor que contribuye a la dificultad de determinar la eficacia real del castigo es que la reducción en la tasa de respuesta suele estar influida por los efectos de la extinción como consecuencia de la desaparición del reforzamiento de los problemas de conducta (algo que debería formar parte de una intervención basada en el castigo siempre que sea posible) (Iwata, Pace, Cowdery, y Miltenberger, 1994).

Castigo positivo y castigo negativo

Al igual que el reforzamiento, el castigo se puede llevar a cabo mediante uno de dos tipos de operaciones de cambio estimular. El **castigo positivo** sucede cuando la presentación de un estímulo (o el incremento de la intensidad de un estímulo ya presente) inmediatamente después de una conducta, provoca la reducción en la frecuencia de la conducta. Darse un golpe en un dedo del pie con la pata de una silla es una forma de castigo positivo (si esto reduce la frecuencia de la conducta que precede al golpe) ya que la estimulación dolorosa se describe de forma más acertada como la presencia de un nuevo estímulo. Las estrategias de cambio de conducta que se basan en el castigo positivo incluyen la presentación contingente de un estímulo inmediatamente después de la ocurrencia de la conducta objetivo. La intervención utilizada por la profesora de Andrea es un ejemplo de castigo positivo; el brazo estirado señalando con el dedo y la verbalización "¡No!" eran los estímulos presentados o añadidos al ambiente de Andrea.

El **castigo negativo** implica el cese de un estímulo presente (o la reducción de su intensidad) inmediatamente después de una conducta y conduce a una reducción futura en la frecuencia de dicha conducta. La conducta de volver la espalda a la comida la persona que estaba en la fiesta de la playa fue negativamente castigada cuando la gaviota se llevó su aperitivo. Para que un cambio en el estímulo funcione como castigo negativo, lo que implica la eliminación de un reforzamiento positivo, "debe existir una operación motivacional para que el reforzador sea efectivo, de lo contrario, eliminarlo no constituirá un castigo" (Michael, 2004, pág.36). Una gaviota llevándose la comida de una persona hambrienta funcionaría como castigo para su descuido, pero quizá influiría poco sobre la conducta de una persona que ya ha comido y no tiene hambre.

Las estrategias de cambio de conducta basadas en el castigo negativo implican la pérdida contingente de reforzadores que ya estaban disponibles inmediatamente después de la presentación de una conducta (es decir, el coste de respuesta, un procedimiento similar a una multa) o la eliminación de la oportunidad de obtener reforzadores adicionales durante un periodo de tiempo (es decir, el tiempo fuera de reforzamiento, un procedimiento similar a estar en el banquillo de un partido). El castigo negativo en forma de coste de respuesta y tiempo fuera se verá con más detalle en el capítulo 15.

Como se señaló en el Capítulo 2, en la literatura conductual se utilizan una gran variedad de términos para referirse a los dos tipos de operaciones de consecuencia del castigo. Los castigos positivo y negativo son a veces denominados *castigo Tipo I* y *castigo Tipo II,* respectivamente (Foxx, 1982). Malot y Trojan Suárez (2004) utilizan el término *principio de penalización* para referirse al castigo negativo. El *Behavior Analyst Certification Board* (BACB, 2001) y algunos autores de libros de texto (p.ej., Baum, 1994; Catania, 1998; Michael, 2004; Miltenberger, 2001) utilizan los términos *castigo positivo* y *castigo negativo* haciendo un paralelismo con los términos *reforzamiento positivo* y *reforzamiento negativo.* Como en el reforzamiento, los adjetivos *positivo* y *negativo* que se utilizan junto al término *castigo* no se refieren ni a la intención ni a la deseabilidad del cambio conductual producido sino a como se produce el cambio en el estímulo que se utiliza como consecuencia de castigo, si se describe mejor como la presentación de un estímulo nuevo (castigo positivo) o como la finalización (o reducción en la intensidad o cantidad) de un estímulo ya existente (castigo negativo).[2]

---

[2]Como con el reforzamiento, los términos *castigo positivo* y *castigo negativo* son, como señaló Michael (2004), "muy susceptibles de ser mal entendidos. Suponiendo que tuviera que recibir castigo positivo o negativo, ¿cuál preferirías? Al igual que con el reforzamiento, no es posible decidir hasta que no se sabe en qué consiste cada uno. ¿Es

El castigo positivo y el reforzamiento negativo se confunden con frecuencia. Debido a que los eventos aversivos están presentes en ambos casos, el término general *control aversivo* se suele utilizar para describir intervenciones que incluyen uno o ambos principios. Distinguir entre ellos es difícil cuando el mismo evento aversivo aparece en contingencias concurrentes de castigo positivo y reforzamiento negativo. Por ejemplo, Baum (1994) describió como la amenaza y la aplicación de la fuerza en un estado policial puede condicionar la conducta de los ciudadanos.

> Si hablar fuera de la norma produce que los ciudadanos reciban golpes, hablar fuera de la norma es castigado positivamente. Si mentir evita esos golpes, mentir es negativamente reforzado. Las dos condiciones van de la mano; si una acción es castigada, con frecuencia aparecen alternativas para evitar el castigo (pág. 153).

Las claves para identificar y distinguir las contingencias concurrentes de castigo positivo y reforzamiento negativo que incluyan a los mismos estímulos aversivos son las siguientes: (a) reconocer los efectos opuestos de las dos contingencias sobre la futura frecuencia de la conducta, y (b) comprender que deben estar implicadas dos conductas diferentes ya que la misma consecuencia (es decir, el cambio en el estímulo) no puede actuar como castigo positivo y como reforzamiento negativo para la misma conducta. En una contingencia de castigo positivo, el estímulo está ausente antes de la respuesta y se presenta como consecuencia; en una contingencia de reforzamiento negativo, el estímulo está presente antes de la respuesta y se elimina como consecuencia. Por ejemplo, las contingencias de castigo positivo y de reforzamiento negativo operaron de forma concurrente en un estudio de Azrin, Rubin, O´Brien, Ayllon y Roll (1968) en el que participantes adultos llevaban un aparato durante su jornada laboral que producía automáticamente un tono de 55 decibelios de forma contingente a echar los hombros y la cabeza hacia delante y que cesaba de sonar cuando los trabajadores ponían derechas sus espaldas. Echarse hacia delante provocaba la aparición del tono (castigo positivo), enderezar la espalda producía escape del tono (reforzamiento negativo), y no encorvarse lo evitaba (reforzamiento negativo).

Amenazar a una persona con castigarla si realiza una conducta no debe confundirse con el castigo. El castigo es una relación conducta → consecuencia, y una amenaza a alguien acerca de lo que puede ocurrir si realiza una conducta es un evento antecedente a la conducta. Cuando la amenaza de castigo suprime la conducta, puede ser debido a que funciona como operación de establecimiento que evoca conductas alternativas que evitan la amenaza del castigo.

Efectos discriminativos del castigo

El castigo no opera en un entorno vacío. La situación estimular antecedente en la que ocurre el castigo juega un papel importante en la determinación de las condiciones ambientales en las que aparecerán los efectos supresores del castigo. La contingencia de tres términos para "la relación funcional operante que implica el castigo puede enunciarse de forma similar a la que implica reforzamiento: (1) en una situación estimular concreta (E), (2), algunas clases de conducta (R), cuando son seguidas inmediatamente por (3) ciertos cambios estimulares (E^c) muestran una frecuencia de ocurrencia reducida en el futuro en la misma o en similares situaciones" (Michael, 2004, pág.36).

Si el castigo ocurre solamente en algunas condiciones estimulares y no en otras (p.ej., un niño recibe una regañina por alcanzar el frasco de galletas antes de la cena solamente cuando hay un adulto en la habitación), los efectos supresores del castigo serán más prevalentes bajo esas condiciones (Azrin y Holz, 1966; Dinsmoor, 1952). Una operante discriminada para el castigo es producto de una historia de condicionamiento en la que las respuestas que aparecen en presencia de un determinado estímulo han sido castigadas y respuestas similares en ausencia de ese estímulo, no han sido castigadas (o han tenido como resultado una reducción en la frecuencia o magnitud del castigo). La velocidad en una autopista es una operante discriminada en el repertorio de muchos motoristas que conducen dentro del límite de velocidad en sitios dónde han sido detenidos por la policía por exceso de velocidad, pero siguen conduciendo por encima del límite de velocidad en carreteras en las que nunca han visto una patrulla de policía.

No hay un término establecido o un símbolo en la literatura del análisis de conducta que se refiera al estímulo antecedente que adquiere control relacionado con el castigo. Algunos autores han modificado el símbolo para el estímulo discriminativo del reforzamiento (E^D) para indicar el estímulo antecedente en una contingencia de tres términos de castigo, como el E^{D-} utilizado por Sulzer-Azaroof y Mayer (1971). Otros autores simplemente se refieren a un estímulo antecedente relacionado con la presencia de una contingencia de castigo como a un E^D basado en el castigo (p.ej., Mallot y Trojan Suárez, 2004; Michael,

preferible el reforzamiento negativo o el castigo positivo? Por supuesto, el reforzamiento negativo (pág.37).

S^{Dc}	→	R	→	S^{C}	Efecto sobre la futura frecuencia de respuestas similares en presencia del S^{D}
Abuela en la cocina antes de la cena	→	Coger el tarro de las galletas	→	La abuela regaña	↓
Gaviotas sobre la comida en de la playa	→	Dejar el bocadillo sin vigilar	→	Las gaviotas se llevan el bocadillo volando	↓

Figura14.2. Contingencias de tres términos que ilustran los castigos positivo y negativo de operantes discriminadas: una respuesta (R) emitida en presencia de un estímulo discriminativo S^{Dc} es seguida en un corto espacio de tiempo por un cambio estimular (S^{c}) que resulta en la disminución de la futura frecuencia de respuestas similares en el futuro cuando el S^{Dc} esté presente. Una operante discriminada para el castigo es el producto de una historia de condicionamiento en la que las respuestas en presencia del S^{Dc} han sido castigadas y respuestas similares en ausencia del S^{Dc} no han sido castigadas (o han recibido castigo con menor frecuencia o magnitud que en presencia del S^{Dc}.

2004). Nosotros hemos adoptado la abreviatura E^{Dc} como el símbolo para el **estímulo discriminativo del castigo**, como propuso O´Donnell (2001). "Un E^{Dc} puede definirse como una condición estimular en cuya presencia una respuesta tiene una más baja probabilidad de ocurrencia que en su ausencia como resultado de la administración de un castigo contingente a la respuesta en presencia del estímulo" (pág. 262). La figura 14.2 muestra los diagramas de la contingencia de tres términos de las operantes discriminadas tanto para el castigo positivo como para el negativo.

Recuperación del castigo

Cuando el castigo se interrumpe, sus efectos supresores sobre el nivel de respuesta no suelen ser permanentes, este es un fenómeno que se conoce como *recuperación del castigo,* que es análogo a la extinción. En ocasiones la tasa de respuesta después de la interrupción del castigo no solamente se recupera sino que puede exceder el nivel previo a la aplicación del castigo (Azrin, 1960; Holz y Azrin, 1962). La recuperación de la respuesta a niveles previos al castigo es más fácil que ocurra cuando el castigo tenía una intensidad moderada o cuando la persona puede discriminar que la contingencia de castigo no va a seguir funcionando. Aunque los efectos debilitadores del castigo sobre la respuesta suelen disminuir cuando el castigo se interrumpe, de igual manera, los efectos fortalecedores del reforzamiento sobre la respuesta suelen atenuarse cuando una respuesta previamente reforzada cae en extinción (Vollmer, 2002). Michael (2004) señaló que

> La recuperación del castigo a veces se utiliza como un argumento contra la aplicación del castigo para reducir la conducta. "No hay que aplicar el castigo ya que sus efectos son temporales". Pero, el mismo argumento podría utilizarse con el reforzamiento. Los efectos fortalecedores del reforzamiento disminuyen cuando la conducta ocurre sin la presencia del reforzamiento. El efecto debilitador del castigo disminuye cuando la conducta ocurre sin el castigo (pág.38).

Se puede dar una supresión de la respuesta prácticamente permanente cuando un castigo intenso ha llevado a la supresión de la conducta a una tasa de cero. En su revisión sobre la investigación básica del castigo, Azrin y Holz (1966), señalaron que:

> El castigo intenso no se limitaba a reducir las respuestas a un nivel operante o incondicionado, sino que las reducía a

un nivel de cero absoluto. Debido a que el castigo es administrado solamente después de que la respuesta aparezca, el sujeto no tiene oportunidad de detectar su ausencia a menos que responda. Si el castigo es tan severo como para eliminar por completo las respuestas desaparece la posibilidad de detectar su ausencia (pág.410).

Estímulos punitivos incondicionados y condicionados

Un **estímulo punitivo (o castigo)**[3] es un cambio estimular que sigue inmediatamente a la ocurrencia de una conducta y reduce su frecuencia futura. El cambio estimular en una contingencia de castigo positivo puede denominarse *estímulo punitivo positivo (o castigo positivo)*, o simplemente *estímulo punitivo (o castigo).* De la misma manera, el término *estímulo punitivo negativo (o castigo negativo)* puede aplicarse a un cambio estimular relacionado con el castigo negativo, pero su uso es poco preciso porque se refiere a la presencia de un reforzador positivo que es eliminado de forma contingente a la ocurrencia de la conducta objetivo. Por lo tanto, cuando la mayoría de los analistas de conducta utilizan el término *estímulo punitivo*, se están refiriendo a un estímulo cuya presentación actúa como castigo (es decir, a un estímulo punitivo positivo). Al igual que con los reforzadores, los estímulos punitivos pueden ser clasificados como incondicionados o condicionados.

Estímulos punitivos incondicionados

Un **estímulo punitivo incondicionado** es aquel cuya presentación actúa como castigo sin haber sido emparejado con ningún otro estímulo punitivo, (algunos autores utilizan los términos *estímulo punitivo primario* o *estímulo punitivo no aprendido* como sinónimos del concepto). Debido a que los estímulos punitivos incondicionados son producto de la historia evolutiva de una especie (filogenia), todos los miembros biológicamente intactos de una especie son susceptibles (en mayor o menor medida) al castigo mediante los mismos estímulos punitivos incondicionados. La estimulación dolorosa producto de un trauma físico, determinados olores y sabores, la contención física, la pérdida de apoyo corporal y el esfuerzo muscular extremo son ejemplos de cambios estimulares que suelen funcionar como estímulos punitivos incondicionados para los seres humanos (Michael, 2004). Al igual que los reforzadores incondicionados, los estímulos punitivos incondicionados son "eventos filogenéticamente relevantes que influyen directamente en el estado" del organismo (Baum, 1994, pág. 59).

Sin embargo, virtualmente cualquier estímulo al que sean sensibles los receptores de un organismo (luz, sonido, y temperatura, por citar unos algunos), puede ser intensificado de tal forma que su administración suprima la conducta incluso aunque esté muy por debajo de los niveles que realmente provocan daños en los tejidos (Bijou y Baer, 1965). Al contrario de los reforzadores incondicionados, tales como la comida y el agua, cuya eficacia depende de una operación de establecimiento relevante, bajo la mayoría de las condiciones muchos estímulos punitivos incondicionados pueden suprimir la conducta que precede a su presentación. Por ejemplo, un organismo no tiene que estar "privado de estimulación eléctrica" para que la aplicación de una descarga eléctrica funcione como castigo. (Sin embargo, la conducta de un organismo que acaba de recibir muchas descargas en un corto periodo de tiempo, particularmente descargas de intensidad media, puede quedarse relativamente indiferente ante otra descarga).

Estímulos punitivos condicionados

Un **estímulo punitivo condicionado** es un cambio estimular que actúa como castigo como resultado de la historia de condicionamiento de una persona, (algunos autores utilizan los términos *estímulo punitivo secundario* o *estímulo punitivo aprendido* como sinónimos del concepto). Un estímulo punitivo condicionado adquiere la capacidad de actuar como tal a través del emparejamiento con uno o más estímulos punitivos condicionados o incondicionados. Por ejemplo, como resultado de su presentación simultánea o muy próxima a un choque eléctrico, un cambio estimular previamente neutral, como un tono audible, se convertirá en un estímulo punitivo condicionado con capacidad de suprimir la conducta inmediatamente anterior cuando ocurra en ausencia de la descarga eléctrica (Hake y Azrin, 1965).[4] Si un estímulo punitivo

[3]N. del T.: En el texto original en inglés existe una separación clara entre el término que se utiliza para hablar del proceso de aprendizaje que se da en el castigo (*punishment*) y el término referido al estímulo contingente a la conducta objetivo (*punisher)* durante el proceso de castigo; sin embargo, nos encontramos con que en castellano el término *castigo* se suele usar indistintamente para hablar de ambos conceptos. Para evitar confusion, a lo largo de este texto se utilizará generalmente "*estímulo punitivo*" para traducir "*punisher*".

[4]Un estímulo que se condiciona como punitivo al emparejarse con otro estímulo punitivo no tenía necesariamente que ser neutral antes del emparejamiento, de hecho puede funcionar como reforzador bajo otras condiciones. Por ejemplo, una luz azul que se ha emparejado

condicionado se presenta repetidamente sin el estímulo punitivo con el que inicialmente se emparejó, su eficacia punitiva disminuye hasta desaparecer.

Estímulos que previamente eran neutros pueden convertirse en estímulos punitivos condicionados para el ser humano sin emparejamiento físico directo con otro estímulo punitivo a través de un proceso de emparejamiento que Alessi (1992) denominó *condicionamiento verbal análogo.* Este proceso es parecido al ejemplo de emparejamiento verbal descrito en el Capítulo 11 para el condicionamiento de un reforzador condicionado en el que Engelmann (1975) mostró trozos de papel amarillo a un grupo de niños de preescolar y les dijo "los niños grandes trabajan para conseguir estos trozos de papel amarillo" (págs. 98-100). A partir de ese momento, muchos niños comenzaron a trabajar con más empeño por los trozos de papel amarillo. Miltenberger (2001), ofreció el ejemplo de un carpintero que le dijo a su aprendiz que si la sierra eléctrica comenzaba a echar humo, se podía dañar el motor o la cuchilla. La advertencia del carpintero estableció el humo que salía de la sierra como estímulo punitivo condicionado con capacidad de reducir la frecuencia de cualquier conducta que lo precediera inmediatamente (p.ej., forzar la hoja o sostener la sierra en un ángulo inapropiado).

Un cambio estimular que ha sido emparejado con numerosos tipos de estímulos punitivos condicionados e incondicionados se convierte en un **estímulo punitivo condicionado generalizado.** Por ejemplo, las reprimendas ("¡No!", "¡No hagas eso!") y la desaprobación social (p.ej., un gesto amenazador, negar con la cabeza o fruncir el ceño) son estímulos punitivos condicionados generalizados para muchas personas ya que han sido emparejados repetidamente con una amplia gama de estímulos punitivos incondicionados y condicionados (p.ej., quemarse un dedo o perder privilegios). Al igual que con los reforzadores generalizados condicionados, los estímulos punitivos generalizados condicionados no están bajo el control de condiciones motivacionales específicas y dar lugar al castigo bajo una gran variedad de condiciones.

Aun a riesgo de caer en la redundancia, enfatizaremos de nuevo el punto crítico de que los estímulos punitivos, al igual que los reforzadores, no se definen por sus propiedades físicas, sino por sus funciones (Morse y Kelleher, 1977). Incluso los estímulos que bajo la mayoría de las condiciones funcionarían como reforzadores incondicionados o estímulos punitivos incondicionados pueden tener los efectos opuestos bajo determinadas condiciones. Por ejemplo, un poco de comida puede actuar como un estímulo punitivo para una persona que ha comido demasiado, y una descarga eléctrica puede actuar como un reforzador condicionado si su presencia supone la disponibilidad de comida para un organismo privado de alimento (p.ej., Holz y Azrin, 1961). Si un alumno recibe pegatinas de caras sonrientes y alabanzas por su trabajo académico y su rendimiento disminuye, las pegatinas y las alabanzas son estímulos punitivos para él. Lo que es un castigo en casa puede no serlo en la escuela. Lo que es un castigo bajo una serie de circunstancias puede no serlo bajo otras circunstancias diferentes. Aunque las experiencias comunes implican que muchos eventos estimulares funcionan como estímulos punitivos condicionados para la mayoría de la gente, un estímulo punitivo para una persona puede ser un reforzador para otra. (Recuerde el lector la historieta del Capítulo 11 en la que dos estudiantes limpiaban la pizarra después de la escuela: la misma actividad era un estímulo punitivo para uno y un reforzador para el otro).

Factores que influyen en la eficacia del castigo

Las revisiones de la investigación básica y aplicada sobre el castigo identifican de forma consistente las siguientes variables como claves de la eficacia del castigo: la inmediatez del castigo, la intensidad del estímulo punitivo, el programa de frecuencia del castigo, la disponibilidad de reforzamiento para la conducta objetivo, y la disponibilidad de reforzamiento para una conducta alternativa (p.ej., Axelrod 1990; Azrin y Holz, 1966; Lerman y Vorndran, 2002; Matson y Taras, 1989).

Inmediatez

Los máximos efectos supresores del castigo se obtienen cuando su presentación ocurre tan pronto como sea posible después de la ocurrencia de la conducta objetivo.

> A mayor demora entre la ocurrencia de la respuesta y la ocurrencia del cambio estimular, menos eficaz será el castigo para cambiar la frecuencia de la respuesta relevante, pero no se sabe demasiado sobre los límites superiores (Michael, 2004, pág. 36).

---

de forma repetida con el reforzamiento en un contexto y con el castigo en otro, será un reforzador condicionado o un estímulo punitivo condicionado dependiendo de la situación.

Intensidad/Magnitud

Los investigadores básicos que han examinado los efectos de variar la intensidad o la magnitud de los estímulos punitivos (en términos de cantidad o duración) han observado tres hallazgos fiables: (1) una correlación positiva entre la intensidad del estímulo punitivo y la supresión de la respuesta: a mayor magnitud del estímulo punitivo, más inmediata y plenamente se da la supresión de la conducta (p.ej., Azrin y Holz, 1966); (2) la recuperación del castigo correlaciona negativamente con la intensidad del estímulo punitivo; a mayor intensidad del estímulo punitivo menor es la probabilidad de que la conducta reaparezca una vez que el castigo ha terminado (p.ej., Hake, Azrin y Oxford, 1967); y (3) un estímulo de alta intensidad puede ser poco eficaz como estímulo punitivo si se presenta al principio con una intensidad baja que se va incrementando gradualmente (p.ej., Terris y Barnes, 1969). Sin embargo, como señalaron Lerman y Vorndran (2002), relativamente pocos estudios aplicados han examinado la relación entre la magnitud del castigo y la eficacia del tratamiento, y ese tipo de investigación ha proporcionado resultados inconsistentes e incluso contradictorios con los resultados obtenidos en la investigación básica (p.ej., Cole, Montgomery, Wilson, y Milan, 2000; Singh, Dawson, y Manning, 1981; Williams, Kirkpatrick-Sanchez, e Iwata, 1993). Al seleccionar la magnitud de un estímulo punitivo, el profesional debería preguntarse: ¿Esta cantidad de castigo suprimirá el problema de conducta? Lerman y Vorndran (2002) recomendaron:

> Aunque el estímulo punitivo debe ser lo suficientemente intenso como para que su aplicación sea eficaz, no debería ser más intenso de lo necesario. Hasta que se lleve a cabo más investigación aplicada sobre la magnitud del castigo, los profesionales aplicados deberían seleccionar magnitudes que hayan demostrado su eficacia y seguridad en ensayos clínicos, siempre que la magnitud del castigo sea considerada aceptable y práctica por las personas que vayan a implementar el tratamiento (pág.443).

Programa

Los efectos supresores de un estímulo punitivo se maximizan en un programa de castigo es continuo (Razón Fija 1), en el que a cada ocurrencia de la conducta objetivo le sigue la consecuencia punitiva. En general, a mayor proporción de respuestas a las que sigue la presentación del estímulo punitivo, mayor será la reducción de respuesta (Azrin, Holz y Hake, 1963; Zimmerman y Ferster, 1962). Azrin y Holz (1966) resumieron los efectos comparativos del castigo en programas continuos e intermitentes como sigue:

> El castigo presentado de forma continuada produce mayor supresión que el castigo intermitente mientras la contingencia de castigo se mantenga. Sin embargo, una vez retirada la contingencia de castigo, el castigo continuado permite una recuperación más rápida de las respuestas, probablemente debido a que la ausencia de castigo se puede discriminar con mayor rapidez (pág.415).

El castigo intermitente puede ser eficaz bajo determinadas condiciones (p.ej., Clark, Rowbury, Baer, y Baer, 1973; Cipani, Brendlinger, McDowell, y Usher, 1991; Romanczyk, 1977). Los resultados obtenidos por Lerman, Iwata, Shore y DeLeon (1997), demostraron que un aligeramiento gradual del programa de castigo podía mantener los efectos supresores del castigo que había sido presentado inicialmente en un programa continuo (Razón Fija 1). Los participantes fueron cinco adultos con retraso mental profundo y con historias de conducta autolesiva crónica en forma de mordiscos en las manos y golpes en la cabeza. El tratamiento de castigo aplicado (tiempo fuera de reforzamiento para un participante y contención física contingente para los cuatro restantes) en un programa de castigo continuo (Razón Fija 1) provocó reducciones significativas en la conducta autolesiva de todos los participantes en comparación con la lineabase. (La figura 14.3 muestra los resultados de tres de los cinco participantes). Después los participantes fueron expuestos a programas intermitentes de castigo (de intervalo fijo de 120 segundos o de 300 segundos) En el programa de intervalo fijo (IF) de 120 segundos, el terapeuta aplicaba el castigo de forma contingente a la primera respuesta autolesiva después de que hubieran pasado 120 segundos desde la anterior aplicación del castigo o desde el inicio de la sesión. La frecuencia de la conductas autolesivas bajo el programa intermitente de castigo para todos los participantes excepto para uno (Wayne, no mostrado en la Figura 14.3) aumentó hasta los niveles de lineabase.

Después restablecer los bajos niveles de conducta autolesiva para todos los participantes con el programa de castigo continuo (Razón Fija 1), los investigadores aligeraron gradualmente los programas de castigo. Por ejemplo, la reducción del programa de Paul consistió en incrementar la duración del intervalo fijo en sucesivos incrementos de 30 segundos hasta llegar a un intervalo fijo de 300 segundos. (es decir, IF de 30 segundos, IF de 60 segundos, IF de 90 segundos, etc.). Con la excepción de unas pocas sesiones, las conductas autolesivas de Paul se mantuvieron en bajos niveles durante el proceso

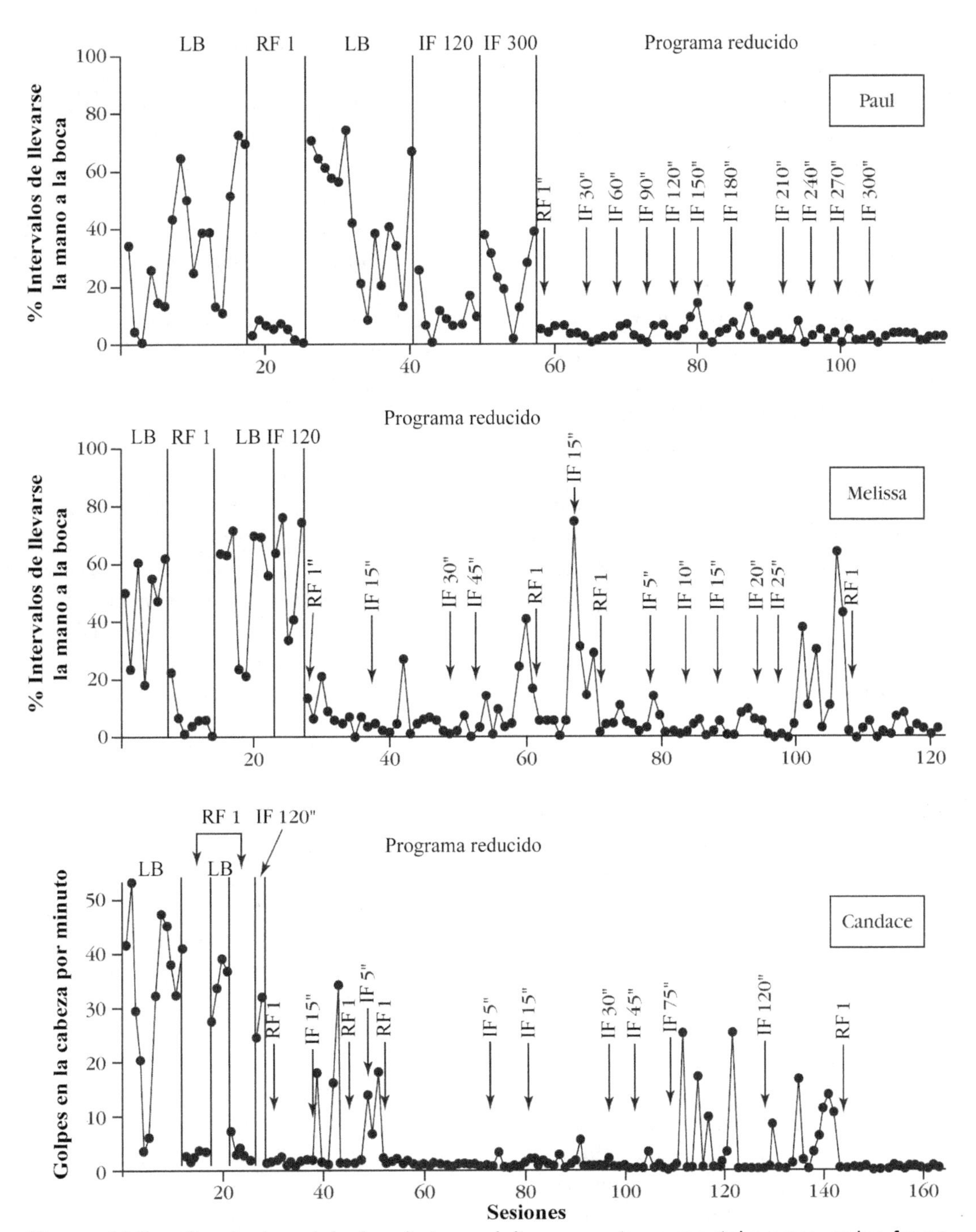

Figura 14.3 Conducta autolesiva de tres adultos con retraso mental severo en las fases de lineabase y castigo administrado en programas continuos y en varios programas de intervalo fijo.

Tomado de "Effects of Intermittent Punishment on Self-Injurious Behavior: An Evaluation of Schedule Thinning" D. C. Lerman, B. A. Iwata, B. A. Shore, y I. G. DeLeon, 1997. *Journal of Applied Behavior Analysis, 30,* pág. 194. © Copyright 1997 de la Society for the Experimental Analysis of Behavior, Inc. Usado con permiso.

de aligeramiento del programa que duró 57 sesiones. En las 11 últimas sesiones en las que el castigo se administraba en un programa de IF de 300 segundos, las conductas autolesivas ocurrieron en una media del 2.4% de los intervalos observados (frente al 33% de la lineabase). Un patrón similar de éxito al realizar el aligeramiento del programa de castigo se observó en otra participante, Wendy (que no se muestra en la Figura 14.3).

La eficacia de un programa de IF de 300 segundos para tres de los cinco participantes—Paul, Wendy y Wayne (cuya conductas autolesivas se mantuvieron bajas incluso cuando el castigo cambió de repente de un programa de Razón Fija 1 a un programa de Intervalo

Fijo de 120 segundos y luego a otro de Intervalo Fijo de 300 segundos) facilitó una aplicación poco frecuente del castigo. En la práctica, esta circunstancia liberaría a los terapeutas y al equipo de la vigilancia continua de la conducta.

Sin embargo, para Melissa y Candace, los intentos repetidos de aligerar gradualmente su programa de castigo se mostraron ineficaces para mantener la frecuencia de las conductas autolesivas a los niveles obtenidos en el programa de castigo Razón Fija 1. Lerman y colaboradores (1997) especularon que una explicación para la ineficacia del castigo en un programa de intervalo fijo era que, después de que una persona llevara un tiempo en un programa de IF, la administración del castigo podía actuar como "un estímulo discriminativo de periodos libres de castigo, favoreciendo un incremento gradual y global de la respuesta bajo un programa de castigo de IF" (pág. 198).

El reforzamiento de la conducta objetivo

La eficacia del castigo es modulada por las contingencias de reforzamiento que mantienen la conducta objetivo. Si un problema de conducta ocurre a una frecuencia suficiente como para causar preocupación, se puede presuponer que está provocando reforzamiento. Si la respuesta objetivo nunca ha sido reforzada, "el castigo sería difícilmente posible ya que la respuesta ocurriría muy rara vez (Azrin y Holz, 1966, pág. 433).

En la medida en que el reforzamiento que mantiene la conducta problema pueda ser reducido o eliminado, el castigo será más eficaz. Desde luego, si se retirara todo el reforzamiento del problema de conducta, el programa de extinción resultante conduciría a la reducción de la conducta independientemente de la presencia de la contingencia de castigo. Sin embargo, como señalaron Azrin y Holz (1966):

> El mundo físico suele ofrecer contingencias de reforzamiento que no pueden ser fácilmente eliminadas. Cuanto más rápido nos movamos a través del espacio, más pronto llegaremos a donde vamos, sea andando o conduciendo un automóvil. Por lo tanto, correr y conducir a alta velocidad serán conductas inevitablemente reforzadas. La extinción de estas conductas se alcanzaría solamente mediante el procedimiento imposible de eliminar todos los eventos reforzantes que resultan de moverse a través del espacio. Se deberían aplicar otros métodos para reducir la conducta, como el castigo. (Pág.433).

El reforzamiento de conductas alternativas

Holz, Azrin y Ayllon (1963) observaron que el castigo era poco eficaz para reducir la conducta psicótica cuando esta conducta era la única por la que los pacientes podían recibir reforzamiento. Sin embargo, cuando los pacientes podían emitir una respuesta alternativa que resultaba reforzada, el castigo era eficaz para reducir la conducta inapropiada. Resumiendo las investigaciones de laboratorio y los estudios aplicados que han observado los mismos efectos, Millenson (1967) estableció:

> Si el castigo se emplea para intentar eliminar cierta conducta, entonces, cualquiera que sea el reforzamiento al que llevaba la conducta no deseada, se debe hacer disponible a través de una conducta más deseable. Castigar sin más a los niños por "mala conducta" en clase puede tener muy poco efecto permanente… Deben analizarse los reforzadores de la "mala conducta" y quizás permitirse su obtención mediante diferentes respuestas o en otras situaciones…pero para que esto suceda es importante proporcionar una alternativa premiada a la respuesta castigada (pág.429).

Un estudio de Thompson, Iwata, Conners, y Roscoe (1999) es un excelente ejemplo sobre cómo los efectos supresores del castigo pueden ser aumentados reforzando una respuesta alternativa. Participaron en el estudio cuatro adultos con discapacidad del desarrollo que habían sido asignados a un programa de día de tratamiento para conducta autolesiva. Shelly, de 28 años de edad, por ejemplo, se escupía en las manos y luego se pasaba las manos por la cara y otras superficies (p.ej., mesas y ventanas) lo que provocaba que sufriera frecuentes infecciones; y Ricky, un hombre de 34 años de edad, sordo y ciego, solía golpear su cabeza y su cuerpo sufriendo contusiones. Las intervenciones llevadas a cabo previamente como el reforzamiento diferencial de la conducta apropiada, el bloqueo de respuesta y el uso de un equipo protector habían sido poco eficaces para reducir las conductas autolesivas de ninguno de los cuatro participantes.

Los resultados de un análisis funcional de la conducta (ver Capítulo 24) con cada participante sugirieron que las conductas autolesivas se mantenían mediante reforzamiento automático. Se llevaron a cabo evaluaciones de reforzadores para identificar los materiales que provocaban los mayores niveles de contacto o manipulación y los menores niveles de conducta autolesiva (p.ej., un cordón de cuentas de madera, un pequeño aparato que producía vibración y música, y un globo). Los investigadores posteriormente hicieron una evaluación de estímulos punitivos para establecer las consecuencias menos intrusivas que redujesen al menos un 75% de las conductas autolesivas para cada participante.

Thompson y colaboradores (1999) analizaron los efectos del castigo con y sin reforzamiento de la conducta alternativa en un diseño experimental que combinaba elementos de tratamientos alternantes, de reversión, y de lineabase múltiple con varios sujetos. Durante la condición sin castigo, el terapeuta estaba presente en la habitación pero sin interactuar con el participante y sin aplicar ninguna consecuencia a las conductas autolesivas. Inmediatamente después de cada aparición de las conductas autolesivas en la condición de castigo, el terapeuta administraba la consecuencia que previamente había sido identificada como estímulo punitivo para el participante. Por ejemplo:

> Cada vez que Shelly escupía, el terapeuta administraba una reprimenda ("no se escupe") y secaba cada una de sus manos (y otras superficies que pudieran estar mojadas) con un paño. Se colocaban las manos de Ricky en su regazo durante 15 segundos cada vez que llevaba a cabo la conducta autolesiva. Donna y Lynn recibían una reprimenda verbal y tenían que poner sus manos cruzadas sobre su pecho durante 15 segundos después de llevar a cabo la conducta autolesiva.

Durante cada una de las fases sin castigo y con castigo, se alternaban las sesiones de reforzamiento y sin reforzamiento. Durante las sesiones de reforzamiento, los participantes tenían acceso continuado a materiales de entretenimiento o a actividades previamente identificadas como sus preferidas; en las fases sin reforzamiento los participantes no tenían acceso a este tipo de materiales. Como Ricky nunca había utilizado el material de entretenimiento de forma independiente durante la evaluación de reforzadores, pero sí se había interesado por chocolatinas en un porcentaje elevado de las veces, en las sesiones de reforzamiento recibía un reforzador comestible por cada dos segundos en los que manipulara cualquiera de los elementos cosidos a un chaleco (p.ej., borlas de flecos, cuentas o pieles).

La Figura 14.4 muestra los resultados del estudio. Durante la fase de lineabase sin castigo, solo las conductas autolesivas de Shelly se mostraron consistentemente más bajas durante las sesiones de reforzamiento que durante las sesiones de sin reforzamiento. Aunque la introducción del castigo redujo las conductas autolesivas en comparación con la lineabase de los cuatro participantes, el castigo fue más efectivo durante las sesiones en las que el reforzamiento de conductas alternativas estaba disponible. Además, de es de interés para los profesionales aplicados el hallazgo de que se aplicaron menos estímulos punitivos durante las sesiones de castigo cuando los reforzadores estaban disponibles. (Ricky comenzó a resistirse al procedimiento de contención de las manos en la fase de castigo sin reforzamiento, y varias sesiones tuvieron que terminarse antes porque el terapeuta no podía aplicar el procedimiento con seguridad. Por lo tanto, el castigo sin la condición de reforzamiento se terminó después de siete sesiones y el castigo con reforzamiento continuó durante seis sesiones adicionales).

Thompson y colegas (1999) resumieron los principales hallazgos de su estudio de este modo:

> En consonancia con las recomendaciones realizadas por Azrin y Holz (1966), los resultados de este estudio indican que los efectos del castigo pueden ser mejorados cuando se refuerza una respuesta alternativa. Además, estos resultados sugieren un método para aumentar la eficacia del castigo a través de medios que son diferentes al aumento de la aversividad del estímulo punitivo, lo que da como resultado el desarrollo de intervenciones más eficaces y menos restrictivas. (Pág. 326).

Posibles efectos secundarios y problemas del castigo

Cuando se aplica el castigo suelen aparecer una serie de efectos secundarios y problemas, que incluyen las respuestas emocionales no deseadas y la agresión, escape y evitación, y un aumento de la tasa de ocurrencia del problema de conducta bajo condiciones libres de castigo (p.ej., Azrin y Holz, 1966; Hutchinson, 1977; Linscheid y Meinhold, 1990). Otros problemas que pueden aparecer incluyen el modelado de conductas no deseables y el uso excesivo del castigo debido al reforzamiento negativo que de la conducta del agente punitivo.

Reacciones emocionales y agresivas

El castigo a veces evoca reacciones emocionales y agresivas que pueden incluir una combinación de conductas respondientes y operantes condicionadas. El castigo, particularmente el castigo positivo en la forma de estimulación aversiva, puede evocar conducta agresiva con componentes respondientes y operantes (Azrin y Holz, 1966). Por ejemplo, un choque eléctrico elicitó formas reflejas de agresión y lucha en animales de laboratorio (Azrin, Hutchinson, y Hake, 1963; Ulrich y Azrin, 1962; Ulrich, Wolff, y Azrin, 1962) Esta *agresión respondiente*, o elicitada por el dolor, está

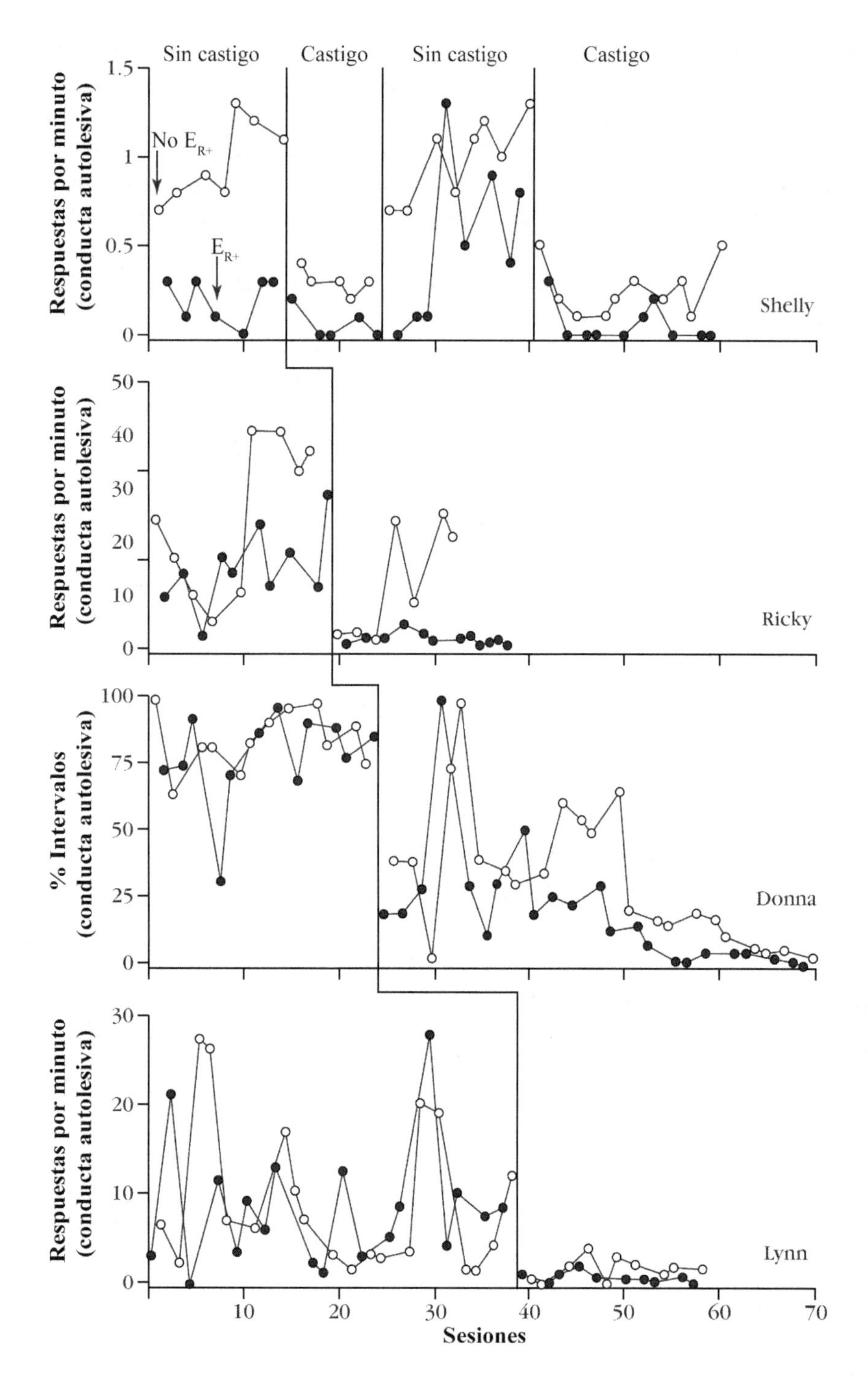

Figura 14.4 Conducta autolesiva de cuatro adultos con trastornos del desarrollo durante condiciones alternantes de reforzamiento y sin reforzamiento a través de fases con castigo y sin castigo.

Tomado de "Effects of Reinforcement for Alternative Behavior during Punishment for Self-Injury". R. H Thompson, B. A. Iwata, J. Conners, y E. M. Roscoe, 1999. *Journal of Applied Behavior Analysis, 32*, pág. 323. © Copyright 1999 Society for the Experimental Analysis of Behavior, Inc. Usado con permiso.

dirigida a cualquier persona u objeto que se encuentren cerca. Por ejemplo, una alumna castigada con severidad puede empezar a tirar y destruir materiales que se encuentren dentro de su alcance. Alternativamente la alumna puede intentar agredir a la persona que administra el castigo. La conducta agresiva posterior al castigo que ocurre porque ha permitido a la persona escapar a la estimulación aversiva previamente se denomina *agresión operante* (Azrin y Holz, 1966).

Aunque los investigadores básicos de laboratorio, utilizando estímulos punitivos de gran intensidad e inescapables, han provocado de manera fiable agresiones respondientes y operantes en animales no humanos, en muchos estudios aplicados sobre el castigo no se ha obtenido evidencia de agresión (p.ej., Linscheid y Reichenbach, 2002; Risley, 1968).

Escape y evitación

El escape y la evitación son reacciones naturales a la presencia de estimulación aversiva. Las conductas de escape y evitación toman una amplia variedad de formas, algunas de las cuales pueden ser un problema mayor que la conducta objetivo que está siendo castigada. Por ejemplo, un estudiante que es continuamente amonestado por presentar un trabajo poco cuidado o que acude a clase sin los deberes hechos puede dejar de acudir a clase. Una persona puede mentir, engañar, ocultar o exhibir otras conductas no deseadas para evitar el castigo. Mayer, Sulzer, y Cody (1968) señalaron que la evitación y el escape no tienen siempre que tomar forma en el sentido literal de estos términos. Las personas a veces escapan de ambientes punitivos tomando drogas, alcohol o simplemente "desconectando".

Conforme la intensidad del estímulo punitivo aumenta, lo hace la probabilidad de que aparezcan el escape y la evitación. Por ejemplo, se llevó a cabo un estudio que evaluaba la eficacia de una caja de cigarrillos (especialmente diseñada para administrar un choque eléctrico cuando se abría) como intervención para reducir el tabaquismo. Powell y Azrin (1968) observaron que "a mayor intensidad del castigo menor tiempo pasaban los sujetos en contacto con la contingencia; al final se alcanzó una intensidad que los sujetos rechazaron completamente experimentar" (pág. 69).

El escape y la evitación como efectos secundarios del castigo, al igual que las reacciones emocionales y agresivas, pueden ser minimizadas o limitadas proporcionando a la persona respuestas alternativas deseables al problema de conducta que sirvan tanto para evitar la aplicación del castigo como para obtener reforzamiento.

Contraste conductual

Reynolds (1966) introdujo el término **contraste conductual** para hacer referencia al fenómeno según el cual un cambio en uno de los componentes de un programa múltiple que incrementa o reduce la tasa de respuesta sobre ese componente se acompaña de un cambio de la tasa de respuesta en la dirección opuesta sobre el otro componente inalterado del programa.[5] El contraste conductual puede ocurrir como función de un cambio en la densidad del castigo o del reforzamiento en uno de los componentes de un programa múltiple (Brethower y Reynolds, 1962; Lattal y Griffin, 1972). Por ejemplo, el contraste conductual del castigo toma la siguiente forma general: (a) las respuestas ocurren a tasas similares en los dos componentes de un programa múltiple (p.ej., una paloma picotea una tecla iluminada con luces de dos colores alternantes: azul y verde. El reforzamiento se administra siguiendo el mismo programa para los dos colores de la tecla y el ave picotea a la misma tasa independientemente del color de la tecla); (b) las respuestas de uno de los componentes del programa se castigan mientras que las respuestas del otro componente continúan sin castigo (p.ej., picotear sobre la tecla iluminada en azul es castigado mientras que picotear sobre la tecla cuando está iluminada en verde continúa produciendo reforzamiento a la tasa inicial); (c) la tasa de respuestas disminuye en el componente castigado y aumenta en el componente no castigado (p.ej., picotear sobre la tecla iluminada de azul se suprime y picotear sobre la tecla iluminada de verde aumenta incluso aunque no produzca más reforzamiento que antes).

Aquí hay un hipotético ejemplo aplicado del efecto de contraste del castigo. Un niño está comiendo galletas antes de cenar del frasco de galletas de la cocina con la misma tasa de respuesta en ausencia y en presencia de su abuela. Un día, la abuela le regaña al niño por comer una galleta antes de la cena, lo que suprime la tasa ingestión de galletas antes de la cena en presencia de la abuela (ver Figura 14.2); pero cuando la abuela no está en la cocina, el niño come galletas del frasco a una tasa mayor de lo que lo hacía antes del castigo. Los efectos de contraste del castigo se pueden minimizar, o prevenir por completo, si se castigan todas las apariciones de la conducta objetivo en todos los contextos y condiciones estimulares relevantes, retirando, o al menos minimizando, el acceso de la persona al reforzamiento de la conducta objetivo, y proporcionando conductas alternativas deseables. (Con respecto a nuestro hipotético caso del niño que come galletas antes de la cena, recomendamos simplemente quitar el tarro de las galletas).

El castigo puede incluir modelado no deseado

A muchos lectores les será familiar el ejemplo del padre que mientras azota a su hijo le dice: "¡Esto te enseñará a no pegar a tus compañeros!". Desafortunadamente, es más probable que el niño imite la conducta del padre en lugar de hacer caso a sus palabras. Más de dos décadas de investigación han encontrado una fuerte correlación entre la exposición de los niños pequeños a castigos duros y excesivos, y la presencia de conductas antisociales y trastornos conductuales cuando son adolescentes y adultos (Patterson, 1982; Patterson, Reid, y Dishion, 1992; Sprague y Walker, 2000). Aunque el uso adecuado de las estrategias de cambio conductual basadas en el principio del castigo no tiene nada que ver con la presencia de malos tratos o de interacciones personales negativas, los terapeutas deberían prestar

[5] Los programas de reforzamiento múltiples se describen en el Capítulo 13.

atención al valioso consejo de Bandura (1969) sobre este aspecto:

> Alguien que intenta controlar respuestas problemáticas específicas debería evitar el modelado de formas punitivas de conducta que no solamente contrarrestan los efectos del entrenamiento directo, sino que también incrementan la probabilidad de que en ocasiones futuras el individuo pueda responder a la frustración interpersonal de forma imitativa (pág. 313).

El reforzamiento negativo de la conducta del agente punitivo

El reforzamiento negativo puede ser una de las razones del extendido uso (habitualmente ineficaz e innecesario) y la confianza (casi siempre engañosa) en el castigo para la crianza infantil, la educación y la sociedad. Cuando la persona A aplica una reprimenda u otra consecuencia aversiva a la persona B por una mala conducta, la consecuencia inmediata suele ser que la conducta problemática cesa, lo que funciona como reforzamiento negativo para la conducta de la persona A. O, como Ellen Reese (1966) dijo sucintamente: "El castigo refuerza al estímulo punitivo" (pág. 37). Alber y Heward (2000) describieron como las contingencias naturales que aparecen en un aula escolar típica podían fortalecer el uso de reprimendas por parte del profesor para la conducta molesta mientras que disminuían su uso de alabanzas y atención contingentes a la conducta apropiada.

> Prestar atención a los estudiantes mientras se comportan de forma inadecuada (p.ej., "¡Carlos, siéntate ahora mismo!") está negativamente reforzado por el cese inmediato de la conducta inadecuada (p.ej., Carlos deja de merodear y se sienta). Como resultado, el profesor es más propenso a atender a las alteraciones en clase del estudiante en el futuro...Aunque hay que enseñar a muy pocos profesores a aplicar reprimendas a sus alumnos por mala conducta, si hay muchos que necesitan ayuda para aumentar la frecuencia con la que alaban los logros de los alumnos. Las conductas de elogiar o alabar de los profesores suelen reforzarse menos eficazmente que las conductas de amonestar o reñir. Alabar a un estudiante por comportarse de forma adecuada no suele producir un efecto inmediato (el niño sigue haciendo su tarea cuando es alabado). Aunque alabar a un estudiante por trabajar de forma productiva en una tarea puede aumentar la probabilidad futura de esa conducta, no hay consecuencias inmediatas para el profesor. En contraste, reprender a un alumno suele producir una mejora en el mundo del profesor (aunque pasajera) que funciona como reforzamiento negativo para las reprimendas (págs. 178-179).

Aunque las reprimendas pueden ser ineficaces para suprimir la frecuencia futura de una conducta poco deseada, el efecto inmediato de eliminar la conducta molesta ejerce un poderoso reforzamiento que incrementa la frecuencia con la que el profesor reprenderá cuando se encuentre con este tipo de conducta.

Ejemplos de intervenciones basadas en el castigo positivo

Las intervenciones que se basan en el castigo positivo toman una amplia variedad de formas. En esta sección se van a describir cinco de ellas: las reprimendas, el bloqueo de respuesta, el ejercicio contingente, la sobrecorrección y la estimulación eléctrica contingente.

Las reprimendas

Puede resultar extraño que inmediatamente después de haber discutido la dependencia excesiva y el mal uso que muchos profesores hacen de las reprimendas, el primer ejemplo del uso del castigo positivo sea precisamente con las reprimendas. El empleo de reprimendas verbales tras la ocurrencia de una mala conducta es, sin duda, la forma más común de *intento* de castigo positivo. Sin embargo, una serie de estudios han demostrado que una reprimenda firme como "¡No!" o "¡Para, no hagas eso!" aplicada justo en el momento de la ocurrencia de la conducta puede suprimir la emisión de esa respuesta en el futuro (p.ej., Hall et al., 1971; ver Figura 14.1; Jones y Miller, 1974; Sajwaj, Culver, Hall, y Lehr, 1972; Thompson et al., 1999).

A pesar del extendido uso de las reprimendas como intento de suprimir la conducta no deseada, sorprendentemente pocos estudios han examinado su eficacia como estímulos punitivos. Los resultados de una serie de experimentos llevados a cabo por Van Houten, Nau, Mackenzie-Keating, Sameoto, y Colavecchia (1982) diseñados para identificar las variables que incrementan la eficacia de las reprimendas como estímulos punitivos para la conducta disruptiva en clase encontraron que (a) las reprimendas aplicadas con contacto visual y "una sujeción firme de los hombros del alumno" fueron más eficaces que las que no incluían estos componentes no verbales, y (b) las reprimendas aplicadas cerca del alumno fueron más eficaces que las que se administraban a distancia.

El profesor que repetidamente reprende a sus alumnos con un suave "siéntate" debería ser advertido de que tendría que decirlo una sola vez y de forma firme "¡SIÉNTATE!". Cuando la instrucción se da una sola vez es más probable que los alumnos la sigan, mientras que, cuando se da de forma repetida, los alumnos pueden habituarse al incremento de frecuencia y la reprimenda gradualmente perderá sus efectos como estímulo punitivo. Sin embargo, una reprimenda con un volumen de voz alto, no tiene por qué ser más eficaz que otra emitida con un volumen normal. Un interesante estudio llevado a cabo por O'Leary, Kaufman, Kass, y Drabman (1970) encontró que las reprimendas en voz baja que solamente eran audibles para el niño que recibía la amonestación eran más eficaces para reducir la conducta molesta que aquellas que podían ser oídas por el resto de los niños de la clase.

Si la única forma en la que un niño recibe la atención de un adulto es a través de reprimendas, no debería sorprender que las reprimendas actúen como reforzador para ese niño en lugar de como estímulo punitivo. En esta línea Madsen, Becker, Thomas, Koser, y Plager (1968) observaron que el uso repetido de las reprimendas mientras los alumnos estaban fuera de su asiento funcionaba para incrementar, más que para reducir la conducta. De forma consistente con la investigación sobre otros estímulos punitivos, las reprimendas se mostraban más eficaces cuando la motivación para realizar la conducta molesta se había minimizado y la disponibilidad de una conducta alternativa se había maximizado (Van Houten y Doleys, 1983).

Los padres o profesores no quieren caer en un patrón de reprimenda constante. Las reprimendas deberían utilizarse de forma reflexiva y moderada, y siempre en combinación con alabanzas y atención contingentes a la conducta adecuada. O'Leary y colaboradores (1979) recomendaron que

> Una combinación ideal sería probablemente las alabanzas frecuentes, algunas reprimendas suaves y muy ocasionalmente reprimendas con volumen elevado...combinadas con las alabanzas, las reprimendas suaves deberían ser útiles para reducir las conductas disruptivas. En contraste, las reprimendas con un volumen elevado hacen que aparezca un círculo vicioso de más y más reprimendas que tiene como resultado incluso más conducta disruptiva (pág. 155).

El bloqueo de respuesta

El **bloqueo de respuesta** (intervención física que se administra tan pronto como la persona comienza a emitir el problema de conducta para prevenir o "bloquear" la consumación de la respuesta) se ha mostrado eficaz para reducir la frecuencia de algunos problemas de conducta crónicos como meterse las manos en la boca, frotarse los ojos y la pica (p.ej., Lalli, Livezy, y Kates, 1996; Lerman y Iwata, 1996; Reid, Parsons, Phillips, y Green, 1993). Además de prevenir la ocurrencia de la respuesta utilizando la menor cantidad de contacto físico y restricción posibles, el terapeuta podría emitir una reprimenda o ayuda verbal para terminar con esa conducta (p.ej., Hagopian y Adelinis, 2001).

Lerman e Iwata (1996), utilizaron el bloqueo de respuesta para tratar la conducta crónica de meterse la mano en la boca (definida como el contacto entre cualquier parte de la mano y los labios o la boca) de Paul, un hombre de 32 años con retraso mental profundo. Después de la condición de lineabase, en la que Paul estaba sentado en una silla sin que nadie interactuara con él y sin acceso a materiales para distraerse, se aplicó un programa de Razón Fija 1 de bloqueo de respuesta. Una terapeuta se sentó detrás de Paul y bloqueó sus intentos de meterse la mano en la boca. "A Paul no se le impidió llevarse la mano a la boca; sin embargo, la terapeuta bloqueaba la entrada de la mano en la boca poniendo la palma de su mano 2 cm delante de la boca de Paul (pág. 232). El bloqueo de respuesta produjo una inmediata y rápida reducción de la conducta hasta niveles cercanos a cero (Ver Figura 14.5).

El bloqueo de respuesta es habitualmente implementado como tratamiento de las conductas autolesivas o de las autoestimulatorias cuando el análisis funcional revela niveles de respuesta consistentes en ausencia de consecuencias socialmente mediadas, lo que sugiere la posibilidad de que la conducta esté mantenida mediante el reforzamiento automático provocado por los estímulos sensoriales que produce la propia respuesta. Debido a que el bloqueo de respuesta impide el contacto con la estimulación sensorial provocada por la respuesta, las reducciones subsiguientes en los niveles de respuesta podrían deberse a la extinción. Lerman e Iwata (1996) presentaron su estudio como un método potencial para distinguir si los efectos supresores del bloqueo de respuesta se debían al castigo o a la extinción. Estos autores explicaron su razonamiento de la siguiente manera:

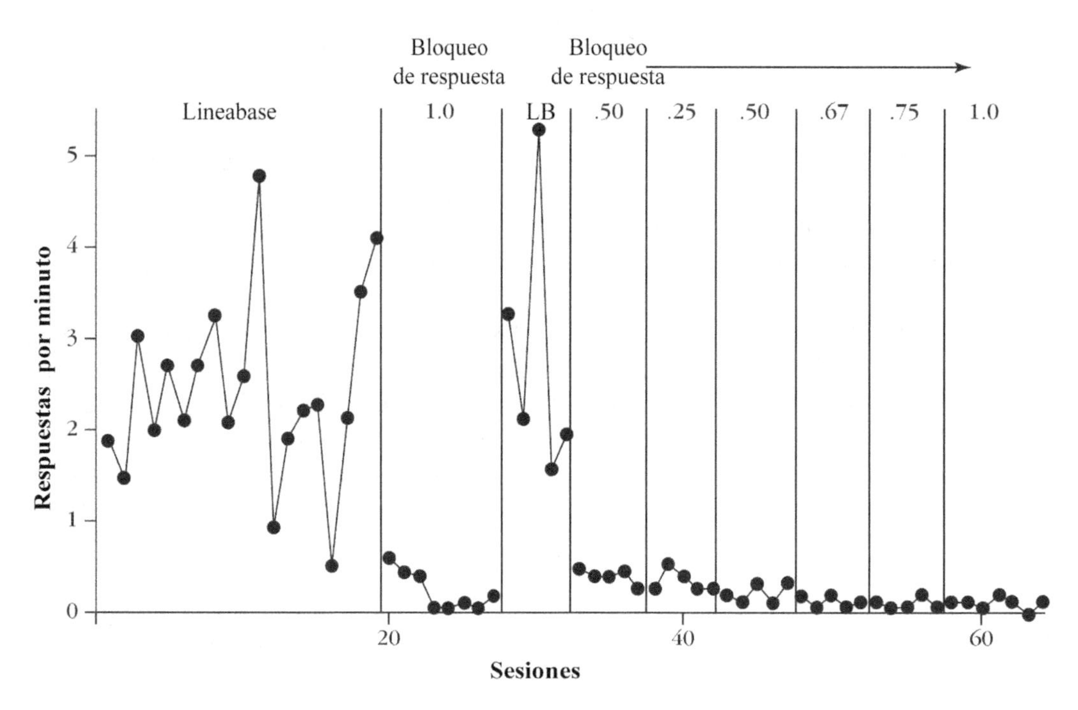

Figura 14.5 Tasas de llevarse la mano a la boca durante la lineabase y varios programas de bloqueo de respuesta.

Tomado de "A Methodology for Distinguishing between Extinction and Punishment Effects Associated with Response Blocking" D. C. Lerman y B. A. Iwata, 1996. *Journal of Applied Behavior Analysis, 29*. pág. 232. © Copyright 1996 Society for the Experimental Analysis of Behavior. Usado con permiso.

Según cuál sea el mecanismo a través del cual la conducta se reduce (extinción vs castigo), estarán actuando diferentes programas de reforzamiento o castigo cuando se bloqueen una determinada proporción de respuestas. Por ejemplo, cuando se bloquea una de cada cuatro respuestas (.25), la conducta está expuesta, o bien a un programa de reforzamiento de Razón Fija 1.3 (si el bloqueo actúa como extinción) o a un programa de Razón Fija 4 de castigo (si el bloqueo actúa como castigo); cuando se bloquean tres de cada cuatro respuestas (.75), la conducta se expone tanto a un programa de reforzamiento de Razón Fija 4 como a un programa de castigo de Razón Fija 1.3. Así, si una amplia proporción de respuestas son bloqueadas el programa de reforzamiento se aligera y el programa de castigo se fortalece. Si el bloqueo de respuesta provoca extinción, las tasas de respuesta deberían incrementarse o mantenerse cuantas más respuestas sean bloqueadas (es decir, conforme se aligera el programa de reforzamiento), hasta que [los efectos de] la extinción [es decir, la tasa reducida de respuesta] sucede en algún punto a lo largo de la progresión. A la inversa, si el programa actúa como castigo, las tasas de respuesta deberían reducirse conforme más respuestas sean bloqueadas (es decir, conforme el programa de castigo se fortalece). (págs. 231-232, palabras entre corchetes añadidas).

Una condición en la que todas las respuestas son bloqueadas debería actuar como un programa de extinción (es decir, la retirada del reforzamiento en forma de estimulación sensorial de todas las respuestas) o como un programa continuo de castigo (Razón Fija 1) (es decir, todas las respuestas son seguidas por contacto físico). Como explicaron Lerman e Iwata (1996), si se bloquean solamente algunas respuestas, la situación puede actuar como un programa intermitente de reforzamiento o de castigo. Por lo tanto, comparar las tasas de respuesta entre distintas condiciones en las que se bloquearan diferentes proporciones de respuesta debería indicar si los efectos se deben a la extinción o al castigo.

Si el bloqueo de respuesta funcionara como extinción para la conducta de Paul de llevarse la mano a la boca, sería de esperar un aumento inicial de la tasa de respuesta cuando se implementara el procedimiento para cada respuesta; sin embargo, no se observó tal incremento.[6] Si el bloqueo de respuesta funcionara como un castigo, bloquear cada respuesta constituiría un programa continuo de castigo y se esperaría un rápido descenso en la respuesta; y eso es exactamente lo que los resultados mostraron (ver los datos para el primer bloqueo de respuesta, fase [1.0] en la Figura 14.5).

Por otro lado, si el bloqueo de respuesta funcionara como extinción para la mencionada conducta de Paul, el bloqueo de algunas, pero no de todas las respuestas colocaría esta conducta en un programa intermitente de reforzamiento y se esperaría un aumento de la tasa de respuesta en relación a la lineabase. Y el bloqueo de una mayor proporción de respuestas aligeraría todavía más el programa de reforzamiento, provocando un aumento todavía mayor de la tasa de respuesta. En lugar de eso,

[6]Cuando un procedimiento de extinción se implementa por primera vez a veces se observa un aumento de la tasa de respuesta, llamado *estallido de extinción*, antes de que esta comience a declinar. Reducirse. El principio, procedimiento, y los efectos de la extinción se detallan en el Capítulo 21.

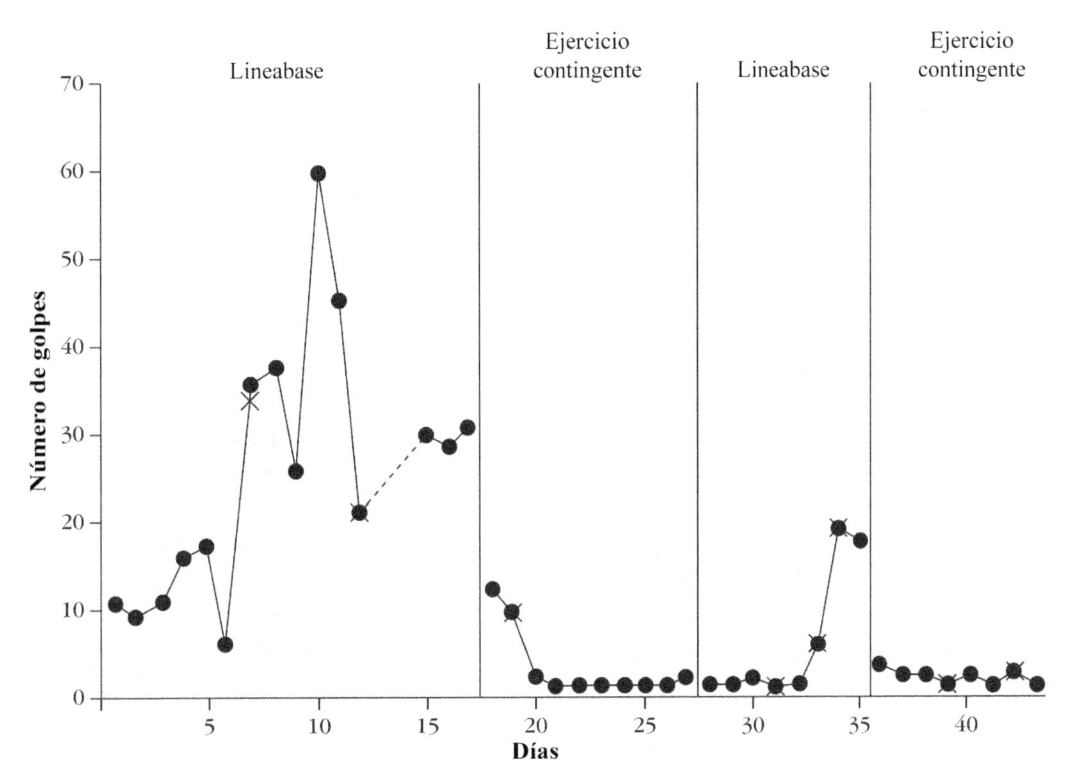

Figura 14.6 Número de veces que un niño de 7 años golpea a otros niños durante días de clase de 6 horas lectivas en las condiciones de lineabase y de ejercicio contingente. Las aspas (X) representan las medidas de respuesta registradas por un segundo observador.

Tomado de "Contingent Exercise: A Mild but Powerful Procedure for Suppressing Inappropriate Verbal and Aggresive Behavior" S. C. Luca, J. Delquadri, y R. V. Hall, 1980. *Journal of Applied Behavior Analysis, 13*, pág. 587. © Copyright 1980 Society for the Experimental Analysis of Behavior, Inc. Usado con permiso.

conforme mayor era la proporción de respuestas bloqueadas, mayores eran los efectos supresores de la conducta autolesiva de Paul, resultado esperado conforme un programa de castigo se hace más denso. En general, por lo tanto, los resultados del experimento indicaron que la respuesta de bloqueo actuaba como castigo para la conducta de Paul de llevarse la mano a la boca.

Por otra parte, una replicación sistemática del experimento de Lerman e Iwata (1996), realizada por Smith, Russo, y Le (1999), encontró que la frecuencia de la conducta de hurgarse el ojo en una mujer de 41 años, tratada con bloqueo de respuesta disminuyó de forma gradual (un patrón de respuesta que indicaba la presencia de extinción). Los autores concluyeron que, "mientras que el bloqueo puede reducir la conducta de un participante por la vía del castigo, puede extinguir la conducta de otro participante (pág. 369).[7]

Aunque el bloqueo de respuesta puede verse como una intervención menos restrictiva y más humana que la administración de estimulación aversiva después de la conducta, esta consideración ha de realizarse con cuidado. En diferentes estudios han aparecido efectos secundarios ante la aplicación del bloqueo de respuesta, como agresión y resistencia al procedimiento (Hagopian y Adelinis, 2001; Lerman, Kelley, Vorndran, y Van Camp, 2003). Ofrecer ayudas y reforzamiento para una respuesta alternativa puede reducir la resistencia y la agresión. Por ejemplo, la conducta agresiva de un hombre de 26 años con retraso mental moderado y trastorno bipolar durante la aplicación del bloqueo de respuesta para la pica (ingestión de papel, lápices, trozos de pintura y heces) se redujo complementando el bloqueo de respuesta con una ayuda y redirección para

[7]Podría argumentarse que los efectos supresores del bloqueo de respuesta no pueden deberse al castigo o a la extinción ya que el bloqueo de respuesta ocurre *antes* de que la respuesta haya sido emitida y tanto el castigo como la extinción son relaciones respuesta → consecuencia (en el caso de la extinción, la consecuencia es la ausencia del reforzamiento que siguió a la conducta en el pasado). Como Lalli, Livezy, y Kates (1966) señalaron, el bloqueo de respuesta impide el ciclo de respuesta→consecuencia. Sin embargo, si la clase de la respuesta del problema de conducta se conceptualiza para incluir la ocurrencia de cualquier parte de la respuesta relevante, entonces bloquear la mano de una persona *después* de que empiece a moverse hacia la cabeza es una consecuencia cuyos efectos supresores pueden ser analizados en términos de extinción, castigo, o ambos.

involucrarse en una conducta alternativa, en este caso dirigirse a una parte de la habitación donde había palomitas disponibles (Hagopian y Adelinis, 2001).

Ejercicio contingente

El ejercicio contingente es una intervención en la que a una persona se le pide que realice una conducta que no está topográficamente relacionada con la conducta problema. El ejercicio contingente ha mostrado su eficacia como castigo para varias conductas autoestimuladoras, estereotipadas, disruptivas, agresivas, y autolesivas (p.ej., De Cantazaro y Baldwin, 1978; Kern, Koegel, y Dunlop, 1984; Luce y Hall, 1981; Luiselli, 1984).[8] En el ejemplo que quizás se haya citado con mayor frecuencia sobre el uso del ejercicio contingente como castigo Luce, Delquadri y Hall (1980) observaron que la repetición de ejercicio de intensidad moderada contingente a la aparición de conducta agresiva en dos niños con discapacidad severa, reducía la conducta agresiva a niveles de prácticamente. La figura 14.6 muestra los resultados que se obtuvieron sobre la conducta de Ben, un niño de 7 años que golpeaba frecuentemente a otros niños en la escuela. Cada vez que Ben golpeaba a otro niño, se le requería que se levantara y se sentara 10 veces. Al principio se le tuvo que ayudar físicamente a ponerse de pie; un asistente lo agarraba de la mano mientras tiraba de su cuerpo hacia delante. Estas ayudas físicas se acompañaban de ayudas verbales como “levántate" y “siéntate”. Muy pronto, cuando la conducta agresiva ocurría, el adulto que se encontraba más cerca simplemente decía “Ben, no golpees. Levántate y siéntate 10 veces” y las ayudas verbales por sí solas eran suficientes para que Ben llevara a cabo el ejercicio. Si se daba un nuevo episodio agresivo durante el ejercicio contingente, se volvía a empezar el procedimiento.

[8]Aumentar el esfuerzo o la fuerza que se requiere para llevar a cabo una conducta puede ser una estrategia eficaz para reducir el nivel de respuesta (Friman y Poling, 1995). No existe consenso sobre si es el castigo lo que explica la reducción de la respuesta. Como con el bloqueo de respuesta, una perspectiva en la que el aumento del esfuerzo requerido para llevar a cabo la respuesta pueda considerarse como castigo tiene que considerar el movimiento necesario para cumplir las demandas de aumento del esfuerzo como parte de la conducta objetivo. En ese caso, el aumento del esfuerzo requerido para completar la respuesta es (a) una consecuencia de la respuesta previa que lleva a sujeto a hacer dicho esfuerzo, y (b) un estímulo aversivo que actúa como castigo (ya que la frecuencia futura de esa respuesta disminuye).

Sobrecorrección

La **sobrecorrección** es una estrategia de reducción de la conducta en la que de forma contingente a la ocurrencia del problema de conducta, se le pide al sujeto que inicie una conducta que implique un esfuerzo y que esté directa o lógicamente relacionada con dicho problema de conducta. Este procedimiento fue desarrollado inicialmente por Foxx y Azrin (1972, 1973; Foxx y Betchel, 1983) como método para disminuir la conducta disruptiva y desadaptativa de adultos con retraso mental en contextos institucionales. Es un procedimiento que combina los efectos supresores del castigo con los efectos educativos de la práctica positiva e incluye uno o ambos de estos dos componentes: restitución y práctica positiva.

En la **sobrecorrección restitutiva**, de manera contingente a la conducta problema, se requiere al sujeto que repare el daño causado por el problema de conducta devolviendo el ambiente a su estado original y que posteriormente realice conductas adicionales que dejen ese ambiente en una condición mucho mejor que la que tenía antes de la conducta problema. Un padre que aplica la sobrecorrección restitutiva a un niño que de forma repetida embarra el suelo de la cocina, debería en primer lugar decirle al niño que limpiara el suelo y sus zapatos, y luego *sobre*corregir los efectos de su conducta limpiando y encerando una parte del suelo y puliendo sus zapatos.

Azrin y Foxx (1971) aplicaron la sobrecorrección restitutiva en su programa de entrenamiento en el uso del cuarto de baño, requiriendo a la persona que había tenido un incidente que se quitara la ropa sucia, la lavara, la pusiera a secar, se diera una ducha, se vistiera con ropa limpia y luego limpiara una parte del baño. Azrin y Wesolowski (1975) eliminaron el robo de comida por parte de adultos hospitalizados con retraso mental requiriendo a los residentes que devolvieran no solamente la comida robada, o la porción que aún no se habían comido, sino que además debían comprar una porción adicional de esa comida y dársela a la víctima del robo.

Azrin y Besalel (1999) diferenciaban un procedimiento que llamaron *corrección simple* de la sobrecorrección. Con la corrección simple, se requiere al sujeto, con posterioridad a la ocurrencia de la conducta inapropiada, que restaure el entorno a su estado previo. Por ejemplo, un procedimiento de corrección simple se realiza cuando a un estudiante que intenta saltarse su turno en la cola de la comida se le indica que se vaya al final de la cola. En cambio, hacer que el estudiante esperara hasta que todos los demás estudiantes se hubieran puesto en la cola y hubiesen sido servidos antes de entrar de nuevo en la cola, constituiría una forma de sobrecorrección. Azrin y Besabel recomendaron la corrección simple para reducir conductas poco graves, que ocurren sin demasiada frecuencia, que no son deliberadas y que no interfieren de forma grave o molestan a otras personas.

La corrección no es posible si el problema de conducta provoca un efecto irreversible (p.ej., se rompe un plato único) o si la conducta correctiva está más allá del alcance de los medios o habilidades de la persona. En estos casos, Azrin y Besabel (1999) recomendaban que se requiriera a la persona a corregir el máximo daño posible del que hubiese causado su conducta, que estuviese presente en todos los puntos de la corrección y que ayudara en cualquier parte de la corrección en la que le fuese posible participar. Por ejemplo, un niño que rompió una ventana muy cara de un vecino, tuvo que limpiar los trozos de cristal, tomar las medidas de la ventana, ponerse en contacto con la tienda para obtener un cristal nuevo, estar presente cuando se instalaba el cristal y ayudar en cada paso.

En la **sobrecorrección con práctica positiva**, de forma contingente a la ocurrencia de la conducta problema, se requiere al sujeto que lleve a cabo de forma repetida una forma correcta de la conducta, o una conducta incompatible con el problema de conducta, durante un tiempo o un número de respuestas determinado. La sobrecorrección con práctica positiva incluye un componente educativo en el sentido de que requiere que la persona realice una conducta alternativa apropiada. El padre cuyo hijo había ensuciado con barro el suelo de la cocina podría añadir un componente de práctica positiva requiriendo al niño que practicara durante dos minutos o 5 veces seguidas como limpiarse los pies en el felpudo antes de entrar a la casa. La sobrecorrección que incluye tanto la restitución como la práctica positiva ayuda a enseñar lo que hacer y lo que no hacer. Al niño que rompe un plato irremplazable, se le podría pedir que lavara con cuidado y despacio un cierto número de platos, quizás con un exagerado cuidado.

Los investigadores y los profesionales aplicados han utilizado la sobrecorrección con práctica positiva para reducir la frecuencia de problemas de conducta tales como los relacionados con el uso del baño (Azrin y Foxx, 1971), la autoestimulación y la conducta estereotipada (Azrin, Kaplan, y Foxx, 1973; Foxx y Azrin, 1973), la pica (Singh y Winton, 1985), el bruxismo (Steuart, 1993), la agresión a los hermanos (Adams y Kelley, 1992) y la conducta molesta en clase (Azrin y Powers, 1975). La sobrecorrección con práctica positiva ha sido utilizada en conductas académicas (Lenz, Singh, y Hewett, 1991), con frecuencia para reducir la lectura oral y los errores de ortografía (p.ej., Ollendick, Matson, Esveldt-Dawson, y Shapiro, 1980; Singh y Singh, 1986; Singh, Singh, y Winton, 1984; Stewart y Singh, 1986).

La sobrecorrección con práctica positiva puede además utilizarse para reducir o eliminar conductas que no provocan productos conductuales que puedan ser reparados o devueltos a su estado original. Por ejemplo, Heward, Dardig y Rosset (1979) describieron como los padres aplicaban la sobrecorrección con práctica positiva para ayudar a su hija adolescente a que cesara de cometer un error gramatical cuando hablaba. Eunice, utilizaba con frecuencia la contracción "don't" en lugar de "doesn't" con la tercera persona del singular (p.ej., He don't want to go"). Un programa de reforzamiento positivo en el que Eunice ganaba puntos que podía intercambiar por sus actividades preferidas cada vez que utilizada "doesn't" de forma correcta, tuvo poca influencia sobre su forma de hablar. Eunice estaba de acuerdo con sus padres en que debía hablar correctamente pero argumentó que su conducta era un hábito. Eunice y sus padres decidieron complementar el programa de reforzamiento con un procedimiento de castigo moderado. Cada vez que Eunice o sus padres oían que utilizaba "don't" de forma incorrecta, se le requería decir la frase completa de forma correcta 10 veces seguidas. Eunice tenía un contador de muñeca que le recordaba que debía escuchar su forma de hablar y contabilizar el número de veces que empleaba este procedimiento de práctica positiva.

Cuando la práctica positiva suprime de forma eficaz el problema de conducta, no está claro qué mecanismos conductuales son los responsables del cambio conductual. El castigo puede conducir a una disminución en la frecuencia de la respuesta, porque la persona tiene que realizar una conducta que requiere esfuerzo como consecuencia de haber emitido el problema de conducta. Una reducción de la frecuencia de la conducta problema como resultado de la práctica positiva puede también ser función del aumento de la frecuencia de una conducta incompatible, la conducta correcta que es reforzada en el repertorio conductual del sujeto como consecuencia de la práctica repetida e intensiva. Azrin y Besabel (1999) sugirieron que la razón por la que la práctica positiva es eficaz varía dependiendo de si el problema de conducta es "deliberado" o producto de un déficit de habilidades:

> La práctica positiva puede ser eficaz debido al esfuerzo y la inconveniencia que implica, o porque proporciona un aprendizaje adicional. Si los errores del niño se deben a una acción deliberada, el esfuerzo extra implicado en la práctica positiva puede desalentar la ocurrencia de futuras conductas inadecuadas. Pero si estas conductas son el

resultado de un aprendizaje insuficiente, el niño dejará de comportarse mal, o de cometer el error, debido a la práctica intensiva de la conducta adecuada (pág. 5).

Aunque los procedimientos específicos para implementar la sobrecorrección varían mucho dependiendo del problema de conducta y de sus efectos sobre el entorno, del contexto, de la conducta alternativa deseable, y de las habilidades que presenta el sujeto, es posible sugerir algunas directrices generales (Azrin y Besabel, 1999; Foxx y Betchel, 1983; Kazdin, 2001; Miltenberger y Guqua, 1981):

1. Inmediatamente después de la ocurrencia de la conducta problema (o del descubrimiento de sus efectos), en un tono de voz calmado y no emocional, se le dice al sujeto que se ha comportado de forma inapropiada y se le proporciona una breve explicación de por qué se debe corregir la conducta. No se debe criticar o regañar. La sobrecorrección implica una consecuencia lógicamente relacionada para reducir la futura frecuencia de aparición de la conducta problema; las críticas y las regañinas no mejoran la eficacia de la estrategia y pueden dañar las relaciones entre el sujeto y el terapeuta.
2. Se dan instrucciones verbales explícitas describiendo la secuencia de sobrecorrección que deberá llevar a cabo el sujeto.
3. Se implementa la secuencia de sobrecorrección tan pronto como sea posible después de que haya ocurrido la conducta problema. Cuando las circunstancias impidan que la secuencia de sobrecorrección comience inmediatamente, es necesario decirle al sujeto cuando se llevará a cabo el proceso de sobrecorrección. Varios estudios han observado que la sobrecorrección llevada a cabo con demora puede ser efectiva (Azrin y Powers, 1975; Barton y Osborne, 1978).
4. Se supervisa al sujeto durante las actividades de sobrecorrección. Se ofrece la mínima cantidad posible de ayudas a la respuesta, incluidas las ayudas físicas suaves, necesarias para asegurar que el sujeto lleva a cabo la secuencia completa de sobrecorrección.
5. Proporcionar al sujeto la mínima retroalimentación posible sobre las respuestas correctas. Tampoco hacer demasiadas alabanzas ni prestar demasiada atención al sujeto durante la secuencia de sobrecorrección.
6. Alabar, prestar atención y aplicar quizás otras formas de reforzamiento al sujeto cada vez que de forma "espontánea" realice la conducta adecuada durante sus actividades cotidianas. (Aunque técnicamente no es parte del procedimiento de sobrecorrección, el reforzamiento de una conducta alternativa se recomienda como complemento en todas las intervenciones basadas en el castigo)

Aunque "los resultados de unos pocos minutos de entrenamiento correctivo después de la conducta no deseada con frecuencia conducen a unos rápidos y duraderos efectos terapéuticos" (Kazdin, 2001, pág. 220), los terapeutas deberían estar atentos a varios problemas potenciales y limitaciones asociadas a la sobrecorrección. En primer lugar, la sobrecorrección requiere un trabajo intensivo, es un procedimiento que consume mucho tiempo y requiere la total atención del profesional. La implementación de la sobrecorrección suele requerir que el profesional supervise al sujeto directamente a lo largo de todo el proceso. En segundo lugar, para que la sobrecorrección sea eficaz como castigo, el tiempo que el sujeto pasa con la persona que supervisa el proceso no debe ser reforzante. "Si lo es, podría merecer la pena encerar todo el suelo de la cocina si mamá charla contigo y te da un descanso para tomar galletas y leche" (Heward et al., 1979, pág.63).

En tercer lugar, puede que un niño que suele portarse mal no vaya a cumplir una larga lista de conductas de "limpieza" solamente porque se le pida. Azrin y Besabel (1999) recomendaban tres estrategias para minimizar la posibilidad de rechazo de la secuencia de sobrecorrección: (1) recordar al sujeto cuales son las medidas disciplinarias más severas, y si la negación continúa, llevar a cabo estas medidas; (2) argumentar la necesidad de corregir el daño antes de que suceda el problema de conducta; y (3) establecer la corrección cono una expectativa y un hábito rutinario para cualquier conducta molesta. Si el niño se resiste con firmeza o se vuelve agresivo, la sobrecorrección puede no ser un tratamiento viable. Los sujetos adultos deben tomar voluntariamente la decisión de llevar a cabo la rutina de sobrecorrección.

Estimulación eléctrica contingente

La estimulación eléctrica contingente como castigo implica la presentación de un breve estímulo eléctrico inmediatamente después de la ocurrencia de la conducta problema. Aunque el uso de la estimulación eléctrica como tratamiento provoca controversia y suscita fuertes opiniones, Duker y Seys (1996) informaron de que 46 estudios habían demostrado que la estimulación eléctrica contingente puede ser un método efectivo y muy seguro para suprimir conductas autolesivas crónicas y que amenazan la vida del sujeto. Uno de los procedimientos que se han aplicado con mayor cuidado y del que se ha investigado con mayor rigor para la implementación del castigo mediante la estimulación eléctrica contingente a los golpes autoinfringidos en la cabeza o la cara ha sido el sistema inhibidor de conductas autolesivas (SIBIS: Self-Injurious Behavior Inhibitor System) (Linscheid, Iwata, Ricketts, Williams, y Griffin, 1990; Linscheid, Pejeau, Cohen, y Footo-Lenz, 1994; Linscheid y Reichenbach, 2002). El instrumento SIBIS consta de un módulo sensor (colocado en la cabeza) y un módulo estimular (colocado en el brazo o la pierna) que contiene un receptor de radio, una batería de 9 voltios y un circuito para la generación y el control temporal del estímulo eléctrico. El sensor del módulo detecta el movimiento de golpeo de la cara o la cabeza y cuando este supera un determinado umbral emite una señal de radio hacia el módulo estimular que produce un tono audible seguido de una estimulación eléctrica (de 84 V y 3,5 mA) durante 0,08 segundos. “Subjetivamente, la experiencia ha sido descrita en sus extremos como imperceptible (extremo inferior) y similar al impacto de una banda elástica sobre el brazo (extremo superior)” (Linscheid et al., 1990, pág. 56.)

Linscheid y colaboradores (1990) evaluaron el instrumento SIBIS como tratamiento para cinco personas con conducta autolesiva “de larga duración, grave y previamente inmanejable”. Una de ellas fue Donna, una chica de 17 años con retraso mental profundo, que no hablaba, ni tenía habilidades para alimentarse o usar el baño de forma independiente. Sus padres habían informaron de que Donna había empezado a golpearse con fuerza suficiente como para provocarse lesiones en la cara y la cabeza más de 10 años antes de comenzar el estudio. Se habían aplicado sin éxito numerosos tratamientos para que Donna dejara de lesionarse, incluyendo el reforzamiento diferencial de otras conductas (RDO), “la enseñanza amable”, la redirección, y la prevención de respuesta. “Por ejemplo, para prevenir el golpeo de la cabeza en la cama, sus padres tenían que sujetarle los brazos hasta que se dormía. Esto a veces requería de 3 a 4 horas de atención continua, algo con lo que los padres sentían que eran incapaces de continuar” (págs. 66-67). Aunque Donna era capaz de andar, cuando el estudio comenzó, pasaba la mayor parte del día con sus muñecas sujetas a los brazos de una silla de ruedas para prevenir las conductas autolesivas.

Los efectos de la aplicación del instrumento SIBIS sobre las conductas autolesivas de Donna se evaluaron con un diseño de reversión que incluía condiciones en las que el instrumento SIBIS estaba activo y otras en las que estaba inactivo. Todas las sesiones duraban como mínimo 10 minutos o hasta que Donna golpeaba su cabeza 25 veces. Durante las sesiones en las que el instrumento SIBIS estaba inactivo, Donna llevaba el módulo sensor y el estimular pero este último estaba desactivado. Durante las seis sesiones iniciales de lineabase y las seis de la condición de SIBIS inactivo, Donna se golpeó la cabeza con una tasa media de al menos una vez por segundo (68,1 y 70,2 respuestas por minuto, respectivamente) (ver la figura 14.7). En la primera sesión en la que se aplicó el SIBIS de forma activa, las conductas autolesivas de Donna se redujeron a 2.4 golpes en la cabeza por minuto. La tasa media de golpes en la cabeza durante todas las fases en las que el SIBIS estuvo activo fue de 0,5 respuestas por minuto (un rango de 0 a 5,6), comparado con tasas de 50.2 (1,7 a 78,9) y 32,5 (0 a 48.0) respuestas por minuto para las sesiones combinadas de la lineabase y de la condición de SIBIS inactivo respectivamente. La aplicación del instrumento SIBIS redujo el golpeo de la cabeza de Donna en un 98,9% desde los niveles de lineabase. A lo largo de todas las sesiones en las que el instrumento SIBIS estuvo activo, Donna recibió 32 estimulaciones eléctricas con una duración conjunta de 2,6 segundos. Ninguna de las sesiones de SIBIS activo tuvieron que terminarse antes de lo previsto para prevenir ningún riesgo, mientras que el 100% de las sesiones de lineabase y un 64% de las sesiones de SIBIS inactivo se tuvieron que finalizar debido a que Donna se golpeó 25 veces.

Se obtuvieron resultados parecidos sobre todos los participantes: la aplicación del SIBIS produjo el cese casi inmediato y completo de las conductas autolesivas. Aunque la aplicación de la estimulación eléctrica aversiva está rodeada de preocupaciones de tipo legal, ético y moral, Linscheid y Reichenbach (2002) ofrecieron la siguiente perspectiva del problema: “aunque la decisión de utilizar un tratamiento aversivo debería tomarse teniendo en cuenta numerosos factores, se sugiere que la velocidad y el grado de supresión de la conducta autolesiva esté entre los aspectos que se tengan en cuenta” (pág. 176). Los datos que provienen de informes formales y anecdóticos indican la ausencia de efectos secundarios negativos y la aparición de efectos secundarios positivos. Por ejemplo, los padres de Donna informaron de una mejoría general en su funcionamiento adaptativo global y de que no hubo que volver a sujetarla en la cama para dormir. El profesor de Donna informó de que:

> Desde la introducción del SIBIS, es como si tuviéramos una chica nueva en clase. Donna ya no necesita tener sus manos sujetas. Camina por el aula sin el casco y sin el

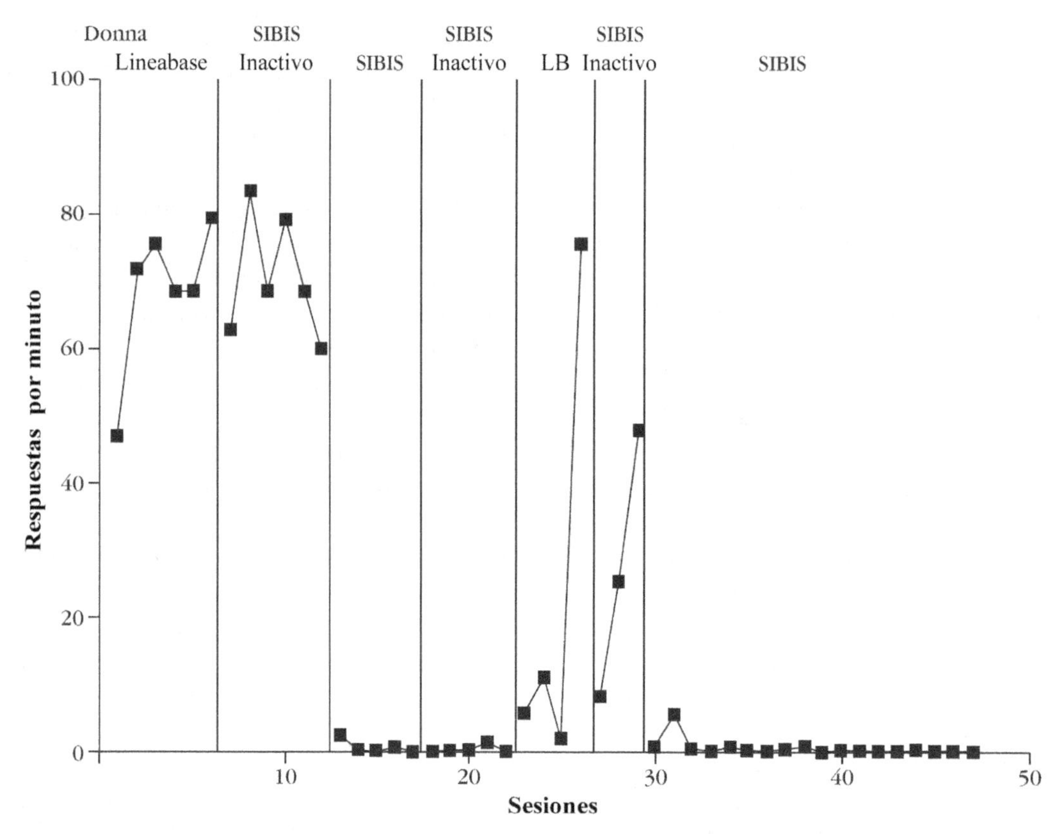

Figura 14.7 Número de golpes en la cabeza por minuto de una chica de 17 años con una historia de 10 años de conducta autolesiva durante la lineabase y las condiciones de activación y desactivación del Sistema de Inhibición de la Conducta Autolesiva (SIBIS).

Tomado de "Clinical Evaluation of SIBIS: The Self-Injurious Behavior Inhibiting System" T. R. Linscheid, B. A. Iwata, R. W. Ricketts, D. E. Williams, y J. C. Griffin, 1990. *Journal of Applied Behavior Analysis, 23.* pág. 67. © Copyright 1990 Society for the Experimental Analysis of Behavior. Usado con permiso.

collar cervical. Sonríe con mayor frecuencia y tiene muchos menos berrinches. Presta más atención a lo que está ocurriendo en la clase. Se acerca más a los objetos y a las personas que antes. (Pág.68)

Aunque el mantenimiento de los efectos supresores del SIBIS no se ha demostrado de forma universal (Ricketts, Goza y Matese, 1993), hay autores que han informado sobre efectos a largo plazo de este tratamiento (Linscheid y Reichenbach, 2002). Por ejemplo, Salvy, Mulick, Butter, Bartlett, y Linscheid (2004), informaron de que la conducta autolesiva de una niña de 3 años de edad con una historia de 18 meses de golpearse la cabeza repetitivamente, se mantuvo a niveles prácticamente de cero un año después de aplicar el tratamiento de SIBIS.

Directrices para aplicar el castigo eficazmente

La investigación y las aplicaciones clínicas han demostrado que el castigo puede provocar una supresión rápida y duradera de los problemas de conducta. Cada vez con más frecuencia, las políticas de las organizaciones, la revisión de los procedimientos para tratar con sujetos humanos y las prácticas históricas han limitado la aplicación del castigo para la investigación y el tratamiento en contextos clínicos (Grace, Kahng, y Fisher, 1994). Sin embargo, el castigo pueden ser un tratamiento de elección cuando: (a) el problema de conducta provoca un daño físico severo y debe ser suprimido con rapidez, (b) los tratamientos basados en el reforzamiento no han reducido el problema de conducta a niveles socialmente aceptables, o (c) el reforzador que mantiene la conducta problema no puede ser identificado o retirado (Lerman y Vorndran, 2002).

Si se ha tomado la determinación de aplicar un tratamiento basado en el castigo, se deben dar ciertos pasos que garanticen que el estímulo punitivo es tan eficaz como sea posible. Las directrices que se comentan a continuación ayudarán a los profesionales aplicados a utilizar el castigo de forma eficaz minimizando los efectos secundarios no deseados y los problemas. Damos estas directrices suponiendo que el analista ha llevado a cabo previamente una evaluación funcional de la conducta para identificar las variables que mantienen el problema de conducta (ver Capítulo 24), que el problema de conducta ha sido definido de forma que minimiza la ambigüedad de sus parámetros (ver Capítulo 3), y que el participante no puede evitar o escapar del estímulo punitivo.

Seleccionar estímulos punitivos apropiados y eficaces

Realizar evaluaciones de estímulos punitivos

Como en los métodos de evaluación de reforzadores presentados en el Capítulo 11, se puede aplicar un proceso paralelo a la identificación de estímulos que puedan tener una función punitiva. Fisher y colaboradores (1994), que aplicaron de forma diferencial una combinación de estímulos punitivos y reforzadores obtenidos empíricamente para reducir la conducta de pica de tres niños derivados a un servicio de ingreso hospitalario, identificaron dos ventajas de llevar a cabo una evaluación de los estímulos punitivos. En primer lugar, cuanto antes se identifique un estímulo punitivo eficaz, antes podrá ser aplicado como tratamiento. En segundo lugar, las evaluaciones de estímulos punitivos pueden revelar la magnitud o la intensidad necesaria para la supresión conductual, permitiendo aplicar la menor intensidad posible del estímulo punitivo que sea eficaz.

La evaluación de los estímulos punitivos es un reflejo de la evaluación de preferencias de estímulo y la de los reforzadores, excepto porque en lugar de medir la duración del contacto con cada estímulo, el analista de conducta mide las verbalizaciones negativas, los movimientos de evitación y los intentos de escape asociados a cada estímulo. Los datos de la evaluación de los estímulos punitivos se utilizan con posterioridad para desarrollar una hipótesis sobre la eficacia relativa de cada cambio estimular elemento punitivo.

La decisión sobre qué estímulo punitivo elegir entre todos los posibles debería basarse en el grado relativo de intrusión que el estímulo punitivo provoca, y la facilidad con la que puede administrarse de forma consistente y segura por parte de terapeutas, profesores o padres que van a implementar el procedimiento de castigo en una clínica, en un aula o en el hogar. La observación posterior podría revelar que una consecuencia que es menos intrusiva, que consume menos tiempo o que es más sencilla de aplicar, es la que debería usarse, como en la siguiente experiencia comentada por Thompson y colaboradores (1999):

> Llevamos a cabo una evaluación breve para identificar un procedimiento de castigo eficaz para cada participante. Los procedimientos fueron elegidos para su evaluación tomando como base las topografías de las conductas autolesivas, un grado de intrusión mínimo aparente y la capacidad del investigador para implementar el procedimiento de forma efectiva y segura. Durante esta fase, utilizamos unos diseños AB breves para evaluar diferentes procedimientos y elegir el que resultara menos restrictivo y que además produjera una reducción del 75% en las conductas autolesivas. Por ejemplo, evaluamos inicialmente la restricción manual durante 15 segundos de Shelly. A lo largo de este procedimiento, el terapeuta aplicaba una reprimenda verbal, sujetaba las manos de Shelly en su regazo durante 15 segundos, y luego le secaba las manos con un trapo. Este procedimiento redujo las conductas autolesivas al nivel criterio. Sin embargo, más adelante observamos una reducción similar en las conductas auto-lesivas cuando el terapeuta simplemente daba la reprimenda (p.ej., "no se escupe") y secaba las manos de Shelly (sin sujetarlas en su regazo). Por lo tanto, elegimos la reprimenda y el secado de manos como procedimiento a implementar (pág.321).

Utilizar estímulos punitivos con magnitud y calidad suficiente

La calidad (o eficacia) de un estímulo punitivo está relacionada con el número de variables pasadas y presentes que afectan al participante. Por ejemplo, Thompson y colaboradores observaron que 15 segundos de contención física era un estímulo punitivo de alta calidad para Ricky, Donna y Lynn que, en cambio, no influía sobre la conducta de Shally. Aunque los estímulos que evocan conductas de escape y evitación de manera fiable suelen actuar como estímulos punitivos de alta calidad, los profesionales aplicados deberían tener en cuenta que un cambio estimular que suprime algunas conductas de forma eficaz, puede no afectar a otras, y que los problemas conductuales altamente motivados pueden ser suprimidos únicamente si se aplica un estímulo punitivo de alta calidad.

De forma general, los investigadores básicos y aplicados han encontrado que a mayor intensidad (magnitud o cantidad) de un estímulo punitivo, mayor es la supresión de la conducta. Este hallazgo está condicionado a que se administre el estímulo punitivo a su nivel óptimo de magnitud desde el principio, en lugar de aplicarlo de manera gradual hasta llegar al nivel óptimo (Azrin y Holz, 1966). Por ejemplo, Thompson y colaboradores (1999), utilizaron el procedimiento de evaluación descrito previamente para determinar el punto óptimo de magnitud del estímulo punitivo: una magnitud que provocara una reducción del 75%, o mayor, en la conducta autolesiva desde la lineabase en cuatro participantes adultos. Los estímulos punitivos que cumplían su criterio incluían: "Las manos de Ricky se sujetaban en su regazo durante 15 segundos cada vez que iniciaba la conducta autolesiva. Donna y Lynn recibían una reprimenda verbal y además se les sujetaban las manos en el pecho durante 15 segundos cuando aparecían las conductas autolesivas (pág. 321).

Comenzar con un estímulo punitivo de magnitud suficiente es importante porque cuando los niveles del mismo se incrementan de forma gradual se puede producir adaptación en los participantes. Por ejemplo, es posible que 15 segundos de restricción en los movimientos hubieran sido poco eficaces como castigo para las conductas autolesivas de Ricky, Donna y Lynn si Thompson y sus colaboradores hubieran comenzado con un estímulo punitivo de 3 segundos de duración aumentando gradualmente su magnitud en intervalos de 3 segundos.

Utilice estímulos punitivos variados

La eficacia de un estímulo punitivo puede reducirse con su presentación repetida. Utilizar una amplia variedad de estímulos punitivos puede ayudar a reducir los efectos de habituación. Además, el uso de varios estímulos punitivos puede aumentar la eficacia de aquellos que son menos intrusivos. Por ejemplo, Charlop, Burgio, Iwata e Ivancic (1988) compararon varios estímulos punitivos con una presentación simple de uno de ellos (es decir, un severo "¡No!", sobrecorrección, tiempo fuera con contención física y un ruido alto). Participaron tres niños con discapacidades del desarrollo de 3, 5 y 6 años de edad. Sus problemas de conducta incluían agresión (Niño 1), autoestimulación y conducta destructiva (Niño 2) y agresión y permanencia fuera de su asiento (Niño 3). La condición que incluía estímulos punitivos variados fue ligeramente más eficaz que la que incluía la presentación individual de un estímulo punitivo, y mejoró la sensibilidad de la conducta a los estímulos punitivos menos intrusivos. Charlop y colaboradores concluyeron que, "parece que al presentar un formato variado de estímulos punitivos habituales, las conductas poco apropiadas pueden seguir disminuyendo sin el uso de procedimientos de castigo más intrusivos" (pág. 94; ver la Figura 14.8).

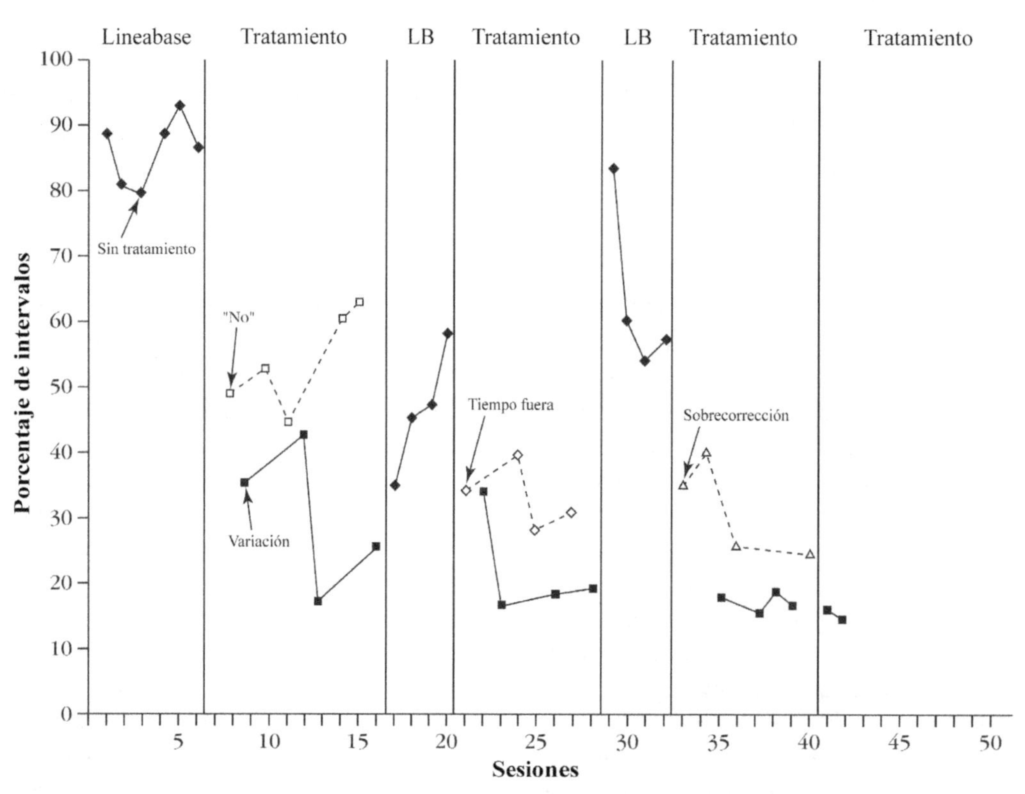

Figura 14.8 Porcentaje de intervalos de aparición de la conducta de autoestimulación y destructiva de una niña de 6 años con autismo.

Tomado de "Stimulus Variation as a Means of Enhancing Punishment Effects" M. H. Charlop, L. D. Burgio, B. A. Iwata, y M. T. Ivancic, 1988. *Journal of Applied Behavior Analysis, 21.* pág. 92. © Copyright 1988 Society for the Experimental Analysis of Behavior. Usado con permiso.

Administrar el estímulo punitivo al principio de la secuencia conductual

Castigar una conducta inapropiada tan pronto como esta comienza es más efectivo que esperar a que la cadena conductual se complete (Solomon, 1964). Una vez que la secuencia de respuestas que forman parte del problema de conducta se inicia, reforzadores secundarios potentes asociados a la ejecución de cada paso de la cadena pueden ayudar a su continuación, contrarrestando los efectos supresores o inhibidores del castigo que ocurre al final de la secuencia. Por lo tanto, siempre que sea posible, el estímulo punitivo debe presentarse cuanto antes en la secuencia conductual. Por ejemplo, si balancear los brazos con violencia es un precursor de la conducta autolesiva de hurgarse los ojos, el castigo (p.ej., bloqueo de respuesta o contención física) debe administrarse tan pronto como aparezca el balanceo de los brazos.

Castigar cada presentación de la conducta al principio

El castigo es más eficaz cuando el estímulo punitivo sigue a cada respuesta. Esto es particularmente importante cuando el castigo se implementa por primera vez.

Cambiar de forma gradual a un programa intermitente de castigo

Aunque el castigo es más eficaz cuando el estímulo punitivo sigue a cada presentación del problema de conducta, los profesionales aplicados pueden considerar que programa continuo de castigo no es aceptable porque carecen de los recursos y el tiempo necesarios para atender cada presentación de la conducta (O´Brien y Karsh, 1990). Varios estudios han encontrado que, después de que la respuesta se haya reducido como consecuencia de un programa continuo de castigo, un programa intermitente de castigo puede ser suficiente para mantener la conducta a una frecuencia socialmente aceptable (p.ej., Clark, Rowbury, Baer y Baer, 1973; Lerman et al., 1997; Romanczyk, 1977)

Recomendamos tener en cuenta dos directrices para el uso del castigo intermitente: En primer lugar, y muy importante, se debe utilizar un programa continuo (Razón Fija 1) de castigo para reducir la conducta problema a un nivel clínicamente aceptable antes de pasar al programa intermitente. En segundo lugar, se recomienda combinar el programa intermitente con la extinción. Es improbable que el nivel reducido de respuesta se mantenga bajo el castigo intermitente si no se identifica y retira el reforzador que mantiene el problema de conducta problema. Si se cumplen estas dos directrices para aplicar el castigo de forma intermitente y la frecuencia del problema de conducta aumenta hasta niveles inaceptables, es necesario volver a un programa de castigo continuo y posteriormente, después de que se recuperen los bajos niveles de respuesta considerados aceptables, cambiar de forma gradual a un programa de castigo intermitente más denso que el que se aplicó previamente (p.ej., Razón Variable 2 en lugar de Razón Variable 4).

Usar la mediación con una demora entre la respuesta y el castigo

Al igual que ocurría con los reforzadores, los estímulos punitivos que se aplican de forma inmediata a la presentación de la respuesta son más eficaces que los que se aplican después de un periodo de tiempo desde la ocurrencia de la respuesta. En el contexto del reforzamiento, Stromer, McComas y Rehfeldt (2000), nos recordaron que el uso de programas de reforzamiento continuos e intermitentes puede ser el primer paso para programar las consecuencias de las situaciones cotidianas, ya que las consecuencias que mantienen las respuestas en entornos naturales suelen ser demoradas:

> El establecimiento de los casos iniciales de un repertorio conductual suele precisar la utilización de consecuencias programadas que aparezcan inmediatamente después de la ocurrencia de la conducta objetivo. Sin embargo, la labor del analista aplicado de la conducta también incluye el uso estratégico del reforzamiento demorado (pág. 359).

La labor del analista aplicado de la conducta podría además incluir la programación estratégica de las contingencias que incluyan un intervalo de demora del castigo. Como Lerman y Vorndran (2002) Señalaron:

> Las consecuencias del problema de conducta se suelen presentar de forma demorada en los ambientes naturales. Los cuidadores y los maestros no suelen poder supervisar la conducta estrechamente o administrar castigos de larga duración (p.ej., 15 minutos de trabajo contingente) inmediatamente después de la ocurrencia del problema de conducta. Además, el castigo se puede demorar cuando el

> individuo se resiste activamente a la aplicación de las consecuencias programadas luchando con el agente punitivo o escapándose. En algunos casos, la conducta problema aparece en ausencia del agente punitivo, demorando necesariamente las consecuencias programadas hasta que se detecta la conducta (págs. 443-444).

En líneas generales, los analistas aplicados de la conducta han evitado programar intervalos de demora para el castigo. En su revisión de la literatura básica y aplicada sobre el castigo, Lerman y Vorndran (2002), encontraron solo dos estudios aplicados que habían tenido en cuenta las variables asociadas al uso efectivo de la demora del castigo (Rolider y Van Houten, 1985; Van Houten y Rolider, 1988), y destacaron que estos analistas aplicados de la conducta utilizaron una amplia variedad de técnicas para mediar entre la ocurrencia del problema de conducta y las consecuencias punitivas.

> [Ellos] demostraron la eficacia del castigo demorado utilizando una variedad de consecuencias intermedias en niños con discapacidades emocionales y del desarrollo. Una forma de utilizar las variables intermedias consistía en reproducir las grabaciones de audio tomadas previamente ese día sobre la conducta disruptiva y a continuación aplicar la consecuencia punitiva (contención física, y reprimendas verbales). En algunos casos el niño veía la grabadora funcionando y se le explicaba su papel en la aplicación del castigo demorado. Estos factores pueden haber servido para rellenar tiempo entre la aparición de la conducta inadecuada y su consecuencia (p.ej., actuando como estímulo discriminativo del castigo). (pág. 444).

Complementar el castigo con otras intervenciones

Los analistas aplicados de la conducta no suelen utilizar el castigo como intervención única sino que lo suelen complementar con otras intervenciones, principalmente con reforzamiento diferencial, extinción y una serie de intervenciones sobre los antecedentes. Los investigadores básicos y aplicados han encontrado de forma consistente que la eficacia del castigo aumenta cuando el sujeto puede realizar otras respuestas para obtener reforzamiento. En la mayoría de las circunstancias, los analistas aplicados de la conducta deben añadir al tratamiento el reforzamiento diferencial de conductas alternativas (RDA), el reforzamiento diferencial de conductas incompatibles (RDI), o el reforzamiento diferencial de otras conductas (RDO) (ver Capítulo 22) para complementar el castigo. El reforzamiento diferencial, cuando es utilizado como procedimiento de reducción del problema de conducta, consta de dos componentes: (1) aplicar reforzamiento contingente a la aparición de una conducta diferente al problema de conducta, y (2) retirar el reforzamiento del problema de conducta (es decir, extinción, ver Capítulo 21). El estudio de Thompsom y colaboradores (1999), que se presentó previamente (ver figura 14.4) ofrece un ejemplo excelente de cómo el reforzamiento de una conducta alternativa puede mejorar los efectos supresores del castigo y permitir que "procedimientos de castigo relativamente benignos" sean eficaces incluso con problemas de conducta crónicos que se habían mostrado resistentes al cambio.

Recomendamos a los profesionales aplicados que refuercen las conductas alternativas con abundancia. De forma adicional, cuanto mayor reforzamiento obtenga el sujeto por emitir las conductas adecuadas, menos motivado estará para emitir la conducta problema. En otras palabras, dosis de reforzamiento fuertes y consistentes para las conductas alternativas actúan como operación de abolición que debilita la frecuencia del problema de conducta.

Hay aún otra razón importante para recomendar el reforzamiento de conductas alternativas. Los analistas aplicados de la conducta tienen como tarea la creación de repertorios conductuales (en las personas usuarias de sus servicios) mediante la enseñanza de nuevas habilidades y mejores formas de controlar sus ambientes y de alcanzar el éxito. El castigo (con la excepción de algunos procedimientos de sobrecorrección) elimina conductas del repertorio de la persona. Aunque la persona estará mejor sin esas conductas en su repertorio, el castigo solamente enseña lo que *no* hacer, no lo que hay que hacer en su lugar.

La eficacia de intervenciones antecedentes tales como el entrenamiento en comunicación funcional, la secuencia de alta probabilidad, y el reforzamiento no contingente (RNC), que disminuyen la frecuencia de los problemas de conducta al disminuir la eficacia de los reforzadores que los mantienen (ver Capítulo 23), puede aumentar cuando se combinan con el castigo. Por ejemplo, Fisher y colaboradores (1993), encontraron que, aunque el entrenamiento en comunicación funcional no reducía a niveles clínicamente significativos la conducta destructiva de cuatro participantes con retraso mental grave y déficits en la comunicación, la combinación de dicho entrenamiento con el castigo provocaba la reducción más grande y consistente de los problemas de conducta.

Estar preparado para posibles efectos secundarios

Es difícil predecir los efectos secundarios que pueden aparecer como resultado del castigo (Reese, 1966). La eliminación de una conducta problema puede llevar a un incremento de otras conductas no deseadas. Por ejemplo, el castigo de una conducta auto-lesiva puede provocar la aparición de niveles elevados de desobediencia o agresión. Castigar un problema de conducta puede conducir a una reducción paralela en las conductas deseadas. Por ejemplo, se le pide a un estudiante que reescriba un texto mal escrito puede provocar que el estudiante no haga ningún trabajo académico. Aunque el castigo puede llevar a la aparición de efectos secundarios no deseados, los terapeutas deben tener en cuenta estos problemas como el pueden ser el escape o la evitación, arranques emocionales y contraste conductual, y deben tener un plan para tratar con estos sucesos cuando ocurran.

Registrar, graficar y evaluar los datos diariamente

La toma de datos en las sesiones iniciales de una intervención basada en el castigo es particularmente crítica. A diferencia de otros procedimientos de reducción de la conducta, tales como la extinción y el reforzamiento diferencial de conductas alternativas, cuyos efectos supresores suelen ser graduales, los efectos supresores del castigo son abruptos. En su revisión clásica de la investigación básica sobre el castigo, Azrin y Holz (1966) escribieron:

> Prácticamente todos los estudios sobre el castigo están completamente de acuerdo en que la reducción de las respuestas provocada por el castigo es inmediata si el castigo es eficaz. Cuando los datos se presentan en términos del número de respuestas por día, las respuestas se han reducido o eliminado de forma drástica en el primer día de aplicación. Cuando los datos se presentan en términos de cambios momento a momento, la reducción de las respuestas se obtiene con las primeras administraciones del castigo o en unos pocos minutos (pág.411).

Los primeros datos de las diferentes condiciones de castigo que aparecen en todos los gráficos presentados en este capítulo proporcionan evidencia empírica adicional a la afirmación de Azrin y Holz sobre los efectos inmediatos del castigo. Debido a estos efectos abruptos del castigo, el profesional aplicado debe prestar una atención particular a los datos de la primera o segunda sesión de la intervención. Si no se observa ninguna reducción notable del problema de conducta en este periodo, recomendamos que realice ajustes en la intervención.

Una inspección frecuente de los datos desde la perspectiva del castigo, mantiene presente el propósito de la intervención y revela si el problema de conducta se está eliminando o reduciendo como se pretendía. Cuando los datos indican que se ha obtenido un cambio clínica y socialmente significativo y que este cambio se ha mantenido, el castigo debe pasar a aplicarse siguiendo un programa intermitente o bien interrumpirse por completo.

Aspectos éticos relacionados con el uso del castigo

Los aspectos éticos relacionados con el uso del castigo giran en torno a tres grandes asuntos: el derecho de las personas atendidas a recibir un tratamiento humano y seguro, la responsabilidad del profesional de aplicar los procedimientos lo menos restrictivos posible, y el derecho de las personas atendidas de recibir un tratamiento eficaz.[9]

El derecho a un tratamiento humano y seguro

Según el juramento hipocrático (Hipócrates, 460 ac – 377 ac), la primera norma ética y responsabilidad de cualquier profesional del ámbito de los servicios humanos es no dañar. De acuerdo con esta premisa, cualquier programa de cambio de conducta, ya sea una intervención basada en el castigo para reducir una conducta autolesiva que pone en riesgo la vida, o una aplicación de reforzamiento positivo para enseñar nuevas habilidades académicas, debe ser segura físicamente para todos los implicados y no contener elementos que puedan ser degradantes o poco respetuosos con los participantes.

Se considera que los tratamientos son seguros cuando no ponen en riesgo físico, psicológico o social, ni al cuidador, ni al individuo que está siendo atendido (Favell y McGimsey, 1993). Aunque no existe una

---

[9]El Capítulo 29 ofrece una discusión detallada de las cuestiones y prácticas éticas para los analistas aplicados de la conducta.

definición universalmente aceptada de lo que constituye un tratamiento humano, parece razonable establecer que para ser considerados humanos los tratamientos deben ser: (a) diseñados para tener eficacia terapéutica, (b) administrados de forma compasiva y cuidadosa, (c) evaluados formalmente para determinar su eficacia e interrumpidos si la eficacia no se demuestra, y (d) sensibles al conjunto de necesidades físicas, psicológicas y sociales de la persona.

La alternativa menos restrictiva

Una segunda norma ética para los profesionales del ámbito de los servicios humanos es inmiscuirse en la vida del cliente solamente lo necesario para poder aplicar una intervención eficaz. La *doctrina de la alternativa menos restrictiva* mantiene que se deben intentar los procedimientos menos intrusivos y solo pasar a otros más intrusivos cuando los primeros se hayan mostrado ineficaces. Las intervenciones se pueden situar en un continuo desde la menos hasta la más restrictiva. Cuanto más afecta un tratamiento a la vida o a la independencia de la persona, como por ejemplo a su capacidad para acudir a actividades diarias en su ambiente habitual, más restrictivo será. Sin embargo, una intervención que no incluya ningún tipo de restricción es una falacia. Cualquier tratamiento debe afectar a la vida de la persona de alguna forma para ser considerado como una intervención. En el otro extremo del continuo, la restricción absoluta aparece durante el confinamiento solitario, donde la independencia individual es imposible. Todas las intervenciones de cambio de conducta desarrolladas por analistas aplicados de la conducta se encuentran dentro de estos extremos.

La selección de cualquier intervención basada en el castigo, básicamente descarta como ineficaces todas las aproximaciones positivas o positivas reductoras basándose en su poca capacidad para mejorar la conducta. Por ejemplo, Gaylord-Ross (1990) propuso un modelo de toma de decisiones para reducir la conducta anormal que sugería a los profesionales aplicados descartar los aspectos relacionados con la evaluación, los programas de reforzamiento poco eficaces o inapropiados, las variables de tipo ecológico, y las modificaciones del currículo antes de implementar el castigo.

Algunos autores y organizaciones profesionales han establecido la posición de que todos los procedimientos basados en el castigo son intrusivos inherentemente y no deben ser aplicados (p.ej., Association for Persons with Severe Handicaps, 1987; LaVigna y Donnellen, 1986; Mudford, 1995). Como contrapartida otros autores y profesionales han propuesto que los procedimientos basados en el castigo, por su naturaleza intrusiva, sean utilizados solamente como último recurso (Gaylor-Ross, 1980).

Muchas personas clasificarían las intervenciones basadas en el reforzamiento positivo como menos restrictivas que las basadas en el reforzamiento negativo; las intervenciones basadas en el reforzamiento como menos restrictivas que las basadas en el castigo; y las intervenciones basadas en el castigo negativo como menos restrictivas que aquellas que aplican el castigo positivo. Sin embargo, el nivel de intrusión o restricción de una intervención no puede venir determinado por los principios de conducta en los que se basa. La restricción es un concepto relativo que depende de los detalles del procedimiento y en última instancia de la persona sobre la que se aplica el procedimiento. Una intervención de reforzamiento positivo que requiere privación puede ser más restrictiva que un procedimiento de castigo positivo en la que suena un zumbido cada vez que se emite una respuesta incorrecta, y lo que una persona considera como intrusivo puede no serlo para otra. Horner (1990) sugirió que la mayoría de las personas aceptan intervenciones basadas en el castigo para reducir conductas difíciles si estas intervenciones: "(a) no implican la administración de dolor físico, (b) no provocan efectos que requieran atención médica, y (c) se juzga subjetivamente que se encuentran dentro de las normas sociales de trato de unos a otros (págs. 166-167).

En su revisión de intervenciones de reducción de respuesta basadas en el principio del castigo, Friman y Poling (1995), señalaron que las estrategias basadas en el castigo, como aquellas que necesitan que la persona haga una respuesta costosa contingente a la ocurrencia de la conducta objetivo, cumplen los criterios de Horner (1990) para una intervención aceptable de reducción de respuesta. Ellos afirmaron que: "ninguno de los procedimientos causó dolor o requirió atención médica, ni tampoco contrastaron con las normas sociales. Por ejemplo, los entrenadores habitualmente hacen que los jugadores desobedientes corran durante un tramo y los instructores militares que los reclutas que se comportan de forma inadecuada hagan flexiones" (pág.585).

Aunque las prácticas alternativas mínimamente restrictivas suponen que se han intentado los procedimientos menos intrusivos y que se han mostrado ineficaces antes de aplicar una intervención más restrictiva, los profesionales aplicados deben tener en cuenta que esta aproximación puede in en contra del estándar de eficacia. Gast y Wolery (1987) sugirieron que si se debe elegir entre un procedimiento menos intrusivo pero inefectivo y otro procedimiento más intrusivo pero más efectivo, debe elegirse este último.

La Association for Behavior Analysis consultó a un comité especial sobre el derecho a un recibir un tratamiento eficaz (Task Force on the Right to Effective Treatment), el cual ofreció la siguiente perspectiva sobre la relevancia de juzgar definitivamente lo restrictivo de las opciones de tratamiento basándose en su grado de eficacia probada:

> Consistente con la filosofía del tratamiento menos restrictivo pero más eficaz, la exposición de un individuo a procedimientos restrictivos es inaceptable a menos que se demuestre que estos procedimientos son necesarios para producir un cambio conductual seguro y clínicamente significativo. Es igualmente inaceptable exponer a un individuo a una intervención no restrictiva (o a una serie de dichas intervenciones) si los resultados de la evaluación o de las investigaciones disponibles indican que otro procedimiento sería más eficaz. En efecto, un procedimiento que actúa lentamente aunque no sea restrictivo, podría considerarse altamente restrictivo si el tratamiento prolongado aumenta el riesgo, inhibe significativamente o evita la participación en programas de formación necesarios, retrasa la entrada en entornos sociales o ambientales óptimos, o provoca adaptación llevando finalmente al empleo de otro procedimiento más restrictivo. En consecuencia, en algunos casos, el derecho del cliente a recibir un tratamiento eficaz puede indicar la aplicación inmediata de un tratamiento que sea más rápido en su actuación, aunque sea temporalmente más restrictivo.
>
> El nivel general de restricción de un procedimiento es una función combinada de su nivel absoluto de restricción, la cantidad de tiempo que precisa para producir un resultado clínicamente aceptable, y las consecuencias asociadas con la demora de la intervención. Además, la selección de una técnica de tratamiento específica no se basa en la convicción personal. Las técnicas no se consideran "buenas" o "malas" dependiendo de si incluyen el uso de estímulos antecedentes en vez de consecuentes o de reforzamiento en vez de castigo. Por ejemplo, el reforzamiento positivo, al igual que el castigo, puede provocar la aparición de determinados efectos indirectos, algunos de los cuales no son deseables.
>
> En resumen, las decisiones relacionadas con la selección de los tratamientos se basan: en la información obtenida durante la evaluación sobre la conducta, sobre el riesgo que conlleva, y sobre sus variables controladoras; en una cuidadosa valoración de los tratamientos disponibles, incluyendo su eficacia relativa, sus riesgos, su nivel de restricción, y sus potenciales efectos secundarios; y en el examen del contexto general en el que se aplicará el tratamiento (Van Houten et al., 1988; págs. 113-114).

El derecho a un tratamiento eficaz

Las discusiones éticas acerca del uso del castigo giran sobre todo en torno a sus posibles efectos secundarios y a como experimentar el estímulo punitivo puede provocar dolor innecesario y posible daño psicológico a la persona. Aunque cada una de estas preocupaciones merece una consideración muy cuidada, el derecho a un tratamiento eficaz emerge como una consideración ética de la misma importancia, especialmente para personas que experimentan problemas de conducta crónicos o que amenazan su vida. Hay quienes mantienen que no aplicar un procedimiento de castigo que la investigación ha demostrado que es eficaz para eliminar una conducta autodestructiva similar a la de sus clientes no es ético ya que hacer eso elimina un tratamiento potencialmente eficaz y aumenta el riesgo de mantener un estado peligroso o poco confortable para la persona. Por ejemplo, Baer (1971) afirmó que, "[El castigo] es una técnica terapéutica legítima que es justificable y recomendable cuando alivia a la persona de castigos incluso mayores resultantes de su conducta habitual" (pág.111).

Para algunos clientes, las intervenciones basadas en el castigo pueden ser la única forma de reducir la frecuencia, la duración o la magnitud de conductas peligrosas y crónicas que se han demostrado resistentes al cambio mediante el reforzamiento positivo, la extinción u otras aproximaciones reductivas positivas como el reforzamiento diferencial de conductas alternativas. Tales circunstancias "pueden justificas, si no precisar, el uso del castigo" (Thompson et al., 1999, pág. 317). Como Iwata (1988) explicó, si todos los demás tratamientos menos intrusivos y con una suficiente base empírica han fallado, el uso de procedimientos de castigo es la única solución ética:

> En un mundo ideal, los fallos en los tratamientos no aparecen. Pero en el mundo real, los fallos ocurren, a pesar de nuestros mejores esfuerzos, dejándonos con estas opciones: que continúe ocurriendo el problema de conducta hasta algún punto final devastador, la contención física, el uso de fármacos sedantes, o las contingencias aversivas. Predigo que si aplicamos nuestras habilidades para maximizar la eficacia de los programas de reforzamiento positivo, tendremos éxito con mayor frecuencia. Siguiendo esa línea, mi siguiente predicción es que si alcanzamos el punto de tener que decidir entre estas extremas opciones por defecto, la persona que tutela al cliente, sus padres, o, si fuese necesario, los tribunales seleccionarán o utilizarán la opción de las contingencias aversivas. ¿Por qué? Porque bajo esas circunstancias es la única acción ética (págs. 152-153).

Figura 14.9. Componentes sugeridos en las normas de funcionamiento de un organismo y directrices procedimentales para asegurar la aplicación ética, segura y eficaz del castigo.

Requisitos normativos

- La intervención debe adecuarse a la legislación aplicable en todos los niveles de la administración (p.ej., local y estatal).
- La intervención debe adecuarse a las normas y códigos éticos de conducta de organizaciones profesionales relevantes.
- La intervención debería incluir procedimientos para fortalecer y enseñar conductas alternativas.
- La intervención debe incluir planes para la generalización y el mantenimiento del cambio de conducta y criterios para la finalización o reducción del castigo al final de la intervención.
- Debe obtenerse un consentimiento informado del propio usuario de los servicios, o de un pariente o representante legal, antes de que comience la intervención.

Garantías procedimentales

- Antes de que comience la intervención, todo el equipo implicado debe ser entrenado en (a) los detalles técnicos de la administración adecuada del procedimiento de castigo, (b) los procedimientos para garantizar el tratamiento humano del usuario así como su seguridad física y la del personal, y (c) qué hacer ante el caso de efectos secundarios negativos tales como estallidos emocionales, evitación o escape mediante agresión e incumplimiento.
- El equipo de personal que administra la intervención debe recibir supervisión y retroalimentación, y, en caso necesario, sesiones formativas de recuerdo.

Requisitos de evaluación

- Cada aparición de la conducta problema debe ser observada y registrada.
- Cada administración del estímulo punitivo debe ser registrada y las reacciones del cliente observadas.
- Debe llevarse a cabo una revisión periódica de los datos (p. ej., diariamente o semanalmente) por parte de un equipo formado por familiares o tutores legales, personal y consultores técnicos para asegurar que no se prolonguen los tratamientos ineficaces o que los tratamientos eficaces no se interrumpan.
- Debe obtenerse (a partir de los propios usuarios, de sus personas significativas y del personal) la validez social de los datos sobre (a) la aceptabilidad del tratamiento y (b) el impacto real y potencial de cada cambio de conducta en las circunstancias actuales del usuario y en las perspectivas futuras.

Política y garantías procedimentales para aplicar el castigo

Tomando como base los conocimientos obtenidos a partir de la literatura experimental, las variables del mundo real y las contingencias en las que aparecen (es decir, problemas que amenazan a la vida, crónicos, etc.), así como las prácticas y procedimientos basados en los códigos éticos de conducta, los profesionales aplicados pueden tener en cuenta los enfoques basados en el castigo, cuando sea necesario, para proporcionar programas útiles a las personas que tratan. Un mecanismo para asegurar que se aplican los mejores enfoques prácticos (Peters y Heron, 1993) es adoptar y utilizar políticas dinámicas y procedimientos que proporcionen directrices claras y garantías a los profesionales.

Las organizaciones e instituciones pueden ayudar a proteger y garantizar los derechos de sus clientes (o usuarios) a un tratamiento seguro, humano, mínimamente restrictivo y eficaz, desarrollando directrices que incluyan políticas y procedimientos que deban seguirse cada vez que se implemente una intervención basada en el castigo (Favell y McGimsey, 1993; Griffith, 1983; Wood y Braaten, 1983). La figura 14.9 ofrece un esquema y algunos ejemplos de las clases de componentes que deberían incluirse en dicho documento.

Los profesionales aplicados además, deben consultar en su asociación profesional, ya sea de ámbito local o estatal, cuáles son las directrices establecidas para aplicar el castigo. Por ejemplo, la *Advancement of Behavior Therapy (AABT)* proporciona directrices que orientan la selección del tratamiento, incluyendo al castigo (Favell et al., 1982). La Association for Behavior Analysis, se adhiere al código ético de la American Psychological Association (2004), que orienta sobre los problemas con los tratamientos. De forma general, las normativas establecidas orientan los criterios de implementación, los protocolos de actuación, las precauciones a tomar, y los métodos de evaluación que una agencia debe usar cuando implementa cualquier intervención basada en el castigo. El capítulo 29 proporciona información adicional sobre los estándares éticos para los analistas aplicados de la conducta y los procedimientos para obtener un consentimiento informado, para proteger los derechos de los clientes y para asegurar intervenciones seguras y humanas.

Conclusiones sobre el castigo

Concluimos este capítulo con unos breves comentarios acerca de tres perspectivas complementarias sobre el principio del castigo y el desarrollo y aplicación de intervenciones que utilizan estimulación aversiva contingente. Creemos que el análisis aplicado de la conducta sería una disciplina más competente y fuerte, y sus profesionales más eficaces si (a) el papel natural y las contribuciones del castigo a la supervivencia y el aprendizaje fueran reconocidas y apreciadas, (b) una mayor cantidad de investigación básica y aplicada se llevara a cabo, y (c) los tratamientos que incluyen el castigo positivo fuesen vistos como elementos para ser utilizados solamente cuando todos los demás métodos han fallado.

El papel natural y necesario del castigo en el aprendizaje debe ser reconocido

Los analistas de conducta no deben asustarse del castigo. Las contingencias de castigo positivo y negativo aparecen diariamente en la vida cotidiana como parte de una mezcla compleja de contingencias concurrentes de reforzamiento y de castigo, como Baum (1994) ilustró de forma acertada en este ejemplo:

> La vida está llena de elecciones entre alternativas que ofrecen diferentes mezclas de reforzamiento y castigo. Ir a trabajar supone tanto obtener un salario (reforzamiento positivo) como sufrir molestias (castigo positivo), mientras que decir que estás enfermo puede dar lugar a la pérdida de dinero (castigo negativo), evitar las molestias (reforzamiento negativo), permitir unas vacaciones (reforzamiento positivo), y sufrir las consecuencias de una desaprobación en el lugar de trabajo (castigo positivo). El conjunto de relaciones que finalmente gana depende de que relaciones son lo suficientemente fuertes para dominar, y eso depende a su vez de las circunstancias presentes y de la historia personal de reforzamiento y castigo. (Pág. 60).

El castigo es un elemento natural de la vida. Vollmer (2002) sugirió que el estudio científico del castigo debe continuar ya que tanto el castigo planificado como el no planificado ocurren con frecuencia, y que las aplicaciones planificadas y sofisticadas del castigo están dentro del foco de atención de los analistas aplicados de la conducta. Esté socialmente mediado, sea planificado o no, y se lleve a cabo por profesionales bien entrenados o no, estamos de acuerdo con Vollmer en que una ciencia de la conducta debe estudiar el castigo.

> Los científicos interesados en la naturaleza de la conducta humana no pueden ignorar u obviar el estudio del castigo. No debe haber controversia. Los científicos y los profesionales aplicados están obligados a entender la naturaleza del castigo, nada más que por la simple razón de que el castigo ocurre (pág. 469).

Es necesaria más investigación sobre el castigo

Aunque muchas de las aplicaciones inapropiadas e ineficaces del castigo se deben a una mala comprensión, algunas otras malas aplicaciones reflejan sin duda nuestro conocimiento incompleto del principio como resultado de una insuficiente cantidad de investigación básica y aplicada (Lerman y Vorndran, 2002).

La mayor parte de nuestro conocimiento y recomendaciones para aplicar el castigo se derivan de la investigación básica realizada hace más de 40 años. Aunque los datos científicos que describen cuestiones relevantes no tienen fecha de caducidad, es necesaria una mayor cantidad de investigación básica acerca de los mecanismos y variables que producen un castigo eficaz.

La investigación básica de laboratorio permite el control de variables que en entornos aplicados son imposibles de controlar. Sin embargo, una vez que los mecanismos se observan en la investigación básica, se deben desarrollar y adaptar las aplicaciones resultantes a los desafíos del mundo real, con más confianza respecto al grado de eficacia potencial y las limitaciones. Los profesionales deben reconocer cuándo, cómo, por qué y bajo qué condiciones las técnicas de castigo producen supresión en la conducta de las personas con las que trabajan.

Apoyamos el llamamiento de Horner (2002) para la aplicación práctica de la investigación sobre el castigo en estudios de campo. Es importante determinar cómo va a funcionar el castigo en situaciones en las que las variables ambientales pueden no estar tan bien controladas y en las que la persona que administra el castigo puede no ser un profesional bien formado. Las aplicaciones clínicas y educativas del castigo requieren además que los analistas de conducta comprendan las variables de tipo individual, contextual y ambiental que favorecen su aplicación eficaz. Sin un conocimiento claro y preciso sobre estas variables y condiciones, el análisis aplicado de la conducta como ciencia conductual no puede reivindicar legítimamente que ha logrado un análisis exhaustivo de sus propios conceptos básicos (Lerman y Vrondran, 2002; Vollmer, 2002).

Las intervenciones que utilizan el castigo positivo deben ser tratadas como tecnologías por defecto

Iwata (1988) recomendó que las intervenciones basadas en el castigo que incluyeran la aplicación contingente de estimulación aversiva fuesen tratadas como tecnologías por defecto. Una tecnología por defecto es aquella a la que un profesional aplicado recurre cuando todas las demás han fallado. Iwata recomendó que los analistas de conducta no se posicionaran a favor del uso de tecnologías aversivas (ya que defender esta postura no es eficaz, ni necesario, y no va a favor de los intereses de la disciplina), pero que se involucraran en la investigación y desarrollo de tecnologías aversivas eficaces.

> Tenemos que hacer esta tarea ya que, tanto si nos gusta como si no, las tecnologías por defecto serán llevadas a cabo en el momento en que las demás fallen, y en el caso de la estimulación aversiva, estamos en una posición única para hacer varias aportaciones. En primer lugar, podemos modificar la tecnología para que sea eficaz y segura. En segundo lugar, podemos mejorarla incorporando contingencias de reforzamiento positivo. En tercer lugar, podemos regularla para que se aplique de forma juiciosa y ética. Finalmente, y con seguridad la más importante, estudiando las condiciones en las que las tecnologías por defecto aparecen, así como las propias tecnologías, podríamos finalmente librarnos de ambas. ¿Puede usted imaginar un mejor destino para el campo del análisis aplicado de la conducta? (pág.156).

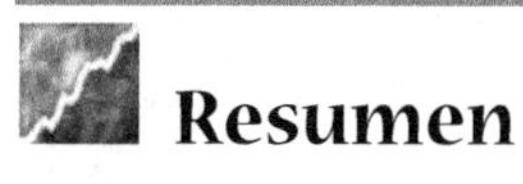

Resumen

Definición y naturaleza del castigo

1. El castigo ocurre cuando un cambio estimular sigue inmediatamente a una respuesta y reduce la frecuencia futura de ese tipo de conducta en condiciones similares.
2. El castigo no se define ni por las acciones de la persona que administra las consecuencias ni por la naturaleza de esas consecuencias. Se debe observar una reducción en la futura frecuencia de ocurrencia de la conducta antes de que una intervención basada en las consecuencias se califique como castigo.
3. El castigo positivo sucede cuando la frecuencia de respuesta se reduce debido a la presentación de un estímulo (o al aumento en la intensidad estimular) inmediatamente a continuación de la conducta.
4. El castigo negativo sucede cuando la frecuencia de respuesta se reduce debido a la eliminación de un estímulo (o una reducción en la intensidad estimular) inmediatamente después de la conducta.
5. Debido a que los eventos aversivos se asocian con el castigo positivo y con el reforzamiento negativo, el término *control aversivo* se utiliza con frecuencia para describir las intervenciones que incluyan uno o ambos principios.
6. Un estímulo discriminativo para el castigo, o E^{Dc}, es una condición estimular en presencia de la cual una clase de respuesta ocurre a menor frecuencia que en ausencia del E^{Dc} como resultado de una historia de condicionamiento en la que las respuestas en presencia del E^{Dc} han sido castigadas y respuestas similares en ausencia de ese estímulo no han sido castigadas (o han recibido castigo con menor frecuencia o magnitud).
7. Un estímulo punitivo es un cambio estimular que sigue inmediatamente a la ocurrencia de la conducta y reduce la frecuencia futura de aparición de este tipo de conducta.
8. Un estímulo punitivo incondicionado es aquel cuya presentación actúa como castigo sin haber sido emparejado con ningún otro estímulo punitivo.
9. Un estímulo punitivo condicionado es aquel que ha adquirido sus capacidades punitivas al haber sido emparejado con estímulos punitivos condicionados o incondicionados.

10. Un estímulo punitivo condicionado generalizado funcionará como castigo bajo una amplia variedad de operaciones motivacionales debido a que ha sido emparejado con numerosos estímulos punitivos condicionados e incondicionados.

11. En general, los resultados de la investigación básica y aplicada muestran que el castigo es más eficaz cuando:

- La presentación del estímulo punitivo ocurre tan pronto como sea posible después de la ocurrencia de la respuesta objetivo.
- La intensidad del estímulo punitivo es elevada.
- Cada ocurrencia de la conducta es seguida por la consecuencia punitiva.
- Se reduce el reforzamiento disponible para la conducta objetivo, y
- Hay reforzamiento disponible para las conductas alternativas.

12. El castigo a veces provoca efectos secundarios y problemas no deseados como los siguientes:

- Reacciones emocionales y agresivas a la estimulación aversiva.
- Conductas de escape y evitación.
- Contraste conductual: la respuesta reducida debido al castigo en una situación puede ser acompañada por el incremento de la respuesta en situaciones donde no hay castigo.
- Modelado de la conducta no deseable.
- Uso excesivo del castigo provocado por el reforzamiento negativo de la conducta del agente punitivo (es decir, el cese inmediato de la conducta problema).

Ejemplos de intervenciones basadas en el castigo positivo

13. Las reprimendas: usada con moderación, una reprimenda firme como "¡No!" puede eliminar la respuesta futura.
14. Bloqueo de respuesta: cuando el sujeto comienza a emitir el problema de conducta, el terapeuta interviene físicamente pare prevenir o "bloquear" la terminación de la respuesta.
15. La sobrecorrección es una estrategia basada en el castigo en la que, de forma contingente a cada ocurrencia del problema de conducta, se le pide al sujeto que se involucre en una conducta que requiera esfuerzo y que esté relacionada directa o lógicamente con el problema.
16. En la sobrecorrección restitutiva, el sujeto debe reparar el daño causado por el problema de conducta y posteriormente dejar el ambiente en mejores condiciones de lo que estaba inicialmente.
17. En la sobrecorrección mediante práctica positiva, el sujeto lleva a cabo de forma repetida la forma correcta de la conducta, o una conducta que sea incompatible con el problema de conducta, durante un determinado tiempo o número de respuestas.
18. La estimulación eléctrica contingente puede ser un método eficaz y seguro para suprimir conductas autolesivas que ponen en riesgo la vida del sujeto.

Directrices para aplicar el castigo eficazmente

19. Para aplicar el castigo con una eficacia óptima a la vez que se minimizan los efectos secundarios no deseados, los profesionales aplicados deben:

- Seleccionar estímulos punitivos eficaces y apropiados: (a) llevar a cabo evaluaciones de los estímulos punitivos para identificar el menos intrusivo que se pueda aplicar de forma segura y consistente; (b) utilizar los estímulos punitivos con la suficiente calidad y magnitud; (c) usar una variedad de estímulos punitivos para evitar la habituación y aumentar la eficacia de los estímulos punitivos menos intrusivos.
- Si el problema de conducta consiste en una cadena de respuestas, administrar el estímulo punitivo tan pronto como sea posible en la secuencia de respuestas.
- Castigar cada aparición de la conducta.
- Cambiar de forma gradual a un programa de castigo intermitente si es posible.
- Utilizar la mediación con una demora entre la respuesta y el castigo.
- Añadir al castigo intervenciones complementarias, en particular, el reforzamiento diferencial, la extinción y las intervenciones antecedentes.
- Estar atento y preparado para los efectos secundarios no deseados.
- Grabar, graficar y evaluar los datos diariamente.

Aspectos éticos relacionados con el uso del castigo

20. La primera responsabilidad ética para cualquier profesional o entidad del ámbito de los servicios humanos es no hacer daño. Cualquier intervención debe ser físicamente segura para todos los que participan y no incluir elementos que puedan ser degradantes o irrespetuosos para el cliente o usuario.

21. La doctrina de la alternativa mínimamente restrictiva mantiene que los procedimientos menos intrusivos (p.ej., aproximaciones reductoras positivas) deben aplicarse en primer lugar y mostrarse ineficaces antes de implementar otros procedimientos más intrusivos (p.ej., una intervención basada en el castigo).

22. El derecho de una persona a recibir un tratamiento eficaz emerge como importante cuestión ética. Algunos mantienen que no aplicar un procedimiento de castigo que la investigación haya demostrado que es útil para suprimir una conducta autodestructiva similar a la de la persona que estamos atendiendo es poco ético ya que evita la aplicación de un

tratamiento potencialmente eficaz y puede mantener un estado peligroso o desagradable para la persona.

23. Las organizaciones y los individuos que ofrecen servicios de análisis aplicado de la conducta, pueden contribuir a garantizar que las aplicaciones basadas en el castigo son seguras, humanas, éticas y eficaces, mediante la creación y seguimiento de una serie de estándares de funcionamiento, protocolos y criterios de evaluación.

Conclusiones sobre el castigo

24. Los analistas aplicados de la conducta deben reconocer y apreciar el papel natural del castigo y su importancia para el aprendizaje.

25. Muchas malas aplicaciones del castigo reflejan la falta de conocimiento sobre este principio. Se necesita más investigación básica y aplicada.

26. Iwata (1988) recomendó que las intervenciones basadas en el castigo que incluyen la aplicación contingente de estimulación aversiva sean tratadas como tecnologías por defecto; esto es, como intervenciones que se utilizan solamente cuando las demás han fallado. Argumentó que los analistas de conducta no deben abogar por el uso de tecnologías aversivas y en lugar de eso, deben realizar más investigación sobre estas intervenciones para (a) hacerlas eficaces y seguras, (b) mejorarlas incorporando contingencias de reforzamiento positivo, (c) regular su aplicación ética y juiciosa, y (d) estudiar las condiciones bajo las cuáles las tecnologías por defecto se usan y así hacerlas innecesarias.

CAPÍTULO 15

Castigo por eliminación de estímulo

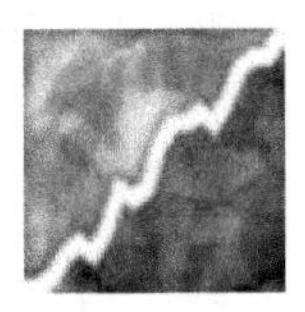

Términos clave

Cinta de tiempo fuera
Coste de respuesta
Coste de respuesta con reserva de reforzadores.
Ignorar programado
Observación contingente
Tiempo fuera con exclusión
Tiempo fuera por expulsión
Tiempo fuera sin exclusión
Tiempo fuera por partición del contexto.
Tiempo fuera de reforzamiento positivo

Behavior Analyst Certification Board® BCBA®, BCBA-D®, BCaBA®, RBT® Lista de tareas para analistas de conducta (cuarta edición).

C	Habilidades analítico-conductuales básicas: consideraciones relativas al cambio de conducta
C-02	Identificar y prepararse para los posibles efectos no deseados del castigo.
D	**Habilidades analítico-conductuales básicas: elementos fundamentales del cambio de conducta.**
D-15	Identificar y usar estímulos punitivos.
D-16	Usar castigo positivo y negativo
D-17	Usar programas de castigo ajustando sus parámetros
FK	**Conocimientos adicionales: definir y dar ejemplos de:**
FK-19	Castigo incondicionado.
FK-20	Castigo condicionado.

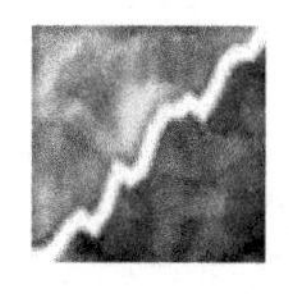

El castigo por la eliminación contingente de un estímulo hace referencia a un castigo negativo. En el castigo negativo, ocurre un cambio ambiental en el que un estímulo es *retirado* después de la ejecución de la conducta, y la correspondiente frecuencia futura de esa conducta se reduce. En cambio, en el castigo positivo se *presenta* un estímulo, y la correspondiente frecuencia futura de esa conducta también se ve reducida. La Tabla 15.1 muestra la diferencia entre castigo positivo y negativo, respecto a los cambios de los estímulos ambientales.

El castigo negativo ocurre de dos formas fundamentales: tiempo fuera de reforzamiento positivo y coste de respuesta (ver el área sombreada de la Tabla 15.1). En este capítulo se define y operacionaliza el tiempo fuera de reforzamiento positivo y el coste de respuesta, se proporcionan ejemplos de estos dos procedimientos de castigo utilizados en contextos aplicados, y se ofrecen directrices para ayudar a los profesionales aplicados a utilizar el tiempo fuera y el coste de respuesta de manera eficaz.

Definición del tiempo fuera

El **tiempo fuera de reforzamiento positivo**, o simplemente tiempo fuera, se define como la retirada de la oportunidad para conseguir reforzamiento positivo, o bien la pérdida del acceso a reforzadores positivos durante un tiempo determinado, contingente a la ocurrencia de una conducta. El efecto de cualquiera de estos dos procedimientos es el mismo: se reduce la futura frecuencia de la conducta objetivo. Hay tres aspectos importantes implícitos en la definición: (a) la discrepancia entre el "tiempo dentro" y el tiempo fuera del ambiente, (b) la pérdida de acceso al reforzamiento es contingente a la respuesta, y (c) el resultado es una disminución en la futura frecuencia de esa conducta. Al contrario de lo que piensan muchos, el tiempo fuera no se define exclusivamente, o no requiere solo sacar al individuo del ambiente para aislarlo o recluirlo. Aunque ese procedimiento de extraer del ambiente podría describir adecuadamente el tiempo fuera por aislamiento (Costenbader y Reading-Brown, 1995), eso no significa que sea la única forma en que puede utilizarse este procedimiento. Técnicamente, el tiempo fuera como procedimiento de castigo negativo retira un estímulo reforzante durante un tiempo determinado de manera contingente a la ocurrencia de una conducta, y el efecto de esto es la disminución de la frecuencia futura de la conducta.

El tiempo fuera puede verse desde perspectivas procedimentales, conceptuales y funcionales. Como procedimiento, es un periodo de tiempo en el que la persona es apartada de un ambiente reforzante (p.ej., se saca al estudiante de la clase durante 5 minutos) o pierde el acceso a los reforzadores dentro de un ambiente (p.e., se le impide al estudiante acceder a reforzadores durante 5 minutos). Conceptualmente, la distinción entre tiempo dentro del ambiente y tiempo fuera es de suma importancia. Cuanto más reforzante sea el tiempo dentro de un contexto, más eficaz será el tiempo fuera como estímulo punitivo. Dicho de otro modo, cuanto mayor es la diferencia entre el valor reforzante del tiempo dentro y la ausencia de ese valor reforzante durante el tiempo fuera de ese ambiente, mayor será la eficacia del tiempo fuera. Desde una perspectiva funcional, el tiempo fuera implica que se reduzca la frecuencia de ocurrencia futura de la conducta. Sin una reducción en la frecuencia de la conducta futura, el tiempo fuera no está operando, incluso aunque la persona, siguiendo el procedimiento, sea alejada del ambiente y pierda el acceso a los reforzadores. Por ejemplo, si un profesor saca al alumno de la clase (supuestamente el contexto del tiempo dentro), pero cuando el alumno vuelve, el problema de conducta continua, entonces no puede afirmarse que se haya dado un tiempo fuera.

Procedimientos de tiempo fuera en contextos aplicados

Existen dos tipos básicos de tiempo fuera: con exclusión y sin exclusión. En cada uno de ellos, algunas variaciones le permiten al profesional aplicado decidir con flexibilidad una línea de acción para reducir la

Tabla 15.1 Distinción entre castigo positivo y negativo

Frecuencia futura	*Cambio de estímulo*	
	Se presenta estímulo	*Se elimina estímulo*
La conducta se reduce	Castigo positivo (p.ej., "no", sobrecorrección)	Castigo negativo (p.ej., tiempo fuera, coste de respuesta)

conducta. Como regla general, el tiempo fuera sin exclusión es el método recomendado como primera opción, dado que los profesionales están obligados éticamente a emplear la alternativa más potente, pero menos restrictiva, cuando han de decidir entre varios procedimientos.

Tiempo fuera sin exclusión

El **tiempo fuera sin exclusión** significa que el participante no es completamente retirado físicamente del contexto de tiempo dentro. Aunque la posición relativa de esa persona en ese contexto pueda cambiar, la persona permanece siempre dentro del ambiente. El tiempo fuera sin exclusión ocurre en cualquiera de estas formas: ignorar programado, retirada de un reforzador específico, observación contingente, y cinta de tiempo fuera. Cada una de estas variaciones tiene un elemento en común: se pierde el acceso al reforzamiento, pero la persona permanece dentro del contexto de tiempo dentro. Por ejemplo, si un estudiante se porta mal durante el recreo, se le podría pedir que se quedase quieto junto al adulto que hace de monitor en este periodo de recreo.

Ignorar programado

El **ignorar programado** ocurre cuando los reforzadores sociales (generalmente: atención, contacto físico o interacción verbal) se eliminan durante un periodo corto de tiempo, de manera contingente a la ocurrencia de una conducta inapropiada. El ignorar programado asume que el contexto de tiempo dentro es reforzante y que pueden eliminarse *todas* las fuentes extrañas de reforzamiento positivo.

Operacionalmente, el ignorar programado puede implicar estar sistemáticamente retirándole la mirada al individuo, permanecer quieto, o abstenerse de realizar ninguna interacción durante un tiempo determinado (Kee, Hill y Weist, 1999). Este procedimiento tiene la ventaja de no ser intrusivo, y poder aplicarse rápida y cómodamente.

Por ejemplo, supongamos que durante una sesión de terapia de grupo para la rehabilitación de drogas, una cliente expresa su fascinación por robar dinero para comprar narcóticos. Si en ese momento los otros miembros del grupo dejan de mirarla y no responden a sus verbalizaciones de ninguna manera hasta que sean más consistentes con la discusión de grupo, se estaría llevando a cabo un ignorar programado. En este caso, puesto que los miembros del grupo participaban en el procedimiento reductivo, podría denominársele *tiempo fuera mediado por compañeros* (Keer y Nelson, 2002).

Retirada de un reforzador positivo específico

Bishop y Stumphauzer (1973) demostraron que la retirada de un reforzador positivo específico, contingente a una conducta inadecuada, disminuía el nivel de esa conducta. En ese estudio, la interrupción contingente de los dibujos animados de la televisión redujo con éxito la frecuencia de chuparse el dedo en tres niños pequeños. Sin que los niños lo supieran, se colocó un interruptor remoto a la televisión. Los datos de lineabase indicaron que cada niño emitía una tasa elevada de chuparse el dedo mientras estaba viendo los dibujos animados. Durante esta variación del tiempo fuera, la televisión se apagaba inmediatamente en cuanto los niños se chupaban el dedo, y se volvía a encender cuando esta conducta paraba. Este procedimiento fue eficaz para reducir la respuesta de chuparse el dedo no solo en el sitio donde se realizó el tratamiento (un despacho), sino también durante la hora del cuento en el aula.

West y Smith (2002) informaron sobre una aplicación grupal novedosa de esta variación del tiempo fuera. Montaron en una cafetería una luz similar a los semáforos de tráfico, y unieron la luz con un sensor que detectaba el ruido de la cafetería a varios niveles. Por ejemplo, si había un nivel aceptable de ruido en las conversaciones, la señal de tráfico se ponía verde y sonaba música grabada (es decir, estaba en marcha la condición de tiempo dentro). La música permanecía mientras los estudiantes hiciesen un nivel de ruido adecuado durante sus conversaciones. En cuanto el nivel conversacional aumentaba, la luz del semáforo cambiaba de verde a amarillo, avisando visiblemente a los estudiantes de que cualquier incremento en el ruido llevaría a encender la luz roja y a que la música desapareciera (es decir, tiempo fuera). En cuanto el sensor registraba el ruido por encima de cierto umbral de decibelios, se encendía la luz roja y la música se quitaba automáticamente durante 10 segundos. Bajo este procedimiento de grupo, la conducta inapropiada se fue reduciendo.

Una contingencia grupal de tiempo fuera tiene algunas ventajas. En primer lugar, puede utilizarse en un ambiente ya creado; no se necesitan maniobras especiales para separar a los estudiantes del ambiente. En segundo lugar, el uso de un aparato electrónico señala automáticamente cuando están activan las condiciones de tiempo dentro o tiempo fuera. En el estudio de West y Smith, los estudiantes discriminaron pronto que una conversación continuada en voz muy alta tenía como consecuencia la pérdida del reforzador (es decir, la música).

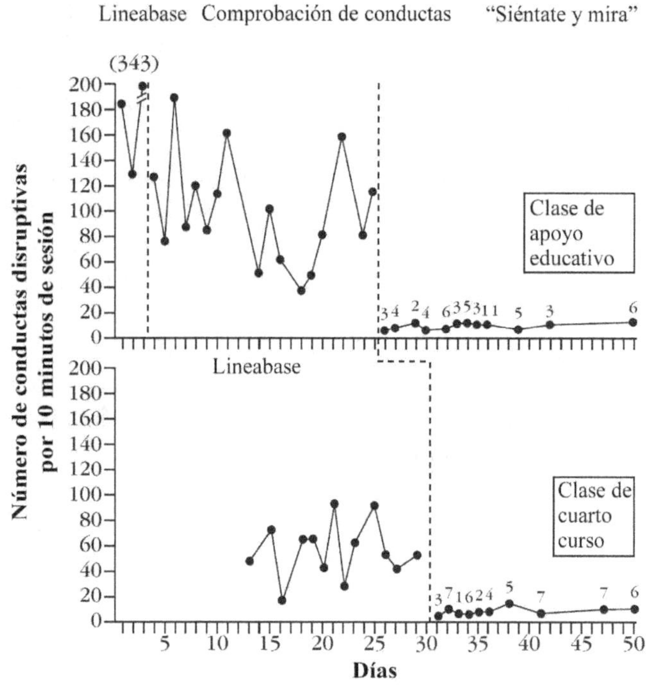

Figura 15.1 Número de conductas disruptivas por cada periodo de 10 minutos de observación. Los números por encima de los puntos representan el número de veces que se le dijo "siéntate y mira" durante la clase.

Tomado de "Reducing Disruptive Behaviors of Elementary Physical Education Students with Sit and Watch", A.G. White y J.S. Bailey, 1999, *Journal of Applied Behavior Analysis*, 23, pág. 357. © Copyright 1990 *Society for the Experimental Analysis of Behavior, Inc.* Reimpreso con permiso.

Observación contingente

En la **observación contingente**, la persona es colocada en otro sitio dentro del mismo contexto, de forma tal que pueda observar las actividades que continúan haciéndose, pero no tenga oportunidad de acceder a ese reforzamiento. Un profesor utiliza la observación contingente cuando, tras la ocurrencia de una conducta inadecuada, lleva al estudiante a sentarse lejos del grupo y se le retira el reforzamiento durante un periodo específico de tiempo (Twyman, Johnson, Buie y Nelson, 1994). En suma, al estudiante se le dice "siéntate y mira" (White y Bailey, 1990). Cuando termina el periodo de observación contingente, el estudiante vuelve al grupo y puede seguir obteniendo reforzamiento por la conducta apropiada. La Figura 15.1 muestra los efectos del uso de la observación contingente en el estudio de White y Bailey (1990) para reducir el número de conductas disruptivas en dos clases de apoyo de educación física. Cuando la observación contingente estaba en marcha, disminuyó el número de conductas disruptivas en las dos clases, y permanecieron en niveles casi de cero.

Cinta de tiempo fuera

La **cinta de tiempo fuera** se define como una vitola coloreada que se coloca en la muñeca del niño y es discriminativa para recibir reforzamiento (Alberto, Helfin y Andrews, 2002). Cuando la cinta está en la muñeca del niño, puede recibir reforzadores. Si el niño se porta mal, se le quita la cinta, y se interrumpen todas las formas de interacción social durante un periodo de tiempo especificado (p.ej., 2 minutos).

Foxx y Shapiro (1978) utilizaron la cinta de tiempo fuera para reducir las conductas disruptivas de cuatro estudiantes de primaria. La cinta se le quitaba al alumno de manera contingente a una conducta inapropiada, y se

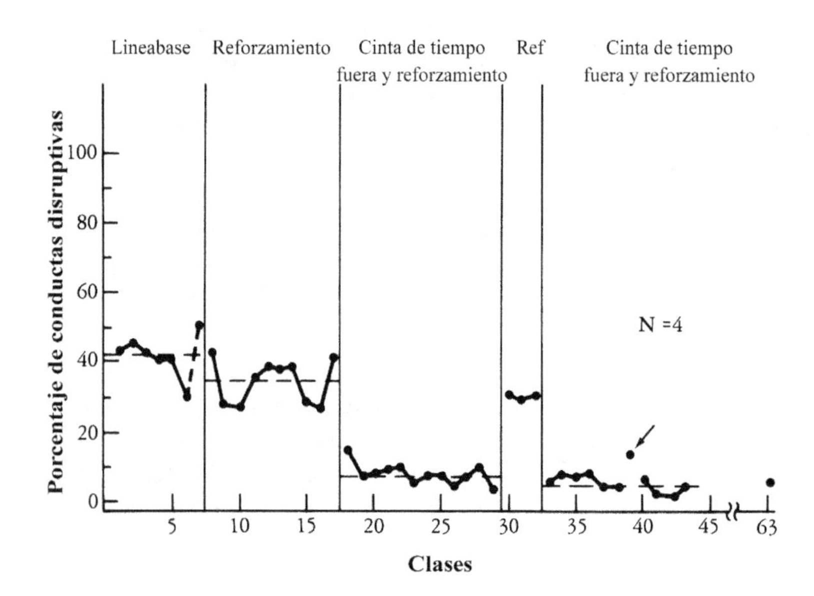

Figura 15.2 Porcentaje medio de tiempo en que ocurrieron conductas disruptivas en la clase en cuatro estudiantes. Las líneas discontinuas horizontales indican la media de cada condición. La flecha marca un día de prueba (día 39) en el que se suspendió la contingencia de tiempo fuera. Un periodo de observación de seguimiento ocurrió en el día 63.

Tomado de "The Timeout Ribbon: A Nonexclusionary Timeout Procedure" R.M Foxx y S.T. Shapiro, 1978, *Journal of Applied Behavior Analysis*, 11, pág. 131. © Copyright 1978 *Society for the Experimental Analysis of Behavior, Inc.* Reimpreso con permiso.

interrumpían todas las formas de interacción social con ese estudiante durante 3 minutos. Sin embargo, se permitía que el estudiante permaneciese en la misma habitación. Si la conducta inadecuada volvía a ocurrir pasados 3 minutos, el tiempo fuera se extendía hasta que dejara de hacer esa conducta inadecuada. La Figura 15.2 muestra que, cuando se llevó a cabo el procedimiento con la cinta de tiempo fuera más reforzamiento, el porcentaje medio de conducta disruptiva se redujo de manera notable en los cuatro estudiantes.

Laraway, Snycerski, Michael y Poling (2003) plantearon la retirada de la cinta de tiempo fuera en el contexto de las operaciones motivacionales. Desde su punto de vista, quitar la cinta de tiempo fuera funcionaba como un estímulo punitivo debido a su relación con las operaciones de establecimiento (OE) ya existentes. En un análisis retrospectivo del estudio de Foxx y Shapiro (1978), Laraway y sus colegas afirmaban: "Así, la operación de establecimiento para los reforzadores programados durante el tiempo dentro, también establecía el efecto punitivo de la pérdida de la cinta (es decir, funcionaba como operación de establecimiento para que la pérdida de la cinta fuese un evento punitivo), y moderaba así las conductas inadecuadas que tenían como resultado la pérdida de la cinta" (p.410). Respecto al papel de la relación de las operaciones motivacionales con la cinta de tiempo fuera, Laraway y sus colegas afirmaron lo siguiente:

> Desde el sentido común, perder la oportunidad de ganar una consecuencia solo es importante si en ese momento "quieres" esa consecuencia. Por lo tanto, las operaciones motivacionales que incrementan la eficacia del reforzamiento de objetos o eventos determinados, también incrementan la eficacia del castigo que supone hacer que esos objetos o eventos no estén disponibles (es decir, tiempo fuera)… un simple evento ambiental puede tener múltiples y simultáneos efectos motivacionales. (Pág. 410).

Tiempo fuera con exclusión

El hecho distintivo del **tiempo fuera con exclusión** es que la persona es alejada del ambiente durante un periodo determinado de tiempo, de manera contingente a la ocurrencia de la conducta inapropiada objetivo. El tiempo fuera con exclusión puede llevarse a cabo en el aula de tres formas: a) se puede llevar al alumno a una habitación de tiempo fuera, (b) se le puede separar del resto del grupo mediante una partición, o (c) se le puede llevar al pasillo.

Habitación de tiempo fuera

Una habitación de tiempo fuera es cualquier espacio cerrado apartado del ambiente clínico o educativo normal del participante, que no tiene ningún tipo de reforzadores positivos y donde la persona puede quedarse sin problemas para su seguridad durante un periodo de tiempo. La habitación de tiempo fuera debería estar situada preferiblemente cerca del contexto de tiempo dentro y debería tener el mínimo de muebles (p.ej., una mesa y una silla). Debería tener la luz, temperatura y ventilación adecuadas, pero no debería tener disponibles otros reforzadores potenciales (p.ej., cuadros en la pared, teléfono u objetos que se puedan romper). La habitación debe ser segura, pero no estar cerrada con llave.

Una habitación de tiempo fuera tiene algunas ventajas que la hace atractiva para los profesionales aplicados. En primer lugar, se elimina la oportunidad de conseguir reforzamiento durante el tiempo fuera, o se reduce sustancialmente, debido a que el ambiente de esa habitación está físicamente construido para minimizar esa posibilidad de reforzamiento. En segundo lugar, después de unas cuantas exposiciones a la habitación de tiempo fuera, los alumnos aprenden a discriminar esta habitación de otras habitaciones del edificio. La habitación se supone que tendrá propiedades aversivas condicionadas, y así incrementará la probabilidad de que el contexto de tiempo dentro sea considerado por el estudiante como más deseable. Finalmente, el riesgo de que un estudiante haga daño a otros durante la clase, se ve reducida cuando el que se ha mostrado agresivo se quita de ese espacio común.

Sin embargo, el profesional aplicado debe tener también en cuenta algunas desventajas de utilizar la habitación de tiempo fuera. La más destacada es la necesidad de acompañar al estudiante a la habitación de tiempo fuera. Durante el tiempo que transcurre desde que se informa al estudiante de que tiene lugar el tiempo fuera, hasta el momento en que se le deja en la habitación de tiempo fuera, puede haber bastante resistencia. Los profesionales deberían anticipar y estar bien preparados para enfrentarse a los estallidos emocionales que pueden ocurrir si utilizan esta variación del tiempo fuera con exclusión. Además, a diferencia de las opciones sin exclusión mencionadas previamente, sacar al individuo del ambiente de tiempo dentro le impide el acceso a la instrucción académica o social que se esté desarrollando en su clase. Se debería minimizar el tiempo educativo que se pierde y deberían reconsiderarse las situaciones en las que se utiliza de forma excesiva el tiempo fuera y en las que su utilización pudiera servir al profesor como un reforzador negativo (Skiba y Raison, 1990). Más aún, en la habitación de tiempo fuera la persona puede realizar conductas que deberían pararse, pero que no son detectadas al estar solo (p.ej., conductas autoagresivas o autoestimulatorias). Finalmente, los profesionales deberían ser sensibles a la percepción que tiene la sociedad sobre la habitación de tiempo fuera. Incluso la habitación de tiempo fuera más benigna puede verse con temor por personas que no están informadas sobre su objetivo o su lugar dentro de un programa completo de manejo de la conducta.

Tiempo fuera por partición del contexto

En el **tiempo fuera por partición del contexto**, la persona permanece en el contexto de tiempo dentro, pero se restringe su visión dentro de esa situación mediante una división, un muro, un cubículo o una estructura similar. Un profesor podría utilizar el tiempo fuera por partición del contexto enviando al estudiante, de manera contingente a su conducta inadecuada, hacia un asiento colocado detrás de un cubículo de clase en el que se tendría que quedar durante un periodo determinado de tiempo. Aunque el tiempo fuera por partición del contexto tiene la ventaja de mantener al estudiante dentro del contexto (supuestamente para que pueda escuchar el contenido académico y al profesor alabando a otros estudiantes por su conducta adecuada) también tiene sus desventajas. Esto es, la persona puede obtener aún cierto reforzamiento encubierto por parte de otros estudiantes, y si esto sucede es poco probable que la conducta disruptiva disminuya. Además, también ha de tenerse en cuenta la percepción social de esta forma de exclusión. Incluso aunque el estudiante permanezca en la clase, y el área del tiempo fuera por partición se pueda denominar con un nombre inocuo (p.ej., espacio de tranquilidad, despacho, espacio personal), algunos padres podrían ver como discriminatoria este tipo de separación de sus hijos del resto de la clase.

Tiempo fuera por expulsión

El **tiempo fuera por expulsión** es un método bastante popular entre los profesores (y quizás también entre los padres) para tratar las conductas disruptivas. En este método, al estudiante se le pide abandonar la clase y sentarse en el pasillo. Aunque comparte las ventajas de las variaciones mencionadas anteriormente, este procedimiento no es muy recomendable por dos razones: (a) el estudiante puede obtener reforzamiento de multitud de fuentes (p.ej., de los estudiantes de otras clases o de los individuos que están paseando por el pasillo), y (b) incrementa la probabilidad de escape si el estudiante es agresivo cuando se le dirige al tiempo fuera. Incluso con la puerta de la clase abierta, los profesores a menudo están demasiado ocupados en otras actividades dentro de la clase como para supervisar estrechamente al estudiante del pasillo. Este procedimiento podría ser más beneficioso para niños pequeños que sigan directrices, pero es claramente inapropiado para aquellos estudiantes que no tienen habilidades básicas de cumplimiento de instrucciones.

Aspectos deseables del tiempo fuera

Facilidad de aplicación

El tiempo fuera, especialmente las variaciones sin exclusión, es relativamente fácil de aplicar. Incluso el hecho de sacar a un estudiante del ambiente educativo puede llevarse a cabo con relativa facilidad si el profesor actúa de manera metódica y no intenta avergonzar al estudiante. Dar una orden de forma privada (p.ej., "David, has molestado a Mónica dos veces, vete a tiempo fuera") puede ayudar al profesor a manejar a un estudiante que ha emitido conductas inadecuadas pero que no quiere dejar la clase. Si su conducta precisa claramente del tiempo fuera, el profesor podría insistir en que el estudiante salga; sin embargo, esta insistencia debería comunicársele desde cerca, para no colocarlo en una posición de tener que desafiar al profesor para salvar su "reputación" ante el grupo de compañeros. Los profesores deberían consultar las políticas o normas legales del centro sobre si hay que avisar a otra persona o autoridad para expulsar al estudiante de la clase.

Aceptabilidad

El tiempo fuera, especialmente las variaciones sin exclusión, cumplen unos estándares de aceptabilidad, puesto que los profesionales lo ven como apropiado, razonable y eficaz. Incluso así, antes de llevarlo a cabo, los profesionales aplicados deberían siempre consultar con los gestores del centro para asegurarse de que cumplen con las políticas del centro antes de aplicar el tiempo fuera tanto para los incumplimientos grandes como para los pequeños.

Supresión rápida de la conducta

Cuando se lleva a cabo de manera eficaz, generalmente el tiempo fuera suprime la conducta objetivo de una manera entre moderada y rápida. A veces solo son necesarias unas cuantas aplicaciones para conseguir unos niveles de reducción aceptables. Otros procedimientos de reducción de la conducta (p.ej., extinción o reforzamiento diferencial de tasas bajas) también producen la disminución de la conducta, pero pueden llevar bastante más tiempo. Muchas veces, el profesional no puede darse el lujo de esperar varios días o una semana para que una conducta comience a disminuir. En tales casos, debería considerarse la utilización del tiempo fuera.

Aplicaciones combinadas

El tiempo fuera puede combinarse con otros procedimientos, ampliando su utilidad en contextos aplicados. Cuando se combina con el reforzamiento diferencial, la conducta deseable puede incrementarse y la conducta inapropiada disminuirse (Byrd, Richard, Hove y Friman, 2002).

Utilización eficaz del tiempo fuera

La implementación eficaz del tiempo fuera requiere que el profesional tome algunas decisiones antes, durante y después implementar este procedimiento. La Figura 15.3 sigue la lista de comprobación de Powell y Powell (1982), que puede ayudar en el proceso de toma de decisiones. Los siguientes apartados explican de forma más extensa los puntos principales que subyacen a muchas de esas decisiones.

Reforzamiento y enriquecimiento del ambiente dentro

La situación de dentro debe ser reforzante si se quiere que el tiempo fuera sea eficaz. Para hacerlo reforzante, el

Figura 15.3 Lista de comprobación de tiempo fuera.

Ítem	*Tarea*	*Completado (fecha)*	*Profesor (iniciales)*
1.	Intentar técnicas menos aversivas y documentar los resultados.	______	______
2.	Definir operacionalmente las conducta disruptivas.	______	______
3.	Registrar la línea base de las conductas objetivo.	______	______
4.	Tener en cuenta los niveles actuales de reforzamiento (fortalecerlos es necesario).	______	______
5.	Decidir qué procedimiento de tiempo fuera se va a utilizar.	______	______
6.	Decidir el sitio del tiempo fuera.	______	______
7.	Decidir la duración de tiempo fuera.	______	______
8.	Decidir la orden a utilizar para llevar al niño a tiempo fuera.	______	______
9.	Especificar los criterios específicos que señalarían la terminación del tiempo fuera.	______	______
10.	Especificar las fechas para revisar formalmente el procedimiento de tiempo fuera.	______	______
11.	Especificar los procedimientos de seguridad para los problemas típicos que se produzcan.	______	______
12.	Redactar por escrito el procedimiento completo.	______	______
13.	Revisión del procedimiento por los compañeros y supervisores.	______	______
14.	Asegurar la aprobación de los padres o tutores, e incluir el programa escrito en el historial del niño.	______	______
15.	Explicar el procedimiento al estudiante y a la clase (si es apropiado).	______	______
16.	Llevar a cabo el procedimiento, tomar datos, y revisar el progreso diario.	______	______
17.	Revisar formalmente el procedimiento tal y como se indicó.	______	______
18.	Modificar el procedimiento si fuese necesario.	______	______
19.	Registrar los resultados para futuros profesores y programas.	______	______

Tomado de "The Use and Abuse of Using the Timeout Procedure for Disruptive Pupils" T.H. Powell e I.Q. Powell, 1982, *The Pointer, 26*(2), pág. 21. Reimpreso con permiso de Helen Dwight Reid Education Foundation. Publicado por Heldref Publications, 1319 Eighteenth St., N.W., Washington DC 20036-1802. © Copyright 1982.

profesional debería buscar formas de reforzar las conductas que son alternativas o incompatibles con las conductas a las que se aplica el tiempo fuera (p.ej., utilizar reforzamiento diferencial de conductas alternativas, y reforzamiento diferencial de conductas incompatibles). El reforzamiento diferencial facilitará el desarrollo de las conductas adecuadas. Además, al volver del tiempo fuera, se debe aplicar el reforzamiento de la conducta apropiada tan rápidamente como sea posible.

Definición de las conductas a las que se aplicará el tiempo fuera

Antes de llevar a cabo el tiempo fuera, todas las partes deben ser informadas de las conductas a las que se aplicará el tiempo fuera. Si el profesor decide utilizar el tiempo fuera, debería describir de forma explícita, en términos observables, las conductas que llevarán al tiempo fuera. Por ejemplo, no es suficiente con informar a los estudiantes de que las conductas disruptivas llevarán al tiempo fuera, es mejor proporcionar ejemplos y contraejemplos de lo que significa conductas disruptivas. Readdick y Chapman (2000) descubrieron en las entrevistas a posteriori que los niños no siempre eran conscientes de las razones por las que se aplicaba tiempo fuera. Proporcionar ejemplos y contraejemplos soluciona este problema.

Definición de los procedimientos para establecer la duración del tiempo fuera

En la mayoría de los contextos aplicados, tales como las escuelas, los centros residenciales y los centros de día, la duración inicial del tiempo fuera debería ser corta. Un periodo de 2 a 10 minutos es suficiente, aunque una duración corta pudiera ser ineficaz al principio si el individuo ha tenido una historia de periodos de tiempo fuera más largos. Como regla general, no es probable que los periodos de tiempo fuera por encima de los 15 minutos sean eficaces. Más aún, los periodos de tiempo fuera más largos son contraproducentes por varias razones. Primera, la persona puede desarrollar tolerancia a esas largas duraciones y encontrar alguna forma de reforzamiento durante el tiempo fuera. Esta situación es probable que ocurra con aquellos que tengan una historia de conductas de autoestimulación. Cuanto más larga sea la duración del tiempo fuera, más oportunidades tendrá la persona de desarrollar estas actividades reforzantes (p.ej., autoestimulación), y menos eficaz será el tiempo fuera. Además, los periodos largos de tiempo fuera alejan al individuo del ambiente educativo, terapéutico o familiar, donde tendría oportunidades de aprender y los reforzadores sí estarían disponibles. En tercer lugar, dados los efectos prácticos, legales y éticos indeseables del tiempo fuera de mayor duración, una forma prudente de actuar por parte de los profesionales sería el uso de periodos de tiempo fuera relativamente cortos, pero consistentes. Cuando los periodos de tiempo fuera son cortos, el rendimiento académico del estudiante no se ve afectado negativamente (Skiba y Raison, 1990).

Definir los criterios para dar por terminado el tiempo fuera

Si una persona se está comportando mal cuando termina el tiempo fuera, debería continuarse hasta que cese esa conducta inadecuada (Brantner yDoherty, 1983). Así, la decisión de terminar el tiempo fuera no debería basarse exclusivamente en el paso del tiempo; se debería utilizar la mejora de la conducta como criterio principal para terminar el tiempo fuera. Bajo ninguna condición debería darse por terminado el tiempo fuera si está ocurriendo alguna conducta inapropiada.

Si el profesional anticipa que la conducta inapropiada que llevó al tiempo fuera podría ocurrir en el momento programado para la finalización del procedimiento, debería intentar dos estrategias. En una primera, el profesional podría informar a la persona de que el periodo de tiempo fuera (p.ej., 5 minutos) no comenzará hasta que cese la conducta inapropiada. La segunda alternativa sería simplemente extender el tiempo hasta que la conducta disruptiva pare.

Decidir entre tiempo fuera con o sin exclusión

La política del equipo escolar o las restricciones oficiales pueden haber fijado el conjunto de parámetros de las variaciones del tiempo fuera que pueden utilizarse en los contextos aplicados. Además, los factores físicos del edificio (p.ej., la ausencia de un espacio disponible) podrían impedir utilizar formas de tiempo fuera con exclusión. En general, el tiempo fuera sin exclusión es el método preferible.

Explicar las reglas del tiempo fuera

Además de hacer públicas las conductas que llevarán al tiempo fuera, el profesor debería también hacer públicas las reglas de aplicación. Como mínimo, estas reglas deberían centrarse en la duración inicial del tiempo fuera y los criterios para darlo por terminado (es decir, reglas que determinan cuando acaba el periodo de tiempo fuera, y qué ocurre si aparecen conductas disruptivas cuando acaba ese tiempo).

Obtener permiso

Una de las tareas más importantes que un profesional aplicado debe realizar antes de utilizar el tiempo fuera, especialmente las variaciones con exclusión, es obtener permiso. Debido al posible mal uso del tiempo fuera (p.ej., dejar a la persona en tiempo fuera durante largo tiempo, continuar utilizando el tiempo fuera aunque no sea eficaz, etc.), los profesionales deben obtener la aprobación administrativa antes de emplearlo. Sin embargo, las interacciones ocurren tan rápido en la mayoría de los contextos aplicados que podría ser excesivamente engorroso obtener los permisos para cada caso que se produjera. Es mejor método para los profesionales, en cooperación con los gestores de los centros o instituciones, decidir anticipadamente el tipo de tiempo fuera que se empleará ante ciertas conductas inapropiadas (p.ej., con exclusión o sin exclusión), la duración del tiempo fuera (p.ej., 5 minutos), y las conductas que llevarán a la vuelta al ambiente educativo. Es aconsejable comunicar estos procedimientos y políticas a los padres.

Aplicar el tiempo fuera de forma consistente

Cada ocurrencia de una conducta no deseable debería llevar al tiempo fuera. Si un profesor, padre o terapeuta, no está en disposición de aplicar la consecuencia de tiempo fuera cada vez que ocurra la conducta objetivo, sería mejor utilizar otra técnica alternativa para reducir la conducta. Utilizar el tiempo fuera de manera ocasional puede llevar al alumno, cliente o usuario, a una situación de confusión sobre qué conductas son aceptables y cuáles no.

Evaluar la eficacia

De manera universal, los educadores e investigadores piden que se realice una evaluación frecuente del uso del tiempo fuera en los contextos aplicados (Reitman y Drabman, 1999). Como mínimo, se necesitan datos sobre la conducta inapropiada que llevó inicialmente al tiempo fuera. Si ese tiempo fuera realmente fue eficaz, el nivel de esa conducta debería reducirse sustancialmente, y la reducción debería notarse por parte de otras personas en ese contexto. Por razones éticas y legales, se debe registrar y documentar el uso del tiempo fuera; la duración de cada episodio de aplicación; y la conducta del individuo antes, durante y después del procedimiento (Yell, 1994).

Además de tomar datos sobre la conducta objetivo, a veces es beneficioso tomar datos sobre otras conductas colaterales, efectos secundarios inesperados, y la conducta objetivo en otros contextos. Por ejemplo, el tiempo fuera podría producir conducta emocional (p.ej., gritos, agresiones o retraimiento) que podría ensombrecer las ganancias positivas y extenderse a otras situaciones. Puede ser útil llevar un registro de estos episodios. Además, Reitman y Drabman (1999) sugirieron que en las aplicaciones del tiempo fuera en el hogar, los padres llevaran un registro de la fecha, la hora y la duración del tiempo fuera, así como una breve descripción anecdótica de los efectos del tiempo fuera. Cuando se revisen por parte del profesional entrenado, estos registros anecdóticos aportarán un perfil de ejecución sesión a sesión, y le permitirían hacer ajustes del procedimiento de tiempo fuera de una manera más informada. Desde su punto de vista:

> El registro del tiempo fuera y la discusión en torno al mismo, proporciona una buena cantidad de información que incluye el tipo, la frecuencia, el contexto y la tasa de conducta inadecuada...La representación gráfica de estos datos aporta la retroalimentación visual necesaria tanto a terapeutas como a clientes, para ver la extensión del cambio de conducta que ha ocurrido y que ha facilitado el establecimiento de nuevos objetivos (pág. 143).

Considerar otras opciones

Aunque el tiempo fuera se ha mostrado un procedimiento eficaz para reducir la conducta, no debería ser el método de primera elección. Los profesionales aplicados que se enfrenten a la tarea de reducir una conducta, deberían considerar inicialmente los procedimientos de extinción o reforzamiento positivo (p.ej., reforzamiento diferencial de otras conductas o reforzamiento diferencial de conductas incompatibles).[1] Solo cuando estos procedimientos menos intrusivos hayan fallado, es cuando debería considerarse la posibilidad de aplicar el tiempo fuera.

Cuestiones legales y éticas del tiempo fuera

Se ha discutido mucho sobre el uso del tiempo fuera en contextos aplicados. Aunque la jurisprudencia sobre el uso de este procedimiento se ha centrado fundamentalmente en la población institucionalizada (p.ej., *Morales vs. Turman*, 1973; *Wyatt vs. Stickney*, 1974), las resoluciones de estos casos han tenido un profundo efecto sobre el uso del tiempo fuera en otros contextos. Los temas en estos juicios se centraron en la protección de los derechos del cliente o usuario, en si el tiempo fuera representa un castigo cruel y poco corriente, y el grado de aceptabilidad pública del procedimiento.

El resultado de las resoluciones judiciales más importantes ha sido que el derecho de una persona al tratamiento incluye el derecho a no recibir un aislamiento innecesario y restrictivo. Sin embargo, las resoluciones también permiten el uso del tiempo fuera dentro de un programa de cambio de conducta siempre que ese programa esté estrechamente controlado y supervisado, y que esté planificado para proteger al individuo o a otras personas de algún daño físico.

A partir de las resoluciones judiciales se han sacado al menos dos conclusiones. En primer lugar, llevar a una persona a una habitación cerrada se considera ilegal a menos que pueda demostrarse que la reclusión es parte de un plan de tratamiento completo, y que el programa esté cuidadosa y estrechamente supervisado. En segundo lugar, la duración del tiempo fuera ha de ser breve (es decir, menos de 10 minutos). Se podrían conseguir ampliaciones pero solo a partir de un comité de revisión debidamente constituido para este objetivo.

Definición del coste de respuesta

Los profesores que necesiten reducir la conducta inapropiada podrían encontrar que el coste de respuesta es una alternativa funcional al tiempo fuera de reforzamiento positivo, puesto que es rápido, evita confrontaciones con los estudiantes, y ofrece una opción de tratamiento que podría ser más corta que otros procedimientos para disminuir la conducta (p.ej., extinción).

El **coste de respuesta** es una forma de castigo en la que ocurre la pérdida de una cantidad específica de reforzamiento, contingente a una conducta inapropiada, y que resulta en el descenso de la probabilidad futura de ocurrencia de esa conducta. Como castigo negativo, el coste de respuesta puede clasificarse y definirse según su función. Específicamente, si la frecuencia futura de la conducta castigada se ve reducida debido a la retirada contingente de un reforzador positivo, entonces es que ha ocurrido el coste de respuesta. Sin embargo, si la eliminación del reforzador incrementa el nivel de una conducta o no tiene efecto alguno, no puede decirse que haya ocurrido coste de respuesta. Esta distinción entre la aplicación y su efecto es el aspecto clave en la definición del coste de respuesta.

El coste de respuesta ocurre cada vez que el profesor reduce el número de minutos del recreo, retira pegatinas o puntos previamente ganados, o bien "multa" al estudiante por una infracción, y que el resultado es la disminución de la frecuencia futura de la conducta objetivo. Cada ocurrencia de una conducta inadecuada supone la pérdida de una cantidad específica de reforzamiento positivo que ya tenía el individuo. El coste de respuesta generalmente implica la pérdida de reforzadores condicionados generalizados (p.ej., fichas o dinero), tangibles (p.ej., pegatinas), o actividades (p.ej., minutos de escuchar música) (Keeney, Fisher, Adelinis y Wilder, 2000; Musser, Bray, Kehnle y Jenson, 2001).

Aspectos deseables del coste de respuesta

El coste de respuesta tiene algunas características que lo hacen adecuado para utilizarse en contextos aplicados: sus efectos de moderados a rápidos para disminuir la conducta, su conveniencia, y su habilidad para combinarse con otros procedimientos.

Disminución de moderada a rápida de la conducta

Al igual que otras formas de castigo, el coste de respuesta generalmente produce una disminución entre

[1]Adicionalmente, recomendamos el modelo de toma de decisiones de Gaylord-Ross, como una opción cuando queramos utilizar procedimientos de castigo, incluyendo el tiempo fuera (ver Gaylord-Ross, 1980).

moderada y rápida de la conducta. El profesional aplicado no tiene que esperar largo tiempo para determinar los efectos de supresión que tiene el coste de respuesta. Si el procedimiento va a ser eficaz para reducir la conducta, un periodo de dos a tres sesiones suele bastar para notar sus efectos.

Conveniencia

El coste de respuesta es cómodo de aplicar y puede utilizarse en una amplia variedad de contextos escolares y domésticos (Ashbaugh y Peck, 1998; Musser et al., 2001). Por ejemplo, si se espera que los estudiantes sigan los procedimientos, reglas o compromisos adquiridos en la clase, cualquier infracción a esas reglas producirá una multa. Cada ocurrencia de una conducta inadecuada significa que se impondrá una multa explícita y que se perderá un reforzador positivo. La multa señala además que las ocurrencias futuras de una conducta inadecuada tendrán como resultado la misma consecuencia.

Hall et al., (1970) encontraron, en el caso de un niño con trastornos emocionales, que la eliminación contingente a la respuesta de trozos de papel con su nombre, tenía un efecto reductor sobre el número de quejas. Antes de comenzar las clases de lectura y matemáticas, el profesor colocaba en la mesa cinco trozos de papel que llevaban el nombre del chico. Cada vez que este lloraba, gimoteaba o se quejaba durante la tarea de lectura o matemáticas, se quitaba un papel con su nombre. La Figura 15.4 muestra que cuando se puso en marcha el coste de respuesta, las conductas disruptivas disminuyeron notablemente, y cuando el coste de respuesta se retiró, estas conductas se incrementaron.

Keeney et al. (2000) compararon el coste de respuesta con las condiciones de lineabase y con el reforzamiento no contingente, después de llevar a cabo un análisis funcional de la conducta destructiva de una mujer de 33 años con retraso severo. El propósito del análisis funcional era determinar las condiciones que mantenían esa conducta. La Figura 15.5 (parte superior) muestra que el análisis funcional reveló que las condiciones de demanda de una tarea (escape) y de atención produjeron los niveles más altos de la conducta destructiva. La parte inferior muestra la condición de lineabase durante la cual se alababa el cumplimiento de las instrucciones, y los episodios de conducta destructiva conllevaban un descanso de 30 segundos de la tarea que tuviese entre manos (escape). Durante el reforzamiento no contingente, el cuidador se aproximaba, le decía frases positivas, o había música disponible. Durante el coste de respuesta, la atención y la música estaban disponibles desde el principio de la sesión. Sin embargo, cualquier episodio de conducta destructiva producía de inmediato 30 segundos de pérdida de la música y de la atención.

En términos generales, los datos mostraron una lineabase ascendente, con un porcentaje medio de episodios del 30% aproximadamente. La música no contingente no redujo la conducta destructiva. Sin embargo, el coste de respuesta (retirada de la música durante 30 segundos) produjo un cambio inmediato y replicable en la conducta destructiva. Una clave importante en este estudio es que el análisis funcional proporcionó la evidencia de cuáles eran las variables de control (demanda de una tarea), y que se identificó previamente la música como un reforzador preferido por esa persona. En efecto, la evaluación de preferencias de reforzadores sirvió para desarrollar un programa de coste de respuesta, como tratamiento para la conducta destructiva mantenida por el escape de la tarea.

En el hogar, el coste de respuesta también resulta conveniente en cuanto puede incorporarse en un programa ya existente de asignaciones económicas. Por ejemplo, si un niño recibe una asignación de 7 dólares por semana (1 dólar al día) por limpiar su habitación y colocar sus platos y cubiertos en el fregadero después de comer, el incumpliendo de cualquiera de estas conductas podría conllevar una pérdida monetaria (p.ej., una infracción de 50 céntimos). Tanto en los contextos doméstico como escolar, establecer una tabla gráfica con el coste de respuesta aportará retroalimentación al niño sobre su situación a la vez que permitirá a los padres y profesores tener una noción visual del progreso que se vaya produciendo (Bender y Mathes, 1995).

La Figura 15.6 muestra un ejemplo de una tabla gráfica tal y como debería utilizarse en un contexto escolar o tutorial. Para llevar a cabo el procedimiento de coste de respuesta, el profesor escribe una columna en la pizarra con números decrecientes. En cuanto ocurra una conducta disruptiva, el profesor tacha el número más alto. Si el profesor pone los números del 15 al 0 en la pizarra, y ocurren 3 conductas disruptivas, entonces los alumnos tendrían 12 minutos de tiempo libre ese día.

Combinaciones con otros procedimientos

El coste de respuesta puede combinarse con otros procedimientos de cambio de conducta (Long, Miltenberger, Elligson y Ott, 1999). Por ejemplo, el coste de respuesta se ha combinado con un procedimiento de desvanecimiento del tiempo que se

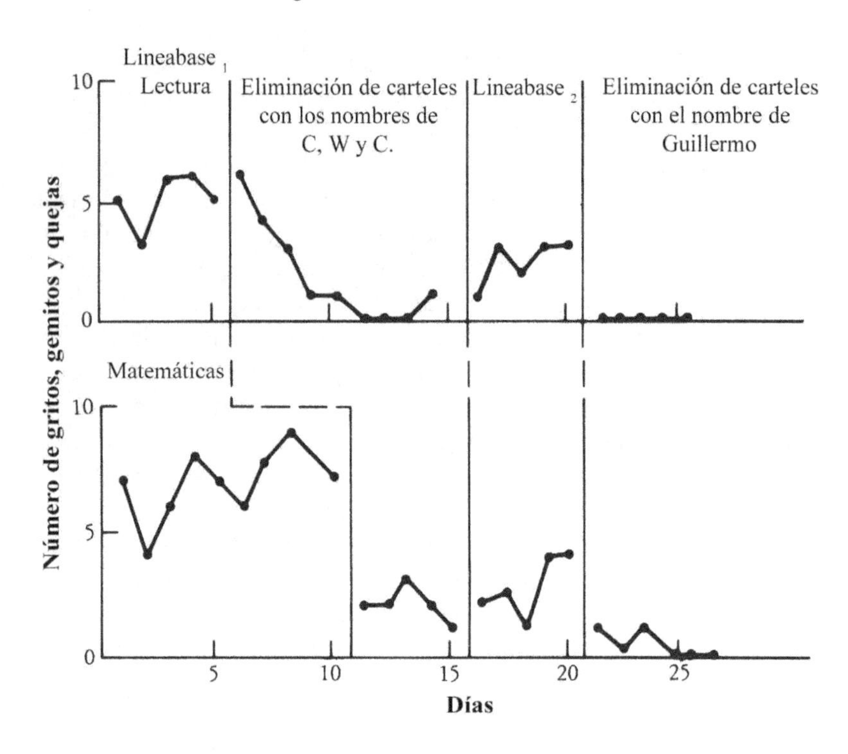

Figura 15.4 Número de lloros, gimoteos y quejas de Guillermo durante periodos de 30 minutos de lectura y aritmética.

Tomado de "Modification of Disrupting and Talking-out Behavior with the Teacher as Observer and Experimenter", R.W. Hall, R. Fox, D. Williard, L. Goldsmith, M. Emerson, M. Owen, E. Porcia y R. David, 1970, comunicación presentada en la American Educational Research Association Convention, Minneapolis. Reimpreso con permiso.

tarda ir a dormir utilizado para tratar problemas de sueño (Ashbaugh y Peck, 1998; Piazza y Ficher, 1991). En el estudio de Ashbaugh y Peck (1998), que es una replicación sistemática del de Piazza y Fisher (1991), se exploraron dos fases principales: Una lineabase y una fase de desvanecimiento de la hora de acostarse junto con coste de respuesta. Durante la lineabase, la familia seguía el ritual habitual de llevar a la niña a la

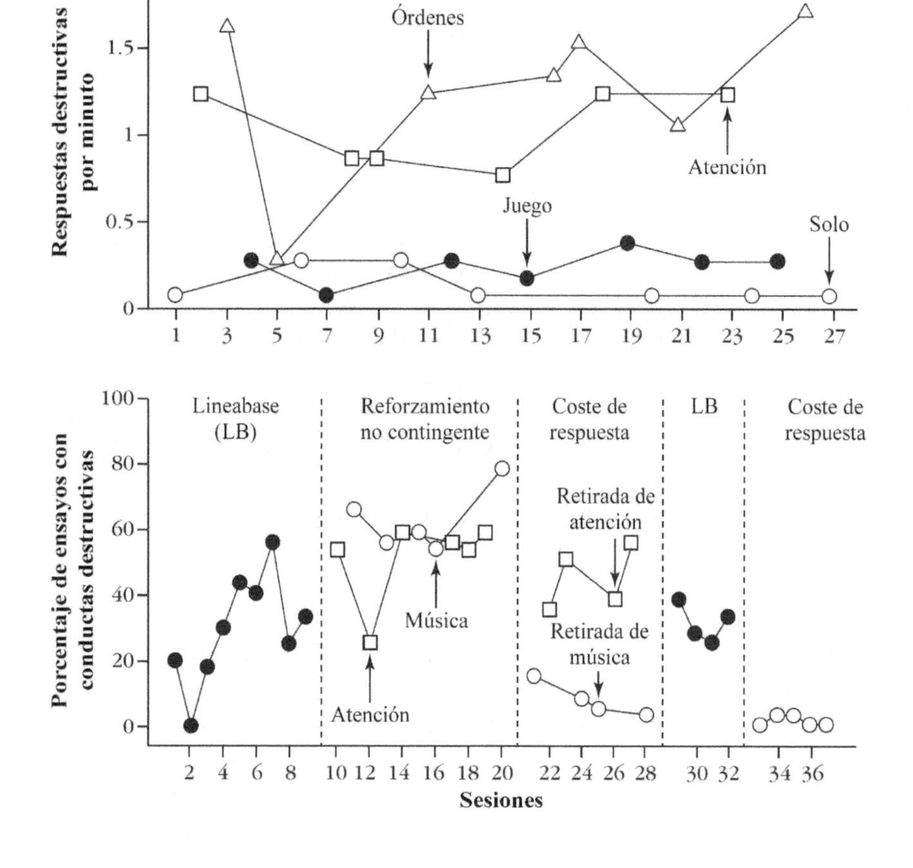

Figura 15.5 Tasas de conducta destructiva durante el análisis funcional (parte superior) y el análisis del tratamiento (parte inferior) con reforzamiento no contingente (RNC) y coste de respuesta.

Tomado de "The Effects of Response Cost in the Treatment of Aberrant Behavior Maintained by Negative Reinforcement",K.M. Keeney, W.W. Fisher, J.D. Adelinis, y D.A. Wilder, 2000, *Journal of Applied Behavior Analysis, 33*, pág. 257. © Copyright 2000 Society for the Experimental Analysis of Behavior, Inc. Reimpreso con permiso.

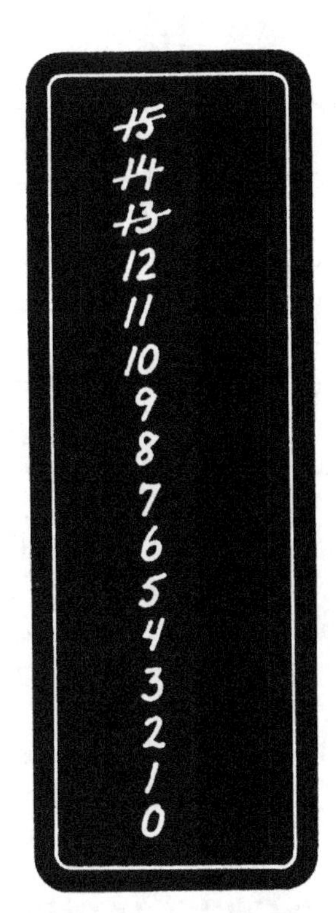

Figura 15.6 Ejemplo de tabla gráfica del coste de respuesta que muestra el número de minutos de juego libre que queda después que hayan ocurrido tres infracciones de las reglas.

cama. Esto es, se la llevaba a la cama cuando parecía estar cansada, y no se intentaba despertarla si se dormía durante el día en horas en las que debía estar despierta. Muchas veces estaba despierta a horas en las que se suponía que debía estar durmiendo (p.ej., a media noche), y lo habitual en estos casos era que se fuese a la habitación de los padres y durmiese con ellos.

Durante la fase de desvanecimiento de la hora de ir a dormir con coste de respuesta, se calculó el tiempo medio para "irse a dormir" según los datos obtenidos en la lineabase; este tiempo se ajustaba cada noche en función de la hora de dormirse de la noche anterior. Por ejemplo, si durante la lineabase la hora media para irse a dormir era a las 10:30 de la noche y se dormía una noche durante los primeros 15 minutos de dejarla en la cama, entonces se ajustaba la nueva hora de irse a dormir hasta las 10:00. El coste de respuesta consistía en mantener a la niña fuera de la cama durante 30 minutos, si no se dormía en los primeros 15 minutos de estar en la cama. Se la mantenía despierta durante los 30 minutos siguientes, jugando o hablando con sus padres. Además, si la niña se despertaba durante la noche e intentaba irse a dormir a la cama de sus padres, era devuelta a su cama de nuevo.

La Figura 15.7 muestra que durante la lineabase, el número de intervalos de 15 minutos de sueño interrumpido fue de una media de 24. Sin embargo, cuando se puso en marcha el desvanecimiento de la hora de irse a dormir con coste de respuesta, el número de intervalos de 15 minutos de sueño interrumpido bajó a aproximadamente 3 como media. Los padres de la niña informaron de que ellos mismos dormían mejor por las noches, y esas mejorías se mantuvieron durante un año después. [Pag.366]

El coste de respuesta se ha combinado también con el reforzamiento diferencial de conductas alternativas (RDA), para tratar la conducta de rechazar la comida

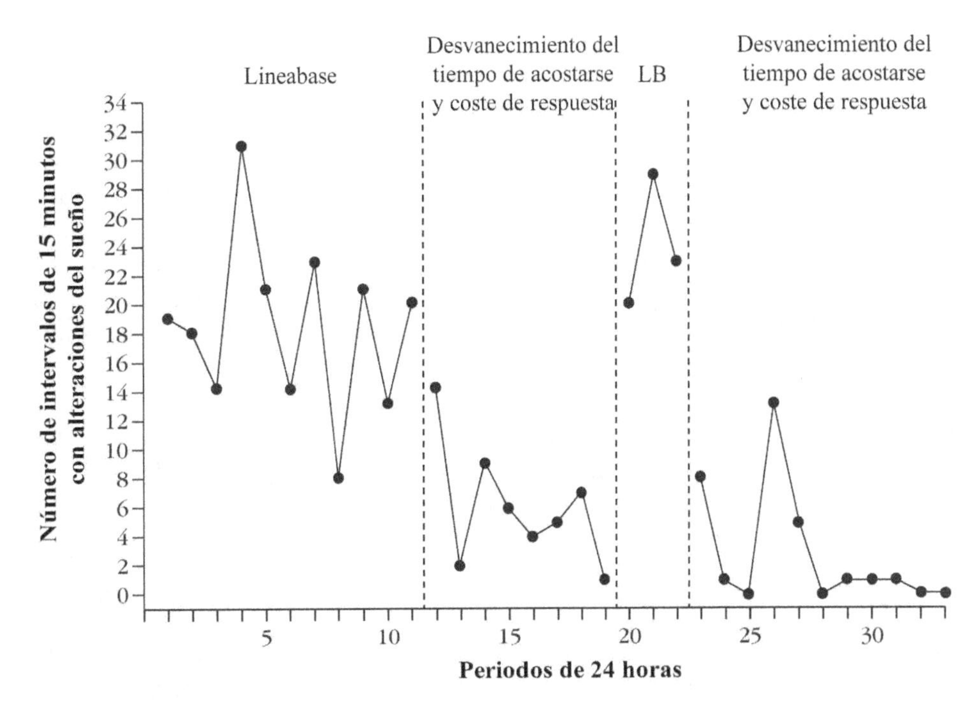

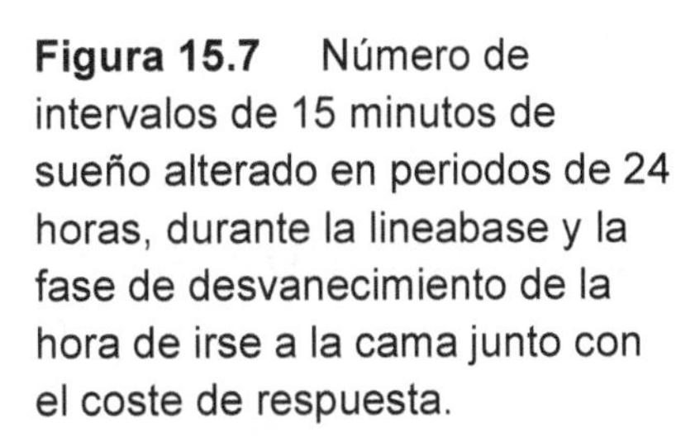

Figura 15.7 Número de intervalos de 15 minutos de sueño alterado en periodos de 24 horas, durante la lineabase y la fase de desvanecimiento de la hora de irse a la cama junto con el coste de respuesta.

Tomado de "Treatment of Sleep Problems in a Toddler", R. Ashbaugh y S. Peck, 1998, *Journal of Applied Behavior Analysis, 31*, pág. 129. © Copyrigh 1998 Society for the Experimental Analysis of Behavior, Inc. Reimpreso con permiso.

en un niño de 5 años con retraso en el desarrollo. Kahng, Tarbox y Wilke (2001) replicaron el estudio de Keeney et al. (2000), excepto en que el coste de respuesta se combinaba con RDA. Durante la condición de lineabase, se presentaban ensayos con una duración de 30 segundos con varios tipos de alimentos. Si el niño aceptaba la comida, se le elogiaba. Si rechazaba la comida, se ignoraba esta conducta. Siguiendo la evaluación de reforzadores previa, durante el coste de respuesta y RDA, se presentaban libros y cintas de audio mientras el niño comía. Si aceptaba la comida, se le elogiaba. Si rechazaba la comida, los libros y las cintas se retiraban durante 30 segundos. Esos libros y cintas de audio se presentaban contingentes a aceptar la comida (es decir, RDA) en el siguiente ensayo. Se entrenó también a los padres y a los abuelos en este procedimiento de coste de respuesta y RDA. Los resultados mostraron un incremento sustancial en el porcentaje de intervalos en que el niño aceptaba la comida, y una drástica disminución en el porcentaje de intervalos de conductas disruptivas y de rechazo de la comida.

En suma, los hallazgos de los estudios que combinan el coste de respuesta con otros procedimientos han sido positivos. En cualquier caso, bien se utilice el coste de respuesta por si solo o bien en combinación con otros procedimientos, los profesionales que aplican mucho reforzamiento durante las situaciones en las que no hay conductas inadecuadas, tienen mayores probabilidades de tener éxito. Expresado de otra manera, el coste de respuesta no debería utilizarse como una aproximación aislada en la modificación de conducta, puesto que, al igual que otros procedimientos de castigo, no enseña nuevas conductas. Un buen planteamiento debería ser combinar los procedimientos de coste de respuesta con aquellos que sirven para el desarrollo de nuevas conductas (p.ej., RDA).

Métodos de coste de respuesta

Los cuatro métodos para llevar a cabo un coste de respuesta son: las multas directas, los costes de respuesta con reserva de reforzadores, en combinación con el reforzamiento positivo, y en aplicación grupal.

Multas

El coste de respuesta puede llevarse a cabo directamente multando a la persona con una cantidad específica de reforzadores positivos. Un ejemplo sería cuando un estudiante pierde 5 minutos de tiempo libre cada vez que emite una conducta de incumplimiento de las indicaciones. En este caso, el coste de respuesta se aplica a aquellos estímulos que se sabe que son reforzantes y que están disponibles para esa persona. En algunas situaciones, sin embargo, retirar reforzadores condicionados o incondicionales (p.ej., comida o tiempo libre) a una persona podría considerarse ilegal y éticamente inapropiado e indeseable. Por ejemplo, sería desaconsejable quitar actividades lúdicas o tiempo libre estructurado a una persona con retraso en el desarrollo. Para evitar cualquier problema potencial, los profesionales aplicados deberían obtener permiso del comité local de ética u otro organismo que vele por los derechos humanos, o bien modificar la contingencia de coste de respuesta.

Coste de respuesta con reserva de reforzadores

Los profesionales pueden dar al individuo reforzadores adicionales no contingentes, para poder quitarlos después en una contingencia de coste de respuesta. Por ejemplo, si las normas escolares determinan un recreo de 15 minutos cada mañana para los alumnos de primaria, en un método de coste de respuesta con reserva de reforzadores, los alumnos podrían tener otros 15 minutos adicionales de recreo, de los cuales se podrían ir eliminando minutos si se incumplieran las normas de clase. Los alumnos mantienen su descanso programado habitual, pero cada infracción o conducta inadecuada reduce su reserva de reforzadores en una cierta cantidad (p.ej., 3 minutos). Así, si un estudiante tiene 3 conductas inadecuadas, su recreo ese día consistiría en los 15 minutos programados habituales, más los 6 minutos adicionales de la reserva de reforzadores. Conforme los estudiantes van mejorando, gradualmente se reduce el número de bonificaciones de minutos de recreo disponibles.

Combinación con reforzamiento positivo

El coste de respuesta puede combinarse con reforzamiento positivo. Por ejemplo, un estudiante podría ganar fichas por mejorar su rendimiento académico y simultáneamente perderlas en aquellos casos en que ocurran conductas inapropiadas. En otro ejemplo, un alumno podría recibir un punto, una estrella o una pegatina por cada 10 tareas académicas terminadas durante la mañana de clase, pero perder un punto, una estrella o una pegatina por cada 6 veces que hable en voz alta. En este escenario, el estudiante conseguiría 4 puntos netos ese día (es decir, 10 puntos ganados por rendimiento académico menos 6 puntos por hablar alto, lo que da 4 puntos netos).

Musser et al. (2001) combinaron el coste de respuesta y el reforzamiento positivo para mejorar la conducta de cumplimiento de tres estudiantes con problemas emocionales y conducta oposicionista y desafiante. Brevemente, el procedimiento implicaba que el profesor diera una instrucción que debía cumplirse (p.ej., "abre tu libro, por favor"). Si el estudiante cumplía ese requerimiento dentro de los 5 segundos siguientes, recibía elogios. Si transcurría un periodo de 30 minutos y no había ocurrido ningún episodio de incumplimiento, se le daba una pegatina. Si el estudiante no cumplía esa instrucción dentro de los 5 segundos siguientes, el profesor esperaba otros 5 segundos y daba de nuevo la orden (p.ej., "abre tu libro"). Entonces el profesor esperaba otros 5 segundos adicionales por si cumplía la orden. Si el estudiante lo hacía, recibía alabanzas. Si no era así, se eliminaba una pegatina por desobedecer. Las pegatinas se cambiaban después por un "regalo misterioso" (es decir, un reforzador de una caja de sorpresas). Los resultados mostraron la disminución de la conducta de desobediencia en los tres estudiantes. Así, este sistema dual utilizado de una forma amable y cómoda, se mostró eficaz dado que los estudiantes ganaban pegatinas por intervalos de conducta obediente, pero las perdían por la conducta desobediente (coste de respuesta).

Este tercer método de coste de respuesta tiene al menos dos ventajas: (a) si no se pierden todas las fichas o puntos debido al coste de respuesta, las que conserve el estudiante puede cambiarlas por otros reforzadores más básicos, añadiendo así un componente de reforzamiento que se incorpora en muchos otros programas; y (b) los reforzadores pueden administrarse de nuevo al llevar a cabo la conducta apropiada, reduciendo por tanto los problemas éticos y legales. Los siguientes diálogos ilustran cómo un padre podría llevar a cabo un procedimiento de coste de respuesta con reserva de reforzadores con sus dos hijos, para reducir sus peleas entre ellos durante la cena.

Padre: Chicos, quiero hablar con vosotros.

Tomás y Pedro: Vale.

Padre: Hemos de encontrar una forma de parar las riñas y peleas durante la cena. La forma en la que os tratáis el uno al otro nos desespera a todos en la familia, yo no puedo ni cenar en paz.

Tomás: Bueno, es Pedro quien empieza.

Pedro: ¡Yo no soy!

Tomás: Sí, siempre eres tu …

Padre: (interrumpe) ¡Ya está bien! Esto es justo lo que quiero decir, chinchándoos el uno al otro. Esto es ridículo, y tiene que acabar. Lo he pensado bien, y esto es lo que vamos a hacer. Puesto que cada uno de vosotros tiene una paga de 5 euros a la semana por hacer vuestras tareas de casa, había pensado en quitárosla la próxima vez que alguno de vosotros se pusiera a pelearse. Pero lo he pensado mejor, y en lugar de eso os voy a dar una paga adicional de 5 dólares a cada uno, pero por cada comentario sarcástico o pelea que tengáis en la mesa durante la cena, perderéis 1 dólar de esa paga extra. Así que si os portáis bien, ganareis otros 5 dólares cada semana. Si tenéis dos peleas, perderéis 2 dólares, y solo os quedarán 3. ¿Entendido?

Pedro: ¿Y qué pasa si Tomás es el que empieza y yo no?

Padre: Quien quiera que sea el que comience una riña o pelea será el que pierda 1 dólar. Si Tomás comienza alguna y tú lo ignoras, solo lo perderá el. Tomás, lo mismo te digo a ti: si Pedro comienza algo y tú lo ignoras, solo Pedro perderá el dólar. Una cosa más. La hora de la cena comienza cuando os llamemos a la mesa, y termina cuando hayamos terminado y os vayáis de la mesa. ¿Alguna pregunta?

Tomás: ¿Cuándo comenzamos?

Padre: Bueno, comenzaremos esta misma noche.

Es importante hacer notar que el padre describió las contingencias de forma completa a sus hijos. Les dijo qué pasaría si no ocurrían peleas entre ellos, y les dijo también qué pasaría si uno intentaba comenzar una pelea pero el otro lo ignoraba. Además, definió claramente cuando comenzaba y terminaba el periodo de la cena. Cada una de estas explicaciones era necesaria para completar la descripción de las contingencias. Presumiblemente, el padre elogió a sus hijos por sus conductas apropiadas durante la hora de la comida, por lo que obtuvieron reforzamiento.

Combinación con consecuencias grupales

La última forma en que se puede aplicar el coste de respuesta implica consecuencias de grupo. Es decir, de forma contingente a la conducta inapropiada de cualquier miembro, el grupo al completo pierde una cantidad específica de reforzamiento. El "Juego de Portarse Bien", del que se habla en el Capítulo 26, sirve como ilustración de como el coste de respuesta puede aplicarse a los grupos, y trata de forma más profunda este método de coste de respuesta.

Utilización eficaz del coste de respuesta

Para utilizar el coste de respuesta de manera eficaz, se debe indicar explícitamente cuál es la conducta objetivo a la que se aplica el procedimiento y la cantidad de pérdida de reforzadores que tendría lugar. Además se debe también explicar cualquier regla que se aplique al rechazo a cumplir con el procedimiento de coste de respuesta. Debería incluirse en la definición de las conductas objetivo la pérdida de puntos correspondiente para cada una. Sin embargo, en aquellas situaciones en las que haya múltiples conductas sujetas a la contingencia de coste de respuesta, o en las que el grado de severidad de esas conductas determine el coste de respuesta, se deberían asociar mayores multas cuando más severas sean las conductas. De hecho, la magnitud del castigo (coste de respuesta) debería corresponderse con el nivel de la conducta no deseable.

De acuerdo con Weiner (1962) (el autor que usó originalmente el término *coste de respuesta*) es importante la magnitud de la multa del coste de respuesta. Es probable que conforme la magnitud de la multa se incremente, ocurra una mayor reducción en la tasa de la conducta no deseable. Sin embargo, si la pérdida de reforzadores es demasiado grande o demasiado rápida, la tasa de reducción de la conducta inapropiada podría verse afectada a la inversa. La persona agotaría pronto su reserva de reforzadores, y existiría una situación de déficit. Como regla general, la multa debe ser lo suficientemente grande como para suprimir la futura ocurrencia de esa conducta, pero no tanto como dejar en quiebra a la persona o como para hacer que el sistema deje de ser eficaz. En suma, si un cliente pierde sus fichas u otros reforzadores con una tasa demasiado elevada, podría rendirse y volverse pasivo o agresivo, con lo que el procedimiento se volvería totalmente ineficaz. Más aún, las multas no deberían cambiarse de forma arbitraria. Si se ha impuesto una pérdida de 5 minutos de recreo por las conductas de desobediencia por la mañana, el profesor no debería imponer una multa de 15 minutos por la misma conducta de desobediencia por la tarde.

Determinación de la inmediatez de las multas

De manera ideal, la multa debería ser impuesta inmediatamente después de la ocurrencia de cada conducta no deseable. Cuanto más rápidamente se aplique el coste de respuesta tras la ocurrencia de la conducta, más eficaz será el procedimiento. Por ejemplo, Ashbaugh y Peck (1998) aplicaron la contingencia de coste de respuesta con éxito con un niño pequeño con problemas de sueño, inmediatamente después que ocurriese un intervalo en que no se quedase dormido.

¿Coste de respuesta o coste de respuesta con reserva de reforzadores?

Generalmente es una cuestión empírica la decisión de qué variación del coste de respuesta sería más eficaz para reducir una conducta. Sin embargo, hay tres recomendaciones que pueden ayudar a los profesionales. Primero, se debería intentar inicialmente utilizar el procedimiento menos aversivo. De acuerdo al principio de la alternativa menos restrictiva, se debería hacer un esfuerzo para garantizar que ocurre la mínima pérdida de reforzadores y durante la menor cantidad de tiempo posible. El coste de respuesta con reserva de reforzadores podría ser menos aversivo que las otras dos variaciones, puesto que los reforzadores no se le quitan directamente a la persona sino que se pierden de un conjunto de reforzadores potenciales (es decir, de la reserva de reforzadores).

La segunda recomendación es similar a la primera y puede hacerse en forma de pregunta: ¿Cuál es el potencial de estallidos emocionales o agresivos? Desde la perspectiva de la validación social, los alumnos (y sus padres) probablemente estarán más de acuerdo en que se pierdan reforzadores de una posible reserva que de los que ya habían conseguido. Como consecuencia, un procedimiento de coste de respuesta con reserva de reforzadores podría conllevar menos episodios agresivos o arranques emocionales, o resultar menos ofensivo para los alumnos o para sus padres.

Una tercera recomendación es la necesidad de reducir la conducta rápidamente. Se puede suprimir de forma más apropiada la conducta ofensiva y desobediente mediante el coste de respuesta, puesto que la contingencia reduce directamente la disponibilidad de reforzadores. La retirada de reforzadores contingente a la respuesta, sirve para reducir la conducta de forma notable y rápida.

Asegurar la reserva de reforzamiento

No se pueden quitar reforzadores a una persona que ya no tiene ninguno. Antes de utilizar el coste de respuesta, el profesional debe asegurar una reserva suficiente de reforzadores. Sin una reserva, es poco probable que el procedimiento tenga éxito. Por ejemplo, si un profesor utiliza la retirada contingente de tiempo libre por cada ocurrencia de una conducta inapropiada en una clase con muchas conductas disruptivas, los estudiantes podrían agotar todo su tiempo libre disponible antes de que terminase la primera hora de clase, lo que dejaría al profesor pensando qué hacer para el resto del día. Reducir el tiempo libre de los días sucesivos difícilmente sería beneficioso.

Para reducir la probabilidad de quedarse sin reforzadores disponibles se podrían seguir estas dos sugerencias. Primera, se puede controlar la razón entre los puntos ganados y los puntos perdidos. Si los datos de lineabase indican que la conducta no apropiada ocurre con una tasa elevada, se pueden programar más reforzadores antes de eliminarlos. Además, es útil determinar la magnitud de la multa y anunciarla explícitamente de antemano. Las infracciones menores podrían llevar a multas relativamente más pequeñas, mientras que las infracciones mayores llevarían a multas sustancialmente más altas. Segunda, si se pierden todos los reforzadores y ocurre otra conducta inadecuada, se podría aplicar el tiempo fuera. Después de ello, cuando los reforzadores comiencen a ganarse de nuevo por las conductas apropiadas, se puede restituir el coste de respuesta.

Para establecer el número inicial de reforzadores disponibles, los profesionales aplicados registran los datos de lineabase sobre la ocurrencia de la conducta inadecuada durante el día o la sesión. Se puede incrementar el número de reforzadores disponibles por encima de la cifra media de la lineabase, para asegurarse de que no se pierden todos los reforzadores cuando se ponga en marcha el coste de respuesta. Aunque no hay unas recomendaciones empíricamente verificadas, una forma prudente de hacerlo sería incrementar el número de reforzadores un 25% por encima de la media de ocurrencias de conductas indeseables en la lineabase. Por ejemplo, si los datos de lineabase indican que la media de conductas disruptivas es de 20 por día, habría que establecer 25 minutos de juego libre (el reforzador positivo) como nivel inicial (es decir, 20 x 1.25). Si se calculan puntos en vez de porcentajes, se podría añadir 10 o 20 puntos para garantizar un "colchón" adecuado de reforzadores.

Reconocimiento de la posibilidad de resultados inesperados o no planificados

Habría dos situaciones que requerirían el llevar a cabo un plan de contingencias. Una de ellas ocurre cuando la imposición repetida del coste de respuesta sirve para reforzar, más que para castigar, la conducta no deseada. Cuando aparece esta situación, el profesional debería detener el coste de respuesta y cambiar a otro procedimiento de reducción de conducta (p.ej., tiempo fuera o RDA). La segunda situación ocurre cuando una persona no quiere renunciar a sus reforzadores positivos. Para reducir la probabilidad de que esto ocurra, el profesional debería clarificar de antemano las consecuencias que tendría este rechazo y (a) asegurarse de que tiene disponible una reserva suficiente de reforzadores, (b) imponer una multa o penalización adicional por no ceder los reforzadores (p.ej., la pegatina) (Musser et al., 2001), o (c) reembolsar a la persona alguna parte proporcional de la multa si cumple con el pago inmediato.

Evitar el abuso del coste de respuesta

El coste de respuesta debería reservarse para las conductas no deseables más fuertes, que llaman la atención por sí mismas, y necesitan suprimirse rápidamente. La atención fundamental del profesor o de los padres debería siempre centrarse en las conductas positivas a reforzar; el coste de respuesta debería ser el último recurso, y debería combinarse con otros procedimientos para construir conductas adaptativas.

Llevar registros

Debería registrarse cada ocurrencia del coste de respuesta y de la conducta que lo ocasionó. Como mínimo, el analista de conducta debería registrar el número de veces que impone las multas, las personas a las que se aplican, y los efectos que tienen esas multas. La recopilación de datos diarios ayuda a determinar la eficacia del coste de respuesta. Al graficar los efectos de un programa, el analista de conducta puede determinar los efectos de supresión de este procedimiento.

Recomendaciones sobre el coste de respuesta

Incremento de la agresión

La retirada de reforzadores positivos contingente a la respuesta, podría incrementar la agresividad verbal y física del estudiante. Cuando pierde algunas fichas, especialmente en un corto periodo de tiempo, podría agredir física y verbalmente al profesor. Las conductas emocionales han de ignorarse tanto como sea posible si vienen como efecto de la implementación del coste de respuesta (Walker, 1983). Aún así, los profesores deberían anticipar esta posibilidad y (a) pensarse bien el uso del coste de respuesta si sospechan que el resultado podría ser una situación aún peor que la que intenta remediar, o (b) estar preparado para "capear el temporal".

Evitación

El contexto en el que ocurre el coste de respuesta, o la persona que lo administra, puede llegar a ser un estímulo aversivo condicionado. Si ocurre esta situación en la escuela, el estudiante podría evitar la escuela, la clase o al profesor, ausentándose o llegando tarde. Un profesor puede reducir la probabilidad de convertirse en un estímulo aversivo condicionado si aplica reforzamiento contingente a la conducta apropiada.

Reducciones colaterales de conductas deseables

La retirada de reforzadores positivos contingente a una conducta, puede afectar también a la frecuencia de otras conductas. Si el profesor castiga a Susana con 1 minuto de recreo cada vez que habla alto durante la clase de matemáticas, el procedimiento de coste de respuesta podría reducir no solo es conducta, sino también su productividad en matemáticas. Susana podría decirle al profesor: "Puesto que he perdido mi tiempo de recreo, no voy a hacer más matemáticas". Podría comportarse también de forma pasivo-agresiva, sentándose con los brazos cruzados y negándose a trabajar. Los profesores y otros profesionales aplicados deberían anticipar tales conductas colaterales, y explicar claramente las reglas del coste de respuesta, reforzar a otros compañeros como modelos de una conducta apropiada, y evitar confrontaciones cara a cara con el alumno.

Prestar atención a la conducta castigada

El coste de respuesta presta atención a la conducta no deseada. Esto es, cuando ocurre una conducta inapropiada, se informa al estudiante sobre la pérdida del reforzador. La atención del profesor (incluso en la forma de notificación de la pérdida del reforzador) podría funcionar como consecuencia reforzante. En efecto, esta atención podría incrementar la frecuencia futura de la conducta negativa. Por ejemplo, un profesor podría tener dificultades con algunos estudiantes porque cada marca que hace en la pizarra indica que se ha perdido un reforzador (p.ej., minutos de tiempo libre) y, más adelante, este movimiento centra la atención en que ha ocurrido una conducta no deseada e inadvertidamente podría reforzarla. En esa situación, el profesor debería cambiar su estrategia, quizás combinar el coste de respuesta con el tiempo fuera. Además, para contrarrestar la posibilidad de centrar atención sobre la conducta inadecuada, los profesionales deberían asegurarse de que la proporción de reforzamiento frente al coste de respuesta, resulta a favor del reforzamiento.

Impredecibilidad

Al igual que sucede con otras formas de castigo, los efectos adversos del coste de respuesta pueden ser impredecibles. Parecen estar relacionados con una serie de variables que no se comprenden bien y que no han sido bien investigadas a través de distintos participantes, contextos o conductas. Estas variables incluyen la magnitud de la multa, la historia de castigo y reforzamiento previo del individuo, la frecuencia con la que se multan las conductas, y la disponibilidad de respuestas alternativas que lleven a reforzamiento.

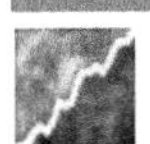

Resumen

Definición del tiempo fuera

1. El tiempo fuera de reforzamiento positivo, o simplemente tiempo fuera, se define como la retirada de la oportunidad de conseguir reforzamiento positivo, o la pérdida del acceso a reforzadores positivos durante un periodo de tiempo especificado, contingente a la ocurrencia de una conducta.

2. El tiempo fuera es un estímulo punitivo negativo, y tiene el efecto de reducir la frecuencia futura de la conducta que lo precede.

Procedimientos de tiempo fuera en contextos aplicados

3. Existen dos tipos básicos de tiempo fuera: con exclusión y sin exclusión.

4. En el tipo sin exclusión, los métodos fundamentales son: el ignorar programado, la retirada de un reforzador positivo específico, la observación contingente y la cinta de tiempo fuera.

5. En el tipo con exclusión, los métodos principales son: habitación de tiempo fuera, tiempo fuera por partición del contexto, y tiempo fuera por expulsión.

6. El tiempo fuera es una alternativa deseable para reducir la conducta porque es fácil de aplicar, es aceptable, suprime rápidamente la conducta, y tiene la posibilidad de combinarse con otros procedimientos.

Utilización eficaz del tiempo fuera

7. El tiempo dentro del ambiente debe ser reforzante si se quiere que el tiempo fuera sea eficaz.

8. El uso eficaz del tiempo fuera requiere que se hagan públicos explícitamente: las conductas a las que se aplica, la duración, y los criterios para dar por terminado el tiempo fuera. Además, los profesionales han de decidir si utilizar el tiempo fuera con o sin exclusión.

9. En la mayoría de los contextos aplicados, se requiere permiso antes de llevar a cabo el tiempo fuera.

10. Los profesionales deberían ser conscientes de los aspectos legales y éticos a tener en cuenta antes de llevar a cabo el tiempo fuera. Como procedimiento de castigo, debería utilizarse solo después de que hayan fallado otros procedimientos positivos de reducción de conducta, y teniendo en cuenta que su aplicación sea controlada, supervisada y evaluada.

Definición del coste de respuesta

11. El coste de respuesta es una forma de castigo en la que tiene lugar la pérdida de una cantidad específica de reforzamiento de manera contingente a la realización de una conducta inapropiada, y que tiene como resultado la disminución de la probabilidad de la ocurrencia futura de dicha conducta.

12. Las cuatro características del coste de respuesta son: es un procedimiento atractivo para los profesionales, incluye una supresión entre moderada y rápida de la conducta, comodidad de aplicación, y la posibilidad de combinarse con otros procedimientos.

Métodos de coste de respuesta

13. Los cuatro métodos para llevar a cabo el coste de respuesta son: multa directa, coste de respuesta con reserva de reforzadores, combinación con reforzamiento positivo y combinación con consecuencias de grupo.

Utilización eficaz del coste de respuesta

14. Para utilizar el coste de respuesta de manera eficaz, los profesionales deberían determinar la inmediatez de la multa, decidir si el procedimiento con reserva de reforzadores sería una opción preferente, asegurar una reserva de reforzadores, reconocer los posibles resultados inesperados o no planificados, evitar abusar del coste de respuesta, y mantener buenos registros sobre sus efectos.

Recomendaciones sobre el coste de respuesta

15. Aplicar el coste de respuesta puede incrementar en el sujeto la agresividad, producir respuestas de evitación, de manera colateral reducir las conductas deseables, y centrar la atención sobre la conducta castigada. Los efectos del coste de respuesta podrían ser también impredecibles.

PARTE 6

Variables antecedentes

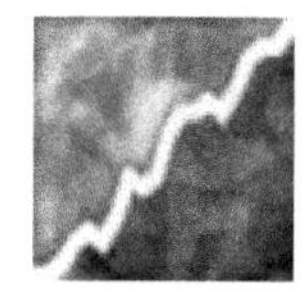

Las Partes 4 y 5 detallaron los efectos de varios tipos de cambios de estímulo que siguen inmediatamente a la conducta. Los dos capítulos de la Parte 6 abordan los efectos de las condiciones estimulares y los cambios que se producen antes de la conducta. La conducta no ocurre en un ambiente vacío o vacuum. Cada respuesta se emite en el contexto de un conjunto particular de condiciones antecedentes, y estos eventos antecedentes juegan un papel crítico en la motivación y el aprendizaje.

Lo que las personas hacen en un determinado momento es, al menos en parte, una función de lo que quieren en ese momento. En el capítulo 16, Jack Michael ofrece una descripción exhaustiva de las operaciones motivadoras, variables ambientales que (a) cambian la eficacia momentánea de un estímulo, objeto o evento determinado como reforzador (o castigo); y (b) alteran la frecuencia actual de todas las conductas que han recibido esa forma de reforzamiento. La mejor comprensión de las operaciones motivadoras representa uno de los mayores avances en el análisis de la conducta de los últimos años.

Aunque la característica que define el reforzamiento es el incremento de la frecuencia futura de una conducta, este también produce un segundo efecto importante. El Capítulo 17, El Control de Estímulo, detalla cómo los estímulos que preceden inmediatamente a la respuesta o están presentes durante el reforzamiento adquieren una función evocadora sobre la futura aparición de la conducta. El capítulo describe cómo los analistas de conducta utilizan el reforzamiento diferencial bajo condiciones estimulares antecedentes cambiantes para alcanzar el grado deseado de discriminación de estímulo y para desarrollar clases de estímulo con funciones equivalentes.

CAPÍTULO 16

Operaciones motivadoras

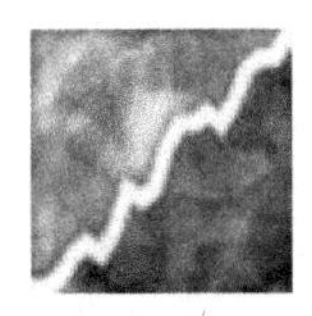

Términos clave

Efecto reductor
Efecto abolidor del reforzador
Efecto de establecimiento del reforzador
Efecto evocador
Efecto modificador de la conducta
Efecto modificador de la función
Efecto modificador del repertorio
Efecto modificador del valor
Estímulo discriminativo (E_D) relacionado con el castigo
desemparejamiento
Operación de abolición
Operación de establecimiento
Operación motivadora
Operación motivadora condicionada
Operación motivadora condicionada reflexiva
Operación motivadora condicionada de sustitución
Operación motivadora incondicionada
Operación motivadora transitiva condicionada
Recuperación tras un procedimiento de castigo

Behavior Analyst Certification Board® BCBA®, BCBA-D®, BCaBA®, RBT® Lista de tareas para analistas de conducta (cuarta edición).

FK	Conocimientos adicionales. Definir y dar ejemplos de:
FK-26	Operaciones motivacionales incondicionadas.
FK-27	Operaciones motivacionales condicionadas.
FK-28	Operaciones motivacionales transitiva, reflexiva y de sustitución.
FK-29	Diferencia entre estímulo discriminativo y operaciones motivacionales.

Este capítulo fue escrito por Jack Michael.

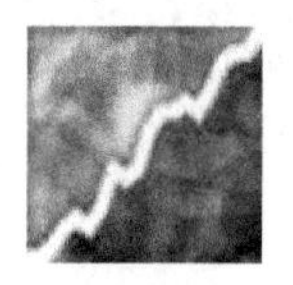

En la psicología del sentido común lo que las personas hacen en un determinado momento es, al menos en parte, una función de lo que quieren en ese momento. Desde una perspectiva conductual, basada en el análisis del "impulso" que realiza Skinner (1938, 1953), querer algo puede significar que (a) la ocurrencia de lo que se desea funcionaría como un reforzador en ese momento, y (b) la frecuencia actual de cualquier conducta que haya sido previamente reforzada de esta manera aumentará. Este capítulo estudia y clasifica variables que tienen estos dos efectos motivadores.

Definición y características de las operaciones motivadoras

Características Básicas

En su tratamiento de la motivación, Keller y Schoenfeld (1950) identificaron el concepto de "impulso" como una relación entre ciertas variables ambientales, que llamaron *operaciones de establecimiento*, y ciertos cambios en la conducta. Aunque no se ajustaba exactamente al uso que estos autores le habían dado inicialmente, en 1982 se volvió a introducir el término **operación de establecimiento** (OE) (Michael, 1982, 1993) para designar cualquier variable ambiental que (a) altere la eficacia de algún estímulo, objeto u evento como reforzador; y (b) altere la frecuencia actual de toda la conducta que haya sido reforzada por ese estímulo, objeto o evento. El término *operación de establecimiento* se usa ahora con asiduidad en el análisis aplicado de la conducta (p.ej., Iwata, Smith y Michael, 2000; McGill, 1999; Michael, 2000; Smith y Iwata, 1997; Vollmer y Iwata, 1991).

Recientemente, se ha propuesto el término **operación motivadora (OM)** para reemplazar el de *operación de establecimiento* (Laraway, Snycerski, Michael y Poling, 2001), junto con los términos *modificador del valor* y *modificador de la conducta* para los dos efectos descritos anteriormente. Presentaremos este reciente planteamiento a lo largo del capítulo.[1]

El **efecto modificador del valor** es, o bien (a) un aumento de la eficacia como reforzador de algún estímulo, objeto, o evento, en cuyo caso la OM es una operación de establecimiento, o bien (b) una reducción de esta eficacia como reforzador, en cuyo caso la OM es una **operación de abolición**. El **efecto modificador de la conducta** es, o bien (a) un aumento de la frecuencia actual de la conducta que ha sido reforzada por algún estímulo, objeto, o evento, llamado **efecto evocador**, o bien (b) una disminución de la frecuencia actual de la conducta que ha sido reforzada por algún estímulo, objeto, o evento, denominado **efecto reductor**.[2] En la figura 16.1 se muestran estas relaciones.

Por ejemplo, la privación de alimento es una operación de establecimiento que *aumenta* la eficacia de la comida como reforzador y evoca toda conducta que haya sido reforzada con comida. La ingesta de alimento (comer) es una operación de abolición que *reduce* la eficacia de la comida como reforzador, y disminuye toda conducta tras la cual se haya recibido comida como reforzador. En la figura 16.2 se muestran estas relaciones.

Un incremento de la estimulación dolorosa es una operación de establecimiento que *aumenta* la eficacia de la reducción del dolor como reforzador y *evoca* toda la conducta que haya sido reforzada con una reducción del dolor. Una descenso en la estimulación dolorosa es una operación de abolición que *disminuye* la eficacia de la reducción del dolor como reforzador y *reduce* toda conducta que ha sido seguida por la reducción del dolor. En la figura 16.3 se muestran estas relaciones.

La mayoría de las afirmaciones recogidas en este capítulo sobre los efectos de modificación del valor y de modificación de la conducta se refieren a relaciones que implican más reforzamiento que castigo. Tiene sentido asumir que las operaciones motivadoras también modifican la eficacia de los estímulos, objetos y eventos como *estímulos punitivos,* ya sea con efectos de establecimiento o de abolición; y que también alteran la frecuencia actual de toda la conducta que haya sido *castigada* con esos estímulos, objetos o eventos, ya sea reduciendo o evocando dicha conducta. Sin embargo, el análisis aplicado de la conducta acaba de empezar a ocuparse de la motivación en relación al castigo. Más adelante en el capítulo hay una breve sección que sopesa el papel de las operaciones motivadoras incondicionadas para el castigo, aunque probablemente la mayor parte de lo que se diga sobre las operaciones motivadoras y el reforzamiento se extenderá al castigo en futuros tratamientos de la motivación.

[1]El *factor del entorno* de J. R. Kantor (1959d, pág.14) incluía operaciones motivadoras como las descritas, pero también incorpora algunos eventos que no se ajustan a la definición específica en relación a los dos efectos. Para conocer un enfoque del factor del entorno como influencia antecedente de la conducta, vea Smith e Iwata (1997, págs. 346-348).

[2]La utilidad del nuevo término, *reductor*, se describe en detalle en Laraway, Snycerskgi, Michael y Poling (2001).

Figura 16.1 Operaciones motivadoras (OMs) y los dos efectos que las definen.

Operación de establecimiento (OE)

- Efecto modificador de la conducta: un aumento de la frecuencia actual de toda conducta que haya sido reforzada por ese estímulo, objeto o evento (es decir, un efecto evocador).
- Efecto modificador del valor: un aumento de la efectividad como reforzador de algún estímulo, objeto o evento.

Operación de abolición (OA)

- Efecto de modificador del valor: una reducción de la efectividad actual como reforzador de algún estímulo, objeto o evento.
- Efecto modificador de la conducta: una disminución de la frecuencia actual de toda conducta que haya sido reforzada por ese estímulo, objeto o evento (es decir, un efecto abatidor).

Figura 16.2 Operaciones motivadoras relacionadas con la comida.

La privación de alimento como operación de establecimiento (OE)

- Efecto modificador del valor: un incremento de la efectividad reforzante de la comida.
- Efecto modificador de la conducta: un aumento de la frecuencia actual de toda conducta que haya sido reforzada con comida.

La ingesta de alimento como operación de abolición (OA)

- Efecto modificador del valor: una reducción de la efectividad reforzante de la comida.
- Efecto modificador de la conducta abatidor: una disminución de la frecuencia actual de toda conducta que haya sido reforzada con comida.

Figura 16.3 Operaciones motivadoras relacionadas con la estimulación dolorosa.

El incremento de la estimulación dolorosa como operación de establecimiento (OE)

- Efecto de modificador del valor: un incremento de la efectividad reforzante de la reducción del dolor.
- Efecto modificador de la conducta: un aumento de la frecuencia actual de toda conducta que haya sido reforzada con una reducción del dolor.

La reducción del dolor como operación de abolición (OA)

- Efecto de modificador del valor: una disminución de la efectividad reforzante de la reducción del dolor.
- Efecto modificador de la conducta abatidor: una disminución de la frecuencia actual de toda conducta que haya sido reforzada con reducción del dolor.

Aspectos adicionales a tener en cuenta

Efectos directos e indirectos

Los efectos modificadores de la conducta son, en realidad, más complejos de lo que se ha insinuado hasta el momento. El cambio en la frecuencia de la conducta puede ser resultado de (a) un efecto evocador o reductor directo de la operación motivacional sobre la frecuencia de respuesta y (b) un efecto indirecto sobre la potencia evocadora o reductora de un estímulo discriminativo (E^D) relevante. También se esperaría que una OM tuviese un efecto modificador del valor sobre cualquier reforzador condicionado relevante, que, a su vez, tuviese un efecto modificador de la conducta sobre el tipo de conducta que haya sido reforzada por esos reforzadores condicionados. Consideraremos está relación más adelante en conexión con la operaciones motivadoras condicionadas.

No sólo la frecuencia

Además de la frecuencia, de un cambio en una operación motivadora pueden resultar otros aspectos de la conducta, tales como la magnitud de respuesta (una respuesta más o menos fuerte), la latencia de respuesta (un periodo más o menos largo desde que ocurre la OM o el E^D hasta la primera respuesta), la frecuencia relativa (una proporción de respuestas mayor o menor en relación al número total de oportunidades de respuesta), y otros. Sin embargo, dado que la frecuencia es la medida más conocida de las relaciones operantes, esta será la modificación conductual a la que se hará referencia en el resto del capítulo.

Un malentendido común

A veces, el efecto modificador de la conducta se interpreta como un cambio en la frecuencia debido a que el organismo encuentra una forma más o menos eficaz de reforzamiento. Esto implica que el aumento o la reducción ocurre únicamente *tras* obtener el reforzamiento. La observación crítica que contradice esta idea es que existe una fuerte relación entre el nivel de la OM y la respuesta *en extinción*, cuando no se recibe reforzamiento (ver Keller y Schoenfeld, 1950, págs. 266-267 y Figura 60). En términos de la eficacia general de un organismo, una OM debería evocar la conducta relevante incluso si no tiene éxito en un primer momento. En este momento, se considerarán como independientes los dos efectos (efecto de modificador del valor y efecto modificador de la conducta), en el sentido de que uno no deriva del otro, aunque probablemente estén relacionados a nivel neurológico.

Efectos actuales versus futuros: efectos modificadores de la conducta versus efectos modificadores del repertorio

Un organismo tiene, como resultado de su historia ambiental, un repertorio operante de relaciones entre la OM, el E^D y la respuesta. (También está presente un repertorio respondiente de estímulos capaz de elicitar respuestas, ya descrito en el Capítulo 2). Las operaciones motivadoras y los estímulos discriminativos son componentes del repertorio existente; son variables antecedentes con efectos modificadores de la conducta. Los eventos antecedentes pueden evocar o reducir respuestas, pero su simple ocurrencia no altera el repertorio operante de relaciones funcionales del organismo. Estas variables antecedentes contrastan con las variables consecuentes cuyo efecto principal *consiste en* cambiar el repertorio de relaciones funcionales del organismo de forma que este se comporte de manera distinta en el futuro. Dentro de las variables consecuentes se incluyen reforzadores, estímulos punitivos, y el hecho de que ocurra una respuesta sin su reforzador (procedimiento de extinción) o sin su estímulo punitivo (**recuperación tras un procedimiento de castigo**). A esto nos referimos cuando decimos que las operaciones motivadoras y los estímulos discriminativos modifican la frecuencia *actual* de toda la conducta relevante para esa OM; sin embargo, los reforzadores, estímulos punitivos y el hecho de que ocurra una respuesta sin una consecuencia, modifican la frecuencia *futura* de cualquier conducta que preceda de forma inmediata a esas consecuencias.

Resulta útil tener un nombre distinto para cada uno de estos dos efectos tan diferentes sobre un evento relevante conductualmente; por tanto, en este capítulo haremos referencia al **efecto modificador del repertorio** (Schlinger y Blakely, 1987) para distinguirlo del *efecto* modificador de la conducta. Por lo general, a lo largo del capítulo señalaremos esta distinción refiriéndonos a la frecuencia *actual* o a la frecuencia *futura*.

Una distinción fundamental: relaciones motivadoras versus relaciones discriminativas

Tanto las operaciones motivadoras como los estímulos discriminativos son variables antecedentes que modifican la frecuencia actual de alguna conducta particular. Además, ambas son variables operantes (en lugar de respondientes), que controlan la frecuencia de respuesta debido a su relación con consecuencias de reforzamiento o castigo (en vez de con un estímulo respondiente incondicionado). Por tanto, llegados a este punto, puede resultar útil revisar los contrastes entre las definiciones de estos dos tipos de variables antecedentes.

Un E^D es un estímulo que controla un tipo de conducta porque ha sido relacionado con la *disponibilidad diferencial* de un reforzador eficaz para ese tipo de conducta. "Disponibilidad diferencial" significa que la consecuencia relevante ha estado disponible en presencia del estímulo, y no lo ha estado en su ausencia. Para considerar la privación de alimento y el aumento del dolor como estímulos discriminativos es necesario que la comida y la eliminación del dolor estén disponibles en presencia de estas condiciones. Esto es un tanto problemático ya que ambos pueden ocurrir, y con frecuencia ocurren, en condiciones en las que los reforzadores no están disponibles. Un verdadero E^D constituye al menos una garantía probabilística de que la consecuencia relevante ocurrirá después de la respuesta. Un organismo puede estar privado de alimento o sujeto a estimulación dolorosa durante periodos considerables de tiempo sin que dicha condición pueda ser aliviada.

Más importante para la interpretación como un E^D es que la falta de disponibilidad del reforzador en ausencia del estímulo implica que el evento que no está disponible habría sido eficaz como reforzador si se hubiese obtenido. Este es el requisito que no cumplen la mayoría de las variables motivadoras para poder ser consideradas estímulos discriminativos. Es cierto que la comida como reforzador, en cierto sentido, no está disponible en ausencia de privación de alimento, y la disminución del dolor como reforzador no está disponible en ausencia de dolor, pero este no es el tipo de falta de disponibilidad que ocurre en el entrenamiento en discriminación y que desarrolla el efecto evocador de un verdadero E^D (Michael, 1982). En ausencia de privación de alimento o de estimulación dolorosa ninguna OM hace que la comida o la eliminación del dolor sean reforzadores eficaces; por tanto, no ocurre la falta de disponibilidad del reforzador en el sentido que es relevante para la relación discriminativa.

Sin embargo, la privación de alimento y la estimulación dolorosa se pueden calificar fácilmente como operaciones motivadoras, como condiciones que modifican la eficacia de algunos estímulos, objetos, o eventos como reforzadores, y que simultáneamente modifican la frecuencia de la conducta que haya sido reforzada por esos estímulos, objetos, o eventos.

Para resumir, normalmente se puede hacer un útil contraste de la siguiente forma: los estímulos discriminativos están relacionados con la disponibilidad diferencial de una forma actualmente eficaz de reforzamiento para un tipo particular de conducta; las variables motivadoras están relacionadas con la eficacia reforzante diferencial de un tipo particular de evento ambiental.

Operaciones motivadoras incondicionadas

Para todos los organismos existen eventos, operaciones, y condiciones estimulares con efectos motivadores *alteradores del valor* que no son aprendidos. Los humanos nacen con la capacidad de ser más afectados por el reforzamiento con comida como resultado de la privación de alimento, o más afectados por el reforzamiento con reducción del dolor como resultado del inicio o aumento del dolor. Por esta razón, la privación de alimento y la estimulación dolorosa se conocen como **operaciones motivadoras incondicionadas.**[3] Por el contrario, la necesidad de entrar a una habitación por una puerta cerrada con llave hace que la llave de la puerta sea un reforzador eficaz, pero este efecto modificador del valor es evidentemente función de una historia de aprendizaje que involucra puertas y llaves. Las operaciones motivadoras de este tipo se llaman operaciones motivadoras condicionadas y se considerarán en detalle más adelante en este capítulo.

Hemos de tener en cuenta que es el aspecto no aprendido del efecto de modificación del valor lo que hace que una OM sea clasificada como incondicionada. El efecto modificador de la conducta de una OM normalmente se aprende. Dicho de otra manera, nacemos con la capacidad de ser más afectados por el reforzamiento con comida como resultado de la privación de alimento, pero tenemos que aprender la mayoría de las conductas que llevan a la obtención de comida (pedirla, ir a donde se guarda, etc.).

Las nueve operaciones motivadoras incondicionadas más importantes para los seres humanos

Operaciones motivadoras incondicionadas de privación y saciedad

Toda privación ya sea de alimento, agua, oxígeno, actividad o sueño, tiene como resultado **efectos de establecimiento del reforzador** y evocadores. Por el contrario, la ingesta de alimento y agua, respirar oxígeno, estar activo y dormir, tienen **efectos abolidores del reforzador** y reductores.

[3]Los términos *incondicionada* y *condicionada* se usan para modificar las operaciones motivadoras al igual que modifican a los estímulos respondientes elicitadores y a los reforzadores y estímulos punitivos operantes. Las operaciones motivadoras incondicionadas, al igual que los estímulos elicitadores incondicionados para conductas respondientes y los reforzadores y estímulos punitivos incondicionados, tienen efectos que no dependen de una historia de aprendizaje. Los efectos de las operaciones motivadoras condicionadas, al igual que los efectos de los estímulos elicitadores condicionados y los reforzadores y estímulos punitivos condicionados, dependen de una historia de aprendizaje.

Operaciones motivadoras incondicionadas relevantes para el reforzamiento sexual

Para muchos mamíferos no humanos, los cambios hormonales de la hembra se relacionan con el transcurso del tiempo, las condiciones ambientales de luz, la temperatura promedio diaria, u otras características del ambiente que están relacionadas filogenéticamente con una reproducción exitosa. Estas características ambientales, o cambios hormonales, o ambos, pueden considerarse operaciones motivadoras incondicionadas que hacen que el contacto con un macho sea un reforzador eficaz para la hembra. Estas pueden ocasionar cambios visibles en algún aspecto del cuerpo de la hembra y liberar sustancias químicas (olfativas) que producen atracción y funcionan como operaciones motivadoras incondicionadas para el macho, estableciendo el contacto con una hembra como reforzador y evocando cualquier conducta que haya producido ese contacto. Los variados cambios hormonales también pueden evocar ciertas conductas en la hembra (p.ej., la adopción de una postura sexualmente receptiva) que como estímulos funcionan como operaciones motivadoras incondicionadas para la conducta sexual del macho. Superpuesto a este conjunto de operaciones motivadoras incondicionadas y elicitadores incondicionados está un efecto de privación que puede funcionar también como OM incondicionada.

En el ser humano, el aprendizaje juega un papel tan importante en la determinación de la conducta sexual que ha sido difícil establecer el papel de las relaciones ambiente-conducta no aprendidas. El efecto de los cambios hormonales de las mujeres sobre su conducta no está claro, como tampoco lo está el papel de las sustancias químicas que producen atracción sobre la conducta del varón. En igualdad de condiciones, tanto hombres como mujeres parecen estar afectados por el tiempo transcurrido desde la última actividad sexual (privación), funcionando esta como una operación motivadora incondicionada que establece la eficacia de la estimulación sexual como reforzador y que evoca la conducta que ha conseguido ese tipo de reforzamiento. El orgasmo sexual funciona en la dirección opuesta, como una operación motivadora incondicionada que anula la eficacia de la estimulación sexual como reforzador y reduce (disminuye la frecuencia de) la conducta que ha conseguido este tipo de reforzamiento. Además, la estimulación táctil de zonas erógenas del cuerpo parece funcionar como una operación motivadora incondicionada convirtiendo a estimulaciones similares posteriores en formas aún más eficaces de reforzamiento y evocando toda la conducta que en el pasado haya facilitado esta estimulación.

Cambios en la temperatura

Sentir un frío incómodo es una operación motivadora incondicionada que hace que calentarse sea un reforzador, y evoca cualquier conducta que haya tenido ese efecto. Recuperar una temperatura normal es una operación motivadora incondicionada que anula que un aumento del calor funcione como reforzador y reduce la conducta que haya tenido el efecto de aumentar el calor. Sentir un calor incómodo es una operación motivadora incondicionada que hace que una condición de reducción de la temperatura sea un reforzador eficaz y evoca cualquier conducta que haya resultado en un efecto de enfriamiento del cuerpo. Retornar a una temperatura normal hace que estar más fresco ya no funcione como reforzador y reduce la conducta que haya propiciado el enfriamiento del cuerpo.

Estas operaciones motivadoras incondicionadas relacionadas con la temperatura podrían ser combinadas definiendo la experimentación de una temperatura incómoda como una operación motivadora incondicionada que establece que un cambio a mejor funciona como reforzador, y que evoca cualquier conducta que haya conseguido tal efecto. Retornar a una condición normal tendría entonces los correspondientes efectos abolidores y reductores. Aún así, llegados a este punto parece mejor conceptualizar la situación implicando diferentes operaciones motivadoras incondicionadas. Además, estas operaciones motivadoras incondicionadas podrían agruparse con las relacionadas con el dolor e incluirse bajo la amplia categoría de estimulación aversiva, pero en este punto resulta más claro considerarlas por separado.

Estimulación dolorosa

Un aumento de la estimulación dolorosa convierte la reducción del dolor en un reforzador y evoca la conducta (llamada *conducta de escape*) que ha conseguido dicha reducción. Una disminución de la estimulación dolorosa suprime la eficacia de la reducción del dolor como reforzador y disminuye la frecuencia de la conducta que haya sido reforzada con reducción del dolor. [378]

Además de hacer que la reducción del dolor funcione como reforzador y evocar la conducta que haya producido tal reducción, la estimulación dolorosa en presencia de otro organismo evoca una conducta agresiva hacia dicho organismo. En el caso de algunos organismos, incluyendo a los seres humanos, parte de esta conducta agresiva podría ser el resultado evocador del dolor funcionando como un estímulo incondicionado

Tabla 16.1 Nueve operaciones motivacionales incondicionadas (OMIs) y sus efectos de establecimiento del reforzador y evocador.

Operación motivacional incondicionada (OMI)	*Efecto de establecimiento del reforzador*	*Efecto evocador*
Privación de alimento	Aumenta la eficacia de la ingesta de alimento como reforzador	Aumenta la frecuencia actual de toda conducta que haya sido previamente reforzada con comida
Privación de agua	Aumenta la eficacia de la ingesta de agua como reforzador	Aumenta la frecuencia actual de toda conducta que haya sido previamente reforzada con agua
Privación de sueño	Aumenta la eficacia del sueño como reforzador	Aumenta la frecuencia actual de toda conducta que haya sido previamente reforzada con poder dormir
Privación de actividad	Aumenta la eficacia de la actividad como reforzador	Aumenta la frecuencia actual de toda conducta que haya sido previamente reforzada con actividad
Privación de oxígeno *	Aumenta la efectividad de la respiración como reforzador	Aumenta la frecuencia actual de toda conducta que haya sido previamente reforzada con poder respirar
Experimentar demasiado calor	Aumenta la eficacia de la reducción de la temperatura como reforzador	Aumenta la frecuencia actual de toda conducta que haya sido previamente reforzada con refrescarse
Experimentar demasiado frío	Aumenta la eficacia del incremento de la temperatura como reforzador	Aumenta la frecuencia actual de toda conducta que haya sido previamente reforzada con calentarse
Aumento de la estimulación dolorosa	Aumenta la eficacia de la disminución del dolor como reforzador	Aumenta la frecuencia actual de toda conducta que haya sido previamente reforzada con una disminución de la estimulación dolorosa
Privación de sexo	Incrementa la efectividad de la estimulación sexual como reforzador	Aumenta la frecuencia actual de toda conducta que haya sido previamente reforzada con estimulación sexual

*En realidad, no es la privación de oxígeno lo que funciona como OMI sino la acumulación de dióxido de carbono en la sangre como resultado de no poder expulsar el dióxido de carbono al no poder respirar o por estar inhalando un aire que tiene tanto dióxido de carbono como el exhalado.

(EI) respondiente (Ulrich y Arzin, 1962). Sin embargo, se puede argumentar que la estimulación dolorosa también funciona como una operación motivadora incondicionada que hace que eventos tales como los signos de daño a otro organismo sean eficaces como reforzadores y evoquen la conducta que ha sido reforzada por la producción de dichos signos. Skinner llegó esta conclusión (1953, págs. 162-170) en su análisis de la ira, y extendió el análisis a las emociones de amor y de miedo.[4]

Revisión de los efectos de las operaciones motivadoras incondicionadas

La tabla 16.1 resume los efectos de establecimiento del reforzador y evocadores de las nueve principales operaciones motivadoras incondicionadas para los seres humanos. De la misma manera, la Tabla 16.2 muestra los efectos de abolición del reforzador y reductores.

La malinterpretación cognitiva

Los efectos modificadores de las operaciones motivadoras incondicionadas sobre la conducta humana por lo general se comprenden en cierto grado. El aumento de la frecuencia de la conducta que nos ha proporcionado calor cuando sentíamos demasiado frío es parte de nuestra experiencia cotidiana, al igual que el cese de esta conducta cuando volvemos a experimentar una temperatura normal. Parece razonable que la privación de agua deba evocar conductas que hayan llevado a la obtención de agua, y que estas conductas deban cesar cuando ya se ha obtenido agua. Sin embargo,

[4]Para una discusión del enfoque de Skinner sobre las predisposiciones emocionales en el contexto general de las operaciones motivadoras, ver Michael (1993, p.197).

Tabla 16.2 OMIs que disminuyen la efectividad del reforzador y reducen la conducta relevante

Operación motivacional incondicionada (OMI)	*Efecto abolidor del reforzador*	*Efecto abatidor*
Ingesta de alimento (tras la privación de alimento)	Disminuye la eficacia de la ingesta de alimento como reforzador	Disminuye la frecuencia actual de toda conducta que haya sido previamente reforzada con comida
Ingesta de agua (tras la privación de agua)	Disminuye la eficacia de la ingesta de agua como reforzador	Disminuye la frecuencia actual de toda conducta que haya sido previamente reforzada con agua
Dormir (tras la privación de sueño)	Disminuye la eficacia del sueño como reforzador	Disminuye la frecuencia actual de toda conducta que haya sido previamente reforzada con poder dormir
Estar activo (tras la privación de actividad)	Disminuye la eficacia de la actividad como reforzador	Disminuye la frecuencia actual de toda conducta que haya sido previamente reforzada con actividad
Respirar (después de no haber podido respirar)	Disminuye la efectividad de la respiración como reforzador	Disminuye la frecuencia actual de toda conducta que haya sido previamente reforzada con poder respirar
Refrescarse (tras experimentar mucho calor)	Disminuye la eficacia de la reducción de la temperatura como reforzador	Disminuye la frecuencia actual de toda conducta que haya sido previamente reforzada con refrescarse
Calentarse (tras experimentar mucho frío)	Disminuye la eficacia del incremento de la temperatura como reforzador	Disminuye la frecuencia actual de toda conducta que haya sido previamente reforzada con calentarse
Disminución de la estimulación dolorosa (mientras que se experimenta dolor)	Disminuye la eficacia de la disminución del dolor como reforzador	Disminuye la frecuencia actual de toda conducta que haya sido previamente reforzada con una disminución de la estimulación dolorosa
El orgasmo o la estimulación sexual (tras la privación de sexo)	Disminuye la efectividad de la estimulación sexual como reforzador	Disminuye la frecuencia actual de toda conducta que haya sido previamente reforzada con estimulación sexual

las variables responsables de estos efectos se malinterpretan a menudo.

La interpretación cognitiva de los efectos modificadores de las operaciones motivadoras incondicionadas sobre la conducta de un individuo verbalmente sofisticado se hace en términos de la comprensión (capacidad de describir verbalmente) de la situación por parte de ese individuo y de que como resultado de esa comprensión se comporta de manera apropiada. Por el contrario, la interpretación conductual de que el reforzamiento suma *automáticamente* la conducta reforzada al repertorio que será evocado y reducido por la OMI relevante no siempre se valora. Desde la perspectiva conductual, la persona, sofisticada verbalmente o no, no tiene que entender nada para que una OM tenga efectos de modificación del valor y efectos de modificación de la conducta.

La malinterpretación cognitiva del efecto modificador de la conducta propicia dos formas de ineficacia práctica. En primer lugar, podría hacerse un esfuerzo insuficiente para enseñar conductas adecuadas a los individuos con repertorios verbales limitados, basándose en que estos no pueden entender las relaciones ambiente-conducta relevantes. En segundo lugar, puede haber una preparación insuficiente para un aumento de la conducta que precede al reforzamiento relevante (frecuentemente algún tipo de conducta inapropiada como chillar o llorar), de nuevo porque no se considera que el individuo vaya a entender la relación entre su conducta y cualquier consecuencia.

Relevancia de la operación motivadora para una generalidad de efectos

En el área aplicada, el efecto de establecimiento del reforzador de las OMs parece entenderse y utilizarse cada vez más. Los comestibles se pueden retener temporalmente para que así sean más eficaces como reforzadores de la conducta que se está enseñando; algo parecido se puede hacer con la música, los juguetes y la atención de un adulto. Sin embargo, no está tan reconocido el hecho de que la conducta que se enseña con estos reforzadores no ocurrirá en circunstancias futuras, incluso aunque fuese bien aprendida y sea parte del repertorio del aprendiz, *a no ser que esté actuando la OM relevante*. Este problema se trata en relación al castigo (ver la sección "OMIs para el Castigo" en la pág. 381), donde el papel de la OM en la ocurrencia de la conducta en el futuro es más complejo y es más probable, incluso, que sea subestimado.

Por lo general, se comprende la importancia de hacer que las condiciones estimulares durante la instrucción sean similares a aquellas presentes en los escenarios y situaciones para los cuales se desea que se generalice la conducta aprendida. Sin embargo, el hecho de que la OM relevante deba estar también activa para que la respuesta se generalice y se mantenga parece pasarse por alto con mayor facilidad.

Debilitamiento de los efectos de las operaciones motivadoras incondicionadas

Por razones prácticas puede ser necesario debilitar los efectos de una OM. Tanto el efecto establecedor del reforzador como el evocador de las operaciones motivadoras incondicionadas pueden ser debilitados *temporalmente* por las operaciones abolidoras del reforzador y reductoras relevantes. Por ejemplo, la ingesta de comida tendrá un efecto reductor sobre la conducta no deseada que sea evocada por la privación de alimento, tales como robar comida, pero la conducta volverá cuando la privación esté actuando de nuevo. Por lo general no es posible debilitar permanentemente los efectos modificadores del valor de las operaciones motivadoras incondicionadas. La privación de agua siempre hará que el agua sea más eficaz como reforzador, y el aumento del dolor siempre provocará que la reducción del mismo funcione de manera más eficaz como reforzador. Pero los efectos modificadores de la conducta se basan claramente en una historia de reforzamiento, y tales historias pueden revertirse por un procedimiento de extinción, es decir, dejando que ocurra la respuesta evocada sin su reforzamiento. (Y los efectos reductores de una historia de castigo pueden revertirse dejando que la respuesta ocurra sin castigo, esto es, que se da la recuperación tras un procedimiento de castigo). Sin embargo, con respecto a las operaciones motivadoras incondicionadas, mientras la conducta deseada se está extinguiendo el reforzador relevante debe poderse conseguir de alguna manera aceptable. No se puede esperar que las personas se queden sin los variados reforzadores incondicionados que están controlados por operaciones motivadoras incondicionadas.

Operaciones motivadoras incondicionadas para el castigo

Una OM para el castigo es una variable ambiental que altera la eficacia punitiva de un estímulo, objeto, o evento y altera así la frecuencia de la conducta que ha sido castigada. Si el efecto de modificación del valor no depende de una historia de aprendizaje esta variable se calificaría como OMI.

Efecto de modificación del valor

Un incremento en la estimulación dolorosa funciona como castigo siempre que el nivel presente de la misma no sea tan alto que ya no pueda aumentar. Por consiguiente la OMI debe consistir en un nivel de dolor presente que aún puede aumentar. Esto significa que, en general, un aumento del dolor funcionará prácticamente siempre como un estímulo punitivo incondicionado.[5] Esto también es cierto para otros tipos de estimulación que funcionan como estímulos punitivos incondicionados (algunos sonidos, olores, gustos, etc.).

No obstante, la mayoría de los estímulos punitivos que afectan a los seres humanos son eficaces debido a una historia de aprendizaje previa; esto es, son estímulos punitivos *condicionados* más que *incondicionados*. Si la historia de aprendizaje consistió en el emparejamiento de estímulos punitivos condicionados con estímulos punitivos incondicionados, entonces las operaciones motivadoras incondicionadas para esos estímulos incondicionados punitivos serán operaciones motivadoras condicionadas para los estímulos punitivos condicionados. (Esta relación OMI-OMC se trata con más detalle en la siguiente sección). Si son estímulos punitivos debido a una relación histórica con una disponibilidad reducida de reforzadores, entonces las operaciones motivadoras para esos reforzadores lo son también para los estímulos punitivos condicionados. La retirada del alimento como estímulo punitivo, o más comúnmente, la presentación de un estímulo en presencia del cual el alimento ha estado menos

[5] La estimulación dolorosa puede ser un estímulo punitivo *condicionado* si a lo largo de la historia aprendizaje ha sido asociada con otros estímulos punitivos, como por ejemplo cuando el dolor ha reflejado que algo más serio iba mal. Por otro lado, la estimulación dolorosa puede actuar como reforzador condicionado si históricamente ha sido asociada con algún reforzador además de con su propia interrupción, como cuando el dolor muscular se vincula con haber hecho un buen entrenamiento, o cuando la estimulación dolorosa se relaciona con alguna forma de reforzamiento sexual.

disponible, solo funcionará como estímulo punitivo si en el momento presente la comida es un reforzador eficaz. Así, la OM para que la retirada del alimento funcione como castigo es la privación de comida.

La desaprobación social (expresada al fruncir el ceño, con un movimiento de cabeza, o con una respuesta vocal específica como "no" o "malo") constituye una condición estimular en cuya presencia los reforzadores típicos que provee la persona que desaprueba se han retirado. Sin embargo, esta condición estimular funcionará como castigo solo si las operaciones motivadoras para esos reforzadores no previstos están actuando. El procedimiento de castigo conocido como *tiempo fuera de reforzamiento* es parecido y solo funcionará como castigo si los reforzadores que se hacen inaccesibles (aquellos sobre los que la persona tiene establecido el tiempo fuera) son reforzadores realmente eficaces en el momento en el que la persona está siendo castigada. El *coste de respuesta* (retirar objetos tales como fichas que pueden ser canjeadas por varios reforzadores o imponer una multa monetaria o una multa con respecto a una especie de "banco de puntos") es un tipo de procedimiento más complejo que supone un retraso temporal entre el momento en el que ocurre la operación de castigo y aquel en el que sucede la reducción de los reforzadores. Con todo, a no ser que los eventos que hayan sido retirados de manera demorada (aquellos por lo que se pueden canjear las fichas, los puntos, o el dinero) sean eficaces como reforzadores cuando ocurre el procedimiento de coste de respuesta, no habría castigo. El castigo se trata con más detalle en los Capítulos 14 y 15.

Efecto modificador de la conducta

Por lo general, es más complejo observar un efecto de castigo que un efecto de reforzamiento porque también se debe considerar el estado de la variable responsable de la ocurrencia de la conducta castigada. Esto también se aplica a los efectos de las operaciones motivadoras. El efecto modificador evocador de la conducta de una OM para el reforzamiento consiste en un aumento de la frecuencia actual de cualquier conducta que haya sido reforzada con dicho reforzador. Por ejemplo, la privación de alimento evoca (aumenta la frecuencia actual de) todas las conductas que hayan sido reforzadas con comida. El efecto modificador de la conducta de una OM para el castigo consiste en la disminución de la frecuencia actual de todas las conductas que hayan sido castigadas. El comienzo de la OM tendrá un efecto reductor con respecto al tipo de conducta que haya sido castigada. No obstante, la observación del efecto reductor no sería posible a menos que la conducta previamente castigada estuviese ya ocurriendo con una frecuencia suficiente para que su disminución pudiese ser observada cuando ocurriera la OM para el castigo. Esto es, observar el efecto reductor de una OM para el castigo requiere el efecto evocador de una OM para el reforzamiento con respecto a la conducta castigada. En ausencia de una OM para el reforzamiento no habría una conducta que la OM para el castigo pudiese reducir, aún cuando esta tuviese tal efecto reductor.

Supongamos que se ha utilizado un procedimiento de tiempo fuera para castigar alguna conducta que resultaba disruptiva para la situación de terapia. Solo se podría esperar que el tiempo fuera funcionase como castigo si las operaciones motivadoras relevantes para los reforzadores disponibles en la situación estuviesen actuando, y solo en ese caso, podríamos esperar observar [381] un efecto reductor del procedimiento de castigo sobre la conducta disruptiva. Pero sólo habría alguna conducta disruptiva a reducir si la OM para dicha conducta estuviese también actuando. Estas complejas relaciones conductuales no han recibido mucha atención desde la literatura conceptual, experimental o aplicada, pero parecen derivarse de manera natural a partir del conocimiento existente sobre reforzamiento, castigo y operaciones motivadoras. Los analistas de conducta deberían ser conscientes de la posible intervención de estas relaciones conductuales en cualquier situación que implique castigo.[6]

Una complicación: efectos múltiples de la misma variable

Normalmente, cualquier evento conductual importante tiene más de un efecto, y es importante tanto a nivel conceptual como práctico reconocer los diferentes efectos y no confundirlos entre ellos (Skinner, 1953, págs. 204-224). En una demostración de laboratorio con animales de una simple cadena operante se hacen patentes múltiples efectos. Se enseña a una rata privada de alimento a tirar de un cordón que cuelga del techo del compartimento y que activa un estímulo auditivo tal como un timbre. Después, en presencia del sonido del timbre, se enseña a la rata a empujar una palanca que

[6]Como acotación: a veces se sostiene que los principios conductuales son demasiado simples para el análisis de la complejidad de la conducta humana y que, por tanto, se requiere de un enfoque no conductual (normalmente cognitivo). Puede ser que el repertorio conductual de las personas que utilizan este argumento sea demasiado simple para la tarea. Sin embargo, los principios en sí no son tan simples, como puede verse en el esfuerzo precedente por comprender los efectos de las operaciones motivadoras para el castigo, o en la nota a pie de página 5 en relación a las funciones aprendidas de la estimulación dolorosa.

proporciona una bolita de comida. La activación del timbre tendrá ahora dos efectos operantes obvios: (a) es un E^D que evoca la respuesta de presionar la palanca, y (b) es un reforzador condicionado que aumenta la frecuencia futura de la respuesta de tirar del cordón. El primero es un efecto evocador modificador de la conducta, y el segundo es un efecto de reforzamiento modificador del repertorio. Estos efectos actúan en la misma dirección, un aumento de la frecuencia actual y un aumento de la frecuencia futura, aunque no necesariamente para el mismo tipo de respuesta.[7]

De forma similar, un estímulo que funciona como *estímulo discriminativo (E^D) relacionado con el castigo* tendrá efectos reductores sobre la frecuencia actual de algún tipo de respuesta, y funcionará como un estímulo punitivo condicionado que disminuye la frecuencia futura del tipo de respuesta que precedió su inicio. De nuevo, los efectos van en la misma dirección, pero en este caso ambos disminuyen la frecuencia.

Los eventos ambientales que funcionan como operaciones motivadoras incondicionadas, al igual que aquellos que funcionan como estímulos discriminativos, tendrán normalmente (en su función de operaciones motivadoras incondicionadas) efectos modificadores de la conducta sobre la frecuencia actual de un tipo de conducta, y (en su función de consecuencias) efectos modificadores del repertorio sobre la frecuencia futura de cualquier conducta que precediese inmediatamente al inicio del evento. Un aumento de la estimulación dolorosa *incrementará*, como OM, la frecuencia *actual* de toda conducta que haya aliviado el dolor, y como consecuencia conductual *reducirá* la frecuencia *futura* de cualquiera que fuese la conducta que precedió al aumento del dolor. Sin embargo, en este caso de control múltiple los efectos irán en direcciones opuestas.

En general, los eventos que tienen un efecto evocador de la OMI también funcionarán como castigo para la respuesta que preceda inmediatamente al inicio del evento. Esta afirmación debe matizarse en cierto modo para eventos que tengan inicios tan graduales (como la privación de alimento) que probablemente no puedan funcionar como consecuencias de respuesta. La Tabla 16.3. muestra estos múltiples efectos en las operaciones motivadoras incondicionadas que establecen la eficacia de ciertos eventos como reforzadores. Los eventos que tienen un efecto reductor de la OMI en relación a la frecuencia actual tienen por lo general inicios lo suficientemente repentinos para poder funcionar como consecuencias conductuales (p.ej., la ingesta de alimento) y serán reforzadores de la conducta que los preceda de forma inmediata.

[7]El sonido del timbre funcionará también como un estímulo elicitador condicionado respondiente para las respuestas del músculo liso y las glándulas que típicamente son elicitadas por la comida en la boca, y condicionará tales respuestas a cualquier otro estímulo que esté presente en ese momento (un ejemplo de condicionamiento de orden superior) pero este capítulo se centra en relaciones operantes.

Implicaciones aplicadas

Muchas intervenciones conductuales implican una manipulación escogida por (a) su efecto de modificación del valor o de la conducta como OMI, o (b) su efecto modificador del repertorio como reforzador o estímulo punitivo. Pero, independientemente del propósito de la manipulación, es importante tener en cuenta que también ocurrirá un efecto en la dirección opuesta, algo que puede ser un problema o no. El hecho de que el reforzamiento también sea una forma de saciedad no supone un problema siempre que la magnitud del reforzador pueda ser bastante pequeña. El hecho de que una operación de saciedad también vaya a reforzar a aquella conducta que la precede no será un problema si no se trata de una conducta que no deseamos. El hecho de que una operación de privación en relación a un evento que se vaya a utilizar provechosamente como reforzador pudiera funcionar también como estímulo punitivo para la conducta que la precedió no supondrá un problema si el comienzo de la privación es muy lento, o si la conducta que se castiga no es una parte valiosa del repertorio de la persona.

La Tabla 16.3 muestra que cualquier OMI utilizada para hacer que algún evento sea más eficaz como reforzador o para evocar el tipo de conducta que haya sido reforzada por ese evento, también funcionará como un estímulo punitivo para cualquier conducta que haya precedido de forma inmediata a la manipulación. Es improbable que en contextos aplicados, [382] con el fin de controlar la conducta, se utilice deliberadamente la restricción de la capacidad de respirar, se haga que el ambiente se vuelva demasiado frío o cálido, o se aumente la estimulación dolorosa de forma deliberada, pero tales cambios podrían ocurrir por otras razones (que no están bajo el control del analista de conducta). Por esta razón, es importante tener en cuenta los dos distintos efectos que estos podrían tener.

Se pueden esperar efectos opuestos similares de las manipulaciones que empeoran[8], de algún modo, la

[8]Con "*empeoramiento*" nos referimos a cualquier cambio estimular que *funcionaría* como castigo de la conducta que lo precediese. El término *castigo* no resulta muy apropiado para describir esta OMC porque no se hace referencia a una reducción de la frecuencia futura de alguna conducta. De la misma manera, usamos "*mejoría*" para referirnos a un cambio que funcionaría como reforzamiento de la conducta que lo precediese, pero cuando no se haga referencia a un aumento de la frecuencia futura de alguna conducta. Aunque *empeoramiento* y *mejoría* resultan términos útiles en este contexto, aquí no se presentan como términos técnicos

Tabla 16.3 Contrastando los efectos modificadores de la conducta y modificadores del repertorio de eventos ambientales como OMIs y como estímulos punitivos

Evento ambiental	*Efecto evocador sobre la conducta actual como una OMI*	*Efecto modificador del repertorio sobre la conducta futura como castigo*
Privación de alimento, agua, sueño, actividad, o sexo	Aumenta la frecuencia actual de toda conducta que haya sido reforzada con comida, agua, sueño, actividad, o sexo	Debería ser castigo, pero el inicio es demasiado gradual para poder funcionar como consecuencia conductual
Privación de oxígeno	Aumenta la frecuencia actual de toda conducta que haya sido reforzada con poder respirar	El no poder respirar de forma repentina disminuye la frecuencia futura del tipo de conducta que precedió a la ocasión en la que no se podía respirar
Experimentar demasiado frío	Aumenta la frecuencia actual de toda conducta que haya sido reforzada con calentarse	Disminuye la frecuencia futura del tipo de conducta que precedió a la ocasión en la que se experimentó demasiado frío
Experimentar demasiado calor	Aumenta la frecuencia actual de toda conducta que haya sido reforzada con refrescarse	Disminuye la frecuencia futura del tipo de conducta que precedió a la ocasión en la que se experimentó demasiado calor
Aumento de la estimulación dolorosa	Aumenta la frecuencia actual de toda conducta que haya sido reforzada con una disminución del dolor	Disminuye la frecuencia futura del tipo de conducta que precedió a la ocasión en la que aumentó la estimulación dolorosa

situación de la persona, incluso en el caso de que el deterioro esté relacionado con una historia de aprendizaje. Tal empeoramiento hará que una mejoría funcione como reforzador y evocará cualquier conducta que haya sido reforzada de esta manera. El origen de la naturaleza de la atención social como reforzador no está claro (Michael, 2000, pág. 404), pero cabe esperar que cualquier manipulación que se diseñase para aumentar la eficacia de la atención como reforzador (la privación de atención, por ejemplo) también funcionaría como estímulo punitivo para la conducta que precedió a la manipulación.

Por el contrario, cualquier operación (p.ej., un procedimiento de tiempo fuera) diseñada como castigo para reducir la frecuencia *futura* de la conducta que precede a la manipulación también funcionará como una OM evocando cualquier conducta que haya permitido el escape de la condición producida por la manipulación.

El analista de la conducta también debería reconocer que cualquier operación de abolición del reforzador diseñada para hacer que un evento sea menos eficaz como reforzador (p.ej., un procedimiento de saciedad) o para reducir el tipo de conducta que ha conseguido tal reforzamiento también funcionará como reforzador para la conducta que preceda inmediatamente a la operación. La ingesta de alimento es una operación de abolición para la comida como reforzador y reduce cualquier conducta reforzada con comida, pero la ingesta de alimento también funciona como reforzador para la conducta que precede de forma inmediata a esta ingesta. Presentar un nivel elevado de atención no contingente tendrá un efecto abolidor del reforzador y reductor, pero funcionará como reforzador de cualquier conducta que precediese a la operación. A la inversa, cualquier operación diseñada como reforzamiento también tendrá efectos de OM abolidores del reforzador y reductores de la conducta.

Estímulos aversivos

Se suele denominar *estímulos aversivos* a eventos ambientales que combinan efectos evocadores como OM, efectos de castigo modificadores del repertorio y efectos evocadores respondientes de ciertas respuestas glandulares y de la musculatura lisa (incremento de la tasa cardíaca, secreción adrenal, etc.), respecto a los cuales no se concreta su función conductual específica [OM, estímulo incondicionado (E^c), estímulo incondicionado (EI)].

En la actualidad no está claro cómo de estrecha es la relación entre estas diferentes funciones, ni si las ventajas de utilizar el mismo término para todo esto supera la desventaja de su falta de especificidad. *Está* claro que algún uso del término *estímulo aversivo* es una simple traducción conductual de expresiones de uso común como "sentimientos deagradables", "estados de ánimo desagradables" y otras parecidas (una forma de uso favorecida probablemente por la falta de especificidad del término). Por estas razones, no se ha utilizado en este capítulo el concepto *estímulo aversivo* para referirse a OM o a variables modificadoras del repertorio.

Operaciones motivadoras condicionadas

Se denomina **operaciones motivadoras condicionadas** a las variables motivadoras que alteran la eficacia reforzadora de otros estímulos, objetos o eventos, pero solo como resultado de la historia de aprendizaje del organismo. Como con las operaciones motivadoras incondicionadas, las condicionadas también alteran momentáneamente la frecuencia de todas las conductas que han sido reforzadas por esos otros eventos. En términos de sentido común, algunas variables ambientales, como resultado de nuestras experiencias, nos hacen querer algo diferente a lo que queríamos antes de tropezarnos con esas variables, y nos inducen a tratar de obtener lo que ahora queremos.

Podemos distinguir al menos tres tipos de operaciones motivadoras condicionadas, todas ellas eran estímulos motivadoramente neutros antes de su relación con otra OM o con una forma de reforzamiento o castigo. Dependiendo de su relación con la condición o evento conductualmente significativo, los tres tipos de operaciones motivadoras condicionadas se clasifican como *sustitutas*, *reflexivas* o *transitivas*. La **operación motivadora condicionada sustituta (CMO-S)** consigue lo que consigue la OM con la que ha sido emparejada (es una sustituta de esa OM), la **operación motivadora condicionada reflexiva (OMC-R)** altera una relación consigo misma (hace de su propia retirada un reforzamiento eficaz) y la **operación motivadora condicionada transitiva (OMC-T)** hace algo eficaz como reforzamiento (más que alterar en sí ese algo).

Las operaciones motivadoras condicionadas sustitutas: un estímulo que ha sido emparejado con otra operación motivadora

Descripción de la operación motivadora sustituta (OMC - S)

El estímulo condicionado respondiente (EC), el reforzador condicionado operante (E^R) y el estímulo punitivo condicionado operante (E^P) son estímulos que han adquirido una forma de eficacia conductual al ser emparejados con un estímulo conductualmente eficaz. Es posible que los estímulos que han sido emparejados con una OMI [9] lleguen a tener los mismos efectos modificadores del valor y de la conducta que la OMI. En relación a sus características como operaciones motivadoras, tales estímulos pueden ser denominados operaciones motivadoras condicionadas sustitutas (o con el acrónimo OMC-S).

Esta relación quedaría ilustrada si estímulos que hubiesen sido relacionado temporalmente con descensos de la temperatura tuvieran efectos de OM similares a los propios de los descensos de temperatura. Esto es, que en presencia de dichos estímulos, un incremento de la temperatura sería un reforzador más eficaz, y la conducta que hubiese producido tal incremento ocurriría con una frecuencia más elevada que la adecuada para la temperatura real. La investigación en esta área es discutida en profundidad en Michael, 1993 (págs. 199-202) y no se revisará aquí. Es suficiente con decir que la evidencia a favor de tal efecto no es fuerte. Así mismo, desde una perspectiva evolutiva, la existencia de este tipo de operación motivadora aprendida es algo problemática (Mineka, 1975). Comportarse como si una OM estuviera vigente cuando no lo está parece lo opuesto al interés superior del organismo por sobrevivir. Tratar de mantenerse más caliente de lo que es necesario para la temperatura existente no resultaría saludable, y tales conductas podrían desplazar otras más importantes. Sin embargo, la evolución no siempre funciona perfectamente.

Con respecto a la motivación sexual, las operaciones motivadoras para las conductas agresivas y las demás operaciones motivadoras emocionales el tema no ha sido abordado desde la perspectiva de las operaciones motivadoras condicionadas porque su diferenciación respecto a los estímulos condicionados, los estímulos reforzadores y los estímulos punitivos no ha sido resaltada previamente. La OMC sustituta ha empezado a tenerse en cuenta muy recientemente dentro del análisis aplicado de la conducta (ver McGill, 1999, pág. 396) pero sus efectos podrían ser bastante prevalentes. Desde una perspectiva práctica, podría resultar útil considerar la posibilidad de este tipo de OMC cuando tratamos de comprender el origen de algunas conductas especialmente desconcertantes o irracionales.

Debilitamiento de los efectos de las operaciones motivacionales condicionadas sustitutas

Cualquier relación desarrollada mediante un procedimiento de emparejamiento generalmente puede ser debilitada a través de dos tipos de

[9] Un estímulo neutro podría ser correlacionado con una OMC en lugar de con una OMI con la misma transferencia de efectos.

desemparejamiento, presentando el estímulo previamente neutral sin el estímulo previamente eficaz o presentando el estímulo eficaz tan a menudo en presencia como en ausencia del previamente neutral. Por ejemplo, si la OMC-S, pongamos un estímulo visual que ha sido emparejado a menudo con frío extremo, ocurre ahora frecuentemente en presencia de una temperatura normal sus efectos modificadores del valor y de la conducta se debilitarán. De la misma forma, si el frío extremo ocurre ahora con la misma frecuencia tanto en ausencia de la OMC- S como en su presencia, la eficacia de la OMC- S se reducirá.

Como se mencionó anteriormente, las OMC-S están empezando ahora a tenerse en cuenta en el análisis aplicado de la conducta (p. ej., ver McGill, 1999, pág. 396) pero, dada su posible relación con la conducta problemática, el analista de la conducta debería saber cómo debilitarlas.

Operación motivadora condicionada reflexiva (OMC-R): un estímulo que ha precedido sistemáticamente a alguna forma de mejoría o empeoramiento

Descripción de la operación motivadora condicionada reflexiva (OMC-R)

En el "procedimiento de evitación discriminada" tradicional[10] un intervalo entre ensayos va seguido por la aparición de un estímulo de advertencia inicialmente neutro, el cual va seguido a su vez por una estimulación dolorosa (usualmente una descarga eléctrica). Alguna respuesta arbitraria (una respuesta que no forma parte del repertorio filogenético de escape del dolor del animal), como presionar una palanca, interrumple la estimulación dolorosa (el animal *escapa* del dolor) y reinicia el intervalo entre ensayos. La misma respuesta, si ocurre durante el estímulo de advertencia, finaliza el estímulo y la descarga no ocurre en ese ensayo. Se dice que la respuesta en esta fase del procedimiento ha evitado el dolor y se la llama *respuesta de evitación*. Como resultado de la exposición a este procedimiento, muchos organismos aprenden a emitir las respuestas relevantes durante la mayoría de las ocurrencias del estímulo de advertencia, y de este modo reciben muy pocas descargas.

[10]El término "*discriminada*" surge para distinguir este procedimiento del de evitación sin otro estímulo exteroceptivo programado salvo la propia descarga (también llamado a veces "evitación sin estímulo de aviso").

Recuerda el análisis del papel de la descarga como una OM para la respuesta de escape, cuyo reforzador es la interrupción de la descarga. El estímulo de advertencia tiene una función similar, excepto que su capacidad para establecer su propia finalización como un reforzador eficaz es de procedencia ontogenética (resultante de la historia del propio individuo que vincula al estímulo de advertencia con la aparición de la estimulación dolorosa). En otras palabras, el estímulo de advertencia evoca la respuesta de evitación como una OMC, de la misma forma que la estimulación dolorosa evoca la respuesta de escape como una OMI. En ningún caso el estímulo relevante tiene que ver con la *disponibilidad* de la consecuencia de la respuesta, si no más bien con su *eficacia reforzante*.

En términos más generales, todo estímulo que precede sistemáticamente a la aparición de una estimulación dolorosa se convierte en una OMC-R, en tanto que su propia finalización funcionará como reforzador, y su ocurrencia evocará cualquier conducta que haya sido seguida por dicho reforzamiento. Este conjunto de relaciones funcionales no se limita a la estimulación dolorosa como una forma de empeoramiento (o incluso al empeoramiento en general, como veremos más adelante). Es bien conocido que los organismos pueden aprender a interrumpir estímulos que advierten de cambios estimulares diferentes a la aparición de dolor (estímulos que advierten sobre una frecuencia más baja de presentación de comida, aumento del esfuerzo, un requerimiento de tasa de respuesta más alto, una mayor demora del acceso a la comida, y otros). Tales eventos tienen en común alguna forma de empeoramiento, y a menudo los estímulos asociados a tales eventos son denominados aversivos condicionados sin especificar una función conductual en particular.

Puede resultar útil repetir el argumento en contra de considerar tales estímulos como discriminativos (E^D). Un estímulo discriminativo se relaciona con la disponibilidad en el momento presente de un tipo de consecuencia para un tipo de conducta dado. La disponibilidad tiene dos componentes: (a) una consecuencia eficaz (cuya OM está activa en el momento presente) debe haber seguido a la respuesta en presencia del estímulo; y (b) la respuesta debe haber ocurrido sin la consecuencia (que de producirse hubiese sido eficaz como reforzador) en ausencia del estímulo. La relación entre el estímulo de aviso y la disponibilidad de la consecuencia no cumple el segundo componente. En ausencia del estímulo de aviso, no hay una consecuencia eficaz que pudiera haber fallado en cuanto a seguir a la respuesta en un análogo de la extinción de la respuesta que ocurre en ausencia de un E^D . El hecho de que la respuesta de evitación no desactive al estímulo de aviso ausente no constituye una extinción de la respuesta, sino que más bien es conductualmente neutral, como la falta de disponibilidad de reforzamiento comestible para un organismo saciado de comida.

Consideremos ahora un estímulo que está correlacionado positivamente con alguna forma de mejoría. Sus efectos como OMC-R ocurren si el estímulo hace de su propia retirada un estímulo punitivo eficaz y reduce cualquier conducta que haya sido castigada de esta forma. La relación es bastante plausible, aunque parece que se ha llevado a cabo poca investigación directamente relevante.

Ejemplos humanos de operaciones motivadoras condicionadas reflexivas

Las OMC-R juegan un papel importante en la identificación de un aspecto negativo de muchas interacciones cotidianas que podrían parecer libres de cualquier aversión de una persona hacia otra. Habitualmente tales interacciones son interpretadas como una secuencia de estímulos discriminativos, una secuencia de oportunidades para cada persona de proporcionar alguna forma de refozamiento positivo a la otra.

Reacciones a mandos. Imagina que un extranjero te pregunta dónde se encuentra un edificio en particular del campus, o te pregunta por la hora. (Las preguntas son usualmente mandos para la acción verbal; ver el Capítulo 25). La respuesta apropiada es dar la respuesta rápidamente o decir que no lo sabes. Habitualmente la persona que preguntó sonreirá y te agradecerá la información. También la pregunta puede ser reforzada por el conocimiento de que se ha ayudado a un ser humano. En cierto sentido la pregunta es una oportunidad de obtener esos reforzadores que no estaban disponibles antes de la pregunta. Sin embargo, la pregunta también inicia un breve periodo que puede ser considerado un estímulo de aviso, y si no se da pronto una respuesta, ocurrirá una forma de empeoramiento social. Quien ha preguntado repetirá la cuestión, formulándola de forma más clara o audible, y con toda certeza pensará que eres raro si no respondes rápidamente. Tú mismo considerarías socialmente inapropiado no dar una respuesta. Incluso cuando no hay una amenaza clara por parte de la persona que ha preguntado, nuestra historia social acerca de tales situaciones implica una forma de empeoramiento por una conducta inapropiada continuada. Muchas de estas situaciones implican probablemente una mezcla de componentes positivos y negativos, pero en aquellos casos en los cuales contestar la pregunta causa molestias (p.ej., el oyente tiene prisa), el agradecimiento de quien pregunta no es un reforzador potente, ni lo es ayudar a un ser humano. La OMC reflexiva es probablemente la principal variable determinante.

Complicación con respecto a la terminación del estímulo

En el procedimiento típico de evitación en el laboratorio, la respuesta pone fin al estímulo de aviso. Al extender este tipo de análisis a la situación humana, debe reconocerse que el estímulo de aviso no es simplemente el evento que inicia la interacción. En el ejemplo anterior, la OMC reflexiva no es la petición vocal en sí misma, que es demasiado breve para que sea posible, de hecho, ponerle fin. En vez de ello, es la más compleja situación estimular consistente en haber recibido una pregunta y no haber respondido durante el tiempo en el cual habría sido apropiado. Poner fin a esa situación estimular es lo que produce reforzamiento para la respuesta. Algunas interacciones sociales con un estímulo (una expresión facial o una postura agresiva) son más parecidas al estímulo de aviso del laboratorio animal que puede interrumpirse con la respuesta de evitación, pero la mayoría implican la condición estimular más compleja consistente en la solicitud y en el breve periodo que la sigue descritos anteriormente.

Gracias y de nada. Cuando una persona hace algo por otra como un gesto de amabilidad lo acostumbrado es dar las gracias a esa persona. ¿Qué evoca la respuesta de dar las gracias y cuál es su reforzamiento? La respuesta es claramente evocada por la persona que ha realizado el favor o el acto de amabilidad. ¿Debería considerarse la realización del favor un E^D puro en presencia del cual uno puede decir "gracias" y recibir el reforzamiento consistente en que la otra persona diga "de nada"? En muchos casos, comentarios corteses habituales pueden implicar un componente de OMC-R. Consideremos el siguiente escenario. La Persona A tiene sus manos completamente ocupadas transportando algo desde un edificio hasta su coche. Cuando llega a la altura de la puerta de la calle, la Persona B abre la puerta y la mantiene sujeta mientras que la Persona A la cruza. Entonces la Persona A sonríe y dice "gracias". Se puede ilustrar el componente OMC-R suponiendo que la Persona A cruza la puerta y sale fuera sin reconocer el favor. En tales circunstancias no sería extraño que la Persona B dijera sarcásticamente "de nada". Alguien haciendo un favor a alguien es un estímulo de aviso (una OMC- R) que ha precedido sistemáticamente a alguna forma de desaprobación si el favor no es reconocido de alguna forma.

En el análisis aplicado de la conducta, la OMC-R es a

menudo parte de procedimientos para entrenar o enseñar a individuos con repertorios verbales y sociales defectuosos. En los programas de entrenamiento del lenguaje, por ejemplo, habitualmente se plantean a los alumnos preguntas o se les dan instrucciones verbales que claramente funcionan como operaciones motivadoras condicionadas reflexivas más que como estímulos discriminativos relacionados con la posibilidad de recibir elogios u otros reforzadores positivos. Aunque puede que no sea posible eliminar completamente este tipo de aversividad, es importante comprender su naturaleza y origen.

Debilitamiento de los efectos de las operaciones motivadoras condicionadas reflexivas

La extinción y dos formas de desemparejamiento pueden debilitar los efectos de las operaciones motivadoras condicionadas reflexivas. La extinción consiste en la ocurrencia de una respuesta sin su reforzamiento. El reforzamiento de la respuesta evocada por la R-OMC es la terminación del estímulo de aviso. Cuando la respuesta ocurre repetidas veces sin que se de la interrupción del estímulo de aviso y el empeoramiento final ocurre cuando transcurre el periodo de tiempo pertinente, la respuesta se debilitará como con cualquier procedimiento de extinción.

Dos formas de desemparejamiento debilitarán también la relación OMC reflexiva. Una implica la no ocurrencia del empeoramiento final cuando el estímulo de aviso no se ha interrumpido. [11] Este tipo de desemparejamiento debilita la relación OMC al debilitar el reforzamiento que consiste en la interrupción del estímulo de aviso, que es reforzante sólo en tanto que la condición de "estímulo de aviso desactivado" supone una mejora respecto a la de "estímulo de aviso activado". Cuando la condición "estímulo de aviso activado" no va seguida del empeoramiento final no es peor que la otra condición, y el refozamiento para la respuesta de evitación disminuye.

El otro tipo de desemparejamiento ocurre cuando la respuesta continua provocando la interrupción del estímulo de aviso, pero [386] el empeoramiento final ocurre de todas formas cuando tendría que haber ocurrido si el estímulo de aviso no hubiera sido eliminado. En este caso la condición "estímulo de aviso desactivado" se vuelve tan mala como la condición "estímulo de aviso activado", y de nuevo el reforzamiento para la respuesta de evitación disminuye.

En la situación usual de demanda académica con algunos individuos con discapacidades en su desarrollo, los típicos problemas de conducta (por ejemplo, rabietas, autolesiones o conducta agresiva) son a veces evocados por las primeras fases de la secuencia de la demanda y reforzados por la interrupción de la fase inicial y la interrupción del progreso a las posteriores y posiblemente más demandantes fases. Suponiendo que las últimas fases de la secuencia de demanda *deban* ocurrir debido a la importancia del repertorio que se está enseñando, y suponiendo que no puedan hacerse menos aversivas, entonces la extinción del problema de conducta es el único procedimiento con un valor práctico. La extinción consistiría en continuar la secuencia de demanda a pesar de la ocurrencia del problema de conducta. Ninguno de los procedimientos de desemparejamiento sería eficaz: el primero no resultaría en entrenamiento y el segundo resultaría en que la conducta problema ocurriría tan pronto como comenzaran las fases posteriores del entrenamiento.

Pero, desde luego, uno no debería asumir que las fases posteriores de la demanda no se pueden hacer menos aversivas. Incrementar la eficacia instruccional resultará en menos fallos, más frecuencia de reforzamiento y otras mejoras generales en la situación de demanda, de forma que esta pueda funcionar más que como demanda como una oportunidad para recibir elogios, comestibles, y otros.

Operaciones motivadoras condicionadas transitivas: un estímulo que altera el valor de otro estímulo

Descripción de las operaciones motivadoras condicionadas transitivas

Cuando una variable ambiental está vinculada a la relación entre otro estímulo y alguna forma de mejoría, la presencia de esa variable funciona como una OMC transitiva u OMC-T, para establecer la eficacia reforzante de la segunda condición y para evocar la conducta que ha sido seguida por ese reforzador. Todas las variables que funcionan como operacionesmotivadoras incondicionadas funcionan también como operaciones motivadoras condicionadas transitivas para los estímulos que son reforzadores condicionados debido a su relación con el pertinente reforzador incondicionado. Consideremos la cadena operante simple descrita anteriormente: una rata privada de comida tira de un cordón que hace sonar un zumbido.

[11]Este procedimiento es a menudo denominado incorrectamente como extinción de la respuesta de evitación, pero un verdadero procedimiento de extinción de la evitación requiere la ocurrencia de la respuesta sin la interrupción del estímulo de aviso.

En presencia del zumbido la rata emite alguna otra respuesta que causa la entrega de una bolita de comida. La privación de comida hace a la comida eficaz como reforzador incondicionado, una relación que no requiere una historia de aprendizaje. La privación de comida también hace al zumbido eficaz como reforzador condicionado, lo cual claramente requiere de una historia de aprendizaje. De este modo, la privación de comida es una OMI respecto a la eficacia reforzante de la comida, pero una OMC-T respecto a la eficacia reforzante del zumbido. En los seres humanos la privación de comida establece no sólo la comida como reforzador sino también todos los estímulos que han sido relacionados con obtener comida (un camarero atento en un restaurante, un menú, los utensilios con los que uno se lleva la comida a la boca, etc.).

La comprensión de las operaciones motivadoras condicionadas transitivas que resultan de operaciones motivadoras incondicionadas no requiere de un conocimiento especial más allá del necesario para entender el efecto de estas últimas. Así mismo, no es fácil confundir el efecto evocador de tales operaciones motivadoras condicionadas transitivas con el efecto evocador de un E^D. Si uno puede ver la privación de comida como una OM (más que como un E^D) con respecto a la conducta que ha sido reforzada con comida, entonces su función como una OM (más que como un E^D) con respecto a la conducta que ha sido reforzada con los variados reforzadores condicionados relacionados con la comida es una extensión fácil.

La eficacia reforzante de muchos (probablemente la mayoría) de los reforzadores condicionados no solo se ve alterada por operaciones motivadoras incondicionadas relevantes como hemos descrito previamente sino que también depende de otras condiciones estimulares debido a una historia de aprendizaje adicional. Esta idea da fundamento al hecho de que la eficacia reforzante condicionada a menudo se considera dependiente de un "contexto". Cuando el contexto no es apropiado, los estímulos pueden estar disponibles pero no se accede a ellos porque no son reforzadores eficaces en ese contexto. Un cambio a un contexto adecuado evocará la conducta que ha sido seguida por esos estímulos que ahora son eficaces como reforzadores condicionados. La ocurrencia de la conducta no está relacionada con la disponibilidad sino, más bien, con el valor de su consecuencia. Por ejemplo, las linternas suelen estar disponibles en las casas pero no se accede a ellas hasta que un apagón las hace valiosas. En este sentido, el apagón (la repentina oscuridad) *evoca* la conducta que en el pasado ha permitido acceder a la linterna (registrar el interior de un cajón). La naturaleza motivadora de esta relación OMC-T no es ampliamente reconocida, y la variable evocadora (la oscuridad repentina) es habitualmente interpretada como un E^D.

Ejemplos humanos de operaciones motivadoras condicionadas transitivas

Imagina a un trabajador desmontando una pieza de un equipo, con su ayudante proporcionándole las herramientas conforme este se las va pidiendo.[12] El trabajador encuentra un tornillo que tiene que quitar y pide un destornillador. La visión del tornillo evoca la petición, cuyo reforzador es recibir la herramienta. Con anterioridad a un análisis en términos de OMCT, la visión del tornillo habría sido considerada un [387] E_D para la petición, pero los tornillos *no* han sido relacionados diferencialmente con la disponibilidad de reforzamiento para las peticiones de herramientas. En la historia típica de un trabajador, los ayudantes generalmente han proporcionado las herramientas solicitadas independientemente de las condiciones estimulares en las que ocurre la petición. Lo más adecuado es interpretar la visión del tornillo como una OMC-T para la petición, no como un E^D.

El hecho de que varios estímulos discriminativos estén implicados en esta compleja situación hace más difícil el análisis. El destornillador *es* un E^D para movimientos de desatornillado (con un destornillador en la mano). La petición verbal, aunque evocada por la visión del tornillo como OMC-T, *es* dependiente de la presencia de un ayudante como un E^D. El destornillador ofrecido por el ayudante *es* un E^D para el movimiento de alargar la mano. Sin embargo, el asunto crítico es el papel del tornillo en evocar la petición, y esta es una relación motivadora más que discriminativa.

Otro ejemplo humano común implica un estímulo relacionado con alguna forma de peligro que evoca alguna conducta de protección pertinente. Un guardia de seguridad nocturno está patrullando un área y escucha un sonido sospechoso. Aprieta un botón de su teléfono que comunica con otro guarda de seguridad, el cual entonces activa su propio teléfono y le pregunta si necesita ayuda (lo que refuerza la llamada del primer guarda). El sonido sospechoso no es un E^D en presencia del cual el vigilante ha activado el teléfono, ha comunicado algo al receptor y ha sido reforzado por escuchar una respuesta de otra persona. Contestar teléfonos que no han sonado no suele ser reforzado. (A propósito, el efecto de la señal de peligro no es evocar la conducta que produce su propia terminación como ocurre con las operaciones motivadoras condicionadas reflexivas sino más bien evocar conducta que produce algún otro evento, en este

[12]Este escenario fue descrito por primera vez en Michael, 1982. En ese momento a las OMC-T se las llamó Estímulo Establecedor o SE.

caso, el sonido del colega del guarda de seguridad ofreciendo ayuda).

Para un análogo animal de OMC-T[13] consideremos un mono privado de comida en una cámara con una palanca retráctil y una cadena con tirador suspendida del techo. El tirar de la cadena provoca que la palanca se introduzca en la cámara durante cinco segundos. Si una luz (en la pared de la cámara) está encendida apretar la palanca aporta una bolita de comida, pero si la luz está apagada, apretar la palanca no tiene efecto. La luz se enciende y se apaga aleatoriamente, independientemente de la conducta del mono. Conviene prestar atención a que tirar de la cadena provoca que la palanca se introduzca en la cámara durante 5 segundos independientemente de la condición de la luz. En un mono bien entrenado, la conducta tirar de la cadena sería infrecuente cuando la luz está apagada, pero evocada por el encendido de la luz. El encendido de la luz sería la OMC-T en esta situación, como el tornillo o el sonido sospechoso en los ejemplos anteriores.

Hasta recientemente la mayoría de los analistas de la conducta interpretaban las operaciones motivadoras condicionadas transitivas como estímulos discriminativos. La distinción gira sobre la relación entre la disponibilidad del reforzador y la presencia o la ausencia del estímulo. Si el reforzador está más disponible en presencia que en ausencia del estímulo, el estímulo es un E^D; si está igual de disponible en presencia que en ausencia del estímulo, el estímulo es una OMC-T. Los destornilladores suelen estar igual de disponibles en presencia que en ausencia de los tornillos. La respuesta del colega del guardia de seguridad estaba igual de disponible en presencia como en ausencia del ruido sospechoso. La palanca retráctil estaba tan disponible para el mono (tirando de la cadena) en ausencia como en presencia de la luz.

Debilitamiento de los efectos de las operaciones motivadoras condicionadas transitivas

Los efectos evocadores de la OMC-T se pueden disminuir temporalmente debilitando la OM relacionada con el resultado último de la secuencia de conductas. Consideremos el ejemplo del trabajador que pide un destornillador y también el ejemplo del mono que tirando de la cadena provoca que la palanca retráctil entre en la cámara. Se podría conseguir un debilitamiento temporal de la relación OMC eliminando la razón para hacer el trabajo (se comunica al trabajador que el equipo no tiene que ser desmontado, y el mono es alimentado con una gran cantidad de comida previamente a ser colocado en la cámara experimental). Desde luego, la próxima vez que el trabajador vea un tornillo que debe ser desatornillado le pediría de nuevo a su ayudante un destornillador. Cuando el mono esté de nuevo en la cámara privado de alimento y la luz se encienda, ocurrirá la respuesta de tirar de la cadena.

Se puede conseguir un debilitamiento más permanente a través de un procedimiento de extinción y mediante dos tipos de desemparejamiento. Para extinguir la petición que ha sido evocada por el tornillo tendría que cambiar algo en el ambiente para que tales solicitudes dejaran de ser atendidas (p. ej., que los ayudantes consideraran que los trabajadores deberían hacerse por ellos mismos con las herramientas). En el ejemplo del mono, tirar de la cadena dejaría de provocar la introducción en la cámara de la barra retráctil. Un tipo de desemparejamiento se ilustraría con el caso de que los destornilladores dejaran de servir para desatornillar tornillos si todos los tornillos pasaran a ser soldados. El trabajador todavía podría conseguir un destornillador pidiéndolo, pero el destornillador ha perdido su valor porque ya no funcionará nunca más como herramienta. En el escenario del mono, este todavía puede provocar la introducción de la palanca en la cámara tirando de la cadena, pero apretar esta no le proporcionará comida. Un segundo tipo de desemparejamiento [388] se ilustraría con el caso de que las prácticas de construcción cambiaran de forma que los tornillos pudieran ahora ser desatornillados fácilmente con la mano así como con un destornillador, o si la palanca proporcionara comida tanto con la luz apagada como encendida.

La importancia de las operaciones motivadoras condicionadas transitivas para el entrenamiento del lenguaje

Cada vez está más claro que el entrenamiento de mandos es un aspecto esencial de los programas de lenguaje para individuos con repertorios verbales severamente deficientes (ver Capítulo 25). Para tales individuos, los mandos no aparecen espontáneamente a partir de los tactos y del entrenamiento en lenguaje receptivo. El alumno tiene que querer algo, hacer una respuesta verbal apropiada y ser reforzado por recibir lo que quería. Con este procedimiento la respuesta llega a estar bajo el control de la OM pertinente. Las operaciones motivadoras incondicionadas pueden aprovecharse para enseñar mandos para reforzadores incondicionados, pero este es un repertorio relativamente pequeño. Sin embargo, la utilización de una OMC-T es una forma de hacer que el alumno quiera algo que es un medio para

---

[13]Este ejemplo animal fue descrito por primera vez en Michael, 1982. el lenguaje ha sido cambiado para estar más en línea con la terminología actual.

otro fin. Cualquier estímulo, objeto o evento puede ser una base para un mando simplemente disponiendo un ambiente en el que ese estímulo pueda funcionar como un reforzador condicionado. Así, si un trazo de lápiz sobre un papel es requerido para jugar con un juguete preferido, se puede enseñar un mando para un lápiz y una hoja de papel. El fundamento de este tipo de entrenamiento y los varios procedimientos necesarios se describen con más detalle en el Capítulo 25.

Implicaciones prácticas generales de las operaciones motivadoras condicionadas transitivas

Una OMC-T es la aparición de un estímulo que evoca conducta debido a su relación con el *valor* de una consecuencia más que con la *disponibilidad* de una consecuencia. Esta distinción es relevante en formas sutiles para la comprensión eficaz y la manipulación de variables conductuales para una variedad de propósitos prácticos. Dos formas de control conductual, el E^D y la OMC-T, las cuales son muy diferentes en origen, difieren también en otros aspectos importantes. Este tema es un ejemplo de refinamiento terminológico, no un descubrimiento de nuevas relaciones empíricas. El valor de este refinamiento, si tuviera valor, se encontraría en el progreso teórico y la eficacia práctica de aquellas conductas verbales que han sido afectadas por él.

Implicaciones generales de las operaciones motivadoras para el análisis de la conducta

El análisis de la conducta hace un extenso uso de la relación de contingencia de tres términos que implica estímulo, respuesta y consecuencia. Sin embargo, la eficacia como reforzador o castigo de la consecuencia en el desarrollo del control estimular dependerá de una OM, y la eficacia futura del estímulo en evocar la respuesta dependerá de la presencia de la misma OM en esa condición futura. En otras palabras, la contingencia de tres términos no puede entenderse por completo o utilizarse de forma más eficaz para propósitos prácticos sin una comprensión profunda de las operaciones motivadoras.

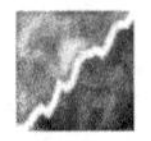

Resumen

Definición y características de las operaciones motivadoras

1. Una operación motivadora (OM) (a) altera la eficacia de un estímulo como reforzador, el efecto modificador del valor; y (b) altera la frecuencia actual de todas las conductas que han sido reforzadas por ese estímulo, el efecto modificador de la conducta.
2. El efecto modificador del valor consiste (a) en un incremento de la eficacia reforzante de algún estímulo, en cuyo caso la OM es una operación de establecimiento (OE); o (b) en una disminución de la eficacia reforzante, en cuyo caso la OM es una operación de abolición (OA).
3. El efecto modificador de la conducta consiste (a) en un incremento de la frecuencia actual de la conducta que ha sido reforzada por algún estímulo, el denominado efecto evocador; o (b) una disminución de la frecuencia actual de la conducta que ha sido reforzada por algún estímulo, el llamado efecto reductor.
4. La alteración de la frecuencia puede ser (a) el efecto directo evocador o reductor de la OM sobre la frecuencia de la conducta o (b) el efecto indirecto sobre la fuerza evocadora o reductora de estímulos discriminativos relevantes.
5. Además de la frecuencia, otros aspectos de la conducta tales como la magnitud de la respuesta, la latencia y la frecuencia relativa pueden ser alterados por una OM.
6. No es correcto interpretar el efecto modificador de la conducta de una OM como el resultado de que el organismo encuentre el reforzamiento más o menos eficaz; existe una fuerte relación entre el nivel de la OM y la respuesta cuando todavía no se ha recibido ningún reforzador.
7. Efectos modificadores de la conducta versus efectos modificadores de la función: las operaciones motivadoras y los estímulos discriminativos son variables antecedentes que tienen efectos modificadores sobre la conducta. Los reforzadores, los estímulos punitivos o la ocurrencia de una respuesta sin su reforzador (el procedimiento de extinción) [389] o sin su estímulo punitivo (recuperación tras un procedimiento de castigo) son consecuencias que cambian el repertorio del organismo de forma que en el futuro se comportará de manera diferente. Los estímulos discriminativos y las operaciones motivadoras alteran la frecuencia actual de la conducta, pero los reforzadores, los estímulos punitivos o la ocurrencia de una respuesta sin su consecuencia alteran la frecuencia futura de la conducta.

Una distinción fundamental: relaciones discriminativas versus relaciones motivadoras

8. Un E^D controla un tipo de conducta porque ha sido relacionado con la *disponibilidad diferencial* de un reforzador para ese tipo de conducta. Esto significa que la consecuencia relevante ha estado disponible en presencia del estímulo y no lo ha estado en su ausencia. La mayoría de las variables calificables como operaciones motivadoras no satisfacen este segundo requisito para que un estímulo pueda ser calificado como E^D porque en ausencia de la variable, no hay una OM para el reforzador pertinente, y por tanto, no se puede hablar de falta de disponibilidad del reforzador.

9. Un contraste útil: los estímulos discriminativos están relacionados con la disponibilidad diferencial de una forma de reforzamiento eficaz en un determinado momento para un tipo particular de conducta; las operaciones motivadoras están relacionadas con la eficacia reforzante diferencial de un tipo particular de evento ambiental.

Operaciones motivadoras incondicionadas

10. Las principales operaciones motivadoras incondicionadas para los humanos son aquellas relacionadas con la privación y la saciedad con respecto a la comida, agua, oxígeno, actividad y sueño; y aquellas relacionadas con el reforzamiento sexual, con unas condiciones de temperatura confortable y con la estimulación dolorosa. Para cada variable hay dos operaciones motivadoras, una con una operación de establecimiento (OE) y otra con una operación de abolición (OA). También cada variable tiene un efecto evocador y un efecto reductor. De este modo la privación de alimento es una OE y tiene efectos evocadores sobre las conductas pertinentes, y la ingestión de comida es una OA y tiene efectos reductores sobre la conducta pertinente.

11. La interpretación cognitiva del efecto modificador de la conducta es que la persona entiende (a saber, puede describir verbalmente) la situación y entonces se comporta apropiadamente como resultado de esa comprensión. Pero de hecho el reforzamiento incorpora automáticamente la conducta reforzada al repertorio que será evocado y abatido por la OMI pertinente; la persona no tiene que "comprender" algo para que una OM tenga sus efectos. De esta interpretación errónea pueden resultar dos tipos de ineficacia. Se puede poner poco empeño en entrenar a individuos que tienen repertorios verbales muy limitados y no estar adecuadamente preparados para un incremento de los problemas de conducta que preceden al reforzamiento.

12. El papel de las condiciones estimulares en la generalización de los efectos del entrenamiento es bien conocido, pero a menos que también estén vigentes las operaciones motivadoras para los reforzadores que fueron usados en el entrenamiento, las conductas entrenadas no ocurrirán en las nuevas condiciones.

13. Se puede conseguir el debilitamiento temporal de los efectos de las OE mediante las pertinentes OA. Por ejemplo, la conducta indeseable basada en la privación de comida puede ser abatida por la ingestión de comida, pero la conducta regresará cuando reaparezca la privación. Se puede conseguir un debilitamiento más duradero de los efectos modificadores de la conducta mediante el procedimiento de extinción (a saber, dejando que ocurra la conducta indeseable sin reforzamiento).

14. Una variable que altera la eficacia punitiva de un estímulo, objeto o evento y altera la frecuencia de la conducta que ha sido castigada es una OM para el castigo. Si el efecto modificador del valor no depende de una historia de aprendizaje entonces la variable es una OMI. Un incremento del dolor funcionará como castigo en tanto que el nivel actual no sea tan alto que no se pueda producir un incremento. Si un estímulo es punitivo por estar relacionado con una reducción de la disponibilidad de un reforzador, entonces la OM para ese reforzador es la OM para el punitivo. Así, la OM para la supresión de la comida como estímulo punitivo es la privación de alimento.

15. La desaprovación social, el tiempo fuera de reforzamiento y el coste de respuesta son condiciones estimulares que funcionan usualmente como castigos porque se relacionan con una reducción en la disponibilidad de algunos tipos de reforzadores. Las operaciones motivadoras para estas formas de castigo son las mismas que para los reforzadores que están menos disponibles.

16. Efectos múltiples: los eventos ambientales que funcionan como operaciones motivadoras incondicionadas tendrán generalmente efectos modificadores de la conducta sobre la frecuencia actual de un tipo de conducta, y (como consecuencia) efectos modificadores de la función con respecto a la frecuencia futura de cualquier conducta que preceda inmediatamente el inicio del evento.

17. Frecuentemente se selecciona una intervención conductual debido a (a) su efecto modificador de la conducta como OM o (b) su efecto modificador del repertorio (como reforzador o estímulo punitivo). Pero, independientemente del propósito de la intervención, ocurrirá un efecto en la dirección opuesta del elegido como objetivo, y esto es algo que debería preverse.

Operaciones motivadoras condicionadas

18. Se denomina operaciones motivadoras condicionadas a las variables motivadoras que alteran la eficacia reforzante de otros estímulos, objetos o eventos pero solamente como resultado de la historia de aprendizaje del organismo. Como las operaciones motivadoras incondicionadas alteran momentáneamente la frecuencia de todas las conductas que hayan sido reforzadas (o castigadas) por estos otros eventos.

19. La OMC sustituta (OMC-S) es un estímulo que adquiere su eficacia como OM al ser emparejado con otra OM, y tiene los mismos efectos modificadores de la conducta y del valor que la OM con la que ha sido emparejada.

20. Se denomina OMC reflexiva (OMC-R) a aquel estímulo que adquiere eficacia como OM por preceder alguna forma de empeoramiento o mejoría. Es ejemplificado por el estímulo de aviso en un procedimiento típico de evitación/escape, el cual da pie a que la supresión de dicho estímulo actúe como reforzador y evoca toda la conducta que ha facilitado tal supresión.

21. Al evocar la respuesta de evitación, la OMC-R ha sido interpretada frecuentemente como un E^D. Sin embargo, la OMC-R no puede ser calificada [390] como E^D porque en su ausencia no hay OM para un reforzador que pudiera no estar disponible. Claramente es calificable como una OM y dado que sus características como OM dependen de su historia de aprendizaje, como una OMC.

22. Las OMC-R identifican un aspecto negativo de muchas interacciones diarias que de otra forma serían interpretadas como una secuencia de oportunidades para el reforzamiento positivo. Un ejemplo es una solicitud de información, la cual inicia un breve periodo durante el cual se debe dar una respuesta para acabar un periodo de creciente incomodidad social.

23. La OMC-R es, a menudo, un componente no reconocido de procedimientos usados para enseñar conducta verbal y social eficaces. Se plantean preguntas a los alumnos o se les dan instrucciones que van seguidas por una interacción social intensa si no responden a ellas adecuadamente. La pregunta o la instrucción puede estar funcionando más como un estímulo de aviso, como una OMC- R, que como un E^D relacionado con una oportunidad para recibir cumplidos u otros reforzadores positivos.

24. La OMC-R puede ser debilitada por la extinción si la respuesta ocurre sin que se produzca la desaparición del estímulo de aviso (p.ej., continuando con la secuencia de demanda independientemente de la ocurrencia de la conducta problemática), o por dos tipos de desemparejamiento (no ocurre el empeoramiento final u ocurre independientemente de la respuesta de evitación).

25. Una variable ambiental que establece (o elimina) la eficacia reforzante de otro estímulo y evoca (o reduce) la conducta que ha sido reforzada por ese otro estímulo es una OMC transitiva o OMC- T.

26. Las variables que funcionan como operaciones motivadoras incondicionadas funcionan también como operaciones motivadoras condicionadas para los estímulos que son reforzadores condicionados debido a su relación con el reforzador incondicionado. La privación de alimento (como OMI) convierte en reforzador no sólo a la comida sino también (como OMC-T) a todos los estímulos que han sido relacionados con obtener comida (p.ej., los utensilios con los que nos llevamos la comida a la boca).

27. La eficacia reforzante de muchos reforzadores condicionados no se altera solo por las pertinentes operaciones motivadoras incondicionadas, sino que también puede depender de otras condiciones estimulares debido a una historia de aprendizaje adicional. Esas condiciones estimulares, como OMC-T, también pueden evocar la conducta que ha facilitado el acceso a los reforzadores condicionados. La ocurrencia de la conducta no está relacionada con la disponibilidad sino, más bien, con el valor de su consecuencia.

28. Un modelo de OMC-T es un elemento del ambiente que debe ser manipulado con una herramienta, evocando la conducta que posibilita conseguir la herramienta (por ejemplo, pedirla a otra persona). Otro ejemplo humano es un estímulo relacionado con alguna forma de peligro evocando la pertinente conducta protectora.

29. El efecto evocador de la OMC-T puede ser debilitado temporalmente debilitando la OM relacionada con el resultado último de la secuencia de conductas (p.ej., el trabajo relacionado con la solicitud de la herramienta deja de ser necesario). Se puede conseguir un debilitamiento más permanente mediante un procedimiento de extinción (se dejan de atender las peticiones de herramientas) y con dos tipos de desemparejamiento (p.ej., la herramienta no sirve ahora para realizar la tarea o esta puede ser llevada a cabo sin la herramienta).

30. La OMC-T es especialmente valiosa en los programas para enseñar mandos. Es una forma de hacer al estudiante querer algo que puede ser un medio para otro fin, y entonces reforzar un mando apropiado con el objeto que se quiere conseguir.

Implicaciones generales de las operaciones motivadoras para el análisis de la conducta

31. La contingencia de tres términos estímulo, respuesta y consecuencia es un componente esencial del análisis de la conducta, pero esta relación no puede ser entendida completamente o utilizada más eficazmente sin un conocimiento profundo de las operaciones motivadoras.

CAPÍTULO 17

Control de estímulo

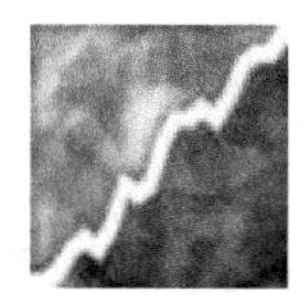

Términos clave

Clase de estímulos antecedentes
Clase de estímulos arbitraria
Clase de estímulos con características análogas
Control de estímulo
Entrenamiento en discriminación de estímulos
Equivalencia de estímulo
Estímulo delta (E^{Δ})
Estímulo discriminativo (E^{D})
Formación de conceptos
Generalización de estímulo
Gradiente de generalización de estímulo
Igualación a la muestra reflexividad
Simetría
Transitividad

Behavior Analyst Certification Board® BCBA®, BCBA-D®, BCaBA®, RBT® Lista de tareas para analistas de conducta (cuarta edición).

D	Habilidades analítico-conductuales básicas. Elementos fundamentales del cambio de conducta
D-03	Usar ayudas y procedimientos de desvanecimiento de las ayudas.
E	**Habilidades analítico-conductuales básicas. Procedimientos específicos de cambio de conducta**
E-02	Usar procedimientos de entrenamiento en discriminación.
E-06	Usar procedimientos de equivalencia de estímulos.
J	**Responsabilidades para con el cliente: Intervención**
J-11	Programar la generalización de estímulo y de respuesta.
FK	**Conocimientos adicionales. Definir y dar ejemplos de**
FK-11	Ambiente, estímulo y clase de estímulos.
FK-12	Equivalencia de estímulos.
FK-24	Control de estímulo (estímulo delta, estímulo discriminativo)
FK-34	Discriminaciones condicionales.
FK-35	Discriminación de estímulos.

(continúa en la página siguiente)

FK	Conocimientos adicionales. Definir y dar ejemplos de *(continuación)*
FK-36	Generalización de respuesta.
FK-37	Generalización de estímulo.

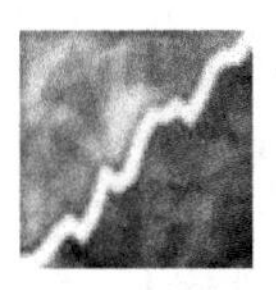

El reforzamiento de una respuesta operante incrementa la frecuencia de esa respuesta en el futuro e influye en los estímulos que la preceden inmediatamente. Los estímulos que preceden a una respuesta (es decir, los estímulos antecedentes) adquieren un efecto evocador de la conducta de que se trate. En una típica demostración de laboratorio del condicionamiento operante, se coloca una rata en una caja experimental y se le da la oportunidad de presionar una palanca. Contingentemente con la presión de la palanca, la rata recibe una bolita de comida. El reforzamiento de la presión de la palanca incrementa la frecuencia de la presión de la palanca.

Los investigadores pueden hacer más compleja esta simple demostración manipulando otras variables. Por ejemplo, ocasionalmente puede sonar un zumbido y la rata solo recibe una bolita de comida cuando presiona la palanca si el zumbido está sonando. El zumbido que precede a la palanca se llama **estímulo discriminativo** (E^D, pronunciado "e-de"). Tras cierta experiencia, la rata presionará la palanca con mayor frecuencia en presencia del zumbido (E^D) que en su ausencia, una condición llamada **estímulo delta** (E^{Δ}). La conducta que ocurre con mayor frecuencia en presencia de un E^D que en su ausencia está bajo control de estímulo. Técnicamente, el **control de estímulo** ocurre cuando la tasa, latencia, duración, o amplitud de una respuesta cambia en presencia de un estímulo antecedente (Dinsmoor, 1995a, b). Un estímulo adquiere control solo cuando las respuestas emitidas en presencia de ese estímulo producen reforzamiento con mayor frecuencia que las respuestas producidas en ausencia de ese estímulo.

El control de estímulo no debería ser visto solo como un interesante procedimiento para demostraciones de laboratorio. El control de estímulo desempeña un rol fundamental en conductas complejas de la vida cotidiana (por ejemplo, en sistemas lingüísticos, conducta conceptual, solución de problemas, etc.), educación y tratamiento (Shaham y Chase, 2002; Stromer, 2000). No respondemos al teléfono si este no está sonando. Un conductor detiene su vehículo con mayor frecuencia en presencia de un semáforo en rojo que en su ausencia. Quienes hablan tanto español como inglés probablemente usarán el español, y no el inglés, para comunicarse con una audiencia hispanohablante.

Las conductas consideradas inapropiadas en un contexto se aceptan como apropiadas cuando son emitidas en otro contexto diferente. Por ejemplo, los maestros aceptarán como apropiadas conversaciones en voz alta en el patio del colegio, pero no en el aula. Llegar 15 o 20 minutos tarde puede ser apropiado si se va a una fiesta, pero no si se va a una entrevista de trabajo. Algunas conductas que padres, maestros, y la sociedad en geneneral consideran inapropiadas no son problemáticas en sí mismas. El problema consiste en emitir esas conductas en un momento, en un lugar o en unas circunstancias que son considerados inapropiados por otros. Esto supone un problema de control de estímulo, y es una de las mayores preocupaciones para los analistas aplicados de la conducta. Este capítulo trata sobre los factores relacionados con el desarrollo del control de estímulo.

Estímulos antecedentes

El control de estímulo de una respuesta operante puede parecer similar al control de la conducta respondiente por un estímulo condicionado. El E^D y el estímulo condicionado son estímulos antecedentes que evocan la ocurrencia de una conducta. Los analistas de aplicados de la conducta, sin embargo, necesitan distinguir entre la función de un E^D en la conducta operante y la de un estímulo condicionado en la conducta respondiente; esta es una distinción fundamental para comprender el control del entorno sobre la conducta operante. En una típica demostración de laboratorio del condicionamiento respondiente, el experimentador presenta comida a un perro. La comida funciona como un estímulo incondicionado que elicita una respuesta incondicionada (salivación). A continuación, el experimentador presenta un zumbido (un estímulo neutral). El zumbido no elicita salivación. Posteriormente, tras la ocurrencia de varios emparejamientos del zumbido con la entrega de comida, el zumbido se convierte en un estímulo condicionado que elicitará la salivación (una respuesta condicionada) en ausencia de la comida (un estímulo incondicionado).

Los experimentos de laboratorio sobre conducta

operante y respondiente han demostrado sistemáticamente que los estímulos antecedentes pueden adquirir control sobre la conducta. Suena un zumbido, y una rata presiona una palanca. Suena un zumbido, y un perro comienza a salivar. A pesar de las similitudes, la presión de la palanca es una conducta operante, la salivación es una conducta respondiente, y la forma en que un E^D y un estímulo condicionado adquieren sus funciones de control es muy diferente. Un E^D adquiere su función de control a través de su asociación con cambios en la estimulación que ocurren inmediatamente después de la conducta. En cambio, un estímulo condicionado adquiere su función de control a través de la asociación con otros estímulos antecedentes que elicitan una conducta (es decir, un estímulo incondicionado o un estímulo condicionado).

El entorno contiene muchas formas de energía que una persona puede percibir. La adaptación evolutiva al entorno ha proporcionado a los organismos estructuras anatómicas (es decir, órganos receptores) que detectan esas formas de energía. Por ejemplo, el ojo detecta radiación electromagnética; el oído, vibraciones de presión en el aire; la lengua y la nariz, energía química; los receptores de la piel, presión mecánica y cambios de temperatura (Michael, 1993).

Los analistas aplicados de la conducta usan las propiedades físicas de un estímulo para investigar su efecto sobre la conducta. La energía física, sin embargo, debe estar relacionada con las capacidades sensoriales del organismo. Por ejemplo, la radiación ultravioleta es energía física pero no funciona como estímulo para los humanos porque no tiene ningún efecto sobre la conducta operante. La radiación ultravioleta funcionaría como estímulo para los humanos en presencia de un aparato especial que detectase esa radiación. Un silbido producido por un silbato para perros funciona como estímulo para los perros pero no para los humanos. Los perros pueden oír las vibraciones en la presión del aire producidas por el silbido, pero no los humanos. Cualquier forma de energía física detectable por un organismo puede funcionar como estímulo discriminativo.

Las funciones discriminativas y motivacionales de los estímulos

Los estímulos discriminativos y las operaciones de establecimiento comparten dos importantes similitudes: (a) ambos eventos ocurren antes de la conducta de interés, y (b) ambos eventos tienen funciones evocadoras. Evocar una conducta significa ocasionar una conducta activándola o produciéndola. Distinguir la naturaleza del control antecedente suele ser difícil. ¿Fue la conducta evocada por un E^D, una operación de establecimiento (OE), o ambos?

En algunas situaciones, un cambio en la estimulación antecedente modifica la frecuencia de una respuesta y parece tener un efecto discriminativo. Por ejemplo, en un típico procedimiento de escape se coloca a un animal en una caja experimental. Se administra un choque eléctrico hasta que una respuesta lo suprime por un determinado periodo de tiempo. Después, se reintroduce el choque hasta que otra respuesta lo elimina de nuevo, y así sucesivamente. Un animal con experiencia en esa situación suprime el choque inmediatamente. En esta situación, algunos dirían que el choque sirve como E^D. El choque eléctrico, un estímulo antecedente, evoca una respuesta que es reforzada negativamente (el choque es eliminado). En esta situación, sin embargo, el choque eléctrico no funciona como un E^D. Una respuesta en presencia de un E^D debe producir reforzamiento con mayor frecuencia que es su ausencia. Aun cuando el animal recibe reforzamiento suprimiendo el choque eléctrico, la ausencia del choque no constituye un estado de menor frecuencia de reforzamiento. Antes de que la respuesta pueda ser reforzada, el choque eléctrico debe comenzar. El choque en este ejemplo está funcionando como una OE porque modifica aquello que *funciona* como reforzador en lugar de la disponibilidad de reforzamiento (Michael, 2000). Con frecuencia el E^D aparente carece de una historia de reforzamiento diferencial correlacionada con la alteración de la frecuencia de una respuesta. Estas situaciones están probablemente relacionadas con operaciones motivacionales (OM) más que con control de estímulo.

El siguiente escenario coloca el ejemplo de laboratorio de Michel en un contexto aplicado: un maestro demanda de un alumno una determinada respuesta. El estudiante emite conductas agresivas inmediatamente después de la demanda. La conducta agresiva suprime la demanda. Más tarde, el maestro demanda otra vez una respuesta, y el ciclo de conducta agresiva y retirada de la demanda continúa. Como en el ejemplo de laboratorio, algunos dirían que la demanda sirve de E^D. La demanda, un estímulo antecedente, evoca agresión que es negativamente reforzada (la demanda es retirada). En este ejemplo aplicado, la demanda es una OE que evoca la conducta agresiva, no un E^D. No tiene sentido hablar de un E^D que evoca la conducta agresiva en ausencia de una demanda (McGill, 1999), del mismo modo que no tiene sentido hablar de un E^D que evoca una respuesta en ausencia del choque eléctrico. El organismo no "quiere" escapar en ausencia de una situación de demanda/choque (OE). Un estímulo antecedente funciona como E^D solo cuando en su presencia una respuesta o conjunto de respuestas produce reforzamiento, y la misma respuesta no produce reforzamiento en ausencia de ese estímulo (Michael, 2000).

Los ejemplos aplicados y de laboratorio pueden ser modificados para mostrar la diferencia entre las funciones evocativas de las OM y el control de estímulo. Las condiciones experimentales podrían modificarse de manera que un zumbido sonase en diferentes periodos de tiempo a lo largo de la sesión, que el choque eléctrico fuese suprimido solo cuando ocurriese una respuesta en presencia del zumbido, y que la respuesta no produjese reforzamiento en ausencia del zumbido (es decir, el choque no sería retirado). Bajo estas condiciones el zumbido funcionaría como E^D y se demostraría control de estímulo. Las condiciones del ejemplo aplicado podrían cambiar de forma que dos maestros trabajasen con el estudiante. Un maestro permite que la conducta agresiva suprima la demanda. El otro maestro no suprime la demanda. Los diferentes procedimientos producen reforzamiento negativo en presencia de un maestro, pero no en presencia del otro. El maestro que permite la retirada de la demanda se convertiría en un E^D que evocaría conductas agresivas del estudiante. En estos ejemplos modificados, las características del control antecedente serían diferentes en presencia del zumbido y del primer maestro, y el zumbido y el primer maestro estarían correlacionados con un incremento en la frecuencia de reforzamiento.

Una comprensión de las funciones evocativas del E^D y la OM mejorará las descripciones técnicas del control antecedente y la comprensión del cambio conductual (Laraway, Snycerski, Michael y Polling, 2001). En último término esta mejor comprensión producirá mayor eficacia en la educación y el tratamiento.

Generalización de estímulo

Cuando un estímulo tiene una historia de evocación de una respuesta que ha sido reforzada en su presencia, existe una tendencia general a que otros estímulos similares evoquen también esa respuesta. Esta función evocadora ocurre en estímulos que poseen propiedades físicas similares a las del estímulo antecedente que controla la respuesta. A esta tendencia se le denomina **generalización de estímulo**. El proceso inverso, la *discriminación de estímulo* ocurre cuando estímulos diferentes no evocan esa respuesta. Los diferentes grados de control de estímulo producen las características definitorias de la generalización y la discriminación de estímulo. La generalización de estímulo y la discriminación son relaciones relativas. La generalización de estímulo refleja un bajo grado de control de estímulo, mientras que la discriminación implica un grado de control de estímulo relativamente elevado. En un caso sencillo de la vida diaria, la generalización de estímulo puede observarse cuando un niño pequeño que ha aprendido a decir "papá" en presencia de su padre también dice "papá" en presencia de un vecino, del dependiente de una tienda, etc. Condicionamiento adicional afinará el grado de control de estímulo a un estímulo específico, el padre del niño.

La generalización de estímulo ocurre con nuevos estímulos que poseen dimensiones físicas similares a las del estímulo que controla una determinada respuesta. Por ejemplo, si una respuesta tiene una historia de reforzamiento en presencia de un estímulo azul, la generalización de estímulo es más probable a azules más claros o más oscuros que a un estímulo rojo o amarillo. Además, la generalización de estímulo es más probable cuando el nuevo estímulo tiene otros elementos (por ejemplo, tamaño o forma) en común con el estímulo que controla una respuesta. Un estudiante cuya conducta ha sido reforzada tras emitir una determinada respuesta ante un círculo emitirá la misma respuesta con mayor probabilidad ante una elipse que ante un triángulo.

Un **gradiente de generalización de estímulo** representa gráficamente el grado de generalización y discriminación de estímulo mostrando en qué medida una respuesta reforzada ante un estímulo es emitida en presencia de estímulos no entrenados. Cuando la pendiente de un gradiente es relativamente plana, ello indica poco control de estímulo. Sin embargo, un incremento de la pendiente del gradiente muestra un mayor control de estímulo.

Los analistas de conducta han usado varios procedimientos para producir gradientes de generalización de estímulo. La técnica clásica de Guttman y Kalish (1956) proporciona un ejemplo representativo. Su técnica es importante porque muchos investigadores habían obtenido previamente gradientes de generalización de estímulo condicionando a grupos de sujetos en el mismo valor estimular y evaluando después individualmente a cada sujeto en un valor estimular diferente. Obviamente, este tipo de técnica no puede demonstrar el grado de control de estímulo existente para sujetos individuales. Guttman y Kalish proporcionaron un método de obtención de gradientes para cada sujeto que sentó las bases para una mayor comprensión de los principios que gobiernan el control de estímulo.

Guttman y Kalish reforzaron a palomas con un programa de Intervalo Variable de 1 minuto por picotear un disco iluminado con una fuente de luz amarilla-verde a ojos humanos (es decir, de longitud de onda de 550 nm). Una vez que las respuestas de picoteo del disco se estabilizaron, las palomas fueron evaluadas en condiciones de extinción en presencia del estímulo

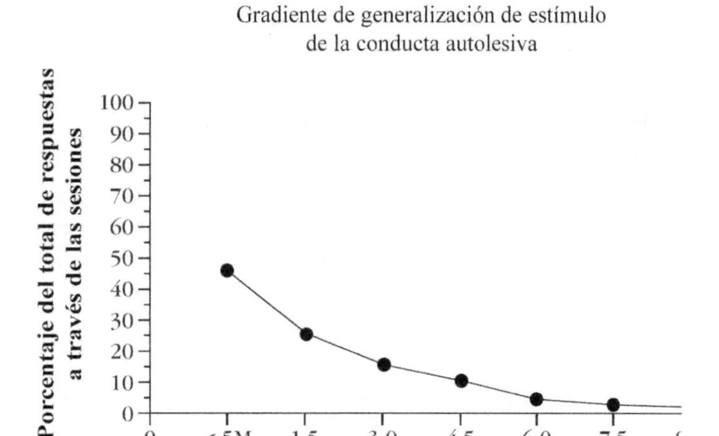

Figura 17.1 Porcentaje del total de respuestas a través de las sesiones a una distancia determinada durante los test de generalización. Las cifras <0.5, 1.5, 3.0, 4.5, 6.0, 7.5, y 9.0 se refieren a la distancia (en metros) entre el terapeuta y el participante.

Tomado de "Assessment of Stimulus Generalization Gradients in the Treatment of Self-Injurious Behavior" J. S. Lalli, F. C. Mace, K. Livezey, y K. Kates (1998). *Journal of Applied Behavior Analysis, 31,* pág. 481.

original y de una serie aleatoria de 11 longitudes de onda diferentes que no habían sido presentadas nunca durante el entrenamiento, como test de generalización de estímulo.

La generalización de estímulo ocurre con respuestas ante nuevos estímulos después de que una respuesta haya sido condicionada en presencia de otro estímulo similar. Si una respuesta es reforzada durante el test de generalización, no puede concluirse si las respuestas ante el nuevo estímulo que siguen a la primera respuesta representan generalización o si esas respuestas ocurren en función del programa reforzamiento aplicado durante el test. Guttman y Kalish evitaron este problema de confusión en sus resultados evaluando la generalización en condiciones de extinción.

Lalli, Mace, Livezey y Kates (1998) refirieron un excelente ejemplo aplicado de evaluación y demonstración de un gradiente de generalización de estímulo. Usaron un gradiente de generalización de estímulo para evaluar la relación entre la proximidad física de un adulto y la conducta autolesiva de una niña de 10 años con retraso mental severo. Los resultados representados en la Figura 17.1 muestran que el porcentaje total de conducta autolesiva a lo largo de las sesiones decreció progresivamente a medida que la distancia entre el terapeuta y la niña se incrementó.

Desarrollo del control de estímulo

Entrenamiento en discriminación de estímulos

El procedimiento convencional para el **entrenamiento en discriminación** requiere una determinada conducta y dos condiciones estimulares antecedentes. Se refuerzan las respuestas en presencia de una condición estimular, el E^D, y no se refuerzan en presencia de la otra, el [396] E^{Δ}. Cuando un maestro aplica este procedimiento de entrenamiento de forma apropiada y consistente, el número de respuestas en presencia del E^D superará al número de respuestas en presencia del E^{Δ}.

Los analistas aplicados de la conducta suelen describir los procedimientos convencionales de entrenamiento en discriminación mediante reforzamiento diferencial como condiciones alternantes de reforzamiento y extinción, lo que significa que una respuesta produce reforzamiento en la condición del E^D y no lo produce en la condición del E^{Δ}. Para clarificar y enfatizar la importancia de este punto, sin embargo, el E^{Δ} es usado no solo para indicar una condición de reforzamiento cero (extinción) sino también para denotar una condición que proporciona una cantidad o calidad menor de reforzamiento que la condición del E^D (Michael, 1993).

Maglieri, DeLeon, Rodriguez-Catter y Sevin (2000) usaron el entrenamiento en discriminación como parte de una intervención para reducir el robo de comida de una niña de 14 años con síndrome de Prader-Willi, una seria condición médica que generalmente va asociada a la obesidad y el robo de comida. Durante el entrenamiento en discriminación, un maestro le mostraba a la niña dos recipientes con galletas, uno de los cuales contenía una etiqueta de advertencia, el E^{Δ}, mientras que el otro no tenía esa etiqueta, el E^D. El maestro le decía a la niña que solo podía comer galletas del recipiente sin la etiqueta y le preguntaba en presencia de los dos recipientes, "¿Qué galletas puedes comer?" Si la niña respondía que podía comer galletas del recipiente sin la advertencia, el maestro la dejaba comer una galleta de ese recipiente. Este procedimiento de entrenamiento en discriminación disminuyó el robo de comida de los recipientes marcados con una etiqueta de advertencia.

Formación de conceptos

La sección precedente sobre entrenamiento en

discriminación describe cómo un estímulo antecedente puede adquirir control sobre una respuesta, lo que significa que una conducta ocurre más frecuentemente en presencia de ese estímulo que en su ausencia. Un procedimiento de entrenamiento en discriminación podría usarse para enseñar a un alumno de preescolar el nombre de los colores primarios. Por ejemplo, para enseñar el color rojo, el maestro podría usar un objeto rojo tal como una bola roja como condición del E^D y un objeto no rojo tal como una bola amarilla como condición del E^{Δ}. El maestro podría colocar ambas bolas frente al estudiante y alternar aleatoriamente su posición, e indicar al niño que nombrase y señalase la bola roja, reforzando las respuestas correctas, y no las incorrectas. Tras algunos ensayos la bola roja adquiriría control de estímulo sobre las respuestas del alumno, y este podría diferenciar consistentemente la bola roja de la bola amarilla. Este simple entrenamiento en discriminación, sin embargo, podría no ser suficiente para satisfacer el objetivo educativo de la identificación del color rojo. El maestro podría querer que el niño discriminase no solo entre bolas rojas y bolas de otros colores, sino también el concepto de rojo.

Términos tales como la *formación de conceptos* o la *adquisición de conceptos* implican frecuentemente la referencia a algún constructo hipotético relacionado con un proceso mental. Sin embargo, la adquisición de un concepto depende claramente de la ocurrencia de respuestas en presencia de estímulos antecedentes y de las consecuencias que siguen a esas respuestas. La formación de conceptos es el producto conductual final de la generalización de estímulo y la discriminación (Keller y Shoenfeld, 1950/1995). La **formación de conceptos** es un ejemplo complejo de control de estímulos que requiere tanto de la generalización de estímulo dentro de una clase de estímulos como de la discriminación entre clases de estímulo. Una **clase de estímulos antecedentes** es un conjunto de estímulos que comparten una misma relación. Todos los estímulos de una clase de estímulos antecedentes evocarán la misma clase de respuestas operantes, o elicitarán la misma conducta respondiente. Esta función evocadora o elicitadora es la única propiedad común de los estímulos de una clase (Cuvo, 2000). Por ejemplo, considérese la clase de estímulos para el concepto *rojo*. Un objeto rojo es llamado rojo como resultado de una historia de condicionamiento. Esta historia de condicionamiento mediante reforzamiento diferencial tendrá como resultado la evocación de la respuesta *rojo* por ondas de luz de diferente longitud de onda, desde el rojo claro hasta el rojo oscuro. Estos diferentes tonos de rojo que evocan la respuesta *rojo* tienen en común una historia de condicionamiento y están incluidos en la misma clase de estímulos. Los diferentes tonos de rojo (por ejemplo, rojo claro) que no evoquen la respuesta *rojo*, no son miembros de esa clase. Por lo tanto, el concepto *rojo* requiere la generalización desde los estímulos entrenados a muchos otros estímulos dentro de la misma clase. Si el alumno de preescolar descrito anteriormente hubiese adquirido el concepto de *rojo*, debería ser capaz de identificar una bola roja, y sin un entrenamiento o reforzamiento específico, debería poder elegir un globo rojo, un coche de juguete rojo, un lápiz rojo, etc.

Además de la generalización de estímulo, un concepto requiere la discriminación entre los estímulos que son miembros de una clase y los que no lo son. Por ejemplo, el concepto de rojo requiere discriminar el rojo de otros colores, y de las dimensiones de los estímulos no relevantes para el concepto de rojo, tales como forma o tamaño. El concepto empieza con la discriminación entre una pelota roja y una pelota amarilla, pero termina con la discriminación de un vestido rojo de otro azul, de un coche de juguete rojo de otro blanco, y de un lápiz rojo de otro negro.

El entrenamiento en discriminación es fundamental para la enseñanza de conducta conceptual. Estímulos antecedentes representativos de un grupo de estímulos que comparten una misma relación (es decir, una clase de estímulos) y estímulos antecedentes de otras clases de estímulo deben presentarse como estímulos antecedentes durante el entrenamiento en discriminación. Para que un concepto sea adquirido, el maestro debe presentar ejemplos de lo que el concepto es (es decir, la condición del E^D) y de lo que el concepto no es (es decir, de la condición del E^{Δ}). Esta aproximación es apropiada para el desarrollo de todo tipo de conceptos, incluyendo conceptos altamente abstractos (p.ej., honestidad, patriotismo, justicia, libertad, compartir, etc.). Es también posible adquirir un concepto a través del entrenamiento en discriminación y reforzamiento diferencial vicarios. Una definición verbal de un concepto, que incluya ejemplares y no ejemplares del concepto, puede ser suficiente para la formación de conceptos sin entrenamiento directo adicional.

Los autores de literatura infantil enseñan a menudo conceptos de forma vicaria, tales como el bien y el mal, la honestidad y la deshonestidad, el coraje y la cobardía. Por ejemplo, considérese la historia del dueño de una pequeña tienda familiar que quiere contratar a un joven empleado. El trabajo incluye fregar el suelo, embolsar comestibles, y mantener las estanterías ordenadas. El dueño quiere contratar a una persona honesta, así que decide poner a prueba a los aspirantes al empleo para ver si son honestos. El primer joven que solicitó el empleo tuvo que pasar un periodo de prueba antes de que el dueño decidiera contratarle. Antes de que este llegase al trabajo, el dueño escondió un billete de un dólar donde sabía que el joven iba a encontrarlo. Al final del período de prueba, el dueño le preguntó al aspirante si le había gustado trabajar en la tienda, si quería el empleo, y si durante el periodo de prueba le había ocurrido algo inesperado o inusual. El aspirante respondió que quería el empleo y que nada inusual le había ocurrido. El tendero le respondió que quería considerar la posibilidad de contratar a otros aspirantes. El segundo aspirante trabajó durante un periodo de prueba con los mismos resultados que el primero. No consiguió el empleo. El tercer joven que trabajó para el tendero encontró el billete mientras estaba barriendo y se lo entregó inmediatamente al tendero, diciendo que había devuelto el billete porque podría habérsele caído a algún cliente. El tendero le preguntó al aspirante si le gustaba el empleo y si quería trabajar para él. El joven respondió que sí. El tendero le dijo que había conseguido el trabajo porque era una persona honesta. Además, le dejó quedarse con el billete.

El cuento infantil previo presenta ejemplares de conducta honesta y deshonesta. La conducta honesta es recompensada (es decir, la persona honesta consigue el empleo), y la conducta deshonesta no lo es (es decir, los dos primeros aspirantes no consiguen el empleo). Esta historia podría enseñar de forma vicaria el concepto de honestidad.

Los estímulos que forman parte de una clase pueden funcionar como miembros de una clase de estímulos con características análogas y de una clase de estímulos arbitraria (McIlvane, Dube, Green y Serna, 1993). Los estímulos de una **clase de estímulos con características análogas** tienen formas físicas comunes (por ejemplo, estructuras topográficas) o las mismas relaciones relativas (por ejemplo, una disposición espacial). Las clases de estímulos con características análogas incluyen un número infinito de estímulos y suponen una gran parte de nuestra conducta conceptual. Por ejemplo, el concepto de *perro* está basado en una clase de estímulos con formas análogas. Las formas físicas comunes de todos los perros serán miembros de esa clase de estímulos. Un niño pequeño, a través del reforzamiento diferencial, aprenderá a diferenciar a los perros de los caballos, gatos, vacas, etc. La forma física proporciona relaciones comunes a muchas clases de estímulos con características análogas tales como los estímulos que evocan las respuestas *libro*, *mesa*, *casa*, *árbol*, *taza*, *gato*, *alfombra*, *cebolla*, y *coche*. Otras clases con características análogas se basan en relaciones relativas entre los estímulos. Ejemplos de estas clases basadas en relaciones relativas se encuentran en conceptos tales como *mayor que*, *más caliente que*, *más alto que*, *encima de*, y *a la izquierda de*.

Los estímulos que forman una **clase de estímulos arbitraria** evocan la misma respuesta, pero no comparten características físicas análogas (es decir, no tienen una forma física parecida, ni comparten propiedades relacionales). Las clases de estímulos arbitrarias están formadas por un número limitado de estímulos. Por ejemplo, un maestro podría establecer una clase de estímulos arbitraria con los estímulos *50%*, *1/2*, *dividido en parte iguales* y *0,5* (ver Figura 17.2). Tras este entrenamiento, cada uno de esos estímulos con formas físicas diferentes evocará la misma respuesta *un medio*. *Judías verdes*, *espárragos*, *patatas* y *maíz* podrían convertirse en una clase de estímulos arbitraria que evocase la respuesta *vegetal*. Los estudiantes aprenden a asociar las vocales con la clase arbitraria de letras *A*, *E*, *I*, *O*, *U* y en ocasiones *Y*.

El desarrollo de conceptos y relaciones verbales complejas desempeña un importante rol en la crianza de los niños, su cuidado, educación y tratamiento. Los analistas aplicados de la conducta deben considerar diferentes procedimientos de instrucción para enseñar conceptos y relaciones verbales complejas que den lugar a clases de estímulos con propiedades análogas y clases de estímulos arbitrarias. Un procedimiento de instrucción empleado habitualmente para establecer clases de estímulos con propiedades análogas es reforzar diferencialmente respuestas ante ejemplares (E^D) y no ejemplares (E^Δ) del concepto. La ocurrencia de una amplia generalización es habitual en clases de estímulos con propiedades análogas; dependiendo del nivel de desempeño de los participantes, el entrenamiento en unos

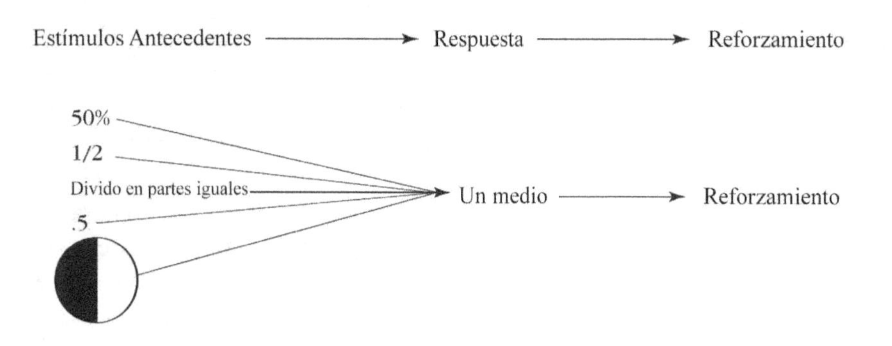

Figura 17.2 Estímulos antecedentes con diferentes formas físicas que evocan la misma respuesta, *un medio*. Un ejemplo de una clase de estímulos arbitrarios.

pocos ejemplares puede ser suficiente para desarrollar un concepto. La generalización de estímulo, sin embargo, no es una característica de las clases de estímulos arbitrarias. Los analistas aplicados de la conducta han desarrollado clases de estímulos arbitrarias usando procedimientos de **igualación a la muestra** para generar equivalencia de estímulos entre estímulos arbitrarios.

Equivalencia de estímulos

En un trabajo experimental históricamente influyente, Sidman (1971) demostró el desarrollo de una clase de estímulos de equivalencia formada por estímulos arbitrarios. Un adolescente con retraso mental severo sirvió como participante. Antes del experimento, el participante podía:

1. igualar dibujos con sus nombres dictados en voz alta y

2. nombrar los dibujos.

También antes del experimento, el participante podía:

3. igualar palabras escritas con palabras dictadas

4. igualar palabras escritas con dibujos,

5. igualar dibujos con palabras escritas, y

6. leer en voz alta palabas escritas.

Sidman descubrió que una vez que al adolescente se le enseño a igualar nombres escritos con nombres dictados (3), él pudo, sin instrucción adicional, igualar nombres escritos con dibujos (4), igualar dibujos con nombres escritos (5), y decir en voz alta los nombres escritos (6). En otras palabras, como resultado de aprender una nueva relación estímulo–estímulo (3), las otras tres relaciones estímulo–estímulo (4, 5, y 6) emergieron sin entrenamiento adicional o reforzamiento. Cuando Sidman unió dos o más conjuntos de relaciones estímulo–estímulo, las otras relaciones estímulo–estímulo no instruidas o reforzadas emergieron. Sin instrucción, el lenguaje receptivo y expresivo del participante se expandió más allá del nivel existente antes del experimento. Esto es un gran premio, algo a lo que apuntar en el diseño curricular y de programas de entrenamiento.

Tras la investigación de Sidman (ver Sidman, 1994), la equivalencia de estímulos se ha convertido en un área importante de la investigación básica y aplicada en muchas áreas relacionadas con las relaciones verbales complejas, tales como la lectura (Kennedy, Itkonen y Lindquist, 1994), el lenguaje de las artes (Lane y Critchfield, 1998), y las matemáticas (Lynch y Cuvo, 1995). Por ejemplo, Rose, De Souza y Hanna (1996) enseñaron a siete niños que no sabían leer a leer 51 palabras. Los niños igualaron las palabras escritas con palabras dictadas, copiaron las palabras y las leyeron en voz alta. Todos los niños aprendieron las 51 palabras, y cinco de los siete niños leyeron además palabras no entrenadas. Los datos de Rose y colaboradores demostraron el potencial de la equivalencia de estímulos como un proceso para la enseñanza de la lectura.

La investigación sobre equivalencia de estímulos ha contribuido a la comprensión de las relaciones estímulo–estímulo en la conducta humana compleja. Sidman (1971) y otros investigadores de la equivalencia de estímulos durante los años setenta (p.ej., Sidman y Cresson, 1973; Spradlin, Cotter y Baxley, 1973) dieron a los futuros analistas de conducta un poderoso método para la enseñanza de relaciones estímulo–estímulo (es decir, el control de estímulo condicional).

Definición de equivalencia de estímulos

La equivalencia describe la emergencia de respuestas precisas ante relaciones estímulo-estímulo no entrenadas o reforzadas tras el reforzamiento de respuestas a otras relaciones estímulo–estímulo. Los analistas de conducta definen la **equivalencia de estímulos** evaluando la reflexividad, simetría, y transitividad entre las relaciones estímulo–estímulo. Es necesario un resultado positivo en estas tres pruebas (es decir, reflexividad, simetría, y transitividad) para cumplir la definición de relación de equivalencia entre un conjunto de estímulos arbitrarios. Sidman y Tailby (1982) basaron esta definición en la proposición matemática:

a. Si A = B, y

b. B = C, entonces

c. A = C

La **reflexividad** ocurre cuando en ausencia de entrenamiento y reforzamiento ocurre una respuesta de selección de un estímulo idéntico a sí mismo (p.ej., A = A). Por ejemplo, a un participante se le presenta el dibujo de una bicicleta junto a tres opciones de elección que son los dibujos de un coche, un avión y una bicicleta. La reflexividad, también llamada *igualación idéntica generalizada*, ocurre si el participante en ausencia de instrucción selecciona la bicicleta de entre las tres opciones.

Lane y Critchfield (1998) enseñaron la igualación

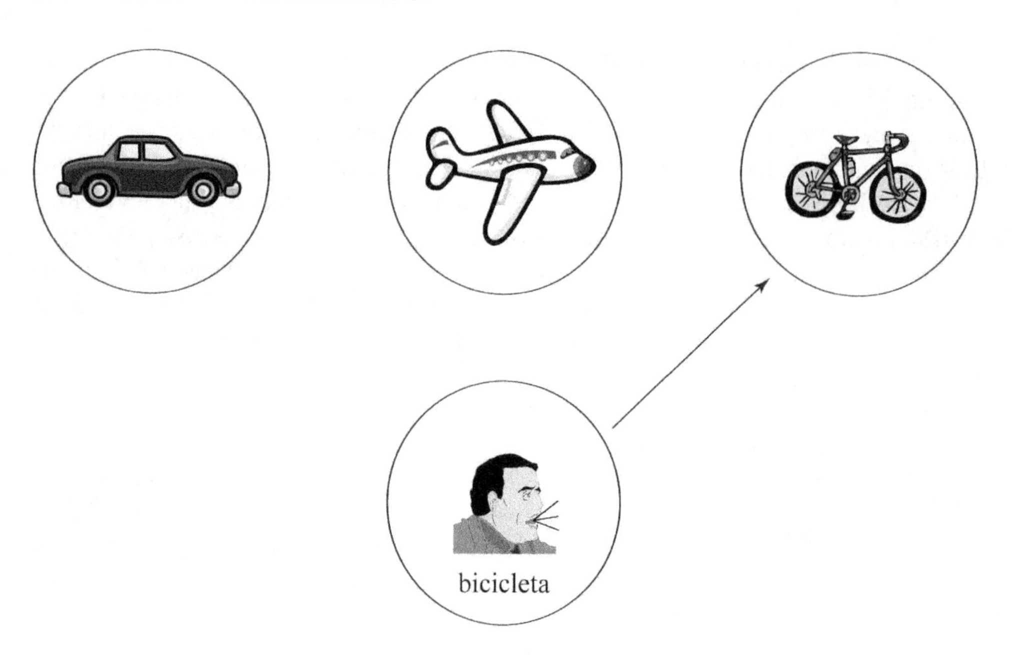

Figura 17.3 Ejemplo de una relación A = B (nombre dictado y dibujo)

idéntica generalizada de letras impresas presentadas junto con palabras dictadas en voz alta ("vocal" o "consonante") a dos adolescentes con retraso mental moderado. Los estímulos de comparación A y D, y O y V acompañaron a la muestra dictada en voz alta "vocal". La igualación idéntica generalizada ocurrió cuando los participantes a quienes se les presentó la muestra dictada en voz alta "vocal" seleccionaron O de entre los estímulos O y V y excluyeron la comparación no idéntica V; y seleccionaron la comparación A de entre los estímulos A y D y excluyeron la selección de la comparación no idéntica D.

La **simetría** ocurre con la reversibilidad del estímulo de muestra y el estímulo de comparación (p.ej., si A = B, entonces B = A). Por ejemplo, a un estudiante se le enseña, cuando se le presenta la palabra dictada *coche* (estímulo de muestra A), a seleccionar [399] el dibujo de un coche (comparación B). Cuando se le presenta el dibujo de un coche (estímulo de muestra B), sin entrenamiento adicional o reforzamiento, el estudiante selecciona la palabra dictada de comparación *coche* (comparación A).

La **transitividad**, el test final y decisivo para la equivalencia de estímulos, es una relación estímulo–estímulo derivada (es decir, no entrenada) (p.ej., A = C, C = A) que emerge como producto del entrenamiento de otras dos relaciones estímulo–estímulo (p.ej., A = B y B = C). Por ejemplo, la transitividad se demostraría si, tras

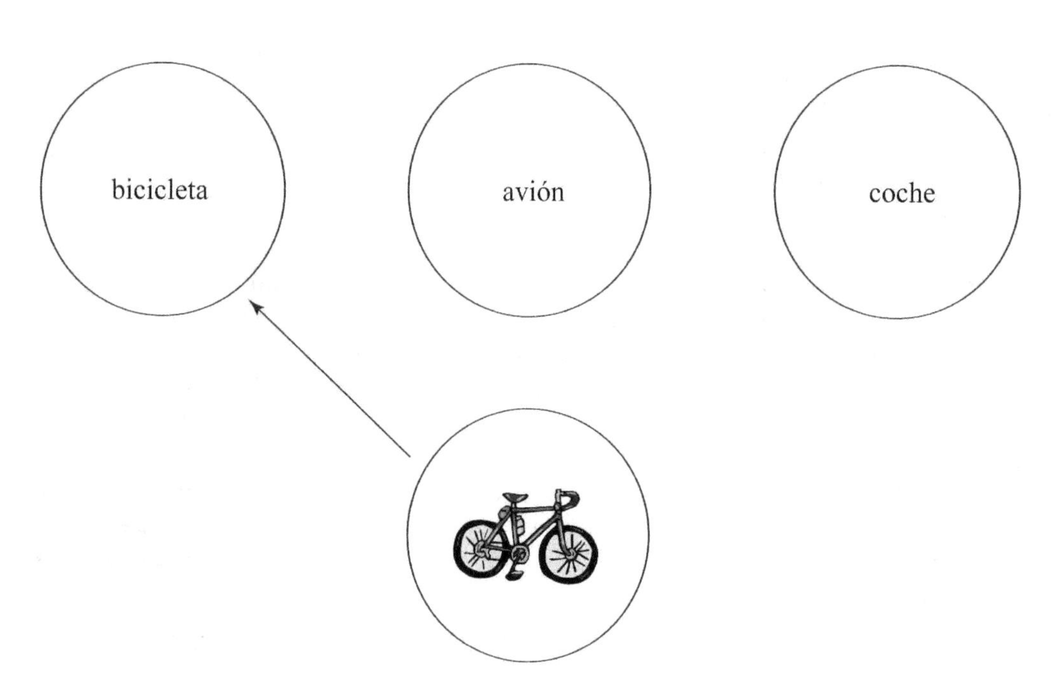

Figura 17.4 Ejemplo de una relación B = C (dibujo y palabra escrita)

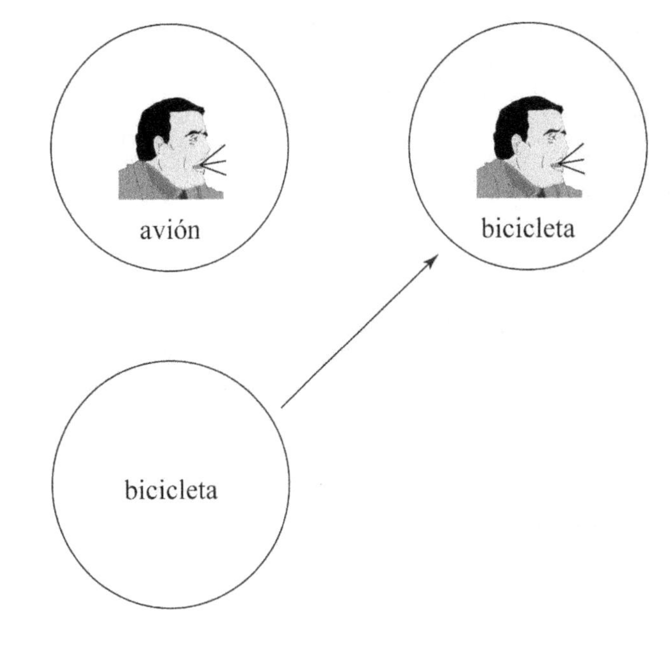

Figura 17.5 Ejemplo de una relación transitiva C = A (palabra escrita y nombre dictado), que emerge como resultado del entrenamiento de las relaciones A = B (nombre dictado y dibujo) y B = C (dibujo y palabra escrita).

entrenar las dos relaciones estímulo–estímulo descritas en los puntos 1 y 2, la relación descrita en el punto 3 emergiese sin instrucción adicional o reforzamiento:

1. Si A (p.ej., la palabra dictada *bicicleta*) = B (p.ej., el dibujo de una *bicicleta*) (ver Figura 17.3), y
2. B (el dibujo de una bicicleta) = C (p.ej., la palabra escrita *bicicleta*) (ver Figura 17.4), entonces
3. C (la palabra escrita *bicicleta*) = A (la palabra dictada, *bicicleta*) (ver Figura 17.5).

Igualación a la Muestra

Investigadores básicos y aplicados han usado el procedimiento de igualación a la muestra para desarrollar y evaluar la equivalencia de estímulos. Dinsmoor (1995b) afirmó que Skinner introdujo el procedimiento experimental llamado igualación a la muestra, y describió el procedimiento de Skinner del siguiente modo. A una paloma se le presentaron tres teclas dispuestas horizontalmente en las que picotear. La tecla de en medio se iluminó con una luz de color al comienzo del ensayo. Un picotazo en la tecla iluminada provocó que esa tecla se apagase y se encendiesen las otras dos teclas situadas a ambos lados. Una de las teclas laterales era del mismo color que la muestra de la tecla central. Un picotazo en la tecla lateral del mismo color que la tecla de muestra produjo reforzamiento. Las repuestas erróneas no fueron reforzadas.

La contingencia de tres términos es la unidad básica de análisis en el desarrollo de repertorios de control de estímulo complejos. El procedimiento de igualación a la muestra de Skinner incluyó la contingencia de tres términos:

E^D ------------→	Respuesta ------------→	Reforzamiento
Tecla lateral de color	Picotazo en la tecla	Grano

Esta contingencia básica, sin embargo, es incompleta por las limitaciones que impone el contexto medioambiental. Los eventos contextuales que operan sobre la contingencia de tres términos se convierten en discriminaciones condicionales (Sidman, 1994). El estímulo de muestra en el procedimiento de Skinner es el estímulo condicional. La contingencia de tres términos es efectiva solo cuando iguala al estímulo de muestra. Otras contingencias de tres términos (no igualaciones) no son efectivas. El reforzamiento es condicional al contexto de estímulos discriminativos distintos al E^D; esto es, la efectividad de la contingencia de tres términos está bajo control contextual. Las discriminaciones condicionales operan al nivel de una contingencia de cuatro términos:

Estímulo contextual →	E^D -----→	Respuesta→	Reforzamiento
Muestra condicional	Tecla lateral de color	Picotazo en la tecla	Grano
Tecla de color			
	E^{Δ}		
	Color que no iguala a la muestra		

Para comenzar un ensayo de igualación a la muestra, el participante deberá dar una respuesta (llamada respuesta de observación) para presentar el estímulo de muestra (es decir, el estímulo condicional). Los

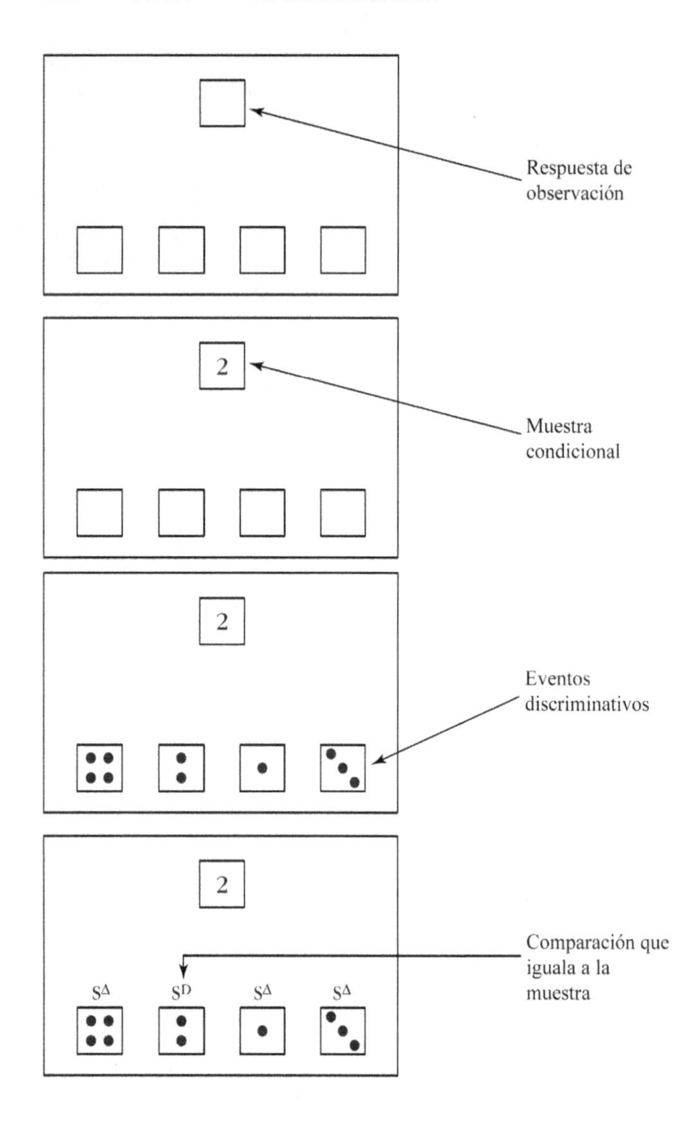

Figura 17.6 Ejemplo de la respuesta de observación, la muestra condicional, los eventos discriminativos, y la comparación que iguala a la muestra durante un ensayo de igualación a la muestra.

estímulos de comparación (es decir, los eventos discriminativos) se presentan usualmente después de retirar el estímulo de muestra, pero no siempre, y dan lugar a contingencias de tres términos efectivas y no efectivas. Una cierta comparación igualará a la muestra condicional. Una respuesta de selección de la comparación que iguala a la muestra y evita la selección de la comparación que no iguala a la muestra producirá reforzamiento. La Figura 17.6 muestra un ejemplo de la respuesta de observación, una muestra condicional, eventos discriminativos, y una comparación que iguala a la muestra. Las respuestas de selección de los estímulos que no igualan a la muestra no son reforzadas. Durante el entrenamiento de discriminaciones condicionales, una opción debe ser correcta en presencia de un estímulo condicional, e incorrecta en presencia de otra u otras muestras. Un procedimiento de corrección hace que el aprendiz responda ante los mismos estímulos de muestra y comparación hasta que una respuesta correcta sea reforzada. Los procedimientos de corrección de errores y la posición aleatoria de los estímulos de comparación impiden la ocurrencia de respuestas basadas en la posición.

Factores que afectan al desarrollo del control de estímulos

Los analistas aplicados de la conducta establecen el control de estímulos mediante el reforzamiento diferencial frecuente de la conducta en presencia y ausencia de la condición del E^D. El reforzamiento diferencial eficaz requiere el uso consistente de consecuencias que funcionan como reforzadores. Otros factores adicionales como las habilidades preatencionales, la saliencia del estímulo, el enmascaramiento y el ensombrecimiento también afectarán al desarrollo del control de estímulos.

Habilidades preatencionales

El desarrollo del control de estímulos requiere de ciertas habilidades preatencionales. En tareas académicas o habilidades sociales el estudiante debe llevar a cabo respuestas de orientación apropiadas hacia los E^D, en el contexto instruccional. Tales habilidades preatencionales incluyen mirar hacia los materiales de instrucción, mirar hacia el maestro cuando modela una respuesta, escuchar instrucciones orales, y sentarse quieto por breves períodos de tiempo. Los maestros deberían usar intervenciones conductuales para enseñar habilidades preatencionales específicas a los estudiantes que no las hayan desarrollado. Los estudiantes deben emitir conductas que orienten los receptores sensoriales a los E^D para desarrollar control de estímulo.

Saliencia del estímulo

La saliencia del estímulo influye en la atención al estímulo y en último término en el desarrollo del control de estímulo (Dinsmoor, 1995b). La saliencia se refiere a la prominencia de un estímulo en el entorno de una persona. Por ejemplo, Conners y colaboradores (2000) incluyeron señales salientes (un color de habitación específico, terapeutas específicos, etc.), en el contexto de un análisis funcional multielemento. Sus resultados sugirieron que las señales salientes facilitaron la eficiencia del análisis funcional produciendo resultados más rápidos y claros en la presencia de las señales salientes.

Algunos estímulos tienen mayor saliencia que otros según las capacidades sensoriales del individuo, la historia pasada de reforzamiento, y el contexto ambiental. Por ejemplo, un estudiante puede no atender a las palabras escritas en la pizarra a causa de su escasa visión, o a las instrucciones orales del maestro por su escasa capacidad auditiva, o a los materiales curriculares a causa de fallos previos en el aprendizaje, o a las instrucciones del maestro porque centra su atención en un juguete situado en su pupitre.

Enmascaramiento y ensombrecimiento

El enmascaramiento y el ensombrecimiento son métodos para reducir la saliencia de los estímulos (Dinsmoor, 1995b). En el enmascaramiento, aun cuando un estímulo ha adquirido control de estímulo sobre la conducta, otro estímulo competidor puede bloquear su función evocadora. Por ejemplo, un estudiante puede saber la respuesta a las preguntas del maestro, pero no responderá en presencia del grupo de compañeros, que en este ejemplo supone la competencia de diferentes contingencias de reforzamiento, y no solo un estímulo antecedente que dificulta el "atender" al E^D relevante. En el ensombrecimiento, la presencia de un estímulo interfiere en la adquisición de control de estímulo por parte de otro estímulo. Algunos estímulos son más salientes que otros. Por ejemplo, mirar por la ventana para ver a las animadoras practicar puede distraer a algunos estudiantes impidiéndoles atender a los estímulos instruccionales presentados durante la lección de álgebra.

Los analistas aplicados de la conducta deben reconocer que el enmascaramiento y el ensombrecimiento pueden obstaculizar el desarrollo del control de estímulo, y deben aplicar procedimientos para reducir estos efectos. Ejemplos de la reducción de la influencia del enmascaramiento y el ensombrecimiento incluyen (a) reordenar el entorno físico (p.ej., bajando la persiana de la ventana, eliminando distractores o cambiando a los estudiantes de pupitre), (b) haciendo que los estímulos instruccionales tengan una intensidad apropiada (p.ej., proporcionando un ritmo rápido de instrucción, numerosas oportunidades para responder, un nivel de dificultad apropiado, y oportunidades para establecer objetivos), y (c) reforzando consistentemente la conducta en presencia de los estímulos instruccionales relevantes.

El uso de ayudas para desarrollar el control de estímulo

Las ayudas son estímulos antecedentes adicionales que se utilizan para dar lugar a una respuesta correcta ante un E^D que acabará por controlar la conducta. Los analistas aplicados de la conducta dan ayudas a la respuesta y al estímulo antes o [402] durante la ejecución de una conducta. Las ayudas a la respuesta actúan directamente sobre la respuesta. Las ayudas al estímulo actúan directamente sobre los estímulos de la tarea anterior para dar pie a una respuesta correcta combinada con el E^D crítico.

Ayudas a la respuesta

Las tres formas principales de ayudas a la respuesta son las instrucciones verbales, el modelado y la guía física.

Instrucciones verbales

Los analistas aplicados de la conducta utilizan instrucciones verbales funcionalmente apropiadas como ayudas suplementarias a la respuesta. Las ayudas a la respuesta verbal tienen lugar en casi todos los contextos de entrenamiento normalmente en forma de instrucción verbal vocal (p.ej., oral o contada) e instrucción verbal no vocal (p.ej., palabras por escrito, signos manuales o imágenes).

Los maestros utilizan con frecuencia ayuda instruccional verbal vocal. Supongamos que un maestro le pide a un alumno que lea la frase "Las plantas necesitan tierra, aire y agua para crecer." y el alumno lee "Las plantas necesitan... Las plantas necesitan… Las plantas necesitan…", el maestro podría utilizar numerosas ayudas verbales para dar pie a la siguiente palabra. Podría decir: "La siguiente palabra es *tierra*. Señalar la palabra *tierra* y decir *tierra*." O podría utilizar una palabra que rimara con *tierra*. Otro ejemplo: Adkins y Mathews (1997) instruyeron a cuidadores a domicilio para utilizar ayudas verbales vocales a la respuesta para mejorar los procesos de evacuación de dos adultos con incontinencia urinaria y deterioro cognitivo. Los cuidadores a domicilio comprobaban si se habían producido evacuaciones cada hora o cada dos horas entre las 06:00 y las 21:00. El cuidador elogiaba al adulto cuando este estaba seco, le pedía que usara el baño y le proporcionaba la asistencia necesaria cuando estaba seco en los momentos designados en que lo comprobaba. Este simple proceso de ayuda a la respuesta, que se introdujo utilizando una condición de lineabase, produjo en uno de los adultos una reducción de una media de 22% de gramos de orina al día en los pañales mojados durante la condición de ayuda a la evacuación en espacios de dos horas, y una reducción de una media de 69% durante la condición de ayuda a la evacuación en espacios de una hora. Con el segundo adulto solo se utilizó la condición de ayuda a la evacuación en espacios de una hora, que obtuvo como resultado una reducción de una media de 55% de la orina al día.

Krantz y McClannahan (1998) y Sarokoff, Taylor y Poulson (2001) utilizaban ayudas verbales instruccionales no vocales a la respuesta en forma de textos insertados para mejorar los intercambios sociales espontáneos en niños con autismo. Algunos ejemplos de los textos insertados en la actividad programada de fotografía de los niños incluían *mira*, *observa* y *vamos a merendar*. En otro ejemplo de ayudas verbales instruccionales no vocales a la respuesta, Wong, Seroka y Ogisi (2000) desarrollaron una lista de 54 pasos como ayuda a la autocomprobación de los niveles de glucosa en sangre de una mujer diabética con deterioro de la memoria. La participante seguía la lista y tachaba cada paso una vez lo completaba.

Modelado

Los analistas aplicados de la conducta muestran o modelan la conducta deseada como ayuda a la respuesta. El modelado puede ser muy eficaz en la ayuda a la conducta, sobre todo cuando las personas a las que se dirige ya han aprendido algunas de las conductas componentes necesarias para la imitación. El modelado es una forma fácil, práctica y útil para que un entrenador de baloncesto le muestre a un jugador la manera apropiada de meter el balón en la canasta, cuando el jugador sabe sostener la pelota, levantarla por encima de su cabeza y lanzarla lejos de su cuerpo. Pocos maestros utilizarían el modelado para enseñar a un niño con una discapacidad grave a atarse los zapatos, si este no sabe agarrar los cordones con los dedos. Igualmente, las habilidades atencionales tienen una gran importancia ya que el aprendiz debe observar al modelo para que sea posible la imitación de la ejecución. Por último, el modelado como ayuda a la respuesta debería utilizarse únicamente con alumnos que ya hayan desarrollado habilidades de imitación. El uso de modelos para favorecer el desarrollo de una conducta social y académica apropiada se ha demostrado útil en repetidas ocasiones. El capítulo 18 muestra una discusión detallada sobre modelado e imitación.

Guía física

La guía física es una ayuda a la respuesta que se aplica sobre todo con niños pequeños, alumnos con discapacidades graves y adultos de edad avanzada con limitaciones físicas. Al utilizar la guía física, el maestro guía físicamente los movimientos del alumno, o bien de manera parcial, o bien de manera completa a lo largo de todo el movimiento de la respuesta.

Hanley, Iwata, Thompson y Lindberg (2000) informaron del uso de guía física para ayudar a participantes con discapacidad mental grave a manipular objetos de entretenimiento. Conaghan, Singh, Moe, Landrum y Ellis (1992) usaron la guía física para ayudar a adultos con discapacidad mental y auditiva a utilizar signos manuales. Cuando un participante cometía un error en la producción de signos, el maestro guiaba físicamente sus manos como ayuda a la respuesta correcta. En otro ejemplo, un entrenador personal trabajaba con tres adultos de edad avanzada con discapacidades graves, osteoporosis y artritis. El entrenador guiaba físicamente los movimientos del brazo del participante cuando este no iniciaba levantamientos independientes con una mancuerna o dejaba de realizar el ejercicio antes de alcanzar el objetivo fijado (K. Cooper y Browder, 1997).

La guía física es una ayuda efectiva a la respuesta, pero es más intrusiva que la instrucción verbal o el modelado. Requiere una participación física directa entre el maestro y el alumno, y esto dificulta la evaluación precisa del progreso del alumno. Las ayudas físicas a la respuesta proporcionan pocas oportunidades al alumno de emitir la conducta sin la asistencia directa del maestro. Otro posible problema es la resistencia de algunas personas al contacto físico. Otras, sin embargo, pedirán la utilización de la guía física.

Ayudas al estímulo

Los analistas aplicados de la conducta han utilizado con frecuencia el movimiento, la posición y la redundancia de los estímulos antecedentes como ayudas al estímulo. Por ejemplo, las señales de movimiento pueden ayudar a un alumno a distinguir entre una moneda de un penique y una de diez, al señalar, dar toques, tocar o mirar la moneda para que el alumno la identifique. En el ejercicio de discriminación de monedas el maestro podría utilizar una señal de posición y colocar la moneda correcta más cerca del alumno. Las señales de redundancia se dan cuando una o más dimensiones del estímulo o la respuesta (p.ej., color, tamaño o forma) se emparejan con la opción correcta. Por ejemplo, un maestro podría utilizar un procedimiento de mediación del color de asociar un número a un color, y después unir el nombre de un color a una respuesta a un hecho aritmético (Van Houten y Rolider, 1990).

Transferencia de control de estímulo

Los analistas aplicados de la conducta deberían proporcionar ayudas a la respuesta y al estímulo como estímulos antecedentes *suplementarios* únicamente en la fase de adquisición de la instrucción. Con la ocurrencia fiable de la conducta, los analistas aplicados de la conducta tienen que transferir el control de estímulo de las ayudas (a la respuesta y al estímulo) hacia el estímulo que existe de manera natural. Los analistas aplicados de la conducta transfieren el control de estímulo desvaneciendo el estímulo, presentando o retirando gradualmente los estímulos antecedentes. Finalmente, el estímulo natural, un estímulo ligeramente cambiado o un estímulo nuevo evocará la respuesta. El procedimiento que se utiliza para transferir el control de estímulo de las ayudas al estímulo natural y para para reducir el número de respuestas erróneas que tienen lugar ante la presencia del estímulo natural es el desvanecimiento de las ayudas.

La influyente investigación de Terrace (1963a, b) sobre la transferencia del control de estímulo mediante el uso del desvanecimiento y la superposición de estímulos proporciona un ejemplo clásico de transferencia del control de estímulo. En estos estudios, Terrace enseñó a palomas a hacer discriminaciones rojo/verde y vertical/horizontal con un mínimo de errores. Su uso de técnicas para la transferencia gradual del control de estímulo recibió el nombre de *aprendizaje sin errores*. Para enseñar la discriminación rojo/verde, Terrace presentó el E^{Δ} (luz roja) al inicio del entrenamiento de la discriminación, antes de que el E^{D} (luz verde) tuviera control de estímulo sobre las respuestas de la paloma. La introducción inicial de la luz roja se efectuó con iluminación débil y durante períodos cortos de tiempo. Durante las sucesivas presentaciones de los estímulos, Terrace fue incrementando gradualmente la intensidad de la luz roja y la duración del tiempo de encendido, hasta que solo se diferenciaba de la luz verde en el tono. Con este procedimiento, Terrace enseñó a palomas a discriminar el rojo del verde con un número mínimo de errores (de respuestas al E^{Δ}).

Más adelante, Terrace demostró que el control de estímulo adquirido con las luces rojas y verdes podía transferirse a líneas horizontales y verticales con un número de errores mínimo (es decir, de respuestas en presencia del E^{Δ}). Su procedimiento consistía, en primer lugar, en la superposición de una línea blanca vertical sobre la luz verde (E^{D}) y una línea blanca horizontal sobre la luz roja (E^{Δ}). A continuación se presentó a las palomas varias muestras de ambos estímulos compuestos. Por último, la intensidad de las luces rojas y verdes se fue reduciendo gradualmente hasta que solo quedaron las líneas vertical y horizontal como condiciones de estímulo. Las palomas presentaron una transferencia casi perfecta del control de estímulo de las luces roja/verde a las líneas vertical/horizontal. Es decir, emitían respuestas en presencia de la línea vertical (E^{D}) y casi nunca respondían a la presencia de la línea horizontal (E^{Δ}).

Tras la obra de Terrace, otros investigadores pioneros (como Moore y Goldiamond, 1964) llevaron a cabo estudios históricos que mostraron que la transferencia del control de estímulo con escasas respuestas incorrectas era posible con humanos en fase de aprendizaje, lo que proporcionó las bases para desarrollar procedimientos para transferir el control del estímulo de ayudas a la respuesta a estímulos naturales en el contexto aplicado.

La transferencia del control de estímulo de las ayudas a la respuesta a los estímulos naturales

Wolery y Gast (1984) describieron cuatro procedimientos para transferir el control de estímulo desde las ayudas a la respuesta hasta los estímulos naturales. Describen estos procedimientos como ayudas de más a menos o regresivas, guía gradual, ayudas de menos a más o progresivas y demora.

Ayudas de más a menos o regresivas

El analista aplicado de la conducta puede utilizar ayudas regresivas a la respuesta para transferir el control de estímulo de las ayudas a la respuesta al estímulo natural cuando un participante no responde al estímulo natural o produce una respuesta incorrecta. En la aplicación de las ayudas regresivas a la respuesta, el analista guía físicamente al participante durante toda la secuencia del ejercicio, después reduce gradualmente la cantidad de asistencia física proporcionada a medida que se progresa en el entrenamiento y avanzan los ensayos y las sesiones. Normalmente, las ayudas regresivas van de la guía física a las ayudas visuales, de ahí a las instrucciones verbales y, por último, al estímulo natural sin ayudas.

Guía gradual

El analista aplicado de la conducta proporciona guía física en la medida que sea necesaria, pero si utiliza la guía gradual, comenzará inmediatamente a desvanecer las ayudas físicas para transferir el control de estímulo. La guía gradual comienza con el seguimiento por parte del analista aplicado de la conducta de los movimientos del participante con las manos, pero sin llegar a tocarlo. En el siguiente paso, el analista aumenta la distancia entre sus manos y el participante, cambiando gradualmente la ubicación de la ayuda física. Por ejemplo, si el analista utiliza la guía física con el movimiento de la mano de un participante al cerrarse la cremallera del abrigo, la ayuda se irá desplazando de la mano a la muñeca, después al codo, luego al hombro, hasta que no haya ningún contacto físico. La guía gradual brinda la oportunidad de ayuda física inmediata si se necesita.

Ayudas de menos a más o progresivas

Al transferir el control de estímulo de ayudas a la respuesta utilizando ayudas progresivas, el analista aplicado de la conducta ofrece al participante la oportunidad de llevar a cabo la respuesta con la menor cantidad de asistencia posible en cada ensayo. El participante recibe mayores grados de asistencia con cada ensayo sucesivo que no produzca una respuesta correcta. El procedimiento de las ayudas progresivas requiere que el participante lleve a cabo una respuesta correcta dentro de un límite de tiempo (p.ej., 3 segundos) desde la presentación del E^D natural. Si la respuesta no tiene lugar en el límite de tiempo fijado, el analista aplicado de la conducta presentará de nuevo el E^D natural junto con una ayuda a la respuesta que conlleve la menor asistencia posible, como una ayuda verbal a la respuesta. Si, tras el mismo límite de tiempo (p.ej., otros 3 segundos), el participante no produce una respuesta correcta, el analista proporciona el E^D natural junto con otra ayuda a la respuesta, como un gesto. Si una cantidad menor de ayuda no evoca una respuesta correcta, el participante recibe una guía parcial o completa. Los analistas aplicados de la conducta que utilizan el procedimiento de ayuda a la respuesta progresiva presentan el E^D natural y el mismo límite de tiempo en cada ensayo de entrenamiento. Por ejemplo, Heckaman, Alber, Hooper y Heward (1998) utilizaban instrucciones, ayudas verbales no específicas, modelado y ayudas físicas en una jerarquía de ayudas progresivas a la respuesta de 5 segundos para mejorar la conducta molesta de cuatro alumnos con autismo.

Demora

Para producir una transferencia del control de estímulo, las ayudas regresivas, la guía gradual y las ayudas progresivas se producen como consecuencias de los cambios graduales en la forma, la posición o la intensidad de una respuesta evocada por el estímulo natural. A la inversa, como ayuda antecedente a la respuesta, los procedimientos de demora se sirven únicamente de variaciones en los intervalos de tiempo entre la presentación del estímulo natural y la presentación de la ayuda a la respuesta. La demora constante y la demora progresiva transfieren el control del estímulo de una ayuda al estímulo natural al retrasar la presentación de la ayuda que viene a continuación del estímulo natural.

El procedimiento de demora constante presenta en primer lugar varios ensayos con una demora de 0 segundos, es decir, la presentación simultánea del estímulo natural y la ayuda a la respuesta. Normalmente, aunque no siempre (Schuster, Griffen y Wolery, 1992), en los ensayos que siguen a la condición de ayuda simultánea se aplica una demora fija (p.ej., 3 segundos) entre la presentación del estímulo natural y la presentación de la ayuda a la respuesta (Caldwell, Wolery, Werts y Caldwell, 1996).

El procedimiento de demora progresiva, como la demora constante, comienza con una demora de 0 segundos entre la presentación del estímulo natural y la ayuda a la respuesta. Habitualmente, un maestro utilizará varios ensayos de 0 segundos antes de ampliar la demora. El número de ensayos de 0 segundos dependerá de la dificultad de la tarea y del nivel funcional del participante. Tras las presentaciones simultáneas el maestro irá ampliando la demora, de manera gradual y sistemática, normalmente en intervalos de 1 segundo. La demora se podrá ampliar tras un número específico de presentaciones, después de cada sesión, tras un número específico de sesiones o después de alcanzar un objetivo fijado.

Heckaman y colaboradores (1998) utilizaron el siguiente procedimiento de demora progresiva: comenzaron con ensayos de 0 segundos, presentando simultáneamente la ayuda controladora a la respuesta (p.ej., ayuda física o modelado) y la instrucción de la tarea. Las presentaciones simultáneas continuaron hasta que el participante alcanzó el criterio de nueve respuestas correctas. La primera demora se fijó en 0,5 segundos. Tras alcanzar el objetivo de 0,5 segundos, los investigadores incrementaron la demora desde 1 segundo hasta llegar a 5 segundos. Las respuestas correctas que tenían lugar antes de la ayuda a la respuesta o dentro de un lapso de 3 segundos tras recibir la ayuda recibían una frase positiva (p.ej., "Bien"). Las respuestas erróneas recibían una frase negativa (p.ej., "No, eso no está bien") y la ayuda controladora. Asimismo, el ensayo posterior a una respuesta errónea volvía a la demora del nivel anterior. La ayuda controladora también se presentaba con conductas molestas.

Transferencia del control de estímulo utilizando el moldeamiento

Las secciones anteriores se centraban en ayudas a la respuesta que no cambian los estímulos de la tarea ni el material. Los procedimientos de moldeamiento del control de estímulo que se presentan aquí modifican los estímulos de la tarea o los materiales gradual y sistemáticamente para ayudar a la respuesta. Las condiciones suplementarias del estímulo se introducen gradualmente o se desvanecen para transferir el control de estímulo de la ayuda al estímulo natural. El moldeamiento del control de estímulo se puede alcanzar mediante el desvanecimiento del estímulo y las transformaciones de la forma del estímulo (McIlvane y Dube, 1992; Sidman y Stoddard, 1967).

Desvanecimiento del estímulo

El desvanecimiento del estímulo implica recalcar una dimensión física (p.ej., color, forma, posición, etc.) de un estímulo para aumentar la probabilidad de una respuesta correcta. La dimensión recalcada o exagerada se introduce gradualmente o se desvanece. Los siguientes ejemplos de (a) escribir en mayúsculas de la letra *A* y (b) dar la respuesta 9 a un problema aritmético son ilustraciones de estímulos que se desvanecen.

A A A A A

4 + 5 = 9, 4 + 5 = 9, 4 + 5 = 9, 4 + 5 = 9.

Krantz y McClannahan (1998) desvanecieron los guiones insertados en la actividad programada de fotografía (p.ej., las palabras *Mira* y *Mírame*). Los guiones eran una ayuda a los intercambios sociales de niños con autismo. Las palabras *Mira* y *Mírame* estaban insertadas en tarjetas de 9 cm con una tipografía de tamaño 72 en negrita. Krantz y McClannahan comenzaron a difuminarlas, retirando primero un tercio de las tarjetas y después otro tercio. En algunas ocasiones, durante el proceso de desvanecimiento de las inscripciones, todavía podían verse partes de las letras en las tarjetas, como parte de la *i* en *Mira*. Finalmente, se retiraron las inscripciones y las tarjetas.

El tratamiento de un trastorno de alimentación sobre el que informaron Patel, Piazza, Kelly, Ochsner y Santana (2001) proporciona un ejemplo de introducción gradual y desvanecimiento de estímulos. La selección extrema de los alimentos es un problema común en los niños con trastornos de la alimentación. Por ejemplo, algunos niños presentan aversión hacia los alimentos con mucha textura y les da miedo atragantarse con ellos. Patel y colaboradores introdujeron gradualmente un preparado alimenticio en polvo para el desayuno [Carnation Instant Breakfast], y más tarde leche en el agua, como parte del tratamiento de un niño de 6 años con trastorno generalizado del desarrollo de la alimentación. El niño ingería pequeñas cantidades de agua. Los investigadores iniciaron el proceso de introducción gradual añadiendo el 20% de un sobre del preparado en polvo a 240 ml de agua. Tras tres sesiones en las que el niño se bebió la mezcla del 20%, se fue añadiendo paulatinamente más cantidad del preparado al agua, comenzando con incrementos del 5% y más tarde del 10%. Entonces los investigadores comenzaron a añadir leche a la mezcla del preparado en polvo y agua, tras haber logrado que el niño se bebiera un sobre del preparado en polvo con 240 ml de agua. La leche se añadió gradualmente a la mezcla del preparado y agua en incrementos del 10% a medida que se remplazaba el agua por leche, en un desvanecimiento, (es decir, 10% de leche y 90% de agua, más un sobre del preparado en polvo; después 20% de leche y 80% de agua, y así sucesivamente).

Los analistas aplicados de la conducta han utilizado la superposición de estímulos con el desvanecimiento de estímulos. En un ejemplo, la transferencia del control de estímulo tiene lugar cuando un estímulo se desvanece; en otra aplicación, un estímulo se introduce gradualmente a medida que otro se desvanece. La investigación llevada a cabo por Terrace (1963a, b) en la que se demuestra el control de la transferencia de estímulo de la discriminación rojo/verde a la discriminación vertical/horizontal muestra la superposición de dos clases específicas de estímulos y el desvanecimiento de una clase de estímulo. Las líneas se superpusieron a las luces de colores, después las luces se desvanecieron gradualmente dejando únicamente las líneas vertical y horizontal como estímulo discriminativo. La Figura 17.7 proporciona un ejemplo aplicado de la superposición y el desvanecimiento de estímulos que utilizó Terrace. La figura muestra una serie de pasos de un programa aritmético para enseñar la operación 7 - 2 = ______.

El otro procedimiento que se usa habitualmente

Figura 17.7 Ilustración de dos clases de estímulos superpuestos donde una de las clases después se desvanece.

Tomado de *Addition and Subtraction Math Program with Stimulus Shaping and Stimulus Fading,* T. Johnson, 1973, proyecto no publicado, Ohio Department of Education. Reimpreso con permiso.

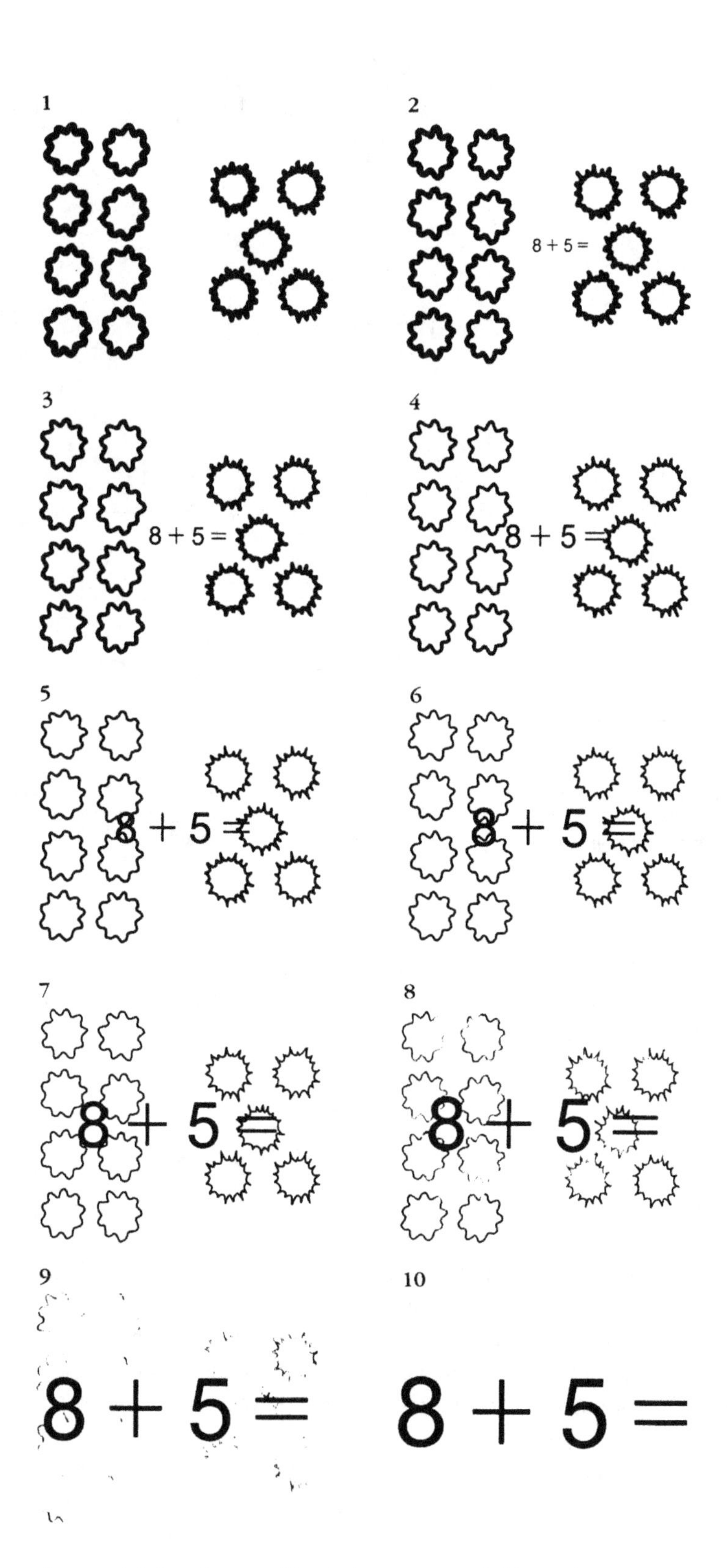

Figura 17.8 Ilustración de la superposición y el desvanecimiento de estímulos para la introducción gradual del estímulo natural y el desvanecimiento de la ayuda al estímulo.

Tomado de *Addition and Subtraction Math Program with Stimulus Shaping and Stimulus Fading,* T. Johnson, 1973, proyecto no publicado, Ohio Department of Education. Reimpreso con permiso.

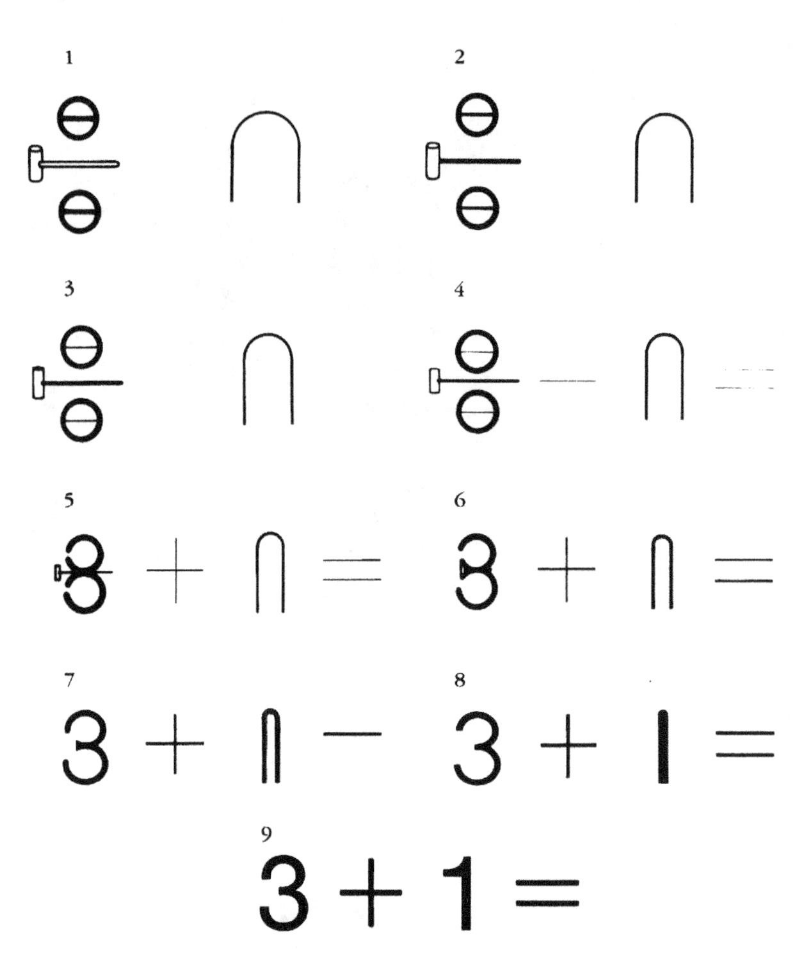

Figura 17.9 Ilustración de la superposición y el moldeamiento de estímulos.

Tomado de *Addition and Subtraction Math Program with Stimulus Shaping and Stimulus Fading,* T. Johnson, 1973, proyecto no publicado, Ohio Department of Education. Reimpreso con permiso.

introduce gradualmente el estímulo natural y se desvanece la ayuda al estímulo. La Figura 17.8 ilustra este proceso de superposición, en el que la ayuda se desvanece y el estímulo natural 8 + 5 = ______ se introduce gradualmente.

Transformaciones de la forma del estímulo

El procedimiento de las transformaciones de la forma del estímulo utiliza la forma inicial de un estímulo que ayudará a una respuesta correcta. Esa forma inicial más tarde cambiará, de forma gradual, para pasar a formar el estímulo natural, mientras se mantienen las respuestas correctas. Por ejemplo, los siguientes pasos (Johnston, 1973) podrían incluirse en un programa de transformación de la forma de un estímulo para enseñar el reconocimiento de números:

2 2 2 2

La forma de la ayuda al estímulo debe cambiar gradualmente para que el alumno continúe respondiendo correctamente. En la enseñanza de la identificación de palabras, utilizando las transformaciones de la forma de los estímulos, se podrían incluir los siguientes pasos (Johnston, 1973):

car car car car car

La Figura 17.9 muestra como la superposición de estímulos se puede utilizar con moldeamiento de estímulos en la enseñanza aritmética. Los signos "+" e "=" se superponen en el programa de moldeamiento de estímulos y se introducen gradualmente.

En resumen, existe una gran variedad de procedimientos para transferir el control de estímulos de las ayudas a la respuesta y al estímulo al estímulo natural. Hoy en día, los procedimientos para transferir el control de estímulo de las ayudas a la respuesta son más prácticos en situaciones de enseñanza que las transformaciones de la forma de los estímulos, debido a que se necesita mayor habilidad y tiempo para la preparación de material con procedimientos de cambio de estímulo.

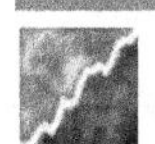

Resumen

Estímulos antecedentes

1. El reforzamiento de una respuesta operante incrementa la frecuencia de esa respuesta en el futuro e influye en los estímulos que la preceden inmediatamente. Los estímulos que preceden a una respuesta (es decir, los estímulos antecedentes) adquieren un efecto evocador de la conducta de que se trate.

2. El control de estímulo ocurre cuando la tasa, latencia, duración, o amplitud de una respuesta cambia en presencia de un estímulo antecedente (Dinsmoor, 1995a, b). Un estímulo adquiere control solo cuando las respuestas emitidas en su presencia producen reforzamiento.

3. Los estímulos discriminativos y las operaciones motivacionales comparten dos importantes similitudes: (a) ambos eventos ocurren antes de la conducta de interés, y (b) ambos eventos tienen funciones evocadoras.

4. Con frecuencia, un efecto evocador que parece tener función de E^D no es producto de una historia de reforzamiento diferencial correlacionada con la alteración de la frecuencia de una respuesta. Estas situaciones están probablemente relacionadas con operaciones motivacionales (OM) y no con control de estímulo.

Generalización de estímulos

5. Cuando un estímulo tiene una historia de evocación de una respuesta que ha sido reforzada en su presencia, existe una tendencia general a que otros estímulos similares evoquen también esa respuesta. Esta función evocadora ocurre en estímulos que poseen propiedades físicas similares a las del estímulo antecedente que controla la respuesta. Esta tendencia recibe el nombre de generalización de estímulos. El proceso inverso, la discriminación de estímulos, tiene lugar cuando los estímulos nuevos no evocan la respuesta.

6. La generalización de estímulo refleja un bajo grado de control de estímulo, mientras que la discriminación implica un grado de control de estímulo relativamente elevado.

7. Un gradiente de generalización de estímulo representa gráficamente el grado de generalización y discriminación de estímulo mostrando en qué medida las respuestas reforzadas en una condición de estímulo son emitidas en presencia de estímulos no entrenados.

Desarrollo del control de estímulo

8. El procedimiento convencional para el entrenamiento en discriminación de estímulos requiere una conducta y dos condiciones estimulares antecedentes. Se refuerzan las respuestas en presencia de una condición de estímulo, el E^D, pero no en presencia de otro estímulo, el E^Δ.

9. La formación de conceptos es un ejemplo complejo de control de estímulos que requiere tanto de la generalización de estímulo dentro de una clase de estímulos como de la discriminación entre clases de estímulos.

10. Una clase de estímulos antecedentes es un conjunto de estímulos que comparten una misma relación. Todos los estímulos de la clase evocarán la misma clase de respuestas operantes, o elicitarán la misma conducta respondiente.

11. Los estímulos que forman parte de una clase pueden funcionar como miembros de una clase de estímulos con características análogas y de una clase de estímulos arbitraria.

La equivalencia de estímulo

12. La equivalencia describe la emergencia de respuestas precisas a relaciones estímulo–estímulo no entrenadas ni reforzadas tras el reforzamiento de respuestas a otras relaciones estímulo–estímulo.

13. Los analistas de conducta definen la equivalencia de estímulos evaluando la reflexividad, la simetría y la transitividad entre relaciones estímulo–estímulo. Un resultado positivo en las tres pruebas (es decir, reflexividad, simetría y transitividad) es necesario para cumplir la definición de relación de equivalencia entre un conjunto de estímulos arbitrarios.

14. Los investigadores básicos y aplicados han usado el procedimiento de igualación a la muestra para desarrollar y evaluar la equivalencia de estímulos.

Factores que afectan al desarrollo del control de estímulo

15. Los analistas aplicados de la conducta establecen el control de estímulo mediante el reforzamiento diferencial frecuente de la conducta en presencia y en ausencia de la condición del E^D. El reforzamiento diferencial eficaz requiere el uso consistente de consecuencias que funcionan como reforzadores. Otros factores adicionales como las habilidades preatencionales, la saliencia del estímulo, el enmascaramiento y el ensombrecimiento también afectarán al desarrollo del control de estímulos.

El uso de ayudas para desarrollar el control de estímulo

16. Las ayudas son estímulos antecedentes suplementarios (como instrucciones, modelado y guía física) que se utilizan para ocasionar una respuesta correcta en la presencia de un E^D que finalmente controlará la conducta. Los analistas aplicados de la conducta proporcionan ayudas a la respuesta y al estímulo antes o durante el desarrollo de una conducta.

17. Las ayudas a la respuesta operan directamente sobre la respuesta. Las ayudas al estímulo operan directamente sobre los estímulos de tarea antecedentes para inducir una respuesta correcta junto con el E^D crítico.

Transferencia del control de estímulo utilizando el moldeamiento.

18. Los analistas aplicados de la conducta deberían proporcionar ayudas a la respuesta y al estímulo como estímulos antecedentes *suplementarios* únicamente en la fase de adquisición de la instrucción.

19. El procedimiento que se utiliza para transferir el control de estímulo de las ayudas al estímulo natural es el desvanecimiento de las ayudas a la respuesta y las ayudas al estímulo, y también se utiliza para reducir el número de respuestas erróneas que tienen lugar ante la presencia del estímulo natural.

20. Entre los procedimientos para transferir el control de estímulo de las ayudas a la respuesta a los estímulos naturales se encuentran (a) las ayudas de más a menos o regresivas, (b) la guía gradual, (c) las ayudas de menos a más o progresivas y (d) la demora.

21. El desvanecimiento del estímulo conlleva la exageración de una dimensión de un estímulo para aumentar la probabilidad de una respuesta correcta. La dimensión recalcada o exagerada se introduce gradualmente o se desvanece.

22. El procedimiento de las transformaciones de la forma de los estímulos utiliza la forma inicial de un estímulo que ayudará a una respuesta correcta. Esa forma inicial más tarde cambiará gradualmente hasta formar el estímulo natural, mientras se mantienen las respuestas correctas.

PARTE 7

Desarrollo de nuevas conductas

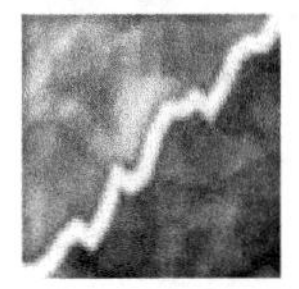

Los tres capítulos de la Parte 7 describen métodos para desarrollar nuevos repertorios conductuales. El Capítulo 18, Imitación, trata de los distintos tipos de modelos, las características de la conducta imitativa, los procedimientos para desarrollar un repertorio de imitación, y las técnicas para entrenar la imitación. El Capítulo 19, Moldeamiento, describe como moldear conductas nuevas dentro y a través de topografías de respuesta reforzando aproximaciones sucesivas a la conducta final. El capítulo también incluye procedimientos para aumentar la eficiencia del moldeamiento de la conducta y directrices para usar el moldeamiento en escenarios aplicados. El Capítulo 20, Encadenamiento, explica como respuestas discretas pueden ser enlazadas para formar cadenas conductuales más complejas. Se detallan los procedimientos para llevar a cabo un análisis de tareas. El capítulo aborda los distintos usos del encadenamiento y los factores que afectan a la ejecución de las cadenas conductuales.

CAPÍTULO 18

Imitación

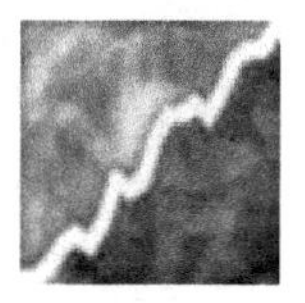

Términos clave

Imitación

Behavior Analyst Certification Board® BCBA®, BCBA-D®, BCaBA®, RBT® Lista de tareas para analistas de conducta (cuarta edición).

D	Habilidades analítico-conductuales básicas. Elementos fundamentales del cambio de conducta
D-04	Usar modelado e imitación.
FK	**Conocimientos adicionales. Distinguir entre operantes verbales y no verbales.**
FK-43	Ecoicas e imitación.

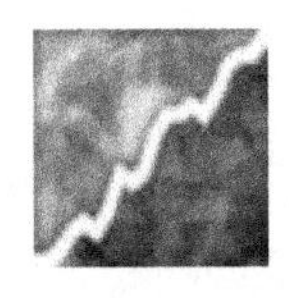

Un repertorio imitativo promueve la adquisición de conductas relativamente rápida tales como el desarrollo de las destrezas sociales y de comunicación que vemos en un niño pequeño. Con la comprensión del proceso de imitación, los analistas de conducta pueden usar la imitación como intervención para evocar conductas *nuevas*. Sin un repertorio imitativo, una persona tiene pocas oportunidades para una adquisición ágil de conductas.

La imitación ha recibido considerable atención experimental y teórica a lo largo de varias décadas (p.ej., Baer y Sherman, 1964; Carr y Kologinsky, 1983; Garcia y Batista-Wallace, 1977; Garfinkle y Schawartz, 2002; Wolery y Schuster, 1997). La literatura experimental demuestra que los individuos pueden adquirir y mantener conductas imitativas y ecoicas de la misma forma que adquieren y mantienen otras conductas operantes.[1] Es decir, (a) el reforzamiento aumenta la frecuencia de la imitación; (b) cuando algunas conductas imitativas reciben reforzamiento, otras conductas imitativas ocurren sin entrenamiento y reforzamiento específicos; y (c) algunos niños que no imitan pueden ser entrenados para hacerlo. Este capítulo define la imitación y sugiere un protocolo para entrenarla en personas que no cuentan con dicha conducta en su repertorio.

Definición de imitación

Cuatro relaciones entre conducta y ambiente definen funcionalmente la **imitación:** (a) Cualquier movimiento físico puede funcionar como *modelo* para la imitación. Un modelo es un estímulo antecedente que *evoca* la conducta imitativa. (b) Una conducta imitativa tiene que seguir inmediatamente (p. ej., dentro de 3 a 5 segundos) la presentación del modelo. (c) El modelo y la conducta tienen que tener similitud formal. (d) El modelo tiene que ser la variable que controla la conducta imitativa (Holth, 2003).

Modelos

Modelos programados

Los modelos programados son estímulos antecedentes establecidos previamente que ayudan al aprendiz a adquirir nuevas destrezas o a refinar la topografía de ciertos elementos de las habilidades ya existentes. Un modelo programado le enseña al aprendiz exactamente qué hacer. Un video de una persona emitiendo conductas específicas puede servir como modelo programado. LaBlanc y colaboradores (2003), por ejemplo, usaron modelos video para enseñarles a tres niños con autismo habilidades de toma de perspectiva. Los niños aprendieron a imitar al modelo del video tocando o apuntando a un objeto como un cuenco o una caja. (Los niños también imitaron conductas vocales verbales como decir "debajo del cuenco", o decir "uno" para identificar una caja marcada *1*.)

Modelos no programados

Todos los estímulos antecedentes con la capacidad de evocar imitación son potencialmente modelos no programados. Los modelos no programados dan lugar a muchas nuevas formas de conducta porque la imitación de la conducta de otros en la interacción social diaria (p. ej., en la escuela, el trabajo o el juego) suele producir conductas nuevas y adaptivas. Por ejemplo, una persona joven durante su primer desplazamiento en autobús podría aprender como pagar la tarifa imitando a otros pasajeros cuando pagan la tarifa.

Similitud formal

La *similitud formal* ocurre cuando el modelo y la conducta se parecen físicamente y ocurren en la misma modalidad sensorial (es decir, tienen el mismo aspecto visual, suenan igual, etc.) (Michael, 2004). Por ejemplo, cuando un estudiante observa a la maestra deletrear manualmente la palabra *casa* (es decir, el modelo), y después duplica el deletreo con sus manos (es decir, la imitación), el deletreo manual imitativo tiene similitud formal con el modelo. Un bebe sentado en una trona inmediatamente golpea la bandeja con la mano después de ver a su madre hacer lo mismo. El golpe imitativo del bebe tiene similitud formal con el de la madre.

Inmediatez

La relación temporal de *inmediatez* entre el modelo y la conducta imitativa es una característica importante de la imitación. Sin embargo, una forma (topografía) de imitación puede ocurrir más tarde en el contexto de las situaciones de la vida diaria. Por ejemplo, la persona joven en su primer desplazamiento en autobús que aprendió a pagar la tarifa podría usar su conducta recién

[1] El capítulo 25 define la operante ecóica y la separa funcionalmente de la imitación. Básicamente, *ecóica* es el término técnico utilizado en el contexto de la conducta verbal vocal, e *imitación* se aplica a las conductas verbales no vocales y a las conductas no verbales.

aprendida para pagar la tarifa de regreso cuando ningún pasajero haya pagado la tarifa antes que ella. El padre del estudiante que imitó el deletreo manual de la palabra *'casa'* podría preguntarle, "¿Qué has aprendido hoy en la escuela?" y el estudiante podría responder deletreando *casa* con los dedos.

Cuando la topografía de una imitación previa ocurre en ausencia del modelo (p.ej., pagar la tarifa del autobús o deletrear manualmente), esa conducta demorada *no* es conducta imitativa. Las conductas demoradas de pagar la tarifa y deletrear manualmente en los contextos previamente presentados tienen topografías similares a las conductas imitativas pero ocurren como resultado de variables de control distintas. La relación entre los estímulos discriminativos (p.ej., el aparato para cobrar la tarifa del autobús) o las operaciones motivacionales (p.ej., la pregunta del padre) y las conductas demoradas es funcionalmente distinta de la relación entre un modelo y una conducta imitativa.[2]

Una relación controlada

Generalmente, consideramos conducta imitativa como *hacer lo mismo*. Aunque la similitud formal de *hacer lo mismo* es una condición necesaria, no es suficiente. La similitud formal puede existir sin que el modelo controle funcionalmente la conducta similar. La relación de control entre la conducta del modelo y una conducta similar es la característica más importante que define la imitación. Una relación de control entre la conducta del modelo y la conducta del imitador se infiere cuando un modelo nuevo evoca una conducta similar en ausencia de una historia de reforzamiento de esa conducta. Una conducta de imitación es una conducta nueva que sigue a un evento antecedente *nuevo* (es decir, el modelo). Después de que el modelo evoque una imitación, esa conducta entra en contacto con contingencias de reforzamiento. Estas nuevas contingencias de reforzamiento entonces se convierten en las variables controladoras de la operante discriminada (es decir, $OM/E^D \rightarrow R \rightarrow E^R$).

Holth (2003) explicó la operante discriminada en el contexto de la enseñanza de la imitación de esta forma:

> Imaginemos que se enseña a un perro a sentarse cuando el dueño se sienta en una silla, y a dar vueltas en círculo cuando el dueño da vueltas. ¿Está el perro imitando la conducta del dueño? Casi seguro que no. El perro fácilmente pudo haber sido entrenado para sentarse cuando el dueño da vueltas en círculo y para dar vueltas en círculo cuando el dueño se sienta. Entonces, lo que parece imitación puede no ser nada más que una serie de *operantes discriminadas* directamente entrenadas. La fuente de control solo puede determinarse introduciendo ejemplos nuevos. Si no se demuestra que el perro responde a conductas nuevas "haciendo lo mismo", no hay evidencia de que la similitud con la conducta del dueño sea un factor importante que determine la forma de la respuesta del perro. Por lo tanto, no hay una verdadera demostración de que el perro imite la conducta del dueño si no responde a nuevos ejemplos de dicha conducta "haciendo lo mismo." (pág. 157)

Ejemplos de lo que son y de lo que no son relaciones controladas e imitación

Imagine a dos guitarristas tocando en una banda de rock. Un guitarrista improvisa unos acordes (es decir, un modelo nuevo). El otro guitarrista los escucha e inmediatamente los reproduce cuerda por cuerda y nota por nota (es decir, emite una conducta nueva, imitativa). Esto si *es* un ejemplo que cumple con todas las condiciones de imitación: inmediatez, similitud formal, y el modelo (es decir, los acordes improvisados) que produce la relación de control.

Continuando con los dos guitarristas en el grupo de rock contemporáneo, suponga que un músico le dice al otro, "Tengo una gran idea para nuestra canción inicial. Déjame tocarla para ti. Si te gusta, te enseño a tocarla." Al otro guitarrista le gusta lo que oye. Ellos practican juntos hasta que el segundo guitarrista aprende la nueva melodía. Los guitarristas incorporan esta melodía a la canción inicial. En el escenario, un guitarrista toca esta melodía e inmediatamente después el otro la reproduce. Esto no es un ejemplo de imitación porque ya el primer guitarrista no ha presentado un modelo nuevo y la conducta similar del segundo guitarrista ya se había entrenado con una historia de reforzamiento. Es un ejemplo de operante discriminada.

Como otro ejemplo de lo que *no es* conducta de imitación, imaginemos ahora a dos músicos clásicos tocando una fuga usando una partitura musical. Una fuga es un tipo de música basada en una melodía corta que un músico o una sección de una orquesta toca al principio, y que después otro músico o sección repite. La ejecución de una fuga parece ser similar a la imitación en que un músico o sección presenta una melodía, y después otro músico o sección inmediatamente repite la melodía, y las dos melodías tienen similitud formal. Una fuga no es un ejemplo de imitación, sin embargo, porque la primera introducción de la melodía corta no controla la conducta similar. Las notas musicales impresas en la partitura son las variables controladoras. Tocar una fuga usando una

[2] La *imitación demorada* es, sin embargo, un término utilizado habitualmente en la literatura de la imitación (p.ej., García, 1976)

partitura es un ejemplo de una operante discriminada y no de una conducta de imitación.

Como un ejemplo final de lo que *no es* imitación, Tomás lanza una pelota de béisbol a Bernardo (una persona con experiencia en el béisbol). Bernardo agarra la pelota e inmediatamente se la lanza a Tomás. ¿Bernardo estaba imitando a Tomás al lanzar la pelota? Da la apariencia de imitación. El lanzamiento de Tomás fue un evento antecedente (un modelo); el lanzamiento de Bernardo siguió inmediatamente después y tenía similitud formal con el modelo. Esto *no es* un ejemplo de imitación porque el lanzamiento de Bernardo a Tomás no fue un ejemplo de conducta de lanzamiento nueva bajo el control del lanzamiento de Tomás. De nuevo, la variable controladora fue la historia de reforzamiento que produjo una operante discriminada.

Entrenamiento en imitación

Los niños que se desarrollan típicamente adquieren muchas destrezas imitando a modelos no programados. Los padres y otros cuidadores no suelen tener que aplicar intervenciones específicas para facilitar el desarrollo de habilidades de imitación. Sin embargo, algunos niños con discapacidades del desarrollo no imitan. Sin un repertorio de imitación, estos niños tendrán grandes dificultades para desarrollarse más allá de las habilidades básicas. No obstante, es posible ensenar a imitar a algunos niños que no imitan.

Los analistas aplicados de la conducta han validado repetidamente los procedimientos utilizados por Baer y colaboradores como un método eficaz para enseñar a imitar a niños que no imitan (p. ej., Baer, Peterson, y Sherman, 1967; Baer y Sherman, 1964). Por ejemplo, tres niños con retraso mental de grave a profundo fueron los participantes en uno de sus estudios (Baer, Peterson, y Sherman, 1967). Durante el entrenamiento en imitación, se enseñó a los niños a emitir respuestas sencillas (p. ej., levantar un brazo) discriminadas (es decir, similares al modelo) cuando la maestra presentaba la señal verbal, "haz esto," y a continuación presentaba el modelo (p. ej., levantaba el brazo). Baer y colaboradores seleccionaron niveles de destreza apropiados para sus participantes (p. ej., que implicaran la motricidad gruesa o la motricidad fina según el caso). Además, la maestra inicialmente utilizaba la guía física para ayudar los participantes a ejecutar la respuesta similar, y después reducía la ayuda gradualmente a lo largo de varios ensayos; moldeaba la respuesta discriminada usando pedacitos de comida para reforzar las aproximaciones al modelo, y reforzaba las respuestas con similitud formal.

El protocolo de entrenamiento en imitación desarrollado por Baer y colaboradores sirvió para enseñar a imitar a algunos participantes que no imitaban, es decir, que un modelo novedoso controlaba las respuestas de imitación en ausencia de entrenamiento y reforzamiento específico de esas respuestas. Un participante imitó al modelo novedoso después de recibir entrenamiento en imitación de la similitud con 130 modelos distintos. El segundo participante mostró resultados similares a los del primero. El tercer participante aprendió a imitar con menos entrenamiento que los anteriores participantes. Este participante imitó el noveno modelo, un modelo novedoso sin historia de entrenamiento y reforzamiento.

Resumiendo los resultados de Baer y colaboradores: (a) Niños que no tenían un repertorio de imitación aprendieron a imitar con un entrenamiento que usó señales y ayudas a la respuesta, moldeamiento, y reforzamiento; (b) una vez que algunas conductas imitativas producían reforzamiento, los participantes imitaban modelos novedosos sin reforzamiento; y (c) los participantes demostraron un efecto que a veces se conoce como *disposición de aprendizaje* (Harlow, 1959), o fenómeno de aprender a aprender. Conforme progresaban a lo largo del entrenamiento en imitación, los participantes requerían menos ensayos de entrenamiento para aprender nuevas respuestas discriminadas similares a los modelos.

El principal objetivo del entrenamiento en imitación es enseñar a los aprendices a hacer lo que esté haciendo la persona que presenta el modelo independientemente de la conducta concreta que se esté modelando. Es probable que la persona que aprenda a hacer lo mismo que un modelo imite modelos que no hayan sido asociados con entrenamiento específico, y que esas imitaciones ocurran en muchas situaciones y contextos, frecuentemente en ausencia de reforzadores programados. [3] La imitación, sin embargo, puede depender de los parámetros de la clase de respuesta utilizada durante el entrenamiento. Por ejemplo, Young, Krantz, McClannahan, y Poulson (1994) encontraron que niños con autismo imitaban modelos novedosos dentro de las categorías de respuesta "vocal", "jugar con juguetes", y "pantomima" que se habían usado durante entrenamiento, pero la imitación no se generalizó de una categoría a otra. Aun así, la imitación permite la adquisición relativamente rápida de conductas nuevas y complejas que son características de muchas actividades humanas. La imitación produce esas nuevas conductas

[3] "*Imitación generalizada*" es el término que se suele usar en la literatura de la imitación para hacer referencia a las respuestas con similitud formal al modelo y que no han recibido ayudas, ni entrenamiento, ni reforzamiento. Nosotros nos referimos a tales respuestas a los modelos novedosos simplemente como "*imitación*".

sin apoyarse en la ayuda física o en el reforzamiento previo.

Sobre los métodos experimentales de Baer y sus colaboradores, Striefel (1974) desarrolló un programa de entrenamiento en imitación para profesionales aplicados. Los componentes del protocolo de Striefel son los siguientes: (a) evaluación, y enseñanza si es necesario, de las habilidades prerrequisitas para la imitación, (b) selección de los modelos para el entrenamiento, (c) realización de pruebas previas, (d) determinación de la secuencia de los modelos que serán entrenados, y (e) entrenamiento en imitación.

Evaluación, y enseñanza si es necesario, de las habilidades prerrequisitas para la imitación

Las personas no pueden imitar si no atienden a la presentación del modelo. Por lo tanto, prestar atención al modelo es un prerrequisito para el entrenamiento en imitación. Según la definición de Striefel (1974) *atender* incluye mantenerse sentado durante las instrucciones, mantener las manos sobre el regazo, mirar al educador cuando te llama por tu nombre, y mirar objetos identificados por el educador. Además, los profesionales aplicados suelen tener que reducir conductas problemáticas que interfieren con el entrenamiento (p. ej., conductas agresivas, gritos o movimientos raros de las manos).

Los procedimientos sugeridos para evaluar las habilidades atencionales incluyen los siguientes:

1. *Quedarse sentado.* Siente al participante y tome nota de cuánto tiempo se mantiene sentado.
2. *Mirar al maestro.* Diga el nombre del participante en un tono de voz autoritario y tome nota de si establece contacto visual.
3. *Mantener las manos sobre el regazo.* Indíquele al participante que ponga sus manos sobre su regazo y registre el tiempo que mantiene las manos en esta posición.
4. *Dirigir la mirada hacia objetos.* Ponga varios objetos sobre una mesa y diga, "Mira esto." Inmediatamente a continuación [pag. 416] desplace dedo desde delante de los ojos del participantes hasta uno de los objetos y tome nota de si el estudiante ha mirado el objeto.

Los maestros suelen evaluar las habilidades atencionales durante un mínimo de tres sesiones. Si los datos de la evaluación muestran habilidades atencionales adecuadas se podrá comenzar a entrenar la imitación, de lo contrario, habrá que enseñar estas habilidades de forma previa al entrenamiento.

Selección de los modelos para el entrenamiento

Los profesionales aplicados pueden tener que seleccionar y utilizar en torno a unas 25 conductas como modelos durante las fases iniciales del entrenamiento en imitación. Incluir modelos que impliquen el uso de la motricidad gruesa (p. ej., levantar la mano) y de la motricidad fina (p. ej., lenguaje de signos) permite a los participantes desarrollar habilidades de imitación claramente diferenciadas.

Los profesionales aplicados suelen usar los modelos de uno en uno, en lugar de una secuencia de movimientos, durante los ensayos de entrenamiento iniciales. Se suelen escoger modelos más complejos, como secuencias conductuales, una vez que el participante es capaz de imitar los modelos de uno en uno exitosamente. Además, el entrenamiento inicial generalmente incluye modelos de (a) el movimiento de las partes del cuerpo (p. ej., tocarse la nariz, saltar sobre un pie o llevarse la mano a la boca) y (b) la manipulación de objetos físicos (p. ej., pasar la pelota de baloncesto, levantar un vaso o cerrar la cremallera de un abrigo).

Realización de pruebas previas

Se deben examinar previamente las respuestas del aprendiz a los modelos seleccionados. Las pruebas previas podrían mostrar que el aprendiz imita algunos modelos sin entrenamiento. El procedimiento para realizar esas pruebas previas según Striefel (1974) es el siguiente:

1. Prepare las habilidades atencionales del aprendiz para la prueba (p. ej., que esté sentado, que tenga las manos sobre el regazo, etc.) y adopte habitualmente la misma posición preparatoria del estudiante.
2. Si usted está usando un modelo con objeto, ponga un objeto delante del aprendiz y otro delante de usted.
3. Diga el nombre del aprendiz para comenzar la prueba previa, y cuando el aprendiz haga contacto ocular, diga, "Haz esto" (es decir, nombre del aprendiz, pausa, "Haz esto").
4. Presente el modelo. Por ejemplo, si la conducta seleccionada es recoger una pelota, recoja la pelota y

aguántela unos segundos.

5. Inmediatamente elogie cada respuesta que tenga similitud formal con el modelo y entregue el reforzador lo antes posible (p.ej., un abrazo o un comestible).
6. Anote la respuesta del aprendiz como correcta o incorrecta (o ausencia de respuesta), o como una aproximación al modelo (p. ej., toca la pelota, pero no la recoge).
7. Continúe con la presentación de los modelos restantes.

Los profesionales aplicados pueden utilizar este procedimiento de prueba previa con cualquier modelo motor y verbal (p. ej., nombre, pausa "Haz esto," "Di pelota"). Striefel recomienda que se hagan las pruebas previas durante varias sesiones hasta que todos los modelos se hayan examinado por lo menos tres veces. Si el aprendiz responde correctamente durante la prueba previa a un modelo seleccionado al nivel del criterio establecido (p. ej., tres de tres correcto), entonces el profesional debe avanzar a otros modelos. En cambio si el aprendiz no hubiera alcanzado el criterio, se deberá seleccionar el modelo para el entrenamiento en imitación.

Secuenciación de los modelos seleccionados para el entrenamiento

Los profesionales aplicados usan los resultados de la prueba previa para disponer la secuencia de presentación de los modelos seleccionados, ordenando la secuencia de los modelos más fáciles de imitar a los más difíciles. Los primeros modelos seleccionados para el entrenamiento en imitación son esos que el aprendiz imitó correctamente en algunas, pero no en todas las sesiones de la prueba previa. Los modelos a los cuales el aprendiz se aproximó aunque respondiera incorrectamente, serán los próximos seleccionados. Finalmente, los modelos que el aprendiz no logro realizar, o realizo incorrectamente, serán los últimos seleccionados para el entrenamiento.

Implementación del entrenamiento en imitación

Striefel (1974) sugirió usar cuatro condiciones para entrenar la imitación: evaluación previa, entrenamiento, evaluación posterior y sondeo de las conductas de imitación. Los procedimientos que se usan para entrenar la imitación son los mismos que se utilizan en la prueba previa con la excepción del momento y la frecuencia con la que el profesional presenta los modelos seleccionados.

Evaluación previa

La evaluación previa es un breve examen que se hace antes de cada sesión de entrenamiento. Los profesionales aplicados usan para esta evaluación los primeros tres modelos seleccionados en ese momento para el entrenamiento. Estos modelos se presentan tres veces cada uno en orden aleatorio. Si la conducta del aprendiz es similar al modelo en las tres presentaciones, ese modelo se retira del entrenamiento. El procedimiento de evaluación previa permite a los profesionales evaluar el rendimiento actual del aprendiz respecto a los modelos seleccionados para esa sesión de entrenamiento y determinar su progreso en el aprendizaje.

Entrenamiento

Durante el entrenamiento, los profesionales aplicados presentan repetidamente uno de los tres modelos usados en la evaluación previa. El modelo al cual el aprendiz haya respondido con más frecuencia durante la evaluación previa (es decir, respecto al que la conducta haya sido similar en algunas, pero no todas, las presentaciones) es el primero que se selecciona para entrenar. Sin embargo, si el aprendiz solo ha logrado en la evaluación previa aproximaciones, se debe entrenar en primer lugar la conducta con mayor aproximación al modelo. El entrenamiento continuará hasta que el aprendiz responda correctamente al modelo en cinco ensayos consecutivos.

El entrenamiento en imitación probablemente incluirá la guía física para ayudar a la respuesta si el aprendiz no consigue responder. Por ejemplo, el profesional puede guiar físicamente la ejecución completa de la respuesta por parte del aprendiz. La guía física le permite al aprendiz experimentar la respuesta y el reforzador para ese movimiento especifico. Después de ayudar físicamente a la ejecución completa de la respuesta, el profesional retirará gradualmente la ayuda física, alejándose del cuerpo del aprendiz justo antes de que se haya completado el movimiento, y desvaneciendo la guía física cada vez más pronto en cada una de las sesiones subsecuentes. En un momento dado, el aprendiz podrá completar el movimiento sin asistencia, y cuando haya respondido al modelo sin ayuda durante cinco veces consecutivas, ese modelo se incluirá en la evaluación posterior.

Evaluación posterior

Durante la evaluación posterior, el profesional aplicado presentará, tres veces cada uno, cinco modelos previamente aprendidos y cinco modelos que todavía están incluidos en el entrenamiento. El profesional retirará del entrenamiento en imitación una conducta recientemente aprendida después de tres evaluaciones posteriores consecutivas en las cuales el aprendiz responda correctamente sin ayuda física al modelo en 14 de las 15 oportunidades. Sin embargo, es apropiado usar la ayuda física durante la evaluación posterior. Si el aprendiz no logra el criterio (14 de 15 oportunidades en la evaluación posterior), Striefel (1974) recomendaba continuar el entrenamiento en imitación con ese modelo. El procedimiento de evaluación posterior permite al profesional evaluar lo bien que un aprendiz realiza las conductas anteriormente y más recientemente aprendidas.

Sondeo de las conductas de imitación

Los profesionales aplicados usarán aproximadamente cinco modelos no entrenados y novedosos para sondear la ocurrencia de la imitación al final de cada sesión de entrenamiento, o pueden mezclar las sesiones de entrenamiento con las de sondeo. El procedimiento de sondeo usa los mismos procedimientos que la evaluación previa, pero sin usar ayudas verbales antecedentes (es decir, el nombre del aprendiz, pausa, "haz esto") u otras formas de ayuda (p. ej., guía física). El sondeo de la conducta de imitación no entrenada aporta datos sobre el progreso en el desarrollo del repertorio de imitación del aprendiz.

Directrices para el entrenamiento en imitación

Haga las sesiones de entrenamiento activas y breves

La mayoría de los profesionales aplicados usan sesiones breves durante el entrenamiento en imitación, normalmente de 10 a 15 minutos, pero suelen planificar más de una sesión al día. Dos o tres sesiones breves pueden ser más eficaces que una sesión larga. Para mantener el entrenamiento rápido y activo, el profesional no debe permitir que pasen más de unos segundos entre ensayos.

Refuerce tanto las respuestas realizadas con ayuda como las de imitación

En las etapas iniciales del entrenamiento en imitación, los profesionales aplicados deben reforzar cada ocurrencia de la respuesta, se haga con ayuda o sea auténtica imitación. Si la participación del aprendiz requiere reforzadores que no sean elogios, deben ser presentados inmediatamente en cantidades pequeñas que se puedan consumir rápidamente (p.ej., pedacitos de cereal, cinco segundos de música, etc.). Los profesionales aplicados deben reforzar solo las respuestas de igualación o imitativas que ocurran entre los 3 a 5 segundos posteriores al modelo. Los aprendices que consistentemente emiten repuestas de igualación pero no inmediatamente después del modelo deben recibir reforzamiento por latencias de repuesta cada vez más cortas (p. ej., reducción de la contingencia de 7 segundos a 6 segundos, luego a 5 segundos, luego a 4 segundos, etc.).

Empareje los elogios verbales y la atención con los reforzadores tangibles

Durante el entrenamiento en imitación, muchos aprendices, particularmente los niños con discapacidades del desarrollo de severas a profundas, necesitan consecuencias tangibles como comestibles y líquidos. Según progresa el entrenamiento, los profesionales aplicados trataran de utilizar la atención social y los elogios verbales para mantener las respuestas de igualación o conductas imitativas. Esto se hace emparejando la entrega de otras consecuencias con los elogios sociales y verbales. La atención social (p. ej., dar palmaditas en el brazo del aprendiz afectuosamente) o el elogio verbal descriptivo deben seguir inmediatamente a cada respuesta correcta o aproximación, simultáneamente con la otra consecuencia. La disposición del aprendiz a participar en el entrenamiento en imitación puede incrementarse cuando el profesional programa una actividad preferida después de cada sesión.

Si el progreso se estanca, retroceda y avance lentamente

Puede haber razones identificables para el deterioro del rendimiento, como la saciedad del reforzador o la aparición de distracciones en el contexto; o puede que el profesional haya presentado modelos demasiado complejos para el aprendiz. Independientemente de si existe una razón clara del empeoramiento en el rendimiento, se debe retornar a un nivel previo de rendimiento exitoso. Cuando se hayan reestablecido exitosamente las respuestas de imitación, el entrenamiento pondrá avanzar de nuevo.

Lleve un registro

Como es con todos los programas de cambio de conducta, los analistas aplicados de la conducta deben medir directamente y registrar la ejecución del aprendiz y revisar los datos después de cada sesión. Con el uso de mediciones frecuentes y directas, se pueden tomar decisiones objetivas e informadas, basadas en los datos, acerca de los efectos del programa de entrenamiento.

Desvanezca las ayudas verbales y las guías físicas

Los padres y cuidadores en el ambiente diario de los niños pequeños casi siempre les enseñan habilidades de imitación usando ayudas verbales y guía física. Por ejemplo, un cuidador le pude decir a un niño "despídete," modelar un gesto de despedida con la mano, y después guiar físicamente al niño a hacer el gesto con la mano. O, un padre puede preguntar al niño "¿Qué hace la vaca?", presentarle a continuación un modelo ("la vaca dice muuu"), decirle al niño que diga "muuu," y entonces elogiarlo verbalmente y prestarle atención si el niño dice "muuu." Este proceso de instrucción natural es el mismo proceso que se ha planteado en este capítulo para enseñar destrezas de imitación a personas que no imitan: se da una ayuda verbal ("Haz esto"), se presenta un modelo, y se usa la guía física cuando es necesario. Sin embargo, el entrenamiento en imitación no está completo hasta que se hayan retirado todas las ayudas a la respuesta. Los niños tienen que aprender a hacer lo que hace el modelo sin el apoyo de las ayudas a la respuesta. Por tanto, para promover el uso eficaz de la imitación, los profesionales aplicados deben desvanecer las ayudas a la respuesta utilizadas durante la adquisición de las respuestas de igualación entrenadas.

Finalización del entrenamiento en imitación

La decisión de dar por finalizado el entrenamiento en imitación depende de la conducta del aprendiz y de los objetivos del programa. Por ejemplo, se podría finalizar el entrenamiento en imitación motora cuando el aprendiz imitara la primera presentación de modelos nuevos, o cuando imitara una secuencia de conductas (p.ej., lavarse las manos, cepillarse los dientes, deletrear manualmente).

Resumen

Definición de imitación

1. Cuatro relaciones entre la conducta y el ambiente definen la imitación: (a) Cualquier movimiento físico puede funcionar como un *modelo* para imitar. Un modelo es un estímulo antecedente que evoca la conducta de imitación. (b) Una conducta de imitación tiene que ser emitida en los 3 segundos posteriores a la presentación del modelo. (c) El modelo y la conducta tienen que tener similitud formal. (d) El modelo tiene que ser la variable que controla la conducta de imitación.

Similitud formal

2. La *similitud formal* ocurre cuando el modelo y la conducta se parecen físicamente y ocurren en la misma modalidad sensorial.

Inmediatez

3. La relación temporal de la *inmediatez* entre el modelo y la conducta de imitación es una característica importante de la imitación. Sin embargo, la forma (topografía) de una conducta de imitación puede ocurrir en situaciones de la vida diaria, y en cualquier momento. Cuando se dan conductas con la misma forma que imitaciones previas pero en ausencia del modelo, esa conducta demorada no es una conducta de imitación.

Una relación controlada

4. Se suele considerar la conducta de imitación como *hacer lo mismo*. Aunque la similitud formal de *hacer lo mismo* es una condición necesaria para la imitación, no es suficiente. La similitud formal puede existir sin que el modelo

controle funcionalmente la conducta similar.

5. Una relación controladora entre la conducta del modelo y la conducta del imitador se infiere cuando un modelo novedoso evoca conducta similar en ausencia de una historia de reforzamiento.

6. Una conducta imitativa es una conducta nueva que es emitida a continuación de un evento antecedente novedoso (es decir, el modelo). Después de que el modelo evoque la imitación, esa conducta entra en contacto con contingencias de reforzamiento. Estas nuevas contingencias de reforzamiento aportan las variables controladoras para la operante discriminada (es decir, OM/$E^D \rightarrow R \rightarrow E^R$).

Entrenamiento en imitación para personas que no imitan

7. Los analistas aplicados de la conducta han validado repetidamente el método de instrucción que usaron Baer y colaboradores como un modo eficaz para enseñar a imitar a niños que no imitan. [pág. 419]

8. Striefel (1794) desarrolló un programa de entrenamiento en imitación para profesionales aplicados basado en los métodos experimentales de Baer y colaboradores.

9. Los componentes del protocolo de Striefel son los siguientes: (a) evaluación y enseñanza, si es necesario, de las habilidades prerrequisitas para la imitación, (b) selección de los modelos que serán entrenados, (c) realización de pruebas previas (d) secuenciación de los modelos que serán entrenados, y (e) implementación del entrenamiento en imitación.

Directrices para el entrenamiento en imitación

10. Haga las sesiones de entrenamiento activas y breves.

11. Si la participación del aprendiz requiere reforzadores que no sean elogios, deben presentarse de forma inmediata y en cantidades pequeñas que se puedan consumir rápidamente

12. Empareje elogios verbales y atención con reforzadores tangibles.

13. Si el progreso se estanca, retroceda y avance lentamente.

14. Mida y registre el rendimiento del aprendiz, además revise los datos después de cada sesión

15. Desvanezca las ayudas verbales y las guías físicas.

16. Finalice el entrenamiento en imitación motora cuando el aprendiz consistentemente imite modelos nuevos, o cuando imite una secuencia de conductas (p.ej., lavarse las manos, cepillarse los dientes o deletrear manualmente).

CAPÍTULO 19

Moldeamiento

Términos clave

Aproximaciones sucesivas
Diferenciación de respuestas
Entrenamiento con clics
Moldeamiento
Reforzamiento diferencial

Behavior Analyst Certification Board® BCBA®, BCBA-D®, BCaBA®, RBT® Lista de tareas para analistas de conducta (cuarta edición).

D.	Habilidades analítico-conductuales básicas: elementos fundamentales del cambio de conducta
D-05	Usar moldeamiento.
D-21	Usar reforzamiento diferencial (de tasas altas, de conductas alternativas, de conductas incompatibles, de tasas bajas, de otras conductas).

El moldeamiento es el proceso de reforzar sistemática y diferencialmente las aproximaciones sucesivas a una conducta final. El moldeamiento es utilizado en muchas situaciones de la vida diaria para ayudar a los alumnos a adquirir nuevas conductas. Por ejemplo, los logopedas utilizan el moldeamiento cuando tienen que desarrollar el habla con un cliente reforzando primero el movimiento de los labios, después de la producción de sonido y finalmente la expresión de palabras y frases. Los profesores que trabajan con alumnos con dificultades severas moldean las interacciones sociales reforzando el contacto ocular, los cumplidos y el lenguaje conversacional. Una entrenadora de baloncesto moldea el lanzamiento de tiros libres de sus jugadores cuando refuerza los tiros precisos desde posiciones cercanas a la canasta hasta otras más cercanas a la línea de tiro libre reglamentaria. Incluso los adiestradores usan moldeamiento para enseñar a los animales conductas deseables tanto funcionales (p.ej., cargar caballos en un tráiler sin que ni el caballo ni el cuidador sufran daños) como "for appeal" (p.ej. enseñar a los delfines a ejecutar rutinas dentro del espectáculo).

Dependiendo de la complejidad de una conducta dada y de las habilidades prerrequisitas del aprendiz, el moldeamiento puede requerir muchas aproximaciones sucesivas antes de que se logre la conducta final. El logro de una conducta final es raramente predecible, inmediato o lineal respecto al tiempo, los ensayos o la dirección. Si el aprendiz emite una aproximación más cercana a la conducta final y el profesional falla en la detección y reforzamiento de la misma, el logro de la conducta final se retrasará. Sin embargo, si se utiliza un enfoque sistemático (es decir, si cada aproximación a la conducta final se detecta y refuerza) normalmente se lograrán progresos más rápido. Aunque el moldeamiento puede llevar mucho tiempo, representa un importante enfoque para enseñar nuevas conductas, especialmente aquellas conductas que no pueden ser fácilmente enseñadas mediante instrucciones, experiencia incidental o exposición, imitación, apoyos físicos, o ayudas verbales.

Este capítulo define el moldeamiento, presenta ejemplos de cómo moldear conductas dentro de una topografía y entre distintas topografías de respuesta y sugiere maneras para mejorar la eficiencia del moldeamiento. El entrenamiento con clics se ilustra como método que los adiestradores usan para moldear nuevas conductas en animales. Después, se presentan una serie de directrices para implementar el moldeamiento. El capítulo concluye con una mirada hacia las futuras aplicaciones del moldeamiento.

Definición de moldeamiento

En *"Ciencia y conducta humana"*, Skinner (1953) presento el concepto de moldeamiento con una analogía:

> El condicionamiento operante da forma a la conducta del mismo modo que el escultor a una masa de barro. En ningún momento surge nada que sea fundamentalmente distinto de lo que le precedió; el producto final parece tener una unidad o integridad de diseño especiales, pero no podemos descubrir el punto en el que, de repente, esta integridad aparece. En el mismo sentido, una operante no es algo que aparece plenamente desarrollada en la conducta de un organismo, sino que es el resultado de un proceso formativo continuo. (Pág. 91)

Mediante la manipulación hábil y cuidadosa del bloque de barro original indiferenciable, el artesano mantiene algunas partes del bloque en su posición original, quita otras y reforma y moldea otras secciones de modo que la forma es lentamente transformada en el diseño final esculpido. De manera similar, el profesional diestro puede moldear nuevas formas de conductas que inicialmente tienen poco parecido con el producto final. Usando **moldeamiento** de la conducta, un profesional refuerza diferencialmente las aproximaciones sucesivas hacia la conducta final. El producto final del moldeamiento (*la conducta final*) puede darse por conseguido cuando la topografía, la frecuencia, la latencia, la duración, la amplitud o la magnitud de la conducta objetivo alcanza un criterio de logro predeterminado. A continuación se describen los dos procedimientos clave del moldeamiento, el reforzamiento diferencial y las aproximaciones sucesivas.

Reforzamiento diferencial

> Cuando se arroja una bola pesada más allá de una línea determinada, cuando se salta el listón, cuando en béisbol se lanza la pelota más allá de la defensa (y cuando como resultado se bate una marca o se gana un partido) está implicado el reforzamiento diferencial.
>
> —B. F. Skinner (1953, pág. 97)

El **reforzamiento diferencial** es un procedimiento en el que presenta el reforzador ante respuestas que comparten una dimensión o cualidad predeterminada, y no se presenta dicho reforzador ante respuestas que no demuestran esa cualidad. Por ejemplo, un padre usa reforzamiento diferencial al complacer las demandas de su hijo en la mesa durante la cena cuando van acompañadas de palabras educadas como "por favor" o "¿podría...?" y al no complacer dichas demandas cuando no van acompañadas de palabras educadas. El reforzamiento diferencial tiene dos efectos: las respuestas similares a aquellas que han sido reforzadas ocurren con mayor frecuencia, y las respuestas parecidas a las no reforzadas son repetidas con menos frecuencia (en otras palabras, experimentan extinción).

Cuando se aplica el reforzamiento diferencial consistentemente sobre una clase de respuesta, su doble efecto resulta en una nueva clase de respuesta compuesta principalmente de respuestas que comparten las características de la subclase previamente reforzada. Esta emergencia de nuevas clases de respuesta es denominada **diferenciación de respuesta**. La diferenciación de respuesta en el caso del reforzamiento diferencial del padre en la mesa de la cena sería evidente si todas las peticiones del niño contuvieran fórmulas educadas.

Aproximaciones sucesivas

Un profesional que usa moldeamiento refuerza diferencialmente respuestas que se parecen de alguna manera a la conducta final. El proceso de moldeamiento comienza con el reforzamiento de respuestas del repertorio actual del aprendiz que comparten alguna característica topográfica importante con la conducta final o que son prerrequisitas para la conducta final. Cuando las respuestas reforzadas inicialmente se hacen más frecuentes, el profesional aplicado cambia el criterio de reforzamiento a respuestas que son una aproximación más cercana a la conducta final. El cambio gradual del criterio de reforzamiento en el moldeamiento resulta en una sucesión de nuevas clases de respuesta, o **aproximaciones sucesivas**, cada una de ellas más cercana en forma a la conducta final que la clase de respuesta a la que reemplaza. Skinner (1953) abordó la naturaleza crítica de las aproximaciones sucesivas como sigue:

> La probabilidad original de la respuesta en su forma final es muy baja, y en algunos casos puede incluso ser cero. De esta forma podemos construir complicadas operantes que, de otra forma, no aparecerían nunca en el repertorio del organismo. Reforzando una serie de aproximaciones sucesivas elevamos en poco tiempo una respuesta rara a una probabilidad muy alta. Este es un procedimiento eficaz porque reconoce y utiliza la naturaleza continua de un acto complejo. (Pág. 92)

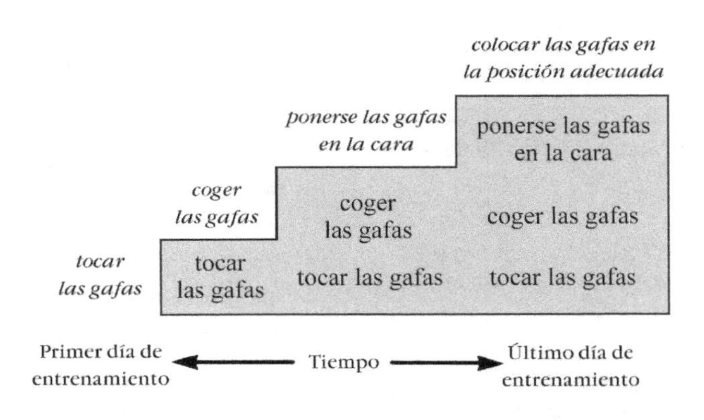

Figura 19.1 Aproximaciones en el reforzamiento diferencial de llevar gafas. La porción sombreada incluye conductas que no se van a reforzar más.

Tomado de "How to Use Shaping" M. Panyan, 1980, pág.4, Austin, TX: PRO-ED © Copyright 1980 PRO-ED. Reimpreso con permiso.

La figura 19.1 ilustra el progreso de las aproximaciones sucesivas usado por Wolf, Risley y Mees (1964) en el moldeamiento del uso de gafas en un preescolar que estaba en peligro de perder la visión si no usaba las gafas correctivas de forma regular. La primera conducta reforzada era tocar las gafas. Cuando se estableció la conducta de tocar las gafas se empezaba a reforzar la conducta de agarrarlas y el acto de tocarlas era puesto bajo extinción (ver porción sombreada de la figura). A continuación se reforzaba acercarse las gafas a la cara y las dos conductas previamente reforzadas se ponían bajo extinción. El entrenamiento continuó hasta que se emitió la conducta final de ponerse las gafas y todas las conductas previas se extinguieron.

Moldeamiento de diferentes dimensiones de desempeño

La conducta puede ser moldeada en términos de topografía, frecuencia, latencia, duración y amplitud/magnitud (ver tabla 19.1). El reforzamiento diferencial también podría usarse para enseñar a un niño a hablar dentro de un rango de decibelios a nivel de conversación. Supongamos que un analista de conducta está trabajando con un estudiante que normalmente habla a un volumen tan bajo (p.ej., por debajo de 45 decibelios) que su profesor y compañeros tienen dificultades para escucharle. Las aproximaciones sucesivas a los 65 decibelios (la amplitud del tono de conversación normal) podrían ser 45, 55, y finalmente 65 decibelios (dB). El

Figura 19.1 Ejemplos de mejoras de desempeño que podrían ser moldeadas en varias dimensiones de conducta.

Dimensión	*Ejemplo*
Topografía (forma de la conducta)	• Perfeccionar los movimientos asociados a un golpeo de golf, a un lanzamiento o a un salto. • Mejorar la cursiva o la forma de la letra a mano en ejercicios de escritura manual.
Frecuencia (número de respuestas por unidad de tiempo)	• Incrementar el número de problemas completados por minuto durante el trabajo en matemáticas. • Incrementar el número de palabras escritas por minuto usadas de forma correcta y sin faltas de ortografía.
Latencia (tiempo entre la presentación del estímulo antecedente y la ocurrencia de la conducta)	• Reducir el tiempo de cumplimiento desde que el padre da la instrucción "limpia tu habitación" hasta que se da la conducta de limpiar la habitación. • Aumentar la demora entre la aparición de un comentario agresivo y la respuesta de represalia de un alumno con dificultades emocionales severas.
Duración (tiempo total transcurrido durante la ocurrencia de una conducta)	• Incrementar el tiempo en el que un estudiante se mantiene centrado en la tarea. • Incrementar el número de minutos de la conducta de estudio.
Amplitud/Magnitud (fuerza o potencia de una respuesta)	• Incrementar el volumen de voz de un hablante de 45dB a 65dB. • Incrementar la altura de la barra del salto de altura en estudiantes matriculados en una clase de educación física.

reforzamiento diferencial del habla que se emite a un volumen mínimo de 45 dB pondría bajo extinción las respuestas por debajo de esa amplitud. Cuando el estudiante estuviese hablando consistentemente a una amplitud de 45dB o superior el criterio se elevaría a 55dB. Del mismo modo, cuando se consiguieran los 55dB y finalmente los 65dB, los niveles de amplitud anteriores no serían reforzados (es decir, serían puestos bajo extinción).

Fleece y colaboradores (1981) usaron el moldeamiento para aumentar el volumen de voz de dos niños inscritos en una guardería para niños con discapacidades físicas y del desarrollo. Se tomaron en una clase normal los datos de la lineabase sobre el volumen de voz. Dicho volumen de voz se midió en una escala de 0 a 20 puntos, en la que el 0 indicaba un volumen inaudible, el 10 un volumen normal y el 20 un volumen propio de los gritos. El procedimiento de moldeamiento consistió en hacer que los niños recitaran una canción de cuna en presencia de un dispositivo de retransmisión activado por voz en el que el volumen de voz activaba un indicador de luz. La intensidad de la luz se correspondía con el volumen de voz: un volúmen de voz más alto producía una luz más intensa y uno más bajo una luz más tenue. El profesor moldeaba el volumen de voz aumentando el umbral sensitivo del dispositivo transmisor. Así, mientras que en las fases iniciales de entrenamiento un volumen bajo era suficiente para activar la luz tenue, en las últimas fases era necesario un volumen mucho más alto para producir el mismo efecto. Cada incremento del nivel de volumen necesario para activar la luz representaba una aproximación sucesiva al volumen final.

El análisis del desempeño de los niños utilizando un diseño de lineabase múltiple con estudiantes indicó que el volumen de voz en el aula incrementó como resultado del tratamiento (ver figura 19.2). Además, el volumen de voz de los niños se mantuvo alto después de un periodo de 4 meses. Finalmente, de acuerdo con informes anecdóticos por parte del personal de la escuela, el volumen más alto de voz de los niños se generalizó a otros contextos distintos al aula.

Desde un punto de vista práctico, la medición de los decibelios se podría obtener mediante una grabadora sensible a la voz o un dispositivo de audiometría que emitieran una señal (luz o sonido) solo cuando se alcanzara un determinado umbral de volumen (Fleece et al., 1981). Las emisiones por debajo del criterio no activarían el dispositivo de grabación.

Moldeamiento entre topografías y dentro de una topografía de respuesta

Moldear conductas entre diferentes tipografías de respuesta significa que los miembros seleccionados de una clase de respuesta son reforzados diferencialmente,

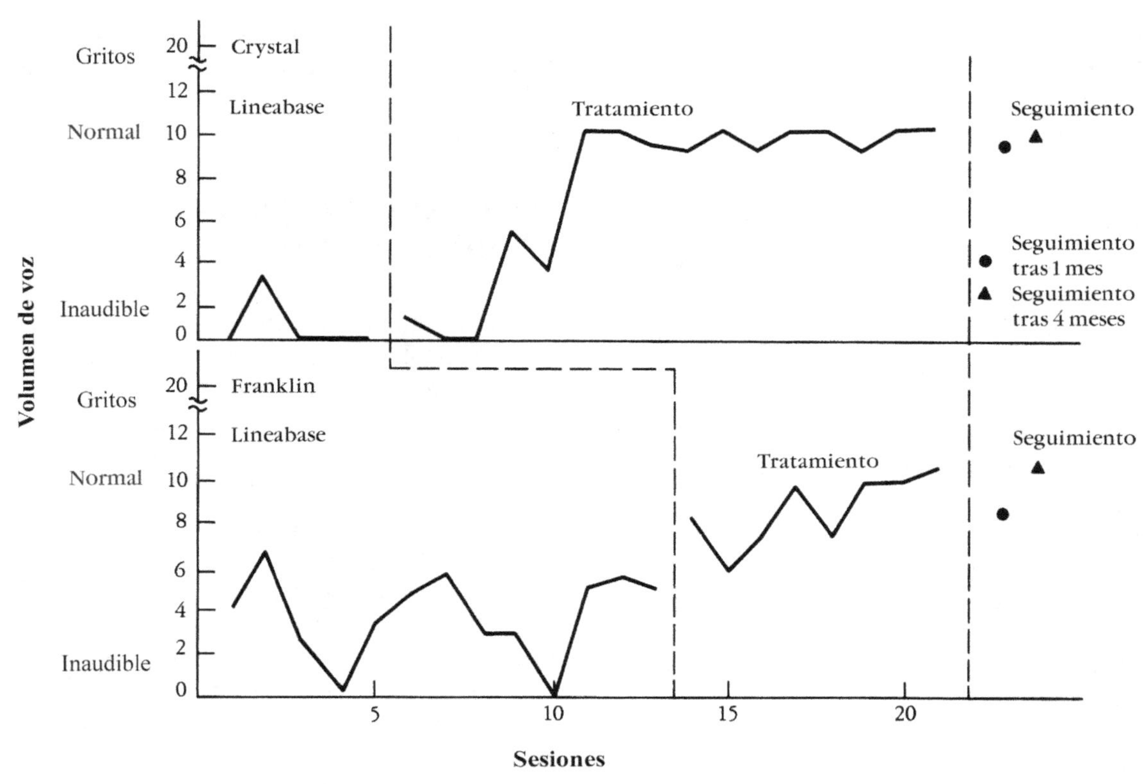

Figura 19.2 Niveles de volumen de voz por sesión en el contexto del aula.

Tomado de "Elevation of Voice Volume in Young Developmentally Delayed Children via an Operant Shaping Procedure" L. Fleece, A. Gross, T. O'Brien, J. Kistner, E. Rothblum, y R. Drabman, 1981, *Journal of Applied Behavioral Analysis, 14*, pág. 354. © Copyright Society for the Experimental Analysis of Behavior, Inc. Reimpreso con permiso.

mientras que miembros de otras clases de respuesta no son reforzados. Como se ha descrito anteriormente, los movimientos de los labios, los sonidos del habla, las verbalizaciones de una sola palabra, y las emisiones de frases u oraciones representan las diferentes topografías de la clase de respuestas sobre la que se basa la conducta verbal; son las conductas prerrequisitas del habla. Al moldear la conducta a lo largo de diferentes topografías de respuesta, el profesional aplicado incrementa gradualmente el criterio de desempeño antes de presentar el reforzador.

Isaacs, Thomas y Goldiamond (1960) publicaron un estudio clásico en el que mostraban como se pueden moldear las conductas dentro de una topografía y entre topografías. Ellos moldearon con éxito la conducta vocal de Andrew, un hombre diagnosticado de esquizofrenia catatónica que llevaba sin hablar 19 años a pesar de los esfuerzos para fomentar la producción del habla. Esencialmente, el procedimiento de moldeamiento se inició cuando un astuto psicólogo se dio cuenta de que la habitual expresión pasiva de Andrew cambió levemente cuando cayó al suelo un paquete de chicles de manera inadvertida. Dándose cuenta de que el chicle podía ser un reforzador efectivo para construir conductas de la clase de respuesta de hablar, el psicólogo seleccionó la producción del habla como conducta final.

El siguiente paso en el proceso de moldeamiento fue seleccionar una conducta inicial para reforzar. Se eligió como primera conducta el movimiento de labios porque el psicólogo percibió que en presencia del paquete de chicle se dieron pequeños movimientos de labios, y más importante, el movimiento de labios estaba entre la clase de respuestas del habla. Tan pronto como se estableció el movimiento de labios mediante reforzamiento diferencial el psicólogo esperó a la siguiente aproximación a la conducta final. Durante esta fase, no se reforzaron los movimientos de labios cuando se producían de forma aislada; solo los movimientos de labios con sonido producían el reforzador. Cuando Andrew empezó a hacer sonidos guturales, se reforzaron diferencialmente las vocalizaciones. Entonces, el propio sonido gutural fue moldeado (reforzamiento diferencial dentro de una topografía de respuesta) hasta que Andrew dijo la palabra *gum* (chicle en inglés). Tras la sexta semana de moldeamiento, el psicólogo le pidió a Andrew que dijera *chicle*, a lo que Andrew respondió "chicle, por favor". Durante esa sesión y las posteriores, Andrew progresó hasta conversar con el psicólogo y otras personas de la institución sobre su identidad y su pasado. En esta poderosa demostración de moldeamiento, tras la selección de la conducta final y el punto de comienzo inicial, cada miembro de la clase de respuestas fue moldeado mediante reforzamiento diferencial de aproximaciones sucesivas a la conducta final.

Moldear una conducta dentro de una topografía de respuesta significa que la forma de la conducta se mantiene constante, pero el reforzador diferencial es aplicado a otra dimensión medible de la conducta. Para ilustrar, supongamos que en una clase universitaria de educación física, la profesora está dando una lección a los estudiantes sobre seguridad en el agua. Específicamente, está enseñándoles cómo lanzar un salvavidas a una distancia determinada de una persona que está luchando por no ahogarse en el agua. Ya que la habilidad importante en esta actividad es lanzar el salvavidas cerca de la persona, la profesora de educación física debe moldear el lanzamiento certero mediante el reforzamiento de aproximaciones sucesivas al lanzamiento a una distancia dada. En otras palabras, se elogia cada lanzamiento que cae cerca de la persona (p.ej., en un radio de dos metros), mientras que no se elogian los lanzamientos que caen fuera de ese rango. Conforme los estudiantes se vuelven más precisos, el área puede ser reducida hasta que la conducta final es un lanzamiento que cae en el área de alcance del brazo de la persona. En este caso, se moldea la magnitud de la conducta; la forma del lanzamiento se mantiene.

Otro ejemplo de moldeamiento dentro de una topografía de respuesta sería una madre que trata de aumentar el tiempo que dedica su hijo a practicar piano. El criterio de logro (la conducta final) en este programa particular podría ser hacer que el niño practicara durante 30 minutos tres veces por semana (p.ej., lunes, miércoles y viernes). Para alcanzar su objetivo, la madre podría reforzar progresivamente periodos más largos de práctica, quizás empezando con unos minutos una tarde a la semana. Después, la madre podría reforzar incrementos del tiempo de práctica: 10, 12, 15, 20, 25 y finalmente 30 minutos de práctica solo los lunes. No habría contingencias en los otros dos días. En cuanto se alcanzara un nivel de criterio intermedio (p.ej., 20 minutos), el reforzador no dejaría de presentarse por menos de 20 minutos de práctica a no ser que el desempeño se estanque a niveles superiores de práctica y el progreso se dificulte.

Durante la siguiente fase de moldeamiento, el proceso se repite para los miércoles por la tarde. Ahora el niño debe alcanzar el criterio en los dos días antes de recibir el reforzador. Finalmente, la secuencia se repite para las tres tardes. Es importante recordar que la conducta que está siendo moldeada en este ejemplo no es tocar el piano. El niño ya sabe tocar el piano, la topografía de esa clase de respuesta ya ha sido aprendida. Lo que está siendo moldeado mediante reforzamiento diferencial es una dimensión de la conducta dentro de la clase de respuesta, específicamente la duración de la práctica de piano.

Aspectos positivos del moldeamiento

El moldeamiento enseña nuevas conductas. Como el moldeamiento es implementado gradual y sistemáticamente, la conducta final está siempre presente. Además, el moldeamiento usa un enfoque positivo para enseñar nuevas conductas, ya que se presenta el reforzamiento consistentemente ante la ocurrencia de aproximaciones sucesivas a la conducta final y se extinguen las conductas que no se aproximan a la conducta final, pero no se suele incluir castigo u otros procedimientos aversivos. Finalmente, el moldeamiento puede combinarse con otros procedimientos establecidos de cambio o de creación de conducta (p.ej., el encadenamiento). Por ejemplo, supongamos que un analista de conducta diseñase un análisis de tareas de siete pasos para enseñar a un niño a atarse los cordones, pero que el niño no fuese capaz de completar el paso 5 del análisis de tareas. Se puede usar el moldeamiento de forma aislada para enseñar una aproximación más cercana a ese paso. Una vez que se hubiese aprendido el paso número 5 a través del moldeamiento, el encadenamiento podría continuar con el resto del análisis de tareas.

Limitaciones del moldeamiento

Se pueden identificar al menos cinco limitaciones del moldeamiento. Los profesionales aplicados deben ser conscientes de estas limitaciones y estar preparados para lidiar con ellas conforme aparezcan. Primero, moldear una nueva conducta puede llevar mucho tiempo, porque pueden ser necesarias muchas aproximaciones antes de lograr la conducta final (Cipani y Spooner, 1994).

Segundo, el progreso hasta la conducta final no es siempre lineal. Es decir, el aprendiz no siempre procede de una aproximación a la siguiente en una secuencia continua y lógica. El progreso puede ser errático. Si la conducta es muy errática (es decir, no se parece a una aproximación cercana a la conducta final), se puede necesitar reducir más aún una aproximación, permitiendo más reforzamiento y progreso. La habilidad del profesional en detectar y reforzar la más mínima aproximación siguiente a la conducta final es crítica para el éxito del moldeamiento. Si el profesional falla en el reforzamiento de las respuestas de la siguiente aproximación (por negligencia, inexperiencia, o preocupación con otras tareas) puede haber menos ocurrencias de respuestas similares y estarán más distanciadas en el tiempo. En cambio, si el reforzamiento de la ejecución de una aproximación concreta continua más de lo necesario, se puede dificultar el progreso hacia la conducta final.

Tercero, el moldeamiento requiere que el profesional supervise consistentemente al aprendiz para detectar indicadores sutiles de que se ha emitido la siguiente aproximación más cercana a la conducta final. Muchos profesionales aplicados (por ejemplo, profesores en clases muy demandantes y ajetreadas) no pueden supervisar la conducta detenidamente para detectar pequeños cambios. Consecuentemente, el moldeamiento puede llevarse a cabo de manera inapropiada o al menos ineficiente.

Cuarto, el moldeamiento puede ser mal aplicado. Imagínese una niña que trata de captar la atención de su padre emitiendo peticiones en voz baja (p.ej., "papá, quiero helado"). El padre no atiende a las llamadas iniciales. Tras los intentos fallidos de la niña, esta tendrá mayor determinación para conseguir la atención de su padre. Así, se aumentará la frecuencia y la amplitud de las llamadas (p.ej., "PAPÁ, ¡quiero helado!"). Cuando el padre vea que las peticiones vocales van en aumento, el padre acabará dándole el helado. La próxima vez la niña pedirá lo que quiere en un tono de voz incluso mayor antes de conseguir la atención del padre. En este escenario el padre ha reforzado diferencialmente un aumento constante del nivel de la conducta de llamar la atención, y ha moldeado mayores niveles de las peticiones de helado. Usando este ejemplo como telón de fondo, Skinner (1953) señaló: "El reforzamiento diferencial que proporciona un padre negligente o preocupado por sus asuntos está muy cerca del procedimiento que deberíamos adoptar si se nos encomendara la misión de condicionar a un niño para que fuera molesto (pág. 98)".

Finalmente, pueden moldearse conductas dañinas. Por ejemplo, Rasey e Iversen (1993) enseñaron que el reforzamiento diferencial puede ser usado para moldear la conducta de una rata hasta el punto de que la rata se cayese desde el borde de una plataforma. Reforzando diferencialmente a la rata para que cada vez sacase la nariz más allá del borde para conseguir comida, la rata al final llegó a caerse del borde.[1] No es difícil pensar que los juegos adolescentes de desafío, que han evolucionado y se han popularizado en programas de televisión de búsqueda de emociones fuertes, se aprovechan de personas que reciben reforzamiento diferencial por asumir niveles de riesgo cada vez más altos que pueden desembocar en conductas peligrosas y, en ocasiones, trágicas.

Moldeamiento frente a desvanecimiento del estímulo

Tanto el moldeamiento como el desvanecimiento modifican gradualmente la conducta, aunque de manera muy diferente. En el moldeamiento el estímulo antecedente se mantiene, mientras que la respuesta se va diferenciando progresivamente. En el desvanecimiento de estímulo, ocurre lo opuesto: el estímulo antecedente cambia gradualmente mientras que la respuesta se mantiene igual.

Aumento de la eficiencia del moldeamiento

Además de mostrar cómo se moldean las conductas dentro de una topografía y entre diferentes topografías de respuesta, el estudio de Issacs y colaboradores (1960) ilustra otro aspecto del moldeamiento: su eficiencia. En las etapas iniciales del programa, el psicólogo esperó a que apareciera la siguiente aproximación antes de dar el reforzador. La espera puede consumir mucho tiempo, de modo que Isaacs y sus colaboradores mejoraron la eficiencia usando una ayuda verbal, "di chicle", tras la sexta sesión de entrenamiento. Presumiblemente, si el psicólogo no hubiera usado una ayuda verbal, habrían sido necesarias varias sesiones adicionales antes de lograr una respuesta exitosa.

El moldeamiento puede mejorarse de tres formas. La primera consiste en combinar un estímulo discriminativo (E^D) con el moldeamiento. Por ejemplo, cuando se intenta moldear el apretón de manos como una habilidad de saludo en un adulto con discapacidad del desarrollo, el profesor puede decir: "Francisco, extiende tu brazo". Scott, Scott y Goldwater (1997) usaron una ayuda verbal ("¡Llega!") cuando un saltador de pértiga universitario corría el trayecto para clavar la pértiga en el cajetín de salto. La ayuda fue diseñada para centrar la atención del saltador en extender los brazos antes de clavar la pértiga en el cajetín. Kazdin (2011) sugirió que facilitar[2] una respuesta usando cualquier tipo de mecanismo de ayuda puede ser útil, especialmente si el repertorio de la persona es limitado y es difícil diferenciar entre varias aproximaciones sucesivas. "Incluso si las respuestas no

[1] El investigador puso una red de seguridad para que la rata no sufriera daños.

[2] N. del T.: *priming* en el original.

están en el repertorio del cliente el procedimiento de facilitación[2] puede iniciar los componentes tempranos de la respuesta y hacer posible el moldeamiento" (pág. 277). La segunda forma de mejorar el moldeamiento es mediante ayudas físicas. En el ejemplo de Francisco citado anteriormente, el profesor podría ayudar a Francisco manualmente a extender su brazo. Como tercera técnica de mejora del moldeamiento, el profesor podría utilizar una ayuda de imitación para demostrar cómo se extiende el brazo (p.ej., "Frank, extiende tu brazo así"). Cualquier ayuda artificial utilizada para acelerar el proceso de moldeamiento, debe desvanecerse posteriormente.

Entrenamiento con clics

Pryor (1999) describió el **entrenamiento con clics** como un sistema basado en la ciencia para moldear conductas usando reforzamiento positivo. El aparato que sirve para administrar los clics es un dispositivo manual que produce un clic al pulsar una lámina de metal. El reforzador es emparejado con el clic de modo que el sonido pasa a ser un reforzador condicionado. Inicialmente usado para moldear la conducta de los delfines sin ayudas físicas (Pryor y Norris, 1991), el entrenamiento con clics se empezó a utilizar posteriormente con otros animales (p.ej., gatos y caballos) y por último con humanos para moldear conductas complejas como las habilidades de un piloto (Pryor, 2005).

> Los entrenadores que usan el método de los clics se centran en crear conductas, no en detenerlas. En vez de gritar al perro por saltar, se hace un clic cuando se sienta, en vez de espolear al caballo para que avance, se hace un clic cuando anda. Entonces, clic a clic "moldeas" que el perro permanezca sentado más tiempo o un avance mayor, hasta que consigues los resultados finales deseados. Una vez que la conducta es aprendida, se mantiene mediante halagos y aprobación, y se guardan el administrador de clics y las recompensas hasta la siguiente vez que se quiera entrenar algo nuevo.

La figura 19.3 presenta 15 consejos para iniciarse en el entrenamiento con clics (Pryor, 2003).

Directrices para implementar el moldeamiento

El profesional aplicado debe tener en cuenta muchos factores antes de decidirse por el uso del moldeamiento. Primero, se deben evaluar la naturaleza de la conducta final a conseguir y los recursos disponibles. Por ejemplo, un profesor de primaria podría estar interesado en aumentar el número de problemas de matemáticas realizados por una alumna con dificultades de aprendizaje. Quizás la alumna completa actualmente 5 problemas durante el tiempo destinado a matemáticas, con un rango entre 0 y 10 problemas. Si la alumna es capaz de finalizar y comprobar su desempeño de manera independiente al final del periodo de matemáticas, se puede implementar moldeamiento, de modo que lo que se refuerza diferencialmente es el número de problemas completados. El reforzador puede ser presentado para 5, 7, 9, 10 y después para más problemas de matemáticas completados correctamente en el periodo de tiempo destinado a esa asignatura. En este caso, la solución del problema está dentro de una topografía específica de respuesta, y la alumna podrá supervisar su propio desempeño.

Además, dado que el moldeamiento requiere aproximaciones múltiples y no puede predecirse una progresión lineal, se aconseja que el profesional estime la cantidad total de tiempo necesario para lograr la conducta final. Esta estimación puede determinarse preguntando a otros profesionales cuántas sesiones necesitaron para moldear conductas similares, o mediante el reforzamiento diferencial de algunas conductas que se aproximan a la conducta final, para después extrapolar de esa experiencia el tiempo total que puede ser necesario para moldear la conducta final. Es probable que estos dos procedimientos produzcan unas estimaciones poco aproximadas, porque el progreso puede acelerarse o ralentizarse por una serie de factores imprevistos en la estimación. Si se diera que el tiempo necesario es mayor del disponible, el profesional debería valorar la posibilidad de usar otra estrategia. Algunas conductas pueden descartar el uso del moldeamiento como técnica de creación de conducta. Por ejemplo, si un profesor de instituto está interesado en aumentar el repertorio de estrategias para hablar en público de sus estudiantes, las ayudas, el modelado, o el establecimiento de tutorías entre iguales, pueden ser más eficientes que el moldeamiento. Es decir, que explicarles y enseñarles a los estudiantes como usar gestos, inflexiones o metáforas puede ser mucho más rápido que tratar de moldear cada

Figura 19.3 Los 15 consejos de Pryor para la iniciación de entrenamiento con clics

1. Presiona y suelta el extremo del aparato que produce clics para realizar el sonido en un doble tono. Luego premia. Usa premios de pequeño tamaño. Inicialmente utiliza premios suculentos: para un perro o un gato pueden ser daditos de pollo asado, pero no comida para mascotas.
2. Haz clic DURANTE la conducta deseada, no una vez que ha terminado. El instante en que se hace sonar el aparato que produce clics es crucial. No desesperes si tu mascota deja de realizar la conducta cuando oye el clic. El clic pone fin a la conducta. Dale el premio después; el tiempo que dure el premio no importa.
3. Haz clic cuando el perro (u otra mascota) esté realizando algo que te agrada. Inicialmente elige algo fácil, algo que el perro pueda realizar espontáneamente. (Ideas: sentarse, acercarse a ti, tocar tu mano con su hocico, levantar una pata, tocar y seguir un objetivo como un lápiz o cuchara).
4. Haz clic una sola vez (presiona-suelta). Si deseas expresar un especial entusiasmo, aumenta el número de premios pero no el número de veces que haces sonar el aparato que produce clics para una respuesta.
5. Realiza sesiones de adiestramiento cortas. Se aprende mucho más en tres sesiones de cinco minutos cada una que en una hora de aburridas repeticiones. Puedes obtener excelentes resultados y enseñar a tu perro muchos ejercicios nuevos realizando unos cuantos clics a lo largo del día dentro de tus rutinas diarias.
6. Soluciona los problemas de mala conducta premiando con clics la conducta adecuada. Haz clic cuando el cachorro hace sus necesidades en el lugar deseado. Haz clic si mantiene sus cuatro patas en el suelo y no sobre las visitas. En lugar de regañarle por ladrar, haz clic cuando está en silencio. Soluciona los problemas de tensión con la correa haciendo clic y premiando las ocasiones en las que la correa esté floja.
7. Haz clic ante sus movimientos voluntarios (o accidentales) en la dirección que quieres. Puede ser que guíes o atraigas al animal para realizar el movimiento que deseas, pero no lo empujes, arrastres, agarres o fuerces. Deja que el animal descubra cómo realizar la conducta por sí mismo. Si necesitas utilizar una correa por razones de seguridad, sujétala con tu brazo o engánchala a tu cinturón.
8. No esperes hasta que realice "la conducta perfecta". Haz clic y premia los pequeños pasos en la buena dirección. Si lo que quieres es que el perro se siente y comienza a doblar sus cuartos traseros, haz clic. Si quieres que venga cuando lo llamas y comienza a dar unos pasos hacia ti, haz clic.
9. Continúa elevando tus objetivos. Tan pronto como obtengas la respuesta deseada (p.ej., cuando el perro se echa voluntariamente, se acerca a ti, o se sienta con rapidez) eleva el listón del ejercicio. Espera un poco, hasta que el perro permanezca sentado algo más de tiempo, hasta que se aproxime más a ti, o hasta que se siente más rápido. Haz clic cuando esto ocurra. Esto se llama "moldear" una conducta.
10. Una vez que el perro ha aprendido a hacer algo mediante clics, comenzará a realizar la conducta de forma espontánea para intentar que hagas sonar el aplicador de clics. Este es el momento de introducir una señal, una palabra o un movimiento de la mano. Haz clic si realiza la conducta en el momento en que le das la señal o inmediatamente después. Ignóralo si la conducta se produce sin que tú le des la ayuda.
11. No te dediques a darle órdenes todo el tiempo; el adiestramiento con clics no se basa en las órdenes. Si tu mascota no responde a una señal, no es que "desobedezca", simplemente no ha aprendido todavía el significado de la señal. Trata de encontrar otras formas de darle indicaciones y haz clic cuando realice la conducta deseada. Intenta trabajar en sitios más tranquilos y con menos distracciones durante un tiempo. Si tienes más de una mascota realiza el adiestramiento por separado y hazlo por turnos.
12. Lleva siempre un aparato productor de clics contigo para poder "captar" conductas graciosas como ladear la cabeza, perseguir su cola o mantener una pata en alto. Puedes hacer clic por distintas conductas en el momento en el que las ves, sin que por ello vayas a confundir a tu mascota.
13. Si te estas volviendo loco, deja el aplicador de clics a un lado. No mezcles las correcciones, los tirones de la correa y el adiestramiento correctivo con el adiestramiento con clics; solo conseguirás perder la confianza del animal, en el aparato y muy probablemente en ti.
14. Si no estás logrando progresos en una conducta en particular, probablemente se deba a que estás haciendo clic demasiado tarde. Es muy importante aplicar el clic en el instante preciso. Pídele a otra persona que te observe mientras lo usas, y tal vez que lo utilice por ti en alguna ocasión.
15. Sobre todo, diviértete. El adiestramiento con el clics es una forma maravillosa de fortalecer la relación con cualquier mascota que está aprendiendo.

Extraído de *Click to Win!* De Karen Pryor, 2002. Sunshine Books, Waltham, MA, EEUU también disponible en clickertraining.com

Figura 19.4 Las diez leyes del moldeamiento de Pryor

1. Incrementa los criterios de ejecución del ejercicio en dosis lo suficientemente pequeñas para que el alumno tenga posibilidades reales de alcanzar el reforzamiento.
2. En cada momento enseña tan solo un aspecto en particular de la conducta. No trates de moldear dos criterios simultáneamente.
3. Durante el moldeamiento, pon el nivel actual de respuesta en un programa de reforzamiento variable antes de añadir o elevar el criterio de ejecución.
4. Cuando introduzcas un nuevo criterio o aspecto de la habilidad conductual relaja temporalmente los criterios anteriores.
5. Permanece siempre por delante del sujeto: planifica por completo tu programa de moldeamiento, de modo que si el sujeto realiza progresos repentinos sepas lo que hay que reforzar a continuación.
6. No cambies de entrenador a mitad del ejercicio. Puedes tener varios entrenadores para el mismo aprendiz pero escoge siempre uno para moldear cada conducta.
7. Si un procedimiento de moldeamiento no genera progreso, busca otro. Hay tantas formas de alcanzar una conducta como entrenadores para idearlas.
8. No interrumpas una sesión de entrenamiento innecesariamente; funcionaría como un castigo.
9. Si una conducta aprendida se deteriora vuelve al inicio. Repasa rápidamente todo el proceso de moldeado con unas series de reforzadores fáciles de obtener.
10. Finaliza cada sesión en el punto más exitoso si es posible, pero en cualquier caso termínala en presencia de resultados positivos.

Extraído de Simon & Schuster Adult Publishing Group de *Don't Shoot the Dog! The New Art of Teaching and Training* (edición revisada) de K. Pryor, 1999, págs.. 38-39. Copyright © 1984 de Karen Pryor.

una de esas diferentes clases de respuesta de manera aislada.

Una vez que se ha tomado la decisión de utilizar moldeamiento, *las diez leyes del moldeamiento de Pryor* pueden ayudar al profesional a implementar el proceso en contextos aplicados (ver Figura 19.4).

Seleccionar la conducta final

Los profesionales habitualmente trabajan con personas que tienen que cambiar múltiples conductas. Consecuentemente, deben identificar con rapidez la conducta de mayor prioridad. El criterio final de esta decisión es la independencia esperada del individuo tras el cambio de conducta; es decir, la probabilidad de que siga consiguiendo reforzadores adicionales del ambiente (Snell y Brown, 2006). Por ejemplo, si un estudiante deambula por la clase, molestando a los demás, quitándoles los papeles o acosándolos verbalmente, sería mejor comenzar el procedimiento de moldeamiento con una conducta que fuera incompatible con deambular por la clase, por el beneficio que pudiera tener para la propia persona y el resto de estudiantes. Además, si se desarrolla la conducta que quedarse en su sitio sentado, habrá más probabilidades de que el personal que interactúa con el estudiante lo perciba y refuerce su conducta. En este caso, el moldeamiento debería reforzar diferencialmente las duraciones cada vez mayores de la conducta de quedarse sentado en su sitio.

También es importante definir la conducta final de manera precisa. Por ejemplo, un analista de conducta podría querer moldear la conducta de sentarse apropiadamente de una persona con retraso severo. Para ello, la conducta podría definirse como colocarse erguido en la silla, mirando hacia el frente de la clase, con el trasero apoyado en el asiento de la silla y la espalda contra el respaldo durante una actividad matinal de 15 minutos. Usando esta definición, el analista puede determinar cuándo se logra la conducta, así como lo que no constituye la conducta, una discriminación importante si se quiere llevar a cabo el moldeamiento de manera eficiente (p.ej., el alumno podría sentarse con medio trasero fuera del asiento o girado hacia la parte de atrás de la clase).

Determinar el criterio de logro

Tras identificar la conducta final, el profesional debe especificar el criterio de logro. Aquí, el profesional decide qué nivel de precisión, velocidad, intensidad o duración debe tener la conducta para considerarse lograda. Se pueden medir varias dimensiones para establecer el criterio de logro. Algunas de las más comunes incluyen la frecuencia, la magnitud y la duración. Dependiendo de la conducta final, se puede usar una o todas estas dimensiones para evaluar el logro. Por ejemplo, un profesor de educación especial podría moldear la frecuencia de resolución de problemas de cálculo de matemáticas que evolucionaría del actual nivel de desempeño del alumno (digamos, medio problema por minuto) a una mayor tasa (p.ej., cuatro problemas por minuto).

Se puede determinar el criterio de logro midiendo la conducta entre un grupo de iguales o consultando los criterios establecidos en la literatura. Por ejemplo, para validar el progreso hacia una conducta final, pueden servir de referencia los estándares y directrices para la velocidad de lectura por curso académico (Kame´enui, 2002), para las habilidades en educación física por grupos de edad (*President's Council on Physical Fitness*, 2005), y las directrices para los deberes según el curso académico (Heron, Hippler, y Tincani, 2003).

En el ejemplo anterior, el criterio de logro podría ser que el alumno permaneciese sentado de manera apropiada el 90% del tiempo de la actividad matutina durante 5 días consecutivos. En este ejemplo, se especifican dos criterios: el porcentaje en el que se cumple la conducta de sentarse adecuadamente por sesión (es decir, 90%) y el número de días que el criterio debe alcanzarse para establecer la conducta (es decir, 5 días consecutivos).

Analizar la clase de respuesta

El propósito de analizar la clase de respuesta es tratar de identificar las aproximaciones que podrían ser emitidas en la secuencia de moldeamiento. Cuando las aproximaciones son conocidas (y anticipadas) el profesional aplicado está en una mejor posición para observar y reforzar la emisión de una aproximación. De todos modos, el profesional debe reconocer que las aproximaciones proyectadas son conjeturas de las conductas que podrían ser emitidas. En realidad, el alumno puede emitir conductas que son meras aproximaciones a estas proyecciones. El profesional debe ser capaz de hacer un juicio riguroso sobre si la conducta emitida previamente es o no una aproximación más cercana a la conducta final que las conductas que se presentaron y fueron reforzadas en el pasado. Según Galbicka (1994):

> Un moldeador exitoso debe determinar cuidadosamente las características del repertorio de respuesta actual de un individuo, definir explícitamente las características que tendrá la conducta final al concluir el entrenamiento, y trazar el curso entre el reforzamiento y la extinción que traerá consigo la respuesta correcta en el momento preciso, fomentando la secuencia conductual final sin perder nunca la respuesta del todo.

Las aproximaciones relevantes dentro de una clase de respuesta o entre clases de respuesta, pueden ser analizadas de diferentes maneras. Según la primera, los profesionales aplicados pueden consultar a expertos en el campo para determinar sus puntos de vista sobre la secuencia adecuada de aproximaciones para una conducta dada (Snell y Brown, 2006). Por ejemplo, se puede consultar a profesores que han enseñado multiplicaciones de tres cifras durante muchos años para aprender de su experiencia con las conductas prerrequisitas para el desempeño de este tipo de habilidad de cálculo. La segunda consiste en utilizar, como se indicó anteriormente, los datos normativos de estudios anteriores para contar con una estimación de las aproximaciones involucradas. La tercera sería el uso de grabaciones de vídeo para analizar las conductas que componen las aproximaciones. El vídeo puede ayudar al profesional a ver movimientos que son difícilmente detectables en una ejecución inicial en vivo, pero pueden llegar a detectarse conforme el profesional se vuelve más hábil en su observación. Por último, el profesional puede ejecutar él mismo la conducta objetivo, notando cuidadosamente los componentes discretos de la conducta mientras la realiza.

La decisión definitiva sobre las aproximaciones, su orden, la duración del reforzamiento tras una aproximación dada, y el criterio para pasar a la siguiente aproximación o repetir la actual, depende de la habilidad y la capacidad de juicio del profesional. En última instancia, el desempeño del aprendiz debe dictar cuando aumentar, mantener o disminuir el tamaño de una aproximación, siendo esencial una supervisión constante por parte del profesional.

Identificar la primera conducta a reforzar

Se sugieren dos criterios para identificar la conducta inicial a reforzar: (a) la conducta debe estar ya ocurriendo a una frecuencia mínima, y (b) la conducta debe ser miembro de la clase de respuesta objetivo. La primera condición reduce la necesidad de esperar a la ocurrencia de la conducta inicial, esperar a que sea emitida una conducta puede ser terapéuticamente contraproducente y normalmente es innecesario. El segundo criterio establece la ocasión para reforzar un componente conductual existente que tiene una dimensión en común con la conducta final. Por ejemplo,

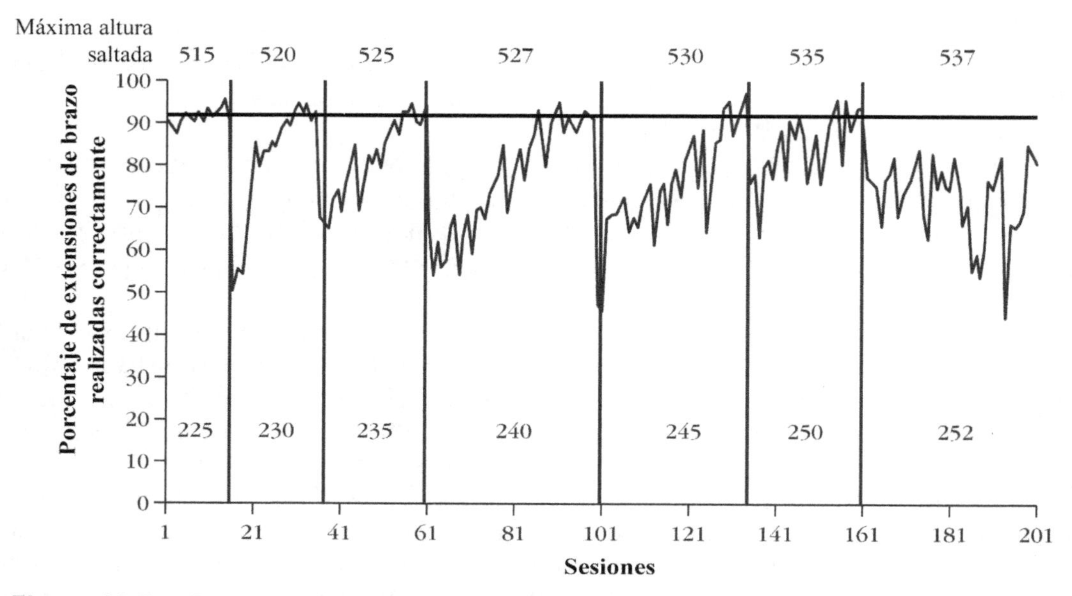

Figura 19.5 Porcentaje de extensiones de brazo realizadas correctamente a siete alturas diferentes. Los números dentro de cada criterio se refieren a la altura del sensor fotoeléctrico.

Tomado de "A Performance Improvement Program for an International-Level Track and Field Athlete" D. Scott, L. M. Scott, y B. Goldwater, 1997, *Journal of Applied Behavioral Analysis, 30 (3),* pág. 575. © Copyright Society for the Experimental Analysis of Behavior, Inc. Reimpreso con permiso.

si la conducta final es el lenguaje expresivo, como era el caso de Andrew, el movimiento de labios sería una buena elección.

Eliminar estímulos interferentes o extraños

Eliminar fuentes de distracción durante el moldeamiento mejora la eficacia del proceso. Por ejemplo, si [429] un padre está interesado en moldear una dimensión de la conducta de vestirse de su hija en el gimnasio local (p.ej., la velocidad al vestirse) y decide empezar el moldeamiento en una habitación con la televisión encendida con dibujos animados, el programa de moldeamiento puede no ser exitoso porque los dibujos animados distraerán la atención de la niña. Sería más eficiente elegir un momento y un lugar en el que las fuentes de distracción puedan ser reducidas o eliminadas.

Avanzar en fases graduales

Se debe hacer especial énfasis sobre la importancia de avanzar hacia el objetivo final en etapas graduales. El profesional aplicado debe anticipar los cambios en el ritmo de progreso y estar preparado para ir de aproximación en aproximación según dicte la conducta del aprendiz. Se debe detectar y reforzar cada nueva ocurrencia de una aproximación sucesiva a la conducta final. Si no, en el peor de los casos el moldeamiento no será exitoso y en el mejor, al azar o aleatorio y requerirá mucho más tiempo. Es más, la ocurrencia de una conducta en una aproximación dada no significa que se vaya a producir inmediatamente la siguiente respuesta que se aproxima a la conducta final. La figura 19.5 muestra los resultados de un estudio realizado por Scott y colaboradores (1997), en el que halló que el porcentaje de extensiones correctas del brazo del saltador de pértiga disminuía inicialmente cuando se elevaba la altura de la barra. Mientras que en la altura inicial se anotaban un 90% de extensiones de brazo como correctas, el desempeño del saltador de pértiga bajaba aproximadamente al 70% cada vez que se elevaba la barra. Después de sucesivos intentos en la nueva altura se restablecía el 90% del criterio de logro.

El profesional también debe ser consciente de que pueden necesitarse muchos intentos en una aproximación concreta antes de que el sujeto pueda avanzar a la siguiente aproximación. La figura 19.5 también ilustra este hecho. Por otro lado, puede que solo se necesiten unos pocos intentos. El profesional tiene que observar cuidadosamente y estar preparado para reforzar muchos intentos a una aproximación concreta o para avanzar rápidamente hacia el objetivo final.

Limitar el número de aproximaciones a cada nivel

Así como es importante avanzar gradualmente aproximación a aproximación, es de igual importancia asegurarse de que el progreso no está siendo obstaculizado por la presencia de demasiados ensayos en una aproximación concreta. Esto puede provocar que la conducta se consolide muy firmemente, y como esa aproximación debe extinguirse antes de poder continuar progresando (Catania, 1998), cuanto más frecuentemente se refuerce una aproximación más tiempo llevará el proceso. En general, si el aprendiz [430] está progresando de forma constante, el reforzador se está ofreciendo al ritmo correcto. Si comienzan a producirse muchos errores o la conducta cesa por completo, probablemente se está elevando el criterio de reforzamiento demasiado rápido. Finalmente, si el desempeño se estabiliza en un determinado nivel, es probable que el moldeamiento esté yendo demasiado despacio. Los profesionales pueden experimentar estas tres dificultados en el curso de las aproximaciones sucesivas a la conducta, por lo tanto deben estar vigilantes y ajustar el procedimiento si fuera necesario.

Continuar reforzando una vez lograda la conducta final

Cuando la conducta final ha quedado demostrada y reforzada es necesario continuar reforzándola. De otra manera la conducta se perdería y su desempeño volvería a niveles inferiores. El reforzamiento debe continuar hasta que se alcance el criterio de logro y se establezca un programa de reforzamiento que permita su mantenimiento.

Aplicaciones futuras del moldeamiento

En la literatura están surgiendo nuevas aplicaciones del moldeamiento que amplían su utilidad, promueven su eficiencia y en última instancia benefician al individuo con tiempos más cortos de entrenamiento o desarrollo de habilidades (Shimoff y Catania, 1995). Se pueden considerar al menos tres aplicaciones futuras del moldeamiento: uso de programas de percentiles, enseñar moldeamiento por ordenador, y la combinación de procedimientos de moldeamiento con ingeniería robótica.

Programas de percentiles

Galbicka (1994) argumentó en contra de la creencia común de que el moldeamiento es más un arte que una ciencia y de que el profesional solo puede aprender a aplicar moldeamiento mediante la experiencia directa pura y dura. Apoyándose en más de dos décadas de investigación de laboratorio sobre programas de reforzamiento de percentiles, la conceptualización del moldeamiento de Galbicka especifica los criterios para las respuestas y el reforzamiento en términos matemáticos, estandarizando por tanto el proceso de moldeamiento independientemente de la persona que lo realice. Así afirmó:

> Los programas de percentiles descomponen el proceso de moldeamiento en sus componentes constituyentes, traducen esos componentes en sentencias matemáticas simples para posteriormente usar estas ecuaciones con parámetros especificados por el experimentador o entrenador para determinar qué constituye una respuesta acorde al criterio y que debe ser por lo tanto reforzada (pág. 740)

Galbicka (1994) admitió que para que los programas de percentiles pudieran ser usados de forma eficaz en contextos aplicados las conductas deben ser (a) medidas constantemente y (b) jerarquizadas usando un sistema de comparación con respuestas anteriores. Si una respuesta excede el valor del criterio se presenta el reforzador, de lo contrario no. Galbicka transmitió que entender cómo funcionan los programas de percentiles puede

> aumentar nuestro entendimiento de las complejas dinámicas sociales y no sociales que moldean la conducta... lo que permite un control sin precedentes sobre los estímulos experimentalmente relevantes en el condicionamiento operante y en los procedimientos diferenciales y ofreciendo un horizonte sin fin sobre el que posar nuestras miradas para futuras extensiones y aplicaciones (pág.759)

Enseñar el moldeamiento por ordenador

Actualmente hay disponibles diversas opciones para enseñar habilidades de moldeamiento utilizando ordenadores o una combinación de software especializado con aplicaciones informáticas. Por ejemplo, *Sniffy*, la rata virtual, es una animación digitalizada por ordenador de una rata blanca dentro de una caja de Skinner. Usando esta simulación virtual los estudiantes pueden practicar condicionamiento básico en sus ordenadores personales.

Admitiendo las limitaciones prácticas de enseñar principios de análisis de conducta (p.ej., moldeamiento) de forma interactiva a una gran masa de estudiantes, Shimoff y Catania (1995) desarrollaron y perfeccionaron simulaciones por ordenador para enseñar los conceptos de moldeamiento. También desarrollaron simulaciones para programas de reforzamiento. En su simulación, *The Shaping Game*, se programaron cuatro niveles de dificultad (fácil, medio, difícil y muy difícil) sobre una serie de ajustes. Empezando con las tareas más sencillas y avanzando hasta el nivel más difícil se enseña a los estudiantes a detectar aproximaciones sucesivas a las conductas de presionar la palanca que deben ser reforzadas y a aquellas que no. En versiones posteriores se intenta que los estudiantes moldeen el movimiento de un lado de la caja de Skinner a otro. Shimoff y Catania argumentaron a favor de las simulaciones por ordenador cuando manifestaron "los ordenadores pueden ser herramientas importantes y efectivas para establecer conductas complejas que parecen ser moldeadas por las contingencias incluso en clases donde no se puede tener una experiencia real (no simulada) de laboratorio" (págs. 315-316).

Martin y Pear (2003) sostienen que los ordenadores pueden ser usados para moldear algunas dimensiones de la conducta (p.ej., la topografía) más rápido que los humanos, ya que un ordenador puede ser calibrado y programado con reglas específicas para decidir cuándo otorgar el reforzador. Más aún, propusieron que un microprocesador podría detectar respuestas moldeables en casos médicos (p.ej., amputaciones, víctimas de accidentes cerebrovasculares, etc.) en los que movimientos musculares mínimos podrían pasar desapercibidos para un observador humano. En su opinión, "los ordenadores… son tanto rápidos como precisos y por tanto pueden ser útiles para responder a cuestiones fundamentales relativas a qué procedimientos de moldeamiento son más efectivos… los ordenadores pueden ser capaces de moldear al menos algunos tipos de conducta de manera tan efectiva como los humanos" (pág. 133).

Combinación de moldeamiento con ingeniería robótica

Algunos investigadores han empezado a explorar cómo podría aplicarse el moldeamiento en el entrenamiento de robots (p. ej., Dorigo y Colombetti, 1998; Saksida, Raymond, y Touretzky, 1997). En esencia, se está considerando el moldeamiento como un método para programar robots progresando desde un estado inicial a través de una serie de estados intermedios y metas finales para lograr conjuntos de comandos más complejos. Según Savage (1998):

> Dado que el moldeamiento es un determinante significativo de cómo una amplia variedad de organismos se adaptan a las circunstancias cambiantes del mundo real, el moldeamiento puede, de hecho, tener potencial como modelo para las interacciones robóticas en el mundo real. Sin embargo, el éxito de esta estrategia depende de una comprensión clara de los principios del moldeamiento biológico por parte de los profesionales en robótica y de su implementación efectiva en robótica. (pág. 321)

Aunque Dorigo y Colombetti (1998) y Saksida y colaboradores (1997) admiten la dificultad de aplicar los principios de conducta sobre las aproximaciones sucesivas a los robots, esta línea de investigación, combinada con el conocimiento emergente en inteligencia artificial, ofrece interesantes perspectivas de futuro.

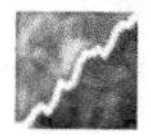

Resumen

Definición de moldeamiento

1. El moldeamiento es el reforzamiento diferencial de aproximaciones sucesivas a una conducta deseada. En el moldeamiento se aplica el reforzamiento diferencial para producir una serie de clases de respuesta ligeramente diferentes, donde cada clase de respuesta sucesiva va siendo una aproximación más cercana a la conducta final que la conducta anterior.
2. Se puede considerar que se ha logrado la conducta final (el producto final del moldeamiento) cuando la topografía, frecuencia, latencia, duración o amplitud/magnitud de la conducta objetivo alcanza un criterio predeterminado.
3. El reforzamiento diferencial es un procedimiento en el que se presenta el reforzador ante respuestas que comparten una dimensión o cualidad predeterminada y se retiene para aquellas respuestas que no comparten esa cualidad.
4. El reforzamiento diferencial tiene dos efectos: las respuestas similares a aquellas que han sido reforzadas ocurren con mayor frecuencia, y las respuestas parecidas a los miembros que no han sido reforzados se emiten menos frecuentemente (es decir, se someten a extinción).

5. El doble efecto del reforzamiento diferencial da como resultado la diferenciación de repuesta, la emergencia de una nueva clase de respuesta compuesta principalmente por respuestas que comparten las características de la subclase anteriormente reforzada.

6. El cambio gradual del criterio de reforzamiento durante el moldeamiento da como resultado una sucesión de nuevas clases de respuesta o aproximaciones sucesivas, cada una de ellas más cercana en forma a la conducta final que la clase de respuesta a la que sustituye.

Moldeamiento entre topografías y dentro de una topografía de respuesta

7. El moldeamiento entre topografías de respuesta significa que los miembros seleccionados de una clase de respuesta son reforzados diferencialmente, mientras que los miembros de otras clases de respuesta no son reforzados.

8. Cuando se moldea una conducta dentro de una topografía de respuesta, la forma de la conducta se mantiene constante, pero se aplica el reforzamiento diferencial a una dimensión de la conducta (p.ej., frecuencia, duración, etc.).

9. El moldeamiento implica algunas limitaciones que los profesionales deberían tener en cuenta antes de aplicarlo.

10. En el moldeamiento el estímulo antecedente se mantiene igual mientras que la respuesta se va diferenciando progresivamente. En el desvanecimiento de estímulo la respuesta se mantiene igual mientras que el estímulo antecedente cambia gradualmente.

Aumento de la eficiencia del moldeamiento

11. Se puede mejorar la eficiencia del moldeamiento de algunas maneras, entre las que se incluyen el uso de estímulos discriminativos, de ayudas vocales, de guías físicas o de ayudas de imitación. Todas las ayudas introducidas se desvacenen posteriormente.

Entrenamiento con clics

12. El entrenamiento por clics es una aproximación científica al moldeamiento de conductas usando reforzamiento positivo.

13. El aparato administrador de clics, un dispositivo manual que produce un clic al presionar una lámina de metal, proporciona la señal de que cuando se realiza una conducta en presencia del clic, le va a seguir un reforzador.

Directrices para implementar el moldeamiento

14. Antes de decidir si se va a usar moldeamiento, se debe considerar la naturaleza de las conductas que van a ser aprendidas y los recursos disponibles.

15. Una vez que se ha decidido aplicar un procedimiento de moldeamiento, el profesional sigue los siguientes pasos: selecciona la conducta final, decide el criterio de logro, analiza la clase de respuesta, identifica la primera conducta a reforzar, elimina interferencias o estímulos extraños, procede en etapas graduales, limita el número de aproximaciones a cada nivel, y continúa reforzando cuando se logra la conducta final.

Aplicaciones futuras del moldeamiento

16. Las aplicaciones futuras del moldeamiento incluyen la aplicación de programas de percentiles, la integración de la tecnología informática para enseñar análisis de conducta usando procedimientos de moldeamiento, y la combinación de procedimientos de moldeamiento con ingeniería robótica.

CAPÍTULO 20

Encadenamiento

Términos clave

Análisis de tareas
Cadena de conducta
Encadenamiento con espera limitada
Encadenamiento con estrategia de interrupción
Encadenamiento de tarea total
Encadenamiento hacia atrás
Encadenamiento hacia atrás con omisiones
Encadenamiento hacia delante

Behavior Analyst Certification Board® BCBA®, BCBA-D®, BCaBA®, RBT® Lista de tareas para analistas de conducta (cuarta edición).

D.	Habilidades analítico-conductuales básicas. Elementos fundamentales del cambio de conducta
D-06	Usar encadenamiento.
D-07	Llevar a cabo un análisis de tareas

En este capítulo se definen las cadenas de conducta, se proporcionan los fundamentos para el establecimiento de cadenas de conducta en situaciones aplicadas, y se analiza la importancia del análisis de tareas en el entrenamiento de cadenas de conducta. El capítulo presenta un procedimiento para la construcción y validación de un análisis de tareas, junto con los procedimientos de evaluación de los niveles de dominio individuales. Se abordan el encadenamiento hacia delante, el encadenamiento de tarea total, el encadenamiento hacia atrás y el encadenamiento hacia atrás con omisiones, y se dan directrices para decidir qué procedimiento de encadenamiento debe utilizarse en los contextos aplicados. El capítulo además describe el encadenamiento con espera limitada y aborda las técnicas para romper cadenas inapropiadas. Por último, el capítulo concluye con un examen de los factores que afectan a la ejecución de una cadena de conducta.

Definición de cadena de conducta

Una **cadena de conducta** es una secuencia específica de respuestas discretas, cada una de las cuales está asociada con una condición estimular particular. Cada respuesta discreta y la condición estimular asociada sirven como componente individual de la cadena. Cuando los componentes individuales están unidos entre sí, esto crea una cadena de conducta que produce un resultado final. Cada respuesta en una cadena produce un cambio estimular que al mismo tiempo funciona como reforzador condicionado para la respuesta que lo produjo y como estímulo discriminativo (E^D) para la siguiente respuesta de la cadena. Cada estímulo que une los dos componentes de la respuesta cumple una doble función: es a la vez un reforzador condicionado y un E^D (Reynolds, 1975; Skinner, 1953). El reforzamiento producido por la respuesta final de la cadena mantiene la eficacia de los cambios estimulares que funcionan como reforzadores condicionados y estímulos discriminativos para cada respuesta de la cadena. La notable excepción a la doble función de los componentes se produce con el primer y último estímulos de la cadena. En estos casos, el estímulo cumple solo una función: ya sea como el E^D o como reforzador condicionado.

Reynolds (1975) proporcionó este ejemplo de laboratorio de una cadena de conducta (ilustrado en la Figura 20.1):

> Un ejemplo experimental de cadena puede comenzar cuando se presenta a una paloma una tecla iluminada en azul. Cuando la paloma picotea la tecla, esta se ilumina en color rojo. Después de que la tecla se ilumine en rojo, la paloma presiona un pedal que ilumina la tecla en amarillo. Mientras esta en amarillo, al desplazar una barra la tecla cambia a color verde. Finalmente, durante el verde, los picotazos se refuerzan mediante un mecanismo de entrega de granos y sus estímulos asociados, en presencia del cual el ave se acerca al dispensador de granos y come. (Pág. 59 a 60)

En el ejemplo de Reynolds, los eslabones están organizados en la siguiente secuencia: azul-tecla-picoteo-rojo; rojo-pedal-presión-amarillo; amarillo-barra-presión-verde; verde-tecla-picoteo-dispensador de granos; dispensador de granos-comer-ingestión de comida. "Debido a que cada estímulo tiene una doble función, como estímulo discriminativo y como reforzador condicionado, los eslabones se solapan. De

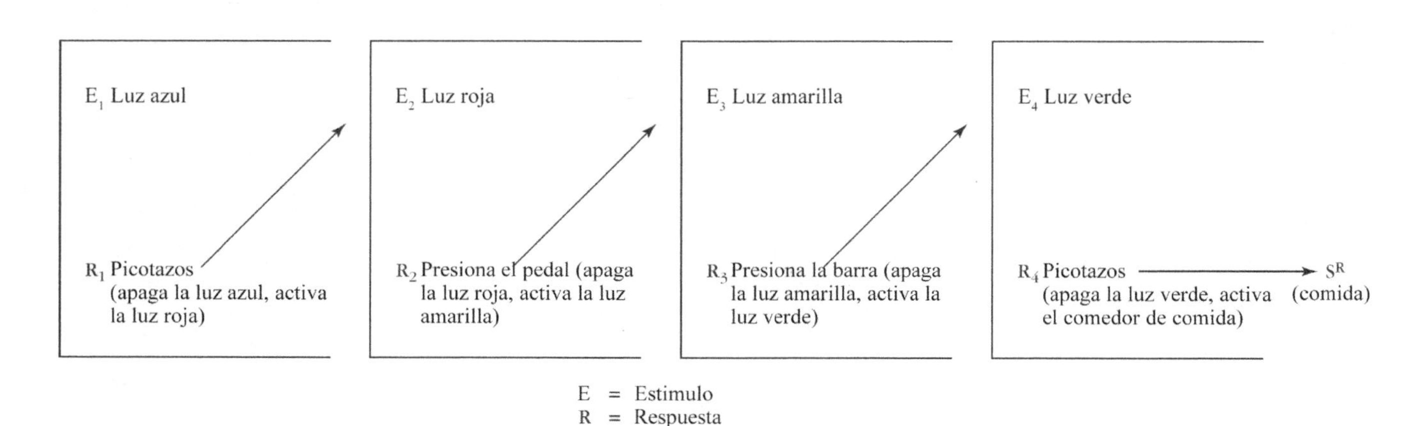

Figura 20.1 Ilustración de una cadena de conducta que consta de cuatro componentes.

Basado en una cadena descrita por Reynolds (1975, pág. 59-60).

Tabla 20.1 Demarcación de la relación entre cada estímulo discriminativo, cada respuesta y cada reforzador en una muestra de una cadena de conducta.

Estimulo discriminativo	*Respuesta*	*Reforzador condicionado*
E_1 "Ponte el abrigo."	R_1 Obtén el abrigo del almario	Abrigo en las manos
E_2 Abrigo en la mano	R_2 Coloca un brazo en una de las mangas	Un brazo en una de las mangas
E_3 Un brazo en la manga/otro fuera	R_3 Coloca el otro brazo en la otra manga	Abrigo puesto
E_4 Abrigo puesto	R_4 Cierra la cremallera del abrigo	Elogio del maestro

hecho, es esta doble función de los estímulos la que mantiene la cadena unida" (Reynolds, 1975, pág. 60).

Como muestra la Figura 20.1, esta cadena incluye cuatro respuestas (R_1, R_2, R_3 y R_4), con condiciones estimulares específicas (E_1, E_2, E_3, y E_4) asociadas a cada una. La luz azul (E_1) es un E^D para la emisión de la primera respuesta (R_1), un picotazo a la tecla que interrumpe la luz azul y produce la aparición de la luz roja (E_2). La luz roja sirve como reforzador condicionado para la R_1 y como un E^D para la R_2 (presionar el pedal). La presión sobre el pedal (R_2) interrumpe la luz roja y produce la aparición de la luz amarilla (E_3), y así sucesivamente. La última respuesta produce alimentos, completando y manteniendo así la cadena.

La Tabla 20.1 muestra los eslabones de una cadena de conducta usando un ejemplo de un aula. En la preparación de una clase de preescolares para el recreo, el maestro podría decirle a un alumno, "Ponte el abrigo, por favor". La instrucción del maestro serviría como el E^D (E_1) que evoca la primera respuesta (R_1) de la cadena, obtener el abrigo del armario. Esa respuesta en presencia de la instrucción del maestro pone fin a la instrucción y inicia la presencia de la ropa entre las manos del alumno (E_2). Tener el abrigo en las manos sirve como reforzador condicionado para la respuesta de obtener el abrigo del armario (R_1) y como el E^D (E_2) para meter un brazo en la manga (R_2). La respuesta de meter un brazo a través de la manga pone fin a la condición estimular de tener el abrigo en las manos e inicia la condición de tener un brazo en una manga y un brazo fuera del abrigo (E_3), lo que sirve como reforzador condicionado para la conducta de meter un brazo por una manga y como E^D (E_3) para meter el segundo brazo por la otra manga (R_3). Esa respuesta poner fin a la condición de un brazo en una manga y el otro brazo fuera del abrigo, y produce el E^D (E_4) para ponerse el abrigo completamente. Tener el abrigo completamente puesto sirve como reforzador condicionado para meter el segundo brazo por la otra manga y como E^D para cerrar la cremallera (R_4). Por último, cerrar la cremallera del abrigo completa la cadena y produce un elogio por parte del maestro.

Una cadena de conducta tiene las siguientes tres características importantes: (a) Una cadena de conducta implica la realización de una serie específica de respuestas discretas; (b) el desempeño de cada conducta de la secuencia cambia el ambiente de manera tal que produce reforzamiento condicionado para la respuesta anterior y funciona como E^D para la siguiente respuesta; y (c) las respuestas de la cadena deben realizarse en una secuencia específica, por lo general en estrecha sucesión temporal.

Encadenamiento con espera limitada

Una **cadena de conducta con espera limitada** es una secuencia de conductas que se deben realizar correctamente y dentro de un tiempo determinado para producir reforzamiento. Por lo tanto, las cadenas de conducta con espera limitada se caracterizan por un rendimiento que es preciso y diestro. Una tarea de montaje en una línea de producción ejemplifica una cadena con espera limitada. Para cumplir con los requisitos de producción del trabajo, un empleado podría tener que montar 30 acopladores en 30 ejes dentro de 30 minutos (uno por minuto). Si el acoplador se coloca en el eje, se aplica el clip de retención, y se envía la unidad a la siguiente persona de la línea dentro del período de tiempo prescrito, la cadena es reforzada. En una cadena de conducta con espera limitada, la persona no solo debe tener las conductas prerrequisitas en su repertorio, sino que también debe emitir esas conductas en estrecha sucesión temporal para obtener reforzamiento.

El analista de conducta debe reconocer que la precisión y la tasa son dimensiones esenciales de las cadenas con espera limitada. Por ejemplo, si una persona es capaz de completar una cadena en la secuencia correcta, pero la velocidad con la que se lleva a cabo una o más respuestas de la cadena es lenta, cambiar el enfoque para aumentar la tasa de rendimiento está justificado. Una forma de hacer esto es estableciendo un criterio de tiempo para la finalización de cada respuesta de la cadena; otra es el establecimiento de un criterio de tiempo para la terminación de toda la cadena.

Fundamentos para el uso del encadenamiento

Mientras que *cadena de conducta* connota una secuencia particular de respuestas que llevan al reforzamiento, el término **encadenamiento** se refiere a diversos métodos para conectar secuencias específicas de estímulos y respuestas para formar nuevas ejecuciones conductuales. En el encadenamiento hacia delante, las conductas se unen entre sí a partir de la primera conducta de la secuencia. En el encadenamiento hacia atrás, las conductas se unen entre sí comenzando con la última conducta de la secuencia. Ambos procedimientos y sus variaciones se abordan en detalle más adelante en este capítulo.

Hay varias razones para la enseñanza de nuevas cadenas de conducta. En primer lugar, un aspecto importante de la educación de los alumnos con discapacidades del desarrollo es aumentar las habilidades para vivir de forma independiente (p.ej., el uso de los servicios públicos, el cuidado de las necesidades personales, la ejecución de las habilidades necesarias para viajar o la socialización adecuada). A medida que se desarrollan estas habilidades, el alumno tiene más probabilidades de funcionar eficazmente en entornos menos restrictivos o de participar en actividades sin la supervisión de un adulto. Las conductas complejas que se desarrollan a través de procedimientos de encadenamiento permiten que los individuos funcionen de forma más independiente.

En segundo lugar, el encadenamiento proporciona el medio por el cual una serie de conductas discretas se pueden combinar para formar una serie de respuestas que ocasionan la entrega del reforzamiento positivo. Es decir, en esencia, el encadenamiento se puede utilizar para añadir conductas a un repertorio de conducta ya existente. Por ejemplo, una persona con una discapacidad del desarrollo podría buscar constantemente la ayuda de un educador o compañero de trabajo para completar una tarea de montaje. Se podría usar un procedimiento de encadenamiento para aumentar el número de tareas que se debieran realizar antes de la entrega del reforzador. Con este fin, el maestro podría darle al individuo una lista de palabras o de imágenes de las piezas que deberían ensamblarse para completar el trabajo. Una vez que se terminara la primera parte de la tarea, el individuo tacharía la primera palabra o imagen de la lista y procedería a la segunda tarea. En términos conductuales, la primera palabra o imagen de la lista estaría funcionando como el E^D para ocasionar la respuesta de completar la primera tarea. Esa respuesta, en presencia de la palabra o imagen de la lista, pone fin al estímulo inicial y produce el siguiente estímulo, la segunda palabra o imagen en la lista. La terminación de la segunda tarea sirve como reforzador condicionado de completar la tarea y produce el inicio del tercer E^D. De esta manera el procedimiento de encadenamiento permite que se puedan combinar conductas simples para formar una serie más larga de respuestas complejas.

Por último, el encadenamiento se puede combinar con otros procedimientos de cambio de conducta (como los de ofrecer ayudas, dar instrucciones, y utilizar distintos programas de reforzamiento) para construir repertorios más complejos y adaptativos (McWilliams, Nietupski, y Hamre-Nietupski, 1990).

Análisis de tareas

Antes de que los componentes individuales de una cadena puedan ser unidos entre sí, el analista de conducta debe construir y validar un análisis de tareas de los componentes de la secuencia conductual, y evaluar el nivel de dominio del alumno con respecto a cada conducta del análisis de tareas. El **análisis de tareas** consiste en dividir una habilidad compleja en unidades más pequeñas que se puedan enseñar, el producto de lo cual sea una serie de pasos o tareas organizadas de forma secuencial.

Construcción y validación de un análisis de tareas

El propósito de construir y validar un análisis de tareas es determinar la secuencia de las conductas que son necesarias y suficientes para completar una tarea específica de manera eficiente. La secuencia de las conductas que una persona puede tener que realizar puede no ser idéntica a la que otra persona necesita completar para lograr el mismo resultado. Un análisis de tareas debe ser individualizado según la edad, el nivel de habilidad y la experiencia previa de la persona afectada. Además, algunos análisis de tareas se componen de un número limitado de pasos principales, cada uno de los cuales comprende otras cuatro o cinco subtareas. La Figura 20.2 ilustra un análisis de tareas para hacer la cama desarrollado por McWilliams y colaboradores (1990).

Se pueden utilizar al menos tres métodos para identificar y validar los componentes de un análisis de tareas. En el primer método se desarrollan los componentes conductuales de la secuencia después de observar a personas competentes realizar la secuencia de conductas deseada. Por ejemplo, Test, Spooner, Keul, y

Figura 20.2 Análisis de tareas para hacer la cama.

Ante una cama sin hacer, incluyendo colcha, almohada y sábanas desordenadas, el alumno hará lo siguiente:

Sección 1: Preparar la cama
1. Quita la almohada de la cama
2. Retira la colcha hasta los pies de la cama
3. Retira la sábana hasta los pies de la cama
4. Retira la sábana ajustable hasta los pies de la cama
5. Suaviza las arrugas de la sábana ajustable

Sección 2: Sábana
6. Tira de la parte superior de la sábana hasta el cabecero de la cama
7. Endereza la esquina derecha de la sábana en los pies de la cama
8. Repite el paso 7 para la esquina izquierda
9. Empareja la sábana en el extremo superior del colchón
10. Suaviza las arrugas

Sección 3: Manta
11. Tira de la parte superior de la manta hasta el cabecero
12. Endereza la esquina derecha de la manta en los pies de la cam
13. Repite el paso 12 con la esquina izquierda
14. Empareja la manta en el extremo superior de la cama
15. Suaviza las arrugas

Sección 4: Colcha
16. Tira de la colcha hasta el cabecero
17. Tira de la esquina derecha de la colcha desde los pies hasta el suelo
18. Repite el paso 17 para el lado izquierdo
19. Empareja la colcha respecto al suelo y los dos lados
20. Suaviza las arrugas

Sección 5: Almohada
21. Dobla la parte superior de la colcha de modo que quede unos 10 centímetros hacia dentro del espacio correspondiente a la almohada
22. Coloca la almohada encima de la parte de la colcha que esta doblada
23. Cubre la almohada con la parte doblada
24. Suaviza las arrugas de la parte de la colcha que está por encima y alrededor de la almohada

Tomado de "Teaching Complex Activities to Students with Moderate Handicaps Through the Forward Chaining of Shorter Total Cycle Response Sequences," R. McWilliams, J Nietupski, y S. Hamre-Nietupsky, 1990, *Education and Training in Mental Retardation, 25*, pág. 296. ©Copyright 1990 Council for Exceptional Children. Reimpreso con permiso.

Grossi (1990) desarrollaron un análisis de tareas del uso del teléfono público mediante la observación de dos adultos que realizaron la tarea, y luego validaron esa secuencia mediante el entrenamiento de una persona con discapacidades del desarrollo en el uso de ese análisis de tareas. Basándose en el entrenamiento, los investigadores realizaron modificaciones posteriores a la secuencia original de tareas. La Tabla 20.2 muestra el análisis de la tarea final que contiene 17 pasos.

Algunos de los pasos del análisis de la tarea de utilizar un teléfono público podrían aparecer en un orden diferente o combinarse de manera diferente. Por ejemplo, el Paso 3, "elige el cambio correcto", podría intercambiarse con el Paso 2, "busca el número de teléfono"; o se podría añadir otro paso a la cadena, "coloca el cambio en su bolsillo". No hay reglas absolutas para determinar el número o la secuencia de los pasos. Sin embargo, se aconseja a los profesionales aplicados que tengan en cuenta el nivel físico, sensorial y motriz de la persona para determinar el alcance y la secuencia de los pasos, y que estén preparados para hacer ajustes si es necesario.

Un segundo método para validar un análisis de tareas consiste en consultar con personas expertas en la realización de la tarea (Snell y Brown, 2006). Por ejemplo, es aconsejable consultar con una costurera o con un profesor de economía doméstica de secundaria cuando se le van a enseñar habilidades de costura y remiendo de ropa a adultos jóvenes con discapacidades del desarrollo. Basándose en dicha evaluación de expertos, se puede construir un análisis de tareas que puede servir como base de evaluación y entrenamiento.

Un tercer método para determinar y validar la secuencia de conductas en un análisis de tareas es llevar a cabo estas conductas uno mismo (Snell y Brown, 2006). Por ejemplo, una profesional interesada en

Tabla 20.2 Análisis de tareas y límites de tiempo para realizar cada paso de la tarea de utilizar un teléfono público.

Paso		*Límite de tiempo*
1.	Localiza el teléfono en el ambiente	2 minutos
2.	Encuentra el número de teléfono	1 minuto
3.	Elige el cambio correcto	30 segundos
4.	Sujeta el receptor con la mano izquierda	10 segundos
5.	Pon el receptor en la oreja izquierda y escucha el tono	10 segundos
6.	Inserta la primera moneda	20 segundos
7.	Inserta la segunda moneda	20 segundos
8-14.	Marca el número de siete dígitos	10 segundos por dígito
15.	Espera a que suene el teléfono un mínimo de cinco veces	25 segundos
16.	Si alguien contesta, inicia una conversación	5 segundos
17.	Si la línea está ocupada, cuelga el teléfono y recupera el dinero	15 segundos

Tomado de "Teaching Adolescents with Severe Disabilities to Use the Public Telephone" D.W. Test, F. Spooner, P.K. Deul, y T.A. Grossi, 1990. Behavior Modification, 3ª ed, pág. 161.

Tabla 20.3 Pasos iniciales y adicionales para enseñar a atarse los zapatos.

Secuencia corta[a]	*Secuencia larga*[b]
1. Agarre fuerte una parte de los cordones de los zapatos.	1. Agarre los cordones.
2. Tire fuerte de los cordones verticalmente.	2. Tire de los cordones.
3. Cruce los cordones de los zapatos.	3. Sostenga los cordones de los lados correspondiente del zapato.
4. Apriete los cordones de forma horizontal.	4. Aguante los cordones en las manos correspondientes.
5. Ate los cordones con un nudo.	5. Alce los cordones por encima del zapato.
6. Haga un lazo.	6. Cruce el cordón derecho sobre el izquierdo para formar una X.
7. Apriete el lazo.	7. Estire el cordón izquierdo hacia usted.
	8. Pase el cordón izquierdo por debajo de la X.
	9. Tire hacia los lados de los cordones.
	10. Doble el cordón izquierdo para formar un lazo.
	11. Apriete el lazo con la mano izquierda.
	12. Estire el cordón derecho sobre sus dedos alrededor del lazo.
	13. Empuje el cordón derecho a través del agujero.
	14. Estire cada uno de los lazos en dirección opuesta.

Fuentes: (a) Santa Cruz County Office of Education, Behavioral Characteristics Progression. Palo Alto, California, VORT Corporation, 1973. (b) Smith, D. D., Smith, J. O., y Edgar, E. "Research and Application of Instructional Materials Development." En N. G. Haring y L. Brown (Eds.), *Teaching the Severely Handicapped* (Vol. 1). New York: Grune y Stratton, 1976. Tomado de "*Teaching Infants and Preschoolers with Handicaps*", pág. 47, D. B. Bailey y M. Wolery, 1984, Columbus, OH: Charles E. Merrill. Utilizado con permiso.

enseñar cómo atarse los zapatos podría atarse sus propios zapatos varias veces, tomando nota de los pasos discretos y observables que son necesarios para lograr la tarea correctamente. La ventaja de realizar uno mismo la tarea es la oportunidad de entrar en contacto con las demandas de la secuencia antes de entrenar al aprendiz. Esto en si permite tener una mejor idea de las conductas que se tienen que enseñar y de los estímulos discriminativos necesarios para ocasionar cada conducta. La realización repetida de la tarea permite afinar la topografía de la respuesta que es necesaria para que el aprendiz utilice la secuencia de manera más eficiente. La Tabla 20.3 muestra como una secuencia inicial de 7 pasos para atarse un zapato podría ampliarse a 14 pasos después de la realización de la conducta (véase también Bailey y Wolery, 1992).

Un procedimiento sistemático de ensayo y error puede ayudar al analista de conducta a desarrollar un análisis de tareas. Esto se haría mediante la generación de un análisis de la tarea inicial que luego se refina y se revisa conforme se examina. Es posible lograr un análisis de tareas más funcional y adecuado con revisiones y ajustes obtenidos a través de pruebas de campo. Por ejemplo, como se mencionó anteriormente, Test y sus colaboradores (1990) generaron su análisis de tareas inicial del uso de un teléfono público al ver a dos adultos realizar la tarea. Posteriormente llevaron el proceso un paso más allá, al pedir a una persona con discapacidades del desarrollo que llevara a cabo la misma tarea y modificaron el análisis de tareas basándose en sus resultados.

Independientemente del método utilizado para secuenciar los pasos, se deben identificar los estímulos discriminativos y las respuestas correspondientes. La capacidad de emitir una respuesta no es suficiente; el individuo debe ser capaz de discriminar las condiciones bajo las cuales una respuesta dada se debe realizar. Enumerar los estímulos discriminativos y las respuestas

Figura 20.3 Hoja de datos para la evaluación de una sola oportunidad de un análisis de tareas de la inserción de una prótesis de oído.

Evaluación del análisis de tareas para la inserción de una prótesis en el oído.
Instrucción: "Ponte la prótesis de oído"
Maestro(a): Cristina
Método de evaluación: Una sola oportunidad
Estudiante: Tomás

	Fecha			
Paso de conducta	10/1	10/2	10/3	10/4
1 Abra el envase	+	+	+	+
2 Saque el arnés	+	−	+	+
3 Brazo 1/Correa 1	−	−	+	+
4 Brazo 2/ Correa 2	−	−	+	+
5 Póngase el arnés sobre la cabeza	−	−	−	−
6 Abróchese el arnés	−	−	−	−
7 Abra la cajita	−	−	−	−
8 Saque la prótesis del envase	−	−	−	−
9 Inserte la prótesis en la cajita	−	−	−	−
10 Cierre la cajita	−	−	−	−
11 Recoja el molde auditivo	−	−	−	−
12 Inserte el molde dentro del oído	−	−	−	−
13 Encienda el audífono	−	−	−	−
14 Ajuste el control	−	−	−	−
Porcentaje de pasos correctos	14%	7%	28%	28%

Materiales: Prótesis de oído, arnés, molde auditivo
Latencia de respuesta: 6 segundos
Clave de anotación: + (correcto) − (incorrecto)
Criterio: 100% desempeño correcto en 3 días consecutivos

Tomado de "Teaching Severely Multihandicapped Students to Put on Their Own Hearing Aids," D. J. Tucker y G. W. Berry, 1980, *Journal of Applied Behavior Analysis, 13*. pág. 69. © Copyright 1980 Society for the Experimental Analysis of Behavior, Inc. Adaptado con permiso.

Figura 20.4 Hoja de datos para La evaluación de varias oportunidades de un análisis de tareas para la inserción de una prótesis en el oído.

Evaluación del análisis de tareas para la inserción de una prótesis en el oído.
Instrucción: "Ponte la prótesis de oído"
Maestro(a): Margarita
Método de evaluación: Varias oportunidades
Estudiante: Katy

	Fecha			
Pasos de conducta	10/1	10/2	10/3	10/4
2 Abra el envase	−	+	+	+
15 Saque el arnés	+	−	+	+
16 Brazo 1/Correa 1	+	−	+	+
17 Brazo 2/ Correa 2	−	−	+	+
18 Póngase el arnés sobre la cabeza	+	−	+	−
19 Abróchese el arnés	−	+	−	+
20 Abra la cajita	+	−	+	+
21 Saque la prótesis del envase	+	−	−	+
22 Inserte la prótesis en la cajita	+	+	−	+
23 Cierre la cajita	+	−	+	−
24 Recoja el molde auditivo	+	−	+	−
25 Inserte el molde dentro del oído	−	−	−	+
26 Encienda el audífono	−	−	−	−
27 Ajuste el control	−	−	−	−
Porcentaje de pasos correctos	57%	21%	57%	64%

Materiales: Prótesis de oído, arnés, molde auditivo
Latencia de respuesta: 6 segundos
Clave de anotación: + (correcto) − (incorrecto)
Criterio: 100% desempeño correcto en 3 días consecutivos

Tomado de "Teaching Severely Multihandicapped Students to Put on Their Own Hearing Aids" D. J. Tucker y G. W. Berry, 1980, *Journal of Applied Behavior Analysis, 13.* pág. 69. © Copyright 1980 Society for the Experimental Analysis of Behavior, Inc. Adaptado con permiso.

asociadas ayuda al educador a determinar si los estímulos discriminativos que ocurren de manera natural evocarán diferentes o múltiples respuestas. Este tema se discutirá en más detalle más adelante en este capítulo.

Evaluación del nivel de dominio

El nivel de dominio se evalúa para determinar qué componentes del análisis de tareas puede realizar una persona de forma independiente. Hay dos formas principales para evaluar el nivel de dominio de una persona de las conductas de un análisis de tareas antes del entrenamiento: el método de una sola oportunidad y el método de varias oportunidades (Snell y Brown, 2006).

Método de una sola oportunidad

El método de una sola oportunidad está diseñado para evaluar la capacidad del aprendiz para llevar a cabo cada conducta del análisis de tareas en la secuencia correcta. La Figura 20.3 es un ejemplo de un formulario que se utiliza para registrar la ejecución de una persona. En concreto, se marca un signo más (+) o un signo menos (-) para cada conducta correcta o incorrecta emitida.

La evaluación en este ejemplo se inició cuando la maestra dijo: "Tom, ponte la prótesis de oído." Se anotaron las respuestas de Tom en los pasos del análisis de tareas. La figura muestra los datos de Tom para los primeros cuatro días de la evaluación. El primer día Tom abrió la funda de la prótesis de oído y retiró el arnés;

cada uno de estos pasos se realizó de forma correcta, independiente, secuencial, y dentro de un límite de 6 segundos. Sin embargo, Tom luego intentó ponerse el arnés de la prótesis de oído en torno a la cabeza (Paso 5) sin completar los Pasos 3 y 4. Debido a que el alumno continuó realizando esta conducta durante más de 10 segundos, el maestro detuvo la evaluación y anotó los Pasos 3 y 4 y todos los pasos restantes como incorrectos. El segundo día la evaluación se detuvo después del Paso 1, ya que Tom realizó un paso posterior fuera de orden. En los días tercero y cuarto, la evaluación se suspendió después del Paso 4, ya que Tom tardó más de 6 segundos en realizar el Paso 5. Teniendo en cuenta un criterio de dominio del 100% de precisión completando cada paso en 6 segundos y en tres sondeos consecutivos, los datos indican que Tom solo cumplió con el criterio para el Paso 1 (las tres puntuaciones positivas del Paso 2 no se registraron de forma consecutiva).

Método de varias oportunidades

El método de varias oportunidades evalúa el nivel de dominio de la persona a través de todas las conductas del análisis de tareas. Si un paso se realiza de forma incorrecta, fuera de secuencia, o excede el límite de tiempo para completarlo, el analista de conducta completa el paso por el aprendiz y luego lo posiciona para que complete el siguiente paso. Cada paso que se realiza de forma correcta se anota como respuesta correcta, incluso si el aprendiz ha cometido un error en los pasos anteriores.

La Figura 20.4 muestra que Kathy, después de recibir la señal de instrucción, no llevó a cabo el primer paso de la secuencia (abrir la funda), por lo que se registró un signo negativo. La maestra entonces abrió la funda y posicionó a Kathy frente a ella. Kathy luego saco el arnés (Paso 2) y metió el brazo por la correa (Paso 3), por lo tanto se registró un signo positivo para cada uno de estos pasos. Debido a que pasaron 6 segundos antes de que Kathy completara el Paso 4, lo completó la maestra y anotó un signo negativo. Luego la maestra posicionó a Kathy para que completara el Paso 5. Kathy luego realizó el Paso 5, y el resto de la evaluación continuó de esta manera.

La clave para el uso del método de varias oportunidades para una evaluación de análisis de tareas es asegurarse de que la enseñanza no se mezcle con la evaluación. Es decir, si el maestro guía físicamente o modela un paso, no se puede obtener una evaluación precisa, por lo tanto, es importante que el maestro no ayude al aprendiz a completar ningún paso.

Ambos métodos, el de una sola oportunidad y el de varias oportunidades, pueden ser maneras eficaces para determinar el dominio de las habilidades iniciales en una cadena de conducta. De los dos, el método de una sola oportunidad es la medida más conservadora porque la evaluación termina en el primer paso en el que la ejecución se interrumpe. También proporciona menos información al maestro una vez que se inicia la instrucción; pero es probablemente más rápido de realizar, especialmente si el análisis de tareas es largo, y reduce la probabilidad de que se produzca aprendizaje mediante la evaluación (Snell y Brown, 2006). El método de varias oportunidades tarda más tiempo en completarse, pero proporciona más información al analista de conducta. Es decir, el maestro podría descubrir en el análisis de tareas los pasos que el alumno ya domina, eliminando así la necesidad de instruir conductas que ya están en el repertorio del aprendiz.

Hemos considerado dos de los requisitos previos para conectar los componentes de una cadena: (a) la realización y validación de un análisis de tareas de los componentes de la secuencia de conducta y (b) la evaluación de la capacidad preexistente del aprendiz respecto a cada componente de la cadena. En la siguiente sección, vamos a abordar el tercer componente: la enseñanza a la persona de cada paso de la cadena en estrecha sucesión temporal.

Métodos de encadenamiento

Después que se haya construido y validado el análisis de tareas y se haya determinado el criterio de logro y los procedimientos de recopilación de datos, el siguiente paso es decidir qué procedimiento de encadenamiento se utilizará para enseñar la nueva secuencia de conducta. El analista de conducta tiene cuatro opciones: encadenamiento hacia delante, encadenamiento de tarea total, encadenamiento hacia atrás, y encadenamiento hacia atrás con omisiones.

Encadenamiento hacia delante

En el **encadenamiento hacia delante** las conductas identificadas en el análisis de tareas se enseñan en su orden natural. En concreto, el reforzador se entrega cuando se alcanza el criterio predeterminado para la primera conducta de la secuencia. A partir de ahí, el reforzamiento se entrega al completar el criterio de los Pasos 1 y 2. Cada paso sucesivo requiere la ejecución acumulada de todos los pasos anteriores en el orden correcto.

Por ejemplo, un niño que está aprendiendo a atarse

los zapatos de acuerdo con el análisis de tareas de 14 pasos que se muestra en la Tabla 20.3 obtendría reforzamiento cuando completara el primer paso "Apriete los cordones" con precisión tres veces consecutivas. A continuación, el reforzador se entregaría cuando ese paso y el siguiente, "Tire del cordón," cumplieran el mismo criterio de las tres veces consecutivas. Entonces, el paso "Tire de los condones hacia cada lado del zapato" se añadiría, y los tres pasos tendrían que ser realizados correctamente antes de la presentación del reforzador. En última instancia, los 14 pasos del análisis de tareas deben llevarse a cabo una manera similar. Sin embargo, en cualquier paso del entrenamiento se pueden utilizar toda una serie de ayudas a la respuesta y otras estrategias para ocasionar la respuesta.

Las cadenas de conducta más largas pueden dividirse en cadenas más pequeñas o en grupos de habilidades, cada una de las cuales se puede enseñar de manera similar a la utilizada con el método de una sola respuesta. Cuando se domina un grupo de habilidades, este se conecta con el siguiente grupo. La respuesta final del primer grupo de habilidades establece la ocasión para la primera respuesta del segundo grupo de habilidades. Esencialmente, en esta variación, los grupos de habilidades son análogos a las unidades de conducta y estos grupos se encadenan.

McWilliams y sus colaboradores (1990) combinaron grupos de habilidades en el encadenamiento hacia delante para enseñar a hacer la cama a tres alumnos con discapacidades del desarrollo. Se identificaron cinco grupos de habilidades basándose en un análisis de tareas para hacer la cama (véase la Figura 20.2), cada grupo incluía de cuatro a cinco subtareas. Una vez que se obtuvo una lineabase que mostraba una precisión mínima en la ejecución de la cadena en presencia del E^D, "Muéstrame cómo haces la cama," se eligió un procedimiento de instrucción que implicaba la enseñanza de los grupos de habilidades de uno en uno, dividiendo así las conductas complejas en cadenas más pequeñas (véase la Figura 20.5).

El entrenamiento inicial comenzó con la demostración del maestro de la cadena de tareas para las Secciones 1 y 2. La siguiente parte del entrenamiento implicaba mostrar la sección anterior, la sección objetivo de instrucción en ese momento y la próxima sección de la secuencia. Por ejemplo, si se llevara a cabo el entrenamiento de la Sección 2, se mostrarían las Secciones 1, 2, y 3. Luego, los alumnos practicaban las secuencias de interés entre dos y cinco veces. Cuando la secuencia se realizaba correctamente, se les elogiaba. Cuando se producía un error, se iniciaba un procedimiento de corrección de tres partes que implica la redirección verbal, la redirección más la ayuda modelada, y la orientación física hasta que el ensayo terminaba en una respuesta correcta. Cuando se adquirió el primer grupo de habilidades (P1), se introdujo el segundo (P2), seguido por el tercero (P3), el cuarto (P4), y así sucesivamente.

Los resultados indicaron que el procedimiento de encadenamiento hacia delante fue eficaz en enseñar a los alumnos las habilidades para hacer la cama. Es decir, todos los estudiantes fueron capaces de hacer sus camas de forma independiente, o solo con ayuda mínima, cuando el maestro daba la instrucción. Es más, todos fueron capaces de hacer sus camas en el contexto de generalización (es decir, en el hogar).

El estudio de McWilliams y colaboradores (1990) ilustra dos ventajas principales del encadenamiento hacia delante: (a) Puede ser utilizado para enlazar cadenas más pequeñas en otras mayores, y (b) es relativamente fácil, por lo que es probable que los maestros lo usen en el aula.

Nuestra discusión hasta ahora se ha centrado en la enseñanza de cadenas de conducta a través de la instrucción directa del maestro. Sin embargo, hay evidencia que sugiere que las respuestas encadenadas también se pueden aprender mediante la observación (Wolery, Ault, Gast, Doyle, y Griffen, 1991). Griffen, Wolery, y Schuster (1992) utilizaron un procedimiento de demora constante para enseñar una serie de cadenas de conducta de preparación de alimentos a alumnos con retraso mental. Durante el procedimiento con un estudiante, al cual se le enseñaba la respuesta encadenada, otros dos estudiantes observaban. Los resultados mostraron que los dos estudiantes que observaban aprendieron al menos el 85% de los pasos correctos de la cadena a pesar de que no se les enseño estos pasos de forma directa.

Encadenamiento de tarea total

El **encadenamiento de tarea total** (a veces llamado *encadenamiento con presentación completa de la tarea*) es una variación de encadenamiento hacia delante en el que se entrena al alumno sobre cada paso del análisis de tareas durante cada sesión. Es necesario proporcionar una lista al educador con todos los pasos que la persona no es capaz de realizar de forma independiente, y la cadena se entrena hasta que el alumno es capaz de realizar todas las conductas de la secuencia según el criterio predeterminado. Dependiendo de la complejidad de la cadena, el repertorio del alumno, y los recursos disponibles, la asistencia física o la guía gradual pueden ser incorporadas.

Werts, Caldwell, y Wolery (1996) utilizaron el

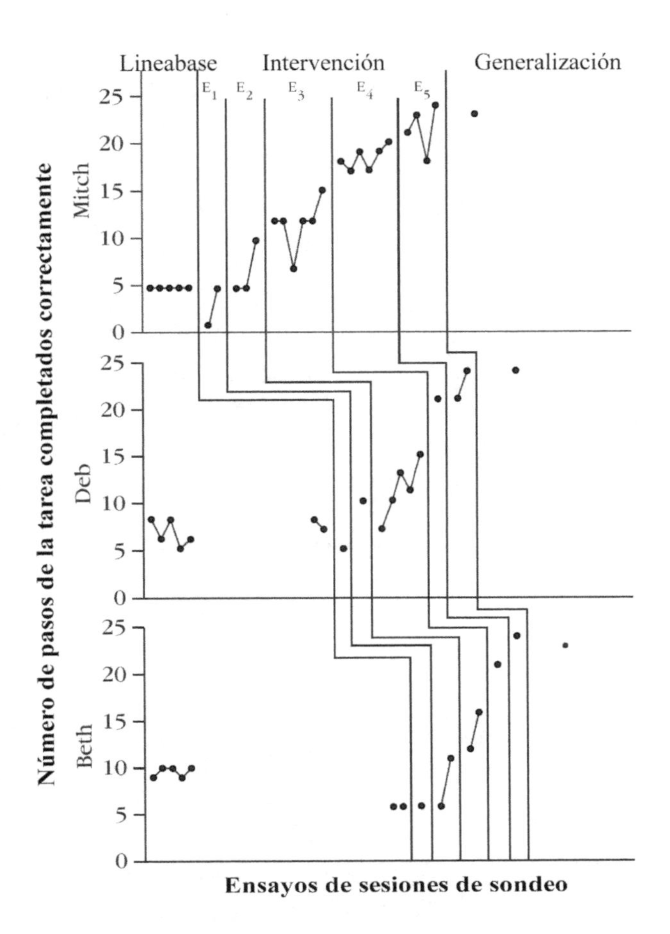

Figura 20.5 Número de pasos de la tarea realizados correctamente a través de los ensayos de sondeo de la lineabase, la intervención, y la generalización.

Tomado de "Teaching Complex Activities to Students with Moderate Handicaps Through the Forward Chaining of Shorter Total Cycle Response Sequences," R. McWilliams, J. Nietupski, y S Hamre-Nietupski, 1990, *Education and Training in Mental Retardation*, 25. pág. 296. © Copyright 1990 Council for Exceptional Childern. Reimpreso con permiso.

modelado de los iguales y el encadenamiento de tarea total para enseñar habilidades tales como activar una cinta de audio, afilar un lápiz, y usar una calculadora a tres estudiantes de nivel primario con discapacidades inscritos en clases de educación general. Las cadenas de respuesta se individualizaron para cada estudiante según las secuencias recomendadas por el maestro para cada estudiante. Cada sesión se dividió en tres partes: (a) Se sondeó la capacidad de los estudiantes con discapacidad para llevar a cabo la cadena de respuesta de tarea total; (b) un compañero que era competente en la cadena actuaba como modelo mostrando la cadena en su totalidad mientras describía cada paso; y (c) se sondeaba de nuevo al estudiante de interés para para determinar su rendimiento en la cadena. Durante los sondeos previos y posteriores al modelado del igual, se indicó a los estudiantes con discapacidades que completaran la cadena. Si un estudiante realizaba la cadena correctamente, se anotaba una respuesta correcta, pero no se le daba retroalimentación. Si un estudiante no tenía éxito, se le bloqueaba la visión temporalmente mientras el maestro completaba ese paso de la cadena, y luego se le volvía a indicar al estudiante que completara los pasos restantes. Cada conducta de la cadena de respuestas se anotaba.

Los tres estudiantes aprendieron a completar la cadena de respuesta después del modelado de sus iguales, y alcanzaron el criterio establecido para la cadena de respuesta (100% correcto en 2 de cada 3 días), durante el transcurso del estudio. Los resultados de Charlie, uno de los tres estudiantes del estudio, se muestran en la Figura 20.6.

Test y sus colaboradores (1990) utilizaron el encadenamiento de tarea total con un procedimiento de ayuda de menos a más para enseñar a dos adolescentes con retraso mental severo a utilizar un teléfono público. Después de la identificación y validación de un análisis de tareas de 17 pasos (véase la Tabla 20.2), los datos de la lineabase se obtuvieron dándole a los estudiantes una tarjeta de 3 x 5 con el número de teléfono de su casa, dos monedas de diez centavos, y la indicación "llama a tu casa." Durante el entrenamiento, se ponía en práctica un procedimiento ayudas de menos a más que consistía de tres niveles de ayudas (verbales, verbales además de gestuales y verbales además de guía física) cada vez que se producían errores en cualquiera de los 17 pasos del análisis de la tarea. Cada sesión de instrucción constaba de dos ensayos de entrenamiento seguidos por un sondeo de generalización para medir el número de pasos completados de forma independiente. Además, los sondeos de generalización se llevaban a cabo en otros dos contextos al menos una vez por semana.

Los resultados mostraron que la combinación del encadenamiento de tarea total más las ayudas aumentaron el número de pasos del análisis de tareas realizados correctamente por parte de cada estudiante y que las habilidades se generalizaron a dos contextos de la comunidad (véase la Figura 20.7). Test et al. (1990) llegaron a la conclusión de que el encadenamiento de tarea total, especialmente cuando aplica con una frecuencia de dos entrenamientos por semana, ofrece beneficios a los profesionales que trabajan con estudiantes en ámbitos comunitarios.

Encadenamiento hacia atrás

Cuando se utiliza un procedimiento de **encadenamiento hacia atrás**, el educador completa inicialmente todas las conductas identificadas en el análisis de tareas, con la excepción de la conducta final de la cadena. Cuando el

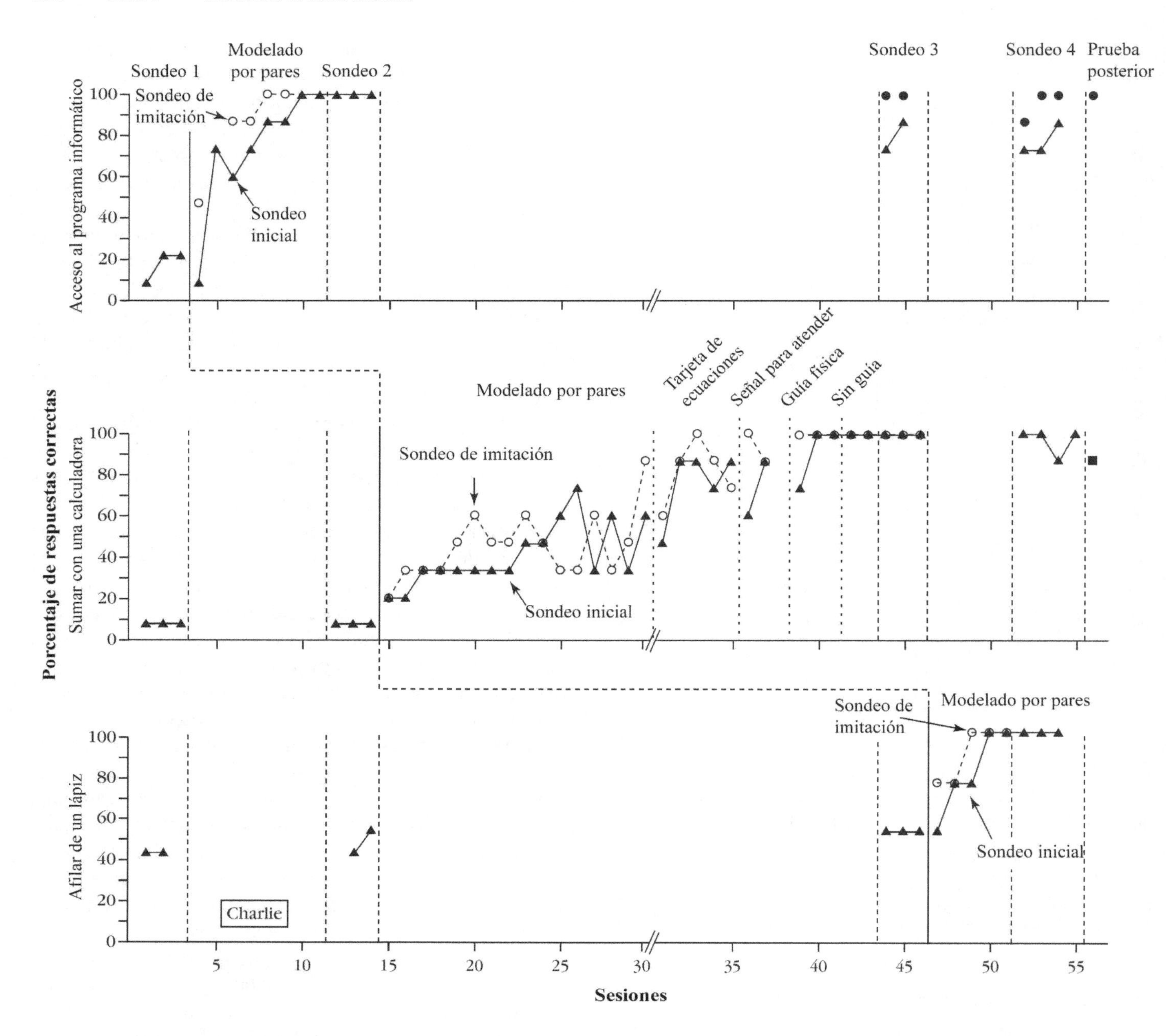

Figura 20.6 Porcentaje de pasos realizados correctamente por Charlie en las tres cadenas de conducta. Los triángulos representan el porcentaje de pasos realizados correctamente en los sondeos iniciales; los círculos abiertos representan el porcentaje de pasos correctos en los sondeos de imitación.

Tomado de "Peer Modeling of Response Chains: Observational Learning by Students with Disabilities," M. G. Werts, N. K. Caldwell y M. Wolery, 1996, *Journal of Applied Behavior Analysis*, 29, pág. 60. © Copyright 1996 Society for the Experimental Analysis of Behavior, Inc. Reimpreso con permiso.

alumno realiza la conducta final de la secuencia al nivel del criterio predeterminado, se presenta el reforzador. Luego el reforzador se presenta cuando la última y la penúltima conducta de la secuencia se realizan según el criterio. Posteriormente, habrá reforzamiento cuando las últimas tres conductas cumplan el criterio. Esta secuencia continua hacia atrás en la cadena hasta que todos los pasos del análisis de tareas hayan sido presentados en orden inverso y se practiquen de forma acumulativa.

Pierrel y Sherman (1963) llevaron a cabo una demostración clásica del encadenamiento hacia atrás en la Universidad de Brown con una rata blanca llamada Bernabé. Pierrel y Sherman enseñaron a Bernabé a subir una escalera de caracol, extender un puente levadizo y cruzarlo, subir una escalera de mano, tirar de un coche de juguete con una cadena, entrar en el coche y pisar el pedal a lo largo de un túnel, subir un tramo de escaleras,

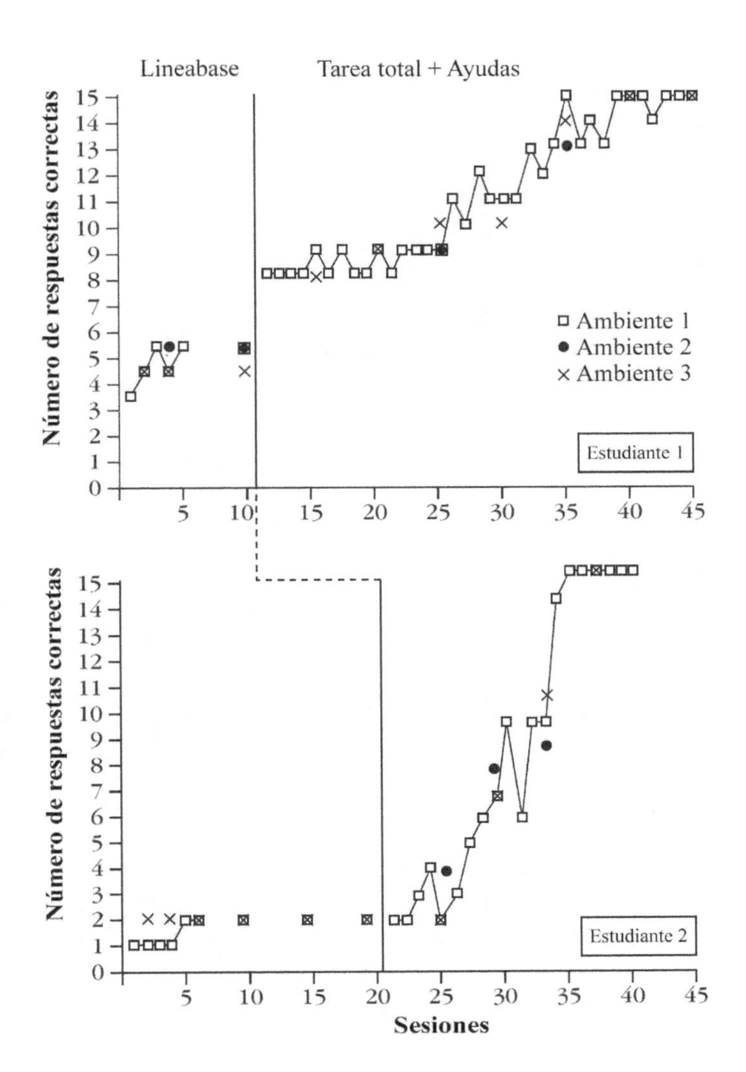

Figura 20.7 Número de pasos realizados correctamente en el análisis de tareas para usar un teléfono publico por dos estudiantes durante la lineabase y el encadenamiento de tarea total (TT) más las ayudas a la respuesta. Los datos para los ambientes 2 y 3 muestran el desempeño en los sondeos de generalización.

Tomado de "Teaching Adolescents with Severe Disabilities to Use the Public Telephone," D. W. Test, F. Spooner, P. K. Keul, y T. A. Grossi, 1990, *Behavior Modification*, pág. 165. © Copyright 1990 Sage Publications. Reimpreso con permiso.

correr a través de un tubo cerrado, entrar en un ascensor, levantar una réplica en miniatura de la bandera de la Universidad de Brown, salir del ascensor, y por último presionar una barra por la que recibía una bolita de comida. Bernabé se hizo tan famoso por su interpretación de esta elaborada secuencia que adquirió la reputación de ser "la rata con educación universitaria." Esta cadena de 11 respuestas se entrenó al condicionar inicialmente la última respuesta de la secuencia (apretar la barra), en presencia del sonido de un timbre, que se estableció como E^D para apretar la barra. Luego la penúltima respuesta de la secuencia (salir del ascensor) se condicionó cuando el ascensor estaba en la parte inferior del eje. Se añadió cada respuesta de la cadena por orden de manera que un estímulo discreto servía como E^D para la siguiente respuesta y como reforzador condicionado para la respuesta anterior.

Para ilustrar el encadenamiento hacia atrás con un ejemplo en el aula, supongamos que una maestra de preescolar quiere enseñar a un alumno a atarse los zapatos. Primero, el maestro lleva a cabo un análisis de la tarea de atarse los zapatos y pone los componentes conductuales conducta en una secuencia lógica.

1. Cruce los cordones sobre el zapato.
2. Haga un nudo.
3. Haga un lazo con el cordón del lado derecho del zapato y sujételo con la mano derecha.
4. Con la mano izquierda, cruce el otro cordón alrededor del lazo.
5. Use el dedo índice o el del medio de la mano izquierda para empujar el cordón izquierdo a través de la apertura entre los cordones.
6. Tome ambos lazos, uno en cada mano.
7. Tire fuerte de los cordones.

La maestra comienza con el entrenamiento del último paso de la secuencia, el Paso 7, hasta que el alumno es capaz de completar este paso en tres ensayos consecutivos sin errores. Se presenta el reforzador después de cada ensayo correcto del Paso 7. La maestra entonces introduce el penúltimo paso, el Paso 6, y comienza a entrenar al alumno en ese paso, junto con el paso final y aplicando reforzamiento cuando ambos pasos se ejecutan correctamente. La maestra entonces introduce el Paso 5, asegurándose de que este paso y todos los aprendidos previamente (es decir, los pasos 5, 6 y 7) se ejecutan en la secuencia apropiada antes del reforzamiento. La maestra puede utilizar ayudas suplementarias para evocar la respuesta correcta en cualquier paso. Sin embargo, cualquier ayuda (verbal, visual, física o una demostración) que se introduzca durante el entrenamiento debe desvanecerse más adelante para que la conducta de interés esté bajo el control de los E^Ds naturales. En resumen, cuando se utiliza un procedimiento de encadenamiento hacia atrás, el sistema de análisis de tareas se dispone en orden inverso y se entrena primero el último paso.

En el encadenamiento hacia atrás, la primera conducta que el aprendiz realiza de forma independiente produce el reforzador final: el zapato está atado. La penúltima respuesta produce el inicio de una condición

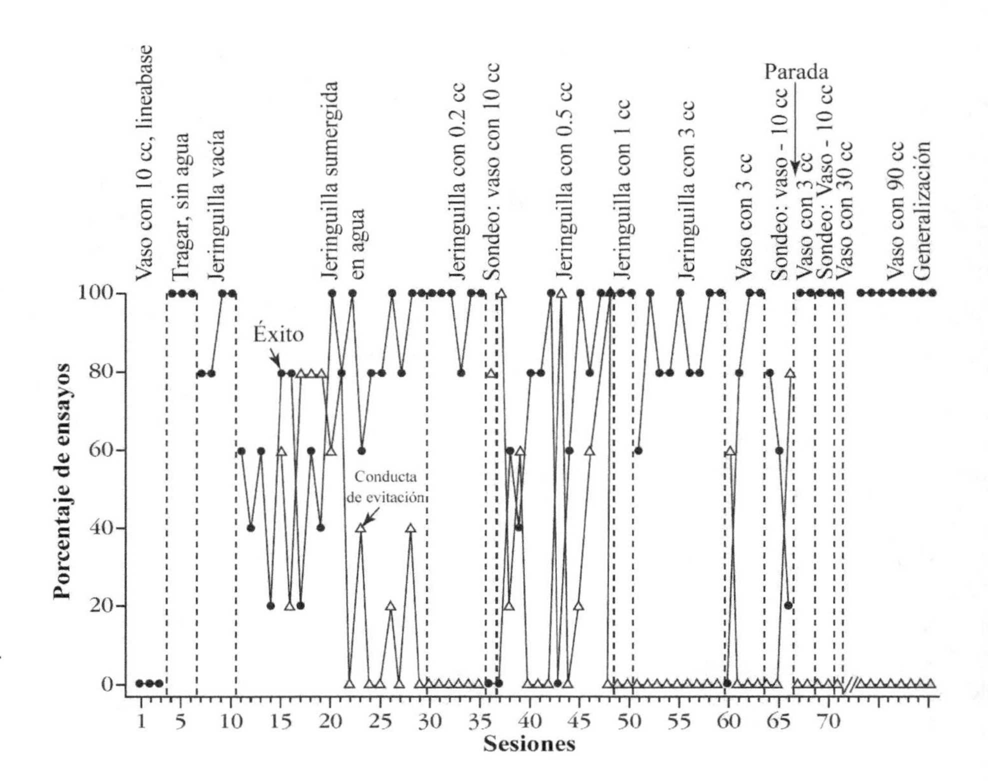

Figura 20.8 Porcentaje de ensayos de logro de la conducta de beber y con conductas de evitación.

Tomado de "Teaching Total Liquid Refusal with Backward Chaining and Fading" L. P. Hagopian, D. A. Farrell, y A. Amari, 1996, *Journal of Applied Behavior Analysis, 29*, pág. 575. ©Copyright 1996 Society for the Experimental Analysis of Behavior, Inc. Reimpreso con permiso.

estimular que refuerza dicho penúltimo paso y que sirve como E^D para la última conducta, que ya está establecida en el repertorio conductual del aprendiz. Esta secuencia de reforzamiento se repite para el resto de los pasos.

Hagopian, Farrell y Amari (1996), combinaron el encadenamiento hacia atrás con el desvanecimiento para reducir la conducta de riesgo vital de Josh, un varón de 12 años de edad con autismo y retraso mental. Debido a las complicaciones médicas asociadas con una serie de factores gastrointestinales, vómitos frecuentes, y estreñimiento durante los 6 meses anteriores al estudio, Josh se negó a ingerir alimentos y líquidos por vía oral. De hecho, cuando los ingería, los expulsaba.

En el transcurso de los 70 días de duración del programa de tratamiento de Josh, se recolectaron datos sobre la aceptación de líquidos, expulsiones, tragos, y la evitación de la conducta objetivo: beber agua de un vaso. Tras recolectar la lineabase de su capacidad para tragar 10 cc de agua, se implementó una condición de tragar sin agua. Básicamente, se le colocaba y se le hundía una jeringa vacía en la boca, y entonces se le indicaba a Josh que tragara. En la siguiente fase, la jeringa se llenó con un pequeño volumen de agua, y se presentaba el reforzador cuando Josh se tragaba el agua. En fases posteriores, el volumen de agua de la jeringa se aumentó gradualmente de 0.2 cc a 0.5 cc a 1 cc, y por fin 3 cc. Para obtener reforzamiento en las condiciones siguientes, Josh tenía que emitir la cadena objetivo bebiendo al principio 3 cc de agua de un vaso y 30 cc al final del procedimiento. Al final del estudio, se llevó a cabo con éxito un sondeo de generalización con una mezcla de agua y jugo de 90 cc. Los resultados mostraron que el procedimiento de encadenamiento mejoró la capacidad de Josh para emitir la cadena objetivo (véase la Figura 20.8). Hagopian y sus colegas explicaron su procedimiento de esta manera:

> Comenzamos estableciendo como objetivo una respuesta ya existente (tragar), que era la tercera y última respuesta de la cadena de conductas que constituyen beber de un vaso. Luego, se presentaba el reforzador al completar las dos últimas respuestas de la cadena (aceptar y tragar). Por último, el reforzador solo se presentaba cuando se producían las tres respuestas de la cadena. (Pág. 575)

Una ventaja principal del encadenamiento hacia atrás es que en cada instrucción el alumno entra en contacto con el reforzador final de la cadena. Como resultado directo del reforzamiento, el estímulo que está presente en el momento en que se presenta el reforzador aumenta sus propiedades discriminativas. Además, el reforzamiento repetido de todas las conductas de la cadena aumenta la capacidad de discriminación de todos los estímulos asociados con estas conductas y con el reforzador. La principal desventaja del encadenamiento hacia atrás es que la participación pasiva potencial del aprendiz en las etapas iniciales de la cadena puede limitar el número total de respuestas de cualquier sesión de entrenamiento.

Encadenamiento hacia atrás con omisiones

Spooner, Spooner, y Ulicny (1986) informaron sobre el uso de una variación del encadenamiento hacia atrás que llamaron encadenamiento hacia atrás con omisiones. El **encadenamiento hacia atrás con omisiones** sigue esencialmente los mismos procedimientos que el encadenamiento hacia atrás, con la excepción de que no se entrenan todos los pasos del análisis de tareas. Para algunos pasos solo se lleva a cabo un sondeo. El propósito de omitir la enseñanza de algunos pasos es disminuir el tiempo total necesario para aprender la cadena. Con el encadenamiento hacia atrás convencional, la repetición de las conductas en una secuencia paso por paso puede desacelerar el proceso de aprendizaje, especialmente cuando el aprendiz demuestra el dominio completo de algunos de los pasos de la cadena. Por ejemplo, en la ilustración anterior de atarse los zapatos, podría ser que una niña realizara el Paso 7, la última conducta de la secuencia, y luego saltara al Paso 4 porque los Pasos 5 y 6 estuviesen ya en su repertorio. Sin embargo, es importante recordar que se deberían seguir realizando los Pasos 5 y 6 correctamente y en secuencia con los otros pasos para recibir reforzamiento.

Encadenamiento hacia delante, de tarea total, o hacia atrás: ¿cuál se debe usar?

Cada uno de los encadenamientos (hacia delante, de tarea total y hacia atrás) se ha mostrado eficaz con una amplia gama de conductas de cuidado personal, vocacionales, y de autonomía. ¿Qué procedimiento de encadenamiento debe ser el método de primera elección? Las investigaciones realizadas hasta la fecha no han sugerido una respuesta clara. Tras examinar la evidencia presentada entre 1980 y 2001, Kazdin (2001) llegó a esta conclusión: "Las comparaciones directas no han establecido que un método [de encadenamiento hacia adelante, encadenamiento hacia atrás, o encadenamiento de tarea total] sea consistentemente más efectivo que el

Figura 20.9 Muestra de una hoja de anotación para evaluar cadenas de conducta.

Prueba previa de la cadena de conducta

Nombre del Estudiante: <u>Chuck</u> Cadena: <u>Tostar pan</u>

Fecha: <u>5/2</u> * Interrupción al inicio del paso

Secuencia de Pasos	Grado de angustia	Intentos completados	Comentarios
1. Saque el pan de la bolsa*	1 (bajo) (2) 3 (alto)	sí (no)	
2. Ponga el pan en la tostadora	1 2 3	sí no	
3. Presione el botón*	1 (2) 3	(sí) no	Intenta tocar el boton
4. Saque la tostada	1 2 3	sí no	
5. Ponga la tostada en el plato*	1 2 (3)	(sí) no	Muy molesto: autolesivo

$\bar{x}$ angustia: $\frac{7}{3} = 2.3$ Total 2/3 = 66%

Tomado de "Using a Chain Interruption Strategy to Teach Communication Skills to Students with Severe Disabilities," L. Goetz, K. Gee, y W. Sailor, *Journal of the Association of Persons with Severe Handicaps, 13* (1), pág. 24. ©Copyright Association for Persons with Severe Handicaps. Reimpreso con permiso.

otro" (pág. 49).

Aunque hay una inmensidad de datos concluyentes que no favorecen un método de encadenamiento sobre otro, la evidencia anecdótica y el análisis lógico sugieren que el encadenamiento de tarea total puede ser apropiado cuando el aprendiz (a) pueda realizar muchas de las tareas de la cadena, pero tenga que aprenderlas en secuencia; (b) tenga un repertorio imitativo; (c) sus discapacidades sean entre moderadas y graves (Test et al., 1990); o también (d) cuando la secuencia o el ciclo de la tarea no sea muy largo o complejo (Miltenberger, 2001).

La incertidumbre acerca de qué método seguir puede minimizarse mediante la realización de un análisis de tareas personalizado para el aprendiz, aplicando sistemáticamente el método de una o de varias oportunidades para determinar el punto de inicio del entrenamiento, basándose en estudios de la literatura empíricamente sólidos basados en datos, y recolectando datos de evaluación sobre el método utilizado para determinar su eficacia para esa persona.

Interrupción y ruptura de las cadenas de conducta

Hasta ahora nuestro enfoque se ha centrado en los procedimientos para la construcción de cadenas de conducta. Como hemos visto, el encadenamiento se ha utilizado con éxito para aumentar y mejorar los repertorios de una amplia gama de personas y a través de una gran variedad de tareas. Aún así, solamente saber como conectar una conducta con otra no es siempre suficiente para los profesionales aplicados. En algunas situaciones, saber cómo funciona una cadena de conducta puede utilizarse para interrumpir la ejecución de una cadena existente (p.ej., tostar un pan) para mejorar una clase de habilidades diferente (p.ej., la habilidad del habla). Además, debido a que algunas cadenas no son adecuadas (p.ej., el consumo excesivo de alimentos), saber cómo romper una cadena de conducta inadecuada puede llevar a obtener resultados positivos (p.ej., que la persona deje de comer cuando haya ingerido una cantidad adecuada de alimentos).

Encadenamiento con estrategia de interrupción

El **encadenamiento con estrategia de interrupción** se basa en la habilidad del participante para ejecutar los componentes críticos de una cadena de forma independiente, pero la cadena se interrumpe en un paso determinado previamente para que se pueda emitir otra conducta. Esta estrategia se desarrolló inicialmente para aumentar el habla y la expresión oral (Goetz, Gee, y Sailor, 1985; Hunt y Goetz, 1988), pero se ha extendido a los sistemas de comunicación basados en imágenes (Roberts-Pennell y Sigafoos, 1999), al lenguaje de signos (Romer, Cullinan, y Schoenberg, 1994), y a la activación de interruptores (Gee, Graham, Goetz, Oshima, y Yoshioka, 1991).

Figura 20.10 Componentes y características clave del encadenamiento con estrategia de interrupción

- La instrucción comienza en el medio de la secuencia de la cadena, no en el comienzo. Esto es una característica diferente en comparación con los procedimientos de encadenamiento hacia delante y hacia atrás. Dado que la instrucción comienza en la mitad de la secuencia, la interrupción de la secuencia podría funcionar como operación motivadora transitiva condicionada o reforzador negativo, ya que su eliminación aumenta la conducta.
- El procedimiento de encadenamiento con estrategia de interrupción se basa en una evaluación que verifica que la persona es capaz de completar la cadena de forma independiente, pero que experimenta una angustia moderada cuando la cadena se interrumpe en medio de la secuencia.
- Las ayudas verbales se utilizan en el punto de interrupción (p.ej., "¿Qué quieres?"), pero también se pueden emplear todo el rango de ayudas (modelado y guía física).
- El entrenamiento de interrupción se produce en contextos naturales (p.ej., un recipiente con agua para lavarse el cabello o el microondas para hacer galletas).
- Aunque los datos del mantenimiento, la generalización y la validez social no son abrumadoramente evidentes en todos los estudios, si son lo suficientemente robustos como para sugerir que el encadenamiento con estrategia de interrupción debe aplicarse junto con otras intervenciones (p.ej., el modelado del mando, la demora y la enseñanza incidental).

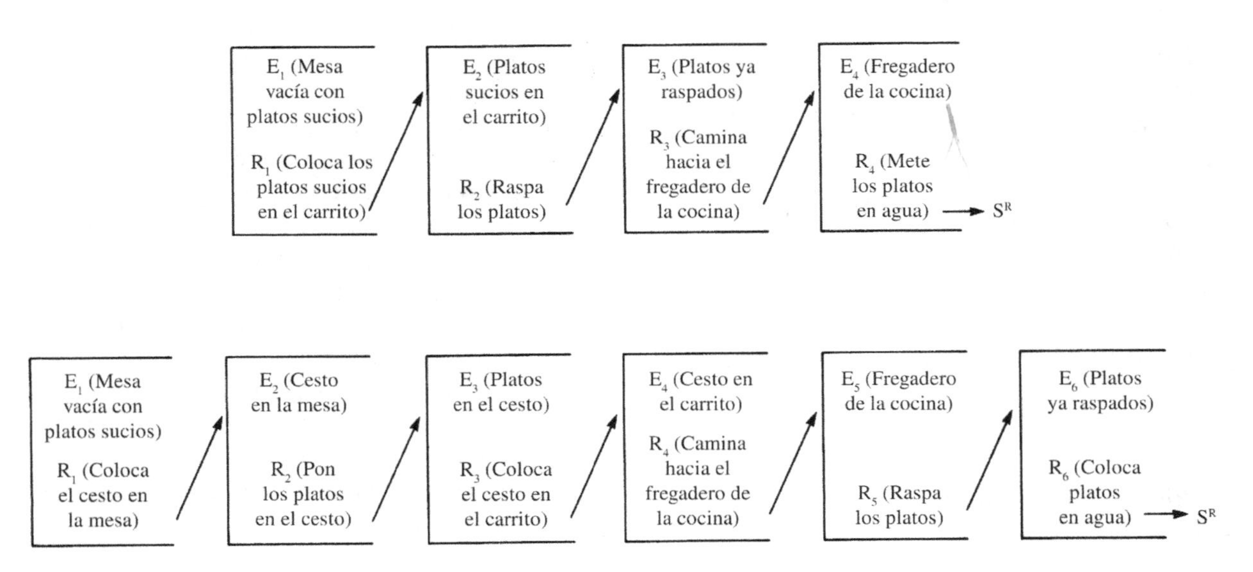

Figura 20.11 Ilustración de una cadena de conducta original (panel superior) y su revisión (panel inferior) para romper una secuencia de respuestas inapropiada.

El encadenamiento con estrategia de interrupción funciona de la siguiente manera. En primer lugar, se lleva a cabo una evaluación para determinar si la persona puede completar de forma independiente una cadena de tres o más componentes. La Figura 20.9 muestra un ejemplo de como una cadena de tostar pan, dividida en cinco pasos, se evaluó a través de los grados de angustia y los intentos de completar cada paso cuando un observador lo interrumpía o bloqueaba. El grado de angustia se clasificó en una escala de 3 puntos, y los intentos de completar los pasos se registraron utilizando una escala dicotómica (es decir, de sí o no). La evaluación produjo un nivel de angustia medio de 2.3 y un porcentaje total de intentos del 66%.

Con respecto al uso del encadenamiento con estrategia de interrupción para aumentar la conducta en entornos aplicados, se selecciona una cadena para el entrenamiento basándose en que sea moderadamente molesto para el individuo la interrupción del desempeño de la cadena, pero no tanto como para que la conducta de la persona se vuelva episódica o autolesiva. Después de reunir los datos de la lineabase para una conducta objetivo (p.ej., vocalizaciones), se le indica a la persona que comience la cadena (p.ej., "haz una tostada"). En un paso predeterminado de la cadena, por ejemplo, el Paso 3 (empuje el botón hacia abajo) se restringe la posibilidad del individuo para completar la cadena. Por ejemplo, el profesional aplicado puede bloquear el acceso a la tostadora durante un momento de forma pasiva y entonces preguntarle a la persona, "¿Qué quieres?". Se requeriría una vocalización para completar la cadena, es decir, que la persona tendría que responder diciendo algo como: "Presionar el botón."

A pesar de que no se han establecido claramente los mecanismos conductuales exactos que son responsables de la mejora del rendimiento que se da con el uso de esta estrategia, los esfuerzos de investigación en este campo, incluyendo aquellos que examinan los resultados generalizados (Grusell y Carter, 2002), lo han establecido como un enfoque eficaz, especialmente para las personas con discapacidades severas. Por ejemplo, la revisión de literatura de Carter y Grusell (2001) sobre la eficacia del encadenamiento con estrategia de interrupción muestra que es un método positivo y beneficioso. En su opinión:

> El encadenamiento con estrategia de interrupción puede considerarse sustentado empíricamente y complementario a otras técnicas naturalistas....Un cuerpo pequeño, pero creciente de literatura de investigación ha demostrado que las personas con discapacidades severas han adquirido la habilidad de pedir con el uso de esta estrategia. Además, la investigación demuestra que la aplicación de la estrategia de interrupción puede aumentar la tasa de pedidos (pág. 48).

La hipótesis subyacente a la evaluación del encadenamiento con estrategia de interrupción es que "la persistencia en la realización de la tarea y la respuesta emocional a la interrupción servirían como definiciones operacionales de la alta motivación para realizar la tarea" (Goetz et al., 1985, pág. 23). También se puede alegar que la interrupción sirve como operación de establecimiento bloqueada, dado que se impide momentáneamente que el aprendiz pueda obtener el reforzador al completar la tarea. Esta es una condición que surge cuando un reforzador no puede obtenerse sin que ocurra otra acción o conducta adicional (véase el

Capítulo 16). De todos modos, el papel que el reforzamiento negativo juega en esta estrategia y el cambio ambiental sistemático que se produce en el punto de la interrupción no se han analizado completamente para determinar sus contribuciones relativas.

Según Carter y Grunell (2001), el encadenamiento con estrategia de interrupción consta de varios componentes y características que lo hacen útil como técnica para cambiar la conducta en entornos naturales. La Figura 20.10 ofrece una revisión de estas características clave.

Ruptura de una cadena inapropiada

Una cadena de conducta inapropiada (p.ej., morderse las uñas, fumar o comer en exceso) puede romperse mediante la determinación del E^D inicial y la sustitución por el E^D de una conducta alternativa, o mediante la extensión de la cadena y la introducción de demoras. Dado que el primer E^D de una cadena evoca la primera respuesta, que a su vez pone fin a ese E^D y produce el segundo E^D, y así sucesivamente a lo largo de la cadena, si el primer E^D aparece con menor frecuencia, toda la cadena se produce con menor frecuencia. Martin y Pear (2003) sugirieron que una cadena de conducta que refuerza la ingesta excesiva, por ejemplo, se puede romper mediante la introducción de eslabones que requieran que el individuo tenga que colocar el cubierto en la mesa entre bocado y bocado o mediante la introducción de una demora de 3 a 5 segundos previa al inicio del siguiente bocado. En su opinión, "en la cadena no deseada, la persona se prepara para consumir el siguiente bocado antes de terminar el bocado actual. Una cadena más deseable separa estos componentes e introduce retrasos breves" (pág. 143).

Con respecto a la separación de los componentes de la cadena, consideremos el caso de un alumno con retraso mental moderado a quien se le enseñó a limpiar mesas en un restaurante. Una vez completado el programa de entrenamiento, el alumno era capaz de realizar cada una de las conductas de la cadena necesarias para limpiar mesas de forma correcta y precisa (véase la Figura 20.11, panel superior). Sin embargo, el nuevo empleado empezó a emitir una secuencia de conductas inapropiada en el trabajo. En concreto, ante la presencia de platos sucios en las mesas vacías, el individuo raspaba los restos de comida sobre la propia mesa, en lugar de colocar los artículos sucios en el carrito de limpieza. En otras palabras, el E^D inicial para la cadena de limpiar mesas, la mesa vacía con platos sucios, había establecido la ocasión para una respuesta (raspar los platos) que debería haber ocurrido más adelante en la cadena. Para romper esta cadena inapropiada, el analista de conducta debe considerar varias fuentes posibles de dificultad, incluyendo (a) volver a analizar los estímulos discriminativos y las respuestas, (b) determinar si estímulos discriminativos similares indican diferentes respuestas, (c) analizar el lugar de trabajo para identificar los estímulos discriminativos relevantes e irrelevantes, (d) determinar si los estímulos discriminativos del lugar de trabajo son diferentes a los del lugar de entrenamiento, y (e) identificar la presencia de estímulos nuevos en el ambiente.

Volver a analizar los estímulos discriminativos y las respuestas

El propósito de volver a analizar la lista de estímulos discriminativos y respuestas del análisis de tareas es determinar si la cadena de respuestas asociadas original que estos evocan es arbitraria, está basada principalmente en la opinión de los expertos, en los estudios de tiempo y movimiento, y en la eficacia práctica. En nuestro ejemplo, el educador quiere que la presencia de los platos sucios sobre las mesas vacías evoque la respuesta de colocar los platos en el carrito de limpieza. Por lo tanto, se entrenó una cadena reordenada de estímulos discriminativos y respuestas (véase la Figura 20.11, panel inferior).

Determinar si los estímulos discriminativos similares indican respuestas diferentes

La Figura 20.11 (panel superior) muestra dos estímulos discriminativos similares (los platos sucios sobre la mesa vacía y platos sobre el carrito de la limpieza) que podrían haber contribuido a raspar los restos de la comida sobre la mesa. En otras palabras, R_2 (raspar el plato) podría haber estado bajo el control de E_1 (platos sucios en la mesa). La Figura 20.11 (panel inferior) muestra cómo el analista de conducta corrigió la secuencia mediante la reordenación de los estímulos discriminativos y sus respuestas asociadas. Raspar los platos es ahora la quinta respuesta de la cadena y se produce en el fregadero de la cocina, una zona alejada de las mesas de los restaurantes y la cafetería. Por lo tanto, cualquier posible confusión se reduce o elimina.

Analizar el ambiente natural para identificar estímulos discriminativos relevantes e irrelevantes

El programa de entrenamiento debe estar diseñado para enseñar al alumno a discriminar los componentes críticos de un estímulo de las variaciones irrelevantes. El panel inferior de la Figura 20.11 muestra al menos dos características relevantes del E_1: una mesa vacía y la presencia de platos sucios sobre esa mesa. Un estímulo irrelevante podría ser la ubicación de la mesa en el restaurante o el número de cubiertos que hay sobre la mesa. Algunas de las características relevantes del E_5, la presencia del fregadero, pueden ser los grifos de agua, la configuración del fregadero, o los platos sucios. Por último, los estímulos irrelevantes pueden ser el tamaño del fregadero y el tipo o estilo de los grifos.

Determinar si los estímulos discriminativos del contexto natural difieren de los estímulos discriminativos del entrenamiento

Es posible que algunas variaciones de los estímulos discriminativos no se puedan enseñar durante las fases del entrenamiento. Por esta razón, muchos autores recomiendan realizar las últimas sesiones del entrenamiento en el entorno natural donde se espera que la cadena de conducta ocurra. Esto permite que el educador pueda reconocer las diferencias que existen entre los estímulos discriminativos, y refinar el entrenamiento de discriminación posterior en el entorno natural.

Identificar la presencia de estímulos nuevos en el ambiente

La presencia de un estímulo nuevo inesperado en el contexto del entrenamiento original también puede evocar la aparición de una cadena inapropiada. En el ejemplo del restaurante, la presencia de una multitud de clientes podría establecer la ocasión para que la cadena se realizara fuera de secuencia. Del mismo modo, los estímulos que distraen (p.ej., clientes que van y vienen, la propina sobre la mesa, etc.) pueden establecer la ocasión para una cadena inapropiada. Además, un compañero de trabajo podría dar instrucciones contradictorias al aprendiz sin darse cuenta. En cualquiera de estas situaciones, el estímulo nuevo debe ser identificado y se le debe enseñar al alumno a discriminar este estímulo junto a los otros estímulos discriminativos del ambiente.

Factores que afectan a la ejecución de una cadena de conducta

Varios factores afectan a la ejecución de una cadena de conducta. Las siguientes secciones describen estos factores y proporcionan recomendaciones para abordarlos.

La integridad del análisis de tareas

Cuanto más completo y preciso sea el análisis de tareas, más probable será que una persona progrese a través de la secuencia de forma eficaz. Si los elementos que forman parte de la cadena no están secuenciados apropiadamente, o si no se identifican los estímulos discriminativos correspondientes para cada respuesta, el aprendizaje de la cadena será más difícil.

El analista de conducta debe recordar dos puntos claves cuando se trata de desarrollar un análisis de tareas preciso. En primer lugar, la planificación debe ocurrir antes del entrenamiento. El tiempo dedicado a la construcción y validación del análisis de tareas es una buena inversión. En segundo lugar, después de que se construya el análisis de tareas, el entrenamiento debe comenzar con la expectativa de que pueden ser necesarios ajustes o el uso de ayudas más invasivas en varios pasos del análisis de tareas. Por ejemplo, McWilliams y sus colegas (1990) observaron que uno de sus alumnos requería una cantidad extensa de ensayos y de ayudas con algunos de los pasos del análisis de tareas antes de poder mejorar el rendimiento.

El tamaño y la complejidad de la cadena

Las cadenas de conducta más largas y complejas tardan más tiempo en aprenderse que las más cortas o sencillas. Del mismo modo, el analista de conducta podría esperar que el tiempo de entrenamiento sea más largo si se unen dos o más cadenas.

Programa de reforzamiento

Cuando se presenta un reforzador después de la realización de una conducta de una cadena, esto afecta a cada una de las respuestas que componen la cadena. Sin embargo, el efecto sobre cada respuesta no es idéntico.

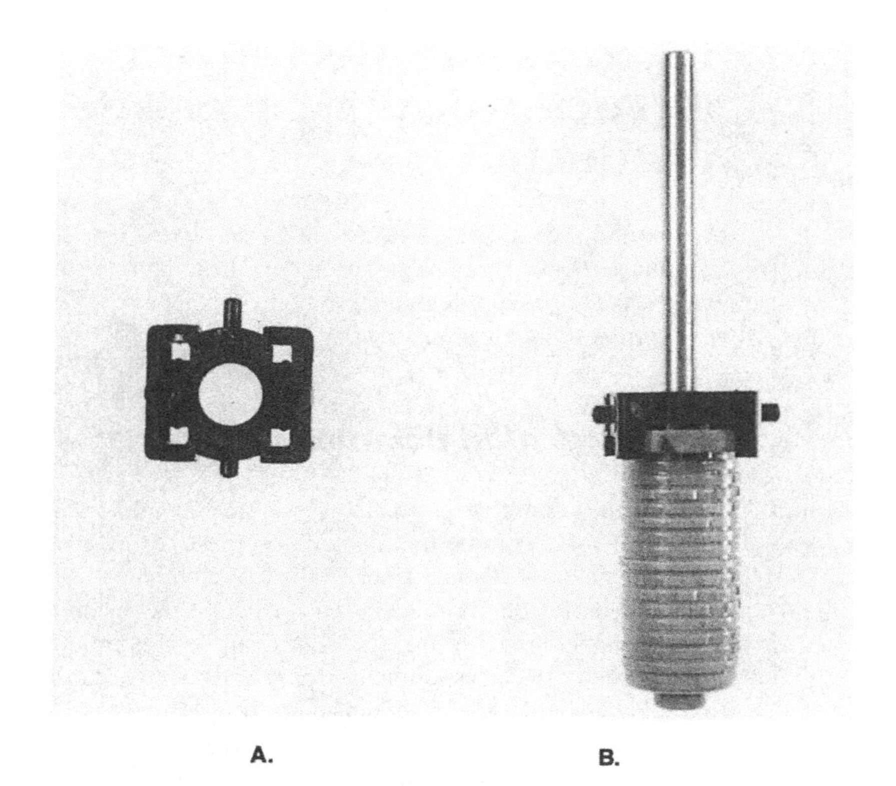

Figura 20.12 Panel superior: un cojinete antes y después de ser colocado en un eje de leva.

Tomado de *Vocational Habilitation of Severely Retarded Adults*, págs. 40 y 42, G. T. Bellamy, R. H. Horner, and D. P. Inman, 1979, Austin, TX: PRO-ED. © Copyright, 1979 PRO-ED. Reimpreso con permiso.

Por ejemplo, en el encadenamiento hacia atrás, las respuestas realizadas al final de la cadena se fortalecen más rápido que las respuestas del principio de la cadena, ya que se refuerzan con más frecuencia. Se aconseja al analista de conducta que recuerde dos puntos: (a) Se puede mantener una cadena si se utiliza un programa de reforzamiento apropiado (véase el Capítulo 13), y (b) puede ser necesario tener que considerar el número de respuestas de una cadena cuando se define el programa de reforzamiento.

Variación de estímulo

Bellamy, Horner, e Inman (1979) ofrecieron una excelente representación gráfica de cómo la variación de estímulo afecta al rendimiento en una cadena. La fotografía superior de la Figura 20.12 muestra un cojinete antes y después de ser colocado sobre el eje de un interruptor de levas. La fotografía inferior muestra los cuatro tipos diferentes de cojinetes que se pueden utilizar en el proceso de montaje. La respuesta de colocar el cojinete en el eje debe estar bajo el control de la presencia del cojinete (E^D); sin embargo, la variación entre los cojinetes requiere que la respuesta esté bajo el control de varios estímulos discriminativos, tantos como características críticas tengan estos. La ilustración muestra que cada cojinete tiene un agujero de 1,12 cm en el centro y uno o más orificios torneados en una de las caras del cojinete. Cualquier cojinete con estas características estimulares debe evocar la respuesta de colocar el cojinete en el eje, aunque estén presentes otras dimensiones irrelevantes (p.ej., el color, la composición del material o el peso). Los estímulos que no posean las características críticas no deberían ocasionar la respuesta.

Si es posible, el analista de conducta debe introducir todas las posibles variaciones del E^D que el aprendiz se encontrará. Independientemente de la cadena de conducta, la presentación de variaciones de estímulo aumenta la probabilidad de que la conducta correcta se produzca en presencia del E^D. Por ejemplo, en una tarea de montaje podríamos usar varios contenedores y ejes; para la tarea de vestirse, podríamos usar diferentes cierres, cremalleras y botones; y diversos tubos y dispensadores de pasta dentífrica en la tarea de cepillarse los dientes.

Variación de respuesta

A menudo, cuando se producen variaciones de estímulo, la variación de respuesta también debe ocurrir para producir el mismo efecto. De nuevo, Bellamy y sus colaboradores (1979) aportaron un ejemplo con el montaje de un árbol de levas. En la fotografía superior izquierda de la Figura 20.13, el cojinete se ha colocado en el árbol de levas y el anillo de retención está siendo colocado con un par de pinzas. La fotografía superior derecha muestra el anillo en su posición. La fotografía inferior izquierda muestra una configuración de cojinete diferente (es decir, el E^D es diferente), por lo tanto requiere una respuesta diferente. En lugar de utilizar las pinzas para levantar el anillo de retención sobre la tapa del cojinete, éste debe ser empujado sobre la tapa con una llave especial. La respuesta de levantar o empujar ha cambiado, al igual que la respuesta de seleccionar la herramienta adecuada. Por lo tanto, el analista de conducta debe ser consciente de que cuando se introduce una variación de estímulo, puede ser necesario entrenar o reentrenar las respuestas dentro de la cadena.

Colocación con herramienta de pinzas

Colocación con herramienta de empuje

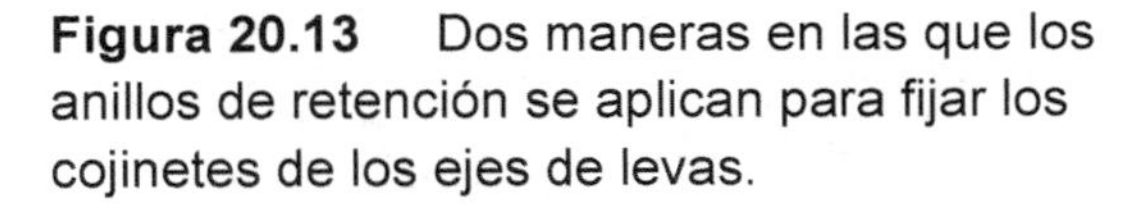

Figura 20.13 Dos maneras en las que los anillos de retención se aplican para fijar los cojinetes de los ejes de levas.

De *Vocational Habilitation of Severely Retarded Adults*, pág. 44, G. T. Bellamy, R. H. Horner, and D. P. Inman, 1979, Austin, TX: PRO-ED. © Copyright 1979 PRO-ED. Reproducido con permiso.

Resumen

Definición de cadena de conducta

1. Una cadena de conducta es una secuencia específica de respuestas discretas, cada una asociada con una condición estimular particular. Cada respuesta discreta y la condición estimular asociada sirven como componente individual de la cadena. Cuando los componentes individuales están unidos entre sí, el resultado es una cadena de conducta que produce un resultado final.

2. Cada estímulo que une dos respuestas secuenciales en una cadena cumple una doble función: Es un reforzador condicionado para la respuesta que lo produjo y un E^D para la siguiente respuesta de la cadena.

3. En una cadena de conducta con espera limitada, una secuencia de conductas se debe realizar correctamente y dentro de un tiempo específico para que el reforzador se entregue. Las formas competentes de responder son características distintivas de las cadenas con espera limitada.

Fundamentos para el uso del encadenamiento

4. Hay tres razones por las que un analista de conducta debe tener la habilidad de construir cadenas de conducta: (a) las cadenas se pueden utilizar para mejorar las habilidades de vida independiente; (b) las cadenas pueden proporcionar los medios por los que otras conductas se combinen en secuencias más complejas; y (c) las cadenas se pueden combinar con otros procedimientos para construir repertorios de conducta en los contextos de generalización.

5. El encadenamiento se refiere a la manera en que estas secuencias específicas de estímulos y respuestas se unen para formar nuevas conductas. En el encadenamiento hacia delante, las conductas se unen entre sí a partir de la *primera* conducta de la secuencia. En el encadenamiento hacia atrás, las conductas se unen entre sí a partir de la *última* conducta de la secuencia.

Análisis de tareas

6. El análisis de tareas consiste en descomponer una habilidad compleja en unidades más pequeñas que se puedan enseñar, el producto de lo cual es una serie de tareas o pasos ordenados de forma secuencial.

7. El propósito de construir y validar un análisis de tareas es determinar la secuencia de conductas críticas que componen la tarea completa y que conducirían a que se lleven a cabo de manera eficiente. Los análisis de tareas pueden llevarse a cabo mediante la observación de una persona competente que esté realizando la tarea, las consultas con expertos, y la propia realización de la secuencia.

8. El propósito de evaluar el nivel de dominio es determinar qué componentes del análisis de tareas se pueden realizar de forma independiente antes del entrenamiento. La evaluación puede llevarse a cabo a través del método de una sola oportunidad o el de varias oportunidades.

Métodos de encadenamiento

9. En el encadenamiento hacia delante, las conductas identificadas en el análisis de tareas se enseñan en su secuencia natural. En concreto, el reforzamiento se presenta cuando se alcanza el criterio predeterminado para la primera conducta de la secuencia. Después de esto, se presentará el reforzador cuando se complete el criterio de los primeros dos pasos. Con cada paso sucesivo, el reforzador se presentará de manera contingente a la ejecución correcta de todos los pasos que se hayan entrenado hasta ese punto.

10. El encadenamiento de tarea total es una variación del encadenamiento hacia delante en el que al aprendiz se le enseña cada paso del análisis de tareas durante cada sesión. El educador asiste mediante ayudas a la respuesta con cada paso que el individuo no puede realizar. La cadena se entrena hasta que el aprendiz realice todas las conductas de la secuencia hasta alcanzar el criterio.

11. En el encadenamiento hacia atrás, el educador completa todos los pasos identificados en el análisis de tareas, excepto el último. El reforzador se presenta cuando el paso final de la secuencia se lleva a cabo de acuerdo al criterio. Luego, el reforzador se presentará cuando se lleven a cabo el penúltimo y último paso. Posteriormente, el individuo debe llevar a cabo los tres últimos pasos antes de la entrega del reforzador, y así sucesivamente. La ventaja principal del encadenamiento hacia atrás es que el alumno entra en contacto con las contingencias de reforzamiento de inmediato, y así la relación funcional comienza a desarrollarse.

12. El encadenamiento hacia atrás con omisiones sigue esencialmente el mismo procedimiento que el encadenamiento hacia atrás, con la excepción de que no se entrenan todos los pasos del análisis de tareas. La modificación del encadenamiento hacia atrás con omisiones sirve como sondeo o evaluación de las conductas no entrenadas en la secuencia. Su objetivo es acelerar el entrenamiento de la cadena de conducta.

13. La decisión de utilizar el encadenamiento hacia delante, el de tarea total, o hacia atrás se debe basar en los resultados de una evaluación del análisis de tareas, en estudios basados en datos empíricamente sólidos, y en una evaluación funcional. Además, se deben tener en cuenta las habilidades cognitivas, físicas y motoras, al igual que las necesidades del individuo.

Interrupción y ruptura de las cadenas de conducta

14. La estrategia de interrupción de las cadenas de conducta es una intervención que se basa en la habilidad del participante para realizar los elementos críticos de una cadena de forma independiente, pero la cadena se interrumpe en un paso predeterminado, de manera que otra conducta pueda ser emitida.

15. Una cadena inapropiada se puede romper si se reconoce el E^D inicial que establece la ocasión para la primera conducta y se sustituye con un E^D alternativo. Los estímulos discriminativos alternativos pueden seleccionarse volviendo a analizar la lista de estímulos discriminativos y respuestas del análisis de tareas, determinando si estímulos discriminativos similares indican respuestas diferentes, analizando el entorno natural para identificar los estímulos discriminativos relevantes e irrelevantes, determinando si los estímulos discriminativos del entorno natural difieren de los del entrenamiento, o identificando la presencia de nuevos estímulos discriminativos en el ambiente.

Factores que afectan a la ejecución de una cadena de conducta

16. Los factores que afectan a la ejecución de una cadena de conducta incluyen: (a) la integridad del análisis de tareas (b) el tamaño o la complejidad de la cadena, (c) el programa de reforzamiento, (d) la variación de estímulo, y (e) la variación de respuesta.

PARTE 8

Reducción de la conducta con procedimientos no punitivos

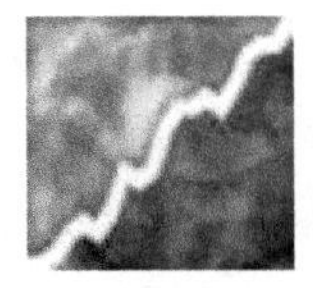

La Parte 8 describe las intervenciones no punitivas para disminuir o eliminar los problemas de conducta. En el capítulo 21, "Extinción", se presentan los procedimientos de extinción para los problemas de conducta mantenidos por reforzamiento positivo, reforzamiento negativo y reforzamiento automático. Este capítulo incluye secciones sobre los efectos de la extinción, las variables que afectan a la resistencia a la extinción, y las directrices para el uso eficaz de la extinción. El Capítulo 22, "Reforzamiento diferencial", introduce las cuatro variantes investigadas con mayor frecuencia de reforzamiento diferencial para disminuir los problemas de conducta: el reforzamiento diferencial de (a) conductas incompatibles, (b) conductas alternativas, (c) otras conductas, y (d) tasas bajas de respuestas. Se aportan ejemplos de las aplicaciones y directrices para el uso eficaz de cada uno de estos procedimientos de reforzamiento diferencial. El Capítulo 23, "Intervenciones antecedentes", define, da ejemplos, y ofrece directrices para el uso de las tres intervenciones antecedentes sobre los problemas de conducta: reforzamiento no contingente, secuencia de alta probabilidad y entrenamiento en comunicación funcional.

CAPITULO 21

Extinción

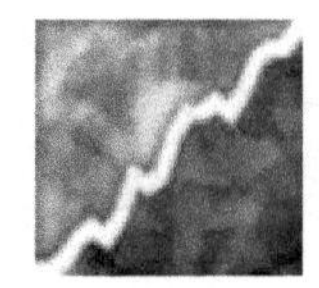

Términos Clave

Extinción (operante)
Extinción de la conducta de escape
Extinción sensorial
Incremento de respuesta asociado a la extinción
Recuperación espontanea
Resistencia a la extinción

Behavior Analyst Certification Board® BCBA®, BCBA-D®, BCaBA®, RBT® Lista de tareas para analistas de conducta (cuarta edición).

C	Habilidades analítico-conductuales básicas: consideraciones relativas al cambio de conducta
C-03	Identificar y prepararse para los posibles efectos no deseados de la extinción

D	Habilidades analítico-conductuales básicas: elementos fundamentales del cambio de conducta
D-18	Usar extinción.
D-19	Usar combinaciones de reforzamiento, castigo y extinción.
FK	**Conocimientos adicionales. Definir y dar ejemplos de:**
FK-22	Extinción.

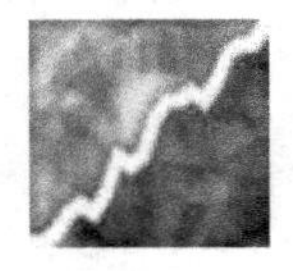

Este capítulo describe como reducir la frecuencia de una conducta previamente reforzada mediante la interrupción del reforzamiento, un principio conocido como *extinción*. La extinción como procedimiento ofrece una probabilidad cero de reforzamiento. También es un proceso conductual de disminución de la tasa de respuesta. Los profesionales aplicados han aplicado este principio de conducta eficazmente en una amplia variedad de contextos como hogares, escuelas e instituciones, y con diversos problemas de conducta que van desde las graves autolesiones hasta molestias moderadas. Sin embargo, la eficacia de la extinción en un contexto aplicado depende primordialmente de la identificación de las consecuencias reforzantes y de la aplicación consistente del procedimiento. La extinción no requiere de la aplicación de estímulos aversivos para disminuir la conducta, no provee modelos verbales o físicos de estímulos punitivos dirigidos hacia los demás. La extinción simplemente requiere que se dejen de aplicar los reforzadores que previamente se presentaban. Este capítulo define la extinción y describe procedimientos para aplicarla. Además, explica la conducta de extinción y la resistencia a la extinción. Aunque la extinción aparenta ser un proceso simple, su aplicación en contextos aplicados puede ser difícil.

Definición de extinción

La **extinción**, como procedimiento, ocurre cuando se interrumpe el reforzamiento de una conducta previamente reforzada; como resultado, la frecuencia de esa conducta disminuye en el futuro[1]. Para reafirmar este principio: Keller y Schoenfeld (1950/1995) definieron la extinción de la siguiente manera; "Las operantes condicionadas se extinguen al cortar la relación entre el acto y el efecto...El principio de la extinción Tipo R [operante] se puede explicar de este modo: La fuerza de una operante condicionada se puede disminuir mediante la interrupción de su reforzamiento" (págs. 70-71). Del mismo modo, Skinner (1953) escribió, "Cuando el reforzamiento ya no está disponible, la respuesta se vuelve menos y menos frecuente en lo que se llama "extinción operante" (pág. 69).

Daniela, una alumna de tercer grado de primaria, interrumpía con frecuencia a su maestro cuando instruía a los otros alumnos. Parecía que Daniela trataba de llamar la atención del maestro más que los otros alumnos. El maestro siempre respondía a las interrupciones de Daniela contestando a sus preguntas, pidiéndole que se volviera a su asiento, diciéndole que no lo interrumpiera mientras trabajaba con otros alumnos y explicándole que tenía que esperar su turno para hablar. La alumna normalmente se mostraba de acuerdo en no interrumpir, pero sus molestas interrupciones continuaban. El maestro sabía que Daniela interrumpía su instrucción para llamar su atención. Ya que decirle a Daniela que no lo interrumpiera en ciertos momentos no funcionaba, el maestro decidió ignorar las interrupciones. Daniela dejó de interrumpir al maestro tras cuatro días en los que sus interrupciones no produjeron la atención del maestro. En este ejemplo las interrupciones de la alumna (es decir, el problema de conducta) eran mantenidas por la atención del maestro (es decir, el reforzador). El maestro aplicó el procedimiento de extinción al ignorar las interrupciones de Daniela y el procedimiento produjo una disminución en la frecuencia de las interrupciones. Es importante tener en cuenta que el procedimiento de extinción no previene las ocurrencias del problema de conducta (p.ej., las interrupciones), sino que modifica el ambiente para que el problema de conducta ya no produzca reforzamiento (p.ej., la atención del maestro).

Formas procedimentales y funcionales de extinción

El uso de evaluaciones funcionales de la conducta (véase el Capítulo 24) ha permitido que los analistas aplicados de la conducta distingan claramente entre las variaciones procedimentales de la extinción (ignorar) y sus variaciones funcionales (la interrupción del reforzamiento que mantiene la conducta). La distinción entre estas variaciones ha llevado a tratamientos más eficaces (Lerman e Iwata, 1996a).

Históricamente, algunos analistas aplicados de la conducta se han centrado en la forma procedimental de la extinción (p.ej., la idea de que basta con ignorar la conducta para que disminuya) en lugar de en la funcional (es decir, la interrupción del reforzamiento que mantiene la conducta). Las aplicaciones de la forma procedimental de extinción suelen ser ineficaces. Las evaluaciones funcionales de la conducta han permitido que los analistas aplicados de la conducta vean esta distinción de manera más clara, dando como resultado un probable incremento en la investigación que usa procedimientos de extinción básicos en entornos aplicados. Cuando el

[1] El término *extinción* también se usa con los reflejos respondientes condicionados (véase el Capítulo 2). Presentar un estímulo condicionado (EC) una y otra vez sin el estímulo incondicionado (EI) hasta que el EC ya no evoque la respuesta condicionada se llama *extinción respondiente*.

procedimiento de extinción se asocia con la función de la conducta, la intervención suele ser eficaz.

Extinción: usos erróneos de un término técnico

Con la posible excepción del reforzamiento negativo, la extinción es quizás el término peor entendido y utilizado en el análisis aplicado de la conducta. La extinción es un término técnico que los analistas aplicados de la conducta deberían usar solo para identificar el procedimiento mediante el que se dejan de presentar los reforzadores que mantienen la conducta. A continuación se plantean las cuatro formas más comunes de uso inadecuado del término.

Hablar de extinción para referirse a cualquier disminución de la conducta

Algunas personas usan el término *extinción* para referirse a cualquier disminución en la tasa de respuesta, sin importar lo que condujo al cambio de la conducta. Por ejemplo, si la conducta de un individuo disminuye como resultado de un procedimiento de castigo como el tiempo fuera de reforzamiento o alguna restricción física de la conducta, decir que "la conducta se está extinguiendo" sería engañoso e incorrecto desde el punto de vista técnico. Calificar cualquier disminución de la conducta que lleve a una tasa de ocurrencia de cero como extinción es otro uso inadecuado habitual del término.

Confusión entre olvido y extinción

Otro uso inadecuado del término *extinción* sucede cuando se confunde con olvido. En el proceso de olvido la conducta se debilita por el paso de un tiempo en el que el individuo no tiene oportunidad de emitir la conducta. En el proceso de extinción, la conducta se debilita porque no produce reforzamiento.

Confusión entre bloqueo de respuesta y extinción sensorial

Los analistas aplicados de la conducta han usado gafas de protección, guantes, cascos y pesas de muñeca para poder *bloquear* la ocurrencia de conductas que son mantenidas por reforzamiento automático (sensorial), en lugar de enmascarar la estimulación sensorial en sí. Las aplicaciones del bloqueo de respuesta para reducir estas conductas muestran similitud con la extinción sensorial. Sin embargo, el bloqueo de respuesta no es un procedimiento de extinción. En todos los procedimientos de extinción, incluyendo las consecuencias sensoriales, el individuo puede emitir la conducta en cuestión, pero esta no produce reforzamiento. En contraste, el bloqueo de respuesta previene la ocurrencia de la conducta objetivo (Lerman e Iwata, 1996).

Confusión entre reforzamiento no contingente y extinción

Existen dos definiciones diferentes de extinción que aparecen en la literatura del análisis aplicado de la conducta, cada una de las cuales usa un procedimiento diferente para reducir la conducta. Nosotros usamos una de esas definiciones en este capítulo (es decir, Keller y Schoenfeld, 1950/1995; Skinner 1953), que es la más asociada con el principio de conducta llamado extinción. Esta definición ha resultado útil durante muchos años para el análisis experimental de la conducta y para el análisis aplicado de la conducta.

El procedimiento de la segunda definición no interrumpe la presentación de los reforzadores que mantienen el problema de conducta sino que los presenta de manera no contingente, es decir, que el analista aplicado de la conducta presenta estímulos con propiedades reforzantes conocidas a un individuo según un programa de tiempo fijo o variable independientemente de la respuesta (véase el Capítulo 23).

El reforzamiento no contingente (RNC) es una intervención importante y eficaz para disminuir los problemas de conducta, pero actúa sobre la conducta de manera diferente al principio de extinción. El proceso de extinción disminuye la conducta cambiando los estímulos que actúan como consecuencias; por su parte, el RNC disminuye la conducta cambiando las operaciones motivadoras. Aunque los dos procedimientos producen un descenso de la conducta, los efectos conductuales resultan de diferentes variables de control. Usar un término técnico para describir los efectos producidos por dos procedimientos distintos genera confusión.

Procedimientos de extinción

Específicamente, los procedimientos de extinción toman tres formas distintas que están vinculadas a la conducta que es mantenida mediante reforzamiento positivo[2], mediante reforzamiento negativo, y mediante reforzamiento automático.

Extinción de la conducta mantenida mediante reforzamiento positivo

Las conductas mantenidas mediante reforzamiento positivo se consideran en extinción cuando no producen el reforzador. Williams (1959) en un estudio clásico describió los efectos de la eliminación del reforzamiento positivo (extinción) sobre la conducta despótica de un infante de 21 meses de edad. El niño había estado seriamente enfermo durante sus primeros 18 meses de vida pero estaba totalmente recuperado cuando el estudio comenzó. El niño exigía atención especial por parte de los padres, en particular a la hora de dormir, y respondía con rabietas (p.ej., gritos, quejas y llantos) cuando sus padres no le proveían atención. Uno de los padres pasaba de media hora a dos horas cada noche esperando a que el niño se durmiera.

Aunque Williams no especuló sobre cómo se desarrollaron las rabietas, no es difícil de imaginar una probable explicación. Dado que el niño había estado gravemente enfermo durante la mayor parte de sus primeros 18 meses, llorar había sido su forma de comunicar que se encontraba mal, sentía dolor o necesitaba ayuda. En efecto, sus llantos pudieron ser reforzados por la atención de sus padres. Llorar se había convertido en una conducta de alta frecuencia durante el tiempo de su enfermedad y continuó una vez que el niño se había recuperado. Los padres probablemente se dieron cuenta finalmente de que su hijo lloraba por las noches para obtener su atención e intentaron ignorar sus llantos. Los llantos incrementaron en intensidad y emoción cuando los padres no se quedaban en el cuarto. Con el paso de los días y semanas, la demanda de atención del niño a la hora de dormir se intensificó. Los padres probablemente decidieron de nuevo no quedarse con el niño cuando se fuera a dormir; pero la intensidad de los llantos aumentó y se dieron nuevas conductas en las rabietas. Finalmente, los padres volvieron al cuarto del niño, cedieron a su conducta y le enseñaron a comportarse de manera déspota.

Después de tres meses de conductas déspotas del niño, los padres decidieron que debían hacer algo sobre las rabietas. Estaba claro que la atención de los padres estaba manteniendo las rabietas, por lo que planearon aplicar el principio de extinción. Los padres, de manera relajada y divertida, llevaban al niño a dormir, lo dejaban en su cuarto y cerraban la puerta. Además anotaban la duración de los gritos y llantos desde el momento en que cerraban la puerta.

El gráfico 21.1 representa la duración de las rabietas durante el proceso de extinción. El niño tuvo una rabieta de 45 minutos la primera vez que estuvo en el cuarto sin sus padres. Estas se redujeron de manera gradual hasta la décima sesión en la que el niño ya no lloró, gimió o se quejó cuando los padres lo dejaron en el cuarto; más bien, el niño sonreía cuando se iban. Los padres informaron de que cuando su hijo se iba a dormir, hacía "sonidos felices" (Williams, 1959, pág. 269).

No ocurrió ninguna rabieta durante aproximadamente una semana, pero empezaron de nuevo después que su tía lo llevara a dormir. Cuando el niño empezaba la rabieta, la tía regresaba al cuarto y se quedaba con él hasta que se dormía. Las rabietas regresaron al alto nivel anterior y tuvieron que ser disminuidas por segunda vez.

La figura 21.1 también demuestra la duración de las rabietas durante los 10 días tras la intervención de su tía. La curva de datos es similar a la de la primera eliminación de la atención de los padres. La duración de

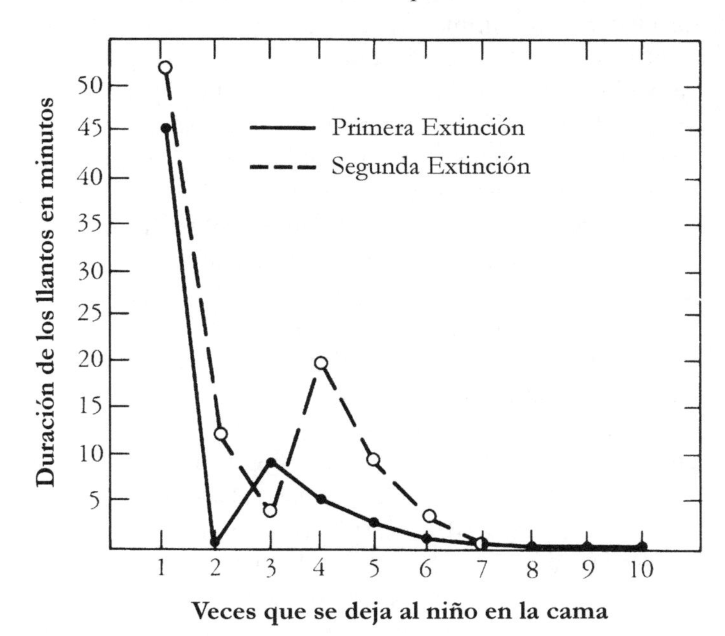

Figura 21.1 Dos series de extinción que muestran la duración del llanto como función de quedarse en la cama.

Tomado de "The Elimination of Tantrum Behavior by Extinction Procedures" C.D. Williams, 1959, *Journal of Abnormal and Social Psychology*, 59, pág. 269. © Copyright 1959 American Psychological Association. Reimpreso con permiso del editor y el autor.

[2] La extinción vinculada a conductas mantenidas mediante reforzamiento positivo se suele llamar *extinción de atención* en la literatura del análisis aplicado de la conducta, especialmente en la literatura de la evaluación funcional de la conducta (EFC) en la que el reforzamiento mediante atención social es una de las condiciones o hipótesis explorada por la EFC.

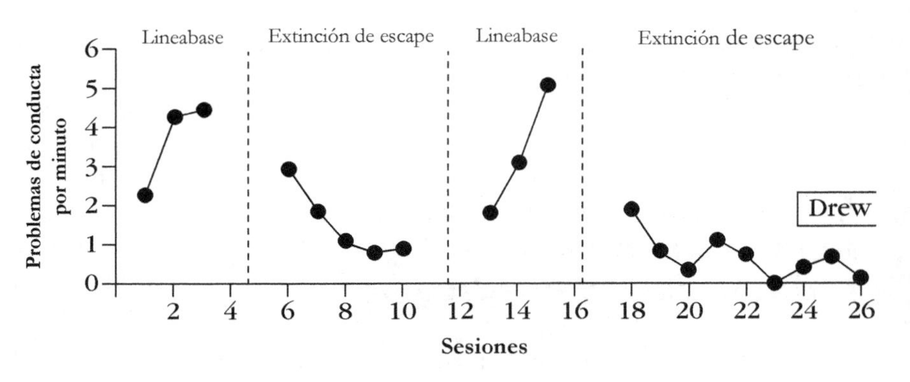

Figura 21.2 Número de problemas de conducta por minuto de Drew durante las condiciones de lineabase y extinción del escape.

Tomado de "Use of a Structured Descriptive Assessment Methodology to Identify Variables Affecting Problem Behavior" C. M. Anderson y E. S. Long, 2002, *Journal of Applied Behavior Analysis, 35* (2), pág.152. © Copyright 2002 Society for the Experimental Analysis of Behavior, Inc. Adaptado con permiso.

las rabietas fue un poco mayor en la segunda eliminación, pero llegó a cero en la novena sesión. Williams informó de que el niño no tuvo más rabietas a la hora de dormir durante 2 años de seguimiento.

Extinción de la conducta mantenida mediante reforzamiento negativo

Las conductas mantenidas mediante reforzamiento negativo se ponen en extinción (también conocida como **extinción de la conducta de escape**) cuando no producen una eliminación del estímulo aversivo, lo cual quiere decir que la persona no puede escapar de la situación aversiva. Anderson y Long (2002) y Dawson y colaboradores (2003) ofrecieron excelentes ejemplos del uso de la extinción de la conducta de escape como intervención conductual.

Anderson y Long (2002) aplicaron un tratamiento para la reducción de los problemas de conducta a Drew, un niño de ocho años con autismo y retraso mental entre moderado y grave. Los problemas de conducta de Drew consistían en conducta autolesiva, agresión, conducta molesta. Anderson y Long llevaron a cabo una evaluación funcional de la conducta y plantearon la hipótesis de que la conducta problemática era mantenida mediante el escape de las tareas. Basándose en esta hipótesis, el logopeda utilizó la extinción de la conducta de escape para disminuir los problemas de conducta que ocurrían mientras Drew trabajaba en tareas de igualación a la muestra y de lenguaje receptivo. Estas tareas evocaban las tasas más altas de problemas de conducta. El logopeda proveía ayuda instruccional durante las tareas y cuando Drew emitía las conductas problemáticas después de la ayuda instruccional, el logopeda guiaba físicamente a Drew para completar la tarea. La extinción de la conducta de escape produjo una reducción significativa de los problemas de conducta durante las tareas de la igualación a la muestra y de lenguaje receptivo. La figura 21.2 muestra el número de problemas de conducta por minuto durante las condiciones de lineabase (es decir, escape) y la extinción de la conducta de escape.

Dawson y colaboradores (2003) informaron sobre el uso de la extinción de la conducta de escape para reducir el rechazo de la comida por Mary, una niña de tres años que incluida en un programa de día para el tratamiento del rechazo total de comida. Su historia médica incluía reflujo gastroesofágico, retraso del vaciado gástrico y dependencia de la sonda gástrica entre otras cuestiones médicas. Su rechazo de la comida incluía un giro de la cabeza cuando se le presentaba la comida, poner la mano en la cuchara o en la mano o el brazo del terapeuta, y el uso de las manos o el babero para cubrirse la cara.

El procedimiento de extinción de la conducta de escape vino después de 12 sesiones de rechazo de la comida. Si Mary rechazaba una cucharada de comida, el terapeuta le dejaba la cuchara delante de la boca hasta que se la comía. Cuando Mary expulsaba la comida, se le volvía a presentar hasta que se la comía. Con este procedimiento, las denegaciones de Mary no producían escape de la comida. El terapeuta terminaba la sesión después de que Mary se hubiera comido 12 bocados de comida. Mary no aceptó la comida durante las 12 sesiones de lineabase; pero después de dos sesiones de extinción de la conducta de escape, su aceptación de los alimentos aumentó a un 100%.

Extinción de la conducta mantenida mediante reforzamiento automático

Las conductas mantenidas mediante reforzamiento automático se ponen en extinción (también conocida como **extinción sensorial**) enmascarando o eliminando la consecuencia sensorial (Rincover, 1978). Algunas

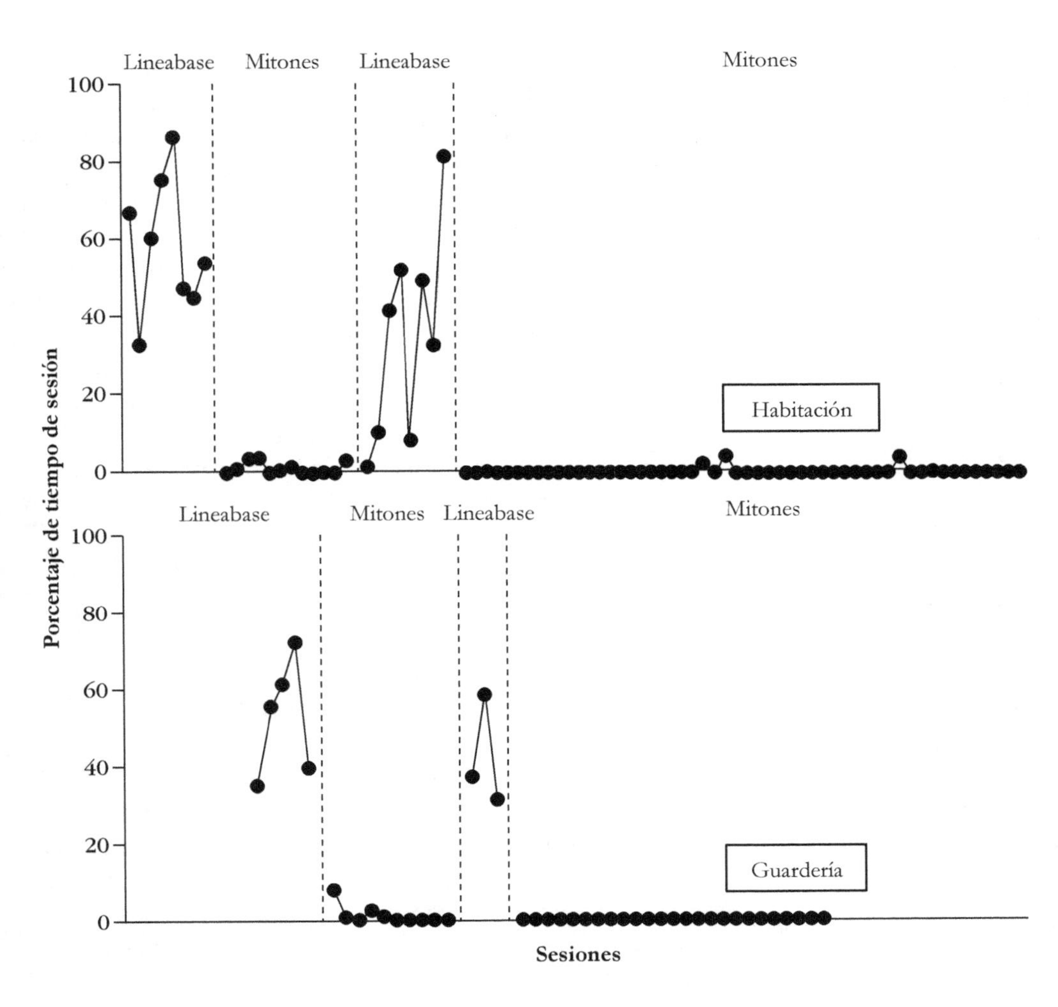

Figura 21.3 Porcentaje de tiempo de cada sesión dedicado a retorcerse el pelo durante las condiciones de lineabase e intervención en los contextos del hogar y la guardería.

Tomado de "Functional Analysis and Treatment of Hair Twriling in a Young Child" C. M. Deaver, R. G. Miltenberger, y J. M. Stricker, 2001, Journal of Applied Behavior Analysis, 34, pág. 537. © Copyright 2001 Society for the Experimental Analysis of Behavior, Inc. Usado con permiso.

conductas producen consecuencias sensoriales naturales que mantienen la conducta. Rincover (1981) describió una consecuencia sensorial que ocurre de manera natural como un estímulo que "suena bien, tiene buen aspecto, sabe bien, huele bien, o se siente bien cuando se toca, o el movimiento en sí es bueno" (pág. 1).

La extinción vinculada al reforzamiento automático no es una opción de tratamiento recomendada para los problemas de conducta, ni siquiera para las conductas de autoestimulación que son mantenidas por las consecuencias sociales o el reforzamiento negativo. El reforzamiento automático, sin embargo, puede mantener conductas autolesivas y conductas persistentes, no intencionada, repetitivas de autoestimulación (p.ej., mover los dedos repetitivamente, balancear la cabeza, caminar de puntillas, tirarse del pelo, y acariciarse partes del cuerpo). Por ejemplo, Kennedy y Sousa (1995) informaron sobre un hombre de 19 años con discapacidad profunda que se había hurgado los ojos durante 12 años con el resultado de una discapacidad visual en los dos ojos. Se pensaba que hurgarse los ojos funcionaba como estimulación sensorial porque ocurría con mayor frecuencia cuando estaba solo. Cuando Kennedy y Sousa usaron gafas de protección para impedir el contacto con los ojos, esta conducta disminuyó notablemente (véase figura 8.5).

Las consecuencias sociales suelen mantener la agresión, pero no siempre. La agresión también se puede mantener mediante reforzamiento automático como sucede con la conducta autolesiva y la conducta de autoestimulación (Thompson, Fisher, Piazza, y Kuhn, 1998). Deaver, Miltenberger, y Stricker (2001) usaron la extinción para disminuir la conducta de retorcerse (o enroscarse) el pelo, ya que o es un precursor frecuente de la conducta de tirarse del pelo, una conducta autolesiva seria. Tina con dos años y cinco meses recibió tratamiento para las retorceduras y los tirones de pelo. Un análisis funcional demostró que Tina no se retorcía o se tiraba del pelo para obtener atención, y que la retorcedura ocurría con más frecuencia cuando Tina estaba sola a la hora de dormir. El procedimiento de extinción sensorial consistió en ponerle a la niña guantes de algodón fino en ambas manos a la hora de la siesta en la guardería y a la hora de dormir en casa. La Figura 21.3 muestra que la extinción sensorial disminuyó la retorcedura del pelo a niveles de casi cero en casa y en la guardería.

Rincover, Cook, Peoples, y Packard (1979) y Rincover (1981) ofrecieron los siguientes ejemplos para aplicar la extinción al reforzamiento automático:

1. Un niño persistía en accionar un interruptor de luz. Se eliminó la consecuencia sensorial visual mediante la desconexión del interruptor.
2. Un niño se rascaba el cuerpo hasta que sangraba. La consecuencia sensorial táctil se eliminó al ponerle un guante de goma delgado en la mano para que no pudiera sentir su piel. Luego, cortando pedazos de guante, el guante se desvaneció gradualmente.
3. Un niño vomitaba, y luego se comía el vómito. El procedimiento de extinción del gusto consistía en añadir habas al vómito. Al niño no le gustan las habas por lo que el vómito no tenía tan buen sabor, y se enmascaró la consecuencia sensorial positiva.
4. Un niño recibía estimulación kinestésica (es decir, la estimulación de los músculos, tendones y articulaciones) cuando levantaba los brazos y aleteaba sin cesar con sus dedos, muñecas y brazos. El procedimiento de extinción consistió en colocar un pequeño mecanismo vibratorio en el dorso de la mano para enmascarar la estimulación kinestésica.
5. Un niño producía estimulación auditiva haciendo girar un objeto persistentemente, tal como un plato sobre una mesa. Colocando una alfombra sobre la superficie de la mesa que utilizaba para girar los objetos se enmascaró la estimulación auditiva del giro de los platos.

Efectos de la extinción

Cuando se emite una conducta previamente reforzada pero no es seguida por las consecuencias reforzantes habituales, la ocurrencia de la conducta debe disminuir gradualmente a su nivel previo al reforzamiento o detenerse por completo. Las conductas sometidas a extinción se suelen asociar con características predecibles en la tasa y la topografía de la respuesta. Estos efectos de extinción presentan una alta generalización entre especies, entre clases de respuesta y entre contextos (Lerman e Iwata, 1995, 1996a; Spradlin, 1996). Los analistas aplicados de la conducta, sin embargo, no han dedicado mucho esfuerzo de investigación al procedimiento básico de extinción más allá de usarlo como componente en paquetes de tratamiento para problemas de conducta (Lerman e Iwata, 1996a). Por consiguiente, los efectos de la extinción no se han documentado claramente en entornos aplicados.

Lerman e Iwata (1996) advirtieron a los analistas aplicados de la conducta de que estos efectos de extinción claramente documentados pueden tener una generalización limitada en el análisis aplicado de la conducta. Los investigadores y los profesionales aplicados deben ver las siguientes observaciones sobre los efectos de la extinción como pendientes de confirmar cuando se refieren a las intervenciones conductuales o a la investigación aplicada en lugar de a la investigación básica. Los analistas aplicados de la conducta casi siempre aplican la extinción como un elemento de un paquete de tratamiento, por lo que se genera confusión respecto a la comprensión de la conducta en extinción en entornos aplicados.

Disminución gradual de la frecuencia y la amplitud

La extinción produce una reducción gradual de la conducta. Sin embargo, cuando el reforzamiento se interrumpe bruscamente, a continuación se pueden dar numerosas respuestas no reforzadas. Esta disminución progresiva de la frecuencia de la respuesta tenderá a ser esporádica con un aumento gradual en las pausas entre respuestas (Keller y Schoenfeld, 1950/1995). El procedimiento de extinción a menudo es difícil de aplicar para los profesores y padres debido al aumento inicial de la frecuencia y magnitud de las respuestas y la disminución gradual de la conducta. Por ejemplo, los padres pueden no estar dispuestos a ignorar una rabieta durante una cantidad de tiempo suficiente porque las rabietas son muy aversivas para los padres. Rolider y Van Houten (1984) presentaron una técnica para este problema práctico. Sugirieron enseñar a los padres a ignorar de manera progresiva el llanto a la hora de dormir . Utilizaron datos de lineabase para evaluar cuánto tiempo podían ignorar los padres el llanto cómodamente antes de atender al niño. Luego se aumentaba gradualmente el tiempo durante el cual los padres ignoraban el llanto. Cada 2 días esperaban 5 minutos adicionales antes de atender al niño hasta que se logró una duración total suficiente.

Incremento de respuesta asociado a la extinción

Un efecto general del procedimiento de extinción es un aumento inmediato en la frecuencia de la respuesta después de la eliminación del reforzamiento positivo, negativo o automático. La literatura de la conducta utiliza el término **incremento de respuesta asociado a la extinción** para identificar este aumento inicial en la frecuencia de la respuesta. La figura 21.4 presenta un ejemplo de un incremento de respuesta asociado a la extinción. Operacionalmente, Lerman, Iwata, y Wallace (1999) definieron el incremento de respuesta asociado a la extinción como "un aumento en la respuesta durante cualquiera de las tres primeras sesiones de tratamiento por encima de lo observado durante las últimas cinco sesiones de lineabase o toda la lineabase" (pág. 3). El incremento de respuestas asociado a la extinción está bien documentado en la investigación básica, pero no está bien documentado en la investigación aplicada (Lerman e Iwata, 1995,1996a). En los casos sobre los que se ha informado, el incremento se ha producido durante solo unas pocas sesiones sin problemas notables.

Goh e Iwata (1994) aportaron datos que mostraban un incremento de respuesta asociado a la extinción. Steve era un hombre de 40 años de edad, con retraso mental profundo. Había sido remitido para una evaluación de la autolesión (darse golpes en la cabeza y golpear la cabeza contra objetos). Un análisis funcional mostró que las autolesiones eran reforzadas por el escape de las instrucciones. Goh e Iwata utilizaron la extinción para el tratamiento de las autolesiones de Steve. El panel superior de la figura 21.5 muestra el incremento de respuesta asociado a la extinción que ocurrió con el inicio de cada una de las dos fases de extinción.

A pesar de que los investigadores aplicados han informado raramente sobre el incremento de respuesta asociado a la extinción, si ocurren en los entornos aplicados (p.ej., Richman, Wacker, Asmus, Casey, y Anderson, 1999; Vollmer et al., 1998). Los problemas de conducta pueden empeorar durante la extinción antes de mostrar una mejoría. Por ejemplo, los profesores deben anticipar un aumento inicial de la conducta molesta durante la extinción. Después de eso, los problemas de conducta deben comenzar a disminuir hasta volver al nivel previo al reforzamiento. Los analistas aplicados de la conducta necesitan anticipar el incremento de respuesta asociado a la extinción y estar preparados para retener consistentemente la consecuencia reforzante. El incremento de respuesta asociado a la extinción suele sugerir que el reforzador que mantiene el problema de conducta ha sido identificado con éxito, lo que indica que hay una buena oportunidad de una intervención eficaz.

Aumento inicial en la amplitud de la respuesta

Además del incremento de respuesta asociado a la extinción, que es un aumento en la frecuencia de la respuesta, durante la extinción puede ocurrir también un aumento inicial de la amplitud o la fuerza de la respuesta. Los padres que comienzan a ignorar las rabietas a la hora de dormir pueden observar un aumento en el volumen (es decir, la amplitud) de los gritos y en la fuerza de las patadas antes de que las rabietas comiencen a disminuir.

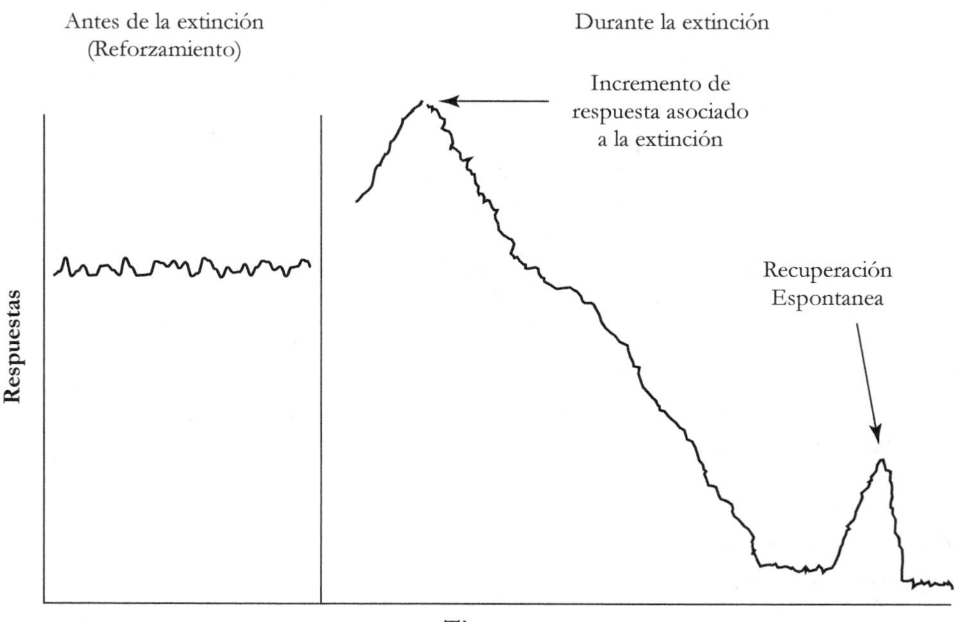

Figura 21.4 Ilustración de un incremento de respuesta asociado a la extinción.

Recuperación espontánea

Durante la extinción normalmente una conducta seguirá una tendencia decreciente hasta alcanzar el nivel previo al reforzamiento o cesar por completo. Sin embargo, un fenómeno común asociado con el proceso de extinción es la reaparición de la conducta después de que haya disminuido al nivel previo al reforzamiento o cesado. Los investigadores básicos comúnmente informan sobre este efecto de la extinción y lo llaman **recuperación espontánea**. Con la recuperación espontánea, la conducta que había disminuido durante el proceso de extinción vuelve a aparecer a pesar de no producir reforzamiento. La recuperación espontánea es de corta duración y limitada si el procedimiento de extinción sigue en curso (véase Figura 21.4).

Los analistas aplicados de la conducta no han investigado las características y prevalencia de la recuperación espontánea (Lerman e Iwata, 1996a). Los terapeutas y los maestros necesitan saber sobre la recuperación espontánea, sin embargo, o podrían concluir erróneamente que el procedimiento de extinción ha dejado de ser eficaz.

Variables que afectan a la resistencia a la extinción

Los analistas de conducta se refieren al hecho de continuar respondiendo durante el procedimiento de extinción como **resistencia a la extinción**. Se dice que la conducta que sigue ocurriendo durante la extinción tiene una mayor resistencia a la extinción que la que disminuye rápidamente. La resistencia a la extinción es un concepto relativo. Habitualmente se utilizan tres métodos para medir la resistencia a la extinción. Reynolds (1968) describió dos procedimientos de medición: la tasa de disminución de la frecuencia de respuesta, y el número total de respuestas emitidas antes de alcanzar un nivel final de respuesta bajo o de cesar totalmente. Lerman, Iwata, Shore y Kahng (1996) informaron sobre cómo medir la resistencia a la extinción usando la duración del tiempo necesario para que una conducta alcanzara un criterio predeterminado.

Reforzamiento continuo e intermitente

El capítulo 13 describía los efectos del reforzamiento continuo (RFC) y los programas intermitentes de reforzamiento (RF, RV, IF, IV). Tres declaraciones tentativas describen la resistencia a la extinción respecto al reforzamiento continuo e intermitente. (a) El reforzamiento intermitente puede producir conducta con mayor resistencia a la extinción que la producida por el reforzamiento continuo. Por ejemplo, la conducta mantenida mediante un programa de reforzamiento continuo puede disminuir más rápidamente que la mantenida mediante programas de reforzamiento intermitente (Keller y Schoenfeld, 1950/1995). (b) Algunos programas de reforzamiento intermitente pueden producir más resistencia que otros (Ferster y Skinner, 1957). Los dos programas variables (VR, VI) pueden tener más resistencia a la extinción que los programas fijos (RF, IF). (c) Hasta cierto punto, cuanto más ligero sea el programa de reforzamiento intermitente, mayor será la resistencia a la extinción.

Una estudiante de grado en una clase de introducción al análisis aplicado de la conducta dió un ejemplo interesante de los efectos del reforzamiento intermitente sobre la persistencia. Alrededor de 2 meses después de la clase sobre la resistencia a la extinción, el estudiante compartió esta experiencia:

> Tú sabes, el reforzamiento intermitente realmente afecta a la persistencia. Este tipo que conozco siempre me llamaba para pedirme una cita. Él no me gustaba y no me lo pasaba bien con él. La mayoría de las veces cuando me pedía una cita no salía con él. De vez en cuando, a causa de su persistencia, cedía y aceptaba una cita. Después de su clase me di cuenta de que estaba manteniendo sus llamadas en un programa de reforzamiento intermitente, lo que podría explicar su persistencia. Decidí cambiar esta situación y lo puse en un programa de reforzamiento continuo. Cada vez que me llamaba para pedir una cita, salía con él. Pasamos unas cuatro noches a la semana juntos durante 3 semanas. Entonces, sin dar ninguna razón, bruscamente deje de aceptar citas con él. Desde entonces ha llamado solo tres veces, y no he sabido nada de él durante 4 semanas.

Operación de establecimiento

Todos los estímulos que funcionan como reforzadores requieren un nivel mínimo de una operación de establecimiento (es decir, la motivación debe estar presente). Una fuerza de la operación de establecimiento por encima del nivel mínimo influirá en la resistencia a la extinción. La investigación básica ha demostrado que "la [R]esistencia a la extinción es mayor cuando la extinción se lleva a cabo con alta motivación que con baja" (Keller y Schoenfeld, 1950/1995, pág. 75). Suponemos que la relación funcional entre una operación

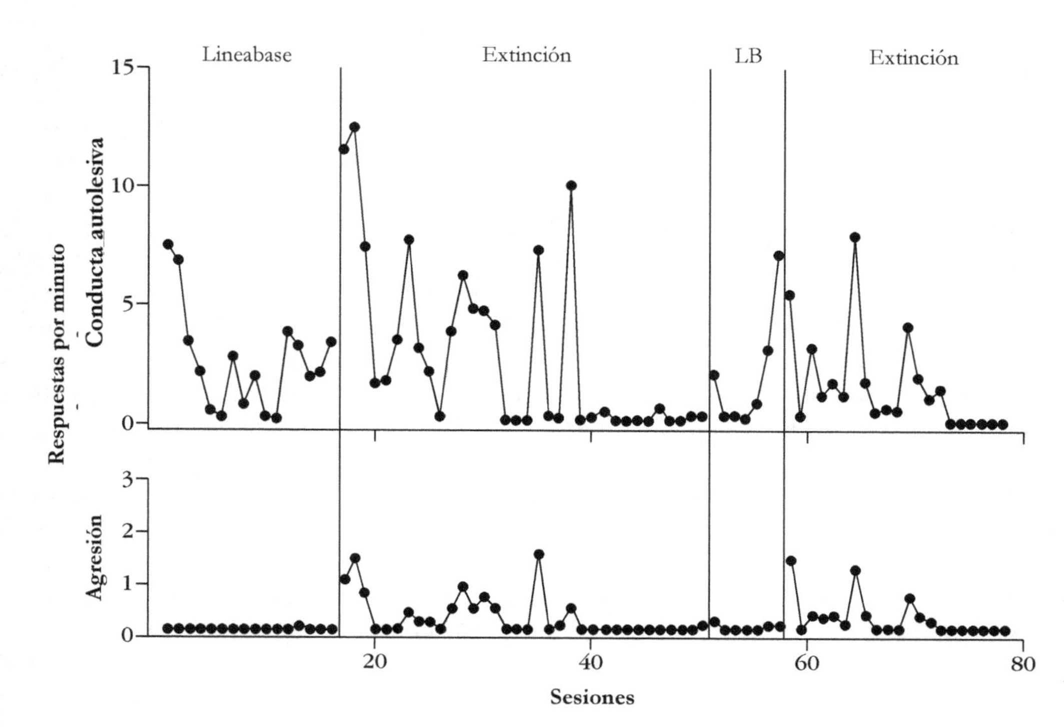

Figura 21.5 Número de respuestas por minuto de conducta autolesiva (panel superior) y agresiva (panel inferior) de Steve durante la lineabase y la extinción.

Tomado de "Behavioral Persistence and Variability during Extincion of Self-Injury Maintained by Escape" H. L. Goh y B. A. Iwata, 1994, *Journal of Applied Behavior Analysis, 27*, pág. 174. © Copyright 1994 Society for the Experimental Analysis of Behavior, Inc. Usado con permiso.

de establecimiento y la resistencia a la extinción existe en el contexto aplicado, al igual que en el entorno de laboratorio. Por ejemplo, el individuo podría persistir en llamar a la mujer para una cita si hubiera hecho una apuesta considerable con sus amigos sobre que la mujer de nuevo aceptara una cita.

Número, magnitud y calidad del reforzamiento

El número de veces que una conducta ha producido reforzamiento puede influir en la resistencia a la extinción. Una conducta con una larga historia de reforzamiento puede tener más resistencia a la extinción que una conducta con una historia más corta de reforzamiento. Si las rabietas a la hora de dormir han producido reforzamiento durante 1 año, podrían tener más resistencia a la extinción que las rabietas que han producido reforzamiento durante solo 1 semana.

Lerman, Kelley, Vorndran, Duhn, y LaRue (2002) informaron de que los analistas aplicados de la conducta no han establecido lo efectos que la magnitud de un reforzamiento tiene sobre la resistencia a la extinción. Sin embargo, la magnitud y la calidad de un reforzador probablemente influirán en la resistencia a la extinción. Un reforzador de mayor magnitud y calidad podría producir mayor resistencia a la extinción que un reforzador de menor magnitud y calidad.

Numero de ensayos previos a la extinción

Aplicaciones sucesivas de condicionamiento y extinción pueden influir en la resistencia a la extinción. A veces los problemas de conducta disminuyen durante la extinción, y luego se fortalecen accidentalmente con reforzamiento. Cuando esto sucede, los analistas aplicados de la conducta pueden volver a aplicar el procedimiento de extinción. Típicamente, la conducta puede disminuir rápidamente con menos respuestas totales durante una segunda aplicación de la extinción. Este efecto es aditivo cuando el participante puede discriminar el inicio de la extinción. Con cada aplicación sucesiva de la extinción, la disminución de la conducta es cada vez más rápida hasta que solo ocurre una única respuesta tras la interrupción del reforzamiento.

Esfuerzo de respuesta

Incluso aunque limitados, los investigadores aplicados han producido algunos datos sobre el esfuerzo de respuesta y su efecto sobre la resistencia a la extinción (Lerman e Iwata, 1996a). El esfuerzo requerido por una respuesta aparentemente influye en su resistencia a la extinción. Una respuesta que requiere mayor esfuerzo disminuye más rápidamente durante la extinción que una respuesta que requiere menos esfuerzo.

El uso eficaz de la extinción

Se han publicado numerosas directrices para el uso eficaz de la extinción, en las que la mayoría de los autores hacen recomendaciones similares. A continuación se presentan 10 pautas a seguir antes y durante la aplicación de la extinción. Estas son: interrumpir la presentación de todos los reforzadores que mantienen el problema de conducta, interrumpir el reforzamiento de manera consistente, combinar la extinción con otros procedimientos, usar instrucciones, prepararse para la agresión producida por extinción, aumentar el número de ensayos de extinción, incluir a las personas significativas en la extinción, prevención de la extinción no deseada, mantener la disminución conductual provocada por la extinción, y tener en cuenta las circunstancias bajo las cuales la extinción no debería usarse.

Interrumpir la presentación de todos los reforzadores que mantienen la conducta problemática

Un primer paso en la utilización eficaz de la extinción es identificar e interrumpir todas las posibles fuentes de reforzamiento que mantienen la conducta objetivo. La eficacia de la extinción depende de la identificación correcta de las consecuencias que mantienen el problema de conducta (Iwata, Pace, Cowdery, y Miltenberger, 1994). La evaluación funcional de la conducta ha mejorado en gran medida la aplicación y la eficacia de la utilización de la extinción en entornos aplicados (Lerman, Iwata, y Wallace, 1999; Richman, Wacker, Asmus, Casey, y Anderson, 1999).

Los analistas aplicados de la conducta toman datos sobre los antecedentes y los estímulos consecuentes que están temporalmente relacionados con los problemas de conducta y proporcionan respuestas a preguntas como las siguientes:

1. ¿El problema de conducta se produce con mayor frecuencia cuando sucede algo en el ambiente que pueda ocasionar la conducta (por ejemplo, una demanda o solicitud)?
2. ¿La frecuencia del problema de conducta no tiene ninguna relación con estímulos antecedentes o consecuencias sociales?
3. ¿El problema de conducta ocurre con mayor frecuencia cuando produce la atención de otras personas?

Si la respuesta a la primera pregunta es sí, es posible que la conducta problemática se pueda mantener con reforzamiento negativo. Si la respuesta a la segunda pregunta es sí, el analista aplicado de la conducta tendrá que plantearse interrumpir la presentación de las consecuencias táctiles, auditivas, visuales, gustativas, olfativas y kinestésicas, ya sea aisladas o combinadas entre sí. Si la respuesta a la tercera pregunta es sí, la conducta puede ser mantenida por el reforzamiento positivo en forma de atención social.

La consecuencia que mantiene la conducta problemática parece obvia en algunos entornos aplicados. En el estudio de Williams (1959), por ejemplo, la atención de los padres parecía ser la única fuente de reforzamiento que mantenía los problemas de conducta a la hora de dormir. Sin embargo, frecuentemente la conducta es mantenida por múltiples fuentes de reforzamiento. La conducta del payaso de la clase podría ser mantenida por la reacción de la maestra a la conducta molesta, por la atención que recibe de los compañeros, o por una combinación de ambas. Juan puede llorar cuando su padre lo lleva a la guardería para escapar de la guardería, para mantener a sus padres con él, para ocasionar preocupación y atención de su maestro, o para lograr una combinación de los tres. Cuando hay múltiples fuentes de reforzamiento que mantienen los problemas de conducta, la identificación e interrupción de una sola de las fuentes de reforzamiento puede tener un efecto mínimo o nulo sobre la conducta. Si la atención de la maestra y la de los compañeros mantienen la conducta de payaso en el aula, entonces retirar solamente la atención del profesor puede producir poco cambio en los problemas de conducta. La maestra debe retirar su atención y también enseñar a los otros alumnos a ignorar esa conducta para poder aplicar eficazmente el procedimiento de extinción.

Interrupción consistente del reforzamiento

Cuando se han identificado las consecuencias reforzantes, los maestros deben interrumpir su presentación de manera consistente. Todos los procedimientos de cambio de conducta requieren la aplicación consistente, pero para la la extinción es esencial. Los maestros, los padres, los terapeutas, y los analistas aplicados de la conducta a menudo informan de que la consistencia es uno de los aspectos más difíciles del uso de la extinción. El error de no interrumpir la presentación del reforzador consistentemente limita la eficacia del procedimiento de extinción, y en este punto nunca se insiste lo suficiente.

Combinar la extinción con otros procedimientos

La extinción es una intervención singular eficaz. Sin embargo, maestros y terapeutas, investigadores aplicados y escritores de libros de texto rara vez lo recomiendan como tal (Vollmer et al., 1998). Nosotros también recomendamos que los analistas aplicados de la conducta valoren siempre la posible combinación de la extinción con otros tratamientos, especialmente con el reforzamiento de conductas alternativas. Dos razones apoyan esta recomendación: La primera es que la eficacia de la extinción puede aumentar cuando se combina con otros procedimientos, especialmente con el reforzamiento positivo. Mediante la combinación de la extinción con el reforzamiento diferencial de conductas apropiadas, por ejemplo, el analista aplicado de la conducta altera el medio ambiente reforzando conductas alternativas apropiadas y colocando la conducta problemática en extinción. Durante la intervención, el procedimiento de extinción no debe reducir la cantidad global de consecuencias positivas recibidas por un participante. La segunda es que el reforzamiento diferencial y los procedimientos antecedentes pueden reducir efectos de la extinción tales como el incremento de la respuesta y la agresión asociados a la extinción (Lerman, Iwata e Wallace, 1999).

Rehfeldt y Chambers (2003) combinaron la extinción con reforzamiento diferencial para el tratamiento de la perseverancia verbal mantenida por el reforzamiento positivo en forma de atención social. El participante era un adulto con autismo. Rehfeldt y Chambers presentaron atención social contingente con el discurso apropiado y no reiterativo, y aplicaron la extinción de la atención al no responder a la conducta verbal inapropiada del participante. Este tratamiento combinado produjo un aumento de las respuestas verbales apropiadas y una disminución en la perseverancia. Estos datos sugieren que las contingencias de reforzamiento pueden mantener el discurso inusual de algunos individuos con autismo.

Utilizar instrucciones

Las contingencias de reforzamiento afectan a la frecuencia futura de la conducta automáticamente. No es necesario que las personas conozcan, puedan describir, o incluso percibir que las contingencias están afectando a su conducta. Sin embargo, las conductas a veces disminuyen más rápidamente durante la extinción cuando los maestros le describen el procedimiento de extinción a los estudiantes. Por ejemplo, los maestros a menudo presentan la instrucción en grupos pequeños, mientras que otros estudiantes trabajan independientemente. Cuando los estudiantes que están trabajando independientemente hacen preguntas, interrumpen la instrucción. Muchos maestros corrigen este problema colocando la formulación de preguntas en extinción. Ellos simplemente ignoran las preguntas del estudiante hasta después del final de la instrucción en grupos pequeños. Esta táctica suele ser eficaz. El procedimiento de extinción, sin embargo, tiende a ser más eficaz cuando los profesores le dicen a los estudiantes que van a ignorar todas sus preguntas hasta después del final de la instrucción en grupos pequeños.

Prepararse para la agresión inducida por extinción

Las conductas que ocurren con baja frecuencia en el pasado pueden llegar a ser prominentes durante el procedimiento de extinción reemplazando a los problemas de conducta. Estas conductas de reemplazo que ocurren como efecto secundario con frecuencia son conductas agresivas (Lerman et al., 1999). Skinner (1953) interpretó los cambios en la topografía de las respuestas (p.ej., los efectos secundarios) como conductas emocionales, incluyendo la agresión que suele acompañar la extinción.

Goh e Iwata (1994) ofrecieron una demostración convincente que mostraba como las conductas de agresión ocurrían cuando las conductas de interés se ponían en extinción. Steve era un hombre de 40 años de edad con retraso mental profundo. Había sido derivado para una evaluación de conducta autolesiva (golpes en la cabeza). Un análisis funcional mostró que la autolesión era reforzada por el escape de las instrucciones. Goh e Iwata utilizaron la extinción para el tratamiento de la autolesión de Steve. Rara vez pegó a otras personas (conducta agresiva) durante las dos fases de lineabase, pero la agresión aumento con el inicio de la dos fases de extinción (véase la Figura 21.5, panel inferior). La conducta agresiva esencialmente se detuvo al final de cada fase de extinción cuando la conducta autolesiva estaba estable y reducida, incluso aunque no se trató su agresión ni durante la lineabase ni durante la extinción.

Los analistas aplicados de la conducta deben planificar el manejo de las conductas agresivas cuando ocurran como efectos secundarios de la extinción. Es fundamental que la agresión producida por la extinción no genere reforzamiento. Frecuentemente, padres, maestros y terapeutas reaccionan ante la agresión dándole atención, lo cual puede funcionar como reforzador de la agresión inducida por extinción. Por ejemplo, una profesora decide ignorar las preguntas de

Daniela mientras da instrucciones a un grupo pequeño de estudiantes. Cuando Daniela interrumpe a la profesora con una pregunta, ella no responde. Daniela procede a interrumpir el trabajo de otros compañeros. Para tranquilizar a Daniela, la profesora responde "Vale Daniela, ¿Que te gustaría saber?" En efecto, la conducta de la profesora posiblemente haya reforzado las interrupciones y otras conductas inapropiadas de Daniela durante la instrucción en pequeños grupos.

Muchas veces, la agresión producida por la extinción tiene forma de abuso verbal. A menudo, los profesores y los padres no tienen por qué reaccionar a ello. Si la agresión producida por la extinción produce reforzamiento, los individuos simplemente utilizan otras conductas inapropiadas, como el abuso verbal, para producir reforzamiento. Los profesores y padres no pueden y no deben ignorar ciertas formas de agresión y autolesión, pero deben saber que (a) pueden ignorar algunas formas de agresión, (b) en qué momento deben intervenir sobre algunas formas de agresión y (c) qué van a hacer para intervenir.

Aumento del número de ensayos de extinción

Un ensayo de extinción ocurre cada vez que la conducta no produce reforzamiento. Siempre que sea posible, los analistas aplicados de la conducta deben aumentar el número de ensayos para la extinción de la conducta problemática. Aumentar los ensayos mejora la eficacia de la extinción al acelerar el proceso. Los analistas aplicados de la conducta pueden aumentar los ensayos de extinción cuando los contextos aplicados permitan la ocurrencia frecuente de los problemas de conducta. Por ejemplo, los padres de Benito implementaron un procedimiento de extinción para reducir sus rabietas porque se dieron cuenta de que Benito tenía rabietas con más frecuencia cuando no conseguía que se hicieran las cosas a su manera, cuando quería quedarse despierto hasta tarde, tomar aperitivos entre horas, y cuando no podía salir fuera. Para el propósito de este programa, se decidió establecer varias situaciones adicionales cada día en las cuales Benito no se saliera con la suya. En ese momento era más probable que Benito emitiera la conducta inapropiada a una tasa mayor, dándoles a sus padres más ocasiones para ignorarlo. Como resultado, sus rabietas disminuyeron en un período de tiempo más corto que el que tendrían si se hubiera dado la conducta a su tasa habitual.

Incluir a las personas relevantes en el procedimiento de extinción

Es importante que otras personas del ambiente de la persona no refuercen la conducta indeseable. Un maestro, por ejemplo, necesita compartir los planes de extinción con otras personas que podrían ayudar en el aula, como los padres voluntarios, los abuelos, los profesores de música, los logopedas o los especialistas de artes industriales, para evitar el reforzamiento por parte de todos ellos de las conductas inapropiadas. Todas las personas que están en contacto con el alumno deben de aplicar el mismo procedimiento de extinción para que sea un tratamiento eficaz.

Prevención de la extinción no deseada

A menudo se ponen bajo extinción conductas deseables de forma no intencionada. Un maestro novato frente a un estudiante que es está centrado en la tarea y muchos otros que no lo están, dirigirá probablemente la mayor parte de su atención a la mayoría de los estudiantes y poca o ninguna atención al estudiante que está trabajando. Es una práctica común atender a los problemas (la rueda que chilla es la que se engrasa) e ignorar las situaciones que funcionan bien. Sin embargo, las conductas deben seguir siendo reforzadas si se quiere que se mantengan. Todos los maestros deben prestar atención a los estudiantes que están centrados en la tarea.

Mantener las conductas disminuidas por la extinción

Los analistas aplicados de la conducta dejan el procedimiento de extinción activo de forma permanente para mantener la conducta disminuida mediante extinción. El procedimiento preferente es una aplicación permanente de la extinción de la conducta de escape y la extinción de la atención. Los analistas aplicados de la conducta pueden utilizar una aplicación permanente también con algunos de los procedimientos de extinción sensoriales. Por ejemplo, la alfombra colocada sobre una mesa utilizada para girar objetos podría permanecer en ese lugar de manera indefinida. Algunas aplicaciones de la extinción sensorial pueden parecer inapropiadas y un inconveniente si se mantienen activas permanentemente. Por ejemplo, pedirle a Tina que se ponga guantes finos de algodón en ambas manos permanentemente durante su siesta en la guardería y a la hora de dormir en casa parece inapropiado e inconveniente (véase Figura 21.3).

En tal caso, los analistas aplicados de la conducta pueden mantener las ganancias del tratamiento con el desvanecimiento gradual del procedimiento para la extinción sensorial (por ejemplo, cortando 1 pulgada de la palma del guante cada 3 o 4 días hasta que se elimine la palma del guante. El analista puede entonces cortar la parte de los dedos y el pulgar uno por uno para gradualmente eliminar los guantes.

Cuándo no utilizar extinción

Imitación

La extinción puede ser inapropiada si las conductas colocadas en extinción son susceptibles de ser imitadas por otros. Algunas conductas pueden ser toleradas si solo una persona las emite, pero se vuelven intolerables si las emiten varias personas.

Conductas extremas

Con pocas excepciones, la mayoría de las aplicaciones de la extinción como intervención única se han centrado en problemas de conducta importantes pero de relativamente poca gravedad (por ejemplo, la conducta disruptiva en el aula, las rabietas, el ruido excesivo o las formas leves de agresión). Sin embargo, algunas conductas son tan perjudiciales para el individuo o los demás, o tan destructivas para la propiedad que deben ser controladas con el procedimiento más rápido y humano disponible. La extinción como intervención única, no se recomienda en estas situaciones.

El uso de la extinción como intervención única para disminuir la agresión severa hacia uno mismo, hacia otros, o hacia la propiedad plantea preocupaciones éticas. Al abordar la cuestión de la ética, Pinkston, Reese, LeBlanc, y Baer (1973) analizaron los efectos de una técnica de extinción que no le permitía a la persona hacerse daño a sí misma o a su víctima. En su enfoque se ignoró al agresor, pero la víctima estaba protegida de los ataques. Pinkston y sus colegas demostraron la eficacia de una técnica de extinción segura con un niño de preescolar extremadamente agresivo, las conductas agresivas incluían estrangular, morder, pellizcar, golpear, dar patadas a compañeros de clase. Durante la condición de lineabase del estudio los maestros respondieron a la agresión del niño como lo habían hecho en el pasado. "Por lo general, se adoptó la forma de advertencias o reproches verbales como: 'Caín, no hacemos eso aquí', o 'Caín, no puedes jugar aquí hasta que estés listo para ser un buen chico'" (pág. 118). Los maestros no prestaron atención a las conductas agresivas del niño durante la extinción. Cuando atacó a un compañero, los maestros asistieron de inmediatamente al compañero. La víctima fue consolada y se le dio la oportunidad de jugar con un juguete. Además, los maestros le prestaron atención a las conductas positivas del niño. Este procedimiento de extinción fue eficaz para reducir en gran medida la agresión. La aplicación de la extinción requiere un buen juicio profesional maduro, humano y ético.

Resumen

Definición de extinción

1. La extinción como procedimiento proporciona cero probabilidad de reforzamiento. También es un proceso conductual de disminución de la tasa de respuesta.
2. Las evaluaciones funcionales de la conducta han permitido que los analistas aplicados de la conducta distingan claramente entre las variaciones procedimentales de la extinción (ignorar) y las variaciones funcionales (interrumpir la presentación de los reforzadores que mantienen la conducta).
3. *Extinción* es un término técnico que los analistas aplicados de la conducta deben utilizar solo para identificar el procedimiento de interrupción de la presentación de los reforzadores que mantienen la conducta.

Procedimientos de extinción

4. Los procedimientos de extinción adoptan tres distintos formatos que están relacionados con las conductas mantenidas por el reforzamiento positivo, por el reforzamiento negativo, y por el reforzamiento automático.
5. Las conductas mantenidas por reforzamiento positivo se someten a extinción cuando no producen el reforzador.
6. Las conductas mantenidas por reforzamiento negativo se someten a extinción (también conocida como extinción de la conducta de escape) cuando no producen una eliminación del estímulo aversivo, es decir, cuando el individuo no puede escapar de la situación aversiva.
7. Las conductas mantenidas por reforzamiento automático se someten a extinción (también conocida como extinción sensorial) enmascarando o eliminando la consecuencia sensorial.

Efectos de la extinción

8. Las conductas sometidas a extinción se suelen asociar con características predecibles en la frecuencia y la topografía de la respuesta.

9. La extinción produce una reducción gradual de la conducta.

10. Un efecto general del procedimiento de extinción es un aumento inmediato de la frecuencia de la respuesta después de la eliminación del reforzamiento positivo, negativo o automático. La literatura conductual utiliza el término *incremento de respuesta asociado a la extinción* para identificar este incremento inicial de la frecuencia de respuesta.

11. Con la recuperación espontánea, la conducta que disminuyó durante el proceso de extinción se vuelve a producir a pesar de que no produce reforzamiento.

Variables que afectan a la resistencia a la extinción

12. La conducta que persiste durante la extinción se dice que tiene una mayor resistencia a la extinción que la que disminuye rápidamente. La resistencia a la extinción es un concepto relativo.

13. Los programas de reforzamiento intermitente pueden producir una conducta con mayor resistencia a la extinción que los programas de reforzamiento continuo.

14. Los programas de reforzamiento variable (p.ej., RV e IV) pueden tener más resistencia a la extinción que los programas fijos (ej., RF, IF).

15. Hasta cierto punto, cuanto más ligero sea el programa de reforzamiento intermitente, mayor será la resistencia a la extinción.

16. La resistencia a la extinción probablemente aumenta con la fuerza de la operación de establecimiento del reforzador que ha dejado de presentarse.

17. El número, la magnitud y la calidad del reforzador puede afectar a la resistencia a la extinción.

18. Las aplicaciones sucesivas de condicionamiento y extinción pueden influir en la resistencia a la extinción.

19. El esfuerzo requerido para una respuesta aparentemente influye su resistencia a la extinción.

El uso eficaz de la extinción

20. Un primer paso para utilizar la extinción con eficacia es interrumpir la presentación de todos los reforzadores que están manteniendo los problemas de conducta.

21. Cuando se han identificado las consecuencias reforzantes, los maestros deben interrumpir su presentación de manera consistente.

22. Los analistas aplicados de la conducta siempre deben valorar la posibilidad de combinar la extinción con otros procedimientos.

23. Las conductas suelen disminuir más rápidamente durante la extinción cuando la persona es informada del procedimiento que se aplica.

24. Cuando se utiliza la extinción, los analistas aplicados de la conducta deberían prepararse para la agresión producida por extinción.

25. Aumentar el número de ensayos de extinción mejora la eficacia de la extinción mediante la aceleración del proceso.

26. Todas las personas en contacto con el alumno deben de aplicar el mismo procedimiento de extinción para que el tratamiento sea eficaz.

27. La extinción no se debe utilizar con conductas que puedan imitarse o que sean perjudiciales para el individuo o para los demás.

CAPITULO 22

Reforzamiento diferencial

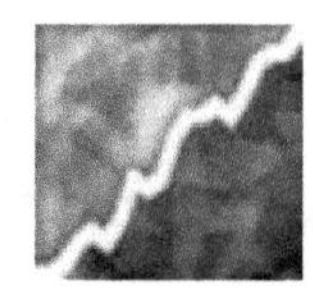

Términos Clave

Reforzamiento diferencial de conductas alternativas (RDA)
Reforzamiento diferencial de conductas incompatibles (RDI)
Reforzamiento diferencial de intervalo de tasas bajas
Reforzamiento diferencial de otras conductas (RDO)
Reforzamiento diferencial de otras conductas de intervalo fijo (RDO-IF)
Reforzamiento diferencial de otras conductas de intervalo variable (RDO-IV)
Reforzamiento diferencial de otras conductas de tiempo variable (RDO-TV)
Reforzamiento diferencial de otras conductas momentáneo fijo (RDO-MF)
Reforzamiento diferencial de tasas bajas (RDTB)
Reforzamiento diferencial de tasas bajas (RDTB) de respuestas espaciadas
Reforzamiento diferencial de tasas bajas (RDTB) de sesión completa

Behavior Analyst Certification Board® BCBA®, BCBA-D®, BCaBA®, RBT® Lista de tareas para analistas de conducta (cuarta edición).

D.	**Habilidades analítico-conductuales básicas: Elementos fundamentales del cambio de conducta.**
D-21	Usar reforzamiento diferencial (de tasas altas, de conductas alternativas, de conductas incompatibles, de tasas bajas, de otras conductas).

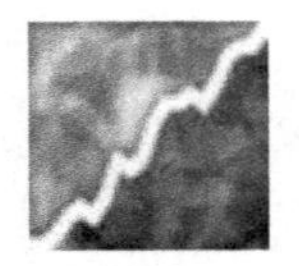

Existe una amplia gama de procedimientos eficaces para disminuir o eliminar los problemas de conducta entre la que pueden elegir los profesionales aplicados. Aunque las intervenciones basadas principalmente en la extinción o el castigo a menudo son eficaces en la reducción de los problemas de conducta objetivo, pueden producir efectos secundarios no deseados. Cuando una conducta con una historia previa de reforzamiento larga y consistente se somete a extinción se suelen observar conductas emocionales desadaptativas y una tasa de respuesta más alta de lo normal. El castigo puede evocar escape, evitación, agresión, y otras formas de contracontrol indeseables. Además de los efectos secundarios no deseados, otra limitación de la extinción y el castigo como métodos principales para reducir los problemas de conducta es que ninguno de ellos fortalece o enseña conductas adaptativas. Esta limitación previene que los individuos puedan alcanzar los reforzadores anteriormente obtenidos a través de las conductas no deseables. Por último, más allá de los posibles efectos secundarios no deseados y su falta de valor educativo, las intervenciones que se basan solamente en la extinción o en cualquiera de las formas variadas del castigo plantean importantes problemas éticos y legales (Repp y Singh, 1990).

Debido a todos estos problemas, los analistas aplicados de la conducta han desarrollado procedimientos eficaces basados en el reforzamiento para reducir los problemas de conducta (p.ej., Kazdin, 1980; Lerman y Vorndran, 2002; Singh y Katz, 1985). Estos procedimientos reductivos positivos se basan en el reforzamiento diferencial para reducir o eliminar los problemas de conducta.

Descripción básica del reforzamiento diferencial

Todas las aplicaciones del *reforzamiento diferencial* implican reforzar una clase de respuestas e interrumpir el reforzamiento para otra clase de respuestas.[1] Cuando se utiliza como procedimiento para reducir los problemas de conducta, el reforzamiento diferencial consta de dos componentes: (a) presentar el reforzamiento de manera contingente a la ocurrencia de una conducta distinta a la problemática o de una tasa disminuida de la misma, y (b) interrumpir todo lo posible el reforzamiento cuando ocurre el problema de conducta. Aunque la implementación del reforzamiento diferencial implica la extinción, como Cowdery, Iwata, y Pace (1990) señalaron,

> El reforzamiento diferencial no implica interrupciones prolongadas de las actividades en curso (p.ej., tiempo fuera), la retirada contingente de los reforzadores positivos (p.ej., coste de la respuesta) o la presentación de estímulos aversivos (p.ej., castigo). Estas características hacen del reforzamiento diferencial la menos intrusiva de todas las intervenciones conductuales, y probablemente explica su gran popularidad. (Pág. 497)

El reforzamiento diferencial en sus diversas formas es una técnica de lo más eficaz, más ampliamente conocida y comúnmente utilizada para reducir los problemas de conducta. Las cuatro variaciones más investigadas de reforzamiento diferencial para disminuir la conducta inadecuada son el reforzamiento diferencial de conductas incompatibles (RDI), el reforzamiento diferencial de conductas alternativas (RDA), el reforzamiento diferencial de otras conductas (RDO), y el reforzamiento diferencial de tasas bajas (RDTB). Este capítulo define, ofrece ejemplos de aplicaciones, y sugiere directrices para el uso efectivo de cada uno de estos procedimientos de reforzamiento diferencial para disminuir la conducta problema.

Reforzamiento diferencial de conductas incompatibles y reforzamiento diferencial de conductas alternativas

El RDI y el RDA, tienen el efecto doble de debilitar la conducta problemática, y al mismo tiempo fortalecer las conductas aceptables que son incompatibles o alternativas a los problemas de conducta que se desean eliminar. Cuando el reforzamiento diferencial de conductas incompatibles o alternativas se aplica de forma correcta como tratamiento para los problemas de conducta, se puede conceptualizar como un programa de reforzamiento en el que dos operantes concurrentes (la conducta inapropiada que se desea reducir y la conducta apropiada elegida), recibirán diferentes tasas de reforzamiento (Fisher y Mazur, 1997). Debido a que el programa de reforzamiento diferencial favorece la conducta apropiada, el participante emitirá más respuestas de la conducta apropiada y menos de la conducta no deseada (que están en extinción) (Vollmer,

[1] El reforzamiento diferencial no solo reduce la conducta problema sino que también es una característica que define el moldeamiento de nuevas conductas, como se describe en otros capítulos de este texto (véase el Capítulo 19). Además, existen varias formas de contingencias de reforzamiento diferencial que se usan como procedimientos de control experimental. (Véase el Capítulo 8 y Thompson e Iwata, 2005).

Roane, Ringdahl, y Marcus, 1999). Por ejemplo, cuando Friman (1990) reforzó la conducta de permanecer sentado de un alumno de preescolar con hiperactividad, la conducta de estar fuera del asiento disminuyó de forma notable.

Con la selección adecuada de las conductas objetivo, estas dos intervenciones pueden promover el desarrollo de habilidades educacionales, sociales y personales. Con el RDI/RDA, el profesional aplicado controla el desarrollo de conductas adecuadas y al mismo tiempo mide tanto el problema de conducta como la conducta de sustitución deseada. Los maestros, terapeutas y padres tienen una larga historia de uso de las intervenciones RDI/RDA en la educación, el tratamiento y las interacciones sociales cotidianas. Los profesionales suelen encontrar que el RDI/RDA es el más fácil de aplicar de los cuatro procedimientos de reforzamiento diferencial.

Reforzamiento diferencial de conductas incompatibles

Un profesional aplicado que utiliza el **reforzamiento diferencial de conductas incompatibles (RDI)** refuerza una conducta que no puede ocurrir simultáneamente con el problema de conducta e interrumpe el reforzamiento que sigue a la conducta problema. La conducta que es reforzada (p.ej., un estudiante sentado en su asiento) y el problema de conducta que está en extinción (p.ej., el estudiante está fuera del asiento) son clases de respuesta que se excluyen mutuamente, ya que sus diferentes topografías hacen imposible emitir ambas conductas al mismo tiempo.

Dixon, Benedict, y Larson (2001) utilizaron RDI para el tratamiento de la conducta verbal inapropiada de Fernando, un hombre de 25 años de edad con retraso mental moderado y un trastorno psicótico. Las vocalizaciones inapropiadas incluían: declaraciones que no estaban relacionadas con el contexto, comentarios sexuales inapropiados, la colocación ilógica de palabras dentro de una oración, y enunciados "psicóticos" (p.ej., "Hay un alce púrpura en mi cabeza llamado Risitas," pág. 362). Los investigadores definieron la conducta verbal apropiada como cualquier vocalización que no cumpliera con las características definitorias de las vocalizaciones inapropiadas. Un análisis funcional reveló que las expresiones verbales inapropiadas se mantenían por atención social.

Los investigadores implementaron RDI al ignorar la conducta verbal inapropiada de Fernando y atendiendo a sus declaraciones apropiadas con 10 segundos de comentarios relacionados con sus expresiones. Por ejemplo, si Fernando decía algo acerca de una actividad que le gustaba hacer, el experimentador le decía que era interesante y que esperaba que pudiera hacerlo de nuevo pronto. Durante una condición de lineabase de comparación la conducta inapropiada fue reforzada con atención y la conducta verbal apropiada fue ignorada. La intervención RDI efectivamente redujo la conducta verbal inapropiada de Fernando y aumentó las declaraciones apropiadas (Figura 22.1).

Reforzamiento diferencial de conductas alternativas

El reforzamiento diferencial de conductas alternativas (RDA) y el RDI son procedimientos similares. Un profesional que utiliza el **reforzamiento diferencial de conductas alternativas (RDA)** refuerza las ocurrencias de una conducta que sirve como una alternativa deseable al problema de conducta, pero no es necesariamente incompatible con ella. Los analistas de conducta pueden utilizar una conducta alternativa para ocupar el tiempo que el problema de conducta normalmente ocuparía. Sin embargo, la conducta alternativa y la conducta problema, no son incompatibles topográficamente. Por ejemplo, un maestro puede asignar a dos estudiantes, que a menudo discuten entre sí, que trabajen en un proyecto de clase juntos, reforzando de este modo las conductas cooperativas asociadas con el desempeño del proyecto. Trabajar juntos en un proyecto de clase no es incompatible con discutir, ya que las dos clases de respuesta podrían ocurrir juntas. Sin embargo, los dos estudiantes podrían discutir menos cuando participaran en conductas cooperativas.[2]

Roane, Lerman, y Vorndran (2001) seleccionaron la colocación de un bloque de plástico en un cubo como conducta alternativa a la de gritar (es decir, un sonido

[2] Cualquier conducta seleccionada para reforzar mediante RDI le ofrece a la persona una "alternativa" a los problemas de conducta, pero no todas las conductas seleccionadas para aplicarles el RDA son incompatibles con los problemas de conducta. A veces la diferencia entre el RDI y el RDA es mínima y provoca un debate legítimo. Por ejemplo, las intervenciones utilizadas en los estudios realizados por Dixon y colaboradores (2001) y Wilder, Masuda, O'Conner, y Baham (2001) se describieron como aplicaciones de RDA; sin embargo, debido a que la conducta verbal apropiada se definió en cada estudio como declaraciones vocales que no cumplían con las características definitorias de las vocalizaciones inapropiadas, las clases de respuestas que reforzaron eran incompatibles con la conducta problemática. Si la conducta "alternativa" seleccionada para reforzar no puede ocurrir simultáneamente con el problema de conducta, el procedimiento debe considerarse como RDI.

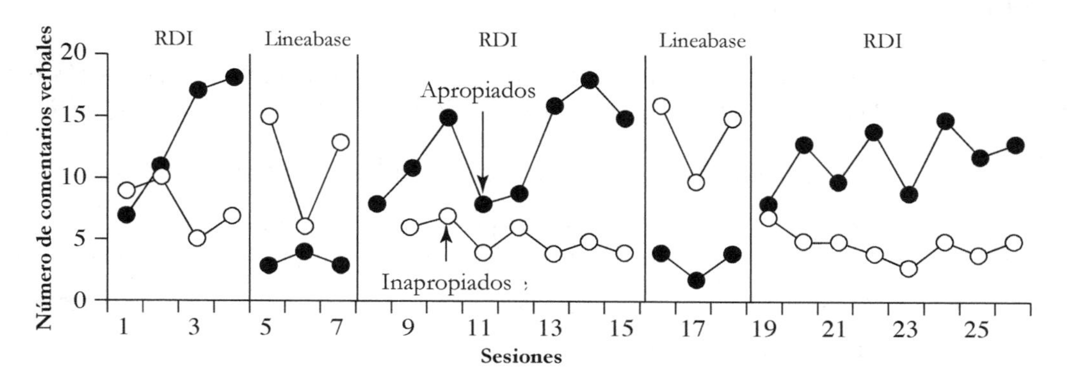

Figura 22.1 Número de expresiones verbales apropiadas e inapropiadas de un varón adulto durante las condiciones de RDI y lineabase.

Tomado de "Functional Analysis and Treatment of Inappropriate Verbal Behavior" M. R. Dixon, H. Benedict y T. Larson (2001), *Journal of Applied Behavior Analysis*, 34, pág. 362. © Copyright 2001 Society for the Experimental Analysis of Behavior, Inc. Adaptado con permiso.

vocal breve más alto que el nivel normal de conversación). Lerman, Kelley, Vorndran, Kuhn, y LaRue (2002) moldearon y mantuvieron el toque de una tarjeta de comunicación como conducta alternativa a las disrupciones tales como tirar materiales y la agresión.

Cuando se utiliza el escape de una situación de tarea o demanda en un procedimiento de reforzamiento diferencial, a veces se denomina la intervención *reforzamiento negativo diferencial de conductas alternativas (o incompatibles)* (Vollmer e Iwata, 1992). Las intervenciones RDI/RDA también pueden utilizar reforzadores negativos (Marcus y Vollmer, 1995; Piazza, Moses, y Fisher, 1996). La aplicación del reforzamiento negativo diferencial de conductas alternativas/incompatibles para reducir la frecuencia de un problema de conducta mantenido por el escape de un contexto de tarea o de demanda consiste en proporcionar reforzamiento negativo a la conducta alternativa en forma de breves períodos de escape de la tarea y extinción de la conducta problema de escape. El reforzamiento positivo para la conducta alternativa/incompatible también se aplica a menudo.

Lalli, Casey, y Kates (1995) permitieron que los participantes escaparan de una tarea durante 30 segundos de manera contingente al uso de una respuesta alternativa (p.ej., dándole una tarjeta al terapeuta con la palabra "DESCANSO" impresa en ella, o diciendo "no") a la conducta anómala. Los investigadores también elogiaron el uso de las respuestas alternativas. A medida que continuó el proceso de enseñanza, el escape de los participantes de una tarea era contingente al uso de las respuestas verbales enseñadas y a completar un número de pasos gradualmente más grande necesarios para la tarea. La intervención de reforzamiento negativo diferencial de conductas alternativas aumentó el uso de las respuestas verbales entrenadas y disminuyó los problemas de conducta.[3]

Directrices para el uso del RDI/RDA

Los profesionales suelen utilizar el RDI y el RDA como intervenciones para una amplia gama de problemas de conducta. Muchos investigadores y profesionales han descubierto que las siguientes directrices mejoran la eficacia de estos procedimientos.

Seleccionar las conductas incompatibles/alternativas

Idealmente, la conducta seleccionada como incompatible o alternativa a la conducta inapropiada debe (a) existir ya en el repertorio actual de la persona; (b) requerir igual, o preferiblemente menos, esfuerzo que el problema de conducta; (c) emitirse a un nivel, antes de la intervención con RDI/RDA, que proporcione suficientes oportunidades de reforzamiento; y (d) sea probablemente reforzada en el ambiente natural de la persona después de que termine la intervención. Las conductas que cumplan estos criterios aumentarán la eficacia inicial del RDI/RDA y facilitarán el mantenimiento y la generalización de los cambios de conducta después de que la intervención se termine.

Cuando sea posible, el profesional debe reforzar diferencialmente las conductas incompatibles o alternativas que lleven a (o aumenten las oportunidades para) que la persona adquiera nuevas habilidades útiles. Cuando no sea posible identificar conductas que cumplan dichos criterios, el profesional puede seleccionar una conducta alternativa que se pueda enseñar con facilidad o valorar la posibilidad de usar un procedimiento de RDO. La Figura 22.2 muestra algunos ejemplos de conductas incompatibles o alternativas (Webber y Scheuermann, 1991).

[3] El RDA es un componente principal del entrenamiento en comunicación funcional, una intervención en la que se selecciona una conducta alternativa para que sirva la misma función comunicativa que el problema de conducta (p.ej., decir "Descanso por favor" permite acceder al mismo reforzamiento que la agresión o las rabietas hayan producido anteriormente). El entrenamiento en comunicación funcional se describe en detalle en el Capítulo 23.

Figura 22.2 Ejemplos de conductas elegidas como incompatibles/alternativas cuando se implementa el RDI/RDA para problemas de conducta comunes en el aula.

Problemas de conducta	Alternativas incompatibles positivas
Renegar	Respuesta positiva como “Si, señor” o “vale” o “Entiendo”; o preguntas como “¿Puedo hacer una pregunta sobre eso?”
Maldecir	Exclamaciones aceptables como “¡caramba!,” “¡madre mía!”.
No estar centrado en la tarea	Cualquier conducta centrada en la tarea: mirar el libro, escribir, mirar al maestro, etc.
Estar fuera del asiento	Sentarse en el asiento (con el trasero en la silla y el cuerpo en posición vertical)
Incumplimiento	Seguir indicaciones dentro de ____ segundos (el límite de tiempo depende de la edad del estudiante); seguir las indicaciones para la segunda vez que se presentan).
Hablar fuera de turno	Levantar la mano y esperar en silencio a ser llamado
Entregar papeles desordenados	Papeles sin más marcas que las que son parte de las respuestas.
Pegar, pellizcar, dar patadas, empujar	Utilizar expresiones verbales de disgusto; golpearse con el puño en la mano; sentarse o quedarse de pie al lado de otros alumnos sin tocarlos.
Llegar tarde	Estar en su asiento cuando suena la campana (o a la hora establecida).
Conducta autolesiva	Sentarse con las manos en el pupitre o en el regazo sin que toquen ninguna parte del cuerpo y con la cabeza levantada sin que toque nada (escritorio, hombros, etc.).
Uso inapropiado de materiales	Sostener y usar los materiales de forma apropiada (p.ej., escribir *solamente* en papel apropiado, etc.).

Tomado de “Accentuate the Positive...Eliminate the Negative” J. Webber y B. Scheuermann, 1991, *Teaching Exceptional Children*, 24(1). © Copyright 1991 Council for Exceptional Children. Adaptado con permiso.

Seleccionar reforzadores que sean potentes y que se puedan presentar de forma consistente

Tal vez la mayor amenaza para la eficacia de cualquier intervención basada en el reforzamiento es la asunción por parte del profesional de que los cambios estimulares utilizados después de las conductas funcionan como reforzadores. El uso de cambios estimulares identificados por una evaluación de preferencias y una evaluación de reforzadores (véase el Capítulo 11) o mediante evaluaciones funcionales (véase el Capítulo 24) como consecuencias para las conductas incompatibles o alternativas aumentará la eficacia del RDI o el RDA. Además, los reforzadores seleccionados deben ser relevantes para las operaciones de establecimiento que se pueden crear o que existen de forma natural en el entorno de tratamiento (p.ej., a través de la privación antes de las sesiones de tratamiento).

La misma consecuencia que mantiene el problema de conducta antes de la intervención suele ser el reforzador más eficaz para la conducta alternativa o incompatible (Dixon et al, 2001; Wilder et al., 2001). Después de descubrir que los problemas de conducta emitidos por diferentes estudiantes en un aula eran mantenidos por diferentes reforzadores, Durand, Crimmins, Caufield, y Taylor (1989) efectivamente utilizaron reforzadores seleccionados individualmente para reforzar diferencialmente las conductas alternativas apropiadas para cada estudiante, y disminuir la frecuencia de las conductas inapropiadas.

La eficacia de cualquier intervención que implique reforzamiento diferencial depende de la capacidad del profesional para presentar e interrumpir consistentemente los cambios estimulares que en el momento funcionan como reforzadores. Por lo tanto, además de su posible eficacia como reforzadores, los cambios estimulares que seleccione el profesional deben ser los que pueda entregar de forma inmediata y consistente cuando ocurra la conducta incompatible/alternativa e interrumpir cuando ocurra la conducta problema.

La magnitud del reforzador utilizado en una intervención de reforzamiento diferencial es probablemente menos importante que su presentación y control consistente. Lerman, Kelley, Vorndran, Kuhn, y LaRue (2002) proporcionaron reforzamiento positivo (acceso a los juguetes) y negativo (escape de las demandas) en magnitudes que oscilaron entre 20 a 300 segundos. Encontraron que la magnitud del reforzador solo afectó al patrón de repuesta de forma mínima y tuvo poco efecto sobre el mantenimiento después de la interrupción del tratamiento.

Reforzar conductas incompatibles/alternativas de manera inmediata y consistente

Inicialmente, el profesional debe utilizar un programa de reforzamiento continuo para la conducta incompatible o alternativa, y luego cambiarlo a un programa intermitente. El reforzador debe presentarse de manera consistente e inmediata después de cada ocurrencia de la conducta incompatible o alternativa. Después de establecer la conducta incompatible o alternativa de manera firme, se debe aligerar gradualmente el programa de reforzamiento.

Interrumpir el reforzamiento de los problemas de conducta

La eficacia del reforzamiento diferencial como intervención para los problemas de conducta depende de que la conducta incompatible o alternativa aporte una tasa más alta de reforzamiento que la conducta problema. La amplificación de la diferencia entre las tasas de reforzamiento obtenidas mediante cada una de las dos clases de respuesta implica la interrupción de todas las fuentes de reforzamiento de los problemas de conducta (es decir, un programa de extinción).

Idealmente, la conducta alternativa siempre sería reforzada (al menos inicialmente) y la conducta problemática nunca. Como describieron Vollmer y colaboradores (1999), "la ejecución perfecta del reforzamiento diferencial consiste en proporcionar reforzadores tan inmediatamente como sea posible después que ocurra la conducta apropiada (p.ej., dentro de 5 segundos). Los efectos del tratamiento pueden degradarse si la demora del reforzador aumenta, sobre todo si la conducta inapropiada es reforzada de vez en cuando" (pág. 21). Sin embargo, los profesionales a menudo deben implementar procedimientos RDI/RDA

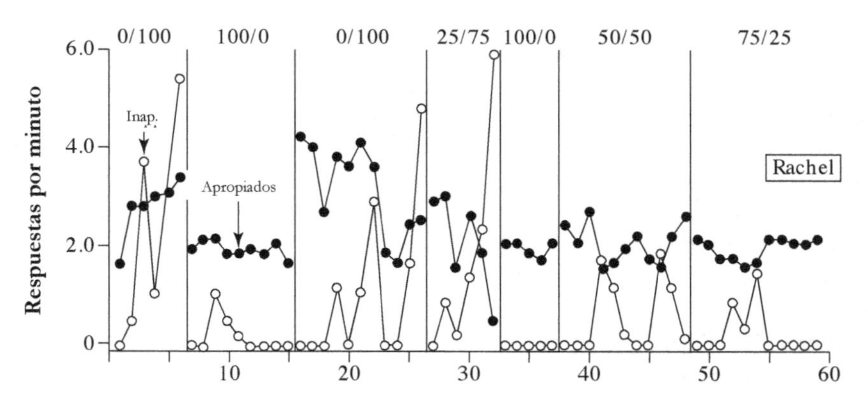

Figura 22.3 Número de respuestas apropiadas e inapropiadas por minuto (panel superior) y asignación de conducta apropiada e inapropiada (panel inferior) por un alumno de 17 años con discapacidades durante los niveles de implementación completo (100/0) y parcial de RDA.

Tomado de "Evaluating Treatment Challenges with Differential Reinforcement of Alternative Behavior" T. R. Vollmer, H. S. Roane, J. E. Ringdahl y B. A. Marcus, 1999, *Journal of Applied Behavior Analysis*, 32, pág. 17. © Copyright 1999 Society for the Experimental Analysis of Behavior, Inc. Adaptado con permiso.

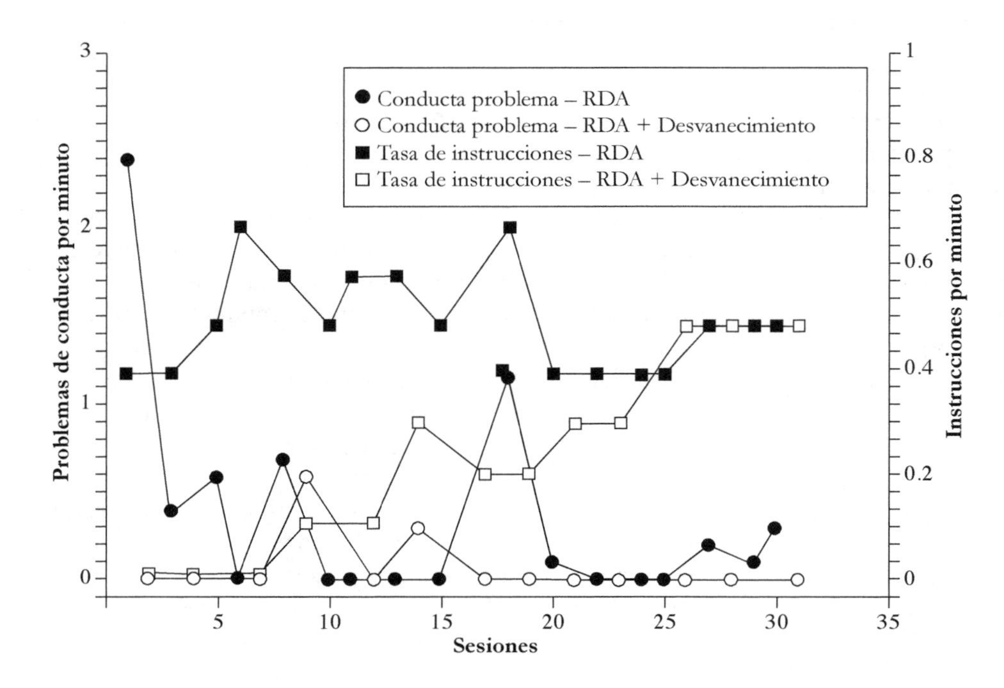

Figura 22.4 Problemas de conducta de un alumno de 8 años con autismo y discapacidad del desarrollo (eje *y* de la izquierda) e instrucciones dadas por minuto (eje *y* derecho) en un programa de RDA solamente y de RDA implementado con desvanecimiento de instrucciones.

Tomado de "Differential Reinforcement with and without Instructional Fading" J. E. Ringdahl, K. Kitsukawa, M. S. Andelman, N. Call, L. C. Winborn, A. Barretto y G. K. Reed (2002), *Journal of Applied Behavior Analysis*, 35, pág. 293. © Copyright 2002 de la Society for the Experimental Analysis of Behavior, Inc. Utilizado con permiso.

en condiciones menos que óptimas, en las que algunas ocurrencias de la conducta incompatible o alternativa no son seguidas por el reforzador y en las que los problemas de conducta se refuerzan a veces sin querer.

Los resultados del estudio realizado por Vollmer y colaboradores (1999) sugieren que incluso cuando se producen este tipo de "errores" de tratamiento, el reforzamiento diferencial aún puede ser efectivo. Estos investigadores compararon una "aplicación completa" del RDA, en la que se reforzaban el 100% de los casos de conductas alternativas y el 0% de los casos de conductas problemáticas (extinción), con varios niveles de "aplicación parcial". Por ejemplo, en un programa de aplicación de 25/75, sólo se reforzó una de cada cuatro ocurrencias de la conducta apropiada, mientras que un reforzador siguió a tres de cada cuatro ocurrencias de la conducta inapropiada. Como se esperaba, la aplicación completa del reforzamiento diferencial produjo los mayores efectos, ya que la conducta inapropiada fue "prácticamente sustituida por la conducta apropiada y con el tiempo los niveles más bajos de aplicación reducían la eficacia del tratamiento si el programa de reforzamiento favorecía la conducta inapropiada" (pág. 20). La Figura 22.3 muestra los resultados de Rachel, una niña de 17 años con retraso mental profundo que emitía conducta autolesiva (p.ej., se golpeaba la cabeza y se mordía la mano) y agresión hacia los demás (p.ej., arañazos, golpes o tirones de pelo).

Un hallazgo importante y quizás sorprendente del estudio de Vollmer y colaboradores (1999) fue que la aplicación parcial resultó eficaz en algunas condiciones. Durante la aplicación parcial, las conductas de los participantes mostraron una "tendencia desproporcionada hacia la conducta apropiada" (pág. 20) si tenían exposición previa a la aplicación completa. Los investigadores llegaron a la conclusión de que este hallazgo sugiere la posibilidad de aligerar intencionalmente los niveles de implementación antes de ampliar las intervenciones de reforzamiento diferencial a contextos en los que el mantenimiento de la fidelidad del tratamiento será difícil. Reconociendo que los efectos del tratamiento pueden erosionarse con el tiempo, se recomienda que las sesiones de aplicación completa se lleven a cabo periódicamente para restablecer el predominio de la conducta apropiada.

Combinar el reforzamiento diferencial de conductas incompatibles/alternativas con otros procedimientos

Teniendo en cuenta que las intervenciones de RDI/RDA no aplican consecuencias específicas a los problemas de conducta, los profesionales aplicados rara vez utilizan el RDI/RDA (o RDTB) como única intervención si la conducta objetivo es destructiva o peligrosa para el alumno o para los demás, o si interfiere con la salud y la seguridad. En estas situaciones, el profesional puede combinar el RDI/RDA con otros procedimientos reductivos (p.ej., el bloqueo de la respuesta, el tiempo fuera o el desvanecimiento de estímulos) para producir una intervención más potente (p.ej., Patel, Piazza, Kelly, Oschsher, y Santana, 2001).

Por ejemplo, Ringdahl y colaboradores (2002) compararon los efectos del RDA con y sin

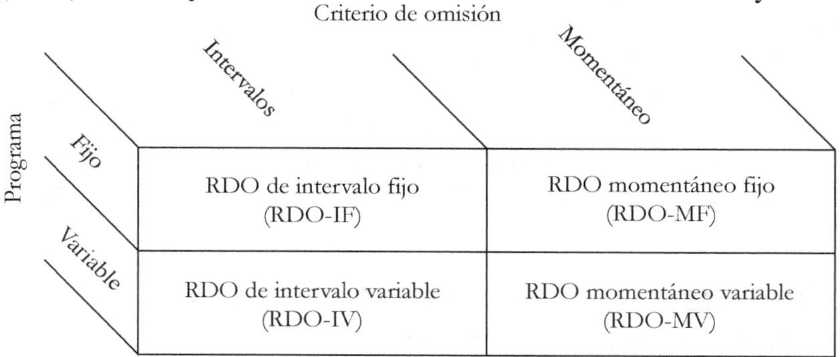

Figura 22.5 Cuatro variaciones básicas del RDO que se pueden crear alternando el programa (fijo o variable) y el criterio de omisión (intervalo o momentáneo).

Tomado de "DRO Contingencies: An Analysis of Variable-Momentary Schedules" J. S. Lindberg, B.A. Iwata, S.W. Kahng, y I.G. DeLeon, 1999. Journal of Applied Behavior Analysis, 32, pág. 125. ©Copyright 1999 Society for the Experimental Analysis of Behavior, Inc. Adaptado con permiso.

desvanecimiento de instrucciones con respecto a la frecuencia de los problemas de conducta de una niña de 8 años de edad, Kristina, que había sido diagnosticada de autismo y funcionaba en un rango moderado de retraso mental. Los problemas de conducta de Kristina durante las tareas académicas (destrucción: tirar, desgarrar o romper los materiales de trabajo; agresión: golpes, patadas, mordiscos; y conducta autolesiva: morderse) llegaron a ser tan severos, que fue admitida en un programa de tratamiento en un hospital de día en busca de ayuda. Debido a que un análisis funcional anterior había revelado que los problemas de conducta de Kristina se mantenían mediante el escape de las instrucciones para hacer las tareas académicas, el procedimiento de RDA en ambas condiciones consistió en darle a Kristina un descanso de la tarea de un minuto y acceso a materiales de ocio contingente a la terminación independiente de la tarea (p.ej., contar objetos, igualar cartulinas según el color o la forma) sin haber presentado problemas de conducta. En el RDA sin desvanecimiento de instrucciones, se le daban a Kristina instrucciones a un ritmo de aproximadamente una instrucción cada dos minutos. En el RDA con desvanecimiento de instrucciones, no se le daban instrucciones durante las tres primeras sesiones, y luego se le daba una instrucción cada 15 minutos. La tasa de instrucciones se incrementó gradualmente hasta que igualó la tasa del RDA sin desvanecimiento. La tasa de problemas de conducta fue alta al comienzo del RDA sin desvanecimiento de instrucciones, pero disminuyó en todas las sesiones hasta una media de 0.2 respuestas por minuto durante las últimas tres sesiones (véase la Figura 22.4). Durante el RDA con desvanecimiento de instrucciones, la tasa de problemas de conducta fue baja desde el principio y se produjo durante solo dos sesiones (9 y 14). Durante las últimas tres sesiones de RDA con desvanecimiento de instrucciones, Kristina no mostró problemas de conducta y la tasa de instrucciones era igual que la de la condición sin desvanecimiento (0.5 instrucciones por minuto).

Reforzamiento diferencial de otras conductas

Un profesional que utiliza el **reforzamiento diferencial de otras conductas (RDO)** presenta un reforzador cada vez que el problema de conducta no ocurre durante un tiempo o en un momento específico (véase el RDO momentáneo más adelante en el capítulo). Según describió Reynolds (1961), el RDO ofrece "reforzamiento por no responder" (pág. 59). Debido a que el reforzador es contingente a la ausencia u omisión de la conducta objetivo, el RDO a veces se llama *reforzamiento diferencial de cero respuestas* o *entrenamiento de omisión* (p.ej., Weiher y Harman, 1975).[4]

La presentación de reforzamiento con el RDO se determina mediante una combinación de cómo se implementa y se programa el criterio de omisión. El criterio de omisión puede hacer que el reforzamiento dependa de que la conducta problema no se produzca (a) a lo largo de todo un intervalo de tiempo (RDO de intervalo), o (b) en momentos de tiempo específicos (RDO momentáneo). Con un RDO de intervalo, el reforzador se presenta si no se observan ocurrencias de la conducta problema a lo largo de todo el intervalo. Cualquier ejemplo de la conducta objetivo restablece el intervalo, posponiendo así el reforzador. Con un procedimiento de RDO momentáneo, el reforzador depende de la ausencia de la conducta objetivo en momentos específicos.

El investigador o el profesional aplicado puede determinar si el criterio de omisión se ha cumplido (es decir, al final de los intervalos o en momentos

[4] Debido a que las ocurrencias de los problemas de conducta objetivo en el RDO y en el RDTB (que se discutirá más adelante en este capítulo) suelen posponer el reforzamiento, algunos analistas han sugerido que el RDO y RDTB se pueden conceptualizar como procedimientos de castigo negativo en lugar de técnicas de reforzamiento. Por ejemplo, Van Houten y Rolider (1990) consideran el RDO y el RDTB como variaciones de un procedimiento que llamaron *aplazamiento contingente de reforzamiento.*

específicos) según un programa fijo o variable. Las combinaciones de estos dos factores (un criterio de omisión de intervalo o momentáneo implementado según un programa fijo o variable) produce las cuatro disposiciones de RDO básicas que se muestran en la Figura 22.5 (Lindberg, Iwata, Kahng, y DeLeon, 1999).

Reforzamiento diferencial de otras conductas de intervalo

Las siguientes secciones presentan los procedimientos para la aplicación de programas de RDO de intervalo fijo, RDO de intervalo variable, RDO momentáneo fijo, y RDO momentáneo variable. La mayoría de los investigadores y profesionales aplicados utilizan el RDO de intervalo fijo como intervención para los problemas de conducta. Sin embargo, un creciente número de investigadores y profesionales están explorando las aplicaciones de los programas de RDO de intervalo variable y RDO momentáneo.

Reforzamiento diferencial de otras conductas de intervalo fijo (RDO-IF)

La mayoría de las aplicaciones del RDO de intervalo aplican el requisito de omisión al final de intervalos de tiempo sucesivos de la misma duración. Para utilizar el **RDO de intervalo fijo (RDO-IF)**, un profesional (a) determina la duración del intervalo; (b) presenta el reforzamiento al final de los intervalos en los que el problema de conducta no se produce; y (c) pone el temporizador a cero cada vez que ocurre el problema de conducta, iniciando así un nuevo intervalo.[5] Por ejemplo, Allen, Gottselig, y Boylan (1982) aplicaron un procedimiento de RDO-IF como contingencia grupal para disminuir las conductas molestas en el aula de los estudiantes de tercer grado.[6] Un temporizador de cocina se programó a intervalos de 5 minutos y continuaba funcionando siempre y cuando no se presentaran conductas disruptivas. Si algún alumno emitía la conducta disruptiva en cualquier momento durante el intervalo de 5 minutos, el temporizador se ponía a cero y se iniciaba un nuevo intervalo de 5 minutos. Cuando el temporizador marcaba el final de un intervalo de 5 minutos sin la conducta disruptiva, se premiaba a la clase con 1 minuto de tiempo libre, que se acumulaba y utilizaba al final del periodo de clase.

El intervalo de RDO y la duración de la sesión de tratamiento se pueden aumentar gradualmente a medida que la conducta de la persona mejora. Cowdery, Iwata, y Pace (1990) utilizaron el RDO-IF para ayudar a Jerry, un niño de 9 años de edad que nunca había ido a la escuela y que pasaba la mayor parte de su tiempo hospitalizado porque se rascaba y frotaba la piel tan a menudo y con tanta fuerza que tenía lesiones abiertas por todo el cuerpo. Durante el tratamiento, la experimentadora salía de la habitación y observaba a Jerry a través de una ventana de observación. Cowdery y colaboradores inicialmente reforzaron con elogios y fichas intervalos de 2 minutos "sin rascarse", que habían sido determinados por la evaluación de lineabase. Si Jerry se rascaba durante el intervalo, la experimentadora entraba a la habitación, le decía que lamentaba que no se hubiese ganado un centavo (la ficha) y le pedía que volviera a intentarlo. La conducta autolesiva de Jerry se redujo inmediatamente a cero cuando se implementó el RDO por primera vez y se mantuvo baja mientras se incrementaban gradualmente el intervalo de RDO y la duración de la sesión (de tres intervalos de 2 minutos a tres intervalos de 4 minutos). Después de un breve regreso a las condiciones de lineabase en el que la conducta de rascarse aumentó rápidamente, el RDO se restableció con cinco intervalos por sesión y la duración de la sesión aumentó en incrementos de 1 minuto. Jerry ahora podía ganar un total de 10 fichas por sesión, una ficha por cada intervalo en el que no se rascaba, además de un bono adicional de 5 fichas si se abstenía de rascarse durante los cinco intervalos. La conducta autolesiva de Jerry se redujo gradualmente a cero a la vez que la duración de la sesión y los intervalos de RDO aumentaban (véase la Figura 22.6). La sesión 61 consistió en un solo intervalo de RDO de 15 minutos, que fue seguido por intervalos de 25 y 30 minutos.

Reforzamiento diferencial de otras conductas de intervalo variable (RDO-IV)

Cuando se presenta el reforzamiento de manera contingente a la ausencia de los problemas de conducta durante intervalos de duración variable e impredecible, un programa de **RDO de intervalo variable (RDO-IV)** está vigente. Por ejemplo, en un programa de RDO-IV de 10 segundos, el reforzador sería presentado contingentemente a la omisión de la conducta a lo largo

[5] Una contingencia de RDO también se puede aplicar usando datos de la medición de productos conductuales. Por ejemplo, Alberto y Troutman (2006) describieron un procedimiento en el que un maestro proporcionaba reforzamiento cada vez que un estudiante presentaba un documento que no contenía garabatos. Si los papeles hubieran sido básicamente del mismo tamaño o tipo, el procedimiento sería una variación del RDO de intervalo fijo.

[6] Las contingencias de grupo se describen en el Capítulo 26.

de intervalos de duración variable con un promedio de 10 segundos (p.ej., una secuencia aleatoria de intervalos de

Fsdfs

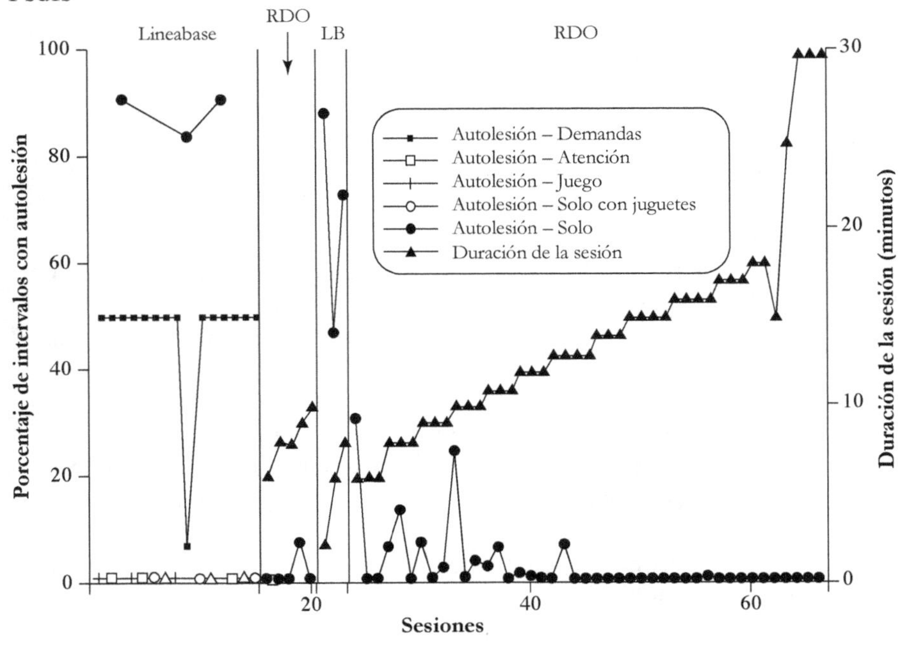

Figura 22.6 Intervalos porcentuales de conducta autolesiva de Jerry durante la lineabase, el RDO y la duración de las sesiones de RDO (eje *y* derecho). Otros datos durante la primera fase de lineabase muestran los resultados del análisis funcional confirmando que la conducta autolesiva de Jerry ocurría con más frecuencia cuando se le dejaba solo.

Tomado de "Effects and Side Effects of DRO as Treatment for Self-injurious Behavior" Cowdery, G., Iwata, B. A., y Pace, G. M. (1990). *Journal of Applied Behavior Analysis*, 23, 497-506. © Copyright 1990 Society for the Experimental Analysis of Behavior, Inc. Utilizado con permiso.

2 segundos, 5 segundos, 8 segundos, 15 segundos, y 20 segundos).

Chiang, Iwata, y Dorsey (1979) utilizaron una intervención de RDO-IV para disminuir los problemas de conducta de un alumno de 10 años con discapacidad del desarrollo durante el desplazamiento a la escuela en autobús. Las conductas disruptivas del niño incluían la agresión (p.ej., abofetear, empujar, golpear, o dar patadas), estar fuera de su asiento, conductas estereotipadas, y vocalizaciones inapropiadas (p.ej., gritar). En vez de basar los intervalos de RDO en el tiempo transcurrido, los investigadores utilizaron un procedimiento interesante que describieron como un programa de RDO "basado en la distancia." El conductor dividió la ruta de autobús en secciones designadas por puntos de referencia tales como ciertas señales de tráfico y semáforos, y montó un contador de mano de cuatro dígitos en el salpicadero del autobús. El contador estaba al alcance del conductor y a la vista del alumno. En cada punto de referencia predeterminado, el conductor alababa la conducta del alumno y añadía un punto al contador de mano si no ocurrían las mencionadas conductas molestas durante el intervalo de RDO. Al llegar al hogar o la escuela, el conductor registraba el número de puntos obtenidos en una tarjeta y se la entregaba al maestro o al padre adoptivo del niño. El estudiante intercambiaba los puntos obtenidos por premios (p.ej., acceso a juguetes, privilegios en el hogar y la escuela o pequeños aperitivos).

Chiang y colaboradores utilizaron un diseño de línea base múltiple con varios contextos para evaluar la intervención de RDO-IV. Durante la lineabase, la conducta problemática varió de 20 a 100% con un promedio de 66.2% en los trayectos de la tarde y de 0 a 92% con un promedio de 48.5% en los de las mañanas. Cuando el procedimiento de RDO-IV se puso en práctica solamente por la tarde, los problemas de conducta se redujeron inmediatamente a un promedio del 5.1% (rango de 0 a 40%) en los trayectos de la tarde, pero se mantuvo sin cambios durante los de la mañana. Cuando la intervención también se aplicó por las mañanas, se eliminó toda la conducta disruptiva.

Progar y colaboradores (2001) implementaron el RDO-IV como componente de un programa de reforzamiento conjuntivo para reducir las conductas agresivas de Milty, un adolescente de 14 años con autismo. El reforzamiento se presentaba en un programa conjuntivo cuando se cumplían los criterios de ambos componentes del programa; en este caso un programa de razón fija de 3 para la realización de tareas y un programa de intervalo variable de 148 segundos para la ausencia de agresión. Milty recibía un reforzador comestible cada vez que completaba los tres componentes de una tarea (p.ej., hacer la cama, pasar la aspiradora, ordenar objetos en su habitación) en ausencia de agresión durante la duración del intervalo variable. Una ocurrencia de agresión antes de completar el requisito de razón fija de 3 restablecía los dos componentes del programa conjuntivo. Esta intervención produjo una reducción sustancial de la conducta agresiva.

Reforzamiento diferencial de otras conductas momentáneo

Los programas de **RDO momentáneo fijo (RDO-MF)** y **RDO momentáneo variable (RDO-MV)** utilizan los mismos procedimientos que los de RDO de intervalos (RDO-IF y RDO-IV), excepto que el reforzamiento es contingente a la ausencia de los problemas de conducta solamente cuando cada intervalo termina, en vez a lo largo de todo el intervalo, como es el caso del RDO de intervalo completo.

Lindberg, Iwata, Kahng, y DeLeon (1999) utilizaron una intervención de RDO-MV para ayudar a Bridget, una mujer de 50 años de edad con graves discapacidades del desarrollo que a menudo se golpeaba la cabeza con sus propias manos y contra objetos, al igual que el resto de su cuerpo. Un análisis funcional indicó que las conductas autolesivas de Bridget eran mantenidas mediante reforzamiento social positivo. Durante la intervención de RDO-MV, la conducta autolesiva se sometió a extinción, y Bridget recibía de 3 a 5 segundos de atención al final del intervalo por parte del terapeuta si no se estaba autolesionando. No era necesario que la conducta autolesiva desapareciera en todo el intervalo, solo al final. Como se muestra en la Figura 22.7, cuando se llevó a cabo un programa de RDO-MV de 15 segundos durante cinco sesiones tras la lineabase, la autolesión de Bridget disminuyó abruptamente desde los niveles de lineabase a casi cero. Después de un retorno a la lineabase en el que la conducta autolesiva de Bridget aumentó, los investigadores volvieron a una condición de tratamiento de RDO-MV de 11 segundos, que más tarde se aligeró a 22 segundos, y luego al intervalo objetivo máximo de 300 segundos.

Directrices para el uso del RDO

El RDO de intervalo se ha utilizado más ampliamente que el RDO momentáneo. Algunos investigadores han encontrado que el RDO de intervalo es más eficaz que el RDO momentáneo para suprimir los problemas de conducta, y el RDO momentáneo podría ser más útil en el mantenimiento de niveles bajos de los problemas de conducta alcanzados mediante RDO de intervalo (Barton, Brulle, y Repp, 1986; Repp, Barton, y Brulle, 1983). Lindberg y colaboradores (1999) observaron dos ventajas potenciales de los programas de RDO-MV comparado con los de RDO-IF. En primer lugar, el programa de RDO-MV parece más práctico debido a que el profesional no necesita supervisar la conducta de los participantes en todo momento. En segundo lugar, los datos obtenidos por estos investigadores mostraron que, por lo general, los participantes obtenían tasas de reforzamiento más altas con el RDO-MV que con el RDO-IF.

Además de la importancia de seleccionar reforzadores potentes, se recomiendan las siguientes directrices para el uso eficaz del RDO.

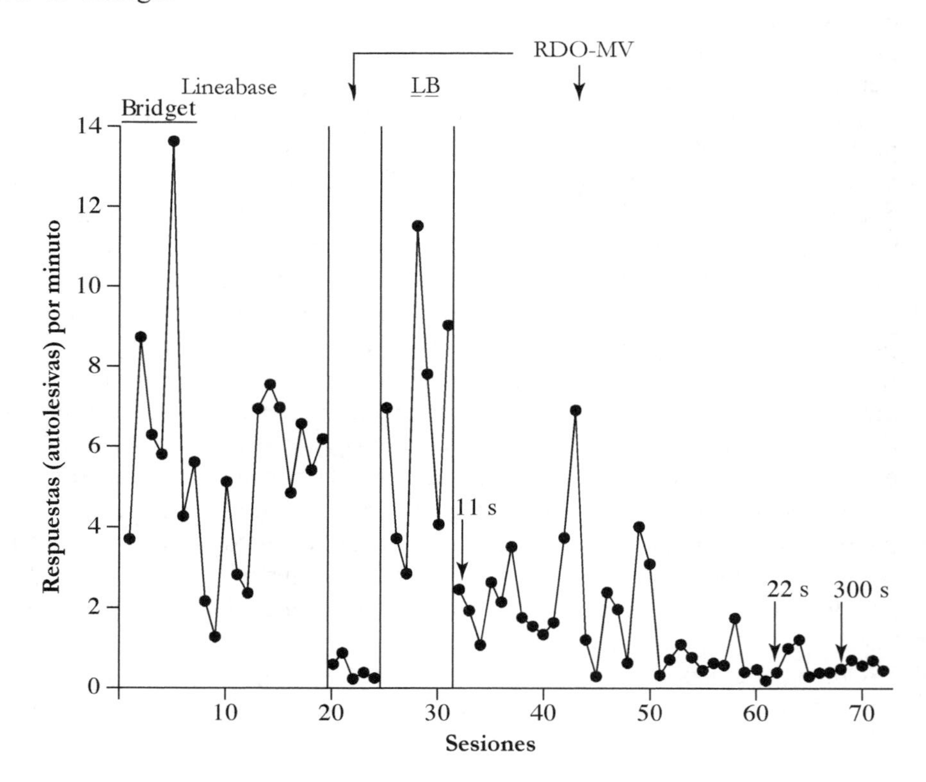

Figura 22.7 Respuestas autolesivas por minuto durante las condiciones de lineabase y tratamiento.

Tomado de "DRO Contingencies: An Analysis of Variable-momentary Schedules" J. S. Lindberg, B. A. Iwata, S. W. Kahng, y I. G. DeLeon, 1999. *Journal of Applied Behavior Analysis, 32*, pág. 131. © Copyright 1999 Society for the Experimental Analysis of Behavior, Inc. Reproducido con permiso.

Reconocer las limitaciones del RDO

Aunque el RDO es comúnmente positivo y altamente eficaz para reducir los problemas de conducta, no está exento de defectos. Con el RDO de intervalo, el reforzador se entrega contingentemente a la ausencia durante el intervalo de los problemas de conducta establecidos como objetivo, aunque pudieran haber ocurrido otras conductas inadecuadas durante ese tiempo. Por ejemplo, supongamos que se aplica un programa de RDO de intervalos de 20 segundos para reducir los tics faciales de un adolescente con síndrome de Tourette. El reforzador se presentará al final de cada intervalo de 20 segundos sin tics faciales. Sin embargo, si el adolescente insulta en cualquier momento durante el intervalo o al final del intervalo, de todas formas se le entregara el reforzador. Es posible que se presente el reforzador contingente a la ausencia de los tics faciales en estrecha proximidad temporal con los insultos, por lo tanto se estaría reforzando inadvertidamente otra conducta inapropiada. En tales casos, la longitud del intervalo de RDO debe ser disminuida y la definición de la conducta que se desea reducir se debe ampliar para incluir las otras conductas no deseadas (p.ej., el reforzador puede ser contingente a la ausencia de tics faciales *e* insultos).

Con el RDO momentáneo, se presenta el reforzamiento contingentemente a la ausencia de la conducta problema al final de cada intervalo, aunque la conducta haya ocurrido durante la mayor parte del intervalo. Continuando con el ejemplo anterior, en un programa de RDO-MF de 20 segundos, el reforzador se presentaría cada vigésimo segundo sucesivo si los tics faciales no están ocurriendo en ese preciso momento, incluso aunque los tics hubieran ocurrido durante el 50%, el 75%, o incluso el 95% del intervalo. En tales circunstancias, el profesional debe utilizar el RDO de intervalo y reducir la duración del intervalo.

El RDO puede que no sea exitoso en algunas circunstancias, y los profesionales deben estar atentos a sus datos para poder tomar decisiones informadas. Por ejemplo, Linscheid, Iwata, Ricketts, Williams y Griffin (1990) encontraron que ni la aplicación sistemática del RDO ni del RDI eliminaron la conducta autolesiva crónica de cinco personas con discapacidades del desarrollo. Al final se tuvo que instituir un procedimiento de castigo más intrusivo para eliminar la conducta.

Establecer intervalos iniciales de RDO que garanticen el reforzamiento frecuente

Los profesionales deben establecer un intervalo inicial de RDO que asegure que el nivel actual de la conducta de la persona podrá entrar en contacto con el reforzamiento cuando se implemente la contingencia de RDO. Por ejemplo, Cowdery y colaboradores (1990) implementaron inicialmente un programa de reforzamiento con alabanzas y fichas contingente a intervalos de 2 minutos "sin rascarse" porque era "el periodo de tiempo más largo que habíamos visto a Jerry abstenerse de rascarse mientras estaba solo" (pág. 501). Empezando con un intervalo igual o un poco más corto que el tiempo entre respuestas (TER) medio de la lineabase, generalmente se conseguirá que el intervalo inicial del RDO sea eficaz. Para calcular el TER medio, el profesional debe dividir la duración total de la lineabase entre el número total de respuestas registradas durante la lineabase. Por ejemplo, si se registraron un total de 90 respuestas durante los 30 minutos de lineabase, el TER medio sería de 20 segundos (es decir, 1.800 segundos ÷ 90 respuestas). Usando estos datos de lineabase como guía, el profesional podría establecer el intervalo inicial del RDO en 20 segundos o menos.

No reforzar inadvertidamente otras conductas indeseables

El reforzamiento en un programa de RDO "puro" es contingente a una clase de respuestas muy general que se define solamente por la ausencia del problema de conducta objetivo. Como consecuencia, un programa de RDO "puro" se suele utilizar como tratamiento de elección para los problemas de conducta graves que ocurren a tasas muy elevadas en personas cuyos repertorios actuales ofrecen pocas conductas, o ninguna, que pudieran funcionar como alternativas o incompatibles. También suele utilizarse con personas para las que cualquier otra conducta podría considerase menos problemática que la conducta objetivo.

Debido a que el RDO no requiere que se emita ninguna conducta específica para que haya reforzamiento, cualquier conducta que la persona esté emitiendo cuando se presente el reforzador probablemente ocurrirá con más frecuencia en el futuro. Por lo tanto, los profesionales que utilizan el RDO deben tener cuidado de no reforzar inadvertidamente otras conductas indeseables. Al utilizar el RDO, el profesional debe presentar el reforzamiento en los intervalos o momentos especificados por el programa, de manera contingente a la ausencia de la conducta problema y también de otras conductas inapropiadas significativas.

Aumentar el intervalo de RDO gradualmente

El profesional puede aumentar el intervalo de RDO después de que el intervalo inicial controle eficazmente el problema de conducta (es decir, puede aligerar el programa de reforzamiento). El programa de RDO debe aligerarse mediante aumentos inicialmente pequeños del intervalo y gradualmente crecientes.

Poling y Ryan (1982) sugirieron tres procedimientos para aumentar la duración del intervalo de RDO.

1. Aumentar el intervalo de RDO en una *duración de tiempo constante*. Por ejemplo, un profesional podría aumentar el intervalo de RDO en 15 segundos por cada vez que se pueda aumentar el intervalo.
2. Aumentar los intervalos *proporcionalmente*. Por ejemplo, un profesional podría aumentar el intervalo de RDO en un 10% cada vez se pueda aumentar el intervalo.
3. Cambar el intervalo de RDO cada sesión, basándose en la *ejecución de la persona*. Por ejemplo, un profesional podría establecer un intervalo de RDO para cada sesión igual al TER medio de la sesión anterior.

Si el problema de conducta se agrava cuando se introduce un intervalo de RDO más amplio, el profesional puede disminuir la duración del intervalo a un nivel que de nuevo controle el problema de conducta. El intervalo de RDO puede ser ampliado con duraciones más pequeñas y graduales, después de que se restablezcan las reducciones de los problemas de conducta, previamente obtenidas.

Extender las aplicaciones del RDO a otros contextos y horas del día

Cuando la frecuencia del problema de conducta se reduce sustancialmente en el contexto de tratamiento, la intervención de RDO se puede introducir durante otras actividades y momentos del ambiente natural de la persona. Hacer que los maestros, padres u otros cuidadores presenten reforzamiento basándose en el programa de RDO, ayudará a ampliar los efectos de la intervención. Por ejemplo, después de que la conducta autolesiva de Jerry estuviese bien controlada durante las sesiones de tratamiento (véase la Figura 22.6), Cowdery y colaboradores (1990) comenzaron a implementar la intervención de RDO en otros momentos y lugares durante el día. Primero, varios miembros del personal alababan y le daban fichas a Jerry cuando se abstenía de rascarse durante intervalos de RDO únicos de 30 minutos, durante las actividades de ocio, las sesiones de instrucción, o el tiempo libre. Luego comenzaron a añadir intervalos adicionales de 30 minutos hasta que la contingencia de RDO se extendió a todas las horas en las que Jerry estaba despierto. La conducta autolesiva de Jerry disminuyó lo suficiente como para permitir que se le diera de alta a su casa por primera vez en dos años. También se les enseñó a los padres de Jerry a poner en práctica el procedimiento de RDO en su casa.

Combinar el RDO con otros procedimientos

El RDO se puede utilizar como una intervención por sí solo. Sin embargo, como sucede el RDI/RDA, incluir el RDO en un paquete de tratamiento con otros procedimientos de reducción de conducta suele producir cambios de conducta más eficaces y eficientes. De Zubicaray y Clair (1998) utilizaron una combinación de RDO, RDI, y un procedimiento de restitución (castigo) para reducir el abuso físico y verbal y la agresión física que emitía una mujer de 46 años de edad con retraso mental que vivía en un centro residencial para personas con trastornos psiquiátricos crónicos. Además, los resultados de tres experimentos realizados por Rolider y Van Houten (1984) mostraron que una intervención que consistía en el RDO junto con reprimendas fue más eficaz que el RDO aislado en la disminución de una gran variedad de problemas de conducta de distintos niños (p.ej., el maltrato físico de una niña de 4 años hacia su hermana bebé, la conducta de chuparse el dedo de un niño de 12 años, y las rabietas antes de dormir).

El RDO también se puede añadir como complemento en una intervención que haya producido resultados insuficientes. McCord, Iwata, Galensky, Ellingson, y Thomson (2001) agregaron el RDO a una intervención de desvanecimiento de estímulos que estaba teniendo "éxito limitado" en la disminución de los problemas de conducta de Sarah, una mujer de 41 años con retraso mental severo y discapacidad visual. Sus problemas de conducta incluían autolesiones, conducta destructiva y agresión severa, provocadas por el ruido. Aumentando el volumen de ruido gradualmente en 2 dB mientras el RDO estaba en efecto, "un terapeuta presentaba un artículo comestible preferido (la mitad de un hojaldre de queso) a Sarah después de cada intervalo de 6 segundos en el que no se observaran los problemas de conducta. Si la conducta problemática ocurría, la presentación de la comida se interrumpía y el intervalo de RDO se restablecía" (pág. 455). Cada vez que Sarah completaba tres sesiones consecutivas de 1 minuto sin problemas de conducta, los investigadores aumentaban el intervalo de RDO en 2 segundos. Este aligeramiento del programa continuó hasta que Sarah pudo completar la sesión sin ocurrencias del problema de conducta. Luego, el terapeuta entregaba el comestible solo al final de la sesión. La adición del RDO a la intervención produjo una disminución inmediata en los problemas de conducta de Sarah que permanecieron en cero o cerca de cero en el contexto del tratamiento durante más de 40 sesiones (véase el Capítulo 6, el gráfico inferior de la Figura 6.6). Los sondeos llevados a cabo en condiciones ruidosas después de terminar el tratamiento, mostraron que sus efectos se habían mantenido y generalizado al hogar de Sarah.

Reforzamiento diferencial de tasas bajas de respuesta (RDTB)

En una investigación de laboratorio, Ferster y Skinner (1957) encontraron que la presentación de un reforzador después de una respuesta que había sido precedida por intervalos de tiempo cada vez más largos sin respuesta, redujo la tasa de respuestas global. Cuando el reforzamiento se aplica de esta manera como intervención para reducir las ocurrencias de una conducta objetivo, el procedimiento se llama **reforzamiento diferencial de tasas bajas (RDTB)**. Debido a que el reforzamiento con un programa de RDTB se presenta después de una *ocurrencia* de la conducta objetivo, en contraste con el RDO en el que el reforzador es contingente la *ausencia* completa de la conducta, los analistas de conducta utilizan el RDTB para disminuir la tasa de una conducta que ocurre con demasiada frecuencia, pero no para eliminarla por completo. Eso puede suceder cuando un profesional identifica una conducta específica como problema no por su forma sino por su excesiva frecuencia. Por ejemplo, es bueno que un alumno levante la mano o vaya a la mesa del maestro para pedir ayuda con la tarea, pero se convierte en un problema de conducta si se produce en exceso.

Algunas personas pueden emitir una conducta con menos frecuencia cuando se les dice que lo hagan, o cuando se les da reglas que indican una tasa de respuesta adecuada. Cuando la instrucción por sí sola no disminuye las ocurrencias de los problemas de conducta, el profesional puede tener que utilizar una intervención basada en las consecuencias. El RDTB ofrece a los profesionales una intervención para disminuir los problemas de conducta que es más fuerte que la instrucción por sí sola, pero aún está lejos de consecuencias más restrictivas (p.ej., el castigo). Deitz (1977) nombró y describió tres procedimientos de RDTB: RDTB de sesión completa, RDTB de intervalos, y RDTB de respuestas espaciadas.

RDTB de sesión completa

En un procedimiento de **RDTB de sesión completa**, el reforzamiento se presenta al final de una sesión de instrucción o tratamiento durante toda la sesión la conducta objetivo se produce en un número igual o menor que un criterio predeterminado. Si el número de respuestas supera el límite especificado durante la sesión, no se presentará el reforzador. Por ejemplo, un maestro que aplica el RDTB de sesión completa con un criterio límite de cuatro conductas perturbadoras por período de clase presentará el reforzador al final del período contingentemente a la ocurrencia de cuatro o menos de estas conductas. El RDTB de sesión completa es una intervención eficaz, eficiente y fácil de aplicar con los problemas de conducta en los entornos de educación y tratamiento.

Deitz y Repp (1973) demostraron la eficacia y facilidad de manejo del RDTB de sesión completa para la disminución de la mala conducta en el aula. Disminuyeron la conducta de hablar fuera de turno de un niño de 11 años de edad con discapacidades del desarrollo. Durante los 10 días de lineabase el alumno habló fuera de su turno en una media de 5.7 ocasiones por cada sesión de 50 minutos. Con la introducción del RDTB de sesión completa, se le permitían al alumno 5 minutos de juego al final del día contingentemente a 3 o menos ocurrencias de hablar fuera de turno durante una sesión de 50 minutos. La conducta disminuyo durante la condición de RDTB a un promedio de 0.93 ocurrencias de la conducta objetivo por cada 50 minutos y aumentó durante el retorno a la lineabase hasta una media de 1.5 ocurrencias por sesión (véase la Figura 22.8).

RDTB de intervalo

Para aplicar un programa de **RDTB de intervalo**, el profesional divide una sesión total en una serie de intervalos de tiempo iguales y presenta el reforzador al final de cada intervalo en el que el número de ocurrencias de la conducta objetivo sea igual o inferior al criterio límite. El profesional elimina la oportunidad de reforzamiento y comienza un nuevo intervalo si se supera el criterio de respuesta durante el intervalo. Por ejemplo, si un criterio límite del RDTB es de cuatro ocurrencias del problema de conducta por hora, el profesional presenta el reforzador tras cada 15 minutos contingentemente a la ocurrencia de una o menos conductas problemáticas. Si el participante emite un segundo problema de conducta durante el intervalo, el profesional establece inmediatamente el inicio de un nuevo intervalo de 15 minutos, lo que pospone la oportunidad de obtener el reforzador.

Deitz (1977) inicialmente definió el programa de RDTB de intervalo utilizando como criterio una o ninguna respuesta por intervalo. Sin embargo, Deitz y Repp (1983) detallaron el uso de un programa de RDTB de intervalo con un criterio de más de una respuesta por cada intervalo. "Una respuesta que se produce como media 14 veces por hora podría limitarse a tres ocurrencias por cada intervalo de 15 minutos. El límite de respuesta de tres podría entonces reducirse a dos respuestas por intervalo, y luego a una" (pág. 37).

Deitz y colaboradores (1978) utilizaron un programa de RDTB de intervalo para reducir las conductas perturbadoras de un alumno con problemas de aprendizaje. El niño, de 7 años, tenía varias conductas difíciles de manejar en el aula (p.ej., correr, empujar, golpear o lanzar objetos). El alumno recibió una hoja de papel en la que se señalaban 15 bloques, cada uno de los cuales representaba un intervalo de 2 minutos. Se colocaba una estrella en un bloque cada vez que el chico emitía una o ninguna mala conducta en el intervalo de 2 minutos. Cada estrella le permitía al alumno pasar 1 minuto en el patio de recreo con el maestro. Si el estudiante emitía 2 conductas disruptivas durante el intervalo, el maestro inmediatamente establecía el comienzo de un nuevo intervalo de 2 minutos.

La aplicación eficaz del RDTB de intervalo (así como el procedimiento de RDTB de respuestas espaciadas descrito en la siguiente sección) exige un seguimiento constante de la conducta problemática, la sincronización cuidadosa y el reforzamiento frecuente. Sin la ayuda de un asistente, muchos profesionales pueden tener dificultades para utilizar este procedimiento de RDTB de intervalo en contextos grupales. EL RDTB de intervalo y de respuestas espaciadas se pueden aplicar bastante adecuadamente durante la instrucción de uno a uno o cuando un asistente competente para esta actividad está disponible.

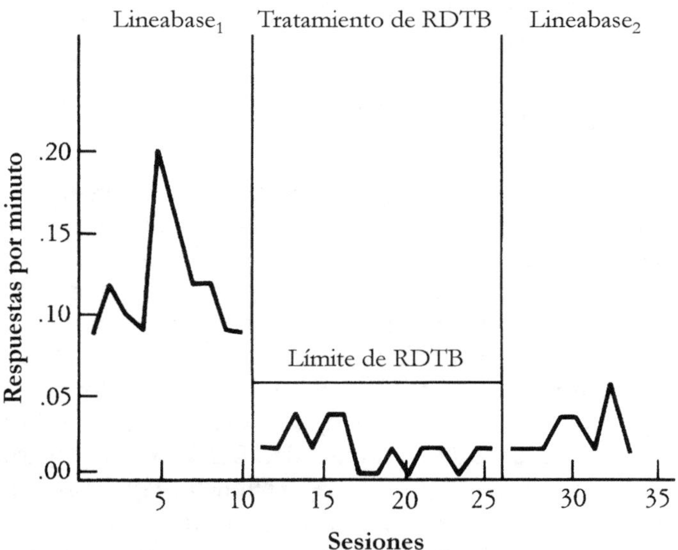

Figura 22.8 Tasa de la conducta de hablar fuera de turno durante la lineabase y el tratamiento de un alumno con discapacidades del desarrollo.

Tomado de "Decreasing Classroom Misbehavior Through the Use of DRL Schedules of Reinforcement" S. M. Deitz y A. C. Repp, 1973, *Journal of Applied Behavior Analysis*, 6, pág. 458. © Copyright 1973 Society for the Experimental Analysis of Behavior, Inc. Reimpreso con permiso.

RDTB de respuestas espaciadas

Al usar un programa de **RDTB de respuestas espaciadas**, el profesional presenta el reforzador después de una ocurrencia de la respuesta que está separada por al menos una cantidad mínima de tiempo de la anterior respuesta.[7] Como se recordará del Capítulo 4, el *tiempo entre respuestas (TER)* es el término técnico para hablar de la duración de tiempo entre dos respuestas. El TER y la tasa de respuestas están directamente correlacionados: cuanto mayor sea el TER, menor es la tasa de respuesta global; Los tiempos entre respuestas más cortos se correlacionan con tasas de respuesta mayores. Cuando el reforzador es contingente a tiempos entre respuestas cada vez más largos, la tasa de respuesta se reducirá.

Favell, McGimsey, y Jones (1980) utilizaron un programa de RDTB de respuestas espaciadas y ayudas a la respuesta para disminuir la ingesta rápida por parte de cuatro personas con discapacidades profundas del desarrollo. Al inicio del tratamiento, el reforzador se presentaba contingentemente a pausas cortas e independientes entre bocados (TER), y luego se fueron requiriendo pausas gradualmente más largas. Los investigadores también ayudaban manualmente a separar el tiempo entre bocados y desvanecían las ayudas a la respuesta cuando se daban pausas independientes de un mínimo de 5 segundos en aproximadamente el 75% de los bocados totales. Finalmente, Favell y colaboradores gradualmente aligeraron el reforzamiento de alimentos y las alabanzas. La frecuencia de ingesta se redujo de un promedio de 10 a 12 bocados cada 30 segundos durante la lineabase a entre 3 y 4 bocados cada 30 segundos durante la condición de RDTB de respuestas espaciadas.

La mayoría de los procedimientos de reducción de conducta que manipulan consecuencias tienen el potencial de reducir la conducta a cero ocurrencias. Es poco probable que el RDTB de respuestas espaciadas tenga este efecto. Por esta razón, el RDTB de respuestas

---

[7] Debido a que el reforzamiento en un programa de RDTB de respuesta espaciada sigue inmediatamente a un caso de la conducta objetivo, esta es la variación aplicada de RDTB que se parece más a los programas de RDTB descritos por Ferster y Skinner (1957).

espaciadas se convierte en una intervención importante para la disminución de conducta: Una contingencia de RDTB de respuestas espaciadas informa a las personas de que su conducta es aceptable, pero que deben hacerla con menos frecuencia. Por ejemplo, un maestro podría usar un programa de RDTB de respuestas espaciadas para disminuir la conducta de un estudiante de hacer tantas preguntas que interfieren con el proceso de enseñanza y aprendizaje del aula. Para intervenir, el maestro podría responder a la pregunta del alumno siempre y cuando este no hubiera hecho una pregunta durante al menos los 5 minutos previos. Esta intervención de RDTB de respuestas espaciadas podría disminuir, pero no eliminar, la conducta de preguntar.

Singh, Dawson, y Manning (1981) utilizaron una intervención de RDTB de respuestas espaciadas para reducir la conducta estereotipada (p.ej., movimientos corporales repetitivos, balanceo, etc.) de tres chicas adolescentes con retraso mental profundo. Durante la primera fase de la intervención de RDTB de respuestas espaciadas el terapeuta alababa a cada niña cada vez que emitía una respuesta estereotipada al menos 12 segundos después de la última respuesta. Uno de los experimentadores midió los intervalos y utilizó un sistema de luces automáticas para señalarle al terapeuta cuando estaba disponible el reforzador. Después de que el RDTB de TER de 12 segundos resultara en una reducción brusca de la conducta estereotipada de las tres niñas (véase la Figura 22.9), Singh y sus colegas incrementaron el criterio de TER de forma sistemática a 30, 60, y 180 segundos. El procedimiento de RDTB de respuestas espaciadas no solo produjo reducciones sustanciales en las respuestas estereotipadas para las tres participantes, sino que también tuvo el efecto concomitante de incrementar la conducta adecuada (p.ej., sonreír, hablar o jugar).

Directrices para el uso del RDTB

Hay varios factores que influyen en la efectividad de los tres programas de RDTB en la disminución de problemas de conducta. Las siguientes directrices abordan esos factores.

Reconocer las limitaciones del RDTB

Si un profesional necesita reducir una conducta inapropiada de forma rápida, el RDTB no sería el método de primera elección. El RDTB es lento. La reducción de la conducta inadecuada a niveles apropiados puede tomar más tiempo del que el profesional tenga. Además, el RDTB no es recomendable para reducir conductas autolesivas, violentas o potencialmente peligrosas. Por último, desde un punto de vista práctico, el uso del RDTB implica que el profesional debe centrarse en la conducta inadecuada. Si un maestro, por ejemplo, no es prudente, puede ser propenso a prestarle demasiada atención a la conducta inapropiada, y así reforzarla sin darse cuenta.

Escoger el procedimiento de RDTB más apropiado

Los programas de RDTB de sesión completa, de intervalo y de respuestas espaciadas proporcionan diferentes niveles de reforzamiento. De los tres procedimientos, solamente el RDTB de respuestas espaciadas proporciona el reforzador inmediatamente después de la ocurrencia de la respuesta específica; una respuesta debe ser emitida después de un TER mínimo antes de obtener el reforzador. Los profesionales utilizan el RDTB de respuestas espaciadas para reducir las ocurrencias de una conducta, pero a la vez manteniéndola en tasas más bajas.

Con el RDTB de sesión completa y de intervalo, no tiene que ocurrir una respuesta para que el participante reciba el reforzador. Los profesionales pueden aplicar estos procedimientos cuando sea aceptable que la tasa de conducta problema llegue a cero o como un primer paso hacia el objetivo de eliminar la conducta por completo.

Los RDTB de respuestas espaciadas y de intervalo suelen producir reforzamiento a una velocidad mayor que el RDTB de sesión completa. Disponer contacto frecuente con la contingencia de reforzamiento es especialmente adecuado, y a menudo necesario para los alumnos con problemas de conducta graves.

Utilizar los datos de lineabase para guiar la elección de la respuesta inicial o los límites del TER

Los profesionales pueden utilizar el número medio de respuestas emitidas durante las sesiones de lineabase, o un número un poco inferior a la media, como criterio inicial del RDTB de sesión completa. Por ejemplo, si se registran 8, 13, 10, 7, y 12 respuestas durante las cinco sesiones de lineabase, esto produce una media de 10 respuestas. Por lo tanto, de 8 a 10 respuestas por sesión sería un criterio inicial apropiado para este RDTB de sesión completa.

Los criterios temporales iniciales del RDTB de intervalo y de respuestas espaciadas se pueden establecer en la media de la lineabase o algo inferior. Por ejemplo, 1 respuesta cada 15 minutos es un criterio inicial de

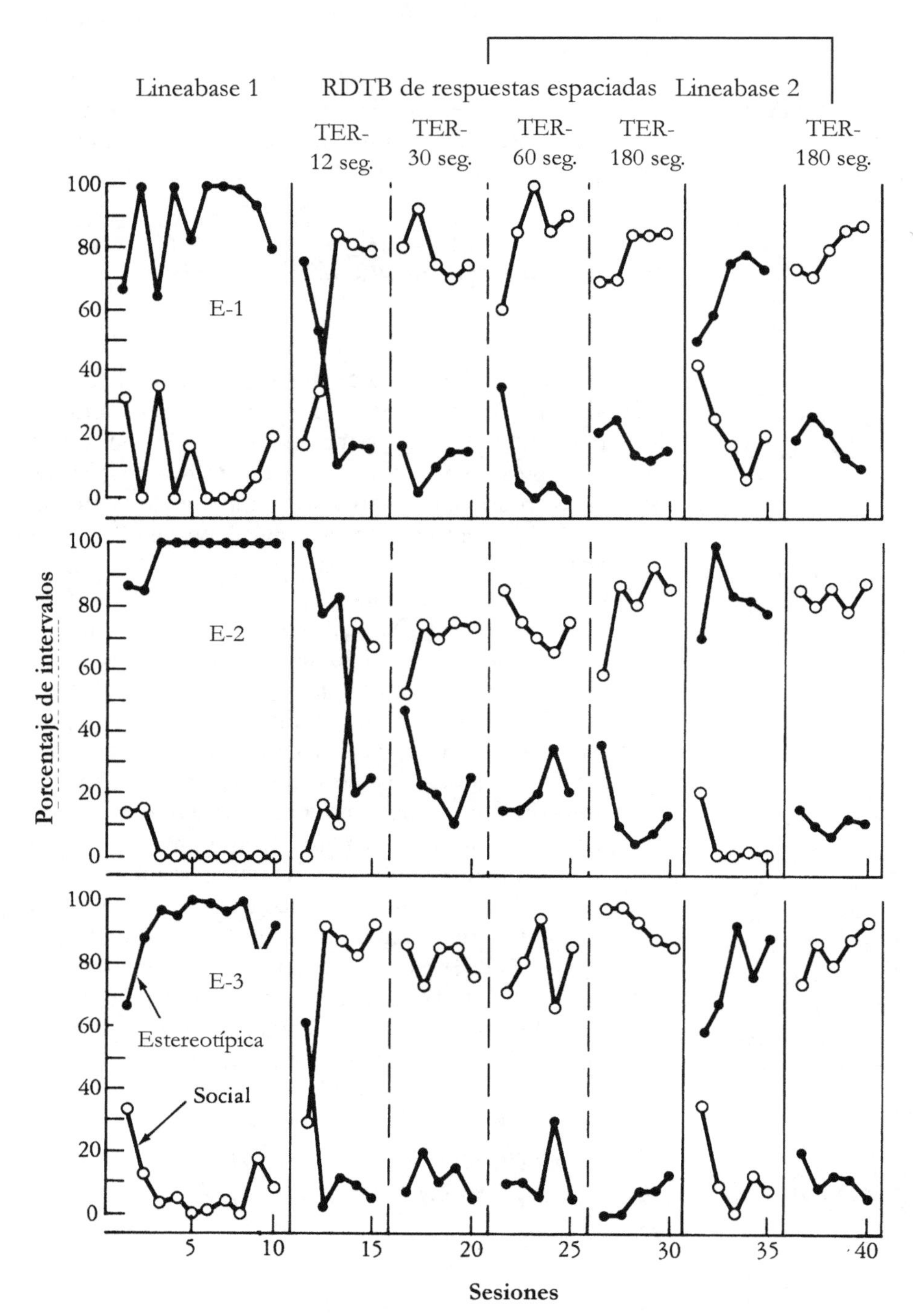

Figura 22.9 Los efectos de RDTB de respuestas espaciadas en la respuesta estereotipada de tres adolescentes con retraso mental profundo.

Tomado de "Effects of Spaced Responding DRL on the Stereotyped Behavior of Profoundly Retarded Persons" N. N. Singh, M. J. Dawson, y P. Manning, 1981. *Journal of Applied Behavior Analysis*, 38, pág. 524. ©Copyright 1981 Society of the Experminetal Analysis of Behavior, Inc. Reproducido con permiso.

RDTB de intervalo aceptable según una lineabase media de 4 respuestas por cada sesión de 60 minutos. Con los mismos datos de lineabase (es decir, 4 respuestas por cada 60 minutos), parece razonable utilizar 15 minutos como el criterio inicial de TER en un programa de RDTB de respuestas espaciadas. Es decir, una respuesta producirá reforzamiento solo si se separa de la respuesta previa un mínimo de 15 minutos.

Aligerar gradualmente el programa de RDTB

Los profesionales aplicados deben aligerar gradualmente el programa de RDTB para alcanzar la tasa de respuestas objetivo. Se suelen utilizar tres procedimientos para aligerar el criterio temporal inicial del RDTB.

1. *Con el RDTB de sesión completa*, se puede establecer un nuevo criterio de RDTB basándose en la ejecución actual del participante en el programa. Otra opción es establecer un nuevo criterio de RDTB un poco menor

que la media de respuestas emitidas durante las sesiones de RDTB recientes.

2. *Con el RDTB de intervalo*, se puede disminuir gradualmente el número de respuestas por intervalo si el criterio actual es de más de una respuesta por intervalo; o, se puede aumentar gradualmente la duración del intervalo si el criterio actual es de una respuesta por intervalo.
3. *Con el RDTB de respuestas espaciadas*, se puede ajustar el criterio de TER usando el TER medio de las sesiones recientes o un tiempo menor. Por ejemplo, Wright y Vollmer (2002) establecieron el TER para el componente de RDTB de un paquete de tratamiento exitoso en la reducción de la ingesta rápida de una chica de 17 años, basándose en el TER medio de las cinco sesiones anteriores. Los investigadores no superaron un TER de 15 segundos porque no era necesario reducir el consumo de la niña por debajo de una tasa de cuatro bocados por minuto.

Los profesionales que aligeran los programas de RDTB de forma exitosa solo hacen cambios graduales, pero sistemáticos, en la duración y los criterios de respuesta asociados con las tres variaciones de RDTB (de sesiones completas, de intervalo, y de respuestas espaciadas).

Dos posibles reglas para decidir cuándo aligerar el programa de RDTB son:

Regla 1: se puede cambiar el criterio de RDTB después de que la persona cumpla o exceda el criterio durante tres sesiones consecutivas.

Regla 2: se puede cambiar el criterio de RDTB después de que la persona reciba reforzamiento durante al menos el 90% de las oportunidades durante tres sesiones consecutivas.

Proporcionar retroalimentación

La eficacia de un procedimiento de RDTB se puede mejorar mediante la retroalimentación para ayudar al participante a controlar su tasa de respuesta. Los procedimientos de RDTB de sesión completa, de intervalo y de respuestas espaciadas proporcionan diferentes niveles de retroalimentación a los participantes. La retroalimentación más precisa viene con el RDTB de respuestas espaciadas, porque el reforzamiento sigue a cada respuesta que cumple el criterio de TER. Cuando ocurre una respuesta que no cumple con el criterio de TER, el reforzamiento se interrumpe y un nuevo intervalo se restablece inmediatamente. Este proceso ofrece retroalimentación inmediata sobre la respuesta por intervalo.

El RDTB de intervalo también proporciona un alto nivel de retroalimentación, aunque es menor que el de respuestas espaciadas. El RDTB de intervalo aporta dos tipos de retroalimentación. La primera conducta problema no aporta retroalimentación. La segunda, sin embargo, restablece el intervalo, proporcionando una consecuencia para la conducta problema. El reforzamiento se produce al final del intervalo cuando ha ocurrido una o ninguna conducta problema durante el mismo. Estos dos tipos de retroalimentación mejoran la eficacia de esta intervención (Deitz et al., 1978).

Los analistas aplicados de la conducta pueden disponer el RDTB de sesión completa con o sin retroalimentación. La disposición típica no ofrece retroalimentación sobre la acumulación de respuestas momento a momento. Deitz (1977) afirmó que con el RDTB de sesión completa, los participantes responderían exclusivamente al criterio de RDTB: Si superan el criterio, pierden la oportunidad de obtener el reforzador. Una vez que el participante pierde la oportunidad de reforzamiento, puede emitir altas tasas de conductas no deseables sin consecuencias. Cuando el programa se dispone sin retroalimentación momento a momento, los participantes suelen mantenerse muy por debajo del límite del RDTB y el programa puede no ser tan efectivo para los alumnos con conductas problemáticas graves como lo son el RDTB de intervalos y el de respuestas espaciadas. La eficacia del RDTB de sesión completa depende en gran medida de una descripción verbal inicial de las contingencias de reforzamiento (Deitz, 1977).

Resumen

Descripción básica del reforzamiento diferencial

1. Cuando el reforzamiento diferencial se utiliza como un procedimiento reductivo para la conducta problemática, consta de dos componentes: (a) la presentación de reforzamiento contingentemente a la ocurrencia de una conducta distinta a la conducta no deseada o a la ocurrencia de la conducta no deseada a una tasa más baja, y (b) la interrupción del reforzamiento de la conducta no deseada en la medida de lo posible.

Reforzamiento diferencial de conductas incompatibles y reforzamiento diferencial de conductas alternativas

2. El reforzamiento diferencial de una conducta incompatible o alternativa puede ser conceptualizado como un programa

de reforzamiento en el que dos operantes concurrentes (el problema de conducta que se desea reducir y la conducta apropiada seleccionada) reciben reforzamiento a diferentes tasas.

3. El RDI y el RDA tienen el doble efecto de debilitar el problema de conducta y al mismo tiempo fortalecer las conductas aceptables incompatibles o alternativas.

4. Con el RDI, el reforzador se presenta ante una conducta topográficamente incompatible con el problema de conducta objetivo y se interrumpe su presentación ante la ocurrencia de dicho problema de conducta.

5. Con el RDA, el reforzador se presenta ante una conducta que sirve como alternativa deseable al problema de conducta establecido como objetivo y se interrumpe ante la ocurrencia de dicho problema de conducta.

6. Cuando se utiliza el RDI/RDA, se debe hacer lo siguiente:
   - Seleccionar conductas incompatibles o alternativas que estén presentes en el repertorio de la persona, que requieran igual o menor esfuerzo que el problema de conducta, que se estén emitiendo antes de la intervención con suficiente frecuencia como para proporcionar oportunidades de reforzamiento, y que sea probable que produzcan reforzamiento cuando la intervención termine.
   - Seleccionar reforzadores potentes que se puedan presentar cuando ocurra la conducta alternativa/incompatible y se puedan interrumpir ante las ocurrencias de la conducta no deseada. La misma consecuencia que mantenía el problema de conducta antes de la intervención suele ser el reforzador más eficaz para el RDI/RDA.
   - Reforzar la conducta alternativa/incompatible en un programa de reforzamiento continuo primero, y luego aligerar el programa de reforzamiento gradualmente.
   - Maximizar la diferencia entre las tasas de reforzamiento de las conductas alternativas /incompatibles y las de los problemas de conducta. Esto, en efecto, pone los problemas de conducta en un programa de extinción.
   - Combinar el RDI/RDA con otros procedimientos reductivos para producir una intervención más potente.

Reforzamiento diferencial de otras conductas

7. Con el RDO, el reforzador depende de la ausencia del problema de conducta durante intervalos o en momentos específicos (es decir, RDO momentáneo).

8. En un programa de RDO de intervalo, el reforzador se presenta al final de intervalos específicos si no ocurre el problema de conducta durante el intervalo.

9. En un programa de RDO momentáneo, el reforzador se presenta en momentos específicos, si la conducta no deseada no está ocurriendo en ese preciso momento.

10. En los procedimientos de RDO de intervalo y momentáneos, el reforzador puede presentarse según programas de tiempo fijo o variable.

11. Cuando se utiliza el RDO, se debe hacer lo siguiente:
    - Establecer un intervalo de tiempo inicial de RDO que asegure que el nivel actual de la conducta produzca reforzamiento frecuente cuando se aplique la contingencia del RDO.
    - Tener cuidado de no reforzar inadvertidamente otras conductas inapropiadas.
    - Presentar el reforzador en los intervalos o momentos especificados por el programa de RDO, contingentemente a la ausencia de la conducta problema y de otras conductas inapropiadas significativas.
    - Aumentar gradualmente el intervalo del RDO basándose en la reducción del problema de conducta.
    - Extender el RDO a otros contextos y horas del día después de que la conducta inapropiada se reduzca sustancialmente en el contexto de tratamiento.
    - Combinar el RDO con otros procedimientos reductivos.

Reforzamiento diferencial de tasas bajas

12. Los programas de RDTB producen tasas de respuesta bajas y consistentes.

13. En un programa de RDTB de sesión completa, el reforzador se presenta cuando el nivel de respuesta durante el transcurso de una sesión de instrucción o tratamiento es igual o inferior a un criterio límite.

14. En un programa de RDTB de intervalos, la sesión total se divide en intervalos iguales y el reforzador se presenta al final de cada intervalo en el que el número de respuestas sea igual o inferior a un criterio límite.

15. En un programa de RDTB de respuestas espaciadas, el reforzador sigue cada ocurrencia de la conducta objetivo que esté separada de la respuesta anterior por un tiempo entre respuesta (TER) mínimo.

16. Al aplicar el RDTB, se debe hacer lo siguiente:
    - No usar el RDTB si el problema de conducta se tiene que reducir rápidamente.
    - No usar el RDTB con conductas autolesivas u otras conductas violentas.
    - Seleccionar el programa de RDTB más apropiado: el RDTB de sesión completa o de intervalo cuando es aceptable que la tasa de conducta inapropiada alcance el nivel cero o como paso inicial hacia la eliminación de la conducta; El RDTB de respuestas espaciadas para reducir la tasa de una conducta que debe mantenerse en el repertorio de la persona.
    - Utilice los datos de lineabase para determinar la selección de la respuesta inicial o de los límites del TER.

- Aligere el programa de RDTB gradualmente, para lograr la tasa de respuesta final deseada.
- Proporcione retroalimentación para ayudar a la persona a controlar la tasa de respuestas.

CAPITULO 23

Intervenciones sobre el antecedente

Términos Clave

Entrenamiento en comunicación funcional
Impulso conductual
Intervención sobre el antecedente
Programa de tiempo fijo
Programa de tiempo variable
Reforzamiento no contingente (RNC)
Secuencia de peticiones de alta probabilidad

Behavior Analyst Certification Board® BCBA®, BCBA-D®, BCaBA®, RBT® Lista de tareas para analistas de conducta (cuarta edición).

D.	**Habilidades analítico-conductuales básicas: elementos fundamentales del cambio de conducta**
D-20	Usar programas de reforzamiento independientes de la respuesta o de tiempo fijo (reforzamiento no contingente).
E	**Habilidades analítico-conductuales básicas: procedimientos específicos de cambio de conducta**
E-01	Usar intervenciones sobre antecedentes como variables motivacionales y estímulos discriminativos.
E-09	Establecer peticiones de alta y baja probabilidad para incrementar o reducir la conducta.
F	**Habilidades analítico-conductuales básicas: sistemas de cambio de conducta**
F-07	Usar procedimientos de entrenamiento en comunicación funcional.

Los analistas aplicados de la conducta tradicionalmente han estudiado con mayor hincapié la contingencia de tres términos: cómo las consecuencias afectan a la conducta, cómo las consecuencias diferenciales producen discriminación de estímulos (E^D) y cómo se produce el control de estímulo. Los analistas aplicados de la conducta rara vez estudiaban cómo un evento antecedente afectaba a la conducta por sí mismo; sin embargo, esta situación cambió tras la publicación de dos artículos de gran influencia: uno sobre las operaciones de establecimiento (Michael, 1982) y el otro sobre el análisis funcional (Iwata, Dorsey, Slifer, Bauman y Richman, 1982/1994). La convergencia de las operaciones motivadoras y de la evaluación funcional de la conducta permitió a los analistas aplicados de la conducta orientar conceptualmente la investigación aplicada sobre el efecto de otras condiciones distintas al control de estímulo (p.ej., E^D) para los principios básicos de la conducta. Esta convergencia nos hizo tener una comprensión más amplia de cómo afectan los antecedentes a la conducta, un área del análisis aplicado de la conducta a la que históricamente no se le ha prestado suficiente atención.

Los profesionales aplicados han utilizado durante mucho tiempo los antecedentes con eficacia para desarrollar conductas deseadas, para disminuir problemas de conducta, y para diseñar entornos que seleccionan conductas adaptativas en ambientes sociales, académicos, de ocio, y laborales. Se puede decir que los maestros utilizan intervenciones sobre el antecedente con más frecuencia que intervenciones sobre las consecuencias (p.ej., reforzamiento, castigo o extinción) para cambiar la conducta. La larga práctica establecida de disponer las condiciones antecedentes para cambiar la conducta apoya la cada vez más extendida base de datos experimental de resultados conductuales deseables funcionalmente relacionados con el cambio de las condiciones de antecedentes (p.ej., Wilder y Carr, 1998). La Tabla 23.1 muestra los problemas de conducta más comunes y las intervenciones sobre el antecedente que los profesionales han utilizado para hacerles frente.

Definición de las intervenciones sobre el antecedente

Comprensión conceptual de las intervenciones sobre el antecedente

Algunos libros de texto y artículos de revistas, clasifican todas las estrategias de cambio de conducta basadas en el

Tabla 23.1 Ejemplos de problemas de conducta e intervenciones sobre los antecedentes asociadas.

Problema de conducta	*Intervención sobre el antecedente*
Conductas disruptivas y desobedientes relativas a la realización de tareas del colegio y a darse un baño.	Ofrecer opciones: "¿Quieres hacer la tarea primero o tomar el baño primero?"
Habilidades de socialización y comunicación limitadas entre personas con trastornos del desarrollo mientras comen a una mesa organizada en plan bufet.	Comer sobre una mesa organizada de manera familiar, con todos sentados alrededor de la mesa.
Un alumno se comporta mal molestando a sus compañeros.	Desplazar el pupitre de ese alumno más cerca de la mesa del maestro y alejado de aquellos alumnos a los que molesta
Peligros a los que se enfrenta un bebé durante la época del gateo.	Instalar cancelas y puertas en escaleras, protectores en los enchufes, cerrar los cajones con llave, eliminar lámparas de mesa.
Un estudiante se comporta mal cuando se le pide que complete la hoja de 25 ejercicios de matemáticas.	Presentar cinco hojas con cinco ejercicios cada una.
Algunos estudiantes se comportan mal cuando entran en la ludoteca. Los periodos prolongados de transición están correlacionados con problemas de conducta.	El maestro cuelga una tarjeta de cada estudiante en el corcho de la clase. Cada tarjeta tiene una pregunta personalizada. Cuando se entra en la ludoteca, el alumno debe tomar su tarjeta del corcho, ir a su pupitre y escribir la respuesta a la pregunta de la tarjeta.

antecedente bajo un mismo término como *procedimientos sobre el antecedente, control sobre el antecedente, manipulaciones del antecedente*, o *intervenciones sobre el antecedente.* Aunque resulte económico utilizar el mismo término para identificar las intervenciones basadas en el control de estímulos y las intervenciones que incluyen las operaciones motivadoras, esto puede dar lugar a confusión o falta de reconocimiento de las diferentes funciones de estos eventos antecedentes. Los estímulos discriminativos evocan la conducta porque se han correlacionado con una mayor disponibilidad del reforzamiento. La función evocadora de las operaciones motivadoras, sin embargo, es independiente de la disponibilidad diferencial de reforzamiento. Las operaciones motivadoras (por ejemplo, una operación de establecimiento) aumentan la frecuencia actual de ciertos tipos de conductas, incluso cuando el reforzamiento efectivo no está disponible. Los analistas aplicados de la conducta deben tener en cuenta los diferentes factores subyacentes a las funciones evocadoras de los estímulos discriminativos y las operaciones motivacionales.

Además de mejorar la claridad y la coherencia conceptual, la comprensión de las razones que subyacen a las diferentes funciones evocadoras de los estímulos discriminativos y las operaciones motivadoras tiene importantes implicaciones aplicadas. Los tratamientos antecedentes relacionados con el control de estímulos deben incluir la manipulación de los eventos consecuentes, cambiando la disponibilidad diferencial de reforzamiento en presencia y ausencia del estímulo discriminativo. Las estrategias de cambio de conducta basadas en operaciones motivadoras deben cambiar los eventos antecedentes. La comprensión de estas diferencias podría mejorar el desarrollo de intervenciones sobre el cambio de conducta más eficaces y eficientes que incluyan eventos antecedentes.

Clasificación de las funciones de los estímulos antecedentes

Dependiente de las contingencias

Un evento antecedentes *dependiente de las contingencias* depende de las consecuencias de la conducta para el desarrollo de efectos evocadores y reductores. Todas las funciones de control de estímulos son dependientes de las contingencias. Por ejemplo, en presencia de "2 + 2 =?", un estudiante responde "4", no por el estímulo "2 + 2 =?", sino debido a una historia pasada de reforzamiento por decir "4", incluyendo quizás una historia sin reforzamiento por dar cualquier otra respuesta que no fuese "4". En este capítulo se utiliza el término *control por el antecedente* para identificar eventos antecedentes dependientes de las contingencias.

Tabla 23.2 Ejemplos de intervenciones sobre el antecedente que hacen uso de operaciones de abolición.

Operación de abolición	*Ejemplo*
Aportar ayudas correctivas como intervención sobre el antecedente	Las ayudas académicas correctivas antecedentes redujeron la conducta destructiva a cero (Ebanks y Fisher, 2003).
Exponer previamente al estudiante a los estímulos que funcionan como reforzadores antes de la sesión	El tiempo de juego de un padre y su hijo previo a las sesiones de cumplimiento mejoró el seguimiento que el hijo hacía de las instrucciones del padre (Ducharme y Rushford, 2001).
Ofrecer acceso libre a actividades lúdicas.	La manipulación de objetos lúdicos compitió eficazmente con la conducta autolesiva mantenida mediante reforzamiento automático (Lindberg, et al., 2003).
Reducir los niveles de ruido.	La reducción de los niveles de ruido redujo la conducta estereotípica consistente en taparse los oídos con las manos (Tang et al., 2002).
Cambiar los niveles de proximidad social.	Bajos niveles de proximidad redujeron la conducta agresiva (Oliver et al., 2001).
Ofrecer alternativas.	Los problemas de conducta mantenidos mediante escape se redujeron al darle a los estudiantes la oportunidad de elegir entre varias tareas (Romaninuk et al., 2002).
Incrementar el esfuerzo de respuesta	Incrementar el esfuerzo de respuesta de la pica produjo reducciones en pica (Piazza et al., 2002).

Independiente de las contingencias

Un evento antecedente *independiente de las contingencias* no depende de las consecuencias de la conducta para el desarrollo de efectos evocadores y reductores. El evento antecedente por sí mismo afecta a las relaciones entre la conducta y la consecuencia. Los efectos de las operaciones motivadoras son independientes de las contingencias. Por ejemplo, la privación de sueño puede influir en la ocurrencia de problemas de conducta sin una historia de emparejamiento entre la privación de sueño y el reforzamiento o castigo de esas conductas. En este capítulo se utiliza el término **intervención sobre el antecedente** para identificar las estrategias de cambio de conducta basadas en eventos antecedentes independientes de las contingencias.[1]

Intervenciones sobre el antecedente

Operaciones de abolición

Los analistas aplicados de la conducta han utilizado varias intervenciones antecedentes, individualmente o en paquetes de tratamiento, para disminuir la eficacia de los reforzadores que mantienen los problemas de conducta (es decir, operaciones de abolición). En la tabla 23.2 se dan ejemplos de intervenciones sobre el antecedente que utilizaron operaciones de abolición para disminuir la eficacia de los reforzadores que mantienen los problemas de conducta con la correspondiente reducción de estos últimos.

Efectos temporales

Smith e Iwata (1997) nos recuerdan que los efectos de las operaciones motivadoras son temporales. Las intervenciones sobre el antecedente por sí solas no producen mejoras permanentes en la conducta. Sin embargo, durante el uso de una intervención sobre el antecedente para disminuir un problema de conducta, un maestro o terapeuta puede aplicar de forma simultánea procedimientos tales como la extinción para reducir el problema de conducta y el reforzamiento diferencial de conductas alternativas para competir con el problema de conducta. Debido a los efectos temporales de las operaciones motivadoras, las intervenciones sobre el antecedente suelen servir como componentes de un paquete de tratamiento (p.ej., la combinación de una intervención sobre antecedente con extinción, reforzamiento diferencial de conductas alternativas, u otros procedimientos). Estos tipos de tratamientos pueden producir efectos de mantenimiento.

Las tres principales intervenciones sobre el antecedente, con resultados experimentales estables son: el reforzamiento no contingente, la secuencia de alta probabilidad, y entrenamiento en comunicación funcional. En la parte restante de este capítulo se expondrán con más detalle estas tres intervenciones sobre el antecedente, con sus correspondientes definiciones y las directrices para su uso correcto.

Reforzamiento no contingente

El **reforzamiento no contingente (RNC)** es una intervención sobre el antecedente en la que se presentan estímulos con propiedades reforzantes conocidas en un programa de tiempo fijo (TF) o de tiempo variable (TV) independientemente de la conducta (Vollmer, Iwata, Zarcone, Smith y Mazaleski, 1993).[2] El RNC puede disminuir eficazmente los problemas de conducta debido a que los reforzadores que los mantienen están disponibles libremente y con frecuencia. Este ambiente enriquecido con estímulos positivos puede funcionar como operación de abolición (OA), reduciendo la motivación para emitir dichos problemas de conducta.

El reforzamiento no contingente utiliza tres procedimientos distintos para identificar y presentar estímulos con propiedades reforzantes conocidas: (a) reforzamiento positivo (es decir, con mediación social), (b) reforzamiento negativo (es decir, escape), y (c) reforzamiento automático (es decir, sin mediación social). El reforzamiento no contingente supone una

---

[1]Debido a que el Capítulo 17 se centró en los eventos antecedentes dependientes de las contingencias (es decir, control de estímulos), este capítulo se centra en los eventos antecedentes independientes de las contingencias (es decir, operaciones motivadoras).

[2]En este capítulo se utiliza la expresión *presentación de estímulos con propiedades reforzantes conocidas*, para describir la entrega de reforzadores no contingentes. Interpretar el procedimiento de reforzamiento no contingente como la presentación de un reforzador, o la presentación de un reforzador no contingente, en un programa de tiempo fijo o variable es técnicamente incompatible con la definición funcional de reforzamiento (Poling y Normand, 1999). El reforzamiento requiere de una relación entre la respuesta y el reforzador. Usamos el término *RNC* en este capítulo para describir los procedimientos basados en el tiempo para reducir los problemas de conducta, porque desde el análisis aplicado de la conducta se ha seguido usando, y porque es un término con utilidad descriptiva.

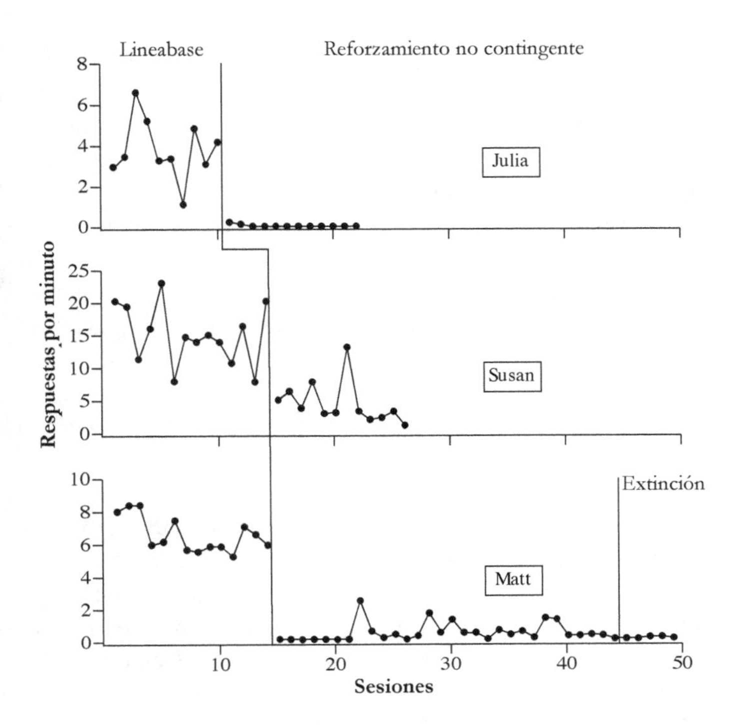

Figura 23.1 Número de respuestas agresivas y autolesivas por minuto durante la lineabase y el reforzamiento no contingente (RNC) de tres adultos con retraso del desarrollo.

Tomado de "A Comparison of Procedures for Programming Noncontingent Reinforcement Schedules" S.W. Kahng, B.A. Iwata, I.G. DeLeon, y M.D.Wallace 2000, *Journal of Applied Behavior Analysis, 33*, pág. 426. © Copyright 2000 Society for the Experimental Analysis of Behavior, Inc. Reimpreso con permiso.

intervención importante y eficaz para los problemas de conducta y es un tratamiento utilizado habitualmente con las personas con discapacidades del desarrollo.

Reforzamiento no contingente con reforzamiento positivo

Kahng, Iwata, Thompson y Hanley (2000) aportaron un excelente ejemplo de la aplicación del reforzamiento no contingente con reforzamiento positivo. Dichos autores realizaron un análisis funcional donde mostraban que el reforzamiento social positivo mantenía la conducta autolesiva o agresiva de tres participantes adultos con discapacidades del desarrollo. Durante la lineabase se observó que en dos de los tres casos, tras cada aparición de la conducta autolesiva o agresiva se producía atención y en el tercer caso tras la conducta problema se presentaba algo de comida. Durante las sesiones iniciales de RNC los participantes recibieron atención o pequeños trozos de comida en un programa de tiempo fijo inicial (TF) (p.ej., 5 segundos). Más tarde, el programa se aligeró hasta un criterio final de 300 segundos. En la figura 23.1 se pueden observar los datos de ejecución durante la lineabase y el RNC para los tres adultos, en los que se muestra que el procedimiento de RNC disminuyó eficazmente la ocurrencia de las conductas autolesivas y agresivas.

Reforzamiento no contingente con reforzamiento negativo

Kodak, Miltenberger y Romaniuk (2003) analizaron los efectos del RNC de escape sobre el cumplimiento de instrucciones para hacer tareas y sobre los problemas de conducta de Andy y John, niños de 4 años con autismo. La tarea de Andy era señalar tarjetas que contenían imágenes, palabras o letras especificadas por el maestro. John tenía que trazar con un rotulador cada letra de unas palabras escritas. Los problemas de conducta incluían la resistencia a las ayudas, lanzar materiales y golpear. Durante la lineabase, el terapeuta daba una instrucción para la realización de una tarea, y contingentemente a los problemas de conducta que seguían a la instrucción, retiraba los materiales de trabajo y se alejaba del niño durante 10 segundos. Durante la condición de RNC con escape, el terapeuta utilizaba un programa de TF inicial de 10 segundos para el escape, lo que significa que el alumno tenía un descanso de las instrucciones cada 10 segundos de sesión. El programa inicial de TF de 10 segundos se aligeraba cada vez que el niño alcanzaba el criterio durante dos sesiones consecutivas: de 10 a 20 segundos, a 30 segundos, 1 minuto, a 1,5 minutos y finalmente hasta un criterio de 2 minutos. El procedimiento de RNC con escape aumentó el cumplimiento de las tareas y disminuyó los problemas de conducta.

Reforzamiento no contingente con reforzamiento automático

Lindberg, Iwata, Roscoe, Worsdell y Hanley (2003) utilizaron el RNC como tratamiento para disminuir la conducta autolesiva de dos mujeres con discapacidad intelectual profunda. El análisis funcional realizado mostró que la conducta autolesiva se mantenía mediante reforzamiento automático. El procedimiento de RNC les proporcionaba a Julie y Laura acceso libre acceso en el hogar a toda una serie artículos de entretenimiento altamente preferidos (p.ej., cuentas o cuerdas) de los que podían hacer uso a lo largo del día. La figura 23.2 muestra que la utilización de objetos preferidos en un programa de RNC reducía las conductas autolesivas, manteniendo los efectos hasta un año después. Este experimento es importante porque demostró que la manipulación de objetos siguiendo un programa de RNC, podía competir con el reforzamiento automático a la hora de reducir la ocurrencia de conductas autolesivas.

Uso eficaz del reforzamiento no contingente

Mejora de la eficacia

Las siguientes recomendaciones procedimentales identifican los tres elementos clave para mejorar la eficacia en el uso del RNC. (a) La cantidad y la calidad de los estímulos con propiedades reforzantes conocidas influyen en la eficacia del RNC. (b) La mayoría de los tratamientos incluyen extinción con intervenciones de RNC. (c) La preferencia de reforzadores puede cambiar durante la intervención, es decir, los estímulos del RNC pueden dejar de competir con los reforzadores que mantienen los problemas de conducta. DeLeon, Anders, Rodríguez-Catter y Neider (2000) recomendaron usar periódicamente variedad de estímulos disponibles en la intervención con RNC para reducir los problemas de cambio de preferencias.

Evaluación funcional de la conducta

La eficacia del uso del RNC depende de la correcta identificación de los reforzadores positivos, negativos o automáticos que mantienen los problemas de conducta. Los avances en las evaluaciones funcionales de la conducta han mejorado en gran medida la eficacia del reforzamiento no contingente, al facilitar la identificación de las contingencias que mantienen el reforzamiento (Iwata et al., 1982/1994). [3]

Énfasis del reforzamiento no contingente

Los analistas aplicados de la conducta pueden aumentar la eficacia de una intervención de RNC presentando una mayor cantidad de estímulos con propiedades reforzantes conocidas que la que se presenta en otras condiciones. Por ejemplo, Ringdahl, Vollmer, Borrero y Connell (2001) encontraron que el RNC fue ineficaz cuando presentaba una cantidad de reforzadores similar a la condición de lineabase. El programa de RNC fue eficaz, sin embargo, cuando era más denso (es decir, reforzamiento continuo) que el programa de lineabase. Los analistas aplicados de la conducta pueden estudiar las tasas de reforzamiento durante la lineabase para establecer un programa inicial de RNC que asegure una discrepancia entre la lineabase y las condiciones de RNC.

Ringdahl y colaboradores (2001) sugirieron tres procedimientos para acentuar el reforzamiento durante la intervención de RNC: (a) aumentar la presentación de estímulos con propiedades reforzantes conocidas, (b) utilizar un programa de reforzamiento claramente diferente al inicio del tratamiento (p.ej., reforzamiento continuo) y (c) combinar el reforzamiento diferencial de otras conductas (RDO) con el RNC dentro del mismo paquete de intervención. El RDO disminuirá el reforzamiento accidental de los problemas de conducta que se pueda dar mediante el programa de RNC basado en el tiempo.

Programas de reforzamiento no contingente basados en el tiempo

La mayoría de las aplicaciones de RNC utilizan un **programa de tiempo fijo (TF)** para la presentación de estímulos con propiedades reforzantes conocidas. El intervalo de tiempo para la presentación de estos estímulos es el mismo de presentación a presentación. A la programación del intervalo de tiempo en una intervención con RNC para que varíe entre presentaciones se le llama **programa de tiempo variable (TV).** Por ejemplo, un programa de RNC de tiempo variable de 10 segundos significa que, como media, los estímulos con propiedades reforzantes conocidas se presentan cada 10 segundos, pudiendo utilizar intervalos de tiempo tales como 5, 7, 10, 12 y 15 segundos, dispuestos en secuencia aleatoria. A pesar de que en la mayoría de las aplicaciones del RNC se han utilizado programas de tiempo fijo, los de tiempo variable también pueden ser eficaces (Carr, Kellum y Chong, 2001).

La configuración inicial del programa temporal es un aspecto importante del procedimiento de RNC en sí mismo. El programa inicial tiene un gran impacto en la eficacia de la intervención (Kahng, Iwata, DeLeon y Wallace, 2000). Los analistas aplicados de la conducta suelen recomendar un programa de tiempo fijo o variable denso al principio de la intervención (p.ej., Van Camp, Lerman, Kelley, Contrucci y Vorndran, 2000). El terapeuta puede establecer un valor temporal denso (p.ej., 4 segundos) de manera arbitraria, pero suele ser más eficaz establecer el valor temporal inicial a partir del número de ocurrencias del problema de conducta, lo que garantizará un contacto frecuente con los estímulos del RNC.

El siguiente procedimiento se puede utilizar para determinar un programa inicial de RNC: dividir la duración total de todas las sesiones de lineabase entre el número total de ocurrencias de la conducta problema registrado durante la lineabase, y establecer el intervalo inicial en (o ligeramente por debajo de) el cociente. Por ejemplo, si el participante emite 300 actos agresivos durante 5 días de lineabase, y cada sesión de lineabase

[3]El capítulo 24 ofrece una descripción detallada de la evaluación de la conducta funcional.

duraba 10 minutos, entonces dividimos 3.000 segundos entre 300 respuestas y obtenemos un cociente de 10 segundos. Por tanto, estos datos de referencia sugieren un intervalo inicial de tiempo fijo de entre 7 y 10 segundos.

Aligeramiento de los programas basados en el tiempo

Los analistas aplicados de la conducta utilizan programas densos de tiempo fijo o variable para iniciar el procedimiento de RNC. Posteriormente, aligeran los programas mediante la adición de pequeños incrementos de tiempo al intervalo del RNC. Sin embargo, es mejor aligerar el programa después de que el intervalo inicial de RNC haya producido una reducción de los problemas de conducta.

Los analistas aplicados de la conducta han utilizado tres procedimientos para aligerar los programas de RNC: (a) incremento constante de tiempo, (b) incremento proporcional de tiempo y (c) aumento o reducción del tiempo entre sesión y sesión (Hanley, Iwata y Thompson, 2001; Van Camp et al., 2000).

Incremento constante del tiempo. Un terapeuta puede aumentar los intervalos de los programas de TF y TV con una duración constante de tiempo, y reducir el tiempo de acceso a los estímulos de RNC en una cantidad constante. Por ejemplo, un terapeuta puede aumentar el intervalo del programa en 7 segundos por cada oportunidad, y disminuir el acceso a los estímulos en 3 segundos por cada ocasión.

Incremento proporcional del tiempo. Un terapeuta puede aumentar los intervalos de los programas de TF y TV de manera proporcional, lo que significa que el intervalo del programa aumenta en la misma proporción cada vez. Por ejemplo, cada intervalo de tiempo se incrementa en un 50% (p.ej., 60 segundos = programa inicial de tiempo fijo; primer programa de incremento = 90 segundos [50% de los 60= 30]; segundo aumento = 135 segundos [50% de 90 = 45]).

Aumento o disminución del tiempo entre sesión y sesión. Un terapeuta puede utilizar la ejecución de la persona atendida para cambiar el intervalo del programa de sesión a sesión. Por ejemplo, al final de una sesión, el terapeuta establece un nuevo intervalo de tiempo de RNC para la próxima sesión, dividiendo el número de problemas de conducta que se produjeron en esa sesión entre la duración de la sesión. Este cociente se usaría como intervalo de TF para la próxima sesión.

El terapeuta reducirá el intervalo si la conducta problemática comienza a empeorar durante el aligeramiento del programa. La duración del intervalo de RNC se puede aumentar de nuevo después de que el control de la conducta problema se haya restablecido, pero en incrementos más graduales.

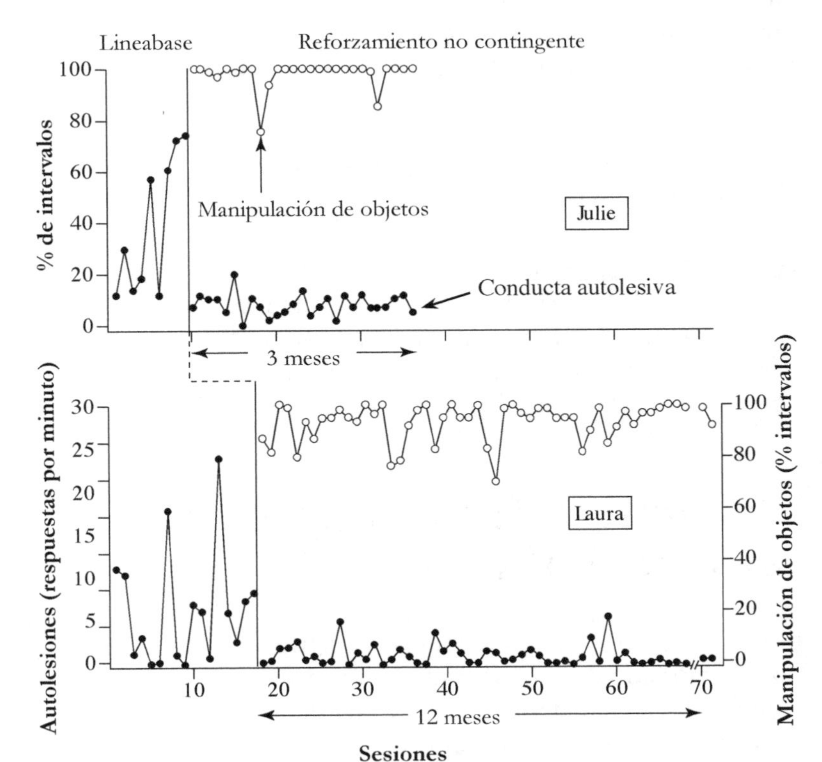

Figura 23.2 Niveles de autolesiones y manipulación de objetos presentados por Julie y Laura durante las observaciones en la casa mientras se implementaba el reforzamiento no contingente diariamente.

Tomado de "Treatment Efficacy of Noncontingent Noncontingent Reinforcement during Brief and Extended Application" J.S. Lindberg, B.A. Iwata, E.M. Roscoe, A.S. Worsdell, y G.P. Hanley, 2003, *Journal of Applied Behavior Analysis, 36*, pág. 14. © Copyright 2003 Society for Experimental Analysis of Behavior, Inc. Reimpreso con permiso.

Tabla 23.3 Posibles ventajas y desventajas del reforzamiento no contingente (RNC).

Ventajas
El RNC es más fácil de aplicar que otras técnicas para la reducción de conductas, que pueden requerir una supervisión de la conducta del estudiante más detenida para presentar el reforzador de forma contingente (Kahng, Iwata, DeLeon, y Wallace, 2000).
El RNC ayuda a crear un ambiente de aprendizaje positivo, lo cual es siempre deseable durante la intervención.
Un paquete de tratamiento que incluya reforzamiento no contingente junto con extinción puede reducir el incremento de respuesta asociado a la extinción (Van Camp et al., 2000).
La asociación por azar de la conducta apropiada con la presentación no contingente de estímulos con propiedades reforzantes puede fortalecer y mantener la conducta deseada (Roscoe, Iwata, y Goh., 1998).
Desventajas
El acceso libre al RNC puede reducir la motivación para realizar la conducta adaptativa.
La asociación por azar del problema de conducta con la presentación no contingente de estímulos con propiedades reforzantes puede fortalecer y mantener la conducta problema (Van Camp et al., 2000).
El RNC de escape (es decir, reforzamiento negativo) puede interrumpir el proceso de enseñanza.

Establecimiento de los criterios de finalización

Los analistas aplicados de la conducta suelen seleccionar un criterio arbitrario para la finalización del aligeramiento del programa en las intervenciones con RNC. Kahng y colaboradores (2000) informaron de que el criterio de finalización de un programa de 5 minutos de tiempo fijo se ha utilizado comúnmente en la investigación aplicada, y parece ser un criterio práctico y eficaz. Aunque también añadieron que la investigación no ha establecido las ventajas de este criterio de finalización de 5 minutos sobre programas más densos (p.ej., 3 minutos) o más ligeros (p.ej., 10 minutos).

Aspectos a tener en cuenta para usar el reforzamiento no contingente

Con el RNC se puede realizar una intervención eficaz. Este tipo de intervención presenta algunas ventajas además de la eficacia, aunque también algunas desventajas. En la tabla 23.3 se mencionan las ventajas e inconvenientes del uso de intervenciones con RNC.

Secuencia de peticiones de alta probabilidad

Cuando se utiliza una **secuencia de peticiones de alta probabilidad (alta-p),** se presentan una serie peticiones fáciles de seguir, de las cuales el participante tiene un historial de cumplimiento (es decir, peticiones de alta-*p*); cuando el participante cumple con varias de estas peticiones de alta probabilidad en secuencia, el se le hace inmediatamente la petición objetivo (es decir, de baja-*p*). Los efectos en la conducta de la secuencia de peticiones de alta probabilidad sugieren los efectos reductores de una operación de abolición por (a) reducir el valor de reforzamiento del incumplimiento de las peticiones de baja probabilidad (es decir, reduciendo el valor del escape de solicitudes), y (b) reducir las agresiones y la autolesiones que suelen asociarse con las peticiones de baja probabilidad.

Para aplicar la secuencia de peticiones de alta probabilidad, el maestro o terapeuta selecciona de dos a cinco tareas cortas con las que el participante tiene historial de cumplimiento. Estas tareas cortas proporcionan las respuestas a las peticiones de alta probabilidad. El maestro o terapeuta presenta la secuencia de peticiones de alta probabilidad inmediatamente antes de solicitar la tarea objetivo, o petición de baja probabilidad. Sprague y Horner (1990) utilizaron la siguiente anécdota para explicar el procedimiento:

Instrucción típica

Maestro: "Ponte la camisa" (petición de baja probabilidad)

Alumno: Evita la tarea difícil con un berrinche

Instrucción típica con secuencia de peticiones de alta probabilidad

Maestro: "Choca esos cinco." (Petición de alta probabilidad)

Alumno: Choca la mano extendida del maestro

Maestro: "Excelente ¡buen trabajo! Ahora, toma esta bola y métetela en el bolsillo." (Petición de alta probabilidad)

Alumno: Se mete la bola en el bolsillo

Maestro: "¡Genial! ¡Eso es correcto! Ahora, ponte la camiseta." (Petición de baja probabilidad)

Alumno: Se pone la camisa con asistencia

El hecho de que el alumno haga caso a ciertas instrucciones, ofrece grandes oportunidades para el desarrollo de muchas conductas importantes. El no hacer caso, sin embargo, es un problema frecuente en personas con discapacidades del desarrollo y trastornos de conducta. La secuencia de peticiones de alta probabilidad ofrece una alternativa de tratamiento no aversivo para incrementar la obediencia mediante la reducción de los problemas de conducta mantenidos por escape. La secuencia de peticiones de alta probabilidad puede disminuir la excesiva lentitud de las respuestas a las solicitudes y el tiempo utilizado para la realización de tareas (Mace et al., 1988).

Engelmann y Colvin (1983) ofrecieron una de las primeras descripciones formales de la secuencia de peticiones de alta probabilidad en su procedimiento de entrenamiento en seguimiento (o cumplimiento) para el manejo de graves problemas de conducta. Dichos autores utilizaron el término *tarea difícil* para identificar el procedimiento de hacer de tres a cinco peticiones fáciles inmediatamente antes de solicitar el seguimiento de una tarea difícil. Los analistas aplicados de la conducta han nombrado a esta intervención de varias formas distintas, incluyendo, *peticiones intercaladas* (Horner, Día, Sprague, O'Brien y Heathfield, 1991), *peticiones previas a la tarea* (Singer, Singer y Horner, 1987) e **impulso conductual** (Mace y Belfiore, 1990). Actualmente, la mayoría de los analistas aplicados de la conducta identifican esta intervención sobre el antecedente con el nombre de *secuencia de peticiones de alta probabilidad.*

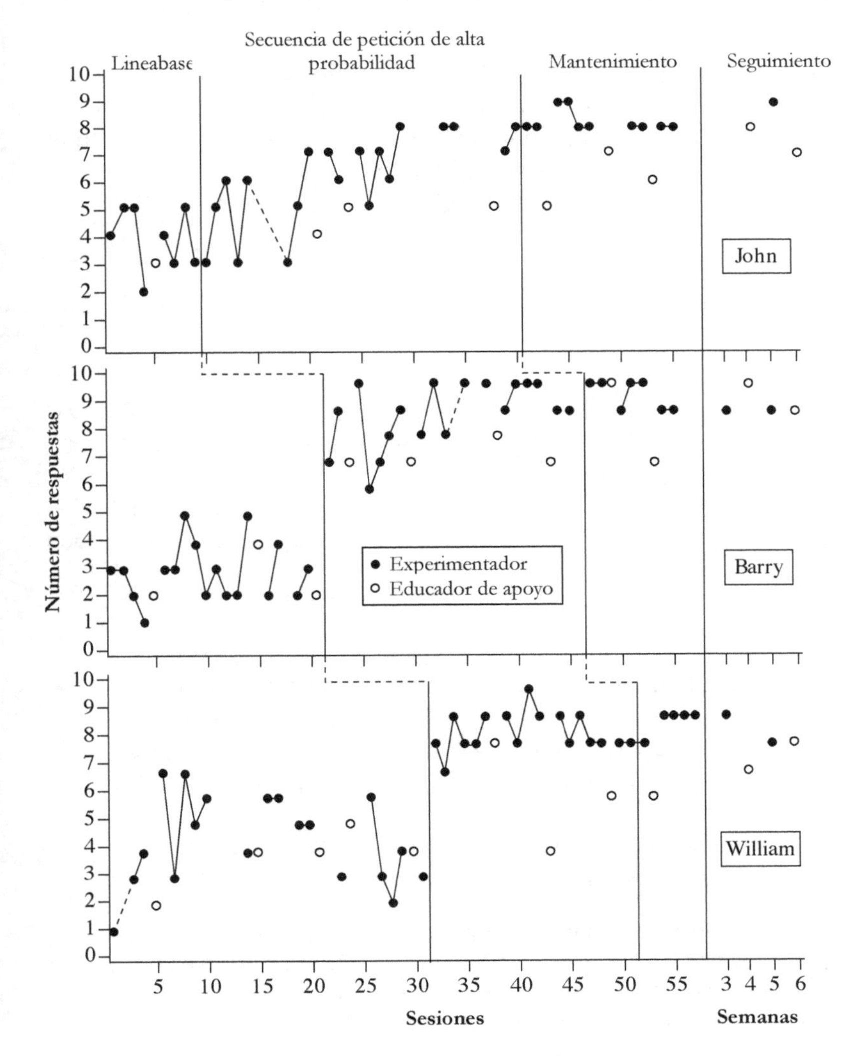

Figura 23.3 Número de respuestas de cumplimiento a las peticiones de baja probabilidad dadas por el investigador y el educador de apoyo a través de distintas sesiones y condiciones. A los participantes se les hacían 10 peticiones de baja probabilidad por cada sesión. Las líneas discontinuas indican las ausencias del estudiante.

Tomado de "Effects of High- Probability Request Sequences on Preeschoolers´ Compliance and Disruptive Behavior" K. Killu, D.M. Saimato, C.A. Davis, H. Ospelt, y J.N. Paul, 1998, *Journal of Behavioral Education, 8*, pág. 358. Reimpreso con permiso.

Killu, Sainato, Davis, Ospelt y Paul (1998) evaluaron los efectos de la secuencia de peticiones de alta probabilidad sobre las respuestas de seguimiento ante las peticiones (o instrucciones) de baja probabilidad y la ocurrencia de problemas de conducta de tres niños preescolares con retraso del desarrollo. Los autores utilizaron un criterio de seguimiento del 80% o superior para la selección de las peticiones de alta probabilidad para dos niños, y un criterio del 60% para el tercer niño. Un seguimiento de las indicaciones (o peticiones) de menos del 40% se utilizó para seleccionar las peticiones de baja probabilidad.

La secuencia de peticiones comenzó cuando el experimentador o un educador presentaban de tres a cinco peticiones (o indicaciones) de alta probabilidad. Cuando un niño cumplía con al menos tres peticiones de alta probabilidad consecutivas, se presentaba de inmediato una petición de baja probabilidad. Tras cada respuesta cumplida se felicitaba al niño. La figura 23.3 muestra como los niños realizaron dichas peticiones, antes, durante y después de la secuencia de alta probabilidad. La secuencia presentada por dos educadores diferentes incrementó las respuestas de cumplimiento de las peticiones de baja probabilidad de los tres niños. La respuesta de cumplimiento (o seguimiento) se mantuvo a través del tiempo y los contextos.

Uso eficaz de la secuencia de peticiones de alta probabilidad

Selección entre el repertorio actual

Las tareas seleccionadas para la secuencia de peticiones de alta probabilidad deben estar en el repertorio actual de la persona, han de cumplirse con regularidad y deben durar poco. Ardoin, Martens, y Wolfe (1999) seleccionaron las peticiones de alta probabilidad siguiendo (a) la creación de una lista de peticiones que se correspondían con las que obedecían los estudiantes, (b) la presentación de cada petición de la lista durante cinco sesiones separadas y (c) la selección como peticiones de alta probabilidad de las tareas que la persona cumplía el 100% de las veces.

Mace (1996) informó de que la eficacia de la secuencia de alta probabilidad aumenta, al parecer, cuando el número de peticiones de alta probabilidad aumenta. Una secuencia de peticiones de alta probabilidad con cinco componentes puede ser más eficaz que otra con dos; pero el aumento de la eficacia puede llevar a una renuncia de la eficiencia. Por ejemplo, si la misma o casi la misma eficacia se puede obtener con dos o tres peticiones de alta probabilidad que con cinco o seis, un profesor podría seleccionar la secuencia más corta por ser más eficiente. Cuando los participantes cumplen consistentemente con las peticiones de baja probabilidad, el educador debe reducir gradualmente el número de peticiones de alta probabilidad.

Presentación rápida de peticiones

Las peticiones de alta probabilidad deben presentarse en una sucesión rápida, con intervalos cortos entre sí. La primera petición de baja probabilidad debe seguir inmediatamente al reforzador por el cumplimiento de la petición de alta probabilidad (Davis y Reichle, 1996).

Reforzamiento social del cumplimiento de peticiones

El cumplimiento de una petición por parte de la persona se debe reconocer inmediatamente. Obsérvese cómo en el ejemplo anterior de ponerse la ropa, el maestro reconoció y alabó el cumplimiento del alumno antes de presentar la siguiente petición ("Excelente ¡buen trabajo!")

Figura 3.4 Aspectos a tener en cuenta para usar la secuencia de peticiones de alta probabilidad.

1. No debemos usar secuencias de alta probabilidad justo después de la ocurrencia de un problema de conducta. El estudiante podría aprender que responder a la petición de baja probabilidad con problemas de conducta produce peticiones más fáciles.
2. Se debe presentar la secuencia de alta probabilidad al comienzo y durante el periodo de enseñanza para reducir la posibilidad de que los problemas de conducta puedan producir reforzamiento (Horner et al., 1991).
3. Los maestros pueden, consciente o inconscientemente, permitir que la instrucción derive de peticiones de baja probabilidad a solo peticiones de alta probabilidad, seleccionando tareas fáciles para evitar problemas de conducta mantenidos por escape como posible resultado de las agresiones y autolesiones mantenidas por escape asociadas a peticiones de baja probabilidad (Horner et al., 1991).

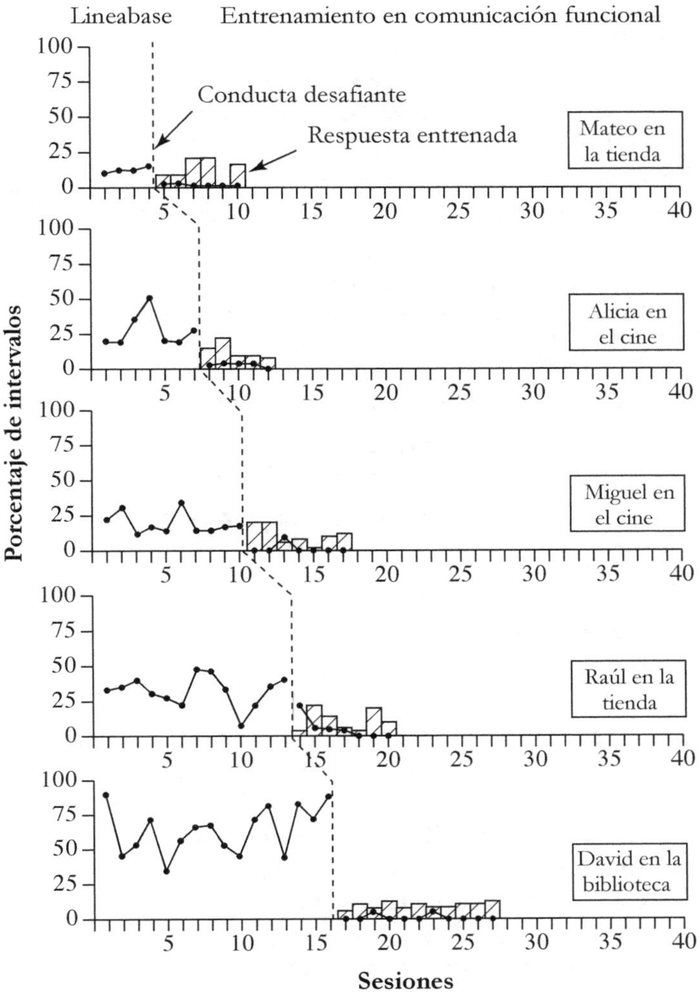

Figura 23.5 Porcentaje de intervalos de conductas difíciles en cada uno de los cinco participantes durante la líneabase y el entrenamiento en comunicación funcional en la comunidad. Las barras sombreadas muestran el porcentaje de intervalos de respuestas de comunicación sin ayuda de cada estudiante.

Tomado de "Functional Communication Training Using Assistive Devices: Recruiting Natural Communities of Reinforcement" V.M.Duran, 1999, *Journal of Applied Behavior Analysis, 32*, pág. 260. © Copyright 1999 Society for Experimental Analysis of Behavior, Inc. Reimpreso con permiso.

Uso de reforzadores potentes

Hay individuos que pueden emitir conductas de agresión y autolesión para escapar de las peticiones de baja probabilidad. Mace y Belfiore (1990) advirtieron de que el elogio social puede no incrementar el seguimiento de una instrucción si la motivación para la conducta de escape es alta. Por lo tanto, la presentación de estímulos positivos de alta calidad inmediatamente después del seguimiento de la instrucción, aumentará la eficacia de la intervención de alta probabilidad (Mace, 1996). En la figura 23.4 se enumeran los aspectos a tener en cuenta a la hora de aplicar la secuencia de petición de alta probabilidad.

Entrenamiento en comunicación funcional

El **entrenamiento en comunicación funcional** establece una forma de comunicación adecuada para competir con los problemas de conducta provocados por una operación de establecimiento. En lugar de cambiar las operaciones de establecimiento, el entrenamiento en comunicación funcional desarrolla conductas alternativas que son sensibles a dichas operaciones de establecimiento. Esta estrategia presenta un contraste con las intervenciones de RNC y la secuencia de peticiones de alta probabilidad, las cuales alteran los efectos de las operaciones de establecimiento.

El entrenamiento en comunicación funcional es una forma de aplicar el reforzamiento diferencial de conductas alternativas (RDA), ya que la intervención desarrolla una respuesta alternativa de comunicación como antecedente, para disminuir el problema de conducta (Fisher, Kuhn y Thompson, 1998). La respuesta alternativa de comunicación produce el reforzamiento que ha mantenido el problema de conducta, por lo que la respuesta comunicativa es funcionalmente equivalente al problema de conducta (Durand y Carr, 1992). Las respuestas comunicativas alternativas pueden tomar muchas formas, tales como vocalizaciones, signos manuales, tableros de

Tabla 23.4 Posibles ventajas y desventajas del entrenamiento en comunicación funcional (ECF).

Ventajas
Excelente posibilidad de generalización y mantenimiento de las respuestas de comunicación alternativas debido a que dichas respuestas suelen servir para obtener reforzamiento por parte de personas del entorno (Fisher et al., 1998).
Puede tener una alta validez social. Los participantes refieren tener preferencia por ECF frente a otros procedimientos de reducción de la conducta (Hanley, Piazza, Fisher, Contrucci, y Maglieri, 1997).
Cuando la conducta comunicativa alternativa y el problema de conducta tienen el mismo programa de reforzamiento (p.ej., RF1), una intervención basada en el ECF puede ser efectiva sin el uso de extinción (Worsdell, Iwata, Hanley, Thompson, y Kahng, 2000).
Desventajas
El ECF con frecuencia incluye extinción, la que puede producir efectos no deseables (ver cap. 19).
El procedimiento de extinción es muy difícil de usar de forma consistente, permitiendo eventos de reforzamiento intermitente de problemas de conducta.
Los participante pueden emitir una alta tasa de conducta alternativa comunicativa a fin de obtener el reforzador (Fisher et al., 1998).
La obtención de reforzamiento puede ocurrir en momentos inadecuados para el cuidador (Fisher et al., 1998).
El hecho de que el ECF deje intacto el ambiente que evoca el problema de conducta puede limitar su efectividad global.

comunicación, palabras, tarjetas de imágenes, sistemas de salida de voz o gestos (Brown et al., 2000; Shirley, Iwata, Kahng, Mazaleski y Lerman, 1997).

Carr y Durand (1985) definieron el entrenamiento en comunicación funcional como un proceso de dos pasos: (a) completar una evaluación funcional de la conducta para identificar los estímulos con propiedades reforzantes conocidas que mantienen el problema de conducta y (b) usar esos estímulos como reforzadores para desarrollar una conducta alternativa que reemplace al problema de conducta. El entrenamiento en comunicación funcional proporciona un tratamiento eficaz para muchos problemas de conducta mantenidos por atención social.

Las intervenciones basadas en el entrenamiento en comunicación funcional implican típicamente varias técnicas de cambio de conducta además de la enseñanza de la respuesta de comunicación adecuada. Por ejemplo, los analistas aplicados de la conducta suelen usar una combinación de ayudas a la respuesta, tiempo fuera, contención física, bloqueo de respuesta, corrección y extinción de la conducta problemática.

Durand (1999) utilizó el entrenamiento en comunicación funcional en el entorno escolar y comunitario para reducir los problemas de conducta de cinco alumnos con discapacidades severas. Durand llevó a cabo al principio evaluaciones funcionales de la conducta para identificar los objetos y actividades que mantenían los problemas de conducta. Después de las evaluaciones funcionales, los alumnos aprendieron a usar un dispositivo de comunicación que producía habla digitalizada, con el que podían solicitar los objetos y las actividades identificadas durante la evaluación funcional de la conducta. Los cinco alumnos redujeron la aparición de sus problemas de conducta en la escuela y en el entorno comunitario donde utilizaban la voz digitalizada para comunicarse con personas de la comunidad. La figura 23.5 presenta datos sobre el porcentaje de los intervalos en los que los problemas de conducta se producían en la comunidad en cada caso. Estos datos son socialmente significativos porque demuestran la importancia de enseñar habilidades que obtienen reforzamiento en entornos naturales, promoviendo así la generalización y el mantenimiento de los efectos de la intervención.

Uso eficaz del entrenamiento en comunicación funcional

Programa de reforzamiento denso

La respuesta de comunicación alternativa debe producir los reforzadores que mantienen el problema de conducta en un programa de reforzamiento continuo durante las primeras etapas del entrenamiento.

Disminución del uso de las ayudas verbales

Mientras se enseña la respuesta de comunicación alternativa, se suelen usar ayudas verbales tales como *"mira eso"* o *"mírame"*. Después de que la respuesta comunicativa se haya establecido con firmeza, el educador debe reducir gradualmente las ayudas verbales, y, si es posible eliminarlas por completo, para eliminar cualquier dependencia a las ayudas asociadas con la intervención (Miltenberger, Fuqua y Woods, 1998).

Procedimientos de reducción de conducta

La eficacia del entrenamiento en comunicación funcional puede ser mayor si el paquete de tratamiento incluye extinción para el problema de conducta y otros procedimientos de reducción de conducta tales como tiempo fuera (Shirley et al., 1997).

Aligeramiento del programa

Aligerar el programa de reforzamiento para establecer la respuesta comunicativa firmemente es una parte importante del paquete de tratamiento del entrenamiento en comunicación funcional. Los procedimientos basados en el tiempo descritos anteriormente para el aligeramiento del RNC (el aumento constante de tiempo, el aumento proporcional de tiempo y el aumento o disminución de tiempo de sesión a sesión), no son apropiados para el aligeramiento del programa con la respuesta de comunicación alternativa. Estos procedimientos son incompatibles con el reforzamiento diferencial de la conducta de comunicación alternativa, porque la intervención del entrenamiento en comunicación funcional no altera la operación de establecimiento que evoca el problema de conducta. La conducta de comunicación alternativa debe seguir siendo sensible a la función evocadora de la operación de establecimiento para competir con el problema de conducta. Por ejemplo, imagine que un niño con discapacidad del desarrollo tiene una historia de conducta de autoestimulación ante la presentación de tareas difíciles. Si el terapeuta le enseña al niño a pedir ayuda ante las tareas difíciles (es decir, la conducta alternativa de comunicación), se reducirá la conducta de autoestimulación. Después de establecer firmemente la *petición de ayuda*, los terapeutas y cuidadores no querrán disminuir la entrega de ayuda ante las peticiones del niño cuando se enfrente a una tarea (aligeramiento del programa de reforzamiento). Una reducción en la entrega de ayuda, tiene el riesgo de producir la recuperación de la conducta de autoestimulación por romper la contingencia alternativa de comunicación entre la conducta y el reforzador.

Hanley y colaboradores (2001) recomendaron un procedimiento de aligeramiento del programa que utilizara un programa de reforzamiento de intervalo fijo denso (p.ej., intervalo fijo 2 segundos, intervalo fijo 3 segundos) durante la enseñanza inicial de la respuesta de comunicación alternativa. Una vez establecida la respuesta comunicativa, ellos sugirieron el aligeramiento gradual del programa de intervalo fijo. Este procedimiento, a diferencia de los procedimientos basados en tiempo, mantiene la contingencia entre la respuesta y el reforzamiento. Los autores advirtieron que el aligeramiento del programa de intervalo fijo durante las intervenciones de entrenamiento en comunicación funcional, podría producir tasas altas indeseables de la respuesta de comunicación alternativa que alteraran el ambiente del hogar o del aula. Hanley y colaboradores sugirieron además el uso de imágenes como pistas y "relojes" externos para anunciar cuando estaba disponible el reforzamiento como una posible manera de evitar la conducta comunicativa a una tasa no deseable. La tabla 23.4 resume las ventajas e inconvenientes del uso de entrenamiento en comunicación funcional.

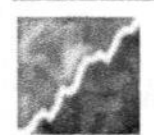

Resumen

Definición de las intervenciones sobre el antecedente

1. El término *antecedente* se refiere a la relación temporal de los estímulos o eventos que ocurren antes de una conducta.

2. El análisis de las operaciones motivadoras (OM) y de las evaluaciones funcionales de la conducta ha permitido a los analistas aplicados de la conducta encauzar conceptualmente la investigación aplicada sobre los efectos de las condiciones antecedentes distintas del control de estímulo (p.ej., E^D) para los principios básicos de la conducta.

3. Las funciones de los estímulos o los eventos antecedentes pueden ser clasificadas como dependientes de las contingencias (control de estímulo) o independientes de las contingencias (operación motivadora).

4. Conceptualmente, en este capítulo se utiliza el término *intervenciones sobre el antecedente* para identificar las estrategias de cambio de conducta basadas en los eventos antecedentes independientes de las contingencias.

5. Los analistas aplicados de la conducta han utilizado varias intervenciones sobre el antecedente, individualmente o en paquetes de tratamiento, para disminuir la eficacia de los

reforzadores que mantienen los problemas de conducta (es decir, como operaciones de abolición).

Intervenciones sobre el antecedente

6. Debido a los efectos temporales de las operaciones motivadoras, las intervenciones sobre el antecedente suelen ser parte de un paquete de tratamiento multicomponente (es decir, en el que las intervenciones antecedentes se combinan con la extinción, el reforzamiento diferencial, u otros procedimientos).

Reforzamiento no contingente

7. El reforzamiento no contingente (RNC) consiste en la presentación de los estímulos con propiedades reforzantes conocidas en un programa de tiempo fijo (TF) o variable (TV) independiente de la conducta del participante.
8. El reforzamiento no contingente utiliza tres procedimientos distintos para identificar y presentar estímulos con propiedades reforzantes conocidas: (a) el reforzamiento positivo (es decir, con mediación social), (b) el reforzamiento negativo (es decir, escape) y (c) reforzamiento automático (es decir, sin mediación social).
9. Un entorno enriquecido con reforzamiento no contingente puede funcionar como una operación de abolición, lo que reduce la motivación para emitir el problema de conducta.

Secuencia de peticiones de alta probabilidad

10. Los efectos conductuales de la secuencia de peticiones de alta probabilidad (alta-*p*) sugieren los efectos reductores de una operación de abolición por (a) la reducción de la capacidad de reforzamiento del incumplimiento de las peticiones de baja probabilidad (es decir, del valor de escape de las peticiones) y (b) la reducción de las agresiones y las autolesiones que se suelen asociar con las peticiones de baja probabilidad.
11. Para aplicar la secuencia de peticiones de alta probabilidad, el maestro o terapeuta selecciona de dos a cinco tareas cortas con las que la persona tenga un historial de cumplimiento que serán las respuestas a las peticiones de alta probabilidad. El maestro o terapeuta presenta la secuencia de peticiones de alta probabilidad inmediatamente antes de solicitar la tarea objetivo, es decir: la petición de baja probabilidad.
12. Los analistas aplicados de la conducta han utilizado varios nombres para identificar esta intervención, incluidos: *peticiones intercaladas, peticiones previas a la tarea*, e impulso *conductual.*

Entrenamiento en comunicación funcional

13. El entrenamiento en comunicación funcional es una forma de reforzamiento diferencial de conductas alternativas (RDA), ya que la intervención desarrolla una respuesta alternativa de comunicación como antecedente para disminuir el problema de conducta.
14. El entrenamiento en comunicación funcional es un paquete de intervención sobre el antecedente para establecer una conducta comunicativa adecuada que compita con los problemas de conducta provocados por una operación de establecimiento. En vez de alterar el valor de las operaciones de establecimiento como lo hacen el RNC y la secuencia de peticiones de alta probabilidad, el entrenamiento en comunicación funcional desarrolla conductas alternativas que son sensibles a las operaciones de establecimiento que mantienen el problema de conducta.
15. La respuesta alternativa de comunicación produce el reforzador que ha mantenido el problema de conducta, por lo que es funcionalmente equivalente al problema de conducta.

PARTE 9

Análisis funcional

Como se señala en el prefacio, cambiar la es a menudo algo desafiante, desconcertante y frustrante. La tarea del analista de conducta consiste en determinar qué hacer y cómo hacerlo, y esta es una tarea particularmente difícil cuando se ayuda a personas con problemas de conducta crónicos. En el Capítulo 24, titulado "*Evaluación funcional de la conducta*", Nancy Neef y Stephanie Peterson describen un proceso de evaluación que proporciona información sobre la función (o propósito) que cumple la conducta para una persona. Hablando claro, la evaluación funcional de la conducta permite al analista de conducta hacer hipótesis empíricas sobre la causa de los problemas de conducta que permitan diseñar intervenciones efectivas. Neef y Peterson describen la base de la evaluación funcional de la conducta y su papel en el tratamiento y la prevención de los problemas de conducta; estas autoras presentan numerosos ejemplos de evaluación funcional de la conducta, métodos detallados y procedimientos para llevarlos a cabo.

CAPITULO 24

Evaluación funcional de la conducta

Términos clave

Análisis funcional
Evaluación funcional de la conducta
Evaluación funcional descriptiva de la conducta
Evaluación funcional indirecta
Funcionalmente equivalente
Probabilidad condicional
Reversión de contingencias

Behavior Analyst Certification Board® BCBA®, BCBA-D®, BCaBA®, RBT® Lista de tareas para analistas de conducta (cuarta edición).

I	Responsabilidades para con el cliente: Evaluación
I-01	Definir la conducta en términos observables y medibles.
I-02	Definir las variables ambientales en términos observables y medibles.
I-03	Diseñar e implementar procedimientos individualizados de evaluación conductual.
I-04	Diseñar e implementar procedimientos de evaluación funcional de la conducta.
I-05	Organizar, analizar e interpretar los datos observados.

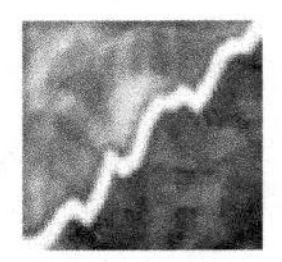

A la hora de lavarse las manos antes de comer, un niño abre el grifo y coloca sus manos debajo del agua mientras que otro niño grita y presenta rabietas. ¿Por qué? En consonancia con el precepto científico del determinismo descrito en el Capítulo 1, esas conductas están regularmente relacionadas con otros eventos del medio ambiente. La **evaluación funcional de la conducta** (FBA, por sus siglas en inglés) facilita el establecimiento hipótesis sobre la relación entre distintos tipos de eventos ambientales y las conductas. Concretamente, la evaluación funcional de la conducta se diseñó para obtener información sobre los propósitos (funciones) que una conducta cumple para una persona. Este capítulo describe los fundamentos de la evaluación funcional de la conducta, su papel en la intervención y prevención de las dificultades conductuales y enfoques alternativos de evaluación funcional.

Funciones de la conducta

La evidencia de décadas de investigación indica que tanto las conductas deseables como las no deseables, ya sean lavarse las manos o gritar y tener rabietas, se aprenden y se mantienen mediante la interacción con el ambiente físico y social. Como se ha explicado en los Capítulos 11 y 12, esta interacción conducta-ambiente se describe como contingencias de reforzamiento positivo o negativo. Las conductas pueden fortalecerse ya sea por "conseguir algo" o por "evitar algo".

La evaluación funcional de la conducta se utiliza para identificar el tipo y la fuente de reforzamiento de los problemas de conducta como base de la intervención diseñada para reducir la aparición de dichos problemas. La evaluación funcional de la conducta se podría definir como la evaluación de la fuente de reforzadores. Consistiría en identificar los reforzadores que actualmente mantienen el problema de conducta. Estos podrían ser reforzadores sociales positivos o negativos proporcionados por alguien que interactúa con la persona, o reforzadores automáticos producidos directamente por la conducta en sí misma. La idea que esconde la evaluación funcional de la conducta es que si esas contingencias de reforzamiento se identifican, la intervención se puede diseñar para reducir los problemas de conducta y aumentar las conductas adaptativas mediante la modificación de esas contingencias. La evaluación funcional de la conducta fomenta intervenciones proactivas y positivas para los problemas de conducta. Aunque las contingencias de reforzamiento se tratan en otros capítulos, se realizará una breve revisión de su papel en la evaluación funcional de la conducta.

Reforzamiento positivo

Reforzamiento social positivo (atención)

Los problemas de conducta a menudo tienen como consecuencia la atención inmediata de otros, mediante un giro de la cabeza, expresiones faciales de sorpresa, reprimendas, intentos por calmar, consolar o distraer y así sucesivamente. Estas reacciones pueden servir para reforzar positivamente los problemas de conducta (incluso sin querer), aumentando la probabilidad de que estos aparezcan en circunstancias similares. Los problemas de conducta mantenidos mediante el reforzamiento positivo que supone la reacción de los demás, suelen ocurrir en situaciones en las que es infrecuente conseguir atención de otra forma, ya sea porque la persona no dispone del repertorio necesario para obtener atención de una forma deseable, o porque las otras personas de ese entorno suelen estar ocupadas con otras cosas.

Reforzamiento tangible

Los problemas de conducta a menudo tienen como consecuencia el acceso materiales u otros estímulos reforzantes. Al igual que pulsar un botón con el mando de la televisión cambia el canal a un programa de televisión deseado, los problemas de conducta pueden producir resultados reforzantes. Un niño puede llorar y tener rabietas hasta que su programa de televisión favorito se encienda; robar dulces a otro niño produce el acceso al elemento arrebatado. Los problemas de conducta se pueden desarrollar cuando consistentemente producen un evento o elemento deseado. Esto suele ocurrir porque proporcionar el elemento frena temporalmente los problemas de conducta (p.ej., rabietas), aunque puede tener el efecto involuntario de hacer que el problema de conducta sea más probable en el futuro bajo circunstancias similares.

Reforzamiento positivo automático

Algunas conductas no dependen de las acciones de los demás para generar un resultado sino que producen directamente su propio reforzamiento. Por ejemplo, chuparse el dedo puede ser reforzado por la estimulación física de la mano o la boca. Se supone que una conducta es mantenida mediante reforzamiento automático solo después de que se hayan descartado los reforzadores sociales (p.ej., cuando la conducta aparece incluso cuando el individuo está solo).

Reforzamiento negativo

Reforzamiento social negativo (escape)

Muchas conductas se aprenden como resultado de su eficacia para aplazar o terminar con eventos aversivos. Colgar el teléfono termina la interacción con un vendedor; completar una tarea pone fin a la demanda de los demás respecto a la misma. Los problemas de conducta se pueden mantener de la misma manera. Conductas tales como agresiones, autolesiones y vocalizaciones inapropiadas pueden poner fin o evitar interacciones no deseadas con otros. Por ejemplo, la desobediencia pospone la realización de una actividad que no se quiere hacer, y la conducta disruptiva en clase a menudo tiene como consecuencia que se envíe al alumno fuera de clase, lo que le permite escapar de la instrucción de la tarea o de las demandas del profesor. Todas estas conductas se pueden fortalecer mediante reforzamiento negativo en la medida en la que sirvan para escapar o evitar tareas, actividades o interacciones difíciles o desagradables.

Reforzamiento negativo automático

La estimulación aversiva, como una condición físicamente dolorosa o incómoda, es una operación motivadora que hace que su finalización resulte reforzante. Las conductas que ponen fin de forma directa al estímulo aversivo se mantienen, por tanto, mediante el reforzamiento negativo que resulta automáticamente de la conducta. El reforzamiento negativo automático puede explicar tanto conductas apropiadas como perjudiciales. Por ejemplo, poner loción de calamina en una erupción cutánea provocada por hiedra venenosa puede ser reforzado negativamente por el alivio del prurito, pero rascarse la piel intensa o prolongadamente puede ser reforzado negativamente de la misma manera. Algunas formas de autolesiones pueden servir para distraerse de otras fuentes de dolor, lo que puede explicar su correlación con condiciones médicas específicas (DeLissovoy, 1963).

Función versus topografía

Podemos hacer varias puntualizaciones respecto a lo expuesto previamente sobre las fuentes de reforzamiento de la conducta. Es importante reconocer que las influencias ambientales no hacen distinciones entre topografías conductuales deseables y no deseables; las mismas contingencias de reforzamiento que explican la conducta deseable pueden explicar también la conducta no deseable. Por ejemplo, el niño que se lava y se seca las manos antes de comer, probablemente, reciba elogios por hacer eso. Un niño que con frecuencia tiene rabietas en la misma situación puede haber recibido atención (en forma de reprimenda). Ambas formas de atención tienen el potencial para reforzar las respectivas conductas.

De igual manera, la misma topografía de conducta puede cumplir diferentes funciones para diferentes individuos. Por ejemplo, las rabietas se pueden mantener mediante reforzamiento positivo en forma de atención para un niño, y mediante reforzamiento negativo en forma de escape para otro niño (Kennedy, Meyer, Knowles, y Shukla, 2000).

Dado que diferentes conductas con un aspecto bastante diferente pueden cumplir la misma función, y conductas que tienen la misma forma pueden cumplir diferentes funciones bajo diferentes condiciones, la *topografía*, o forma, de una conducta suele revelar poca información útil sobre las condiciones que la explican. Por otro lado, identificar las *condiciones* que explican una conducta (su función) sugiere cuáles de ellas hay que modificar para cambiar esa conducta. La evaluación de la función de una conducta puede, por tanto, aportar información útil con respecto a las estrategias de intervención que probablemente sean eficaces.

Rol de la evaluación funcional de la conducta en la intervención y la prevención

La evaluación funcional de la conducta y la intervención

Si se puede determinar la relación causa-efecto entre unos eventos ambientales y una conducta, esa relación puede alterarse, disminuyendo así sucesivas ocurrencias de un problema de conducta. Las intervenciones basadas en la evaluación funcional de la conducta pueden consistir en, al menos, tres enfoques estratégicos: alterar las variables antecedentes, alterar las variables consecuentes, y enseñar conductas alternativas.

Alteración de las variables antecedentes

La evaluación funcional de la conducta permite identificar los antecedentes que se pueden alterar de manera que el problema de conducta sea menos probable. Alterar los antecedentes de la conducta objetivo puede cambiar o eliminar o bien (a) las operaciones motivacionales de los problemas de conducta, o bien (b) los estímulos discriminativos que desencadenan los problemas de conducta. Por ejemplo, la operación motivacional de las rabietas que tienen lugar cuando se le pide a un niño que se lave las manos antes de comer podría modificarse cambiando las características asociadas con el almuerzo para que la evitación de determinados eventos no vuelva a resultar reforzante (p.ej., inicialmente reduciendo la obligación de poner la mesa, alterando la disposición de los asientos para reducir al mínimo las burlas de un hermano o de sus iguales, reducir los aperitivos de antes de la comida y ofrecer más alimentos preferidos durante el almuerzo). Alternativamente, si la evaluación funcional de la conducta muestra que el agua corriente es el estímulo discriminativo que desencadena los problemas de conducta cuando se le pide al niño que se lave las manos, el niño podría utilizar en su lugar un gel antibacteriano sin agua.

Alteración de las variables consecuentes

La evaluación funcional de la conducta también puede identificar que hay que eliminar una fuente de reforzamiento del problema de conducta. Por ejemplo, una evaluación funcional de la conducta que indica que las rabietas se mantienen mediante reforzamiento social negativo (evitación o escape) sugiere una amplia variedad de tratamientos que, al alterar esa relación, es probable que sean eficaces, tales como los siguientes:

1. El problema de conducta se puede colocar en extinción, garantizando que el reforzador (p.ej., la evitación del almuerzo) no se obtenga nunca más después de que se dé la conducta considerada problema (rabietas).
2. El esquema podría modificarse de tal manera que el lavado de manos siguiera a (y por tanto proporcionara el escape de) un evento menos deseado.

Enseñanza de conductas alternativas

La evaluación funcional de la conducta también puede identificar la fuente de reforzamiento que hay que aplicar a las conductas sustitutivas apropiadas. Podrían enseñarse conductas alternativas apropiadas que cumplan la misma función (es decir, que produzcan el mismo reforzador), que las rabietas. Por ejemplo, se podría enseñar a un alumno a tocar la tarjeta de comunicación "más tarde" después de lavarse las manos, para retrasar el momento de sentarse a la mesa para almorzar.

La evaluación funcional de la conducta y las intervenciones no funcionales

Las intervenciones basadas en la evaluación funcional de la conducta cuentan con mayor probabilidad de ser efectivas que aquéllas seleccionadas arbitrariamente (Ervin et al., 2001; Iwata et al., 1994b). Entender *por qué* se produce una conducta (su función) a menudo sugiere *cómo* se puede mejorar. Por otro lado, los esfuerzos prematuros por tratar los problemas de conducta antes de intentar buscar una comprensión de los propósitos que cumplen para una persona pueden ser ineficientes, ineficaces e incluso perjudiciales. Por ejemplo, supongamos que se implementa un procedimiento de tiempo fuera en un intento de atenuar el problema de un niño que constantemente presenta rabietas cuando se le pide que se lave las manos antes de comer. De tal manera que se retira al niño de la actividad de lavarse las manos hacia una silla situada en la esquina de la habitación. Puede ser, sin embargo, que los eventos que típicamente siguen el lavado de manos (aquellos asociados con el tiempo del almuerzo, tales como las demandas de poner la mesa o las interacciones con otros) sean aversivos para el niño; las rabietas han servido eficazmente para permitir al niño evitar aquellos eventos. En este caso, la intervención sería ineficaz porque no habría hecho nada para alterar la relación entre las rabietas y la consecuencia de posponer los eventos aversivos asociados con el almuerzo. De hecho, la intervención puede exacerbar la conducta problema si se produce un resultado deseado para el niño. Si se detiene la actividad del lavado de manos y se le indica al niño que se siente en una silla a modo de "tiempo fuera" de pataletas, se le está permitiendo evitar los eventos aversivos de la hora del almuerzo (o escapar a ellos por completo) y las rabietas pueden ser más probables bajo circunstancias similares en el futuro. Cuando la intervención de tiempo fuera no tenga éxito, puede que se intenten otras intervenciones. Sin comprender la función que cumple el problema de conducta, sin embargo, no se puede predecir la eficacia las intervenciones mencionadas.

En el mejor de los casos, un proceso de ensayo y error de evaluación de las intervenciones arbitrariamente seleccionadas puede ser larguísimo e ineficiente. En el peor de los casos, este enfoque puede provocar que el problema de conducta sea más frecuente y grave. Como resultado, los cuidadores podrían recurrir a intervenciones cada vez más intrusivas, coercitivas, o intervenciones basadas en el castigo, que se suelen denominar intervenciones no funcionales.

La evaluación funcional de la conducta puede disminuir la dependencia de las intervenciones no funcionales y contribuir a otras intervenciones más eficaces de varias formas. Cuando se llevan a cabo evaluaciones funcionales de la conducta, se implementan con más probabilidad intervenciones basadas en el reforzamiento que intervenciones que incluyan un componente de castigo (Pelios, Morren, Tesch y Axelrod, 1999). Además, los efectos de las intervenciones basadas en evaluaciones funcionales de la conducta suelen ser más duraderos que aquellos que no tienen en cuenta la función del problema de conducta. Si se establecen contingencias artificiales sobre las contingencias desconocidas que mantienen la conducta, suele ser necesaria su continuación para mantener las mejoras en la conducta. Si se suspenden las contingencias artificiales, la conducta continuará siendo influida por las contingencias que siguen estando operativas.

Evaluación funcional de la conducta y prevención

Mediante una mayor comprensión de las condiciones bajo las que ocurren ciertas conductas, la evaluación funcional de la conducta también puede contribuir a la prevención de dificultades. A pesar de que los problemas de conducta se pueden eliminar sin tener en cuenta su función mediante el uso de procedimientos de castigo, podrían emerger conductas adicionales que no estuviesen sujetas a las contingencias de castigo debido a que las operaciones motivacionales para los problemas de conducta se seguirían manteniendo. Por ejemplo, la pérdida contingente de privilegios podría eliminar las rabietas que se producen cada vez que se le pide al niño que se lave las manos, pero no eliminaría la evitación como reforzador ni las condiciones que lo establecen como reforzador. Por tanto, se podrían desarrollar otras conductas que resultasen en evitación, tales como la agresión, la destrucción de la propiedad o la huida. Estos efectos no deseados son menos probables que ocurran con intervenciones que abordan las funciones reforzantes de la conducta problemática en lugar de anularlas o competir con ellas.

En un sentido más amplio, la acumulación de datos procedentes de la evaluación funcional de la conducta puede contribuir más con los esfuerzos de prevención mediante la identificación de las condiciones que plantean riesgos para el futuro desarrollo de problemas de conducta. Los esfuerzos de prevención pueden, por tanto, centrarse en esas condiciones. Por ejemplo, basándose en los datos de 152 análisis de las funciones de reforzamiento de conductas autolesivas, Iwata et al. (1994b) encontraron que la conducta quedaba explicada en la mayor parte de los casos mediante el escape de las demandas para hacer tareas o de otros estímulos aversivos. Los autores especularon que este resultado podría haber sido un resultado involuntario de un movimiento hacia la aplicación de un tratamiento más agresivo. Por ejemplo, si una niña tiene rabietas cuando se le pide que se lave las manos, el profesor podría suponer que ella no sabe lavarse las manos y decidir reemplazar el tiempo de juego por un periodo de instrucción intensiva en higiene. En lugar de reducir los problemas de conducta, estas intervenciones pueden exacerbarlos. Los datos aportados por Iwata et al. (1994b) sugieren que los esfuerzos preventivos deberían dirigirse hacia la modificación de los ambientes educativos (tal como la aplicación más frecuente de reforzamiento ante conductas deseables, ofrecer descansos, o medios para solicitar u obtener ayuda en tareas difíciles) para que sean menos propensos para servir como fuentes de estimulación aversiva (operaciones motivacionales) de la que escapar.

Descripción general de los métodos de evaluación funcional de la conducta

Los métodos de evaluación funcional de la conducta se pueden clasificar en tres tipos: (a) análisis funcional (experimental), (b) evaluación descriptiva, y (c) evaluación indirecta. Los métodos se pueden ordenar en un continuo con respecto a aspectos como la facilidad de uso y el tipo y la precisión de información que producen. Seleccionar el método o la combinación de métodos que mejor se adapte a una situación particular requiere tener en cuenta las ventajas y limitaciones de cada método. Tratamos primero el análisis funcional porque los métodos descriptivos e indirectos de evaluación funcional se desarrollaron como extensiones del análisis funcional. Como se señala más adelante, el análisis funcional es el único método de evaluación funcional de la conducta que permite a los profesionales confirmar hipótesis acerca de las relaciones funcionales entre los problemas de conducta y los eventos ambientales.

Análisis funcional (experimental)

Procedimiento básico

En un **análisis funcional**, los antecedentes y los consecuentes que representan a los que están en el entorno natural de la persona se disponen de tal manera que se puedan observar y medir sus efectos separados sobre los problemas de conducta. Este tipo de evaluación se denomina a menudo como un *análogo* porque se presentan de manera sistemática antecedentes y consecuencias similares a los que ocurren en las rutinas naturales, pero el análisis no se realiza en el contexto natural. Las condiciones análogas se utilizan a menudo porque permiten al analista de conducta controlar mejor las variables ambientales que podrían estar relacionadas con el problema de conducta que si la evaluación se hiciese en situaciones donde aparecen las conductas de manera natural. Los análogos hacen referencia a la organización de las variables en lugar de a la del contexto en el que la evaluación tiene lugar. La investigación ha demostrado que los análisis funcionales llevados a cabo en entornos naturales (p.ej., una clase) a menudo tienen los mismos resultados (y, en algunos casos, más claros) que aquellos que se llevan a cabo en contextos simulados (Noell, Van- Dertteyden, Gatti, y Whitmarsh, 2001).

El análisis funcional normalmente se compone de cuatro condiciones: tres condiciones de prueba (atención contingente, escape contingente y en solo) y una condición de control, en la que se espera que los problemas de conducta sean bajos porque el reforzamiento está libremente disponible y no se le demanda nada al individuo (ver Tabla 24.1). Cada condición de prueba contiene una operación motivacional (OM) y una fuente potencial de reforzamiento para los problemas de conducta. Las condiciones se presentan sistemáticamente una tras otra y en una secuencia alterna para identificar qué condiciones dan lugar de forma previsible a problemas de conducta. La presencia de problemas de conducta se registra durante cada sesión. Las sesiones se repiten para determinar el grado en el que el problema de conducta se produce consistentemente con más frecuencia bajo una o más condiciones en relación con otra.

Interpretación del análisis funcional

La función que cumplen los problemas de conducta para una persona se pueden determinar mediante la inspección visual de un gráfico de los resultados del análisis para identificar la condición (o condiciones) bajo la que se producen altas tasas de la conducta de interés. En la Figura 24.1 se muestra un gráfico de cada función conductual potencial. Se espera que los problemas de conducta se den con una frecuencia baja en la condición de juego porque no hay operaciones motivacionales para los problemas de conducta presentados. La presencia de una alta tasa de problemas de conducta en la condición de atención contingente sugiere que mantienen mediante

Tabla 24.1 Operaciones motivacionales y contingencias de reforzamiento para las condiciones de prueba y de control de un análisis funcional.

Condición	*Condiciones antecedentes (operación motivacional)*	*Consecuencias de los problemas de conducta*
Juego (Control)	Disponibilidad continuada de actividades favoritas, presencia de atención social y ausencia de demandas o exigencias a la persona	Los problemas de conducta se ignoran o se redirigen neutralmente.
Atención contingente	La atención se desvía o se retira de la persona	Se atiende en forma de amonestaciones leves o expresiones calmantes (p.ej. "No hagas eso. Vas a hacer daño a alguien").
Escape contingente	Se demanda continuamente que se realicen tareas mediante un procedimiento secuenciado en tres pasos (p.ej. [1] "tienes que doblar la toalla." [2] Un modelo dobla la toalla. [3] Se proporciona guía física para doblar la toalla.)	Dar un descanso de la tarea retirando los materiales y deteniendo las indicaciones para completarla.
Solitario	Bajo nivel de estimulación ambiental (es decir, no está ni el terapeuta, ni los materiales de las tareas, ni los materiales de juego)	Los problemas de conducta se ignoran o se redirigen neutralmente.

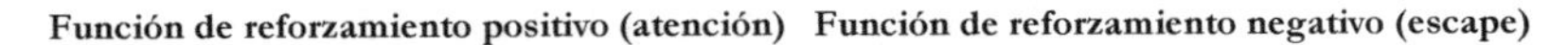

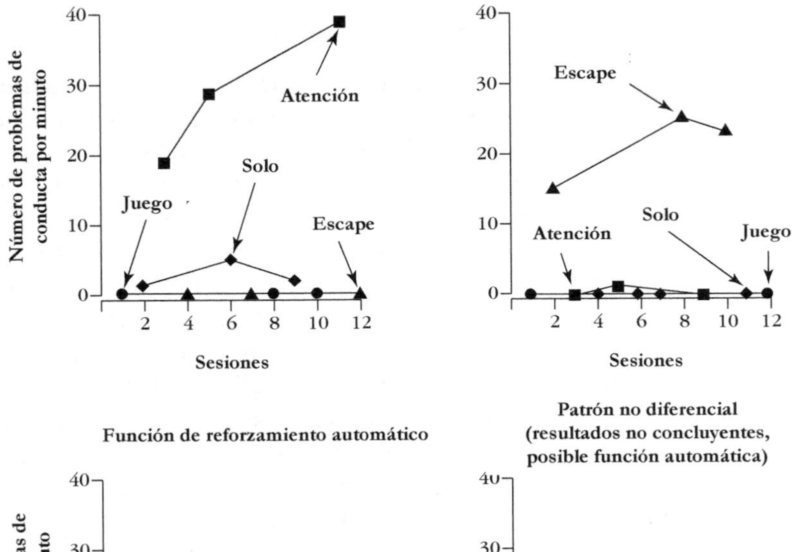

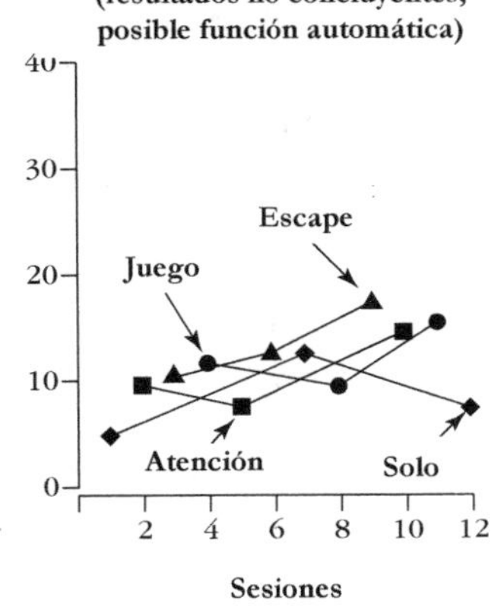

Figura 24.1 Patrones de datos típicos de cada función conductual durante un análisis funcional.

reforzamiento social positivo (véase el gráfico de la parte superior izquierda de la Figura 24.1.). La presencia de una alta tasa de problemas de conducta en la condición de escape contingente sugiere que se mantienen mediante reforzamiento negativo (véase el gráfico de la parte superior derecha de la Figura 24.1.). La presencia de problemas de conducta elevados en la condición "en solo" sugiere que el problema de conducta se mantiene mediante reforzamiento automático (véase el gráfico de la parte inferior izquierda de la Figura 24.1.). Serán necesarios análisis adicionales para determinar si la fuente de reforzamiento automático es positiva o negativa. Los problemas de conducta se pueden mantener por múltiples fuentes de reforzamiento. Por ejemplo, si el problema de conducta es elevado en las condiciones de atención contingente y escape contingente, lo más probable es que se mantenga tanto mediante reforzamiento positivo como negativo.

Si el problema de conducta se produce con frecuencia en todas las condiciones (incluyendo la condición de juego), o es variable a través de las condiciones, la respuesta se considera no diferenciada (véase el gráfico de la parte inferior derecha de la Figura 24.1.). Estos resultados no son concluyentes, pero también puede ocurrir que la conducta se mantenga mediante reforzamiento automático.

El análisis funcional se ha replicado y ampliado en cientos de estudios, lo que demuestra su generalidad como enfoque para la evaluación y tratamiento de una amplia gama de dificultades de conducta (véase el número especial de 1994 de la revista *Journal of Applied Behavior Analysis* para una muestra de este tipo de aplicaciones).

Ventajas del análisis funcional

La principal ventaja del análisis funcional es su capacidad para producir una clara demostración de la variable (o variables) relacionada con la aparición de un problema de conducta. De hecho, el análisis funcional (experimental) actúa como estándar de evidencia científica mediante el que se evalúan otras alternativas de evaluación, y representa el método utilizado con más frecuencia en la investigación sobre la evaluación y el tratamiento de los problemas de conducta (Arndorfer y Miltenberger, 1993). Debido a que los análisis funcionales permiten llegar a conclusiones válidas concernientes a las variables que mantienen el problema de conducta, han posibilitado el desarrollo de tratamientos efectivos basados en el reforzamiento y la reducción de la confianza en procedimientos basados en el castigo (Ervin et al., 2001; Iwata et al., 1994b; Pelios et al., 1999).

Limitaciones del análisis funcional

Un riesgo del análisis funcional, sin embargo, es que el proceso de evaluación pueda reforzar temporalmente o incrementar la conducta no deseada hasta niveles inaceptables, o dar como resultado que la conducta adquiera nuevas funciones. En segundo lugar, aunque se sabe poco sobre la aceptación de los procedimientos por parte de los profesionales (Ervin et al., 2001), la disposición deliberada de condiciones que establecen la ocasión para que se den, o para que se puedan reforzar, los problemas de conducta, puede ser contraria a la intuición para las personas que no entienden su propósito (o que tales condiciones sean análogos a lo que ocurre en la rutina natural). En tercer lugar, algunas conductas (p.ej., aquéllas que, aunque son graves, ocurren con poca frecuencia) pueden no ser susceptibles de análisis funcionales. En cuarto lugar, los análisis funcionales que se realizan en entornos artificiales pueden no detectar la variable responsable de la ocurrencia del problema de conducta en entornos naturales, particularmente si la conducta está controlada por variables idiosincrásicas que no se representan en las condiciones de análisis funcional (Noell et al., 2001). Finalmente, el tiempo, el esfuerzo y la experiencia profesional requerida para realizar e interpretar el análisis funcional se han citado con frecuencia como obstáculos para su uso generalizado en la práctica (p.ej., Spreat y Connelly, 1996; 2001, Volume 2, issue of *School Psychology Review*).

Por supuesto que los problemas de conducta no tratados o tratados ineficazmente también consumen una gran cantidad de tiempo y esfuerzo (sin un resultado constructivo a largo plazo), y es probable que la aplicación de tratamientos eficaces (basados en la comprensión de las variables implicadas) requiera habilidades similares a las involucradas en la realización de análisis funcionales. Estas preocupaciones han llevado a la investigación sobre la maneras de mejorar el uso práctico de los análisis funcionales, tales como los métodos de formación profesional (Iwata et al., 2000; Pindiprolu, Peterson, Rule, y Lignugaris/Kraft, 2003), las evaluaciones abreviadas (Northup et al., 1991), y el desarrollo de métodos alternativos de evaluación funcional de la conducta descritos en las siguientes secciones.

Evaluación funcional descriptiva de la conducta

Al igual que el análisis funcional, la **evaluación funcional descriptiva de la conducta** comprende la observación directa de la conducta; a diferencia de los análisis funcionales, sin embargo, las observaciones se realizan en condiciones naturales. Por tanto, las evaluaciones descriptivas implican la observación de los problemas de conducta en relación con eventos que no se organizan de manera sistemática. Las evaluaciones descriptivas tienen su origen en las primeras etapas del análisis aplicado de la conducta; Bijou, Peterson, y Ault (1968) inicialmente describieron un método para definir, observar y codificar objetivamente la conducta y los eventos ambientales contiguos. Este método se ha utilizado posteriormente para identificar eventos que se puedan correlacionar con la conducta objetivo. Los eventos que demuestran un alto grado de correlación con la conducta objetivo pueden sugerir hipótesis sobre la función conductual. Se describen tres variantes del análisis descriptivo: registro continuo ABC (siglas en inglés para antecedente-conducta-consecuencia), registro narrativo ABC y los gráficos de dispersión.

Registro continuo ABC

Con el registro continuo ABC, un observador registra las ocurrencias de los problemas de conducta objetivo y selecciona los eventos ambientales en la rutina natural durante un periodo de tiempo. Los códigos para registrar antecedentes, conductas problema y consecuencias específicas se pueden desarrollar a partir de la información obtenida en la entrevista de evaluación funcional o en el registro narrativo ABC (descritos más adelante). Por ejemplo, después de una entrevista y observaciones mediante registro narrativo, Lalli, Browder, Mace, y Brown (1993) desarrollaron códigos de estímulos y respuestas para registrar la ocurrencia o no ocurrencia del antecedente (p.ej., instrucción uno a uno o instrucción grupal) y los eventos posteriores (atención, reforzamiento tangible y escape) para los problemas de conducta durante las actividades de clase.

Con el registro continuo ABC, se marca la ocurrencia de un evento específico en una hoja de datos (usando intervalos parciales, muestreo momentáneo, o registro de frecuencia) (véase Figura 24.2). Los eventos ambientales específicos (antecedentes y consecuentes) se registran cada vez que ocurren, independientemente de si el problema de conducta ocurre con ellos. El registro de los datos de esta manera puede revelar los eventos que se producen en estrecha relación temporal con la conducta

Figura 24.2. Formulario de recogida de datos para un registro continuo ABC.

Formulario de registro ABC
Observador: R. Van Norman
Hora de inicio: 9.30 Hora final: 10.15
Fecha: 25 de Enero de 2006

Antecedente	**Conducta**	**Consecuencia**
☐ Demandar tarea/instrucción ☒ Desviar atención ☐ Interacción social ☐ Involucrar en actividad preferida ☐ Eliminar actividad preferida ☐ Solitario (No recibe atención/No se demandan actividades)	☒ Rabietas ☐ Agresión	☐ Atención social ☒ Reprimenda ☐ Demandar tarea ☐ Acceso al ítem preferido ☐ Eliminar la tarea ☐ Desviar la atención
☒ Demandar tarea/instrucción ☐ Desviar atención ☐ Interacción social ☐ Involucrar en actividad preferida ☐ Eliminar actividad preferida ☐ Solitario (No recibe atención/No se demandan actividades)	☒ Rabietas ☐ Agresión	☐ Atención social ☐ Reprimenda ☐ Demandar tarea ☐ Acceso al ítem preferido ☒ Eliminar la tarea ☐ Desviar la atención
☒ Demandar tarea/instrucción ☐ Desviar atención ☐ Interacción social ☐ Involucrar en actividad preferida ☐ Eliminar actividad preferida ☐ Solitario (No recibe atención/No se demandan actividades)	☒ Rabietas ☐ Agresión	☐ Atención social ☐ Reprimenda ☐ Demandar tarea ☐ Acceso al ítem preferido ☒ Eliminar la tarea ☐ Desviar la atención
☐ Demandar tarea/instrucción ☒ Desviar atención ☐ Interacción social ☐ Involucrar en actividad preferida ☐ Eliminar actividad preferida ☐ Solitario (No recibe atención/No se demandan actividades)	☒ Rabietas ☐ Agresión	☐ Atención social ☐ Reprimenda ☐ Demandar tarea ☐ Acceso al ítem preferido ☐ Eliminar la tarea ☒ Desviar la atención
☒ Demandar tarea/instrucción ☐ Desviar atención ☐ Interacción social ☐ Involucrar en actividad preferida ☐ Eliminar actividad preferida ☐ Solitario (No recibe atención/No se demandan actividades)	☐ Rabietas ☐ Agresión	☐ Atención social ☐ Reprimenda ☐ Demandar tarea ☐ Acceso al ítem preferido ☐ Eliminar la tarea ☐ Desviar la atención
☒ Demandar tarea/instrucción ☐ Desviar atención ☐ Interacción social ☐ Involucrar en actividad preferida ☐ Eliminar actividad preferida ☐ Solitario (No recibe atención/No se demandan actividades)	☒ Rabietas ☐ Agresión	☐ Atención social ☐ Reprimenda ☐ Demandar tarea ☐ Acceso al ítem preferido ☒ Eliminar la tarea ☐ Desviar la atención
☐ Demandar tarea/instrucción ☒ Desviar atención ☐ Interacción social ☐ Involucrar en actividad preferida ☐ Eliminar actividad preferida ☐ Solitario (No recibe atención/No se demandan actividades)	☐ Rabietas ☐ Agresión	☐ Atención social ☐ Reprimenda ☐ Demandar tarea ☐ Acceso al ítem preferido ☐ Eliminar la tarea ☐ Desviar la atención

(continúa)

Antecedente	Conducta	Consecuencia
☒Demandar tarea/instrucción ☐Desviar atención ☐ Interacción social ☐Involucrar en actividad preferida ☐Eliminar actividad preferida ☐Solitario (No recibe atención/No se demandan actividades)	☒Rabietas ☐Agresión	☐ Atención social ☐Reprimenda ☐ Demandar tarea ☐Acceso al ítem preferido ☒Eliminar la tarea ☐Desviar la atención
☐ Demandar tarea/instrucción ☐ Desviar atención ☒ Interacción social ☐Involucrar en actividad preferida ☐Eliminar actividad preferida ☐Solitario (No recibe atención/No se demandan actividades)	☒ Rabietas ☐Agresión	☐ Atención social ☒Reprimenda ☐ Demandar tarea ☐Acceso al ítem preferido ☐Eliminar la tarea ☐Desviar la atención
☒ Demandar tarea/instrucción ☐ Desviar atención ☐Interacción social ☐Involucrar en actividad preferida ☐Eliminar actividad preferida ☐Solitario (No recibe atención/No se demandan actividades)	☒ Rabietas ☐Agresión	☐ Atención social ☐Reprimenda ☐ Demandar tarea ☐Acceso al ítem preferido ☒Eliminar la tarea ☐Desviar la atención
☐ Demandar tarea/instrucción ☐ Desviar atención ☒ Interacción social ☐Involucrar en actividad preferida ☐Eliminar actividad preferida ☐Solitario (No recibe atención/No se demandan actividades)	☒ Rabietas ☐Agresión	☐ Atención social ☐Reprimenda ☐Demandar tarea ☐Acceso al ítem preferido ☐Eliminar la tarea ☒Desviar la atención

Fuente: Formulario de registro desarrollado por Renée Van Norman. Usado con permiso.

objetivo. Por ejemplo, los datos descriptivos pueden demostrar que las rabietas (conducta) suelen presentarse cuando se le pide a un alumno que se lave las manos (antecedente); los datos pueden también mostrar que las rabietas suelen ir seguidas de la eliminación de las exigencias de hacer una tarea. Una posible hipótesis en esta situación es que las conductas disruptivas están motivadas por las demandas académicas y se mantienen mediante el escape de esas demandas (reforzamiento negativo).

Ventajas del registro continuo ABC. Evaluaciones descriptivas a partir del registro continuo utilizan medidas precisas (de forma similar al análisis funcional), y en algunos casos las correlaciones pueden reflejar relaciones causales (p.ej., Sasso et al., 1992). Debido a que las evaluaciones se llevan a cabo en el contexto en el que el problema de conducta aparece, es probable que proporcionen información útil para el diseño posterior del análisis funcional si fuese necesario. Además, no requieren la interrupción de la rutina de la persona.

Limitaciones del registro continuo ABC. Aunque los análisis descriptivos de este tipo puedan demostrar una correlación entre eventos particulares y el problema de conducta, tales correlaciones pueden ser difíciles de detectar en muchas situaciones. Esto es especialmente probable si los antecedentes y consecuentes que influyen sobre la conducta no la preceden ni siguen de forma fiable. En tales casos, puede ser necesario analizar los datos descriptivos mediante el cálculo de probabilidades condicionales. Una **probabilidad condicional** es la probabilidad de que ocurra un problema de conducta objetivo en una circunstancia dada. Teniendo en cuenta el ejemplo planteado en la Figura 24.2, la probabilidad condicional de las rabietas se calcula mediante el cálculo de (a) la proporción de ocurrencia de las rabietas que fueron precedidas por el antecedente de una instrucción y (b) la proporción de ocurrencia de las rabietas en las que se eliminó la tarea como consecuencia. En este ejemplo, se registraron 9 casos de rabietas de las cuales 6 fueron seguidas por la eliminación de la tarea. Por tanto, la probabilidad condicional de que las rabietas se presenten ante demandas de tarea y vayan seguidas por el escape de dichas demandas es de 0,66. Cuanto más cerca esté la probabilidad condicional a 1,0, más fuerte será la hipótesis de que el escape es la variable que mantiene el problema de conducta.

Sin embargo, las probabilidades condicionales pueden llevar a confusión. Si una conducta se mantiene mediante reforzamiento intermitente puede ocurrir con mucha frecuencia a pesar de no ir seguida consistentemente de una consecuencia particular. Por ejemplo, el profesor podría aplicar la técnica de tiempo fuera con un alumno solamente cuando las rabietas fuesen tan frecuentes o graves que resultasen insoportables. En este caso, solo una pequeña proporción de rabietas iría seguida de esta consecuencia y la probabilidad condiciona sería baja. Existe la posibilidad, por lo tanto, de que no se detecte una relación funcional que existe (p.ej., que las rabietas se refuerzan negativamente mediante escape). Por otra parte, el plan de intervención conductual actual podría requerir tres repeticiones de la instrucción y un intento de proporcionar asistencia física antes de aplicar el tiempo fuera. En esta situación, la probabilidad condicional de que las rabietas fuesen seguidas de atención sería alta. Un análisis descriptivo podría, por tanto, sugerir una relación funcional (p.ej., que las rabietas se refuerzan positivamente mediante la atención) que no existe. Tal vez por estas razones, los estudios que han utilizado los cálculos de la probabilidad condicional para examinar la medida en que los métodos descriptivos conducen a las mismas hipótesis que los análisis funcionales han encontrado generalmente un bajo nivel de acuerdo (Lerman e Iwata, 1993; Noell et al., 2001).

Registro narrativo ABC

El registro narrativo ABC es una forma de evaluación descriptiva que difiere del registro continuo en que (a) los datos se reúnen solo cuando se observan las conductas de interés , y (b) el registro no tiene restricciones (se señala cualquier evento que preceda y siga inmediatamente a la conducta objetivo) (véase la Figura 3.3). Dado que los datos se registran solo cuando se produce la conducta objetivo, el registro narrativo puede consumir menos tiempo que el registro continuo. Por otro lado, el registro narrativo tiene varias desventajas, además de las descritas anteriormente.

Limitaciones del registro narrativo. Dado que los datos del registro narrativo rara vez se presentan en las investigaciones publicadas, no se ha establecido aún su utilidad para la identificación de la función de la conducta. Sin embargo, los registros narrativos ABC podrían identificar relaciones funcionales inexistentes debido a que los eventos antecedentes y consecuentes se registran solo en relación con la conducta objetivo y no hay datos que aporten evidencia de si esos eventos ocurren con la misma frecuencia (o no) en ausencia de la conducta objetivo. Por ejemplo, los datos ABC podrían indicar erróneamente una correlación entre la atención de los compañeros y la interrupción, a pesar de que la atención de los pares también ocurriera con frecuencia cuando el estudiante no estuviese interrumpiendo.

Otra limitación potencial de los registros narrativos ABC se refiere a su precisión. A menos que los observadores reciban una formación adecuada, pueden informar sobre estados o impresiones subjetivas (por ejemplo, "se sintió avergonzado", "estaba frustrado") en lugar de describir los eventos observables en términos objetivos. Además, dada la probabilidad de que se produzcan una serie de eventos ambientales en estrecha proximidad temporal entre sí, discriminar los eventos que originan una conducta puede ser difícil. El registro narrativo ABC puede ser más adecuado como medio para reunir información preliminar para conformar el registro continuo o el análisis funcional.

Gráfico de dispersión

El gráfico de dispersión es un procedimiento de registro que se utiliza para registrar el grado en el que la conducta objetivo ocurre con más frecuencia en unos momentos que en otros (Symons, McDonald y Wehby, 1998; Touchette, MacDonald, y Langer, 1985). Concretamente, el gráfico de dispersión se realiza dividiendo el día en bloques de tiempo (p.ej., series de segmentos de 30 minutos). Para cada segmento de tiempo, un observador utiliza diferentes tipos de símbolos en un registro de observación para indicar si el problema de conducta se presentó mucho, algo o nada en absoluto. Tras haber reunido los datos durante una serie de días, se analizan por patrones (periodos de tiempo específicos que están típicamente asociados con el problema de conducta). Si se identifica un patrón de respuesta recurrente, se pueden examinar distribuciones temporales de la conducta para establecer una relación temporal con eventos ambientales. Por ejemplo, un periodo de tiempo en el que la conducta suele ocurrir se podría relacionar con el incremento de las demandas, con la baja atención, con ciertas actividades, o con la presencia de una persona particular. Si es así, los cambios se pueden hacer a partir de esta información.

Ventajas del Gráfico de Dispersión. La principal ventaja del gráfico de dispersión es que identifica los periodos de tiempo durante los cuales aparece el problema de conducta. Dicha información puede ser útil en la localización de los periodos del día en los que se podrían realizar más evaluaciones centradas en el ABC para obtener información adicional con respecto a la función del problema de conducta.

Limitaciones de los gráficos de dispersión. Aunque los gráficos de dispersión se utilizan a menudo en la práctica, poco se sabe acerca de su utilidad. No está claro si los patrones temporales son constatables de forma rutinaria (Kahng et al., 1998). Otro problema es que la obtención de datos precisos con el gráfico de dispersión puede ser difícil (Kahng et al., 1998). La naturaleza subjetiva de las clasificaciones de la frecuencia con la que se produce la conducta (p.ej., "muchos" vs "algunos") puede contribuir a las dificultades con la interpretación (los criterios para esos valores pueden diferir entre los distintos profesores o evaluadores).

Evaluación funcional indirecta de la conducta

Los métodos de **evaluación funcional indirecta** utilizan entrevistas estructuradas, inventarios, escalas de valoración, o cuestionarios para obtener información procedente de personas familiarizadas con aquella que presenta el problema de conducta (p.ej., profesores, padres, cuidadores o el propio individuo) para identificar las posibles condiciones o eventos del entorno natural que correlacionan con el problema de conducta. Tales procedimientos se conocen como "indirectos" porque no implican la observación directa de la conducta, sino que solicitan información basada en los recuerdos de otros sobre la conducta.

Entrevistas conductuales

Las entrevistas se utilizan habitualmente en la evaluación. El objetivo de la entrevista conductual es obtener información clara y objetiva sobre los problemas de conducta, los antecedentes y los consecuentes. Esto podría incluir la aclaración de las descripciones de la conducta (consecuencias); de cuándo (tiempo); de dónde (contexto, actividades y eventos); de con quién y de con qué frecuencia ocurre; de lo que suele preceder a la conducta (antecedentes); de lo que el niño y otros hacen inmediatamente después de la conducta (consecuencias); y de qué pasos se han realizado previamente para abordar el problema, y con qué resultados. Se podría solicitar información similar sobre las conductas deseables (o las condiciones bajo las que las conductas no deseables no aparecen) para identificar patrones o condiciones que predicen la conducta adecuada frente al problema de conducta. También se puede obtener información acerca de las preferencias aparentes del niño (p.ej., objetos o actividades favoritas), de sus habilidades o de sus medios de comunicación. Un entrevistador hábil plantea preguntas de manera que evoque respuestas específicas, completas y objetivas sobre los eventos, con las mínimas interpretaciones o inferencias.

Se han publicado listas de preguntas que proporcionan un formato coherente y estructurado para obtener información a través de una entrevista o en formato de cuestionario. Por ejemplo, la Functional Assessment Interview (O'Neill et al., 1997) cuenta con 11 secciones, que incluyen la descripción de la forma (topografía) de la conducta, los factores generales que pueden afectar a la conducta (medicamentos, dotación del personal, programación diaria), los antecedentes y resultados de la conducta, repertorios funcionales de la conducta, habilidades de comunicación, reforzadores potenciales, e historia de tratamiento.

Existe también un modelo autoaplicado de la Functional Assessment Interview para alumnos (Kern, Dunlap, Clarke, y Childs, 1995; O'Neill et al., 1997). Las preguntas incluyen la conducta (o conductas) que causa problemas a los alumnos en la escuela, una descripción del horario de clases del estudiante y su relación con el problema de conducta, la calificación de la intensidad de las conductas en una escala de 1 a 6 a través de los periodos de clase y las horas del día, los aspectos de la situación relacionados con la conducta (p.ej., dificultad, aburrimiento, material ambiguo, burlas entre iguales o reprimendas de profesores), otros eventos que pueden afectar a la conducta (p.ej., falta de sueño o conflictos), las consecuencias (lo que ocurre cuando el individuo realiza la conducta), posibles conductas alternativas y estrategias potenciales para un plan de apoyo.

Otros dos cuestionarios son el Behavioral Diagnosis and Treatment Information Form (Bailey y Pyles, 1989) y el Stimulus Control Checklist (Rolider y Van Houten, 1993), que también incluyen preguntas sobre las condiciones bajo las que se produce o no se produce la conducta, así como sobre su frecuencia. Además, incluyen preguntas sobre factores fisiológicos que podrían estar afectando a la conducta.

Escalas de valoración de la conducta

Las escalas de valoración de la conducta diseñadas para realizar la evaluación funcional piden a los informantes que estimen el grado en el que la conducta se presenta bajo ciertas condiciones, usando una escala tipo Likert (p.ej. *nunca, rara vez, normalmente* y *siempre*). Las hipótesis sobre la función de la conducta se basan en los resultados asociados a cada condición. Aquellas condiciones a las que se asigne la máxima puntuación acumulada o promedio están hipotéticamente relacionadas con el problema de conducta. Por ejemplo, si un informante afirma que los problemas de conducta siempre se producen cuando se le demanda algo a un niño, podría establecerse una hipótesis de reforzamiento negativo. Las características de varias escalas de valoración de la conducta se resumen en la Tabla 24.2.

Ventajas de la evaluación funcional indirecta de la conducta

Algunos métodos de evaluación indirecta pueden constituir una fuente útil de información para orientar evaluaciones posteriores más objetivas, y contribuir al desarrollo de hipótesis sobre las variables que podrían ocasionar o mantener las conductas que nos preocupan. Debido a que las formas indirectas de evaluación funcional de la conducta no requieren la observación directa del problema de conducta, muchas personas las ven convenientes.

Limitaciones de la evaluación funcional indirecta de la conducta

Una limitación importante de este tipo de evaluación funcional es que los informantes pueden no tener un recuerdo preciso e imparcial de la conducta y de las condiciones en las que se produjo, o no ser capaces de informar de este tipo de recuerdos de una manera que se ajuste a los requisitos de las preguntas Tal vez por estas razones, existe poca investigación que apoye la fiabilidad de la información obtenida mediante métodos de evaluación indirectos. La Escala de Evaluación de la Motivación (MAS) (Durand y Crimmins, 2011; Virues-Ortega, Segui-Duran, Descalzo-Quero, Carnerero, y Martin, 2011) es una de las pocas escalas de valoración de la conducta que ha sido evaluada por su adecuación técnica. Varios estudios han evaluado el acuerdo entre evaluadores de la Escala de valoración de la Motivación y casi todos ellos han encontrado que es bajo (Arndorfer, Miltenberger, Woster, Rotvedt, y Gaffaney, 1994; Barton-Arwood, Wehby, Gunter, y Lane, 2003; Conroy, Fox, Bucklin, y Good, 1996; Crawford, Brockel, Schauss, y Miltenberger, 1992; Newton y Sturmey, 1991; Sigafoos, Kerr, y Roberts, 1994; Zarcone, Rodgers, y Iwata, 1991). Barton-Arwood y otros (2003) también evaluaron la adecuación técnica del Problem Behavior Questionnaire (PBQ). Estos autores informaron de un acuerdo entre evaluadores variable y de una estabilidad cuestionable de la función conductual identificada tanto con el Problem Behavior Questionnaire como con la Escala de Evaluación de la Motivación cuando se aplicaron a alumnos con trastornos emocionales y conductuales. Debido a la falta de datos empíricos para apoyar su validez y el acuerdo entre evaluadores, los métodos de evaluación funcional de la conducta indirectos no se recomiendan como medios principales de identificación de las funciones de la conducta. Estas escalas pueden, sin embargo, proporcionar información útil para la formación de hipótesis iniciales, que puedan ser evaluadas posteriormente.

Llevar a cabo una evaluación funcional de la conducta

Teniendo en cuenta las ventajas y limitaciones de los distintos procedimientos de evaluación funcional de la conducta, esta se puede ver mejor como un proceso de cuatro fases, de la siguiente manera:

1. Recopilar información a través de la vía indirecta y evaluación descriptiva.
2. Interpretar la información de la evaluación indirecta y descriptiva y formular hipótesis sobre el propósito del problema de conducta.
3. Probar las hipótesis utilizando el análisis funcional.
4. Desarrollar intervenciones basadas en la función del problema de conducta.

Recopilación de información

A menudo es útil comenzar el proceso de evaluación funcional de la conducta mediante entrevistas de evaluación funcional con el profesor, el padre, el cuidador u otras personas cercanas a la que realiza la conducta objeto de evaluación. La entrevista puede ser útil en la preparación del evaluador para realizar observaciones directas mediante la identificación y definición del problema de conducta objetivo, de los antecedentes y consecuentes que pueden observarse, así como mediante la obtención de una visión global del problema de conducta y de los puntos fuertes de la persona. La entrevista también puede ayudar a determinar si se han realizado otras evaluaciones necesarias antes de llevar a cabo una evaluación funcional más extensa de la conducta. Por ejemplo, si la

Tabla 24.2 Revisión de las escalas de valoración de la conducta utilizadas para evaluar las posibles funciones de los problemas de conducta

Escalas de valoración de la conducta	*Funciones evaluadas*	*Formato y número de ítems*	*Ejemplo de ítem y posible función*
Escala de Evaluación de la Motivación (MAS) (Durand y Crimmins, 1992)	Reforzamiento sensorial, escape, atención y reforzamiento tangible	16 preguntas (4 por cada función), escala de 7 puntos que va desde *siempre* hasta *nunca*	¿La conducta parece ocurrir como respuesta a que usted hable con otra persona? (Atención)
Motivation Analysis Rating Scale (MARS) (Wieseler, Hanson, Chamberlain, y Thompson, 1985)	Reforzamiento sensorial, escape y atención	6 enunciados (2 por cada función), escala de 4 puntos que va desde *siempre* hasta *nunca*	La conducta deja de producirse poco después de eliminar las demandas o exigencias sobre la persona. (Escape)
Problem Behavior Questionnaire (PBQ) (Lewis, Scott, y Sugai, 1994)	Atención de los compañeros, atención del profesor, escape o evitación de la atención de los compañeros, escape o evitación de la atención del profesor, y evaluación de los eventos ambientales	Preguntas, rango de 7 puntos	Cuando el problema de conducta aparece, ¿los compañeros responden verbalmente o se ríen del alumno? (Atención de los compañeros)
Functional Analysis Screening Tool (FAST) (Iwata y DeLeon, 1996)	Reforzamiento social (atención, ítems preferidos), reforzamiento social (escape), reforzamiento automático por estimulación sensorial, reforzamiento automático por atenuación del dolor	"Si" o "No" respecto a si los enunciados describen la situación	Cuando el problema de conducta aparece, ¿Suele usted tratar de calmar o distraer a la persona con actividades que le gustan (objetos lúdicos, aperitivos, etc.)? (Reforzamiento social, atención, ítems preferidos)
Questions About Behavioral Function (QABF) (Paclawskyj, Matson, Rush, Smalls, y Vollmer, 2000)	Atención, escape, no social, física y tangible	Enunciados, rango de 4 puntos	El participante inicia conducta para intentar provocar una reacción en usted. (Atención)

entrevista revela que la persona tiene una infección crónica de oído, que se encuentra actualmente sin tratamiento, debería llevarse a cabo una evaluación médica antes de que la evaluación conductual tenga lugar.

En muchos casos la realización de una entrevista con la persona que tiene problemas de conducta puede ser útil si cuenta con habilidades de comunicación oral para comprender y responder a las preguntas de la entrevista. A veces la persona tiene información útil sobre por qué muestra problemas de conducta en contextos específicos (Kern et al., 1995).

En este punto resulta útil la realización de observaciones directas del problema de conducta dentro de la rutina natural. Tales observaciones ayudan a confirmar o no la información obtenida mediante las entrevistas. Si no está claro cuándo es más frecuente el problema de conducta, un análisis mediante el gráfico de dispersión puede ser útil para determinar cuándo se deben realizar más observaciones conductuales. Cuando se han determinado los periodos de tiempo problemáticos, el analista conductual puede llevar a cabo evaluaciones ABC. La información obtenida en las entrevistas es de utilidad para orientar la evaluación ABC debido a que el evaluador ya debe tener una definición clara de la conducta, de sus antecedentes y de sus consecuentes. Sin embargo, el analista de conducta también debe estar atento a los antecedentes y consecuentes adicionales e inesperados que se podrían presentar en el entorno natural. Los profesores o cuidadores a veces pasan por alto o no son conscientes de los estímulos específicos desencadenantes o subsiguientes a los problemas de conducta.

Interpretación de la información y formulación de hipótesis

Los resultados de las evaluaciones indirectas se deben analizar por patrones de conducta y eventos ambientales, de manera que se puedan hacer hipótesis sobre la función del problema de conducta. Si un problema de conducta aparece con mayor frecuencia cuando se dan bajos niveles de atención, y el problema de conducta suele producir atención, una hipótesis de que la atención mantiene los problemas de conducta sería apropiada. Si el problema de conducta aparece con mayor frecuencia en situaciones de alta exigencia y se suele dar un aplazamiento de la tarea (p.ej., a través del tiempo fuera, la suspensión u otra forma de retraso de la tarea), entonces una hipótesis de que el escape mantiene el problema de conducta se consideraría apropiada. Si el problema de conducta ocurre con un patrón impredecible o con altas tasas en toda la jornada escolar, una hipótesis que podría ser apropiada sería que el problema de conducta se mantiene por reforzamiento automático. Durante la revisión de los resultados de la evaluación y la consideración de las posibles hipótesis, el analista de conducta debe recordar que las conductas pueden cumplir múltiples funciones y que diferentes topografías de problemas de conducta pueden cumplir diferentes funciones.

Los enunciados de las hipótesis deben escribirse en formato ABC. Concretamente, los enunciados de las hipótesis deben incluir el antecedente hipotético desencadenante del problema de conducta, la topografía del problema de conducta y la consecuencia que lo mantiene. Por ejemplo:

Función hipotética	Antecedente	Conducta	Consecuencia
Escapar de lavarse las manos y de almorzar	Cuando se pide a Teresa que se lave las manos antes de almorzar, ...	Gritos y berrinches, seguidos de...	Terminación del lavado de manos y del almuerzo al ser enviada a cumplir un tiempo fuera

Escribir el enunciado de las hipótesis de esta manera es útil porque requiere que el analista de conducta se centre en las posibles vías de intervención: modificar el antecedente o modificar las contingencias de reforzamiento (lo que puede implicar la enseñanza de una nueva conducta y modificar qué conductas son reforzadas o colocadas en extinción).

Comprobación de hipótesis

Tras haber desarrollado las hipótesis, se puede llevar a cabo un análisis funcional para comprobarlas. El análisis funcional debería siempre contener una condición de control que sirva para promover la frecuencia más baja posible del problema de conducta. Para la mayoría de los individuos, esta es la condición de juego, que consiste en (a) la disponibilidad continua de los juguetes favoritos o actividades favoritas (b) la ausencia de demandas, y (c) la disposición continua de atención. A continuación, se seleccionan las condiciones necesarias para comprobar las hipótesis. Por ejemplo, si la hipótesis principal es que el problema de conducta se mantiene por escape, entonces, debería aplicarse una condición contingente de escape. No deben aplicarse otras condiciones de prueba.

Ser selectivos sobre las condiciones de prueba aplicadas ayudará a hacer el análisis funcional lo más breve posible; sin embargo, no se pueden sacar conclusiones respecto a las funciones adicionales del problema de conducta si no se implementan las condiciones de prueba adicionales. Por ejemplo, si las condiciones de escape y juego son las únicas condiciones probadas y el problema de conducta se produce con mayor frecuencia en la condición contingente de escape y rara vez o nunca se presenta en la condición de juego, la conclusión de que el problema de conducta se mantiene por escape es compatible. Sin embargo, debido a que la condición de atención contingente no se puso en práctica, no se podría descartar la posibilidad de que el problema de conducta también se mantenga por atención.

Una manera de probar todas las hipótesis posibles dentro de un corto periodo de tiempo consiste en utilizar un breve procedimiento de análisis funcional (p.ej., Boyagian, DuPaul, Wartel, Handler, Eckert, y McGoey, 2001; Cooper et al., 1992; Derby et al., 1992; Kahng e Iwata, 1999; Northup et al., 1991; Wacker et al., 1990). Esta técnica consiste en la aplicación de una sesión por cada una de las condiciones control y cada una de las condiciones de prueba. Si se observa un aumento en el problema de conducta en una de las condiciones de prueba, se aplica una **reversión de contingencias** para confirmar las hipótesis en lugar de realizar muchas repeticiones de todas las condiciones. Por ejemplo, después de realizar cada una de las condiciones de control y de prueba, se supone que las rabietas de Teresa se elevarán en la condición de escape contingente (véase Figura 24.3). Para confirmar esta hipótesis, el analista conductual podría restablecer la condición de escape contingente, seguido por una reversión de contingencias en la que el problema de conducta ya no produzca escape. En su lugar, otra conducta (a menudo una petición) sustituye al problema de conducta. Por ejemplo, en el caso de Teresa, se la podría instar a formar el signo

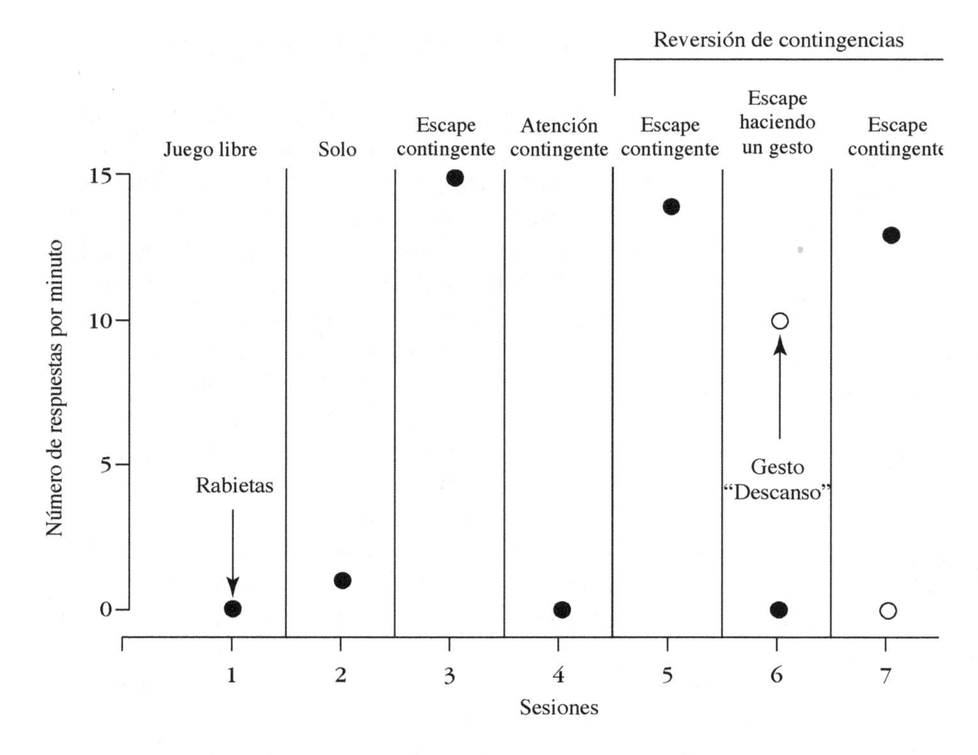

Figura 24.3 Datos hipotéticos de análisis funcional breve de las rabietas de Tonisha. Los datos simbolizados como puntos sólidos representan las rabietas, y los datos simbolizados como puntos vacíos representan los gestos de descanso. Las primeras cuatro sesiones representan el análisis funcional breve, mientras que las sesiones que van de la 5 a la 7 representan las contingencias de reversión.

manual de "descanso", y permitirle contingentemente al signo de "descanso", un descanso en la tarea. La reversión de contingencias es entonces seguida por el restablecimiento de la condición contingente de escape, en la que se coloca el signo de "descanso" en extinción y las rabietas vuelven a producirse de nuevo por escape. Este proceso puede repetirse para todas y cada una de las condiciones en las que el problema de conducta se eleva durante el análisis inicial.

Kahng and Iwata (1999) encontraron que el análisis funcional breve identificaba la función del problema de conducta con precisión (es decir, arrojaba resultados similares al análisis funcional extendido) en el 66% de los casos. Los análisis funcionales breves son útiles cuando el tiempo es muy limitado; sin embargo, dado que en al menos un tercio de los casos no coinciden con los resultados del análisis funcional extendido, es sensato llevar a cabo un análisis funcional extendido cuando las circunstancias lo permitan. También será adecuado realizar un análisis funcional extendido cuando el análisis funcional breve no sea concluyente (Vollmer, Marcus; Ringdahl, y Roane, 1995).

Desarrollo de las intervenciones

Cuando se ha realizado una evaluación funcional de la conducta, se puede desarrollar una intervención adecuada para la función del problema de conducta. Las intervenciones pueden ser de muchos tipos. Aunque la evaluación funcional de la conducta no identifica cuáles son las intervenciones más eficaces para el tratamiento de los problemas de conducta, sí identifica los antecedentes que pueden desencadenar los problemas de conducta, los déficits potenciales de la conducta que se podrían corregir, y las contingencias de reforzamiento que se pueden modificar, tal como se ha descrito anteriormente en este capítulo. Lo que también identifica la evaluación funcional de la conducta son reforzadores potentes que se pueden utilizar como parte del paquete de intervención. La intervención debe ser **funcionalmente equivalente** a la conducta que supone un problema. Es decir, si el problema de conducta cumple una función de escape, entonces la intervención debería proporcionar un escape (p.ej., en forma de descanso de las exigencias de la tarea) mediante una respuesta más apropiada o implicando la modificación de las exigencias de manera que el escape resulte menos reforzante.

Una manera eficaz de diseñar intervenciones consiste en revisar las hipótesis confirmadas para determinar cómo la contingencia ABC se podría modificar para promover una conducta más positiva. Por ejemplo, teniendo en cuenta la hipótesis desarrollada para Teresa:

Función hipotética	*Antecedente*	*Conducta*	*Consecuencia*
Escapar de lavarse las manos y de almorzar	Cuando se pide a Teresa que se lave las manos antes de almorzar, ...	Gritos y berrinches, seguidos de...	Terminación del lavado de manos y del almuerzo al ser enviada a cumplir un tiempo fuera

El antecedente se podría modificar al cambiar la hora del día en la que se le pide a Teresa que se lave las manos (de modo que no preceda al almuerzo y disminuya la motivación de las rabietas motivadas por el escape).

Función hipotética	*Antecedente*	*Conducta*	*Consecuencia*
Escapar de lavarse las manos y de almorzar	~~Cuando se pide a Teresa que se lave las manos antes de almorzar,~~ Teresa se lava las manos antes del recreo	(Se evita el problema de conducta)	(La consecuencia es irrelevante debido a que el problema de conducta no ha ocurrido)

La conducta se podría modificar enseñando a Teresa una nueva conducta (p.ej., indicar con signos "descanso") que produzca el mismo resultado (escapar del almuerzo).

Función hipotética	*Antecedente*	*Conducta*	*Consecuencia*
Escapar de lavarse las manos y de almorzar	Cuando se pide a Teresa lavarse las manos antes de almorzar, ...	~~Gritos y berrinche seguidos de...~~ Se insta a Teresa a decir con lengua de signos "descanso", seguido de...	Terminación del lavado de manos y del almuerzo.

O bien, se podrían modificar las consecuencias. Por ejemplo, se podría extinguir el problema de conducta dejando de presentar su reforzador.

Una intervención también puede estar formada por varios componentes diferentes. Por ejemplo, se podría enseñar a Teresa una conducta de sustitución (señalar con gestos "descanso"), que diera como resultado la aparición de descansos durante el almuerzo, mientras que las rabietas se colocaran simultáneamente en extinción respecto al escape.

Función hipotética	*Antecedente*	*Conducta*	*Consecuencia*
Escapar de lavarse las manos y de almorzar	Cuando se pide a Teresa que se lave las manos antes de almorzar, ...	Gritos y berrinches, seguidos de...	~~Terminación del lavado de manos y almuerzo por ser enviado a cumplir un tiempo fuera~~ continuar presentando la actividad de lavado de manos y el almuerzo

La evaluación funcional de la conducta también puede ayudar a identificar las intervenciones que pueden ser ineficaces o que pueden empeorar el problema de conducta. Las intervenciones que incluyen tiempo fuera, expulsiones de clase o de la escuela, o el ignorar programado, están contraindicadas para los problemas de conducta mantenidos por escape; mientras que las que incluyen reprimendas, debates, o asesoramiento están contraindicadas para los problemas de conducta mantenidos por atención.

Una última idea sobre la intervención: Cuando se ha desarrollado una intervención, la evaluación funcional de la conducta no está "terminada" sino que es una práctica continuada que prosigue cuando se implementa la intervención. Esto es importante para la supervisión continua de la eficacia de la intervención. Las funciones de la conducta no son estáticas sino dinámicas, cambian con el tiempo. La intervención puede perder su eficacia con el tiempo ya que la función del problema de conducta puede cambiar (Lerman, Iwata, Smith, Zarcone, y Vollmer, 1994). En tales casos, puede ser necesario llevar a cabo análisis funcionales adicionales para revisar la intervención.

Ejemplos de casos que ilustran el proceso de evaluación funcional de la conducta

La evaluación funcional de la conducta es un proceso idiosincrásico. Es inusual que cualquier par de evaluaciones funcionales de la conducta sean exactamente las mismas, ya que cada persona presenta un conjunto único de habilidades y conductas, así como una única historia de reforzamiento. La evaluación funcional de la conducta requiere una comprensión

Tabla 24.3 Resultados de la evaluación ABC de las conductas de agresión, destrucción de la propiedad y rabietas de Bruno.

Antecedente	*Conducta*	*Consecuencia*
Se desvía la atención del adulto a otro estudiante; la profesora le niega el acceso a la videoconsola (es decir, le dice que no cuando Bruno le pregunta si puede jugar)	Grita a la profesora: "¡No es justo! ¿Por qué me odias?"	Se le dice "Cálmate".
La profesora atiende a otro estudiante	Golpea el sofá e intenta irse de la clase	Se le da a elegir entre actividades y se le advierte verbalmente que permanezca en el aula.
La profesora desvía la atención hacia otro estudiante	Grita "¡Detente!" a otro estudiante	Reprimenda de la profesora: "No te preocupes, Bruno. Yo me ocuparé de esto".
Hora del cuento, la profesora atiende a otros estudiantes.	Se ríe en voz alta	Reprimenda de la profesora: "¡Basta!"
Hora del cuento, la profesora escucha a otros estudiantes.	Interrumpe a otros alumnos mientras hablan: "¡Eh, es mi turno, sé lo que pasa después!"	Reprimenda de la profesora: "¡Tienes que escuchar!"

profunda de los principios de la conducta para extraer la información relevante a partir de las entrevistas y las evaluaciones ABC y comprobar esas hipótesis. Más allá de estas habilidades, se necesita una comprensión sólida de las intervenciones conductuales (p.ej., procedimientos de reforzamiento diferencial, programas de reforzamiento y estrategias para promover el mantenimiento y la generalización) para elegir los tratamientos que mejor "encajen" con la función de la conducta desafiante, pues serán los más eficaces. Este proceso puede parecer abrumador. En un intento de demostrar la aplicación de la evaluación funcional de la conducta a través de las diferencias idiosincrásicas de las personas, se presentan cuatro ejemplos de casos.

Brian: múltiples funciones de los problemas de conducta

Recopilación de información

Brian tenía 13 años y estaba diagnosticado de retraso generalizado del desarrollo, trastorno negativista desafiante y trastorno de hiperactividad con déficit de atención. Presentaba retraso moderado en habilidades cognitivas y adaptativas. Mostraba varios problemas de conducta que incluían: agresiones, destrucción a la propiedad y rabietas. Las agresiones de Brian habían dado lugar a que varios de sus profesores presentaran moretones, y sus conductas de destrucción de la propiedad y rabietas habían interrumpido con frecuencia la actividad diaria de la clase.

Se realizó una Functional Assessment Interview (O'Neill et al.,1997) con la profesora de Brian, la Sra. Baños, quién informó de que los problemas de conducta de Brian ocurrían con más frecuencia cuando se le pedía realizar una tarea que requería cualquier tipo de esfuerzo físico (p.ej., triturar papeles) y se producían con menos frecuencia durante las actividades de ocio. Sin embargo, la Sra. Baños informó de que Brian solía presentar problemas de conducta cuando se le pedía que abandonara su actividad favorita. Ella señaló que Brian presentaba habla compleja (oraciones), aunque solía comunicar sus deseos o necesidades mediante amenazas verbales (p.ej., insultos), agresiones, destrucción de la propiedad o rabietas.

Ya que Brian se comunicaba verbalmente, también se realizó la Student-Assisted Functional Assessment Interview (*Entrevista de evaluación funcional asistida por el estudiante*, Kern et al., 1995). En esta entrevista, Brian informó de que encontraba su tarea de matemáticas demasiado difícil, pero que la escritura y el uso de la calculadora era demasiado fácil. Informó de que a veces recibía ayuda de sus profesores cuando se la pedía, de que a veces los profesores y el resto del personal se percataban de que estaba haciendo un buen trabajo y de que a veces recibía una recompensa por hacer un buen trabajo. Brian indicó que sus periodos de trabajo eran demasiado prolongados, especialmente aquellos en los que tenía que triturar papeles. Brian informó de cuando tenía menos problemas en la escuela era cuando se le permitía contestar el teléfono (su responsabilidad de clase), cuando estaba haciendo los problemas de matemáticas y cuando estaba jugando con su videoconsola. Declaró que sentía que tenía la mayor

Tabla 24.4 Exposición de las hipótesis de la conducta de Bruno.

Función hipotética	*Antecedente*	*Conducta*	*Consecuencia*
Obtener atención de adultos y compañeros	Cuando la atención de un adulto o un compañero se desvía de Bruno, ...	Inicia una serie de problemas de conducta que resultan en...	Atención de adultos e iguales
Obtener acceso a juguetes y actividades favoritas	Cuando el acceso a los juguetes y actividades favoritas es restringido, ...	Inicia una serie de problemas de conducta que resultan en...	Obtención del acceso a juguetes y actividades favoritas
Escapar de tareas difíciles o no preferidas	Cuando se pide a Bruno que realice tareas difíciles o no deseables, ...	Inicia una serie de problemas de conducta que resultan en...	Se eliminan las tareas

parte de los problemas cuando estaba fuera jugando con otros alumnos porque solían burlarse de él e insultarlo.

Se realizó una evaluación ABC en dos ocasiones separadas. Los resultados de la evaluación ABC se muestran en la Tabla 24.3.

Interpretación de la información y formulación de hipótesis

Basándonos en la entrevista y las evaluaciones ABC, la función de los problemas de conducta de Brian estaba clara. Se planteó la hipótesis de que sus problemas de conducta se mantenían por el acceso a la atención del adulto y a sus objetos favoritos. Esta hipótesis fue resultado de la evaluación ABC, que indicó que muchos de los problemas de conducta se presentaban cuando la atención del adulto era baja o cuando el acceso a los objetos favoritos estaba restringido. El problema de conducta de Brian solía dar como resultado el acceso a la atención del adulto y a las actividades favoritas. También se planteó como hipótesis que el problema de conducta se mantuviese por escape porque su profesora informó de que Brian solía iniciar las conductas problemáticas ante la presencia de demandas para hacer tareas y porque Brian informaba de que algunos de sus trabajos eran demasiado difíciles y duraban mucho tiempo. Por ello, se llevó a cabo un análisis funcional para comprobar esas hipótesis. Los enunciados de las hipótesis sobre la conducta de Brian se resumen en la Tabla 24.4.

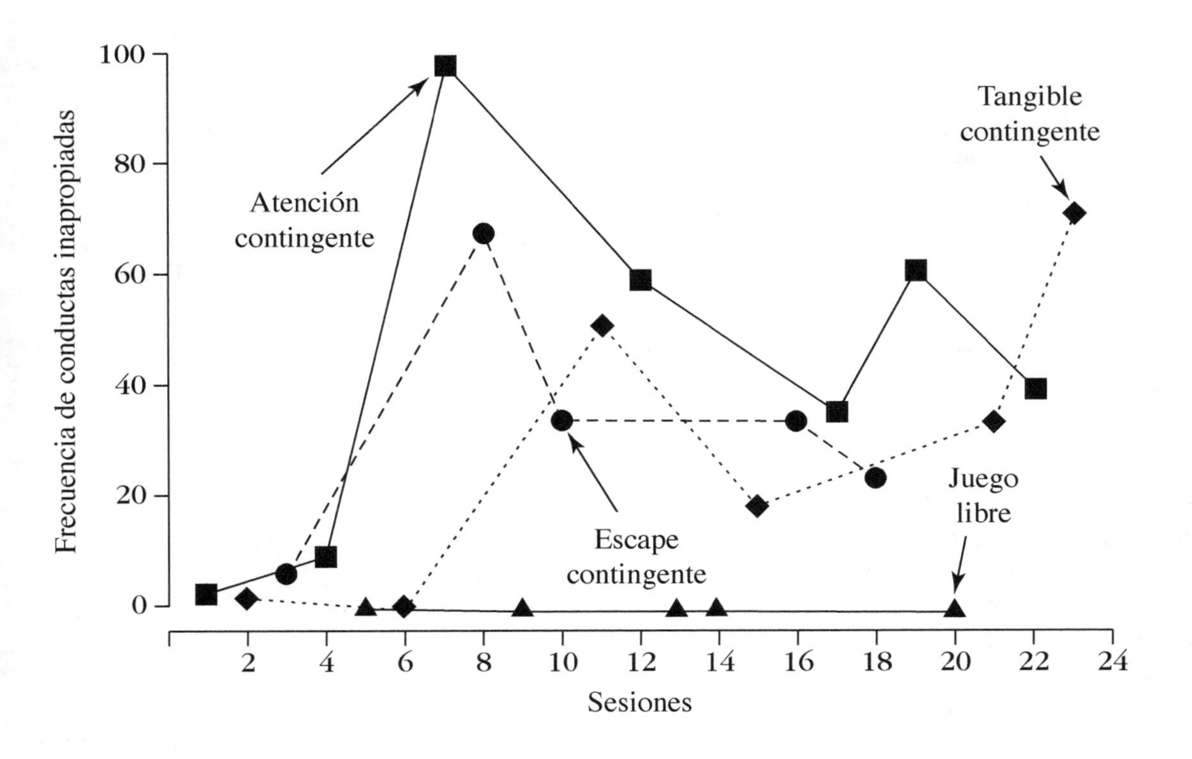

Figura 24.4 Resultados del análisis funcional de Brian. Conductas inapropiadas consistentes en agresión, destrucción de la propiedad y rabietas.

Análisis funcional realizado por Renée Van Norman y Amanda Flaute.

Tabla 24.5. Resumen de los componentes de intervención de Bruno.

Opciones de intervención para la función de atención			
Intervención	*Antecedente*	*Conducta*	*Consecuencia*
Enseñar una nueva conducta (atención social)	Cuando un adulto o un compañero retire la atención de Bruno,...	Él levantará la mano y dirá: "Perdona..."	Los adultos y los compañeros atenderán a Bruno.
Enseñar una nueva conducta	Cuando un adulto o un compañero retire la atención de Bruno,...	Él controlará su propio trabajo individual apropiadamente y comprobará los registros del profesor...	Los profesores le prestarán tiempo individualmente si cumple con un criterio específico.
Cambiar el antecedente	Durante los momentos de trabajo independiente, los adultos prestarán atención a Bruno cada 5 minutos	Aumentar la probabilidad de que Bruno trabaje adecuadamente de manera independiente...	Los adultos aumentarán las oportunidades para alabar y atender a las conductas apropiadas.
Cambiar el antecedente	Permitir que Bruno juegue con los compañeros durante tiempos de ocio...	Aumentar la probabilidad de que Bruno juegue adecuadamente, ...	Los adultos aumentarán las oportunidades para alabar conductas apropiadas y para que los compañeros respondan positivamente
Opciones de intervención para la función tangible			
Intervención	*Antecedente*	*Conducta*	*Consecuencia*
Enseñar una nueva conducta	Cuando el acceso a juguetes y actividades favoritas se restrinja,...	Él dirá: "¿Puedo volver a cogerlo, por favor?"...	Y el profesor le proporcionará el acceso a los juguetes y actividades favoritas.
Opciones de intervención para la función de escape			
Intervención	*Antecedente*	*Conducta*	*Consecuencia*
Enseñar una nueva conducta	Cuando se le pida a Bruno que realice una tarea difícil o no deseada,...	Él dirá: "¿Podría hacer un descanso ahora?"	Y el profesor le permitirá tomarse un descanso.
Cambiar la contingencia de reforzamiento	Cuando se le pida a Bruno que realice una tarea difícil o no deseada,...	E inicie una serie de problemas de conducta,...	Será necesario que siga trabajando en la tarea y la intervención de tiempo fuera se presentará de manera discontinua.

Comprobación de hipótesis

A continuación, se realizó un análisis funcional para Brian que consistió en la aplicación de las mismas condiciones que se han descrito previamente, con dos excepciones. En primer lugar, no se llevó a cabo la condición de solo porque no había motivos para creer que el problema de conducta de Brian cumpliera una función automática. En segundo lugar, se añadió una condición de contingencia tangible porque había razones para creer que Brian iniciaba los problemas de conducta para acceder a las actividades y objetos favoritos. Esta condición era igual que la condición de juego (es decir, Brian tenía acceso a la atención del adulto y los juguetes favoritos al comienzo de la sesión), excepto que intermitentemente a lo largo de la sesión, se le dijo que era hora de entregar su juguete a la profesora y jugar con otra cosa (que era menos deseable). Si Brian cumplía con la petición y le entregaba el juguete a la profesora, recibía un juguete menos preferido. Si mostraba problemas de conducta, se le permitía continuar jugando con su juguete favorito durante un breve periodo de tiempo.

Los resultados del análisis funcional se muestran en la Figura 24.4. Como se puede observar, el problema de conducta nunca se presentó bajo la condición de juego,

Tabla 24.6. Hipótesis relacionadas con la función de la conducta de distracción de Candela

Función Hipotética	*Antecedente*	*Conducta*	*Consecuencia*
Hipótesis principal: Obtener atención de los adultos	Cuando el profesor retira la atención a Candela,...	Ella inicia conductas de distracción, que resultan en,...	Atención del profesor (reprimendas, solicitar tarea).
Hipótesis alternativa: Escapar de tareas académicas difíciles	Cuando se le pide a Candela que trabaje en tareas académicas,...	Ella inicia conductas de distracción, que resultan en,...	La eliminación de las tareas.

pero se presentó con altas tasas en las otras tres condiciones evaluadas (atención contingente, escape y tangible). Estos resultados indicaron que el problema de conducta de Brian se mantenía mediante escape, atención y el acceso a objetos preferidos. Durante la condición de juego, sin embargo, cuando Brian disponía de atención continuada, de una disponibilidad permanente de los objetos preferidos y no se le exigía nada, el problema de conducta nunca se presentaba.

Desarrollo de una intervención

A partir de los resultados del análisis funcional, se desarrolló una intervención con múltiples componentes. Los componentes de la intervención cambiaban en diferentes momentos dependiendo del contexto. Estos componentes, relacionados con las funciones del problema de conducta, se resumen en la Tabla 24.5. Por ejemplo, cuando Brian estaba realizando una tarea académica, se recomendaba que le ofreciesen frecuentes oportunidades para solicitar descansos. Además, la intervención de tiempo fuera que la profesora había estado empleando se suspendió en el contexto de trabajo. Durante los momentos de ocio, en los que hasta ahora se suponía que Brian iba a jugar solo, la programación del aula se reorganizó de tal manera que pudiese jugar e interactuar con los iguales. También se le enseñó a Brian a pedir los juguetes adecuadamente cuando jugaba con sus compañeros. Además, se implementaron varias intervenciones destinadas a aumentar la atención de la profesora ante las conductas apropiadas. Se enseñó a Brian a pedir la atención de la profesora adecuadamente y los profesores empezaron a responder a estas peticiones en lugar de ignorarlo (como habían hecho con anterioridad). Además, se estableció un plan de autocontrol, en el que se enseñó a Brian a controlar su propia conducta, y a que su autorregistro coincidiese con el registro de sus profesores. Los autorregistros precisos daban como resultado una alabanza del profesor y el acceso a actividades favoritas junto a él. Los profesores de Brian también implementaron su propio plan para aumentar la atención que le prestaban y elogiar su conducta, siempre y cuando no presentase ningún problema de conducta durante el tiempo de trabajo individual de clase.

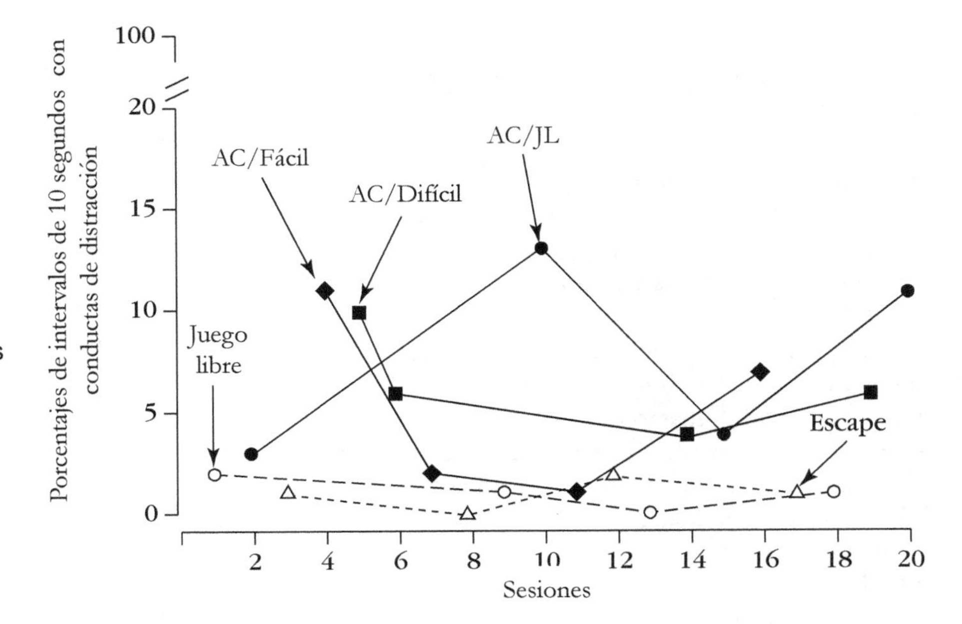

Figura 24.5 Resultados del análisis funcional de la conducta de distracción de Kaitlyn. JL=Juego libre; AC/JL=Atención contingente durante las actividades de juego libre; AC/Fácil=Atención contingente durante actividades académicas fáciles; AC/Difícil= AC/Fácil=Atención contingente durante actividades académicas difíciles.

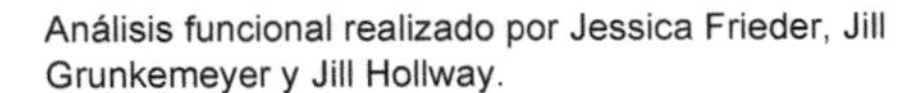
Análisis funcional realizado por Jessica Frieder, Jill Grunkemeyer y Jill Hollway.

Kaitlyn: función atencional del problema de conducta

Recopilación de información

Kaitlyn tenía 12 años y estaba diagnosticada de trastorno por déficit de atención e hiperactividad. También mostraba algunas deficiencias en la motricidad fina y gruesa. Kaitlyn asistía a clases tanto en el aula ordinaria de sexto curso como en el aula de educación especial. Frecuentemente mostraba conductas de distracción ante las tareas, que consistían en levantarse del asiento, tocar a otros (p.ej., jugar a "dar patadas" debajo del pupitre con sus compañeros), hacer ruidos y hablar fuera de su turno. Se hizo una Functional Assessment Interview (O'Neill et al., 1997) a su profesora que afirmó que, por lo general, Kaitlyn preguntaba constantemente cuando se le ponía una tarea difícil y que se solía confundir cuando se alteraban sus rutinas, lo que la hacía necesitar mucha ayuda.

Debido a que solo había una profesora en la clase y otros 25 alumnos, Kaitlyn recibía poca atención y su profesora hipotetizó que iniciaba las conductas de distracción para llamar la atención.

Los resultados de la evaluación ABC mostraron que Kaitlyn solía recibir poca atención de los adultos en clase, excepto cuando mostraba conducta de distracción de ante las tareas. Aunque se distraía muchas veces cuando los adultos no la estaban atendiendo solía estar realizando tareas difíciles a la vez. Por tanto, no estaba claro qué antecedente (la baja atención o las altas exigencias de las actividades académicas) se relacionaban con su conducta.

Interpretación de la información y formulación de hipótesis

Basándonos en la información obtenida en las entrevistas y la evaluación ABC, se hipotetizó que la conducta de distracción de Kaitlyn cumplía una función de atención. Las hipótesis desarrolladas para Kaitlyn se resumen en la Tabla 24.6.

Sin embargo, debido a que se observaba habitualmente a Kaitlyn en actividades académicas que coincidían con situaciones en las que recibía poca atención, no estaba claro qué papel jugaba la dificultad de la tarea en su conducta de distracción, es decir, si iniciaba las conductas problemáticas para obtener atención o porque la tarea académica era demasiado difícil. ¿Daría muestras de niveles similares de problemas de conducta cuando estuviesen presentes materiales lúdicos en lugar de material académico de distinta dificultad cuando no recibiera atención? Era importante diseñar un análisis funcional que abordara esas cuestiones.

Comprobación de hipótesis

El análisis funcional de Kaitlyn demuestra cómo las condiciones de análisis funcional se pueden construir para probar varios tipos de hipótesis. Su análisis funcional consistió en las condiciones de juego y escape estándares descritas previamente. Sin embargo, se llevaron a cabo varias condiciones de atención contingente diferentes para determinar si las exigencias de la tarea interactuaban con condiciones en las que recibía baja atención, evocando problemas de conducta.

Se llevaron a cabo tres condiciones de atención contingente: atención contingente durante actividades de juego libre (AC/JL), atención contingente durante actividades académicas fáciles (AC/Fáciles) y atención contingente durante actividades académicas difíciles (AC/Difícil). En las tres condiciones, la atención se desviaba de Kaitlyn a menos que ella se involucrase en conductas de distracción. Contingente a la conducta de distracción, un profesor se acercaba a ella y le reprimía ligeramente (p.ej., "Kaitlyn, ¿qué estás haciendo? Se supone que debes estar haciendo la tarea. Necesito que continúes con tu tarea ahora"). Las diferentes condiciones difieren en el tipo de actividad que se le pedía hacer a Kaitlyn. Durante AC/JL, se permitía jugar a Kaitlyn con un juego elegido por ella. Durante AC/Fáciles Kaitlyn estaba obligada a resolver problemas de suma de un solo dígito. Durante AC/Difícil, estaba obligada a resolver problemas de restas de varios dígitos que requerían reagrupación.

Los resultados del análisis funcional se presentan en la Figura 24.5. Se presentaban pocas conductas de distracción en las condiciones de juego y escape. Por tanto, la hipótesis de que Kaitlyn se involucraba en conductas de distracción para escapar de las tareas no recibió apoyado. Se observó un aumento de las conductas de distracción en las tres condiciones de atención contingente. Estos datos sugirieron que las conductas de distracción de Kaitlyn cumplían la función de lograr atención independientemente del tipo de actividad en la que se involucrase.

Desarrollo de la intervención

Kaitlyn no tenía problemas para comunicarse verbalmente y a menudo solicitaba atención adecuadamente, por lo que se la enseñó a controlar su propia conducta concentración en la tarea o en otras cosas cuando tenía que trabajar o jugar de manera independiente. Inicialmente, se enseñó a Kaitlyn a controlar su conducta cada 10 segundos (esta fue la mayor cantidad de tiempo que fue capaz de permanecer centrada en la tarea sin preguntar durante la lineabase). Tanto ella como un asistente de clase llevaban un temporizador vibrante (un MotivAider[1]) que no distraía a otros estudiantes. Cuando el temporizador vibraba, Kaitlyn apuntaba en su hoja de autocontrol si estaba o no prestando atención a la tarea. Después miraba al asistente. Si Kaitlyn estaba haciendo la tarea, el asistente le mostraba una señal con su pulgar hacia arriba y una sonrisa.

Ocasionalmente, el asistente también se acercaba a Kaitlyn y dándole una palmada en la espalda le decía: "¡Continúa con la tarea!" mientras que si no estaba haciendo la tarea la miraba desde lejos. Transcurridos 10 minutos, el asistente y Kaitlyn comparaban los resultados. Si Kaitlyn había realizado su tarea durante 50 de las 60 comprobaciones y coincidía con el asistente en 57 de las 60 comprobaciones, se le permitía participar en una actividad especial con el asistente durante 5 minutos. Con el tiempo, la duración del intervalo y del periodo observación aumentó hasta que Kaitlyn pudo trabajar adecuadamente durante todo el periodo de observación.

DeShawn: función automática del problema de conducta

Recopilación de información

DeShawn tenía 10 años y estaba diagnosticado de autismo. Presentaba un retraso grave del desarrollo y era ciego. Tomaba Risperidona para controlar la conducta. Con frecuencia lanzaba objetos por la habitación, tiraba los materiales de trabajo de la mesa, arrastraba su brazo por la mesa haciendo que se cayeran los objetos al suelo. Todas estas conductas interferían en sus tareas académicas. La Functional Assessment Interview (O'Neill et al., 1997) aportó poca información útil, porque la profesora aseguraba que DeShawn lanzaba, tiraba y empujaba los objetos de manera impredecible, por lo que no pudo identificar ningún antecedente que normalmente predijese el problema de conducta. La intervención que tuvo lugar en ese momento consistió en limitar el acceso o proximidad a los objetos que DeShawn pudiese lanzar. Las observaciones ABC realizadas en la rutina natural también proporcionaron poca información útil porque los profesores prevenían y bloqueaban todas las ocurrencias de los problemas de conducta. De esta manera, el problema de conducta se presentaba en pocas ocasiones. Sin embargo, se observó que DeShawn rara vez participaba activamente en las clases. Por ejemplo, cuando la profesora leía un libro a la clase, DeShawn no podía participar porque no podía ver las imágenes. En otras ocasiones, DeShawn se dedicaba a tareas individuales, pero esas tareas no parecían ser significativas y apropiadas para su nivel de habilidad.

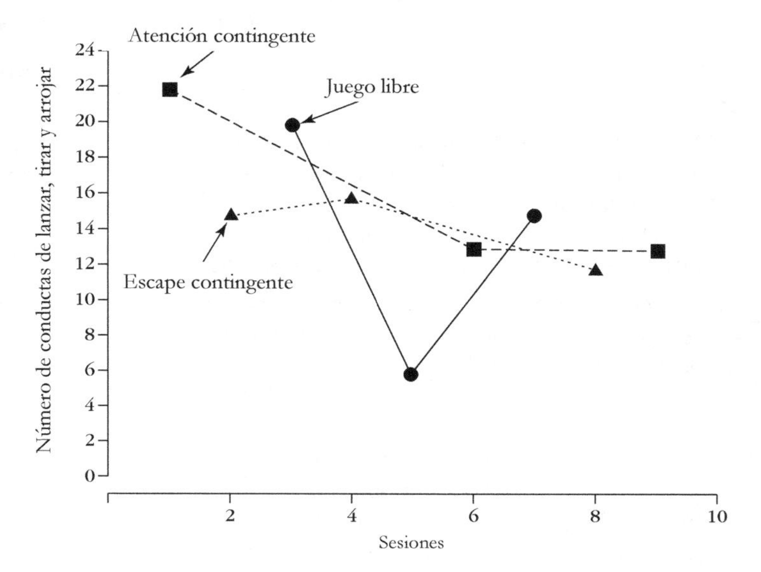

Figura 24.6 Resultados del análisis funcional de DeShawn. Conductas inapropiadas consistentes en agresión, destrucción de la propiedad y rabietas.

Análisis funcional realizado por Susan M. Silvestri, Laura Lacy Rismiller y Jennie E. Valk.

Interpretación de la información y formulación de hipótesis

Fue difícil formular una hipótesis basada en la información limitada que aportaron la profesora y las observaciones directas. Debido a que DeShawn no parecía participar activamente o interesarse en las actividades de clase, se planteó la hipótesis de que lanzaba, tiraba y arrojaba los objetos por reforzamiento automático. Sin embargo, no pudieron descartarse otras hipótesis como la obtención de atención, el escape o las funciones múltiples.

Comprobación de hipótesis

El análisis funcional consistió en evaluar las condiciones de juego, atención contingente y escape contingente. La condición "solo" no se llevó a cabo porque no había una

[1]El MotivAider es un dispositivo que puede servir para vibrar en intervalos de tiempo específicos. Se puede obtener en www.habitchange.com

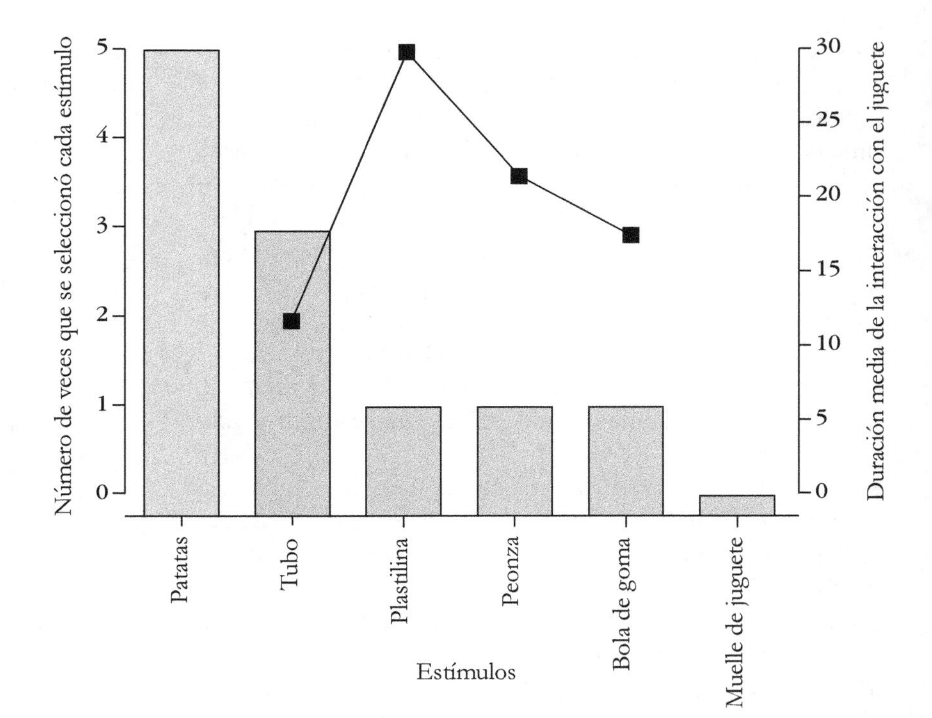

Figura 24.7 Resultados de la evaluación de las preferencias de DeShawn. Las barras indican el número de veces que se seleccionó cada estímulo. El gráfico de líneas representa la media en segundos que jugó con cada objeto antes de lanzarlo.

Evaluación de preferencias realizada por Susan M. Silvestri, Laura Lacy Rismiller, y Jennie E. Valk.

habitación que permitiese observar y supervisar a DeShawn de forma encubierta. Los resultados del análisis funcional se muestran en la Figura 24.6. Las conductas de lanzar, tirar y arrojar objetos se presentaban a tasas elevadas y variables en las tres condiciones, lo que demostraba un patrón indiferenciado. Estos resultados fueron inconcluyentes, pero sugirieron la función de reforzamiento automático de las conductas de lanzar, tirar y arrojar objetos.

Un análisis más detallado podría haber identificado con mayor precisión la fuente de reforzamiento (p.ej., arrastrar el brazo, el sonido de los objetos al caer, una superficie de mesa despejada). En lugar de ello, lo que hicimos fue intentar identificar reforzadores alternativos que pudiesen competir con los problemas de conducta mantenidos automáticamente.

Se realizó una evaluación de preferencias de elección-forzada (Fisher et al., 1992) para identificar los estímulos altamente preferidos (véase el Capítulo 11 para una discusión más detallada de estos procedimientos). Los resultados de esta evaluación se muestran en la Figura 24.7. DeShawn elegía con mayor frecuencia patatas fritas. También se tomaron datos sobre el número de segundos que jugaba DeShawn con cada objeto antes de lanzarlo (se le permitía tener acceso a cada objeto durante 30 segundos, así que anotar 30 segundos indica que jugó todo el tiempo con el objeto y nunca lo lanzó). No se obtuvieron datos sobre el tiempo en el que DeShawn "jugaba" con las patatas fritas porque no jugaba con ellas; se las comía. Sin embargo, cabe señalar que DeShawn nunca tiró patatas fritas, ni lanzó ningún otro objeto en el área cuando tenía acceso a las patatas fritas. Él inmediatamente se las metía en la boca y se las comía. Estas dos piezas de información indicaron que las patatas fritas eran altamente preferidas y podrían funcionar como un reforzador que compitiese con la conducta de lanzar, tirar y arrojar objetos. Aunque el tubo que hacía ruido se eligió el segundo más frecuente, DeShawn lo solía lanzar después de jugar con él durante tan solo 12 segundos.

La siguiente evaluación valoró si las patatas fritas servían como reforzador para presionar un interruptor que decía "patatas, por favor" y si el uso de las patatas fritas competiría con el lanzamiento de objetos (basado en los procedimientos de evaluación del interruptor de Wacker, Berg, Wiggins, Muldoon, y Cavanaugh, 1985). En primer lugar, se tomaron datos de lineabase sobre el número de pulsaciones apropiadas del interruptor (aquellas que activaban la voz presionando una sola vez); el número de pulsaciones inapropiadas (aquellas que implicaban presionar repetidamente o golpear el interruptor); el número de intentos de lanzar el interruptor, y el número de veces que lanzaba, tiraba y arrastraba otros objetos. Durante la lineabase, DeShawn tenía acceso al interruptor, sin embargo, no se le entregaban ni las patatas ni un muelle de juguete por presionar el interruptor. A continuación, la voz del interruptor decía "patatas, por favor" y se le entregaba una patata frita cuando presionaba el interruptor apropiadamente. En la siguiente condición, la voz del interruptor decía "muelle, por favor", y se le entregaba contingentemente el muelle de juguete (que era un

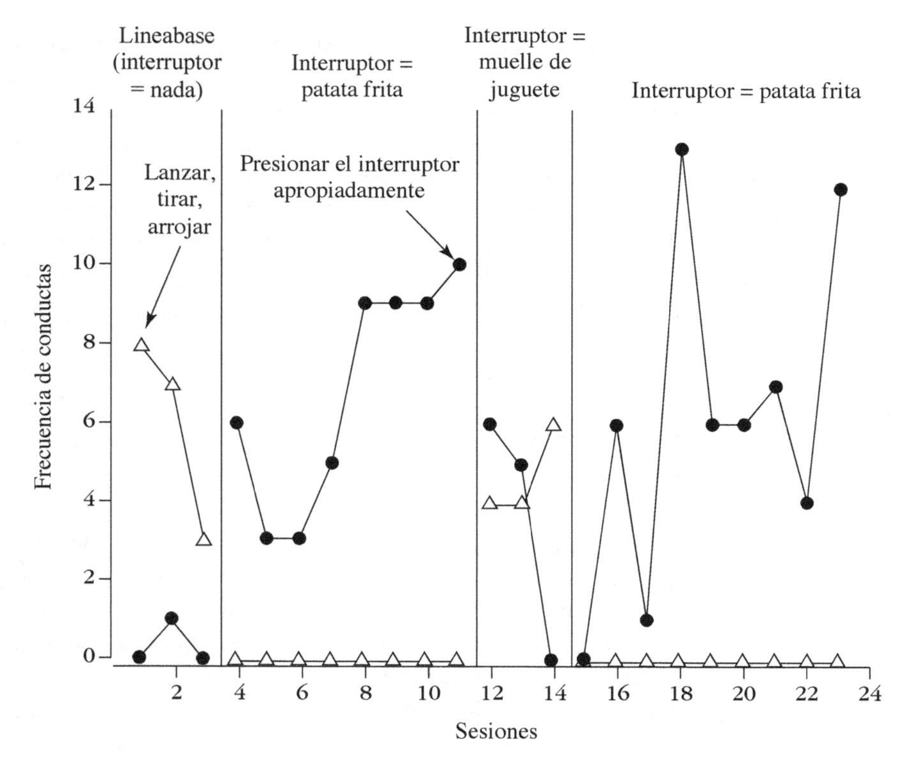

Figura 24.8. Resultados de la evaluación del interruptor de DeShawn. Durante la línea base, tocar el interruptor no daba lugar a ningún estímulo tangible. Durante la condición "Interruptor= patata frita", tocar el interruptor daba lugar a un bocado de una patata frita. Durante la condición "Interruptor=muelle de juguete", tocar el interruptor daba lugar al acceso al juguete durante 30 seg.

Evaluación de reforzadores realizada por Renée Van Norman, Amanda Flaute, Susan M. Silvestri, Laura Lacy Rismiller, y Jennie E. Valk.

juguete no favorito) cuando presionaba el interruptor adecuadamente. Finalmente, la voz del interruptor decía de nuevo "patatas, por favor", y se le entregaba contingentemente una patata frita al presionarlo adecuadamente para crear un diseño de reversión ABCB.

Los resultados de la evaluación del interruptor se muestran en la Figura 24.8. Las presiones apropiadas del interruptor aumentaron cuando se entregaban patatas fritas contingentemente. Curiosamente, no lanzó, tiró ni arrojó ningún objeto cuando disponía de patatas fritas. También se presentaron algunas presiones inapropiadas del interruptor, pero las apropiadas fueron más frecuentes. Cuando presionar el interruptor tenía como resultado el acceso a un juguete no preferido, la presión apropiada disminuía y las conductas de lanzar, tirar y arrojar aumentaban. Esto sugería que las patatas fritas competían eficazmente con las conductas de lanzar, tirar y arrojar objetos.

Desarrollo de la intervención

A partir de estas evaluaciones, se desarrolló una intervención que implicaba dar a DeShawn pequeños bocados de patatas fritas por participar en las actividades de clase apropiadamente. Además, se modificaron las actividades de clase y las rutinas para aumentar la participación de DeShawn, y se modificó su currículum para incluir instrucciones en más actividades funcionales.

Lorraine: múltiples topografías que cumplen múltiples funciones

Lorraine tenía 32 años y presentaba retraso mental moderado. Tenía un diagnóstico de Síndrome de Down y trastorno bipolar con síntomas psicóticos, para los que se prescribieron Sertralina y Risperidona. También tomaba Carbamazepina para controlar las convulsiones. Utilizaba el lenguaje oral, pero sus habilidades verbales eran bajas y su articulación pobre. Se comunicaba mediante signos, un mecanismo de comunicación simple, gestos y algunas palabras.

Lorraine llevaba 9 años viviendo en un hogar de apoyo y durante el día asistía a un centro de trabajo protegido. Presentaba conductas de desobediencia, agresión y autolesiones en ambos contextos, pero la evaluación funcional de la conducta se centró en los problemas que se daban en el hogar de apoyo, donde eran más graves y frecuentes. La conducta de desobediencia consistía en apoyar la cabeza encima de la mesa de trabajo, zafarse con un tirón del brazo cuando la querían reconducir y escaparse de la habitación cuando se la requería; las agresiones consistían en dar patadas a los demás, lanzarles objetos, morderles y retorcerles los brazos; las autolesiones consistían en morderse el brazo, tirarse del pelo o pellizcarse la piel.

Recopilación de información

Se realizaron entrevistas dirigidas a Lorraine, a sus padres y al personal del centro de trabajo y del hogar de apoyo. Los padres de Lorraine señalaron que algunos de sus problemas de conducta se habían incrementado cuando se realizó un cambio en su medicación. El personal del centro de trabajo señaló que Lorraine tenía más probabilidad de presentar problemas de conducta cuando había mucha gente a su alrededor en el trabajo y también que las conductas de desobediencia se incrementaron poco después de un cambio en la dosis de medicación que se produjo 2 meses antes. El personal del hogar de apoyo señaló que estaban más preocupados de que Lorraine abandonara la casa cuando se le pedía que llevara a cabo tareas diarias. Lorraine con frecuencia abandonaba el grupo hogar y no regresaba hasta que la policía la llevaba de nuevo. Muchos vecinos se quejaban de que Lorraine se sentaba en sus porches durante horas hasta que la policía iba y se la llevaba.

Se realizaron evaluaciones ABC tanto en el centro de trabajo como en el hogar de apoyo para determinar si las variables ambientales diferían en los dos contextos (p.ej., la manera en que se presentaban las tareas, el nivel general de atención). En el centro de trabajo, Lorraine participaba en tareas de montaje de joyas (una tarea de la que disfrutaba) y trabajaba bien durante 2 horas y media. Parecía trabajar mejor cuando los demás le prestaban atención y solía abandonar las tareas cuando la ignoraban. Sin embargo, no se observaban problemas de conducta en el trabajo. En el hogar de apoyo se observó la conducta agresiva cuando el personal ignoraba a Lorraine. No se presentó otro problema de conducta. Durante la observación ABC no se le realizó ninguna demanda a Lorraine en el hogar de apoyo. El personal del hogar rara vez le pedía que hiciera nada para evitar sus problemas de conducta.

Interpretación de la información y formulación de hipótesis

Algunos de los problemas de conducta de Lorraine parecían estar relacionados con un cambio en la dosis de su medicación. Debido a que el juicio médico sobre la medicación de Lorraine es que estaba en niveles terapéuticos, se tomó la decisión de analizar los eventos ambientales relacionados con su problema de conducta. Las observaciones del problema de conducta durante la evaluación ABC eran limitadas porque el personal del centro de trabajó hacía las mínimas demandas posibles a Lorraine para evitar los problemas de conducta. Sin embargo, la conducta de desobediencia de Lorraine se presentaba cuando se le demandaba alguna tarea. Por

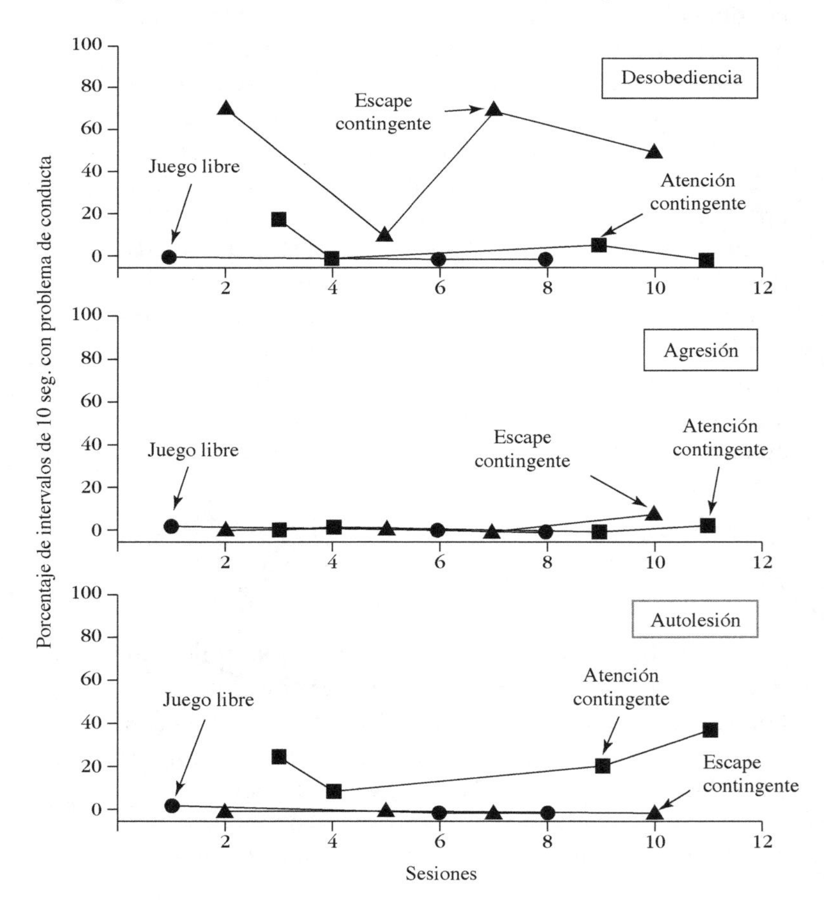

Figura 24.9. Resultados del análisis funcional de Lorraine.

Análisis funcional realizado por Corrine M. Murphy y Tabitha Kirby.

tanto, se hipotetizó que esos problemas de conducta se mantenían mediante el escape de las demandas o exigencias. La agresión se produjo durante la evaluación ABC cuando se ignoró a Lorraine. Aunque las conductas autolesivas no se observaron durante la evaluación ABC, el personal de la casa hogar informó de que Lorraine a menudo se involucraba en conductas autolesivas durante las mismas situaciones que provocaban la agresión. Por tanto, se hipotetizó que tanto la agresión como las autolesiones se mantenían mediante atención.

Comprobación de hipótesis

El análisis funcional incluyó la condición de juego libre, atención contingente y escape contingente (véase Figura 24.9). Debido a que los problemas de conducta podían haber cumplido diferentes funciones, cada problema de conducta se codificó y representó por separado. La conducta de desobediencia se presentó con mayor frecuencia durante la condición de escape contingente y rara vez se presentó durante las condiciones de juego libre o atención contingente. Las conductas autolesivas se presentaban con mayor frecuencia durante la condición de atención contingente y rara vez se presentaba durante las condiciones de juego libre o escape contingente. Estos datos sugerían que la conducta de desobediencia cumplía la función de escape y las conductas autolesivas cumplían la función de atención. Como suele ocurrir en los casos de conductas de baja frecuencia y alta intensidad, fue difícil establecer una hipótesis sobre la función de las conductas agresivas dado que se presentaron muy rara vez en ninguna de las condiciones de la evaluación funcional de la conducta.

Desarrollo de la intervención

Se desarrollaron diferentes intervenciones para los problemas de conducta porque los resultados de la evaluación funcional de la conducta sugirieron que las conductas cumplían diferentes funciones. Para hacer frente a la conducta de desobediencia, se enseñó a Lorraine a pedir descansos en tareas difíciles. Las tareas se dividieron en pasos muy pequeños. Se presentaba a Lorraine un solo paso de la tarea en cada momento. Cada vez que se le demandaba que hiciese una tarea, se le recordaba que podía pedir un descanso (o bien diciendo "Descanso, por favor", o bien tocando una tarjeta de descanso). Si pedía un descanso, se le retiraban los materiales de la tarea durante un breve periodo de tiempo. Luego se le presentaban de nuevo. En cambio, si Lorraine mostraba conductas de desobediencia, *no* se le permitía escapar de la tarea sino que se la ayudaba en ese paso y se le presentaba el paso siguiente. Inicialmente se le permitía escapar completamente de la tarea cada vez que pedía adecuadamente un descanso. Con el tiempo, sin embargo, se le pedía que completase un volumen más creciente de trabajo antes de permitirle un descanso.

La intervención para la agresión consistió en enseñar a Lorraine formas apropiadas para obtener atención (p.ej., tocando a alguien en el brazo y diciendo: "Disculpe") y enseñando al personal de la casa hogar a atender regularmente a Lorraine cuando ella hiciera esas solicitudes. Además, debido a que su articulación era tan ininteligible, se creó un libro de comunicación mediante imágenes para ayudar a Lorraine a tener conversaciones con otros. Este libro de comunicación podía utilizarse para aclarar las palabras que el personal no podía entender. Finalmente, se alentó al personal a ignorar las conductas autolesivas de Lorraine cuando ocurrían. En el pasado, el personal se acercaba a Lorraine y le impedían involucrarse en conductas autolesivas cuando ocurrían. El análisis funcional demostró que esta intervención podía haber incrementado la presencia de conductas autolesivas, por lo que esta práctica fue interrumpida.

Resumen

Funciones de la conducta

1. Muchos problemas de conducta se aprenden y se mantienen por reforzamiento positivo, negativo y automático. En este sentido, se podría decir que los problemas de conducta tienen una "función" (p.ej., obtener acceso a estímulos o escapar de estímulos).
2. La *topografía*, o forma, de una conducta a menudo revela poca información útil acerca de las condiciones que la explican. Identificar las condiciones que explican la conducta (su función) sugiere qué condiciones necesitan modificarse para cambiar dicha conducta. La evaluación de la función de la conducta puede, por tanto, proporcionar información útil con respecto a las estrategias de intervención que puedan ser eficaces.

Rol de la evaluación funcional de la conducta en la intervención y la prevención

3. La evaluación funcional de la conducta puede conducir a intervenciones efectivas al menos de tres maneras: (a) puede identificar variables antecedentes que se pueden modificar para prevenir el problema de conducta, (b) puede identificar las contingencias de reforzamiento que se pueden modificar de tal manera que los problemas de conducta no continúen recibiendo reforzamiento, y (c) puede ayudar a identificar reforzadores para las conductas alternativas.

4. La evaluación funcional de la conducta puede disminuir la dependencia de las intervenciones no funcionales (cada vez más intrusivas, coercitivas y basadas en el castigo) y contribuir a intervenciones más efectivas.

Descripción general de los métodos de evaluación funcional de la conducta

5. Los métodos de evaluación funcional de la conducta se pueden clasificar en tres tipos: (a) análisis funcional (experimental), (b) evaluación descriptiva y (c) evaluación indirecta. Los métodos se pueden ordenar en un continuo según aspectos como la facilidad de uso y el tipo y precisión de la información que aportan.

6. El análisis funcional implica la manipulación sistemática en un diseño experimental de los eventos ambientales que se cree que mantienen los problemas de conducta. La principal ventaja del análisis funcional es la capacidad para producir una demostración clara de la variable (o variables) que se relaciona con la presencia del problema de conducta. Sin embargo, este método de evaluación requiere cierta cantidad de experiencia para implementar e interpretar.

7. La evaluación descriptiva consiste en la observación del problema de conducta en relación a eventos que no se organizan de manera sistemática y que incluyen el uso de registros ABC (tanto continuos como narrativos) y gráficos de dispersión. Las principales ventajas de estas metodologías de evaluación son que son más fáciles de realizar que los análisis funcionales y representan contingencias que ocurren en la rutina natural del individuo. No obstante, se debe tener precaución cuando se interpreta la información de evaluaciones descriptivas debido a que pueden estar sesgadas, ser poco fiables y proporcionar correlaciones (en oposición a las relaciones funcionales).

8. Los métodos de evaluación funcional indirecta utilizan entrevistas estructuradas, inventarios, escalas de valoración o cuestionarios para obtener información de personas cercanas al individuo que presenta el problema de conducta (p.ej., profesores, padres, cuidadores o el propio individuo) para identificar las posibles condiciones o eventos del entorno natural que correlacionan con el problema de conducta. Una vez más, estas formas de evaluación funcional son fáciles de realizar, pero su exactitud es limitada. Como tales, están probablemente más reservadas para la formulación de hipótesis. A menudo es necesaria una evaluación posterior de estas hipótesis.

Realizar una evaluación funcional de la conducta

9. Teniendo en cuenta las ventajas y limitaciones de los diferentes procedimientos de evaluación funcional de la conducta, esta se puede comprender mejor como un proceso que consta de cuatro pasos:

   a. Recopilar información mediante una evaluación descriptiva e indirecta.

   b. Interpretar la información de la evaluación descriptiva e indirecta y formular hipótesis sobre el propósito del problema de conducta.

   c. Comprobar las hipótesis mediante el análisis funcional.

   d. Desarrollar diferentes opciones de intervención basadas en la función del problema de conducta.

10. Se puede realizar un análisis funcional breve para comprobar hipótesis cuando el tiempo es muy limitado.

11. Cuando se enseña una conducta alternativa para reemplazar un problema de conducta, la conducta de sustitución debería ser funcionalmente equivalente al problema de conducta (es decir, debería ser reforzada mediante el mismo reforzador que previamente mantenía el problema de conducta).

Ejemplos de casos que ilustran el proceso de evaluación funcional de la conducta

12. Una persona puede mostrar un problema de conducta por más de una razón, como se muestra en el ejemplo del caso de Brian. En tales casos puede que la intervención tenga que constar de múltiples componentes para hacer frente a cada función del problema de conducta.

13. En análisis funcional se puede adaptar a pruebas específicas e hipótesis idiosincrásicas, como se muestra en el ejemplo de Kaitlyn.

14. Los problemas de conducta indiferenciados durante un análisis funcional pueden indicar una función de reforzamiento automático y requerirán con seguridad una evaluación adicional tal como se muestra en el caso de DeShawn. En tales casos, se pueden identificar y utilizar eficazmente reforzadores alternativos en la intervención para reducir los problemas de conducta y mejorar las respuestas adaptativas.

15. En ocasiones una persona muestra múltiples topografías del problema de conducta (p.ej., autolesión y agresión), cada una de las cuales cumple una función diferente, como se muestra en el ejemplo de Lorraine. En tales casos, se justifica una intervención diferente para cada topografía del problema de conducta.

PARTE 10

Conducta Verbal

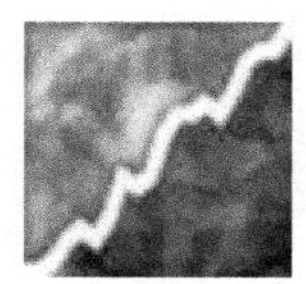

El capítulo 25 está dedicado a la conducta verbal, un aspecto distintivo del repertorio conductual humano. La conducta verbal hace a los seres humanos particularmente interesantes desde un punto de vista conductual permitiendo la comunicación y el desarrollo de interacciones sociales complejas. La conducta verbal hace posible el progreso a través de las generaciones y permite el desarrollo de las ciencias, la tecnología y las artes. Adoptando y ampliando el análisis conceptual de Skinner (1957), Mark Sundberg presenta un análisis del comportamiento verbal en el contexto del desarrollo humano típico, con énfasis en la evaluación del lenguaje así como en programas de intervención dirigidos a niños con autismo y otros trastornos del desarrollo.

CAPITULO 25

Conducta Verbal

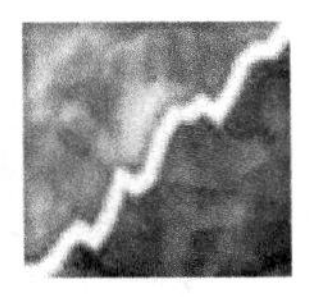

Términos Clave

Audiencia
Autoclítico
Castigo automático
Conducta verbal
Control múltiple
Control múltiple convergente
Control múltiple divergente
Copia de textos
Correspondencia punto por punto
Ecoica
Eventos privados
Extensión genérica del tacto
Extensión metafórica del tacto
Extensión metonímica del tacto
Extensión solecista del tacto
Hablante
Intraverbal
Mando
Operante verbal
Oyente
Reforzamiento automático
Similitud formal
Tacto
Tacto impuro
Transcripción

Behavior Analyst Certification Board® BCBA®, BCBA-D®, BCaBA®, RBT® Lista de tareas para analistas de conducta (cuarta edición).

D.	Elementos fundamentales del cambio de conducta
D - 09	Usar operantes verbales como fundamento de la evaluación del lenguaje
D - 10	Usar entrenamiento de ecoicas
D - 11	Usar entrenamiento de mandos
D - 12	Usar entrenamiento de tactos
D - 13	Usar entrenamiento de intraverbales
D - 14	Usar entrenamiento de oyente

Sección III	Conocimiento fundacional
FK - 23	Dar ejemplos de reforzamiento y castigo automático
FK - 43 a 46	Diferenciar entre las operantes verbales: ecoica, mando, tacto e intraverbal.

¿Por qué debe la conducta verbal preocupar a los analistas de conducta? La revisión de la definición de análisis aplicado de la conducta que se dio en el capítulo 1 de esta obra puede indicarnos una respuesta a esta cuestión:

> El análisis aplicado de la conducta es la ciencia en la que las tácticas derivadas de los principios de la conducta se aplican para mejorar conductas socialmente relevantes y se usa la experimentación para identificar las variables responsables del cambio de conducta (p. 20).

Prestemos atención a la expresión mejorar *conductas socialmente relevantes*. La manifestación más relevante socialmente de la conducta humana es la conducta verbal. La adquisición del lenguaje, la interacción social, la solución de problemas, el conocimiento, la percepción, la historia, la ciencia, la política, y la religión son todas directamente relevantes a la conducta verbal. Muchos problemas humanos, tales como el autismo, las dificultades de aprendizaje, el analfabetismo, la conducta antisocial, los conflictos maritales, la agresión, las guerras, implican el uso de conducta verbal. En resumen, la conducta verbal juega un papel central en la mayoría de los aspectos de la vida del individuo, y en las leyes, convenciones, archivos, actividades de una sociedad. Estas cuestiones son el principal tema son los contenidos principales de la mayoría de los manuales introductorios de psicología. Son conductas socialmente significativas que el análisis aplicado de la conducta necesita abordar, no obstante el análisis verbal de estos temas no ha hecho más que empezar, y queda para el futuro una cantidad sustanciar de trabajo aun por realizar.

La conducta verbal y las propiedades del lenguaje

La forma y la función del lenguaje

Es importante en el estudio del lenguaje distinguir entre las propiedades formales y funcionales del lenguaje (Skinner, 1957). Las propiedades formales implican topografía, es decir, forma, estructura, de la respuesta verbal, mientras que las propiedades funcionales ser refieren a las causas de la respuesta. Un abordaje completo del lenguaje debe considerar ambos elementos.

El campo de la lingüística estructural se especializa en la descripción formal del lenguaje. La topografía de lo que se dice puede medirse mediante (a) fonemas: los sonidos individuales del lenguaje que componen las palabras; (b) morfemas: las unidades con significado individual, (c) léxico: la colección total de palabras de un lenguaje, (d) sintaxis: la organización de las palabras, frases o proposiciones de una oración, (e) gramática: el seguimiento de las convenciones de un lenguaje y (f) semántica: lo que significan las palabras (Barry, 1998; Owens, 2001).

La descripción formal de un lenguaje puede hacerse también mediante la clasificación de las palabras como nombres, verbos, preposiciones, adjetivos, adverbios, pronombres, proposiciones, conjunciones y artículos. Otros aspectos de la descripción formal del lenguaje incluyen las preposiciones, modificadores, gerundios, marcadores de tiempos verbales, partículas, y predicados. Las oraciones por lo tanto están constituidas de elementos sintácticos de las categorías léxicas del discurso con el seguimiento de convenciones gramaticales en una comunidad verbal dada-Las propiedades formales del lenguaje también incluyen articulación, prosodia, entonación, y énfasis (Barry, 1998).

El lenguaje puede clasificarse formalmente sin la presencia de un hablante o del conocimiento de porqué el hablante dijo lo que dijo. Las oraciones pueden ser analizadas como gramaticales o no gramaticales a partir de un texto o de una grabación de audio. Por ejemplo, el uso incorrecto de los tiempos verbales puede identificarse con facilidad con una grabación de un niño diciendo "El zumo acaba".

Un malentendido frecuente del análisis verbal de Skinner es que rechazaba la clasificación formal del lenguaje. Skinner no encontraba ningún problema en la clasificación o descripción de la respuesta, sino en el fracaso de esta aproximación para identificar las causas o las funciones de las clasificaciones. El análisis de cómo y porqué uno dice las palabras se deja generalmente al campo de la psicología combinado con la lingüística: la psicolingüística.

Teorías del lenguaje

Una amplia variedad de teorías del lenguaje intentan identificar las causas del lenguaje. Estas teorías pueden clasificarse en tres aunque con frecuentes puntos comunes: biológicas, cognitivas, y ambientales. La orientación básica de la teoría biológica es que el lenguaje es una función de procesos y funciones fisiológicas. Chomsky (1965), por ejemplo, mantenía que el lenguaje es innato,[1] es decir, la habilidad humana para el lenguaje se hereda y está presente en el momento del nacimiento.

Quizá el punto de vista más ampliamente aceptado sobre las causas del lenguaje es el derivado de la psicología cognitiva (p.ej., Bloom, 1970; Piaget, 1952). Los defensores de la aproximación cognitiva al lenguaje proponen que este es controlado por sistemas de procesamiento interno que reciben, clasifican, codifican y almacenan la información verbal. El lenguaje hablado y escrito se considera la estructura del pensamiento. La distinción entre la perspectiva biológica y cognitiva con frecuencia se confunden (Pinker, 1994) y usan metáforas cognitivas tales como almacenamiento y procesamiento como explicaciones para conductas verbales, o usan de

[1] Para más detalles ver Mabry (1994, 1995) y Novak (1994).

forma intercambiable los términos cerebro y mente (p.ej., Chomsky, 1965).

El desarrollo de la conducta verbal

Skinner comenzó a trabajar en el análisis conductual del lenguaje en 1934 a consecuencia de un pequeño desafío que le planteó Alfred Norht Whitehead[2] cuando ambos estaban sentados el uno junto al otro en una cena de la Sociedad de Miembros de Harvard. Skinner (1957) describió el episodio como sigue:

> Caímos en una discusión sobre el conductismo que en aquel entonces no era mucho más que un "ismo" y del que yo era un celoso devoto. Se me presentaba una oportunidad que no podía dejar pasar por alto para partir una lanza a favor de la causa (...) Whitehead (...) estaba de acuerdo en que la ciencia puede ser útil para explicar la conducta humana excepción hecha de la conducta verbal; aquí, insistía, algo más debe estar funcionando. Finalizó la discusión con un amistoso desafío: "Veamos" dijo, explica mi conducta mientras estoy aquí sentado diciendo "ningún escorpión negro está cayendo sobre la mesa". La mañana siguiente escribí el esquema de este estudio (p. 457).

Le tomó a Skinner 23 años completar todos los detalles de su esquema, que publicó en su libro *Conducta Verbal* (1957). El resultado final fue tan significativo para Skinner (1978) que afirmaba demostraría ser su aportación más relevante. No obstante, el uso por parte de Skinner de la expresión "demostraría ser" veinte años después de la publicación del libro indica claramente que no tuvo el impacto que el pensó tendría.

Existen varias razones para explicar el lento reconocimiento de *Conducta Verbal*. Poco después de que el libro fuese publicado se enfrentó a desafíos inmediatos en el campo de la lingüística y del emergente campo de la psicolingüística. Muy notable fue el impacto de la revisión de Chomsky (1959), un joven lingüista del Instituto Tecnológico de Massachussets que había publicado su propia teoría sobre el lenguaje (Chosmky, 1957) el mismo año en que *Conducta Verbal* fue publicado. Chomsky mantenía que la aproximación de Skinner carecía de valor alguno. Criticó no solo el análisis de la conducta verbal sino la filosofía misma del conductismo. No obstante, una lectura de la revisión de Chomsky revela a aquellos que comprenden *Conducta Verbal* que Chomsky, al igual que muchos estudiosos, no entendieron el conductismo radical de Skinner, que aportaba los fundamentos filosóficos y epistemológicos de *Conducta Verbal* (Catania, 1972; MacCorqoudale, 1970).

[2] Whitehead era quizás el filósofo más destacado en aquel momento, bien conocido por los tres volúmenes que realizó con Beltrand Russel titulados *Principia Mathematica* (1910, 1912, 1913).

Skinner nunca respondió a la revisión de Chomsky y muchos consideraron esta falta de respuesta como fundamento para la conclusión ampliamente compartida de que la revisión de Chomsky era incontestable y que las críticas de Chomsky eran válidas. MacCorquodale (1970) indicó que la razón por la que nadie desafió la revisión de Chomsky fue su tono insultante junto con los claros malentendidos sobre el conductismo de Skinner en que incurría.

A Skinner no le sorprendieron en absoluto estas reacciones dado el énfasis de los lingüistas en la estructura del lenguaje en lugar de su función. Más recientemente, una revisión favorable del libro de Skinner se ha publicado desde el campo de la lingüística reconociendo que Skinner ha cambiado la historia de la lingüística (Andersen, 1991).

Pese a que Skinner preveía críticas fuera del ámbito del análisis de conducta, probablemente no esperaba el desinterés general y las frecuentes reacciones negativas que *Conducta Verbal* despertó dentro del análisis de conducta. Varios conductistas han analizado este fenómeno dando una lista de razones por las que los analistas de conducta no abrazaron inmediatamente *Conducta Verbal* (Eshleman, 1991; Michel, 1984; Vargas, 1986). Quizá, lo más problemático para los analistas de conducta de aquel momento fue que *Conducta Verbal* fue un libro especulativo que no contenía datos experimentales (Salzinger, 1978).

La falta de investigación en conducta verbal continuaba preocupando a los analistas de conducta bien entrada la década de los ochenta (p.ej., McPherson, Bonem, Gree y Osborne, 1984). No obstante, esta situación parece estar cambiando en años recientes, ya que numerosos avances en investigación y aplicaciones directamente relacionados con *Conducta Verbal* están viendo la luz (Eshleman, 2004; Sundberg, 1991, 1998). Muchos de estos avances se publican en la revista *The Analysis of Verbal Behavior*.

Definición de la conducta verbal

Skinner (1957) propuso que el lenguaje es conducta aprendida, y que es adquirida, extendida y mantenida por el mismo tipo de variables ambientales y principios que controlan la conducta no verbal (p.ej., control de estímulo, operaciones motivadoras, reforzamiento, o extinción). Definió **conducta verbal** como la conducta que es reforzada por la mediación de la conducta de otra persona. Por ejemplo, la respuesta verbal "abre la puerta" puede provocar como reforzador la apertura de una puerta por parte de un oyente. En otras palabras, se accede indirectamente al reforzador que podría obtenerse de forma no verbal abriendo la puerta directamente.

Skinner definió la conducta verbal por la función de la respuesta y no por su forma. De acuerdo a esta definición funcional cualquier forma de respuesta puede ser verbal.

Por ejemplo, el llanto diferencial de un bebé de dos meses puede considerarse verbal, como podrían serlo otras respuestas tales como señalar, aplaudir para recibir atención, gestos tales como mover un brazo para ser visto, escribir o mecanografiar. En resumen, la conducta verbal implica una interacción social entre un oyente y un hablante.

Hablante y oyente

La definición de conducta verbal hace una clara distinción entre la conducta del **hablante** y la del **oyente**. La conducta verbal implica una interacción social entre hablantes y oyentes, en la cual los hablantes acceden a reforzamiento y controlan su ambiente a través de la conducta de los oyentes. A diferencia de la mayoría de las aproximaciones al lenguaje, Skinner se dirige principalmente a la conducta del hablante, evitando términos tales como *lenguaje expresivo* y *lenguaje receptivo,* debido a las implicaciones de que estas son meramente diferentes manifestaciones de los mismo procesos cognitivos subyacentes.

El oyente debe de aprender a reforzar la conducta verbal del hablante, es decir los oyentes aprenden a responder a palabras y a interactuar con los hablantes. Es importante enseñar al niño a reaccionar apropiadamente a los estímulos verbales producidos por los hablantes y comportarse verbalmente como un hablante. Estas son diferentes funciones, no obstante. En algunos casos aprender un tipo de conducta, es decir hablante u oyente, facilita aprender la otra, pero esto no debe entenderse en términos de operaciones motivadoras, estímulos antecedentes, respuestas y consecuencias, sino en términos del aprendizaje de significados de las palabras como oyente para luego usarlas de distinta forma como hablante.

Conducta verbal: Un término técnico

A la búsqueda de determinar el objeto de estudio de este análisis del lenguaje, Skinner quería un término que (a) enfatizara el lenguaje individual, (b) se refiriese a la conducta que era seleccionada y mantenida por sus consecuencias, y (c) fuera relativamente novedoso en las disciplinas relacionadas con el lenguaje y el análisis del discurso. Seleccionó el término *conducta verbal,* pese a ello, en años recientes *conducta verbal* ha adquirido nuevos significados al margen del dado por Skinner. En el campo de la patología del lenguaje, conducta *verbal* se ha convertido en sinónimo de conducta *vocal*. En psicología el término *comunicación no verbal*, que se hizo popular en los años setenta, se contraponía al de *conducta verbal,* implicando que la conducta verbal era comunicación vocal y que la conducta no verbal era comunicación no vocal. El término *verbal* se ha usado también en contraposición a *cuantitativo* como sucede en ocasiones en los exámenes de admisión universitaria. Esta distinción sugiere que la conducta matemática no es verbal. No obstante, de acuerdo a la definición de Skinner, gran parte de la conducta matemática es conducta verbal. A aquellos que aprenden el análisis de Skinner les resulta a veces confuso comprender que la conducta verbal puede ser tanto *vocal* como *no vocal*.

Unidad de análisis

La unidad de análisis de la conducta verbal es la relación funcional entre un tipo de respuesta y las variables independientes que controlan la conducta no verbal, es decir (a) operaciones motivadoras, (b) estímulos discriminativos y (c) consecuencias. Skinner (1957) se refirió a este término como operante verbal, donde operante se refiere a un tipo o clase de conducta en oposición a casos o ejemplos particulares de esos tipos de conducta. Al conjunto de operantes verbales presentes en un individuo lo denominó repertorio verbal. El repertorio verbal contrasta con las unidades de análisis de la lingüística: palabras, frases, oración, longitud media de las proposiciones oracionales, etc.[3]

Operantes verbales elementales

Skinner (1957) identificó seis operantes verbales elementales: mandos, tactos, ecoicas, intraverbales, textuales y trascripción. También incluyó la relación con la audiencia y la copia de un texto como relaciones separadas, pero en esta discusión la audiencia (o el oyente) serán tratadas independientemente y la copia de un texto será considerada un tipo de ecoica. La Tabla 25.1[4] presenta descripciones abreviadas de estos términos. Descripciones técnicas y ejemplos en las secciones a continuación.

Mando

El mando es un tipo de operante verbal en la que el hablante solicita (o afirma, demanda, sugiere, etc.) algo que necesita o desea. Por ejemplo, la conducta de preguntar donde se

[3] N. del T.: Nótese que una frase es un conjunto de palabras con sentido semántico, una oración es un conjunto de palabras con sentido gramatical completo y una proposición es un elemento de estructura oracional unido por coordinación o subordinación a otros similares para formar oraciones compuestas.

[4] N. del T.: Tablas y figuras originales al final del documento. Si se requiere traducción de este material contactar con la organización o el docente.

Tabla 25.1 Definiciones coloquiales de las seis operantes verbales elementales de Skinner.

Mando	Solicitar reforzadores que quieres. Decir "zapato" porque quieres un zapato.
Tacto	Nombrar o identificar objetos, acciones, eventos, etc. Decir "zapato" cuando ves un zapato.
Ecoica	Repetir lo que oímos. Decir "zapato" después de que alguien haya dicho "zapato".
Intraverbal	Contestar preguntas o conversar cuando tus palabras son controladas por otras palabras. Por ejemplo, decir "zapato" cuando alguien dice "¿Qué te pones en los pies?"
Textual	Leer palabras escritas. Decir "zapato" cuando ves la palabras escrita "zapato".
Transcripción	Escribir y deletrear palabras que te han dicho. Por ejemplo, escribir "zapato" cuando has oído la palabra "zapato".

está cuando uno está perdido es un mando. Skinner (1957) seleccionó el término mando para este tipo de relación verbal debido a que el término es breve y similar a palabras como mandar, comandar o demandar. El mando es una operante verbal en la que la forma de la respuesta está bajo el control funcional de operaciones motivadoras y reforzadores específicos (ver Tabla 25.2). Por ejemplo, la privación de comida (a) establecerá la comida como reforzador eficaz y (b) evocará conductas tales como el mando "galleta" si esta topografía a producido la aparición de galletas en el pasado.

El reforzamiento específico que afianza el mando está directamente relacionado con la operación motivadora relevante. Por ejemplo, si hay una operación motivadora relacionada con el contacto físico con la madre, el reforzamiento específico que se establece es contacto físico. La forma de respuesta puede suceder con diversas variaciones topográficas tales como llorar, empujar a un hermano, levantar los brazos diciendo "abrazo". Todas estas conductas pueden ser mandos para obtener contacto físico si hay una relación funcional existe entre las operaciones motivadoras relevantes, la respuesta, y la historia de reforzamiento específica. Pese a ello, la forma de la respuesta por si sola no es suficiente para la clasificación de un mando o de cualquier operante verbal. Por ejemplo, llorar puede también ser una conducta respondiente si fuese elicitada por un estímulo condicionado o incondicionado.

Los mandos son muy importantes para el desarrollo temprano del lenguaje y para las interacciones cotidianas entre niños y adultos. Los mandos son la primera operante verbal adquirida por los niños (Bijoe y Baer, 1965; Novak, 1966). Estos mandos tempranos generalmente ocurren en la forma de llanto diferencial cuando el niño está hambriento, cansado, le duele algo, tiene frío o miedo, o quiere la desaparición de un estímulo aversivo. Los niños de desarrollo normal aprenden pronto a sustituir el llanto con palabras y signos u otras formas estándar de comunicación. El uso de mandos no solo permite al niño adquirir control sobre la aparición de reforzadores, también es el comienzo de los roles de hablante y oyente, esenciales para desarrollos verbales posteriores.

Skinner (1957) afirmó que el mando es el único tipo de conducta verbal que beneficia directamente al hablante, indicando que el mando hace que el hablante sea provisto con reforzadores tales como comestibles, juguetes, atención, o retirada de estímulos aversivos. Por ello los mandos con frecuencia se convierten en robustas formas de conducta verbal debido al reforzamiento específico y la satisfacción inmediata de una condición de deprivación o retira algún estímulo aversivo. Por ejemplo, los niños jóvenes muchas veces presentan una elevada tasa de emisión de mandos (p.ej., Carr y Durand, 1985). En un momento dado el niño puede aprender mandos para solicitar información verbal con preguntas que empiecen con "quien", "que" y "donde", en ese momento la adquisición de nueva conducta verbal se acelera rápidamente (Brown, Cazden y Bellugi, 1969). Finalmente, los mandos se convierten en un elemento complejo y crítico en el desarrollo de los roles de interacción social, conversación, conducta académica, empleo y virtualmente en cualquier aspecto de la conducta humana.

Tacto

El tacto es un tipo de operante verbal en la que el hablante nombra objetos y acciones con los que tiene contacto directo a través de cualquiera de las modalidades sensoriales. Por ejemplo, cuando un niño dice "coche" porque ve un coche está usando un tacto. Skinner (1957) seleccionó el termino *tacto* porque sugiere la realización de un contacto con el ambiente físico. El **tacto** es una operante verbal bajo el control funcional de un estímulo discriminativo no verbal y produce un reforzador generalizado condicionado (ver Tabla 25.2). Un estímulo no verbal se convierte en un estímulo discriminativo (E^D) mediante un proceso de entrena-miento en discriminación. Por ejemplo, un zapato puede no funcionar como un E^D para la respuesta verbal "zapato" hasta que la respuesta "zapato" sea reforzada diferencialmente ante la presencia de un zapato.

Una amplia variedad de estímulos no verbales evocan relaciones basadas en tactos. Por ejemplo, un pastel produce estímulos no verbales visuales, táctiles, olfatorios y gustativos, parte o la totalidad de los cuales pueden convertirse en E^D para el tacto "pastel". Los estímulos no verbales pueden ser, por ejemplo, estáticos (nombres), transitorios (verbos), relaciones entre objetos (preposiciones), propiedades de objetos (adjetivos), o propiedades de acciones (adverbios). Los estímulos no verbales pueden ser tan simples como un zapato o tan complejos como una célula cancerosa. La configuración de un estímulo puede tener múltiples propiedades no verbales y una respuesta puede estar bajo el control de múltiples de esas propiedades como sucede en el tacto "el camión rojo está sobre la mesita". El estímulo no verbal puede ser observable o inobservable (p.ej., dolor), sutil o saliente (p.ej., luz de neón), relativo a estímulos no verbales (p.ej., tamaño), etc. Dada la variación y ubicuidad de los estímulos no verbales, no es sorprendente que los tactos sean un tema básico en el análisis de la conducta verbal.

Ecoica

La ecoica es un tipo de operante verbal que ocurre cuando el hablante repite la conducta verbal de otro hablante. Por ejemplo, un niño dice "galleta" después de oír la palabra de su madre. Repetir palabras, frases, o la conducta vocal de otros, esto último un elemento habitual del discurso, son también ecoicas. La **ecoica** es una operante controlada por un estímulo discriminativo verbal que se corresponde con precisión con la respuesta y guarda similitud formal con ella (Michael, 1982) (ver Tabla 25.2).

La **correspondencia precisa**[5] entre un estímulo y la respuesta o producto de la respuesta sucede cuando el comienzo, desarrollo y final del estímulo coinciden con el comienzo, desarrollo y final de la respuesta. La **similitud formal** sucede cuando el estimulo controlador antecedente y la respuesta o el producto de ella (a) comparten la misma modalidad sensorial (p.ej., ambos estímulos y respuestas son visuales, auditivos o táctiles) y (b) ambos se parecen físicamente (Michael, 1982). En la relación ecoica el estímulo es auditivo y la respuesta produce un producto auditivo (como el eco de lo que uno oye) y el estímulo y la respuesta se parecen físicamente.

La conducta ecoica produce un reforzamiento condicionado generalizado como por ejemplo reconocimiento social y atención. La habilidad de repetir los fonemas y palabras de otros es esencial para aprender a identificar objetos y acciones. Un padre puede decir "Eso es un oso, ¿puedes decir oso?". Si el niño responde "oso" el padre dice "¡Muy bien!". Llega un momento en que el niño aprende a nombrar el oso sin necesidad del instigador ecoico.[6] Esto generalmente ocurre en unos pocos ensayos. Por ejemplo, si un niño puede decir "oso", o una aproximación razonable, después de que el padre haya dicho "oso", se hace posible enseñar al niño a decir "oso" ante la presencia de un dibujo de un oso o ante un oso en un zoológico. El repertorio ecoico es muy importante para la enseñanza del lenguaje a niños con retrasos en el desarrollo, cumpliendo un papel clave en el proceso de enseñanza de habilidades verbales más complejas (p.ej., Lovaas, 1977; Sundberg y Partington, 1998).

La imitación motora puede tener las mismas propiedades verbales que la conducta ecoica como se ha demostrado por su importancia en el aprendizaje del lenguaje de signos en niños sordos. Por ejemplo, un niño puede aprender a imitar signos por una galleta en primer lugar, y entonces usar mandos para obtener galletas sin necesidad del instigador de imitación. La imitación también es crítica para la enseñanza del lenguaje de signos a niños que oyen pero que no son vocales. Para los numerosos niños que no tiene un repertorio ecoico adecuado para poder adherirse a la instrucción vocal de lenguaje, se les enseña primero conducta ecoica en lugar de otros tipos de conducta verbal más útiles. Un fuerte repertorio imitativo permite al maestro usar lenguaje de signos de forma inmediata para poder instruir formas más avanzadas de lenguaje (p.ej., mandos, tactos, e intraverbales). Esto permite al niño aprender rápidamente a comunicarse con otros sin necesidad de usar conductas disruptivas para obtener lo que quiere.

Skinner también habló de la **copia de un texto** como un tipo de conducta verbal en la que el estímulo verbal escrito se corresponde punto por punto y tiene similitud formal con una respuesta verbal escrita. Debido a que esta relación tiene la misma definición que la conducta ecoica y la imitación, trataremos a las tres como ecoicas.

Intraverbal

La intraverbal es un tipo de operante verbal en la que un hablante responde diferencialmente a la conducta verbal de otros. Por ejemplo, decir "el Barcelona" ante la pregunta "¿Quién gano el partido del Sábado?" es una conducta intraverbal. Generalmente los niños pequeños emiten una late frecuencia de respuestas intraverbales en la forma de cantar canciones, contar historias, describir actividades, t explicar problemas. Las respuestas intraverbales también son componentes importantes de muchas repertorio intelectuales como decir "Sacramente" después de oír "¿Cuál es la capital de California?"; o decir sesenta y cuatro después de oír "ocho veces ocho" o decir "antecedente, conducta y consecuencia" cuando alguien preguntas "¿Qué es una contingencia de tres términos?". Los repertorios intraverbales de adultos incluyen cientos de miles de relaciones de este tipo.

La operante **intraverbal** ocurre cuando un estímulo discriminativo verbal evoca una respuesta verbal que no tiene una correspondencia precisa con el estímulo verbal (Skinner, 1957). Es decir, el estímulo verbal y la respuesta

[5] N. del T.: *Point-to-point correspondence* en el original inglés.

[6] N. del T.: El término inglés *prompt* puede traducirse acertadamente por los cultismos castellanos *instigador* ó *incitador*. No obstante, es usual el uso del término coloquial *ayuda* como traducción de este término. Nótese que *ayuda* no recoge el matiz mediador del término inglés *prompt* referido a "algo que incita o mueve a la acción, o asiste la reacción" (*Merriam-Webster Dictionary*).

verbal no coinciden como si sucede en las relaciones ecoicas y textuales. Como todas las operantes verbales a excepción del mando, la intraverbal produce un reforzamiento generalizado condicionado. Por ejemplo, en un contexto educativo las respuestas correctas generalmente implican algún tipo de reforzamiento generalizado como "¡Muy bien!", o puntos o la oportunidad de pasar al siguiente problema (ver Tabla 25.2).

Un repertorio intraverbal facilita la adquisición de más conducta verbal y no verbal. La intraverbal prepara al hablante para responder con rapidez y precisión a estimulación posterior, y juega un importante papel en la continuidad de una conversación. Por ejemplo, un niño oye a un adulto hablar y decir "granja" en un contexto. Si el estímulo granja evoca varias respuestas intraverbales relevantes como "vaca", "cerdo" o "caballo" el niño estará mejor preparado para reaccionar ante otras conductas verbales del adulto que puedan estar relacionadas con el reciente uso de "granja". Uno puede decir que el niño está pensando en granjas y que ahora tiene una respuesta verbal relevante fortalecida de cara a otras respuestas verbales del adulto. Los estímulos intraverbales ponen a prueba el repertorio verbal del oyente y lo preparan para recibir y responder ante estimulación posterior. En conjunto, los mandos, tactos e intraverbales contribuyen a la conversación de las siguientes formas: (a) un repertorio de mandos permite al hablante realizar preguntas, (b) un repertorio de tactos permite tener conducta verbal sobre objetos o eventos presentes y (c) un repertorio intraverbal permite al hablante contestar preguntas y hablar (y pensar) sobre objetos y eventos que no están presentes físicamente.

Textual

La conducta textual (Skinner, 1957) es la lectura, sin implicaciones relativas a la comprensión del lector de lo que se está leyendo. La comprensión de lo que se lee generalmente implica otras operantes verbales y no verbales tales como la conducta intraverbal y el lenguaje receptivo (p.ej., seguimiento de instrucciones, cumplimiento). Por ejemplo, decir "zapato" al ver la palabra *zapato* escrita sería un ejemplo de conducta textual. La comprensión se denominará comprensión lectora. Skinner optó por el término *textual* debido a que el término lectura se refiere a muchos procesos a la vez.

La operante textual tiene correspondencia precisa pero no similitud formal entre el estímulo y la respuesta producto. Por ejemplo, (a) los estímulos verbales son visuales o táctiles (en una modalidad) y la respuesta es auditiva (otra modalidad) y (b) la respuesta auditiva coincide con los estímulos visuales o táctiles. La tabla 25.2 presenta un diagrama de las relaciones textuales.

Textuales y ecoicas tienen tres cosas en común (a) ambas producen un reforzador generalizado condicionado, (b) ambas están controladas por un estímulo verbal antecedente y (c) hay correspondencia precisa entre el estímulo antecedente y la respuesta. La diferencia importante entre textuales y ecoicas es que la respuesta producto o conducta textual (p.ej, la palabra hablada) no es similar al estímulo controlador (p.ej., la palabra escrita evoca una respuesta hablada o una respuesta producto auditiva). La operante textual no tiene similitud formal, es decir, los ESTÍMULOS DISCRIMINATIVOs no están en la misma modalidad sensorial y no se asemejan físicamente a la respuesta textual. Las palabras son visuales y están compuestas de letras individuales, mientras que la respuesta lectora y auditiva resultantes (que con frecuencia es encubierta) está compuesta de fonemas. La respuesta ecoica, no obstante no mantiene similitud formal con el estimulo controlador verbal.

Trascripción

La **trascripción** consiste en escribir y deletrear palabras habladas (Skinner, 1957). Skinner también se refirió a esta conducta como tomar dictado, con los repertorios clave implica no solo la producción manual de letras sino el deletreo preciso de la palabra hablada. En términos técnicos, la trascripción es un tipo de conducta verbal en la que el estimulo verbal hablado controla una respuesta escrita, mecanografiada o deletreada mientras es escrita. Al igual que en la operante textual hay correspondencia precisa entre el estímulo y la respuesta producto, pero no similitud formal (ver tabla 25.2). Por ejemplo, cuando se pregunta el deletreo de la palabra hablada "sombrero" la respuesta s-o-m-b-r-e-r-o es una trascripción. El estímulo y la respuesta producto tienen correspondencia precisa, pero no se encuentran en la misma modalidad sensorial o no se parecen físicamente. El deletreo en idiomas en los que hay correspondencia entre grafemas y fonemas, por ejemplo el inglés, la trascripción es un repertorio difícil de adquirir. El moldeado de un repertorio discriminativo adecuado es con frecuencia difícil.

El papel del oyente

El análisis de Skinner de la conducta verbal se concentraba en el hablante, mientras que la mayoría de los lingüistas y psicolingüistas enfatizan el papel del oyente. Skinner sugirió que el papel del oyente tiene menor importancia que la que se suele dar debido a que gran parte de lo que se considera conducta del oyente (p.ej., pensar y comprender) puede clasificarse más correctamente como conducta de hablante, si consideramos que en muchas ocasiones hablante y oyente residen bajo la misma piel (como veremos en la siguiente discusión).

Tabla 25.1 Definiciones coloquiales de las seis operantes verbales elementales de Skinner

Variables antecedentes	*Respuesta*	*Consecuencia*
Operaciones motivadoras (4 horas sin agua)	Mando ("agua por favor")	Reforzador específico (vaso de agua)
Estímulo no verbal (ver camión de juguete)	Tacto ("camión")	Reforzamiento condicionado generalizado (p. eg., felicitaciones, aprobación)
Estímulo verbal con correspondencia punto por punto y similitud formal (oír "libro")	Ecoica (decir "libro")	Ídem
Estímulo verbal sin correspondencia punto por punto ni similitud formal (oír "gato" y decir...)	Intraverbal (decir "perros")	Ídem
Estímulo verbal con correspondencia punto por punto pero sin similitud formal (ver escrito "manzana")	Textual (decir "manzana")	Ídem
Estímulo verbal con correspondencia punto por punto pero sin similitud formal (oír "manzana")	Transcripción (escribir "manzana")	Ídem

¿Qué papel juega el oyente en la aproximación de Skinner al lenguaje? En su análisis de la conducta verbal, Skinner indicó que un episodio verbal requiere de un hablante y un oyente. El oyente no solo juega un papel crítico como mediador del reforzamiento de la conducta del hablante, sino también se convierte en un estímulo discriminativo de la conducta del hablante. Cuando funciona como un estímulo discriminativo, el oyente es la audiencia de la conducta verbal. "La audiencia es un estímulo en cuya presencia la conducta verbal es reforzada y ante cuya presencia por tanto se intensifica" (Skinner, 1957, p.172). Cuando Skinner (1978) escribió "es escasa la conducta de un oyente que puede considerarse verbal" (p. 122), se estaba refiriendo a cuando el oyente sirve como estímulo discriminativo con el rol de audiencia.

Un oyente funciona con roles adicionales, mas allá del de mediador del reforzamiento y como estímulo discriminativo. Por ejemplo, la conducta verbal funciona como estímulo discriminativo (control de estímulo) cuando un hablante habla a un oyente. La cuestión es, ¿cuáles son los efectos de la conducta verbal en la conducta del oyente? Un estímulo verbal discriminativo puede evocar ecoicas, textuales, trascripción y operantes intraverbales en un oyente. El oyente se convierte en hablante cuando esto ocurre. El punto de vista de Skinner es: El hablante y el oyente pueden con frecuencia residen en la misma piel, es decir el oyente se comporta simultáneamente como hablante. Las respuestas de mayor importancia y complejidad ante un estímulo verbal ocurren cuando evocan conducta intraverbal encubierta de un oyente que se convierte en hablante y funciona como su propia audiencia. Por ejemplo, los estímulos verbales descriminativos relacionados con la obra de Pavlov sobre condicionamiento respondiente, tales como "¿Cuál era el procedimiento de Pavlov?" pueden evocar en un oyente conducta intraverbal encubierta tal como pensar "Presentó conjuntamente el sonido de un metrónomo con polvo de carne".[7]

El control de los estímulos verbales puede también evocar la conducta no verbal del oyente, Por ejemplo, cuando alguien dice "Cierra la puerta", la conducta de cerrar la puerta es no verbal, pero cerrar la puerta es evocada por esos estímulos verbales. Skinner (1957) identificó este tipo de conducta del oyente como *comprensión*. "Se puede decir que el oyente comprende a un hablante si sencillamente se comporta de forma apropiada" (p. 277).

Los estímulos verbales pueden llegar a ser considerablemente complejos debido a que separar la conducta verbal de la no verbal del oyente es difícil (Parrott, 1984; Schoenberger, 1990,1991). Por ejemplo, siguiendo una instrucción relativa a comprar cierto tipo de pieza de fontanería en la ferretería, el éxito implica tanto conducta no verbal, como por ejemplo, discriminar la pieza necesaria entre varias y conducta verbal como por ejemplo instigadores auto-ecoicos (p.ej., "necesito un codo de tres cuartos, de tres cuartos"), tactos de las piezas (p.ej., "esto se parece a un codo de tres cuartos"), y mandos para obtener información (p.ej., "¿Puede decirme si esta pieza encajaría en un codo de tres cuartos?").

Identificación de las operantes verbales

La misma palabra (es decir, topografía o forma de la conducta) pueden aparecer en definiciones de todas las

[7] En tres de sus libros, Skinner dedicó un capítulo completo al pensamiento: *Ciencia y conducta humana* (1953, Cap. 16), *Conducta Verbal* (1947, Cap. 19), y *Sobre el conductismo* (1974, Cap. 7) con varias secciones dedicadas a la cuestión de la comprensión (p.ej., *Conducta verbal*, pp. 277-280; *Sobre el conductismo*, pp. 141-142). Un análisis conductual del pensamiento y la comprensión implica en gran medida situaciones en las que ambos, oyente y el hablante, residen bajo la misma piel.

operantes verbales elementales debido a que las variables controladores que definen las operantes verbales no la forma de los estímulos verbales. La conducta verbal no se clasifica o define por su topografía o forma (es decir, las palabras mismas). La clasificación de las operantes verbales puede conseguirse preguntando una serie de preguntas relativas a las variables controladoras relevantes que evocan formas de respuesta específicas (ver Figura 25.). Un ejemplo de ejercicio de clasificación de conducta verbal se presenta en la Tabla 25.3.

1. ¿Está la forma de la respuesta controlada por la forma de la respuesta? En caso afirmativo, la operante es al menos parcialmente un mando.
2. ¿Controla el E^D la forma de la respuesta? En caso afirmativo, entonces:
3. ¿Es el E^D no verbal? En caso afirmativo, entonces la operante es al menos parcialmente un tacto.
4. ¿Es el E^D verbal? En caso afirmativo:
5. ¿Hay correspondencia precisa entre el E^D verbal y la respuesta? En caso negativo, entonces la operante es al menos en parte intraverbal. Si hay correspondencia precisa, entonces:
6. ¿Hay similitud formal entre el E^D verbal y la respuesta? En caso afirmativo, entonces la operante debe ser ecoica, imitativa o copiar un texto. En caso negativo, la operante debe ser textual o trascripción.

Análisis de la conducta verbal compleja

El análisis de la conducta verbal mas compleja incluye el estudio de procesos tales como reforzamiento automático, extensiones de tactos (generalización) y eventos privados. Estas cuestiones se presentan en las siguientes secciones.

Reforzamiento automático

Un malentendido frecuente sobre el reforzamiento en el contexto de la conducta verbal es que ocurre solo cuando el oyente media el reforzamiento. Cuando la conducta ocurre sin la provisión aparente de reforzamiento, se suele asumir que un proceso mental superior está presente (Brown, 1973; Neisser, 1976). El reforzamiento intermitente puede explicar parte de la conducta que sucede en ausencia de consecuencia, pero no de toda la conducta sin consecuencia aparente. Parte de la conducta es fortalecida o debilitada no por consecuencias externas, sino por los *productos de respuesta*, los cuales tienen efectos reforzantes o punitivos. Skinner usó los términos **reforzamiento automático** y **castigo automático** en varios de sus escritos solo para indicar que la consecuencia efectiva puede ocurrir sin que nadie la otorgue (cf. Vaughan y Michael, 1982).

La conducta verbal puede producir reforzamiento automático, el cual tiene un papel significativo en la adquisición y mantenimiento de conducta de conducta verbal. Por ejemplo, el reforzamiento automático puede explicar porqué los niños con desarrollo típico realizan balbuceos con muy alta frecuencia sin la aparente presentación de reforzamiento. Skinner (1957) sugirió que la conducta vocal exploratoria de los niños podría producir reforzamiento automático cuando esos sonidos exploratorios coincidían con los sonidos del discurso de padres, cuidadores u otros.

Skinner (1957) describió una historia de condicionamiento en dos fases en el establecimiento de respuestas vocales como reforzadores automáticos. En primer lugar, un estímulo verbal neutro era aparejado con una forma existente de reforzamiento condicionado o no condicionado. Por ejemplo, la voz de la madre se aparejaría con condiciones tales como la presentación de comida, calor o la retirada de estímulos aversivos (p.ej., pañal sucio). Como resultado, la voz de la madre, un estímulo previamente neutral, se convertiría en un reforzador condicionado. La voz de la madre fortalecería cualquier conducta que le precediese. En segundo lugar el las respuestas vocales del niño, ya sea en la forma de movimientos musculares aleatorios de las cuerdas vocales o de conducta refleja, produce una respuesta auditiva que en un momento dado puede sonar similar a las palabras de la madre, con su acento y entonación. De este modo, una respuesta vocal puede funcionar como reforzamiento mediante el incremento automático de la frecuencia de conducta vocal del niño.[8]

El reforzamiento automático también juega un importante papel en el desarrollo de aspectos complejos de la conducta verbal, tales como en la adquisición de las convenciones sintácticas y semánticas. Por ejemplo, Donahoe y Palmer (1994) y Palmer (1994, 1998) sugiere que el uso de la gramática por parte de los niños produce reforzamiento automático cuando suena como la gramática usada por otros en el ambiente, pero es castigada de forma automática cuando suena de forma extraña o inusual. Palmer (1996) se refirió a este proceso como *alcanzar la paridad*.

Las condiciones estimulares que evoca conducta automáticamente reforzada puede encontrarse en cualquier parte porque cada vez que una respuesta se refuerza

---

Miller y Dollard (1941) fueron quizás los primeros en sugerir que un proceso similar al reforzamiento automático puede ser parcialmente responsable de la alta tasa de balbuceo de los bebés. Desde entonces, muchos otros autores han discutido e investigado la importancia del reforzamiento automático en la adquisición del lenguaje (p.ej., Bijoe y Baer, 1965; Braine, 1963; Miguel, Carr y Michael, 2002; Mowrer, 1950; Novak, 1996; Osgood, 1953; Smith, Michael y Sundberg, 1996; Spradlin, 1966; Staats y Staats, 1963; Sundberg, Michael, Partington y Sundberg, 1996; Vaughan y Michael, 1982; Yoon y Bennett, 2000).

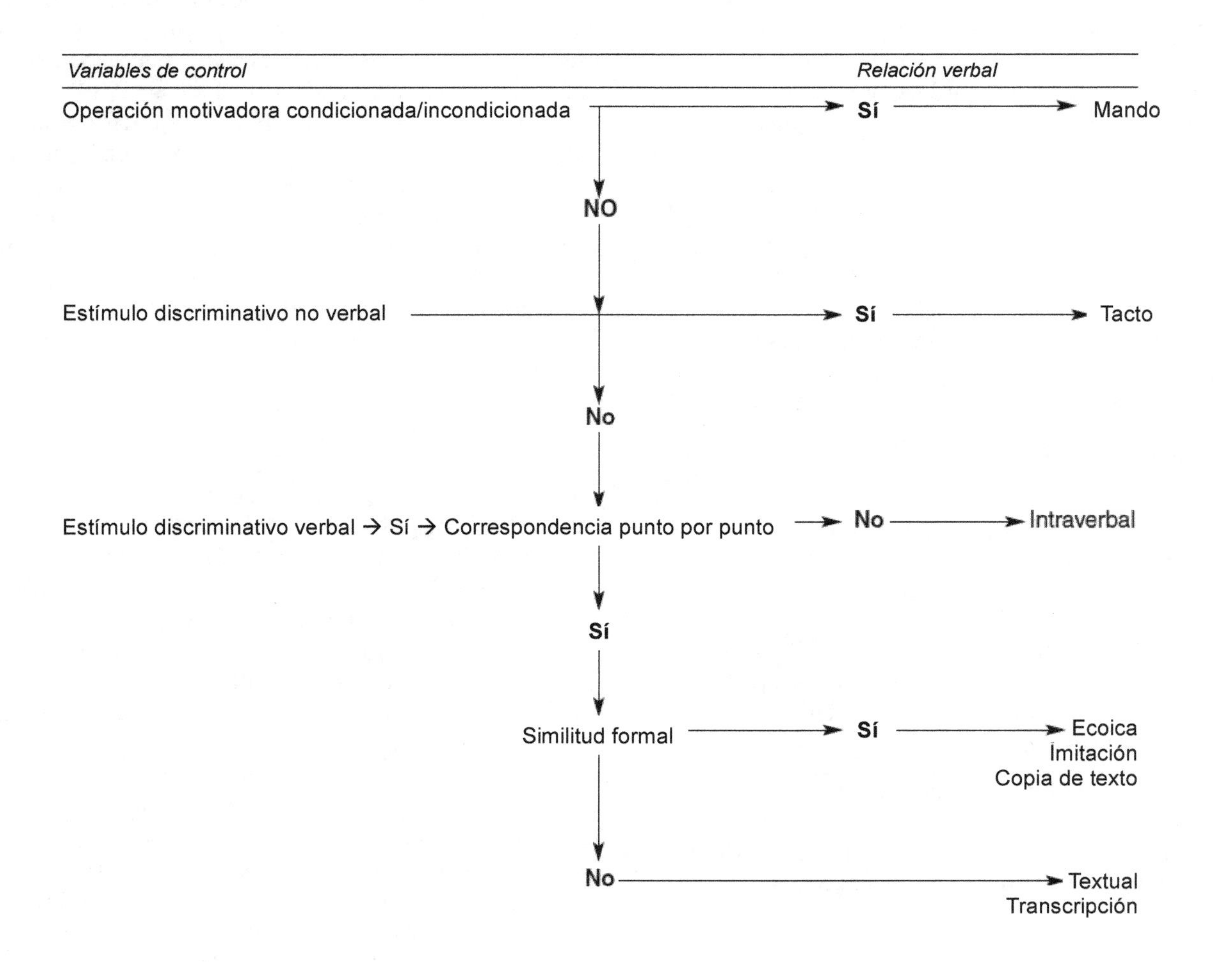

Figura 25.1 Diagrama de clasificación de la conducta verbal.

automáticamente puede alterar el efecto vocativo de cualquier condición estimular presente. Por ejemplo, un a persona puede persistir en cantar o tatarear la canción de una película cunado conducta a casa desde el cine por el proceso de condicionamiento en dos fases explicado previamente. No obstante, la canción puede ser evocada periódicamente horas o incluso días después de la película porque cada vez que la canción se repite, un nuevo estímulo como por ejemplo la luz del semáforo, la esquina de una calle o una señal de neón puede adquirir cierto grado de control de estímulo. La próxima vez que la persona entre en contacto con, por ejemplo, una luz roja de semáforo, puede haber una tendencia hasta cierto punto a cantar o tatarear la canción. Este efecto puede explicar lo que frecuentemente se denomina *ecolalia demorada* observada en niños con autismo (Sundberg y Parlington, 1998). En la actualidad, no obstante, no ha habido ninguna investigación empírica con relación al control de estímulo relacionado con consecuencias automáticas, aunque ciertamente parece un área relevante.

Ampliaciones de los tactos

Las contingencias que establecen clases de respuesta, clases de estímulos y generalizaciones también permiten una variedad de estímulos discriminativos nuevos y diferentes que llegan a evocar conducta verbal. Skinner (1957) lo dijo de este modo:

> [Un] repertorio verbal no es como una lista de pasajeros en un barco o avión, en la que un nombre se corresponde con una persona sin omisiones ni repeticiones. El control de estímulo no es bajo ningún caso preciso. Si una respuesta es reforzada bajo una determinada situación o clase de situaciones, cualquier aspecto de esa situación o común a esa clase parece adquirir cierto grado de control. Un estímulo novedoso que posee alguna de esas características podría evocar la respuesta. Existen varias formas bajo las cuales un estímulo novedoso puede asemejarse a un estímulo previo presentado cuando una respuesta fue reforzada, existiendo además varios tipos de lo que podemos llamar "tactos extendidos" (p. 91).

Skinner (1957) distinguió cuatro tipos de tactos extendidos: genéricos, metafóricos, metonímicos y solecista[9]. La distinción radica en el grado en el que el estímulo novedoso comparte características relevantes o irrelevantes del estímulo original.

Extensión genérica

En la **extensión genérica**, el estímulo novedoso comporte todos los aspectos relevantes o que definen al estímulo original. Por ejemplo, un hablante que aprende el tacto "coche" bajo la presencia de un Pontiac Grand Am blanco emite el tacto "coche" bajo la presencia de un Mazda RX-7 azul. Un extensión genérica de un tacto se evoca simplemente por generalización de estímulos.

Extensión metafórica

En la **extensión metafórica**, un estímulo novedoso comparte algunas, pero no todas las características relevantes asociadas al estímulo original. Por ejemplo, Romeo estaba experimentando un día precioso, soleado y cálido y el clima excepcional elicitó conductas respondientes (p.ej., sentimientos agradables). Cuando Romeo vio a Julieta, cuya presencia elicitó conductas respondientes parecidas a las del día soleado, dijo, "Julieta es como el sol". El sol y Julieta evocan efectos similares en Romeo, controlando la extensión metafórica del tacto "Julieta es como el sol".

Extensión metonímica

Las extensiones metonímicas son respuestas verbales a estímulos novedosos que no comparten ningún rasgo relevante con la configuración estimular original, pero sino alguna característica irrelevante que ha adquirido control de estímulo. Sencillamente, una palabra sustituye a otra en una extensión metonímica de un tacto, ello quiere decir que una parte es usada como un todo. Por ejemplo, decir "coche" cuando se muestra la imagen de un garaje, o decir "la Casa Blanca solicitó" en lugar de "el presidente Lincoln solicitó".

Extensión solecista

Una extensión solecista sucede cuando una propiedad de un estímulo que está solo indirectamente relacionada con la relación del tacto que evoca conducta verbal evoca conducta verbal tales como barbarismos. Por ejemplo, usando una extensión solicista, cuando una persona dice "lees bueno" en lugar de "lees bien", ó decir "coche" cunado se refiere al conductor son ejemplos de extensiones solecista del tacto.

Eventos privados

En 1945 Skinner describió el conductismo radical, su filosofía. En el núcleo del conductismo radical está el análisis de estímulos privados (ver también Skinner, 1953, 1974). La conducta verbal bajo el control de estímulos privados ha sido un tema principal en el análisis teórico y filosófico de la conducta desde entonces. En 1957 Skinner afirmaba "un parte pequeña pero importante del universo está contenida dentro de la piel de cada individuo (...). Ello no implica que (...) se distinga en modo alguno del mundo fuera de la piel o dentro de otra piel" (p. 130).

Una cantidad significativa de la conducta verbal cotidiana está controlada en parte por eventos privados. Lo que generalmente denominamos pensar implica control de estímulo explícito y eventos privados, es decir, control de estímulo encubierto. El análisis de la estimulación privada y cómo adquiere control de estímulo es complejo debido a dos problemas: (a) el participante puede observar directamente el los estímulos privados, pero el analista aplicado de conducta no puede (una restricción en la predicción y control de la conducta), y (b) el control de estímulo privado de episodios verbales en ambientes naturales permanecerá probablemente siendo privado, sin importar como de sensibles lleguen a ser los instrumentos de que dispongamos para detectar estímulos y conductas privadas. Skinner (1957) identificó cuatro maneras en la que los cuidadores enseñan a jóvenes para tactar sus estimulación privada: acompañamiento público, respuestas colaterales, propiedades comunes y reducción de respuestas.

Acompañamiento público

El acompañamiento público ocurre cuando un estímulo observable acompaña a un estímulo privado. Por ejemplo, un padre puede observar como un niño se golpeó la cabeza contra la mesa siguiendo una pelota. El estímulo público está disponible al padre, pero no el privado y más saliente estímulo doloroso experimentado por el niño. El padre puede asumir que el niño está experimentando dolor debido a que su propio historia de golpearse contra objetos, y puede decir "¡Ay!, te hiciste daño". De este modo, el padre está usando el golpearse (estímulo observable) como una oportunidad para desarrollar conducta verbal bajo el control de estímulos privados. Esto puede ocurrir con una ecoica del evento privado, posteriormente, el control de estímulo se transfiere a los estímulos privados. Específicamente, el niño puede generar una ecoica del padre "¡Ay!" mientras el estímulo doloroso esta presente, y rápidamente (dependien-

[9] N. del T.: Neologismo resultante de la adjetivación de solecismo.

Tabla 25.3 Ejercicios de clasificación de la conducta verbal.

A consecuencia de...	*Uno tiene la tendencia de...*	*La operante verbal es...*
1. Ver un perro	Decir "perro"	__________
2. Querer un avión	Decir "avión"	__________
3. Esperar una bebida	Decir "agua"	__________
4. Oír "¿Cómo estás?"	Decir "estoy bien"	__________
5. Oler galletas en el horno	Decir "galletas"	__________
6. Saborear una sopa	Decir "pásame la sal"	__________
7. Oír "libro"	Escribir "libro"	__________
8. Oír "libro"	Hacer el signo de "libro"	__________
9. Oír "libro"	Decir "libro"	__________
10. Oír "libro"	Decir "leer"	__________
11. Oír "libro"	Hacer el signo de "leer"	__________
12. Oír "libro"	Deletrear en lenguaje de signos "libro"	__________
13. Ver un libro	Escribir "libro"	__________
14. Querer un libro	Escribir "libro"	__________
15. Decir "libro" en lenguaje de signos	Escribir "libro"	__________
16. Oír "¿de qué color es esto?"	Decir "rojo"	__________
17. Ver que el perro se arrima a la mesa	Decir "aléjate"	__________
18. Ver la palabra "stop" escrita	Pisar el freno	__________
19. Oír "Skinner"	Escribir "conducta"	__________
20. Oler humo	Decir "fuego"	__________
21. Estar hambriento	Ir a la tienda	__________
22. Ver la palabra "manzana" escrita	Hacer el signo de "manzana"	__________
23. Ver "5"	Decir "cinco"	__________
24. Querer cosas	Decir "gracias"	__________
25. Oír "escribe tu nombre"	Escribir tu nombre	__________
26. Oír "correr"	Deletrear en lenguaje de signos "correr"	__________
27. Ver el signo de la palabra "casa"	Hacer el signo de nuestro pueblo	__________
28. Oír el tono del teléfono	Decir "teléfono"	__________
29. Oler una mofeta	Decir "mofeta"	__________
30. Oír "mesa"	Decir "table"	__________
31. Estar contento	Sonreír	__________
32. Esperar que un piloto lo vea	Escribir "SOS"	__________
33. Querer el azul	Decir "azul"	__________
34. Oír "rojo, blanco y..."	Decir "azul"	__________
35. Saborear un caramelo	Decir "mmm"	__________

Dar ejemplos de conducta verbal:

36. Dar y ejemplo de un mando en el que se use un adjetivo
37. Dar un ejemplo de un tacto para un olor
38. Dar un ejemplo de una respuesta que es parte mando y parte tacto
39. Dar un ejemplo de una respuesta que es parte tacto y parte intraverbal
40. Dar un ejemplo de un de un tacto que incorpora múltiples respuestas
41. Dar un ejemplo de una intraverbal que requiere del uso de la escritura
42. Dar un ejemplo de lenguaje receptivo usando lenguaje de signos

Respuestas a los ejercicios en esta tabla (E = Ecoica; IV = Intraverbal; M = Mando; NV = Conducta no verbal; T = Tacto; TR = Transcripción): 1. T; 2. T; 3. M; 4. IV; 5. T/M; 6. M; 7. TR; 8. IV; 9. E; 10. IV; 11. IV; 12. TR; 13. T; 14. M; 15. IV; 16. IV/T; 17. M; 18. NV; 19. IV; 20. T/M; 21. NV; 22. IV; 23. IV; 24. M; 25. IV; 26. TR; 27. IV; 28. T/M; 29. T; 30. IV; 31. NV; 32. M; 33. M; 34. IV; 35. T; 36. "Quiero el rojo."; 37. "Alguien está fumando."; 38. "Tengo la garganta seca."; 39. Decir "supermercado" a la pregunta "¿Dónde compramos comida?"; 40. "¡Vaya hamburguesa tan grande!"; 41. Responder un correo electrónico; 42. Parar cuando alguien hace el signo referido a detenerse.

do de la historia del niño transferencia ecoicas-tactos) hasta que los estímulos dolorosos por si solos evoquen el tacto "¡Ay!".

Respuestas colaterales

Los cuidadores también enseñan a personas jóvenes a tactar sus estímulos privados usando respuestas colaterales, es decir conducta observable que sucede conjuntamente con el estímulo privado. Por ejemplo, un padre puede no observar el golpe del niño en su cabeza, pero puede ver al niño tocándose la cabeza y llorando. Estas conductas colaterales informan al padre de la presencia de un estímulo doloroso. El mismo procedimiento de entrenamiento con acompañamiento público puede ser usado con respuestas colaterales. Debido a que estímulos privados dolorosos son salientes, un solo ensayo puede ser suficiente para que adquiera control de estímulo sobre la relación del tacto.

Los padres deben usar acompañamiento público y respuestas colaterales durante las fases iniciales del entrenamiento en tactos. No obstante, incluso después del desarrollo de un repertorio para tactar eventos privados, el padre u oyente tendrá dificultades para confirmar la presencia real de los eventos privados como en "Me duele el estómago" o "Tengo dolor de cabeza".

También, el aprendizaje de tactos para conductas privadas se adquiere probablemente mediante acompañamiento publico y respuestas colaterales, por ejemplo, los estímulos privados que evocan emociones privadas (conductas) que tactamos con palabras tales como felicidad, tristeza, miedo o enfado. El aprendizaje de tactos para tales eventos privados es difícil si la estimulación privada no está presente durante el entrenamiento. Por ejemplo, procedimientos que usan imágenes de personas sonriendo o frunciendo el ceño (estímulos públicos) para enseñar a niños a tactar emociones será menos efectivos que procedimientos que usen variables para evocar agrado o desagrado (estímulos privados) durante el entrenamiento.

Propiedades comunes

Los dos procedimientos descritos previamente usan estímulos públicos para establecer tactos de eventos privados. Las propiedades comunes también están involucradas en estímulos públicos, pero de modo diferente. Un hablante puede aprender a tactar las propiedades temporales, geométricas o descriptivas de objetos y luego generalizar tales relaciones tactuales a estímulos privados. Como apuntaba Skinner (1957) "La mayor parte del vocabularios sobre emociones es metafórico por naturaleza. Cuando describimos estados internos como agitado o deprimido, ciertas propiedades geométricas, temporales o intensivas han producido una extensión metafórica de las respuestas" (p. 132). Gran parte de nuestra conducta verbal relativa a eventos emocionales se adquiere mediante este tipo de generalización estimular.

Reducción de respuesta

La mayoría de los hablantes aprenden a tactar características de su propio cuerpo tales como movimientos o posiciones. Los estímulos kinestésicos procedentes de los movimientos y posiciones pueden adquirir control sobre las respuestas verbales. Cuando los movimientos se contraen en tamaño se hacen encubiertos, los estímulos kinestésicos pueden aun ser lo bastante similares a aquellos de los movimientos manifiestos de los que proceden que el tacto del aprendiz se sucede como un caso de generalización de estímulo. Por ejemplo, un niño puede referir que se imagina nadando, o que puede referir auto-habla sobre una conversación planeada con alguien, o puede referir pensar sobre pedir un juguete (Michael y Sundberg, 2003). Las respuestas producidas por conducta verbal privada encubierta pueden evocar otras conductas verbales y serán discutidas luego en mayor detalle.

Control múltiple

Toda la conducta verbal contiene múltiples relaciones funcionales entre antecedentes, conductas y consecuentes. "Cualquier ejemplo de conducta verbal será una función de muchas variables operando al mismo tiempo" (Skinner, 1957, p. 228). Las unidades funcionales de mandos, tactos, ecoicas, intraverbales y textuales forman la base del análisis de la conducta verbal. Un conocimiento efectivo de estas unidades funcionales es esencial para la comprensión del análisis del control múltiple y de la conducta verbal compleja.

Control múltiple convergente

Michael (2003) usó el término control múltiple convergente para identificar que la ocurrencia de una respuesta verbal simple es función de más de una variable. La tarea de un analista aplicado de la conducta es identificar la fuente relevante que controla un caso de conducta verbal. Por ejemplo, decir "¿Por qué los Estados Unidos entraron en la Segunda Guerra Mundial?" puede ser evocado por (a) operaciones motivadoras (como parte de un mando), (b) estímulos discriminativos verbales (como parte de una ecoica, intraverbal, o textual), (c) estímulos no verbales (como parte de un tacto), o la presencia de una audiencia específica. Por ejemplo, es posible que una audiencia que rechace la guerra (operación motivadora) evoque el mando "¿Por qué los Estados Unidos entraron en la Segunda Guerra Mundial?" La pregunta puede ser más una función de esta variable más que de una intraverbal relacionada con una conversación en curso o el estímulo no verbal o textual que pueda estar presentes en la habitación. Por otra parte, el hablante puede no tener una operación motivadora intensa para la respuesta, pero hace la pregunta porque su relación con la operación motivadora por reforzamiento social se relaciona con implicación política.

Control múltiple divergente

El control múltiple también sucede cuando una sola variable antecedente afecta a la fuerza de muchas respuestas. Por ejemplos, una simple palabra, digamos fútbol, evocará una variedad de respuestas instraverbales en distinta gente y en la misma gente en momentos diferentes, Michael (2003) usó el término control divergente múltiple para identificar este tipo de control. El control divergente múltiple puede ocurrir también como relación de mando o tacto. Una operación motivadora sencilla puede fortalecer una variedad de respuestas, tales como privación de comida fortaleciendo la respuesta "Tengo hambre" o "Vayamos a un restaurante". Un estímulo no verbal simple puede también fortalecer varias formas de respuesta, como cunado una imagen de un coche fortalece la respuesta "coche", "automóvil" o "Ford".

Operantes verbales temáticas y formales

Skinner (1957) identificó operantes temáticas y formales como funciones de fuentes de control múltiple. La operante verbal temática son mandos, tactos e intraverbales implicadas en distintas topografías de respuestas controladas por una misma variable. Para una intraverbal ejemplo, el E^D "azul" puede evocar respuestas verbales tales como "lago", "océano" y "cielo". La operante verbal formal son ecoicas (imitación, copiar un texto) y textuales (y trascripción) y están controladas por una variable común con correspondencia precisa. Por ejemplo, los E^D "sonar" pueden evocar respuestas verbales como "sanar", "sónar", o "sonajero".

Audiencias múltiples

El papel de la audiencia llama la atención sobre la cuestión de la s audiencias múltiples. Diferentes audiencias pueden evocar diferentes formas de respuesta. Por ejemplo, dos analistas aplicados de conducta hablando (una hablante técnico y una audiencia técnica) usarán probablemente distintas formas de respuesta que un analista de conducta que esté hablando con un padre (hablante técnico, oyente no técnico). Una audiencia positiva tiene efectos especiales, particularmente una amplia audiencia positiva (como por ejemplo en una carrera para recaudar fondos) como los tiene una audiencia negativa. Cuando dos audiencias están combinadas, los efectos de la audiencia negativa son obvios: "[Cuando] el líder improvisado de una revuelta habla dirigiéndose al público y ve a un policía aproximarse en la distancia, su conducta decrece en intensidad a medida que la audiencia negativa se hace más importante" (Skinner, 1957, p .231).

El desarrollo del control múltiple

El control múltiple convergente sucede en la mayoría de los casos de conducta verbal. Una audiencia es siempre una fuente de control de estímulo relacionada con conducta verbal, incluso cuando un hablante sirve como su propia audiencia. Además, suele ser el caso de que más de una de las variables controladoras estén relacionadas con varias operantes verbales relevantes a un caso específico de conducta verbal. El control convergente suele ocurrir con operaciones motivadoras y estímulos no verbales, resultando una respuesta que es parte tacto y parte mando. Por ejemplo, cuando alguien le dice a su pareja antes de salir "¡Estas muy bien!", ello puede ser parcialmente controlado por el estímulo no verbal que el hablante tiene delante (un tacto), pero también por la operación motivadora relacionada con querer marcharse pronto o evitar posibles eventos aversivos (un mando). Skinner (1957) identificó esta combinación de variables controladoras como evocadoras de tactos impuros, impuros porque la operación motivadora afecta a la relación tactual.

Los estímulos verbales y no verbales pueden también compartir control sobre una respuesta particular. Por ejemplo, la tendencia a decir "coche verde" puede ser evocada por el estímulo "¿De qué color es el coche?" y por el estímulo no verbal constituido por el color verde del coche.

Las fuentes múltiples de control pueden ser cualquier combinación de fuentes temáticas o formales, incluso fuentes múltiples dentro de una operante verbal simple, tales como tactos múltiples o intraverbales múltiples. Skinner indicó que debido a que estas distintas fuentes pueden combinarse de forma aditiva, la causación múltiple produce muchos efectos verbales interesantes, incluidos las propias de la declamación, ingenio, estilo, poesía, distorsiones formales, segundos significados y muchas técnicas del pensamiento verbal" (pp. 228-229). Fuentes adicionales se manifiestan por si mismas a veces, por ejemplo, cuando un hablante en la presencia de un amigo obeso que se ha comprado una gorra nueva emite el *lapsus* freudiano "Me gusta esa gorda que llevas". Fuentes múltiples de control con frecuencia son caldo de cultivo para el humor verbal y la diversión del oyente.

Relación autoclítica

Este capítulo ha enfatizado que el hablante puede, y con frecuencia lo hace, funcionar como su propio oyente. El análisis de cómo y porqué un hablante se convierte en oyente de su propia conducta verbal y manipula su conducta verbal con más conducta verbal aborda la cuestión de la relación autoclítica. Skinner (1957) introdujo el término autoclítico para identificar cuando la conducta verbal de un hablante funciona como ESTÍMULO DISCRIMINATIVO o como operación motivadora para conducta verbal adicional del hablante. En otras palabras, el autoclítico es una conducta verbal sobre la propia conducta verbal del hablante. Las consecuencias de esta conducta incluyen reforzamiento diferencial del oyente último, indicando que el oyente discrimina si mediar o no en el reforzamiento de esos estímulos verbales. Un hablante se convierte en oyente y observador de su propia conducta verbal y de sus variables controladoras, para luego volver a convertirse en hablante. Este efecto puede ser muy rápido y generalmente ocurre durante la emisión de una oración compuesta por dos niveles de respuestas.

Operantes verbales primarias y secundarias

Michael (1991, 1992) sugirió que los analistas aplicados del comportamiento deben clasificar la conducta verbal sobre la propia conducta verbal del hablante en dos niveles: operante verbal *primaria* (Nivel 1) y *secundaria* (Nivel 2). En el Nivel 1, las operaciones motivadoras y los E^D están presentes y afectan a la operante verbal primaria. El hablante tiene algo que decir. En el Nivel 2, el hablante observa las variables controladoras primarias de su propia conducta verbal y su disposición para emitir la conducta verbal primaria. El hablante discrimina estas variables controladoras y las describe al oyente. Una operante verbal secundaria permite que la conducta del oyente funcione como un mediador del reforzamiento. Por ejemplo, una operación motivadora o E^D evoca la respuesta, "Ella es de Córdoba". Es importante para los oyentes como mediadores del reforzamiento que discriminen las variables primarias que controlan la conducta del hablante. La operante verbal "Ella es de Córdoba", no informa al oyente de porqué el hablante dice tal cosa. "Leí en el periódico que ella es de Córdoba", informa al oyente de la variable controladora primaria. El primer nivel es "Ella es de Córdoba" (operante verbal primaria), y el segundo nivel es "Lo ley en el periódico" (el autoclítico).

Relaciones entre tactos y autoclíticos

Algunos autoclíticos informan al oyente sobre el tipo de operante verbal primaria que acompaña el autoclítico (Peterson, 1978). El tacto autoclítico informa al oyente de algunos aspectos no verbales de la operante verbal primaria y es por tanto controlado por un estímulo no verbal. Por ejemplo, la afirmación de un niño "Veo a mama" puede contener un *tacto autoclítico*. La operante verbal primaria, es decir, el tacto, se compone de: (a) la madre del niño (E^D no verbal), (b) la respuesta "mamá" y (c) la historia de reforzamiento asociada. La operante verbal secundaria, es decir el tacto autoclítico, es el tacto del hablante informando de que el E^D no verbal evocó la operante verbal primaria. En este caso, el E^D no verbal fue el estímulo visual de la madre del niño, y la respuesta "veo" informa al oyente del origen visual de la fuente de control que evocó el tacto primario. Si el niño oyó a su madre en lugar de verla, el tacto autoclítico "oigo" hubiera sido el adecuado.

El oyente puede cuestionar la existencia y la naturaleza del tacto autoclítico diciendo, por ejemplo, "¿Cómo sabes que es mamá?". Poner en cuestión los tactos autoclíticos es una forma de moldear la conducta autoclítica y de ponerla bajo el control de estímulo apropiado.

El tacto autoclítico también informa al oyente sobre la fuerza de la operante verbal primaria. Por ejemplo, en "Creo que es mamá" y "Sé que es mamá", "Creo" informa al oyente de que la fuente de control del tacto primario "mamá" es débil, mientras que en "Sé" es fuerte.

Relaciones entre autoclíticos y mandos

El hablante usa mandos autoclíticos con frecuencia para ayudar al oyente a presentar reforzadores efectivos (Peterson, 1978). Una operación motivadora específica controla el mando autoclítico y su función es solicitar que el oyente reaccione de cierta forma a la operante verbal primaria. "Ya viene mama", por ejemplo, puede contener un mando autoclítico. Si "Ya viene" no es un tacto de la fuerza de la respuesta, puede cumplir una función de operación motivadora similar a "Date prisa".

Los mandos autoclíticos están en todas partes, pero el oyente tiene dificultades en reconocer la operación motivadora que los controla debido a que las fuentes de control suelen ser privadas. Por ejemplo, tener un propósito oculto es una forma de mando autoclítico que se demuestra solo ante un observador cuidadoso. Por ejemplo, una intraverbal primaria en respuesta a una pregunta sobre un producto rebajado puede contener mandos autoclíticos tales como "Estoy seguro que quedará satisfecho con el producto" controlados por la misma operación motivadora que controla la respuesta "Ojala no me pregunte ningún detalle sobre posibles defectos del producto".

El desarrollo de relaciones autoclíticas

Los hablantes desarrollan relaciones autoclíticas de varias formas- Por ejemplo, un padres está envolviendo un regalo para la madre de su niño, y el niño dice "mamá". El padre puede preguntar al niño que identifique las variables primarias que controlan la respuesta preguntando "¿La has visto?". El padre puede responder diferencialmente a "veo" indicando claramente que "mamá" es un tacto y esconde el regalo; en lugar del mando para "mama", en ese caso, continuar envolviendo el regalo. La fuente de control de la respuesta "mamá" puede ser el regalo, como en "Esto es para mamá". "Esto es para", es decir, el autoclítico, informa al padre de que el regalo es un estímulo no verbal que controla al tacto primario "mamá" y el padre continua envolviendo el regalo. Como dijo Skinner "[U]n autoclítico afecta al oyente indicando una propiedad de la conducta del hablante o las circunstancias responsables de esa propiedad" (p. 329).

Los niños pequeños que están aprendiendo a hablar apenas emiten autoclíticos. Skinner fue claro en este punto: "Si no hay otro tipo de conductas verbales [en el repertorio] los autoclíticos no pueden ocurrir... Solo cuando las operantes verbales [básicas] se han establecido con fuerza puede el hablante estar bajo el control a las contingencias adicionales que establecen la conducta autoclítica" (p. 330). Por ello, los programas de intervención temprana en lenguaje no deben incluir entrenamiento autoclítico.

Aplicaciones del análisis de la conducta verbal

El análisis de Skinner de la conducta verbal ofrece un marco conceptual para el lenguaje que puede resultar muy beneficioso para el análisis aplicado del comportamiento. Ver el lenguaje como conducta aprendida que requiere de interacción social entre hablantes y oyentes, teniendo operantes verbales como unidades básicas, cambia la forma en que clínicos e investigadores se acercan e intentan mejorar los problemas relaciones con el lenguaje. La teoría del lenguaje de Skinner ha sido aplicada con éxito en un número creciente de áreas: lenguaje típico y desarrollo infantil (p.ej., Bijou y Baer, 1965), educación básica y secundaria (p.ej., Johnson y Laying, 1994), educación universitaria (p.ej., Chase, Johnson y Sulzar-Azaroff, 1985), lectoescritura (p.ej., Moxley, 1990), redacción (p.ej., J. Vargas, 1978), memoria (p.ej., Palmer, 1991), adquisición de un segundo idioma (p.ej., Shimamune y Jitsumori, 1999), intervenciones clínicas (p.ej., Laying y Andronis, 1984), problemas de conducta (p.ej., McGill, 1999), traumatismos cerebrales (p.ej., Sundberg, San Juan, Dawdy y Arguelles, 1990), inteligencia artificial (Stephens y Hutchinson, 1992), adquisición del lenguaje en primates (p.ej., Savage-Rumbaugh, 1984), y farmacología conductual (p.ej., Critchfield, 1993). La aplicación más prolífica del análisis de la conducta verbal de Skinner ha sido en los programas de evaluación e intervención en lenguaje en niños con autismo y otros problemas de desarrollo. Esta área de aplicación se presentará en más detalle en las secciones a continuación.

Evaluación del lenguaje

La mayoría de las evaluaciones estandarizadas del lenguaje para niños con retrasos están diseñadas para obtener una puntuación equivalente a una edad de desarrollo evaluando el lenguaje receptivo y expresivo del niño (p.ej., Peabody Picture Vocabulary Test III [Dunn y Dunn, 1997], Comprehensive Receptive and Expressive Vocabulary Test [Hammill y Newcomer, 1997]). Pese a que esta información resulta de ayuda en muchas ocasiones, los tests no distinguen entre repertorios de mandos, tactos o intraverbales, de modo que importantes déficit de lenguaje no pueden ser identificados. Por ejemplo, estos tests evalúan las habilidades del lenguaje bajo el control de E^D (p.ej., dibujos, palabras, preguntas), no obstante, un porcentaje substancial de la conducta verbal está bajo el control funcional de las operaciones motivadoras. El mando es una forma dominante de conducta verbal, pese a ello este repertorio raramente se evalúa en los tests estandarizados. Es muy común encontrar niños con autismo u otros problemas de desarrollo que no son capaces de usar mandos, pero que tienen amplios repertorios receptivos y de tactos. Si una evaluación de lenguaje falla en la identificación habilidades que están retrasadas o defectuosas relacionadas con el control de operaciones motivadoras será difícil implementar un programa de intervención adecuado. Un problema similar es la dificultad de evaluar adecuadamente el repertorio de intraverbales con la mayoría de los tests estandarizados.

Si un niño con retrasos en el lenguaje es referido para una evaluación de lenguaje, el analista de conducta examinará la efectividad actual en cada una de las operantes verbales, además de evaluar usando una prueba estandarizada por parte de un logopeda. El analista de conducta comenzará obteniendo información sobre el repertorio de mandos del niño. Cuando haya operaciones motivadoras intensas conocidas ¿qué conducta realiza el niño para obtener el reforzador?, Cuando se da el reforzador, ¿cesa el mando?, ¿cuál es la frecuencia y complejidad de varias unidades de mandos? La información relativa a la calidad y fuerza del repertorio ecoico puede revelar posibles problemas en la producción de topografías de respuesta que son esenciales para otras interacciones verbales. Una examen profundo del repertorio de tactos mostrará la naturaleza y extensión del control de estímulo sobre las respuestas verbales, y una evaluación sistemática del repertorio receptivo e intraverbal mostrará el grado de control por estímulos verbales. Así, una comprensión más completa del déficit de lenguaje, y mas aun, un programa de intervención más efectivo, puede obtenerse determinando fortalezas y debilidades en cada una de las operantes verbales, así como varias habilidades asociadas (p.ej., Partington y Sundberg, 1998; Sundberg, 1983; Sundberg y Partington, 1998).

Intervención en lenguaje

El análisis de Skinner sugiere que un repertorio verbal completo está compuesto de las diferentes operantes, y repertorios separados de hablante y oyente. Las operantes verbales individuales se ven como la base para la construcción de conducta verbal más avanzada. Por lo tanto, los programas de intervención en lenguaje requieren del establecimiento de cada uno de estos repertorios antes de avanzar hacia relaciones verbales más complejas tales como autoclíticas o respuestas bajo control múltiple. Procedimientos ara la enseñanza de mandos, ecoicas, tactos y repertorios intraverbales se presentarán brevemente en las secciones a continuación, que incluirá también una discusión sobre la literatura relevante.

Entrenamiento en mandos

Tal y como se ha afirmado previamente, los mandos son muy importantes para los aprendices. Permite al niño controlar la aparición de reforzadores cunado son más valiosos. En consecuencia, la conducta de un padre o un maestro (sobretodo la conducta vocal) puede aparejarse con el reforzador en el momento adecuado, es decir, cunado la operación motivadora para el objeto es intensa. Los mandos también comienzan con el establecimiento del papel del hablante, en lugar de solo el del oyente, así dar al niño algún grado de control sobre el ambiente social. Si los mandos no llegan a desarrollarse de forma típica, pueden aparecer conductas negativas tales como rabietas, agresiones, aislamiento social, auto-lesión que cumplen la función de mando (y por tanto controlan el ambiente social). Por lo tanto una intervención en lenguaje para un niño no verbal debe incluir procedimientos para la enseñanza de mandos apropiados. Los otros tipos de conducta verbal no deben ignorarse, pero el mando permite al niño obtener lo que quiere cuando lo quiere.

La parte más complicada del entrenamiento en mandos es el hecho de que la respuesta necesita estar bajo el control funcional de una operación motivadora. Por lo tanto, el enterramiento en mandos puede solo ocurrir cuando la operación motivadora relevante es intensa, y finalmente la respuesta debe estar libre de otras fuentes de control (p.ej., estímulos no verbales). Otra complicación del entrenamiento en mandos son las diferentes formas de respuesta que se necesitan para establecer y traer bajo el control de cada operación motivadora. Las palabras vocales son por supuesto la forma de respuesta más común, pero el lenguaje de signos, dibujos o palabras escritas también pueden usarse.

El procedimiento básico para el establecimiento de mandos consisten en el uso de instigadores (ayudas), desvanecimiento y reforzamiento diferencial para transferir control desde las variables estimulares a las variables motivadoras (Sundberg y Partington, 1998). Por ejemplo, si un niño demuestra una operación motivadora para ver burbujas alcanzando el tarro de las burbujas, entonces sonreír en el momento que mira las burbujas en el aire, el momento es probablemente el adecuado para realizar un entrenamiento en mandos. Si el niño puede repetir la palabra "burbujas" o una parecido tal como "bu" enseñar un mando puede ser fácil (ver Tabla 25.4). El entrenador debe primero presentar la botella de burbujas (estímulo no verbal) junto con el instigador ecoico (un estímulo verbal) u reforzar diferencialmente las aproximaciones sucesivas a "burbuja" haciendo burbujas (reforzador específico). El paso siguiente es desvanecer el instigado ecoico usado para establecer la respuesta "burbuja" bajo el control múltiple de la operación motivadora y del estímulo no verbal (el tarro de burbujas). El paso final es desvanecer el estímulo no verbal para poner forma de respuesta bajo el control específico de la operación motivadora.

Los mandos más fáciles de enseñar en la intervención temprana en lenguaje son generalmente los de objetos para los que las operaciones motivadoras son intensas y la saciación se da de forma lenta (p. ej., comida, juguetes, videos). Siempre es importante evaluar la intensidad actual de una supuesta operación motivadora usando procedimientos de elección, y observación de la conducta del niño en una situación de operante libre, es decir sin demandas, o ver la latencia de contacto con el reforzador, el consumo inmediato, etc. El objetivo del entrenamiento temprano en mandos es el establecimiento de varios mandos trayendo diferentes formas de respuestas (palabras) bajo el control funcional de diferentes operaciones de establecimiento. Es importante notar que las operaciones motivadoras varían en fuerza en el tiempo y los efectos pueden ser momentáneos. Además, la petición de respuesta al niño puede debilitar la fuerza de la operación motivador, haciendo el entrenamiento en mandos más difícil. Existen muchas estrategias para la enseñanza de mandos tempranos a estudiantes más difíciles, tales como la comunicación aumentativa, instigadores físicos, instigadores verbales, o procedimientos de desvanecimiento y reforzamiento diferencial más cuidadosos (ver Sundberg, y Partington, 1998).

El mando continúa siendo una parte importante de un repertorio verbal a medida que se adquieren otras operantes verbales. Poco después de que los mandos para reforzado-

Tabla 25.4 Enseñar un mando transfiriendo el control de estímulo a una operación motivadora

Antecedente	*Conducta*	*Consecuencias*
Operación motivadora Estímulo no verbal Ayuda ecoica	"Burbujas"	Hacer burbujas
Operación motivadora Estímulo no verbal	"Burbujas"	Hacer burbujas
Operación motivadora	"Burbujas"	Hacer burbujas

res comestibles o tangibles se adquieren, un niño empieza a dar mandos para acciones (verbos), atención, retirada de estímulos aversivos, desplazamiento a ciertos lugares (preposiciones), ciertas propiedades de objetos (adjetivos) y acciones (adverbios), informaciones verbales (preguntas que comiencen con Q), etc. Estos mandos son frecuentemente más fáciles de enseñar a un niño con retrasos porque la operación motivadora relevante debe con frecuencia dosificarse o manipularse con objetivos de entrenamiento (Sundberg, 1993, 2004). Por suerte, la clasificación de las diferentes operaciones motivadoras de Michael (1992) ofrece una guía útil para manipular operaciones motivadoras. Por ejemplo, capturar una operación motivadla transitiva condicionada (CMO-T) en el ambiente natural implica usar una situación en la que un estímulo aumenta el valor de un segundo estímulo. Un niño al que le gustan los camiones de bomberos ve un coche de bomberos aparcado fuera de la ventana. Esta condición estimular aumenta el valor de una segunda condición estimular, una puerta abierta, y evocará conducta que haya resultado en la apertura de puertas en el pasado. Un entrenador habilidoso estará pendiente de estos eventos y rápidamente aplicará un ensayo de mando para las palabras "abrir" o "fuera". El trabajo de Hart y Ridsley (1975) y su modelo de enseñanza incidental ejemplifican esta estrategia de enseñanza.

Las operaciones motivadoras transitivas condicionadas (CMO-T) se manipulan también para realizar entrenamiento en mandos (p.ej., Hall y Sundberg, 1987; Sigafoos, Doss y Reichele, 1989; Sundberg, Loeb, Hale y Eigenheer, 2002). Por ejemplo, Hall y Sundberg (1987) usaron un procedimiento para manipular una CMO-T con un adolescente sordo con autismo presentando café instantáneo (un objeto altamente deseado) sin agua caliente. El café alteró el valor del agua caliente y por consiguiente evocó conducta que había sido seguida de agua caliente en el pasado. Durante la línea de base esa conducta consistía en rabietas, el entrenamiento de mandos apropiados (señalar "agua caliente") se facilitó notablemente cuando la CMO-T mencionada estaba presente, y luego aplicando el procedimiento de transferencia de control mencionado previamente. En este caso se enseñaron numerosos mandos con procedimiento, y con frecuencia aparecieron mandos no entrenados y una reducción sustancial de conducta negativa.

El entrenamiento en mandos debe ser una parte significativa de cualquier programa de intervención diseñado para niños con autismo o con cualquier otro retraso de lenguaje. Sin una repertorio de mandos apropiado, el niño no puede obtener reforzamiento cuado las operaciones motivadoras son intensas, o alcanzar un control significativo sobre su entorno social. Como resultado de ello, los que interactúan con el niño pueden condicionarse aversivamente y pueden adquirirse problemas de conducta que cumplan la función de mando. Estas conductas y las relaciones sociales pueden llegar a hacerse muy difíciles de cambiar hasta que se adquieran mandos que permitan sustituirlas. La enseñanza de mandos en la intervención temprana en lenguaje puede prevenir la aparición de conductas negativas funcionando como mandos. Además, los padres y maestros son emparejados con el uso satisfactorio de mandos y pueden convertirse en reforzadores condicionados. Si la gente se convierte en estímulos reforzantes para el niño, se reducirán el aislamiento social, el escape, la evitación y se incrementará el seguimiento de instrucciones.

Entrenamiento en ecoicas

Para un aprendiz que esté dando sus primeros pasos, la habilidad de repetir palabras cuando se le solicita juega un papel muy importante en el desarrollo de las operantes verbales (recordemos el ejemplo anterior de las burbujas). Si un niño puede emitir una palabra ante control de estímulo ecoico, a continuación se pueden aplicar procedimientos de transferencia del control de estímulo para poner esa misma respuesta bajo el control de, no solo operaciones motivadoras, sino también estímulos tales como objetos (tactos) y preguntas (intraverbales). Dado que muchos niños con autismo y otros retrasos del lenguaje no son capaces de emitir ecoicas, se requieren procedimientos de entrenamiento especiales para desarrollar un repertorio ecoico.

El primer objetivo del entrenamiento en ecoicas es enseñar al niño a repetir palabras o frases emitidas por padres y maestros cuando se le pide que lo haga. Una vez se inicia el control ecoico, el objetivo se convierte en establecer un repertorio generalizado en el que el niño pueda repetir palabras nuevas y combinaciones de ellas. No obstante, el objetivo último del repertorio ecoico es transferir la forma de respuesta a otras operantes verbales. Este proceso de transferencia puede comenzar inmediatamente una vez aparezcan las primeras ecoicas, no requiriéndose que se haya adquirido el repertorio generalizado. Describiremos varios procedimientos para conseguir el objetivo inicial de establecer control de estímulo ecoico.

La forma más común de entrenamiento ecoico es el entrenamiento ecoico directo consistente en la presentación de un estímulo vocal y la aplicación de reforzamiento diferencial de las aproximaciones sucesivas al mismo. Este procedimiento requiere una combinación de instigación (ayudas), desvanecimiento, moldeamiento, extinción y otras técnicas de rebosamiento. Los terapeutas del lenguaje generalmente usan instigadores tales como apuntar a la boca o exagerar los movimientos, instigación física de los labios, uso de espejos para ver los movimientos labiales, entre otros. Se refuerzan aproximaciones sucesivas a la vocalización-meta mientras las demás son ignoradas. A continuación, las ayudas se desvanecen y las respuestas ecoicas puras se refuerzan. Para muchos niños estos procedimientos son efectivos para establecer y fortalecer el control ecoico y mejorar la articulación. No obstante, para otros niños resultan ineficaces y se necesitan otras medidas.

Presentar un ensayo ecoico dentro del marco de un mando puede con frecuencia ser un procedimiento más efectivo para el establecimiento del control de estímulo ecoico. Las operaciones motivadoras son una variable independiente muy poderosa en el entrenamiento del lenguaje y pueden usarse temporalmente para establecer otras operantes verbales (p.ej., Carroll y Hessem 1987; Drash, High y Tudor, 1999; Sundberg, 2004; Sundberg y Partington, 1998). Para el entrenamiento ecoico se puede añadir una operación motivadora y un estímulo no verbal al antecedente ecoico como una forma de evocar la conducta (ver Tabla 25.5). Por ejemplo, si un niño demuestra una intensa operación motivadora para las burbujas, se pueden programar los ensayos ecoicos cuando la operación motivadora sea intensa y bajo la presencia de una botella de burbujas (estímulo no verbal). Estas fuentes adicionales de control pueden ayudar a evocar las respuestas vocales junto con los instigadores ecoicos (p.ej., "di burbuja"). El reforzamiento específico de soplar burbujas se hace contingente a cualquier aproximación sucesiva a las burbujas. Estas variables antecedentes adicionales deben de retirarse progresivamente, y el reforzamiento debe cambiar de un reforzamiento específico a un reforzamiento generalizado condicionado (p.ej., atención por parte del maestro). Para algunos aprendices, la transferencia de una operación motivadora al control ecoico puede suceder más rápidamente si una imagen del objeto se usa en lugar de el objeto mismo (esto reduce el efecto evocativo de las operaciones de establecimiento).

Los niños con baja frecuencia de conductas vocales pueden tener dificultades estableciendo el control ecoico. Para estos niños los procedimientos dirigidos simplemente a incrementar cualquier conducta vocal pueden facilitar el establecimiento del control ecoico en última instancia. Un método consiste en reforzar directamente todas las conductas vocales. Llevando este procedimiento un paso más allá, si un niño emite aleatóriamente un sonido determinado, el analista de conducta puede reforzar esta conducta y realizar un ensayo ecoico con ese sonido inmediatamente después de la presentación del reforzamiento. Algunos niños repetirán la respuesta emitida inicialmente, de este modo se establecen algunas de las variables básicas que luego facilitarán el desarrollo del control ecoico.

Los procedimientos de reforzamiento automático pueden también aplicarse para incrementar la frecuencia de conducta vocal. Aparejando un estímulo neutral con una forma establecida de reforzamiento, el estímulo neutral puede convertirse en un reforzador condicionado. Por ejemplo, si justo antes de soplar las burbujas el entrenador emite la palabra *burbuja*, las burbujas pueden convertirse en un reforzador. La investigación ha mostrado que este tipo de procedimientos de emparejamiento pueden incrementar la tasa a la que la conducta vocal del niño resulta en la emisión de los sonidos que se desea obtener y de las palabras que nunca se han dado de forma ecoica (Miguel, Carr y Michael, 2002; Sundberg, Michael, Partington y Sundberg, 1996; Smith, Michael y Sundberg, 1996; Yoon y Bennet, 2000). Por ejemplo, Yoon y Bennett (2000) demostraron que este procedimiento de emparejamiento permitía alcanzar mayor éxito que el

Tabla 25.5 Enseñar ecoicas usando un mando marco y transfiriendo control desde un control múltiple a un control ecoico.

Antecedente	*Conducta*	*Consecuencias*
Operación motivadora Ayuda no verbal Estímulo ecoico	"Burbujas"	Hacer burbujas
Ayuda no verbal Estímulo ecoico	"Burbujas"	Elogio (RCG)
Estímulo ecoico	"Burbujas"	Elogio (RCG)

Nota. RCG = Reforzamiento condicionado generalizado.

entrenamiento ecoico directo en la producción de los sonidos meta. Algunos niños que tienen dificultades para adquirir un repertorio de ecoicas pueden beneficiarse de este tipo de procedimiento o de una combinación de todos los procedimientos descritos en esta sección.

Entrenamiento en tactos

El repertorio de tactos es amplio y con frecuencia el principal objetivo de muchos programas de intervención en lenguaje. Un niño debe aprender a tactar objetos, acciones, propiedades de objetos y acciones, relaciones preposicionales, abstracciones, eventos privados, etc. El propósito de estos procedimientos de enseñanza es traer una respuesta verbal bajo el control de un estímulo no verbal. Si un niño tiene un buen repertorio ecoico, el entrenamiento de tactos puede ser bastante simple. El maestro puede presentar un estímulo no verbal junto con un instigador ecoico, reforzar diferencialmente la respuesta correcta y luego desvanecer el instigador ecoico. No obstante, para algunos niños el entrenamiento en tactos es más difícil, y se requieren procedimientos especiales.

Los mandos pueden también usarse para establecer tactos (Carroll y Hesse, 1997). El procedimiento es similar al ya descrito para la enseñanza de respuestas ecoicas. El entrenamiento comienza con una operación motivadora, digamos un objeto deseado, el objeto no verbal y el instigador ecoico (ver Tabla 25.6). Usando el ejemplo de las burbujas, el primer y segundo pasos son análogos a los descritos en el entrenamiento ecoico cuando se libera la respuesta del control motivacional dando reforzamiento generalizado condicional en lugar de reforzamiento específico. Al igual que en el entrenamiento ecoico en este punto del procedimiento la transferencia puede ocurrir más rápidamente si se usa una imagen del objeto en lugar del objeto real. También en algunos niños puede ser más efectivo desvanecer el instigador ecoico antes que la operación motivadora. El tercer paso en el procedimiento requiere desvanecer el instigador ecoico y traer la respuesta bajo el control exclusivo del estímulo no verbal, es decir, del tacto. El uso de instigadores no ecoicos adicionales puede también resultar de ayuda (p.ej., "¿Qué es esto?"), pero estos también son instigadores verbales que constituyen fuentes adicionales de control a tener en cuenta en cuenta a la hora de analizar si el tacto se ha adquirido genuinamente (Sundberg y Partington, 1998).

Los métodos para la enseñanza de tactos más complejos pueden hacer uso de procedimientos de control de estímulo. Por ejemplo, enseñar tactos de acciones requiere que el estímulo no verbal de movimiento esté presente y la respuesta verbal, digamos "saltar", se traiga bajo el control de la acción, en este caso la acción de saltar. La enseñanza de tactos que impliquen preposiciones, adjetivos, pronombres, adverbios, etc. también requiere del establecimiento del control de estímulo no verbal. No obstante, estos tactos avanzados son frecuentemente más complejos de lo que parecen, con frecuencia el tipo de control de estímulo establecido en el entrenamiento formal puede no ser el mismo tipo de control de estímulo que controla el tacto en niños con desarrollo típico que aprenden de forma incidental (Sundberg y Michael, 2001). Por ejemplo, algunos de los programas de entrenamiento con aprendices iniciales intentan traer la conducta verbal bajo el control de estímulos privados, tales como los relacionados con estados emocionales (triste, feliz, atemorizado), dolor, picores, náuseas, hambre, etc. Este tipo de conducta verbal es una parte importante del repertorio de cualquier persona, pero debido a que las variables controladoras que afectan al aprendiz no pueden ser contactadas directamente por el maestro o los padres, es difícil desarrollar una relación de tactos precisa. Un instructor no puede presenciar el estímulo privado relevante dentro del individuo, y en consecuencia no puede reforzar diferencialmente tactos correctos en la misma forma en la que tactos correctos de objetos o acciones pueden ser reforzados. Enseñar a un niño a decir correctamente "picar" con relación a un estímulo que procede de una parte de su brazo se entrena indirectamente cuando, por ejemplo, el maestro reacciona a acompañamientos públicos de esos estímulos (p.ej., observar una erupción en la piel), o aparecen ciertas respuestas colaterales en el aprendiz (p.ej., al observar a un niño rascándose). No obstante, este método presenta dificultades (p.ej., la erupción puede no picar o el niño puede no imitar la respuesta de rascarse), y estos repertorios, incluso en adultos con desarrollo típico, suelen ser bastante imprecisos.

Entrenamiento en intraverbales

Muchos niños con autismo, trastornos generalizados del desarrollo u otros retrasos en el lenguaje tienen un repertorio intraverbal defectuoso o inexistente, aunque algunos pueden emitir cientos de mandos, tactos y respuestas receptivas. Por ejemplo, un niño puede (a) decir "cama" cuando oye "cama" de otra persona (ecoica), (b) decir "cama" cuando ve una cama (tacto), e incluso (c) pedir una cama cuando está cansado (mando), pero (d) puede no decir "cama" cuando alguien pregunta "¿Dónde duermes?" o "Duermes en una ...". En términos cognitivos, este tipo de trastorno del lenguaje puede ser explicado como la incapacidad del niño de procesar estimulación auditiva o en términos de otros procesos internos hipotéticos. No obstante, el control de estímulo verbal no es el mismo que el control de estímulo no verbal, de manera que una respuesta adquirida como un tacto puede no funcionar de forma automática como una intraverbal si no ha habido un entrenamiento específico (p.ej., Braan y Poling, 1982; Luciano, 1986; Partington y Bailey, 1993; Watkins, Pack-Teixteiria y Howard, 1989).

En general, el control de estímulo verbal sobre respuestas verbales entraña una mayor dificultad que el control no verbal. Esto no quiere decir que todas las intraverbales sean más difíciles que cualquier tacto; algunas intraverbales son simples y resultan fáciles de adquirir. No obstante, el entrenamiento formal en intraverbales en un niño con retrasos en el desarrollo no suele dar resultados satisfactorios hasta que se han establecido y afianzado repertorios de mandos, tactos, ecoicas, de imitación, receptivo, y de igualación a la muestra (Sundberg y Partington, 1998). Un error frecuente en el entrenamiento intraverbal temprano es el intentar enseñar relaciones intraverbales demasiado pronto, o intraverbales demasiado complejas y que están fuera de la secuencia de desarrollo, tales como información personal (p.ej, "¿Cuál es tu nombre y número de teléfono?"). Algunas de las relaciones intraverbales más sencillas consisten en completar espacios en blanco en una canción (p.ej., "Las ruedas del…"), o en actividades divertidas (p.ej., "Corre que te…"). El objetivo del entrenamiento intraverbal temprano es liberar la conducta verbal de las fuentes de control propias de tactos, mandos y ecoicas. Es decir, no se enseñan nuevas topografías, en lugar de ello, palabras conocidas se ponen bajo el control de nuevos tipos de estímulos.

Tabla 25.6 Enseñar tactos usando un mando marco y transfiriendo control desde un control múltiple a un estímulo discriminativo no verbal.

Antecedente	*Conducta*	*Consecuencias*
Operación motivadora Ayuda no verbal Estímulo ecoico	"Burbujas"	Hacer burbujas
Ayuda no verbal Estímulo ecoico	"Burbujas"	Elogio (RCG)
Estímulo no verbal	"Burbujas"	Elogio (RCG)

Nota. RCG = Reforzamiento condicionado generalizado.

Las operaciones motivadoras pueden ser variables independientes de gran ayuda para facilitar la transferencia del control de estímulo, como en el ejemplo de corre-que-te-pillo, y al igual que se ha descrito en los procedimientos para desarrollar ecoicas, mandos y tactos. No obstante, en última instancia, el niño necesita aprender a emitir respuestas intraverbales que estén libres del control de operaciones motivadoras. Por ejemplo, si a un niño le gustan las burbujas y la meta intraverbal es el estímulo verbal "Tú soplas…" para evocar la respuesta "burbujas", el entrenamiento intraverbal debe implicar la transferencia de control desde la operación motivadora y el estímulo no verbal hacia estímulos verbales (también pueden usarse instigadores ecoicos). El maestro puede presentar el estímulo verbal ("Tú soplas…") cuando la operación motivadora es intensa junto con el estímulo no verbal (p.ej., una botella de burbujas). A continuación el maestro puede comenzar a dar reforzamiento condicionado generalizado en lugar de reforzamiento específico, usar dibujos del objeto en lugar del objeto real y finalmente desvanecer el instigador no verbal (ver tabla 25.7).

Tabla 25.7 Enseñar intraverbales usando un mando marco y transfiriendo control desde un control múltiple hacia un estímulo verbal.

Antecedente	*Conducta*	*Consecuencias*
Operación motivadora Ayuda no verbal Estímulo verbal	"Burbujas"	Hacer burbujas
Ayuda no verbal Estímulo verbal	"Burbujas"	Elogio (RCG)
Estímulo verbal	"Burbujas"	Elogio (RCG)

Nota. RCG = Reforzamiento condicionado generalizado.

El repertorio intraverbal se hace progresivamente más valioso para un niño a medida que los estímulos verbales y las respuestas relacionadas se hacen más variadas y complejas. A objeto de ayudar el fortalecimiento de la conducta intraverbal pueden usarse asociaciones comunes (p.ej., "mama y…"), tareas que impliquen completar espacios en blancos (p.ej., "la gallina pone un…"), sonidos de animales (p.ej., "el gatito dice…"), y en un momento dado preguntas que comiencen con dónde, cuándo, qué y quién (p.ej., "¿qué comes?"), extendiendo el contenido y variación de los estímulos y respuestas verbales. Además, estos procedimientos pueden ayudar a desarrollar estímulos verbales, clases de respuesta y respuestas intraverbales más fluidas que están libres de las fuentes de control de estímulo de ecoicas y tactos. El entrenamiento intraverbal avanzado puede estar acompañado de una variedad de formas (Sundberg y Partington, 1998). Por ejemplo, el estímulo verbal puede tener múltiples componentes que requieren discriminaciones condicionales en las que un estímulo verbal altera el efecto evocativo de otro, como por ejemplo en "¿Qué comiste para desayunar?", frente a "¿Qué comiste para cenar?". También pueden usarse instigadores de expansión tales como preguntas que empiecen con qué, dónde, quién o cuándo, como en "¿Dónde almuerzas?" ó "¿Cuándo almuerzas?". Con relación a otros repertorios verbales, la secuencia típica de desarrollo puede ser una guía útil para la evolución de intraverbales progresivamente más complejas, por ejemplo en el análisis de tareas para operantes verbales presentado en la *Evaluación de Habilidades Básicas de Aprendizaje y Lenguaje* (Partingon y Sundberg, 1998).

Otros aspectos del entrenamiento verbal

Además de los cuatro repertorios básicos, hay varios componentes de los programas y currícula de conducta verbal, tales como el entrenamiento en lenguaje receptivo, repertorios de igualación a la muestra, la mezcla y variación de ensayos, el entrenamiento en respuestas múltiples, la construcción de oraciones, habilidades conversacionales, la interacción con iguales, o la lectoescritura (Sundberg y Partington 1998). Pese a que la descripción de estos programas está más allá del propósito de este capítulo muchos de los procedimientos de enseñanza de estas habilidades requieren de los mismos elementos básicos de transferencia de control de estímulo que se han descrito previamente.

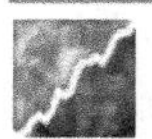

Resumen

La conducta verbal y las propiedades del lenguaje

1. La conducta verbal se define como conducta reforzada por mediación de la conducta de otros.
2. Las propiedades formales de la conducta verbal incluyen la topografía, es decir, la forma o estructura, de la respuesta verbal.
3. El carácter funcional de la conducta verbal hace referencia a las causas, es decir, los antecedentes y consecuencias, de la respuesta verbal.
4. El análisis de la conducta verbal de Skinner fue recibido con indiferencia por el análisis de conducta y encontró una fuerte oposición por parte del campo de la lingüística.

Definición de la conducta verbal

5. La conducta verbal requiere de la interacción social entre hablante y oyente. Esta interacción permite que la conducta del hablante sea reforzada y que éste adquiera control sobre su ambiente.
6. La operante verbal es la unidad de análisis de la conducta verbal y es la relación funcional entre un tipo de respuesta y (a) variables motivacionales, (b) estímulos discriminativos, y (c) consecuencias.
7. Un repertorio verbal es un conjunto de operantes verbales emitidas por una persona particular.

Operantes verbales elementales

8. El mando es una operante verbal en la que la respuesta se encuentra bajo el control funcional de operaciones motivadoras y de un reforzador específico.
9. El tacto es una operante verbal que se encuentra bajo el control funcional de un estímulo discriminativo no verbal, y que produce reforzamiento condicionado generalizado.
10. La ecoica es una operante verbal conformada por un estímulo discriminativo verbal que tiene correspondencia punto por punto y similitud formal con la respuesta verbal.
11. La correspondencia punto por punto entre un estímulo y la respuesta o el producto de la respuesta, se da cuando el comienzo, parte intermedia, y final del estímulo verbal coincide con el comienzo, parte intermedia, y final de la respuesta verbal.
12. La similitud formal se da cuando el estímulo antecedente que controla la respuesta y la respuesta misma o su producto (a) comparten la misma modalidad sensorial (p.ej., tanto el estímulo como la respuesta son visuales, auditivos o táctiles), y (b) ambos se asemejan físicamente.
13. La intraverbal es una operante verbal que consiste en un estímulo discriminativo verbal que evoca una respuesta verbal que no tiene correspondencia punto por punto.
14. La relación textual es una operante verbal que consisten en un estímulo discriminativo verbal que tiene correspondencia punto por punto entre el estímulo y el producto de la respuesta, pero no tiene similitud formal.

15. La relación de transcripción es una operante verbal que consiste en un estímulo discriminativo verbal que control una respuesta escrita, mecanografiada, o deletreada mediante signos. Tal y como ocurre con la relación textual, hay correspondencia punto por punto entre el estímulo y el producto de la respuesta, pero no similitud formal.

El papel del oyente

16. El oyente no solo media el proceso de reforzamiento, sino que también funciona como estímulo discriminativo de la conducta verbal. Gran parte de la conducta del oyente es conducta verbal encubierta.

17. Una audiencia es un estímulo discriminativo en presencia del cual la conducta verbal es reforzada diferencialmente.

18. La clasificación de las respuestas verbales como mandos, tactos, intraverbales, etc., puede alcanzarse mediante el análisis de las variables de control relevantes.

Análisis de la conducta verbal compleja

19. El reforzamiento automático es un tipo de reforzamiento condicionado en el que en el que el producto de una respuesta tiene propiedades reforzantes como resultado de una historia de condicionamiento específica.

20. El castigo automático es un tipo de castigo condicionado en el que el producto de la respuesta tiene propiedades punitivas debidas a una historial especifica de condicionamiento.

21. La extensión genérica de un tacto, el estímulo novedoso comparte todas las características relevantes o que definen al estímulo original.

22. En la extensión metafórica del tacto, el estímulo novedoso comparte algunos, pero no todas, las características relevantes del estímulo original.

23. En la extensión metonímica del tacto, el estímulo novedoso no comparte ninguna de las características centrales del estímulo original, mientras que algún aspecto accesorio del estímulo original adquiere control de estímulo.

24. En la extensión solecista del tacto, una propiedad del estímulo que está indirectamente relacionada con el tacto original adquiere control sobre la conducta verbal.

25. Los eventos privados son estímulos que se originan dentro del organismo que emite la conducta.

26. El acompañamiento público se da cuando una respuesta públicamente observable acompaña a un estímulo privado.

27. Las respuestas colaterales son conductas públicamente observables que acompañan de forma sistemática a un estímulo privado.

28. Las propiedades comunes de los estímulos privados hacen referencia a un tipo de generalización en la el estímulo privado comparte alguna de las características de el estímulo público.

29. La reducción de respuesta es también un tipo de generalización en la que estímulos kinestésicos causados por el movimiento y la postura corporales adquieren control sobre las respuestas verbales. Cuando los movimientos se reducen en tamaño (haciéndose encubiertos), la estimulación kinestésica que permanece puede ser lo bastante similar a la producida por la actividad motora original.

Control múltiple

30. El control múltiple convergente se da cuando una respuesta verbal es función de más de una variable de control.

31. El control múltiple divergente se da cuando una sola variable antecedente afecta a la fuerza de múltiples respuestas.

32. Las operantes verbales temáticas son el mando, el tacto y la intraverbal. En ellas se dan diferentes topografías de respuesta controladas por una variable común.

33. Las operantes verbales formales son la ecoica (y la imitación en el contexto del lenguaje de signos o la copia de un texto), la textual, y la trascripción. En ellas la operante es controlada por una variable con correspondencia punto por punto con la respuesta verbal.

34. Múltiples audiencias están compuestas por dos o más audiencias diferentes que pueden evocar formas de respuesta diferentes.

35. Los tactos impuros se dan cuando una operación motivadora comparte el control de la respuesta verbal con un estímulo no verbal.

Relación autoclítica

36. La relación autoclítica integra dos contingencias de tres términos diferenciadas aunque relacionadas entre sí. En concreto algún aspecto de la conducta del hablante correspondiente a la primera contingencia funciona como estímulo discriminativo u operación motivadora de otra conducta verbal del mismo hablante perteneciente a una segunda contingencia.

37. La conducta verbal primaria incorpora las operantes verbales elementales emitidas por el hablante.

38. La conducta verbal secundaria incorpora las respuestas verbales controladas por algún aspecto de la propia conducta verbal del hablante según esta está siendo emitida.

39. El tacto autoclítico informa al oyente de algún aspecto no verbal de la operante verbal primaria y es por lo tanto controlada por estímulos no verbales.

40. El mando autoclítico es controlado por una operación motivadora y conmina al oyente a reaccionar en una modalidad específica de la operante verbal primaria.

Aplicaciones del análisis de la conducta verbal

41. Las operantes verbales pueden utilizarse para evaluar una gran variedad de déficit del lenguaje.

42. El entrenamiento en mandos permite que las respuestas verbales sean controladas por operaciones motivadoras.

43. El entrenamiento ecoico hace que las repuestas verbales lleguen a estar bajo el control funcional de estímulos discriminativos verbales con correspondencia punto por punto y similitud formal con la respuesta verbal.

44. El entrenamiento en tactos requiere que las respuestas verbales queden bajo el control funcional de estímulos discriminativos no verbales.

45. El entrenamiento intraverbal requiere que las respuestas verbales queden bajo el control funcional de estímulos discriminativos verbales que carecen de correspondencia punto por punto con la respuesta.

PARTE 11

Aplicaciones especiales

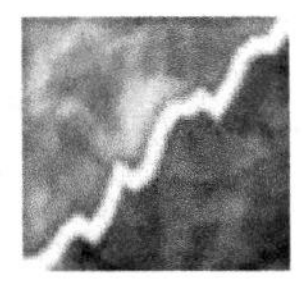

Las partes 4 a 10 describían los principios básicos de la conducta y las tácticas de cambio conductual que se derivaban de ellos. En la Parte 11 describimos cuatro aplicaciones especiales de la tecnología del cambio de conducta. Cada una de estas aplicaciones puede considerarse una aproximación estratégica al cambio de conducta que incluye varios principios y tácticas. El Capítulo 26 combina aspectos de interés general del uso de contratos de contingencias, economías de fichas y contingencias grupales. El Capítulo 27, Promoción de la Autonomía Personal, está dedicado por completo a las tácticas de gestión de la autonomía personal. Esto es debido a la gran cantidad de literatura de investigación que ha mostrado la efectividad de una amplia variedad de estas tácticas para un amplio abanico de sujetos, entornos y conductas.

CAPITULO 26

Contratos de contingencias, economía de fichas y contingencias grupales

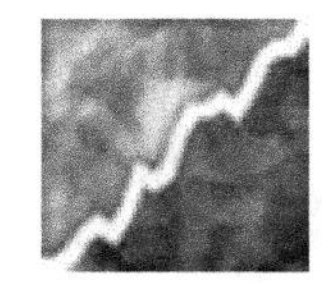

Términos Clave

Contingencia dependiente de grupo
Contingencia grupal
Contingencia independiente de grupo
Contingencia interdependiente de grupo
Contrato autoaplicado
Contrato conductual
Contrato de contingencias
Economía de fichas
Fichas
Procedimiento del héroe
Reforzador intercambiable
Sistema de niveles

Behavior Analyst Certification Board® BCBA®, BCBA-D®, BCaBA®, RBT® Lista de tareas para analistas de conducta (cuarta edición).

E.	Procedimientos de cambio de conducta específicos
E - 04	Usar contratos de contingencias (p.ej., contratos conductuales).
E - 05	Usar contingencias independientes, interdependientes y dependientes de grupo.
F.	**Sistemas de cambio de conducta**
F - 02	Usar de economía de fichas y otros sistemas de reforzamiento condicionado.

Este capítulo se ocupa de la economía de fichas, contratos de contingencias y contingencias grupales como aplicaciones especiales de los procedimientos conductuales. Se definirá cada aplicación, se explicará su relación con los principios de la conducta, se abordarán los componentes imprescindibles de cada procedimiento y se presentarán indicaciones para diseñar, aplicar y evaluar cada uno de ellos. Estos temas se presentan conjuntamente porque tienen varias características comunes: en primer lugar, hay una literatura robusta y efectiva que apoya su inclusión; en segundo lugar, se pueden combinar con otras aproximaciones en paquetes de intervención para conseguir un efecto aditivo; por último, todos ellos pueden usarse tanto de modo individual como grupal. La flexibilidad que aportan estos tres procedimientos los convierte en una opción atractiva para los profesionales.

Contratos de contingencias

Definición del contrato de contingencias

Un **contrato de contingencias** (también denominado **contrato conductual**) es un documento que especifica una relación de contingencia entre la realización de una conducta concreta y el acceso a (o la entrega de) una recompensa específica, como tiempo libre, notas positivas o el acceso a una actividad deseada.

Habitualmente, los contratos especifican la manera en que dos o más personas se comportarán unas con las otras. Este tipo de acuerdos *quid pro quo*[1] hacen la conducta de una persona (p.ej., preparar la cena) sea dependiente de la de otra (p.ej., haber lavado y guardado los platos antes de una hora determinada la noche anterior). Aunque los acuerdos verbales puedan considerarse contratos en el sentido legal, no son contratos de contingencias, porque la especificidad en el diseño, aplicación y evaluación de un contrato conductual excede con mucho lo que suele ocurrir en un acuerdo verbal entre dos partes. Además, el acto físico de firmar el contrato y la visibilidad de éste durante la ejecución son partes integrales del procedimiento de contrato de contingencias.

Los contratos de contingencias y de conducta han sido utilizados para modificar el desempeño académico (Newstrom, McLaughlin y Sweeney, 1999; Wilkinson, 2003), el control de peso (Solanto, Jacobson, Heller, Golden, y Hertz, 1994), la adhesión a regímenes médicos (Miller y Stark, 1994), y las habilidades atléticas (Simek, O'Brien y Figlerski, 1994). De hecho, una de las ventajas más importantes de los contratos de contingencias es que pueden ser aplicados solos o como parte de un programa que incluya dos o más intervenciones de forma concurrente (De Martini-Scully, Bray y Kehle, 2000).

Componentes de los contratos de contingencias

Hay tres partes principales en la mayoría de los contratos: la descripción de la tarea, la descripción de la recompensa y el registro de la tarea. Esencialmente, el contrato especifica la persona o personas que realizarán la tarea, el alcance y secuencia de la tarea y las circunstancias o criterios que permitirán determinar si la tarea ha sido completada. La figura 26.1 muestra un contrato de contingencias aplicado por los padres de un niño de diez años para ayudarle a aprender a levantarse y prepararse para ir a la escuela a diario.

Tarea

La parte del contrato que corresponde a la tarea tiene cuatro componentes: *quién* realizará la tarea (en este caso, Marcos), *en qué consiste* la tarea a realizar (en el ejemplo, prepararse para ir a la escuela), *cuándo* se debe realizar la tarea (todos los días lectivos) y *cómo de bien* debe realizarse. Esta es la parte más importante en lo que corresponde a la tarea, y tal vez de todo el contrato. Requiere la especificación de los detalles de la tarea a realizar. A veces es útil hacer una lista con una serie de pasos o sub-tareas para que la persona pueda utilizar el contrato como una lista en la que ir marcando las cosas que se deben hacer. Cualquier excepción debe quedar escrita en esta parte.

Recompensa

La parte del contrato que alude a la recompensa debe ser tan completa y precisa como la que alude a la tarea (Ruth, 1996). A algunas personas se les da muy bien especificar la tarea en un contrato; tienen muy claro qué es lo que quieren que haga la otra persona. Cuando se trata de especificar la recompensa, sin embargo, se pierde la especificidad y surgen problemas. Frases como "podrá ver un rato la tele" o "jugaremos al pilla-pilla

[1] N. del T.: Alocución latina, literalmente "algo por algo".

CONTRATO

TAREA

Quién: Marcos

Qué: Prepararse para el colegio

Cuándo: Cada día de colegio

Cómo de bien: Marcos se levantará, vestirá y terminará los cereales a las 7:15 cada día sin más de un recordatoria por parte de sus padres. Debe estar listo para el bus los 5 días para obtener el premio.

PREMIO

Quién: Papá y mamá

Qué: Amigo en casa

Cuándo: Viernes noche tras semana ok

Cómo de bien: Juan podrá quedarse en casa con Marcos después del colegio y pasar la noche. Pueden tomar pizza y helado.

Firmar aquí: Marco Pérez Fecha: 12 febrero 2017:

Firmar aquí: Beatríz Fernández Fecha: 12 febrero 2017:

REGISTRO DE TAREAS

L	M	Mi	J	V	L	M	Mi	J	V	L	M	Mi	J	V
✓	✓		✓	✓	✓	✓	✓	✓	✓		✓	✓	✓	✓
✓		Ay!		¡Estupendo!					Premio!!					premio

Figura 26.1 Ejemplo de un contrato de contingencias.

Extraído de *Sign Here: A Contracting Book for Children and Their Parents* (2ª edición, pág. 31) por J.C. Dardig y W. I. Heward, 1981, Bridjewater, NJ: Fournies and Associates. Copyright 1981 por Fournies and Associates. Reimpreso con permiso.

cuando pueda" no son explícitas, específicas ni justas para la persona que tiene que realizar la tarea.

En lo que respecta a la recompensa se debe especificar *quién*, *qué*, *cuándo* y *cuánto*. *Quién* juzgará que la tarea está adecuadamente realizada y entregará la recompensa (en el ejemplo del contrato de Marcos para prepararse para ir al colegio serían los padres). *Qué* se utilizará como recompensa y *cuándo* será recibida. Es crucial en cualquier contrato que la recompensa se entregue *después* de que la tarea se haya realizado adecuadamente. Sin embargo, muchas recompensas no pueden entregarse inmediatamente después de que se haya realizado la tarea. Además, algunas recompensas presentan limitaciones o retrasos inherentes y pueden entregarse sólo en momentos determinados (p.ej., ver un partido del equipo local de fútbol). El contrato de Marcos especifica que recibirá su recompensa, en caso de haberla obtenido, los viernes por la noche. El *cuánto* alude a la cantidad de recompensa que se ganará al realizar la tarea. Debería incluirse cualquier contingencia de bonificación (p.ej., "si Elena cumple su contrato de lunes a viernes, recibirá una recompensa extra el sábado y el domingo").

Registro de las tareas

La inclusión de un apartado en el contrato para registrar la ejecución de las tareas cumple dos propósitos: en primer lugar, registrar la realización de la tarea y la entrega de la recompensa en el mismo contrato da la oportunidad a las partes de revisarlo regularmente; en segundo lugar, si fuese necesario un cierto número de ejecuciones de una tarea (p.ej., si un niño debe vestirse solo antes de ir al colegio cinco días seguidos), se puede poner una marca, una sonrisa o una estrella en el registro cada vez que la tarea sea completada con éxito. Marcar así el contrato ayuda a que la persona se mantenga concentrada hasta que todas las tareas estén completas y se haya entregado la recompensa. Los padres de Marcos usan la fila de arriba de cuadros en el contrato para registrar los días lectivos de la semana. En la línea intermedia, utilizaron estrellas adhesivas cada día que Marcos cumple las condiciones del contrato. En la línea de abajo, escriben comentarios acerca del progreso del contrato.

Aplicación de contratos de contingencias

¿Cómo funcionan los contratos?

A primera vista, el principio de conducta que hay tras los contratos de contingencias parece engañosamente simple: una conducta es seguida por una recompensa contingente (un caso de reforzamiento positivo, entonces). Sin embargo, en la mayor parte de contratos, la recompensa, aunque contingente, está demasiado demorada para reforzar directamente la conducta especificada. Muchos contratos exitosos, además, especifican recompensas que no funcionarían como reforzador para la tarea incluso aunque fueran presentados inmediatamente después de la realización de la misma. Es más: los contratos de contingencias no son un procedimiento único con una única conducta asociada y un reforzador único; los contratos de contingencias se conceptualizan de manera más adecuada como un paquete de intervención que combina varios principios de conducta y varios procedimientos.

Pero, ¿cómo funcionan? Intervienen varios procedimientos, principios y factores. El reforzamiento está involucrado, pero no de manera tan simple o directa como podría parecer inicialmente. La *conducta gobernada por reglas* está probablemente involucrada (Malott, 1989; Malott y Garcia,1991; Skinner, 1969). Un contrato describe una regla : a una conducta específica le seguirá (de manera razonablemente inmediata) una consecuencia específica. El contrato sirve como una ayuda a la respuesta de realizar la conducta objetivo y permite el uso efectivo de una consecuencia (p.ej., ir al cine un sábado por la noche) demasiado demorada en el tiempo como para reforzar ciertas conductas (p.ej., practicar con la trompeta el martes). Las consecuencias demoradas pueden ayudar a ejercer control sobre conductas realizadas horas e incluso días antes de su aparición si se asocian con y son enlazadas a través de conducta verbal con la regla (p.ej., "acabo de terminar de practicar con la trompeta; ya llevo otra marca para poder ir al cine el sábado"), o con fichas reforzadoras intermedias (p.ej., la marca en el contrato después de haber practicado). La visibilidad física del contrato también puede funcionar como una ayuda a la respuesta de escape de la "culpa"[2] (Mallott y García, 1991). En el momento actual y con los conocimientos que se tienen acerca de este tema, no puede decirse que los contratos de contingencias actúen mediante el uso de reforzadores primarios y el principio de Premack (ver Capítulo 11). Es más probable que sea un complejo paquete de intervenciones basadas en contingencias relacionadas de reforzamiento positivo y negativo y conducta gobernada por reglas que operan por sí solas y combinadas entre sí.

[2] N. del E.: En este ejemplo la conducta de seguimiento del contrato estaría reforzada negativamente. Le respuesta emocional condicionada de "culpa" actuaría como operación de establecimiento en dicha contingencia.

Aplicaciones de los Contratos de Contingencias

Contratos en el aula

El uso de los contratos en las aulas está muy documentado. Por ejemplo, los profesores han usado los contratos de contingencias para hacer frente a problemas académicos específicos, falta de disciplina y de desempeño escolar (Kehle, Bray, Theodore, Jenson, y Clark, 2000; Ruth, 1996). Newstrom et al. (1999), por ejemplo, usaron un contrato de contingencias con un estudiante de instituto con problemas de conducta para mejorar su ortografía y expresión escrita. Tras recopilar datos de líneabase acerca del porcentaje de acierto a la hora de usar las mayúsculas y los signos de puntuación en ortografía y escritura de frases, se negoció y firmó un contrato de contingencias con el estudiante que especificaba que una mejora en su desempeño tendría

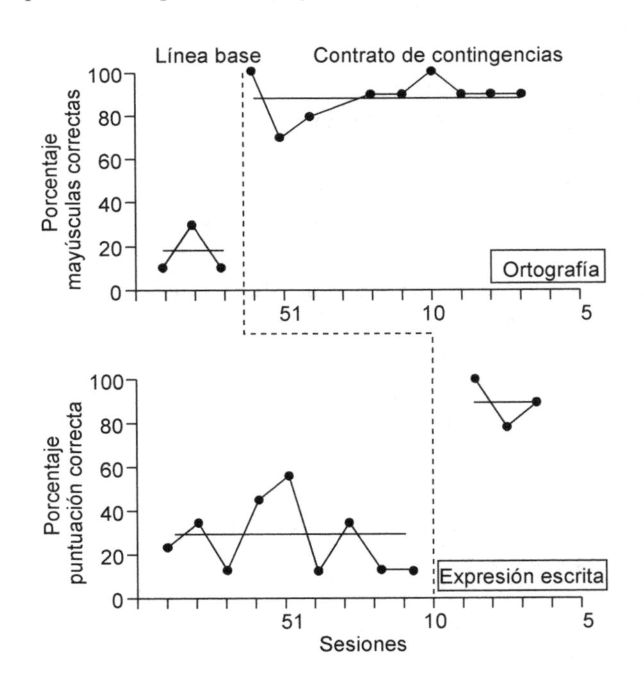

Figura 26.2 Porcentaje de mayúsculas correctas y signos de puntuación usados correctamente en fichas de trabajo de ortografía y cuadernos durante la línea base y el contrato de contingencias.

Extráido de "The Effects of Contingency Contracting to Improve the Mechanics of Written Language with a Middle School Student With Behavior Disorders", por J. Newstrom, T. F. McLaughlin y W. J. Sweeney, 1999, *Child & Family Behavior Therapy, 21* (1), p. 44. Copyright 1999 por The Haworth Press, Inc. Reimpreso con permiso.

como consecuencia tiempo libre con el ordenador del aula. Al estudiante se le recordaban los términos del contrato antes de cada clase de lenguaje que incluyera ejercicios de ortografía y escritura de frases.

La Figura 26.2 muestra los resultados de la intervención con el contrato de contingencias. Durante la líneabase, el porcentaje medio de aciertos en ortografía y escritura estaba en el 20%. Cuando se inició el contrato, el desempeño del estudiante mejoró inmediatamente, alcanzándose un porcentaje medio de aciertos de aproximadamente el 84%. Dado que el porcentaje de desempeño correcto aumentó inmediatamente una vez aplicado el contrato de contingencias (sesiones 4 a 12), pero no aumentó para la escritura de frases hasta la sesión 11, se demostró una relación funcional entre el contrato y la mejora del desempeño. Los autores también refieren evidencia favorable de carácter anecdótico en lo relativo a la ortografía y la escritura de frases reportada por otros profesores con los que el alumno interactuaba.

Wilkinson (2003) usó un contrato de contingencias para reducir la conducta disruptiva de una alumna de primer curso. Las conductas disruptivas incluían distraerse con conductas no relacionadas con la tarea que se estaba realizando en clase, negativas a obedecer las instrucciones y hacer los deberes, pelearse con los compañeros, y tener rabietas. Se llevó a cabo un proceso de consultoría conductual junto con el profesor, que incluía la identificación del problema, análisis, intervención y evaluación. El contrato de contingencias incluía que la alumna obtuviese recompensas elegidas por ella y halagos expresados por el profesor cuando realizaba alguna de estas tres conductas: pasar más tiempo centrada en la tarea, tener interacciones adecuadas con los compañeros y obedecer las peticiones del profesor. La observación de su conducta durante 13 sesiones durante las fases de líneabase e intervención con el contrato de contingencias muestran una reducción en el porcentaje de intervalos con conducta disruptiva cuando el contrato de contingencias estaba siendo aplicado. Wilkinson refiere que la conducta disruptiva de la alumna descendió sustancialmente y se mantuvo en niveles bajos durante un período de seguimiento de cuatro semanas.

Ruth (1996) realizó un estudio longitudinal de cinco años con estudiantes con perturbaciones emocionales que combinaba los contratos de contingencias con el establecimiento de objetivos. Después de que los estudiantes negociaran sus contratos con los profesores, se añadió un elemento más relacionado con el establecimiento de objetivos, que incluía frases sobre sus objetivos diarios y semanales y los niveles que serían el criterio de cumplimiento. Los resultados para 37 de los 43 estudiantes que terminaron el programa tras 5 años mostraban que se habían alcanzado el 75% de los objetivos diarios, el 72% de los semanales y el 86% de los objetivos totales. Ruth resumió los efectos beneficiosos de combinar estrategias: "Cuando los métodos [de establecimiento de objetivos] se incorporan en un contrato, los aspectos motivadores del contrato de conducta y el establecimiento de objetivos pueden combinarse para producir un efecto y un esfuerzo máximos" (p.156).

Contratos en casa

Miller y Kelley (1994) combinaron el contrato de contingencias y el establecimiento de objetivos para mejorar la realización de deberes de cuatro estudiantes preadolescentes con mala historia de cumplimiento de deberes y que estaban en riesgo de tener otros problemas académicos (p.ej., posponer el trabajo, distraerse o cometer errores en la realización de la tarea). Durante la líneabase, los padres registraron el tiempo que sus hijos pasaban centrados en la tarea, el tipo de problema que tenían que realizar y si lo hacían adecuadamente y el número de problemas resueltos de forma correcta. Después, padres e hijos iniciaron una fase de establecimiento de objetivos y de contratos de contingencias que había sido precedida por un entrenamiento para los padres sobre cómo establecer y negociar objetivos y cómo escribir contratos. Cada noche, padres e hijos establecían sus respectivos objetivos y negociaban un objetivo de compromiso basándose en esa interacción. Cada semana se renegociaban las tareas, los objetivos y las sanciones a aplicar en caso de que los contratos no se cumplieran. Se utilizó una hoja de registro para evaluar el progreso.

La Figura 26.3 muestra los resultados del estudio. Cuando se combinaron el establecimiento de objetivos y el contrato de contingencias, el desempeño adecuado aumentó para todos los estudiantes. Los hallazgos de Miller y Kelley ratifican la idea de que los contratos de contingencias pueden combinarse exitosamente con otras estrategias para producir resultados funcionales.

Aplicaciones clínicas de los contratos

Flood y Wilder (2002) combinaron los contratos de contingencias con el entrenamiento en comunicación funcional para reducir la realización de conductas no relacionadas con la tarea que presentaba un estudiante de escuela primaria con diagnóstico de trastorno de déficit de atención con hiperactividad (TDAH) que fue remitido a un programa clínico porque su conducta de distracción había alcanzado niveles alarmantes. La evaluación de antecedentes, el entrenamiento en comunicación funcional y el contrato de contingencias se llevaron a cabo en una sala de terapia en las instalaciones de la clínica. La evaluación de antecedentes se llevó a cabo para determinar el nivel de conductas no relacionadas con la tarea cuando la dificultad de la tarea académica variaba de fácil a difícil y la atención prestada por el terapeuta variaba de poca a mucha. También se realizó una evaluación de preferencias. Utilizando entrenamiento con ensayos discretos, se enseñó al estudiante a levantar la mano para pedir ayuda con las tareas (p.ej., "¿Puedes ayudarme con este problema?"). El terapeuta se sentaba cerca y respondía a las peticiones apropiadas de ayuda, ignorando otras vocalizaciones. Una vez se había dominado la petición de ayuda, se estableció un contrato de contingencias a través del cual el estudiante podría conseguir objetos de su interés (determinados a través de la evaluación de preferencias) de forma contingente a la realización correcta de la tarea. Los resultados muestran que durante la líneabase, las conductas no relacionadas con la tarea eran frecuentes cuando había que realizar divisiones matemáticas y problemas de palabras. Cuando se introdujo la intervención, se constató una reducción inmediata de conductas no relativas a la tarea en ambos casos. Además, la corrección con la que el estudiante completaba ambas tareas mejoró también. Mientras que durante la líneabase resolvía correctamente el 5% y el 33% de los problemas de división y de palabras, respectivamente, durante la intervención resolvía el 24% y el 92% de los problemas correctamente.

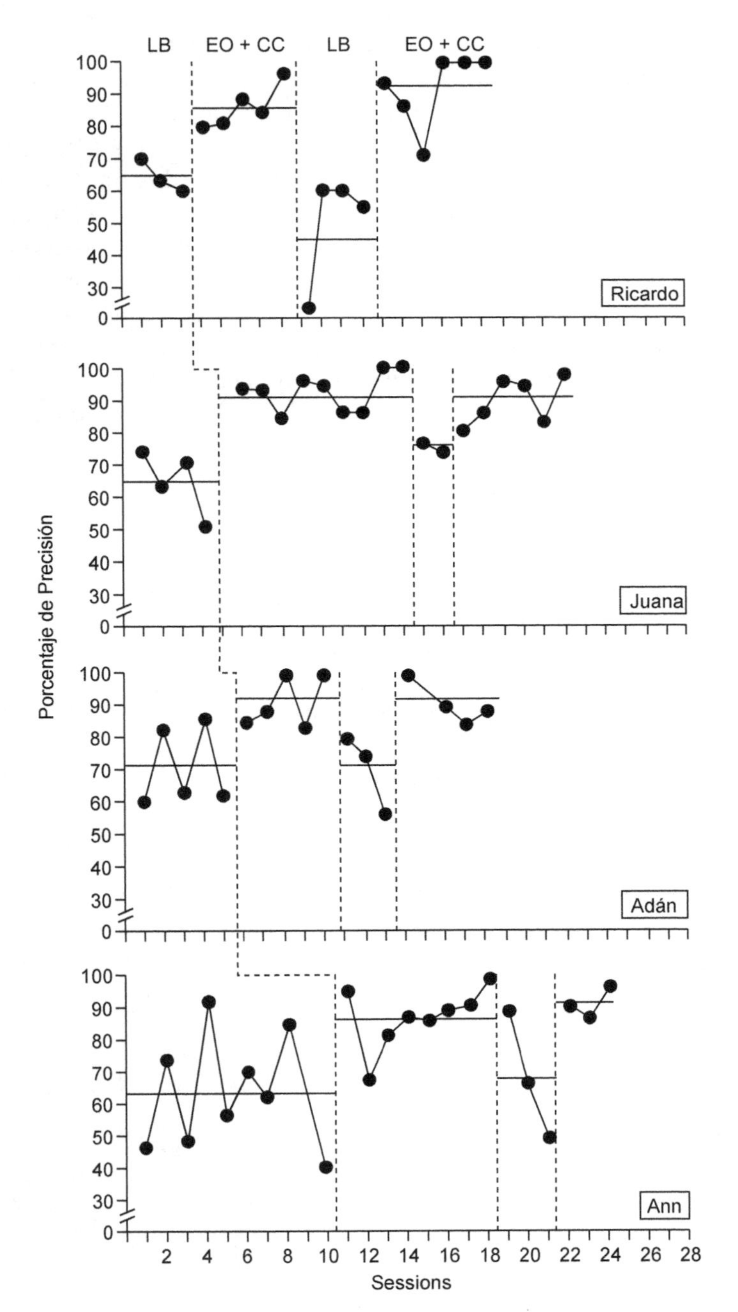

Figura 26.3 Porcentaje de problemas en los deberes que fueron completados de forma precisa durante la líneabase (LB) y una condición de tratamiento que consistía en establecimiento de objetivos (EO) y contrato de contingencias (CC). Las sesiones corresponden a días de colegio seguidos (por ejemplo, de lunes a jueves) en los que se les asignaran deberes a los sujetos. No se recogieron datos en los días en los que no había deberes.

Extraído de "The Use of Goal Setting and Contingency Contracting for Improving Children's Homework Performance", por D. L. Miller y M. L. Kelley, 1994, *Journal of Applied Behavior Analysis*, 27, p. 80. Copyright 1994 por the Society for the Experimental Analysis of Behavior, Inc. Reimpreso con permiso.

Uso de contratos para enseñar autonomía personal a niños

Idealmente, los contratos de contingencias incluyen la participación activa del niño durante el desarrollo, aplicación y evaluación del contrato. Para muchos niños, esta puede ser la primera vez que identifican formas específicas en las que les gustaría comportarse, pudiendo ser también la primera vez que intervienen en el entorno para disponer ciertos aspectos del mismo de manera que den pie a una conducta que vaya a ser seguida de una recompensa. Si se va dando al niño más poder de decisión sobre todos los aspectos del contrato de forma gradual y sistemática, pueden volverse hábiles en la gestión de su autonomía personal. Un **auto-contrato** es un contrato que la persona hace consigo misma, e incorpora una tarea seleccionada y una recompensa, además de una vigilancia personal sobre la realización de la tarea y la autoadministración de la recompensa. Las habilidades relativas a los autocontratos pueden desarrollarse mediante un proceso de varios pasos en el que inicialmente un adulto prescribe prácticamente todos los elementos de una tarea y una recompensa, para ir después y de forma gradual transfiriendo el diseño de estos elementos al niño.

Cómo desarrollar contratos de contingencias

Aunque los profesores, terapeutas o padres pueden elaborar un contrato de manera unilateral, estos son habitualmente más efectivos si todas las partes implicadas tienen un papel activo en el diseño del contrato. Se han propuesto varios métodos y guías para la elaboración de contratos de contingencias (Dardig y Heward, 1981; Downing, 1990; Homme Csanyi, Gonzales y Rechs, 1970). El desarrollo de los contratos incluye la especificación de tareas y recompensas de una manera que sea agradable y beneficiosa para cada parte. Dardig y Heward (1981) describieron un procedimiento de cinco pasos que puede ser usado por profesores y familias para la identificación de tareas y recompensas.

Paso 1: tener una reunión. Con el fin de involucrar a todo el grupo (familia o clase) en el proceso del contrato, se debe organizar una reunión. En esta reunión, los miembros del grupo pueden hablar de cómo funcionan los contratos, cómo pueden ayudar a la cooperación del grupo y a llevarse mejor, y cómo los contratos pueden ayudar a los individuos a conseguir objetivos personales. Los padres o profesores deben enfatizar que tomarán parte en todo el proceso del contrato, incluyendo la aplicación del mismo. Es importante que los niños vean el contrato como un proceso de intercambio de conductas compartido por todos los miembros del grupo, no como algo que se les está imponiendo. El procedimiento probado para hacer listas que se describe en los siguientes pasos proporciona un marco sencillo y lógico para la selección de tareas y recompensas para contratos de familia y de aula. La mayor parte de grupos pueden completar este proceso en una o dos horas.

Figura 26.4 Un formulario para la identificación de posibles tareas que uno mismo puede realizar para contratos de contingencias.

Lista A Nombre: Jean

	Cosas que debo hacer para ayudar a mi familia		Otras maneras en las que puedo ayudar
1.	Dar de comer al perro	**1.**	Ser puntual a la hora de la cena
2.	Ordenar mi cuarto	**2.**	Apagar las luces al salir del cuarto
3.	Practicar piano	**3.**	Limpiar el polvo del salón
4.	Lavar los platos	**4.**	Barrer el patio trasero
5.	Ayudar a papa con la colada	**5.**	Colgar mi abrigo cuando llego del cole
6.		**6.**	
7.		**7.**	

Extraído de *Sign Here: A Contracting Book for Children and Their Parents* (2ª edición, pág. 111) por J.C. Dardig y W. I. Heward, 1981, Bridjewater, NJ: Fournies and Associates. Copyright 1981 por Fournies and Associates. Reimpreso con permiso.

Figura 26.5 Un formulario para identificar posibles tareas que otros pueden realizar en un contrato.

Lista A Nombre: Bobby

COSAS QUE HACE Bobby PARA AYUDAR A LA FAMILIA	OTRAS MANERAS EN LAS QUE Bobby PUEDE AYUDAR
1. Pasar la aspiradora cuando se lo pidan	**1.** Poner la ropa sucia en el cesto
2. Hacer su cama	**2.** Hacer él solo su tarea por la tarde
3. Leer un cuento a su hermanita	**3.** Hacerse el bocadillo para el colegio
4. Vaciar el cubo de la basura	**4.** Limpiar la mesa después de la cena
5. Limpiar el jardín de hojas	**5.**
6.	**6.**
7.	**7.**

Extraído de *Sign Here: A Contracting Book for Children and Their Parents* (2ª edición, pág. 113) por J.C. Dardig y W. I. Heward, 1981, Bridjewater, NJ: Fournies and Associates. Copyright 1981 por Fournies and Associates. Reimpreso con permiso.

Figura 26.6 Un formulario para la identificación de posibles recompensas para uno mismo en un contrato de contingencias.

Lista A Nombre: Sue Ann

Cosas que debo hacer para ayudar a mi familia

1. Oír música
2. Películulas
3. Jugar al futbol
4. Mini golf
5. Nadar
6. Patinar
7. Tomar un helado
8. Acuario y peces
9. Andar y comer en el campo
10. Coleccionar monedas
11. Montar a caballo
12. Pescar con papa
13.
14.
15.

Extraído de *Sign Here: A Contracting Book for Children and Their Parents* (2ª edición, pág. 115) por J.C. Dardig y W. I. Heward, 1981, Bridjewater, NJ: Fournies and Associates. Copyright 1981 por Fournies and Associates. Reimpreso con permiso.

Paso 2: rellenar la lista A. Cada miembro completa tres listas antes de la redacción definitiva del contrato. La lista A (ver Figura 26.4) está diseñada para ayudar a cada miembro a identificar no sólo las conductas que puede realizar en el contexto de un contrato, sino las que ya realiza para ayudar al grupo. De esta manera, se puede focalizar atención positiva en conductas apropiadas que los individuos ya realizan de forma satisfactoria.

A cada miembro se le dará una copia de la lista A. Todos deben esforzarse en describir las tareas de forma tan específica como sea posible. Después, la lista se deja a un lado y el grupo puede proceder al siguiente paso. Si alguno de los miembros no puede o no sabe escribir, la lista se puede cumplimentar de forma oral.

Paso 3: rellenar la lista B. La lista B (ver Figura 26.5) está diseñada para ayudar a los miembros del grupo a identificar posibles tareas que otros pueden realizar a través del contrato, además de conductas positivas que ya están realizando esas personas. La lista B también puede ayudar a identificar cuándo hay desacuerdos entre los miembros acerca de si una conducta concreta se está llevando a cabo de forma frecuente y satisfactoria.

A cada miembro se le dará una copia de la lista B y se le pedirá que ponga su nombre en los tres espacios en blanco en la parte de arriba. Estas listas se pueden ir pasando de manera que todo el grupo tenga la oportunidad de escribir al menos una conducta positiva en la lista B de todos los demás. Todo el grupo escribe en todas las listas excepto la suya, y toda persona debe escribir al menos una conducta positiva en la lista B de todos los otros miembros del grupo. Cuando sean completadas, estas listas se dejan a un lado y se pasa al siguiente paso.

Paso 4: rellenar la lista C. La lista C (ver Figura 26.6) es simplemente una lista con líneas numeradas en la que cada miembro del grupo identifica recompensas que le gustaría obtener cuando realice las tareas que se vayan a especificar en el contrato. Los participantes no deben limitarse a apuntar cosas o actividades que les gusten de la vida diaria, sino también cosas especiales o actividades que llevan queriendo hacer algún tiempo. No pasa nada si dos o más personas apuntan la misma recompensa. Después de que la lista C se haya completado, cada persona coge sus tres listas y las lee cuidadosamente, discutiéndose cualquier posible malentendido.

Paso 5: escribir los contratos. El último paso comienza por elegir una tarea para el primer contrato de cada persona. La conversación debería involucrar a todo el grupo, con sus miembros ayudándose mutuamente a decidir qué tarea es importante que se realice primero. Todo el grupo debe escribir *quién* va a realizar la tarea, *en qué consiste* exactamente la tarea, *cómo de bien* y *cuándo* se tiene que realizar y cualquier posible excepción. Todos deben repasar la lista C y seleccionar una recompensa que no sea ni excesiva ni insignificante, sino que sea considerada justa para la tarea a realizar. Todos los miembros deben escribir *quién* controlará la recompensa, *qué* es, *cuándo* se dará y *cuánto* se dará. Todos los miembros del grupo deberían escribir un contrato en la primera reunión.

Figura 26.7 Contrato de contingencias para una persona que no puede leer.

Tabla 26.1 Guías y reglas de los contratos de contingencias.

Directrices para la confección de contratos	*Comentario*
El contrato debe ser justo	Debe haber una relación justa entre la dificultada de la tarea y la cuantía de la recompensa. El objetivo es conseguir una situación en la que ambas partes ganen, y no que haya un trato de favor hacia una de las partes.
El contrato debe ser claro	En muchos casos la mayor ventaja de un contrato es que especifica las expectativas de cada persona. Cuando las expectativas de un padre o maestro son explícitas, el desempeño tiene mayores probabilidades de mejorar.
El contrato debe ser honesto	Un contrato será honesto si la recompensa se entrega en el tiempo y cuantía especificada cuando la tarea se realiza según lo acordado. En un contrato honesto no se deberá entregar el reforzador si la tarea no ha sido realizada según lo acordado.
Incorpora varios niveles de reforzadores	El contrato puede incluir recompensas adicionales si se supera la marca diaria, semanal o mensual. Añadir estos puntos extra tiene un efecto motivacional.
Añade una contingencia de coste de respuesta	De vez en cuando puede ser necesario incorporar una "multa" (o retirada de reforzadores) si la tarea acordada no se completa.
Ubica el contrato en un lugar visible	La presentación pública permita a todas las partes ver el progreso hacia la consecución de un objetivo del contrato.
Renegocia el contrato si alguna de las partes no está satisfecha con él	El contrato debe ser una experiencia positiva para todas las partes, no un alarde de resistencia al tedio. Si el contrato no funciona deberemos reconsiderar la tarea, los reforzadores, o ambos.
Finaliza el contrato	Un contrato de contingencias es un medio para lograr un fin y no el fin en si mismo. Una vez el desempeño deseado se logre de forma adecuada el contrato debe finalizarse. También debe de finalizarse si alguna de las partes o ambas no logran cumplir sus condiciones.

Guías y consideraciones para el uso de contratos

Para determinar si el contrato de contingencias es una intervención apropiada para un problema concreto, el profesional debe considerar la naturaleza del cambio deseado en la conducta, las habilidades verbales y cognitivas del participante, la relación de éste con la persona o personas con las que se firmará el contrato, y los recursos disponibles. La conducta a incluir en el contrato debe estar ya en el repertorio del participante, y típicamente debe estar bajo control estimular en el entorno en el que se desea la respuesta. Si la conducta en concreto no está en el repertorio del participante, se deben considerar otros procedimientos (p.ej., moldeamiento o encadenamiento). Los contratos son más efectivos cuando la conducta produce efectos permanentes (p.ej., deberes completados o habitación limpia) o se realiza en presencia de la persona que va a entregar la recompensa (p.ej., el profesor o padre).

El que el participante tenga capacidad de leer no es un requisito para que el contrato tenga éxito; sin embargo, el individuo debe ser capaz de ser controlado por elementos visuales u orales (reglas) del contrato. Los contratos con personas que no leen suelen involucrar a tres tipos de cliente: (a) preescolares con buenas habilidades verbales, (b) niños en edad escolar con dificultades para leer y (c) adultos con habilidades cognitivas y verbales adecuadas, pero que no saben leer o escribir. Se pueden desarrollar contratos que usan iconos, símbolos, dibujos, fotografías, cintas de audio o cualquier otro soporte no escrito para ajustarse a las habilidades individuales de los clientes en los tres grupos descritos (ver Figura 26.7)

Otra cosa a tener en cuenta es la posible negativa de algunas personas a participar en un contrato de contingencias. Mientras que la mayoría de niños están ansiosos o al menos dispuestos a probar un contrato, algunos no quieren tener nada que ver con el tema. Usar contratos de contingencias de forma colaborativa (Lassman, Jolivette y Wehby, 1999) puede reducir la probabilidad de incumplimiento, y el seguir un método paso a paso puede ayudar a asegurarse de que se alcanza un consenso en la fase de decisión en el contrato (Downing, 1990). Sin embargo, la realidad es que algunas personas pueden negarse a participar en el contrato, incluso si se ha usado un enfoque positivo en el sistema. En esos casos, usar otro procedimiento de cambio conductual puede ser lo mejor para modificar la conducta objetivo. Se han publicado numerosas listas de guías y reglas para los contratos exitosos (p.ej., Dardig y Heward, 1976; Downing, 1990; Homme et al.,1970). La tabla 26.1 muestra un listado de las guías y reglas citadas frecuentemente.

Evaluar contratos

La evaluación de un contrato de contingencias debería centrarse en la evaluación objetiva de la conducta que se quería modificar. La forma más simple de evaluar un contrato es registrar cuando se ha completado la tarea. Al comparar el registro de la tarea con una líneabase elaborada antes del contrato, se puede determinar objetivamente si ha habido mejoría o no. Un buen resultado es aquel en el que la tarea se está completando más a menudo de lo que se completaba antes de la aplicación del contrato.

A veces, los datos indican que la tarea se está realizando más y de forma más consistente de lo que se realizaba antes del contrato pero aun así los participantes no están contentos. En esos casos, o bien no se está consiguiendo el objetivo original que llevó a la elaboración del contrato o bien a una o varias personas involucradas no les gusta la manera en la que el contrato se está llevando a cabo. La primera posibilidad es el resultado de no haber seleccionado correctamente la tarea a realizar. Por ejemplo, supongamos que Juan es un alumno de tercero de ESO que quiere mejorar sus resultados en álgebra, y escribe un contrato con sus padres en el que especifica "estudiar matemáticas" durante una hora por la noche de cada día lectivo como la tarea a realizar. Después de varias semanas, sólo ha habido dos noches en las que Juan no haya estudiado el tiempo requerido, pero sus resultados en álgebra no han cambiado. ¿Ha funcionado el contrato? La respuesta es sí y no. Ha tenido éxito en el sentido de que Juan estaba realizando consistentemente la tarea especificada (una hora de estudio por noche); sin embargo, en términos de su objetivo original (sacar mejores notas en álgebra), el contrato ha sido un fracaso. El contrato ha ayudado a Juan a cambiar la conducta deseada, pero la tarea establecida era errónea. Estudiar durante una hora, al menos en el caso de Juan, no estaba relacionado con su objetivo. Si se cambiase el contrato de manera que requiriese que resolviera correctamente diez ecuaciones (la conducta necesaria para aprobar en un examen de álgebra) cada noche, su objetivo de sacar mejores notas podría ser una realidad.

Es importante también considerar las reacciones del participante al contrato. Un contrato que modifica la conducta objetivo de la manera deseada, pero que produce otras conductas desadaptativas o respuestas emocionales puede no ser una solución aceptable. Podemos evitar esta situación involucrando al cliente en el desarrollo de la negociación y llevando a cabo comprobaciones conjuntas del progreso.

Economía de fichas

La economía de fichas es un procedimiento de cambio de conducta muy desarrollado y estudiado. Ha sido aplicado con éxito en prácticamente todos los entornos posibles de instrucción o terapéuticos. La utilidad de la economía de fichas para modificar las conductas que han sido resistentes a las instrucciones o a la terapia está comprobada en la literatura (Glynn, 1990; Musser, Bray, Kehle, y Jenson, 2001). En esta sección, definiremos y describiremos la economía de fichas, y mostraremos procedimientos efectivos para usarla en contextos aplicados.

Definición de la economía de fichas

La **economía de fichas** es un procedimiento de cambio de conducta que consta de tres partes principales: una lista específica de conductas objetivo, unas fichas o puntos que los participantes reciben por emitir las conductas de interés y un *menú* de reforzadores intercambiables (objetos preferidos, actividades o privilegios) que los participantes pueden intercambiar por las fichas que han ganado. Las fichas funcionan como reforzadores condicionados generalizados para las conductas objetivo. En primer lugar, se deben identificar y definir las conductas a reforzar. En segundo lugar, se debe elegir un medio de intercambio; este medio es un símbolo u objeto al que denominamos **ficha**. En tercer lugar, se proporcionan **reforzadores intercambiables** que puedan ser comprados con las fichas. Los cupones de fabricantes o de tiendas son análogos a una economía de fichas. Cuando un cliente compra un objeto de un comercio colaborador, el cajero le entrega un cupón –el medio de intercambio- que sirve como ficha. Más tarde, este cupón es intercambiado por otro objeto por un precio reducido, o inmediatamente por un reforzador intercambiable. El dinero es otro ejemplo de una ficha que se puede intercambiar en otro momento por reforzadores intercambiables y actividades (como comida, ropa, transporte, entretenimiento...).

Como se dijo en el Capítulo 11, una ficha es un ejemplo de un reforzador condicionado generalizado. Puede intercambiarse por una amplia variedad de reforzadores intercambiables. Los reforzadores condicionados generalizados son independientes de los estados específicos de motivación porque están asociados con una gran variedad de reforzadores intercambiables. Sin embargo, el concepto de reforzador condicionado generalizado es relativo: su efectividad depende en gran parte de lo extenso de los reforzadores intercambiables. Las fichas que se pueden intercambiar por una amplia variedad de reforzadores intercambiables tienen una utilidad considerable en escuelas, clínicas u hospitales, donde es difícil para el personal controlar los estados de deprivación de sus clientes.

Carton y Schweitzer (1996), por ejemplo, aplicaron una economía de fichas para incrementar la conducta de seguimiento de instrucciones de un chico de diez años hospitalizado por una enfermedad renal severa y que requería hemodiálisis frecuentes. El paciente desarrolló un repertorio de incumplimiento que afectaba a sus interacciones con enfermeras y cuidadores. Durante la líneabase, el número de segmentos de 30 minutos con conductas de incumplimiento se obtuvo dividiendo un bloque de cuatro horas en ocho segmentos de 30 minutos. Cuando se introdujo la economía de fichas, se le dijo al chico que obtendría una ficha por cada segmento de 30 minutos en el que no hubiera conductas de incumplimiento

Carton y Schweitzer refieren una relación funcional entre el inicio de la economía de fichas y la reducción de la conducta de incumplimiento. Cuando las fichas se estaban usando, la conducta de incumplimiento fue prácticamente inexistente. Los datos de seguimiento a 3 y 6 meses tras la retirada de la economía de fichas mostraron evidencia continuada de un bajo nivel de incumplimiento de las peticiones de las enfermeras y cuidadores.

Higgins, Williams y McLaughlin (2001) usaron una economía de fichas para reducir la conducta disruptiva de un estudiante de escuela primaria con problemas de aprendizaje. El estudiante mostraba altos niveles de conductas relativas a levantarse de su asiento, hablar fuera de lugar y sentarse de forma inadecuada. Después de recopilar datos de líneabase de estas tres conductas, se aplicó una economía de fichas. El estudiante ganaba una marca intercambiable por tiempo libre cada minuto que hubiera llevado a cabo conductas alternativas a aquellas seleccionadas para su reducción. Se llevaron a cabo pruebas de mantenimiento en dos ocasiones consecutivas para comprobar los efectos de duración. La Figura 26.8 muestra los resultados del estudio en tres variables dependientes. Se estableció una relación funcional entre el inicio de la economía de fichas y la reducción de la conducta. Es más, las pruebas de mantenimiento mostraron que la conducta se mantuvo en niveles bajos aún después del fin de la economía de fichas.

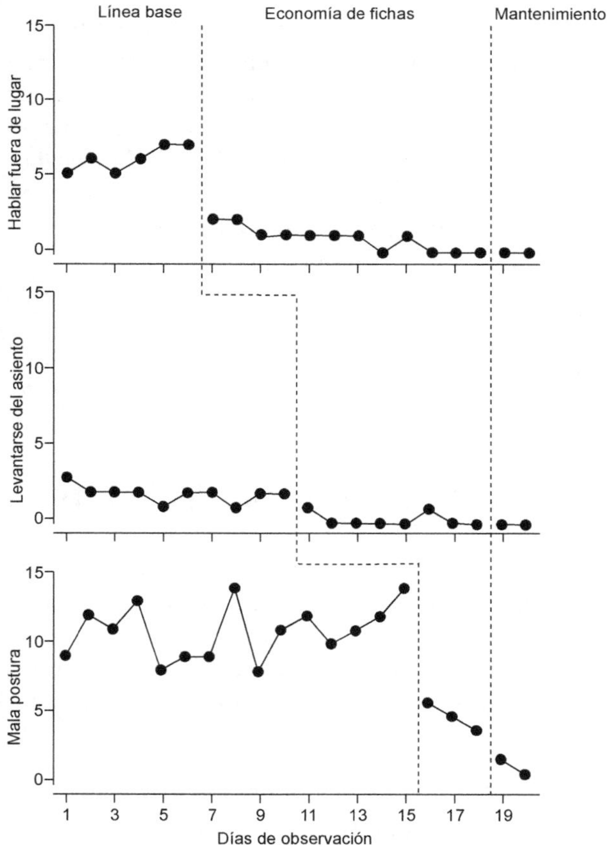

Figura 26.8 El número de veces que los participantes hablan fuera de lugar, se levantan del asiento o muestran una mala postura durante las condiciones de línea base, economía de fichas y mantenimiento.

De "The Effects of a Token Economy Employing Instructional Consequences for a Third-Grade Student with Learning Disabilities: A Data-Based Case Study" por J.W. Higgins, R. L. Williams, y T. F. McLaughlin, 2001, *Education and Treatment of Children*, 24 (1), p. 103. Copyright 2001 by The H.W. Wilson Company. Reimpreso con permiso.

Un **sistema de niveles** es un tipo de economía de fichas en el que los participantes suben (y ocasionalmente bajan) de nivel en una jerarquía de forma contingente a alcanzar criterios de ejecución específicos en las conductas objetivo. Cuando los participantes "suben" de un nivel al siguiente, tienen acceso a más privilegios y se espera que muestren más autonomía. La frecuencia de la fichas se va haciendo menor de manera que los participantes que están en un nivel alto están funcionando bajo programas de reforzamiento similares a los que se dan en entornos naturales.

De acuerdo con Smith y Farrell (1993), los sistemas de niveles son el resultado de dos grandes avances educativos que se dieron en los años 60 y 70: *Engineered Classroom*, de Hewett (1968) y *Achievement Place*, de Phillips, Phillips, Fixen y Wolf (1971). En ambos casos, una programación sistemática social y académica combinaba economía de fichas, sistemas de tutorización, autorregulación para los estudiantes y mecanismos de gestión. Smith y Farrell dijeron que los sistemas de niveles están diseñados para

> ...fomentar la mejoría de un estudiante a través de la autonomía personal, para desarrollar responsabilidad personal para el desempeño social, emocional y académico (...) y para proporcionar al estudiante una transición a un entorno menos restrictivo (...) Los estudiantes avanzan a través de los niveles conforme muestran evidencia de sus logros (p. 252).

En un sistema de niveles, los estudiantes deben adquirir y conseguir repertorios conductuales cada vez más ajustados mientras que las fichas, los halagos u otros reforzadores se reducen simultáneamente. Los sistemas de niveles tienen mecanismos incorporados para que los participantes vayan avanzando a través de una serie de privilegios, y se basan al menos en tres suposiciones: (a) las técnicas combinadas (los llamados "paquetes de intervención") son más efectivos que introducir contingencias individuales por sí solas, (b) las conductas de los estudiantes y sus expectativas deben ser explícitos y (c) el reforzamiento diferencial es necesario para reforzar aproximaciones cada vez más cercanas al siguiente nivel (Smith y Farrell, 1993).

Lyon y Lagarde (1997) proponen un grupo de tres niveles de reforzadores en el que los reforzadores menos deseables ocupan el nivel 1. En este nivel, los estudiantes tienen que ganar 148 puntos o el 80% del máximo de 185 puntos que se puede ganar en una semana para poder comprar ciertos objetos. En el nivel 3, los objetos más deseables sólo pueden adquirirse si el estudiante ha conseguido al menos 167 puntos, es decir, el 90% del máximo posible. Según se progresa en los niveles, las expectativas de su desempeño aumentan.

Cavalier, Ferreti y Hodges (1997), desarrollan una aproximación a la autonomía personal con un sistema de niveles preexistente para mejorar la conducta social y académica de dos estudiantes adolescentes con discapacidades de aprendizaje que debían, según los objetivos de un programa de educación individualizado (PEI), aumentar su participación en una clase de educación general. Básicamente, los otros estudiantes estaban progresando en el sistema de seis niveles que el profesor había elaborado, pero las verbalizaciones inapropiadas de estos dos estudiantes habían estancado su progreso en el nivel 1. Tras recopilar datos de líneabase sobre las verbalizaciones inadecuadas, los investigadores entrenaron a los dos estudiantes para registrar por sí mismos la ocurrencia de estas verbalizaciones en dos segmentos de 50 minutos cada día. Las verbalizaciones inapropiadas se definieron explícitamente, y durante los ensayos de prueba los estudiantes practicaron el autorregistro y recibieron *feedback* basado en las observaciones del profesor durante el mismo intervalo. Se hizo énfasis en que los estudiantes registraran de forma precisa, y los reforzadores deseables se conseguían como recompensa por este registro preciso. Durante la intervención (sistema de niveles más autorregistro), a los estudiantes se les dijo que se les iba a observar durante los intervalos de 50 minutos para ver su precisión. Si alcanzaban el criterio para cada nivel (p.ej., cinco verbalizaciones inapropiadas menos que en la sesión anterior) se les entregaría un reforzador. Conforme iban progresando en el sistema de niveles, el reforzador a entregar era un objeto cada vez más deseable. Los resultados muestran un alto número de verbalizaciones durante la líneabase; sin embargo, cuando se inició la intervención con el Estudiante 1, el número de verbalizaciones inadecuadas disminuyó. Este resultado se replicó con el Estudiante 2, lo que confirmaba una relación funcional entre la intervención y la reducción de verbalizaciones inadecuadas.

Diseñar una economía de fichas

Los pasos básicos para diseñar y prepararse para aplicar una economía de fichas son los siguientes:

1. Seleccionar fichas que servirán como medio de intercambio (p.ej., puntos, pegatinas o piezas de plástico).
2. Identificar las conductas y reglas objetivo.
3. Seleccionar un menú de reforzadores intercambiables.

4. Establecer una tasa de intercambio.
5. Escribir procedimientos para explicitar cuándo y cómo se dispensarán las fichas y qué ocurrirá si no se cumplen los requisitos para obtener una ficha. ¿Incluirá el sistema un procedimiento de coste de respuesta?
6. Hacer una prueba de campo con el sistema antes de aplicarlo a su escala completa.

Seleccionar las fichas

Una ficha es un símbolo tangible que se puede dar inmediatamente después de la ejecución de una conducta e intercambiarlo en un momento posterior por reforzadores pre-establecidos. Algunos ejemplos de fichas pueden ser cupones, fichas de póker, puntos o marcas en un contador, fichas de velcro, las iniciales del profesor, agujeros en una tarjeta, tiras de plástico, etc. Los criterios a usar para seleccionar las fichas son importantes. En primer lugar, la ficha debería ser segura; no debe suponer un riesgo para el participante. Si las fichas van a ser recibidas por un niño muy pequeño o una persona con dificultades severas de aprendizaje, la ficha no debe poder ser tragada ni usada para hacer daño. En segundo lugar, el analista debe controlar la presentación de las fichas; los participantes no deben ser capaces de falsificarlas. Si se están usando marcas en un contador, debe hacerse sobre una tarjeta especial o con un rotulador especial que sólo tenga el analista. Igualmente, si se están usando agujeros en una tarjeta, la herramienta usada para hacer dichos agujeros debe ser únicamente manejada por el analista para evitar falsificaciones.

Las fichas tienen que ser duraderas, porque puede que tengan que ser usadas durante un período prolongado de tiempo. Deben ser fáciles de llevar, manejar, guardar o acumular. También deberían estar a disposición del profesional cuando llega el momento de administrarlas. Es importante que se entreguen inmediatamente después de la realización de la conducta. Deberían ser baratas; no hay necesidad de gastar una cantidad grande de dinero en adquirirlas. Sellos de goma, estrellas y botones son elementos baratos que pueden usarse como fichas. Por último, la ficha en sí misma no debería ser un objeto deseable. Un profesor usó cromos de fútbol como ficha, pero los alumnos pasaban tanto tiempo interactuando con las fichas (leyendo acerca de los jugadores), que les distraía del objetivo del sistema.

Para algunos estudiantes, algún objeto predilecto ("objeto de obsesión") puede servir como ficha reforzadora (Charlop-Christy y Haymes, 1998). En su estudio participaron tres niños con autismo que acudían a un programa extraescolar. Los tres niños estaban continuamente distraídos durante las actividades, entretenidos con diversos objetos o involucrados en conductas de autoestimulación. Durante la líneabase, los alumnos ganaban estrellas por la realización de conductas apropiadas. A las conductas inapropiadas se respondía con un "prueba de nuevo" o un "no". Cuando los estudiantes ganaban cinco estrellas, las fichas se podían intercambiar por los reforzadores intercambiables (p.ej., comida, lápices o tabletas). Durante la economía de fichas, se usó como ficha un "objeto de obsesión" con el que uno de los alumnos había estado entretenido con anterioridad. Una vez habían conseguido cinco de estos objetos, podían intercambiarlos por comida u otros reforzadores conocidos. Charlop-Christy y Haymes refieren que el patrón global de respuesta mostraba que cuando la ficha era un objeto de obsesión, el desempeño de los estudiantes mejoraba.

Identificar conductas y reglas objetivo

El Capítulo 3 se dedicó a la selección y definición de objetivos de cambio conductual. Los criterios que se presentaron en ese capítulo también se aplican para la selección de conductas y reglas objetivo en una economía de fichas. En general, las guías para seleccionar conductas para una economía de fichas incluyen: (a) seleccionar sólo conductas medibles y observables; (b) especificar los criterios para considerar que la conducta está correctamente realizada; (c) comenzar con un número pequeño de conductas, incluyendo algunas que sean fáciles de realizar para el participante; y (d) asegurarse de que el participante posee las habilidades que sean necesarias para realizar cada conducta objetivo (Myles, Moran, Ormsbee y Downing, 1992).

Una vez que han sido definidas las reglas y conductas que se aplican a todos, entonces es cuando se deben establecer los criterios y conductas aplicables a individuos concretos. Muchos fracasos en el uso de economías de fichas se deben a que se requieren las mismas conductas con los mismos criterios para todos los participantes. La economía de fichas requiere habitualmente ser individualizada. Por ejemplo, en una clase un profesor puede querer seleccionar diferentes conductas para cada estudiante. Quizás la economía no debería aplicarse a todos los estudiantes de la clase o, tal vez, sólo los que tienen peor rendimiento deberían participar. Sin embargo, si hubiese estudiantes que no participan en la economía de fichas, éstos deberían recibir otros tipos de reforzador.

Seleccionar un menú de reforzadores intercambiables

La mayoría de los procedimientos de economía de fichas pueden usar actividades o eventos que ocurren de forma natural como reforzadores intercambiables. Por ejemplo, en una clase o entorno escolar las fichas se pueden usar para comprar tiempo de disfrute de algún juego o material popular, o se pueden intercambiar por el papel que el alumno quiera (como mensajero de la clase, delegado o encargado de audiovisuales). Las fichas también se pueden intercambiar por privilegios en toda la escuela, como un pase para la biblioteca o sala de estudio; un periodo especial (p.ej., educación física) con otra clase o responsabilidades especiales, como patrulla escolar, monitor de comedor o tutor. Higgins et al. (2001) usaron actividades que ocurrían de forma natural como reforzadores intercambiables en una economía de fichas en su estudio (es decir, los estudiantes tenían acceso a juegos de ordenador y libros recreativos). Sin embargo, también se pueden usar como reforzadores intercambiables materiales de juego o de hobby, aperitivos, tiempo frente a la televisión, recreo, permiso para ir a casa o a la ciudad, eventos deportivos y cupones para regalos o ropa especial, porque esto objetos o eventos son factibles en muchos entornos.

Si los eventos y actividades que ocurren de forma natural no funcionan, entonces se puede considerar el uso de reforzadores intercambiables que no estén presentes ordinariamente (p.ej., fotos de estrellas del deporte o el cine, CDs o DVDs, revistas o algo comestible). Estos objetos deberían usarse sólo cuando las actividades que ocurren de forma más natural han mostrado ser inefectivas. Se recomienda usar los reforzadores menos intrusivos y que ocurran de forma más natural en el entorno.

La selección de los reforzadores intercambiables debe ajustarse a los patrones legales y éticos, al igual que a las políticas estatales o escolares. No deben usarse procedimientos de economía de fichas que nieguen el acceso al participante a necesidades básicas (como la comida) o a la información o eventos personales (el acceso al correo, al teléfono, la asistencia a servicios religiosos, cuidado médico, etc.). Además, las comodidades generales que se asocian a los derechos básicos de todos los ciudadanos no deberían usarse en una economía de fichas (ropa limpia, climatización adecuada, ventilación, agua caliente…).

Establecer una tasa de intercambio

Inicialmente, el valor de las fichas ganadas debería ser grande en relación al precio de los reforzadores intercambiables, para proporcionar un éxito inmediato a los participantes. A partir de este momento, la tasa o proporción de intercambio debería ajustarse para mantener el interés de los participantes. A continuación se presentan varias guías generales para establecer la tasa entre fichas ganadas y el precio de los reforzadores intercambiables.

1. Mantener la proporción inicial baja: pocas fichas para muchos reforzadores.
2. Conforme aumentan las conductas que permiten ganar fichas, aumentar el coste de los reforzadores intercambiables, devaluar las fichas y aumentar el número de objetos intercambiables.
3. Cuando aumenten las ganancias, aumentar la cantidad de objetos intercambiables de lujo.
4. Aumentar el precio de los objetos intercambiables necesarios más que el de los de lujo.

Myles et al. (1992) proporcionan guías para establecer y mantener una economía de fichas, incluyendo la distribución y canje de fichas. La siguiente sección responde a preguntas frecuentes relacionadas con las fichas.

¿Qué procedimiento se usará para administrar las fichas? Si se van a usar objetos como marcas en un contador o agujeros en un cartón, es evidente cómo los va a recibir el participante. Si se usan objetos como cupones o fichas de póker, debería haber algún tipo de contenedor para almacenar las fichas acumuladas antes de que se intercambien por un reforzador. Algunos profesionales hacen a los participantes elaborar carpetas individuales o contenedores para guardar sus fichas. Otra sugerencia es depositar las fichas a través de rendijas en latas o botes vacíos. Con participantes más jóvenes, las fichas se pueden encadenar para formar un brazalete o collar.

¿Cómo se intercambiarán las fichas? Se debe proporcionar un menú de los objetos intercambiables con el precio de cada uno. Los participantes pueden elegir en el menú. Muchos profesores montan una "tienda" en una mesa con todos los objetos expuestos (p.ej., juegos, globos, juguetes, certificados que dan privilegios…). Para evitar el ruido y la confusión en el momento de la "compra", se pueden hacer pedidos individuales marcando o escribiendo los objetos que se quiere obtener. Esos objetos se meten en una bolsa con el papel del pedido grapado a la parte superior y se entregan al participante que los ha pedido. Inicialmente, la tienda debería abrir frecuentemente, como dos veces al día.

Participantes con peor rendimiento pueden necesitar periodos de intercambio más frecuentes. Después, los períodos de intercambio pueden ocurrir sólo los miércoles y viernes, por ejemplo, o solo los viernes. Tan pronto como sea posible, el intercambio de fichas debería ocurrir de forma intermitente.

Escribir procedimientos para especificar qué ocurre si no se cumplen las condiciones necesarias para recibir una ficha.

Ocasionalmente, los requisitos necesarios para recibir una ficha no se cumplirán. Una posible respuesta a esto es regañar al individuo: "No has hecho tus deberes. Sabes que tienes que hacerlos para ganar fichas. ¿Por qué no los has hecho?". No obstante, es preferible repetir de forma casual (sin recriminar) la contingencia: "Lo siento, no tienes suficientes fichas para intercambiar ahora mismo. Inténtalo de nuevo". Es importante saber si el participante tiene las habilidades requeridas para ganar fichas. Un participante siempre tendría que ser capaz de alcanzar los requisitos de respuesta.

¿Qué hay que hacer cuando un participante pone a prueba el sistema? ¿Cómo debe responder un profesional cuando un participante dice que no quiere ninguna ficha o reforzador intercambiable? Se puede debatir o discutir con el participante, o tratar de engatusarlo. Es mejor, no obstante, decir algo neutral (como "es tu decisión") y después alejarse, imposibilitando cualquier debate. De esta manera, se evita la confrontación, y se mantiene la situación de tal manera que el participante puede seguir ganando fichas. La mayor parte de los participantes pueden y deben recibir aportaciones del profesional a la hora de seleccionar reforzadores intercambiables, generar las reglas para la economía, establecer el precio de los objetos que se van a intercambiar y desempeñar obligaciones en general en la administración del sistema. Un participante puede ser el vendedor de la tienda, o un contable que registre quién tiene cuántas fichas y qué objetos se compran. Cuando los participantes están involucrados y se enfatizan sus responsabilidades en la economía de fichas, es menos probable que se rebelen contra el sistema.

¿Incluirá el sistema un procedimiento de coste de respuesta? Los procedimientos para incluir coste de respuesta en una economía de fichas fueron presentados en el Capítulo 15. En la mayoría de las ocasiones, la economía de fichas incluye una contingencia de pérdida de fichas por conductas inapropiadas e infracción de normas (Musser et al., 2001). Cualquier conducta sujeta a coste de respuesta debe estar claramente definida en las reglas. Los participantes deben estar advertidos de qué acciones tendrán como consecuencia la pérdida de fichas y cuánto costará la conducta. Sin lugar a dudas, pelearse, protestar o hacer trampas debería tener como consecuencia una mayor pérdida de fichas que las infracciones menores (como levantarse de la silla o hablar fuera de lugar). Nunca debe aplicarse la pérdida de fichas a un participante si este no tiene ninguna ficha. No se debe permitir que los estudiantes contraigan una deuda de fichas, porque esto muy probablemente reduciría el valor reforzante de las fichas. Un participante debería siempre ganar más fichas de las que pierde.

Hacer pruebas de campo del sistema

El paso final antes de aplicar una economía de fichas es hacer una prueba de campo. Durante de 3 a 5 días, se lleva la cuenta de las fichas como si se estuvieran entregando, aunque no se entregará ninguna durante esta prueba. Los datos recogidos en la prueba de campo se usan para evaluar el procedimiento. ¿Tienen los participantes una verdadera deficiencia en las habilidades objetivo? ¿Hay participantes que estén demostrando que dominan las conductas seleccionadas como objetivo? ¿Hay participantes que no reciben fichas? Basándonos en las respuestas a estas y otras preguntas similares, se pueden hacer algunos ajustes finales al sistema. Para algunos participantes, habrá conductas más difíciles que se tendrán que definir mejor; puede que otros necesiten conductas objetivo menos demandantes. Tal vez haga falta entregar más (o menos) fichas en relación al precio de los reforzadores intercambiables.

Aplicación de una economía de fichas

Entrenamiento inicial con fichas

La manera en que se va a llevar a cabo el entrenamiento inicial para aplicar una economía de fichas depende del nivel de funcionamiento de los participantes. Para participantes de nivel alto o con discapacidades leves, el entrenamiento inicial puede requerir un tiempo y esfuerzo mínimos y consistir sobre todo en instrucciones verbales o modelado. Usualmente, el entrenamiento inicial con fichas con estos sujetos puede ser completado en una sesión de 30 a 60 minutos. Tres pasos suelen ser suficientes. En primer lugar, se debe dar un ejemplo del sistema. El profesional puede describir el sistema de la siguiente manera:

> Esto es una ficha, y la podéis ganar haciendo [conducta específica]. Observaré vuestra conducta, y cuando

consigáis [conducta específica], ganaréis una ficha. Además, mientras sigáis [conducta específica], ganaréis más fichas. En [período de tiempo específico] podréis intercambiar las fichas que hayáis ganado por cualquier cosa de esta tabla que queráis y podáis comprar. Cada objeto tiene puesto el número de fichas que cuesta comprarlo. Podéis gastar sólo las fichas que ya hayáis ganado. Si queréis un objeto que cuesta más fichas de las que habéis ganado, tendréis que ahorrar vuestras fichas durante varios [período de tiempo específico].

El segundo paso es modelar el procedimiento para la entrega de fichas. Por ejemplo, cada participante puede ser dirigido para que emita la conducta específica. Inmediatamente después de la ocurrencia de esta conducta, el participante debe ser halagado (p.ej., "¡Enrique, me gusta mucho lo bien que trabajas por tu cuenta!"), y se entrega la ficha.

El tercer paso es modelar el procedimiento de intercambio de fichas. Los participantes deben ser llevados a la tienda y se les deben mostrar los objetos que pueden comprar. En este momento, deberían estar disponibles varios objetos para ser comprados a cambio de una ficha (el precio puede subir después). Pueden ser cosas como un juego, cinco minutos de tiempo libre, un permiso para afilar el lápiz, o el privilegio de recibir ayuda del profesor. Los estudiantes deben usar sus fichas en este intercambio. Los participantes con funcionamiento más bajo pueden requerir varias sesiones de entrenamiento inicial con fichas antes de que el sistema sea funcional para ellos. Se pueden requerir más ayudas a la respuesta.

Entrenamiento continuado con fichas

Durante el entrenamiento en reforzamiento con fichas, el profesional y los estudiantes deben seguir las guías para el uso efectivo del reforzamiento (ver Capítulo 11). Por ejemplo, se deben administrar las fichas de forma inmediata y contingente cuando la conducta deseada ocurre. Los procedimientos para la entrega y el intercambio deben estar claros y deben seguirse de manera consistente. Si se necesita una sesión de apoyo para mejorar la comprensión de los estudiantes acerca de cómo se ganan e intercambian las fichas, los profesionales deben llevarla a cabo en los inicios del programa. Por último, se debe poner énfasis en generar y aumentar conductas deseables a través de la entrega de fichas en lugar de en eliminar o reducir conductas no deseadas a través del coste de respuesta.

Como parte del entrenamiento en general, el analista de conducta puede decidir tomar parte en la economía de fichas también. Por ejemplo, el analista podría seleccionar una conducta personal a aumentar y después modelar cómo actuar si su desempeño de esa conducta no cumple el criterio para ganar una ficha, cómo ahorrar fichas, y cómo realizar un seguimiento del progreso. Tras dos o tres semanas, puede ser necesario revisar el sistema de la economía de fichas. Habitualmente es deseable que los participantes comenten las conductas que quieren cambiar, los objetos intercambiables que quieren tener disponibles o el horario o calendario de intercambio. Si hay participantes que ganan fichas de forma muy esporádica, puede que sea necesaria una respuesta o requisito de habilidad más sencillo. Por otro lado, si algunos participantes están ganando siempre todas las fichas posibles, los requisitos deberían hacerse más exigentes o referirse a habilidades más complejas.

Posibles problemas durante la aplicación

Se debe enseñar a los estudiantes a administrar las fichas que ganan. Por ejemplo, una vez recibidas, las fichas deberían guardarse en un contenedor seguro pero accesible, para que no estén en medio pero sí sean fáciles de alcanzar cuando se necesiten. Si las fichas están a la vista y son fácilmente accesibles, algunos participantes pueden ponerse a jugar con ellas en lugar de realizar tareas académicas indicadas por el profesor. Además, guardar las fichas en un lugar seguro reduce el riesgo de que otros estudiantes las falsifiquen o las roben. Se deben tomar medidas preventivas para asegurarse de que las fichas no son fácilmente falsificables ni están al alcance de nadie que no sea el receptor. Si se dan casos de robos o falsificaciones, cambiar de fichas ayudará a reducir la probabilidad de que las fichas falsificadas o robadas se usen en intercambios.

Otro posible problema de manejo, sin embargo, se relaciona con los inventarios de fichas de los alumnos. Algunos alumnos pueden acaparar fichas y no canjearlas por los reforzadores intercambiables. Otros pueden intentar canjearlas por un objeto para el que no tienen el número requerido de fichas. Se debe disuadir a los participantes de caer en ninguno de estos extremos. Es decir, se debe requerir a los estudiantes que canjeen al menos algunas de sus fichas periódicamente, y los estudiantes que no tienen el número requerido de fichas no deben participar en los intercambios. Es decir, no se debe permitir que compren reforzadores intercambiables "a crédito".

Por último, puede haber otro tipo de problemas relacionados con estudiantes que rompen las normas por costumbre o los que ponen constantemente a prueba el sistema. Los profesionales pueden minimizar esta situación (a) asegurándose de que la ficha funciona como un reforzador condicionado generalizado, (b) realizando una evaluación de reforzadores para determinar si los reforzadores intercambiables son del agrado de los participantes y si efectivamente están funcionando como reforzadores, y (c) aplicando procedimientos de coste de respuesta para quienes rompen las reglas de forma habitual.

Cómo retirar la economía de fichas

En el diseño e aplicación de una economía de fichas o sistema de niveles se deben incluir estrategias para promover la generalización y el mantenimiento de las conductas aprendidas en ella. Antes de aplicar el sistema de fichas inicial, los analistas deben planear cómo retirarán el programa. Un objetivo del programa de fichas debería ser que los halagos verbales que se administran de forma simultánea con la ficha adquieran el potencial reforzador de la ficha. Desde el principio, uno de los objetivos sistemáticos de la economía de fichas tiene que ser la retirada del programa. Esto, aparte de tener una utilidad funcional para los profesionales (porque no tendrán que estar repartiendo fichas para siempre), también tiene ventajas para el participante. Por ejemplo, si un profesor de educación especial está usando una economía de fichas con uno de sus estudiantes que va a estar a tiempo completo en un aula de niños sin necesidades especiales, el profesor querrá asegurarse de que las respuestas que el alumno ha adquirido en su aula de educación especial se mantendrán en la nueva aula; es poco probable que el alumno se vaya a encontrar en ésta con un sistema de fichas similar al utilizado en su clase de educación especial.

Se han usado varios métodos para retirar las fichas reforzadoras de manera gradual una vez se han alcanzado los niveles marcados como criterio. Las siguientes seis indicaciones permiten a los profesionales desarrollar y luego retirar fichas reforzadoras de forma efectiva. En primer lugar, la presentación de las fichas siempre debería emparejarse con aprobación social y halagos verbales. Esto debería aumentar el efecto reforzante de la aprobación social y servirá para mantener la conducta una vez se retiren las fichas.

En segundo lugar, el número de respuestas que se requiere para conseguir una ficha debe ir aumentando gradualmente. Por ejemplo, si un estudiante recibe inicialmente una ficha por leer solamente una página, se debería requerir con el paso del tiempo la lectura de más páginas para recibir una ficha.

Tercero, debería reducirse gradualmente el tiempo durante el cual la economía de fichas está activa. Por ejemplo, durante septiembre el sistema puede estar activo todo el día; en octubre, de 8:30 a 12:00 y de 14:00 a 15:00; y en noviembre, de 8:30 a 10:00 y de 14:00 a 15:00. En diciembre, el horario puede ser el mismo que en noviembre, pero solo cuatro días a la semana, y así.

Cuarto, el número de actividades y privilegios que sirven como reforzadores intercambiables y que pueden encontrarse en el entorno natural de los participantes debería aumentar gradualmente. Por ejemplo, el analista debería empezar a retirar objetos tangibles en la tienda que no estén presentes en el aula. ¿Hay cosas comestibles disponibles en la tienda? Habitualmente no están disponibles como reforzadores en un aula. Se deben ir introduciendo de forma gradual objetos que serían comunes en un aula (diplomas de premio, estrellas doradas, notas positivas para llevar a casa…).

Quinto, el precio de los objetos más deseables debería aumentarse sistemáticamente mientras que se mantiene muy bajo el precio de los objetos menos deseables. Por ejemplo, en un sistema de fichas con chicas adolescentes con discapacidad intelectual de moderada a severa, el precio de las barras de caramelo, paseos a la cafetería y enseres de aseo (peines, desodorantes…) era inicialmente el mismo. Poco a poco, el coste de los objetos como las barras de caramelo se aumentó a un nivel tan alto que las chicas ya no ahorraban fichas para comprarlos. Más chicas usaban sus fichas para comprar enseres de aseo, que eran significativamente más baratos que los caramelos.

Sexto, el carácter material, tangible de la ficha debería irse desvaneciendo con el tiempo. La siguiente secuencia ilustra cómo se puede desvanecer este carácter material:

- Los participantes ganan fichas tangibles, como fichas de póker o arandelas.
- Las fichas tangibles se reemplazan por trozos de papel.
- Los trozos de papel se reemplazan por marcas en una tarjeta que los participantes guardan.
- En un entorno escolar, la tarjeta puede pegarse con cinta adhesiva al pupitre del estudiante.
- La tarjeta se le retira al participante y la guarda el analista, pero los participantes pueden comprobar su puntuación en cualquier momento.
- El analista lleva la cuenta, pero no se permiten comprobaciones por parte de los participantes durante el día. Se anuncian las puntuaciones totales al final de cada día, y luego en días alternos.
- El sistema de fichas ya no está operativo. El analista de conducta no anuncia los puntos totales incluso aunque aún se mantengan.

Cómo evaluar la economía de fichas

Los procedimientos de economía de fichas pueden ser evaluados usando un diversos diseños que sean fiables, válidos, y sometidos a pruebas empíricas. Dado que en la mayoría de las ocasiones la economía de fichas se lleva a cabo con grupos pequeños, recomendamos que se usen diseños experimentales de caso único, de tal manera que el propio participante sirve como su propio control. Además, sugerimos que se recopilen también datos que permitan la validez social de la intervención, por ejemplo, obteniendo la valoración de los participantes o personas cercanas de su entorno antes, durante y después de la intervención con fichas.

Razones para la efectividad de las economías de fichas

Una economía de fichas es efectiva a menudo en contextos aplicados por tres motivos. Primero, las fichas sirven de puente, llenando el tiempo entre la ocurrencia de una conducta y la entrega de un reforzador intercambiable. Por ejemplo, se puede ganar una ficha durante la tarde, pero el reforzador intercambiable no se entregará hasta la mañana siguiente. Segundo, las fichas también sirven de puente entre los contextos diferentes en los que pueden darse la conducta y la entrega del reforzador. Por ejemplo, las fichas que se ganan en la escuela pueden intercambiarse por reforzadores en casa, o las fichas ganadas en un aula de educación general pueden ser intercambiadas en un aula de educación especial por la tarde. Por último, como reforzadores condicionados generalizados, las fichas hacen que el manejo de la motivación sea menos importante para el analista de conducta.

Otras consideraciones

Intrusivas. Los sistemas de fichas pueden ser intrusivos. Lleva tiempo, energía y recursos establecer, aplicar y evaluar programas de fichas. Además, debido a que la mayor parte de entornos naturales no refuerzan la conducta de una persona con fichas, se debe pensar muy cuidadosamente en cómo reducir la administración de fichas sin que la ejecución de las conductas diana se resienta. En cualquier caso, los programas de fichas tienen muchas "partes delicadas", y los profesionales tienen que estar bien preparados para manejarlas todas.

Auto-perpetuantes. Una economía de fichas puede ser un procedimiento efectivo para manejar la conducta, y los analistas pueden sentirse tan animados por los resultados que no quieran retirar la economía. En ese caso, los participantes continuarían trabajando para obtener reforzadores que no están normalmente disponibles en su entorno natural.

Laboriosas. Las economías de fichas pueden ser laboriosas de aplicar, especialmente si hay múltiples participantes con distintos programas de reforzamiento. El sistema puede requerir tiempo y esfuerzo extra por parte del participante y del analista de conducta.

Legislación sobre educación. Cuando se introducen las fichas en el contexto de un sistema de niveles, los profesionales tienen que ser cuidadosos para que los requisitos uniformes y explícitos que indican un número específico de fichas que se deben obtener para pasar al siguiente nivel no violen la intención o el espíritu de la legislación educativa que puede solicitar programas individualizados. Scheuermann y Webber (1996) sugieren que las fichas y otros programas incluidos en los sistemas de niveles sean individualizados, y que se combinen con ellos técnicas para la promoción y gestión de la autonomía para aumentar la probabilidad de éxito de los programas de inclusión.

Contingencias grupales

Hasta ahora en el texto nos hemos centrado principalmente en cómo las contingencias de reforzamiento pueden aplicarse para cambiar la frecuencia futura de ciertas conductas en personas individuales. La investigación aplicada también ha demostrado cómo las contingencias se pueden aplicar a los grupos, y los analistas de conducta cada vez dedican más atención hacia las contingencias grupales en áreas como las actividades de ocio para los adultos (Davis y Chittum, 1994), aplicaciones para escuelas (Skinner, Skinner, Skinner y Cashwell, 1999), clases (Brantley y Webster, 1993, Kelshaw-Levering, Sterling-Turner, Henry y Skinner, 2000; Skinner, Cashwell y Skinner, 2000), y patios de recreo (Lewis, Powers, Kelk y Newcomer, 2002). Cada una de estas aplicaciones ha mostrado que las contingencias de grupo, si se manejan de forma apropiada, pueden ser un acercamiento efectivo y práctico para cambiar la conducta de muchas personas simultáneamente (Stage y Quiroz, 1997).

Definición de contingencia grupal

Una **contingencia grupal** es aquella en la que una consecuencia común (habitualmente, pero no necesariamente, una recompensa que se pretende funcione como reforzador) es contingente con la conducta de un miembro del grupo, de parte del grupo, o de todas las personas del grupo. Las contingencias grupales pueden ser de tres tipos: dependientes, independientes o interdependientes (Litow y Pumroy, 1975).

Lógica fundamental y ventajas de las contingencias grupales

Hay varias razones para utilizar contingencias grupales en entornos aplicados. En primer lugar, puede ahorrar tiempo durante la administración (Skinner, Skinner, Skinner y Cashwell, 1999). En lugar de administrar consecuencias repetidamente a cada miembro del grupo por separado, el profesional puede aplicar una consecuencia a todos los miembros del grupo. Desde una perspectiva logística, la carga de trabajo del profesional se reduce. Se ha demostrado que las contingencias grupales son efectivas para producir cambios en la conducta (Brantley y Webster, 1993). Una contingencia grupal puede ser efectiva y económica, dado que requiere menos profesionales o menos tiempo para aplicarla.

Otra ventaja es que un profesional puede usar una contingencia grupal en una situación en la que una contingencia individual es poco práctica. Por ejemplo, un profesor que quiera reducir las conductas disruptivas de varios estudiantes puede tener problemas para administrar un programa individual para cada alumno en la clase. Un profesor sustituto, en particular, puede encontrar que el uso de una contingencia grupal es una alternativa práctica, porque su conocimiento de las historias de reforzamiento previas de los estudiantes serían limitadas, y la contingencia grupal se podría aplicar para una amplia variedad de conductas, entornos o estudiantes.

Una contingencia grupal también puede usarse en los casos en los que el profesional tenga que resolver un problema rápidamente, como cuando ocurre una conducta seriamente disruptiva. El profesional puede tener interés no sólo en reducir la conducta disruptiva rápidamente, sino también en aumentar los niveles de conductas apropiadas (Skinner et al., 2000).

Además, un profesional puede usar las contingencias grupales para aprovechar la influencia y vigilancia de los iguales, dado que este tipo de contingencia da la oportunidad de que sean los otros miembros del grupo los que actúen como agentes de cambio (Gable, Arllen y Hendrickson, 1994; Skinner et al., 1999). Es cierto, eso sí, que la presión grupal puede tener un efecto pernicioso en algunas personas; pueden convertirse en el chivo expiatorio del grupo, y pueden surgir efectos negativos (Romeo, 1998). Sin embargo, estos resultados potencialmente dañinos o negativos pueden ser minimizados si se estructuran los elementos de la contingencia de forma aleatoria (Kelshaw-Levering et al., 2000; Poplin y Skinner, 2003).

Los profesionales pueden establecer una contingencia grupal para facilitar la interacciones sociales positivas y el apoyo conductual positivo entre los miembros del grupo (Kohler, Strain, Maretsky y DeCesare, 1990). Por ejemplo, un profesor puede establecer una contingencia grupal para un estudiante o grupo de estudiantes con discapacidad. Los estudiantes con discapacidad pueden estar integrados en la clase general, y se puede preparar una contingencia tal que la clase pueda conseguir tiempo libre de forma contingente al desempeño de uno o más estudiantes con discapacidad.

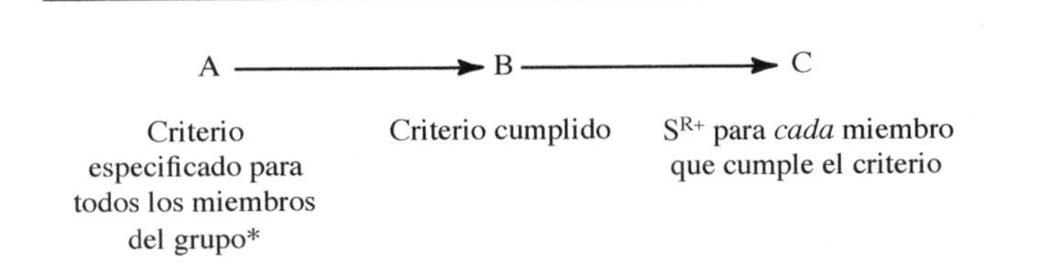

*(p.ej., "Cada estudiante que deletree 9 de cada 10 palabras correctamente en el examen del viernes ganará 10 puntos")

Figura 26.9 Una contingencia grupal independiente.

Aplicaciones de las contingencias grupales independientes

Una **contingencia grupal independiente** es una preparación en la que se presenta una contingencia a todos los miembros del grupo, pero el reforzador sólo se entrega a aquellos miembros que cumplan los criterios descritos en la contingencia (ver Figura 26.9). Las contingencias grupales independientes se combinan frecuentemente con contratos de contingencias y programas de reforzamiento con fichas porque estos programas habitualmente establecen sistemas de reforzamiento que son independientes del desempeño de otros miembros del grupo.

Brantley y Webster (1993) usaron una contingencia grupal independiente en una clase de educación general para disminuir la conducta disruptiva de 25 estudiantes de cuarto curso. Después de recopilar datos sobre la conducta no centrada en la tarea, el hablar fuera de lugar o la conducta de levantarse de la silla que mostraban los alumnos, los profesores pusieron reglas relacionadas con el prestar atención, el pedirles permiso antes de hablar y el quedarse en los sitios asignados. Se estableció una contingencia grupal independiente por la cual cada estudiante recibiría una marca junto a su nombre en una lista que se ponía en un lugar público en la clase durante cualquiera de los intervalos que eran los períodos de observación durante el día. Cuando un estudiante emitía una conducta apropiada o prosocial, se ponía una marca. El criterio para ganar una recompensa se aumentó de cuatro a seis marcas durante 4 de 5 días por semana.

Los resultados mostraron que después de 8 semanas, el número total de disrupciones combinadas (conducta no relacionada con la tarea, hablar fuera de lugar y levantarse de la silla) habían disminuido en un 70%, y algunas conductas no relacionadas con la tarea (como molestar al compañero de al lado) se eliminaron por completo. La satisfacción del profesor con este abordaje fue positiva, y los padres refirieron que eran capaces de entender los procedimientos que se habían usado con sus hijos en la escuela. Brantley y Webster (1993) concluyeron:

> La contingencia independiente supuso una estructura para los alumnos al usar intervalos claros, y clarificó las expectativas del profesor al limitar y definir operativamente las reglas que se debían seguir, monitorizar la conducta de forma consistente y establecer criterios alcanzables para los estudiantes (pág. 65).

Aplicaciones de las contingencias grupales dependientes

Bajo una **contingencia grupal dependiente**, la recompensa para todo el grupo depende del desempeño de un estudiante individual o un grupo pequeño. La Figura 26.10 ilustra la contingencia grupal dependiente como una contingencia de tres términos. La contingencia opera de la siguiente manera: si un individuo (o un grupo pequeño dentro del grupo total) realiza una conducta según un criterio específico, el grupo comparte el reforzador. El acceso del grupo a la recompensa depende del desempeño del individuo (o grupo pequeño). Si el individuo no alcanza el criterio, la recompensa no se entrega. Cuando un individuo, o grupo pequeño, gana una recompensa para una clase, se conoce a esta contingencia como el **procedimiento del héroe**. De acuerdo con Kerr y Nelson (2002), el procedimiento del héroe puede facilitar las interacciones positivas entre estudiantes, dado que la clase al completo se beneficia de la mejora en la conducta del estudiante elegido en la contingencia.

Gresham (1983) realizó un estudio de contingencias grupales dependientes en el que la contingencia se aplicaba en casa, pero la recompensa se entregaba en la escuela. En este estudio, un chico de 8 años que era muy destructivo en casa (provocaba incendios, destruía el mobiliario...) ganaba notas positivas por levar a cabo conductas no destructivas en su casa. Guille recibía una buena nota (una tarjeta de informe diaria) cada día que no había realizado ningún acto destructivo. Cada nota era intercambiable por zumo, recreo, y cinco fichas en el colegio al día siguiente. Después de que Guille recibiera cinco notas positivas, toda la clase hacía una fiesta y Guille era el anfitrión. Gresham informa que la contingencia grupal dependiente redujo la conducta destructiva y constituyó la primera aplicación de una contingencia grupal dependiente en un entorno combinado de escuela y hogar.

Allen, Gottselig y Boylan (1982) usaron una variación interesante de la contingencia de grupo dependiente. En su estudio, ocho alumnos disruptivos de tercer curso que formaban parte de una clase de 29 sirvieron como objetivo. El primer día de la intervención, el profesor puso en un lugar visible y explicó las reglas de la clase para levantar la mano, levantarse del asiento, molestar a otros, y pedir ayuda. De forma contingente con la reducción de la conducta disruptiva en intervalos de 5 minutos durante la clase de matemáticas y lenguaje, la clase ganaba un minuto extra de recreo. Si ocurría una conducta disruptiva durante el intervalo de cinco minutos, el profesor nombraba la infracción y al infractor (p.ej., "Jaime, has molestado a Susana") y volvía a poner a cero el cronómetro para otros cinco minutos. El profesor también ponía el tiempo acumulado en un caballete a la vista de toda la clase. Los resultados

Figura 26.10 Una contingencia grupal dependiente.

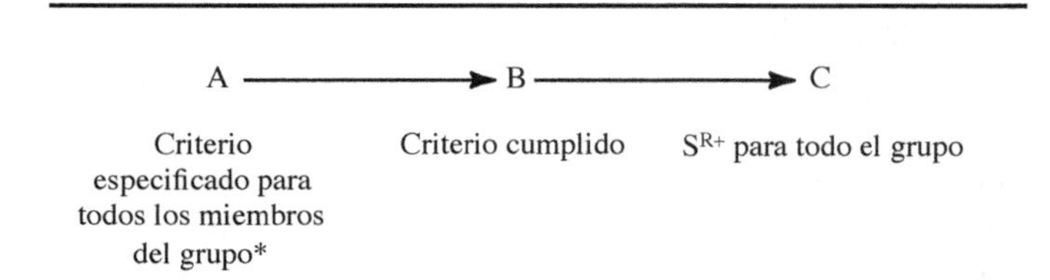

*(Por ejemplo, "Cuando todos los estudiantes de la mesa núm. 2 terminen sus tareas de matemáticas, la clase tendrá 5 minutos de tiempo libre.")

indicaron que se había reducido la conducta disruptiva bajo la contingencia grupal dependiente.

Contingencias grupales interdependientes

Una **contingencia grupal interdependiente** es aquella en la que todos los miembros de un grupo deben cumplir el criterio de la contingencia (individualmente *y* como grupo) para que los miembros ganen la recompensa (Elliot, Busse y Shapiro, 1999; Kelshaw-Levering et al., 2000; Lewis et al., 2002; Skinner et al., 1999; Skinner et al., 2000). Teóricamente, las contingencias grupales interdependientes tienen una ventaja de valor añadido sobre las contingencias grupales dependientes e independientes, en el sentido de que unen a los estudiantes con un objetivo común, aprovechando así la presión y la cohesión grupales.

La efectividad de las contingencias grupales dependientes e interdependientes puede aumentarse preparando de forma aleatoria todos o algunos de los componentes de la contingencia (Poplin y Skinner, 2003). Es decir, que se seleccionen al azar los estudiantes, conductas o reforzadores que serán objeto de la contingencia (Kelshaw-Levering et al., 2000; Skinner et al., 1999). Kelshaw-Levering et al. (2000) demostraron que seleccionar al azar o bien la recompensa o bien múltiples componentes de la contingencia (p.ej., estudiantes, conductas o reforzadores) era efectivo para reducir la conducta disruptiva.

En lo que respecta al procedimiento, una contingencia grupal interdependiente puede cumplirse (a) cuando todo el grupo como conjunto cumple el criterio, (b) cuando el grupo consigue una media de puntuación dada, o (c) basándose en los resultados del *juego del buen comportamiento* o el *juego del buen estudiante*. En cualquier caso, las contingencias de grupo interdependiente son situaciones del tipo "o todos o ninguno". Es decir, o bien todos los estudiantes ganan la recompensa o ninguno lo hace (Poplin y Skinner, 2003). La figura 26.11 expresa una contingencia grupal interdependiente como una contingencia de tres términos.

Cuando todo el grupo cumple el criterio

Lewis et al. (2002) usaron la variedad en la que se requiere que todo el grupo cumpla el criterio para reducir conductas problemáticas en el patio de recreo que mostraban unos estudiantes de una escuela primaria de un suburbio. Después de que un equipo del claustro hiciera una evaluación de conductas problemáticas en el patio de recreo, se emparejó el entrenamiento en habilidades sociales en el aula y el patio con una contingencia grupal. Durante el entrenamiento en habilidades sociales los estudiantes aprendían a llevarse bien con sus amigos, cooperar entre ellos y ser amables. Durante la contingencia grupal, los alumnos recibían como premio bandas elásticas que podían ponerse en las muñecas. Tras el recreo, los alumnos depositaban las bandas que hubieran ganado en una lata colocada en la mesa del profesor. Cuando la lata estaba llena, el grupo ganaba un reforzador.

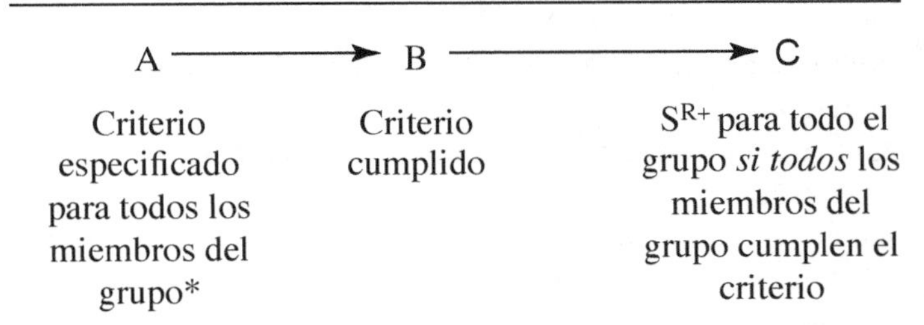

(*p.ej., "Todos los estudiantes tienen que haber hecho al menos cuatro trabajos de ciencias antes de la sexta semana para que la clase pueda ir de excursión")

Figura 26.11 Una contingencia grupal interdependiente.

Cuando se usa el promedio de grupo

Baer y Richards (1980) usaron una contingencia grupal interdependiente basada en la puntuación promedio para mejorar el desempeño en matemáticas e inglés de cinco niños en cursos elementales. En su estudio, los diez estudiantes de la clase, incluidos los cinco que eran objetivo del estudio, fueron informados de que obtendrían un minuto extra de recreo por cada punto en que la clase mejorase su promedio de la semana pasada. Además, a todos los estudiantes se les entregó un contrato en el que se reflejaba esta misma contingencia. El tiempo extra de recreo se les daba cada día de la semana siguiente. Por ejemplo, si el promedio semanal de las puntuaciones de los estudiantes excedía su promedio de la semana anterior en tres puntos, recibían tres minutos extra de recreo todos los días de la semana siguiente. El resultado de este estudio de 22 semanas mostró que todos los estudiantes mejoraron cuando la contingencia grupal estaba funcionando. Hay datos anecdóticos que indican que todos los estudiantes participaron y recibieron tiempo extra de recreo durante el curso del estudio.

El Juego de Portarse Bien

Barrish, Sounders y Wolf (1969) usaron la expresión "el *Juego de Portarse Bien*" para describir una contingencia grupal interdependiente en el que un grupo se divide en dos o más equipos. Antes de que el juego se lleve a cabo, se les dice a los equipos que el equipo que tenga *menos* marcas en su contra al final del juego ganará un privilegio. A cada equipo también se le dice que puede ganar un privilegio si tiene menos de un número concreto de marcas (una preparación de reforzamiento diferencial de tasas bajas). Los datos que aportan los autores muestran que esta estrategia puede ser un método efectivo para reducir la conducta disruptiva en el aula. Cuando las condiciones del juego estaban activas durante matemáticas o lectura, las conductas de hablar fuera de lugar y levantarse de la silla ocurrieron en niveles bajos. Cuando las condiciones de juego no estaban activas, las conductas disruptivas ocurrían en niveles mucho más elevados (ver Figura 26.13).

En el Juego de Portarse Bien, la atención del profesor se dirige a observar y registrar ocurrencias de conductas no deseadas, con el incentivo de que si uno o más equipos no superan el número de infracciones que se marcó como criterio, se entrega un reforzador. La ventaja del Juego de Portarse Bien es que la competición ocurre entre equipos y contra el criterio, no contra el grupo.

El Juego del Buen Estudiante

El *Juego del Buen Estudiante* combina una contingencia grupal interdependiente (como el Juego de Portarse Bien) con tácticas de automonitorización (Babyak, Luze y Kamps, 2000). Básicamente, el Juego del Buen Estudiante está pensado para aplicarse durante momentos en los que los alumnos tienen que estar trabajando por su cuenta sentados, cuando pueden surgir conductas problemáticas. En el Juego del Buen Estudiante, el profesor (a) escoge conductas a modificar, (b) determina objetivos y recompensas, y (c) determina si habrá monitorización grupal o individual (o ambas).

A los estudiantes se les enseña el Juego del Buen Estudiante siguiendo una secuencia instruccional de modelar-liderar-poner a prueba: se les organiza en grupos de cuatro a cinco, se definen las conductas que se van a cambiar, se dan ejemplos positivos y negativos, se practica bajo la supervisión del profesor, y uno o más estudiantes registran la actuación del grupo. La Tabla 26.2 muestra una comparación entre el Juego del Buen Estudiante y el Juego de Portarse Bien. Hay que destacar que dos de las distinciones son relativas a las conductas objetivo, la entrega de las recompensas y el feedback.

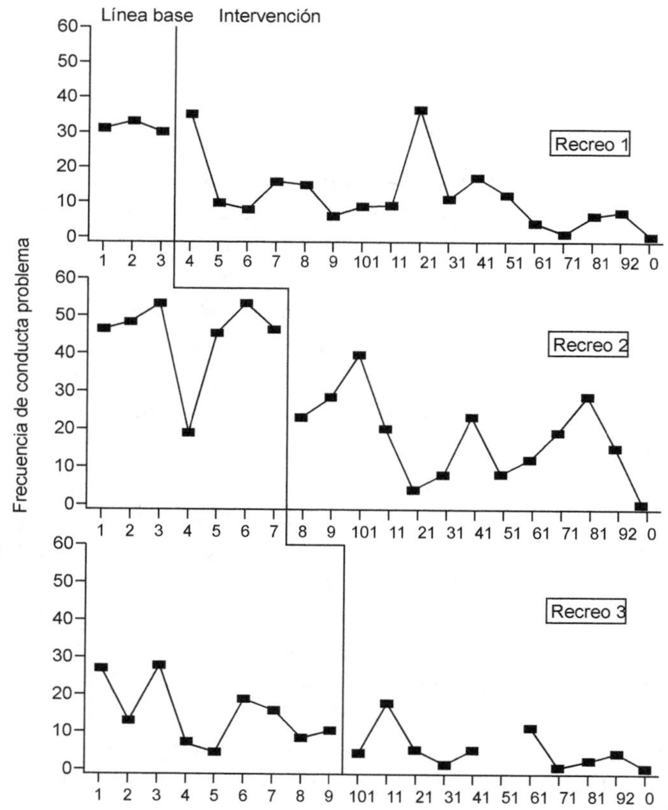

Figura 26.12 Frecuencia de comportamientos problemáticos en períodos de recreo. El recreo 1 estaba formado por alumnos de segundo y cuarto curso, el recreo 2 por alumnos de primero y tercero, y el recreo 3 por alumnos de quinto y sexto. Los alumnos del jardín de infancia estaban en el patio en los recreos 1 y 2.

De "Reducing Problem Behaviors on the Playground: An Investigation of the Application of School-Wide Positive Behavior Supports" por T. J. Lewis, L. J. Powers, M. J. Kelk, y L. L. Newcomer, 2002, *Psychology in the Schools*, 39 (2), p. 186.

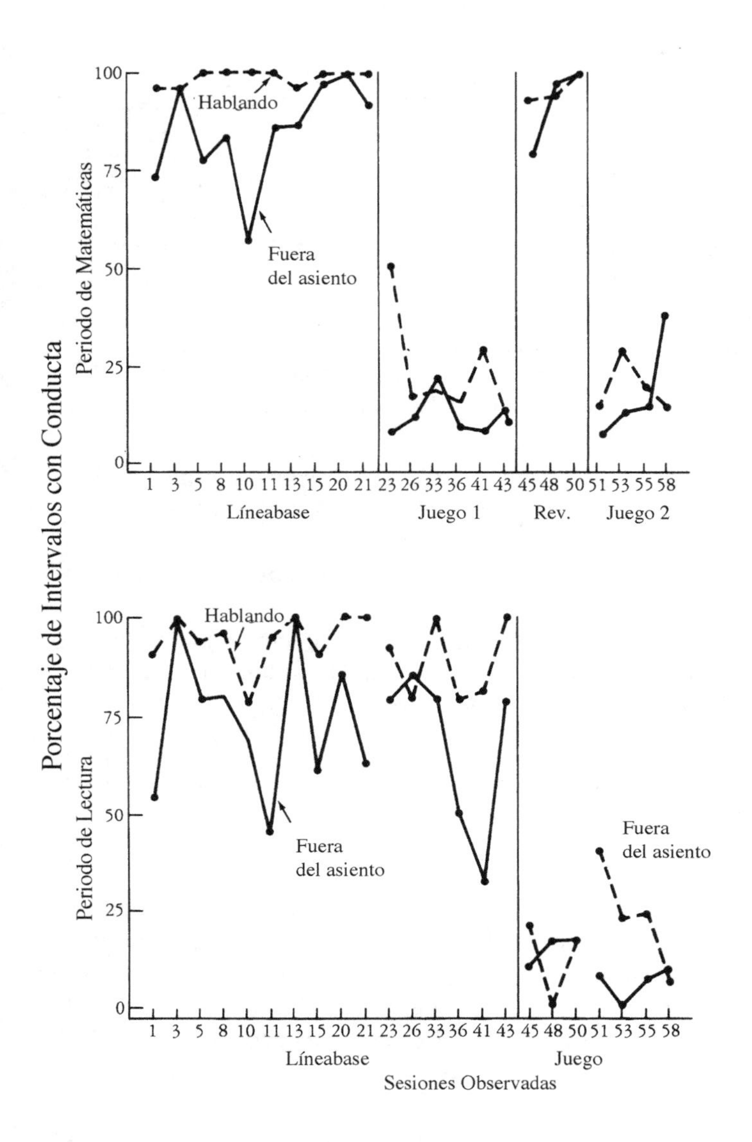

Figura 26.13 Porcentaje de intervalos de 1 minuto que contienen conductas de hablar fuera de lugar y levantarse del sitio en una clase de 24 alumnos de cuarto curso durante periodos de matemáticas y lectura.
De "Good Behavior Game: Effects of Individual Contingencies for Group Consequences on Disruptive Behavior in a Classroom" por H. H. Barrish, M. Saunders, y M. M.Wolf, 1969, *Journal of Applied Behavior Analysis*, 2, p. 122.

Cómo aplicar una contingencia grupal

Aplicar una contingencia grupal requiere tanta planificación previa como cualquier otro procedimiento de cambio de conducta. Aquí se presentan seis guías para seguir antes y durante la aplicación de una contingencia grupal.

Elegir una recompensa efectiva

Uno de los aspectos más importantes de una contingencia de grupo es la fuerza del consecuente; debe ser lo suficientemente fuerte como para funcionar como una recompensa efectiva. Se recomienda a los profesionales que usen reforzadores condicionados generalizados o menús de reforzadores siempre que tengan oportunidad. Ambas estrategias individualizan la contingencia, aumentando por lo tanto su potencia, flexibilidad y aplicabilidad.

Determinar la conducta a cambiar y cualquier conducta colateral que pueda ser afectada

Supongamos que se establece una contingencia grupal dependiente en la que una clase recibe diez minutos de tiempo libre extra de forma contingente a la mejora del desempeño académico de un estudiante con discapacidad. Obviamente, el profesor necesitará recopilar datos del desempeño académico del estudiante. Sin embargo, también se pueden recoger datos como el número de interacciones positivas entre el estudiante y sus compañeros de clase dentro y fuera del aula. Un beneficio adicional de usar una contingencia grupal puede ser la atención positiva y los ánimos que este

Tabla 26.2 Componentes del juego de buena conducta y el juego del buen estudiante.

Componente	Juego de buena conducta	Juego del buen estudiante
Organización	Los estudiantes juegan en grupos.	Los estudiantes juegan en equipos o como individuos.
Control	El maestro monitoriza y registra la conducta.	Los estudiantes controlan y registran su propia conducta.
Conducta objetivo	Las conductas son clasificadas como acordes con las reglas o en contra de las reglas.	Se describen las conductas de seguimiento de reglas.
Registro	El maestro registra incidentes de ruptura de reglas cuando estos ocurren.	Los estudiantes registran la conducta de seguimiento de reglas de acuerdo a un programa de intervalo variable.
Sistema de reforzamiento	Positivo.	Positivo.
Criterio de reforzamiento	Los equipos no deben superar un número preestablecido de transgresiones de las reglas.	Los grupos o individuos alcanzan o exceden un porcentaje preestablecido de conductas de seguimiento de reglas.
Entrega del reforzador	Dependiente del desempeño del grupo.	Dependiente del individuo o del desempeño del equipo.
Retroalimentación	El maestro aporta retroalimentación cuando las transgresiones de las reglas ocurren.	El maestro da retroalimentación a intervalos. Se felicita y anima al estudiante durante el juego a modo de reforzamiento social.

Extraído de "The Good Student Game: Behavior Management for Diverse Classrooms" by A. E. Babyak, G. J. Luze, and D. M. Kamps, 2000, *Intervention in School and Clinic, 35* (2), pág. 217. Copyright © 2000 de PRO ED, Inc. Reimpreso con permiso.

estudiante con discapacidad recibirá de sus compañeros de clase.

Establecer criterios de ejecución adecuados

Si se usa una contingencia grupal, las personas a las que se les va a aplicar deben tener las habilidades que son requisitos para ejecutar las conductas especificadas. De cualquier otra manera, no serán capaces de alcanzar el criterio y podrán ser sometidos a ridículo público o abuso (Stolz, 1978).

De acuerdo con Hamblin, Hathaway, y Wodarsky (1971), los criterios para una contingencia de grupo pueden establecerse usando el nivel de desempeño más alto, más bajo o promedio dentro del grupo como baremo. En una contingencia grupal en la que se use el nivel promedio de desempeño, la media de desempeño se obtiene, y el reforzamiento se hace contingente con la consecución de esa puntuación media o una puntuación más alta. Si la puntuación media para un ejercicio de matemáticas era de 20 problemas resueltos correctamente, una puntuación de 20 o más supondría que se ha ganado la recompensa. En una contingencia grupal en la que se use el nivel más alto, la puntuación más alta es la que determina la recompensa. Si la puntuación más alta en un ejercicio de ortografía es de 95%, solo lo estudiantes que alcancen una puntuación de 95% recibirían la recompensa. En una contingencia grupal que use el nivel más bajo, la puntuación más baja determina el reforzamiento . Si la puntuación más baja en un trabajo de ciencias sociales fuera un 5, los estudiantes que obtuvieran un 5 o una puntuación más alta obtendrían el reforzador.

Hamblin et al. (1971) indicaron que se pueden conseguir efectos distintos con estas contingencias basadas en el desempeño. Sus datos muestran que los estudiantes más lentos funcionan peor bajo una contingencia que use el nivel más alto como baremo, mientras que es el modo en el que los estudiantes más brillantes funcionan mejor. Los datos de Hamblin et al. sugieren que una contingencia grupal puede ser efectiva para mejorar una conducta, pero que debe aplicarse sabiendo que su efectividad puede ser diferente para unos miembros del grupo que para otros.

Combinar con otros procedimientos cuando sea apropiado

De acuerdo con LaRowe, Tucker y McGuire (1980), una contingencia grupal puede ser usada por sí sola o en combinación con otros procedimientos para cambiar de forma sistemática el desempeño. El estudio de LaRowe et al. se diseñó para reducir los niveles de ruido en el comedor de una escuela primaria; sus datos sugieren que el reforzamiento diferencial de tasas bajas puede incorporarse fácilmente en una contingencia grupal. En situaciones en las que se quiera aumentar el nivel de desempeño grupal, podría utilizarse, sin embargo, el reforzamiento diferencial de tasas altas. Sea con el reforzamiento de tasas bajas o de tasas altas, el uso de un criterio cambiante puede facilitar el análisis de los efectos del tratamiento.

Seleccionar la contingencia grupal más apropiada

La selección de una contingencia grupal concreta debe estar basada en los objetivos programáticos generales del técnico, los padres (cuando sea aplicable) y los participantes siempre que sea posible. Por ejemplo, si se diseña una contingencia grupal para mejorar la conducta de una persona o grupo pequeño de individuos, tal vez debería emplearse una contingencia grupal dependiente. Si el profesional quiere reforzar de forma diferencial la conducta apropiada, debería considerar el uso de una contingencia grupal independiente. Pero si el profesional quiere que cada individuo dentro de un grupo alcance un nivel concreto de desempeño, entonces debería elegir una contingencia grupal interdependiente. Independientemente de qué tipo de contingencia grupal se use, deben ser tenidos en cuenta las cuestiones éticas que se discuten en el Capítulo 29.

Monitorizar el desempeño individual y grupal

Con una contingencia grupal, los profesionales deben observar tanto el desempeño individual como el grupal. A veces el desempeño del grupo mejora, pero algunos miembros del grupo no, o al menos no tan rápido. Algunos miembros del grupo pueden incluso intentar sabotear la contingencia grupal, impidiendo que el grupo consiga el reforzador. En esos casos, se deben preparar contingencias individuales para los saboteadores, en combinación con la contingencia grupal.

Resumen

Contratos de Contingencias

1. Un contrato de contingencias, también llamado contrato conductual, es un documento que especifica una relación de contingencia entre la realización de una conducta determinado y el acceso a o la entrega de una recompensa específica como tiempo libre, una nota positiva o el acceso a una actividad deseada.
2. Todos los contratos tienen tres partes principales: una descripción de la tarea, una descripción de la recompensa, y un registro de la tarea. En la parte correspondiente a la tarea, debe especificarse quién, qué, cuándo y cómo de bien. En la parte correspondiente a la recompensa, debe especificarse quién, qué, cuándo y cuánto. El registro de la tarea proporciona un lugar para registrar el progreso del contrato y dar reforzadores intermedios.
3. Aplicar un contrato implica una intervención compleja de contingencias de reforzamiento positivo y negativo y conducta gobernada por reglas que funcionan tanto de manera independiente como conjunta.
4. Los contratos se han usado ampliamente en las aulas, en casa y en entornos clínicos.
5. También se han usado los contratos para enseñar habilidades de autogestión a niños.
6. Un autocontrato es un contrato de contingencias que un individuo hace consigo mismo, incorporando una tarea y recompensa seleccionada por él mismo, además de una automonitorización de la ejecución de la tarea y la auto-entrega de la recompensa.

Economías de fichas

7. Una economía de fichas es un sistema de cambio de conducta que consta de tres componentes principales: (a) una lista específica de conductas a reforzar; (b) fichas o puntos que los participantes recibirán por emitir las conductas especificadas; (c) un menú de objetos o actividades, privilegios y reforzadores intercambiables entre los cuales los participantes pueden elegir y que obtendrán al intercambiarlos por las fichas que hayan ganado.
8. Las fichas funcionan como reforzadores condicionados generalizados porque han sido emparejados con una amplia variedad de reforzadores intercambiables.
9. Un sistema de niveles es un tipo de economía de fichas en el que los participantes suben o bajan en una jerarquía de niveles de manera contingente a cumplir criterios específicos con respecto a las conductas que se quieren modificar.
10. Hay seis pasos básicos para diseñar una economía de fichas: (1) seleccionar las fichas que servirán como medio de intercambio; (2) identificar las conductas y reglas que serán objetivo de la intervención; (3) seleccionar un menú de reforzadores intercambiables; (4) establecer una tasa de

intercambio; (5) escribir procedimientos que especifiquen cuándo y cómo se dispensarán e intercambiarán las fichas y qué ocurre si no se cumplen los requisitos para ganarlas; y (6) hacer una prueba de campo del sistema antes de aplicarlo a escala completa.

11. Cuando se establece una economía de fichas, se debe decidir cómo comenzar, dirigir, mantener, evaluar y retirar el sistema.

Contingencias grupales

12. Una contingencia grupal es un procedimiento en el que una consecuencia común es contingente con la conducta de un miembro del grupo, de una parte del grupo, o de todos los miembros del grupo.

13. Las contingencias grupales pueden ser independientes, dependientes e interdependientes.

14. Hay seis guías que pueden ayudar a un profesional a aplicar una contingencia grupal: (a) elegir una recompensa potente, (b) determinar la conducta a modificar y cualquier conducta colateral que pueda verse afectada, (c) seleccionar criterios de desempeño apropiados, (d) combinarlas con otros procedimientos cuando sea apropiado, y (f) monitorizar el desempeño grupal e individual.

CAPITULO 27

Promoción de la autonomía personal

Términos Clave

Autocontrol
Autoevaluación
Autoinstrucción
Autorregistro
Desensibilización Sistemática
Práctica masiva
Promoción de la autonomía personal
Reversión del hábito

Behavior Analyst Certification Board® BCBA®, BCBA-D®, BCaBA®, RBT® Lista de tareas para analistas de conducta (cuarta edición).

F.	Sistemas de Cambio de Conducta
F - 01	Uso de estrategias de promoción de la autonomía personal.

Raquel solía ser muy olvidadiza, a menudo no conseguía hacer las cosas que necesitaba y quería hacer. ¡Estaba siempre tan ocupada! Pero Raquel está empezando a comprender la vida tan frenética que lleva. Por ejemplo, esta mañana una nota pegada en la puerta de su armario ropero le recordó ponerse el traje gris para su comida de trabajo. Una nota en el frigorífico le ayudó a llevarse al trabajo su informe de ventas terminado, y cuando Raquel entró en su coche –con el informe de ventas en mano e impecablemente vestida con su traje gris– y se sentó en el libro prestado de la biblioteca que había puesto en el asiento del conductor la noche anterior, tenía muchas posibilidades de devolverlo ese día evitando así otra penalización por retraso.

Ha pasado casi un año desde que Daniel recogiera el último dato para su Tesis de final de Maestría. Es un estudio bien elaborado sobre un tema que Daniel disfruta y considera importante, pero se está esforzando sobremanera para conseguir redactarla. Aunque sabe que si fuera capaz de sentarse y escribir durante una hora o dos al día conseguiría terminarla, la cantidad y la dificultad de la tarea resultan abrumadoras. Daniel desearía que su habilidad para sentarse y escribir fuera la mitad de buena que su habilidad para evitar esas conductas.

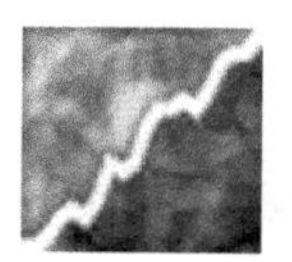

"Algunas personas [gestionan su conducta] con frecuencia y bien, otras no lo hacen casi nunca y de manera pésima" (Epstein, 1997a p. 547). Raquel ha descubierto recientemente el uso de procedimientos de promoción de la autonomía personal[1] –comportarse para alterar la ocurrencia de otros comportamientos que quiere controlar– y se siente como si estuviera tocando el cielo con las manos. Daniel, que necesita desesperadamente un poco de estos procedimientos de promoción de autonomía personal también, se siente peor cada semana que pasa. Este capítulo define la promoción de la autonomía personal, identifica los usos de la misma y los beneficios de enseñar y aprender habilidades de promoción de la autonomía personal, también describe diversas estrategias de promoción de la autonomía personal y ofrece pautas para llevar a cabo con éxito un programa de promoción de la autonomía personal. Empezaremos con una discusión del papel de *uno mismo* como controlador de la conducta.

[1] N. del T.: El termino alude, como perífrasis aproximada, al original *self-management*, término de difícil traducción si se desea evitar un neologismo o barbarismo.

"Uno mismo" como controlador de la conducta

Un precepto fundamental del conductismo radical es que las causas de la conducta se encuentran en el ambiente (Skinner, 1974). A lo largo de la evolución de la especie humana, las variables causales seleccionadas por las contingencias de supervivencia se han transmitido a través del legado genético. Otras causas de la conducta pueden encontrarse en las contingencias de reforzamiento que describe la conducta –interacciones ambientales durante la vida de un individuo. Entonces, ¿qué papel juega uno mismo, si es que juega alguno?

Locus de control: causas internas o externas de la conducta

Los eventos según van apareciendo son, aparentemente, las causas próximas de algunas conductas para quien las observa. Una madre toma en brazos y acuna a su bebé que llora, y el bebé deja de llorar. Un trabajador en una autopista se aleja de un salto de la carretera cuando ve un coche que se aproxima rápidamente sin respetar las señales de advertencia para disminuir la velocidad. Un pescador lanza el cebo hacia el lugar donde la anterior vez que lo lanzó consiguió que el pez mordiese el anzuelo. Un analista de conducta probablemente sugerirá que las contingencias de escape, evitación y reforzamiento positivo son las involucradas en estos eventos, respectivamente. Aunque alguien alejado del conductismo podría ofrecer una explicación mentalista por la cual las personas de cada supuesto respondieron de la manera que lo hicieron (p.ej., el llanto del bebé disparó el instinto maternal de la madre), la mayoría de las personas, sin tener en cuenta su formación y orientación teórica, tanto profesionales como legos en la materia, identificarían los mismos eventos antecedentes –un bebé que llora, un coche que se aproxima rápidamente, un pez que muerde el anzuelo– como variables funcionales en los tres supuestos. Un análisis de los tres episodios revelaría casi con total certeza que los eventos inmediatamente anteriores tenían roles funcionales –el bebé que llora y el coche que se aproxima rápidamente como operaciones motivadoras que evocaron respuestas de escape o evitación; el pez que muerde el anzuelo como un poderoso reforzador.

Pero gran parte de la conducta humana no sigue de manera inmediata a eventos antecedentes relacionados de manera tan obvia. Sin embargo, los humanos tenemos una larga historia asignando un papel causal a los eventos que preceden la conducta de manera inmediata.

Como Skinner (1974) mencionó, "Tendemos a decir, a menudo precipitadamente, que si una cosa sigue a otra, fue probablemente causada por ésta –siguiendo el antiguo precepto de *post hoc, ergo propter hoc* (después de esto, entonces, a consecuencia de esto)" (pág.7). Cuando las variables causales no son evidentes de forma inmediata en entorno, la tendencia a apuntar a causas internas de la conducta es particularmente fuerte. Como Skinner explicó:

> La persona que mejor conoce un individuo es a sí mismo; muchas de las cosas que observamos justo antes de comportarnos ocurren dentro de nuestro cuerpo, y es fácil tomarlas como causas de nuestra conducta.... Los sentimientos ocurren justo en el momento preciso para servir como causas [aparentes] de la conducta y han sido citados como tal durante siglos. Asumimos que otras personas se sienten como nosotros nos sentimos cuando se comportan como nosotros nos comportamos. (pág. 7, 8)

¿Por qué un estudiante universitario mantiene un horario de estudio desde la primera semana del semestre mientras sus compañeros de piso están saliendo de fiesta noche tras noche? Cuando un grupo de personas se apunta a un programa para perder de peso o para dejar de fumar en el cual a cada miembro del grupo se le somete a la misma intervención, ¿por qué algunos consiguen sus objetivos autoimpuestos pero otros no? ¿Por qué un jugador de baloncesto de instituto con habilidades físicas limitadas alcanza de manera consistente mejores resultados que sus compañeros de equipo con mayores dones atléticos? Del estudiante aplicado se diría que tiene más fuerza de voluntad que sus amigos menos estudiosos; de los miembros del grupo que perdieron peso o que dejaron de fumar se pensaría que tenían más ganas de conseguirlo que aquellos que no alcanzaron sus objetivos o que dejaron el programa; del atleta que juega mejor se consideraría que sus resultados se deben a que está excepcionalmente motivado. Aunque algunas teorías psicológicas aseguran un papel causal a constructos hipotéticos tales como la *fuerza de voluntad,* el *impulso,* o *la motivación*, estas falacias explicativas conducen a un razonamiento circular y no nos acercan a comprender las conductas que aseguran poder explicar[2].

La conceptualización de dos respuestas de Skinner sobre el autocontrol

Skinner fue el primero en aplicar la filosofía y la teoría del conductismo radical a acciones que tradicionalmente se consideraba que eran controladas por uno mismo. En su manual clásico, *Ciencia y Conducta Humana*, Skinner (1953) dedicó un capítulo al autocontrol.

> Cuando un hombre se autocontrola, decide realizar una acción determinada, piensa en solución de un problema, o se esfuerza por aumentar el conocimiento de sí mismo, está emitiendo conducta. Se controla a sí mismo exactamente igual que controlaría la conducta de cualquier otra persona mediante la manipulación de las variables de las cuales la conducta es función (págs. 228-229)

Skinner (1953) continuó conceptualizando el **autocontrol** como un fenómeno de dos respuestas:

> Una respuesta, la *respuesta controladora,* afecta a las variables de manera que cambia la probabilidad de la otra, la *respuesta controlada.* La respuesta controladora puede manipular cualquiera de las variables de las cuales la respuesta controlada es función; existen, por tanto, muchas formas de autocontrol eficaz. (pág. 231)

Skinner (1953) aportó ejemplos de una gran variedad de técnicas de autocontrol que incluían el uso de contención física (p.ej., darse una palmada en la boca para evitar bostezar en un momento inadecuado), cambio del estímulo antecedente (p.ej., apartar de nuestra vista una caja de golosinas para reducir la sobreingesta), y *hacer algo diferente* (p.ej., para evitar hablar de un tema concreto, elegir un tema de conversación distinto), por nombrar unas cuantas. Desde la lista inicial de técnicas de Skinner, se han descrito diversas taxonomías y catálogos de de estrategias de autocontrol (p.ej., Agran, 1997; Kazdin, 2001; Watson y Tharp, 2007). Todas las técnicas de autocontrol o de promoción de la autonomía personal pueden ser operacionalizadas en términos de dos comportamientos: (a) la conducta objetivo que una persona quiere cambiar (la respuesta controlada de Skinner) y (b) la conducta de promoción de la autonomía personal (la conducta controladora de Skinner) emitida para controlar la conducta objetivo. Por ejemplo, consideremos los ejemplos en la tabla 27.1.

Una definición de la promoción de la autonomía personal

No hay nada místico acerca de la promoción de la autonomía personal[3]. Como muestran los anteriores ejemplos, la promoción de la autonomía personal es simplemente una conducta que la persona emite para

---

[2] Las falacias explicativas y el razonamiento circular son tratados en los capítulos 1 y 11.

[3] Tampoco hay nada de novedoso en la promoción de la autonomía personal. Como Epstein (1997) señaló, muchas de las técnicas de autocontrol planteadas por Skinner fueron descritas por filósofos de la Grecia y Roma clásicas y habían aparecido en las enseñanzas de muchas religiones durante milenios (consultar Bolin y Goldberg, 1979; Shimmel, 1977, 1979).

Tabla 27.1 Ejemplos de conductas de interés y sus conductas de autonomía correspondientes.

Conducta Objetivo	*Conducta de autonomía personal*
• Ahorrar en lugar de gastar dinero en artículos innecesarios	• Contratar un plan de ahorros
• Sacar del garaje la basura y los contenedores de reciclaje a la calle los jueves por la noche para su recogida el viernes por la mañana temprano.	• Después de sacar el coche del garaje para ir al trabajo el jueves por la mañana, colocar la basura y los contenedores de reciclaje en el lugar donde aparcas el coche por la noche.
• Hacer ejercicio en bicicleta estática durante 30 minutos todas las tardes.	• Hacer una tabla de los minutos que dedicas a pedalear y mostrársela a un compañero de trabajo cada mañana.
• Escribir un artículo de 20 páginas.	• (1) Hacer un resumen del artículo y dividirlo en cinco partes de 4 páginas; (2) especificar una fecha límite para cada parte; (3) darle a tu compañero de piso cinco cheques de 10€ escritos a nombre de una organización que te resulte despreciable; (4) en cada fecha límite mostrarle a tu compañero de piso una parte del artículo terminada y entonces, te devolverá uno de los cheques de 10€.

influir en otra conducta. Pero muchas de las respuestas que una persona emite cada día afectan a la frecuencia de otras conductas. Poner pasta dentífrica en un cepillo de dientes hace muy probable que pronto nos cepillemos los dientes. Pero no pensamos en echar pasta dentífrica como un acto de *promoción de la autonomía personal* solo porque altera la frecuencia de cepillarse los dientes. ¿Qué aporta a algunas respuestas el estado especial de promotoras de la autonomía personal?

Se han propuesto numerosas definiciones de autocontrol o de promoción de la autonomía personal, muchas de las cuales son similares a la que ofrecieron Thoresen y Mahoney (1974). Estos autores sugirieron que el autocontrol ocurre cuando en "ausencia relativa" de controles externos inmediatos, una persona emite una respuesta diseñada para controlar otra conducta. Por ejemplo, un hombre muestra autocontrol si cuando está en casa solo y, dicho de otra manera, "libre" para hacer lo que quiera, se abstiene de tomar la cerveza con cacahuetes que toma normalmente y, en cambio, hace ejercicio en su bicicleta estática durante 20 minutos. Según definiciones como la de Thoresen y Mahoney, el autocontrol no está involucrado cuando eventos externos inmediatos y obvios establecen la ocasión, o bien, refuerzan la respuesta controladora. A este hombre no podría reconocérsele autocontrol si su esposa estuviera presente recordándole que come demasiado, elogiándole por hacer ejercicio en la bicicleta y anotando el tiempo que dedica y la distancia que recorre en una gráfica.

Pero, ¿y si el hombre le hubiese pedido a su esposa que le ayudase, le elogiase y llevara un registro del ejercicio que hace? Un problema al conceptualizar el autocontrol como algo que ocurre únicamente en ausencia de *control externo* es que excluye aquellas situaciones en las que la persona diseña y sitúa las contingencias que conllevan control externo para una conducta que desea cambiar. Un problema que se añade al concepto de la *relativa ausencia de controles externos*, es que crea una falsa distinción entre variables controladoras internas y externas cuando, de hecho, todas las variables causales de la conducta residen en último término en el ambiente.

Definiciones de autocontrol como la de Kazadin (2001), "aquellas conductas que una persona realiza para conseguir unos resultados que se ha propuesto ella misma" (pág. 303), son más funcionales para el análisis aplicado de conducta. Con esta definición el autocontrol ocurre siempre que una persona emite de manera intencionada una conducta que cambia el ambiente para modificar otra conducta. El autocontrol se considera *intencionado* en el sentido que una persona etiqueta sus respuestas (o *emite un tacto*) como diseñadas para alcanzar un resultado específico (p.ej., reducir el número de cigarrillos que fuma al día).

Nosotros definimos la **promoción de la autonomía personal** como la aplicación de estrategias de cambio de conducta por uno mismo que produce un cambio deseado en la conducta. Esto incluye eventos de promoción de la autonomía personal que ocurren una sola vez, como cuando Raquel pegaba una nota en la puerta de su armario ropero para recordar ponerse su traje gris al día siguiente, así como programas de cambio de conducta duraderos dirigidos por uno mismo en los cuales alguien planea y aplica una o más contingencias para cambiar su conducta. Es una definición funcional en la cual el cambio deseado en la conducta de interés debe, de hecho, darse para que se demuestre que se ha producido promoción de la autonomía personal.

La promoción de la autonomía personal es un concepto relativo. Un programa de cambio de conducta puede conllevar un pequeño grado de autocontrol o bien, estar totalmente concebido, diseñado y aplicado por la persona interesada. La promoción de la autonomía personal ocurre en un continuo a lo largo del cual la persona interesada controla uno o todos los componentes de un programa de cambio de conducta. Cuando un programa de cambio de conducta es aplicado por una persona (p.ej., un profesor, un terapeuta, un padre) en nombre de otra (p.ej., un estudiante, un cliente, un niño), el agente externo de cambio manipula operaciones motivadoras, organiza estímulos discriminativos, proporciona ayudas a la respuesta, aplica consecuencias diferencialmente, y observa y registra la ocurrencia o no ocurrencia de la conducta de interés. Algún grado de gestión de la autonomía personal estará presente siempre que alguien lleve a cabo (es decir, controle) algún elemento del programa que cambia su conducta.

Es importante reconocer que definir la promoción de la autonomía personal como la aplicación de estrategias de cambio de conducta que resultan en un cambio deseado en la conducta no explica el fenómeno. Nuestra definición de la promoción de la autonomía personal es únicamente descriptiva y, aun así, lo es en un sentido muy amplio. Aunque las estrategias de gestión de la autonomía personal pueden clasificarse según el énfasis que tengan en un componente concreto de la contingencia de tres o cuatro términos, o bien, según su similitud estructural con un principio de la conducta en particular (p.ej., control de estímulo, reforzamiento), es probable que todas las estrategias de promoción de la autonomía personal impliquen múltiples principios de conducta. Por tanto, cuando los investigadores y los profesionales describen estrategias de promoción de la autonomía personal, deberían documentar detalladamente los procedimientos usados. Los analistas de conducta no deben atribuir los efectos de las intervenciones de promoción de la autonomía personal a principios de conducta específicos sin antes haber realizado un análisis experimental que demuestre tales relaciones. Sólo a través de dicha investigación se conseguirá comprender mejor los mecanismos que explican la efectividad de la promoción de la autonomía personal[4].

Terminología: ¿autocontrol o promoción de la autonomía personal?

Aunque *autocontrol* y *promoción de la autonomía* personal se usan de manera intercambiable en la literatura conductual, nosotros recomendamos que el término *promoción de la autonomía personal* se use para referirse a una persona que actúa "de alguna manera *a fin de* cambiar la conducta subsiguiente". (Epstein, 1997, pág. 547, cursivas presentes en el texto original). Tenemos tres razones para hacer esta recomendación. En primer lugar, *autocontrol* es un término *inherentemente confuso* que implica que el control último sobre la conducta recae sobre la persona (Brigham, 1980). Aunque Skinner (1953) reconoció que una persona puede alcanzar control práctico sobre una determinada conducta manipulando las variables que afectan la frecuencia de esta, también argumentó que las propias conductas controladoras son aprendidas a través de las interacciones de la persona con el ambiente.

> Un hombre puede pasar una gran cantidad de tiempo diseñando su propia vida –puede que escoja con gran cuidado las circunstancias en las que vivir, y puede manipular ampliamente su ambiente diario. Tal actividad parece ejemplificar un alto grado de capacidad para decidir las cosas por sí mismo. Pero es también conducta y podemos explicarla en términos de otras variables en el ambiente y en la historia del individuo. Son estas variables las que proporcionan el control definitivo (pág. 240).

En otras palabras, los factores causales para el *autocontrol* (p.ej., conductas controladoras) se encuentran en las experiencias de una persona con el ambiente. Empezando con el ejemplo de una persona poniendo el despertador (conducta controladora) para levantarse a una hora determinada (conducta controlada) y concluyendo con un impactante caso de autocontrol como el del principal personaje en la "Odisea" de Homero, Epstein (1997) describió el origen del autocontrol como sigue a continuación:

> Como se da en todas las operantes, cualquier fenómeno puede haber producido la conducta [controladora] inicialmente: instrucciones, modelado, moldeamiento o procesos generativos (Epstein, 1980, 1996), por mencionar algunos ejemplos. Su ocurrencia puede haber estado mediada verbalmente por una regla generada por uno mismo ("Seguro que me levantaré más temprano si pongo un despertador"), y esa regla puede haber tenido, a su vez, numerosos y diversos orígenes. Ulises hizo que su tripulación le atara al mástil (conducta controladora) para disminuir la probabilidad de que navegase hacia el canto de las sirenas (conducta controlada). Este es un ejemplo elegante de autocontrol pero fue dirigido por completo mediante instrucciones: Circe le había ordenado hacerlo (pág. 547).

En segundo lugar, atribuir la causa de una determinada conducta al autocontrol puede ser una

[4] Ver Brigham (1983); Catania (1975, 1976); Goldiamond (1976); Huges y Lloyd (1993); Kanfer y Karoly (1972); Malott (1984, 1989, 2005a, b) Nelson y Hayes (1981); Newman, Buffington, Hemmes y Rosen (1996); Rachiln (1970, 1974, 1995); y Watson y Tharp (2007) para consultar diversos análisis conceptuales de autocontrol/promoción de la autonomía personal desde una perspectiva conductual.

falacia explicativa. Tal y como Baum (2005) puntualizó, el *autocontrol* "parece sugerir ser capaz de controlar una parte interna de uno mismo [separada] o [que hay] un yo interior que controla la conducta externa. Los analistas de conducta rechazan tales puntos de vista por considerarlos mentalistas. En lugar de eso, se preguntan "¿A qué conducta nos referimos cuando hablamos de *autocontrol*?" (pág. 191). A veces, *uno mismo* es sinónimo de *mente* y "no se aleja de la antigua noción del homúnculo –una persona en nuestro interior que se comporta precisamente de la manera necesaria para explicar la conducta de la persona en la cual reside" (Skinner, 1974, pág. 121).[4]

En tercer lugar, tanto personas no expertas en la materia como investigadores de la conducta usan el término *autocontrol* para referirse a la habilidad de una persona para "demorar la gratificación" (Mischel y Gilligan, 1964). En términos operantes, esta connotación de autocontrol implica emitir una respuesta para alcanzar una recompensa demorada pero mayor o de mejor calidad, en lugar de actuar para conseguir una recompensa inmediata menos valiosa (Schweitzer y Sulzer-Azaroff, 1988)[5]. El uso del mismo término para referirse a una técnica para cambiar la conducta y también para cierto tipo de conducta que puede ser resultado de la aplicación de la técnica es, como poco, confuso y fallido lógicamente. La restricción del uso del término autocontrol para describir un cierto tipo de conducta puede reducir la confusión causada por el uso del término *autocontrol* para nombrar tanto a la variable independiente como a la variable dependiente. En este sentido, el autocontrol puede ser un posible objetivo a conseguir, o bien, el resultado de un programa de cambio de conducta sin tener en cuenta si la conducta es producto de una intervención aplicada por un agente externo o por el sujeto. Por tanto, una persona puede usar procedimientos de autonomía personal para conseguir, entre otras cosas, autocontrol.

Aplicaciones y ventajas de los procedimientos de autonomía personal

En esta sección identificamos cuatro aplicaciones básicas de la promoción de la autonomía personal y explicamos sus numerosas ventajas para usuarios, profesionales y la sociedad en su conjunto.

Aplicaciones de la promoción de la autonomía personal

La promoción de la autonomía personal puede ayudar a que una persona sea más efectiva y eficiente en su vida diaria, a que intercambie malas costumbres por buenas, a que finalice satisfactoriamente tareas difíciles y a que consiga sus metas personales.

La organización de una vida diaria más efectiva y eficiente

Escribirse notas y colocar el libro prestado de la biblioteca en el asiento de su coche como hacía Raquel, son ejemplos de técnicas de promoción de la autonomía personal que pueden usarse para superar los despistes o la falta de organización. La mayoría de la gente usa técnicas de autonomía personal simples tales como hacer una lista de la compra antes de ir al supermercado o escribir listas de tareas como formas de organizar su jornada; pero probablemente pocas personas consideran que estén haciendo "promoción de la autonomía personal". Aunque muchas de las técnicas de promoción de la autonomía personal usadas más frecuentemente pueden considerarse como de sentido común, una persona que conozca los principios básicos de la conducta puede usar esos conocimientos para aplicar en su vida esas técnicas de sentido común de manera más sistemática y consistente.

El abandono de malas costumbres y la adquisición de buenas

Muchas conductas que queremos realizar más a menudo (o menos) y que sabemos que deberíamos (o no deberíamos) realizar están atrapadas en trampas de reforzamiento. Baum (2005) sugirió que la impulsividad, las malas costumbres y la procrastinación son productos de *trampas de reforzamiento* que se dan de manera natural, en las cuales consecuencias inmediatas a pesar de ser menores tienen mayor influencia en nuestra conducta que otros resultados más significativos pero más demorados. Baum hizo esta descripción de una trampa de reforzamiento para la conducta de fumar:

> Actuar impulsivamente lleva a reforzadores pequeños pero relativamente inmediatos. El reforzamiento a corto plazo para fumar reside en los efectos de la nicotina y en reforzadores sociales tales como parecer adulto o

[5] La conducta que no consigue mostrar tal autocontrol se etiqueta a menudo como "impulsiva". Neef y colaboradores (p.ej., Neef, Bicard y Endo, 2001; Neef, Mace y Shade 1993) y Dixon y colaboradores (p.ej., Binder, Dixon y Ghezzi, 2000; Dixon et al., 1998; Dixon, Rehfeldt y Randich, 2003) han desarrollado procedimientos para evaluar la impulsividad y para enseñar autocontrol en el sentido de tolerancia a las recompensas demoradas.

sofisticado. El problema con la conducta impulsiva reside en los efectos nocivos a largo plazo. Puede que pasen meses o años antes de que el mal hábito finalmente pase factura con consecuencias como cáncer, enfermedad cardiaca y enfisema.

La alternativa a la impulsividad, abstenerse de fumar, también lleva consecuencias tanto a corto como a largo plazo. Las consecuencias a corto plazo son aversivas pero relativamente pequeñas y breves: síntomas de la abstinencia (p.ej., dolor de cabeza) y posiblemente malestar social. A largo plazo, en cambio,… la abstención de fumar reduce el riesgo de cáncer, enfermedad cardiaca y enfisema; por último, promueve la salud (págs. 191-192).

Las trampas de reforzamiento son contingencias que tienen una doble cara, ya que operan promoviendo malas costumbres y a la vez funcionan en contra de la selección de la conducta que a largo plazo es más beneficiosa. A pesar de que puede que conozcamos las reglas que describen tales contingencias, es difícil cumplirlas. Malott (1984) describió como reglas débiles aquellas con resultados demorados, graduales o impredecibles. Un ejemplo de una regla difícil de cumplir, una regla débil es: *No debería fumar o puede que algún día desarrolle un cáncer y muera.* Incluso aunque la consecuencia potencial –cáncer y muerte– es grave, está en un futuro lejano y aun así no es segura (todos conocemos a alguien que fumaba dos paquetes de cigarrillos al día desde los 15 años y vivió hasta los 85), lo cual limita su efectividad como consecuencia conductual. Así que la regla *No fume o puede que desarrolle un cáncer* es difícil de cumplir. El efecto maligno de cualquier cigarrillo por sí solo es pequeño, tan pequeño que ni siquiera se nota. El enfisema y el cáncer de pulmón aparezcan probablemente después de años y de miles de caladas. ¿Qué daño hará una calada más?

La promoción de la autonomía personal aporta una estrategia para evitar los efectos nocivos de las trampas de reforzamiento. Una persona puede usar estrategias de promoción de la autonomía personal para planificar consecuencias inmediatas que contrarrestarán las consecuencias que actualmente mantienen la conducta autodestructiva.

La consecución con éxito de tareas difíciles

Los resultados inmediatos que llevan a una persona solo "infinitesimalmente más cerca" de un resultado significativo no controlan la conducta (Malott, 1989, 2005a). Muchos problemas de autonomía personal derivan de resultados que son pequeños pero significativos a medida que se acumulan.

Malott (2005a) argumentó que nuestra conducta es controlada por el resultado de cada respuesta por separado, no por el efecto acumulativo de un gran número de respuestas.

La *contingencia natural* entre una respuesta y su resultado será *inefectiva* si el resultado de cada única respuesta es demasiado pequeño o demasiado improbable, a pesar de que el impacto acumulativo de esos resultados sea significativo. Así que tenemos problemas en gestionar nuestra propia conducta cuando cada ocurrencia de esta solo tenga un resultado insignificante, aunque los resultados de muchas repeticiones de esa conducta sean sumamente significativos, y no tengamos problema en manejar nuestra propia conducta cuando cada ocurrencia de la misma tenga un resultado significativo, aunque este sea enormemente demorado.

La mayoría de las personas obesas en Estados Unidos conocen la regla que describe la contingencia: *Si comes demasiado reiteradamente, tendrás sobrepeso.* El problema es que el conocimiento de la regla del sobrepeso no reprime una ocasión concreta de comerse una copa de helado adornado con nata montada y una cereza, porque comer este postre una sola vez no causará un sobrepeso significativo además de ser delicioso. El conocimiento de esta regla que describe las contingencias naturales ejerce poco control sobre la conducta de comer en exceso.

El resultado de nuestra conducta también necesita ser probable. Muchas personas tienen dificultades para cumplir la regla de ponerse el cinturón de seguridad, a pesar de que podrían tener un accidente de tráfico en el momento en que se incorporaran a la calzada. Incluso aunque entre el hecho de no ponerse el cinturón de seguridad y el accidente podría haber una demora tan pequeña. Sin embargo, si estuviesen conduciendo en una carrera de coches peligrosa o en una demostración de acrobacias, se pondrían siempre el cinturón de seguridad porque la probabilidad de un accidente serio sería bastante alta (págs. 516-517).

De la misma manera que alguien que fuma un cigarrillo más o que come solo una copa de helado más no puede detectar que el cáncer de pulmón o la obesidad es una consecuencia cercana, Daniel, el estudiante de posgrado, no percibe que escribir una frase más le acerque a su meta a largo plazo de terminar su tesis de maestría. Daniel es capaz de escribir una frase más pero, como a muchos de nosotros, a menudo le cuesta ponerse a trabajar y hacerlo a ritmo constante en tareas difíciles donde cada respuesta produce un cambio pequeño o no disminuye de manera evidente tamaño de la tarea que aún queda. En esas circunstancias, Daniel va aplazando la tarea.

La aplicación de promoción de la autonomía personal a este tipo de problemas al desempeñar tareas involucra diseñar y aplicar una o más contingencias artificiales que compitan con las contingencias naturales inefectivas. La contingencia de promoción de la autonomía personal proporciona consecuencias inmediatas o resultados a corto plazo para cada respuesta o para cada pequeño conjunto de respuestas. Estas contingencias artificiales aumentan la frecuencia de las respuestas de interés que, con el tiempo, producen el efecto acumulativo necesario para completar la tarea.

La consecución de metas personales

La gente puede utilizar la promoción de la autonomía personal para conseguir metas personales tales como aprender a tocar un instrumento musical, aprender un idioma, correr un maratón, cumplir un programa de sesiones de yoga diarias (Hammer-Kehoe, 2002), o simplemente dedicar un tiempo a relajarse cada día (Harell, 2002) o a escuchar música agradable (Dams, 2002). Por ejemplo, un estudiante universitario que quería llegar a ser un buen guitarrista usó la promoción de la autonomía personal para aumentar el tiempo que dedicaba a practicar escalas y acordes (Rohn, 2002). Este estudiante pagaba una multa de un dólar a un amigo si no practicaba escalas y acordes cada día antes de irse a la cama según un criterio de número de minutos. El programa de promoción de la autonomía personal de Rohn también incluía varias contingencias basadas en el principio de Premack (ver capítulo 11). Por ejemplo, si practicaba escalas (una conducta de baja frecuencia) durante 10 minutos, entonces podía tocar una canción (una conducta de alta frecuencia).

Ventajas de los procedimientos de autonomía personal

Las personas que aprenden a usar habilidades de promoción de la autonomía personal y los profesionales que las enseñan a sus clientes y estudiantes disfrutan de numerosas ventajas.

La promoción de la autonomía personal puede influenciar en conductas no accesibles a agentes de cambio externos

La promoción de la autonomía personal puede usarse para cambiar conductas con topografías que las hacen inaccesibles a la observación por parte de otras personas. Conductas tales como pensamientos de desconfianza en uno mismo, pensamientos obsesivos y sentimientos depresivos son eventos privados, que puede ser necesario abordar con procedimientos de autonomía personal (p.ej., Kostewicz, Kubina y Cooper, 2000; Kubina, Haertel y Cooper, 1994).

Incluso las conductas de interés observables públicamente no son siempre emitidas en contextos y situaciones accesibles a un agente de cambio externo. A veces la conducta que una persona desea cambiar debe recibir ayudas, ser controlada, monitorizada, evaluada, o reforzada o castigada diariamente o incluso a cada minuto en todas las situaciones y ambientes en los que la persona se encuentra. A pesar de que una persona se involucre en un programa de cambio de conducta planeado y dirigido por otros, los programas más exitosos para dejar de fumar, perder peso, promover el ejercicio y revertir hábitos dependen en gran medida de que los participantes usen procedimientos de promoción de la autonomía personal cuando están fuera del entorno donde se da de tratamiento. Muchas metas de cambio de conducta que reciben los clínicos plantean el mismo reto: ¿Cómo pueden organizarse contingencias efectivas que sigan al cliente en todo momento y a todo lugar? Por ejemplo, las conductas de interés diseñadas para aumentar la autoestima y asertividad de una secretaria pueden ser identificadas y practicadas en el despacho del terapeuta pero la aplicación de una contingencia que opere en su puesto de trabajo, es probable que demande técnicas de promoción de la autonomía personal.

A los agentes externos del cambio a menudo se les escapan casos importantes de la conducta

En la mayoría de los entornos educativos y de tratamiento, particularmente en situaciones de grupos grandes, muchas respuestas importantes pasan desapercibidas para la persona responsable de aplicar los procedimientos de cambio de conducta. Las aulas, por ejemplo, son lugares en los que hay mucha actividad donde las conductas deseables de los estudiantes a menudo son inadvertidas porque el profesor está ocupado con otras tareas y con otros estudiantes. A consecuencia de ello, los estudiantes pierden constantemente oportunidades de responder, o bien responden y no reciben retroalimentación porque, en un sentido conductual, el profesor no estaba presente. Sin embargo, los estudiantes a los que se les ha enseñado a evaluar su propia ejecución y a darse su propia retroalimentación en forma de recompensas administradas por sí mismos, corrección de errores, o solicitud de ayuda (p.ej., Alber y Heward, 2000; Bennett y Cavanaugh, 1998; Olympia, Sheridan, Jenson y Andrews, 1994), no dependen de la dirección y retroalimentación del profesor para cada tarea de aprendizaje.

La promoción de la autonomía personal puede fomentar la generalización y el mantenimiento del cambio de conducta

Un programa de cambio de conducta que (a) continúa después de la finalización del tratamiento, (b) ocurre en entornos significativos o situaciones distintas en las que fue aprendido inicialmente, o (c) se extiende a otras conductas relacionadas tiene generalización (Baer, Wolf y Risley, 1968). Los cambios importantes en la conducta sin tales resultados generalizados deben apoyarse en un tratamiento continuo por tiempo indefinido[6]. En cuanto el estudiante o el cliente no se encuentran en el entorno en el cual adquirieron un cambio de conducta, puede que ya no emitan la respuesta deseada. Ciertos aspectos del ambiente de tratamiento inicial, incluida la persona (profesor, padres…) que administró el programa de tratamiento, pueden haberse convertido en estímulos discriminativos para la conducta aprendida recientemente, lo cual permite a la persona que recibe el aprendizaje discriminar la presencia o ausencia de ciertas contingencias en los distintos entornos. También se obstaculiza la generalización a ambientes donde no se ha dado el entrenamiento cuando las contingencias que existen de manera natural en esos entornos no proporcionan reforzamiento a la conducta de interés.

Tales dificultades para conseguir resultados generalizados pueden superarse si la persona que recibe el aprendizaje tiene habilidades de promoción de la autonomía personal. Baer y Fowler (1984) plantearon y respondieron una pregunta práctica relacionada con el problema de fomentar la generalización y mantenimiento de las habilidades aprendidas de manera reciente.

> ¿Qué agente de cambio de conducta puede acompañar al estudiante a cada clase que necesita, en todo momento, para ayudar y reforzar cada forma deseable de la conducta requerida por su plan de estudios? Es el estudiante en sí mismo quien siempre puede reunir esos requisitos. (pág. 148)

Un pequeño repertorio de habilidades de promoción de la autonomía personal puede controlar muchas conductas

Una persona que aprende a aplicarse unas pocas estrategias de promoción de la autonomía personal puede controlar una gama potencialmente ilimitada de conductas. Por ejemplo, monitorizarse a sí mismo –observando y registrando su propia conducta– ha sido usado para aumentar el comportamiento centrado en la tarea (p.ej., Maag, Reid y Di Gangi, 1993), la productividad de los empleados y el éxito en el trabajo (p.ej., Christian y Poling, 1997) y la independencia (p.ej., Dunlap, Dunlap, Koegel y Koegel, 1991) y para disminuir conductas indeseadas como adicciones o tics (p.ej., Koegel y Koegel, 1991).

[6] La producción de un cambio generalizado en la conducta es un objetivo característico del análisis aplicado de conducta y el objeto de estudio del capítulo 28.

Personas con diversas capacidades pueden aprender habilidades de promoción de la autonomía personal

Personas de un amplio rango de edad y de capacidades cognitivas han usado con éxito estrategias de promoción de la autonomía personal. Alumnos de preescolar (p.ej., Sainato, Strain, Lefebvre y Rapp, 1990; DeHaas-Wagner, 1992), estudiantes de desarrollo típico desde la escuela primaria hasta la secundaria (p.ej., Sweeney, Salva, Cooper y Talbert-Johnson, 1993), estudiantes con dificultades de aprendizaje (p.ej., Harris, 1986), estudiantes con trastornos emocionales y de conducta (p.ej., Gumpel y Shlomit, 2000), niños con autismo (p.ej., Koegel, Koegel, Hurley y Frea, 1992; Newman, Reincke y Meinberg, 2000) y niños y adultos con discapacidad intelectual y otros retrasos en el desarrollo (p.ej., Grossi y Heward, 1998) han usado con éxito la promoción de la autonomía personal. ¡Incluso los profesores universitarios son capaces de usar la promoción de la autonomía personal para mejorar el desempeño de sus tareas (Malott, 2005a)!

Algunas personas tienen una mejor ejecución bajo tareas y criterios de ejecución elegidos por sí mismos

La mayoría de los estudios que han comparado contingencias de reforzamiento elegidas por uno mismo con oras contingencias de reforzamiento han encontrado que bajo ciertas condiciones las contingencias elegidas por uno mismo pueden ser tan efectivas para el mantenimiento de la conducta como las contingencias determinadas por otros (p.ej., Felixbrod y O'Leary, 1973, 1974; Glynn, Thomas y Shee, 1973). Sin embargo, algunos estudios han encontrado que se da un mejor rendimiento cuando las tareas de trabajo y las consecuencias son elegidas por uno mismo (p.ej., Baer, Tishelman, Degler, Osnes y Stokes, 1992; Olympia y col., 1994; Parsons, Reid, Reynolds y Bumgarner, 1990). Por ejemplo, en tres breves experimentos con un único estudiante, Lovitt y Curtiss (1969) encontraron que las recompensas y las contingencias elegidas por los alumnos eran más efectivas que los estándares de ejecución seleccionados por el profesor. En la primera fase del experimento número 1, el sujeto, un niño de 12 años de un aula de educación especial, ganaba una cantidad de minutos de tiempo libre especificados por el profesor según el número de tareas de matemáticas y de lectura que completara correctamente. En la siguiente fase del estudio, se le permitía al estudiante especificar el número de ejercicios necesarios para ganarse cada minuto de tiempo libre. Durante la fase final del estudio las razones de rendimiento académico especificadas por el profesor inicialmente aplicaron de nuevo. La mediana de la tasa de la respuesta académica durante la fase de contingencia elegida por sí mismo era 2,5 respuestas correctas por minuto (tareas de matemáticas y de lectura tomadas conjuntamente), en comparación con las tasas correctas de 1,65 y 1,9 en las dos fases de contingencia elegida por el profesor.

Un experimento realizado por Dickerson y Creedon (1981) en el que emplearon control enyugado (Sidman, 1960/1988) y un diseño experimental de comparación entregrupos con 30 alumnos de segundo y tercer curso de educación primaria, encontraron que cuando los estándares eran seleccionados por los alumnos se daba una mayor producción académica tanto de tareas de lectura como de matemáticas. Ambos estudios, el de Lovitt y Curtiss, y el de Dickerson y Creedon, demostraron que las contingencias de reforzamiento seleccionadas por uno mismo pueden ser más efectivas que las contingencias seleccionadas por el profesor. No obstante, la investigación en esta área también muestra que simplemente dejar que los niños determinen sus propios estándares de rendimiento no garantiza niveles altos del mismo; algunos estudios demuestran que han encontrado que los niños seleccionan estándares demasiado permisivos cuando se les da la oportunidad (Felixbrod y O'Leary, 1973, 1974). Sin embargo, como dato interesante, en un estudio realizado por Olympia y colaboradores (1994) donde los deberes para casa eran gestionados por los estudiantes divididos en grupos, si bien los estudiantes asignados a equipos que podían seleccionar sus propias metas de rendimiento elegían criterios de precisión menos severos que el criterio de exactitud del 90% exigido a los estudiantes que pertenecían a los equipos en los que se trabajaba según las metas elegidas por el profesor, la ejecución general de los equipos en los que las metas eran elegidas por los estudiantes era ligeramente mayor que la de los equipos en los que se trabajaba según las metas elegidas por el profesor. Es necesaria más investigación para determinar las condiciones bajo las cuales los estudiantes elegirán por sí mismos y mantendrán estándares apropiados de desempeño.

Las personas con buenas habilidades de promoción de la autonomía personal contribuyen a que los ambientes grupales sean más eficientes y efectivos

La efectividad y eficacia en conjunto de cualquier grupo de personas que comparten un ambiente de trabajo es limitada cuando hay una única persona como responsable de monitorizar, supervisar y dar retroalimentación de la ejecución de cada miembro del grupo. Cuando los estudiantes, compañeros de equipo, miembros de una banda de música o los empleados, a nivel individual, tienen habilidades de promoción de la autonomía personal que les permiten trabajar sin necesidad de apoyarse en el profesor, el entrenador, el director de la banda, o en el encargado para cada tarea, mejora el desempeño de todo el grupo u organización en conjunto. En el aula, por ejemplo, los profesores, tradicionalmente, tienen asumida toda la responsabilidad de preparar los criterios de rendimiento y los objetivos que los estudiantes deben cumplir, de evaluar el trabajo de sus estudiantes, de aplicar consecuencias según su rendimiento y dirigir su conducta social. Esas funciones requieren un tiempo considerable. En la medida que los estudiantes puedan puntuar su propio trabajo, proporcionarse retroalimentación a sí mismos usando hojas con las soluciones a las tareas o materiales con autocorrección, el profesor se libera y así puede ocuparse de otros aspectos del plan de estudios y llevar a cabo otras labores de enseñanza (Mitchem, Young, West y Benyo, 2001).

Cuando Hall, Delquadri y Harris (1977) llevaron a cabo observaciones en aulas de educación primaria y encontraron niveles bajos de respuesta activa por parte de los estudiantes, conjeturaron que unas tasas más altas de productividad académica podrían ser aversivas para los profesores. A pesar de que hay evidencia considerable que relaciona tasas altas de oportunidades para responder por parte de los estudiantes con el logro académico (p.ej., Ellis, Worthington y Larkin, 2002; Greenwood, Delquadri y Hall, 1984; Heward, 1994), en la mayoría de las aulas en las que se generan más respuestas académicas, el profesor tiene que dedicar más tiempo calificando trabajos como resultado de estas. El tiempo que se ahorra cuando los estudiantes usan técnicas de promoción de la autonomía personal, incluso las más simples, puede ser significativo. En un estudio, en una clase de educación especial con cinco alumnos de primaria, los estudiantes hacían todos problemas de matemáticas que pudiesen durante una sesión de 20 minutos al día (Hundert y Barstone, 1978). Cuando el profesor calificaba las tareas, se necesitaba una media de 50,5 minutos para preparar, llevar la sesión, puntuar y registrar el desempeño de cada estudiante. Cuando los

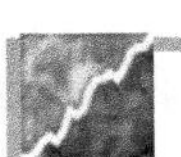

Caja 27.1

Software de promoción de la autonomía personal para niños

KidTools, KidSkills y StrategyTools son programas de software que ayudan a los niños a crear y usar diversas estrategias de promoción de la autonomía personal, habilidades de organización y estrategias de aprendizaje. Los programas permiten a los niños hacerse responsables del cambio y el manejo de sus propias conductas académicas. eKidsTools y eKidsSkills están diseñadas para niños desde los 7 hasta los 10 años; iKidTools y iKidSkills están diseñados para niños de 11 a 14 años; Strategy Tools incluye herramientas mejoradas de promoción de la autonomía personal y de estrategias de aprendizaje, herramientas de planificación de la transición y módulos de autoentrenamiento para estudiantes de secundaria. Los tres programas presentan plantillas fáciles de completar que permiten que los niños sean lo más independientes que sea posible en la identificación de conductas propias o necesidades en su aprendizaje académico, en seleccionar un herramienta de promoción de la autonomía personal que les apoye en la tarea, en el desarrollo de los pasos de su plan personalizado y en la impresión de la herramienta para su uso inmediato en el aula o en casa. El resto de este documento aporta información adicional sobre los programas KidTools y KidSkills.

KidTools

El programa KidTools da apoyo a los niños en sus las habilidades de promoción de la autonomía personal, en hacer planes y en la monitorización y aplicación de planes. KidTools incluye intervenciones de promoción de la autonomía personal de tres tipos o niveles de control. En los tres niveles hay en énfasis en lo que los niños dicen y piensan para sí mismos mientras ejecutan sus planes cambio de conducta.

Puede que sean necesarios procedimientos de *control externo* para establecer el control sobre las conductas problemáticas antes de que el niño cambie a un control compartido o a intervenciones de autocontrol. En estos procedimientos, los adultos proporcionan dirección y estructura para las conductas apropiadas. Las herramientas disponibles en KidTools para este nivel de interacción son tarjetas de puntos.

Las técnicas de *control compartido* suponen un paso de transición para animar al niño a desarrollar autocontrol. Hay un énfasis en la solución de problemas y la capacidad de hacer planes para cambiar o aprender una conducta. El niño y el adulto participan conjuntamente en estos procedimientos. Las herramientas disponibles en KidTools para este nivel de intervención son contratos, tarjetas para hacer un plan y herramientas de planificación para la solución de problemas.

KidSkills

KidSkills ayuda a que los niños tengan éxito en el colegio siendo organizados, completando tareas y usando estrategias de aprendizaje. KidSkills proporciona plantillas realizadas por ordenador para organizarse, aprender materias nuevas, organizar información nueva, prepararse para los exámenes, hacer los deberes y hacer trabajos escolares. Los programas KidSkills son complementarios a los programas KidTools y operan en los mismos términos: selección de herramientas, introducir contenido, mantener un registro y apoyo por parte de adultos.

Recursos para las herramientas y para habilidades

Además de los programas de ordenador para los niños, se aporta una base de datos con información acerca de las herramientas y estrategias para los padres y los profesores que ayuden a los niños con las estrategias de promoción de la autonomía personal y de aprendizaje. Cada base de datos incluye guías y consejos para cada procedimiento, pasos para su aplicación, ejemplos apropiados según la edad de los niños, consejos para solucionar problemas y referencias a recursos relacionados. El usuario puede navegar por la información, volver al menú para seleccionar nuevas estrategias o buscar en la base de datos completa usando la función de búsqueda.

Lógica de KidTools y KidSkills

KidTools y KidSkills alienta a los niños a expresar sus conductas sociales y académicas en términos positivos. Se centra en que emitan conductas positivas y en que tengan éxito más que en detener las conductas negativas y en el fracaso. Por ejemplo, ellos deciden "Usaré mi voz interior" en lugar de recordarles "No se habla voz alta en clase". Se les enseña estrategias de organización y de aprendizaje que pueden usarse en entornos generales y también en entornos especiales. Las herramientas de ordenador sirven como puentes para apoyar a los estudiantes en su comportamiento y en su aprendizaje. Esta forma de tecnología de apoyo funciona porque proporciona instrucción directa así como andamiaje para sustentar el aprendizaje "en el momento adecuado, de la manera adecuada y en el lugar adecuado". Para que estos materiales tengan éxito, primero los profesores o los padres deben instruirles en técnicas de cambio de conducta y de automonitorización. Los niños necesitan entender el concepto de conducta como algo que hacen o piensan, ser capaces de nombrar conductas, comprender cómo monitorizar si las conductas ocurren o no y asumir cierto nivel de responsabilidad sobre sus propias conductas. Los niños necesitan aprender cómo y dónde usar u estrategias organizacionales y de aprendizaje así como a usar técnicas para monitorizarse a sí mismos cuando apliquen las estrategias en distintos entornos.

Cómo ayudar a los niños a usar KidTools y KidSkills

Será necesario enseñar a los niños a usar señales que ellos mismos se digan y a usar habla interna para darse instrucciones a sí mismos. Cada procedimiento de promoción de la autonomía personal en KidTools tiene variaciones que será necesario enseñar, demostrar y practicar con los niños antes de que puedan usarlas de manera independiente. Las estrategias de organización y de aprendizaje en KidSkills son genéricas pero precisan enseñanza, práctica y ayuda del profesor para aplicar las herramientas antes de su uso independiente. Una vez que los niños tengan las habilidades prerrequisitas, el programa de ordenador puede usarse con un mínimo de ayuda del profesor. El apoyo continuado por parte del profesor o de los padres asegurará que el proceso sigue siendo efectivo y positivo para los niños.

Un profesor puede seguir los pasos siguientes para ayudar a los niños a aprender a usar KidTools y KidSkills.

Discusión de las expectativas sobre la tarea y la conducta. El profesor puede usar demandas del entorno o de la tarea para iniciar la discusión acerca de las expectativas. Los estudiantes tienen oportunidad de verbalizar lo que deben hacer para tener éxito e identificar los retos para alcanzar esas expectativas. Los estudiantes deberían ser capaces de realizar las conductas y hacer las tareas antes de usar la herramienta.

Introducción de las herramientas de software. Los programas de herramientas pueden ser presentados a toda la clase usando un ordenador y un proyector. El profesor puede mostrar el menú de herramientas disponible y destacar varias de ellas, incluso cómo navegar por el programa, cómo introducir contenido y cómo guardar e imprimir las herramientas finalizadas.

Modelar y demostrar el uso de las herramientas. En el uso de herramientas seleccionadas previamente para propósitos específicos, el profesor también puede pedir al estudiante que introduzca datos mientras demuestra el funcionamiento del software. Las herramientas finalizadas pueden mostrarse e imprimirse para que los estudiantes dispongan de copias. A continuación, se llevará a cabo una discusión de su uso propiamente dicho.

Proporcionar práctica guiada. El profesor puede guiar y supervisar el desarrollo de las herramientas por parte de los estudiantes mediante el uso de un ordenador en una sala para actividades grupales, o bien en el aula para practicar en grupos pequeños o independientes. Será útil hacer que los estudiantes verbalicen el contenido de su herramienta antes de completarla. La finalidad de este paso de práctica guiada es asegurarse de que el software se usa de manera correcta.

Proporcionar práctica independiente. El profesor puede ayudar a los estudiantes identificar los usos legítimos de las herramientas y darles oportunidades para crearlas y usarlas. Mientras las están usando de manera independiente, los profesores deberían alentar y reforzar el uso de la herramienta por parte de los estudiantes y los buenos resultados en situaciones supervisadas.

Facilitar la generalización. El profesor puede ayudar a que los estudiantes identifiquen las necesidades y usos legítimos de las herramientas en entornos tanto escolares como de casa. Puede contribuir proporcionando ayudas en el uso de la herramienta, en la solución de problemas e informando a otros profesores y a los padres acerca de los procedimientos.

Los programas están disponibles de manera gratuita

Los programas pueden descargarse gratis en la página web de la KTSS y en http://kidtools.missouri.edu para Windows o Macintosh. También se pueden descargar en esta página web módulos de entrenamiento dirigidos a profesores con demostraciones en vídeo, así como materiales de práctica. Los programas KTSS han sido desarrollados, en parte, con fondos de la Oficina de Programas de Educación Especial del Departamento de Educación de Estados Unidos.

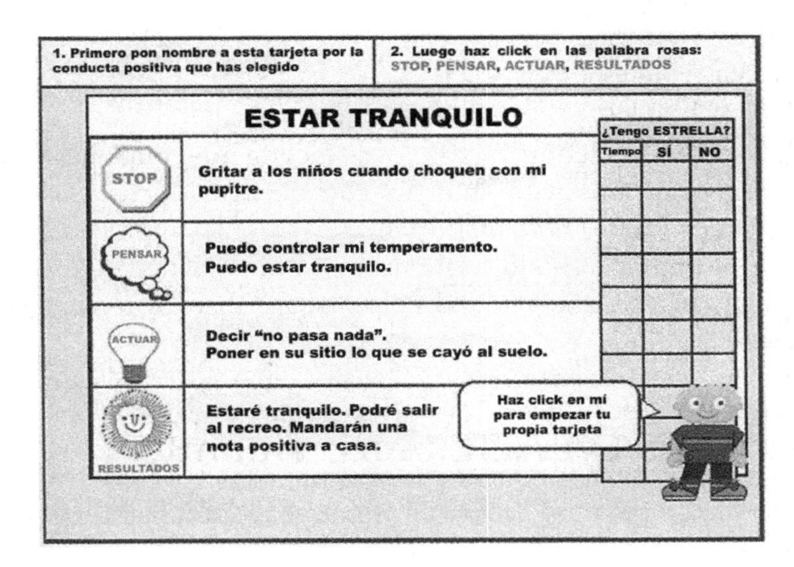

Adaptado de "KidTools y KidSkills: "Self-Management Tools for Children" de Gail Fitzgerald y Kevin Koury, 2006. En *Exceptional Children: An Introduction to Special Education (8ª Ed., págs. 248-250)* de W. L. Heward. Copyright 2006 de Pearson Education. Usado con permiso.

El aprendizaje de habilidades de promoción de la autonomía personal por parte de los estudiantes proporciona práctica significativa en otras áreas del plan de estudios del colegio

Cuando los estudiantes aprenden a definir, medir la conducta y a hacer gráficos, evaluar y analizar sus propias respuestas están practicando de manera relevante diversas habilidades matemáticas y científicas. Cuando se enseña a los estudiantes a llevar a cabo experimentos acerca de sí mismos como el uso de diseños AB para evaluar sus proyectos de promoción de la autonomía personal, reciben practica significativa en el uso del pensamiento lógico y del método científico (Marshall y Heward, 1979; Moxley 1998).

La promoción de la autonomía personal como objetivo final de la educación

Cuando a la mayoría de la gente –tanto a educadores, como a personas no expertas en la materia– se le pide que identifique qué objetivos educativos deberían alcanzarse para sus estudiantes, su respuesta incluye el desarrollo de personas independientes y autónomas que sean capaces de comportarse de manera apropiada y constructiva sin supervisión. John Dewey (1939), uno de los filósofos de la educación más influyente en Estados Unidos, dijo que "el propósito ideal de la educación es la creación del autocontrol" (pág. 75). La habilidad de un estudiante para ser autónomo, con el profesor como guía o facilitador, y la habilidad para evaluar su propio desempeño han sido consideradas desde hace mucho tiempo ejes fundamentales de la educación humana (Carter, 1993).

Como Lovitt (1973) observó hace más de 30 años, el hecho de que la instrucción sistemática de habilidades de promoción de la autonomía personal *no* sea algo habitual en la mayoría de los planes de estudios de los colegios es una paradoja porque "uno de los objetivos manifiestos del sistema educativo es crear individuos que sean autosuficientes e independientes" (pág. 139).

Aunque el autocontrol es una habilidad social esperada y valorada por la sociedad, rara vez se aborda directamente en el plan de estudios escolar. La enseñanza de promoción de la autonomía personal como una parte integral del plan de estudios precisa que los estudiantes aprendan una secuencia de habilidades bastante sofisticada (p.ej., Marshall y Heward, 1979; McConnell, 1999). Sin embargo, la enseñanza sistemática de habilidades de promoción de la autonomía personal tiene éxito y merece la pena realizar el esfuerzo que requiere; los estudiantes que la aprenden tendrán modos efectivos de manejar situaciones en las cuales haya, en caso de haberlo, muy poco control externo. Hay disponibles materiales y lecciones programadas para ayudar a los alumnos a llegar a ser estudiantes independientes y autónomos (p.ej., Agran, 1997; Daly y Ranalli, 2003; Young, West, Smith y Morgan, 1991). El cuadro 27.1 describe programas de software libres que los niños pueden usar para crear herramientas de promoción de la autonomía personal para su uso tanto en el colegio como en casa.

La promoción de la autonomía personal beneficia a la sociedad

La promoción de la autonomía personal cumple dos importantes funciones en la sociedad (Epstein, 1997). En primer lugar, es más probable que los ciudadanos con habilidades de promoción de la autonomía personal alcancen su potencial y hagan grandes contribuciones a la sociedad. En segundo lugar, la promoción de la autonomía personal ayuda a la gente de manera que se abstengan de reforzadores inmediatos (p.ej., comprando automóviles con bajo consumo de combustible, haciendo uso del transporte público) que correlacionan con resultados devastadores tan lejanos en el tiempo que solo las generaciones futuras los experimentarán (p.ej., agotamiento de recursos naturales y calentamiento global). Las personas que han aprendido técnicas de promoción de la autonomía personal que les ayudan a ahorrar recursos, reciclar y gastar menos combustible fósil ayudan a crear un mundo mejor para todos. Las habilidades de promoción de la autonomía personal pueden aportar los medios para cumplir la regla bien intencionada pero difícil de seguir: *Piensa globalmente pero actúa localmente.*

La promoción de la autonomía personal ayuda a que una persona se sienta libre

Baum (2005) mencionó que las personas atrapadas en trampas de reforzamiento que reconocen la contingencia entre su conducta adictiva, impulsividad o procrastinación y las consecuencias finales que probablemente ocurran como resultado de esa conducta son infelices y no se sienten libres. Sin embargo, "Alguien que escapa de una trampa de reforzamiento, igual que alguien que escapa de una coacción, se siente libre y feliz. Pregúntele a alguien que ha sufrido una adicción" (pág. 193).

Irónicamente, es más probable que se sienta libre una persona que usa con destreza técnicas de promoción de la autonomía personal derivadas de un análisis científico de la conducta y de las relaciones con el ambiente asentado en una asunción de determinismo que alguien que cree que su conducta es producto del libre albedrío. En la discusión sobre la desconexión aparente entre el determinismo filosófico y el autocontrol, Epstein (1997) comparaba a dos personas: una que no tiene habilidades de promoción de la autonomía personal y otra que es muy habilidosa gestionando sus propios asuntos.

> Primero, consideremos al individuo que no tiene autocontrol. Desde el punto de vista de Skinner, esa persona cae presa de los estímulos inmediatos, incluso aquellos relacionados con castigo demorado. Al ver una tarta de chocolate, se la come. Cuando se le ofrece un cigarrillo, se lo fuma... Puede que haga planes pero no es capaz de llevarlos a cabo porque está por completo a merced de los eventos próximos en el tiempo. Es como un barco velero llevado a la deriva por una tormenta...
>
> En el otro extremo, tenemos a una persona habilidosa en cuanto a promoción de su autonomía personal. De la misma manera, esta persona también se fija objetivos pero tiene gran capacidad para conseguirlos; tiene habilidades para apartarse de reforzadores peligrosos; identifica las condiciones que afectan a su conducta y las cambia a conveniencia; cuando establece sus prioridades, tiene en cuenta posibilidades lejanas. El viento sopla pero fija el destino del barco y lo dirige hacia él.
>
> Estos dos individuos son profundamente diferentes. El primero es controlado casi de forma lineal por su ambiente inmediato. El segundo controla su vida de manera trascendente...
>
> La persona que no posee habilidades de autocontrol *se siente controlada*. Puede que crea en el libre albedrío (de hecho, en nuestra cultura, sería una apuesta segura que lo haga) pero su propia vida está fuera de control. La creencia en el libre albedrío únicamente exacerbará su frustración. Puede que sea capaz de tener voluntad para no tomar mermelada pero la "fuerza de voluntad" resulta ser algo en lo que no se puede confiar mucho. Por el contrario, la persona que sí posee habilidades de promoción de la autonomía personal siente que *lleva el control*. Irónicamente, como Skinner, puede creer en el determinismo pero no sólo siente que lleva el control sino que, de hecho, ejerce un control considerablemente mayor sobre su vida que nuestro sujeto impulsivo (pág. 560, cursivas presentes en el original).

La promoción de la autonomía personal sienta bien

Una última razón, pero de ninguna manera menos importante, para aprender promoción de la autonomía personal es que tener el control sobre la vida de un mismo nos hace sentir bien. Una persona que organiza su ambiente de manera intencionada para apoyar y mantener conductas deseables, no solo será más productiva de lo que sería si no lo hiciera sino que también se sentirá bien consigo misma. Seymour (2002) relató sus sentimientos personales acerca de una intervención de promoción de la autonomía personal que se aplicó con el objetivo de correr 30 minutos tres días en semana.

> La culpa que yo había estado experimentando durante los últimos dos años y medio me había estado recomiendo por dentro. [Como una antigua jugadora de softball becada] Yo solía entrenar 3 horas al día (6 días a la semana) porque entrenar era lo que pagaba mis estudios... Pero ahora ya no estaban presentes esas contingencias y había dejado por completo de hacer ejercicio. Desde el comienzo de mi proyecto he salido a correr 15 de las 21 veces, así que he ido desde 0% en la lineabase hasta 71% durante mi intervención. Estoy contenta con eso porque debido al éxito de la intervención, la culpa que yo había sentido durante los pasados dos años y medio ha desaparecido. Tengo más energía y siento mi cuerpo renovado y fuerte. Es impresionante lo que unas pocas contingencias pueden hacer para mejorar la calidad de vida en gran medida. (pág. 7-12).

Estrategias de promoción de la autonomía personal basadas en los antecedentes

En esta y en las tres secciones a continuación describimos algunas de las muchas estrategias de promoción de la autonomía personal que los investigadores y los clínicos conductuales han desarrollado. Si bien no ha surgido un conjunto estándar de etiquetas o un esquema de clasificación, las técnicas se presentan a menudo según el peso relativo que otorgan a los antecedentes o a las consecuencias de la conducta de interés. Una técnica de promoción de la autonomía personal basada en los antecedentes es aquella cuya característica principal es la manipulación de los eventos o los estímulos antecedentes de la conducta de interés (conducta controlada). A menudo se ha agrupado a las aproximaciones a la promoción de la autonomía personal basadas en antecedentes bajo términos generales como *planificación ambiental* (Bellack y Hersen, 1977; Thoresen y Mahoney, 1974) o *inducción situacional* (Martin y Pear, 2003), estas abarcan un amplio rango de estrategias, tales como:

- La manipulación de operaciones motivadoras para realizar una conducta deseada más frecuentemente o bien, una conducta no deseada menos frecuentemente.
- Proporcionar ayudas a la respuesta.

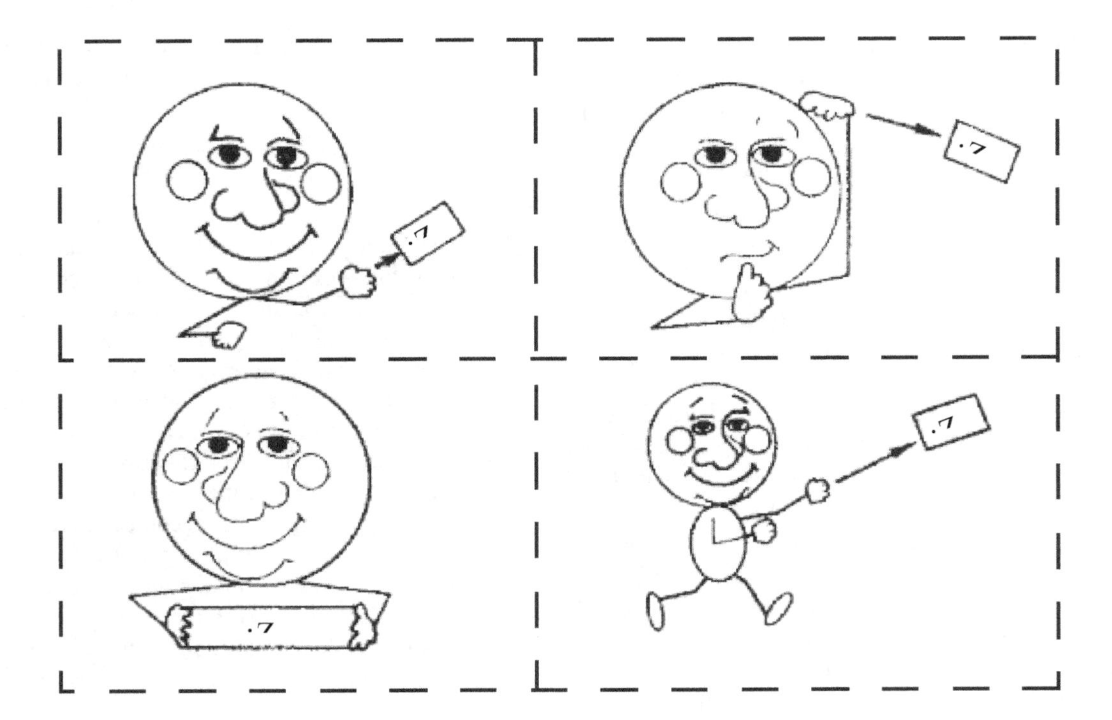

Instrucciones: corte estas pistas ¡ZAS! y colóquelas en lugares visibles por toda su casa tales como la nevera, el espejo del baño, el mando a distancia del televisor y la puerta del dormitorio de su hijo. Cada vez que vea una pista ¡ZAS! esta le recordará hacer una de las conductas de interés que haya elegido.

Figura 27.1 Pistas artificiales usadas por padres para recordarse emitir conductas de crianza elegidas por ellos mismos.

Originalmente desarrollado por Charles Novak. Tomado de *Working with parents of Handicaped Children* de W.L. Heward, J. C. Dardig y A Rossett, 1979, pág. 26, Columbus, OH: Charles E. Merrill. Copyright 1979 de Charles E. Merrill. Reimpreso con permiso.

- El desarrollo de los pasos iniciales de una cadena de conducta para asegurar que más adelante se encuentre el estímulo discriminativo que evocará la conducta deseada.
- La eliminación de los elementos materiales necesarios para una conducta no deseada.
- La limitación de una conducta no deseada a condiciones estimulares restringidas.
- Dedicar un ambiente específico a una conducta deseada.

Manipulación de operaciones motivadoras

Las personas con conocimientos sobre los efectos duales de las operaciones motivadoras pueden usar esas nociones en beneficio propio cuando intenten poner en práctica la promoción de su autonomía personal. Una operación motivadora (OM) es una condición o evento que (a) altera la efectividad como reforzador de un estímulo, objeto o evento y (b) altera la frecuencia actual de todas las conductas que han sido reforzadas por ese estímulo, objeto o evento en el pasado. Una operación motivadora que aumenta la efectividad de un reforzador y que tiene un efecto evocador en conductas que han producido ese reforzador se denomina: operación de establecimiento (OE); una operación motivadora que disminuye la efectividad de un reforzador y que tiene un efecto reductor (p.ej., debilitación) en la frecuencia de las conductas que han producido el reforzador se denomina: operación de abolición (OA)[7].

La estrategia general para incorporar una operación motivadora en una intervención de promoción de la autonomía personal es comportarse de manera (conducta controladora) que se cree un cierto estado de motivación que, a su vez, aumente (o disminuya tal como se desee) la frecuencia posterior de la conducta de interés (conducta controlada). Imagine que ha sido invitado a cenar a casa de alguien conocido por ser un excelente cocinero, le gustaría disfrutar al máximo de lo que

[7] Las operaciones motivadoras se describen con detalle en el capítulo 16.

promete ser una cena especial pero le preocupa no ser capaz de terminarse toda la comida. Saltándose el almuerzo a propósito (conducta controladora), usted estaría creando una operación de establecimiento que incrementaría la probabilidad de ser capaz de disfrutar de la cena desde los aperitivos hasta el postre (conducta controlada).

Por el contrario, comer justo antes de ir a la compra (conducta controladora) podría servir como operación de abolición que disminuya el valor momentáneo como reforzador de la comida precocinada con alto contenido en azúcar y grasa, y resulte en que usted compre menos ese tipo de alimentos en el supermercado (conducta controlada).

Proporcionar ayudas a la respuesta

La creación de estímulos que más adelante funcionen como pistas adicionales y recordatorios para las conductas deseadas es una de las técnicas de promoción de la autonomía personal más simple, más efectiva y más ampliamente aplicada. Las ayudas a la respuesta pueden adquirir una gran variedad de formas (p.ej., visuales, auditivas, textuales, simbólicas), pueden ser permanentes para eventos que ocurren de manera habitual (p.ej., anotar "¡Sacar la basura esta noche!" cada jueves en nuestro calendario o en nuestra agenda electrónica), o pueden ser ayudas puntuales como cuando Raquel escribió "traje gris hoy" en una nota y la pegó en la puerta de su armario ropero, donde era seguro que la vería cuando fuese a vestirse para ir a trabajar por la mañana. Las personas que siguen una dieta para perder peso a menudo ponen fotografías de personas con sobrepeso o quizás incluso fotografías suyas en las que aparecen poco favorecidos en la puerta del frigorífico, cerca del helado, en los armarios de la cocina… en cualquier lugar donde pudieran ir en busca de comida. Ver las fotografías puede evocar otras respuestas controladoras como apartarse de la comida, llamar a un amigo, ir a dar un paseo o señalar un punto en una gráfica llamada "¡No me lo comí!".

El mismo objeto puede usarse como una ayuda a la respuesta de manera genérica para varias conductas, como ponerse una goma elástica en la muñeca a modo de recordatorio para hacer una determinada tarea en otro momento más adelante. Esta forma de ayuda a la respuesta, sin embargo, no será efectiva si la persona no es capaz de recordar más adelante a qué tarea específica tenía intención de ayudar la pista física. Aplicarse alguna autoinstrucción al "ponerse" una ayuda a la respuesta genérica puede ayudar a recordar la tarea que se debe hacer cuando se vea la pista más adelante. Por ejemplo, uno de los autores de este texto usa un pequeño mosquetón al que llama un "memor-ring" a modo de ayuda a la respuesta genérica. Cuando le viene la idea de una tarea importante que sólo puede ser llevada a cabo en otro entorno y en otro momento del día, se cuelga el mosquetón en una trabilla del pantalón o en el asa de su maletín y "activa el "memor-ring" diciéndose a sí mismo tres veces la tarea de interés (p.ej., "sacar de la biblioteca la revista para Natalia", "sacar de la biblioteca la revista para Natalia", "sacar de la biblioteca la revista para Natalia"). Cuando él ve el "memor-ring" en el entorno relevante más adelante, casi siempre funciona como una ayuda a la respuesta efectiva para realizar la tarea de interés.

Las pistas también pueden usarse para ayudar a la ocurrencia de una conducta que la persona quiere repetir en diversos entornos y situaciones. En este caso, la persona puede rodear su entorno con ayudas a la respuesta adicionales. Por ejemplo, un padre que quiere incrementar el número de veces que interactúa y hace elogios a sus hijos puede poner pistas ¡ZAS! como las que se muestran en la figura 27.1 en varios lugares por toda la casa donde pueda verlos de manera rutinaria –en el microondas, en el mando a distancia del televisor, como marcapáginas–. Cada vez que vea una pista ¡ZAS!, esta le recordará hacer un comentario o pregunta a su hijo o buscar alguna conducta adecuada a la que prestar atención y elogiar.

Otras personas también pueden aportar ayudas a la respuesta adicionales. Por ejemplo, Watson y Tharp (2007) describieron un procedimiento de promoción de la autonomía personal usado por un hombre que había permanecido sin fumar alrededor de dos meses y quería dejar de fumar de manera definitiva.

> Lo había dejado durante varia temporadas en el pasado pero cada vez había vuelto a fumar. En esta ocasión había tenido éxito porque había identificado las situaciones en las que había recaído en el pasado y había tomado medidas para lidiar con ellas. Una de las situaciones problemáticas era estar en una fiesta. Las bebidas, el ambiente de fiesta y la sensación de relajación representaban una tentación irresistible de "fumar solo un poco", aunque en el pasado esto conllevaba a volver a fumar asiduamente. Una noche, cuando este hombre y su esposa se estaban preparando para ir a una fiesta, dijo: "¿Sabes? Estoy seguro de que voy a tener la tentación de fumar allí, ¿me harás un favor? Si me ves gorronearle un cigarrillo a alguien, recuérdame lo mucho que los niños quieren que yo no fume" (págs. 153-154).

El desarrollo de los pasos iniciales de una cadena de conducta

Otra técnica de promoción de la autonomía personal caracterizada por la manipulación de los eventos antecedentes implica comportarse de manera que esté asegurada la confrontación con un E^D, en un momento posterior, que evoque la conducta de interés de manera fiable. Aunque la conducta operante está seleccionada y mantenida por sus consecuencias, la ocurrencia de muchas conductas puede controlarse a cada momento mediante la presentación o la retirada de estímulos discriminativos.

Una técnica de promoción de la autonomía personal más directa que la de añadir ayudas a la respuesta es comportarse de manera que tu conducta futura tome contacto con un potente estímulo discriminativo par la conducta deseada. Muchas tareas consisten en cadenas de respuestas. Cada respuesta en una cadena de conducta produce un cambio en el ambiente que sirve tanto como reforzador condicionado para la respuesta que lo precede como un E^D para la próxima respuesta en la cadena (consulte el capítulo 20). Cada respuesta en una cadena de conducta debe ocurrir de manera fiable en presencia del estímulo discriminativo con el que está relacionada para que la cadena se complete satisfactoriamente. Llevando a cabo en un momento dado parte de una cadena de conducta (la respuesta de promoción de la autonomía personal), una persona ha cambiado su ambiente de manera que se encontrará en un momento posterior con un estímulo discriminativo que evocará la próxima respuesta en la cadena y le llevará a completar la tarea (la respuesta que ha sido sometida a promoción de la autonomía personal). Skinner (1938b) dio un ejemplo excelente de esta técnica:

> Diez minutos antes de que salga de su casa para pasar la jornada fuera, oye la predicción meteorológica: lloverá antes de que vuelva. Se le ocurre llevarse un paraguas (la frase significa de manera bastante literal lo que afirma: la conducta de llevarse un paraguas le ocurre a usted) pero no está aun preparado para ejecutarla. Diez minutos después sale sin el paraguas. Puede solucionar este tipo de problema ejecutando tanto como sea posible la conducta cuando esta se le ocurre. Colgar el paraguas en el pomo de la puerta, o ponerlo en el asa de su maletín, o de cualquier otro modo que inicie el proceso de llevarlo consigo. (pág. 240)

La eliminación de los elementos materiales necesarios para una conducta no deseada

Otra técnica de promoción de la autonomía personal basada en la manipulación de los antecedentes es alterar el ambiente de manera que una conducta no deseada sea menos probable o, mejor aún, imposible de ser emitida. El fumador que se deshace sus cigarrillos, la persona que sigue una dieta para perder peso que saca de su casa, de su coche y de su oficina todas las galletas y patatas fritas tienen, al menos por el momento, controlada de manera efectiva su conducta de fumar y de comer comida basura. Aunque serán necesarios otros esfuerzos de promoción de su autonomía personal para abstenerse de buscar y volver a obtener el material perjudicial (p.ej., el exfumador que le pide a su esposa que le dé ayudas a la respuesta si lo ve pidiendo cigarrillos en una fiesta), deshacerse de los elementos materiales necesarios para involucrarse en una conducta no deseada es un buen comienzo.

La limitación de una conducta no deseada a condiciones estimulares restringidas

Una persona puede ser capaz de disminuir la frecuencia de una conducta no deseada mediante la limitación de la configuración o de las condiciones estimulares bajo las cuales se involucra en la conducta. La conducta de interés ocurrirá con menos frecuencia hasta el punto en que la situación restringida adquiera control de estímulo y el acceso a la situación sea infrecuente o, en su defecto, no reforzante. Imagine un hombre que de manera habitual se toca y se rasca la cara (él es consciente de este hábito porque su esposa se lo recuerda de manera insistente y le pide que deje de hacerlo). Haciendo un esfuerzo para disminuir la frecuencia con que se toca la cara, este hombre decide hacer dos cosas. En primer lugar, en cuanto se dé cuenta de que se está tocando la cara, dejará de hacerlo; en segundo lugar, puede ir al baño en cualquier momento y frotarse y tocarse la cara cuanto quiera allí.

Nolan (1968) informó acerca del caso de una mujer que usó condiciones estimulares restringidas en un esfuerzo para dejar de fumar. La mujer observó que fumaba más a menudo cuando había gente alrededor o cuando veía la televisión, leía o cuando se tumbaba para relajarse. Se decidió que fumaría únicamente en un lugar estipulado y que eliminaría de ese lugar los efectos potencialmente reforzantes de otras actividades. Ella misma designó una silla concreta como su "silla de fumar" y la colocó de manera que no podía ver la televisión o participar fácilmente en una conversación mientras estaba sentada allí. Les pidió a otros miembros de la familia que no se le acercaran para conversar mientras estaba en su silla de fumar. Siguió el procedimiento fielmente y la conducta de fumar disminuyó desde una lineabase media de 30 cigarrillos al día hasta 12 cigarrillos al día. Nueve días después de empezar el programa, esta mujer decidió intentar reducir la cantidad de cigarrillos aun más haciendo menos accesible su silla de fumar. Puso la silla en el sótano y pasó a fumar cinco cigarrillos al día. Un mes después de comenzar el programa de la silla de fumar, había dejado de fumar totalmente.

Dedicar un ambiente específico a una conducta deseada

Una persona puede alcanzar cierto grado de control de estímulo sobre una conducta que requiera diligencia y concentración reservando o creando un entorno en el que se dedicará exclusivamente a realizar tal conducta. Por ejemplo, los estudiantes mejoran sus hábitos de estudio y los profesores su productividad escolar cuando seleccionan un lugar específico para estudiar, libre de otras distracciones, así mismo, en ese lugar no se distraen en otras conductas como soñar despiertos o escribir cartas (Goldiamond, 1965). Skinner (1981b) sugirió este tipo de estrategia de control de estímulo cuando ofreció el siguiente consejo a aspirantes a convertirse en escritores:

> Las condiciones en las cuales ocurre la conducta son igualmente importantes. Un lugar conveniente es importante. Debería tener todos los elementos necesarios para escribir. Bolígrafos, máquinas de escribir, grabadoras, archivadores, libros, un escritorio una silla cómodos... Puesto que el lugar debe tomar el control de un tipo particular de conducta, usted no debería hacer allí nada distinto en ningún momento (pág. 2).

Las personas que no disponen del lujo de dedicar un determinado ambiente a una única actividad pueden crear una configuración estimular especial que puede convertirse y reconvertirse en un entorno para múltiples usos, como en el ejemplo que exponen Watson y Tharp (2007):

> Un hombre tenía en su habitación una sola mesa que tenía que usar para diversas actividades, tales como escribir cartas, pagar las facturas, ver la televisión y comer. Pero cuando quería concentrarse para estudiar o escribir, siempre separaba la mesa de la pared y se sentaba en el otro extremo de esta. De ese modo, sentarse en el otro extremo de la mesa se convirtió en la pista asociada únicamente con trabajo intelectual en estado de concentración (pág. 150).

La mayoría de los estudiantes tienen un solo ordenador que usan para sus escritos académicos y sus trabajos intelectuales pero también para realizar tareas administrativas, escribir y leer correos electrónicos personales, gestionar asuntos familiares, jugar, hacer compras y navegar por Internet, etc. De forma similar al hombre que se sentó en el extremo opuesto de la mesa, una persona podría poner un fondo de pantalla particular en el escritorio del ordenador que señale que solo se debe hacer trabajo académico o intelectual en el ordenador. Por ejemplo, cuando un estudiante se siente a estudiar o a escribir, puede cambiar el fondo de pantalla habitual del escritorio de su ordenador, digamos por ejemplo, una foto de su perro por un fondo de pantalla verde liso. El escritorio verde señaliza que solo se hará trabajo intelectual. Con el paso del tiempo el escritorio de "trabajo intelectual" puede adquirir cierto grado de control de estímulo sobre la conducta deseada. Si el estudiante quiere parar de trabajar y hacer algo distinto en el ordenador, primero debe cambiar el fondo de escritorio. Hacer eso antes de haber cumplido su tiempo de estudio o antes de haber alcanzado su objetivo de rendimiento para una sesión de trabajo puede generar algo de culpa, de la que puede escapar volviendo al trabajo.

Esta técnica también puede usarse para aumentar una conducta deseada que no se está emitiendo en una tasa aceptable debido a conductas competidoras no deseadas. En un caso, un adulto con insomnio decía irse a la cama alrededor de medianoche pero no dormirse hasta las 3:00 o las 4:00 AM. En lugar de quedarse dormido, este hombre solía tener preocupaciones acerca de diversos cotidianos mundanos y encendía el televisor. El tratamiento consistió en dar instrucciones al hombre de irse a la cama cuando estuviera cansado pero de no quedarse en la cama si no conseguía dormir. Si quería pensar en sus problemas o ver la televisión, podía hacerlo pero tenía que salir de la cama e irse a otra habitación. Cuando tenía sueño de nuevo, debía volver a la cama e intentar dormir. En caso de que aun no pudiera dormir, debía salir del dormitorio otra vez. El hombre informó de que durante los primeros días del programa se levantaba de la cama cuatro ó cinco veces cada noche, pero en dos semanas fue capaz de irse a la cama, no salir de ella y dormir.

Automonitorización

La automonitorización ha sido la materia sujeta a más investigación y con más aplicaciones clínicas que cualquier otra estrategia de promoción de la autonomía personal. **La automonitorización** (también llamada autorregistro o autobservación) es un procedimiento a través del cual una persona observa su conducta de manera sistemática y registra la ocurrencia o no ocurrencia de una conducta de interés. En su origen, fue concebido como un método de evaluación clínica para recoger datos de conductas que sólo el cliente podía observar y registrar (p.ej., comer, fumar, morderse las uñas), la automonitorización se convirtió rápidamente por méritos propios en una importante intervención terapéutica debido a los efectos reactivos que a menudo produce. Como se discute en los capítulos 3 y 4, *reactividad* se refiere al efecto producido por la evaluación o el procedimiento de medida en la conducta de una persona. En general, cuanto más intrusivo sea un método de observación y medida, mayor será la probabilidad de que se dé reactividad (Haynes y Horn, 1982; Kazdin, 2001). Cuando la persona que observa y registra la conducta de interés es el sujeto del programa de conducta, se da la máxima intrusividad y la reactividad es muy probable.

Aunque la reactividad causada por el sistema de medición de un investigador representa variabilidad no controlada en un estudio y debe ser minimizada lo máximo posible, los efectos reactivos de la automonitorización son normalmente bien recibidos desde una perspectiva clínica. La automonitorización no sólo cambia la conducta sino que además el cambio se da normalmente en la dirección deseada a nivel educativo o terapéutico (Hayes y Cavior, 1977, 1980; Kirby, Fowler y Baer, 1991; Malesky, 1974).

Los terapeutas de conducta han usado la automonitorización con clientes adultos para reducir la ingesta excesiva, para disminuir la conducta de fumar (Lipinski, Black, Nelson y Ciminero, 1975; McFall, 1977) y para dejar de morderse las uñas (Maletzky, 1974). La automonitorización ha ayudado a estudiantes con y sin discapacidad a mantenerse en las tareas de clase con más frecuencia (Blick y Test, 1987; Kneedler y Hallahan, 1981; Wood, Murdock, Cronin, Dawson y Kirby, 1998), a disminuir la conducta de hablar en clase sin permiso del profesor, y la agresión (Gumpel y Shlomit, 2000; Martella, Leonard, Marchand-Martella, y Agran, 1993), a mejorar su ejecución en diversas asignaturas (Harris, 1986; Hundert y Bucher, 1978; Lee y Tindal, 1994; Maag, Reid y DiGangi, 1993; Moxley, Lutz, Ahlborn, Boley y Amstrong, 1995; Wolfe, Heron y Goddard, 2000) y a completar las tareas para casa (Trammel, Schloss y Alper, 1994). Los profesores han usado la automonitorización para aumentar el uso de afirmaciones positivas durante la instrucción en clase (Silvestri, 2004). En una de los primeros informes publicados acerca del uso del automonitorización en clase, Broden, Hall y Mitts (1971) analizaron los efectos del autorregistro en la conducta de dos estudiantes de octavo curso. Lucía suspendía Historia y mostraba una mediocre conducta de estudio durante el formato de clase magistral. Un observador se sentaba al final de la clase (Lucía no sabía que su conducta estaba siendo observada) y usaba un muestreo momentáneo de 10 segundos durante 30 minutos al día. Al cabo de 7 días, la lineabase mostraba que Lucía manifestaba conductas de estudio (p.ej., mirar al profesor, tomar notas cuando convenía) en una media del 30% de los intervalos de observación, a pesar de las dos reuniones que mantuvo con el terapeuta del colegio en las que ella prometió que "se esforzaría de verdad". Antes de la octava sesión, el terapeuta le dio a Lucía un papel con tres filas con 10 cuadrados (ver Figura 27.2) y le ordenó registrar su conducta de estudio "cuando pensara en ella"

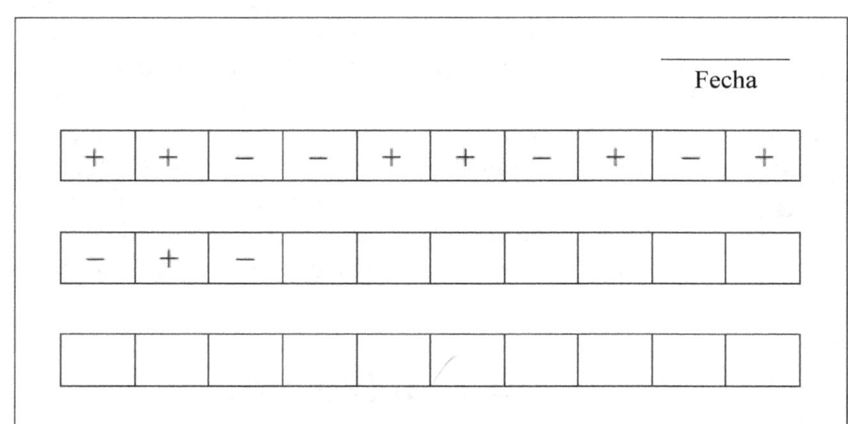

Fecha

+	+	–	–	+	+	–	+	–	+
–	+	–							

En la parte superior de la página hay varias filas de cuadros. Señala con "+" si estabas prestando atención y con "–" si no lo estabas haciendo en diferentes momentos de la clase. Hazlo siempre que te acuerdes pero no los rellenes todos a la misma vez. Por ejemplo, cuando estés listo para señalar un cuadrado, pregúntate si durante los últimos minutos has estado atento y entonces, pon "+" si lo estabas o "–" si no lo estabas.

Figura 27.2 Ejemplo de una hoja de autorregistro usada por una niña de octavo curso.

Tomado de "The Effect of Self-Recording on the Classroom Behavior of Two Eighth-Grade Students" M. Broden, R.V. Hall y B. Mitts, 1971, *Journal of Applied Behavior Analysis, 4*, pág. 193. Copyright 1971 Society for the Experimental Analysis of Behavior, Inc. Reimpreso con permiso.

durante sus clases de Historia. Algunos aspectos de la conducta de estudio se discutieron en ese momento, incluyendo una definición de en qué consistía estudiar.

> Se le dieron instrucciones para dedicar un momento de la clase cada día y anotar un símbolo "+" en el cuadrado si estaba estudiando o lo había estado haciendo durante los últimos minutos, y un símbolo "-", si no estaba estudiando en el momento en que se acordaba del registro. A veces, antes del final de la jornada escolar Lucía debía entregar esta hoja al terapeuta (pág. 193).

La figura 27.3 muestra los resultados de la autobservación de Lucía. Su nivel de conducta de estudio aumentó al 78% (según se midió por el observador independiente) y se mantuvo aproximadamente a ese nivel durante la automonitorización 1, rápidamente disminuyó a los niveles de la lineabase cuando terminó la automonitorización durante la lineabase 2 y tuvo una media del 80% durante la fase de automonitorización 2. Durante la fase de automonitorización más elogios, el profesor de Lucía le daba atención siempre que podía durante la clase de estudio y elogiaba su conducta de estudio siempre que era posible. El nivel de la conducta de estudio de Lucía durante esta condición aumentó al 88%.

La parte inferior de la Figura 27.3 muestra el número de veces por sesión que el observador registró la atención hacia Lucía. El hecho de que la frecuencia de la atención del profesor no correlacionase de forma aparente con la conducta de estudio de Lucía durante las primeras cuatro fases del experimento sugiere que la atención del profesor –que a menudo ejerce una gran influencia en la conducta de los estudiantes– no era una variable extraña y que las mejoras en la conducta de estudio de Lucía podían ser atribuidas con mayor probabilidad al procedimiento de autorregistro. Sin embargo, los efectos de la automonitorización pueden haberse contaminado por el hecho de que Lucía entregaba sus hojas de autorregistro al terapeuta todos los días antes de que finalizase la jornada escolar y porque en las reuniones semanales con el terapeuta, Lucía recibía elogios por parte de este cuando presentaba hojas de registro con un alto porcentaje de símbolos "+".

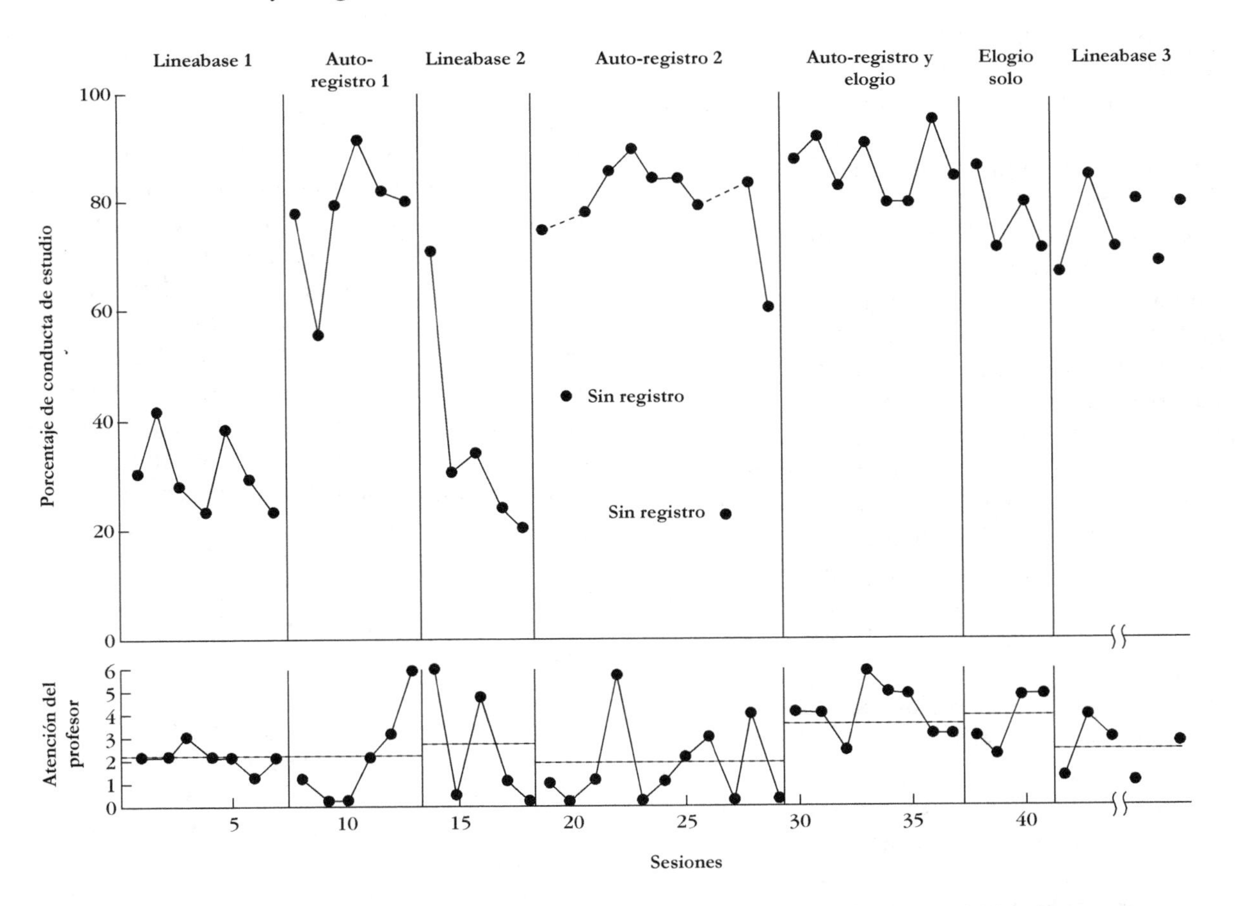

Figura 27.3 Porcentaje de intervalos de observación en los que una niña de octavo curso prestaba atención en una clase de Historia.

Tomado de "The Effect of Self-Recording on the Classroom Behavior of Two Eighth-Grade Students" by M. Broden, R. V. Hall, and B. Mitts, 1971, *Journal of Applied Behavior Analysis, 4,* pág. 194. Copyright 1971 de the Society for the Experimental Analysis of Behavior, Inc. Reimpreso con permiso.

En el segundo experimento publicado por Broden y colaboradores (1971), se usó automonitorización con Samuel, un estudiante de octavo curso que hablaba en clase continuamente. Usando un procedimiento de registro de intervalo parcial de 10 segundos para calcular el número de veces que hablaba en clase sin permiso por minuto, un observador independiente registró la conducta de Samuel durante dos partes de una clase de matemáticas que se daban antes y después del almuerzo. El autorregistro había empezado durante la parte de la clase de matemáticas de antes del almuerzo. El profesor le entregó a Samuel una hoja de registro en la cual había un rectángulo de 5 por 12 centímetros y la instrucción: "Pon una señal cada vez que hables sin permiso" (pág. 196). Se le ordenó hacer el registro y entregarlo después del almuerzo. En la parte superior de la hoja de registro había un espacio para poner su nombre y la fecha. No se le dio ninguna otra instrucción, ni tampoco había consecuencias ni se aplicaros otras contingencias a su conducta. El autorregistro se llevó a cabo después, durante la segunda parte de la clase de matemáticas. Durante el periodo de clase de matemáticas previo al almuerzo, la tasa de la lineabase de Samuel de 1,1 veces por minuto que hablaba sin permiso pasó a una tasa de 0,3 veces por minuto cuando él autorregistró su conducta de hablar sin permiso.

El diseño de reversión y de línea base múltiple combinado mostró una relación funcional clara entre la reducción de la conducta de hablar sin permiso de Samuel y el procedimiento de automonitorización. Sin embargo, durante la fase final del experimento, Samuel hablaba sin permiso a una tasa igual a la de los niveles de la lineabase, incluso aunque seguía efectuando el autorregistro. Broden y colaboradores (1971) sugirieron que la ausencia de efecto producida por el autorregistro durante la fase final puede ser resultado de el hecho de que "no se aplicaron contingencias en ningún momento a las tasas diferenciales de la conducta de hablar sin permiso por lo que las hojas de autorregistro perdieron su eficacia" (pág. 198). También es posible que la disminución inicial de la conducta de hablar sin permiso que se atribuyó al autorregistro fuera confundida con las expectativas de Samuel de recibir alguna forma de reforzamiento por parte del profesor.

Como se puede ver en estos dos experimentos, es extremadamente difícil aislar el autorregistro como un procedimiento claro y "limpio" puesto que casi siempre conlleva otras contingencias. Aun así, ha sido comprobado con frecuencia que los diversos y combinados procedimientos que constan de autorregistro son eficaces en el cambio de conducta. Sin embargo, los efectos del autorregistro sobre la conducta de interés son a veces temporales y modestos, y para mantener los cambios deseados en la conducta puede ser necesario aplicar contingencias de reforzamiento. (p.ej., Ballard y Glynn, 1975; Critchfield y Vargas 1991).

Autoevaluación

El autorregistro a menudo se combina con el establecimiento de objetivos y con la autoevaluación. Una persona que hace **autoevaluación** compara su rendimiento con un objetivo o un estándar predeterminado (pág. ej. Keller, Brady y Taylor, 2005; Sweeney y col., 1993). Por ejemplo, Grossi y Heward (1998) enseñaron a cuatro adultos con retraso en el desarrollo que trabajaban como aprendices de un restaurante a seleccionar objetivos de productividad, a hacer una automonitorización de su trabajo y a autoevaluar su rendimiento frente a un estándar de productividad competitivo (esto es, la tasa habitual en la cual los empleados del restaurante sin discapacidad realizan la tarea en un entorno competitivo). Las tareas de los aprendices en este estudio incluían lavar ollas y sartenes, cargar el lavavajillas, retirar los platos y poner las mesas, y por último, barrer y fregar el suelo.

El entrenamiento en autoevaluación con cada aprendiz duró aproximadamente 35 minutos a lo largo de las tres sesiones y constaba de cinco partes: (1) explicación de las razones para trabajar más rápido (p.ej., encontrar y mantener un trabajo en un entorno competitivo), (2) establecimiento de objetivos (se le mostraba al aprendiz un gráfico lineal sencillo de la lineabase de su ejecución comparada con el estándar competitivo y se le ayudaba a establecer un objetivo de productividad), (3) el uso de un temporizador o cronómetro, (4) automonitorización y representación de los datos autorregistrados en un gráfico que mostraba el estándar competitivo mediante un área sombreada, y (5) autoevaluación (comparación de su trabajo frente al estándar competitivo y realización de afirmaciones de autoevaluación, p. ej., "No estoy en el área sombreada, necesito trabajar más deprisa" o "Bien, estoy en el área"). Cuando un aprendiz alcanzaba su objetivo durante tres días consecutivos, se seleccionaba un nuevo objetivo. En todo momento, los objetivos seleccionados por los cuatro aprendices estaban dentro del rango competitivo.

La productividad en el trabajo de los cuatro aprendices aumentó como función de la intervención de la autoevaluación. La figura 27.4 muestra los resultados de Carlos, uno de los participantes, un chico de 20 años con retraso mental leve, parálisis cerebral y un trastorno convulsivo. Durante los 3 meses previos al estudio, Carlos había recibido entrenamiento en dos tareas del

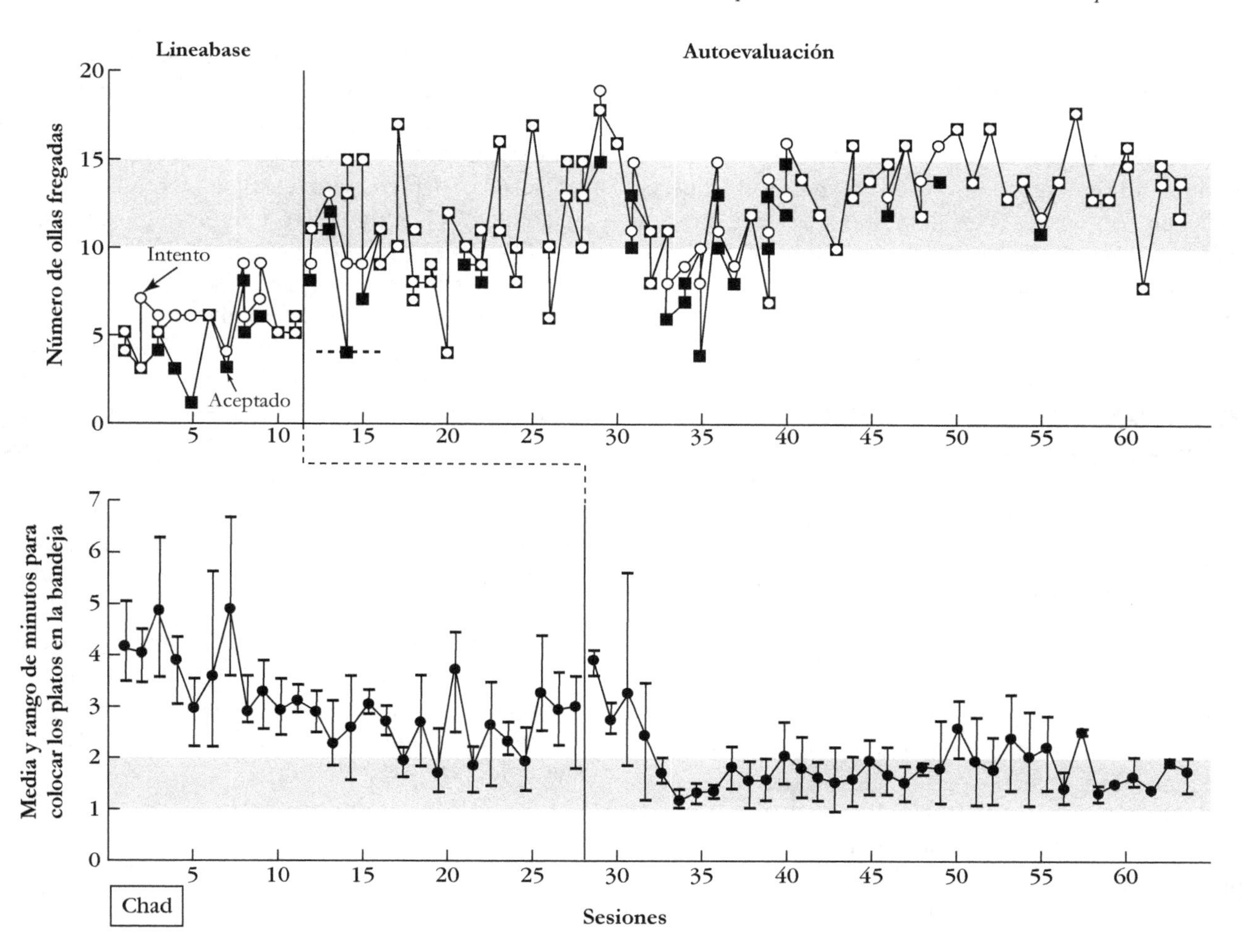

Figura 27.4 Número de ollas fregadas en 10 minutos y media y rango de minutos para colocar una bandeja de platos en el lavavajillas durante la lineabase y en condiciones de autoevaluación. Las franjas sombreadas representan el rango de ejecución competitiva de los trabajadores del restaurante sin discapacidad. Las líneas discontinuas horizontales representan el objetivo seleccionado por Carlos; la línea continua significa que el objetivo de Carlos estaba dentro del rango competitivo. Las líneas verticales a través de los puntos de datos en el gráfico inferior muestran el rango de la ejecución de Carlos a lo largo de los ensayos 4 al 8.

Tomado de "Using Self-Evaluation to Improve the Work Productivity of Trainees in a Community-Based Restaurant Training Program" de T.A. Grossi y W.L. Heward, 1998, *Education and Training in Mental Retardation and Developmental Disabilities, 33,* pág. 256. Copyright 1998 de Division on Developmental Disabilities. Reimpreso con permiso.

puesto de lavaplatos: fregar las ollas y sartenes, y colocar los platos en el lavavajillas (una cadena conductual de seis pasos para poner los platos sucios en una bandeja del lavavajillas vacía). A lo largo del estudio, el fregado de ollas se midió durante dos sesiones de observación de 10 minutos, ambas antes y después del servicio de almuerzo diario. La conducta de colocar los platos en el lavavajillas se midió usando un cronómetro para tomar medida exacta del tiempo que tardaba el aprendiz en cargar una bandeja de platos; se cronometraba de 4 a 8 bandejas por sesión durante la hora punta del turno del almuerzo. Después de cada sesión de observación durante la lineabase, Carlos recibió retroalimentación sobre la precisión y calidad de su trabajo. No se le proporcionó retroalimentación durante la lineabase de la productividad de su ejecución de la tarea.

Durante la lineabase, Carlos fregó una media de 4,5 ollas y sartenes cada 10 minutos y ninguno de sus 15 ensayos de lineabase estaban dentro del rango competitivo que era de 10 a 15 ollas. La tasa de fregado de ollas de Carlos aumentó a una media a 11,7 ollas durante la autoevaluación, con un 76% de 89 ensayos de autoevaluación en la media competitiva o sobre la media competitiva. Durante la lineabase, Carlos tardó una media de 3 minutos con 2 segundos en cargar una bandeja del lavavajillas y el 19% de sus 97 ensayos de lineabase estaban dentro del rango competitivo de 1 a 2 minutos. Durante la autoevaluación, el tiempo que Carlos tardaba en cargar una bandeja mejoró a una media de

1minuco con 55 segundos, y el 70% de los 114 ensayos de autoevaluación estaban dentro del rango competitivo. Al final del estudio, tres de cuatro aprendices afirmaron que les gustaba cronometrarse y registrar su ejecución en el trabajo. Sin embargo, un aprendiz manifestó que era "demasiado estresante" cronometrarse y registrar su trabajo, dijo que la automonitorización le ayudó a mostrar a otras personas que él era capaz de hacer el trabajo.

Automonitorización con reforzamiento

La automonitorización es, a menudo, parte de un paquete de intervención que incluye reforzamiento para alcanzar objetivos bien seleccionados por uno mismo, bien seleccionados por el profesor (p.ej., Christian y Poling, 1997; Dunlap y Dunlap, 1989; Olympia y col., 1994; Rhode, Morgan y Young, 1983). El reforzador puede ser autoadministrado o entregado por el profesor. Por ejemplo, Koegel y colaboradores (1992) enseñaron a cuatro niños con autismo con edades desde los 6 hasta los 11 años a obtener sus propios reforzadores después de que hubiesen autorregistrado un número de respuestas apropiadas a preguntas realizadas por otros hasta alcanzar el criterio (p.ej., "¿Quién te trajo al colegio hoy?").

El reforzamiento entregado por el profesor era un componente de una intervención de automonitorización usada por Martella y colaboradores (1993) para ayudar a Blas, un estudiante de 12 años con retraso mental leve, a reducir el número de comentarios negativos que hacía durante las actividades de clase (p.ej., "Odio esta **** calculadora", "la matemáticas son un rollo"). Blas autorregistró sus comentarios negativos durante dos periodos de clase, realizó una gráfica con ese número y, entonces, comparó su cuenta con la cuenta que obtuvo un profesor. Si los datos autorregistrados por Blas coincidían en un 80% o más, podía elegir en un menú de "pequeños" reforzadores (cosas que costaban 25 centavos o menos). Si los datos autorregistrados por Blas coincidían con los datos del entrenador y alcanzaban el criterio que era gradualmente decreciente o estaban por debajo de este en cuatro sesiones consecutivas, se le permitía elegir un reforzador "más grande" (de más de 25 centavos), ver la figura 28.13.

¿Por qué funciona la automonitorización?

Los mecanismos conductuales que justifican la efectividad de la automonitorización no han sido explicados por completo. Algunos teóricos de la conducta sugieren que la automonitorización es efectiva en el cambio de conducta porque evoca afirmaciones de autoevaluación que sirven bien para reforzar conductas deseadas, o bien para castigar conductas no deseadas. Cautela (1971) hipotetizó que un niño que registra en un gráfico que ha hecho sus tareas puede emitir respuestas verbales encubiertas (p.ej., "soy un niño bueno") que sirven para reforzar la realización de tareas. Malott (1981) sugirió que la automonitorización mejora la ejecución debido a lo que él llamó control de la culpa. La automonitorización de conductas no deseadas produce afirmaciones de culpa encubiertas que pueden ser evitadas mejorando la ejecución de uno mismo. Esto es, la conducta de interés se fortalece mediante reforzamiento negativo por escape y evitación de los sentimientos de culpa que ocurren cuando nuestra conducta es "mala".

Las descripciones de las técnicas de automonitorización usadas por dos famosos autores coinciden aparentemente con la hipótesis del control de la culpa de Malott. El novelista Anthony Trollope, en su autobiografía de 1883 afirmó:

> Cuando he comenzado un nuevo libro, siempre he preparado un diario, lo he dividido en semanas y lo he continuado durante el periodo que me he tomado para completar el trabajo. En este diario, he anotado día a día el número de páginas que he escrito de manera que, si en algún momento he caído en la ociosidad durante un día o dos, el registro de esa ociosidad ha estado ahí mirándome a la cara y demandándome que aumentase el trabajo y así, la deficiencia pudiese ser sustituida... Me he asignado a mí mismo tantas páginas a la semana. El número medio ha sido alrededor de 40, lo he dispuesto hasta bajar a 20 y lo he aumentado a 112. Y, como una página es un término ambiguo, mi página debía contener 250 palabras; y como las palabras si no son vigiladas, tendrán tendencia a quedarse rezagadas, he ido contando cada palabra según las escribía... Siempre ha estado delante de mí el registro y cada semana que pasaba con un número insuficiente de páginas ha sido una ampolla en mis ojos, y un mes así de desgraciado hubiese sido una aflicción en mi corazón. (tomado de Wallace, 1977, pág. 518)

El control de la culpa también ayudaba al legendario Ernest Hemingway a motivarse. El novelista Irving Wallace (1977) relató el siguiente extracto de un artículo de George Plimpton acerca de la técnica de automonitorización usada por Hemingway.

> Él mantiene un registro de su progreso diario –"para no tomarme el pelo a mí mismo"– en un gran gráfico hecho con un lateral de una caja cartón y lo coloca en la pared bajo una cabeza de gacela enmarcada. Los números en el gráfico que muestran la producción diaria de palabras

> varian desde 450, 575, 1250, vuelta a 512, las cifras más altas se dan en los días en los que Hemingway hace trabajo extra de manera que no se sienta culpable al día siguiente cuando esté pescando en la corriente del golfo. (pág. 518)

No se sabe de manera exacta qué principios de conducta están operando cuando la automonitorización resulta en un cambio en la conducta de interés porque gran parte de los procedimientos de automonitorización consisten en conductas privadas, encubiertas. Además del problema de acceso a esos eventos privados, la automonitorización se confunde normalmente con otras variables. La automonitorización es a menudo parte de un paquete de promoción de la autonomía personal en el cual se incluyen contingencias de reforzamiento, castigo o ambas, ya sea de manera explícita (p.ej., “Si corro 16 kilómetros esta semana, podré ir al cine”) o implícitas (p.ej., “Tengo que enseñarle a mi esposa el registro de las calorías que he consumido”). No obstante, independientemente de los principios de conducta involucrados, la automonitorización es a menudo un procedimiento efectivo para cambiar la conducta de uno mismo.

Pautas y procedimientos para la automonitorización

Los profesionales deberían tener en cuenta las siguientes sugerencias cuando lleven a cabo automonitorización con sus estudiantes y clientes.

Proporcionar materiales que faciliten la automonitorización

Si la automonitorización es difícil, engorroso o lleva mucho tiempo hacerlo, en el mejor de los casos no será efectivo y no gustará al participante y, en el peor de los casos puede tener efectos negativos en la conducta. Se les debe proporcionar materiales y dispositivos a los participantes que faciliten la automonitorización y lo hagan lo más eficiente posible. Todos los dispositivos y procedimientos para medir conducta descritos en el capítulo 4 (p.ej., papel y lápiz, contadores de muñeca, contadores de mano, temporizadores, cronómetros) pueden usarse para el automanejo. Por ejemplo, un profesor que quiere automonitorizar del número de elogios que hace a sus estudiantes durante una clase podría ponerse en el bolsillo diez monedas de un centavo antes del comienzo de la clase y cada vez que elogie la conducta de un alumno, cambiar una moneda al otro bolsillo.

Las hojas de registro usadas para la mayoría de las aplicaciones del automonitorización pueden y deben ser muy simples. A menudo son efectivas hojas de registro que consisten en poco más que una serie de cuadros tal como se muestra en la figura 27.2. En un tipo de procedimiento muestreo momentáneo el participante puede, durante varios intervalos, escribir un símbolo de suma o un símbolo de resta, rodear sí o no, o tachar una

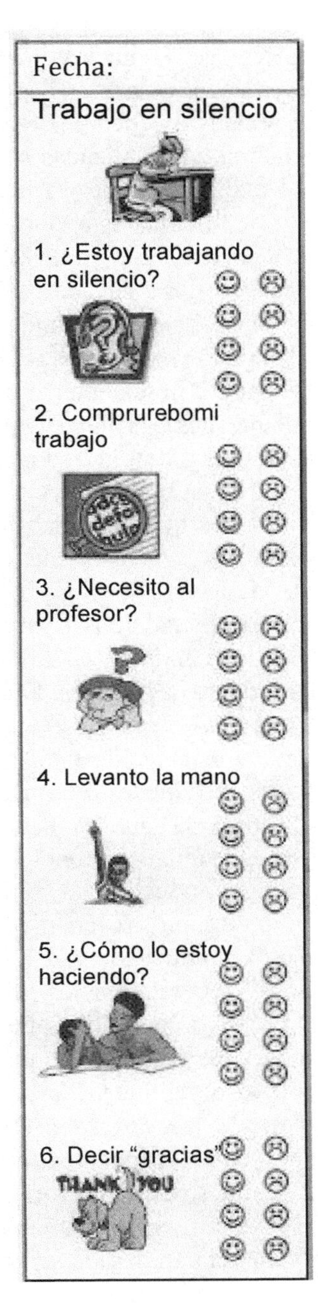
Fecha:

Trabajo en silencio

1. ¿Estoy trabajando en silencio?

2. Comprurebomi trabajo

3. ¿Necesito al profesor?

4. Levanto la mano

5. ¿Cómo lo estoy haciendo?

6. Decir “gracias”

Figura 27.5 Formulario usado por estudiantes de primaria para llevar una automonitorización de su conducta de trabajar en silencio y seguir una secuencia establecida para obtener la ayuda del profesor.

Tomado de “Fuctional Assessment and Individualized Intervention Plans: Increasing the Behavioral Adjustment of Urban Learners in General and Special Education Settings” de Y. Lo, 2003. Tesis doctoral no publicada. Columbus, OH: The Ohio State University. Reimpreso con permiso.

cara sonriente o una cara triste, o puede llevar la cuenta y registrar el número de respuestas dadas durante un intervalo que acaba de terminar.

Las hojas de registro pueden ser creadas para tareas de automonitorización especializadas o para una cadena de conductas. Dulap y Dulap (1989) enseñaron a estudiantes con dificultades de aprendizaje a automonitorizar los pasos que tomaban para resolver problemas de restas con llevadas. Cada estudiante automonitorizaba su trabajo registrando en una lista de verificación de los pasos individualizada que había sido diseñada para ayudarle a no cometer tipos específicos de errores. El estudiante debía señalar con un símbolo de suma o un símbolo de resta al lado de cada paso cuando lo realizaba (p.ej., "He subrayado todos los números de arriba que eran menores que los de abajo"; "He tachado solo el número que hay al lado del número subrayado y le he quitado uno." [pág. 311]).

Lo (2003) enseñó a estudiantes de primaria que tenían riesgo de trastornos de conducta a usar el formulario que se muestra en la figura 27.5 para automonitorizar su conducta de trabajar en silencio, evaluar su trabajo, y seguir una secuencia establecida para obtener la ayuda del profesor durante actividades de trabajo individual en su pupitre. El formulario, que se había pegado en el pupitre de cada estudiante, funcionaba como un recordatorio para las conductas que se esperaba de los estudiantes y como un dispositivo en el cual autorregistraban esas conductas.

Los "Countoons" recuerdan a los niños no solo qué conducta registrar sino también qué consecuencias seguirán si alcanzan los criterios de ejecución. Daly y Ranalli (2003) creó countoons de seis viñetas que permitían a los estudiantes autorregistrar una conducta inapropiada y una conducta incompatible apropiada. En el countoon que se muestra en la figura 27.6, las viñetas V1 e V4 muestran al estudiante haciendo sus tareas de matemáticas, la conducta apropiada se anota en la viñeta V5. El número de problemas de matemáticas para alcanzar el criterio y hallar la contingencia –en este caso 10– también se indica en la viñeta V5. En la viñeta V2 se ve al estudiante hablando con un amigo, la conducta inapropiada que debe ser anotada en V3. El estudiante no debe charlar más de seis minutos para hallar la contingencia. Daly y Ranalli han proporcionado pasos detallados para crear y usar countoons para la enseñanza de habilidades de promoción de la autonomía personal a niños.

También se puede diseñar formularios para permitir el autorregistro de múltiples tareas durante varios días. Por ejemplo, los profesores que trabajan con estudiantes de secundaria pueden emplear el Registro de Ejecución en Clase (CPR por sus siglas en inglés) desarrollado por Young y colaboradores (1991) como una manera de ayudar a los estudiantes a llevar un seguimiento de sus trabajos, sus tareas para casa, los puntos ganados y sus notas en la asignatura de ciudadanía. El formulario también les proporciona información acerca de su estado actual en clase, sus probables notas del semestre y consejos para mejorar su ejecución.

Proporcionar pistas o ayudas complementarias

Aunque algunos dispositivos de autorregistro –una hoja de registro pegada en el pupitre del estudiante, una libreta para contar calorías que lleva una persona que sigue una dieta para perder peso en el bolsillo de su camisa, un contador de golf en la muñeca de un profesor– sirven como recordatorios continuos automonitorizar, a menudo son útiles las ayudas o pistas complementarias para el mismo. Tanto los investigadores como los profesionales han usado diversos estímulos auditivos, visuales y táctiles como pistas y ayudas para la automonitorización.

Las ayudas auditivas en forma de señales pregrabadas o tonos se han usado ampliamente para ayudar a llevar un automonitorización en clase (p.ej., Blick y Test, 1987; Todd, Horner y Sugai, 199). Por ejemplo, estudiantes de secundaria en un estudio de Glynn, Thomas y Shee (1973) hacían una señal de "visto" en una serie de cuadros si pensaban que estaban centrados en la tarea en el momento en que oían un pitido grabado en una cinta. En una clase de 30 minutos, se daban un total de 10 pitidos en intervalos aleatorios. Usando un procedimiento similar, Hallahan, Lloyd, Kosiewicz, Kauffman y Graves (1979) enseñaron a un niño de ocho años a señalar *Sí* o *No* bajo el enunciado "¿Estaba prestando atención?" cuando oyera un tono que sonaba en intervalos aleatorios en una cinta.

Ludwig (2004) usó pistas visuales escritas en la pizarra de clase para ayudar a niños de pre-escolar a autorregistrar su productividad durante realización de actividades en sus pupitres en las cuales hacían fichas de trabajo individual o escribían respuestas a preguntas, ejercicios o problemas que la profesora había escrito en una gran pizarra colocada en la pared de la clase. El trabajo estaba dividido por temas en 14 secciones y cubría diversas áreas del currículum (p.ej., ortografía, comprensión lectora, problemas de suma y de resta, decir la hora, manejar el dinero). Al terminar cada sección, el experimentador dibujaba una cara sonriente con un número del 1 al 14. Las caras sonrientes dibujadas en la pizarra correspondían a 14 caras sonrientes que cada alumno tenía en su tarjeta de automonitorización.

También se puede usar ayudas táctiles para señalar oportunidades de autorregistro. Por ejemplo, el

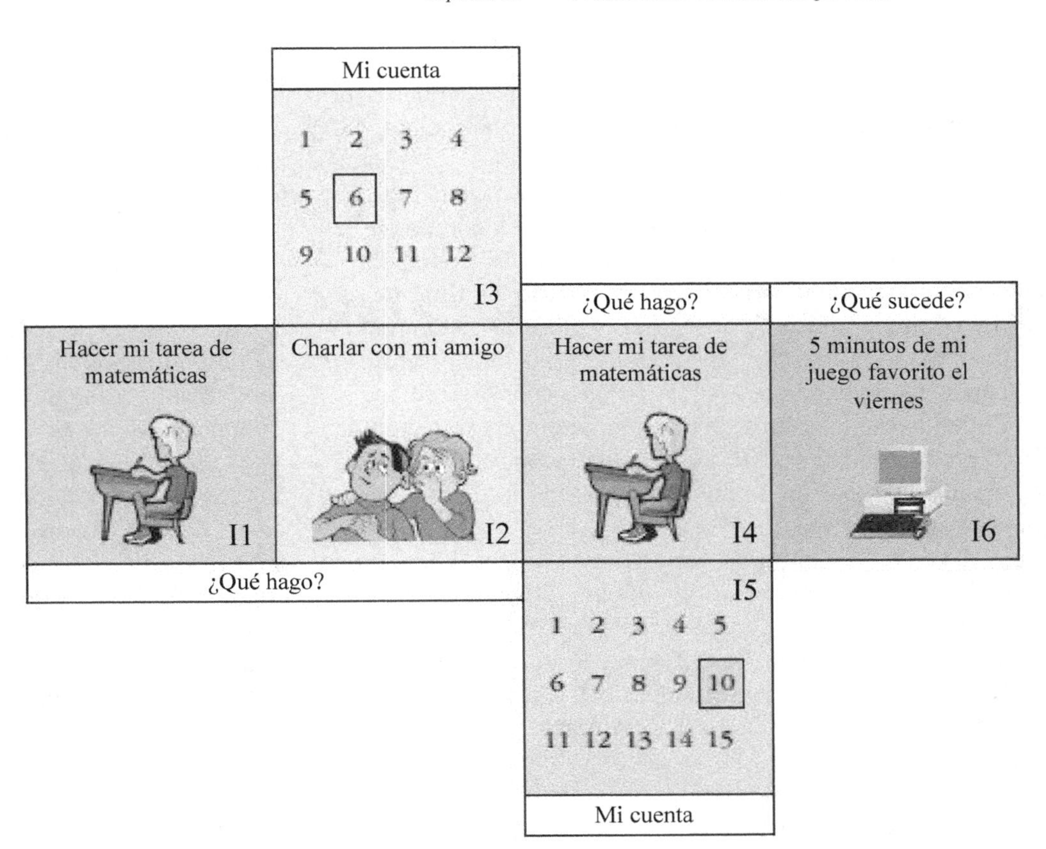

Figura 27. 6 Ejemplo de un "countoon" que puede pegarse en el pupitre del estudiante como recordatorio para las conductas de interés, la necesidad de autorregistrar y la consecuencia para alcanzar la contingencia.

Tomado de "Using Countoons to Teach Self-Monitoring Skills" de P.M. Daly y P. Ranalli, 2003, *Teaching Exceptional Chilidren, 35 (5), p. 32. Copyright 2003 de the Council for Exceptional Children.* Reimpreso con permiso

MotiveAider (www.habitchange.com) es un pequeño dispositivo electrónico que vibra en intervalos de tiempo fijos o variables según programe el usuario. Este dispositivo resulta excelente para señalizar a las personas cuándo automonitorizar o llevar a cabo otras tareas de promoción de la autonomía personal, o para ayudar a los profesionales a atender a la conducta de sus estudiantes o clientes[8].

Sea cual sea su forma, las ayudas a la automonitorización deberían ser lo menos intrusivas que sea posible de manera que no interrumpan al participante o a otros en el entorno. Como regla general, los profesionales deberían proporcionar ayudas frecuentes a la automonitorización durante el comienzo de una intervención de promoción de la autonomía personal y reducir gradualmente estas cuando el participante se va acostumbrando a automonitorizar.

Automonitorizar la dimensión más importante de la conducta de interés

La automonitorización es un acto de medida pero, como vimos en el capítulo 4, la conducta de interés puede medirse según diversas dimensiones. ¿Qué dimensión de la conducta de interés debe ser objeto de automonitorización? Una persona debería automonitorizar la dimensión de la conducta de interés que debería alcanzar los cambios deseados y producir el progreso más directo y significativo hacia el objetivo del programa de promoción de la autonomía personal del sujeto. Por ejemplo, un hombre que desea perder peso reduciendo su ingesta podría medir el número de bocados que toma a lo largo del día (número total de respuestas), el número de bocados por minuto que toma durante cada comida (tasa), cuánto tiempo pasa desde que se sienta a la mesa hasta que toma su primer bocado (latencia), cuánto tiempo descansa entre bocados (tiempo entre respuestas), o la cantidad de tiempo que duran sus comidas (duración). Aunque las medidas diarias de cada una de esas dimensiones proporcionarían al hombre alguna información cuantitativa sobre su conducta de comer, ninguna de las dimensiones estaría tan directamente relacionada con su objetivo como la cuenta del número total de calorías que consume al día.

Varios estudios han examinado la cuestión de si los estudiantes deberían automonitorizar su conducta centrada en la tarea o su productividad académica. Harris (1986) llevó a cabo uno de los estudios más citados de su línea de investigación. Enseñó a cuatro estudiantes de primaria con dificultades de aprendizaje a automonitorizar, bien sobre sus conductas centradas en la tarea, o bien sobre el número de respuestas académicas

[8] Flaute, Person, Van Norman y Eakins (2005) describieron 20 ejemplos del uso de un MotivAider para mejorar la conducta y la productividad en clase.

que daban mientras practicaban ortografía. Durante la condición de automonitorización de la atención, en el momento en que oían un tono grabado en una cinta, los estudiantes se preguntaban a sí mismos: "¿Estaba prestando atención?" y anotaban su respuesta en las columnas *Sí* / *No* en una tarjeta. Durante la condición de automonitorización de la productividad, los estudiantes contaban el número de palabras escritas al final de su periodo de práctica de ortografía. Ambos procedimientos de automonitorización resultaron en un aumento de la conducta centrada en la tarea para los cuatro estudiantes. Sin embargo, para tres de ellos, la automonitorización de la productividad resultó en tasas de respuesta académica más altas que la automonitorización de la conducta centrada en la tarea.

Se han encontrado resultados similares en otros estudios que comparaban los efectos diferenciales de la automonitorización de la conducta centrada en la tarea o de la productividad (p.ej., Maag y col., 1993; Lloyd, Bateman, Landrum y Hallahan, 1989; Reid y Harris, 1993). Aunque ambos procedimientos aumentan la conducta centrada en la tarea, los estudiantes tienden a realizar más trabajos cuando automonitorizan respuestas académicas que cuando autorregistran la conducta centrada en la tarea. Además, la mayoría de los estudiantes prefieren la automonitorización de la productividad académica a la automonitorización de la conducta centrada en la tarea.

En general, nosotros recomendamos enseñar a los estudiantes a automonitorizar una medida de la productividad académica (p.ej., número de problemas o ejercicios intentados, número de ellos correctos) mejor que a automonitorizar si su conducta está, o no, centrada en la tarea. Esto se debe a que el aumento en la conducta centrada en la tarea, ya sea mediante automonitorización o mediante reforzamiento contingente, no resulta necesariamente en un aumento de la productividad como efecto colateral (p.ej., Marholin y Steinman, 1977; McLaughlin y Malaby, 1972). Por el contrario, cuando aumenta la productividad, casi siempre se dan mejoras en la conducta centrada en la tarea. No obstante, un estudiante cuyas conductas disruptivas no relacionadas con la tarea le están causando problemas a sí mismo o a otros compañeros de clase puede beneficiarse más de automonitorizar la conducta centrada en la tarea, al menos al principio.

Automonitorizar de manera temprana y frecuente

En general, cada ocurrencia de la conducta de interés debería ser autorregistrada lo antes posible. Sin embargo, el acto de automonitorizar una conducta que la persona quiere aumentar no debería interrumpir "el flujo de la conducta" (Critchfield, 1999). La automonitorización de la las conductas de interés que produce productos de respuesta naturales o artificiales (p.ej., respuestas en una ficha de trabajo, palabras escritas) puede llevarse a cabo después de la sesión mediante el registro de productos de conducta (ver capítulo 4).

Puede llevarse un autorregistro de aspectos relevantes de algunas conductas incluso antes de que la propia conducta de interés haya ocurrido. La automonitorización de de una respuesta de manera temprana en una cadena de conducta que conduce a una conducta no deseada que la persona quiere disminuir puede ser más efectivo para cambiar la conducta de interés en la dirección deseada que registrar la conducta final de la cadena. Por ejemplo, Rozensky (1974) informó del caso de una mujer que había sido fumadora durante 25 años y que cuando registraba la hora y el lugar donde fumaba cada cigarrillo, la tasa de su conducta de fumar cambiaba poco. Entonces, empezó a registrar la misma información cada vez que ella se daba cuenta de que estaba empezando la cadena de conductas que le conducirían a fumar: buscar sus cigarrillos, sacar un cigarrillo del paquete, etc. Esta mujer dejó de fumar a las pocas semanas de automonitorizar de este modo.

Generalmente, una persona debería automonitorizar con más frecuencia cuando se encuentra al principio de un programa de cambio de conducta. Si su ejecución mejora, la frecuencia de la automonitorización puede disminuirse a medida de esta mejoría. Por ejemplo, Rhode y colaboradores (1983) hicieron que estudiantes con trastornos de conducta automonitorizaran (en una escala de 0 a 5 puntos) de hasta qué punto estaban respetando las normas de clase y estaban realizando el trabajo académico de manera correcta al final de cada intervalo de 15 minutos a lo largo de la jornada escolar. En el transcurso del estudio, los intervalos de autoevaluación se aumentaron gradualmente, primero cada 20 minutos, después cada 30 minutos, más tarde una vez por hora. Finalmente, las tarjetas de autoevaluación fueron retiradas y los estudiantes informaban de sus autoevaluaciones verbalmente. En la condición final de autoevaluación, los estudiantes autoevaluaban verbalmente su trabajo académico y el seguimiento de las normas de clase cada dos días, de media (esto es, un programa de razón variable de 2 días).

Reforzar la automonitorización precisa

Algunos estudios han encontrado poca correlación entre la precisión de la automonitorización y su efectividad en el cambio de la conducta que está siendo registrada (p.ej., Kneedler y Hallahan, 1981; Marshall, Lloyd y Hallahan, 1993). Parece que una automonitorización precisa no es una condición suficiente ni necesaria para el cambio de conducta. Por ejemplo, Hundert y Bucher (1978) encontraron que, a pesar de que los estudiantes llegaran a ser altamente precisos en puntuarse a sí mismos sus problemas de aritmética, la propia ejecución en estos no mejoraba. Por otra parte, en el estudio de Broden y colaboradores (1971), el comportamiento tanto de Lucía como de Samuel mejoró aunque los datos autorregistrados por ellos rara vez coincidían con los datos de observadores independientes.

Sin embargo, una automonitorización precisa es recomendable, especialmente cuando los participantes están usando los datos autorregistrados como base para la autoevaluación o para consecuencias administradas por sí mismos.

Aunque algunos estudios han mostrado que los niños pequeños son capaces de autorregistrar de manera precisa su conducta sin contingencias externas específicas para la precisión (p.ej., Ballard y Glynn, 1975; Glynn, Thomas y Shee, 1973), otros investigadores han encontrado poco acuerdo entre los autorregistros de los niños y los datos recogidos por observadores independientes (Kaufman y O'Leary, 1972; Turkewitz, O'Leary e Ironsmith, 1975). Un factor que parece afectar a la precisión con la que alguien se puntúa a sí mismo es el hecho de que puntuaciones informadas por uno mismo sean usadas después como base para el reforzamiento. Santogrossi, O'Leary, Romanczyk y Kaufman (1973) encontraron que cuando se les permitía a los niños evaluar su propio trabajo y esas evaluaciones producidas por ellos mismos eran usadas para determinar niveles de reforzamiento con fichas, la precisión de su automonitorización empeoraba con el tiempo. De manera similar, Hundert y Bucher (1978) encontraron que estudiantes que previamente habían puntuado de manera precisa sus propios ejercicios de aritmética exageraban enormemente sus puntuaciones cuando las puntuaciones altas resultaban en puntos que podían intercambiar por premios.

Recompensar a los niños por producir datos autorregistrados que coincidan con los datos de un observador independiente y hacer inspecciones sorpresa a los informes de datos autupuntuados son dos procedimientos para aumentar la precisión con la que los niños pequeños llevan a cabo automonitorización. Drabman, Spitalnik y O'Leary (1973) usaron estos procedimientos para enseñar a niños con trastornos de conducta a autoevaluar su propia conducta en clase.

> Ahora algo diferente va a ocurrir. Si obtienes una nota un punto por encima o por debajo de la nota que yo te pongo, puedes quedarte con todos tus puntos. Pierdes todos tus puntos si nuestras puntuaciones no coinciden en más un punto por encima o por debajo. Además, si tu puntuación coincide con la mía de manera exacta, consigues un punto extra (O'Leary, 1977, pág. 204).

Después de que los niños habían demostrado que eran capaces de evaluar su propia conducta de manera fiable, el profesor empezó a inspeccionar solo el 50% de las puntuaciones que los niños hacían de sí mismos sacando nombres de un sombrero al final de la clase, después el 33% de estas, más tarde el 25% y luego el 12%. Durante los últimos 12 días del estudio no inspeccionó las puntuaciones de ningún niño. A lo largo de este periodo de inspecciones reducidas y finalmente ninguna inspección, los niños continuaban autoevaluándose de manera precisa. Rhode y colaboradores (1983) usaron una técnica similar de desvanecimiento de la comparación.

Consecuencias administradas por uno mismo

Una de las aproximaciones fundamentales a la promoción de la autonomía personal consiste en organizar consecuencias específicas para que sigan a la ocurrencia (o no ocurrencia) de la conducta de uno mismo. En esta sección revisamos algunas de las estrategias que se han usado para autorreforzarse o para autocastigarse. Primero, examinemos brevemente algunas cuestiones conceptuales surgidas del concepto de "autorreforzamiento".

¿Es posible el autorreforzamiento?

Skinner (1953) señaló que el autorreforzamiento no debería considerarse sinónimo del principio de reforzamiento operante.

> El lugar del reforzamiento operante en el autocontrol no está claro. En un sentido, todos los reforzamientos son autoadministrados puesto que puede considerarse que una respuesta "produce" su reforzamiento, pero "reforzar la conducta de uno mismo" es más que esto. (...) El autorreforzamiento de la conducta operante presupone que el individuo tiene en su poder la obtención de reforzamiento pero no hasta que una respuesta particular haya sido emitida. Este puede ser el caso si un hombre rechaza todo contacto físico hasta que haya terminado cierto trabajo. Algo así sucede de manera incuestionable, pero ¿es reforzamiento operante? Es aproximadamente paralelo al procedimiento que se da en el condicionamiento de la conducta de otra persona. Pero debe recordarse que el

individuo puede dejar de hacer el trabajo que lleva entre manos en cualquier momento y obtener reforzamiento. Tenemos que confiar en que no lo hará. Puede darse que tal conducta tan permisiva haya sido castigada -digamos, reprobada- excepto cuando una parte del trabajo acaba de terminarse (pág. 237-38).

En esta discusión sobre el autorreforzamiento, Goldiamond (1976) continuó con el ejemplo de Skinner y afirmó que el hecho de que una persona "no haga trampas sino que lleve a cabo la tarea no puede explicarse simplemente porque recurra a *su* autorreforzamiento por contacto social, el cual ella misma hace disponible de manera contingente a la finalización del trabajo" (pág. 510). En otras palabras, las variables que influyen en la respuesta controladora –en este caso abstenerse del contacto social hasta que el trabajo esté terminado– todavía deben tenerse en cuenta; simplemente citar el autorreforzamiento como causa es una falacia explicativa.

La cuestión no es si los procedimientos etiquetados como "autorreforzamiento" a menudo funcionen para cambiar la conducta de maneras que se asemejan al efecto característico del reforzamiento; de hecho, lo hacen. Sin embargo, un cuidadoso examen de los casos de autorreforzamiento revela que hay involucrado algo más o diferente de una aplicación directa del reforzamiento positivo (p.ej., Brigham, 1980; Catania, 1975, 1976; Goldiamond, 1976a, 1976b; Rachlin, 1977). Como término técnico, *autorreforzamiento* (como también *autocastigo*) es un término poco apropiado y el problema no es meramente semántico como algunos autores han sugerido (p.ej., Mahoney, 1976). Asignar la efectividad de una técnica de cambio de conducta a un principio de conducta bien comprendido, cuando hay algo diferente o añadido a este operando, está pasando por alto variables que pueden ser clave para comprender la técnica por completo. La consideración de que el análisis de un episodio conductual está completo una vez que se ha identificado como un caso de autorreforzamiento descarta continuar con la búsqueda de otras variables.

Coincidimos con Malott (2005a; Malott y Harrison 2002; Malott y Suarez, 2004) que argumentó que las contingencias de manejo de las conductas de ejecución, ya sean diseñadas y aplicadas por uno mismo o por otros, es más adecuado verlas como contingencias análogas de reforzamiento y castigo gobernadas por reglas porque la demora entre la repuesta y la consecuencia es demasiado grande.[9] Malott (2005[a]) dio los siguientes ejemplos de contingencias de promoción de la autonomía personal como contingencias análogas de reforzamiento negativo y de castigo:

[Consideremos] la contingencia, todos los días como más de 1.250 calorías, le daré a alguien 5 dólares para que los gaste frívolamente, como a un compañero o a una organización benéfica que despreciamos, aunque para muchos de nosotros la pérdida de 5 dólares donados a una organización benéfica con la que simpatizamos sería lo suficientemente aversivo como para que pensar en ello castigue la conducta de comer en exceso. Esta contingencia es un análogo a una contingencia de castigo, un análogo porque la efectiva pérdida de 5 dólares normalmente ocurrirá más de 1 minuto después de haber excedido el límite de 1.250 calorías. Tales contingencias análogas de castigo son efectivas para disminuir una conducta no deseada. Así mismo, una contingencia análoga a la evitación [reforzamiento negativo] funciona bien para aumentar una conducta deseada: *si todos los días hago ejercicio durante una hora, evito pagar una multa de 5 dólares.* Pero, si no has completado tu hora de ejercicio a media noche, debes pagar los 5 dólares. (pág. 519, cursivas presentes en el texto original; palabras entre corchetes añadidas).

Las consecuencias autoadministradas para aumentar la conducta deseada

Una persona puede aumentar la frecuencia futura de una conducta de interés en un programa de promoción de la autonomía personal mediante la aplicación de contingencias análogas al reforzamiento positivo y al reforzamiento negativo.

Análogos al reforzamiento positivo en la promoción de la autonomía personal

Diversos estudios sobre autorreforzamiento con niños en edad escolar han implicado reforzamiento positivo, en estos, los participantes obtenían un número de fichas, puntos o minutos de tiempo libre que ellos mismos determinaban basándose en una autoevaluación de su ejecución (Ballard y Gynn, 1975; Bolstad y Johnson, 1972; Glynn, 1970; Koegel y col. 1992; Olympia y col., 1994).

Los efectos de los tratamientos que implican recompensas administradas por uno mismo son difíciles de evaluar porque normalmente se confunden con la automonitorización y la autoevaluación. No obstante, en un estudio de Ballard y Gynn (1975), se les enseñaba a alumnos de tercer curso, después de una condición de lineabase, a autorregistrar y puntuarse a sí mismos diversos aspectos de su escritura –número de frases,

[9] Ver el capítulo 11 sobre la importancia de la inmediatez en el proceso de reforzamiento.

número de palabras descriptivas y número de palabras que expresaban acciones–. La automonitorización no tenía efecto en ninguna de las variables medidas incluso aunque los estudiantes tenían que entregar todos los días sus hojas de recuento con sus ejercicios de escritura. Se les dio un cuaderno donde debían registrar sus puntuaciones, las cuales podían intercambiarse a una tasa de un punto por minuto por actividades que cada estudiante había escogido, durante un periodo de tiempo que se ganaban cada día. El procedimiento de autorreforzamiento resultó en grandes aumentos en cada una de las tres variables dependientes.

El reforzamiento autoadministrado no tiene que ser necesariamente autoaplicado: el alumno podría dar una respuesta que tenga como resultado que otra persona le proporcione el reforzador. Por ejemplo, en estudios acerca del reforzamiento buscado por uno mismo, se les enseña a los estudiantes a autoevaluar su trabajo de manera periódica y, entonces, enseñárselo a su profesor y pedirle retroalimentación o ayuda (p.ej., Alber, Heward y Hippler, 1999; Craft, Alber y Heward, 1998; Mank y Horner, 1987; Smith y Sugai, 2000). En cierto sentido, los estudiantes administran su propio reforzador mediante la búsqueda de la atención del profesor, la cual a menudo tiene como resultado, elogios y otras formas de reforzamiento (ver Alber y Heward, 2000 para una revisión).

Todd y colaboradores (1999) enseñaron a un estudiante de primaria a usar un sistema de promoción de la autonomía personal que incluía automonitorización, autoevaluación y reforzamiento buscado por él mismo. Lucas era un niño de 9 años diagnosticado con una dificultad de aprendizaje y que recibía servicios de educación especial para lectura, matemáticas y educación plástica. El programa de educación individualizada de Lucas también incluía diversos objetivos para conductas problemáticas (p.ej., interrumpir actividades individuales y grupales, molestar y burlarse de sus compañeros y hacer comentarios sexuales inapropiados). Anteriormente, su profesora había intentado el establecimiento de objetivos y la evaluación diaria, estrategias que resultaron inefectivas. Un "equipo de acción" llevó a cabo una evaluación funcional (ver capítulo 24) y diseñó un plan de apoyo que incluía el sistema de promoción de la autonomía personal.

Durante dos sesiones individuales de 15 minutos, se le enseñó a Lucas a usar el sistema de promoción de la autonomía personal. En estas sesiones practicaba el autorregistro, para ello se representaban mediante role-play situaciones que eran ejemplos de conductas centradas en la tarea y de conductas no relacionadas con la tarea y aprendía maneras adecuadas de buscar la atención y los elogios de la profesora. Para automonitorizarse, Lucas escuchaba con un único auricular una cinta de 50 minutos en la que había 13 pruebas (p.ej., "prueba 1", "prueba 2") grabadas en un programa de intervalo variable de 4 minutos (cuyos intervalos iban de 3 a 5 minutos entre cada prueba). Cada vez que Lucas oía una prueba, anotaba en una tarjeta de autorregistro un símbolo de suma (si había estado trabajando en silencio y manteniendo sus manos, pies y objetos quietos) o con un cero (si había estado molestando y/o no estaba trabajando en silencio).

Todd y colaboradores (1999) describieron la búsqueda del elogio de la profesora y la manera en que es programa especial de Lucas fue integrado en el sistema de reforzamiento de la clase:

> Cada vez que Lucas anotaba tres símbolos de suma en su tarjeta, levantaba la mano (mientras el profesor estaba explicando) o se dirigía hacia la profesora (durante el trabajo en grupos) y le solicitaba retroalimentación acerca de su ejecución. La profesora reconocía el buen comportamiento de Lucas y hacía una señal en su tarjeta de automonitorización para mostrar por dónde debía el niño comenzar de nuevo a contar tres símbolos de suma. Además de estas contingencias dentro de la sesión, Lucas podía conseguir una pegatina al final de cada clase si no tenía más de dos ceros en esa clase. Las pegatinas se le daban a todos los demás alumnos por su conducta adecuada y se acumulaban semanalmente para conseguir recompensas para la clase. Las pegatinas de Lucas eran valoradas por todos los alumnos porque contaban para la recompensa semanal de manera que también proporcionaban oportunidades para que el niño recibiera atención positiva por parte de sus compañeros (pág. 70).

Los procedimientos en la segunda fase de promoción de la autonomía personal (AP2) fueron los mismos que en la primera fase; durante el periodo de la tercera fase (AP3) Lucas usó una cinta de 95 minutos en la que había 16 pruebas grabadas en una programa de intervalo variable de 5 minutos (que iba de 4 a 6 minutos). Cuando Lucas usaba el sistema de promoción de la autonomía personal, el porcentaje de intervalos en los que mostraba conductas problemáticas fue mucho más bajo que en los niveles de la lineabase (ver figura 27.7). Se dieron también grandes aumentos en la conducta centrada en la tarea y en la realización de trabajo académico. Un resultado importante de este estudio fue que el profesor de Lucas le hacía elogios con más frecuencia. Es importante resaltar que la intervención de promoción de la autonomía personal se inició en el periodo de clase B (parte inferior del gráfico en la figura 27.7) a solicitud de la profesora porque esta había notado un "cambio dramático" inmediato en la ejecución de Lucas cuando empezó a automonitorizarse y a buscar los elogios de la profesora en el periodo de clase A. Este resultado es una evidencia sólida de la validez social de la intervención en promoción de la autonomía personal.

Análogos al reforzamiento negativo en la promoción de la autonomía personal

Muchas intervenciones exitosas en promoción de la autonomía personal implican contingencias de escape y de evitación determinadas por uno mismo que son análogas al reforzamiento negativo. La mayoría de los estudios de caso que se presentan en el excelente libro sobre promoción de la autonomía personal "*I'll Stop Procrastinating When I Get Around To It*" de Malott y Harrison (2002), muestran contingencias de escape y evitación en las cuales emitir la conducta de interés le permitía a la persona evitar un evento aversivo. Por ejemplo:

Conducta de interés/Objetivo	*Contingencia de promoción de la autonomía personal*
Escribir todos los días en mi diario para recordar las cosas interesantes que han pasado e incluirlas en una carta semanal a mis padres.	Cada día que no escriba en el diario, tenía que hacer las tareas de casa de un amigo, incluso fregar los platos y hacer la colada. (Garner, 2002)
Correr 30 minutos, 3 días en semana.	Tenía que apoquinar 3 dólares a las 10:00 PM del domingo por cada día que hubiese corrido menos de tres veces a la semana. Podía contar solo una carrera al día (Seymur, 2002)
Tocar la guitarra media hora al día antes de las 11:00 PM.	Hacer 50 abdominales a las 11:00 PM los domingos por cada día que no hubiese tocado la guitarra durante la semana. (Knittel, 2002)

En respuesta a la aprensión que algunas personas pueden sentir acerca del uso del reforzamiento negativo para controlar su conducta, Malott (2002) argumentó lo siguiente para incluir el "agradable control aversivo" en los programas de promoción de la autonomía personal.

> El control aversivo no tiene por qué ser aversivo!... Esto es lo que pienso que usted necesita para conseguir un agradable procedimiento de control aversivo. Necesita asegurarse de que la consecuencia aversiva, la sanción, sea pequeña. Asimismo, necesita asegurarse de que la sanción sea evitada de manera habitual –la respuesta de evitación debe ser una que la persona hará sin reparo, la mayoría de las veces mientras que el procedimiento de evitación esté en curso.
> Nuestro día a día está lleno de tales procedimientos de evitación y, aun así, no nos hace desgraciados. Usted no sufre un ataque de pánico cada vez que cruza una puerta, incluso aunque puede hacerse daño si no evita chocarse con el marco de la puerta. Ni tampoco le recorre un sudor frío cada vez que pone las sobras en la nevera y, de esta manera, evita dejar que se echen a perder. Así que esto, nos lleva a la regla de promoción de la autonomía personal: no dude en usar un procedimiento de evitación para conseguir hacer algo que quiere hacer de todos modos. Solo asegúrese de que el resultado aversivo sea lo más pequeño posible (pero no tan pequeño que resulte inefectivo) y que la respuesta sea fácil de realizar (págs. 8-2).

Consecuencias autoadministradas para disminuir la conducta no deseada

La frecuencia de una conducta no deseada puede disminuirse mediante consecuencias autoadministradas análogas al castigo positivo o al castigo negativo.

Análogos al castigo positivo en la promoción de la autonomía personal

Una persona puede disminuir la frecuencia de una conducta no deseada mediante la aparición de un estímulo aversivo o una actividad aversiva después de cada ocurrencia de la conducta no deseada. Mahoney (1971) informó de un estudio de caso en el cual un hombre asediado por pensamientos obsesivos llevaba una gran goma elástica puesta en la muñeca. Cada vez que experimentaba un pensamiento obsesivo, daba un chasquido con la goma, aplicándose una breve sensación dolorosa en la muñeca. Una chica de 15 años que se había arrancado el cabello durante dos años y medio hasta el punto de crearse pequeñas calvas, también usó los chasquidos de la goma elástica en la muñeca autoaplicados de manera contingente para dejar es hábito (Mastellone, 1974). Otra mujer dejó de arrancarse el cabello haciendo 15 sentadillas cada vez que se arrancaba el cabello o sentía el deseo de hacerlo (MacNeil y Thomas, 1976). Powell y Azrin (1968) diseñaron una cajetilla de tabaco especial que cuando se abría, daba una descarga eléctrica de diez segundos. Las respuestas controladoras de una persona que use ese dispositivo como parte de un programa de promoción de la autonomía personal es llevar esa cajetilla y sólo fumar los cigarrillos que ha sacado de ella personalmente.

La administración de un procedimiento de práctica positiva de sobre corrección también se trata de un ejemplo de castigo positivo autoadministrado. Por ejemplo, una adolescente que frecuentemente añadía –s a la segunda persona del singular de los verbos en pretérito

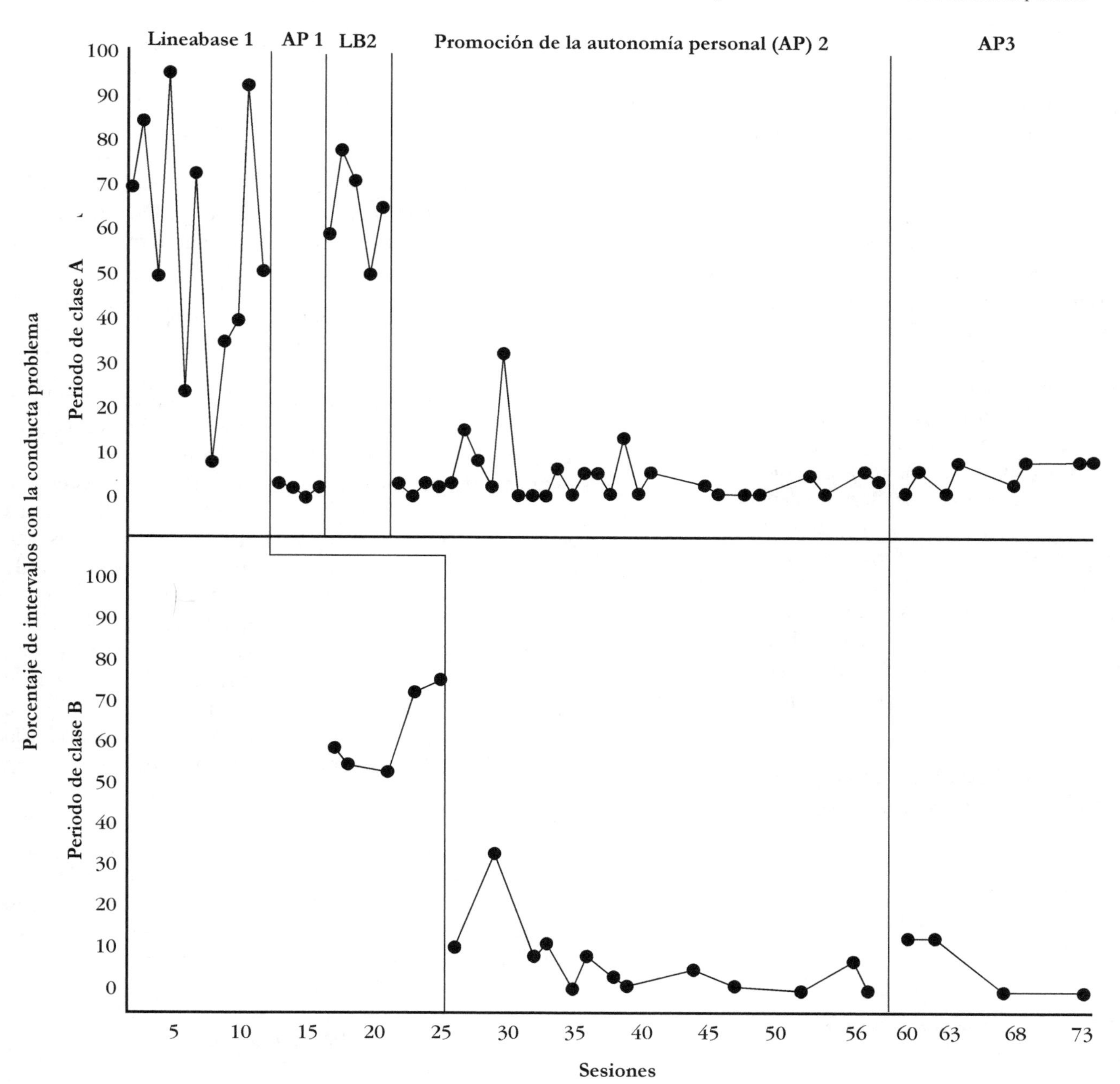

Figura 27.7 Conductas problemáticas de un niño de 9 años durante pruebas de 10 minutos a lo largo de dos periodos de clase durante las condiciones de lineabase y de promoción de la autonomía personal.

Tomado de "Self-Monitoring and Self-Recruited Praise: Effects on Problem Behavior, Academic Engagement, and Work Completion in a Typical Classroom" de A.W. Todd, R.H. Horner y G. Sugal, 1999, *Journal of Positive Behavior Interventions, 1,* pág. 71. Copyright 1999 de Pro-Ed, Inc. Reimpreso con permiso.

perfecto simple (p.ej., "tú dijistes") usó el castigo positivo autoadministrado como se explica a continuación para disminuir la frecuencia de este error al hablar (Heward, Dardig y Rossett, 1979). Cada vez que se observaba a sí misma diciendo *dijistes* cuando debería haber dicho *dijiste*, repetía la frase completa que acababa de decir 10 veces seguidas siguiendo las normas gramaticales correctas. Llevaba puesto en la muñeca un dispositivo para contar que le recordaba que debía estar atenta a lo que decía y contabilizar el número de veces que empleaba el procedimiento de práctica positiva.

Análogos al castigo negativo en la promoción de la autonomía personal

Los análogos al castigo negativo autoadministrados consisten en organizar la pérdida de reforzadores (coste de respuesta) o negarse a uno mismo el acceso a reforzadores durante un periodo de tiempo determinado (tiempo fuera) de manera contingente a la ocurrencia de la conducta de interés. Las contingencias de coste de respuesta y de tiempo fuera son estrategias de promoción de la autonomía personal cuyo uso está ampliamente extendido. El procedimiento de coste de respuesta autoadministrado más común es el pago de una pequeña multa cada vez que ocurre la conducta de interés. En un estudio con fumadores, estos reducían la tasa de la conducta de fumar rompiendo un billete de un dólar cada vez que se encendían un cigarrillo (Axelrod, Hall, Weis y Rohrer, 1971). Los procedimiento de coste de respuesta también ha resultado efectivos con niños de primaria que determinaron por sí mismos el número de fichas que deberían perder por conductas socialmente inapropiadas (Kaufman y O'Leary, 1972) o por realizar un trabajo académico deficiente (Humphrey, Karoley y Kirschenbaum, 1978).

James (1981) enseñó a un chico de 18 que había tartamudeado de manera muy severa desde los 6 años a usar un procedimiento de tiempo fuera de hablar. Siempre que se observase tartamudeando, el joven dejaba de hablar inmediatamente durante al menos 2 segundos, transcurrido este tiempo, podía empezar a hablar de nuevo. La frecuencia de sus disfluencias disminuyó notablemente. Si hablar es reforzante, este procedimiento puede funcionar como tiempo fuera (p.ej., impedirse a uno mismo participar en una actividad preferida durante un periodo de tiempo).

Recomendaciones para la autoadministración de consecuencias

Las personas que diseñan y aplican consecuencias autoadministradas deberían tener en cuenta las siguientes recomendaciones.

Seleccione consecuencias pequeñas y fáciles de aplicar

Tanto las recompensas como las sanciones que se usen en programas de promoción de la autonomía personal deberían ser pequeñas y fáciles de aplicar. Una equivocación común en los diseños de programas de promoción de la autonomía personal es seleccionar consecuencias grandes e intensas. Aunque alguien puede creer que la promesa de una gran recompensa (o la amenaza de un grave evento aversivo) le motivará a alcanzar los criterios de ejecución determinados por sí mismo, las consecuencias grandes a menudo trabajan en contra del éxito del programa. Las recompensas y las consecuencias aversivas elegidas por uno mismo no deberían tomar mucho tiempo, ni ser costosas, ni elaboradas, ni demasiado severas. Si lo son, la persona puede que no sea capaz (en el caso de grandes recompensas) o no estar dispuesta (en el caso de eventos aversivos severos) a aplicarlas de manera inmediata y consistente.

En general, es mejor usar pequeñas consecuencias que puedan obtenerse de manera inmediata y frecuente. Esto es particularmente importante con consecuencias que pretenden funcionar como castigos, los cuales –para ser más efectivos– deben aplicarse inmediatamente cada vez que se emita la conducta que se quiere reducir.

Establezca un criterio de reforzamiento significativo pero fácil de alcanzar

Cuando diseñe contingencias que implican consecuencias administradas por uno mismo, una persona debería estar alerta para no incurrir en los dos errores que los profesionales cometen con frecuencia cuando aplican contingencias de reforzamiento con sus estudiantes y clientes: (1) poner las expectativas tan bajas que no es necesaria la mejora en el nivel actual de ejecución para obtener la recompensa autoadministrada o (2) poner el criterio inicial de ejecución demasiado alto (el error más común), y de este modo programar de manera efectiva una contingencia de extinción que puede ser la causa de que la persona abandone la promoción de la autonomía personal por completo. Las claves para la efectividad de cualquier intervención basada en reforzamiento son el establecimiento de un criterio inicial que asegure que la conducta de la persona contacta de manera temprana con el reforzamiento y que el reforzamiento continuado requiere mejoras sobre los niveles de la lineabase. La fórmula de establecimiento del criterio (Heward, 1980) descrita en el capítulo 11 proporciona pautas para tomar tales decisiones.

Eliminar el "reforzamiento de contrabando"

El reforzamiento de contrabando –acceso a una recompensa determinada o a otros elementos o eventos igualmente reforzantes sin alcanzar los requisitos de respuesta para la contingencia– es la causa más común del fracaso de los proyectos de promoción de la autonomía personal.

El reforzamiento de contrabando es común cuando las personas usan actividades preferidas del día a día y pequeños caprichos como recompensas en los programas de promoción de la autonomía personal. Aunque los pequeños placeres y disfrutes del día a día son fáciles de aplicar, a una persona puede resultarle difícil abstenerse de las cosas a las que está acostumbrada a disfrutar de manera habitual. Por ejemplo, un hombre que solía desconectar al final del día viendo su programa deportivo preferido con una cerveza y unos cacahuetes puede que no sea consistente en hacer esos pequeños caprichos contingentes al cumplimiento de los requisitos de su programa de promoción de la autonomía personal.

Un método para combatir este tipo de reforzamiento de contrabando es restringir el acceso a las actividades u objetos de los que la persona disfrutaba de manera rutinaria antes de iniciar el programa de promoción de la autonomía personal de modo contingente a alcanzar cualquier criterio de ejecución y proporcionar objetos o actividades alternativas que están por encima de lo habitual. Por ejemplo, cada vez que el hombre del que hablábamos anteriormente alcance sus criterios de ejecución, podría sustituir su marca habitual de cerveza por otra cerveza especial de su elección que tenga reservada en una colección en el fondo de la nevera.

Dé a otra persona el control de la aplicación de consecuencias si es necesario

La mayoría de los programas de promoción de la autonomía personal inefectivos fallan, no porque la conducta controladora sea inefectiva en el control de la conducta controladora, sino porque las contingencias que controlan la conducta controladora no son lo suficientemente fuertes. En otras palabras, la persona no emite la conducta controladora de manera suficientemente consistente para que sus efectos tengan lugar. ¿Qué impide a una persona razonar que hizo la mayoría de las conductas que debía hacer y que obtenga una recompensa determinada por sí misma de todos modos? ¿Qué impide a una persona fallar en la aplicación de una consecuencia aversiva determinada por sí misma? Demasiado a menudo, la respuesta a ambas preguntas es: nada.

Una persona que verdaderamente quiera cambiar su conducta pero tiene dificultades en continuar con la aplicación de consecuencias autoadministradas debería comprometer a otra persona para que actúe como gestor de su ejecución. Una persona que está realizando promoción de su autonomía personal puede asegurarse de que las consecuencias que ha diseñado para sí misma serán administradas fielmente creando una contingencia en la cual la consecuencia de no alcanzar el criterio de ejecución sea aversiva para ella pero reforzante para la persona a quien le ha pedido que aplique esa consecuencia. Y, si la primera persona que está a cargo de la contingencia no la aplica como estaba planeado, la persona que está realizando promoción de su autonomía personal debería buscar a otra persona que haga ese trabajo. Malott y Harrison (2002) escribieron:

> Cristina quería caminar en su cinta andadora, que había estado acumulando polvo, durante 20 minutos, 6 días a la semana. Intentó que su marido fuese el supervisor de su ejecución pero no resultó ser lo suficientemente firme; siempre se sentía mal por ella. Así que le despidió y contrató a su hijo; Cristina le hacía la cama a su hijo cada vez que no caminaba sus 20 minutos en la cinta y él no tuvo piedad con ella (pág. 18-7).

Kanfer (1976) llamó *autocontrol por decisión* a este tipo de promoción de la autonomía personal: la persona toma la decisión inicial para alterar su conducta y planea el modo de conseguirlo pero luego, entrega el procedimiento a una tercera parte con el objetivo de evitar la posibilidad de no emitir la conducta controladora. Kanfer distinguió entre autocontrol por decisión y autocontrol prolongado, en el cual una persona se aísla a sí misma consistentemente para efectuar el cambio de conducta deseado. Bellack y Hersen (1977) afirmaron que el autocontrol por decisión "generalmente se considera menos deseable que el autocontrol prolongado, porque no aporta al individuo habilidades o recursos duraderos" (pág. 111).

Nosotros no estamos de acuerdo con que un programa de promoción de la autonomía personal que implique ayuda de otras personas sea menos adecuado que otro en cual la persona que lleva a cabo promoción de su autonomía personal lo hace todo. En primer lugar, un programa de promoción de la autonomía personal en el cual se entregan las contingencias a una tercera persona puede ser más efectivo que "hacerlo todo solo" porque la otra persona es más consistente en la aplicación de consecuencias. Además, como resultado de haber experimentado un programa de promoción de la autonomía personal con éxito en el que la persona ha elegido la conducta de interés, ha establecido los criterios de ejecución y ha dispuesto que alguien administre las consecuencias que ha diseñado para sí mismo, esta persona ha adquirido un repertorio considerable de habilidades de promoción de la autonomía personal para un uso fututo.

Hágalo simple

Una persona no debería crear contingencias de promoción de la autonomía personal demasiado elaboradas si no son necesarias. La misma regla general que se aplica a los programas de cambio de conducta diseñados de parte de otros –debe emplearse la intervención más efectiva pero menos complicada e intrusiva– también se aplica a los programas de promoción de la autonomía personal. Con respecto al uso de consecuencias autoadministradas, Bellack y Schwartz (1976) advirtieron que:

> Añadir procedimientos complicados donde no sea preciso hacerlo es más probable que tenga efectos negativos que

positivos. En segundo lugar, nuestra experiencia indica que a muchos individuos los procedimientos de autorreforzamiento les parecen tediosos, infantiles y "efectistas" (pág. 137).

No hay necesidad alguna de que los procedimientos de autorreforzamiento sean complicados. Y, en nuestra experiencia, más personas encuentran la creación y aplicación de sus propias contingencias de promoción de la autonomía personal como algo más divertido que tedioso o infantil.

Otras estrategias de promoción de la autonomía personal

Otras estrategias de promoción de la autonomía personal han sido objeto de investigación en el análisis de la conducta pero no son fácilmente clasificables conforme a la contingencia de cuatro términos. Estas incluyen: las autoinstrucciones, la reversión del hábito, la desensibilización sistemática autodirigida y la práctica masiva.

Autoinstrucciones

Las personas se hablan a sí mismas continuamente, para darse ánimos (p.ej., "Puedes hacerlo; lo has hecho otras veces"), para felicitarse (p.ej., "¡Excelente disparo, Daniela! ¡Has dado en la diana!), y para regañarse (p.ej., "No vuelvas a decir eso; le harás daño") por su conducta, así como también se dan instrucciones específicas (p.ej., "Pasa la cuerda inferior por el centro"). Tales autoafirmaciones pueden funcionar como respuestas controladoras –mediadores verbales– que afectan a la ocurrencia de otras conductas. Una autoinstrucción consiste en una respuesta verbal autogenerada, manifiesta o encubierta, que funciona como una ayuda a la respuesta para una conducta deseada. Como una técnica de promoción de la autonomía personal, las autoinstrucciones se unas para guiar a una persona a lo largo de una cadena de conducta o una secuencia de tareas.

Bornstein y Quevillon (1976) llevaron a cabo un estudio citado frecuentemente como una prueba a favor de los efectos positivos y duraderos de las autoinstrucciones. Enseñaron a tres niños hiperactivos de preescolar un serie de cuatro tipos de autoinstrucciones diseñadas para que se mantuviesen centrados en la tarea durante las actividades de clase:

1. Preguntas sobre la tarea asignada (p.ej., ¿Qué me quiere el profesor que haga?).
2. Respuestas a las preguntas dirigidas a sí mismos (p.ej., "Debo copiar ese dibujo").
3. Verbalizaciones para guiar al niño a lo largo de la tarea en concreto (p.ej., "Vale, primero dibujo una línea por aquí…").
4. Autorreforzamiento (p.ej., "Me ha salido muy bien").

Durante una sesión de dos horas, se les enseñó a los niños a usar las autoinstrucciones utilizando una secuencia de pasos de entrenamiento desarrollada por Meichembaum y Goodman (1971):

1. El experimentador modelaba la tarea mientras se hablaba en voz alta a sí mismo.
2. El niño llevaba a cabo la tarea mientras el experimentador le daba instrucciones verbales.
3. El niño llevaba a cabo la tarea mientas se hablaba en voz alta a sí mismo con el experimentador susurrando las instrucciones.
4. El niño llevaba a cabo la tarea mientras se susurraba a sí mismo con el experimentador moviendo los labios pero sin hacer ningún sonido.
5. El niño llevaba a cabo la tarea mientras guiaba su ejecución con instrucciones encubiertas. (Adaptado de la pág. 117)

Durante la sesión de entrenamiento se usaron diversas tareas de clase, desde tareas motoras simples como copiar líneas y figuras hasta tareas más complejas como construcciones con cubos y tareas de categorización. Los niños mostraron un notable aumento en su conducta centrada en la tarea inmediatamente después de haber recibido entrenamiento en autoinstrucciones y la mejora en su conducta se mantuvo durante un periodo de tiempo considerable. Los autores sugirieron que la generalización obtenida del entorno de entrenamiento a la clase podría haber sido resultado de que durante el entrenamiento se les ordenó que imaginaran que estaban trabajando con su profesor, no con el experimentador. Los autores hipotetizaron que un fenómeno de trampa conductual (Baer y Wolf, 1970) podría haber sido el responsable del mantenimiento de la conducta centrada en la tarea; esto es, las autoinstrucciones podrían haber producido inicialmente la mejora en la conducta, la cual al final produjo atención por parte del profesor y esta mantuvo la conducta centrada en la tarea.

Aunque algunos estudios que evaluaban las autoinstrucciones no consiguieron reproducir los impactantes resultados obtenidos por Bornstein y Quevillon (p.ej., Billings y Wasik, 1985; Friedling y O'Leary, 1979), otros estudios han producido, normalmente, resultados alentadores (Barkley, Copeland y Sivage, 1980; Burgio, Whitman y Johnson, 1980; Hughes 1992; Kosiewicz, Hallahan, Lloyd y Graves, 1982; Peters y Davies, 1981; Robin, Armel y O'Leary, 1975). El entrenamiento en autoinstrucciones ha aumentado la frecuencia con que estudiantes de secundaria iniciaban conversaciones con compañeros conocidos y desconocidos (Huges, Harmer, Kilian y Niarhos, 1995; ver figura 28.5).

Empleados con discapacidad han aprendido a realizar promoción de la autonomía personal en su ejecución en el trabajo proporcionándose a sí mismos ayudas verbales y autoinstrucciones (Hughes, 1997). Por ejemplo, Salend, Ellis y Reynolds (1989) usaron una estrategia de autoinstrucciones para enseñar a cuatro adultos con retraso mental grave a "hablar mientras trabajas". La productividad aumentó de manera dramática y las tasas de error disminuyeron cuando las mujeres se verbalizaban a sí mismas "peine arriba, peine abajo, peine en la bolsa, bolsa en la caja" mientras empaquetaban peines en bolsas de plástico. Hughes y Rusch (1989) enseñaron a dos empleados que trabajaban en una empresa de suministros de limpieza a resolver problemas usando un procedimiento de autoinstrucciones que consistía en cuatro afirmaciones:

1. Enunciar el problema (p.ej., "Se acabó la cinta adhesiva").
2. Enunciar la respuesta que se necesita para solucionar el problema (p.ej., "Necesito más cinta adhesiva").
3. Autoinforme (p.ej., "Lo arreglé").
4. Autorreforzamiento (p.ej., "Bien").

O'Leary y Dubey (1979) resumieron su revisión del entrenamiento en autoinstrucciones sugiriendo cuatro factores que parece que influyen en su efectividad con niños:

> Las autoinstrucciones parecen ser procedimientos de autocontrol efectivos si los niños, en efecto, aplican el procedimiento instruccional, si las usan [las autoinstrucciones] para influir en la conducta para la cual tienen habilidades, si han sido reforzados por seguir autoinstrucciones en el pasado y si el foco de las instrucciones es la conducta que está más sujeta a consecuencias.

Reversión del hábito

En esta discusión inicial sobre el autocontrol, Skinner (1953) incluyó "hacer otra cosa" como una técnica de promoción de la autonomía personal. En una interesante aplicación de "hacer otra cosa", Robin, Schneider y Dolnick (1976) enseñaron a 11 niños de primaria con trastornos emocionales y conductuales a controlar sus conductas agresivas usando la técnica de la tortuga: los niños retraían los brazos y las piernas colocándolos cerca del cuerpo, ponían la cabeza debajo de su pupitre, relajaban los músculos e imaginaban que eran tortugas. Se les enseñó a usar la respuesta de la tortuga siempre que creyeran que iba a darse un intercambio agresivo con alguien, cuando estaban enfadados consigo mismos y sintieran que estaban a punto de tener una rabieta, o cuando el profesor o un compañero de clase gritaran: "¡Tortuga!".

Azrin y Nunn (1973) desarrollaron una intervención a la que ellos llamaron *reversión del hábito*, en la cual se les enseñaba a los clientes a automonitorizar sus hábitos nerviosos y a interrumpir la cadena de conducta lo antes posible mediante la realización de una conducta incompatible con la conducta problemática (esto es, hacer otra cosa). Por ejemplo, cuando una persona que se muerde las uñas se observa empezando a morderse las uñas, puede cerrar la mano y apretar el puño durante 2 ó 3 minutos (Azrin, Nunn, y Frantz, 1980) o bien, sentarse sobre sus manos (Long, Miltenberger, Ellingson y Ott, 1999). Como intervención clínica, la reversión del hábito normalmente se aplica como parte de un paquete de tratamiento multicomponente que incluye el entrenamiento en tomar conciencia de uno mismo, lo que implica la detección de la respuesta y procedimientos para identificar los eventos que preceden y que disparan la respuesta; el entrenamiento en respuestas competidoras; técnicas de motivación que incluyen la autoadministración de consecuencias, sistemas de apoyo social y procedimientos para promover la generalización y el mantenimiento de los avances en el tratamiento (Long y col., 1999). Se ha demostrado que la reversión del hábito es una técnica de promoción de la autonomía personal altamente efectiva para una amplia variedad de conductas problemáticas. Para una revisión de la investigación sobre los procedimientos de reversión del hábito, vea Miltenberger, Fuqua y Woods (1998).

Instrucciones:

1. Está usted viendo la televisión sentado en un cómodo sillón en la seguridad de su hogar.
2. Está usted viendo un anuncio de comida para gatos (no se ve ningún gato).
3. El anuncio continúa y se ve al gato comiendo.
4. Se ve a un hombre acariciando al gato.
5. El hombre tiene al gato en brazos y le acaricia.
6. Una mujer tiene al gato en brazos, el gato le lame las manos y la cara.
7. Está usted mirando por la ventana de su casa y ve un gato en la hierba a lo otro lado de la calle.
8. Está usted sentado frente a su casa y ve un gato andando por la acera al otro lado de la calle.
9. Está usted sentado la entrada de su casa y ve un gato andando por la acera más próxima.
10. Un gato anda 4,5 metros de usted.
11. Un amigo suyo, toma al gato y juega con él.
12. Su amigo está a 3 metros de usted y el gato le lame la cara.
13. Su amigo se acerca a 1,5 metros de usted mientras lleva al gato en brazos.
14. Su amigo queda a medio metro de usted y juega con el gato.
15. Su amigo le pregunta si le gustaría acariciar al gato.
16. Su amigo se pone a su lado y le ofrece tomar el gato.
17. Pone el gato en el suelo y este se acerca a usted.
18. El gato roza sus piernas.
19. El gato anda entre sus piernas ronroneando.
20. Usted se agacha y toca el gato.
21. Acaricia el gato.
22. Toma el gato en brazos y lo acaricia. (pág. 71)

Figura 27.8 Secuencia de escenas imaginarias relativas al miedo a los gatos que podría usarse en una autodesensibilización sistemática.

Tomado de "Self-Directed Systematic Desensitization: A Guide for the Student, Client, and Therapist" by W.W.Wenrich, H. H. Dawley, and D. A. General, 1976, p. 71.

Desensibilización sistemática autodirigida

La desensibilización sistemática es una terapia de conducta ampliamente utilizada para el tratamiento de la ansiedad, los miedos y las fobias que presenta la estrategia de promoción de la autonomía personal de realizar una conducta alternativa (esto es, hacer otra cosa).

Originalmente desarrollada por Wolpe (1958, 1973), la **desensibilización sistemática** implica la sustitución de una conducta, normalmente relajación muscular, por la conducta indeseada –el miedo y la ansiedad. El cliente elabora una jerarquía de situaciones desde el menos temida hasta la más temida y entonces aprende a relajarse mientras está imaginando estas situaciones ansiógenas, en primer lugar la situación menos temida, luego la siguiente de la jerarquía, etc. La figura 27.8 muestra una jerarquía de estímulos ansiógenos que una persona podría elaborar para intentar controlar el miedo a los gatos. Cuando una persona es capaz de completar toda la jerarquía, imaginando cada escena con detalle mientras mantiene una relajación profunda y no siente ansiedad, empieza a exponerse gradualmente a situaciones de la vida real (*en vivo*).

Puede encontrar los procedimientos detallados para alcanzar una relajación muscular profunda, para construir y validar una jerarquía de situaciones ansiógenas -o temidas-, y para aplicar un programa de desensibilización sistemática autodirigido en Martin y Pear (2003) y en Wenrich, Dawley y General (1976).

Práctica masiva

Obligarse a uno mismo a ejecutar una conducta una y otra vez, una técnica llamada **práctica masiva**, a veces disminuirá la frecuencia futura de la conducta.

Wolf (1977) informó de un caso interesante de este tipo de tratamiento con una mujer de 20 años que realizaba una rutina compulsiva y ritualizada de 13 comprobaciones de seguridad específicas cada vez que entraba en su apartamento (p.ej., mirar bajo las camas, comprobar los armarios, mirar en la cocina). Empezó su programa realizando de manera deliberada los 13 pasos en un orden exacto y luego repitiendo el ritual completo cuatro veces más. Después de hacer esto durante una semana, se permitía comprobar el apartamento si quería pero se obligaba a repetir la rutina entera cinco veces siempre que hiciese cualquier comprobación. Pronto dejó de realizar esa conducta compulsiva de comprobación.

Recomendaciones para llevar a cabo un programa de promoción de la autonomía personal efectivo.

La incorporación de las recomendaciones a continuación al diseño y la aplicación de programas de promoción de la autonomía personal debería aumentar la probabilidad del éxito. Aunque ninguna de estas pautas han sido rigurosamente examinada a través de análisis experimental –a la investigación sobre promoción de la autonomía personal le queda un largo camino por recorrer– cada recomendación es consistente con procedimientos que se ha demostrado que son efectivos en otras áreas del análisis aplicado de conducta y con las “mejores prácticas” frecuentemente referidas en la literatura sobre promoción del autonomía personal (p.ej., Agran, 1997; Malott y Harrison, 2002; Martin y Pear, 2003; Watson y Tharp, 2007).

1. Especifique un objetivo y defina la conducta que va a ser cambiada.
2. Empiece a automonitorizar la conducta.
3. Planee contingencias que compitan con las contingencias naturales.
4. Haga público su compromiso de cambiar su conducta.
5. Consiga un compañero de la promoción de la autonomía personal.
6. Evalúe continuamente su programa de promoción de la autonomía personal y vuelva a diseñarlo si es necesario.

Especifique un objetivo y defina la conducta de interés

Un programa de promoción de la autonomía personal empieza por identificar una meta u objetivo y los cambios específicos en la conducta necesarios para alcanzar esa meta u objetivo. Una persona puede usar la mayoría de las cuestiones y asuntos que los profesionales deberían tener en cuenta cuando seleccionan las conductas de interés para estudiantes o clientes (ver capítulo 3) para evaluar la trascendencia social y dar prioridad a una lista de cambios en la conducta de interés determinados por uno mismo.

Empiece a automonitorizar la conducta

Una persona debería empezar a automonitorizar en cuanto haya definido la conducta de interés. Comenzar la automonitorización de manera previa a la aplicación de cualquier otra forma de intervención dirige a los mismos beneficios que tomar una lineabase de datos tal y como se describe en el capítulo 7:

1. Automonitorizar hace que a una sea persona observadora de los eventos que ocurren antes y después de la conducta de interés; la información acerca de las correlaciones antecedente-conducta-consecuente puede ser de ayuda para diseñar una intervención efectiva.
2. Una lineabase de datos automonitorizados proporciona una valiosa guía para determinar los criterios de ejecución iniciales para las consecuencias autoadministradas.
3. Una lineabase de datos automonitorizados proporciona una base objetiva para evaluar los efectos de cualquier intervención posterior.

Otra razón para empezar a automonitorizar lo antes posible sin emplear estrategias de promoción de la autonomía personal complementarias es que la mejora deseada en la conducta puede alcanzarse con la automonitorización por sí sola.

Cree contingencias artificiales que compitan con las contingencias naturales inefectivas

Cuando la automonitorización por sí sola no resulta en los cambios deseados en la conducta, el siguiente paso es el diseño de una contingencia artificial que compita con las contingencias naturales inefectivas. Una persona que aplica una contingencia que proporciona consecuencias inmediatas precisas en cada ocurrencia de la conducta de interés (o quizá cada vez que esta no ocurre) aumenta enormemente la probabilidad de obtener un objetivo de promoción de la autonomía personal que previamente era escurridizo. Por ejemplo, un fumador que autorregistra e informa de cada cigarrillo que fuma a su compañero de promoción de la autonomía personal, quien le proporciona elogios contingentes, recompensas y sanciones, y que ha organizado consecuencias inmediatas, frecuentes y más efectivas para reducir su conducta de fumar que las que le proporcionaba la contingencia natural: la amenaza de cáncer de pulmón y enfisema en el futuro, ninguna de las cuales se hace apreciable de manera más inmediata o probable de un cigarrillo al siguiente.

Hágalo público

La efectividad de un esfuerzo de promoción de la autonomía personal puede acentuarse compartiendo públicamente las intenciones del programa. Cuando una persona comparte su objetivo o hace una predicción a otros acerca de su conducta futura, se ha creado consecuencias potenciales –elogios o desaprobación– para su éxito o su fracaso en alcanzar ese objetivo. La persona debería declarar en términos específicos lo que tiene intención de hacer y su fecha límite para conseguirlo. Dando un paso más en la idea del compromiso público, considere el gran potencial de una hacer una comunicación pública (p.ej., un estudiante universitario podría publicar un gráfico hecho a mano que su jefe de departamento o su decano puedan ver y comentar).

Malott (1981) lo llamó "el principio del foco público de autonomía personal".

> Una declaración pública de los objetivos mejora la ejecución, pero ¿Cómo producen cambios las contingencias sociales adquiridas por compromiso público? Yo asumo que estas aumentan el valor gratificante del éxito y el valor aversivo del fracaso. Pero esos resultados son probablemente demasiado demorados para reforzar directamente la resolución de problemas. En su lugar, deben ser parte de las reglas que el estudiante se dice a sí mismo en momentos cruciales: "Si no alcanzo mi objetivo, pareceré tonto; pero si lo hago, quedaré bastante bien." Tales reglas funcionan como pistas para el autorreforzamiento inmediato de la conducta centrada en la tarea y para el autocastigo de conductas no relacionadas con la tarea (Volumen II, Nº 18, pág. 5).

Skinner (1953) también teorizó sobre los principios de conducta que operan cuando una persona comparte su objetivo de promoción de la autonomía personal con otros.

> Haciéndolo en presencia de otras personas que aportan estimulación aversiva cuando la predicción no se cumple, organizamos consecuencias que probablemente fortalecerán la conducta que se ha decidido. Únicamente podemos escapar de las consecuencias aversivas de no cumplir con nuestro propósito comportándonos como habíamos predicho (pág. 237).

Consiga un compañero de la promoción de la autonomía personal

Organizar un intercambio de promoción de la autonomía personal es una buena manera de involucrar a otra persona que puede darnos una retroalimentación diferente acerca de cómo va el proyecto de promoción de la autonomía personal, lo cual, puede ser efectivo como consecuencia conductual. Dos personas, teniendo cada una de ellas una meta amplia o una serie habitual de tareas que hacer, pueden acordar tener una conversación diaria o semanalmente, según las conductas de interés y el progreso de cada una. Pueden compartir los datos de su automonitorización e intercambiar elogios verbales o reprimendas y, quizás, incluso consecuencias más tangibles de manera contingente a su ejecución. Malott (1981) relató un intercambio exitoso de promoción de la autonomía personal en el que él y un colega pagaban 1 dólar al otro cada vez que uno de los dos no conseguía completar alguna de una serie de tareas determinadas por sí mismos como hacer ejercicio diariamente, labores domésticas y tareas de redacción. Cada mañana hablaban por teléfono para informar de su desempeño de las tareas durante las 24 horas anteriores.

Para ayudarse a sí mismos y a otros a estudiar para los exámenes y a completar tareas de investigación y de redacción, un grupo de estudiantes de doctorado creó un grupo de promoción de la autonomía personal al que llamaron el "Club de la Tesis" (Ferreri y col., 2006). En sus reuniones semanales cada miembro del grupo compartía sus datos sobre las "conductas académicas" que se había puesto como objetivo (p.ej., gráficos del número de palabras que había escrito al día o del número de horas que estudiaba). Los miembros del grupo recibían apoyo social del resto en forma de ánimos para continuar trabajando intensamente y de elogios por sus logros. Los miembros actuaban como asesores conductuales entre sí para diseñar intervenciones de promoción de la autonomía personal y, a veces, administraban recompensas y multas de unos a otros. Los seis miembros del grupo redactaron y defendieron sus tesis con éxito dentro de las fechas límite que se había propuesto.

Evalúe continuamente su programa de promoción de la autonomía personal y vuelva a diseñarlo si es necesario.

> Puede que su programa de promoción de la autonomía personal no funcione la primera vez que lo intente y, con seguridad, se desmoronará de vez en cuando así que prepare algo de cinta adhesiva y chicle para recomponerlo de nuevo.
>
> - Malott y Harrison (2002, pág. 18-7)

El desarrollo y evaluación de la mayoría de los programas de promoción de la autonomía personal refleja una aproximación pragmática y basada en datos a la resolución de problemas más que una rigurosa investigación con énfasis en el análisis y el control experimental. Sin embargo, igual que el investigador, la persona que realiza promoción de su autonomía personal debería guiarse por los datos. Si los datos muestran que el programa no está funcionando de manera satisfactoria, la intervención debería diseñarse de nuevo. Un simple diseño AB (ver capítulo 7) proporciona una contabilidad clara de los resultados antes y después de la intervención, que normalmente es suficiente para la autoevaluación. Determinar experimentalmente relaciones funcionales entre las intervenciones de promoción de la autonomía personal y sus efectos normalmente se mantiene en un segundo plano con respecto al objetivo práctico de cambiar la conducta de uno mismo. Sin embargo, el diseño de criterio cambiante (capítulo 9) se presta amablemente, no solo a los incrementos escalonados en la ejecución que son, a menudo, parte de la mejora del desempeño personal sino también a la comprensión de la relación entre la intervención y los cambios en la conducta de interés.

Además de una evaluación basada en datos, las personas deberían evaluar sus proyectos de promoción de la autonomía personal en términos de validez social (Wolf, 1978). Un profesional que enseña promoción de la autonomía personal a otros puede ayudar a sus estudiantes y clientes en las evaluaciones de la validez social de sus esfuerzos de promoción de su autonomía personal proporcionándoles listas de preguntas acerca de temas como hasta qué punto su intervención resultó práctica, si sintieron que su programa de promoción de la autonomía personal afectó a sus conducta de alguna forma que no fuese medida, y si disfrutaron del proyecto.

Uno de los aspectos más importantes de la validez social para cualquier programa de cambio de conducta es hasta qué punto los resultados –cambios medidos en la conducta de interés– cambiaron realmente en las vidas de los participantes. Una aproximación a la medida de la validez social de los resultados de un programa de promoción de la autonomía personal es la recogida de datos en los que Malott y Harrison (2002) llamaron *medidas del beneficio*. Por ejemplo, una persona podría medir:

- El número de kilos que ha perdido como medida del beneficio de comer menos y hacer más ejercicio.
- La mejora en la capacidad pulmonar (volumen máximo de flujo respiratorio medido en centímetros cúbicos por segundo en un dispositivo económico que venden en muchas farmacias) como resultado de la reducción del número de cigarrillos que una persona fuma.
- Disminución del tiempo que tarda en correr dos kilómetros como beneficio del número de kilómetros que una persona corre cada día.
- Una tasa cardíaca en reposo más baja y un tiempo de recuperación más rápido como beneficio del ejercicio aeróbico.
- Puntuaciones más altas en exámenes de práctica de un idioma extranjero como resultado del estudio.

Además de medir la validez social de las intervenciones de promoción de la autonomía personal, los resultados positivos de las medidas del beneficio pueden servir como consecuencias que recompensen y fortalezcan la adherencia continuada a la promoción de la autonomía personal.

En el cuadro 27.2, "Quíteme un peso de encima" se presenta un informe de pérdida de peso gracias a un programa de de promoción de la autonomía personal que incorporaba muchas de las estrategias y recomendaciones que se describen en este capítulo.

La conducta cambia a la conducta

Epstein (1997), refiriéndose a un libro sobre promoción de la autonomía personal que escribió para un público conocido, escribió:

> Un joven cuya vida está hecha un desastre (fuma, bebe, come demasiado, pierde cosas, demora sus tareas, etc.…) pide consejo a sus padres, profesores y amigos pero nadie puede ayudarle. Entonces, el joven se acuerda de su tío Fred (inspirándose descaradamente en Fred Skinner), cuya

vida siempre parecía estar en perfecta armonía. En varias visitas, el tío Fred le revela los tres "secretos" de la promoción de la autonomía personal: Cambia tu ambiente, monitoriza tus conductas, y haz compromisos. Fred también le revela y le explica el "principio de promoción de la autonomía personal": *La conducta cambia a la conducta.* Después de cada visita, el joven prueba una técnica nueva y su vida cambia a mejor radicalmente. En una ocasión, en una escuela pública, ve una clase de niños notablemente creativos y perspicaces que han sido entrenados en técnicas de promoción de la autonomía personal. Es ficción, por supuesto, pero la tecnología está bien establecida y las posibilidades están al alcance. (pág. 563, cursivas presentes en el texto original)

Basándose en el análisis conceptual de Skinner (1953) sobre el autocontrol hecho hace más de 50 años, los analistas de conducta han desarrollado numerosas estrategias de promoción de la autonomía personal y métodos para enseñar a personas con habilidades diversas cómo aplicarlas. De manera subyacente a todos estos esfuerzos y descubrimientos está el simple aunque profundo principio de que la conducta cambia a la conducta.

Cuadro 27.2

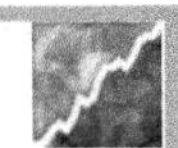

Quíteme un peso de encima:

Un programa de promoción de la autonomía personal para la pérdida de peso

José era un señor de 63 años a quien su médico le había informado recientemente de que los más de 88 kilos en su marco de 1 metro y 55 centímetros debían reducirse a 79 kilos o, muy probablemente, tendría serios problemas cardíacos. Aunque José hacía ejercicio de manera habitual manteniendo el césped y el jardín, cortando y acarreando leña, alimentando a los conejos y haciendo otra infinidad de tareas en su granja, su prodigioso apetito –considerado desde hace mucho uno de "los mejores en el país"– le ha pasado factura. La advertencia de su médico y la reciente muerte de un compañero del instituto le asustaron lo suficiente para que José se sentara con su hijo a planear un programa de promoción de la autonomía personal para la pérdida de peso.

El programa de José incluía estrategias basadas en el control de antecedentes, automonitorización, contingencias artificiales, consecuencias autoseleccionadas y autoadministradas y manejo de contingencias por seres queridos.

Objetivo

Reducir el peso actual de 88 kilos a 79 kilos a una tasa de 450 gr. a la semana.

Cambio de conducta necesario para alcanzar el objetivo

Reducir las calorías que consume a 2.100 calorías al día.

Reglas y procedimientos

- Pesarse en la báscula del baño cada mañana antes de vestirse o comer y registrar su peso en el gráfico "El peso de José" que estaba pegado al espejo del baño.
- Llevar consigo una libreta, un lápiz y un contador de calorías en el bolsillo durante el día y registrar el tipo y la cantidad de *toda* la comida y líquidos (distintos del agua) *inmediatamente* después de consumirlos.
- Antes de irse a la cama por las noches, sumar el

Contingencias/Consecuencias diarias

- Si las calorías consumidas durante el día no excedían el criterio de 2.100, ponía 50 centavos en el "Tarro del jardín de José".
- Si el total de calorías excedía el criterio, sacaba 1 dólar del "Tarro del jardín de José".
- Por cada 3 días seguidos que alcanzaba el criterio de calorías, añadía 50 centavos más al "Tarro del jardín de José".
- Hacía que Elena firmase su contrato cada día en que alcanzaba el criterio de calorías.

Contingencias/Consecuencias semanales

- Todos los domingos por la noche escribía las calorías que había consumido cada día de la semana anterior en una de las tarjetas prefranqueadas con la dirección del destinatario y la fecha escrita con antelación. Elena verificaba su autorregistro firmando la tarjeta y enviándola los lunes a Bill y Jill.
- Todos los lunes, si la cantidad total de calorías consumidas alcanzaba el criterio al menos 6 de los 7 días anteriores, obtenía un objeto o actividad del "Menú de recompensas de José".

Contingencias/Consecuencias Inmediatas

- Comía a lo largo del día dentro del límite de calorías con la suficiente frecuencia para que en el "Tarro del Jardín de José" hubiese suficiente dinero para comprar semillas y plantas para el huerto.
- Si en el mes de mayo perdía al menos 450 gr. a la semana, en su visita a Ohio, sería invitado de honor en un restaurante de su elección.

Consecuencias a largo plazo

- Se sentía mejor.
- Tenía mejor aspecto.

total de calorías consumidas durante el día y registrar el resultado en el gráfico "Comida de José" pegado en el espejo del baño.

- No saltarse los pasos 1 al 3 independientemente de que hubiese, o no, pérdida de peso.

Contingencias/Consecuencias inmediatas

- El contador de calorías, la libreta y el lápiz en su bolsillo le proporcionaban ayudas a la respuesta continuamente disponibles.
- Registrar toda la comida y bebida consumida le proporcionaba consecuencias inmediatas.
- Cuando no comía nada de lo que había pensado comer, ponía una estrella en su libreta y se elogiaba a sí mismo ("¡Así se hace, José!").

- Estaba más sano.
- Alargaría su vida.

Resultados

A José a menudo le costaba seguir las reglas y procedimientos pero se mantuvo firme en su programa de promoción de la autonomía personal y perdió 10 kg (consiguiendo un peso de 78 Kg) en 16 semanas. Han pasado 26 años desde la aventura de José en promoción de la autonomía personal, y aun se defiende ante una buena cena pero ha mantenido su pérdida de peso y disfruta de la jardinería, del canto en un coro y de escuchar los partidos de su equipo favorito por la radio.

Resumen

"Uno mismo" con controlador de la conducta

1. Tendemos a asignar un status causal a los eventos que preceden inmediatamente a la conducta y cuando las variables causales no son fácilmente evidentes en lo inmediato, en el ambiente alrededor, la tendencia a apuntar a causas internas de la conducta es particularmente fuerte.

2. Constructos hipotéticos como la fuerza de voluntad y el impulso son falacias explicativas que no nos acercan a la comprensión de las conductas que aseguran explicar y conducen al razonamiento circular.

3. Skinner (1953) conceptualizó el autocontrol como un fenómeno de dos respuestas: la *respuesta controladora* que afecta a variables de un modo que cambia la probabilidad de la otra, la *respuesta controlada*.

4. Definimos promoción de la autonomía personal como la aplicación personal de estrategias de cambio de conducta que produce un cambio deseado en la conducta.

5. La promoción de la autonomía personal es un concepto relativo. Un programa de cambio de conducta puede implicar un pequeño grado de promoción de la autonomía personal o puede estar totalmente concebido, diseñado y aplicado por la persona.

6. Aunque *autocontrol* y *promoción de la autonomía personal* aparecen como términos intercambiables en la literatura conductual, recomendamos que se use *promoción de la autonomía personal* cuando nos referimos a una persona que actúa de algún modo *a fin de* cambiar su conducta posterior.

   - El autocontrol implica que el control último de la conducta reside en la persona, pero los factores causales del "autocontrol" se encuentran en las experiencias de la persona con su ambiente.

   - El autocontrol "parece sugerir ser capaz de controlar una parte interna de uno mismo [separada] o [que hay] un uno mismo interior que controla la conducta externa" (Baum, 1994, pág. 157).

   - El autocontrol también se usa para referirse a la habilidad de una persona para "demorar la gratificación", respondiendo para alcanzar una recompensa demorada pero mayor o de mejor calidad, en lugar de actuar para conseguir una recompensa inmediata menos valiosa.

Aplicaciones, ventajas y beneficios de la promoción de la autonomía personal

7. Cuatro usos de la promoción de la autonomía personal son:

   - Llevar una vida diaria más efectiva y eficaz.

   - El abandono de malas costumbres y la adquisición de buenas.

   - Conseguir con éxito tareas difíciles.

   - Alcanzar objetivos personales de estilo de vida.

8. Las ventajas y beneficios de aprender y enseñar habilidades de promoción de la autonomía personal incluyen las siguientes:

- La promoción de la autonomía personal puede influir en conductas que no son accesibles a agentes externos de cambio.
- A los agentes externos del cambio a menudo se les escapan casos importantes de la conducta.
- La promoción de la autonomía personal fomenta la generalización y el mantenimiento del cambio de conducta.
- Un pequeño repertorio de habilidades de promoción de la autonomía personal puede controlar muchas conductas.
- Personas con diversas capacidades pueden aprender habilidades de promoción de la autonomía personal.
- Algunas personas tienen una mejor ejecución bajo tareas y criterios de ejecución elegidos por sí mismos.
- Las personas con buenas habilidades de promoción de la autonomía personal contribuyen a que los ambientes grupales sean más eficientes y efectivos.
- El aprendizaje de habilidades de promoción de la autonomía personal por parte de los estudiantes proporciona práctica significativa en otras áreas del plan de estudios del colegio.
- La promoción de la autonomía personal es el objetivo final de la educación.
- La promoción de la autonomía personal beneficia a la sociedad.
- La promoción de la autonomía personal ayuda a que una persona se sienta libre.
- La promoción de la autonomía personal sienta bien.

Estrategias de promoción de la autonomía personal basadas en los antecedentes

9. Las estrategias de promoción de la autonomía personal basadas en los antecedentes se caracterizan por la manipulación de los eventos o estímulos antecedentes de la conducta de interés (conducta controlada), tal como las siguientes:

- La manipulación de operaciones motivadoras para realizar una conducta deseada más frecuentemente o bien, una conducta no deseada menos frecuentemente.
- Proporcionar ayudas a la respuesta.
- El desarrollo de los pasos iniciales de una cadena de conducta para asegurar que más adelante se encontrará el estímulo discriminativo que evocará la conducta deseada.
- La eliminación de los elementos materiales necesarios para una conducta no deseada.
- La limitación de una conducta no deseada a condiciones estimulares restringidas.
- Dedicar un ambiente específico a una conducta deseada.

Automonitorización

10. La automonitorización es un procedimiento mediante el cual una persona observa y responde, normalmente autorregistrando, a la conducta que está intentando cambiar.

11. Inicialmente se desarrolló como un método de evaluación clínica para recoger datos sobre conductas que sólo el cliente podía observar, la automonitorización evolucionó hasta convertirse en la estrategia de promoción de la autonomía personal más ampliamente usada y estudiada porque, a menudo, resulta en un cambio de conducta deseado.

12. La automonitorización a menudo se combina con el establecimiento de objetivos y la autoevaluación. Una persona que usa la autoevaluación compara su ejecución con un objetivo o estándar determinado.

13. La automonitorización es a menudo parte de una intervención que incluye reforzamiento por alcanzar los objetivos seleccionados por uno mismo o por el profesor.

14. Es difícil determinar exactamente cómo funciona la automonitorización porque el procedimiento incluye necesariamente eventos privados (conducta verbal encubierta) y de esta manera, se confunde por ellos; a menudo incluye contingencias de reforzamiento tanto explícitas como implícitas.

15. Puede enseñarse a los niños a automonitorizar y autorregistrar su conducta de manera precisa por medio de la técnica de igualación con desvanecimiento, en la cual inicialmente se les refuerza por producir datos que concuerden con los datos del profesor o de sus padres. Con el tiempo, se le pide al niño que iguale su registro con el del adulto con menos frecuencia y, finalmente, monitorice la conducta de manera independiente.

16. La precisión de la automonitorización no es necesaria ni suficiente para conseguir mejoras en la conducta que está siendo monitorizada.

17. Las pautas recomendadas para la automonitorización son las siguientes:

- Proporcionar materiales que faciliten la automonitorización.
- Proporcionar pistas o ayudas complementarias.
- Automonitorizar la dimensión más importante de la conducta de interés.
- Automonitorizar de manera temprana y frecuente.
- Reforzar la automonitorización precisa.

Consecuencias administradas por uno mismo

18. Como término técnico, autorreforzamiento (como también autocastigo) es un término poco apropiado. Aunque la conducta puede cambiarse por consecuencias autoadministradas, las variables que influyen en la respuesta controladora hacen que tales estrategias de promoción de la autonomía personal sean más que una aplicación directa del reforzamiento operante.

19. Las contingencias autoadministradas análogas al reforzamiento positivo y negativo y al castigo positivo y negativo pueden ser incorporadas a los programas de promoción de la autonomía personal.

20. Cuando una persona diseña un programa de promoción de la autonomía personal que implique consecuencias autoadministradas, esta persona debería:

- Seleccionar consecuencias pequeñas y fáciles de aplicar.
- Establecer un criterio de reforzamiento significativo pero fácil de alcanzar.
- Eliminar el "reforzamiento de contrabando".
- Si es necesario, dar a otra persona el control de la aplicación de consecuencias.
- Usar las contingencias menos complicadas y menos intrusivas que sean efectivas.

Otras estrategias de promoción de la autonomía personal

21. Las autoinstrucciones (hablarse a sí mismo) pueden funcionar como conductas controladoras (mediadores verbales) que afectan a la ocurrencia de otras conductas.

22. La reversión del hábito es un paquete de tratamiento multicomponente en el cual se enseña a los clientes a automonitorizar sus hábitos indeseados y a interrumpir la cadena de conducta lo antes posible llevando a cabo una conducta incompatible con la conducta problemática.

23. La desensibilización sistemática es una terapia de conducta para el tratamiento de la ansiedad, los miedos y las fobias que implica la sustitución de una conducta, normalmente relajación muscular, por la conducta indeseada –el miedo y la ansiedad. La desensibilización sistemática autodirigida implica desarrollar una jerarquía de situaciones desde la menos temida a la más temida y luego aprender a relajarse mientras se imagina esas situaciones ansiógenas, primero las menos temidas, luego la siguiente en la jerarquía, etc.

24. La práctica masiva, obligarse a uno mismo a realizar una conducta indeseada una y otra vez, puede disminuir la frecuencia futura de la conducta.

Sugerencias para llevar a cabo un programa de promoción de la autonomía personal efectivo

25. Seguir los seis pasos para diseñar e implementar un programa de promoción de la autonomía personal:

Paso 1: Especifique un objetivo y defina la conducta que va a ser cambiada.

Paso 2: Empiece a automonitorizar la conducta.

Paso 3: Planee contingencias que compitan con las contingencias naturales.

Paso 4: Haga público su compromiso de cambiar su conducta.

Paso 5: Consiga un compañero de la promoción de la autonomía personal.

Paso 6: Evalúe continuamente su programa de promoción de la autonomía personal y vuelva a diseñarlo si es necesario.

La conducta cambia a la conducta

26. El principio más fundamental de la promoción de la autonomía personal es que la conducta cambia a la conducta.

PARTE 12

Promoción de la generalización del cambio de conducta

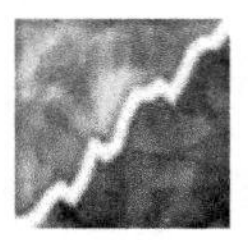

La conducta socialmente relevante se puede cambiar de forma deliberada. En los capítulos anteriores se han descrito los principios básicos de la conducta y cómo los profesionales pueden utilizar técnicas de cambio de conducta derivadas de dichos principios para aumentar las conductas adecuadas, lograr el control de estímulo deseado, enseñar nuevas conductas, y disminuir los problemas de conducta. Aunque inicialmente el logro del cambio de conducta suele requerir procedimientos que son intrusivos o costosos, o que por varios motivos no pueden o no deben continuarse indefinidamente, es casi siempre importante que el recién forjado cambio de conducta continúe. Del mismo modo, en muchos casos, la intervención necesaria para producir nuevos patrones de respuesta no puede aplicarse en todos los ambientes en los que la conducta beneficiaría a la persona. Tampoco es posible en ciertos tipos de habilidades enseñar directamente todas las formas específicas de la conducta objetivo que puedan ser necesarias. La tarea más difícil e importante a la que se enfrentan los profesionales aplicados es la del diseño, la implementación y la evaluación de las intervenciones que producen cambios de conducta que continúan una vez que la intervención inicial se interrumpe, que aparecen en contextos relevantes y en situaciones estimulares distintas de aquellas en las que la intervención se llevó a cabo, o que se extienden a otras conductas relacionadas que no fueron enseñadas directamente. El Capítulo 28 define los principales tipos de cambios de conducta generalizados y describe las estrategias y técnicas que los analistas aplicados de la conducta usan para alcanzarlos.

CAPITULO 28

Generalización y mantenimiento del cambio de conducta

Términos clave

Contexto de generalización
Contexto instruccional
Contingencia artificial
Contingencia natural
Contingencia no discriminable
Enseñanza sin rigor
Entrenamiento en ejemplares múltiples
Estímulo mediador artificial
Generalización
Generalización de respuesta
Generalización del contexto
Generalización entre sujetos
Mantenimiento de la respuesta
Programa de reforzamiento de respuesta diferencial
Programación de caso general
Programación de estímulos comunes
Sondeo de generalización
Suficientes ejemplos de enseñanza
Trampa conductual

Behavior Analyst Certification Board® BCBA® y BCaBA® Lista de tareas para analistas de conducta® (cuarta edición).

J.	Responsabilidades para con el cliente. Intervención.
J-11	Programar la generalización de estímulo y respuesta.
J-12	Programar el mantenimiento del efecto de la intervención.
FK.	**Conocimientos adicionales. Definir y dar ejemplos de:**
FK-36	Generalización de respuesta.

El maestro de Sonia aplicó una intervención que la ayudó a completar cada una de las múltiples partes de las tareas asignadas para hacer en el aula antes de entregarlas y comenzar otra actividad. Ahora, tres semanas después del final del programa, la mayoría del trabajo presentado por Sonia como "Terminado" está incompleto y su constancia en el trabajo hasta terminar una tarea es tan pobre como lo era antes del inicio de la intervención.

Ricardo acaba de empezar su primer empleo como operador de fotocopiadora en una oficina de negocios del centro de la ciudad. A pesar de su larga historia de distracción y poca perseverancia, Ricardo había aprendido a trabajar de forma independiente durante varias horas seguidas en la sala de fotocopias del centro de formación vocacional. Su jefe, sin embargo, se queja de que Ricardo suele dejar de trabajar después de unos minutos para buscar la atención de los demás. En consecuencia, Ricardo podría perder su trabajo pronto.

Bruno es un niño de 10 años de edad diagnosticado de autismo. En un intento de cumplir un objetivo de su programa de educación individualizado que tiene como meta el desarrollo de las habilidades del lenguaje funcional y la comunicación, la maestra de Bruno le enseñó a decir, "Hola, ¿cómo estás?" como saludo. Ahora, cada vez que Bruno conoce a alguien, invariablemente responde con "Hola, ¿cómo estás?". Los padres de Bruno están preocupados de que el lenguaje de su hijo parezca poco natural y repita "como un loro".

Cada una de estos tres escenarios ilustra un error frecuente en la enseñanza, ya que no se observan cambios de conducta socialmente significativos que perduren en el tiempo, que sean utilizados por la persona en todas las situaciones relevantes, y que sean acompañados de cambios en otras respuestas. El estudiante que aprende a contar el dinero y a dar el cambio en la clase de hoy debe ser capaz de contar y dar el cambio en la tienda mañana y en el supermercado el mes que viene. El escritor principiante que ha aprendido a escribir algunas buenas frases en la escuela, debe ser capaz de escribir muchas frases brillantes cuando escribe notas o cartas a la familia o amigos. Proceder por debajo de ese nivel no solamente es algo para lamentar sino que es una clara indicación de que la instrucción inicial no fue del todo exitosa.

En el primer escenario, el mero paso del tiempo dio lugar en Sonia a la pérdida de su capacidad para completar las tareas. Un cambio de contexto puso a Ricardo fuera de juego; los excelentes hábitos de trabajo que había adquirido en el centro de formación vocacional, desaparecieron por completo cuando llegó al lugar de trabajo de la comunidad. Aunque Bruno use su nueva habilidad de saludar, la forma restringida en que lo hace no le será útil en el mundo real. En un sentido muy realista, la instrucción falló para estas tres personas.

Los analistas aplicados de la conducta, no se enfrentan a mayor desafío o a tarea más importante que la del diseño, implementación, y evaluación de las intervenciones que producen resultados generalizados. En este capítulo, se definen los tipos de cambio de conducta generalizado más importantes y se describen las estrategias y técnicas que los investigadores y profesionales utilizan más a menudo para promoverlos.

Cambio generalizado del cambio de conducta: Definiciones y conceptos clave

Cuando Baer, Wolf y Risley (1968) describieron el campo emergente del análisis aplicado de la conducta, incluyeron *la generalización del cambio de conducta* como una de las siete características que definían la disciplina.

> Puede decirse que un cambio de conducta tiene generalidad si se demuestra duradero a lo largo del tiempo, si aparece en una amplia variedad de posibles entornos o si se extiende a una amplia variedad de conductas relacionadas (pág. 96).

En su artículo de revisión inicial, "Una tecnología implícita de la generalización" Stokes y Baer (1977), también subrayaron estas tres facetas de cambio de conducta generalizado (a través del tiempo, de los contextos y de las conductas) cuando definieron la *generalización* como:

> La ocurrencia de la conducta relevante bajo diferentes condiciones no entrenadas (es decir, a través de temas, contextos, personas, conductas, o tiempo) sin la programación de los mismos eventos en esas condiciones. Por lo tanto, se puede hablar de generalización cuando no hay manipulaciones que requieran de entrenamiento extra; o, tal vez, cuando sean necesarias algunas manipulaciones adicionales pero su coste sea claramente inferior al de la

intervención directa. No se puede hablar de generalización cuando son necesarios eventos similares para conseguir efectos similares a través de las condiciones (pág. 350).

La orientación pragmática de Stokes y Baer hacia el cambio de conducta generalizado, ha demostrado ser útil para el análisis aplicado de la conducta. Ellos simplemente dijeron que si una conducta entrenada se produce en otros momentos o en otros lugares sin haber sido entrenada de nuevo en esos momentos o lugares, o si se producen conductas relacionadas funcionalmente que no se han enseñado directamente, entonces se ha producido el cambio de conducta generalizado. Las siguientes secciones proporcionan definiciones y ejemplos de las tres formas básicas de cambio generalizado de conducta: el mantenimiento de la respuesta, la generalización del contexto y la generalización de la respuesta. Cuadro 28.1, "Perspectivas, sobre la a veces confusa y engañosa terminología de la generalización", discute los muchos y variados términos que los analistas aplicados de conducta, usan para describir estos resultados.

Mantenimiento de la respuesta

El **mantenimiento de la respuesta** se refiere a la medida en la que el aprendiz sigue llevando a cabo la conducta objetivo después de que haya terminado una parte o la totalidad de la intervención responsable de la aparición inicial de la conducta en el repertorio del alumno. Por ejemplo:

- Sandra tenía dificultades para identificar el mínimo común denominador cuando sumaba y restaba fracciones. Su maestra la hizo escribir los pasos para encontrar el mínimo común denominador en una tarjeta y le dijo que recurriera a la tarjeta cuando fuese necesario. Sandra empezó a usar la tarjeta y la precisión de sus tareas de matemáticas mejoró. Después de usar la tarjeta de referencia durante una semana, Sandra dijo que ya no la necesitaba y se la devolvió a su maestra. Al día siguiente, Sandra calculó correctamente el mínimo común denominador en cada problema de una prueba de sumas y restas de fracciones.
- En el primer día de trabajo de Lorena en una empresa de paisajismo residencial, un compañero de trabajo la enseñó a utilizar una herramienta de mango largo para extraer los dientes de león desde la raíz. Sin más instrucciones, Lorena continúa utilizando la herramienta correctamente un mes más tarde.
- Cuando estaba en el séptimo grado uno de los maestros de Darío lo enseñó a apuntar las tareas asignadas y a mantener los materiales para cada clase separados en carpetas. Ahora, en su segundo año de universidad, Darío continúa aplicando estas habilidades de organización a su trabajo académico.

Estos ejemplos ilustran la naturaleza relativa del cambio de conducta generalizado. El mantenimiento de la respuesta fue evidente en el rendimiento de Sandra durante la prueba de matemáticas que hizo un día después de que la intervención con la tarjeta terminase y también en el uso continuo de las habilidades de organización que Darío había aprendido años antes. El tiempo que una conducta necesita mantenerse depende de la importancia de la conducta en la vida de la persona. Si repetir un número de teléfono tres veces después de escucharlo una vez, le permite a una persona recordarlo lo suficiente como para marcarlo correctamente cuando localiza un teléfono unos minutos más tarde, podemos decir que se ha alcanzado un mantenimiento suficiente de la respuesta. Otras conductas, tales como las habilidades de cuidado de uno mismo y las habilidades sociales, deben mantenerse en el repertorio de una persona para toda la vida.

Generalización del contexto

La generalización del contexto se produce cuando una conducta objetivo se emite en presencia de unas condiciones de estímulo distintas de aquellas en las que se entrenó directamente. Definimos la **generalización del contexto** como el grado en el que la persona emite una conducta en un contexto diferente al del entrenamiento. Por ejemplo:

- Mientras esperaba que llegara de la fábrica su nueva silla de ruedas eléctrica, Chema utilizó un programa de simulación por ordenador y un mando para aprender a usarla. Cuando la nueva silla llegó, Chema agarró la palanca de mando e inmediatamente comenzó a moverse por el pasillo con velocidad y a girar realizando círculos perfectos.
- Se había enseñado a Lorena a quitar las malas hierbas de arriates y áreas cubiertas de mantillo; sin embargo, aunque nunca había sido instruida para hacerlo, Lorena ha comenzado a quitar

Caja 28.1

Perspectivas sobre la a veces confusa y engañosa terminología de la generalización

Los analistas aplicados de la conducta han utilizado muchos términos para describir los cambios de conducta que aparecen como adjuntos o subproductos de la intervención directa. Desafortunadamente, los significados superpuestos y múltiples de algunos términos pueden dar lugar a confusión y malentendidos. Por ejemplo, *mantenimiento*, el término más utilizado para el cambio de conducta que persiste después de que una intervención se haya retirado o terminado, es también el nombre más común para una condición en la que el tratamiento ha sido discontinuo o parcialmente retirado. Los analistas aplicados de la conducta deben de distinguir entre el *mantenimiento de respuesta* como medida la conducta (es decir, una variable dependiente) y el *mantenimiento* como nombre de una condición ambiental (es decir, una variable independiente). Otros términos que se encuentran en la literatura del análisis de conducta para la continuación de la respuesta después de que las contingencias programadas dejen de estar en vigor incluyen la *durabilidad*, la *persistencia de la conducta*, e, incorrectamente, *resistencia a la extinción*.*

Los términos utilizados en la literatura del análisis aplicado de la conducta para los cambios de conducta que se producen en contextos o condiciones estimulares no entrenados incluyen la *generalización del estímulo, generalización del contexto, entrenamiento de transferencia*, o simplemente, la *generalización*. Es técnicamente incorrecto utilizar *generalización de estímulo* para referirse al cambio generalizado de conducta alcanzado mediante diversas intervenciones aplicadas. La generalización de estímulo se refiere al fenómeno en el que una respuesta que ha sido reforzada en presencia de un estímulo dado, se produce con mayor frecuencia en presencia de diferentes pero similares estímulos en condiciones de extinción (Guttman y Kalish, 1956; véase el capítulo 17). La *generalización de estímulo* es un término técnico que se refiere a un proceso conductual específico, y su uso debe limitarse a estas circunstancias (Cuvo, 2003; Johnston, 1979).

Términos tales como *efectos colaterales* o *secundarios, variabilidad de respuesta, inducción*, y *cambio de conducta concomitante*, a menudo se usan para indicar la aparición de conductas que no han sido entrenadas directamente. Para complicar aún más el asunto, generalización se utiliza a menudo como término general para referirse a los tres tipos de cambio generalizado de la conducta.

Johnston (1979) aborda algunos problemas causados por el uso de *generalización* (término referido a un proceso conductual específico) para describir cualquier cambio de conducta deseable en un contexto de generalización.

> Este tipo de uso es engañoso porque sugiere que hay un único fenómeno operando cuando en realidad hay que describir, explicar y controlar una serie de fenómenos diferentes... Diseñar cuidadosamente los procedimientos para optimizar las contribuciones de la generalización de estímulos y respuestas difícilmente agotaría nuestro repertorio de técnicas para conseguir que el sujeto se comporte de una manera deseable fuera del contexto instruccional. Nuestros éxitos serán más frecuentes cuando nos demos cuenta de que maximizar la influencia conductual en tales contextos requiere una cuidadosa consideración de todos los principios y procesos conductuales (pág. 1-2).

El uso inconsistente de la "terminología de la generalización" puede conducir a los investigadores y profesionales a supuestos y conclusiones incorrectos con respecto a los principios y procesos responsables de la presencia o ausencia de resultados generalizados. Sin embargo, los analistas aplicados de la conducta probablemente seguirán utilizando **generalización** como término de doble propósito, haciendo referencia unas veces a los tipos de cambio de conducta y otras a los procesos conductuales que pueden crear tal cambio. Stokes y Baer (1977) indicaron claramente su conocimiento de las diferencias entre las definiciones.

> La noción de generalización desarrollada aquí, es esencialmente pragmática; no sigue las conceptua-lizaciones tradicionales (Keller y Schoenfeld, 1950; Skinner, 1953). En muchos sentidos, esta discusión evitará gran parte la controversia acerca de la terminología (pág. 350).

Mientras se discute el uso de contingencias existentes y naturales de reforzamiento para mantener y extender cambios de conducta programados, Baer (1999) explica su preferencia por el uso del término *generalización*:

> Esta es la mejor de las técnicas descritas aquí y, curiosamente, no se merece la definición académica de "generalización". Es una técnica de reforzamiento, y la definición académica de generalización se refiere a cambios de conducta no reforzados que resultan de otros cambios de conducta directamente reforzados ... [Pero] estamos tratando con el uso pragmático de la palabra *generalización*, no el académico. Nosotros nos reforzamos mutuamente por usar la palabra de manera pragmática y nos es bastante útil hasta el momento, por lo que deberá probablemente mantener este uso impreciso (pág. 30, cursivas como en el original).

En un esfuerzo por promover el uso preciso de la terminología técnica del análisis de la conducta y como recordatorio de que los fenómenos de interés son generalmente producto de varios principios y procedimientos de conducta, utilizaremos los términos relacionados con el cambio de conducta generalizado que se centran en el tipo de cambio de conducta en lugar de en los principios o procesos que lo producen.

* El mantenimiento de la respuesta se puede medir en condiciones de extinción, en cuyo caso la frecuencia relativa de la continuidad de la respuesta es descrita correctamente en términos de *resistencia a la extinción*. Sin embargo, el uso de *resistencia a la extinción* para describir el mantenimiento de la respuesta en la mayoría de las situaciones aplicadas es incorrecta porque el reforzamiento típicamente sigue a algunas ocurrencias de la conducta objetivo en el entorno post-tratamiento.

también dientes de león y otras malas hierbas del césped cuando se los encuentra de camino a los arriates.

- Después de que el profesor de Belén la enseñase a leer 10 palabras diferentes con un patrón consonante-vocal-consonante (p.ej., pan, sal, don), ella pudo leer otras palabras con el mismo patrón para las que no había recibido ninguna instrucción (p.ej., cal, tos, gas).

Un estudio de Van den Pol y colaboradores (1981) proporciona un ejemplo excelente de generalización del contexto. Ellos enseñaron a tres adultos jóvenes con múltiples discapacidades a comer independientemente en restaurantes de comida rápida. Los tres jóvenes habían comido en restaurantes, pero no sabían pedir o pagar la comida sin ayuda. Los investigadores comenzaron por realizar un análisis de tarea de los pasos requeridos para pedir, pagar y comerse la comida de manera apropiada en un restaurante de comida rápida. El entrenamiento ocurrió en el aula de los jóvenes y consistió en hacer *roleplay* de cada uno de los pasos durante las interacciones simuladas entre el cajero y el cliente, y en responder a preguntas sobre diapositivas que mostraban a clientes de un restaurante de comida rápida llevando a cabo los diferentes pasos de la secuencia. Los 22 pasos del análisis de tarea se dividieron en cuatro componentes principales: localización, petición de la comida, pago, ingesta y abandono del local. Después de que un estudiante dominase los pasos de cada componente en el aula, se le daba "un número al azar de billetes de dos a cinco

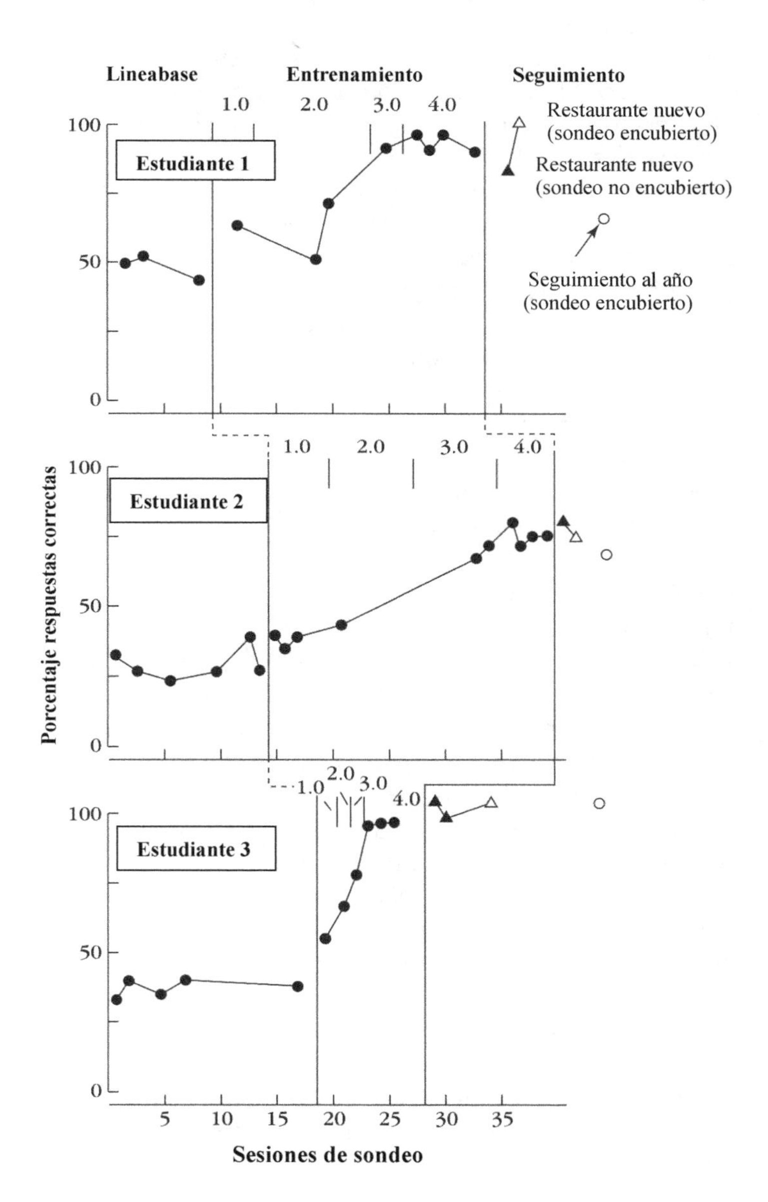

Figura 28.1 Porcentaje de pasos necesarios para pedir correctamente comida en un restaurante de comida rápida, realizado por tres estudiantes con discapacidad antes, durante, y después del entrenamiento en el aula. Durante el seguimiento, los triángulos oscuros representan sondeos realizados en un restaurante en el que se usan procedimientos de observación típicos, por otro lado, los triángulos en blanco representan sondeos en el restaurante durante los cuales los estudiantes no sabían que estaban siendo observados, y los círculos en blanco representan sondeos encubiertos llevados a cabo en un restaurante de otra cadena ,después de 1 año del entrenamiento.

Tomado de "Teaching the Handicapped to Eat in Public Places: Acquisition, Generalization and Maintenance of Restaurant Skills" R. A. Van den Pol, B. A. Iwata, M. T. Ivanic, T. J. Page, N. A. Neef, y F. P. Whitley, 1981, *Journal of Applied Behavior Analysis, 14*, pág. 66.

dólares y se le indicaba que fuese a comer el almuerzo" en un restaurante local (pág. 64). Los observadores colocados dentro del restaurante, registraron el funcionamiento de cada estudiante en cada uno de los pasos del análisis de tarea. Los resultados de estos sondeos de generalización que también fueron realizados antes del entrenamiento (lineabase) y después (seguimiento) se muestran en la Figura 28.1. Además de evaluar el grado de generalización desde el aula a un restaurante de una determinada cadena de comida rápida usado para la mayor parte de los sondeos, los investigadores realizaron los sondeos de seguimiento en un restaurante de otra cadena de la competencia (también como medida de mantenimiento).

Este estudio es indicativo del acercamiento pragmático a la evaluación y la promoción del cambio de conducta generalizado usado por la mayoría de los analistas aplicados de la conducta. El contexto en el que se desea la generalización de la respuesta puede contener uno o varios componentes del ambiente de entrenamiento, pero no todos. Si se requiere el programa completo de intervención para producir el cambio de conducta en un entorno nuevo, entonces no se puede hablar de generalización del contexto. Sin embargo, si algún componente del programa de entrenamiento causa un cambio de conducta significativo en el contexto de generalización, entonces se puede hablar de generalización del contexto siempre que se pueda demostrar que el mencionado componente fue insuficiente para producir el cambio de conducta por sí solo en el contexto del entrenamiento.

Por ejemplo, Van del Pol y sus colaboradores enseñaron al Estudiante 3, que era sordo, a utilizar materiales de ayuda (una cartulina plastificada y un lápiz de cera) para hacer pedidos en el aula. En la cartulina había preguntas impresas (p.ej., " Cuánto es ...? "), nombres de artículo genéricos (p.ej., la hamburguesa grande), y espacios en los que el cajero podría escribir respuestas. El simple hecho de darle al estudiante el dinero y los materiales de ayuda no le habría permitido pedir, comprar y comer la comida de manera independiente; sin embargo, tras el entrenamiento del aula que incluía la práctica dirigida, el juego de roles, el reforzamiento social ("¡Buen trabajo!, te acordaste de pedir el cambio"[pág. 64]), la retroalimentación correctiva y las sesiones de revisión con la tarjeta, que produjeron las conductas deseadas en el contexto instruccional, el Estudiante 3 pudo pedir, pagar y comer en un restaurant con la única ayuda de la tarjeta.

Distinción entre contextos instruccionales y de generalización

Usamos el término **"contexto instruccional"** para denotar el entorno completo donde ocurre la instrucción, incluyendo cualquier aspecto del ambiente, planificado o imprevisto, que pueda influir al aprendiz en la adquisición y la generalización de la conducta objetivo[1]. Los elementos planificados son los estímulos y los acontecimientos que se han programado para alcanzar el cambio inicial de la conducta y promover la generalización. Los elementos planificados en un contexto instruccional para una lección de matemáticas, por ejemplo, incluirían los problemas específicos de matemáticas que se presentan durante la lección y el formato y secuenciación de los problemas. Los aspectos imprevistos del contexto instruccional, son los elementos de los que el profesor no es consciente o que no ha considerado que podrían afectar a la adquisición y la generalización de la conducta objetivo. Por ejemplo, la palabra *cuánto* en un problema escrito puede adquirir el control de estímulo sobre el empleo de un estudiante de la suma, incluso cuando la solución correcta del problema requiera de una operación aritmética diferente. O, quizás un estudiante siempre usa la resta para el primer problema de cada página porque durante la instrucción la resta se presentaba siempre en primer lugar.

Un **contexto de generalización** es cualquier lugar o situación estímulo que se diferencie de algún modo significativo del contexto de instrucción y en el cual se desee que se lleve a cabo la conducta objetivo. Hay múltiples lugares de generalización para muchas conductas objetivo importantes. El estudiante que aprende a resolver problemas escritos sobre sumas y restas en el aula, debería ser capaz de solucionar problemas similares en casa, en la tienda, y sobre el campo de beisbol con sus amigos.

En la Figura 28.2. se muestran ejemplos de contextos instruccionales y de generalización para seis conductas objetivo. Cuando una persona usa una habilidad en un entorno físicamente alejado del contexto donde la aprendió (como las conductas 1 a 3 de la Figura 28.2) es fácil de entender lo ocurrido como un ejemplo de generalización entre contextos. Sin embargo, muchos resultados generalizados

---

[1] Como la mayoría de los ejemplos de este capítulo están basados en la escuela, hemos usado el lenguaje de educación. Para nuestros objetivos aquí, *instrucción* puede ser sinónimo de *tratamiento, intervención, o terapia,* y *contexto instruccional* puede ser sinónimo de *contexto clínico o contexto de terapia.*

e importantes ocurren a través de diferencias más sutiles entre el contexto de instrucción y el contexto de generalización. Es un error pensar que un contexto de generalización debe estar en un *sitio* diferente del lugar donde ocurrió la instrucción. Los estudiantes a menudo reciben la instrucción en el mismo lugar en el que tendrán que mantener y generalizar lo que han aprendido. En otras palabras, los contextos de instrucción y generalización a menudo pueden compartir la misma posición física (como las conductas 4 a 6 de la Figura 28.2).

Distinción entre la generalización del contexto y el mantenimiento de la respuesta

Como cualquier medida de generalización del contexto se lleva a cabo después de que alguna instrucción haya ocurrido, se podría argumentar que la generalización de contexto y el mantenimiento de la respuesta son lo mismo, o al menos, que son fenómenos inseparables. La mayor parte de medidas de generalización del contexto proporcionan información sobre el mantenimiento de la respuesta, y viceversa. Por ejemplo, los sondeos de generalización posterior al entrenamiento de Van den Pol y colegas (1981) en distintos restaurants de comida rápida brindaron datos sobre la generalización del contexto (es decir, restaurantes novedosos) y sobre mantenimiento de la respuesta de hasta 1 año. Sin embargo, existe una distinción funcional entre la generalización del contexto y el mantenimiento de la respuesta, presentando cada uno de estos resultados una serie diferente de desafíos para la programación y la garantía de un cambio duradero de la conducta. Cuando se produce un cambio de conducta en el aula o en la clínica y no se observa en el contexto de generalización, la falta de generalización del contexto es evidente. Cuando dicho cambio de conducta producido en el aula o en la clínica, se produce al menos una vez en el contexto de generalización y luego cesa de producirse, la falta de mantenimiento de la respuesta es evidente.

Un experimento de Koegel y Rincover (1977) ilustró la diferencia funcional entre la generalización del contexto y el mantenimiento de la respuesta. Los participantes eran tres niños con autismo; uno era mudo, otro ecolálico y otro no mostraba ningún discurso contextualmente apropiado. Se llevaron a cabo sesiones de instrucción personalizadas en un pequeño espacio en el que el educador y el niño se sentaban uno frente a otro en torno a una mesa. Se enseñaba a cada niño una serie de respuestas de imitación (p.ej., el educador decía " Tócate [la nariz, el oído] " o " Haz esto " [y levantaba el brazo, daba una palmada]). Cada sesión de 40 minutos consistía en bloques de 10 ensayos de entrenamiento en el contexto instruccional, alternados con otros 10 bloques de ensayos conducidos por un adulto desconocido que esperaba fuera y estaba rodeado de árboles. Todas las respuestas correctas en el contexto instruccional eran seguidas de caramelos y alabanzas sociales. Durante los ensayos de generalización, los niños recibían las mismas instrucciones y ayudas al modelado que en el aula pero ningún reforzamiento cualquier otra consecuencia por las respuestas correctas.

Figura 28.2 Ejemplos de un contextos de instrucción y generalización.

Contexto instruccional	Contexto de generalización
1. Levantar la mano cuando la profesora de *educación especial* hace una pregunta en la *habitación de recursos.*	1. Levantar la mano cuando la profesora de *educación general*, le hace una pregunta en el *aula ordinaria*.
2. Practicar habilidades de conversación con el *terapeuta del lenguaje* en la escuela .	2. Hablar con sus compañeros en la *ciudad.*
3. *Pases* de baloncesto durante un partido de prácticas, en la cancha del equipo.	3. Pases de baloncesto durante un partido en la pista del rival.
4. Resolver problemas de sumas en *formato* vertical en el *pupitre* de la escuela.	4. Resolver problemas de sumas en *horizontal* en el pupitre de la escuela.
5. Solucionar problemas *sin* ningún número distractor en las tareas escolares.	5. Solucionar problemas con números *distractores* en las tareas escolares.
6. Operación de embalaje de paquetes en el lugar de trabajo en la comunidad con *supervisor.*	6. Operación de embalaje de paquetes en el lugar de trabajo en la comunidad sin *supervisor.*

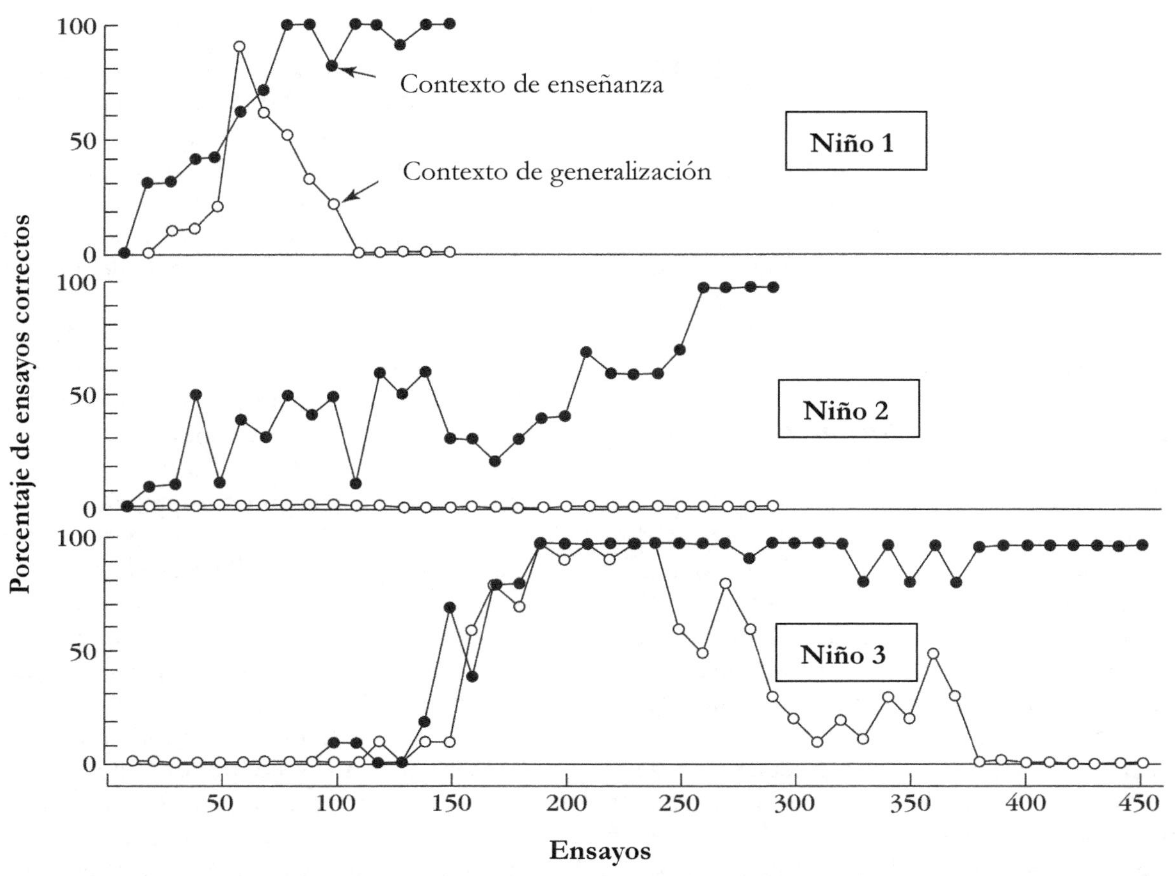

Figura 28.3 Respuestas correctas de tres niños en bloques alternantes de 10 ensayos en el contexto de enseñanza y 10 ensayos en el contexto de generalización.

Tomado de " Research on the Differences Between Generalization and Maintenance in Extra-Therapy responding " R. L. Koegel y A. Rincover, 1977, *Journal of Applied Behavior Analysis, 10*, pág. 4. © Copyright 1977 Society for the Experimental Analysis of Behavior, Inc. Reimpreso con permiso.

La figura 28.3 muestra el porcentaje de ensayos en los que cada niño respondió correctamente en el contexto de instrucción y en el contexto de generalización. Los tres niños aprendieron a responder a los modelos de imitación en el contexto de instrucción y todos ellos mostraron un 0% de respuestas correctas en el contexto de generalización al final del experimento, pero por motivos diferentes. El niño 1 y el niño 3 comenzaron a emitir respuestas correctas en el contexto de generalización conforme su desempeño mejoraba en el contexto de instrucción, pero no se mantuvo la generalización de respuesta (probablemente debido al efecto de las condiciones de extinción en el contexto de generalización). Las respuestas de imitación adquiridas por el niño 2 en el contexto de instrucción nunca se generalizaron al contexto exterior. Por lo tanto, el 0 % de respuestas correctas al final del experimento representa una falta del mantenimiento de la respuestas para los niños 1 y 3, pero un fracaso en la generalización del contexto para el niño 2.

Generalización de respuesta

Definimos la **generalización de respuesta** como el grado en el que un aprendiz emite respuestas no entrenadas que son funcionalmente equivalentes a la conducta objetivo entrenada. En otras palabras, en la generalización de respuesta formas de conducta para las cuales no se ha aplicado ninguna contingencia programada aparecen como función de las contingencias aplicadas a otras respuestas. Por ejemplo:

- Teresa quería ganar algún dinero extra ayudando a su hermano mayor en su negocio de cortar el césped. Su hermano la enseñó a manejar la cortacésped moviéndose en filas paralelas de arriba a abajo y moviéndose progresivamente de un lado a otro del césped. Teresa descubrió que podía segar el césped más rápido si el primer corte lo hacía alrededor del perímetro más exterior y luego continuaba haciendo círculos concéntricos hacia el centro del césped.

- A Lorena la enseñaron a quitar las malas hierbas con una herramienta larga, pero aunque nunca la habían enseñado o pedido hacerlo de otro modo, Lorena a veces quita las malas hierbas con una paleta de mano o con sus propias manos.
- La madre de Miguel lo enseñó a tomar nota de mensajes telefónicos usando el lápiz y la libreta situados junto al teléfono para escribir el nombre de la persona que llamaba, el número de teléfono y el mensaje. Un día, la madre de Miguel vino a casa y vió la grabadora de su hijo al lado del teléfono, pulsó el botón de encendido y oyó la voz de Miguel diciendo: "Llamó la abuela. Quiere saber lo que te gustaría que cocinara para la cena del próximo miércoles. El Sr. Stone llamó. Su número es 555-1234, y dijo que el pago del seguro está pendiente".

El estudio de Goetz y Baer (1973) descrito en el Capítulo 8 sobre la construcción de bloques por tres niñas de preescolar, ofrece un buen ejemplo de generalización de respuesta. Durante la lineabase, el profesor estuvo sentado con cada niña mientras jugaba con los bloques, mirando atentamente pero en silencio y sin mostrar entusiasmo, ni criticar ninguna respuesta particular con los bloques. Durante la siguiente fase del experimento, cada vez que la niña colocaba o reorganizaba los bloques para crear una nueva forma que no había aparecido antes en aquella sesión, el profesor hacía comentarios con entusiasmo e interés (p.ej., "Ah, eso está genial, ¡esto es diferente! "). Otra fase siguió, en la cual se elogió cada repetición de un diseño de construcción dado dentro de la sesión (p. ej., "Que bonito, otro arco!"). El estudio terminó con una fase en la cual se presentaban alabanzas descriptivas y contingentes a cada nueva construcción que fuese diferente. Las tres niñas construyeron mayor número de formas nuevas con los bloques cuando la diversidad de formas se reforzó, en comparación a lo que hicieron en la lineabase o en la condición de reforzamiento de la misma forma. (Véase la Figura 8.7).

Incluso aunque las respuestas específicas produjeran reforzamiento (es decir, las formas que precedieron cada alabanza del profesor), otras respuestas que compartían esa característica funcional (es decir, las formas diferentes a las construcciones previas de la niña) aumentaron en frecuencia como función de las alabanzas del profesor. Por consiguiente, durante el reforzamiento de las formas diferentes, las niñas construyeron nuevas formas con los bloques a pesar de que cada nueva forma nunca había aparecido antes y por lo tanto no podía haber sido reforzada con anterioridad. El reforzamiento de algunos miembros de la clase de respuesta de las nuevas formas aumentó la frecuencia de otros miembros de la misma clase de respuesta.

Cambio de conducta generalizado: un concepto relativo

Como muestran los ejemplos presentados anteriormente, el cambio de conducta generalizado es un concepto relativo en el que podríamos pensar como situado a lo largo de un continuo. En un extremo del continuo estarían las intervenciones que podrían producir una gran cantidad de cambio de conducta generalizado; es decir, después de que todos los componentes de una intervención hubieran finalizado, el aprendiz podría emitir la conducta objetivo recién adquirida, así como varias conductas funcionalmente relacionadas y no observadas previamente en su repertorio, en cada oportunidad apropiada, en todos los contextos relevantes, y además, indefinidamente. Al otro extremo del continuo habría intervenciones que producirían solo una pequeña cantidad de cambio de conducta generalizado: el aprendiz usaría la nueva habilidad solo en una gama limitada de contextos y situaciones no entrenadas, y solo después de que se le presentaran ayudas o consecuencias artificiales.

Hemos presentado cada una de las tres formas principales de cambio de conducta generalizado de manera individual para aislar sus rasgos definitorios, pero a menudo se solapan y se combinan. Aunque sea posible obtener el mantenimiento de la respuesta sin la generalización del contextos o la conducta (es decir, la conducta objetivo sigue ocurriendo en el mismo contexto en el que se entrenó después de que las contingencias de entrenamiento se hayan interrumpido), cualquier medición significativa de generalización implicará algún grado de mantenimiento de respuesta. De hecho, es habitual que las tres formas de cambio generalizado de conducta estén representadas en el mismo caso. Por ejemplo, durante un relevo de turno relativamente tranquilo en la fábrica de accesorios, el lunes la supervisora de Juana la enseñó a obtener la ayuda gritando "Sra. Johnson, necesito ayuda". Más tarde durante esa semana (mantenimiento de respuesta) cuando en el taller había mucho ruido (generalización de contexto), Juana hizo una señal a su supervisora agitando su mano hacia adelante y hacia atrás (generalización de respuesta).

El cambio de conducta generalizado no es siempre deseable

Es difícil imaginarse cualquier conducta que sea lo bastante importante como para ser el objetivo de la instrucción sistemática para la cual el mantenimiento de la respuesta no sea deseable. Sin embargo, la generalización no deseada del contexto o de la respuesta ocurren a menudo, y los profesionales aplicados deberían diseñar planes de intervención para prevenir o minimizar tales resultados no deseados. La generalización no deseada del contexto toma dos formas habitualmente: sobregeneralización y control de estímulo inadecuado.

La sobregeneralización, un término no técnico pero eficazmente descriptivo, se refiere a un resultado por el cual la conducta está bajo el control de una clase de estímulo que es demasiado amplia. Es decir, el aprendiz emite la conducta objetivo en presencia de estímulos que, aunque son similares de algún modo a los ejemplos o situación de instrucción, son ocasiones inadecuadas para la conducta. Por ejemplo, un estudiante aprende a deletrear *división, misión, y fusión* con el grafema "*-sion*". Cuando se le pide deletrear *fracción,* el estudiante escribe *f-r-a-c-s-i-o-n.*

Con el *control de estímulo inadecuado,* la conducta objetivo aparece bajo el control restringido de un estímulo antecedente irrelevante. Por ejemplo, después de aprender a solucionar problemas escritos como "Natalia tiene 3 libros. Amanda tiene 5 libros. ¿Cuántos libros tienen en total?" mediante la suma de los números del problema, el alumno suma los números de cualquier problema que incluya las palabras "en total" (p.ej., "Corina tiene 3 caramelos. Amanda y Corina tienen 8 caramelos en total. ¿Cuántos caramelos tiene Amanda?")[2].

La generalización no deseada de la respuesta ocurre cuando cualquiera de las respuestas inexpertas pero funcionalmente equivalentes de un alumno, causan un funcionamiento pobre o resultados no deseables. Por ejemplo, aunque el supervisor de Jaime en la fábrica de accesorios le enseñó a manejar el taladro con dos manos porque es el método más seguro, a veces Jack maneja la herramienta con una mano. Las respuestas que utilizan una sola mano son funcionalmente equivalentes a las que utilizan dos porque ambas topografías hacen que el taladro presione para acabar el accesorio, pero las respuestas que usan una sola mano comprometen la salud de Jaime y el nivel de seguridad de la fábrica. O, puede que a algunos clientes del hermano de Teresa no les guste como queda el césped cuando ella lo corta en rectángulos concéntricos.

Otros tipos de resultados generalizado

En la literatura del análisis de conducta se han descrito otros tipos de resultados generalizados que no encajan fácilmente en las categorías de mantenimiento de la respuesta, generalización del contexto o generalización de la respuesta. Por ejemplo, miembros complejos del repertorio de una persona a veces aparecen rápidamente con poco o ningún condicionamiento directo, como en las relaciones de *equivalencia de estímulo* descritas en el Capítulo 17 (Sidman, 1994). Otro tipo de aprendizaje rápido, que parece ser el resultado generalizado de otros acontecimientos, ha sido llamado *adición de una contingencia,* un proceso por el cual una conducta que al principio fue seleccionada y moldeada bajo un conjunto de condiciones, es reclutada por un conjunto diferente de contingencias y toma parte de una nueva función en el repertorio de la persona (Adronis, 1983; Johnson y Layng, 1992).

A veces una intervención aplicada a una o varias personas causa cambios de conducta en otras personas que no fueron directamente afectadas por las contingencias. La **generalización entre sujetos** hace referencia a los cambios de conducta de personas no tratadas directamente por una intervención como función de las contingencias de tratamiento aplicadas a otras personas. Este fenómeno, que ha sido descrito con una variedad de términos relacionados o sinónimos como *Reforzamiento vicario* (Bandura, 1971; Kazdin, 1973), *el efecto dominó* (Kounin, 1970), y *el efecto difusión* (la Tensión, las Orillas, y Kerr, 1976), ofrece otra dimensión para evaluar el efecto de generalización del tratamiento. Por ejemplo, Fantuzzo y Clemente (1981) examinaron el grado en el cual los cambios de conducta se generalizarían de un niño (que recibía reforzamiento con fichas administrado por su profesor o autoadministrado durante un ejercicio de matemáticas), a otro niño que estaba sentado al lado.

Drabman, Hammer y Rosenbaum (1979) combinaron, en un marco conceptual que llamaron *mapa de generalización,* cuatro tipos básicos de efectos de tratamiento generalizados: (a) a través del

[2] Se pueden encontrar ejemplos de control de estímulo inadecuado causado por defectos en el diseño de materiales de instrucción, y sugerencias para descubrir y corregir dichos defectos, en J. S. Vargas (1984).

tiempo (es decir, mantenimiento de respuesta), (b) a través del contexto (es decir, generalización del contexto), (c) a través de las conductas (es decir, generalización de respuesta), y (d) a través de los sujetos. Observando cada tipo de resultado generalizado como dicotómico (es decir, o presente o ausente) y combinando todas las permutaciones posibles de las cuatro categorías, Drabman y colaboradores obtuvieron 16 categorías de cambio de conducta generalizado que iban desde el mantenimiento (clase 1) a la generalización de *sujeto-conducta-contexto-tiempo* (clase 16). La generalización de clase 1 es evidente, si la conducta objetivo del sujeto objetivo sigue dándose en el contexto de tratamiento después de que cualquier "contingencia controlada experimentalmente" haya sido interrumpida. La generalización de clase 16, que Drabman y colaboradores (1979) llamaron "la última forma" de generalización, se evidencia por "un cambio en una conducta que no era objetivo de intervención, en un sujeto que tampoco era objetivo y que se mantiene en un contexto diferente después de haber retirado las contingencias" (pág. 213).

Aunque Drabman y colaboradores reconocieron que "con cualquier técnica heurística las clasificaciones pueden demostrarse arbitrarias" (pág. 204), ofrecieron reglas descritas objetivamente para determinar si un acontecimiento conductual cumple las exigencias de cada una de sus 16 categorías. Independientemente de si el cambio de conducta generalizado consiste en una serie de fenómenos tan variados y claramente separados como los describieron Drabman y colaboradores, su mapa de generalización aportó un marco objetivo mediante el cual los efectos ampliados de las intervenciones conductuales pueden describirse y comunicarse. Por ejemplo, Stevenson y Fantuzzo (1984) midieron 15 de las 16 categorías del mapa de generalización en un estudio sobre los efectos de enseñarle a un chico de quinto grado a usar técnicas de autogestión.

Ellos no solo midieron los efectos de la intervención sobre la conducta objetivo (desempeño en matemáticas) en el contexto de instrucción (la escuela) sino que además evaluaron los efectos sobre la conducta objetivo del alumno en casa, sobre las conductas disruptivas en casa y en la escuela, sobre ambas conductas en un igual no tratado y en ambos contextos, y sobre el mantenimiento de todo lo anterior.

Planificación del cambio de conducta generalizado

> En general, la generalización debería ser programada, en lugar de esperada o lamentada.
>
> - Baer, wolf, y Risley (1968, pág. 97)

En su revisión de 270 estudios publicados relevantes sobre el cambio de conducta generalizado, Stokes y Baer (1977) concluyeron que los profesionales aplicados deben siempre "asumir que la generalización no ocurre salvo que haya alguna forma de programación . . . y actuar como si no existiera tal cosa como la "libre" generalización (como si la generalización nunca ocurriese de manera 'natural', sino que siempre requiriese planificación" (pág. 365). Por supuesto que la generalización de algún tipo y grado suele ocurrir, se planifique o no. Tal generalización imprevista y no programada puede ser suficiente, pero no suele serlo, en particular para muchas personas atendidas por analistas aplicados de la conducta (por ejemplo, niños y adultos con problemas de aprendizaje y retraso del desarrollo). Sin embargo, si no se atienden, los resultados generalizados no planificados pueden resultar siendo no deseados.

Lograr resultados generalizados óptimos requiere reflexión y planificación sistemática. Esta planificación comienza con dos pasos principales: (1) la selección de conductas objetivo que encontrarán contingencias naturales de reforzamiento, y (2) la especificación de todas las variaciones de la conducta objetivo y de los contextos en los que debe (y no debe) ocurrir después de que la instrucción haya finalizado.

Selección de las conductas objetivo que encontrarán contingencias naturales de reforzamiento

> El ambiente diario está lleno de fuentes de reforzamiento estables, fiables y persistentes para casi todas las conductas que nos parecen naturales. Es por eso que nos parecen naturales.
>
> - Donald M. Baer (1999, pág. 15)

Se han sugerido numerosos criterios para determinar si un determinado objetivo de aprendizaje propuesto es relevante o funcional para la persona a la que se le va a enseñar. Por ejemplo, la adecuación a la edad de una habilidad y el grado en el que representa la normalidad, suelen citarse como criterios importantes para la elección de las conductas objetivo para estudiantes con discapacidad (p.ej., Snell y Marrón, 2006). Estos dos criterios se trataron en el Capítulo 3, junto con otros numerosos aspectos que deberían tenerse en cuenta al seleccionar y priorizar las conductas objetivo. Al final, sin embargo, hay un único criterio último de funcionalidad: *Una conducta es funcional solo en el grado en que produzca reforzamiento para el principiante.* Este criterio sostiene que no importa lo importante que sea una conducta para la salud o el bienestar de la persona, o no importa cuanto de deseable consideren la conducta los profesores, la familia, los amigos o propio participante. Por repetir: Una conducta no es funcional si no produce reforzamiento para el participante. Dicho de otra manera: Las conductas que no son seguidas de reforzadores en al menos algunas ocasiones, no se mantendrán.

Ayllon y Azrin (1968) reconocieron esta verdad fundamental cuando recomendaron a los profesionales aplicados seguir la *regla de la relevancia de la conducta* al seleccionar conductas objetivo. La regla: Elige solo para cambiar aquellas conductas que vayan a producir reforzadores en el ambiente posterior a la intervención. Baer (1999) creía tanto en la importancia de este criterio que recomendó a los profesionales aplicados que prestaran atención a una regla similar:

> *Una buena regla es no hacer ningún cambio deliberado de conducta que no vaya a encontrar comunidades naturales de reforzamiento.* Romper esta regla, supone mantener y ampliar los cambios de conducta que usted quiera, por usted mismo, indefinidamente. Si usted rompe esta regla, hágalo a sabiendas. Asegúrese de estar dispuesto y de ser capaz de hacer lo que sea necesario. (Pág. 16, énfasis en original).

La planificación de la generalización y el mantenimiento de cualquier conducta para la que exista una **contingencia natural de reforzamiento**, independientemente de la estrategia específica empleada, consiste en llevar a la persona a emitir la conducta en el contexto de generalización, con una frecuencia suficiente como para que pueda entrar en contacto con las contingencias de reforzamiento que están operando. La generalización y el mantenimiento de conducta desde este momento en adelante, aunque no está totalmente asegurada, es altamente probable. Por ejemplo, después de recibir algunas instrucciones básicas sobre como manejar el volante, el acelerador y los frenos de un coche, el reforzamiento natural y las contingencias de castigo implícitas en el movimiento de los coches y el uso de las carreteras, seleccionarán y mantendrán unas conductas de dirección, aceleración y frenado eficaces. Muy pocos conductores necesitan sesiones de entrenamiento extra sobre esas conductas.

Definimos una **contingencia natural** como cualquier contingencia de reforzamiento (o castigo) que funciona independientemente del trabajo del analista de conducta o del profesional aplicado. Entender una contingencia natural en función de la ausencia de trabajo del analista de conducta es un concepto pragmático y funcional. Las contingencias naturales incluyen aquellas que operan sin la mediación social (p.ej., andar rápido por una acera helada suele ser castigado con un resbalón y una caída) y aquellas socialmente mediadas y puestas en práctica de manera artificial por otras personas en el contexto de generalización. Desde la perspectiva de un profesor de educación especial que enseña un conjunto de habilidades sociales y académicas a alumnos para los que el aula de educación general representa el contexto de generalización, una economía de fichas manejada por el profesor del aula ordinaria, es un ejemplo del segundo tipo de contingencia natural[3]. Incluso aunque la economía de fichas es planificada de manera artificial por el profesor del aula de educación general, se considera contingencia natural porque ya funciona en el contexto de generalización.

Definimos una **contingencia artificial** como cualquier contingencia de reforzamiento o (castigo) diseñada y puesta en práctica por un analista de conducta o un profesional aplicado responsable de la adquisición, el mantenimiento, o la generalización del cambio de conducta objetivo. Desde la perspectiva del profesor del aula de educación general que diseñó y puso en práctica la economía de fichas del ejemplo anterior, esta sería una contingencia artificial.

En realidad, los profesionales aplicados suelen encargarse de la difícil tarea de enseñar habilidades importantes para las cuales no hay ninguna contingencia natural de reforzamiento. En tales casos, los profesionales deberían ser conscientes y estar preparados para el hecho de que la generalización y el mantenimiento de las conductas objetivo tendrán que ser apoyados, quizás indefinidamente, con contingencias artificiales.

---

[3] La economía de fichas se describe en el capítulo 26.

Especificación de todas las variaciones deseadas de la conducta y de los contextos en los que esta debería (y no debería) ocurrir

Esta etapa de la planificación de resultados generalizados incluye la identificación de todos los cambios de conducta deseados que tienen que darse y de todos los ambientes y condiciones de estímulo en las cuales el participante debería emitir la conducta objetivo después de que el entrenamiento directo haya terminado (Baer, 1999). Para algunas conductas objetivo, el control de estímulo más importante de cada variación de respuesta está claramente definido (p. ej., leer palabras consonante-vocal-consonante) y delimitando en cantidad (p.ej., situaciones de solución de multiplicaciones). Sin embargo, para muchas conductas objetivo importantes, el aprendiz probablemente encontrará una multitud de contextos y condiciones de estímulo en las que la conducta objetivo, en una amplia variedad de formas de respuesta, es deseable. Solo teniendo en cuenta estas posibilidades antes de la instrucción se podrá diseñar una intervención con las mejores opciones de preparar al aprendiz para ellas.

En cierto sentido, este componente de planificación de los resultados generalizados es similar a la preparación de un estudiante para un futuro examen del que no se conoce ni el contenido ni el formato de todas las preguntas. La condición de estímulo y las contingencias de reforzamiento que existen en el contexto de generalización serán dicho examen para el aprendiz. La planificación implica el intento de determinar lo que cubrirá el examen final (el tipo y la forma de preguntas), si habrá preguntas con truco (p. ej., los estímulos confusos que podrían evocar la respuesta objetivo cuando esta no debiera ocurrir), y sí habrá que usar los nuevos conocimientos o habilidades de forma diferente (generalización de respuesta).

Elaboración de una lista de todas las conductas que hay que cambiar

Debería hacerse una lista de todas las formas de conducta que hay que cambiar. Esto no es una tarea fácil, pero si es necesaria para hacerse una idea completa de las tareas de enseñanza que están por venir. Por ejemplo, si a conducta objetivo es enseñar a Bruno, el niño pequeño con autismo, a saludar a la gente, él debería aprender toda una variedad de saludos además de "¡Hola!, ¿Cómo estás ?" Bruno también puede necesitar muchas otras conductas para iniciar y mantener conversaciones, tales como responder a preguntas, esperar su turno o mantenerse en el tema de conversación, entre otras). También se le puede enseñar cuándo y con quién presentarse. Solo teniendo una lista completa de todas las formas deseadas de la conducta objetivo se pueden tomar decisiones significativas sobre las conductas que deben enseñarse directamente y las que deben dejarse para la generalización.

El profesional debería determinar si la generalización de respuesta es deseable, y en qué medida, para todos los cambios de conducta de la lista, y luego, hacer una lista priorizada de las variaciones de la conducta objetivos que le gustaría ver como resultados generalizados.

Elaboración de una lista de todos los contextos y situaciones en los que la conducta objetivo debería de ocurrir

Debería de hacerse una lista de los contextos y situaciones deseadas en las cuales el aprendiz emitirá la conducta objetivo si se alcanza la generalización óptima. ¿Necesitará Bruno presentarse y charlar con niños de su propia edad, con adultos o con hombres y mujeres? ¿Tendrá que hablar con otros en casa, en la escuela, en el comedor o durante el recreo? ¿Se enfrentará a situaciones que pueden parecer oportunidades apropiadas para conversar, pero que en realidad no lo son? (p. ej., un adulto desconocido se acerca y le ofrece un caramelo) y para las que es necesaria una respuesta alternativa (p.ej., alejarse y buscar a un adulto conocido). (Este tipo de análisis, a menudo añade conductas adicionales a la lista de habilidades que hay que enseñar).

Cuando todas las situaciones y contextos posibles se hayan identificado, se deberían priorizar según su importancia y la probabilidad de encuentro del aprendiz con ellos. Se debería de promover la realización de un análisis de los ambientes priorizados. ¿Qué estímulos discriminativos suelen establecer la ocasión para que se dé la conducta objetivo en estos contextos y situaciones? ¿Qué programas de reforzamiento de la conducta objetivo suelen dares en estos ambientes no entrenados? ¿Qué clases de reforzadores son probablemente contingentes a la emisión de la conducta objetivo en cada uno de los contextos? Solo cuando se hayan contestado todas estas preguntas, si no mediante observación objetiva al menos mediante valoración detenida, puede el analista de conducta comenzar a tener un imagen completa de la lista de enseñanza que tiene que abordar.

¿Vale la pena la planificación previa a la intervención?

La obtención de toda la información anteriormente descrita requiere de un tiempo y esfuerzo considerable. Teniendo en cuenta que los recursos son limitados, ¿Por qué no diseñar una intervención e inmediatamente comenzar a tratar de cambiar la conducta objetivo? Es verdad que muchos cambios de conducta realmente llegan a generalizarse, aun cuando la extension de la conducta aprendida a través del tiempo, de los contextos y de otras conductas haya sido imprevista o no programada. Cuando las conductas objetivo se han elegido de modo que sean realmente funcionales para el sujeto y cuando se han llevado a altos niveles de ejecución bajo el control de estímulos discriminativos relevantes para los lugares de generalización, las posibilidades de generalización aumentan. ¿Pero qué constituye un nivel alto de competencia para ciertas conductas en varios contextos? ¿Cuáles son todos los estímulos discriminativos relevantes en todos los contextos relevantes? ¿Cuáles son todos los contextos relevantes?

Sin un plan sistemático, un professional aplicado suele ignorer las respuestas a estas preguntas vitales. Pocas conductas que sean lo bastante importantes como para establecerse como objetivo de intervención tienen necesidades tan limitadas de resultados generalizados como para contar con respuestas obvias a tales preguntas. Un simple análisis superficial de las conductas, contextos y personas relacionadas con la conducta de un niño de presentarse revelaron numerosos factores que podrían tener que incorporarse a un plan de instrucción. Un análisis más cuidadoso produciría mucho más información. De hecho, un análisis completo invariablemente revelará más conductas que necesitan enseñarse, a una persona u otra, de las que el tiempo o los recursos jamás permitirían. Y Bruno (el niño de 10 años que está aprendiendo a saludar a la gente y a presentarse) con toda probabilidad necesita aprender muchas otras habilidades también, como las habilidades de autocuidado, las habilidades académicas y las habilidades de ocio y tiempo libre, por nombras unas cuantas. ¿Para qué sirve entonces crear todas las listas en primer lugar si no se puede enseñar todo? ¿Por qué no simplemente enseñar y confiar en que funcione?[4]

Baer (1999) describió seis ventajas posibles de elaborar listas de todas las formas de cambio de conducta y de todas las situaciones en las cuales estos cambios de conducta deberían de ocurrir.

1. Usted ahora ve el alcance del problema al que se enfrenta y así verá el alcance correspondiente que su programa de enseñanza debe tener.
2. Si enseña menos de lo que requeriría el alcance completo del problema, será por elección y no porque haya olvidado que algunas formas de la conducta podrían ser importantes, o que había algunas otras situaciones en las que el cambio de conducta debería (o no debería) ocurrir.
3. Si un programa de enseñanza incompleto resulta en un conjunto de cambios de conducta incompleto, usted se sorprenderá.
4. Usted puede decidir enseñar menos de lo que hay que aprender, quizás porque eso es todo lo que es práctico o factible para usted.
5. Usted puede decidir que es lo más importante para enseñar. Usted también puede decidir enseñar la conducta de una manera que anime al desarrollo indirecto de algunas otras formas de la conducta deseada, así como la presencia indirecta de la conducta en algunas otras situaciones deseadas que usted no podrá enseñar directamente.
6. Pero si usted elige la opción número 5 comentada anteriormente, en lugar del programa completo implícito en la opción número 1, lo hará a sabiendas de que el resultado deseado habría sido más completo si hubiera enseñado cada cambio de conducta directamente, y que lo mejor que puede hacer es motivar los cambios de conducta que no ha provocado directamente. En ese caso, usted habrá elegido la opción número 5 en lugar de otra como una apuesta bien razonada tras analizar bien todas las posibilidades, los costes y los beneficios (págs. 10-11).

Después de determinar qué conductas enseñar directamente y en qué situaciones y contextos, el analista de conducta está listo para considerar las estrategias y técnicas para alcanzar la generalización a conductas y contextos no entrenados.

---

[4] La enseñanza de una nueva habilidad, sin incluir un plan de desarrollo que facilite el mantenimiento o la generalización, se hace tan frecuentemente que Stokes and Baer lo llamaron enfoque de generalización "Entrena y confía en que funcione" .

Estrategias y técnicas para promover el cambio de conducta generalizado

Varios autores han descrito esquemas conceptuales y taxonomías de métodos para promover el cambio de conducta generalizado (p.ej., Egel, 1982; Horner, Dunlap, y Koegel, 1988; Osnes y Lieblein, 2003; Stokes y Baer, 1977; Stokes y Osnes, 1989). El esquema conceptual presentado aquí, proviene del trabajo de estos autores y otros, y de nuestras propias experiencias en el diseño, la implementación, y la evaluación de procedimientos para promover resultados generalizados y para enseñar a los profesionales aplicados como usarlos. Aunque se hayan demostrado numerosos métodos y técnicas y tengan una gran variedad de nombres, la mayor parte de las técnicas que promueven eficazmente el cambio de conducta generalizado, se pueden clasificar en cinco aproximaciones estratégicas:

- Enseñar la gama completa de condiciones de estímulo relevantes y los criterios de respuesta.
- Hacer el contexto instruccional similar al contexto de generalización.
- Maximizar el contacto entre la conducta objetivo y el reforzamiento en el contexto de generalización.
- Mediar la generalización.
- Entrenar para generalizar.

Figura 28.4 Estrategias y técnicas para promover el cambio generalizado de la conducta.

Enseñe la gama completa de condiciones de estímulo y criterios de respuesta relevantes
1. Enseñe ejemplos de estímulo suficientes
2. Enseñe ejemplos de respuesta suficientes

Haga el contexto instruccional similar al contexto de generalización
3. Programe estímulos comunes
4. Enseñanza sin rigor

Maximice el contacto con el reforzamiento del contexto de generalización
5. Enseñe la conducta objetivo a los niveles de funcionamiento requerido por las contingencias naturales de reforzamiento.
6. Programe contingencias no discriminables
7. Programe trampas conductuales
8. Pida a la gente que en el contexto de generalización refuercen la conducta objetivo
9. Enseñe al aprendiz a solicitar reforzamiento

Generalización mediada
10. Establezca un estímulo mediador
11. Enseñe habilidades de autonomía personal

Entrene en generalización
12. Refuerce la variabilidad de respuesta
13. Instruya al aprendiz para generalizar

En las secciones siguientes describimos y proporcionamos ejemplos de 13 técnicas que los analistas aplicados de la conducta han usado para lograr estas cinco estrategias (véase la Figura 28.4). Aunque cada técnica sea descrita individualmente, la mayor parte del trabajo para promover el cambio de conducta generalizado implica una combinación de estas técnicas (p.ej., Ducharme y Holborn, 1997; Grossi, Kimball, y Heward, 1994; Hughes, Harmer, Killina, y Niarhos, 1995; Ninness, Fuerst, y Rutherford, 1991; Trask-Tyler, Grossi, y Heward, 1994).

Enseñar la gama completa de condiciones de estímulo relevantes y los criterios de respuesta

El error más común que los profesores suelen cometer, cuando quieren establecer un cambio de conducta generalizado, es enseñar un ejemplo bueno de ese cambio de conducta y esperar a que el estudiante generalice desde ese ejemplo.

- Donald M. Baer (1999, pág. 15)

Las conductas más útiles e importantes deben llevarse a cabo de varios modos y a través de un amplio rango de condiciones estimulares. Considere a una persona habilidosa en lectura, en matemáticas, en conversar con otros, y en cocinar. Esta persona puede leer miles de palabras diferentes; sumar, restar, multiplicar y dividir cualquier combinación de números; hacer una multitud de comentarios relevantes e importantes durante una conversación con otros; y medir, combinar y preparar numerosos ingredientes en unos cientos de recetas. Ayudar a las personas con las que se interviene a alcanzar tal nivel de funcionamiento representa un enorme desafío para los profesionales aplicados.

Una forma de abordar este desafío sería enseñar cada forma deseada de una conducta objetivo en cada contexto en el que el aprendiz pueda necesitar la conducta en el futuro. Aunque este acercamiento eliminase la necesidad de planificar la generalización de la respuesta y la generalización del contexto (el mantenimiento de la respuesta sería el único problema), es raras veces posible y nunca práctico. Un profesor no puede enseñar directamente cada palabra impresa que un estudiante se pueda encontrar en el futuro, ni cada medida, vertido, o cualquier otra conducta necesaria para preparar cada plato que quiera cocinar en el futuro. Incluso para la mayor parte de las áreas de habilidades se *podría* enseñar cada ejemplo posible (p.ej., *se podría* instruir sobre los 900 problemas diferentes de multiplicación de un dígito por dos dígitos), pero hacer esto sería poco práctico por muchos motivos, uno de ellos es que el estudiante tiene que aprender no solo muchos otros tipos de problemas de matemáticas sino también habilidades en otras áreas académicas.

Una estrategia general llamada **suficientes ejemplos de enseñanza,** consiste en enseñar al estudiante a responder ante un subconjunto de todos los posibles ejemplos de estímulos y respuestas y luego evaluar el desempeño del estudiante sobre los ejemplos no entrenados. [5] Por ejemplo, la generalización de la capacidad de un estudiante de resolver problemas aritméticos de dos dígitos menos dos dígitos llevándose una cifra, puede evaluarse pidiéndole al estudiante que solucione varios problemas del mismo tipo para los cuales no se ha proporcionado ninguna instrucción o práctica dirigida. Si los resultados de este **sondeo de generalización** muestran que el estudiante responde correctamente a los ejemplos no entrenados, se podría dar por finalizada la instrucción sobre esta clase de problemas. Si el estudiante tiene un funcionamiento pobre durante el sondeo de generalización, el profesional enseñará ejemplos adicionales antes de evaluar otra vez el funcionamiento del estudiante sobre un nuevo conjunto de ejemplos no entrenados. Este ciclo de enseñar nuevos ejemplos y sondear con ejemplos nuevos, continua hasta que el alumno responda de manera correcta y consistentemente ante ejemplos no entrenados que representen la gama completa de condiciones de estímulo y criterios de respuesta encontrados en el contexto de generalización.

Enseñar ejemplos de estímulo suficientes

La técnica para promover la generalización del contexto llamada *enseñanza de ejemplos de estímulo suficientes* implica enseñar al alumno a responder correctamente a más de un ejemplo de condiciones de estímulos de antecedentes y hacer sondeos de la generalización de ejemplos de estímulo no enseñados. Un ejemplo de estímulo diferente se incorpora al programa de enseñanza cada vez que se realiza un cambio en cualquier dimensión del elemento de instrucción o en el contexto en el que se enseña. Cuatro ejemplos de dimensiones según las cuales diferentes ejemplos de instrucción pueden ser identificados y programados son lo siguientes:

- El *elemento* específico enseñado (p.ej., multiplicación: 7 x2, 4 x5; sonidos de letras: a, t)
- El *contexto de estímulo* en el que el elemento se enseña (p.ej., multiplicaciones presentadas en el *formato vertical, en formato horizontal, en problemas escritos*; diciendo el sonido *s* cuando aparece al principio y al final de palabras: *s*ed, tre*s*.
- El *contexto* en el que la instrucción ocurre (p.ej., grupo grande de instrucción en el colegio, grupo de aprendizaje cooperativo, en el hogar).
- La *persona* que aplica la enseñanza (p.ej., la profesora de clase, familiares, compañeros).

Por regla general, cuantos más ejemplos use el profesional durante la instrucción, mayor probabilidad habrá de que el alumno responda correctamente a ejemplos o situaciones no entrenadas. El número real de ejemplos que se deben enseñar para que la generalización sea suficiente, variará en función de otros factores como la complejidad de la conducta

[5] Otros términos comúnmente usados para esta estrategia de promoción del cambio de conducta generalizado son entrenamiento de ejemplos suficientes (Stokes y Baer, 1977) y entrenamiento diverso (Stokes y Osnes, 1989).

objetivo que esté siendo enseñada, de los procedimientos empleados por el profesor, de las oportunidades del estudiante de emitir la conducta objetivo en varias condiciones, de las contingencias naturales de reforzamiento, y del historial de reforzamiento del estudiante para las respuestas generalizadas.

A veces enseñando únicamente dos ejemplos se puede producir la generalización significativa a ejemplos no enseñados. Stokes, Baer, y Jackson (1974) enseñaron una respuesta de saludo a cuatro niños con retraso mental grave que raras veces reconocían o saludaban a otra gente. El investigador principal, que trabajaba como asistente de la habitación, usó reforzadores incondicionados (patatas fritas y chocolatinas) y elogios para moldear la respuesta de saludar (al menos dos movimientos de saludo con la mano levantada). Entonces este educador inicial mantuvo la recientemente aprendida respuesta de saludo organizando de tres a seis contactos diarios con cada niño y en varios contextos (p.ej., el cuarto de juegos, el pasillo, el dormitorio o el patio). A lo largo de todo el estudio 23 empleados diferentes se acercaron sistemáticamente a los niños varias veces al día en diferentes contextos y registraban cada vez que los niños los saludaron con la respuesta objetivo. Si en esos sondeos un niño saludaba al empleado con la mano, el empleado respondía "¡Hola!, (el nombre)". Aproximadamente se condujeron 20 sondeos de generalización, cada día con cada niño.

Inmediatamente después de aprender la respuesta de saludo con un solo educador, uno de los niños (Kerry) mostró generalización del contexto usándolo de manera apropiada en la mayor parte de sus contactos con otros empleados. Sin embargo, los otros tres niños por lo general fallaron en saludar a los empleados, la mayor parte del tiempo, incluso aunque seguían saludando al educador inicial en prácticamente todas las ocasiones. Un segundo empleado comenzó entonces a reforzar y mantener las respuestas de saludo de estos tres niños. Como consecuencia de introducir al segundo entrenador, la conducta de saludo de los niños mostró una amplia generalización al resto de empleados. El estudio de Stokes y sus colaboradores (1974) es importante por al menos dos motivos. En primer lugar, demostró un método eficaz para la evaluación continua de la generalización del contexto a través de numerosos ejemplos (en este caso, personas). En segundo lugar, mostró que a veces es posible producir generalización programando solo dos ejemplos.

Enseñar ejemplos de respuesta suficientes

La instrucción que fomenta la práctica de una variedad de topografías de respuesta ayuda a asegurar la adquisición de formas de respuesta deseadas y también promueve la generalización de la respuesta hasta topografías no entrenadas. A menudo llamada **entrenamiento de ejemplos múltiples,** esta técnica típicamente incorpora tanto variaciones de respuesta como de estímulos y se ha usado con distintos propósitos como: para alcanzar la adquisición y la generalización de conductas afectivas por parte de niños con autismo (Gena, Krantz, McClannahan, y Poulson, 1996); de habilidades de cocina para adultos jóvenes con discapacidad (Trask-Tyler, Grossi, y Heward, 1994); de habilidades domésticas (Neef, Lensbower, Hockersmith, DePalma, y Color gris, 1990); de habilidades profesionales (Horner, Eberhard, y Sheehan, 1986); de habilidades diarias (Horner, Williams, y Steveley, 1987); y de solicitar ayuda (Chadsey-Rusch, Drasgow, Reinoehl, Halle, y Collet-Klingenberg, 1993).

Cuatro chicas estudiantes de instituto y con retraso mental moderado, participaron en un estudio de Hughes y colaboradores (1995) que evaluó los efectos de una intervención que llamaron *entrenamiento autoinstruccional de ejemplos múltiples* sobre la adquisición y la generalización de las interacciones conversacionales con los iguales. Las jóvenes fueron recomendadas para el estudio porque iniciaban conversaciones y respondian a los intentos de otros por hablar con ellas a "un nivel bajo o inexistente" y mantenían un contacto ocular bajo. Una de las estudiantes, Tanya, recientemente había sido rechazada de un trabajo en un restaurante debido a "la reticencia y la falta de contacto ocular durante su entrevista de trabajo" (pág. 202).

Un elemento clave de la intervención de Hughes y colaboradores era practicar una amplia variedad de inicios de conversación y de enunciados con diferentes iguales como educadores. Diez iguales educadores voluntarios reclutados de las aulas de educación general ayudaron a enseñar habilidades de conversación a las participantes. Los educadores eran masculinos y femeninos, estaban en los cursos académicos que variaban de los iniciales a los superiors y representaban los grupos étnicos afroamericano, americano asiático y euroamericano. En vez de aprender unos cuantos inicios de conversación escritos, las participantes practicaron múltiples ejemplos de inicios de conversación seleccionados de una lista con inicios de conversación usados por los estudiantes de educación general.

Además, se animó a las participantes a desarrollar adaptaciones individuales de las conversaciones, que más adelante promovieron la generalización de respuesta aumentando el número y el rango de unidades conversacionales que se podían usar en subsiguientes conversaciones.

Antes, durante, y después del entrenamiento en ejemplares múltiples, se realizaron sondeos de generalización del desempeño de cada participante en autoinstrucciones, en contacto ocular y en la iniciación y respuesta a los compañeros de conversación. Los 23 a 32 estudiantes diferentes que sirvieron como compañeros de conversación para cada participante representaban la gama completa de características que tenían la población de estudiantes del instituto (p.ej., el género, la edad, la identidad étnica, estudiantes con y sin discapacidad) e incluían a estudiantes que eran conocidos y desconocidos para las participantes antes del estudio. La tasa de iniciaciones de conversación para las cuatro participantes aumentó durante el entrenamiento en ejemplares múltiples hasta acercarse a los niveles de los estudiantes de educación general y se mantuvo en aquellas tasas tras terminar la intervención (véase la Figura 28.5).

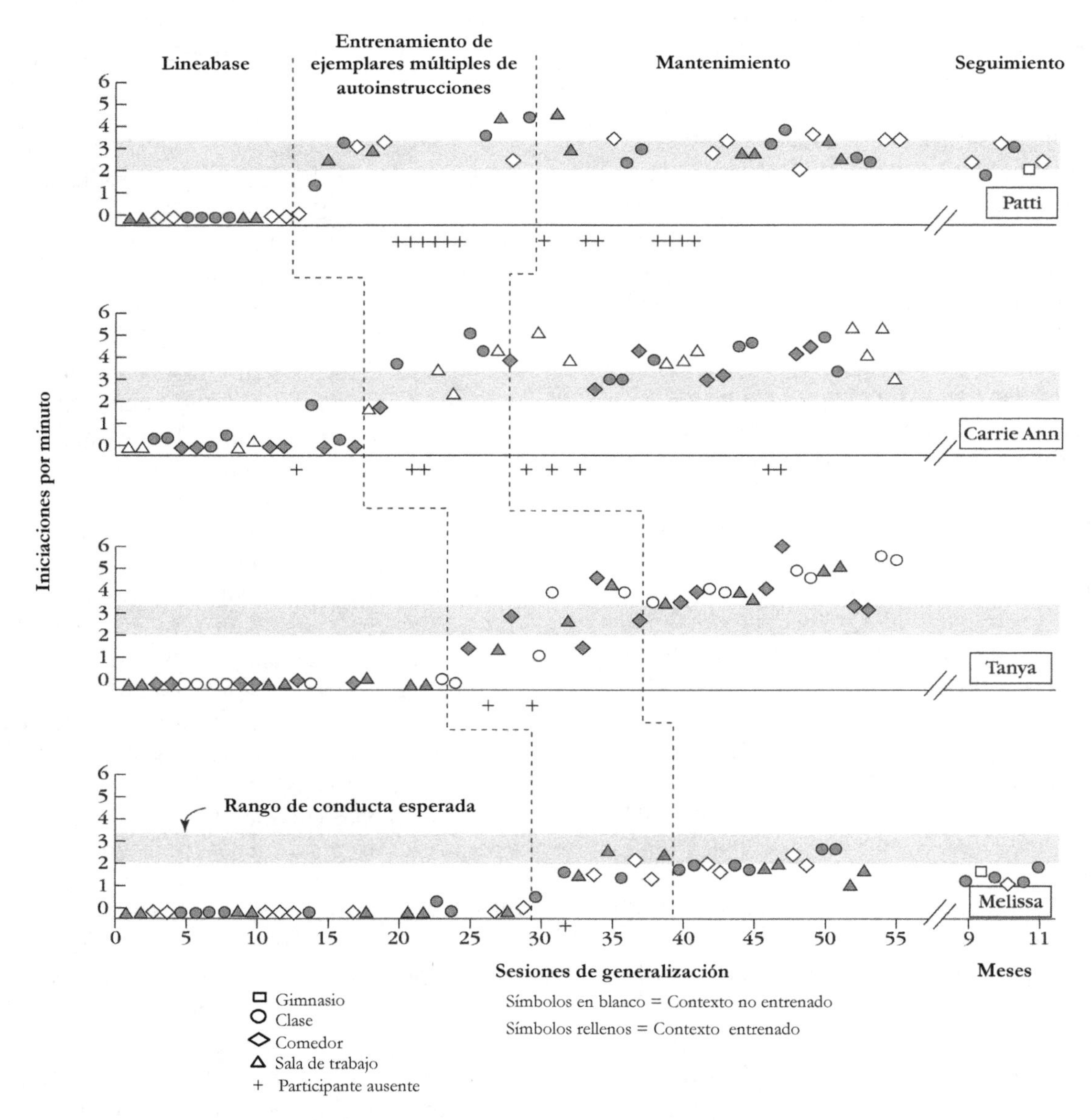

Figura 28.5 Iniciaciones de conversación por minuto de cuatro estudiantes de instituto con discapacidad hacia compañeros de conversación con y sin discapacidad durante sesiones de generalización. Las bandas ensombrecidas representan el desempeño típico de estudiantes de educación general.

Tomado de "The Effects of Multiple-Exemplar Training on High-School Students Generalized Conversational Interactions " C. Hughes, M. L. Harmer, D. J. Killina, y F. Niarhos, 1995. *Journal of Applied Behavior Analysis, 28*, pág. 210.

Programación de caso general

Enseñar a un aprendiz a responder correctamente a múltiples ejemplos no producirá automáticamente las respuestas generalizadas ante ejemplos no entrenados. Para alcanzar un grado óptimo de generalización y discriminación, el analista de conducta debe de prestar especial atención a los ejemplos específicos usados durante la instrucción; no cualquier ejemplo sirve. El diseño instruccional óptimamente eficaz requiere la selección de los ejemplos de enseñanza que representen la gama completa de situaciones de estímulo y criterios de respuesta del ambiente natural[6]. A esto se le llama **programación de caso general** (o *estrategia de caso general*) y es un método sistemático para seleccionar la enseñanza de los ejemplos que representan la gama completa de variaciones de estímulo y criterios de respuesta del contexto de generalización (Albin y Horner, 1988; Becker y Engelmann y Carnine, 1982).

Una serie de estudios de Horner y colaboradores demostraron la importancia de enseñar ejemplos que sistemáticamente ejemplificaban la gama de variaciones de estímulo y de criterios de respuesta que el aprendiz encontraría en el contexto de generalización (p.ej., Horner, Eberhard, y Sheehan, 1986; Horner y McDonald, 1982; Horner, Williams, y Steveley, 1987). En un ejemplo clásico de esta línea de investigación, Sprague y Horner (1984) evaluaron los efectos de la instrucción de caso general sobre el empleo generalizado de máquinas expendedoras por seis estudiantes de instituto con retraso mental de moderado a severo. La variable dependiente era el número de máquinas expendedoras que cada estudiante había manejado correctamente durante los sondeos de generalización de 10 máquinas diferentes localizadas en la comunidad. Para que un ensayo de sondeo pudiera anotarse como correcto, un estudiante tenía que realizar correctamente una cadena de cinco respuestas (p. ej., insertar el número apropiado de monedas, activar la máquina para el artículo deseado, etc.). Los investigadores seleccionaron las 10 máquinas expendedoras usadas para evaluar la generalización porque el funcionamiento de cada estudiante sobre aquellas máquinas serviría como índice de su desempeño "a través de todas las máquinas expendedoras que distribuyen alimentos y bebidas que cuestan entre 0,20 y 0,75 dólares en Eugene, Oregon" (pág. 274). Ninguna de las máquinas expendedoras usadas en los sondeos de generalización eran idénticas a ninguna de las usadas durante la instrucción.

Después de que un sondeo de lineabase única verificase la incapacidad de cada estudiante para usar las 10 máquinas expendedoras en la comunidad comenzó una condición que los investigadores llamaron "instrucción de caso único". Bajo esta condición, cada estudiante recibía entrenamiento con una sola máquina expendedora localizada en la escuela hasta que la usaba de manera independiente durante tres ensayos correctos consecutivos durante dos días consecutivos. Incluso aunque cada estudiante hubiera aprendido a manejar la máquina sin errores, el sondeo de generalización tras la instrucción de caso único reveló poco o ningún éxito con las máquinas expendedoras de la comunidad (véase la sesión de sondeo 2 en la Figura 28.6). El desempeño pobre continuado de los estudiantes 2, 3, 5, y 6 en los sondeos de generalización sucesivos que siguieron a la instrucción adicional con la máquina de entrenamiento de caso único demostró que la insistencia en la enseñanza de un solo ejemplo no necesariamente ayuda a la generalización. Otra prueba de la limitada generalización obtenida con la instrucción caso único, es el hecho de que siete de las ocho pruebas de sondeo total realizadas correctamente por todos los estudiantes después de la instrucción de caso único solo ocurrieron con la Máquina de Sondeo 1, que era la que más se parecía a la máquina con la cual los estudiantes habían sido entrenados.

Después, se puso en práctica el entrenamiento de casos múltiples con los Estudiantes 4, 5, y 6. Los procedimientos de enseñanza y los criterios de funcionamiento durante el entrenamiento de casos multiples, fueron los mismos que los que se usaron en la condición de caso único pero se instruía a cada estudiante hasta que alcanzaba el criterio sobre las tres nuevas máquinas. Sprague y Horner (1984) seleccionaron deliberadamente máquinas expendedoras para la instrucción de caso múltiple que eran similares entre sí y que no eran una muestra de la gama de variaciones de estímulo y criterios de respuesta que definían a las máquinas expendedoras de la comunidad. Después de alcanzar el criterio de entrenamiento sobre las tres máquinas adicionales, los Estudiantes 4, 5, y 6 eran todavía incapaces de manejar las máquinas de la comunidad. Durante las seis sesiones de sondeo que siguieron a la instrucción de caso múltiple, estos estudiantes completaron correctamente tan solo 9 de los 60 sondeos totales. Los investigadores entonces introdujeron la instrucción de caso general en un diseño de lineabase

[6] El libro de Siegfried Engelmann y Douglas Carnine "Theory of Instruction: Principles and Applications" (1982) es uno de los tratamientos más cuidadosos y sofisticados de la selección y secuenciación de la enseñanza de ejemplos para el diseño eficaz y eficiente del currículo.

múltiple a través de los estudiantes. Esta condición era igual que la instrucción de caso múltiple, con la diferencia de que las tres máquinas expendedoras utilizadas durante el entrenamiento de caso general, cuando se combinaron con la máquina de caso único ofrecían a los estudiantes práctica a través del rango total de condiciones de estímulo y variaciones de respuesta encontradas en máquinas expendedoras de la comunidad. Ninguna de las máquinas de entrenamiento, sin embargo, eran exactamente iguales a ninguna de las usadas durante los sondeos de generalización. Después de alcanzar el criterio de entrenamiento en las máquinas de caso general, los seis estudiantes mostraron mejoras sustanciales en el desempeño con las 10 máquinas no entrenadas. Sprague y Horner (1984) especularon que la ejecución pobre del Estudiante 3 durante el primer sondeo de generalización y tras la instrucción de caso general se debía a un estilo ritual de inserción de monedas que había desarrollado durante las sesiones de sondeo anteriores. Tras recibir entrenamiento práctico repetido sobre la inserción de monedas durante una sesión de educación entre las Sesiones de Sondeo 5 y 6, el desempeño del Estudiante 3 sobre las máquinas de generalización mejoró enormemente.

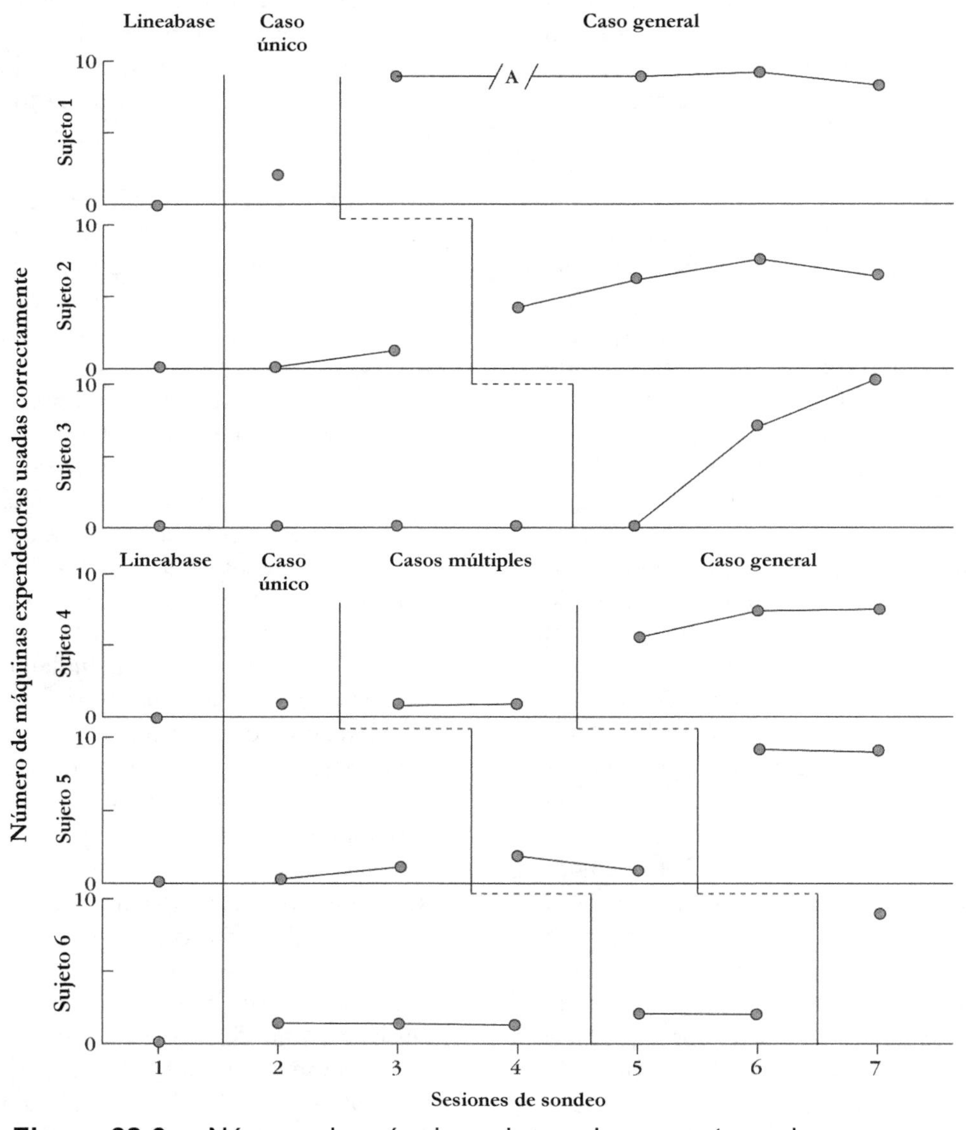

Figura 28.6 Número de máquinas de sondeo no entrenadas manejadas correctamente por los estudiantes a través de las fases y las sesiones de sondeo.

Tomado de "The Effects of Single Instance, Multiple Instance, and General Case Training on Generalized Vending Machine Use by Moderately and Severely Handicapped Students" J. R. Sprague y R. H. Horner, 1984, *Journal of Applied Behavior Analysis, 17*, pág. 276.

Enseñanza de ejemplos negativos, o "no lo hagas"

La generalización entre todas las condiciones o situaciones posibles es rara vez deseable. Enseñar a un estudiante donde y cuando usar una nueva habilidad o conocimiento no significa enseñarle donde y cuando *no* usar esta nueva conducta aprendida. Bruno, por ejemplo, tiene que aprender que no debe decir, " ¡Hola!, ¿Cómo estás? " a personas que ya saludó durante aproximadamente la última hora. Se debe enseñar a los aprendices a distinguir entre las condiciones de estímulo que señalan cuando es apropiado responder y las que indican cuando es inadecuado.

La instrucción que incluye ejemplos de enseñanza "no lo hagas" mezclados con ejemplos positivos ofrece a los aprendices práctica en la discriminación de situaciones de estímulo en las que la conducta objetivo no debería emitirse (es decir, S^{Δ}) de aquellas otras condiciones en las que la conducta es apropiada. Esto afina el control de estímulo necesario para dominar muchos conceptos y habilidades (Engelmann y Carnine, 1982).[7]

Horner, Eberhard, y Sheehan (1986) incorporaron ejemplos " no lo hagas" en programas de entrenamiento para enseñar a cuatro estudiantes de instituto con retraso mental de moderado a severo a limpiar y organizar mesas en restaurantes de estilo cafetería. Para preparar las mesas correctamente había que quitar todos los platos, cubiertos, y la basura de la mesa, las sillas, y la que estaba bajo la mesa y su alrededor; limpiar la mesa; colocar las sillas; y colocar platos sucios y la basura en los contenedores apropiados. Además, se enseñó a los estudiantes a preguntar mediante tarjetas si un cliente había terminado y se podían retirar los platos. Los tres contextos, uno de entrenamiento y dos para los sondeos de generalización, se diferenciaban en términos de tamaño, características del mobiliario y la configuración.

[7] Los ejemplos de enseñanza utilizados para ayudar a los estudiantes a discriminar cuando no responder (es decir, E Δ) se llaman a veces ejemplos negativos por contraste con los ejemplos positivos (es decir, SD). Sin embargo, durante nuestro trabajo en la enseñanza de este concepto, los profesionales aplicados nos han dicho que el término ejemplos de enseñanza negativos sugiere que se modela o muestra al aprendiz cómo no realizar la conducta objetivo. La instrucción de la topografía deseada para algunas conductas puede mejorarse al ofrecer a los estudiantes modelos sobre como no realizar cierta conducta (es decir, ejemplos negativos), pero la función de los ejemplos "no lo hagas" es ayudar al aprendiz a distinguir las condiciones antecedentes que indican una ocasión inadecuada para emitir la respuesta.

Cada ensayo de entrenamiento requería que el estudiante atendiera a las siguientes características de estímulo de una mesa: (a) la ausencia o presencia de personas en la mesa, (b) si hay gente comiendo en la mesa, (c) la cantidad de comida en los platos, (d) la presencia o ausencia de basura en la mesa y (e) la situación de la basura o suciedad en los platos de la mesa. El entrenamiento consistió en sesiones de 30 minutos que incluián los seis tipos de mesas que representaban la gama de condiciones que se encuentran en un restaurant tipo cafetería. Un educador modeló la recogida de las mesas, usando ayudas verbales a las respuestas correctas y parando al estudiante cuando ocurrían errores, recreando entonces la situación y ofreciendo modelado adicional y la ayuda necesaria. Los seis ejemplos que se entrenaron consistían en cuatro mesas que había que recoger y dos mesas que no había que recoger (véase la tabla 28.1).

Durante las sesiones de sondeo de generalización, que se llevaron a cabo en dos restaurantes que no habían sido usados durante el entrenamiento, a cada estudiante se le presentaron 15 mesas seleccionadas para representar la gama de mesas que se podrían encontrar si encontrasen empleo en un restaurante de ese tipo. Las 15 mesas del sondeo estaban formadas por 10 mesas para preparar y 5 mesas que no había que preparar. Los resultados mostraron una relación funcional entre la instrucción de caso general que incluía mesas que no había que preparar "y la mejora inmediata y pronunciada del porcentaje de mesas de sondeo en las que se respondió correctamente" (pág. 467).

Los ejemplos de enseñanza negativos son necesarios cuando se debe discriminar entre condiciones apropiadas e inadecuadas para una respuesta particular. Los profesionales aplicados deberían preguntarse: ¿Es *siempre* la respuesta *apropiada* en el contexto de generalización? Si la respuesta es no entonces la enseñanza de ejemplos "no lo hagas" debería formar parte de la instrucción.

¿El contexto de enseñanza incluye de manera natural o automática un número suficiente y completo de ejemplos negativos? La situación de enseñanza debe ser analizada para contestar esta importante pregunta. Los profesionales pueden tener que idear algunos ejemplos de enseñanza negativos y *no deberían asumir que el entorno natural aportará fácilmente suficientes ejemplos negativos.* Realizar el entrenamiento en el entorno natural no garantiza la exposición a situaciones de estímulo que probablemente se encontrarán en el entorno de generalización después del entrenamiento. Por ejemplo, en el estudio sobre el entrenamiento en la

Tabla 28.1 Seis ejemplos de entrenamiento usados para enseñar a estudiantes con discapacidad a organizar mesas de un restaurante tipo cafetería.

Ejemplos de entrenamiento	*Presencia de personas y posesiones*	*Gente comiendo o no comiendo*	*Platos: Vacíos/parcial/nueva comida*	*Basura: Presente o ausente*	*Ubicación de basura y platos*	*Respuestas correctas*
1	0 personas y posesiones	-	Parcial	Presente	Mesas, sillas	No
2	0 personas	-	Parcial	Presente	Mesa, suelo, silla	Si
3	2 personas	Comiendo	Nueva comida	Presente	Mesa, suelo, silla	No
4	0 personas	-	Vacío	Presente	Mesa, suelo	Si
5	1 persona	No comiendo	Vacío	Presente	Silla, suelo	Si
6	2 personas	No comiendo	Vacío	Presente	Mesa	Si

Tomado de: "Teaching Generalized Table Bussing: The Importance of Negative Teaching Examples" R. H. Horner, J. M. Eberhard, y M. R. Sheehan, 1986, *Behavior Modification, 10*, pág. 465. © Copyright 1986 Sage Publications, Inc. Usado con permiso.

recogida de mesas descrito anteriormente, Horner y colaboradores (1986) señalaron que, "durante algunos días el educador tuvo que instalar activamente uno o varios tipos de mesas para asegurarse de que el estudiante tuviera acceso a un tipo de mesa que no estaba "naturalmente" disponible (pág, 464).

Los ejemplos de enseñanza "no lo haga" deberían seleccionarse y ordenarse según el grado en el que se diferencian de los ejemplos positivos (es decir, de los estímulos discriminativos). Los ejemplos de enseñanza negativos más eficaces compartirán muchas de las características relevantes de los ejemplos de enseñanza positivos (Horner, Dunlap, y Koegel, 1988). Tales *ejemplos de enseñanza negativos de diferencia mínima,* ayudan al aprendiz a realizar la conducta objetivo con la precisión requerida por el entorno natural. La enseñanza de ejemplos de diferencia mínima ayuda a eliminar "errores de generalización" debidos a la sobregeneralización y al control de estímulo inadecuado. Por ejemplo, las mesas que no había que organizar usadas por Horner y colaboradores (1986), compartían muchos aspectos con las que sí había que ordenar (véase la Tabla 28.1).

Hacer el contexto instruccional similar al de generalización

> El entrenador Pat Hill de la Universidad de Fresno pensó que sería una nueva experiencia que los Bulldogs los visitarán por primera vez. Durante las prácticas de la semana pasada en el estadio de la universidad Hill alquiló una empresa de producción de sonido para poner la canción de lucha del Estado de Ohio (en aproximadamente 90 decibelios) durante las dos horas de sesión. "Creamos el mismo ruido y atmósfera que durante el juego en vivo" dijo Hill.
>
> *Columbus Dispatch (27 de Agosto del 2000)*

Una estrategia básica para promover la generalización consiste en incorporar en el contexto de instrucción los estímulos que probablemente se encuentren en el contexto de generalización. A mayor semejanza entre el contexto de instrucción y el de generalización mayor es la probabilidad de que la conducta objetivo sea emitida en el contexto de generalización. El principio de generalización de estímulo establece que una conducta se emitirá con alta probabilidad en presencia de un estímulo muy similar a las condiciones de estímulo en las cuales la conducta fue reforzada inicialmente, pero la conducta probablemente no se emitirá en condiciones de estímulo que se diferencian considerablemente del estímulo de instrucción.

La generalización de estímulo es un fenómeno relativo: Cuanto más parecida sea una configuración de estímulo a las condiciones estimulares presentes durante el entrenamiento, mayor será la probabilidad de que la respuesta entrenada sea emitida, y viceversa. Una contexto de generalización que se diferencia considerablemente del de instrucción no puede proporcionar el control de estímulo suficiente sobre la conducta objetivo. Tal contexto, también puede contener estímulos que impidan la conducta objetivo porque su novedad confunda o sorprenda al aprendiz. La exposición durante la instrucción a estímulos que se suelen encontrar en el contexto de generalización aumenta la probabilidad de que aquellos estímulos adquieran algún control de estímulo sobre la conducta objetivo y también prepara al aprendiz para la presencia de estímulos en el contexto de generalización que tienen el potencial de impedir el funcionamiento adecuado. Dos técnicas que usan los analistas aplicados de la conducta para poner en práctica esta estrategia básica son: la programación de estímulos comunes y la enseñanza sin rigor.

Programación de estímulos comunes

La **programación de estímulos comunes** se basa en la inclusión de aspectos típicos del contexto de generalización en el contexto de instrucción. Aunque los analistas de conducta usen un término especial para esta técnica, muchos profesionales de diferentes campos la han usado exitosamente para promover el cambio de conducta generalizado. Por ejemplo, entrenadores personales, profesores de música, y directores de teatro sostienen escaramuzas, simulacros de audición y ensayos generales para preparar a sus atletas, músicos, y actores para ejecutar habilidades importantes en contextos que incluyan imágenes, sonidos, texturas, personas *y* procedimientos que ocurran de la forma más parecida posible al *"mundo real"*.

Van den Pol y colaboradores (1981) programaron estímulos comunes cuando enseñaron a tres adultos jóvenes con discapacidad a hacer el pedido y a comer en restaurantes de comida rápida. Los investigadores usaron numerosos artículos y fotos de restaurantes reales para simular en el aula las condiciones encontradas en restaurantes reales. Fijaron sobre la pared del aula, señales de plástico con nombres y fotos de varios menús del restaurante de comida rápida, una mesa se transformó en una simulación de mostrador para representar las transacciones, y los estudiantes respondieron a 60 diapositivas fotográficas tomadas en restaurantes reales mostrando ejemplos tanto positivos como negativos ("no lo hagas") de situaciones que los clientes probablemente encuentran habitualmente.

¿Por qué molestarse en simular el contexto de generalización? ¿Por qué no simplemente se hace la instrucción en el contexto de generalización para asegurarse de que el aprendiz experimenta todos los aspectos relevantes del contexto? Primero, llevar a cabo la instrucción en contextos naturales no es siempre posible o práctico. Puede requerir muchos recursos y tiempo llevar a los estudiantes a contextos comunitarios.

Segundo, el entrenamiento basado en la comunidad, puede no exponer a los estudiantes a la gama completa de ejemplos que probablemente se encuentren más tarde en el mismo contexto. Por ejemplo, los estudiantes que reciben entrenamiento *in situ* para comprar en tiendas de comestibles o cruzar la calle durante las horas de colegio, pueden no experimentar las filas largas de personas en las cajas registradoras o el tráfico de las horas del final de la tarde.

Tercero, la enseñanza en contextos naturales puede ser menos eficaz y eficiente que la instrucción en el aula porque el educador no puede parar el flujo natural de los acontecimientos para establecer un número y una secuencia de ensayos que sean óptimos para las necesidades del estudiante (p.ej., Neef, Lensbower, Hockersmith, DePalma, y el Color gris, 1990).

Cuarto, el entrenamiento en contextos simulados puede ser más seguro, particularmente con conductas objetivo que deben realizarse en entornos potencialmente peligrosos o si tienen consecuencias graves en caso de ejecutarse incorrectamente (p.ej., Miltenberger et al., 2005), o cuando niños personas con problemas de aprendizaje deben realizar procedimientos complejos. Si los procedimientos implican la invasión del cuerpo o los errores durante la práctica son potencialmente peligrosos se debe usar entrenamiento mediante simulación. Por ejemplo, Neef, Parrish, Hannigan, Page e Iwata (1990) hicieron a niños con vejiga neurogénica practicar las habilidades de autosondaje con muñecos.

La programación de estímulos comunes es un proceso hacia delante de dos pasos: (a) identificar los estímulos salientes que caracterizan el contexto de generalización y (b) incorporar dichos estímulos al contexto de instrucción. Un profesional puede identificar posibles estímulos comunes del contexto de generalización mediante observación directa o preguntándole a la gente que está familiarizada con el contexto. Los profesionales deberían llevar a cabo sesiones de observación en el contexto de generalización y anotar los rasgos prominentes de este entorno que pudiera ser importante incluir durante la instrucción. Cuando la observación directa no es factible se puede conocer el entorno de manera indirecta entrevistando o usando cuestionarios con personas familiarizadas con el contexto de generalización.

Si un contexto de generalización incluye estímulos importantes que no puedan ser recreados o simulados en el contexto de instrucción, entonces al menos algunos ensayos deberían de entrenarse en el contexto de generalización. Sin embargo, como hemos indicado antes, no se debería asumir que el entrenamiento basado en la comunidad garantizará la exposición de los estudiantes a todos los estímulos importantes comunes en el contexto de generalización.

Enseñar con flexibilidad

Los analistas aplicados de la conducta controlan y estandarizan los procedimientos de intervención para maximizar sus efectos directos y que estos puedan ser interpretados y replicados por otros. Pero la restricción de los procedimientos de enseñanza a "un puñado de estímulos o formatos repetidos con precisión, de hecho, puede restringir la generalización de las lecciones que están siendo aprendidas" (Stokes y Baer, 1977, pág. 358). En la medida en que la generalización del cambio de conducta puede verse como lo contrario a un control de estímulo estricto y a la discriminación, una técnica para facilitar la generalización consiste en variar lo máximo posible las dimensiones no críticas de los estímulos antecedentes durante la instrucción.

Enseñar con flexibilidad, aleatorizando varios aspectos no críticos del contexto instruccional dentro de cada sesión de instrucción y entre las distintas sesiones, tiene dos ventajas o razones que promueven la generalización. Primero, la enseñanza sin rigor, reduce la probabilidad de que un estímulo no crítico (o un grupo pequeño ellos), adquiera el control exclusivo de la conducta objetivo. Una conducta objetivo que inadvertidamente queda bajo el control de un estímulo en el contexto de instrucción pero que no siempre está presente en el contexto de generalización no puede emitirse en este último. Aquí hay dos ejemplos de este tipo de control de estímulo defectuoso:

- *Seguir las instrucciones de los profesores:* Un estudiante que suele recibir reforzamiento al obedecer a los profesores cuando suben la voz y lo acompañan con una expresión facial severa, no pueden seguir las instrucciones que no contienen uno o ambas de esas variables no críticas. El estímulo discriminativo para el cumplimiento de las instrucciones del profesor debería de ser el contenido de los enunciados del profesor.
- *Ensamblar juegos de piñones de bicicleta:* Una nueva empleada de la fábrica de bicicletas aprende inadvertidamente a ensamblar juegos de piñones poniendo un piñón rojo encima de uno verde y el verde sobre otro azul porque los juegos de piñones de un modelo determinado de bicicleta de la producción del día que ella fue entrenada tenían esos colores. Sin embargo, el ensamblaje apropiado de un juego de piñones no tiene nada que ver con los colores de los piñones individuales; la variable relevante es el tamaño relativo de los piñones (p. ej., el piñón más grande va abajo, el siguiente más grande por encima de este, y así sucesivamente).

Variar sistemáticamente la presencia y la ausencia de estímulos no críticos durante la instrucción disminuye enormemente la posibilidad de que un factor funcionalmente irrelevante, como el tono de un profesor de voz o el color del piñón en estos dos ejemplos, adquiera el control de la conducta objetivo (Kirby y Bickel, 1988).

El segundo argumento a favor de la enseñanza sin rigor consiste en incluir una amplia variedad de estímulos no críticos durante la instrucción para aumentar la probabilidad de que el contexto de generalización incluya al menos algunos estímulos que estuviesen presentes durante la instrucción. En este sentido, la enseñanza sin rigor actúa como una especie de cajón de sastre de planificación de estímulos comunes que hace menos probable que la ejecución de un aprendiz se vea impedida o "interferida " por la presencia de un estímulo "extraño".

La enseñanza sin rigor aplicada a los dos ejemplos anteriores podría implicar lo siguiente:

- *Seguir las instrucciones de los profesores:* Durante la instrucción el profesor varía todos los factores mencionados antes (p.ej., el tono de voz y la expresión facial), además da instrucciones mientras está de pie, sentando, en sitios diferentes dentro del aula, varias veces del día, mientras el estudiante está solo y en grupos, mirando de lejos al estudiante, etc. En cada caso, el reforzamiento del profesor es contingente al cumplimiento del estudiante del contenido de la instrucción, independientemente de la presencia o ausencia de cualquier rasgo no crítico.
- *Ensamblar juegos de piñones de bicicleta:* Durante la instrucción la nueva empleada ensambla juegos de piñones de gran variedad de colores tras recibir los componentes de los piñones en secuencias variadas, cuando la fábrica tiene un alto nivel de actividad, en diferentes momentos durante el turno de trabajo, con y sin música, etc. Independientemente de la presencia, la ausencia, o los valores de cualquiera de estos factores no críticos, el reforzamiento será contingente al montaje correcto de los piñones según el tamaño relativo.

Aunque rara vez se utiliza como técnica independiente, la enseñanza sin rigor suele ser un componente reconocible de las intervenciones cuando se desea la generalización a contextos sumamente variables y diversos. Por ejemplo, Horner y colaboradores (1986) incorporaron la enseñanza sin rigor en su programa de entrenamiento para la recogida de mesas mediante la variación sistemática pero aleatoria de las posiciones de las mesas, del número de personas en las mesas, de si el alimento se había consumido completa o parcialmente, de la cantidad y la posición de la basura, etc. Hughes y colaboradores (1995) incorporaron la enseñanza sin rigor, variando a los iguales que actuaban como educadores y la ubicación de las sesiones de entrenamiento. La enseñanza sin rigor suele ser reconocible en programas de enseñanza de lenguaje que usan medios incidentales y métodos de enseñanza naturalistas (p.ej., Charlop-Cristy y Carpenter, 2000; McGee, Morrier, y Daly, 1999; Warner, 1992).

Se han publicado pocos estudios que evalúen los efectos de usar la enseñanza sin rigor aisladamente. Una excepción es un experimento de Campbell y Stremel-Campbell (1982) que evaluaron la eficacia de la enseñanza sin rigor como técnica para facilitar la generalización del lenguaje recién adquirido en dos estudiantes con retraso mental moderado. Los estudiantes aprendieron a emplear correctamente los verbos *ser* y *estar* en preguntas del tipo "Qué, Cuándo, Dónde, Cómo y Quién" (p.ej., " ¿Qué estás haciendo?"), en preguntas de sí o no inversas (p.ej., "¿Es esto mío? "), y en preguntas tipo enunciado (p.ej., " ¿Estos son los míos? "). Cada estudiante recibió dos sesiones de entrenamiento de lenguaje de 15 minutos, conducidas dentro del contexto de otras actividades de enseñanza que formaban parte del programa de educación individualizado de cada niño, primero durante una tarea académica y en segundo lugar durante una tarea de autoayuda. El estudiante podía iniciar una interacción verbal basada en una amplia variedad de estímulos que ocurren naturalmente y el profesor trataría de evocar una afirmación o pregunta del estudiante extraviando intencionadamente materiales de enseñanza u ofreciendo ayudas indirectas. Las sondeos de generalización del lenguaje de los estudiantes durante dos períodos de juego libre diarios de 15 minutos, revelaron la generalización sustancial de las estructuras del lenguaje adquiridas durante las sesiones de enseñanza sin rigor.

El desempeño de la conducta objetivo por parte del aprendiz debería establecerse bajo condiciones restringidas, simplificadas y constantes, mucho antes de que se disminuya el rigor en la instrucción. Esto es particularmente importante al enseñar habilidades complejas y difíciles. Solo los estímulos no críticos (es decir, funcionalmente irrelevantes) deberían ser "obviados". Los profesionales no deberían de prescindir inadvertidamente de los estímulos que fiablemente funcionan en el contexto de generalización como estímulos discriminativos (E^D) o como ejemplos "no lo hagas" (E^Δ). Los estímulos conocidos que juegan papeles importantes indicando cuando responder y cuando no responder, deberían ser incorporados sistemáticamente a los programas de instrucción como ejemplos de enseñanza. Una condición de estímulo puede ser funcionalmente irrelevante para una habilidad y funcionaar como un estímulo discriminativo crítico para otra.

Tomando la idea de variar los aspectos no críticos del contexto de instrucción y de los procedimientos hasta sus límites lógicos, Baer (1999) ofrece las siguientes recomendaciones para la enseñanza sin rigor:

- Use dos o más profesores.
- Enseñe en dos o más lugares.
- Enseñe desde varias posiciones dentro del mismo lugar.
- Varíe su tono de voz.
- Varíe sus palabras.
- Muestre los estímulos desde una variedad de ángulos, alternando el uso de una mano u otra.
- Haga que estén presentes otras personas a veces y otras veces no.
- Vístase de manera bastante diferente durante días diferentes.
- Varíe los reforzadores.
- Enseñe a veces con luz brillante y otras con luz tenue.
- Enseñe a veces en contextos ruidosos y otras en tranquilos.
- En cualquier contexto, varíe la decoración, varíe el mobiliario y varíe también la posición de esos elementos.
- Varíe las veces del día en las que usted y sus colegas enseñan.
- Varíe la temperatura en el contexto de enseñanza.
- Varíe los olores en los contextos de instrucción.
- Dentro de lo posible varíe el contenido de lo que se enseña

- Hacer todo esto lo más de la forma más frecuente e impredecible posible (pág. 24).

Desde luego, Baer (1999) no sugería que un profesor tenga que variar todos estos factores para cada conducta enseñada, pero introducir un grado razonable de "flexibilidad" en la enseñanza es un elemento importante del esfuerzo global de un profesor en la planificación de la generalización, en comparación con entrenar y confiar en que funcione.

Maximizar el contacto con el reforzamiento en el contexto de generalización

Incluso aunque un profesional tenga éxito en conseguir que un alumno emita una conducta objetivo recién adquirida en un contexto de generalización con una contingencia existente y natural de reforzamiento, la generalización y el mantenimiento pueden ser efímeros si la conducta tiene un contacto insuficiente con el reforzamiento. En tales casos los esfuerzos del profesional para promover la generalización giran alrededor de asegurarse de que la conducta objetivo se ponga en contacto con el reforzamiento en el contexto de generalización. Cinco de las 13 estrategias para promover el cambio generalizado de conducta descrito en este capítulo implican disponer las condiciones para que la conducta objetivo sea reforzada en el contexto de generalización.

Enseñar la conducta a los niveles requeridos por las contingencias naturales

Baer (1999) sugirió que un error común que cometen los profesionales al intentar emplear las contingencias naturales de reforzamiento, es no enseñar el cambio de conducta lo suficientemente bien como para que entre en contacto con la contingencia.

> A veces los cambios de conducta que parecen necesitar generalización solo necesitan enseñarse mejor. Trate de hacer que los estudiantes emitan la conducta con fluidez y entonces valore si todavía necesitan apoyo para la generalización. La fluidez puede consistir en alguno o todos los aspectos siguientes: Tasa alta de funcionamiento, alta precisión de funcionamiento, baja latencia, responder cuando se da la oportunidad y respuesta intensa (pág. 17).

Una nueva conducta puede ocurrir en el contexto de generalización pero no entrar en contacto con las contingencias naturales de reforzamiento. Las variables que habitualmente disminuyen el contacto con el reforzamiento en el contexto de generalización incluyen: la precisión de la conducta, la calidad dimensional de la conducta (es decir, la frecuencia, la duración, la latencia y la magnitud), y la forma (topografía) de la conducta. El profesional puede tener que ayudar al aprendiz a mejorar en una o varias de estas variables para asegurarse de que la nueva conducta va a entrar en contacto con las contingencias naturales de reforzamiento. Por ejemplo, cuando se deja en su pupitre una hoja con tareas para completar, es poco probable que la conducta de un estudiante que cumpla con las siguientes dimensiones entre en contacto con el reforzamiento derivado de completar la tarea incluso aunque el estudiante tenga la capacidad de completar todas las tareas de la hoja con precisión:

- *Latencia demasiado alta.* Un estudiante que pasa 5 minutos "soñando despierto" antes de comenzar a leer las instrucciones de la tarea puede no terminar a tiempo como para obtener reforzamiento.
- *Tasa demasiado baja.* Un estudiante que necesita 5 minutos para leer las instrucciones de una tarea individual que sus iguales leen en menos de 1 minuto, no puede terminar a tiempo como para obtener reforzamiento.
- *Duración demasiado breve.* Un estudiante que pueda trabajar solo durante 5 minutos sin supervisión directa no será capaz de completar ninguna tarea que requiera más de 5 minutos de trabajo independiente.

La solución para esta clase de problemas de generalización aunque no siempre es fácil, es clara. El cambio de conducta debe de hacerse fluidamente: debe de enseñarse al aprendiz a emitir la conducta objetivo a una tasa adecuada a las contingencias naturales, con más precisión, con una latencia más corta o con mayor magnitud. La planificación de la generalización debería incluir la identificación de los niveles de desempeño necesarios para tener acceso al criterio de reforzamiento.

Programar contingencias no discriminables

Los analistas aplicados de la conducta diseñan y ponen en práctica intervenciones en las que el alumno recibe consecuencias consistentes e inmediatas por emitir la conducta objetivo. Aunque las consecuencias consistentes e inmediatas suelan ser necesarias para ayudar al alumno a adquirir la nueva conducta también pueden impedir la generalización y el mantenimiento. Las consecuencias claras, fiables e inmediatas que forman parte típicamente de la instrucción sistemática pueden trabajar en contra de la generalización de la respuesta. Esto ocurre con mayor probabilidad cuando una habilidad recién adquirida aún no ha entrado en contacto con las contingencias naturales de reforzamiento y además el alumno puede discriminar cuando las contingencias de instrucción están ausentes en los contextos de generalización. Si la presencia o la ausencia de las contingencias de control en el contexto de generalización son obvias o predecibles para el aprendiz ("¡Eh!, el juego ha terminado. No hay ninguna necesidad de responder ahora"), este puede dejar de responder en el contexto de generalización y el cambio de conducta que requirió tanto esfuerzo puede dejar de ocurrir antes de entrar en contacto con las contingencias naturales de reforzamiento.

Una **contingencia no discriminable** es aquella en la que el aprendiz no puede discriminar si las siguientes respuestas producirán reforzamiento. Como técnica para promover la generalización y el mantenimiento, la planificación de contingencias no discriminables implica diseñar contingencias según las cuales (a) el reforzamiento sea contingente sobre algunas, pero no todas, las ocurrencias de la conducta objetivo en el contexto de generalización, y (b) el aprendiz sea incapaz de predecir qué respuestas producirán el reforzamiento.

La razón fundamental para programar contingencias no discriminables es permitir que el aprendiz continúe respondiendo con una frecuencia y duración tal en el contexto de generalización como para que la conducta objetivo pueda entrar en suficiente contacto con las contingencias naturales de reforzamiento. A partir de ese momento la necesidad de programar contingencias artificiales para promover la generalización será irrelevante. Los analistas aplicados de la conducta usan dos técnicas relacionadas para programar contingencias no discriminables: los programas de reforzamiento intermitentes y el reforzamiento demorado.

Programas de reforzamiento intermitente. Una conducta recién adquirida suele tener que ocurrir repetidamente durante un cierto período de tiempo en el contexto de generalización antes de entrar en contacto con una contingencia natural de reforzamiento. Durante este tiempo se da una condición de extinción para las respuestas emitidas en el contexto de generalización. El programa de reforzamiento actual o más reciente aplicado a la conducta objetivo en el contexto de instrucción juega un papel significativo respecto al número de respuestas que serán emitidas en el contexto de generalización antes de que se de el reforzamiento. Las conductas que han estado bajo un programa de reforzamiento continuo, muestran un mantenimiento de la respuesta muy limitado bajo extinción. Cuando el reforzamiento deja de estar disponible, la probabilidad de respuesta disminuye rápidamente hasta los niveles previos al reforzamiento. Por otra parte, las conductas con un historial de reforzamiento intermitente suelen seguir emitiéndose durante períodos relativamente largos de tiempo después de que el reforzamiento haya dejado de estar disponible (p.ej., Dunlap y Johnson, 1985; Hoch, McComas, Thompson, y Paone, 2002).

Un experimento de Koegel y Rincover (1977, Experimento II) mostró el efecto de los programas de reforzamiento intermitente sobre el mantenimiento de la respuesta en un contexto de generalización. Los participantes eran seis niños diagnosticados de autismo y retraso mental de grave a profundo, con edades comprendidas entre los 7 y los 12 años, que habían participado en un estudio anterior sobre generalización y habían mostrado respuestas generalizadas fuera del contexto terapéutico usado en aquel experimento (Rincover y Koegel, 1975). Como en el Experimento I de Koegel y Rincover (1977) descrito anteriormente en este capítulo, se llevaron a cabo ensayos de entrenamiento individualizados con cada niño, el educador estaba sentado en una mesa dentro de una habitación pequeña y los sondeos de generalización se llevaron a cabo con un adulto desconocido que estaba fuera en un jardín rodeado por árboles. Dos tipos de clases de respuesta imitativas consistieron en (a) imitación no verbal (p.ej., levantar el brazo) en respuesta a un modelo y a la indicación verbal " Haz esto " y (b) tocar una parte de cuerpo en respuesta a indicaciones verbales como "Tócate la nariz". Después de la adquisición de una respuesta de imitación, se aplicaron a cada niño ensayos adicionales y aleatorios siguiendo uno de los tres programas de reforzamiento seleccionados: continuo, intermitente de razón fija 2, o intermitente de razón fija 5. Solamente después de estos ensayos de entrenamiento adicionales se llevó a los niños al exterior para evaluar el mantenimiento de la respuesta. Una vez fuera, se realizaban ensayos hasta que el nivel de respuestas correctas de cada niño había disminuido hasta el 0 %, o se habían mantenido en al menos un 80 % durante más de 100 ensayos consecutivos.

Las conductas que estaban más recientemente bajo un programa de reforzamiento continuo en el contexto instruccional se extinguieron rápidamente en el contexto de generalización (véase la Figura 28.7). La generalización de la respuesta duró más en las conductas entrenadas bajo el programa de reforzamiento de razón fija 2, y todavía duró más en el caso de conductas que se habían reforzado siguiendo un programa de razón fija 5 en el contexto instruccional. Los resultados mostraron claramente que el programa de reforzamiento del contexto de instrucción tenía un efecto predecible sobre la respuesta en ausencia de reforzamiento en el contexto de generalización: cuanto más ligero sea el programa de reforzamiento en el contexto de instrucción, más duradero será el mantenimiento de la respuesta en el contexto de generalización.

El rasgo definitorio de todos los programas de reforzamiento intermitentes es que solo algunas respuestas son reforzadas, lo que significa, por supuesto, que algunas respuestas no son reforzadas. De esto modo, una explicación posible del mantenimiento de la respuesta durante los períodos de extinción en el caso de las conductas desarrolladas bajo programas de reforzamiento intermitentes, es la relativa dificultad para discriminar que el reforzamiento no está disponible. Así, la imprevisibilidad de un programa de reforzamiento intermitente puede explicar el mantenimiento de la conducta cuando el programa ha terminado.

Los profesionales deberían reconocer que aunque todas *las contingencias no discriminables de reforzamiento impliquen un programa intermitente, no todos los programas intermitentes son no discriminables*. Por ejemplo, aunque los programas de reforzamiento intermitente de razón fija 2 y razón fija 5 usados por Koegel y Rincover (1977) fueran intermitentes, muchos aprendices podrían discriminar pronto cuando el reforzamiento iba a seguir a su siguiente respuesta. En contraste, un estudiante cuya conducta esté bajo un programa de reforzamiento intermitente de razón variable 5 no podrá determinar si su siguiente respuesta será reforzada.

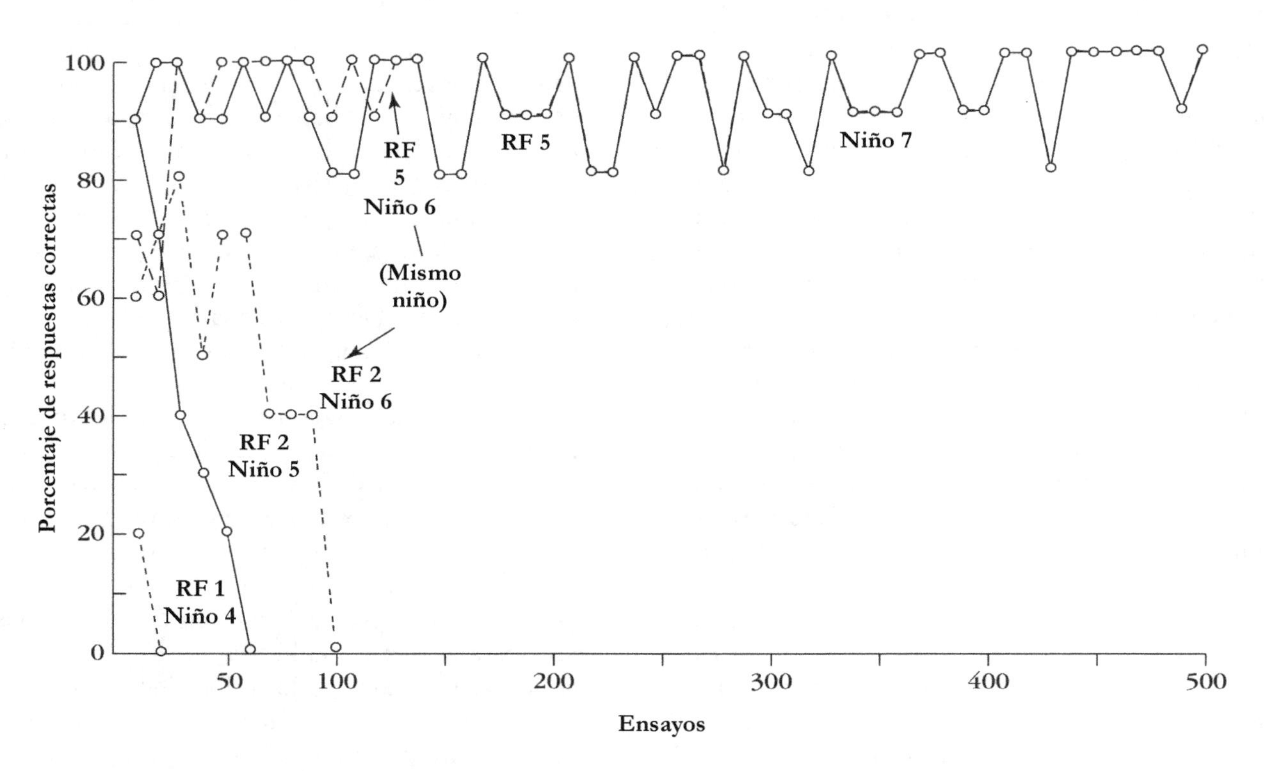

Figura 28.7 Porcentaje de respuestas correctas de tres niños en un contexto de generalización como función del programa de reforzamiento usado durante las sesiones finales del contexto de instrucción.

Tomado de " Research on the Differences Between Generalization and Maintenance in Extra-Therapy responding " R. L. Koegel y A. Rincover, 1977, *Journal of Applied Behavior Analysis, 10,* pág. 4. © Copyright 1977 Society for the Experimental Analysis of Behavior, Inc. Reimpreso con permiso.

Recompensas demoradas. Stokes y Baer (1977) sugirieron que no poder discriminar en qué contexto será reforzada una conducta, es similar a no poder discriminar si la siguiente respuesta será reforzada. Ellos citaron un experimento de Schwarz y Hawkins (1970) en el que cada día, al terminar la jornada escolar mostraban a una niña de sexto grado un vídeo sobre su conducta en la clase de matemáticas de ese día y le presentaban reforzamiento mediante elogios fichas por conductas relacionadas con mejorar su postura, reducir el número de veces que se tocaba la cara, y hablar con un volumen audible. Este reforzamiento era contingente exclusivamente a las conductas emitidas durante la clase de matemáticas, pero también se notaron mejoras comparables en la clase de ortografía. Los datos de generalización se tomaron de las grabaciones de la conducta de la niña en las clases de ortografía, pero nunca se le mostraron. Stokes y Baer hipotetizaron que debido a que el reforzamiento era demorado (las conductas que producían elogios y fichas se emitían durante la clase de matemáticas pero no se reforzaban hasta el final de la jornada escolar) se pudo dificultar a la alumna la discriminación del momento en el que las mejoras en el desempeño iban a dar lugar a reforzamiento. Estos autores sugirieron que la generalización de la conducta objetivo a través de los contextos podría haber sido el resultado de la naturaleza no discriminable de la demora desde la respuesta hasta la aparición del reforzamiento.

Las recompensas demoradas y los programas de reforzamiento intermitentes son parecidos de dos modos: (a) el reforzamiento no se presenta cada vez que la conducta objetivo es emitida, (solo algunas respuestas son seguidas del reforzamiento), y (b) no hay ningún estímulo claro que indique qué respuestas producirán reforzamiento. Una contingencia de recompensa demorada se diferencia del reforzamiento intermitente en que, en lugar de presentarse las consecuencias inmediatamente después de la conducta objetivo, se presentan después de que haya transcurrido un período de tiempo (es decir, una demora entre la respuesta y la recompensa). Recibir la recompensa demorada es contingente a la ocurrencia de la conducta objetivo en el contexto de generalización *durante un período de tiempo previo.* Con una contingencia efectiva de recompensa demorada, el aprendiz no puede discriminar cuándo (o dónde, dependiendo de los detalles de la contingencia) se debe emitir la conducta objetivo para recibir reforzamiento. Por consiguiente, para tener la mayor posibilidad de recibir el reforzamiento más tarde, el aprendiz debe de "ser bueno, todo el día " (Fowler y Baer, 1981).

Dos estudios similares de Freeland y Noell (1999, 2002) investigaron los efectos de las recompensas demoradas sobre el mantenimiento del desempeño en matemáticas de los estudiantes. Las participantes en el segundo estudio fueron dos niñas de tercer grado que habían sido remitidas por su profesor para recibir ayuda en matemáticas. La conducta objetivo para ambas estudiantes consistía en responder a problemas de sumas de un dígito que dieran 18. Los investigadores usaron un diseño de reversión de tratamientos múltiples para comparar los efectos de cinco condiciones sobre el número de dígitos correctos escritos como respuestas a las sumas de un dígito durante períodos de trabajo de 5 minutos diarios (p. ej., escribir "11" como respuesta a “5 + 6 =?” se contaba como dos dígitos correctos).

- *Lineabase:* Hojas de trabajo verdes; ninguna consecuencia programada; se decía a los estudiantes que podían intentar hacer tantos problemas como quisieran.
- *Reforzamiento:* Hojas de trabajo azules con un número objetivo en la parte superior que indicaba el número de dígitos correctos que tenían que conseguir para elegir una recompensa de "la caja de golosinas"; el número objetivo de cada estudiante era la media de dígitos correctos de las tres últimas hojas de trabajo; todas las hojas de trabajo se corregían tras cada sesión.
- *Demora 2:* Hojas de trabajo blancas con el número objetivo; cada dos sesiones una de las dos hojas de trabajo de cada estudiante se seleccionaba al azar para corregirse; el reforzamiento era contingente con alcanzar la media más alta entre tres sesiones consecutivas conseguida hasta ese momento del estudio.
- *Demora 4:* Hojas de trabajo blancas con el número objetivo y el mismo procedimiento que en “demora 2” salvo que las hojas de trabajo se corregían cada cuatro sesiones, momento en el que se seleccionaba al azar una de las hojas y se corregía.
- *Mantenimiento:* Hojas de trabajo blancas con el numero objetivo al igual que en las condiciones anteriores. No se corregía ninguna hoja de trabajo ni se daba retroalimentación o recompensas por el desempeño.

El hecho de haber usado hojas de trabajo de colores diferentes para cada condición del estudio facilitó a los estudiantes la predicción de la probabilidad de reforzamiento. Una hoja de trabajo

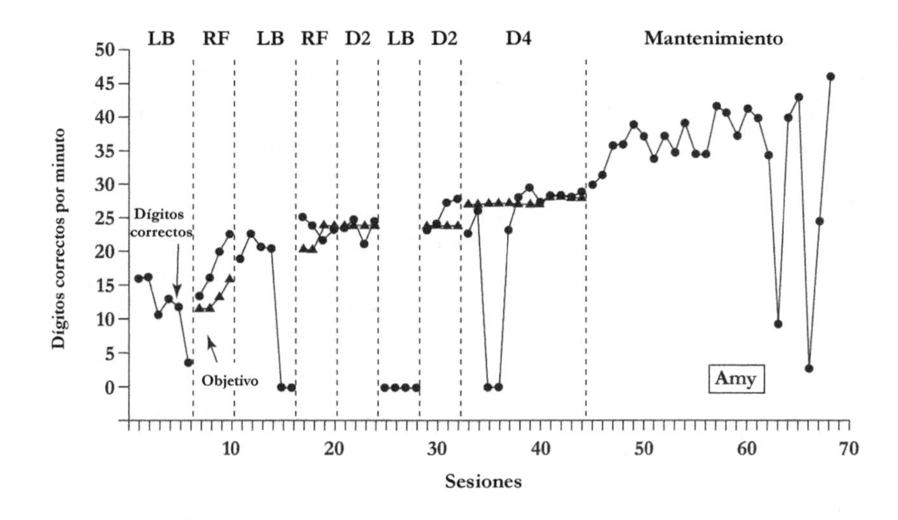

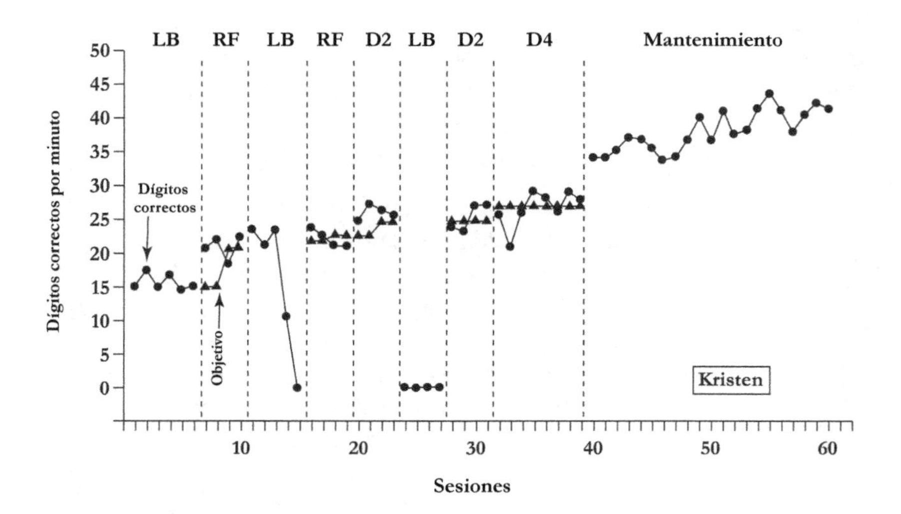

Figura 28.8 Número de dígitos correctos por minuto en dos alumnos de tercer grado que contestan a problemas de matemáticas durante la lineabase (LB), el reforzamiento contingente al desempeño en una hoja de trabajo seleccionada al azar después de cada sesión (RF), el reforzamiento contingente al desempeño en una hoja de trabajo seleccionada al azar después de cada 2 sesiones (D2) o cuatro sesiones (D4), y condiciones de mantenimiento.

Tomado de "Programming for Maintenance: An Investigation of Delayed Intermittent Reinforcement and Common Stimuli toCreate Indiscriminable Contingencies " J. T. Freeland y G. H. Noell, 2002, *Journal of Behavioral Education, 11*, pág. 13. © Copyright 2002 Human Sciences Press. Reimpreso con permiso.

verde significaba "sin caja de golosinas" y ningún tipo de retroalimentación independientemente de cuántos dígitos correctos se anotaran. Sin embargo, alcanzar el criterio de desempeño en una hoja blanca, a veces producía el reforzamiento. Este estudio aporta una gran evidencia sobre la importancia de tener contingencias en el contexto de instrucción "parecidas" a las contingencias del contexto de generalización de dos modos: (a) Ambos estudiantes mostraron una gran disminución del rendimiento cuando las condiciones de lineabase se restablecieron, y una caída inmediata durante la segunda vuelta a la lineabase; (b) los estudiantes siguieron completando problemas de matemáticas a una tasa alta durante la condición de mantenimiento aunque no se aplicaba reforzamiento. (Mirar la Figura 28.8.)

Cuando se aplicaron las contingencias demoradas (no discriminables) todos los estudiantes mostraron niveles de respuestas correctas por encima o en el mismo nivel que durante la fase de reforzamiento. Cuando se expuso a los estudiantes a las condiciones de mantenimiento, Amy mantuvo altos niveles de respuesta durante 18 sesiones con un funcionamiento variable en las seis sesiones finales, y Kristen mostró una tasa gradualmente creciente de funcionamiento sobre las 24 sesiones. Los resultados demostraron que una conducta con una contingencia no discriminable puede mantenerse a la misma tasa que con un programa predecible de reforzamiento y que, además, ofrece una mayor resistencia a la extinción.

Las consecuencias demoradas han sido usadas para promover la generalización del contexto y el mantenimiento de la respuesta en una amplia gama de conducta objetivo, incluyendo tareas académicas y ocupacionales para personas con autismo (Dunlap, Koegel, Johnson, y O'Neill, 1987), el juego con juguetes para niños, el inicio de las interacciones sociales, y la selección de aperitivos saludables (R. A. Baer, Blount, Dietrich, y Stokes, 1987; R. A. Baer, Williams, Osnes, y Stokes, 1984; Osnes, Guevremont, y Stokes, 1986), respuestas apropiadas de los aprendices de un restaurant a las indicaciones de los compañeros de trabajo (Grossi et al., 1994); y el desempeño en tareas de lectura y escritura (Brame, 2001; Heward, Heron, Gardner, y Prayzer, 1991).

El empleo eficaz de las consecuencias demoradas puede reducir (o eliminar en algunos casos) la capacidad del aprendiz de discriminar cuando una contingencia está o no activa. Por consiguiente, el aprendiz tiene que "ser bueno" (es decir, emitir la conducta objetivo) todo el tiempo. Si una contingencia eficaz se hace no discriminable a través de los contextos y las conductas objetivo, el aprendiz también tendrá que "ser bueno" en cualquier lugar, con todas su habilidades relevantes.

A continuación, tenemos cuatro ejemplos de aplicaciones en el aula de contingencias no discriminables que implican el uso de recompensas demoradas. Cada uno de estos ejemplos, también destaca una contingencia interdependiente de grupo (véase el Capítulo 26) mediante la aplicación de recompensas para toda la clase contingentemente al desempeño de algunos alumnos seleccionados al azar.

- *Ruletas y dados.* Un procedimiento como el siguiente puede hacer más eficaces los períodos de trabajo académico en el pupitre. Cada pocos minutos (p. ej., en un programa de intervalo variable de 5 minutos), el profesor (a) selecciona al azar el nombre de un estudiante, (b) se acerca a ese estudiante y lo hace girar una ruleta o lanzar un par de dados, (c) cuenta hacia atrás desde la tarea de la hoja de trabajo en la que el estudiante esté trabajando en ese momento hasta el número mostrado por los dados, y (d) le da una ficha al estudiante si la tarea es correcta. Los estudiantes que inmediatamente comienzan a trabajar en sus tareas y lo hacen rápido pero cuidadosamente durante todo el periodo de trabajo en su pupitre tienen mayor probabilidad de obtener reforzadores bajo esta contingencia no discriminable.
- •*El juego de recordar un hecho de una historia.* Muchos profesores dedican de 20 a 30 minutos al día a la lectura silenciosa mantenida, tiempo en el que los estudiantes pueden leer silenciosamente los libros que elijan. El juego de recordar un hecho de una historia puede animar a los estudiantes a leer con un objetivo durante la actividad. Al final del periodo de lectura el profesor hace a varios estudiantes seleccionados al azar una pregunta sobre el libro que han leído. Por ejemplo, se le puede preguntar a un estudiante que está leyendo el Capítulo 3 del libro *El castillo en el ático* de Elizabeth Winthrop: ¿Qué le dio Guillermo al caballero de plata para comer? (Respuesta: beicon y tostada). El alumno recibe elogios del profesor por dar la respuesta correcta, aplausos de sus compañeros de clase y una canica en un tarro como recompensa para toda la clase. Los estudiantes no saben cuando serán llamados o lo que les pueden preguntar (Brame, Bicard, Heward, y Greulich, 2007).
- *Cabezas numeradas unidas.* Los grupos de aprendizaje colaborativo (pequeños grupos de estudiantes que trabajan juntos sobre una actividad de aprendizaje común) pueden ser eficaces, pero los profesores deberían de usar procedimientos que motiven a participar a todos los alumnos. Una técnica que se llama cabezas numeradas unidas, puede garantizar que todos los estudiantes participen activamente (Maheady, Mallete, Harper, y Saca, 1991). Los estudiantes se sientan en grupos heterogéneos de tres o cuatro, y se le da a cada estudiante el número 1, 2, 3, o 4. El profesor hace una pregunta a la clase, y cada grupo debate sobre el problema y da una respuesta. Después, el profesor selecciona al azar un número del 1 a 4 y luego avisa a uno o varios estudiantes con ese número para contestar. Es importante que cada persona del grupo sepa la respuesta a la pregunta. Esta estrategia promueve la cooperación dentro del grupo más que la competición. Como todos los estudiantes deben de saber la respuesta, los miembros del grupo se ayudan unos a otros a entender no solo la respuesta, sino que también cómo se ha llegado a ella. Finalmente, esta estrategia anima a la responsabilidad individual.
- *Calificación intermitente.* La mayor parte de los estudiantes no reciben suficiente entrenamiento en escritura y cuando escriben, la retroalimentación que reciben suele ser ineficaz. Una razón de esto puede ser que la retroalimentación diaria por parte del profesor a las respuestas de cada estudiante en clase requiere más tiempo y esfuerzo del que cualquier profesor pudiera dedicar. Un procedimiento llamado "calificación intermitente" ofrece una solución a este problema (Heward, Heron, Gardner, y Prayzer, 1991). Los alumnos escriben durante 10 a 15 minutos cada día, pero en vez de leer y evaluar el trabajo de cada uno de ellos, el profesor ofrece retroalimentación para un 20 o 25% de las redacciones diarias seleccionadas al azar. Los estudiantes cuyas redacciones se califican ganan puntos basados en criterios de desempeño individualizados, y se le dan puntos extra a la clase contingentemente a la calidad de las redacciones seleccionadas y corregidas (p.ej., si los autores de cuatro de las cinco redacciones calificadas alcanzaron sus criterios individuales).

Las redacciones de los estudiantes que fueron corregidas pueden usarse como fuente de ejemplos de instrucción para las siguientes lecciones.

El éxito de una técnica de recompensa demorada para la promoción de la generalización y el mantenimiento se basa en (a) la imposibilidad de discriminar la contingencia (p. ej., el aprendiz no puede decir exactamente cuándo la emisión de la conducta objetivo en el contexto de generalización producirá una recompensa más tarde), y (b) la comprensión del aprendiz de la relación entre su emisión de la conducta objetivo y la recepción de una recompensa más tarde. Una intervención de recompensas demoradas puede no ser eficaz con algunos aprendices con discapacidad cognitiva severa.

Directrices para la planificación de contingencias no discriminables. Los profesionales aplicados deberían de tener en cuenta estas directrices al poner en práctica contingencias no discriminables:

- Use el reforzamiento continuo durante las etapas iniciales de adquisición de nuevas conductas o de fortalecimiento de conductas poco usadas.
- Aligere sistemáticamente el programa de reforzamiento basándose en el desempeño del aprendiz (véase el Capítulo 13). Recuerde que cuanto más aligere el programa de reforzamiento menos discriminable será este (p. ej., un programa de razón fija 5 es menos discriminable que otro de razón fija 2); y los programas variables de reforzamiento (p.ej., razón variable e interval variable), son menos discriminables que programas fijos (p.ej., razón fija o intervalo fijo).
- Cuando use recompensas demoradas, comience entregando el reforzador inmediatamente después de la conducta objetivo y aumente gradualmente la demora entre la respuesta y el reforzamiento.
- Cada vez que presente una recompensa demorada, explique al aprendiz que la está recibiendo por conductas concretas que hizo con anterioridad. Esto ayuda a construir y fortalecer la comprensión del estudiante de la regla que describe la contingencia.

Cuando se seleccionan reforzadores para usar durante la instrucción, los profesionales deberían tratar de usar o cambiar en algún momento al uso de los mismos reforzadores que el aprendiz encontrará en el contexto de generalización. El reforzador en sí mismo puede servir como estímulo discriminativo de la conducta objetivo (p.ej., Koegel y Rincover, 1977)

Establezca trampas conductuales

Algunas contingencias de reforzamiento son especialmente poderosas, produciendo cambios de conducta sustanciales y duraderos. Baer y Wolf (1970) llamaron a tales contingencias, **trampas conductuales**. Usando una trampa de ratón como analogía, describieron como el propietario de una casa solo tiene que ejercer una relativa pequeña cantidad de control conductual sobre el ratón (hacerlo oler el queso) para producir un cambio de conducta con considerable niveles (en este caso, completos) de generalización y mantenimiento.

> Un propietario sin una trampa, desde luego, todavía puede matar a un ratón. Él puede esperar pacientemente fuera de la madriguera del ratón, agarrar al ratón antes de que se escape, y luego aplicar varias formas de fuerza al desafortunado animal para lograr el cambio conductual deseado. Pero ésta actuación requiere de mucha competencia: una paciencia enorme, muy Buena coordinación, destreza manual extrema y una aprensión reducida. Por el contrario, un propietario con una trampa necesita muy pocas destrezas: Si simplemente pone el queso y deja la trampa donde el ratón lo pueda oler, en efecto se habrá garantizado el cambio generalizado de la futura conducta del ratón.
>
> La esencia de una trampa, en términos conductuales, es que *solo es necesaria una respuesta relativamente simple para entrar en la trampa, una vez dentro, no se puede evitar que la trampa provoque un cambio de la conducta en general.* Para el ratón, la respuesta de entrada es simplemente oler el queso. Todo lo que ocurre desde ese momento sucede casi casi automáticamente (pág. 321, énfasis añadido).

La trampa conductual es un fenómeno bastante común que todo el mundo experimenta de vez en cuando. Las trampas de conducta son particularmente evidentes en las actividades que "no podemos conseguir (o hacer)". Las trampas de conducta más eficaces comparten cuatro rasgos esenciales: (a) Se "incentivan" con reforzadores prácticamente irresistibles que "atraen" al estudiante a la trampa; (b) solo se necesita una respuesta de bajo esfuerzo que ya está en el repertorio del estudiante para entrar en la trampa; (c) la interrelación de contingencias de reforzamiento que están dentro de la trampa motivan al estudiante para adquirir, ampliar, y mantener las habilidades académicas y sociales establecidas como objetivo (Kohler y Greenwood, 1986); y (d) pueden seguir siendo eficaces durante mucho tiempo porque los estudiantes muestran poco o ningún efecto de saciedad.

Considere el caso de "Un jugador de bolos poco dispuesto". Un joven es convencido de sustituir a un miembro del equipo de bolos de un amigo. Él siempre ha considerado los bolos aburridos. Además lo ve como un juego fácil por televisión, de manera que no entiende como puede ser considerado un verdadero deporte. Sin embargo, acepta ir solamente para echar una mano esta vez. Durante la tarde aprende que los bolos no son tan fáciles como él suponía (tiene un historial de reforzamiento por desafíos atléticos) y toda la gente que va a conocer, son jugadores de bolos muy hábiles (p. ej., están en una liga de dobles mixtos). En una semana ha comprado una pelota de bolos, una bolsa, y unos zapatos; ha practicado dos veces solo; y se ha apuntado para la siguiente liga.

El ejemplo del jugador poco dispuesto ilustra la naturaleza fundamental de la trampa conductual: es fácil de entrar y difícil de salir. Algunas trampas conductuales que existen de manera natural pueden conducir a conductas inadecuadas, como el alcoholismo, la drogadicción, y la delincuencia juvenil. El término común *círculo vicioso* se refiere a las contingencias naturales de reforzamiento que funcionan en las trampas conductuales destructivas. Los facultativos, sin embargo, pueden aprender a crear trampas conductuales que ayuden a los estudiantes a desarrollar habilidades y conocimientos positivos y constructivos. Alber y Heward (1996), que desarrollaron directrices para crear trampas exitosas, dieron el siguiente ejemplo de un profesor de enseñanza primaria que creó una trampa de conducta que aprovechó el movimiento de agacharse de un estudiante para jugar con tarjetas de béisbol.

> Al igual que muchos otros estudiantes de quinto grado que luchan con la lectura y las matemáticas, Carlos experimenta la escuela como aburrida y poco gratificante. Con pocos amigos, Carlos encuentra que el incluso el recreo le ofrece poco alivio. Pero él si que encuentra el consuelo en sus tarjetas de béisbol, a menudo al estudiar las clasifica y juega con ellas en la clase. Su profesora, la Sra. Greene, ha perdido la cuenta del número de veces ha tenido que interrumpir la clase para separar a Carlos de sus queridas tarjetas de béisbol. Entonces un día, cuando ella se acercó al pupitre de Carlos para confiscar sus tarjetas, en medio de una lección sobre el alfabeto, la Sra. Greene descubrió que Carlos ya había ordenado alfabéticamente todas las tarjetas de los lanzadores zurdos de beisbol de la liga nacional. La Sra. Greene sintió que había encontrado el secreto para activar el desarrollo académico de Carlos. Carlos quedó asombrado y emocionado al ver que la Sra. Greene no solo le dejaba guardar sus tarjetas de béisbol en su escritorio sino que también le animaba a "jugar con ellas" durante la clase. Poco después la Sra. Greene había incorporado tarjetas de béisbol en las actividades académicas de todo el currículo. En matemáticas, Carlos calculaba promedios de bateo; en geografía localizaba la ciudad natal de cada jugador principal nacido en su estado; y en lengua, escribía cartas a sus jugadores favoritos solicitando una foto firmada. Carlos comenzó a hacer avan-ces significativos en el mundo académico y se produjo una mejora evidente de su actitud en la escuela.
>
> Pero la escuela se hizo realmente divertida para Carlos cuando algunos de sus compañeros de clase comenzaron a tomar un interés especial sobre sus conocimientos sobre las tarjetas de béisbol y todas las maravillosas cosas se podían hacer con ellas. La Sra. Greene ayudó a Carlos a formar un club de las tarjetas de béisbol en el aula, dándole a él y a sus nuevos amigos oportunidades para desarrollar y prácticar habilidades sociales, ellos respondieron al desafío de su profesora de pensar nuevas formas de integrar las tarjetas en el plan de estudios (pág. 285).

Pedir a las personas del contexto de generalización que refuercen la conducta

> El problema puede ser simplemente que la comunidad natural [de reforzamiento] está adormilada y tiene que ser despertar
>
> - Donald M. Baer (1999, pág. 16).

A veces una contingencia potencialmente eficaz de reforzamiento en el contexto de generalización, no está disponible para el aprendiz independientemente de la frecuencia o precisión con la que realice la conducta objetivo. La contingencia está allí, pero inactiva. Una solución para esta clase de problema es informar a las personas clave del contexto de generalización sobre el valor y la importancia de su atención a los esfuerzos del alumno para adquirir y usar nuevas habilidades, y pedirles ayuda.

Por ejemplo, un profesor de educación especial que ha estado ayudando a un estudiante a aprender a participar en discusiones de clase proporcionándole oportunidades prácticas repetidas y retroalimentación en la sala de recursos, informó a los profesores de las clases de educación general sobre el programa de cambio de conducta que llevaba a cabo y les pidió buscar y reforzar cualquier esfuerzo razonable del estudiante durante su participación en sus clases. Una pequeña cantidad de atención contingente y reforzamiento de estos profesores podia ser todo lo necesario para alcanzar la generalización deseada de la nueva habilidad.

Esta técnica simple pero a menudo eficaz para promover la generalización de la conducta, se hizo evidente en el estudio de Stokes y colaboradores (1974), en el que los empleados respondían a las respuestas de saludo de los niños diciendo, "¡Hola!, (nombre)". Aproximadamente 20 sondeos de generalización de este tipo se hacían cada día con cada niño. Williams, Donley, y Keller (2000) dieron instrucciones explícitas a madres de dos niños con autismo sobre la aplicación de modelado, de ayudas a la respuesta, y de reforzamiento a sus hijos que estaban aprendiendo a hacer preguntas sobre objetos escondidos (p.ej., "¿Qué es esto?", ¿"puedo verlo?").

El elogio contingente y la atención de personas significativas pueden mejorar la eficacia de otras estrategias en el contexto de generalización. Broden, Hall y Mitts (1971) mostraron esto en el estudio de supervision de uno mismo descrito en el Capítulo 27. Después de que el autorregistro mejorase la conducta de estudio de la estudiante Liza de octavo grado durante la clase de historia, los investigadores pidieron al profesor de historia de Liza que elogiara su conducta de estudio siempre que pudiera durante su clase. El nivel de la conducta de estudio de Liza, durante esta condición de autoregistro con elogio aumentó a un total del 88% y se mantuvo a niveles casi igual de altos en una condición posterior de solo elogios (véase la Figura 27.3).

Enseñe al aprendiz a conseguir reforzamiento

Otro forma de "despertar" una contingencia natural potencialmente poderosa pero inactiva de reforzamiento es enseñar al aprendiz a conseguir el reforzamiento de las personas significativas de su entorno. Por ejemplo, Seymour y Stokes (1976) enseñaron a muchachas con historial de delincuencia a trabajar más productivamente en el área de formación ocupacional de una institución residencial. Sin embargo, la observación mostró que el personal de la institución, no ofrecía alabanzas o interacciones positivas con las muchachas independientemente de la calidad de su trabajo. La comunidad natural de reforzamiento que era tan necesaria para asegurar la generalización de las conductas ocupacionales mejoradas de las muchachas no estaba funcionando. Para abordar esta dificultad, los investigadores entrenaron a las muchachas para realizar una respuesta simple que llamara la atención de los empleados sobre su trabajo. Con esta estrategia, los elogios del personal aumentaron. Así, enseñando a las muchachas una respuesta adicional que podían usar para conseguir reforzamiento, permitió a la conducta objetivo entrar en contacto con los reforzadores naturales que servirían para ampliar y mantener el cambio de conducta deseado.

Estudiantes de varias edades y capacidades han aprendido a conseguir la atención del professor y de los iguales para desempeñar una amplia gama de tareas en contextos escolares y comunitarios; preescolares con retraso en el desarrollo por completar tareas preacadémicas y permanecer centrados en la tarea durante las transiciones entre clase y clase (Connell, Carta, y Baer, 1993; Stokes, Fowler, y Baer, 1978), así como estudiantes con dificultades de aprendizaje (Alber, Heward, y Hippler, 1999; Wolford, Alber, y Heward, 2001), estudiantes con trastornos conductuales (Morgan, Young y Goldstein, 1983), estudiantes con retraso mental que realizan tareas académicas en aulas regulares (Craft, Alber, y Heward, 1998), y estudiantes de secundaria con retraso mental por mejorar su desempeño laboral en contextos de formación profesional (Mank y Horner, 1987).

Craft y colaboradores (1998) evaluaron los efectos del entrenamiento en la consecución de reforzamiento sobre las tareas académicas por las cuales los estudiantes buscaban activamente la atención de profesor. Cuatro alumnus de primaria fueron entrenados por su profesor de educación especial (el primer autor) sobre cuándo, cómo y con qué frecuencia conseguir la atención del profesor en el aula de educación general. El entrenamiento consistió en modelado, juego de roles, corrección de errores y elogios en el aula de educación especial. Se enseñó a los estudiantes a mostrar su trabajo al profesor o pedirle ayuda de dos a tres veces por página de trabajo, y a usar expresiones apropiadas como "¿Cómo lo estoy haciendo? " o "¿está bien?".

Los datos sobre la frecuencia de las búsquedas de reforzamiento de los alumnos y las expresiones de elogio del profesor se recopilaron diariamente durante periodos de 20 minutos en un aula de educación general. Durante este período, los estudiantes de educación general completaron de manera independiente en sus pupitres una variedad de tareas (lectura, lenguaje, matemáticas) asignadas por el profesor de educación general, mientras los cuatro estudiantes de educación especial completaron fichas de ortografía asignadas por el profesor de educación

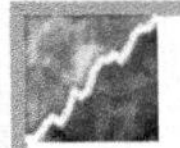

Caja 28.2

"Mira, Profesor: ¡ya lo he terminado todo!" Enseñar a los estudiantes a conseguir la atención del profesor

Las aulas son lugares sumamente ajetreados e incluso los profesores más concienzudos fácilmente pueden pasar por alto conductas académicas y sociales importantes de los alumnos. La investigación nos demuestra que los profesores tienen mayor probabilidad de prestar atención a un estudiante con conductas molestas que a uno que trabaja silenciosa y productivamente (Walker, 1997). Para los profesores es difícil identificar a los estudiantes que necesitan más ayuda, especialmente a aquellos con bajo rendimiento que pedirán ayuda con menor probabilidad (Newman y Golding, 1990).

Aunque de los profesores en aulas de educación general se espera que adapten la enseñanza para los estudiantes con discapacidad, esto no ocurre siempre. La mayoría de los profesores de secundaria entrevistados por Schumm y colaboradores (1995) creían que los alumnos con discapacidad debían de tomar la responsabilidad de obtener la ayuda que necesitaran. Por tanto, saber como obtener educadamente la atención y ayuda del profesor puede server a los estudiantes con discapacidad para funcionar de forma más independiente e influir activamente en la calidad de la instrucción que reciben.

¿A quién se le debe enseñar a solicitar atención?

Aunque la mayoría de los estudiantes probablemente se beneficiaría de aprender a conseguir elogios y retroalimentación, aquí se presentan algunos candidatos ideales para el entrenamiento en solicitar atención:

Guillermina se aísla. Guillermina raras veces pregunta a un profesor algo. Como es tan callada y se comporta bien, sus profesores a veces se olvidan de que está en clase.

Enrique el prisitas. Enrique suele haber acabado media tarea, antes de que su profesor termine de explicarla. Las prisas a la hora de hacer la tarea le permiten ser el primero en terminar. Pero su trabajo suele ser incompleto o tener algunos errores, por lo que no suele obtener muchos elogios del profesor. Enrique se beneficiaría del entrenamiento en conseguir atención que incluyera también entrenamiento en comprobación y corrección de sus propias tareas.

Isabel y sus gritos. Isabel acaba de terminar su trabajo quiere que su profesor la mire... ¡de inmediato! Pero Isabel no levanta su mano sino que llama la atención de su profesor ¬¬¬(e interrumpe a sus compañeros de clase) gritando desde el fondo del aula. Se debería enseñar a Isabel a solicitar la atención del profesor de manera apropiada.

Pedro es un pesado. Pedro siempre levanta su mano y espera silenciosamente a que su profesor se acerque al escritorio, y luego le pregunta correctamente, "¿he hecho esto Bien?" Pero repite esta rutina una docena de veces o más durante un periodo de veinte minutos y sus profesores lo encuentran molesto. La atención positiva del profesor suele convertirse en reprimendas. El entrenamiento en requerir atención enseñaría a Pete a limitar el número de veces que demanda la atención del profesor.

Cómo empezar

1. *Identifique las conductas objetivo.* Los estudiantes deberían solicitar la atención del profesor para conductas objetivo que son valoradas y, por lo tanto, probablemente reforzadas, como escribir de manera limpia y legible, trabajar con precisión, completar la tarea asignada, recoger en los intervalos entre clases, y realizar contribuciones cuando se trabaja en un grupo cooperativo.

2. *Enseñe autoevaluación.* Los estudiantes deberían evaluar su propio trabajo antes de solicitar la atención del profesor (p. ej., Sue se pregunta: "¿Está completo mí trabajo?"). Después de que la alumna pueda distinguir fiablemente entre ejemplos de trabajo completos e incompletos, ella puede aprender a comprobar la precisión de su trabajo con claves de respuestas o listas de comprobación con los pasos o componentes de la habilidad académica, o a marcar dos o tres elementos terminados de la tarea antes de pedirle al profesor que los revise.

3. *Enseñe a solicitar atención apropiadamente.* Enseñe a los estudiantes cuándo, cómo, y con qué frecuencia llamar y como responder al profesor después de haber recibido la atención.

   - *¿Cuándo?* Los estudiantes deberían hacer un gesto para obtener la atención del profesor después de haber terminado y comprobado una parte sustancial de su trabajo. También se debería enseñar a los estudiantes cuando es inapropiado tratar de conseguir la atención de su profesor (p. ej., cuando el profesor está trabajando con otro estudiante, dirigiéndose a otro adulto, o contando los almuerzos).

   - *¿Cómo?* La costumbre tradicional de levantar la mano debería formar parte del repertorio de los estudiantes para conseguir atención. Se deberían enseñar también otras maneras de obtener atención dependiendo de las preferencias del profesor y las rutinas del aula de educación general (p. ej., hacer que los estudiantes indiquen que necesitan ayuda levantando una pequeña bandera; o esperar que los estudiantes traigan su trabajo a la mesa del profesor para obtener ayuda y retroalimentación).

- *¿Con que frecuencia?* Al enseñar a Guillermina (apartada) a solicitar la atención del profesor no la convierta en Pete (agobiante). La frecuencia con la que un estudiante debe solicitar la atención del profesor varía según los profesores y las actividades (p. ej., trabajó independiente en el pupitre, grupos de aprendizaje cooperativo, instrucción magistral para toda la clase, etc.). La observación directa en el aula es la mejor opción para establecer una tasa óptima de solicitudes de atención, también es buena idea preguntar al profesor del aula ordinaria cuándo, cómo y con qué frecuencia prefiere que los alumnos le pidan ayuda.
- *¿Qué decir?* Se debería enseñar a los alumnos varias expresiones con alta probabilidad de evocar retroalimentación positiva del profesor (p. ej., "Por favor, mire mí trabajo"; "¿He hecho un buen trabajo?"; "¿Cómo lo estoy haciendo?"). Mantenga expresiones simples pero enséñele al estudiante a variar sus preguntas para que no suene repetitivo.
- *¿Cómo responder?* Los estudiantes deberían responder a la retroalimentación de su profesor estableciendo contacto ocular, sonriendo y diciendo "Gracias". La cortesía es muy reforzante para los profesores y aumenta la probabilidad de recibir atención positiva la próxima vez.

4. *Modele y realice un roleplay de la secuencia completa.* Comience dando a los estudiantes argumentos para solicitar la atención del profesor (p. ej., el profesor se alegrará de que hagas un buen trabajo, terminarás más cantidad de tareas, obtendrás mejores calificaciones). Pensar en voz alta mientras modela es una buena manera de mostrar la secuencia de solicitud de atención. Mientras desempeña cada paso vaya diciendo "Bien, he terminado mí trabajo. Ahora voy a comprobarlo. ¿He puesto mi nombre en el papel? Sí. ¿He hecho todos los problemas? Si.¿He seguido todos los pasos? Sí. Bien, mi profesora no parece ocupada ahora mismo. Levantaré mi mano y esperaré silenciosamente hasta que venga a mi pupitre". Haga que otro alumno represente ser la profesora del aula ordinaria y que se acerque cuando usted levante la mano. Diga:" Sra. Patterson, por favor, mire mi trabajo". El ayudante dice, "Ah, has hecho muy buen trabajo". Entonces usted sonríe y dice, "Gracias, Sra. Patterson". Aplique el juego de roles con recompensas sociales y retroalimentación correctiva hasta que el estudiante realice correctamente la secuencia completa durante varios ensayos consecutivos.
5. *Prepare a los estudiantes para respuestas alternativas.* Desde luego, no todos los intentos del estudiante de conseguir atención causarán los elogios del profesor; incluso algunas respuestas de búsqueda de atención pueden ir seguidas de alguna crítica (p.ej., "Esto está todo mal. Presta más atención la próxima vez"). Use el juego de roles para preparar a los estudiantes para estas posibilidades y hágalos practicar respuestas de cortesia (p.ej., "Gracias por ayudarme con esto").
7. *Promueva la generalización al aula ordinaria.* El éxito de cualquier entrenamiento en solicitud de atención depende de que el estudiante use su nueva habilidad en el aula ordinaria.

Tomado de "Recruit it or lose it! Training students to recruit contingent teacher attention" S. R. Alber y W. L. Heward, 1997, *Intervention in School and Clinic, 5*, pág. 275-282. Adaptado con permiso.

especial, una disposición que se había establecido antes del experimento. Si los estudiantes necesitaban ayudas con sus tareas las llevaban a la mesa del profesor y le pedían ayuda.

Los efectos del entrenamiento en la búsqueda de reforzamiento sobre la frecuencia de las conductas de búsqueda y sobre el número de elogios que los alumnos recibían del profesor del aula se muestran en la Figura 28.9. Las búsquedas de reforzamiento de los alumnos aumentaron de una tasa media de 0.01 a 0.8 por cada sesión de 20 minutos durante la lineabase hasta una media de 1.8 a 2.7 después del entrenamiento. Los elogios del profesor a los alumnos aumentaron de una tasa media de 0.1 a 0.8 elogios por sesión durante la lineabase hasta una tasa media de 1.0 a 1.7 después del entrenamiento. Las conclusiones y resultados finales de la intervención fueron el incremento en la cantidad y precisión del trabajo académico de los cuatro alumnos (véase la Figura 6.9).

Para una revisión de la investigación sobre la búsqueda activa de reforzamiento y sobre las sugerencias para enseñar a los niños a buscar el reforzamiento de su entorno significativo, véase Alber y Heward (2000). El cuadro 28.2, "Mira profesor, ¡lo he terminado todo!" ofrece sugerencias para enseñar a los alumnos a conseguir la atención de profesor.

Generalización mediada

Otra estrategia para promover el cambio de conducta generalizado es disponer que algo o alguien actúe como mediadora para asegurar la transferencia de la conducta objetivo desde el contexto de instrucción al de generalización.

Dos técnicas para poner en práctica esta estrategia consisten en: generar artificialmente la mediación de un estímulo y enseñar al aprendiz a mediar su propia generalización mediante la promoción de la autonomía personal.

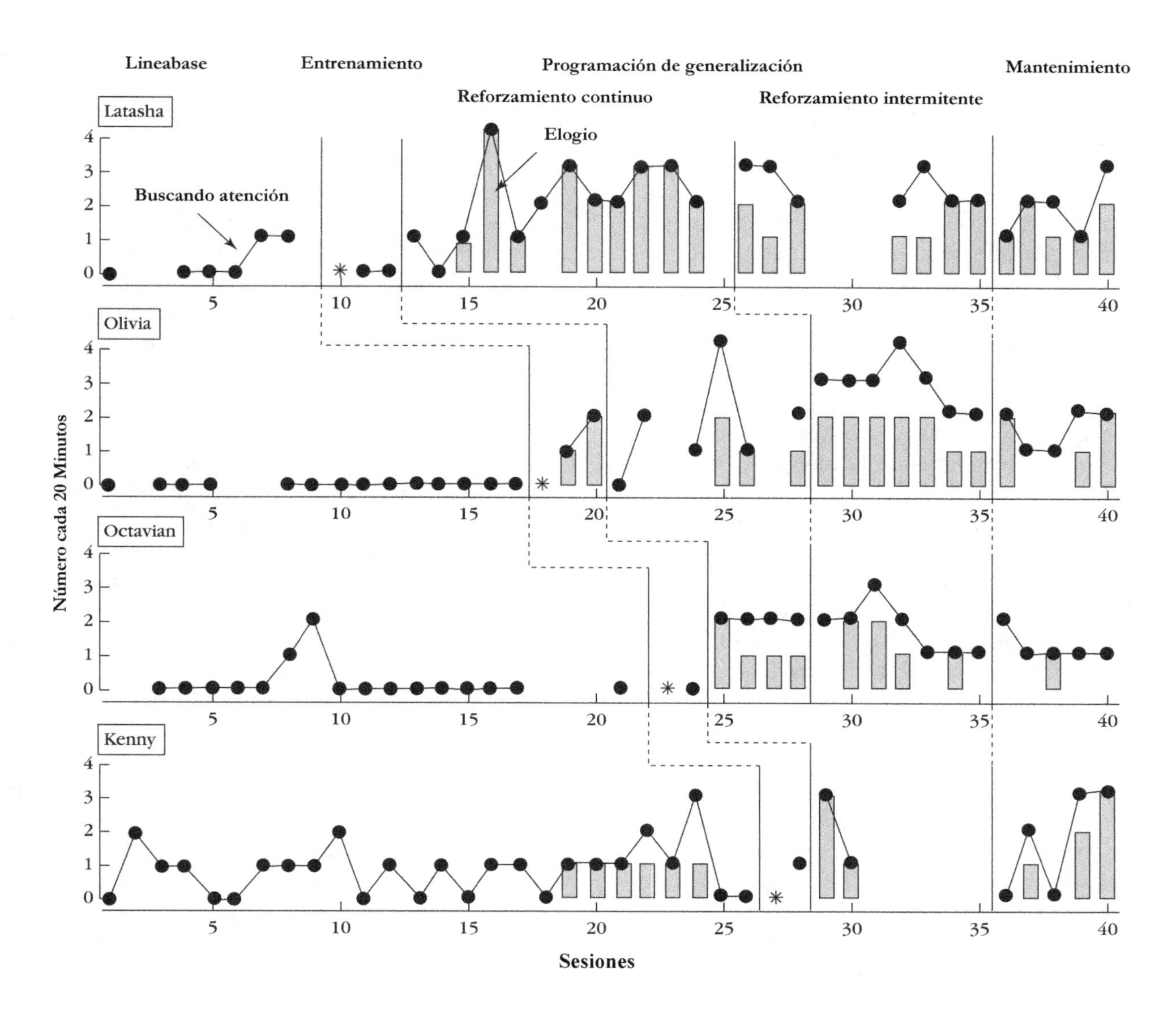

Figura 28.9 Número de respuestas de búsqueda de atención (puntos) y los elogios del profesor (barras) por sesiones de 20 minutos de trabajo en el pupitre. La tasa objetivo a obtener era de dos a tres respuestas por sesión. Los asteriscos indican cuando se entrenó a cada estudiante en el aula de recursos.

Tomado de "Teaching Elementary Students with Developmental Disabilities to Recruit Teacher Attention in a General Education Classroom: Effects on Teacher Praise and Academic Productivity" M. A. Craft , S. R. Alber, y W. L. Heward, 1998, Journal of Applied Behavior Analysis, 31, pág. 407. © Copyright 1998 Society of Experimental Analysis of Behavior, Inc. Reimpreso con permiso.

Generar artificialmente un estímulo mediador

Una técnica para mediar la generalización consiste en poner la conducta objetivo bajo control de un estímulo en el contexto de instrucción que funcione en el contexto de generalización y que ayude fiablemente al aprendiz en el desempeño de la conducta objetivo. El estímulo seleccionado para este importante papel puede existir ya en el contexto de generalización o puede ser un nuevo estímulo añadido al programa de instrucción que posteriormente vaya con el aprendiz al contexto de generalización. Sea un componente natural del contexto de generalización o un elemento añadido al contexto de instrucción, para mediar eficazmente en la generalización, un **estímulo mediador artificial** debe (a) hacerse funcional para la conducta objetivo durante la instrucción y (b) trasladarse fácilmente al contexto de generalización (Baer, 1999). El estímulo mediador es *funcional* para el aprendiz si lo ayuda de manera fiable a la adquisición de la conducta objetivo; el estímulo mediador es *trasladable* si acompaña fácilmente al aprendiz a todos los contextos de generalización.

Las características naturales de los contextos de generalización que se usan como estímulos mediadores artificiales pueden ser objetos físicos o personas. Van den Pol y colaboradores (1981) usaron servilletas de papel, un objeto común en cualquier restaurante de comida rápida, como estímulo mediador artificial. Enseñaron a los alumnos que una servilleta de papel era el único sitio donde se podía poner comida. De este modo, los investigadores eliminaron el desafío añadido y la dificultad de enseñar a los alumnos a distinguir entre mesas limpias y sucias, a sentarse solo en mesas limpias, o a limpiar las mesas sucias y luego programar la generalización y el mantenimiento de todas esas conductas. Para conseguir el uso especial de la servilleta solo hacía falta entrenar una respuesta y después las servilletas servirían como estímulo mediador para aquella conducta.

Al elegir un estímulo para hacerlo común al contexto de generalización y al de instrucción, los profesionales deben plantearse usar personas. Además de ser una característica de los contextos sociales las personas son fuentes de reforzamiento importantes y trasladables para muchas conductas. Un estudio de Stokes y Baer (1976) es un buen ejemplo del potencial de los efectos evocadores de la presencia en el contexto de generalización de una persona que tuvo un papel funcional durante la adquisición de la conducta objetivo en el contexto de instrucción. Dos niños de preescolar con dificultades de aprendizaje adquirieron habilidades de reconocimiento de palabras trabajando como tutores recíprocos. Sin embargo, ninguno de estos niños mostró una generalización fiable de esas nuevas habilidades fuera del contexto de entrenamiento hasta que el compañero con quien las había aprendido estuvo en el contexto de generalización.

Algunos estímulos mediadores artificiales sirven para mucho más que como ayudas a la respuesta; son dispositivos protésicos que ayudan al aprendiz a la realización de la conducta objetivo. Tales dispositivos pueden ser especialmente útiles en la promoción de la generalización y el mantenimiento de conductas complejas y en la ampliación de cadenas de respuesta al simplificar situaciones complejas. Tres formas comunes de cumplir esta función protésica son las tarjetas índice, la programación fotográfica de actividades y los dispositivos de ayuda auto-dirigidos.

Sprague y Horner (1984) dieron a los estudiantes de su estudio tarjetas índice para ayudarlos a utilizar una máquina expendedora sin la ayuda de otra persona. Las tarjetas índice, que tenían logos de alimentos y bebidas por un lado y cuadros con los precios de cada uno por el otro, no solo se usaron durante la instrucción y los sondeos de generalización, sino que los estudiantes también las conservaban al final del programa. Un seguimiento realizado 18 meses después de terminar el estudio reveló que cinco de los seis estudiantes todavía llevaban una tarjeta índice y usaban las máquinas expendedoras independientemente.

Macduff, Krantz, y McClannahan (1993) enseñaron a cuatro chicos con autismo de 9 a 14 años, a usar la progración fotográfica de actividades al realizar habilidades de la vida doméstica tales como pasar la aspiradora y poner la mesa, y actividades de ocio tales como el uso de juguetes manipulativos. Antes del entrenamiento con la programación fotográfica de actividades, los chicos

> dependían de la supervisión continua y de las instrucciones verbales para completar las actividades de autocuidado, limpieza, y ocio. . . En ausencia de indicaciones verbales de los adultos supervisores, parecía que el control de estímulos se había transferido a las fotografías y materiales que disponibles en el hogar grupal. Cuando el estudio terminó, los 4 chicos eran capaces de mostrar repertorios complejos de habilidades domésticas y recreativas durante una hora, tiempo durante el cual frecuentemente cambiaban de tarea y se trasladaban a diferentes lugares del hogar grupal sin indicaciones de los adultos. La programación fotográfica de actividades,...se convirtió en una serie de estímulos discriminativos funcionales que promovían la participación mantenida después de que terminase el entrenamiento y fomentaba la generalización de la respuestas a nuevas secuencias de actividades y nuevos materiales de ocio. (Págs. 90, 97)

Numerosos estudios han demostrado que los aprendices de un ampli rango de edades y niveles cognitivos, incluyendo a aquellos con graves discapacidades intelectuales, pueden aprender a utilizar reproductores de audio personales para llevar a cabo de forma independiente una amplia variedad de tareas académicas, profesionales y domésticas (por ejemplo, Briggs et al, 1990; Davis, Brady, Williams, y Burta , 1992 ; Grossi, 1998 ; Mechling y Gast , 1997; Post, Storey, y Karabin, 2002; Trask-Tyler, Grossi, y Heward, 1994). La popularidad de los reproductores personales de audio que implican el uso de auriculares, permite a una persona escuchar una serie de ayudas autoaplicadas a la respuesta de una manera privada y normalizada que no moleste a los demás.

Enseñar habilidades de promoción de la autonomía personal

El enfoque potencialmente más eficaz para mediar cambios de conducta generalizados recae en uno de los elementos que siempre está presente en cada contexto de instrucción y generalización: el propio aprendiz. El capítulo 27 describe una serie de técnicas de promoción de la autonomía personal que se pueden utilizar para modificar la propia conducta. La lógica de la utilización de la promoción de la autonomía personal para mediar los cambios de conducta generalizados, es la siguiente: Si a un alumno se le puede enseñar una conducta (no la conducta objetivo original, sino una conducta controladora desde la perspectiva del manejo de la autonomía personal) que sirva para ayudar o para reforzar la conducta objetivo en todos los contextos pertinentes, en los momentos apropiados y en todas sus formas relevantes, entonces, la generalización de la conducta objetivo está garantizada. Pero como Baer y Fowler (1984) advirtieron:

Dar a un alumno respuestas autocontroladas diseñadas para mediar la generalización de algunos cambios de conducta críticos no asegura que realmente se usen, puesto que son, al fin y al cabo, simplemente respuestas: también necesitan de generalización y mantenimiento al igual que los cambios de conducta que se supone que deben ayudar a generalizar y mantener. Establecer una conducta para mediar la generalización de otra puede ser útil pero también puede añadir el problema tener que garantizar la generalización de dos respuestas ¡cuando antes solo teníamos que garantizar la generalización de una! (pág. 149)

Entrenar para generalizar

> Si la generalización se considera una respuesta en sí misma, entonces se le puede aplicar una contingencia de reforzamiento, del mismo modo que con cualquier otra operante.
>
> - Stokes y Baer (1977, pág. 362)

El entrenamiento en "generalizar" fue una de las ocho estrategias proactivas del esquema conceptual para la planificación del cambio de conducta generalizado de Stokes y Baer (1977) (que también incluía la no estrategia de "entrenar y confiar en que funcione"). Las comillas alrededor de "generalizar" significaban que los autores estaban estableciendo hipótesis sobre la posibilidad de tratar "generalizar" como una respuesta operante y que reconocían "la preferencia de los conductistas de considerar la generalización como un resultado del cambio de conducta, en lugar de como una conducta en sí misma" (pág. 363). Desde la publicación de la revisión de Stokes y Baer, la investigación básica y aplicada ha demostrado el valor pragmático de sus hipótesis (p.ej., Neuringer, 1993, 2004; Ross y Neuringer, 2002; Shahan y Chase, 2002). Dos técnicas que los analistas aplicados de la conducta han utilizado son: el reforzamiento de la variabilidad de respuesta y la instrucción en la generalización.

Reforzar la variabilidad de respuesta

La variabilidad de respuesta puede ayudar a una persona a solucionar problemas. Una persona que puede improvisar emitiendo una variedad de respuestas tiene mayor probabilidad de solucionar los problemas que se encuentre cuando una forma de respuesta estándar deje de permitir acceso al reforzamiento (p.ej., Arnesen, 2000; Marckel, Neef, y Ferreri, 2006; Miller y Neuringer, 2000; Shahan y Chase, 2002). La variabilidad de respuesta también puede resultar en conducta que sea valorada por su novedad o creatividad (p.ej., Goetz y Baer, 1973; Holman, Goetz, y Baer, 1977; Pryor, Haag, y O'Reilly, 1969). La variabilidad de respuesta puede exponer a una persona a fuentes de reforzamiento y a contingencias que no son accesibles mediante formas más limitadas de respuesta. El aprendizaje adicional que resulta de entrar en contacto con estas contingencias ampliará aún más el repertorio de la persona. Una forma directa de programar la generalización de respuesta consiste en reforzar la variabilidad de respuesta cuando ocurre. La contingencia entre la variabilidad de respuesta y el reforzamiento se puede formalizar con un programa de reforzamiento de respuesta diferencial (Lee, McComas, y Jawar, 2002). En un **programa de reforzamiento de respuesta diferencial**, el reforzamiento es contingente a una respuesta que es diferente de algún modo a la respuesta anterior (Programa de respuesta diferencial 1) o a un número especificado de respuestas anteriores (Programa de respuesta diferencial 2 o más). Cammilleri y Hanley (2005) usaron una contingencia de reforzamiento de respuesta diferencial para aumentar las selección variada de actividades del aula por dos niñas típicamente desarrolladas que fueron seleccionadas para participar en el estudio porque dedicaban la mayor parte de su tiempo a actividades no sistemáticamente diseñadas para conseguir conjuntos específicos de habilidades del currículo

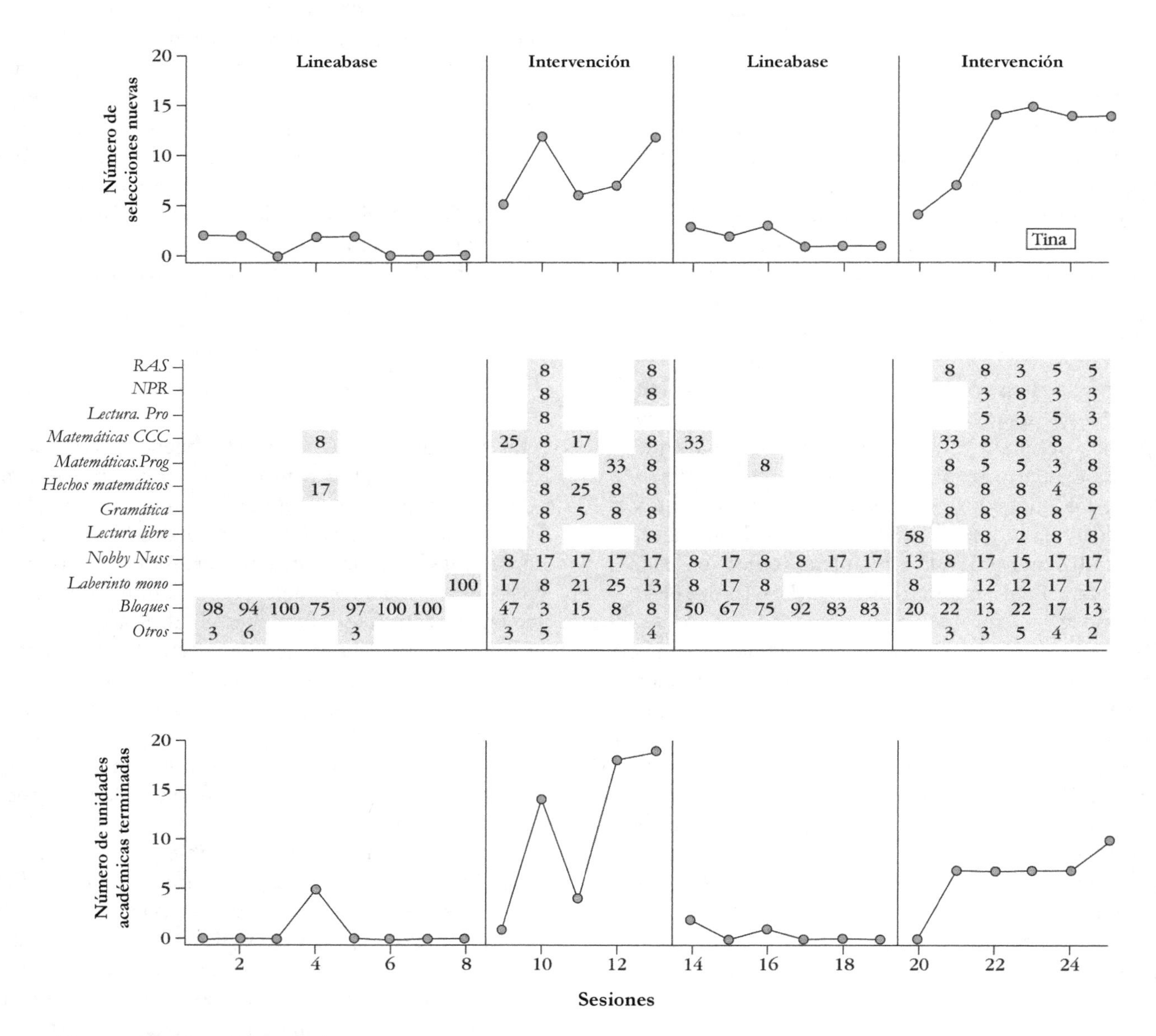

Figura 28.10 Número de nuevas selecciones de actividad (panel superior), porcentaje de intervalos de participación en las actividades programadas (en cursiva) y no programadas (panel central; celdas sombreadas indican las actividades para las que había alguna implicación), y número de unidades académicas completadas (panel inferior).

Tomado de "Use of a Lag Differential Reinforcement Contingency to Increase Varied Selections of Classroom Activities" A.P. y Cammilleri y G.P. Hanley, 2005, Journal of Applied Behavior Analysis, 38, pág. 114. © Copyright 2005 Society for Experimental Analysis of Behavior, Inc. Reimpreso con permiso.

Al principio de cada sesión de 60 minutos se le decía a las niñas que podían seleccionar la actividad que quisieran y cambiar de actividad en cualquier momento. Un temporizador sonaba cada 5 minutos para indicar diferentes opciones de actividades. Durante la lineabase no había ninguna consecuencia programada por seleccionar cualquiera de las actividades. La intervención consistía en aplicar un programa de reforzamiento de respuesta diferencial en el que la primera selección de actividad y cada nueva selección subsecuente eran seguidas de la entrega por parte del profesor de una tarjeta verde que podían cambiar más tarde por 2 minutos de atención del profesor (resultando en una contingencia de reforzamiento de respuesta diferencial de 12 que se reiniciaba si se seleccionaban las 12 actividades en una sesión).

Las selecciones de actividades durante la lineabase mostraron poca variabilidad, las dos niñas mostraron una fuerte preferencia por los bloques apilables (la

Figura 28.10 muestra los resultados de una de las niñas). Cuando se presentó la contingencia de reforzamiento de respuesta diferencial, las dos niñas inmediatamente seleccionaron y comenzaron actividades más diversas. Los investigadores notaron que "un resultado indirecto pero importante de este cambio en la distribución del tiempo, fue un aumento marcado del número de unidades académicas completadas" (pág. 115).

Instruir en generalización

La más simple y menos costosa de todas las técnicas para promover el cambio de conducta generalizado es "hablarle al sujeto sobre la posibilidad de generalización y luego pedírsela" (Stokes y Baer, 1977, pág. 363). Por ejemplo, Ninness y colegas (1991) dijeron explícitamente a tres estudiantes de secundaria con alteraciones emocionales que usaran procedimientos de autonomía personal que habían aprendido en el aula para autoevaluar y autorregistrar su conducta mientras iban del comedor al aula. Hughes y colaboradores (1995) usaron un procedimiento similar para promover la generalización: "Al final de cada sesión de entrenamiento, los compañeros que actuaban como tutores recordaban a los participantes que usaran autoinstrucciones cuando quisieran dirigirse a alguien " (pág. 207). De la misma manera, al final de cada sesión de entrenamiento, realizada en el aula de educación especial, sobre como solicitar ayuda a los iguales durante los grupos de estudio cooperativo, Wolford y colaboradores (2001) dieron indicaciones a estudiantes de secundaria con dificultades de aprendizaje de que solicitaran la ayuda de los compañeros al menos dos veces pero no más de cuatro durante cada sesión de estudio grupal cooperativo en el aula de lengua.

Según el grado en el que las generalizaciones ocurran y sean a su vez generalizadas podría decirse que una persona es habilidosa en la generalización de habilidades recién adquiridas, o en palabras de Stokes y Baer (1977), que se ha convertido en un "generalizador generalizado".

Modificar y finalizar las intervenciones exitosas

Incluso con el programa más exitoso de cambio de conducta es imposible, poco práctico y poco deseable continuar la intervención indefinidamente. La retirada de una intervención exitosa debería realizarse de manera sistemática y guiada por el desempeño por parte del aprendiz de la conducta objetivo en los contextos de generalización más importantes. El paso gradual de las condiciones artificiales de la intervención al ambiente típico cotidiano aumentará la probabilidad de que el aprendiz mantenga los nuevos patrones de conducta. Al decidir cuándo y cómo retirar los componentes de la intervención los profesionales deberían tener en cuenta factores como la complejidad de la intervención, la facilidad o la velocidad con que la que

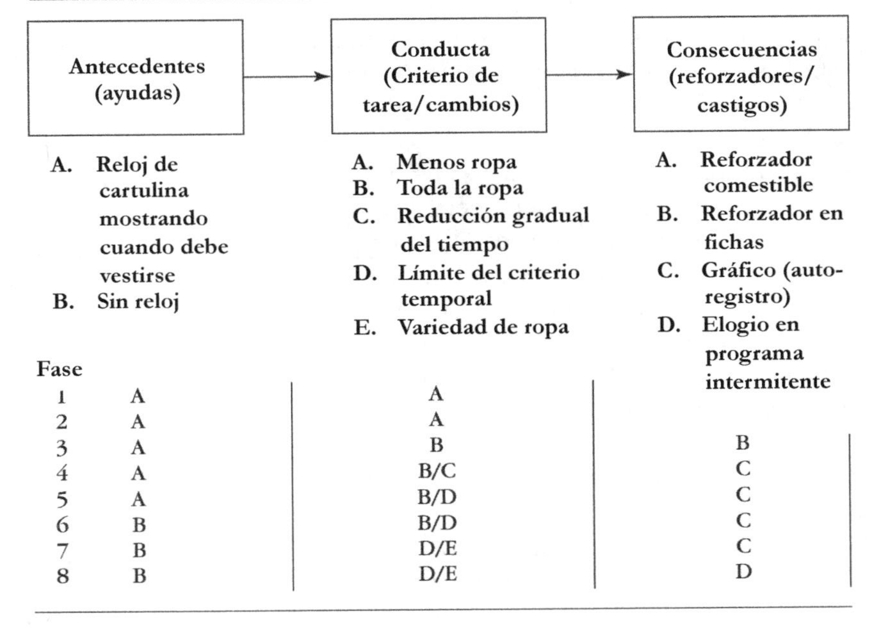

Fase	Antecedentes	Conducta	Consecuencias
1	A	A	
2	A	A	
3	A	B	B
4	A	B/C	C
5	A	B/D	C
6	B	B/D	C
7	B	D/E	C
8	B	D/E	D

Figura 28.11 Ejemplo de los componentes de modificación y retirada (de un programa de fomento de la independencia para vestirse por la mañana) destinados a facilitar el mantenimiento y la generalización en un adulto con discapacidades del desarrollo.

se produce el cambio de conducta, así como la disponibilidad de las contingencias naturales de reforzamiento para la nueva conducta.

Este cambio desde las condiciones de intervención al ambiente posterior a la intervención puede realizarse modificando uno o varios de los componentes siguientes, cada uno de los cuales representa una parte de la contingencia de tres términos:

- Antecedentes, ayudas, o estímulos relacionados con la ayuda
- Requisitos y criterios de la tarea
- Consecuencias o variables de reforzamiento

Aunque el orden en el que se retiran los componentes de la intervención pueda suponer poca o ninguna diferencia, en la mayoría de los programas es probablemente mejor hacer todos los criterios relacionados con la tarea lo más similares posible a aquellos del ambiente post-intervención antes de retirar los componentes antecedentes o consecuentes importantes para la intervención. De este modo, el aprendiz emitirá la conducta objetivo con el mismo nivel de fluidez que se requerirá después de que la intervención sea retirada completamente.

Un programa de cambio de conducta realizado hace muchos años por un estudiante graduado en una de nuestras clases ilustra como los componentes de un programa pueden ser retirados gradual y sistemáticamente. Un hombre adulto con discapacidades del desarrollo dedicaba una cantidad excesiva de tiempo para vestirse cada mañana (de 40 a 70 minutos durante la lineabase) incluso aunque tenia las habilidades necesarias para vestirse solo. La intervención comenzó con un dibujo de un reloj colgado en su cama con las manecillas indicando la hora para la que tenía que estar totalmente vestido para poder recibir reforzamiento. Aunque el hombre no sabía decir la hora, podía discriminar si la posición de las manecillas del verdadero reloj situado al lado encajaban con las del reloj de papel. Durante la intervención se introdujeron dos elementos relacionados con la tarea para aumentar la probabilidad inicial de éxito. Primero, le dieron menos ropa y más fácil de ponerse cada mañana (p.ej., ropa sin cinturón y mocasines en vez de zapatos con cordones). Segundo, basándose en su funcionamiento durante la lineabase, al principio se le dieron 30 minutos para vestirse, aunque el objetivo del programa era que estuviera vestido completamente en 10 minutos. Al principio se le daba un reforzador comestible emparejado con elogios verbales en un programa de reforzamiento continuo. La figura 28.11 muestra como cada aspecto de la intervención (el antecedente, la conducta, y la consecuencia) fue modificado y tarde o temprano retirado completamente, de manera que antes del final del programa, el hombre se vestía solo completamente en 10 minutos sin la ayuda de relojes suplementarios, de gráficos, ni de ningún otro reforzamiento artificial distinto al reforzamiento intermitente y de los elogios de los terapeutas.

Rusch y Kazdin (1981) describieron un método para retirar sistemáticamente componentes de la intervención mientras se evalúa simultáneamente el mantenimiento de la respuesta. Llamaron a este método "retirada parcial secuencial". Martella, Leonardo, Marchand-Martella, y Agran (1993) usaron una retirada parcial secuencial de varios componentes de una intervención en promoción de la autonomía personal que habían puesto en práctica para ayudar a Brad, un estudiante de12 años con retraso mental leve a reducir el número de declaraciones negativas (p. ej., "odio esta *!%ida calculadora", "Las Matemáticas son malas") que hacía durante las actividades académicas. La intervención consistía en que Brad (a) registrara las declaraciones negativas en una ficha durante dos períodos de clase, (b) trazara el número sobre un gráfico, (c) eligiera su opción de un menú de "pequeños" reforzadores (artículos que cuestan 25 centavos o menos), y (d) cuando sus registros coincidían con los del educador y con el nivel del criterio (que se reducía gradualmente) o por debajo, durante cuatro sesiones consecutivas, le permitían elegir un reforzador "grande" (de más de 25 centavos). Después de que la frecuencia de las declaraciones negativas de Brad se redujese, los investigadores comenzaron una retirada parcial secuencial de cuatro fases de la intervención. En la primera se retiró el gráfico y la posibilidad de obtener reforzadores "grandes"; en la segunda, se requirieron de Brad cero declaraciones negativas en ambos períodos para recibir diariamente el "pequeño" reforzador; en la tercera, Brad usó la misma ficha de registro para los dos períodos de clase en vez de una para cada período como inicialmente, y no se presentó más el reforzador pequeño; y en la cuarta fase (la condición de seguimiento), todos los componentes de la intervención fueron retirados, excepto la ficha de registro sin un número de criterio marcado. Las declaraciones negativas de Brad permanecieron bajas durante la retirada gradual y parcial de la intervención (véase la Figura 28.12).

Debe hacerse una advertencia relativa a la finalización exitosa de los programas de cambio de

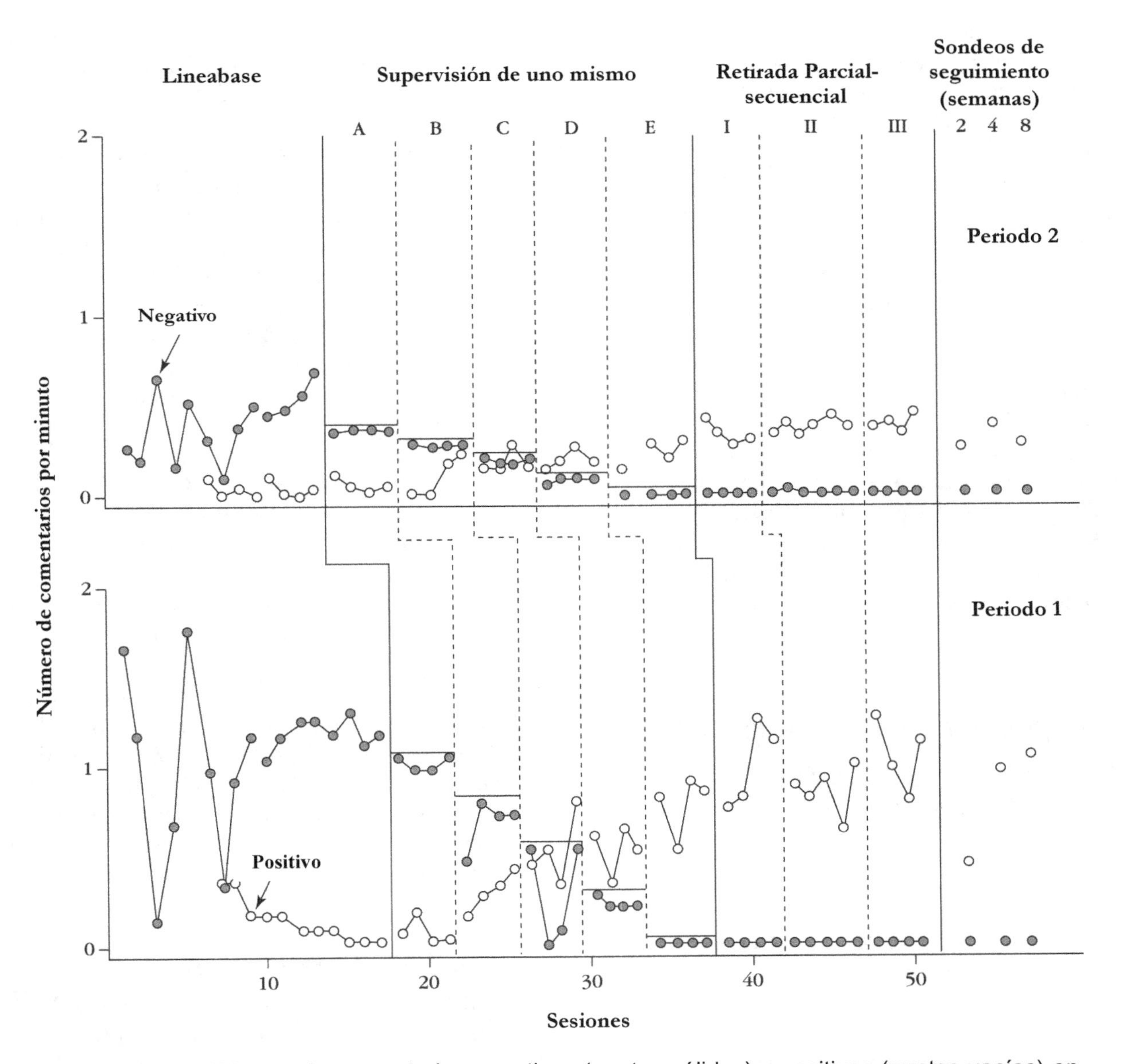

Figura 28.12 Número de comentarios negativos (puntos sólidos) y positivos (puntos vacíos) en dos períodos de clase de un adolescente con discapacidad durante las condiciones de lineabase, supervisión de sí mismo y retirada parcial-secuencial. Las líneas horizontales durante la condición de supervisión de sí mismo muestran el cambio de criterio para la presentación de reforzadores por parte del profesor.

Tomado de "Self-Monitoring Negative Statement" R. Martella, I.J. Leonard, N.E. Marchand-Martella, y M. Agran, 1993, Journal of Behavioral Educación, 3, pág. 84. © Copyright 1993 Human Sciences Press. Reimpreso con permiso.

conducta. El logro de mejoras socialmente significativas en la conducta es uno de los propósitos fundamentales que definen al análisis aplicado de la conducta. Adicionalmente, aquellas conductas mejoradas deben mantenerse y generalizarse a otros contextos y conductas relevantes. En la mayoría de casos, el logro de una generalización óptima del cambio de conducta requerirá de la retirada de la mayoría, si no de todos, los componentes de la intervención. Sin embargo, a veces los profesionales, padres, y otros responsables de ayudar a los niños a aprender conductas importantes, están más preocupados de como una intervención potencialmente eficaz se va a retirar que de si producirá el cambio de conducta necesario. Tener en cuenta cómo se podría retirar una intervención determinada o cómo integrarla en el ambiente natural, es importante y consistente con todo lo que se recomienda en este libro. Y claramente, cuando hay que elegir entre dos o más intervenciones de eficacia potencialmente igual, la intervención más similar al ambiente natural y la más fácil de retirar y finalizar, debe tener prioridad. Sin embargo, un cambio de conducta importante no debe dejar de realizarse porque no sea posible la completa retirada de la intervención. Puede que siempre sea necesario cierto nivel de intervención para mantener ciertas conductas, en este caso se debe continuar la planificación necesaria.

El estudio de Sprague y Horner (1984) sobre la enseñanza del empleo de máquinas expendedoras ofrece otro ejemplo de este aspecto. Los seis estudiantes con retraso mental de moderado a severo que participaron en el programa recibieron tarjetas índice como ayuda para accionar una máquina expendedora sin la asistencia de otra persona. Las tarjetas índice, que tenían el logo de alimentos y bebidas por un lado, y cuadros con los precios por el otro, no solo se usaron durante el entrenamiento y los sondeos de generalización, sino que los alumnos las conservaban al final del programa. Cinco de los seis estudiantes todavía llevaban una tarjeta índice y usaban máquinas expendedoras de manera independiente 18 meses después de que el estudio terminase.

Principios rectores para promover resultados generalizados

Independientemente de la técnica específica seleccionada y aplicada, creemos que los esfuerzos de los profesionales para promover el cambio de conducta generalizado mejorarán con la adhesión de cinco principios rectores:

- Reducir la necesidad de generalización todo lo posible.
- Realizar sondeos de generalización antes, durante y después de la instrucción.
- Implicar a las personas significativas siempre que sea posible.
- Promover la generalización con la técnica menos intrusiva y costosa posible.
- Diseñe las técnicas de intervención necesarias para alcanzar resultados generalizados importantes.

Minimizar la necesidad de generalización

Los profesionales deberían reducir todo lo posible la necesidad de generalización de habilidades, contextos y situaciones que no se han enseñado aún. Hacer esto requiere de una evaluación razonada y sistemática de qué cambios de conducta son lo más importantes. Se debería priorizar el conocimiento y las habilidades que se le requerirán al aprendiz con mayor frecuencia y en los contextos y situaciones en las cuales el aprendiz se beneficie más a menudo de usar aquellas habilidades. Además del ambiente en el que el aprendiz esté funcionando actualmente, se deberían tener en cuenta los ambientes en los cuales funcionará en el futuro inmediato y más tarde, en la vida.

Los cambios de conducta más críticos no deberían de quedar supeditados a la tecnología incierta de la generalización. Las más importantes combinaciones de habilidades, contextos y estímulos deberían de enseñarse siempre directamente y, cuando sea posible, en primer lugar. Por ejemplo, un programa de entrenamiento para enseñar a un adulto joven con discapacidad a utilizar el sistema de autobuses públicos, debería de usar las rutas de autobús que el joven necesitará más a menudo (p.ej., al salir o volver a su casa, a la escuela, al lugar de trabajo, y al centro de ocio de la comunidad) como ejemplos de instrucción. En lugar de proporcionar instrucción directa sobre rutas que el aprendiz puede usar solo de vez en cuando tras la instrucción, usar esas rutas como sondeos de generalización. Alcanzar un nivel alto de mantenimiento de la respuesta sobre las rutas entrenadas será todavía un gran desafío.

Realizar sondeos de generalización antes, durante y después de la instrucción

Los sondeos de generalización deberían llevarse a cabo antes, durante, y después de la instrucción.

Sondeos antes de la instrucción

Los sondeos de generalización previos al comienzo de la instrucción pueden revelar que el aprendiz ya realiza algunas o todas las conductas necesarias en el contexto de generalización, reduciendo así el alcance de la tarea de enseñanza. Es un error asumir que porque un aprendiz no realice una conducta particular en el contexto de instrucción no pueda realizarla en el contexto de generalización. Los datos del sondeo de generalización previos a la instrucción son la única base objetiva para saber que el funcionamiento del alumno en relación a la conducta objetivo *después de la enseñanza* es, de hecho, un resultado generalizado.

Estos sondeos previos permiten la observación de las contingencias que funcionan en el contexto de generalización. El conocimiento de tal información puede contribuir a un tratamiento o instrucción más eficaz.

Sondeos durante de la instrucción

Los sondeos de generalización durante la instrucción revelan si ha ocurrido generalización y cuándo, así como el momento en el que la instrucción puede darse por terminada o si se necesita cambiar el foco de la adquisición al mantenimiento. Por ejemplo, un profesor que detecta que un estudiante puede solucionar ejemplos no instruidos de un tipo particular de ecuación algebraica después de haber recibido solamente unos ejemplos y comienza a instruir el siguiente tipo de ecuación del currículo, cubrirá más del programa de álgebra con eficacia que si continua presentando ejemplos adicionales.

Los resultados de los sondeos durante la instrucción también muestran si la generalización no ocurre, indicando que es necesario un cambio de estrategia de instrucción. Por ejemplo, cuando Sprague y Horner (1984) observaron que el deficitario funcionamiento de un estudiante en el primer sondeo de generalización fue causado por un modelo ritualista de inserción de las monedas, incorporaron la práctica repetida de la inserción de monedas durante una sesión de entrenamiento y el funcionamiento del alumno en la generalización mejoró enormemente.

Se suele sondear de manera más eficaz si se disponen artificialmente las oportunidades para que el aprendiz pueda usar su nuevo conocimiento o habilidad. Por ejemplo, en lugar de esperar (y quizás perder) las oportunidades naturales para que un aprendiz use sus nuevas habilidades de conversación, en el entorno de generalización, un professional podría contar con la ayuda de un igual que se acercase al aprendiz. Ninness, Fuerst, y Rutherford, (1991) usaron sondeos artificiales de generalización en los cuales provocaban a estudiantes o los entretenían para probar el grado en el cual usaban una serie de habilidades de autogestión.

Los sondeos artificiales de generalización también pueden usarse como medidas primarias de adquisición y generalización. Por ejemplo, Miltenberger y colaboradores (2005) crearon oportunidades artificiales de medir y enseñar a niños el empleo de habilidades de seguridad respecto a las armas colocando un arma en diferentes lugares de la casa y del colegio en los que los niños la encontrarían. Si un niño no ejecutase las habilidades de seguridad establecidas como objetivo al encontrar un arma (p. ej., no tocarla, alejarse del arma y llamar a un adulto), el terapeuta entraba en el espacio y desarrollaba la sesión de instrucción *in situ*, preguntando al niño lo que debería haber hecho y repitiendo la secuencia entera cinco veces.

Sondeos después de la instrucción

Los sondeos de generalización después de que la instrucción haya terminado, revelan el alcance de la respuesta de mantenimiento. La cuestión de durante cuánto tiempo deben de llevarse a cabo los sondeos de generalización después de la instrucción ha terminado contestándose mediante factores tales como la gravedad de la conducta objetivo, la importancia del cambio de conducta para la calidad de vida, la fuerza y la consistencia del mantenimiento de la respuesta obtenida por la persona durante los sondeos que se han llevado a cabo hasta ese momento, y así sucesivamente. La necesidad de una evaluación de mantenimiento a largo plazo, es especialmente crítica en problemas graves de conducta. En algunos casos, puede ser recomendable realizar sondeos de mantenimiento durante muchos meses e incluso varios años (por ejemplo, Derby et al., 1997; Foxx, Bittle, y de Faw, 1989; Wagman, Miltenberger y Woods, 1995).

Si la realización de sondeos de generalización y mantenimiento sistemáticos parece demasiado difícil o artificial, el profesional debe considerar la importancia relativa de la conducta objetivo para el estudiante o cliente. Si una conducta es importante como objetivo de intervención, entonces evaluar los resultados generalizados de la intervención merece la pena sea cual sea el esfuerzo que requiera.

Implicación de los familiares y cuidadores

> Todas las personas son potenciales maestros de todo tipo de cambios en la conducta. El hecho de que usted haya sido designado como "maestro" o "analista de la conducta" no significa que usted tenga la franquicia exclusiva de la capacidad de realizar cambios de conducta deliberados. De hecho, no existe la posibilidad de una franquicia como tal. Todo el mundo que está en contacto con los demás contribuye a la conducta del resto de personas, tanto a sus cambios y a su mantenimiento.
>
> - Donald M. Baer (1999, pág. 12)

La enseñanza de resultados generalizados es un gran trabajo y los profesionales deben tratar de obtener toda la ayuda que puedan. La gente está casi siempre alrededor del lugar y el momento en el que las conductas importantes necesitan ser estimuladas y reforzadas; y cuando las conductas sociales son el objetivo a conseguir, la gente está allí por definición.

En prácticamente todos los programas de cambio de conducta hay personas distintas al participante o al analista de conducta que están involucradas, y su cooperación es crucial para el éxito del programa. Foxx (1996) declaró que en la programación de las intervenciones exitosas de cambio de conducta, "10% es saber qué hacer; 90% tener a gente que lo haga ... Muchos programas no tienen éxito debido a que estos porcentajes se han invertido "(pág. 43). A pesar de que Foxx se refería a la dificultad y la importancia de conseguir al personal necesario para implementar programas con la coherencia y la fidelidad necesaria para el éxito, lo mismo ocurre con la participación de las personas significativas.

Baer (1999) sugirió identificar a personas significativas que estén o puedan estar involucrados en un programa de cambio de conducta como agentes de apoyo activo o como agentes de tolerancia. Un agente de apoyo activo es alguien presente de forma natural en el entorno de generalización que ayuda a promover la generalización y el mantenimiento de la conducta objetivo al hacer cosas específicas. Los agentes de apoyo activo ayudan a facilitar los resultados generalizados deseados mediante la disposición de oportunidades para que el aprendiz use o practique la nueva habilidad, dando señales de respuesta y ayudas a la conducta, y proporcionando reforzamiento por la realización de la conducta objetivo.

Los agentes de apoyo activos de un programa de cambio de conducta que consiste en enseñar a comer independientemente a un niño con discapacidad severa podrían incluir una o dos personas clave de la cafetería de la escuela, un voluntario o ayudante que trabaje regularmente con el niño, los padres del niño, y un hermano mayor. Estas personas son partes vitales del equipo docente. Para que se produzca una generalización óptima los agentes de apoyo activo deben procurar que el aprendiz tenga muchas oportunidades de usar la nueva habilidad en los ambientes de generalización que comparten, se deben usar los reforzadores naturales que controlan en esos ambientes (por ejemplo, alabanzas, contacto, sonrisas o compañía) como consecuencias de la conducta objetivo. No es necesario, y, probablemente, no es deseable, limitar la lista de agentes de apoyo activos al personal escolar, los miembros de la familia, y los compañeros. Puede que no estén regularmente disponibles en todos los entornos y situaciones en las que se desea la generalización.

Un agente de tolerancia es alguien del contexto de generalización que se compromete a no comportarse de manera que pudiera ir en contra del plan de generalización. Los agentes de tolerancia deben ser informados de que el aprendiz va a utilizar una nueva habilidad en el entorno de la generalización y debe pedírseles que sean pacientes. En un programa de alimentación independiente la lista de agentes de tolerancia probablemente incluiría algunos miembros del personal de la cafetería, a miembros de la familia, personas de la escuela del niño y compañeros. Más allá de los ambientes del hogar y el colegio, el analista de conducta debe considerar el posible papel del público en general con el que el niño puede encontrarse compartiendo un área de la mesa o una cena en un restaurante público. La dejadez y la lentitud inicial del aprendiz (que siempre puede ser más descuidado y lento que la mayoría de la gente) mientras hace los primeros intentos más allá de las contingencias el hogar y la escuela, pueden dar lugar a diversas respuestas de extraños que podrían castigar las nuevas habilidades de alimentación independiente. Si el aprendiz recibe miradas descaradas, se ríen de él, se habla de él, se le dice que se de prisa, o incluso se le ofrece ayuda, se podría reducir la posibilidad de generalización. Ciertamente, el analista de conducta puede informar a varios miembros del personal de la escuela y la familia del programa de alimentación y solicitar que no interfieran con los intentos del niño para comer de forma independiente. Sin embargo, el público en general, es otro tema. Es imposible informar a todos sobre el programa. No obstante, teniendo en cuenta los tipos de conductas intolerantes que el aprendiz se puede encontrar en el contexto de generalización, el programa de instrucción se puede diseñar de modo que incluya la práctica en tales condiciones intolerantes. Algunos ensayos de instrucción pueden ser ideados para reforzar al alumno por ignorar comentarios groseros y continuar comiendo de forma independiente.

Utilizar la técnica menos intrusiva y costosa posible

Los analistas de conducta deben de utilizar las técnicas menos intrusivas y costosas para promover la generalización antes de usar otras más intrusivas y costosas. Como se señaló anteriormente, simplemente el hecho de recordar a los alumnos que usen sus nuevas habilidades en el contexto de generalización es el más fácil y menos costoso de todos los métodos que podrían fomentar la generalización. A pesar de que los profesionales nunca deben suponer que decirle al alumno que generalice va a producir los resultados deseados, tampoco deben de dejar de incluir una técnica tan simple y con tan poco coste. Del mismo modo, la incorporación de algunas de las características más relevantes de la configuración del contexto de generalización en el contexto instrucción (es decir, la programación de los estímulos comunes) suele ayudar a producir la generalización necesaria y es menos costoso que la realización de la instrucción en el entorno natural (por ejemplo, Neef, Lensbower et al., 1990; Van den Pol et al, 1981).

La utilización de técnicas menos costosas no solo produce una buena conservación de los recursos limitados disponibles para la instrucción, sino que las intervenciones menos intrusivas, con menos partes móviles son más fáciles de retirar. Los sondeos de generalización sistemática determinarán si se ha producido generalización y si se necesitan apoyos más elaborados e intrusivos para la intervención.

Diseñar las técnicas de intervención necesarias para alcanzar resultados generalizados importantes

Un profesional no debe de estar tan interesado por la intrusividad como para no llevar a cabo una intervención o procedimiento potencialmente eficaz que le permita lograr resultados importantes para el aprendiz. Por lo tanto, si es necesario, los profesionales deben prescindir de la directriz anterior y utilizar tantas técnicas de instrucción y generalización como sea necesario para que el aprendiz consiga generalizar y mantener los conocimientos y habilidades críticas.

En lugar de lamentar la falta de generalización o culpar al aprendiz por su incapacidad para mostrar cambios de conducta generalizados, el analista de conducta debe trabajar para disponer las contingencias socialmente válidas que puedan ser necesarias para ampliar y mantener la conducta objetivo.

Algunas palabras de sabiduría de Don Baer

El reto más difícil e importante de los profesionales del análisis de conducta es ayudar a los aprendices a lograr el cambio generalizado de conductas socialmente significativas. Un cambio en la conducta (independientemente de lo importante que sea inicialmente) es de poco valor para el aprendiz si no dura en el tiempo, si no se emite en los contextos y situaciones apropiadas, o si ocurre de manera restringida cuando lo que interesa son topografías variadas.

La investigación de los últimos 30 años, ha desarrollado y ampliado la base de conocimiento de lo que Stokes y Baer (1977) describieron como "tecnología implícita de la generalización" en un conjunto cada vez más explícito y eficaz de estrategias y técnicas para promover el cambio de conducta generalizado. El conocimiento de estos métodos, junto con el conocimiento de los principios básicos y las técnicas de cambio de conducta que se describen en éste libro, ofrecen a los analistas de conducta un enfoque poderoso para ayudar a la gente a disfrutar de una vida saludable, feliz y productiva.

Terminamos este capítulo con una observación doblemente sabia de Don Baer (1999), en la que señaló una verdad fundamental sobre la relación entre la experiencia de una persona (en este caso, la naturaleza de una lección) y lo que se aprende o no de esa experiencia. Al igual que Skinner hizo antes que él, Baer sabiamente nos recuerda que no culpemos al alumno por no comportarse como pensamos que debería.

> Aprender un aspecto de cualquier cosa no significa que conozca el resto de ella. Hacer algo habilidosamente ahora no significa que siempre lo vaya a hacer bien. Resistir una tentación consistentemente no significa que ahora usted tenga ahora carácter, fuerza y disciplina. Por lo tanto, no es que el alumno sea torpe, tenga problemas de aprendizaje, o sea inmaduro, ya que todos los alumnos son iguales en este sentido: *nadie aprende una lección generalizada, a no ser que se enseñe una lección generalizada* (pág. 1; cursivas como en el original).

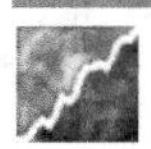

Resumen

Cambio generalizado de conducta: Definiciones y conceptos clave

1. El cambio generalizado de conducta ha tenido lugar si se produce una conducta entrenada en otros momentos o lugares, sin haber tenido que reentrenarse nuevamente en esos lugares o momentos, o si se producen conductas relacionadas funcionalmente que no se han enseñado directamente.
2. El mantenimiento de la respuesta hace referencia al grado en el que un aprendiz sigue llevando a cabo una conducta después de que una parte o la totalidad de la intervención responsable de la aparición inicial de la conducta en su repertorio se haya terminado.
3. La generalización del contexto hace referencia al grado en el que un aprendiz emite la conducta objetivo en escenarios o situaciones diferentes del contexto de enseñanza o instruccional.
4. El contexto instrucción es el entorno en el que se produce la enseñanza y abarca todos los aspectos del ambiente, programados o no, que puedan influir en la adquisición y generalización de la conducta objetivo.
5. Un contexto de generalización es cualquier lugar o situación estímulo que difiera del contexto instruccional de alguna manera significativa y en la que se desea el desempeño de la conducta objetivo.
6. La generalización de la respuesta hace referencia a la medida en la que un aprendiz emite respuestas no entrenadas que son funcionalmente equivalentes a la respuesta entrenada.
7. Algunas intervenciones producen efectos significativos generalizados y extendidos a través del tiempo, los contextos y otras conductas; otras producen cambios circunscritos a la conducta con una resistencia y propagación limitada.
8. La generalización indeseable del contexto tiene dos formas comunes: la generalización excesiva en la que la conducta ha estado bajo el control de una clase de estímulo que es demasiado amplia, y el control de estímulos defectuoso, donde la conducta ha estado bajo el control de un estímulo antecedente irrelevante.
9. La generalización no deseada de la respuesta se produce cuando alguna de las respuestas no entrenadas pero funcionalmente equivalentes del aprendiz, produce resultados no deseados.
10. Otros tipos de resultados generalizados (por ejemplo, la equivalencia de estímulos, la adición de contingencia y la generalización entre sujetos) no encajan fácilmente en las categorías de respuesta de mantenimiento generalización del contexto o generalización de la respuesta.
11. El mapa de generalización es un marco conceptual para combinar y clasificar los distintos tipos de cambio de conducta generalizado (Drabman, Hammer, y Rosenbaum, 1979).

Planificación del cambio de conducta generalizado

12. El primer paso en la promoción de cambios de conducta generalizados es seleccionar conductas objetivo que se adapten a las contingencias naturales de reforzamiento.
13. Una contingencia natural es cualquier contingencia de reforzamiento (o castigo) que funciona independientemente del trabajo del analista o profesional de la conducta, incluyendo las contingencias socialmente mediadas diseñadas artificialmente por otras personas y las que ya están activas en el contexto relevante.
14. Una contingencia artificial es cualquier contingencia de reforzamiento (o castigo) diseñada e implementada por un analista de conducta para lograr la adquisición, mantenimiento o generalización de un cambio de conducta deseado.
15. La planificación de la generalización incluye la identificación de todos los cambios de conducta deseados y de todos los contextos en los que el aprendiz debe emitir la conducta objetivo cuando la instrucción directa haya terminado.
16. Los beneficios del desarrollo de las listas de planificación incluyen una mejor comprensión del alcance de la tarea docente y una oportunidad para priorizar los cambios de conducta y contextos más importantes para la instrucción directa.

Estrategias y técnicas para promover el cambio generalizado de conducta

17. Los investigadores han desarrollado y avanzado lo que Stokes y Baer (1977) llamaron "tecnología implícita de la generalización", un conjunto cada vez más explícito y eficaz de métodos para promover el cambio de conducta generalizado.
18. La estrategia de suficientes ejemplos de enseñanza requiere enseñar un subconjunto de todos los posibles ejemplos de estímulos y respuestas, y luego evaluar el desempeño del aprendiz en ejemplos no entrenados.
19. Un sondeo de generalización es una medida del rendimiento de un aprendiz respecto a una conducta objetivo, en un contexto de estímulo en el que no se ha proporcionado entrenamiento directo.

20. Enseñar ejemplos de estímulos suficientes consiste en enseñar al aprendiz a responder correctamente a más de un ejemplo de estímulo antecedente y sondear la generalización de estímulo a los ejemplos no enseñados.

21. Como regla general, cuantos más ejemplos utilice el profesional durante la enseñanza, más probable es que el alumno responda correctamente a ejemplos o situaciones no entrenadas.

22. Hacer al alumno practicar una variedad de topografías de respuesta ayuda a garantizar la adquisición de repertorios de respuesta deseados y promueve la generalización de la respuesta. A menudo llamado entrenamiento de ejemplares múltiples, esta técnica típica incluye numerosos ejemplos de estímulo y variaciones de respuesta.

23. La programación de caso general, es un método sistemático para la selección de ejemplos de enseñanza que representan toda la gama de variaciones de estímulo y de criterios de respuesta en el contexto de la generalización.

24. La enseñanza de ejemplos negativos o "no lo hagas" ayudan a los aprendices a identificar situaciones de estímulo en las que la conducta objetivo no debe ser realizada.

25. Los ejemplos negativos de enseñanza de diferencia mínima que comparten muchas características con los ejemplos positivos de enseñanza, ayudan a eliminar errores de "generalización" debidos a la generalización excesiva y al control de estímulos defectuoso.

26. Cuanto mayor es la similitud entre el contexto de instrucción y el de generalización, más probable es que la conducta objetivo se emita en el contexto de generalización.

27. La programación de estímulos comunes incluye características que se encuentran típicamente en el contexto de generalización y en el de enseñanza o instruccional. Los profesionales pueden identificar posibles estímulos que hacer comunes mediante la observación directa en el contexto de generalización y preguntando a las personas que están familiarizadas con el contexto de generalización.

28. La enseñanza sin rigor (variar aleatoriamente diversos aspectos no críticos del contexto de enseñanza, dentro y a través de sesiones instruccionales) sirve para (a) reducir la probabilidad de que un grupo único o pequeño de estímulos no críticos adquiera el control exclusivo sobre la conducta objetivo y (b) disminuir la probabilidad de que el rendimiento del aprendiz se vea dificultado o "desperdiciado" por la presencia de un estímulo "extraño" en el contexto de generalización.

29. Una conducta aprendida recientemente puede no entrar en contacto con una contingencia existente de reforzamiento porque no se haya enseñado lo suficientemente bien. La solución para este tipo de problemas de generalización es enseñar la conducta objetivo a la velocidad, la precisión, la topografía, la latencia, la duración y la magnitud requerida por las contingencias naturales de reforzamiento.

30. El uso de programas intermitentes de reforzamiento y de recompensas demoradas puede crear contingencias no discriminables que promuevan respuestas generalizadas al hacer que sea difícil para el aprendiz discriminar si la respuesta siguiente producirá reforzamiento.

31. Las trampas conductuales son potentes contingencias de reforzamiento con cuatro características que las definen: (a) Son "incentivadas" con reforzadores prácticamente irresistibles; (b) Solo es necesaria una respuesta de bajo esfuerzo que ya está en el repertorio del aprendiz para entrar en la trampa; (c) contingencias de reforzamiento relacionadas entre sí y dentro de la trampa motivan al aprendiz a adquirir, ampliar y mantener las habilidades correspondientes; y (d) que pueden seguir siendo eficaces durante largo tiempo.

32. Una forma de despertar una contingencia existente pero no operativa de reforzamiento es hacer que las personas clave en el contexto de generalización atiendan y elogien al aprendiz durante el desempeño de la conducta objetivo.

33. Otra técnica para desarrollar una contingencia natural de reforzamiento es enseñar al aprendiz a conseguir reforzamiento en el contexto de generalización.

34. Una de las técnicas de mediación de la generalización consiste en poner la conducta objetivo en el contexto de instrucción bajo el control de un estímulo artificial que de forma fiable ayude al desempeño de la conducta objetivo en el contexto de generalización.

35. Enseñar a un aprendiz habilidades de autonomía personal con las que pueda incentivar y mantener los cambios de conducta deseados, en todos los ámbitos pertinentes y en todo momento, es el método más potencialmente eficaz para mediar los cambios de conducta generalizados.

36. La estrategia del entrenamiento en generalización se basa en el tratamiento de "generalizar" como una clase de respuesta operante que, como cualquier otra operante, es seleccionada y mantenida por las contingencias de reforzamiento.

37. Una de las técnicas para promover la generalización de respuesta es reforzar la variabilidad de la respuesta. En un programa de reforzamiento de respuesta diferencial, el reforzamiento es contingente a una respuesta que sea diferente, de alguna manera definida, de la respuesta anterior (programa de respuesta diferencial 1) de un número especificado de respuestas anteriores (programa de respuesta diferencial 2 o más).

38. La técnica más simple y menos costosa para promover el cambio de conducta generalizado es hablarle al aprendiz sobre la utilidad de la generalización y luego darle instrucciones para llevarla a cabo.

Modificar y finalizar las intervenciones exitosas

39. Con la mayoría de los programas de cambio de conducta exitosos es imposible, poco práctico o no deseable continuar la intervención indefinidamente.

40. El paso de los procedimientos formales de intervención al ambiente cotidiano normal puede llevarse a cabo retirando gradualmente los elementos que conforman los tres componentes del programa de entrenamiento: (a) antecedentes, ayudas, o estímulos señaladores; (b) modificaciones y criterios de tarea; y (c) consecuencias o variables de reforzamiento.

41. 41.Un importante cambio de conducta no debe dejar de hacerse porque no sea posible la retirada completa de la intervención necesaria para lograrlo. Un cierto nivel de intervención puede ser siempre necesario para mantener ciertas conductas, en ese caso debe continuarse con la planificación necesaria.

Principios rectores para promover resultados generalizados

42. Los esfuerzos para promover el cambio de conducta generalizado mejorarán mediante la adhesión a cinco principios fundamentales:

- Reducir la necesidad de generalización todo lo posible.
- Realizar sondeos de generalización antes, durante y después de la instrucción.
- Implicar a las familiares y cuidadores siempre que sea posible.
- Promover el cambio de conducta generalizado con la técnica menos intrusivo y costosa posible.
- Diseñar las técnicas de intervención necesarias para alcanzar resultados generalizados importantes.

PARTE 13

Ética

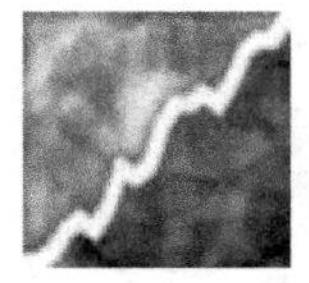

La Parte 13 contextualiza las estrategias y los procedimientos del cambio de conducta presentados en los capítulos previos entre el ámbito de la practica ética. En el Capítulo 29, *Consideraciones Éticas para Analistas Aplicados de Conducta*, José-Martínez-Díaz, Tom Freeman, y Matt Normand ayudan a investigadores, profesionales y cuidadores a abordar las preguntas fundamentales con respecto a la práctica ética: (1) ¿Qué es lo que se debe hacer? (2) ¿Qué vale la pena hacer? (3) ¿Qué significa ser un buen profesional? Los autores definen la conducta ética, identifican estrategias con las que abordar posibles conflictos éticos, describen las directrices y los códigos de conducta profesional, y ofrecen recomendaciones sobre cómo los analistas de conducta pueden lograr, mantener y mejorar su competencia profesional.

CAPITULO 29

Consideraciones éticas para analistas de conducta

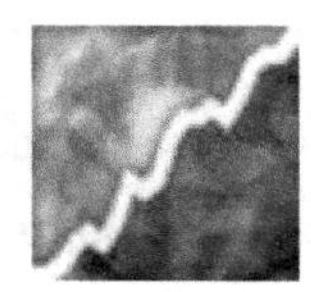

Términos clave

Códigos éticos de la conducta	Conflicto de interés	Ética
Confidencialidad	Consentimiento informado	

Behavior Analyst Certification Board® BCBA®, BCBA-D®, BCaBA®, RBT® Lista de tareas para analistas de conducta (cuarta edición).

B.	**Diseño Experimental**
B - 01	Usar las dimensiones del análisis aplicado de la conducta (Baer, Wolf y Risley, 1968) para evaluar las intervenciones y determinar si son o no analítico-conductuales.
G.	**Identificación del Programa**
G - 04	Explicar conceptos conductuales usando un lenguaje sencillo.
G - 07	Limitar nuestra práctica profesional a nuestras áreas de competencia dentro del análisis aplicado de la conducta. Siempre que sea necesario, se realizarán consultas, supervisión o formación, o se referirá al cliente a otro profesional.

Behavior Analyst Certification Board® BCBA®, BCBA-D®, BCaBA®, RBT®
Código Deontológico Profesional y Ético para Analistas de Conducta

1.0	Conducta Responsable de los Analistas de Conducta
1.01 Dependencia de conocimiento científico. RBT	Los analistas de conducta se basan en el conocimiento derivado profesionalmente basado en la ciencia y el análisis del comportamiento al hacer juicios científicos o profesionales en la prestación de servicios humanos, o al participar en los esfuerzos académicos o profesionales.
1.04 Integridad. RBT	(a) Los analistas de conducta son veraces y honestos y organizan el ambiente para promover un comportamiento sincero y honesto en los demás.
1.05 Relaciones profesionales y científicas. RBT	(a) Los analistas de conducta proporcionan servicios analíticos-conductuales sólo en el contexto de un rol o relación científica o profesional definida. (b) Cuando los analistas de conducta proporcionan servicios analítico-conductuales utilizan un lenguaje que sea comprensible para el destinatario de dichos servicios sin dejar de ser conceptualmente sistemáticos con la profesión de analista de conducta. Proporcionan información adecuada antes de la prestación de servicios sobre la naturaleza de este tipo de servicios y, posteriormente, informan sobre resultados y conclusiones.
2.0	**Responsabilidad de los analistas de conducta para con sus clientes.**
Los analistas de conducta tienen la responsabilidad de actuar en el mejor interés de sus clientes. El término cliente tal como se utiliza aquí es ampliamente aplicable a todos aquellos a quienes los analistas de conducta prestan servicios, ya sea una persona individual (destinatario del servicio), un padre o tutor de un destinatario de servicios, un representante de la organización, una organización pública o privada, o una empresa.	
2.06 El mantenimiento de la confidencialidad. RBT	(a) Los analistas de conducta tienen como obligación principal el tomar las precauciones razonables para proteger la confidencialidad de las personas con quienes trabajan o consultar, reconociendo que la confidencialidad puede ser establecida por la ley, las normas de organización, o relaciones profesionales o científicas.
2.09 Tratamiento/ eficacia de Intervención	(a) Los clientes tienen derecho a un tratamiento eficaz (es decir, basado en la literatura de investigación y adaptado a cada cliente). Los analistas de conducta siempre tienen la obligación de promover y educar al cliente acerca de los procedimientos de tratamiento con apoyo científico más eficaces. Procedimientos de tratamiento eficaces han debido de ser validados y hallados adecuados en sus beneficios a corto y largo plazo para el cliente y la sociedad. (c) En los casos en que se ha establecido más de un tratamiento científicamente, otros factores pueden ser considerados en la selección de las intervenciones, incluyendo, pero no limitado a, la eficiencia y la rentabilidad, riesgos y efectos secundarios de las intervenciones, la preferencia del cliente , y la experiencia profesional y la formación.
2.15 Interrupción o suspensión de servicios	Los analistas de conducta actúan por el bien del cliente y velan por evitar la interrupción o suspensión de los servicios
4.03 Programas de cambio de conducta individualizados	(a) Los analistas de conducta deben adaptar los programas de cambio de conducta a las conductas, a las variables ambientales, a los resultados de la evaluación, y a los objetivos de cada cliente.

Este capítulo fue escrito por José A. Martínez-Díaz, Thomas. R Freeman, Matthew Normad, y Timothy E. Heron y ha sido actualizado por Javier Virués-Ortega para la edición española con la autorización de los autores.

Los dilemas éticos surgen con frecuencia en la práctica educativa y clínica. Consideremos las situaciones siguientes:

- Una persona que reside en un hogar privado para adultos con trastornos del desarrollo se acerca al director del centro y afirma que quiere mudarse a un apartamento en un pueblo cercano. Tal medida representaría una pérdida de ingresos para la agencia y podría generar costos adicionales de transporte (p.ej., gastos de mudanza, costos futuros de supervisión in situ). Además la medida podría ser peligrosa para el residente dependiendo en la zona de la ciudad que la persona pueda sufragar económicamente. ¿Cómo podría responder éticamente el director a la pregunta del residente sobre la posibilidad de mudarse, sin ser forzado por un conflicto de intereses?
- Julián, un estudiante con discapacidades severas, presenta conducta autolesiva frecuente y grave (p.ej., se golpea la cabeza, presiona sus cuencas oculares con sus dedos). Se han intentado multitud de procedimientos positivos y positivos-reductivos con el fin de reducir su conducta autolesiva, pero ninguno ha tenido éxito. El coordinador del programa recomienda el Sistema de Inhibición de Conducta Autolesiva[1] como una opción, pero los padres se oponen porque temen que el uso de descargas eléctricas hará daño a su hijo. Teniendo en cuenta que los intentos positivos documentados han fracasado, ¿sería ético recomendar que se inicie el tratamiento con el Sistema de Inhibición de Conducta Autolesiva?
- Durante el transcurso de una reunión anual sobre un plan educativo individualizado, la Sra. Delgado, una maestra de primer año, percibe que un administrador del distrito escolar está tratando de "dirigir" a los padres de un estudiante con discapacidades emocionales a aceptar un plan revisado sin la provisión de servicios de análisis aplicado de conducta apoyándose en que así lo recomiendan la mayoría de los miembros del equipo escolar. La Sra. Delgado formula la hipótesis de que la posición del administrador se basa en los costos adicionales que el distrito escolar tendría que absorber en caso de que se proporcionasen dichos servicios. Como maestra de primer año, la Sra. Delgado le preocupa que si habla, ella podría perder el favor de el director del centro y tal vez su trabajo. Si permanece en silencio, el estudiante puede que no recibir los servicios necesarios. ¿Cómo podría la Sra. Delgado defender al estudiante sin hacer peligrar su estatus en el centro escolar?

Teniendo en cuenta cada una de estas situaciones, ¿cómo puede el analista de conducta responder éticamente? En este capítulo se abordan este tipo de problemáticas. El capítulo presenta una visión general de qué es la ética y por qué es importante. A continuación, se presentan las normas del análisis de la conducta y de la conducta ética para la práctica profesional como una forma para que los profesionales manejen dilemas éticos que surjan en la práctica diaria. Finalmente, se discuten cuestiones éticas en el contexto de los servicios al cliente (p.ej., el consentimiento informado y el conflicto de intereses).

¿En qué consiste la ética profesional y por qué es importante?

Definición de ética

La **ética** se refiere a las conductas, prácticas y decisiones que abordan tres preguntas básicas y fundamentales: ¿Qué es lo que se debe hacer? ¿Qué vale la pena hacer? (3) ¿Qué significa ser un buen analista de conducta? (Reich, 1988; Smith, 1987, 1993). Guiados por estas preguntas, las prácticas personales y profesionales se llevan a cabo con el propósito principal de ayudar a otros a mejorar su bienestar físico, social, psicológico, familiar, o su condición personal. Como Corey, Corey y Callanan (1993) expresaron: "El propósito básico de la práctica ética es promover el bienestar del cliente" (pág. 4).

¿Qué es lo que se debe hacer?

Abordar la pregunta de ¿qué es lo que se debe hacer? lleva a un examen de varias áreas de influencia: nuestras historias personales de lo que es correcto e incorrecto, el contexto dentro del cual el análisis aplicado de la conducta es practicado, incluyendo cuestiones legales e ilegales frente a éticas y no éticas, y las reglas de la conducta ética tal y como se presentan en estándares éticos publicados. Además, la forma de determinar qué es lo que se debe hacer es derivado de los principios, métodos y decisiones establecidas que se han utilizado

[1] N. del T.: Del inglés *Self-Injurious Behavior Inhibiting System (SIBIS)*

con éxito por otros analistas aplicados de la conducta y profesionales sobre todo para garantizar el bienestar de los que están en nuestro cuidado, el bienestar de la profesión, y por último, en términos de Skinner, la supervivencia de la cultura (Skinner, 1953, 1971).

Al principio, podríamos decir que lo que es conducta ética (correcta) o no ética (incorrecta) está básicamente relacionado con las prácticas culturales. Por lo tanto, las prácticas éticas estarían sujetas a las diferencias entre las culturas y las variaciones de estas con el paso del tiempo: lo que podría ser aceptable en una cultura puede ser inaceptable en otras culturas; lo que podría ser aceptable en un momento dado puede ser totalmente inaceptable 20 años más tarde.

Historias Personales. Al decidir cómo proceder con una evaluación o intervención, todos los analistas aplicados de conducta están influidos por sus historias personales de toma de decisiones en situaciones similares. Presumiblemente, la formación y la experiencia del analista equilibrarán los sesgos o predisposiciones negativas que pueden derivar de su historial personal o cultural. Por ejemplo, supongamos que un analista de conducta tiene un hermano que presenta conducta autolesiva. Además, supongamos que el profesional se enfrenta a una decisión sobre la forma de ayudar a otra familia con un niño que exhibe autolesión severa. El profesional puede estar influido por el recuerdo de los procedimientos que sus padres utilizaron (o no utilizaron) para ayudar a su hermano. ¿Usaron castigo? ¿Incluyeron al hermano en las reuniones familiares? ¿Buscaron programas y servicios competentes? Sin embargo, dado a la formación del analista en diversas evaluaciones e intervenciones, es probable que esta posible influencia de su experiencia personal sea reemplazada por una exploración imparcial de las alternativas de tratamiento clínicamente apropiadas.

Además, la formación cultural o religiosa del profesional puede influir en las decisiones sobre el curso de acción correcto. Antes del entrenamiento formal en el análisis de la conducta, un profesional que haya crecido dentro de una cultura familiar que apoya la idea de que "al niño malo, más amor y menos palo" puede manejar la conducta severa de manera diferente que si ese mismo analista hubiera sido criado en una cultura familiar que apoya la filosofía de "azota al niño a tiempo, y te lo agradecerá con el tiempo". No obstante, después de haberse formado profesionalmente, es probable que surjan un conjunto de principios más imparciales e informados.

Por último, la formación profesional y la experiencia de una persona con otros casos de problemas de conducta graves es probable que influyan el grado de preferencia de unos métodos sobre otros (p.ej., preferir un procedimiento de reforzamiento diferencial sobre un procedimiento de castigo). El analista de conducta debe reconocer que su historia personal es probable que sea un factor al tomar una decisión. Aún así, el profesional tiene que tener cuidado de que su experiencia personal no lo lleve a seleccionar intervenciones inadecuadas o ineficaces. Para contrarrestar esta posibilidad y asegurar que su historia personal no influya sus decisiones más que su conocimiento y su experiencia profesional, el profesional puede solicitar la ayuda de los supervisores o compañeros de trabajo, puede revisar la literatura de investigación, puede consultar estudios de casos para determinar intervenciones que han sido exitosas, o excusarse del caso.

El contexto en el que tiene lugar al práctica. Los analistas de conducta trabajan en escuelas, en el domicilio del cliente, en lugares de trabajo, en la comunidad y en otros entornos naturales. Las reglas dentro de estos ambientes afectan a multitud de conductas (p.ej., etiqueta, asistencia, días libres). Incluidas en estas están las regulaciones propias del entorno en cuestión diseñadas para ayudar a los profesionales a diferenciar entre cuestiones legales y las cuestiones éticas. Por ejemplo, algunas prácticas pueden ser legales, pero no éticas. Traicionar la confianza depositada en un profesional, aceptar regalos valiosos como forma de pago por servicios, o mantener relaciones sexuales consentidas con un cliente mayor de 18 años sirven como ejemplos que son legales, pero no éticos. Por otro lado, falsificar credenciales personales, denegar servicios prometidos, robar las pertenencias de un cliente durante la prestación de servicios, abusar física, emocional, sexual o socialmente de un cliente, o tener relaciones sexuales consentidas con un menor son ejemplos de conductas que no son ni legales ni éticas (Greenspan y Negron, 1994). Los analistas de conducta que pueden discriminar entre estas distinciones legales y éticas son más propensos a ofrecer servicios eficaces, mantener una sensibilidad enfocada en los clientes, y no ir en contra de las leyes o las normas profesionales de la conducta.

Códigos Éticos de Conducta. Todas las organizaciones profesionales han generado o adoptado códigos éticos de conducta. Estos códigos proporcionan guías para la consideración de los miembros de la asociación al decidir un curso de acción o realizar sus funciones profesionales. Además, estas guías proporcionan las normas por las cuales se pueden imponer sanciones graduadas como consecuencia del desvío del código (p.ej., amonestación, censura, expulsión). La *Association for Behavior Analysis International* ha adoptado el código ético de la Asociación Americana de Psicológica

(American Psychological Association). Más detalle de este punto se encuentra más adelante en el capítulo.

¿Qué debemos hacer?

Las preguntas relacionadas con lo que vale la pena hacer abordan directamente las metas y objetivos de la práctica. ¿Qué estamos tratando de lograr? ¿Cómo estamos tratando de lograrlo? Claramente, la validación social, la relación coste-beneficio, y las exigencias actuales forma parte de las decisiones relativas a lo que debe hacerse.

Validez Social. La validez social hace referencia a la idoneidad de las metas de la intervención de cambio de conducta, al grado en el que pueden aceptarse los procedimientos utilizados y el grado en que estos están guiados por la evidencia disponible (Peters y Garza, 1993). Por último, deberemos evaluar si los resultados muestran cambios significativos, importantes, y sostenibles (Wolf, 1978). La mayoría de la gente estaría de acuerdo en que enseñar a un niño a leer es un objetivo deseable. Por ejemplo, usar el método conocido como instrucción directa, o cualquier otro método de instrucción medible y eficaz, incorporando procedimientos bien establecidos, y obteniendo datos que permitan mostrar la mejora de la lectura constituiría una pauta de acción socialmente válida. En todos los sentidos, enseñar a un niño o un adulto a leer cumple con la prueba ética de validez social. La nueva habilidad de lectura tiene un efecto positivo en la vida del individuo. Sin embargo, no podemos decir lo mismo para todas las habilidades en cada situación. ¿Tiene valor la enseñanza de las señales para peatones a una persona que tiene problemas de movilidad, de vista y de audición? Del mismo modo, tiene valor enseñar a un paciente de Alzheimer a recordar el orden de los presidentes de los Estados Unidos? Para qué enseñar a un adulto con trastornos del desarrollo a jugar con libros para colorear? Necesita un estudiante con autismo de primer grado pasar 20 minutos de su día en instrucción de ensayos discretos individuales para aprender a discriminar entre imágenes de mujeres modelando ropa de otoño y primavera? ¿Necesita un niño con cuadriplejia aprender a usar un lápiz para escribir? En cada uno de estos casos, el "valor" presente y futuro del tratamiento con respecto a los objetivos, los procedimientos y los resultados no está claro. Teniendo en cuenta la programación adecuada y los avances tecnológicos, la enseñanza de las señales para peatones a una persona con problemas de movilidad, vista y audición, el orden de los presidentes para un paciente de Alzheimer, habilidades para colorear a un adulto con trastornos del desarrollo, las modas de temporada para un niño con autismo, o la habilidad de agarrar un lápiz para una persona con cuadriplejia pueden ser logradas. Sin embargo, desde un punto de vista ético, las preguntas serían: ¿debe llevarse a cabo? y, ¿vale la pena hacerlo?

Relación coste-beneficio. Las decisiones de relaciones coste-beneficio son contextuales e implican un equilibrio entre los costes de planificación, aplicación y evaluación de un tratamiento o intervención y el beneficio derivado de la proyección de futuras ganancias potenciales por parte de la persona que recibe el tratamiento. En otras palabras, ¿podemos justificar a corto y largo plazo el beneficio potencial para el individuo, considerando el coste de la prestación del servicio? Por ejemplo, ¿Vale la pena la inversión en tiempo y recursos el transferir a un estudiante con problemas de aprendizaje a una escuela privada fuera de su municipio que tiene un alto coste de matrícula cuando, (a) existen servicios parecidos gratuitos dentro del sistema escolar público en su municipio y (b) los resultados de la mejora del aprendizaje y de la conducta social son inciertos?

¿Valen la pena los esfuerzos de un profesional, tanto financieros como en términos de tiempo, en continuar manteniendo un estudiante de undécimo grado con trastornos del desarrollo en un programa académico orientado en estudios universitarios, cuando incorporarle a un programa con adaptaciones curriculares mejoraría con gran probabilidad su empleabilidad e independencia? Éticamente, es difícil apoyar la decisión de invertir recursos públicos en servicios privados. Del mismo modo, es difícil defender la decisión de someter a un estudiante a las continuas operaciones de establecimiento que evocarán conductas mantenidas por reforzamiento negativo generadas por un programa académico más exigente, cuando un modelo curricular adaptado probablemente alcanzaría metas más apropiadas a corto y largo plazo. Para hacer frente a la difícil cuestión de las relaciones coste-beneficio, Sprague y Horner (1991) sugirieron que las decisiones deben ser tomadas por un comité, y que las perspectivas de aquellos con mayor interés en el resultado (p.ej., los padres del niño con trastornos del desarrollo) deben tener mayor consideración. Estos autores apuntan también que se debe obtener una jerarquía de opiniones y aportaciones para así obtener la mayor cantidad posible de puntos de vistas.

Exigencias actuales. Hay problemas de conducta que instan al profesional a encontrar soluciones eficaces rápidamente. Un niño que realiza conductas autolesivas, un niño con problemas de alimentación, o un estudiante que realiza conductas disruptivas graves, por mencionar algunos ejemplos, ofrecen al profesional tales escenarios. La mayoría de los profesionales están de acuerdo en que vale la pena cambiar estas conductas para así reducir el potencial de daño a la persona o a otros. Además, la mayoría de los analistas de conducta profesionales están de acuerdo en que demorar o declinar la actuación profesional podría resultar en un deterioro de la situación. Así que desde un punto de vista ético, las conductas que son más serias merecen ser consideradas como objeto de intervención antes que otras conductas menos problemáticas. Sin embargo, el hecho de que dichas conductas puedan requerir un tratamiento rápido y acelerado no es una invitación a adoptar una perspectiva que podríamos llamar de *ética situacional* en la que la promesa de resultados rápidos a corto plazo se ve comprometida por una consideración limitada de las ramificaciones a largo plazo. Por tanto, también deben considerarse cuestiones relativas a la eficacia, el nivel de intervención, los posibles efectos secundarios perjudiciales de los tratamientos disponibles, y el efecto en la independencia del cliente. Estas consideraciones pueden a veces requerir el retraso temporal de una intervención (Sprague, 1994).

¿Qué significa ser un buen analista de conducta?

Para ser un buen analista de conducta se requiere algo más que seguir los códigos de conducta profesionales. La adhesión a los códigos de la *Association for Behavior Analysis International* o la *Behavior Analyst Certification Board* son condiciones necesarias pero no suficientes para el analista de conducta profesional. Incluso mantener el bienestar del cliente a la vanguardia de la toma de decisiones no es suficiente. Seguir la *regla de oro* "haz a los demás como te gustaría que te hicieran a ti", un código valorado por prácticamente todas las culturas y religiones en el mundo, tampoco es suficiente (Maxwell, 2003). Un buen profesional se autorregula. Es decir, la ética profesional busca la manera de calibrar sus decisiones con el tiempo para asegurarse de que los valores, las contingencias, y los derechos y responsabilidades están integrados y consideran una combinación informada de éstos (Smith, 1993).

¿Por qué es importante la ética?

Los analistas de conducta profesionales cumplen con los principios éticos para (a) producir cambios de conducta "significativos" de importancia social para las personas confiadas a su cuidado (Hawkins, 1984), (b) reducir o eliminar posibles daños (p.ej., aislamiento social, autolesión) y (c) cumplir con las normas éticas de las organizaciones científicas y profesionales. Sin una brújula ética, los profesionales estarían a la deriva a la hora de decidir si un curso de acción es moralmente correcto o incorrecto, o si han caído en el campo de la ética situacional en el que las decisiones de actuar (o no actuar) se basan en la conveniencia, la presión, o en prioridades erróneas (Maxwell, 2003). Por ejemplo, si la maestra mencionada en nuestro ejemplo anterior cedió a la presión del administrador para no apoyar los servicios de análisis aplicado de conducta, cuando podría haber tomado una posición más firme en caso de que otros profesionales hubiera expresado su opinión, podríamos estar ante un caso de ética situacional.

Además, las prácticas éticas son también importantes porque aumentan la probabilidad de que se presten los servicios apropiados a potenciales clientes. A consecuencia de ello, tanto el individuo como las prácticas culturales experimentarían una mejora gradual. Con el tiempo, las prácticas que producen dicho mejoramiento sobreviven y llegan a ser codificadas en normas éticas de conducta. Estos códigos se seleccionan y cambian con el tiempo en respuesta a los nuevos problemas, dilemas o circunstancias.

Normas de práctica profesional para analistas aplicados de conducta

¿Qué son las normas profesionales?

Las normas profesionales son guías o reglas referidas a la práctica profesional que proporcionan orientación para la realización de las tareas asociadas con un ámbito de actuación profesional. Las asociaciones profesionales y organismos de certificación o colegiación desarrollan, refinan y revisan las normas que gobiernan su profesión para proporcionar a los miembros con los parámetros de conducta apropiada en un ambiente dinámico y cambiante. En la práctica, las organizaciones inicialmente forman grupos de trabajo para desarrollar normas que son revisadas y aprobadas por sus respectivos consejos de dirección y sus miembros. Además de establecer reglas de conducta, la mayoría de las organizaciones profesionales otorgan sanciones a los miembros que no siguen dichas reglas. Las violaciones principales de un código ético pueden resultar en la expulsión del profesional de la organización, o la revocación de su certificación o licencia.

Existen varios documentos complementarios e interrelacionados, los cuales describen las normas de conducta profesional y la práctica ética para los analistas aplicados de conducta. Los más importantes se mencionan a continuación:

- *Principios Éticos de los Psicólogos y el Código de Conducta* (Asociación Americana de la Psicológica, 2002)
- *El Derecho al Tratamiento Conductual Efectivo (*Association for Behavior Analysis International, 1989)
- *El Derecho a la Educación Efectiva* (Association for Behavior Analysis International, 1990)
- El *Código Deontológico Profesional y Ético para Analistas de Conducta* (Behavior Analyst Certification Board, 2014)
- La *Lista de Tareas para Analistas de Conducta –* BCBA® y BCaBA®, 5ª ed. (Behavior Analyst Certification Board, 2016)[2]

Principios éticos de los psicólogos y el código de conducta (Asociación Americana de la Psicología)

La Asociación Americana de la Psicología publicó por primera vez su código ético en 1953. En un intento de reflejar la naturaleza cambiante del campo, se han publicado ocho revisiones del código entre 1959 y 2002, con enmiendas adicionales aparecidas en 2010 y 2017. En 1988, la Association for Behavior Analysis International adoptó por primera vez el código de ética de la Asociación Americana de Psicología (2002) para guiar la práctica profesional. Los cinco principios generales y 10 áreas de normas éticas en los que se basa el código se muestran en la Figura 29.1.

El derecho al tratamiento conductual efectivo

La Association for Behavior Analysis International ha publicado dos documentos en los que refleja su posición relativa a los derechos de los clientes. En 1986 la asociación estableció un grupo de trabajo para examinar los derechos de las personas que reciben tratamiento conductual y cómo los analistas de conducta pueden asegurarse de que los clientes reciben servicios de forma adecuada. Después de dos años de estudio, el grupo de trabajo destacó seis derechos básicos de los clientes como la base para dirigir la aplicación ética y apropiada del tratamiento conductual (véase la Figura 29.2) (Van Houten et al., 1988).

El derecho a la educación efectiva

La Association for Behavior Analysis International también adoptó un documento relativo al derecho a la educación efectiva (*The Right to Effective,* Association for Behavior Analysis International, 1989). El informe completo del grupo de trabajo (Barrett et al., 1991). La Figura 29.3 glosa los contenidos de dicho documento. El documento fue aprobado por el comité ejecutivo y posteriormente los miembros de la asociación votaron mayoritariamente a su favor. La declaración requiere esencialmente que la evaluación y las intervenciones educativas (a) se deben apoyar en investigación sólida que muestra su eficacia, (b) deben abordar las relaciones funcionales entre la conducta y los eventos ambientales, y (c) deben ser controladas y evaluadas de manera sistemática y continua (Van Houten, 1994). Las intervenciones se deben aplicar sólo cuando se considera que estas serán eficaces, de acuerdo a la evidencia empírica y los resultados disponibles.

Código deontológico profesional y ético de analistas de conducta de la BACB

El *Código deontológico profesional y ético de analistas de conducta* (Behavior Analyst Certification Board, 2012) describe expectativas específicas para la práctica profesional y la conducta ética en 10 áreas principales (véase la Figura 29.4). Las directrices de la BACB se basan en diversas pautas éticas tales como *El Informe Belmont* (producido por la Comisión nacional para la protección de sujetos humanos en Investigaciones biomédicas y conductuales, 1979) y los códigos éticos desarrollados y adaptados por nueve organizaciones profesionales diferentes del análisis de la conducta y campos relacionados (p.ej., la Asociación Americana de Psicología, 2002; la Asociación de la Florida para el Análisis de la Conducta, 1988; la Asociación Nacional de Psicólogos Escolares, 2000; la Asociación Nacional de Trabajadores Sociales, 1996). Su antecedente inmediato son las *Directrices de conducta responsable para analistas de conducta* (2010) y los *Estándares disciplinarios para analistas de conducta* (2012). El actual código deontológico sustituye a estos dos documentos desde 2016.

---

[2] Todos estos documentos a excepción de los generados por la Association for Behavior Analysis International están disponibles en castellano en www.bacb.com y en www.uhu.es/susana_paino/EP/CcAPA.pdf Parte de los contenidos de esta sección han sido actualizados por el Dr. Javier Virues-Ortega, miembro del comité de dirección de la BACB.

Figura 29.3 El derecho a la educación efectiva

1. El contexto general del estudiante debe incluir:
   a. Ambientes sociales y físicos escolares que fomentan y mantienen el rendimiento académico y el progreso, y desalentar la conducta incompatible con esas metas
   b. Escuelas que tratan a los estudiantes con cuidado y atención individual, comparable a lo ofrecido por una familia cariñosa;
   c. Programas escolares que brindan apoyo y capacitación para los padres en la crianza y la enseñanza de habilidades; y
   d. Las consecuencias y la atención en el hogar que estimulan y mantienen el éxito en la escuela.
2. El currículo y los objetivos de instrucción deben:
   a. Estar basados en jerarquías o secuencias empíricamente validadas de objetivos de instrucción y criterios de desempeño medibles que han demostrado la promoción de la maestría acumulada y que son de valor a largo plazo en la cultura;
   b. Especificar los criterios de dominio que incluyen tanto la exactitud y las dimensiones de velocidad de rendimiento de fluidez;
   c. Incluir objetivos que especifican tanto a largo plazo como a corto plazo el éxito personal y profesional, y que, una vez dominados, serán mantenidos por las consecuencias naturales de la vida cotidiana; y
   d. Incluir la retención a largo plazo y el mantenimiento de las habilidades y el conocimiento como explícitamente los objetivos de instrucción medidos.
3. La evaluación y la ubicación del estudiante debe involucrar:
   a. Evaluación y presentación de informes métodos que son suficientemente criterio de referencia para promover la toma de decisiones de utilidad basado en los niveles reales de habilidades y conocimientos en lugar de en las etiquetas categóricas como "perturbado emocionalmente" o "problemas de aprendizaje", y
   b. La colocación sobre la base de la correspondencia entre las habilidades que entran medidos y habilidades
   requeridos como requisitos previos para un nivel dado en un plan de estudios jerárquicamente secuenciado.
4. Los métodos educacionales deben:
   a. Permitir a los estudiantes a dominar los objetivos de instrucción a su propio ritmo y poder responder tan rápidamente y tan frecuentemente como puedan mediante al menos algún tiempo en el día en cual el paso de instrucción es auto-establecido;
   b. Proporcionar oportunidades de práctica suficientes para permitir a los estudiantes a dominar las habilidades y conocimientos en cada paso del currículo;
   c. Proporcionar consecuencias diseñadas para corregir errores y / o aumentar la frecuencia de respuestas y que son ajustadas al rendimiento individual hasta que permitan a los estudiantes a alcanzar los resultados deseados;
   d. Ser sensibles y ajustables en respuesta a las medidas de aprendizaje y el rendimiento individual, incluyendo el uso de la instrucción individualizada cuando la instrucción en grupos no produce los resultados deseados;
   e. Regularmente emplear los equipos más avanzados para promover el dominio de habilidades a través de programas que incorporan características validadas descritos en el presente documento; y
   f. Ser presentados por maestros que reciben formación basada en el rendimiento, el apoyo administrativo y de supervisión y evaluación en el uso de procedimientos de instrucción, programas y materiales que son científicamente validados y medibles de forma efectiva.
5. La medición y la evaluación acumulativa deben implicar:
   a. La toma de decisiones a través de medidas objetivas basadas en el el desempeño, y
   b. Los informes de los logros individuales y el progreso son objetivamente medibles en lugar de calificaciones subjetivas, comparaciones con normas de referencia, o calificaciones por notas.
6. La responsabilidad del éxito debe estipular que:
   a. Las consecuencias financieras y operacionales para el personal escolar dependen de medidas objetivas del rendimiento de los estudiantes;
   b. Los maestros, administradores y el programa educativo en general, asumen la responsabilidad del éxito de los estudiantes, y cambian los programas hasta que los estudiantes a alcancen sus niveles más altos de rendimiento; y
   c. Los estudiantes y los padres deben ser permitidos y alentados a cambiar escuelas o programas escolares hasta que se cumplan sus necesidades educativas.

Adaptado de "Students' Right to Effective Education" ("El Derecho de los Estudiantes a la Educación Efectiva") por la Asociación para el Análisis de la Conducta (Association for Behavior Analysis, 1990). Obtenido el 11 de noviembre del 2006, de www.abainternational.org/ABA/statements/treatment.asp. Derechos de Autor 1990 por la Association for Behavior Analysis. *The Behavior Analyst*, 1991, Volumen 14(1), página 79-82 muestra el reporte completo. Adaptado con permiso.

Lista de tareas para analistas de conducta con certificación BCBA® o BCaBA®

La *Lista de tareas para analistas de conducta BCBA® y BCaBA®* describe los conocimientos, habilidades y atributos esperados de un analista de conducta certificado. La lista de tareas, en su quinta edición de finales de 2016, describe dos áreas eneales: fundamentos y aplicaciones.

La sección de fundamentos se centra en las bases filosóficas, conceptos y principios, medida, y diseño experimental; mientras que la sección referida aplicaciones recoge las áreas de ética, evaluación conductual, procedimientos de cambio de conducta, selección y aplicación de intervenciones, y supervisión y gestión de personal.

Mantenimiento de la competencia profesional

La competencia profesional en el análisis aplicado de la conducta se logra a través de la formación académica que consiste en cursos formales, practica supervisada, y experiencia profesional bajo un mentor. Muchos analistas de conducta prominentes han sido capacitados a través de programas de nivel de maestría y doctorado en universidades ubicadas en los departamentos de psicología, educación, trabajo social, y otros ciencias sociales.[3]

Los organismos de acreditación y certificación de analistas de conducta han especificado el currículo educativo mínimo y los requisitos de experiencia supervisada para los analistas de conducta. Tanto la Asociación para el Análisis de la Conducta (1993, 1997) y la Behavior Analyst Certification Board (BACB) han establecido normas mínimas para lo que constituye la formación en el análisis de la conducta. La Asociación para el Análisis de la Conducta acredita a los programas de formación universitaria; la BACB certifica profesionales individuales. Los profesionales no sólo deben cumplir con los criterios de certificación, sino también pasar un examen de certificación. La BACB ha llevado a cabo un extenso análisis ocupacional y ha desarrollado la Lista de Tareas (Behavior Analyst Certification Board, 2012), que especifica el contenido mínimo que todos los analistas de conducta deben dominar (BACB, 2005; Shook, Johnston, y Mellichamp, 2004; cf. Martínez-Díaz, 2003).[4]

Obtención de la certificación y licencia profesionales

Los consumidores potenciales deben ser capaces de identificar los analistas de conducta profesionales que han demostrado al menos un nivel mínimo de formación y competencia (Moore y Shook, 2001; Shook y Favell, 1996; Shook y Neisworth, 2005). En el pasado, la mayoría de los analistas de conducta en la práctica privada fueron licenciados en psicología, educación o trabajo social clínico. El público no tenía ninguna manera de determinar si el profesional licenciado tenía una formación específica en el análisis aplicado de la conducta (Martínez-Díaz, 2003). En 1999 la BACB comenzó ofreciendo credenciales para analistas de conducta en los Estados Unidos y otros países con un certificado. El programa de certificación de la BACB se basa en el programa de certificación innovador de larga data del estado de la Florida (Shook, 1993; Starin, Hemingway, y Hartsfield, 1993).

Práctica dentro de las áreas de competencia

Los analistas de conducta deben practicar dentro de sus áreas de formación profesional, experiencia y competencia. Por ejemplo, los profesionales con una amplia experiencia con adultos con trastornos del desarrollo deberán limitar sus servicios a este campo. No deberán de forma repentina comenzar a trabajar con niños pequeños diagnosticados con trastornos del espectro del autismo. Del mismo modo, los analistas con amplia experiencia en el trabajo con adolescentes y talleres de adultos jóvenes, no deben comenzar a trabajar con clientes preescolares, quienes estarían fuera de su área de experiencia. Una persona cuya carrera entera se ha enfocado en adaptaciones curriculares para niños preescolares no debe comenzar a ofrecer servicios en el área de gestión de comportamiento organizacional.

[3] Para obtener una lista de los colegios y universidades con programas de postgrado en el análisis aplicado de la conducta, consulte el *ABA Directory of Graduate Training in Behavior Analysis* ("Directorio de Formación Postgrado en el Análisis Conductual").

[4] La información acerca de los requisitos y procesos de certificación están disponible en la página web de la BACB: www.BACB.com

Figura 29.4 El código deontológico profesional y ético para analistas de conducta de la Behavior Analyst Certification Board®

1.0 Conducta Responsable de los Analistas de Conducta
- 1.01 Dependencia del Conocimiento Científico RBT
- 1.02 Límites de la Competencia Profesional RBT
- 1.03 El mantenimiento de Competencia Profesional a través de Actividades de Desarrollo Profesional RBT
- 1.04 Integridad RBT
- 1.05 Relaciones profesionales y científicas RBT
- 1.06 Relaciones Múltiples y Conflictos de Intereses RBT
- 1.07 Relaciones abusivas RBT

2.0 Responsabilidad de los Analistas de Conducta para con sus Clientes
- 2.01 Aceptación de un Nuevo Cliente
- 2.02 Responsabilidad RBT
- 2.03 Consulta
- 2.04 Participación de Terceros en la Provisión de Servicios
- 2.05 Derechos y Prerrogativas de los Clientes RBT
- 2.06 Mantenimiento de la confidencialidad RBT
- 2.07 Mantenimiento de Registros RBT
- 2.08 Revelación de información RBT
- 2.09 Tratamiento / Eficacia de la Intervención
- 2.10 Documentación del Trabajo Profesional y de Investigación RBT
- 2.11 Registros y Datos RBT
- 2.12 Contratos, Tarifas y Arreglos Financieros
- 2.13 Precisión en los informes de facturación
- 2.14 Referencias y Honorarios
- 2.15 Interrupción y Finalización de Servicios

3.0 Evaluación de Conducta
- 3.01 Evaluación analítico-conductual RBT
- 3.02 Consulta Médica
- 3.03 Consentimiento a la Evaluación Analítico-Conductual
- 3.04 Explicación de los Resultados de la Evaluación
- 3.05 Archivo del Consentimiento de los Cliente

4.0 Los analistas de conducta y los programas de cambio de conducta
- 4.01 Consistencia conceptual
- 4.02 Implicación de los Clientes en la Planificación y el Consentimiento
- 4.03 Programas Individualizados de cambio de conducta
- 4.04 Aprobación de los programas de cambio de comportamiento
- 4.05 Descripción de los objetivos de loas programas de cambio de comportamiento
- 4.06 Descripción de las Condiciones que definen el éxito del programa de cambio de conducta
- 4.07 Condiciones ambientales que interfieren con la Aplicación de Programas de Cambio de Conducta
- 4.08 Consideraciones acerca de los procedimientos de castigo
- 4.09 Procedimientos lo menos restrictivos posible
- 4.10 Evitación del efecto Nocivo de los reforzadores RBT
- 4.11 Interrupción de los programas de cambio de comportamiento y del servicio analítico-conductual

5.0 Actividad de Supervisión de Analistas de Conducta
- 5.01 Competencia en labores de Supervisión
- 5.02 Volumen de Supervisión
- 5.03 Delegación de las Labores de Supervisión
- 5.04 Diseño de Supervisión y Capacitación Efectivas
- 5.05 Comunicación de las condiciones de la supervisión
- 5.06 Envío de comentarios a los estudiantes supervisados
- 5.07 Evaluación de los Efectos de la Supervisión

6.0 Responsabilidad Ética de los Analistas de Conducta hacia la Profesión
- 6.01 Principios RBT
- 6.02 Difusión del Análisis de Conducta RBT

7.0 Responsabilidad Ética de los Analistas de Conducta hacia sus Colegas
- 7.01 Promoción de una cultura ética RBT
- 7.02 Violaciones Éticas Cometidas por otros y Riesgo de Daño RBT

8.0 Declaraciones Públicas
- 8.01 Evitar Declaraciones Falsas o Engañosas RBT
- 8.02 Propiedad Intelectual RBT
- 8.03 Declaraciones de Otros RBT

Figura 29.4 El código deontológico profesional y ético para analistas de conducta de la Behavior Analyst Certification Board®

8.04 Presentaciones en los medios y servicios prestados a medios de comunicación
8.05 Testimonios y Publicidad RBT*
8.06 Requerimiento personal RBT
9.0 Analistas de Conducta e Investigación
9.01 Conforme con las Leyes y Reglamentos RBT
9.02 Características de la Investigación Responsable
9.03 Consentimiento Informado
9.04 Uso de Información Confidencial para fines didácticos o instructivos
9.05 Presentación de información sobre casos
9.06 Revisión de proyectos de financiación de investigación y de manuscritos remitidos a revistas
9.07 El plagio
9.08 Reconocimiento de Contribuciones
9.09 Precisión y Uso de Datos RBT
10.0 Responsabilidad Ética de los Analistas de Conducta para con la BACB
10.01 Proporcionar Información Veraz y Precisa a la BACB RBT
10.02 Responder, Referir y actualizar la información aportada por la BACB RBT
10.03 Confidencialidad y Propiedad Intelectual de la BACB RBT
10.04 Honestidad e Irregularidades RBT
10.05 Cumplimiento de los Estándares de Supervisión y Formación sobre la Actividad de Supervisión RBT
10.06 Familiarizarse con este Código
10.07 Desaconsejar la Presentación Sesgada del Análisis de Conducta por Parte de Personas que no Estén Certificadas RBT

* RBT =Técnicos Conductuales Registrados ™

"Guidelines for Responsible Conduct for Behavior Analysts," 2004 de la Behavior Analyst Certification Board®.

"El Código Deontológico Profesional y Ético para Analistas de Conducta." ha sido traducido por Javier Virués Ortega BCBA-D, Marién Mesa Ordoñez BCBA, y Maria Jesús Gutiérrez Santaló BCBA, a solicitud de ABA España.

Incluso dentro de un área de competencia, los profesionales que se encuentran en una situación que excede su formación o experiencia deben hacer referir casos a otro analista de conducta o consultor si existen insuficiencias en la formación profesional. El aumento de la competencia profesional se puede lograr al asistir a talleres, seminarios, clases y otras actividades de formación continua. Cuando sea posible, los analistas deben trabajar con mentores, supervisores o colegas que puedan proporcionar una mayor formación y desarrollo profesional.

Mantenimiento y ampliación de la competencia profesional

Los analistas de conducta tienen la responsabilidad ética de mantenerse informados de los avances en el campo. Por ejemplo, los avances conceptuales y las innovaciones técnicas de la década de 1990 en áreas como las intervenciones de antecedentes, el análisis funcional, y las operaciones motivadoras han tenido profundas implicaciones para la práctica clínica y educativa. Los analistas de conducta pueden mantener y ampliar su competencia profesional mediante la obtención de créditos de formación continuada, la asistencia y participación en conferencias profesionales, la lectura de la literatura profesional, la presentación de casos a comités de evaluación entre colegas, y la obtención de supervisión por parte de otros colegas.

Unidades de educación continua

Los analistas de conducta pueden ampliar su competencia profesional y estar al tanto de los nuevos desarrollos, asistiendo a eventos de capacitación que ofrecen créditos de unidades de educación continua. La BACB requiere un número mínimo de créditos por cada período de renovación de dos años a fin de mantener la certificación. Los créditos están disponibles asistiendo a talleres en congresos nacionales y locales tales como los de la Association for Behavior Analysis International y sus afiliados locales, o eventos patrocinados por universidades y otras agencias aprobadas como proveedores de créditos por la BACB tales como ABA España. Los créditos de educación continua demuestran que el analista de conducta ha añadido sensibilización, conocimientos o habilidades a su propio repertorio profesional.

Asistencia y presentaciones en conferencias

La asistencia y participación en conferencias locales, estatales, o nacionales mejora las habilidades de cada analista de conducta. El axioma, "nunca se aprende algo tan bien como cuando uno tiene que enseñarlo" sigue teniendo valor. Por lo tanto, la participación en una conferencia ayuda al profesional a refinar sus habilidades.

Lectura profesional

El auto-estudio es una manera fundamental para mantenerse al día en un campo en constante cambio. Además de leer de forma rutinaria la *Journal of Applied Behavior Analysis* (JABA) y *The Behavior Analyst*, todos los analistas de conducta deben estudiar otras publicaciones conductuales específicas de sus áreas de experiencia e interés.[5]

Oportunidades de revisión por pares y de supervisión

Cuando los analistas de conducta enfrentan un problema difícil, aplican las habilidades y técnicas dentro de su repertorio para abordar el problema. Por ejemplo, en un caso de un niño con un historial grave y frecuente de conducta autolesiva (golpearse la cara), una intervención podría consistir en colocar al niño un casco o dispositivo de protección; intervención que luego sería desvanecida a la vez que el reforzamiento diferencial de conductas incompatibles (p.ej., asir determinados objetos) se hace más eficaz. El desvanecimiento del casco no presenta problemas éticos, siempre que la técnica sigua siendo conceptualmente sistemática, y se base en los principios básicos de la conducta, este apoyada en la literatura de investigación publicada, y sea eficaz en el caso presente. Sin embargo, incluso el analista más competente técnica y profesionalmente está sujeto a las contingencias que pueden llevar a la deriva del tratamiento u otros errores. Es aquí es donde la supervisión y revisión por parte de colegas (o revisión por pares) puede jugar un papel importante.

Muchas jurisdicciones tienen leyes que exigen que la supervisión se proporcione en circunstancias específicas, ya sea por el tipo y la gravedad de las conductas abordadas o el carácter restrictivo del procedimiento que se propone. La presencia o ausencia de leyes en una jurisdicción particular, no deben reducir nuestro interés en obtener supervisión y revisión por parte de otros colegas. Estas medidas de seguridad no sólo protegen a los consumidores de servicios del análisis de conducta, sino también a los propios analistas de la conducta.

Cuando los resultados se presentan ante un grupo de colegas fuera de la comunidad del análisis conductual, debemos usar descripciones claras de los procedimientos utilizados según los estándares clínicos y profesionales relevantes a la audiencia. Por otra parte, este tipo de encuentros dan la oportunidad al analista de conducta de destacar los resultados de intervenciones conductuales, presentar representaciones gráficas que sean fáciles de interpretar y explicar el por qué de las decisiones educativas o clínicas tomadas utilizando un lenguaje claro y racional.

Cómo realizar y respaldar declaraciones profesionales

A veces algunos profesionales entusiastas del análisis de la conducta están tan seguros de la superioridad de los principios operantes y respondientes que hacen afirmaciones de carácter predictivo que pecan de ser poco realistas. Por ejemplo, la afirmación: "Estoy seguro de que puedo ayudar a tu hijo" puede llegar a ser una declaración no ética. Una declaración más ética y apropiada puede ser, "He tenido éxito trabajando con otros niños que tienen perfiles similares al de su hijo". Los analistas de conducta que están bien familiarizados con la literatura profesional sobre la eficacia del tratamiento para las conductas objetivo, las funciones que las conductas sirven (p.ej., la atención, el escape), y las poblaciones de clientes específicos son menos propensos a hacer afirmaciones sin fundamento y de largo alcance.

Un segundo aspecto de esta norma profesional se refiere a la presentación de uno mismo de forma engañosa como poseedor de certificaciones, licencias, o experiencias educativas, o formativas. Afirmar de forma fraudulenta que uno tiene experiencia en análisis aplicado de la conducta o credenciales válidos puede ser poco ético o incluso ilegal.

[5] N. del T.: La BACB da acceso a todos sus afiliados de forma gratuita a estas y otras publicaciones especializadas.

Cuestiones éticas referidas a los servicios al cliente

Como se dijo anteriormente, aunque el análisis aplicado de la conducta comparte muchas consideraciones éticas con otras disciplinas, algunas son específicas a los servicios del análisis de conducta. Por ejemplo, la decisión de utilizar un procedimiento aversivo plantea cuestiones éticas complejas que deben ser tratadas antes de su aplicación (Herr, O'Sullivan, y Dinerstein, 1999; Iwata, 1988; Repp y Singh, 1990).

Aunque nuestro discurso se limita a las áreas más comunes de cuestiones éticas en relación con las normas del BACB, se recomienda enfáticamente que los estudiantes y los profesionales lean las directrices de la BACB y los objetivos de la lista de tareas para mantener su perspectiva y habilidades éticas a través de una amplia gama de normas.

Figura 29.5 Ejemplo de un formulario de consentimiento informado.

Formulario de Consentimiento Informado
A.B.A. TECHNOLOGIES, INC.

CLIENTE: ______________________ FECHA DE NACIMIENTO: ______________

DECLARACIÓN DE AUTORIZACIÓN DE CONSENTIMIENTO: Yo certifico que tengo la autoridad para consentir legalmente a la evaluación, la entrega de información, y todas las cuestiones legales que implican el cliente nombrado anteriormente. A petición, le proporcionaré a A.B.A. Technologies, Inc., con la documentación legal adecuada para apoyar esta afirmación. Aún más, declaro en el presente documento que si mi condición de tutor legal debe cambiar, voy a informar inmediatamente a A.B.A. Technologies, Inc. de este cambio de condición y adicionalmente informare inmediatamente a A.B.A. Technologies, Inc. del nombre, dirección y número de teléfono de la persona o personas que asuma la tutela del cliente anteriormente mencionado.

CONSENTIMIENTO AL TRATAMIENTO: Doy mi consentimiento para el tratamiento conductual que se proveerá al cliente nombrado anteriormente por A.B.A. Technologies, Inc., y su personal. Yo entiendo que los procedimientos utilizados consistirán en la manipulación de antecedentes y consecuencias con el fin de producir mejoras en la conducta. A principios del tratamiento la conducta puede empeorar en el entorno en el que se proporciona el tratamiento (por ejemplo, la "explosión de extinción") o en otros ambientes (por ejemplo, el "contraste conductual"). Como parte del tratamiento conductual, la ayuda y guía manual física pueden ser utilizadas. Se me han explicados los protocolos de tratamiento actuales que serán utilizados.

Entiendo que puedo revocar este consentimiento en cualquier momento. Sin embargo, no puedo revocar el consentimiento para la acción que ya ha sido tomada. Una copia de esta autorización será tan válida como el original.

PADRE / TUTOR/A LEGAL: ______________________ FECHA: ______________

TESTIGO: ______________________ FECHA: ______________

De ABA Technologies, Inc., por José a. Martínez-Díaz, Ph.D., BCBA, 129 W. Hibiscus Blvd., Melbourne, FL. Usado con permiso.

Consentimiento informado

El consentimiento informado significa que el receptor potencial de los servicios o el participante en un estudio de investigación da su permiso explícito antes de que se brinde cualquier evaluación o tratamiento. El consentimiento informado requiere algo más que obtener el permiso. El permiso debe suceder después de la divulgación completa y que la información sea proporciona al participante. La Figura 29.5 muestra un ejemplo de una carta de consentimiento informado en la que se proporciona dicha información. Se deben cumplir tres pruebas antes de que el consentimiento informado se pueda considerar válido: (a) La persona debe demostrar la capacidad de decidir, (b) la decisión de la persona debe ser voluntaria, y (c) la persona debe tener un conocimiento adecuado de los aspectos más destacados del tratamiento.

Capacidad para decidir

Para ser considerado capaz de tomar una decisión informada, el participante debe tener: (a) un proceso mental adecuado o facultad por la cual él o ella adquiere conocimiento, (b) la capacidad de seleccionar y expresar sus elecciones, y (c) la capacidad de participar en un proceso racional de toma de decisiones. Conceptos tales como "proceso o facultad mental" son mentalista para los analistas de conducta, y no hay herramientas de evaluación reconocidas para probar la capacidad antes de la intervención. La capacidad se cuestiona si la persona que "tiene habilidades deficientes o limitadas para razonar, recordar, tomar decisiones, ver las consecuencias de sus acciones, y poder planificar el futuro" (O'Sullivan, 1999, pág. 13). Una persona se considera mentalmente incapacitada si una discapacidad afecta su habilidad para comprender las consecuencias de sus acciones (Turnbull y Turnbull, 1998).

De acuerdo a Hurley y O'Sullivan (1999), "la capacidad de dar consentimiento informado es un concepto fluido y varía con cada individuo y procedimiento propuesto" (pág. 39). Una persona puede tener la capacidad de dar su consentimiento para participar en un programa de refuerzo positivo que representa poco o ningún riesgo, pero puede no tener la complejo como la corrección excesiva combinada con el costo de respuesta. Por lo tanto, los profesionales no deben asumir que un cliente que es capaz de dar consentimiento informado en un nivel puede dar su consentimiento informado si la complejidad del tratamiento propuesto cambia.

Figura 29.6 Los factores que los subrogados deben tener en cuenta cuando toman decisiones de consentimiento informado para las personas incapacitadas.

PARA UNA PERSONA CUYO DESEOS PUEDEN SER CONOCIDOS O INFERIDOS

1. El diagnóstico y pronóstico actual de la persona.
2. La preferencia expresada de la persona en relación con el tratamiento en cuestión.
3. Las creencias religiosas o personales relevantes de la persona.
4. La conducta y actitud hacia el tratamiento médico de la persona.
5. La actitud de la persona hacia un tratamiento similar para otro individuo.
6. Las preocupaciones expresadas por la persona acerca de los efectos de su enfermedad y del tratamiento a su familia y amistades.

PARA UNA PERSONA CUYOS DESEOS NO SON CONOCIDOS Y PROBABLEMENTE INCOGNOSCIBLE

1. Los efectos del tratamiento sobre las funciones físicas, emocionales y mentales de la persona.
2. El dolor físico que la persona sufriría el tratamiento o de la suspensión o retiro del tratamiento.
3. La humillación, la pérdida de la dignidad, y la dependencia de la persona que está sufriendo como consecuencia de la enfermedad o como resultado del tratamiento.
4. El efecto del tratamiento tendría en la expectativa de vida de la persona.
5. El potencial de la persona para la recuperación, con el tratamiento y sin el tratamiento.
6. Los riesgos, efectos secundarios y beneficios del tratamiento.

Adaptado de "Informed Consent for Health Care" ("El Consentimiento Informado para el Cuidado de la Salud") de A.D.N. Hurley y J.L. O'Sullivan, 1999, en R.D. Dinerstein, S.S. Herr, y J.L. O'Sullivan (Eds.), *A Guide to Consent* (*Una Guía al Consentimiento*), Washington DC, American Association for Mental Retardation (Asociación Americana sobre Retraso Mental), pág. 50-51. Usado con permiso.

La capacidad debe ser vista dentro de un contexto legal, al igual que conductual. Las cortes han determinado que la capacidad requiere que la persona "entienda racionalmente la naturaleza del procedimiento, sus riesgos, y otra información relevante" (Kaimowitz contra El Departamento de Salud Mental de Michigan, 1973, como se cita en Neef, Iwata, y Page, 1986, pág. 237). La determinación de la capacidad de las personas con trastornos del desarrollo plantea retos específicos, y el analista de conducta se beneficiaría de consultar a un experto legal siempre que surja una pregunta sobre la capacidad de dichas personas.

Cuando una persona se considera incapacitado, el consentimiento informado se puede obtener ya sea a través de un subrogado o tutor/a legal.

Consentimiento Subrogado. El *consentimiento subrogado* es un proceso legal por el cual otro individuo capacidad de comprender las complejidades que pudieran estar implicadas en un tratamiento más – el subrogado - está autorizado para tomar decisiones por una persona considerada incompetente basado en el conocimiento de lo que la persona incapacitada hubiese querido. Los miembros de la familia o amigos cercanos comúnmente sirven como subrogados.

En la mayoría de los estados, la autoridad de un subrogado es limitada. Un subrogado no puede autorizar el tratamiento cuando el cliente se niega al tratamiento de forma activa (p.ej., cuando un adulto con trastornos del desarrollo se niega a sentarse en la silla de un dentista, un subrugado no puede dar su consentimiento para la sedación); o para procedimientos médicos polémicos tales como la esterilización, el aborto, o ciertos tratamientos para los trastornos mentales (p.ej., la terapia electro-convulsiva o medicación psicotrópica) (Hurley y O'Sullivan, 1999). Se requiere que el subrogado considere información específica al tomar decisiones. Para una persona que está incapacitada, el caso histórico del *Superintendente de Escuelas del Estado Belchertown contra Saikewicz* (1977) cristalizo los factores que los subrogados deben tener en cuenta al tomar decisiones de consentimiento informado para personas que no pueden tomar sus propias decisiones (Hurley y O'Sullivan, 1999). La Figura 29.6 enumera la información necesaria para las dos principales áreas de preocupación para los subrogados: (a) la toma de decisiones para una persona que está incapacitada y cuyos deseos pueden ser conocidos o inferidos, y (b) la toma de decisiones para una persona cuyos deseos son desconocidos y, probablemente, incognoscible (p.ej., una persona con discapacidades profundas).

Consentimiento de Tutor/a Legal. El *consentimiento del tutor legal* se obtiene a través de un tutor, una persona a quien un tribunal ha designado como el tutor legal de un individuo. La tutela es una cuestión jurídica compleja que varía en cada jurisdicción. Por lo tanto, se harán sólo dos puntos principales. En primer lugar, la tutela puede solicitarse cuando se considera necesario el tratamiento, pero un subrogado no es apropiado ya que el cliente discapacitado se niega al tratamiento. Cuanto mayor es el grado de tutela, menos es el control legal que una persona tiene sobre su propia vida. Dado a que ayudar a la persona a ser más independiente es un objetivo del análisis de la conducta, la decisión de buscar la tutela se debe considerar sólo como la última opción que se debe ejercer de la manera más limitada que aún permita resolver el problema.

En segundo lugar, la tutela puede ser limitada de cualquier modo que la corte considere apropiado. En la mayoría de los estados, un tutor es esencialmente responsable de todas las decisiones importantes en la vida de una persona. De todos modos, el tribunal, en la protección de los derechos de la persona, puede determinar que la tutela limitada o temporaria es más apropiada. La tutela puede aplicarse únicamente a las preocupaciones financieras o médicas, y podrá permanecer en vigor sólo mientras un asunto muy específico esté en cuestión (p.ej., la necesidad de una cirugía). En todos los casos de tutela, el tribunal es el máximo organismo de toma de decisiones y puede tomar cualquier acción, incluyendo la revocación de la tutela o la determinación de quién debe servir como tutor legal (O'Sullivan, 1999).

Decisión voluntaria

El consentimiento se considera voluntario cuando se administra en ausencia de coacción, intimidación, o cualquier influencia indebida y cuando se emite con el entendimiento de que puede ser retirado en cualquier momento. Como Yell (1998) indicó, "La revocación del consentimiento tiene los mismos efectos que una denegación inicial de dar su consentimiento" (pág. 274).

Los miembros de la familia, los profesionales, el personal de apoyo, u otras personas pueden ejercer una fuerte influencia sobre la disposición de una persona para conceder o denegar el consentimiento (Hayes, Adams, y Rydeen, 1994). Por ejemplo, las personas con discapacidades de desarrollo se les puede pedir que tomen decisiones importantes durante las reuniones del equipo interdisciplinario. De la manera en que se plantean las preguntas al cliente potencial puede sugerir que el consentimiento no es totalmente voluntario (p.ej., "¿Quiere que le ayudemos con esta intervención, verdad?").

Para asegurar que el consentimiento de una persona es voluntario, un profesional puede querer hablar sobre temas relacionados con la evaluación y el tratamiento de forma privada y con un defensor independiente presente. Además, tener conversaciones sin severas limitaciones de tiempo reduce la presión para evocar una respuesta. Por último, a cualquier persona que se le pida dar su consentimiento se le debe dar tiempo para pensar, discutir y revisar todas las opciones con una persona de confianza para que el consentimiento sea voluntario.

Conocimiento del tratamiento

A una persona que está considerando servicios o ser un participante en una investigación se le debe proporcionar la información en un lenguaje claro, no técnico con respecto a (a) todos los aspectos importantes del tratamiento previsto, (b) todos los posibles riesgos y beneficios del procedimiento previsto, (c) todos los posibles tratamientos alternativos, y (d) el derecho a rechazar la continuación del tratamiento en cualquier momento. El participante debe ser capaz de responder correctamente a las preguntas acerca de la información que a él o ella se le ha dado, y debe ser capaz de describir los procedimientos en sus propias palabras. Si, por ejemplo, un procedimiento de tiempo fuera es parte del paquete de intervención, el cliente debe ser capaz de describir todos los aspectos de cómo el tiempo fuera operará y ser capaz de decir más que: "Voy a meterme en problemas si golpeo a otra persona". La Figura 29.7 resume la información adicional que el cliente potencial debe tener para asegurar el consentimiento informado y voluntario (Cipani, Robinson, y Toro, 2003).

Tratamiento sin consentimiento

La mayoría de los estados tienen políticas que autorizan un curso de acción cuando se necesita un posible procedimiento y el consentimiento informado por parte del individuo no es posible. Por lo general, el consentimiento puede ser concedido en caso de una emergencia que amenaza la vida, o cuando existe un riesgo inminente de daño grave. En las instancias educativas en las que el distrito escolar determina que los servicios son necesarios o deseados (p.ej., los programas de educación especial), pero los padres se niegan, el distrito tiene remedios progresivos a través de la revisión administrativa, la mediación, y en última instancia el sistema judicial (Turnbull y Turnbull, 1998). Las leyes estatales difieren en los casos en que el consentimiento es negado; por lo tanto, los profesionales deben consultar a los estatutos locales o estatales actuales. Además, los profesionales deben reconocer que las normas y los reglamentos relacionados con las leyes estatales pueden estar sujetos a cambios y por lo tanto requieren una revisión periódica.

Figura 29.7 Información para los clientes para que aseguren el consentimiento informado.

Documentación Requerida:
Todas los formularios que indican una comprensión de la información y de acuerdo a diversas políticas que se indican a continuación deberán ser firmadas y fechadas.

Temas presentados / discutidos:

1. La confidencialidad y sus limites – como se utilizará la información, con quien será compartida
2. Las calificaciones de los proveedores de servicios
3. Los riesgos / beneficios del tratamiento
4. La naturaleza de los procedimientos y las alternativas
5. La logística de los servicios
   - Cuestiones monetarias - estructura de los honorarios, la facturación, los métodos de pago, las cuestiones de seguros, otros cargos
   - La comunicación - maneras de ser contactado por entre las citas, por teléfono, correo electrónico, etc.
   - Las cancelaciones y las citas perdidas
   - La terminación de los servicios
6. Responsabilidades del cliente y del analista de conducta

Adaptado de "Ethical and Risk Management Issues in the Practice of ABA" ("Cuestiones Éticas y de Gestión de Riesgos en la Práctica del Análisis Aplicado de la Conducta") por E. Cipani, S. Robinson, y H. Toro (2003). Documento presentado en la conferencia anual de la Asociación de la Florida para el Análisis de la Conducta, San Petersburg, FL. Adaptado con el permiso de los autores.

Confidencialidad

Las relaciones profesionales requieren confidencialidad, lo que significa que cualquier información relativa a un individuo que recibe o que ha recibido servicios no pueden ser discutidas con, o hacerse disponible a otros, a menos que el individuo ha dado su autorización explícita para la cesión de dicha información. La confidencialidad es una norma de ética profesional para los analistas de la conducta y también es un requisito legal en algunos estados (Koocher y Keith-Spiegel, 1998). La Figura 29.8 muestra un ejemplo común de un formulario para la cesión de datos de carácter personal. Tenga en cuenta que dicho formulario especifica claramente la información que puede ser compartida y hecha disponible, y la fecha que caducan dichas cesiones.

Límites de la confidencialidad

Cuando se inicia el servicio a un cliente, los límites de la confidencialidad deben ser explicados completamente al cliente. Por ejemplo, la confidencialidad no se extiende a situaciones abusivas y cuando existe el conocimiento de daño inminente para el individuo o para otros. Todos los profesionales deben reportar sospechas de abuso de niños en todos los estados, y la sospecha de abuso de ancianos en la mayoría de los estados. La Figura 29.9 muestra un formulario común para informar al cliente de los requisitos de reportar el abuso.

Como se dijo anteriormente, en circunstancias en las que el analista aplicado de la conducta se da cuenta de la posibilidad para daño inminente o grave al individuo u otra persona, la confidencialidad ya no aplica. En tales casos, es ético informar a sus supervisores, administradores, u otros cuidadores de la posible lesión para que se pueda tomar la acción preventiva apropiada.

Infracciones de la confidencialidad

Las infracciones de la confidencialidad por lo general se producen por dos razones principales: (a) la infracción es intencional para proteger a alguien de daño, o (b) la infracción no es intencional y es el resultado del descuido, negligencia, o una mala interpretación de la naturaleza de la confidencialidad. Una infracción intencional de la confidencialidad está garantizada cuando existe información creíble de que el daño o peligro inminente es posible. Por ejemplo, si un estudiante confiable le menciona a un maestro de haberse enterado de que otro estudiante trajo un arma a la escuela, la confidencialidad puede ser incumplida para proteger a las posibles víctimas. Dicha infracción está destinada para servir al bien común (es decir, proteger a otros de un daño inminente). Las infracciones no intencionales pueden ocurrir cuando un maestro, sin saberlo, proporciona información confidencial a un padre sobre las calificaciones de un niño, pero no confirma que el padre que solicita la información es el tutor legal de facto del niño. Para evitar este segundo tipo de infracción, los profesionales deben permanecer vigilantes sobre el intercambio de información en todas las fases de la prestación de servicios.

Una buena regla a seguir con respecto a la confidencialidad es: Si no está seguro si la confidencialidad se aplica en una situación especifica, presuma que si aplica. Algunas acciones para proteger la confidencialidad incluyen cerrar con llave los gabinetes de archivos, exigir contraseñas para acceder a los archivos computarizados, evitar la transmisión de información no cifrada a través de sistemas inalámbricos, y confirmar la condición de un individuo como tutor legal o subrogado antes de proporcionar la información relativa al cliente.

Figura 29.9 Ejemplo de formulario para la reportación de abuso.

A.B.A. TECHNOLOGIES, INC.
Ley de Confidencialidad / Protocolo para la Reportación de Abuso

CLIENTE: ______________________________

Entiendo que toda la información relacionada con la evaluación y tratamiento del cliente nombrado arriba debe ser manejada con estricta confidencialidad. No hay información relacionada con el cliente, ya sea verbal o por escrito, que se dará a conocer a otras agencias u otros individuos sin el consentimiento expreso y por escrito del tutor legal del cliente. Por ley, las normas de confidencialidad no se sostienen en las siguientes condiciones:

1. Si se presenta información o sospecha de abuso o negligencia de una persona menor de edad, con discapacidad o de edad avanzada, el profesional involucrado está obligado a informar de dicha información al Departamento de Niños y Familias para investigación.
2. Si, en el curso de los servicios, el profesional implicado recibe información de que la vida de alguien está en peligro, ese profesional tiene el deber de advertir a la víctima potencial.
3. Si nuestros registros, nuestros registros subcontratados o testimonios personales son citados por orden judicial, estamos obligados a producir la información solicitada o presentarnos ante el tribunal para responder a preguntas relacionadas con el cliente.

Este consentimiento se vence 1 año después de la fecha de firma abajo.

______________________________ ______________
Padre/Tutor/a Legal Fecha

De ABA Technologies, Inc., por José a. Martínez-Díaz, Ph.D., BCBA, 129 W. Hibiscus Blvd., Melbourne, FL. Usado con permiso.

La protección de la dignidad, salud, y seguridad del cliente

Los problemas de la dignidad, salud y seguridad a menudo se centran en las contingencias y estructuras físicas presentes en los entornos en los que las personas viven y trabajan. El analista de conducta debe ser muy consciente de estos problemas. Favell y McGimsey (1993) proporcionan una lista de características aceptables de los entornos de tratamiento para asegurar dignidad, salud y seguridad (véase la Figura 29.10).

La dignidad puede ser examinada al hacer frente a las siguientes preguntas: ¿Honro las elecciones de la persona? Cómo puedo proporcionar un espacio adecuado para la privacidad? ¿Veo más allá de la discapacidad de la persona y trato a la persona con respeto? Los analistas de conducta pueden ayudar a garantizar la dignidad de sus clientes mediante la definición de sus propios roles. Mediante el uso de los principios operantes de la conducta, los analistas enseñan habilidades que permitan a los alumnos a establecer un control cada vez más efectivo sobre las contingencias en sus propios entornos naturales. Toda persona tiene derecho a decir que sí, no, o, a veces nada en absoluto (cf. Bannerman, Sheldon, Sherman, y Harchik, 1990).

La *elección* es un principio fundamental en la aplicación de los servicios conductuales éticos. En términos conductuales, el acto de hacer una elección requiere que ambas alternativas de conducta y estímulo sean posibles y estén disponibles (Hayes et al., 1994). Los profesionales deben proporcionar al cliente alternativas de conducta, y la persona debe ser capaz de realizar las acciones requeridas por las alternativas. Parasalir de una habitación, una persona debe ser físicamente capaz de abrir la puerta, y la puerta no debe ser bloqueada o cerrada con llave. El término *alternativas de estímulo* se refiere a la presencia simultánea de más de un estímulo entre los que elegir (p.ej., la elección de comer una manzana en lugar de una naranja o una pera). El punto es que, para tener una elección justa, un cliente debe tener alternativas, debe ser capaz de realizar cada alternativa, y debe ser capaz de experimentar las consecuencias naturales de la alternativa elegida.

Figura 29.10 Definición de un ambiente de tratamiento aceptable.

1. El entorno es cautivador: El refuerzo es de fácil acceso; problemas de conducta se reducen; contingencias de refuerzo son eficaces; el juego y la práctica exploratoria florecen; el entorno es, por definición humana.
2. Las habilidades funcionales se enseñan y se mantienen: Los entornos no son juzgados por papeleo o registros, sino por la evidencia observada de la formación y el progreso; la enseñanza incidental permite que el ambiente natural apoye la adquisición de habilidades y el mantenimiento.
3. Los problemas de conducta son mejorados: un enfoque puramente funcional con respecto a tanto las conductas y los procedimientos conducen a intervenciones eficaces; las etiquetas arbitrarias basadas en las topografías son reemplazadas por las definiciones individualizadas basadas en la función.
4. El ambiente es la alternativa menos restrictiva. Una vez más, esto se define funcionalmente, basado en los parámetros de la libertad de movimiento y del desempeño en la actividad; los entornos comunitarios en realidad pueden ser más restrictivos que los institucionales, dependiendo en sus efectos sobre la conducta.
5. El entorno es estable: Los cambios en los horarios, los programas, los pares, los cuidadores, etc., se minimizan; Se mantienen las habilidades; Incorpora la consistencia y la predictibilidad.
6. El entorno es seguro: la seguridad física es de suma importancia; la supervisión y el monitoreo son adecuados; la revisión por pares asegura que los procedimientos de programas adecuados se basan en la función.
7. El cliente elige vivir allí: Se realizan esfuerzos para determinar la elección del cliente; se pueden mostrar los ambientes alternativos.

Adaptado de "Defining an Acceptable Treatment Environment ("Definición de un Ambiente de Tratamiento Aceptable") por J. E. y J. Farell E. McGimsey, 1993. En R. Van Houten y S. Axelrod (Eds.), *Behavior Analysis and Treatment* (*Análisis de Conducta y Tratamiento*) (pp. 25-45). Nueva York: Plenum Press. Derechos de autor 1993 por Plenum Press. Usado con permiso.

Ayudar al cliente a seleccionar resultados y cambios de conducta de interés

Los *resultados* a largo plazo se refieren a cambios de estilo de vida que un cliente ha identificado como los objetivos finales de los servicios del análisis conductual. En parte, se refiere a una cuestión de la calidad de vida del individuo (Felce y Emerson, 2000; Risley, 1996). La obtención de un puesto de trabajo, el establecimiento de una relación de amor con alguien especial, el seguimiento de objetivos personales, la participación en actividades basadas en la comunidad, y vivir independientemente son ejemplos de resultados. Por último, las conductas seleccionadas por el cambio debe beneficiar a la persona, no el profesional o cuidador.

Peterson, Neef, Van Norman, y Ferreri (2005) expresaron este punto de manera sucinta:

> Una de las razones a menudo citadas para proporcionar oportunidades para ofrecer opciones es que es consistente con los valores sociales tales como la auto-determinación y el fortalecimiento. . . . También mantenemos que podemos mejor "fortalecer" a los estudiantes mediante el arreglo de condiciones para promover las elecciones que benefician al estudiante, y ayudando a los estudiantes a reconocer los factores que pueden influir sus decisiones. (pág. 126)

En los principios del campo del análisis de conducta, los analistas fueron criticados justamente debido al enfoque en conductas que mayormente beneficiaban al personal (p.ej., Winett y Winkler, 1972). Por ejemplo, el logro de un taller de trabajo de adultos dóciles y conformes no es una meta apropiada si las habilidades sociales o relacionadas con el trabajo no se tratan adecuadamente. El seguimiento de instrucciones, aunque frecuentemente identificado en los programas de conducta, no es un objetivo adecuado por sí mismo. La enseñanza de la conducta de seguir instrucciones se vuelve éticamente justificable cuando facilita el desarrollo de otras habilidades funcionales o sociales que, a la vez, ayudan a la persona a lograr niveles mayores de independencia.

Para ayudar a las personas a seleccionar resultados y conductas de interés apropiadas entre un marco ético, los profesionales necesitan tener un conocimiento exhaustivo de las variables que afectan la evaluación de reforzadores, la función de los estímulos identificados como reforzadores en una evaluación, y cómo estas variables interactúan cuando se hace una elección. Como Peterson y sus colegas (2005) declararon:

> Puede ser que el acto de elegir es eficaz sólo hasta el punto que permite el acceso a los reforzadores preferidos. Afirmamos que la evaluación de las variables que afectan la preferencia contribuye a los esfuerzos para promover elecciones que son beneficiosas. (pág. 132)

Mantenimiento de registros

Además de los datos sobre el cambio de la conducta, los analistas de conducta deben mantener registros de sus interacciones con los clientes. Los datos de evaluación, las descripciones de las intervenciones y las notas de progreso son parte de un registro del cliente que deben ser considerados confidenciales. Los siguientes puntos sobre el mantenimiento de registros cumplen con los Principios Éticos de los Psicólogos y Código de Conducta del APA (2002):

- Un comunicado debe ser obtenido del cliente o de su tutor legal (a menos que exista una decisión al contrario por un juez) antes que los registros puedan ser compartidos con cualquier otra persona.
- Los registros deben mantenerse en un área segura.
- Los registros bien mantenidos facilitan la prestación de servicios en el futuro, cumplen los requisitos institucionales de la agencia, aseguran la facturación exacta, permiten la investigación futura, y pueden cumplir con los requisitos legales.
- La eliminación de registros debe ser completa (la trituración es probablemente la mejor opción).
- La transmisión electrónica de registros confidenciales a través de cualquier medio no seguro (p.ej., líneas de fax en las zonas comunes, correo electrónico) está prohibida por las regulaciones de la Ley de Portabilidad y Responsabilidad de Seguros de Salud (Health Insurance Portability Act; HIPAA, 1996).

Abogar por el cliente

Proporcionar los servicios necesarios

Antes de la iniciación de los servicios, un analista de conducta tiene la responsabilidad de validar que un referente justifica nuevas medidas. Esto plantea el primer desafío ético para el profesional: decidir si aceptar o rechazar el caso. La decisión de proporcionar el tratamiento puede ser dividido en dos decisiones secuenciales: (1) ¿Es el problema que se presenta susceptible a la intervención conductual? y (2) ¿Es probable que la intervención propuesta tenga éxito?

¿Es el problema susceptible al tratamiento de conducta?

Para determinar si la intervención conductual es necesaria y apropiada, el analista de conducta debe buscar respuestas a las siguientes preguntas:

1. ¿Ha surgido de repente el problema?
   a. Podría tener una causa médica el problema?
   b. Se ha hecho una evaluación médica?
2. ¿Es el problema con el cliente o con otra persona? (p.ej., un estudiante que ha hecho bien hasta el cuarto grado de repente exhibe "problemas de conducta" en el quinto grado, a pesar de que se sigue portando bien en el hogar. Tal vez un simple cambio de maestro va a resolver el problema.)

3. ¿Se han probado otras intervenciones?
4. ¿Existe realmente el problema? (p.ej., un padre tiene serias preocupaciones acerca de un niño de 3 años de edad, que "se niega a comer" todo lo provisto en cada comida.)
5. ¿Puede el problema ser resuelto saplice o de manera informal? (p.ej., el mismo niño de 3 años de edad "se fuga" a través de una puerta trasera que permanece completamente abierta todo el día.)
6. ¿Podría resolverse el problema mas apropiadamente por otra disciplina? (p.ej., un niño con parálisis cerebral puede necesitar equipo de adaptación en lugar del tratamiento conductual.)
7. ¿Es el problema considerado una emergencia?

¿Es probable que la intervención propuesta tenga éxito?

Las preguntas que se deben hacer cuando se considera si es probable que la intervención tenga éxito incluyen las siguientes:

1. ¿Está el cliente dispuesto a participar?
2. ¿Son los cuidadores que rodean el cliente capaces y están dispuestos a participar?
3. ¿Se ha tratado esta conducta con éxito en la literatura de investigación?
4. ¿Es probable el apoyo del público?
5. ¿Tiene el analista de conducta la experiencia apropiada para lidiar con el problema?
6. ¿ Tienen un control adecuado de las contingencias ambientales criticas las personas más probables de involucrarse en la aplicación del programa?

Si la respuesta a todas estas preguntas es sí, entonces el analista de conducta puede actuar. Si la respuesta a cualquiera de estas preguntas es no, el analista de conducta debería considerar seriamente declinar el inicio del tratamiento.

Aceptación del método científico

Las cuestiones generales relativas a lo que constituye la ciencia y cómo se aplica al estudio y la mejora de la conducta se contemplan en el Capítulo 1. Con respecto a la forma en que el método científico se refiere a la ética, los profesionales utilizan métodos eficaces de forma medible, basadas en la investigación y analizan prácticas emergentes para evaluar su eficacia antes de aplicarlas. Como el ingeniero espacial James Oberg una vez declaro: "Mantener una mente abierta es una virtud en la ciencia, pero no tan abierta que su cerebro se caiga" (citado en Sagan, 1996, pág. 187). La aceptación del método científico es importante ya que los reclamos de la eficacia de los regímenes de tratamiento y métodos de intervención se vuelven más generalizados y aceptados por el público sin examinación crítica (Shermer, 1997). En la perspectiva de Sagan (1996), las afirmaciones extraordinarias requieren evidencia extraordinaria. Heward y Silvestri (2005) Elaboraron con más detalle los ingredientes esenciales para la evidencia extraordinaria.

> ¿Qué constituye una prueba extraordinaria? En el sentido más estricto, y el sentido que se debe utilizar en la evaluación de las reclamaciones de la eficacia educativa - la evidencia es el resultado de la aplicación del método científico para probar la eficacia de un reclamo, una teoría o una práctica. La evidencia se convierte extraordinaria cuando está extraordinariamente bien probada. . . . Además, la evidencia extraordinaria requiere la replicación. Un estudio, una anécdota, o un artículo teórico sólo, no importa cuán impresionante los resultados o la complejidad de la escritura, no es una base para la práctica. (pág. 209)

Los analistas aplicados de la conducta deben basar sus prácticas en dos fuentes principales: la literatura científica y las mediciones directas y frecuentes de la conducta. Los datos basados en la literatura informan las decisiones iniciales acerca de la intervención. Sin embargo, la práctica de manera ética también significa que consultar con otros profesionales que han abordado problemas similares es a menudo necesario.[6]

Los informes científicos revisados por pares que son publicados en medios de renombre son una fuente importante de información objetiva sobre las estrategias de intervención eficaces. Cuando enfrentados con datos que difieren de la literatura establecida y revisada por pares, los profesionales están obligados a investigar aún más la situación. Mediante el examen de las variables críticas o las combinaciones de las interacciones, es probable que el profesional determine las diferencias que beneficiarían al individuo.

Hay casi la misma cantidad de ideas acerca de las estrategias de enseñanza y tratamientos de la conducta, como hay maestros y personas que tratan los problemas de conducta. Desafortunadamente, muchas ideas no se han validado empíricamente. Tomemos, por ejemplo, la noción popular de la educación que la repetición de la práctica de una habilidad es perjudicial para el

[6] Recuerde que en el habla del análisis aplicado de la conducta, la similitud significa semejanza en función (es decir, las variables de control), así como en la forma (es decir, la topografía).

estudiante, ya que destruye su motivación para aprender y en última instancia resulta en disgusto hacia la escuela (p.ej., Garza, Tincani, Peterson, y Miller, 2005 ; Kohn, 1997). A pesar del apoyo popular de esta filosofía, saplice no está corroborada. Décadas de investigaciones cuidadosamente controladas y replicadas han demostrado que la práctica repetida es un ingrediente necesario para el dominio de habilidades (Binder, 1996; Ericsson y Charness, 1994).

El área de tratamiento del autismo ofrece otro ejemplo de reclamaciones no probadas que se infiltran en la cultura general. Hace algunos años una técnica llamada comunicación facilitada fue aclamada como un gran avance para las personas con autismo. Surgieron informes alegando que los niños que antes no tenían habilidades de comunicación llegaron a ser capaces de comunicarse, a veces en un lenguaje muy sofisticado, con la ayuda de un facilitador. El facilitador guiaba la mano del niño sobre un teclado mientras él o ella escribía mensajes. Los resultados de numerosos experimentos mostraron que los facilitadores eran los que estaban escribiendo los mensajes, no los niños. (p.ej., Green y Shane, 1994; Szempruch y Jacobson, 1993; Wheeler, Jacobson, Paglieri, y Schwartz, 1993).

Los estudios científicos controlados cuidadosamente han desmentido lo que se había convertido en una percepción popular entre los padres desesperados y los maestros. Para los analistas de conducta, el pilar de la práctica ética es proporcionar servicios eficaces basados en la evidencia de investigación sólida y replicada.

Prácticas basadas en la evidencia y alternativas menos restrictivas

Un componente esencial del análisis de la conducta regido por la ética es que las intervenciones y prácticas relacionadas deben basarse en la evidencia, y que los métodos más poderosas pero menos intrusivos sean utilizados primero. Además, los planes de intervención deben ser diseñados, aplicados y evaluados sistemáticamente. Si el individuo no logra mostrar progreso, los sistemas de datos deben ser revisados y las intervenciones deben ser modificadas si fuera necesario. Si hay progreso, la intervención debe ser eliminada y evaluar su grade de generalización y el mantenimiento. En todas las fases de una intervención, los datos y las observaciones directas deben guiar las decisiones del tratamiento.

Conflicto de intereses

Un conflicto de intereses ocurre cuando una parte principal, solo o en conexión con la familia, los amigos o compañeros, tiene un interés personal en el resultado de la interacción. La forma más común de conflicto surge en forma de relaciones de interés secundario. Los conflictos surgen cuando una persona que actúa como terapeuta entra en otro tipo de relación con el cliente, un miembro de su familia, o alguien asociado con el cliente, o promete entrar en una relación de este tipo en el futuro. Estas relaciones pueden ser financieras, personales, profesionales (p.ej., al proporcionar otro servicio), o de alguna otra manera beneficiosa para el terapeuta.

Las observaciones directas y frecuentes durante las fases de evaluación e intervención ponen al analista de conducta en contacto estrecho con el cliente (y los miembros de su familia y, a menudo, otros profesionales y cuidadores) en diversos entornos naturales. Algunas relaciones personales que se forman pueden llegar a cruzar los límites profesionales. Los miembros de la familia pueden ofrecer regalos no solicitados o hacer invitaciones a fiestas u otros eventos. En cada interacción, el analista de conducta debe controlar su propia conducta con vigilancia y guardia para no cruzar limites personales o profesionales. Esto es especialmente cierto cuando se proporciona el tratamiento dentro de una casa privada. En contextos de servicios, las relaciones personales de cualquier tipo pueden rápidamente desarrollar enredos éticos, y deben ser evitadas.

Otros conflictos profesionales de interés pueden surgir también. Un maestro, por ejemplo, no debe ser al mismo tiempo el empleador de un estudiante fuera de la escuela ya que el desempeño en un área puede afectar la conducta de la otra. Una persona supervisada debe estar fuera de consideración como una potencial pareja romántica. Un miembro de un comité de revisión por pares no debe participar en una revisión de su propio trabajo o el trabajo de sus supervisados. La regla general a seguir con respecto al conflicto de intereses es evitarlo. Un profesional con dudas debe consultar con un supervisor o persona de confianza y con experiencia.

Conclusión

La práctica ética puede ser un reto incierto debido a las dificultades asociadas a anticipar todas las consecuencias de una decisión o una determinada pauta de acción. Por otra parte, es un trabajo difícil, ya que una práctica ética requiere de vigilancia, autocontrol, y de la aplicación de directrices y principios dinámicos con prácticamente todos los casos.

Si regresamos a los ejemplos de casos presentados al comienzo del capítulo, ¿cómo podrían proceder el director, el coordinador del programa, y la maestra? Las soluciones básicas preceptivas no son posibles. Sin embargo, estos profesionales no tienen que estar perdidos en términos de lo que deben hacer. En nuestra opinión, los problemas éticos, independientemente de sus fuentes, pueden abordarse adecuadamente teniendo en cuenta las tres preguntas planteadas al principio del capítulo: ¿Qué es lo que se debe hacer? Qué vale la pena hacer? ¿Qué significa ser un buen profesional? Los analistas de conductas que utilizan estas tres preguntas como los puntos focales para la toma de decisiones tendrán una base robusta para responder a tales dilemas. Además, al abordar estas preguntas de manera honesta, abierta y sin perjuicio ayudará a los analistas a evitar muchas dificultades éticas potenciales y mantener al cliente, estudiante, o el receptor de sus servicios en el centro de sus esfuerzos.

Por último, mediante la práctica ética, y manteniendo la adhesión al método científico y los principios, los procedimientos y las dimensiones del análisis aplicado de la conducta, los profesionales tendrán una fuente de datos válidos, exactos, fiables y creíbles para informar la toma de decisiones. Como resultado, tendrán más probabilidad de lograr la promesa original y permanente del análisis aplicado de la conducta: la aplicación del análisis experimental de la conducta a los problemas de importancia social.

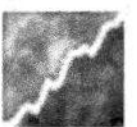

Resumen

¿Qué es la ética y por qué es Importante?

1. La ética describe conductas, prácticas y decisiones que abordan tres cuestiones básicas y fundamentales: ¿Qué es lo que se debe hacer? ¿Qué vale la pena hacer? ¿Qué significa ser un buen analista de conducta?
2. La ética es importante porque ayuda a los profesionales decidir si un curso de acción es moralmente correcto o incorrecto, y guía las decisiones para actuar con independencia de las exigencias de la conveniencia, la presión, u otras prioridades.
3. Las prácticas éticas son derivadas de otros analistas de conducta y profesionales para asegurar el bienestar de (a) los clientes, (b) la profesión misma, y (c) la cultura en general. Con el tiempo, las prácticas llegan a ser codificadas en normas éticas de conducta que pueden cambiar en respuesta a un mundo cambiante.
4. Las historias personales, incluyendo las experiencias culturales y religiosas, influyen cómo los profesionales deciden un curso de acción en cualquier situación dada.
5. La práctica de los analistas de conducta deben ser conscientes de las situaciones particulares en las que trabajan y las reglas específicas y normas éticas aplicables a esos entornos. La conducta podría ser ilegal pero ética, legal pero no ética o ilegal y no ética.

Las normas de práctica profesional de analistas de conducta

6. Las organizaciones profesionales adoptan las declaraciones formales de conducta, códigos de conducta profesional, o normas éticas de la conducta para guiar a sus miembros en la toma de decisiones. Además, las normas proporcionan sanciones cuando se producen desviaciones del código.
7. El bienestar del cliente debe tener consideración primordial en la toma de decisiones éticas.
8. Los analistas de conducta deben tomar medidas para asegurar que su conducta profesional se autorregule.
9. Las normas profesionales, las directrices o las reglas de la práctica son declaraciones escritas que proporcionan orientación para realizar las prácticas asociadas con una organización.
10. Los analistas de conducta se guían por cinco documentos con respecto a la conducta ética: *Los Principios Éticos de los Psicólogos y el Código de Conducta (APA, 2002), El Derecho al Tratamiento Conductual Efectivo (ABA, 1989), El Derecho a la Educación Efectiva (ABA, 1990), El Código Deontológico Ético y Profesional de Analistas de Conducta (BACB, 2014),* y *La Lista de Tareas para los Analistas de Conducta (BACB, 2016).*

Asegurar la competencia profesional

11. La competencia profesional en el análisis aplicado de la conducta se logra mediante la formación académica formal que consiste en cursos, practica supervisada, y experiencia profesional asesorada.
12. Los analistas de conducta deben ser veraces y precisos en todas las interacciones profesionales y personales.

Aspectos éticos de la provisión de servicios

13. Tres pruebas se deben cumplir antes de que el consentimiento informado pueda considerarse válido: la capacidad de decidir, la decisión voluntaria, y el conocimiento del tratamiento.
14. La confidencialidad se refiere a la norma profesional que requiere que el analista de conducta no comunique ni revele de ninguna manera la información con respecto a alguien en su cuidado. La información puede ser provista sólo con el permiso formal de la persona o tutor legal del individuo.
15. Los analistas aplicados de la conducta tienen la responsabilidad de proteger la dignidad, salud y seguridad del cliente. Varios derechos deben ser observados y protegidos, incluyendo el derecho de tomar decisiones, el derecho a la privacidad, el derecho a un ambiente de

tratamiento terapéutico, y el derecho a rechazar el tratamiento.

16. El individuo que recibe servicios debe tener la oportunidad de ayudar a seleccionar y aprobar las metas del tratamiento. Los resultados deben ser seleccionados con el fin de principalmente beneficiar al individuo que recibe servicios.

17. Los registros de servicio deben ser mantenidos, preservados y considerados confidenciales.

18. En la decisión de la prestación de servicios, el analista de conducta debe determinar que los servicios son necesarios, que las causas médicas se han descartado, que el ambiente de tratamiento apoyará la prestación de servicios, y que existe una expectativa de éxito razonable.

19. Todas las fuentes de conflicto de intereses, y en particular las relaciones duales, deben ser evitadas.

Abogar por el cliente

20. La elección de proporcionar el tratamiento se puede dividir en dos conjuntos de reglas de decisión: (1) determinar si el problema es susceptible a la intervención conductual, y (2) evaluar la probabilidad de éxito de una intervención.

21. Un conflicto de intereses ocurre cuando una parte principal, solo o en conexión con la familia, amigos o compañeros, tiene un interés personal en el resultado de la interacción.

Glosario

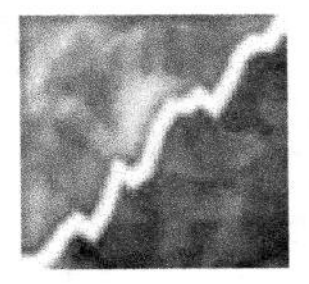

Aceleración Cambio (aceleración o deceleración) en la tasa de respuesta con el paso del tiempo; se basa en el número de respuestas por unidad de tiempo (tasa); se expresa como un factor por el cual la respuesta es acelerada o decelerada (multiplicada o dividida); representado con una línea de tendencia en el Gráfico de Aceleración Estándar. En este contexto aceleración puede hacer referencia tanto a incrementos como a reducciones de carácter multiplicativo en la tasa de respuesta. (Ver **Gráfico de Aceleración Estándar).**

Acuerdo entre observadores (AEO) Grado en el que dos o más observadores independientes informan sobre los mismos valores tras medir los mismos eventos.

Acuerdo entre observadores (AEO) de duración media por ocurrencia Índice de acuerdo entre observadores basado en la duración de cada ocurrencia; también una evaluación de acuerdo entre observadores más conservadora y generalmente más útil para la cantidad total de datos, que se calculan computando el porcentaje medio de acuerdo de las duraciones registradas por dos observadores para cada ocurrencia de la conducta objetivo en una sesión determinada o período de registro.

Acuerdo entre observadores (AEO) de intervalos no puntuados Índice de acuerdo entre observadores basado únicamente en los intervalos en que cualquiera de los dos registró la no ocurrencia de la conducta; se calcula dividiendo el número de intervalos en el que los dos observadores coincidieron en que la conducta no ocurrió entre el número de intervalos en el que uno o los dos observadores registraron la no ocurrencia de la conducta y multiplicándolo por 100. Se recomienda el AEO de intervalos no puntuados como medida de acuerdo para conductas que ocurren a una tasa muy alta porque no contempla los intervalos en los que el acuerdo por azar es altamente improbable. (Comparar con **AEO intervalo a intervalo** y **con el AEO de intervalos puntuados).**

Acuerdo entre observadores (AEO) de intervalos puntuado Índice de acuerdo entre observadores basada solo en los intervalos en los que cualquiera de los observadores ha registrado la ocurrencia de la conducta. Se calcula dividiendo el número de intervalos en los que los dos observadores coincidieron en que ocurrió la conducta entre el número de intervalos en los que uno o los dos observadores registraron la ocurrencia de la conducta y multiplicándolo por 100. Se recomienda la utilización del AEO de intervalos puntuados como una medida de acuerdo para conductas que ocurren a tasas bajas porque ignora los intervalos en los que el acuerdo debido al azar es altamente improbable. (Comparar con el **AEO intervalo a intervalo y con el AEO de intervalos no puntuados).**

Acuerdo entre observadores (AEO) de número medio de respuestas por intervalo Porcentaje medio de acuerdo entre las ocurrencias de una respuesta registradas por dos observadores en un período de registro formado por una serie de tiempos de recuento más pequeños; es una medida de AEO más conservadora que el recuento total de AEO.

Acuerdo entre observadores (AEO) de recuento exacto por intervalo Porcentaje de todos los intervalos en los que dos observadores han registrado lo mismo; es la descripción más rigurosa de AEO para la mayoría de conjuntos de datos obtenidos en los registros de eventos.

Acuerdo entre observadores (AEO) ensayo a ensayo Índice de AEO para datos de ensayos discretos que se basa en la comparación del número de respuestas contabilizado por cada observador, analizando ensayo a ensayo o elemento a elemento; supone un índice más conservador y significativo para ensayos discretos que el recuento total de AEO.

Acuerdo entre observadores (AEO) intervalo a intervalo Índice del acuerdo entre observadores para datos obtenidos en un registro por intervalo o en un registro de muestreo temporal; se calcula por sesión o período de observación, comparando las mediciones de dos observadores sobre la ocurrencia o no ocurrencia de la conducta en cada intervalo de observación y dividiendo el número de intervalos en los que hay acuerdo entre el número total de intervalos y multiplicándolo por 100. También llamado *AEO punto por punto* o *AEO de intervalo total.* (Comparar con **AEO de intervalo puntuado** y con el **AEO de intervalo no puntuado).**

Afirmación de la consecuencia Razonamiento de tres pasos que comienza con una afirmación de antecedente-consecuente (si A, entonces B) que continúa de la siguiente manera: (1) Si A es verdad, entonces B es verdad; (2) B resulta no ser verdad; (3) por lo tanto, A es verdad. Aunque otros factores podrían ser responsables de la veracidad de A, un experimento bien diseñado afirma varias figuras lógicas del tipo “si A, entonces B”, cada una de las cuales reduce la probabilidad de que otros factores diferentes a la variable independiente sean responsables de los cambios de conducta observados.

Aligeramiento del programa de reforzamiento Cambio de la contingencia de reforzamiento aumentando gradualmente la razón de la respuesta o la duración del intervalo; el resultado es una tasa menor de reforzamiento por respuesta, tiempo o ambos.

Ambiente Un conglomerado de circunstancias reales en las que el organismo o una parte del mismo existe; la conducta no puede ocurrir en ausencia de ambiente.

Análisis aplicado de conducta (ABA por sus siglas en inglés) Ciencia en la que se aplican técnicas derivadas de los principios de conducta para mejorar la conducta socialmente relevante y se utiliza la experimentación para identificar las variables responsables de la mejora de la conducta.

Análisis de componentes Cualquier experimento diseñado para identificar los elementos activos de una condición de tratamiento, las contribuciones relativas de las diferentes variables de un paquete de tratamiento, y los componentes necesarios y suficientes de una intervención. Los análisis de componentes pueden tomar muchas formas, pero la estrategia básica es comparar niveles de respuesta a lo largo de fases sucesivas en las que se aplica la intervención dejando fuera uno o más componentes.

Análisis de tareas Proceso de descomposición de una habilidad compleja o una serie de conductas en unidades más pequeñas y que puedan ser entrenadas.

Análisis experimental de la conducta Enfoque científico y natural sobre el estudio de la conducta como un área con derecho propio, fundado por B. F. Skinner; las características metodológicas incluyen la tasa de respuesta como variable dependiente básica, medidas repetidas y continuas de clases de respuesta claramente definidas, comparaciones experimentales intrasujeto en lugar de diseños de grupo, análisis visual de datos representados gráficamente en lugar de inferencias estadísticas, y énfasis en la descripción de las relaciones funcionales que se establecen entre la conducta y sus variables de control en el ambiente en detrimento de hipótesis topográficas sobre la conducta.

Análisis funcional (como parte de **evaluación funcional de la conducta**) Análisis de los motivos (funciones) del problema de conducta, en el que se disponen en un diseño experimental los antecedentes y consecuencias que representan aquellos que ocurren en las rutinas naturales de la persona, de manera que se pueda observar y medir los efectos por separado sobre el problema de conducta; típicamente consiste en cuatro condiciones: tres condiciones de prueba (atención contingente, escape contingente y condición de aislamiento) y una condición de control en la que se espera que el problema de conducta ocurra con una frecuencia baja porque el reforzamiento está disponible y no se presentan demandas a la persona.

Análisis paramétrico Experimento diseñado para descubrir los efectos diferenciales de un rango de valores de una variable independiente.

Análisis visual Enfoque sistemático para interpretar los resultados de una investigación conductual y de los programas de tratamiento que implica realizar una inspección visual de los datos graficados para obtener información sobre variabilidad, nivel y tendencia en cada una de las condiciones experimentales y entre ellas.

Antecedente Condición ambiental o cambio estimular que existe u ocurre antes de la conducta de interés.

Aproximaciones sucesivas Secuencia de nuevas clases de respuesta que emerge durante un proceso de moldeamiento como consecuencia del reforzamiento diferencial; cada clase de respuesta sucesiva es más parecida a la conducta final que la clase de respuesta a la que sustituye.

Artefacto Resultado que aparece como consecuencia de la manera en que se tomaron los datos pero no se corresponde con lo que realmente había ocurrido.

Audiencia Cualquier persona que sirva como estímulo discriminativo para evocar conducta verbal. Diferentes audiencias pueden controlar diferente conducta verbal sobre el mismo tema debido a una historia de reforzamiento diferencial. Los adolescentes pueden describir una misma situación de distintas maneras cuando hablan con sus padres que cuando lo hacen con sus iguales.

Autoclítico Operante verbal segundaria en la que algún aspecto de la conducta verbal del propio hablante funciona como estímulo discriminativo o como operación motivacional para más conducta verbal del hablante. La relación autoclítica se puede considerar como conducta verbal sobre la propia conducta verbal del hablante.

Autocontrol Dos significados: (a) la capacidad de una persona para "demorar la gratificación" emitiendo una respuesta que va a producir un reforzador demorado más potente (o de mayor calidad) frente a emitir una respuesta que produce una recompensa inmediata pero más pequeña (a veces también se le considera como **control de impulsos**); (b) Una persona que se comporta de un modo determinado de manera que puede cambiar una conducta posterior (es decir, puede gestionar su propia conducta). Skinner conceptualizó el autocontrol como un fenómeno compuesto por dos respuestas: la *respuesta de control* afecta a variables de tal modo que cambia la probabilidad de la *respuesta controlada*. (Ver **gestión o promoción de la autonomía personal).**

Autoevaluación Procedimiento con el que una persona compara su propio rendimiento en una conducta objetivo con unos estándares o metas específicos; generalmente es un componente de la gestión de la autonomía personal.

Autoinstrucción Respuestas verbales generadas por uno mismo, encubiertas o manifiestas, que sirven como reglas o ayudas a la respuesta para una conducta deseada; como técnica de gestión de la autonomía personal, la autoinstrucción puede guiar a la persona a lo largo de una cadena conductual o secuencia de tareas.

Automaticidad (del reforzamiento) Se refiere al hecho de que la conducta es modificada por sus consecuencias sin que la persona lo aprecie; para que el reforzamiento "funcione", una persona no tiene porqué reconocer o verbalizar la relación entre su conducta y una consecuencia reforzante, o ni siquiera saber que se ha producido una consecuencia. (Contrastar con **reforzamiento automático).**

Autorregistro Procedimiento por el que una persona sistemáticamente observa su conducta y registra la ocurrencia o no ocurrencia de la conducta objetivo. (También llamado *autoobservación).*

Bloqueo de respuesta Procedimiento en el que el terapeuta interviene físicamente en cuanto el aprendiz comienza a emitir el problema de conducta para prevenir que complete la conducta objetivo.

Cadena conductual Secuencia de respuestas en la que cada respuesta produce un cambio estimular que funciona como reforzador condicionado para esa respuesta y como estímulo discriminativo para la siguiente respuesta de la cadena; el reforzamiento de la última respuesta de la cadena mantiene la eficacia reforzante de los cambios estimulares producidos por todas las respuestas previas de la cadena.

Calibración Cualquier procedimiento utilizado para evaluar la precisión de un sistema de medida y, cuando se encuentra la fuente del error, se utiliza esa información para corregir o mejorar el sistema de medida.

Cambio de conducta generalizado Cambio de conducta que no ha sido directamente enseñado. Los resultados de la generalización se aprecian de una de las siguientes maneras, o mediante una combinación de las mismas: mantenimiento de la respuesta, generalización del contexto, y generalización de la respuesta. A veces también se le llama *resultado generalizado*.

Castigo automático Castigo que ocurre de forma independiente a la mediación social de otras personas (es decir, el producto de una respuesta funciona como estímulo punitivo independiente del ambiente social).

Castigo negativo A una respuesta le sigue inmediatamente la retirada de un estímulo (o la disminución en la intensidad de un estímulo), lo cual reduce la futura frecuencia de respuestas similares bajo condiciones similares; también se le conoce como *castigo de tipo II*. (Contrastar con **castigo positivo).**

Ciencia Enfoque sistemático para la comprensión de los fenómenos de la naturaleza (mediante la descripción, predicción y control) que se basa en el fundamentalismo como principal premisa, su regla principal es el empirismo, utiliza como estrategia básica la experimentación, la replicación es el requisito para su credibilidad, su valor es la parsimonia, y su guía es la duda filosófica.

Cinta de tiempo fuera Procedimiento para aplicar tiempo fuera sin exclusión en el que el niño lleva una cinta o pulsera que se convierte en discriminativo para recibir reforzamiento. De forma contingente a la conducta inadecuada, se le retira la cinta y deja de tener acceso a los reforzadores sociales y de otro tipo durante un período específico de tiempo. Cuando el tiempo fuera termina, se le devuelve la cinta o pulsera y comienza el "tiempo dentro".

Clase de estímulo Un grupo de estímulos que comparten elementos específicos de sus dimensiones formales (p.ej., forma, color, etc)., temporales (p.ej., antecedente o consecuente) o funcionales (p.ej., estímulo discriminativo).

Clase de estímulo con características análogas Estímulos que comparten una misma forma o estructura física (p.ej., están hechos de madera, tienen cuatro patas, son redondos, son azules, etc). o comparten relaciones (p.ej., son más grandes que, más calientes que, más altos que, están próximos a, etc).. Comparar con **clase de estímulos arbitraria**.

Clase de estímulos antecedentes Conjunto de estímulos que comparten algún tipo de relación. Todos los estímulos que forman la clase de estímulos antecedentes evocan la misma conducta operante, o elicitan la misma conducta respondiente. (Ver **clase de estímulo arbitraria y clase de estímulo con características análogas).**

Clase de estímulo arbitraria Estímulos antecedentes que evocan la misma respuesta pero no se parecen entre sí físicamente o no comparten ningún aspecto relacional como "más grande" o "debajo" (p.ej., cacahuetes, queso, leche de coco y pechuga de pollo son miembros de una clase de estímulos arbitrara si evocan la respuesta "alimentos que son una fuente de proteínas"). (Comparar con **clase de estímulos con características análogas).**

Clase de respuesta Grupo de respuestas de topografía variada, pero que producen el mismo efecto en el ambiente.

Códigos éticos de conducta Guías para que los miembros de asociaciones profesionales tomen decisiones sobre alguna acción o lleven a cabo sus responsabilidades profesionales; estándares según los cuales se pueden imponer sanciones (p.ej., reprimendas, censuras o expulsión) por desviarse del código.

Comprobación de actividad programa Variación del muestreo momentáneo en el que un observador registra si cada persona de un grupo está llevando a cabo la conducta objetivo en determinados momentos de tiempo; proporciona una medida de "conducta de grupo".

Condicionamiento de orden superior Desarrollo de un reflejo condicionado mediante el emparejamiento de un estímulo neutro (EN) con un estímulo condicionado (EC). También llamado *condicionamiento secundario*.

Condicionamiento operante Proceso básico por el que ocurre el aprendizaje operante; las consecuencias (cambios estimulares que siguen inmediatamente a las respuestas) producen un incremento (reforzamiento) o reducción (castigo) de la frecuencia del mismo tipo de conducta bajo condiciones de motivación y ambientales similares en el futuro (ver **operación motivadora, castigo, reforzamiento, clase de respuesta** y **control de estímulos).**

Condicionamiento respondiente Procedimiento de emparejamiento estímulo – estímulo en el que se presenta un estímulo neutro (EN) con un estímulo incondicionado (EI) hasta que el estímulo neutro se convierte en estímulo condicionado al elicitar la respuesta condicionada (también llamado *condicionamiento clásico* o *Pavloviano*). (Ver **reflejo condicionado** y **condicionamiento de orden superior).**

Conducta Actividad de los organismos vivos; la conducta humana incluye todo lo que una persona hace. Una definición técnica: "esa porción de la interacción de un organismo con su ambiente que está caracterizada por movimiento detectable en el espacio a través del tiempo de alguna parte del organismo y que resulta en un cambio medible en al menos un aspecto del ambiente" (Johnston y Pennypacker, 1993a, p. 23). (Ver **conducta operante, conducta respondiente, respuesta** y **clase de respuesta).**

Conducta final El producto final del moldeamiento.

Conducta gobernada por reglas Conducta controlada por una regla (es decir, afirmación verbal sobre una contingencia antecedente – respuesta – consecuencia); posibilita que la conducta de los seres humanos (p.ej., ponerse el cinturón de seguridad) pueda ponerse bajo el control indirecto de consecuencias temporalmente remotas o improbables pero que son potencialmente significativas (p.ej., evitar daños en un accidente de coche). Generalmente contrasta con la *conducta moldeada por las contingencias,* término que indica que la conducta es seleccionada y mantenida por consecuencias temporalmente cercanas.

Conducta inducida por programa Conducta que ocurre como efecto colateral de un programa de reforzamiento periódico para otra conducta; actividades "para matar el tiempo" (p.ej., hacer garabatos, hablar del tiempo, fumar o beber) que son provocadas por programas de reforzamiento en momentos en que el reforzamiento no debería administrarse.

Conducta objetivo (o conducta de interés) La clase de respuesta elegida para la intervención; se puede definir tanto funcionalmente como topográficamente.

Conducta operante Conducta que se elige, se mantiene y se emite bajo control de estímulos en función de sus consecuencias; el repertorio de conducta operante de cada persona es resultado de su historia de interacciones con el ambiente (ontogenia).

Conducta pivote Una conducta que, cuando es aprendida, produce modificaciones correspondientes o covariaciones en otras conductas no entrenadas. (Comparar con **inflexión conductual).**

Conducta respondiente La respuesta en un reflejo; la conducta es elicitada, o inducida, por un estímulo antecedente. (Ver **reflejo** y **condicionamiento respondiente).**

Conducta verbal Conducta cuyo reforzamiento está mediado por un oyente; incluye tanto la conducta verbal vocal (p.ej., decir "*Agua, por favor*" para conseguir agua) como la conducta verbal no vocal (señalar a un vaso de agua para conseguir agua). Incluye la materia a la que nos referimos habitualmente cuando hablamos de lenguaje, pero incluye además temas tales como el pensamiento, la gramática, la composición de textos y la comprensión.

Conductismo Filosofía de la ciencia de la conducta; hay varias formas de conductismo. (Ver **conductismo metodológico** y **conductismo radical**).

Conductismo metodológico Posición filosófica que plantea que los eventos conductuales que no pueden ser observados públicamente están fuera del campo de la ciencia.

Conductismo radical Forma extrema de conductismo que intenta comprender toda la conducta humana, incluyendo los eventos privados (como los pensamientos y los sentimientos), en términos de variables de control de la historia de la persona (ontogenia) y de la especie (filogenia).

Confidencialidad Describe una situación de confianza en la que toda la información sobre una persona que está recibiendo o ha recibido servicios no puede ser discutida o compartida con otra persona o grupo de personas, salvo que la persona haya aportado autorización explícita para compartir dicha información.

Conflicto de intereses Situación en la que una persona que se encuentra en una posición de responsabilidad o confianza tiene intereses profesionales o personales que compiten entre sí y que hacen difícil cumplir con sus responsabilidades de forma imparcial.

Consecuencia Cambio estimular que sigue a la conducta de interés. Algunas consecuencias, especialmente aquellas que son inmediatas y relevantes para el estado motivacional actual, tienen una influencia significativa sobre la conducta futura; otras tienen poco efecto. (Ver **castigo** y **reforzador).**

Consentimiento informado Cuando el potencial receptor de los servicios o el participante en un estudio de investigación da permiso de forma explícita antes de comenzar cualquier evaluación o tratamiento. Deben exponerse todos los efectos, incluyendo los posibles efectos secundarios. Para dar consentimiento, la persona debe (a) tener capacidad para decidir, (b) hacerlo de forma voluntaria, y (c) tener un adecuado conocimiento de todos los aspectos relevantes del tratamiento.

Constructo hipotético Un supuesto proceso o entidad que no ha sido observado (p.ej., ello, yo y superyó de Freud).

Contexto instruccional El contexto en el que se produce la enseñanza; incluye todos los aspectos del ambiente, tanto los planificados como los no planificados, que pueden influir en la adquisición y generalización de la conducta objetivo. (Contrastar con **contexto de generalización).**

Contingencia Hace referencia a relaciones dependientes y temporales entre la conducta operante y sus variables de control. (Ver **contingente** y **contingencia de tres términos).**

Contingencia artificial Cualquier contingencia de reforzamiento (o de castigo) diseñada y aplicada por un analista de conducta o terapeuta para lograr la adquisición, mantenimiento o generalización del cambio de conducta perseguido. (Comparar con **contingencia natural).**

Contingencia de escape Contingencia en la que una respuesta termina (produce el escape de) un estímulo que estaba presente. (Comparar con **contingencia de evitación).**

Contingencia de evitación Contingencia en la que una respuesta previene o pospone la presentación de un estímulo. (Comparar con **contingencia de escape).**

Contingencia de tres términos Unidad de análisis básica en el análisis de conducta operante; incluye las relaciones temporales y posiblemente dependientes entre el estímulo antecedente, la conducta y la consecuencia.

Contingencia dependiente del grupo Contingencia en la que el reforzamiento para todos los miembros del grupo depende de la conducta de uno de ellos o de un subgrupo seleccionado de miembros de dicho grupo.

Contingencia grupal Contingencia en la que el reforzamiento para todos los miembros del grupo depende de la conducta de (a) una persona del grupo, (b) un conjunto de miembros seleccionados dentro del grupo, o (c) de que cada miembro del grupo alcance un criterio especificado. (Ver **contingencia dependiente del grupo, contingencia independiente del grupo** y **contingencia grupal interdependiente).**

Contingencia independiente del grupo Contingencia en la que el reforzamiento para cada miembro de un grupo depende de que cada persona alcance un criterio de rendimiento que está en vigor para todos los miembros del grupo.

Contingencia grupal interdependiente Contingencia en la que el reforzamiento de todos los miembros del grupo depende de que cada miembro del grupo alcance un criterio de rendimiento que está en vigor para todos los miembros del grupo.

Contingencia natural Contingencia de reforzamiento (o castigo) que opera de forma independiente a los esfuerzos del analista de conducta o profesional; incluye contingencias artificiales mediadas socialmente que ya estuvieran en marcha en el contexto relevante. (Contrastar con **contingencia artificial).**

Contingencia no discriminable Contingencia que hace que al aprendiz le sea difícil de discriminar si la siguiente respuesta va a producir reforzamiento. Los profesionales utilizan programas de reforzamiento intermitente y recompensas demoradas como formas de contingencias no discriminables para favorecer la generalización del cambio de conducta.

Contingente Describe el reforzamiento (o el castigo) que se proporciona solo después de que ha ocurrido la conducta objetivo.

Contraste conductual Fenómeno en el que un cambio en un componente de un programa múltiple que incrementa o disminuye la tasa de respuesta en ese componente va acompañado de un cambio en la tasa de respuesta en la dirección opuesta en otro componente del programa que no había sido alterado.

Contrato autoaplicado Contrato de contingencias que una persona se hace a sí misma, incluyendo una tarea y una recompensa que ha seleccionado, un sistema de supervisión personal sobre la finalización de las tareas y la autoadministración de la recompensa.

Contrato conductual Ver **contrato de contingencias.**

Contrato de contingencias Documento firmado de mutuo acuerdo entre las partes (p.ej., padres y niño) que especifica una relación contingente entre la realización de determinadas conductas y el acceso a reforzadores específicos.

Control de doble ciego Procedimiento que impide que el sujeto y el observador (u observadores) puedan detectar la presencia o ausencia de la variable de tratamiento; se utiliza para eliminar resultados sesgados por las expectativas del sujeto, de los padres y de los maestros, un tratamiento diferencial por parte de los demás y la parcialidad del observador. (Ver **control placebo).**

Control de estímulo Situación en la que la presencia o ausencia de un estímulo antecedente altera la frecuencia, latencia, duración o amplitud de una conducta. (Ver **discriminación** y **estímulo discriminativo).**

Control experimental Dos significados: (a) resultado de un experimento que demuestra convincentemente una relación funcional, lo cual significa que se ha conseguido control experimental cuando se puede producir de manera fiable un cambio predecible en la conducta (la variable dependiente) manipulando un aspecto específico del ambiente (la variable independiente); y (b) el punto hasta el que un investigador mantiene un control preciso de la variable independiente a través de su presentación, su retirada, o la alteración de su valor, y también a través de la eliminación o el mantenimiento de la constancia en todas las variables extrañas. (Ver **variable extraña, variable de confusión** y **variable independiente).**

Control mediante placebo Procedimiento que impide que el sujeto detecte la presencia o ausencia de la variable de tratamiento. Para el sujeto la condición de placebo y la de tratamiento son iguales (p.ej., una píldora de placebo contiene una sustancia inocua pero sabe y tiene la misma apariencia que la píldora que contiene el tratamiento). (Ver **control doble ciego).**

Control múltiple (de conducta verbal) Hay dos tipos de control múltiple: (a) se produce *control múltiple convergente* cuando una sola respuesta verbal depende de más de una variable, es decir, cuando tiene más de una fuente de control antecedente, (b) se produce *control múltiple divergente* cuando una única variable antecedente afecta a la fuerza o intensidad de más de una respuesta.

Copia de textos Una de las operantes verbales elementales que es evocada por un estímulo discriminativo verbal no vocal, el cual se corresponde punto por punto y tiene similitud formal con la respuesta.

Correspondencia precisa Relación entre el estímulo y la respuesta o el producto de respuesta que ocurre cuando el inicio, el medio y la finalización del estímulo verbal coinciden con el inicio, el medio y la finalización de la respuesta verbal. Las operantes verbales con correspondencia precisa son ecoicas, copia de texto, imitación (cuando está relacionada con lenguaje de signos), textual y transcripción.

Coste de respuesta Pérdida contingente de reforzadores (p.ej., una multa), que produce una reducción en la frecuencia de la conducta; es una forma de castigo negativo.

Coste de respuesta con reserva de reforzadores Procedimiento para aplicar coste de respuesta en el que se proporciona a la persona una reserva de reforzadores que se le retiran en cantidades predeterminadas de forma contingente a la ocurrencia de la conducta objetivo.

Credibilidad Grado en el que el investigador se convence a sí mismo y a los demás de que los datos son confiables y merecen interpretación. Las medidas de acuerdo entre observadores (AEO) son las que más frecuentemente se utilizan como guía de credibilidad en el análisis de conducta. (Ver **acuerdo entre observadores (AEO)).**

Cuestionario conductual Cuestionario que contiene descripciones de habilidades específicas (generalmente en orden jerárquico) y las condiciones en las que se debe observar cada habilidad. Algunos cuestionarios han sido diseñados para evaluar una conducta particular o un área de habilidades. Otros evalúan múltiples conductas o áreas de habilidades. La mayoría utiliza una escala Likert para valorar las respuestas.

Datos Resultados de medir, normalmente de una forma cuantificable, en análisis aplicado de la conducta, hace referencia a las medidas de alguna dimensión cuantificable de la conducta.

Definición basada en la topografía Define ejemplos de la clase de respuesta objetivo en base a la forma de la conducta.

Definición funcional Designa respuestas como miembros de la clase de respuesta objetivo únicamente en términos de su efecto común en el ambiente.

Deriva del observador Cualquier cambio no intencionado en la manera en que un investigador utiliza un sistema de registro durante el curso de una investigación y que resulta en un error de medida; generalmente implica un giro (deriva) en la interpretación del observador sobre la definición original de la conducta objetivo tras empezar a entrenarla. (Ver **sesgo de medida, reactividad del observador).**

Deriva del tratamiento Situación no deseable en la que la variable independiente de un experimento se aplica de forma diferente durante fases avanzadas respecto a cómo se hacía al inicio del estudio.

Desensibilización sistemática Tratamiento de terapia conductual para la ansiedad, miedos y fobias que implica la sustitución de una respuesta no deseada (el miedo y la ansiedad) por otra respuesta (generalmente la relajación muscular). El cliente practica la relajación mientras se imagina situaciones que le provocan ansiedad, comenzando por situaciones que le causan menos temor y avanzando secuencialmente hacia las que le causan el mayor temor.

Desemparejamiento Dos tipos: (a) La ocurrencia por sí solo de un estímulo que adquirió su función al ser emparejado con un estímulo que ya era efectivo, o (b) la ocurrencia de un estímulo en ausencia o en presencia del estímulo efectivo. Ambos tipos de desemparejamiento deshacen el resultado del emparejamiento: la ocurrencia por sí solo del estímulo que se convirtió en reforzador condicionado; y la ocurrencia del reforzador incondicionado en la ausencia y presencia del reforzador condicionado.

Desvanecimiento Procedimiento para transferir el control de estímulos en el que las características de un estímulo antecedente (p.ej., forma, tamaño, posición, color) que controlan la conducta se modifican gradualmente hasta convertirse en un estímulo nuevo mientras se mantiene la conducta actual; las características del estímulo pueden incrementarse o resaltarse o pueden disminuirse.

Determinismo Supuesto de que el universo es un lugar ordenado y guiado por leyes en el que todos los fenómenos ocurren en relación a otros eventos y no de una forma arbitraria y accidental.

Diferenciación de respuesta Cambio conductual producido por reforzamiento diferencial: los miembros de la clase de respuesta que ha sido reforzada ocurren con mayor frecuencia y los miembros no reforzados ocurren con menor frecuencia (son extinguidas); el resultado general es la emergencia de una nueva clase de respuesta.

Diseño AB Diseño experimental de dos fases, la primera de las cuales es una condición de lineabase previa al tratamiento (A) seguida de una condición de tratamiento (B).

Diseño ABA Diseño experimental de tres fases consistente en una primera en la que se establece la lineabase (A), que se mantiene hasta obtener datos estables (o una tendencia opuesta a la dirección esperada de la intervención), una fase de intervención en la que se aplica la condición de tratamiento (B) hasta que la conducta ha cambiado y se obtienen datos estables, y una condición de vuelta a la lineabase (A) retirando la variable independiente para comprobar si la respuesta vuelve a los niveles observados en la lineabase inicial. (Ver **diseño ABAB, diseño de reversión** y **diseño de retirada).**

Diseño ABAB Diseño experimental consistente en (1) una fase inicial de lineabase (A) hasta que se obtengan datos estables (una tendencia opuesta a la dirección esperada de la intervención), (2) una fase de intervención inicial en la que se aplica la variable de tratamiento (B) hasta que la conducta cambia o se obtienen datos estables, (3) una vuelta a la condiciones de lineabase (A) retirando la variable independiente para comprobar si la respuesta vuelve a los niveles observados en la lineabase inicial, y (4) una segunda fase de intervención (B) para comprobar si se replican los efectos iniciales de la intervención (también llamada *diseño de reversión, diseño de retirada*).

Diseño alternante Diseño experimental en el que dos o más condiciones (una de las cuales puede ser una condición de control sin tratamiento) son presentadas en una sucesión rápida de forma alternante (p.ej., en sesiones o días alternos) independientemente del nivel de respuesta; las diferencias en la respuesta dentro o entre las condiciones se atribuyen a los efectos de las condiciones (también llamado *diseño de programa concurrente, diseño multielemento, diseño de programa múltiple*).

Diseño BAB Diseño experimental de 3 fases que comienza con la condición de tratamiento. Después de obtener datos estables en la respuesta durante la fase inicial de tratamiento (B), la variable de tratamiento se retira (A) para ver si se producen cambios en la respuesta en la ausencia de la variable independiente. La variable de tratamiento es después reintroducida (B) en un intento de recuperar el nivel de respuesta obtenido durante la fase inicial de tratamiento.

Diseño de caso único Serie de diseños de investigación que utilizan una forma de razonamiento experimental llamada *lógica de la lineabase* para demostrar los efectos de la variable independiente sobre la conducta de sujetos individuales. (También llamado *diseño intrasujeto*). (Ver también **diseño de tratamientos alternantes, lógica de la lineabase, diseño de criterio cambiante, diseño de lineabase múltiple, diseño de reversión** y **ley de los valores iniciales).**

Diseño de criterio cambiante Diseño experimental en el que a una fase inicial de lineabase le siguen una serie de fases de tratamientos que consisten en cambios de criterio de reforzamiento o castigo, de forma sucesiva y gradual.

Diseño de lineabase múltiple Diseño experimental que comienza midiendo de forma concurrente dos o más conductas en la condición de lineabase, y a continuación se aplica la variable de tratamiento a una de las conductas mientras se mantiene la condición de lineabase en la otra conducta (o conductas). Una vez que se ha alcanzado un cambio máximo en la primera conducta, se aplica la variable de tratamiento de forma secuencial a cada una de las otras conductas del experimento. Se demuestra control experimental si se observan cambios similares en cada conducta únicamente cuando se introduce la variable de tratamiento.

Diseño de lineabase múltiple con varias conductas Diseño de lineabase múltiple en el que se aplica la variable de tratamiento a dos o más conductas diferentes de la misma persona en el mismo lugar.

Diseño de lineabase múltiple con varios contextos Diseño de lineabase múltiple en el que se aplica la variable de tratamiento a la misma conducta de la misma persona en dos o más contextos, situaciones o períodos de tiempo diferentes.

Diseño de lineabase múltiple con varios sujetos Diseño de lineabase múltiple en el que se aplica la variable de tratamiento a la misma conducta de dos o más personas (o grupos) en el mismo contexto.

Diseño de lineabase múltiple demorada Variación del diseño de lineabase múltiple en el que se empieza una lineabase inicial, y posiblemente la intervención, para una conducta (o ambiente, o sujeto), y posteriormente se empiezan líneas bases para conductas adicionales de manera demorada o escalonada.

Diseño de retirada Término que algunos autores utilizan como sinónimo de diseños ABAB; también se utiliza para describir experimentos en los que se retira secuencial o parcialmente un tratamiento efectivo para favorecer el mantenimiento de los cambios de conducta. (Ver **diseño ABAB, diseño de reversión).**

Diseño de reversión Cualquier diseño experimental en el que el investigador intenta verificar el efecto de la variable independiente "revirtiendo" las respuestas a un nivel obtenido en una condición previa; incluye diseños experimentales en los que la variable independiente es retirada (diseños ABA) o en los que se invierte su enfoque (p.ej., RDI/RDA). (Ver **diseño ABA, diseño ABAB, BAB, técnica de reversión mediante RDI/RDA, técnica de reversión mediante RDO** y **técnica de reversión mediante reforzamiento no contingente (RNC)**)

Diseño de reversión de tratamientos múltiples Cualquier diseño experimental que utiliza métodos experimentales y lógica de técnica de reversión para comparar los efectos de dos o más condiciones experimentales con la condición de lineabase y/o entre ellas (p.ej., ABABCBC, ABACADACAD, ABABB+CBB+C).

Diseño de sondeos múltiple Variación del diseño de lineabase múltiple que se caracteriza por mediciones intermitentes, o sondeo, durante la lineabase. Se utiliza para evaluar los efectos de la enseñanza en secuencias de habilidades en las que es improbable que el sujeto pueda mejorar su ejecución en las fases más avanzadas de la secuencia antes de aprender los pasos previos.

Diseño experimental Determinado tipo y secuencia de condiciones presentes en un estudio, en el que se pueden hacer comparaciones significativas de los efectos de la presencia y ausencia (o diferentes valores) de la variable independiente.

Diseño multielemento Ver **diseño alternante.**

Duda filosófica Actitud por la que se debe cuestionar continuamente la veracidad y validez de toda teoría y conocimiento científicos.

Duración Medida de la cantidad de tiempo total que dura una conducta.

Ecoica Una de las operantes verbales elementales en la que la respuesta es evocada por un estímulo discriminativo verbal que mantiene correspondencia punto por punto y similitud formal con la respuesta.

Economía de fichas Sistema por el que los participantes ganan reforzadores condicionados generalizados (p.ej., fichas, puntos) como consecuencia inmediata por conductas específicas; los participantes acumulan fichas y las intercambian por objetos o actividades especificados en un menú de reforzadores intercambiables. (Ver también **reforzador condicionado generalizado**).

Efecto de abolición del reforzador (de una operación motivadora) Reducción en la efectividad reforzante de un estímulo, objeto o evento causado por una operación motivadora. Por ejemplo, la privación de comida establece (incrementa) la efectividad reforzante de la comida.

Efecto de la alteración del valor (de una operación motivadora) Alteración en la efectividad reforzante de un estímulo, objeto o evento como resultado de una operación motivadora. Por ejemplo, la efectividad reforzante de la comida se altera por la privación y la ingestión de comida.

Efecto evocativo (de una operación motivacional) Incremento en la frecuencia actual de una conducta como consecuencia de la exposición a una operación motivacional. Por ejemplo, la privación de comida evoca (incrementa la frecuencia actual de) conducta que ha sido reforzada con comida.

Efecto modificador de la conducta (de una operación motivacional) Alteración temporal en la frecuencia actual de conducta debida a la exposición a una operación motivacional. Por ejemplo, un incremento o disminución en la frecuencia de conducta previamente reforzada por comida, debido a privación o a ingesta de comida.

Efecto modificador de la función (relevante para relaciones entre operantes) Cambio relativamente permanente en el repertorio de OM, estímulos y relaciones de respuesta del individuo, causado por reforzamiento, castigo, un procedimiento de extinción o la recuperación de un procedimiento de castigo. Los efectos modificadores de la función respondiente son consecuencia del emparejamiento y el desparejamiento de estímulos antecedentes.

Efecto reductor (de una operación motivacional) Reducción temporal en la frecuencia actual de la conducta como consecuencia de la exposición a una operación motivacional. Por ejemplo, la ingesta de comida abate (disminuye la actual frecuencia de) conducta que ha sido previamente reforzada por el acceso a comida.

Efectos de la práctica Mejora en el rendimiento como resultado de las oportunidades para llevar a cabo una conducta repetidamente para obtener las medidas para la lineabase.

Efectos de secuencia Efectos en la conducta de un sujeto en una condición determinada, que son el resultado de la experiencia del sujeto con una condición anterior.

Emparejamiento estímulo – estímulo (o apareamiento estímulo – estímulo) Procedimiento en el que se presentan dos estímulos al mismo tiempo, normalmente de forma repetida durante un número de ensayos, lo que a menudo resulta en que un estímulo adquiere la función del otro estímulo.

Empirismo Observación objetiva del fenómeno de interés; observaciones objetivas son "independientes de los prejuicios individuales, gustos y opiniones privadas del científico... Los resultados de los métodos empíricos son objetivos porque cualquier los puede observar y no dependen de la creencia subjetiva del científico" (Zuriff, 1985, p.9).

Encadenamiento Varios procedimientos para enseñar cadenas de conducta. (Ver **encadenamiento hacia atrás, encadenamiento hacia atrás con saltos, encadenamiento de conductas** y **encadenamiento hacia delante).**

Encadenamiento con estrategia de interrupción Intervención que depende de la habilidad del participante para realizar los elementos críticos de una cadena de forma independiente; se interrumpe la cadena de vez en cuando de manera que se pueda emitir otra conducta.

Encadenamiento de la tarea total Variación del encadenamiento hacia delante en el que se enseña al estudiante cada conducta de la cadena durante cada sesión.

Encadenamiento hacia atrás Procedimiento de enseñanza en el que el maestro completa toda una cadena de conductas a excepción de la última, la cual es realizada por el estudiante, y éste es reforzado por haber completado la cadena. Cuando el estudiante se muestra competente en la realización del último paso de la cadena, el maestro completa toda la cadena a excepción de las dos últimas conductas de la cadena, el estudiante realiza los dos últimos pasos para completarla dicha cadena y es reforzado por ello. Se continúa esta secuencia hasta que el estudiante completa toda la cadena de forma independiente.

Encadenamiento hacia atrás con saltos o **encadenamiento retrógrado con saltos** Procedimiento de encadenamiento hacia atrás en el que se omiten algunos pasos del análisis de tareas; se utiliza para incrementar la eficiencia de la enseñanza de cadenas de conducta largas cuando hay evidencia de que los pasos omitidos están en el repertorio del estudiante.

Encadenamiento hacia delante Método para la enseñanza de cadenas de conducta que comienza dando ayudas al estudiante y enseñándole a realizar la primera conducta del análisis de tareas; el maestro completa el resto de los pasos de la cadena. Cuando el estudiante se muestra competente en la realización del primer paso de la cadena, se le enseña a realizar las dos primeras conductas de la cadena, y el maestro completa el resto de la cadena. Se continúa este proceso hasta que el estudiante completa toda la cadena de forma independiente.

Ensayo discreto Cualquier operante cuya tasa de respuesta está controlada por una oportunidad para emitir la respuesta. Cada respuesta discreta ocurre cuando existe una oportunidad para responder. *Ensayo discreto, operante restrictiva y operante controlada* son términos técnicos sinónimos. (Contrastar con **operante libre).**

Ensayos hasta el criterio Forma especial de registro de eventos; una medida del número de respuestas u oportunidades de aprendizaje que una persona necesita para lograr un nivel preestablecido de precisión o competencia.

Enseñanza sin rigor Variación aleatoria de estímulos funcionalmente irrelevantes dentro de una sesión de enseñanza y entre sesiones; favorece la generalización de contexto al reducir la probabilidad de que (a) un estímulo o un pequeño grupo de estímulos no críticos adquieran control exclusivo sobre la conducta objetivo y (b) el rendimiento del estudiante en una conducta objetivo no sea el adecuado si encuentra cualquiera de esos estímulos no críticos en el contexto de generalización.

Entrenamiento con clics Término popularizado por Pryor (1999) para moldeamiento de conductas utilizando un reforzamiento condicionado con un estímulo auditivo. Un aparato de tamaño pequeño, que se puede sujetar con una mano, produce un sonido ("clic") cuando se presiona. El entrenador empareja el sonido con otras formas de reforzamiento (p.ej., tangibles) de manera que el sonido se convierte en un reforzador condicionado.

Entrenamiento con ejemplares múltiples Tipo de instrucción que aporta al estudiante práctica con una variedad de condiciones de estímulo, variaciones de respuesta y topografías de respuesta para asegurar la adquisición de formas de respuesta con control de estímulo adecuado; se utiliza para favorecer la generalización tanto de contexto como de respuesta. (Ver **suficientes ejemplos de enseñanza).**

Entrenamiento en comunicación funcional Intervención en antecedentes en el que se enseña conducta para comunicarse de forma adecuada como conducta sustituta del problema de conducta y que generalmente evoca una operación de establecimiento (OE); implica reforzamiento diferencial de conducta alternativa (RDA).

Entrenamiento en discriminación de estímulo Procedimiento convencional que requiere una conducta y dos condiciones de estímulo antecedente. Se refuerzan las respuestas en presencia de una condición de estímulo, el E^D, pero no se refuerzan las que se dan en presencia de otro estímulo, el E^Δ.

Equivalencia de estímulos Emergencia de respuestas correctas a ante relaciones de estímulo – estímulo no entrenadas y no reforzadas, tras haber reforzado respuesta ante otras relaciones estímulo – estímulo. Para que se pueda definir como equivalencia, es necesaria una demostración positiva de reflexividad, simetría y transitividad.

Error tipo I Error que ocurre cuando un investigador concluye que la variable independiente tiene un efecto en la variable dependiente, cuando esa relación realmente no existe; es un *falso positivo*. (Contrastar con **error tipo II).**

Error tipo II Error que ocurre cuando un investigador concluye que la variable independiente no tiene un efecto en la variable dependiente, cuando en realidad sí que lo tiene; es un *falso negativo*. (Contrastar con **error tipo I).**

Espera limitada Situación en la que el reforzamiento está disponible solo durante un tiempo limitado tras la finalización de un IF o IV; si la respuesta objetivo no ocurre durante ese tiempo limitado, se retiene el reforzamiento y comienza un nuevo intervalo (p.ej., en un programa de IF 5 minutos con una espera limitada de 30 segundos, se refuerza la primera respuesta correcta transcurridos los 5 minutos solo si la respuesta ocurre a lo largo de 30 segundos desde que terminó el intervalo de 5 minutos).

Estado estable de respuesta Patrón de respuesta que muestra una variación relativamente pequeña en la medición de sus dimensiones cuantitativas a lo largo de un período de tiempo.

Estímulo "Cambio de energía que afecta a un organismo a través de sus células receptoras" (Michael, 2004, p.7).

Estímulo aversivo En general, es un estímulo desagradable o nocivo; más técnicamente, es un cambio o una condición estimular que funciona (a) evocando una conducta que puso fin a, o eliminó, dicho estímulo en el pasado; (b) como un castigo o estímulo punitivo cuando es presentado tras la conducta, y/o (c) como un reforzador cuando es retirado tras la realización de una conducta.

Estímulo condicionado (EC) Componente estimular de un reflejo condicionado; un cambio neutral en el estímulo que elicita conducta respondiente solo después de que ha sido emparejado con un estímulo incondicionado (EI) u otro EC.

Estímulo delta (E^{Δ}) Estímulo en presencia del cual no se producido reforzamiento en el pasado para una conducta determinada. (Contrastar con **estímulo discriminativo (E^{D})).**

Estímulo discriminativo (E^{D}) Estímulo en presencia del cual se han reforzado algunos tipos de respuesta y en ausencia del cual las ocurrencias de los mismos tipos de respuesta no han sido reforzados; esta historia de reforzamiento diferencial es la razón por la que un E^{d} aumenta la frecuencia momentánea de la conducta. (Ver **reforzamiento diferencial, control de estímulos, entrenamiento en discriminación de estímulos y estímulo delta [E^{Δ}]).**

Estímulo incondicionado (EI) Estímulo de un reflejo incondicionado; es un cambio estimular que elicita conducta respondiente sin ningún aprendizaje previo.

Estímulo mediador artificial Cualquier estímulo que se convierte en funcional en el ambiente de enseñanza para la conducta objetivo, y que después ayuda o contribuye a que el estudiante ponga en marcha la conducta objetivo en el contexto de generalización.

Estímulo neutro (EN) Cambio estimular que no elicita conducta respondiente. (Comparar con **estímulo condicionado (EC), estímulo incondicionado (EI)).**

Estímulo punitivo Cambio estimular que reduce la frecuencia futura de la conducta a la que precede. (Ver **estímulo aversivo, estímulo punitivo condicionado y estímulo punitivo incondicionado).**

Estímulo punitivo condicionado Estímulo previamente neutro que cambia y empieza a funcionar como estímulo punitivo o castigo porque se ha emparejado con uno o más estímulos punitivos; a veces también llamado *estímulo punitivo secundario* o *aprendido*. (Comparar con **estímulo punitivo incondicionado).**

Estímulo punitivo condicionado generalizado Cambio estimular que, como resultado de haber sido emparejado con otros muchos estímulos punitivos, funciona como tal en muchas circunstancias porque no depende del control de las condiciones motivadoras para tipos específicos de castigo.

Estímulo punitivo incondicionado Cambio estimular que disminuye la frecuencia de cualquier conducta que se haya realizado inmediatamente antes, independientemente de la historia de aprendizaje del organismo con ese estímulo. Los castigos incondicionados son el resultado del desarrollo evolutivo de las especies (filogenia), lo que significa que todos los miembros de una especie son más o menos susceptibles al castigo por la presentación de castigos incondicionados (también llamados *estímulos punitivos primarios* o *no aprendidos*). (Comparar con **estímulo punitivo condicionado).**

Estrategia de cambio de conducta Método tecnológicamente consistente para modificar conducta derivada de uno o varios principios de conducta (p.ej., reforzamiento diferencial de otras conductas o coste de respuesta); posee suficiente generalidad entre sujetos, contextos y conductas como para garantizar su codificación y diseminación.

Ética Conductas, prácticas y decisiones que dan respuesta a preguntas básicas y fundamentales como: ¿Qué es lo más correcto? ¿Qué merece la pena hacer? ¿Qué significa ser un buen analista de conducta?

Evaluación conductual Forma de evaluación que implica un amplio rango de métodos de recopilación de información (observación, entrevista, pruebas y manipulación sistemática de variables antecedentes o consecuentes) para identificar posibles variables de control antecedentes y consecuentes. Se diseña la evaluación conductual para descubrir recursos, objetos, personas relevantes, contingencias competitivas, factores de mantenimiento y generalización, y posibles reforzadores y/o estímulos punitivos que rodean a la conducta objetivo.

Evaluación de preferencia de estímulo Variedad de procedimientos utilizados para determinar qué estímulos prefiere una persona, los valores relativos de preferencia (altos versus bajos) de dichos estímulos, las condiciones bajo las que dichas valores de preferencia se mantienen y su potencial valor como reforzadores.

Evaluación ecológica Protocolo de evaluación que tiene en cuenta complejas interrelaciones entre el ambiente y la conducta. Una evaluación ecológica es un método para obtener datos a través de múltiples contextos y personas.

Evaluación funcional de la conducta Método sistemático de evaluación para obtener información sobre los motivos (funciones) por los que una persona lleva a cabo una conducta; los resultados se utilizan para guiar el diseño de una intervención para reducir el problema de conducta y aumentar conductas adecuadas.

Evaluación funcional descriptiva de la conducta Observación directa del problema de conducta y sus eventos antecedentes y consecuentes en condiciones naturales.

Evaluación funcional indirecta Entrevistas estructuradas, lista de comprobación, escalas de valoración, o cuestionarios utilizados para obtener información de personas cercanas a la persona que muestra el problema de conducta (p.ej., profesores, padres, cuidadores o la propia persona); se utiliza para identificar condiciones o eventos en el ambiente natural que correlacionan con el problema de conducta.

Evitación de operante libre Contingencia en la que las respuestas ocurridas en cualquier momento durante un intervalo, antes de la aparición de un estímulo aversivo, retrasan la presentación de dicho estímulo aversivo. (Contrastar con **evitación discriminada).**

Evitación discriminada Contingencia en la que responder en presencia de una señal previene la aparición de un estímulo para el que el escape es un reforzador. (Ver también **estímulo discriminativo, operante discriminada, evitación de operante libre** y **control de estímulos).**

Experimento Comparación de algunas medidas del fenómeno de interés (variable dependiente), controlada cuidadosamente, bajo dos o más condiciones diferentes; lo que diferencia una condición de otra es que solo se modifica un factor (variable independiente) en cada una de ellas.

Extensión genérica (de tacto) Tacto evocado por un estímulo nuevo que comparte todas las características relevantes o definitorias asociadas con el estímulo original.

Extensión metafórica (tacto) Tacto evocado por un estímulo nuevo que comparte algunas de las características relevantes, o incluso todas, del estímulo original.

Extensión metonímica (tacto) Tacto evocado por un estímulo nuevo que no comparte ninguna de las características relevantes de la configuración original del estímulo, pero alguna característica irrelevante aunque relacionada ha adquirido el control de estímulo.

Extensión por solecismo (tacto) Respuesta verbal evocada por una propiedad del estímulo que está solo indirectamente relacionada con la relación propia del tacto (p.ej., incorrecciones lingüísticas como los siguientes: decir "*zológico*" en vez de "zoológico", "*areopuerto*" en vez de "aeropuerto", "*metereología*" en lugar de "meteorología", decir "*lees bueno*" en lugar de "lees bien".

Extensión temporal Hace referencia al hecho de que cada instancia de conducta ocurre durante un período de tiempo determinado; es una de las tres dimensiones cuantitativas de la conducta de las que se derivan todas las medidas conductuales. (Ver **reproducibilidad** y **locus de control).**

Extinción (operante) Finalización del reforzamiento de una conducta previamente reforzada (es decir, las respuestas dejan de producir reforzamiento); el efecto principal es una disminución en la frecuencia de la conducta hasta que alcanza niveles previos al reforzamiento o hasta que deja de ocurrir. (Ver **incremento de la respuesta asociado a la extinción** y **recuperación espontánea**; comparar con **extinción respondiente).**

Extinción de la conducta de escape Conducta que se estaba manteniendo por reforzamiento negativo se pone en extinción cuando a dicha conducta ya no le sigue la terminación del estímulo aversivo; emitir la conducta objetivo no posibilita a la persona escapar de la estimulación aversiva.

Extinción respondiente Presentación repetida de un estímulo condicionado (EC) en ausencia del estímulo incondicionado (EI); el EC gradualmente pierde su habilidad para elicitar la respuesta condicionada hasta que el reflejo condicionado deja de aparecer en el repertorio del individuo.

Extinción sensorial Proceso por el que se ponen en extinción conductas mantenidas por reforzamiento automático, enmascarando o quitando la consecuencia sensorial.

Fiabilidad o **confiabilidad** Hace referencia a la consistencia de la medición, y más específicamente, al grado hasta el que si se repiten las mediciones de un mismo evento vuelven a producirse los mismos valores.

Ficción explicativa Variable ficticia o hipotética que a menudo toma la forma de otro nombre para el fenómeno observado al que pretende explicar y no contribuye en nada a una explicación funcional o a la comprensión del fenómeno, como "inteligencia" o "conciencia cognitiva" como explicaciones de por qué un organismo empuja una palanca cuando la luz está encendida y la comida está disponible, pero no presiona la palanca cuando la luz está apagada y la comida no está disponible.

Ficha Objeto con el que se premia de forma contingente a conducta apropiada y que sirve como medio de intercambio para reforzadores.

Fidelidad del tratamiento Ver **integridad del tratamiento.**

Filogenia Historia de la evolución natural de una especie. (Comparar con **ontogenia).**

Formación de conceptos Ejemplo complejo de control de estímulos que requiere generalización de estímulos dentro de una clase de estímulos, y discriminación entre clases de estímulos.

Forzar la razón Efecto conductual asociado con un incremento brusco en los requisitos de la razón cuando se cambia de un programa de reforzamiento más denso a uno más fino; los efectos más comunes incluyen evitación, agresión y pausas no predecibles o cese en la respuesta.

Frecuencia Tasa de ocurrencia por período de observación; a menudo se presenta como ocurrencia por unidad estándar de tiempo (p.ej., por minuto, por hora, por día) y se calcula dividiendo el número de respuestas registradas por el número de la unidad estándar de tiempo en el que se han llevado a cabo las observaciones; *frecuencia* y *tasa* se utilizan indistintamente.

Funcionalmente equivalente Que tienen la misma función o motivo; diferentes topografías de la conducta son funcionalmente equivalentes cuando producen las mismas consecuencias.

Generalización Término genérico para una variedad de procesos conductuales y resultados del cambio de conducta. (Ver **gradiente de generalización, cambio generalizado de conducta, generalización de respuesta, mantenimiento de la respuesta, generalización de contexto o situación** y **generalización de estímulo).**

Generalización de contexto Grado en el que un estudiante emite una conducta objetivo en un contexto o situación diferente al contexto de enseñanza.

Generalización de estímulo Cuando una respuesta tiene historia de ser reforzada en presencia de un estímulo antecedente, el mismo tipo de conducta tiende a ser evocada por estímulos que comparten propiedades físicas similares con el estímulo de control antecedente.

Generalización de respuesta Grado hasta el que el estudiante emite respuestas sin entrenamiento previo que son funcionalmente equivalentes a la conducta objetivo entrenada. (Comparar con **mantenimiento de respuesta** y **generalización del contexto).**

Generalización entre sujetos Cambios en la conducta de personas que no han sido directamente tratadas en la intervención como resultado de las contingencias de tratamiento aplicadas a otras personas.

Gestión o promoción de la autonomía personal Aplicación personal de técnicas de modificación de conducta que produce un cambio deseado en conducta.

Gradiente de generalización de estímulo Representación gráfica del grado en que se emite una conducta, que ha sido reforzada en presencia de una específica condición de estímulo, ante otros estímulos. El gradiente muestra relativo grado de generalización de estímulo y de control de estímulo (o discriminación). La ausencia de cambios en la conducta al presentar varios estímulos de prueba sugiere un alto grado de generalización de estímulos y una discriminación relativamente pequeña entre estímulos entrenados y otros estímulos; una pendiente que cae bruscamente hacia abajo desde el punto más alto, que corresponde a los estímulos entrenados, indica un alto grado de control de estímulo (discriminación) y una generalización de estímulos relativamente pequeña.

Gráfico de un registro acumulativo Tipo de gráfico en el que se representa en el eje vertical el número acumulativo de respuestas emitidas; cuanto más acentuada sea la pendiente, más alta será la tasa de respuesta.

Gráfico Formato visual para representar los datos; revela relaciones entre una serie de medidas y variables relevantes.

Gráfico de aceleración estándar Gráfico dividido de forma múltiple con 6 ciclos de 10 segmentos (o x10, ÷10) sobre el eje vertical, y en el que se pueden representar tasas de respuesta tan bajas como 1 cada 24 horas (0,000695 por minuto) y tan altas como 1.000 por minuto. Este tipo de gráfico hace posible la representación gráfica estandarizada de la aceleración, un factor por el que se multiplica o divide la tasa de la conducta entre la unidad de tiempo. (Ver **gráfico semilogarítmico).**

Gráfico de barras Formato de gráfico simple y versátil para presentar los datos de las respuestas; comparte la mayoría de las características de un gráfico de línea, salvo que no tiene puntos de datos distintivos que representen medidas de respuesta a lo largo del tiempo. También llamado *histograma*.

Gráfico de dispersión Gráfico de dos dimensiones que muestra la distribución relativa de mediciones de un individuo en un conjunto de datos relacionados con las variables representadas en el eje *x* y en el eje *y*. Los puntos de datos de un gráfico de dispersión no están conectados.

Gráfico de línea Basado en el plano Cartesiano, consiste en un área de dos dimensiones formada por la intersección de dos líneas perpendiculares. Cualquier punto dentro del plano representa una relación específica entre las dos dimensiones definidas por las líneas de intersección. Es el formato de gráfico más común para representar los datos en análisis aplicado de conducta.

Gráfico semilogarítmico Gráfico de dos dimensiones con un eje *y* con escala logarítmica, es decir que distancias iguales en el eje vertical (valores separados por la misma distancia en el eje vertical) representan cambios en la conducta en la misma proporción. (Ver **Gráfico de Aceleración Estándar).**

Habilitación La habilitación o ajuste se produce cuando el repertorio de una persona ha cambiado tanto que se potencia el acceso a reforzadores a corto y largo plazo y se minimizan los castigos a corto y largo plazo.

Habituación Disminución en la sensibilidad a la presentación repetida de un estímulo; generalmente utilizado para describir una disminución en conducta respondiente como resultado de la presentación repetida del estímulo que elicita la respuesta durante un corto período de tiempo; algunos investigadores sugieren que el concepto también se puede aplicar a los cambios que se dan en la conducta operante dentro de una misma sesión.

Hablante Persona que lleva a cabo conducta verbal al emitir mandos, tactos, intraverbales, autoclíticos, etcétera. Un hablante también es una persona que utiliza lenguaje de signos, gestos, señales, palabas escritas, códigos, imágenes o cualquier otra forma de conducta verbal. (Contrastar con **oyente).**

Hipótesis de privación de respuesta Modelo para predecir si el acceso contingente a una conducta puede funcionar como reforzador para realizar otra conducta, basándose en si el acceso a la conducta contingente representa la restricción de una actividad comparado con el nivel de ejecución de la lineabase. (Ver **principio de Premack).**

Historia de reforzamiento Término inclusivo que hace referencia a las experiencias generales de aprendizaje de una persona y más específicamente a condicionamientos pasados relacionados con clases particulares de respuesta o aspectos del repertorio de la persona. (Ver **ontongenia).**

Ignorar planificado Procedimiento para aplicar tiempo fuera en el que se retienen los reforzadores sociales (generalmente atención, contacto físico e interacción verbal) por un breve período de tiempo de forma contingente a la ocurrencia de la conducta objetivo.

Igualación a la muestra Procedimiento para investigar relaciones condicionales y equivalencia de estímulos. Un ensayo de igualación a la muestra comienza con el participante emitiendo una respuesta que hace que aparezca el estímulo muestra; después, el estímulo muestra puede o no ser retirado y se presentan dos o más estímulos de comparación. Entonces el participante selecciona uno de los estímulos de comparación. Se refuerzan las respuestas que seleccionan un estímulo de comparación que coincide con el estímulo de muestra, y no se refuerzan las respuestas que eligen el estímulo de comparación que no coincide con la muestra.

Imitación Conducta controlada por cualquier movimiento físico que sirve como un modelo nuevo, excluyendo la conducta verbal vocal, que tiene similitud formal con el modelo, y sigue inmediatamente a dicho modelo (p.ej., transcurren unos segundos tras la presentación del modelo). Una conducta imitativa es una conducta nueva emitida tras un evento nuevo antecedente (es decir, el modelo). (Ver **similitud formal**; contrastar con **ecoica**).

Incremento de la respuesta asociado a la extinción Incremento en la frecuencia de la respuesta cuando se inicia la aplicación del procedimiento de extinción.

Inflexión conductual Conducta que tiene consecuencias repentinas y dramáticas que van más allá del cambio en sí mismo porque expone a la persona a nuevos ambientes, reforzadores, contingencias, respuestas y controles de estímulo. (Ver **conducta pivote).**

Integridad del tratamiento Grado en el que se aplica la variable independiente exactamente como se había planificado y descrito y no se administran otras variables no planificadas de forma inadvertida a lo largo del tratamiento planificado. También llamado **fidelidad del tratamiento**.

Interferencia por tratamientos múltiples Efectos de un tratamiento en una conducta de un sujeto se ven alterados por la influencia de otro tratamiento administrado en el mismo estudio.

Intervalo fijo (IF) Programa de reforzamiento en el que se proporciona reforzamiento a la primera respuesta que se emite después de que haya pasado un período fijo de tiempo desde que se reforzó la última respuesta (p.ej., en un programa de IF de 3 minutos, se refuerza la primera respuesta que ocurre después de pasados 3 minutos).

Intervalo variable (IV) Programa de reforzamiento que produce reforzamiento para la primera respuesta correcta tras la finalización de diferentes duraciones de tiempo, las cuales ocurren en un orden impredecible y aleatorio. Se utiliza la duración media de los intervalos para describir el programa (p.ej., en un programa de IV 10 minutos, se proporciona reforzamiento a la primera respuesta que ocurre tras una media de 10 minutos desde que fue reforzada la última respuesta, pero el tiempo que transcurre desde la última respuesta reforzada puede variar de 30 segundos o menos a 25 minutos o más).

Intervención en el antecedente Estrategia para modificar la conducta en la que se manipula el estímulo antecedente de forma no contingente (operaciones motivacionales). (Ver **reforzamiento no contingente, secuencia de respuesta de alta probabilidad,** y **entrenamiento en comunicación funcional**. Contrastar con el **control de antecedentes**, que consiste en una intervención para la modificación de conducta que manipula los eventos consecuentes de forma contingente para lograr el control de estímulos).

Intraverbal Operante verbal elemental que es evocada por un estímulo discriminativo verbal y que *no* tiene correspondencia punto por punto con dicho estímulo verbal.

Irreversibilidad Situación que ocurre cuando no se puede reproducir el nivel de respuesta observado en una fase anterior a pesar de que las condiciones experimentales son las mismas que durante dicha fase anterior.

Latencia Ver **latencia de respuesta**.

Latencia de respuesta Medida de locus temporal; el tiempo transcurrido entre la aparición de un estímulo (p.ej., instrucciones para la tarea, señal) y el inicio de la respuesta.

Ley de igualación Asignación de las respuestas a las opciones disponibles en programas de reforzamiento concurrentes; las tasas de respuesta de cada opción se distribuyen en proporciones que coinciden con las tasas de reforzamiento recibidas en cada opción alternativa.

Ley de valores iniciales Exponer repetidamente a un sujeto a una condición determinada al mismo tiempo que se intenta eliminar o controlar influencias extrañas sobre la conducta y obtener un patrón estable de respuesta antes de introducir la siguiente condición.

Lineabase Condición en un experimento en la que no se presenta la variable independiente; los datos obtenidos durante la lineabase son el fundamento para determinar los efectos de la variable independiente: una condición de control que no necesariamente implica la ausencia de instrucción o tratamiento, solo la ausencia de una variable independiente específica y que tiene interés experimental.

Lineabase ascendente Trayectoria de datos que muestra una tendencia en alza de la respuesta a lo largo del tiempo. (Comparar con **lineabase descendente**).

Lineabase descendiente Trayectoria de datos que muestra una tendencia descendente en la medida de la respuesta a lo largo del tiempo. (Comparar con **lineabase ascendente).**

Lineabase estable Datos que no muestran evidencia de ir hacia arriba o hacia abajo; todas las medidas se encuentran en un rango de valores relativamente pequeño. (Ver **estado estable de respuesta).**

Lineabase variable Datos que de forma consistente no están dentro de un rango relativamente estrecho de valores y que no sugieren ninguna tendencia clara.

Línea de tendencia de aceleración Línea de tendencia de aceleración se mide como un factor por el cual la tasa multiplica o divide a lo largo de los tiempos de aceleración (p.ej., tasa por semana, tasa por mes, tasa por año, y tasa por década). (Ver **aceleración).**

Línea de tendencia de mitad dividida Línea dibujada sobre unos puntos de datos graficados que muestra la tendencia general de los datos; se dibuja con las intersecciones de la mitad vertical y horizontal de cada mitad de los datos graficados, y después se ajusta hacia arriba o hacia debajo de manera que la mitad de los puntos de datos quedan sobre o por encima de la línea y la otra mitad sobre o por debajo de la línea.

Locus temporal Hace referencia al hecho de que cada instancia de la conducta ocurre en un cierto momento de tiempo con respecto a otros eventos (es decir, en qué momento ocurre y que se pueda medir); generalmente se mide en términos de *latencia de respuesta* y de *tiempo entre respuestas (TER)*; es una de las tres dimensiones cuantitativas de la conducta de las que se derivan todas las medidas conductuales. (Ver **reproducibilidad** y **extensión temporal).**

Lógica de la lineabase A veces se utiliza este término para referirse al razonamiento inherente en diseños experimentales de caso único; implica 3 elementos: predicción, verificación y replicación. (Ver **ley de valores iniciales).**

Lugar de generalización Cualquier lugar o situación estimular que difiere de forma relevante del lugar de enseñanza y en el que se desea que aparezca la conducta objetivo. (Contrastar con **contexto instruccional).**

Magnitud Fuerza o intensidad con la que se emite una respuesta; proporciona parámetros cuantitativos importantes que se utilizan para definir y verificar la ocurrencia de algunas clases de respuesta. Se toman datos de las respuestas que alcancen esos criterios y se registra una o más de sus medidas fundamentales o derivadas, como frecuencia, duración o latencia. Algunas veces también se le llama *amplitud*.

Mando Operante verbal elemental que es evocada por una OM y a la que le sigue reforzamiento específico.

Mantenimiento En análisis aplicado de conducta hay dos definiciones diferentes: (a) el grado hasta el que el estudiante continúa realizando la conducta objetivo después de que se ha terminado la intervención o parte de ella (es decir, mantenimiento de la respuesta), una variable dependiente o una característica de la conducta; y (b) una condición en la que el tratamiento se ha parado o se ha retirado parcialmente, una variable independiente o una condición experimental.

Mantenimiento de la respuesta Grado hasta el que el estudiante continúa realizando la conducta objetivo después de que se termina parte o la totalidad de la intervención que ha hecho que aparezca la conducta en el repertorio del estudiante. A veces también se le llama *mantenimiento, durabilidad, persistencia conductual* e, incorrectamente, *resistencia a la extinción*. (Comparar con **generalización de respuesta** y **generalización de contexto).**

Medición directa Ocurre cuando la conducta que se mide es la misma que la conducta objetivo de investigación. (Contrastar con **medición indirecta).**

Medición discontinua Medición dirigida de tal manera que pueden no detectarse algunas ocurrencias de las clases de respuesta de interés.

Medida indirecta Ocurre cuando la conducta que se está midiendo difiere en cierta medida de la conducta de interés; a medida indirecta está considerada menos válida que la medida directa porque se necesita llevar a cabo inferencias sobre la relación entre los datos obtenidos y la conducta de interés real. (Contrastar con **medida directa).**

Medida vía productos conductuales Método para medir conducta después de que ha ocurrido que consiste en registrar el efecto que dicha conducta ha producido en el ambiente.

Mentalismo Enfoque para explicar la conducta que asume que existe una dimensión mental o interna que difiere de la dimensión conductual y que los fenómenos de dicha dimensión causan directamente, o al menos median, algunas formas de conducta, si no todas.

Moldeamiento Utilizar reforzamiento diferencial para producir una serie de clases de respuesta gradualmente diferentes; cada clase de respuesta es una aproximación sucesiva hacia la conducta final. Se van seleccionando para el reforzamiento diferencial los miembros de una clase de respuesta que ya están en el repertorio del sujeto porque se parecen cada vez más a la conducta final. (Ver **reforzamiento diferencial, clase de respuesta, diferenciación de respuesta, aproximaciones sucesivas).**

Momento conductual Metáfora que se utiliza para describir una tasa de respuesta y su resistencia al cambio que sigue a una variación en las condiciones de reforzamiento. La metáfora del momento conductual también se ha utilizado para describir los efectos producidos por la **secuencia de demanda de alta probabilidad**.

Muestreo momentáneo Método de medición en el que se registran la presencia o ausencia de conductas en intervalos de tiempo especificados con precisión. (Contrastar con **registro por intervalos).**

Muestreo temporal Medida de la presencia o ausencia de conducta durante intervalos de tiempo específicos. Es muy útil con conductas continuas y de alta tasa. (Ver **muestreo momentáneo,**

registro de intervalo parcial y **registro del intervalo total).**

Nivel Valor en del eje vertical alrededor del cual convergen una serie de medidas de la conducta.

Normalización Como filosofía y principio, es la creencia de que se debe integrar tanto física como socialmente a las personas con discapacidad en la sociedad, hasta el máximo posible, e independientemente del grado o tipo de discapacidad. Como enfoque para la intervención, consiste en el uso de contextos y procedimientos progresivamente más normalizados "para establecer y/o mantener conductas personales que sean lo más culturalmente normales" (Wolfensberger, 1972, pág. 28).

Número total de respuestas Contabilización o registro del número de ocurrencias de una conducta. Se debe indicar siempre el período de observación, o período de registro de respuestas, cuando se indiquen los resultados de dicho conteo.

Observación anecdótica Forma de observación directa y continua, en la que el observador registra de forma descriptiva y secuencial todas las conductas de interés y las condiciones de antecedentes y consecuencias en las que dichas conductas se producen, dado que estos eventos tienen lugar en el ambiente natural del cliente. (También llamado *registro ABC*).

Observación contingente Procedimiento para aplicar tiempo fuera en el que se reubica a la persona en otro ambiente de manera que puede seguir observando las actividades que se continúan realizando, pero pierde el acceso al reforzamiento.

Observador ingenuo Observador que desconoce los motivos del estudio y las condiciones experimentales que están en marcha en un fase o período de observación determinados. Es poco probable que los datos obtenidos por un observador ingenuo se vean influenciados por las expectativas del observador.

Ontogenia Historia del desarrollo de un individuo durante su vida. (Ver **historia de reforzamiento;** comparar con **filogenia).**

Operación de abolición (OA) Operación motivadora que disminuye el valor reforzante de un estímulo, objeto o actividad. Por ejemplo, la ingesta de comida abate el valor reforzante de la comida.

Operación de establecimiento (OE) Operación motivadora que establece (incrementa) la efectividad de algunos estímulos, objetos o eventos como reforzadores. Por ejemplo, la privación de comida establece la comida como un reforzador efectivo.

Operación motivadora (OM) Variable ambiental que (a) altera (incrementa o disminuye) la efectividad de reforzamiento o de castigo de algunos estímulos, objetos o eventos; y (b) altera (incrementa o disminuye) la frecuencia actual de toda conducta que ha sido reforzada o castigada por ese estímulo, objeto o evento. (Ver **efecto reductor, operación de abolición (OA), efecto modificador de la conducta, efecto evocador, operación de establecimiento (OE)** y **efecto de alteración del valor).**

Operación motivadora condicionada (OMC) Operación motivadora cuyo efecto para alterar el valor de la consecuencia depende de la historia de aprendizaje. Por ejemplo, gracias a la relación establecida entre puertas cerradas y llaves, necesitar abrir una puerta cerrada es una OMC que hace que las llaves sean más efectivas como reforzadores y que evoque conductas que han permitido obtener ese tipo de llaves.

Operación motivadora condicionada reflexiva (OMC-R) Estímulo que adquiere la efectividad de una operación motivadora porque precede alguna forma de empeoramiento o mejora. Se manifiesta por el estímulo de alarma en un caso típico de procedimiento de escape – evitación, que establece su propia finalización como reforzamiento y evoca todas las conductas que han acompañado a dicha finalización.

Operación motivadora condicionada subrogada (OMC-S) Estímulo que adquiere la efectividad de su operación motivadora al ser emparejado con otra OM y que tiene los mismos efectos de alteración del valor y alteración de la conducta que la OM con la que ha sido emparejado.

Operación motivadora condicionada transitiva (OMC-T) Variable ambiental que, debido a la historia de aprendizaje, establece (o suprime) la efectividad reforzante de otro estímulo y evoca (o abate) la conducta que ha sido reforzada por ese otro estímulo.

Operación motivadora incondicionada (OMI) Operación motivadora cuyo efecto de alteración del valor no depende de la historia de aprendizaje. Por ejemplo, la privación de comida incrementa la efectividad reforzante de la comida sin necesidad de ninguna historia de aprendizaje.

Operante discriminada Operante que ocurre más frecuentemente bajo determinadas condiciones antecedentes respecto a otras. (Ver **estímulo discriminativo [E^D]** y **control de estímulos).**

Operante libre Cualquier conducta operante que implica un desplazamiento mínimo del participante en tiempo y espacio. Se puede emitir una operante libre casi en cualquier momento; es discreta, requiere un tiempo mínimo para llevarse a cabo, y se puede producir a una tasa muy amplia de respuestas. Ejemplos en ABA incluyen (a) el número de palabras leídas en un intervalo de registro de un minuto, (b) el número de bofetadas cada 6 segundos, y (c) el número de letras tecleadas en 3 minutos. (Contrastar con **ensayo discreto).**

Oyente Persona que proporciona reforzamiento a la conducta verbal. Un oyente también puede funcionar como audiencia que evoca conducta verbal. (Contrastar con **hablante).**

Parsimonia Práctica de descartar explicaciones simples y lógicas, experimental o conceptualmente, antes de considerar explicación más complejas o abstractas.

Pausa post-reforzamiento La falta de respuesta durante un período de tiempo tras el reforzamiento; un efecto que normalmente se produce en los programas de reforzamiento de intervalo fijo (IF) y de razón fija (RF).

Porcentaje Razón (es decir, proporción) derivada de combinar las mismas dimensiones cuantitativas, como número total de respuestas (número ÷ número) o tiempo (duración ÷ duración); latencia ÷ latencia); se expresa en cifras porcentuales; generalmente se expresa como el ratio del número de respuestas de determinado tipo por el número total de respuestas (u oportunidades o intervalos en los que dicha respuesta podría haber ocurrido). Un porcentaje presenta una cantidad proporcional por 100.

Practica masiva Técnica autodirigida de modificación de conducta en la que la persona se fuerza a sí misma a llevar a cabo una conducta no deseada (p.ej., un ritual compulsivo) repetidamente, lo cual en ocasiones disminuye la frecuencia futura de la conducta.

Precisión (de medida) Grado por el que los valores observados, los datos obtenidos al medir un evento, coinciden con el valor real, o los valores reales, del evento tal como existe en la naturaleza. (Ver **valor observado** y **valor real**).

Predicción Afirmación que anticipa un resultado de unas medidas futuras o aún desconocidas; uno de los tres componentes del razonamiento experimental, o lógica de lineabase, que se utilizan en los diseños de investigación de caso único. (Ver **replicación, verificación).**

Pregunta experimental Afirmación de lo que el investigador quiere averiguar mediante el experimento; se puede presentar a través de una pregunta y en muchas ocasiones aparece en publicaciones como una afirmación sobre los motivos del experimento. Todos los aspectos de un diseño experimental deben provenir de la pregunta experimental (también llamada *pregunta de investigación*).

Principio de conducta Afirmación que describe una relación funcional entre conducta y una o más variables de control, de forma generalizada entre sujetos, especies, contextos, conductas y tiempo (p.ej., extinción, reforzamiento positivo); una generalización empírica que se ha inferido de muchos experimentos que han demostrado la misma relación funcional.

Principio de Premack Principio que afirma que al dar la oportunidad para realizar una conducta de alta probabilidad de forma contingente a una conducta de baja probabilidad funcionará como reforzamiento para la conducta de baja probabilidad. (Ver también **hipótesis de la privación de respuesta).**

Privación Estado de un organismo en relación al tiempo que ha pasado desde la última vez que ha consumido o entrado en contacto con un determinado tipo de reforzador; también se refiere a un procedimiento para incrementar la efectividad de un reforzador (p.ej., privando a una persona el acceso a un reforzador por un período determinado de tiempo previamente a una sesión). (Ver **operación motivadora**; comparar con **saciedad).**

Probabilidad condicional Probabilidad de que una conducta objetivo pueda ocurrir en una determinada circunstancia; se computa calculando (a) la proporción de ocurrencias de conductas a las que había precedido una variable antecedente específica y (b) la proporción de ocurrencias de conducta problema que han sido seguidas por una consecuencia específica. La probabilidad condicional oscila en un rango entre 0.0 y 1.0; la relación entre la conducta objetivo y la variable antecedente/consecuente será más fuerte cuanto más cercana esté la probabilidad a 1.0.

Procedimiento del héroe Otro término para contingencia dependiente del grupo (p.ej., una persona gana una recompensa para el grupo).

Programa alternativo Proporciona reforzamiento cuando se alcanza el requisito del programa de razón o del programa de intervalo (que son los programas básicos que conforman el programa alternativo), independientemente de cuál de los requisitos se alcance antes.

Programa combinado Programa de reforzamiento consistente en dos o más elementos de reforzamiento continuo (RC), los cuatro programas de reforzamiento intermitente (RF, RV, IF, IV), reforzamiento diferencial de varias tasas de respuesta (RDTB, RDTA), y extinción. Los elementos de estos programas básicos pueden ocurrir de forma sucesiva o simultánea y con o sin estímulo discriminativo; el reforzamiento puede ser contingente con cumplir los requisitos de cada elemento del programa de forma independiente o en combinación con todos los elementos.

Programa concurrente Programa de reforzamiento en el que dos o más contingencias de reforzamiento (elementos) operan de forma independiente y simultánea para dos o más conductas.

Programa de reforzamiento Regla para especificar las disposiciones del ambiente y los requisitos de la respuesta para recibir reforzamiento; una descripción de la contingencia de reforzamiento.

Programa de reforzamiento de respuesta diferencial Programa de reforzamiento en el que se proporciona reforzamiento de forma contingente a una respuesta que es diferente de algún modo especificado (p.ej., diferente topografía) a la respuesta anterior (p.ej., programa de reforzamiento de respuesta diferencial 1) o un número especificado de respuestas previas (p.ej., programa de reforzamiento de respuesta diferencial 2 o más).

Programa de reforzamiento encadenado Programa de reforzamiento en el que debe cumplirse el criterio de reforzamiento de dos o más programas básicos en una secuencia específica para acceder al reforzamiento; un estímulo discriminativo correlaciona con cada componente del programa.

Programa de reforzamiento intermitente Contingencia de reforzamiento en la que solo algunas, pero no todas, respuestas producen reforzamiento.

Programa de reforzamiento progresivo Programa que va aligerando sistemáticamente cada oportunidad sucesiva de reforzamiento independientemente de la conducta del individuo; se aligeran los programas de razón progresiva (RP) y de intervalo progresivo (IP) utilizando progresiones aritméticas o geométricas.

Programa de tiempo fijo Programa para la presentación no contingente de estímulos en los que el intervalo de tiempo se mantiene igual de una presentación a la siguiente.

Programa de tiempo variable (TV) Programa para la administración no contingente de estímulos en el que el intervalo de tiempo que transcurre entre una administración y la siguiente varía de forma aleatoria alrededor de un tiempo determinado. Por ejemplo, en un programa de TV de 1 minuto, el intervalo desde una administración a la siguiente puede variar desde 5 segundos a 2 minutos, pero la media del intervalo debe ser de 1 minuto.

Programa múltiple Programa de reforzamiento complejo consistente en dos o más programas de reforzamiento simples (elementos) que se van alternando en una secuencia generalmente aleatoria; un estímulo discriminativo correlaciona con la presencia o ausencia de cada elemento del programa, y se proporciona reforzamiento por alcanzar los requisitos de la respuesta del programa que esté en vigor en ese momento.

Programa tándem Programa de reforzamiento idéntico al programa encadenado salvo porque, al igual que en el programa mixto, en el programa tándem no se utilizan estímulos discriminativos con los elementos de la cadena. (Ver **programa encadenado, programa mixto).**

Programación de caso general Proceso sistemático para identificar y seleccionar ejemplos para la enseñanza que representen el amplio rango de las variaciones estimulares y los requisitos de respuesta en el contexto (o contextos) de generalización. (Ver también **entrenamiento con ejemplares múltiples** y **suficientes ejemplos de enseñanza).**

Programación de estímulos comunes Técnica para favorecer la generalización del contexto haciendo que el contexto de enseñanza sea similar al contexto de generalización; el proceso de dos pasos implica (1) identificar los estímulos salientes que caracterizan el contexto de generalización y (2) incorporar dichos estímulos en el contexto de enseñanza.

Programas mixtos Programa de reforzamiento compuesto consistente en dos o más programas de reforzamiento simples (elementos) que se van alternando en una secuencia generalmente aleatoria; ningún estímulo discriminativo correlaciona con la presencia o ausencia de cada elemento del programa, y se proporciona reforzamiento por alcanzar los requisitos de respuesta del elemento (el programa de reforzamiento) que está en vigor en cualquier momento.

Razón fija (RF) Programa de reforzamiento en el que es necesario que se produzcan un número fijo de respuesta para que se proporcione el reforzamiento (p.ej., en un programa de razón fija 4, se proporciona reforzamiento después de cada cuarta respuesta).

Razón variable (RV) Programa de reforzamiento en el que es necesario que se produzcan un número variable de respuestas para que se proporcione el reforzamiento. El número de respuestas requerido varía alrededor de un número aleatorio; para describir el programa se utiliza el número medio de respuestas necesarias para reforzamiento (p.ej., en un programa de RV 10, deben emitirse una media de 10 respuestas para recibir reforzamiento, pero el número de respuestas necesarias desde la última respuesta reforzada puede variar desde 1 a 30 o más).

Reactividad Efectos de un procedimiento de observación y medición sobre la conducta que se está midiendo. Es más habitual que se produzca reactividad cuando los procedimientos de medición son intrusivos, especialmente si la persona que está siendo observada percibe la presencia y la razón del observador.

Reactividad del observador Influencia en los datos registrados por un observador como consecuencia del conocimiento por parte de dicho observador de que otros están evaluando los datos que registra. (Ver también **sesgo de medida** y **deriva del observador**).

Recuento total del acuerdo entre observadores (AEO) Indicador de AEO más simple para el registro de eventos; se basa en la comparación del número total registrado por cada observador por período de observación; se calcula dividiendo la cantidad más pequeña entre la cantidad más grande y multiplicándolo por 100.

Recuperación de un procedimiento de castigo Cuando a un tipo de conducta que ha sido previamente castigada no le sigue la consecuencia de castigo. Este procedimiento es análogo a la extinción de respuestas previamente reforzadas y tiene la finalidad de deshacer el efecto del castigo.

Recuperación espontánea Efecto conductual asociado a la extinción en el que la conducta empieza a ocurrir de repente después de que la frecuencia había reducido a niveles anteriores al reforzamiento o había dejado de ocurrir por completo.

Reflejo Relación estímulo-respuesta que consiste en un estímulo antecedente y una conducta respondiente elicitada por dicho estímulo antecedente (p.ej., luz brillante-contracción de la pupila). Los reflejos incondicionados y condicionados protegen de los estímulos perjudiciales, ayudan a regular la balanza y economía interna del organismo y promueven la reproducción. (Ver **reflejo condicionado, conducta respondiente, condicionamiento respondiente** y **reflejo incondicionado).**

Reflejo condicionado Relación funcional aprendida, entre estímulo y respuesta, consistente en un estímulo antecedente (p.ej., el sonido de abrir la puerta de la nevera) y la respuesta que elicita (p.ej., salivación); el repertorio de reflejos condicionados de cada persona es el resultado de su historia de interacciones con el ambiente (ontogenética). (Ver **condicionamiento respondiente** y **reflejo incondicionado).**

Reflejo incondicionado Relación funcional estímulo – respuesta, no aprendida, que consiste en un estímulo antecedente (p.ej., comida en la boca) que elicita una respuesta (p.ej., salivación); es un producto de la evolución filogenética de una especie determinada; todos los miembros de una especie que estén biológicamente intactos nacen con repertorios similares de reflejos incondicionados. (Ver **reflejo condicionado).**

Reflexividad Tipo de relación estímulo – estímulo en la que el estudiante, sin entrenamiento ni reforzamiento previo, selecciona un estímulo de comparación que es el mismo que la estímulo de muestra (p.ej., A = A). La reflexividad se demuestra en el siguiente procedimiento de igualación a la muestra: el estímulo muestra es un dibujo de un árbol, y los tres estímulos de comparación son un dibujo de un ratón, un dibujo de una galleta y un duplicado del dibujo del árbol utilizado como estímulo de muestra. El estudiante selecciona el dibujo del árbol sin reforzamiento específico en el pasado por hacer igualaciones con dibujos de árboles. (También se le llama *igualación idéntica generalizada*). (Ver **equivalencia de estímulos**; comparar con **transitividad, simetría).**

Reforzador Cambio estimular que incrementa la frecuencia futura de la conducta que le precede. (Ver **reforzador condicionado, reforzador incondicionado).**

Reforzador condicionado Cambio estimular que funciona como reforzador debido a un emparejamiento previo con uno o más reforzadores; a veces llamado *reforzador secundario* o *aprendido*.

Reforzador condicionado generalizado Reforzador condicionado cuya efectividad no depende de una operación de establecimiento para ningún tipo particular de reforzamiento, como resultado de haber sido emparejado con muchos otros reforzadores.

Reforzador incondicionado Cambio estimular que incrementa la frecuencia de cualquier conducta realizada inmediatamente antes, independientemente de la historia de aprendizaje del organismo con ese estímulo. Los reforzadores incondicionados son el producto del desarrollo evolutivo de la especie (filogenia). También llamado *reforzador primario* o *no aprendido*. (Comparar con **reforzador condicionado).**

Reforzador negativo Estímulo cuya terminación (o disminución en intensidad) funciona como reforzamiento. (Contrastar como **reforzador positivo).**

Reforzador negativo incondicionado Estímulo que funciona como reforzador negativo como resultado del desarrollo evolutivo de las especies (filogenia); no está implicado ningún aprendizaje previo (p.ej., un golpe, ruido fuerte, luz intensa, temperaturas extremas, presión fuerte contra el cuerpo). (Ver **reforzador negativo**; comparar con **reforzador negativo condicionado).**

Reforzador positivo Estímulo cuya presentación o aparición funciona como reforzamiento. (Contrasta con **reforzador negativo).**

Reforzadores intercambiable Objetos tangibles, actividades o privilegios que sirven como reforzadores y que pueden ser intercambiados por fichas.

Reforzadores negativos condicionados Estímulo previamente neutro que cambia y empieza a funcionar como reforzador negativo porque se ha emparejado con uno o más reforzadores negativos. (Ver **reforzador negativo**; comparar con **reforzador negativo incondicionado).**

Reforzamiento Se produce cuando un cambio estimular sigue inmediatamente a una respuesta e incrementa la frecuencia futura de ese tipo de conducta en condiciones similares. (Ver **reforzamiento negativo, reforzamiento positivo).**

Reforzamiento diferencial de otras conductas (RDO) Procedimiento para disminuir la conducta problema en el que se proporciona reforzamiento de forma contingente a la ausencia de la conducta problema durante un período de tiempo específico o en un momento específico (es decir, RDO momentáneo); a veces también llamado *reforzamiento diferencial de tasas de respuestas cero o entrenamiento en omisión*). (Ver **RDO de intervalo fijo, RDO de momento fijo, RDO de intervalo variable, y RDO de momento variable).**

Reforzamiento continuo (RC) Programa de reforzamiento en el que se proporciona reforzamiento a cada ocurrencia de la conducta objetivo.

Reforzamiento diferencial Reforzar solo aquellas respuestas dentro de una clase de respuesta que cumplen un criterio especificado sobre determinada dimensión (p.ej., frecuencia, topografía, duración, latencia, o magnitud) y poner el resto de respuestas de la misma clase en extinción. (Ver **reforzamiento diferencial de conductas alternativas, reforzamiento diferencial de conductas incompatibles, reforzamiento diferencia de otras conductas, entrenamiento en discriminación y moldeamiento).**

Reforzamiento diferencial de conducta incompatible (RDI) Procedimiento para disminuir la conducta problema en el que se proporciona reforzamiento tras una conducta que es topográficamente incompatible con la conducta objetivo que queremos disminuir, y no se proporciona tras las siguientes ocurrencias de la conducta problema (p.ej., sentarse en una silla es incompatible con moverse por una habitación).

Reforzamiento diferencial de conductas alternativas (RDA) Procedimiento para disminuir la conducta problema en el que se administra el reforzamiento tras una conducta que sirve como conducta deseable y alternativa a la conducta objetivo que queremos disminuir, y no se administra tras la conducta problema (p.ej., reforzar la finalización de tareas académicas cuando la conducta objetivo es la reducción de los tiempos fuera de tarea.

Reforzamiento diferencial de intervalo de tasas bajas Procedimiento para aplicar RDTB en el que se divide la sesión total en intervalos iguales y se proporciona reforzamiento al final de cada intervalo en el que el número de respuestas durante dicho intervalo es igual o inferior a un criterio límite. (Ver **reforzamiento diferencial de tasas bajas (RDTB)).**

Reforzamiento diferencial de otras conductas (RDO) de intervalo variable Procedimiento de RDO en el que el reforzamiento está disponible al final de intervalos de duración variable y se proporciona de forma contingente a la ausencia de conducta problema durante el intervalo. (Ver **reforzamiento diferencial de otras conductas (RDO).**

Reforzamiento diferencial de otras conductas (RDO) de tiempo variable Procedimiento de RDO en el que el reforzamiento está disponible en momentos específicos, los cuales están separados de forma aleatoria por períodos de tiempo variable. Se proporciona el reforzamiento si la conducta problema no ha ocurrido en esos momentos. (Ver **reforzamiento diferencial de otras conductas (RDO).**

Reforzamiento diferencial de otras conductas con intervalo fijo Procedimiento de RDO en el que el reforzamiento está disponible al final de intervalos de duración fija y se proporciona dicho reforzamiento de forma contingente a la ausencia del problema de conducta durante cada intervalo. (Ver **reforzamiento diferencial de otras conductas (RDO)).**

Reforzamiento diferencial de otras conductas momentáneo Procedimiento de RDO en el que el reforzamiento está disponible en momentos específicos, que están separados unos de otros por una cantidad de tiempo fija, y se proporciona dicho reforzamiento de forma contingente a la no ocurrencia del problema de conducta durante esos momentos. (Ver **reforzamiento diferencia de otras conductas (RDO)).**

Reforzamiento diferencial de tasas altas (RDTA) Programa de reforzamiento en el que se proporciona reforzamiento al final de un intervalo predeterminado y de forma contingente al número de respuestas emitidas durante dicho intervalo. Dicho número de respuestas debe ser mayor que un criterio gradualmente superior, basado en el rendimiento del individuo en los intervalos previos (p.ej., más de tres respuestas cada 5 minutos, más de cinco respuestas cada 5 minutos, más de ocho respuestas cada 5 minutos).

Reforzamiento diferencial de tasas bajas (RDTB) Programa de reforzamiento en el que se administra reforzamiento (a) después de cada ocurrencia de la conducta objetivo que aparece tras la respuesta anterior con un tiempo mínimo entre respuestas (TER), o (b) es contingente con un número de respuestas dentro de un período de tiempo que no exceda un criterio predeterminado. Los analistas utilizan programas de RDTB para disminuir la tasa de conductas que aparecen con demasiada frecuencia pero que se deben mantener en el repertorio del estudiante. (Ver **RDTB de sesión, RDTB de intervalo,** y **RDTB de respuestas espaciadas).**

Reforzamiento diferencial de tasas bajas (RDTB) de respuestas espaciadas Procedimiento para aplicar el RDTB en el que se da reforzamiento tras una ocurrencia de la conducta objetivo cuando ésta está separada de la respuesta anterior por un tiempo mínimo entre respuestas. (Ver **reforzamiento diferencial de tasas bajas (RDTB)).**

Reforzamiento diferencial de tasas bajas (RDTB) de sesión Procedimiento para aplicar RDTB en el que se proporciona reforzamiento al final de la sesión si el número total de respuestas emitidas durante dicha sesión no ha excedido un criterio límite preestablecido. (Ver **reforzamiento diferencial de tasas bajas (RDTB)).**

Reforzamiento diferencial de tasas decrecientes (RDTB) Programa de reforzamiento en el que se proporciona el reforzamiento al final de un intervalo predeterminado y de forma contingente al número de respuestas emitidas durante dicho intervalo. Dicho número de respuestas debe ser inferior a un criterio gradualmente más bajo, basado en el rendimiento individual en los intervalos previos (p.ej., menos de cinco respuestas por cada 5 minutos, menos de cuatro respuestas por cada 5 minutos, menos de tres respuestas por cada 5 minutos).

Reforzamiento no contingente (RNC) Procedimiento en el que se presenta un estímulo con conocidas propiedades reforzantes en un programa de tiempo fijo o variable de forma completamente independiente de la conducta; algunas veces utilizado como intervención en antecedentes para reducir la conducta problema. (Ver **programa de tiempo fijo, programa de tiempo variable).**

Reforzamiento positivo Se produce cuando a una conducta le sigue inmediatamente la presentación de un estímulo que incrementa la frecuencia futura de una conducta en condiciones similares. (Contrastar con **reforzamiento negativo).**

Reforzamiento automático Reforzamiento que se produce de forma independiente a la mediación social de otros (p.ej., rascarse una picadura de insecto alivia el picor).

Registro ABC Ver **observación anecdótica.**

Registro acumulativo Aparato que dibuja automáticamente gráficos de registro acumulativo y que muestra la tasa de respuesta en tiempo real; cada vez que se emite una respuesta, un lápiz se mueve sobre el papel, el cual a su vez se mueve a una velocidad constante.

Registro continuo Manera de registrar los datos en la que se detecten todas las ocurrencias de la clase(s) de respuesta de interés durante el período de observación.

Registro de eventos Procedimiento de medida para obtener un conteo o recuento del número de veces que ocurre una conducta.

Registro de intervalo parcial Método de muestro de tiempo para medir conductas en el que el período de observación se divide en una serie de intervalos breves (generalmente entre 5 y 10 segundos). El observador registra si ha ocurrido la conducta objetivo en algún momento del intervalo. En el registro de intervalo parcial no importa cuántas veces ha ocurrido la conducta durante el intervalo o durante cuánto tiempo ha estado presente, simplemente que ha ocurrido durante dicho intervalo; este tipo de registro tiende a sobreestimar la proporción de período de observación en que la conducta realmente ha ocurrido.

Registro del intervalo total Método de muestreo de tiempo para medir conducta en el que se divide el período de observación en una serie de intervalos de tiempo breves (normalmente entre 5 y 15 segundos). Al final de cada intervalo, el observador registra si la conducta objetivo ha ocurrido a lo largo de todo el intervalo; tiende a subestimar la proporción del período de tiempo de observación en que la conducta realmente ha ocurrido.

Relación funcional Afirmación verbal que resume los resultados de un experimento (o grupo de experimentos relacionados) que describe que la ocurrencia del fenómeno que se está estudiando es el resultado de la manipulación de una o más variables específicas de control en el experimento; se puede producir un cambio específico en un evento (la variable dependiente) manipulando otro evento (la variable independiente), y es muy poco probable que dicho cambio en la variable dependiente haya sido producido por otros factores (variables extrañas); en análisis de conducta, la relación funcional se expresa como $b = f(x1), (x2), \ldots,$ donde b es la conducta y $x1$, $x2$, etc., son las variables ambientales de las que depende la conducta.

Relevancia de la regla de conducta Sostiene que solo deben tenerse como objetivo de intervención conductas que aumenten la probabilidad del acceso a reforzadores en el ambiente natural de la persona.

Repertorio Todas las conductas que una persona puede realizar; o un conjunto de conductas relevantes para un contexto o tarea particulares (p.ej., jardinería, resolución de problemas matemáticos).

Replicación (a) Repetición de condiciones dentro de un experimento para determinar la fiabilidad de los efectos y aumentar la validez interna. (Ver **lógica de lineabase, predicción** y **verificación).** (b) Repetición completa de experimentos para determinar la generalización de los resultados de experimentos previos a otros sujetos, contextos y conductas. (Ver **replicación directa, validez externa** y **replicación sistemática).**

Replicación directa Experimento en el que el investigador duplica exactamente las condiciones de un experimento anterior.

Replicación sistemática Experimento en el que el investigador varía intencionalmente uno o más aspectos de un experimento anterior. Una replicación sistemática en la que se reproducen los resultados de una investigación anterior no solo demuestra la fiabilidad de los primeros resultados sino que también añade validez externa a dichos resultados al mostrar que se puede obtener el mismo efecto bajo condiciones diferentes.

Reproducibilidad Hace referencia al hecho de que una conducta puede ocurrir repetidamente a lo largo del tiempo (es decir, la conducta se puede contabilizar); es una de las tres dimensiones cuantitativas de conducta de las que se derivan todas las mediciones conductuales. (Ver **número de respuestas, frecuencia, tasa, aceleración, extensión temporal** y **locus temporal).**

Resistencia a la extinción Frecuencia relativa con la que se emite conducta operante durante extinción.

Respuesta Único ejemplo u ocurrencia de una clase específica de conducta. Definición técnica: una "acción de un efector del organismo. Un efector es un órgano al final de una fibra nerviosa eferente que está especializado en alterar su ambiente de forma mecánica, química o en términos de otros cambios de energía" (Michael, 2004, p.8). (Ver **clase de respuesta).**

Reversión de contingencias Intercambiar las contingencias de reforzamiento para dos respuestas topográficamente diferentes. Por ejemplo, si la Conducta A conlleva reforzamiento en un programa reforzamiento de RF 1 y la Conducta B conlleva la no presentación de reforzamiento (extinción), una reversión de contingencias consiste en cambiar las contingencias de manera que la Conducta A ahora implique extinción y la Conducta B implique reforzamiento en un programa de RF 1.

Reversión del hábito Paquete de tratamiento multicomponente para reducir hábitos no deseados como morderse las uñas y tics musculares; el tratamiento normalmente implica entrenamiento en autocuidado incluyendo la detección de la respuesta y procedimientos para identificar situaciones que preceden y desencadenan la respuesta; entrenamiento en respuestas que compiten con la conducta problema; y técnicas de motivación incluyendo la autoadministración de consecuencias, sistemas de apoyo social, y procedimientos para promocionar la generalización y mantenimiento de los avances del tratamiento.

Saciedad Disminución de la frecuencia de conducta operante que presumiblemente es resultado de la consumición o el contacto continuado con el reforzador que se ha dado tras la conducta; también se refiere a un procedimiento para reducir la efectividad de un reforzador (p.ej., proporcionar a la persona una cantidad grande del estímulo reforzante antes de la sesión). (Ver **operación motivadora**; contrastar con **privación).**

Secuencia de alta probabilidad Intervención sobre el antecedentes en la que, justo antes de presentar la tarea objetivo (la demanda de baja probabilidad), se presentan de forma rápida de dos a cinco tareas sencillas en las que el estudiante tiene una historia de cumplimiento (las demandas de alta probabilidad). También llamado *demandas intercaladas, peticiones previas a la tarea*, o *momento conductual.*

Selección por las consecuencias Principio fundamental en el que se basa el condicionamiento operante; hace referencia a que todas las formas de conducta (operante), desde las simples a las más complejas), se seleccionan, moldean y mantienen por sus consecuencias durante la vida de un individuo; la concepción de selección de consecuencias de Skinner es paralelo a la concepción de selección natural de estructuras genéticas en la evolución de las especies de Darwin.

Sesgo de medida Error de medida no aleatorio; una forma de medida imprecisa en la que el dato sobreestima o subestima de forma consistente el valor real de un evento.

Simetría Tipo de relación estímulo a estímulo en el que el estudiante, sin entrenamiento previo o reforzamiento específico, demuestra la reversibilidad de igualar la muestra y la comparación (p.ej., si A = B, entonces B = A). La simetría se demostraría con el siguiente procedimiento de igualación a la muestra: Se enseña al estudiante a seleccionar la comparación con un dibujo de un coche (comparación B) cuando se le dice la palabra *coche* (estímulo de muestra A). Cuando se presenta el estímulo de la foto del coche (estímulo de muestra B), sin entrenamiento adicional o reforzamiento, el estudiante selecciona la comparación de la palabra hablada *coche* (comparación A). (Ver equivalencia de estímulos; comparar con **reflexividad** y **transitividad).**

Similitud formal Situación que ocurre cuando el estímulo de control antecedente y la respuesta o el producto de respuesta (a) comparten la misma modalidad sensorial (p. ej., ambos estímulos y respuesta son visuales, auditivos, o táctiles) y (b) se parecen físicamente entre ellos. Las relaciones verbales con similitud formal son ecoicas, copiar un texto, y la imitación en lo que se refiere al lenguaje de signos.

Sistema de niveles Componente de algunos sistemas de economía de fichas en el que los participantes progresan a través de niveles sucesivos de forma contingente a su conducta durante el nivel actual. El criterio de rendimiento y la sofisticación o dificultad de las conductas necesarias en cada nivel son más altos que en los anteriores niveles; según los participantes van avanzando hacia niveles superiores, van accediendo a reforzadores más potentes, ganando más privilegios y mayor independencia.

Sobrecorrección Técnica de modificación de conducta basada en el castigo positivo, que consiste en que, de forma contingente a la conducta problema, el estudiante debe realizar una conducta que le suponga un esfuerzo y que vaya dirigida a arreglar el daño causado por la conducta problema. (Ver **sobrecorrección con práctica positiva** y **sobrecorrección restitutiva).**

Sobrecorrección con práctica positiva Forma de sobrecorrección en la que, de forma contingente a la conducta objetivo, se exige al estudiante llevar a cabo una conducta adecuada repetidamente, o realizar un número determinado de veces una conducta incompatible con la conducta problema; implica un componente educativo. (Ver **sobrecorrección** y **sobrecorrección restitutiva).**

Sobrecorrección restitutiva Forma de sobrecorrección en la que, de forma contingente a la conducta problema, se exige al estudiante que repare el daño causado o que devuelva al ambiente a su estado original, y después debe realizar otras conductas adicionales para que el ambiente mejore respecto a cómo estaba antes de la conducta inadecuada. (Ver **sobrecorrección** y **sobrecorrección con práctica positiva).**

Sondeo de generalización Cualquier medida del rendimiento de un estudiante en una conducta objetivo, en un contexto o situación estimular en los que no se ha proporcionado entrenamiento directo.

Suficientes ejemplos de enseñanza Estrategia para favorecer la generalización de la modificación de la conducta que consiste en enseñar al estudiante a responder a un subconjunto con todos los ejemplos de estímulo y respuesta relevantes, y después evaluar la ejecución del estudiante con ejemplos no entrenados. (Ver **entrenamiento en ejemplares múltiples).**

Tacto Operante verbal elemental en la que un estímulo discriminativo no verbal evoca una respuesta verbal, a la que le sigue reforzamiento condicionado generalizado.

Tacto impuro Operante verbal en la que tanto una operación motivadora como un estímulo no verbal evocan una respuesta; por lo tanto, la respuesta es en parte un mando y en parte un tacto. (Ver **mando** y **tacto**).

Tasa Razón del número de respuestas entre el tiempo de observación; generalmente expresado como número de respuestas por unidad estándar de tiempo (p.ej., por minuto, por hora, por día) y se calcula dividiendo el número de respuestas registradas entre el tiempo en que se ha llevado a cabo la observación; se utiliza de forma intercambiable con *frecuencia.* Se forma el ratio combinando las diferentes dimensiones cuantitativas de número de respuestas y tiempo (p.ej., tiempo de registro). Los ratios formados por diferentes dimensiones cuantitativas mantienen sus propias dimensiones cuantitativas. En análisis de conducta, *tasa* y *frecuencia* son términos sinónimos. (Contrastar con **porcentaje).**

Tasa de respuesta global Tasa de respuesta en un período determinado de tiempo. (Ver **tasa de respuesta local).**

Tasa de respuesta local Media de la tasa de respuesta durante un pequeño período de tiempo dentro de otro más largo para el que se ha dado una tasa de respuesta global. (Ver **tasa de respuesta global).**

Técnica de reversión mediante reforzamiento diferencial de conductas incompatibles/ alternativas (RDI/RDA) Técnica experimental que demuestra el efecto del reforzamiento; utiliza el reforzamiento diferencial de una conducta incompatible o alternativa (RDI/RDA) como una condición de control en lugar de una condición de no reforzamiento (lineabase). Durante la condición de RDI/RDA, el cambio estimular utilizado como reforzamiento en la condición de reforzamiento se presenta de forma contingente a las ocurrencias de una conducta especificada que es o bien incompatible con la conducta objetivo o bien alternativa a dicha conducta objetivo. Un nivel alto de respuesta durante la condición de reforzamiento respecto a la condición de RDI/RDA demuestra que los cambios en la conducta son el resultado de *reforzamiento contingente,* y no simplemente de la presentación del evento estimular o el contacto con éste. (Comparar con la **técnica de reversión mediante reforzamiento diferencial de otras conductas (RDO)** y con la **técnica de reversión mediante reforzamiento no contingente (RNC)).**

Técnica de reversión mediante reforzamiento diferencial de otras conductas (RDO) Técnica experimental para demostrar los efectos del reforzamiento que consiste en utilizar reforzamiento diferencial de otras conductas (RDO) como una condición de control en lugar de una condición de no reforzamiento (lineabase). Durante la condición de RDO, el cambio estimular utilizado como reforzamiento en la condición de reforzamiento se presenta de forma contingente a la ausencia de la conducta objetivo durante un determinado período de tiempo. Un nivel más alto de respuesta durante la condición de reforzamiento respecto a la condición de RDO demuestra que los cambios en conducta son el resultado de reforzamiento contingente, y no simplemente por la presentación del evento estimular o por el contacto con el mismo. (Comparar con la **técnica de reversión mediante reforzamiento diferencial de conductas incompatibles**

/alternativas (RDI/RDA) y **reforzamiento no contingente (RNC) con técnica de reversión).**

Técnica de reversión mediante Reforzamiento no contingente (RNC) Técnica de control experimental que demuestra los efectos del reforzamiento a través de la utilización de reforzamiento no contingente (RNC) como condición control en lugar de una condición de no reforzamiento (lineabase). Durante la condición de RNC, el cambio estimular utilizado como reforzamiento en la condición de reforzamiento se presenta en un programa de tiempo fijo o variable, independientemente de la conducta del sujeto. Un mayor nivel de respuesta durante la condición de reforzamiento que durante la condición de RNC demuestra que los cambios en la conducta son el resultado del *reforzamiento no contingente*, y no simplemente por la presentación del evento estimular por el contacto con éste. (Comparar con **técnica de reversión mediante RDI/RDA** y **técnica de reversión mediante RDO).**

Tendencia Dirección general que toma una trayectoria de datos. Se describe en términos de dirección (incrementándose, disminuyendo o tendencia cero), grado (gradual o escarpada) y la variabilidad de los puntos de datos alrededor de la tendencia. Se suele utilizar la tendencia para predecir medidas futuras de la conducta bajo condiciones similares.

Textual Operante verbal elemental formada por un estímulo discriminativo verbal que evoca una respuesta que tiene correspondencia precisa con dicho estímulo, pero no similitud formal.

Tiempo de aceleración Unidad de medida de tiempo (p.ej., por semana, por mes) en el que se marca la aceleración en el Gráfico de Aceleración Estándar. (Ver **aceleración** y **línea de tendencia de aceleración).**

Tiempo entre respuestas (TER) Medida de locus temporal; se define como el tiempo que transcurre entre dos respuestas sucesivas.

Tiempo fuera de exclusión Procedimiento de aplicación del tiempo fuera en el que, de forma contingente a la ocurrencia de la conducta objetivo, se retira físicamente a la persona del ambiente actual durante un tiempo específico.

Tiempo fuera del reforzamiento positivo Retirada contingente de la oportunidad para ganar reforzamiento positivo o la pérdida de acceso a reforzadores positivos durante un tiempo específico; una forma de castigo negativo (también llamado *tiempo fuera*).

Tiempo fuera en el pasillo Procedimiento para aplicar tiempo fuera en el que, de forma contingente a la ocurrencia de conducta inadecuada, se retira al estudiante de la clase o habitación a un pasillo cercano por un determinado período de tiempo.

Tiempo fuera por partición del contexto Procedimiento de exclusión para aplicar tiempo fuera en el que, de forma contingente a la ocurrencia de la conducta objetivo, la persona permanece dentro del contexto, pero detrás de una pared, un panel o una barrera que le restrinja la visión.

Tiempo fuera sin exclusión Procedimiento para aplicar tiempo fuera en el que, de forma contingente a la ocurrencia de la conducta objetivo, la persona permanece en el lugar, pero no tiene acceso a reforzamiento, durante un tiempo específico.

Topografía Forma física de una conducta.

Trampa conductual Comunidad de contingencias de reforzamiento interrelacionadas que pueden ser especialmente potentes, produciendo cambios de conducta substanciales y duraderos. Las trampas conductuales efectivas comparten cuatro características esenciales: (a) el alumno "pica el anzuelo" ante un reforzador virtualmente irresistible; (b) solo es necesario que el estudiante emita una respuesta de bajo esfuerzo de respuesta y que ya está en su repertorio para que caiga en la trampa; (c) una vez que el estudiante ha caído en la trampa, entran en juego contingencias interrelacionadas que le motivan a adquirir, ampliar y mantener habilidades académicas y sociales; y (d) pueden mantenerse efectivos por un período de tiempo largo porque los estudiantes muestran poco o ningún efecto de saciedad.

Transcripción Operante verbal elemental formada por un estímulo verbal vocal que evoca una respuesta escrita, mecanografiada o deletreada. Al igual que en la operante textual, hay correspondencia precisa entre el estímulo y la respuesta producto, pero no similitud formal.

Transitividad Relación estímulo – estímulo derivada (es decir, no entrenada) (p.ej., A = C, C = A) que emerge como consecuencia de haber entrenado otras dos relaciones estímulo – estímulo (p.ej., A = B y B = C). Por ejemplo, se demostraría la transitividad si, después de entrenar las relaciones estímulo – estímulo que aparecen más abajo en los puntos 1 y 2, emerge la relación que se presenta en el punto 3 sin instrucción adicional o reforzamiento:

(1) Si A (p.ej., la palabra hablada *bicicleta*) = B (p.ej., la imagen de una bicicleta) (ver Figura 17.3), y

(2) B (la imagen de una bicicleta) = C (p.ej., la palabra escrita *bicicleta*) (ver Figura 17.4), entonces

(3) C (la palabra escrita *bicicleta*) = A (el nombre expresado oralmente, *bicicleta*) (ver Figura 17.5). (Ver **equivalencia de estímulos;** comparar con **reflexividad** y **simetría).**

Trayectoria de datos Nivel y tendencia de una conducta que muestra una serie de puntos de datos consecutivos; resulta de dibujar una línea recta desde el centro de un punto (cada dato) de un conjunto de datos al centro del siguiente punto del mismo conjunto de datos.

Validez (de la medición) Grado hasta el que los datos obtenidos en las mediciones son directamente relevantes para la conducta de interés y para el motivo de medirla.

Validez externa Grado en el que los resultados de un estudio se pueden generalizar a otros sujetos, contextos y/o conductas. (Comparado con **validez interna).**

Validez interna Grado en el que un experimento demuestra convincentemente que los cambios en conducta dependen de la variable independiente y no son el resultado de variables no controladas o desconocidas. (Comparar con **validez externa).**

Validez social Hace referencia al grado hasta el que conductas objetivos son apropiadas, los procedimientos de intervención son aceptables y se producen cambios importantes y significativos tanto en la conducta objetivo como en otras colaterales.

Valor observado Medición producida por un sistema de observación y registro. Los valores observados son los datos que los investigadores y otros profesionales interpretarán para llegar a conclusiones sobre una investigación. (Comparar con **valor real).**

Valor verdadero Medida aceptada como una descripción cuantitativa del estado real de algunas dimensiones cuantitativas de un evento tal como existe en la naturaleza. Para obtener valores verdaderos es necesario "tener precauciones especiales o extraordinarias para asegurarse que se han eliminado o evitado todas las posibles fuentes de error" (Johnston y Pennypacker, 1993a, p. 136). (Comparar con **valor observado).**

Variabilidad Frecuencia y grado hasta el que múltiples medidas de la conducta producen diferentes resultados.

Variable de confusión Factor no controlado que sabemos o sospechamos que influye sobre la variable dependiente.

Variable dependiente Variable que se mide en un experimento para determinar si cambia como resultado de las manipulaciones de la variable independiente; en análisis aplicado de la conducta, representa alguna medida de una conducta socialmente significativa. (Ver **conducta objetivo;** compara con **variable independiente).**

Variable extraña Cualquier aspecto del contexto experimental (p.ej., luz, temperatura) que se debe mantener constante para evitar variaciones ambientales no planificadas.

Variable independiente Variable que el investigador manipula sistemáticamente en un experimento para comprobar si los cambios en la variable independiente producen cambios fiables en la variable dependiente. En análisis aplicado de conducta, generalmente es un evento ambiental o una condición antecedente o consecuente a la variable dependiente. A veces también llamado *intervención* o *variable de tratamiento*. (Comparar con **variable dependiente).**

Verificación Uno de los tres componentes del razonamiento experimental, o lógica de la lineabase; se utiliza en diseños de investigación de caso único; se logra la verificación si se demuestra que el nivel previo de respuesta de la lineabase no hubiera cambiado si no se hubiera introducido la variable independiente. Al verificar la precisión de la predicción original se reduce la probabilidad de que algunas variables no controladas (extrañas) hayan sido las responsables del cambio observado en la conducta. (Ver **predicción** y **replicación).**

Bibliografía

Achenbach, T. M., y Edelbrock, C. S. (1991). *Manual for the Child Behavior Checklist.* Burlington: University of Vermont, Department of Psychiatry.

Adams, C., y Kelley, M. (1992). Managing sibling aggression: Overcorrection as an alternative to timeout. *Behavior Modification, 23,* 707–717.

Adelinis, J. D., Piazza, C. C., y Goh, H. L. (2001). Treatment of multiply controlled destructive behavior with food reinforcement. *Journal of Applied Behavior Analysis, 34,* 97–100.

Adkins, V. K., y Mathews, R. M. (1997). Prompted voiding to reduce incontinence in community-dwelling older adults. *Journal of Applied Behavior Analysis, 30,* 153–156.

Adronis, P. T. (1983). *Symbolic aggression by pigeons: Contingency coadduction.* Unpublished doctoral dissertation, University of Chicago, Department of Psychiatry and Behavior Analysis, Chicago. Agran, M. (Ed.). (1997). *Self-directed learning: Teaching self-determination skills.*

Pacific Grove, CA: Brooks/Cole. Ahearn, W. H. (2003). Using simultaneous presentation to increase vegetable consumption in a mildly selective child with autism. *Journal of Applied Behavior Analysis, 36,* 361–365.

Ahearn, W. H., Clark, K. M., Gardenier, N. C., Chung, B. I., y Dube, W. V. (2003). Persistence of stereotypic behavior: Examining the effects of external reinforcers. *Journal of Applied Behavior Analysis, 36,* 439–448.

Ahearn, W. H., Kerwin, M. E., Eicher, P. S., Shantz, J., y Swearingin, W. (1996). An alternating treatments comparison of two intensive interventions for food refusal. *Journal of Applied Behavior Analysis, 29,* 321–332.

Alber, S. R., y Heward, W. L. (1996). “GOTCHA!” Twenty-five behavior traps guaranteed to extend your students’ academic and social skills. *Intervention in School and Clinic, 31* (5), 285–289.

Alber, S. R., y Heward, W. L. (2000). Teaching students to recruit positive attention: A review and recommendations. *Journal of Behavioral Education, 10,* 177–204.

Alber, S. R., Heward, W. L., y Hippler, B. J. (1999). Training middle school students with learning disabilities to recruit positive teacher attention. *Exceptional Children, 65,* 253–270.

Alber, S. R., Nelson, J. S., y Brennan, K. B. (2002). A comparative analysis of two homework study methods on elementary and secondary students’ acquisition and maintenance of social studies content. *Education and Treatment of Children, 25,* 172–196.

Alberto, P. A., y Troutman, A. C. (2006) *Applied behavior analysis for teachers* (7th ed.). Upper Saddle River, NJ: Merrill/Prentice Hall.

Alberto, P. A., Heflin, L. J., y Andrews, D. (2002). Use of the timeout ribbon procedure during community-based instruction. *Behavior Modification, 26* (2), 297–311.

Albin, R. W., y Horner, R. H. (1988). Generalization withprecision. In R. H. Horner, G. Dunlap, y R. L. Koegel (Eds.), *Generalization and maintenance: Life-style changes in applied settings* (págs. 99–120). Baltimore: Brookes.

Alessi, G. (1992). Models of proximate and ultimate causation in psychology. *American Psychologist, 48,* 1359–1370.

Alexander, D. F. (1985). The effect of study skill training on learning disabled students’ retelling of expository material. *Journal of Applied Behavior Analysis, 18,* 263–267.

Allen, K, E., Hart, B. M., Buell, J. S., Harris, F. R., y Wolf, M. M. (1964). Effects of social reinforcement on isolate behavior of a nursery school child. *Child Development, 35,* 511–518.

Allen, K. D., y Evans, J. H. (2001). Exposure-based treatment to control excessive blood glucose monitoring. *Journal of Applied Behavior Analysis, 34,* 497–500.

Allen, L. D., Gottselig, M., y Boylan, S. (1982). A practical mechanism for using free time as a reinforcer in the classroom. *Education and Treatment of Children, 5* (4), 347–353.

Allison, J. (1993). Response deprivation, reinforcement, and economics. *Journal of the Experimental Analysis of Behavior, 60,* 129–140.

Altschuld, J. W., y Witkin, B. R. (2000). *From needs assessment to action: Transforming needs into solution strategies.* Thousand Oaks, CA: Sage.

Altus, D. E., Welsh, T. M., y Miller, L. K. (1991). A technology for program maintenance: Programming key researcher behaviors in a student housing cooperative. *Journal of Applied Behavior Analysis, 24,* 667–675.

American Psychological Association. (1953). *Ethical standards of psychologists.* Washington, DC: Author.

American Psychological Association. (2001). *Publication Manual of the American Psychological Association* (5th ed.). Washington, DC: Author

American Psychological Association. (2002, 2004, 2010, 2016). Ethical principles of psychologists and code of conduct. Washington, DC: Author. Recuperado el 11 de septiembre de 2017 de http://www.apa.org/ethics/code/index.aspx

Andersen, B. L., y Redd, W. H. (1980). Programming generalization through stimulus fading with children participating in a remedial reading program. *Education and Treatment of Children, 3,* 297–314.

Anderson, C. M., y Long, E. S. (2002). Use of a structured descriptive assessment methodology to identify variable affecting problem behavior. *Journal of Applied Behavior Analysis, 35,* 137–154.

Andresen, J. T. (1991). Skinner and Chomsky 30 years later OR: The return of the repressed. *The Behavior Analyst, 14,* 49–60.

Ardoin, S. P., Martens, B. K., y Wolfe, L. A. (1999). Using high-probability instruction sequences with fading to increase student compliance during transitions. *Journal of Applied Behavior Analysis, 32,* 339–351.

Armendariz, F., y Umbreit, J. (1999). Using active responding to reduce disruptive behavior in a general education classroom. *Journal of Positive Behavior Interventions, 1,* 152–158.

Arndorfer, R. E., Miltenberger, R. G., Woster, S. H., Rortvedt, A. K., y Gaffaney, T. (1994). Home-based descriptive and experimental analysis of problem behaviors in children. *Topics in Early Childhood Special Education, 14,* 64–87.

Arndorfer, R., y Miltenberger, R. (1993). Functional assessment and treatment of challenging behavior: A review with implications for early childhood. *Topics in Early Childhood Special Education, 13,* 82–105.

Arnesen, E. M. (2000). *Reinforcement of object manipulation increases discovery.* Unpublished bachelor's thesis, Reed College, Portland, OR.

Arntzen, E., Halstadtrø, A., y Halstadtrø, M. (2003). Training play behavior in a 5-year-old boy with developmental disabilities. *Journal of Applied Behavior Analysis, 36,* 367–370.

Ashbaugh, R., y Peck, S. M. (1998). Treatment of sleep problems in a toddler: A replication of the faded bedtime with response cost protocol. *Journal of Applied Behavior Analysis, 31,* 127–129.

Association for Behavior Analysis. (1989). *The right to effective education.* Kalamazoo, MI: Author. Recuperado el 11 de septiembre de 2017 de https://goo.gl/AJB3zF

Association for Behavior Analysis. (1990). *Students' right to effective education.* Kalamazoo, MI: Author. Recuperado el 11 de septiembre de 2017 de https://goo.gl/TPaQYF

Association for Behavior Analysis. (2015). *Guidelines for the accreditation of programs in behavior analysis.* Kalamazoo, MI: Author. Recuperado el 1 de septiembre de 2017 de https://www.abainternational.org/media/96351/abai_accreditation_manual_2015.pdf

Association for Persons with Severe Handicaps. (1987, May). Resolution on the cessation of intrusive interventions. *TASH Newsletter, 5,* 3.

Atwater, J. B., y Morris, E. K. (1988). Teachers' instructions and children's compliance in preschool classrooms: A descriptive analysis. *Journal of Applied Behavior Analysis, 21,* 157–167.

Axelrod, S. A. (1990). Myths that (mis)guide our profession. In A. C. Repp y N. N. Singh (Eds.), *Perspectives on the use of nonaversive and aversive interventions for persons with developmental disabilities* (págs. 59–72). Sycamore, IL: Sycamore.

Axelrod, S., Hall, R. V., Weis, L., y Rohrer, S. (1971). *Use of self-imposed contingencies to reduce the frequency of smoking behavior.* Paper presented at the Fifth Annual Meeting of the Association for the Advancement of Behavior Therapy, Washington, DC.

Ayllon, T., y Azrin, N. H. (1968). *The token economy: A motivational system for therapy and rehabilitation.* Nueva York: Appleton-Century-Crofts.

Ayllon, T., y Michael, J. (1959). The psychiatric nurse as a behavioral engineer. *Journal of the Experimental Analysis of Behavior, 2,* 323–334.

Azrin, N. H. (1960). Sequential effects of punishment. *Science, 131,* 605–606.

Azrin, N. H., y Besalel, V. A. (1999). *How to use positive practice, self-correction, and overcorrection* (2nd ed.). Austin, TX: Pro-Ed.

Azrin, N. H., y Foxx, R. M. (1971). A rapid method of toilet training the institutionalized retarded. *Journal of Applied Behavior Analysis, 4,* 89–99.

Azrin, N. H., y Holz, W. C. (1966). Punishment. In W. K. Honig (Ed.), *Operant behavior: Areas of research and application* (págs. 380–447). Nueva York: Appleton-Century-Crofts.

Azrin, N. H., y Nunn, R. G. (1973). Habitreversal for habits and tics. *Behavior Research and Therapy, 11,* 619–628.

Azrin, N. H., y Powers, M. A. (1975). Eliminating classroom disturbances of emotionally disturbed children by positive practice procedures. *Behavior Therapy, 6,* 525–534.

Azrin, N. H., y Wesolowski, M. D. (1974). Theft reversal: An overcorrection procedure for eliminating stealing by retarded persons. *Journal of Applied Behavior Analysis, 7,* 577–581.

Azrin, N. H., Holz, W. C., y Hake, D. C. (1963). Fixed-ratio punishment by intense noise. *Journal of the Experimental Analysis of Behavior, 6,* 141–148.

Azrin, N. H., Hutchinson, R. R., y Hake, D. C. (1963). Pain-induced fighting in the squirrel monkey. *Journal of the Experimental Analysis of Behavior, 6,* 620.

Azrin, N. H., Kaplan, S. J., y Foxx, R. M. (1973). Autism reversal: Eliminating stereotyped self-stimulation of retarded individuals. *American Journal of Mental Deficiency, 78,* 241–248.

Azrin, N. H., Nunn, R. G., y Frantz, S. E. (1980). Habit reversal vs. negative practice treatment of nail biting. *Behavior Research and Therapy, 18,* 281–285.

Azrin, N. H., Rubin, H., O'Brien, F., Ayllon, T., y Roll, D. (1968). Behavioral engineering: Postural control by a portable operant apparatus. *Journal of Applied Behavior Analysis, 1,* 99–108.

Babyak, A. E., Luze, G. J., y Kamps, D. M. (2000). The good student game: Behavior management for diverse classrooms. *Intervention in School and Clinic, 35* (4), 216–223.

Bacon-Prue, A., Blount, R., Pickering, D., y Drabman, R. (1980). An evaluation of three litter control procedures: Trash receptacles, paid workers, and the marked item techniques. *Journal of Applied Behavior Analysis, 13,* 165–170.

Baer, D. M. (1960). Escape and avoidance response of preschool children to two schedules of reinforcement withdrawal. *Journal of the Experimental Analysis of Behavior, 3,* 155–159.

Baer, D. M. (1961). Effect of withdrawal of positive reinforcement on an extinguishing response in young children. *Child Development, 32,* 67–74.

Baer, D. M. (1962). Laboratory control of thumbsucking by withdrawal and representation of reinforcement. *Journal of the Experimental Analysis of Behavior, 5,* 525–528.

Baer, D. M. (1970). An age-irrelevant concept of development. *Merrill-Palmer Quarterly, 16,* 238–245.

Baer, D. M. (1971). Let's take another look at punishment. *Psychology Today, 5,* 5–32.

Baer, D. M. (1975). In the beginning, there was the response. In E. Ramp y G. Semb (Eds.), *Behavior analysis: Areas of research and application* (págs. 16–30). Upper Saddle River, NJ: Prentice Hall.

Baer, D. M. (1977a). Reviewer's comment: Just because it's reliable doesn't mean that you can use it. *Journal of Applied Behavior Analysis, 10,* 117–119.

Baer, D. M. (1977b). "Perhaps it would be better not to know everything." *Journal of Applied Behavior Analysis, 10,* 167–172.

Baer, D. M. (1981). A hung jury and a Scottish verdict: "Not proven." *Analysis and Intervention in Developmental Disabilities, 1,* 91–97.

Baer, D. M. (1982). Applied behavior analysis. In G. T. Wilson y C. M. Franks (Eds.), *Contemporary behavior therapy: Conceptual and empirical foundations* (págs. 277–309). Nueva York: Guilford Press.

Baer, D. M. (1985). [Symposium discussant]. In C. E. Naumann (Chair),

Developing response classes: Why reinvent the wheel? Symposium conducted at the Annual Conference of the Association for Behavior Analysis, Columbus, OH.

Baer, D. M. (1987). Weak contingencies, strong contingencies, and too many behaviors to change. *Journal of Applied Behavior Analysis, 20,* 335–337.

Baer, D. M. (1991). Tacting "to a fault". *Journal of Applied Behavior Analysis, 24,* 429–431.

Baer, D. M. (1999). *How to plan for generalization* (2nd ed.). Austin, TX: Pro-Ed.

Baer, D. M. (2005). Letters to a lawyer. In W. L. Heward, T. E. Heron, N. A. Neef, S. M. Peterson, D. M. Sainato, G. Cartledge, R. Gardner, III, L. D. Peterson, S. B. Hersh, y J. C. Dardig (Eds.), *Focus on behavior analysis in education: Achievements, challenges, and opportunities* (págs. 3–30). Upper Saddle River, NJ: Merrill/Prentice Hall.

Baer, D. M., y Bushell, Jr., D. (1981). The future of behavior analysis in the schools? Consider its recent pact, and then ask a different question. *School Psychology Review, 10*(2), 259–270.

Baer, D. M., y Fowler, S. A. (1984). How should we measure the potential of selfcontrol procedures for generalized educational outcomes? In W. L. Heward, T. E. Heron, D. S. Hill, y J. Trap-Porter (Eds.), *Focus on behavior analysis in education* (págs. 145–161). Columbus, OH: Charles E. Merrill.

Baer, D. M., y Richards, H. C. (1980). An interdependent group-oriented contingency system for improving academic performance. *School Psychology Review, 9,* 190–193.

Baer, D. M., y Schwartz, I. S. (1991). If reliance on epidemiology were to become epidemic, we would need to assess its social validity. *Journal of Applied Behavior Analysis, 24,* 321–234.

Baer, D. M., y Sherman, J. A. (1964). Reinforcement control of generalized imitation in young children. *Journal of Experimental Child Psychology, 1,* 37–49.

Baer, D. M., y Wolf, M. M. (1970a). Recent examples of behavior modification in preschool settings. In C. Neuringer y J. L. Michael (Eds.), *Behavior modification in clinical psychology* (págs. 10–55). Upper Saddle River, NJ: Prentice Hall.

Baer, D. M., y Wolf, M. M. (1970b). The entry into natural communities of reinforcement. In R. Ulrich, T. Stachnik, y J. Mabry (Eds.), *Control of human behavior* (Vol. 2, págs. 319–324). Glenview, IL: Scott, Foresman.

Baer, D. M., Peterson, R. F., y Sherman, J. A. (1967). The development of imitation by reinforcing behavioral similarity of a model. *Journal of the Experimental Analysis of Behavior, 10,* 405–416.

Baer, D. M., Wolf, M. M., y Risley, T. R. (1968). Some current dimensions of applied behavior analysis. *Journal of Applied Behavior Analysis, 1,* 91–97.

Baer, D. M., Wolf, M. M., y Risley, T. (1987). Some still-current dimensions of applied behavior analysis. *Journal of Applied Behavior Analysis, 20,* 313–327.

Baer, R. A. (1987). Effects of caffeine on classroom behavior, sustained attention, and a memory task in preschool children. *Journal of Applied Behavior Analysis, 20,* 225–234.

Baer, R. A., Blount, R., L., Detrich, R., y Stokes, T. F. (1987). Using intermittent reinforcement to program maintenance of verbal/nonverbal correspondence. *Journal of Applied Behavior Analysis, 20,* 179–184.

Baer, R. A., Tishelman, A. C., Degler, J. D., Osnes, P. G., y Stokes, T. F. (1992). Effects of selfvs. experimenter-selection of rewards on classroom behavior in young children. *Education and Treatment of Children, 15,* 1–14.

Baer, R. A., Williams, J. A., Osnes, P. G., y Stokes, T. F. (1984). Delayed reinforcement as an indiscriminable contingency in verbal/nonverbal correspondence training. *Journal of Applied Behavior Analysis, 17,* 429–440.

Bailey, D. B. (1984). Effects of lines of progress and semilogarithmic charts on ratings of charted data. *Journal of Applied Behavior Analysis, 17,* 359–365.

Bailey, D. B., Jr., y Wolery, M. (1992). *Teaching infants and preschoolers with disabilities* (2nd ed). Upper Saddle River, NJ: Merrill/Prentice Hall.

Bailey, J. S. (2000). A futurist perspective for applied behavior analysis. In J. Austin y J. E. Carr (Eds.), *Handbook of applied behavior analysis* (págs. 473–488). Reno, NV: Context Press.

Bailey, J., y Meyerson, L. (1969). Vibration as a reinforcer with a profoundly retarded child. *Journal of Applied Behavior Analysis, 2,* 135–137.

Bailey, J. S. y Pyles, D. A. M. (1989). Behavioral diagnostics. In E. Cipani (Ed.), *The treatment of severe behavior disorders: Behavior analysis approach* (págs. 85–107). Washington, DC: American

Association on Mental Retardation. Bailey, S. L., y Lessen, E. I. (1984). An

analysis of target behaviors in education: Applied but how useful? In W. L. Heward, T. E. Heron, D. S. Hill, y J. Trap-Porter (Eds.), *Focus on behavior analysis in education* (págs. 162–176). Columbus, OH: Charles E. Merrill.

Ballard, K. D., y Glynn, T. (1975). Behavioral self-management in story writing with elementary school children. *Journal of Applied Behavior Analysis, 8,* 387–398.

Bandura, A. (1969). *Principles of behavior modification.* Nueva York: Holt, Rinehart y Winston.

Bandura, A. (1971). Vicarious and self-reinforcement processes. In R. Glaser (Ed.), *The nature of reinforcement.* Nueva York: Academic Press.

Bannerman, D. J., Sheldon, J. B., Sherman, J. A., y Harchik, A. E. (1990). Balancing the rights to habilitation with the right to personal liberties: The rights of people with developmental disabilities to eat too many doughnuts and take a napág. *Journal of Applied Behavior Analysis, 23,* 79–89.

Barbetta, P. M., Heron, T. E., y Heward, W. L. (1993). Effects of active student response during error correction on the acquisition, maintenance, and generalization of sight words by students with developmental disabilities. *Journal of Applied Behavior Analysis, 26,* 111–119.

Barker, M. R., Bailey, J. S., y Lee, N. (2004). The impact of verbal prompts on child safety-belt use in shopping carts. *Journal of Applied Behavior Analysis, 37,* 527–530.

Barkley, R., Copeland, A., y Sivage, C. (1980). A self-control classroom for hyperactive children. *Journal of Autism and Developmental Disorders, 10,* 75–89.

Barlow, D. H., y Hayes, S. C. (1979). Alternating treatments design: One strategy for comparing the effects of two treatments in a single behavior. *Journal of Applied Behavior Analysis,* 12, 199–210.

Baron, A., y Galizio, M. (2005). Positive and negative reinforcement: Should the distinction be preserved? *The Behavior Analyst, 28,* 85–98.

Baron, A., y Galizio, M. (2006). The distinction between positive and negative reinforcement: Use with care. *The Behavior Analyst, 29,* 141–151.

Barrett, B. H., Beck, R., Binder, C., Cook, D. A., Engelmann, S., Greer, R. D., Kyrklund, S. J., Johnson, K. R., Maloney, M., McCorkle, N., Vargas, J. S., y Watkins, C. L. (1991). The right to effective education. *The Behavior Analyst, 14* (1), 79–82.

Barrish, H. H., Saunders, M., y Wolf, M. M. (1969). Good behavior game: Effects of individual contingencies for group consequences on disruptive behavior in a classroom. *Journal of Applied Behavior Analysis, 2,* 119–124.

Barry, A. K. (1998). *English grammar: Language as human behavior.* Upper Saddle River, NJ: Prentice Hall.

Barton, E. S., Guess, D., Garcia, E., y Baer, D. M. (1970). Improvement of retardates' mealtime behaviors by timeout procedures using multiple baseline techniques. *Journal of Applied Behavior Analysis, 3,* 77–84.

Barton, L. E., Brulle, A. R., y Repp, A. C. (1986). Maintenance of therapeutic change by momentary DRO. *Journal of Applied Behavior Analysis, 19,* 277–282.

Barton-Arwood, S. M., Wehby, J. H., Gunter, P. L., y Lane, K. L. (2003). Functional behavior assessment rating scales: Intrarater reliability with students with emotional or behavioral disorders. *Behavior Disorders, 28,* 386–400.

Baum, W. M. (1994). *Understanding behaviorism: Science, behavior, and culture.* Nueva York: Harper Collins.

Baum, W. M. (2005). *Understanding behaviorism: Science, behavior, and culture* (2nd ed.). Malden, MA: Blackwell Publishing.

Bay-Hinitz, A. K., Peterson, R. F., y Quilitch, H. R. (1994). Cooerrative games: A way to modify aggressive and cooperative behaviors in young children. *Journal of Applied Behavior Analysis, 27,* 435–446.

Becker, W. C., y Engelmann, S. E. (1978). Systems for basic instruction: Theory and applications. In A. Catania y T. Brigham (Eds.), *Handbook of applied behavior analysis: Social and instructional processes.* Nueva York: Irvington.

Becker, W. C., Engelmann, S., y Thomas, D. R. (1975). *Teaching 2: Cognitive learning and instruction.* Chicago: Science Research Associates.

Behavior Analyst Certification Board. (2001). *Guidelines for responsible conduct for behavior analysts.* Tallahassee, FL: Author.

Behavior Analyst Certification Board. (2005). *Behavior analyst task list, third edition.* Tallahassee, FL: Author.

Behavior Analyst Certification Board. (2014). *Código Deontológico Profesional y Ético para Analistas de Conducta.* Recuperado el 11 de septiembre de 2017 de https://bacb.com/ethics-code

Behavior Analyst Certification Board. (2016). Lista de Tareas para Analistas de Conducta – BCBA® y BCaBA®, 5ª ed. Recuperado el 11 de septiembre de 2017 de https://bacb.com/bcba-bcaba-task-list-5th-ed

Belfiore, P. J., Skinner, C. H., y Ferkis, M. A. (1995). Effects of response and trial repetition on sight-word training for students with learning disabilities. *Journal of Applied Behavior Analysis, 28,* 347–348.

Bell, K. E., Young, K. R., Salzberg, C. L., y West, R. P. (1991). High school driver education using peer tutors, direct instruction, and precision teaching. *Journal of Applied Behavior Analysis, 24,* 45–51.

Bellack, A. S., y Hersen, M. (1977). *Behavior modification: An introductory textbook.* Nueva York: Oxford University Press.

Bellack, A. S., y Schwartz, J. S. (1976). Assessment for self-control programs. In M. Hersen y A. S. Bellack (Eds.), *Behavioral assessment: A practical handbook* (págs. 111–142). Nueva York: Pergamon Press.

Bellamy, G. T., Horner, R. H., y Inman, D. P. (1979). *Vocational habilitation of severely retarded adults.* Austin, TX: Pro-Ed.

Bender, W. N., y Mathes, M. Y. (1995). Students with ADHD in the inclusive classroom: A hierarchical approach to strategy selection. *Intervention in School y Clinic, 30* (4), 226–234.

Bennett, K., y Cavanaugh, R. A. (1998). Effects of immediate self-correction, delayed self-correction, and no correction on the acquisition and maintenance of multiplication facts by a fourth-grade student with learning disabilities. *Journal of Applied Behavior Analysis, 31,* 303–306.

Bicard, D. F. y Neef, N. A. (2002). Effects of strategic versus tactical instructions on adaptation to changing contingencies in children with ADHD. *Journal of Applied Behavior Analysis, 35,* 375–389.

Bijou, S. W. (1955). A systematic approach to an experimental analysis of young children. *Child Development, 26,* 161–168.

Bijou, S. W. (1957). Patterns of reinforcement and resistance to extinction in young children. *Child Development, 28,* 47–54.

Bijou, S. W. (1958). Operant extinction after fixed-interval schedules with young children. *Journal of the Experimental Analysis of Behavior, 1,* 25–29.

Bijou, S. W., y Baer, D. M. (1961). *Child development: Vol. 1. A systematic and empirical theory.* Nueva York: AppletonCentury-Crofts.

Bijou, S. W., y Baer, D. M. (1965). *Child development: Vol. 2. Universal stage of infancy.* Nueva York: Appleton-Century-Crofts.

Bijou, S. W., Birnbrauer, J. S., Kidder, J. D., y Tague, C. (1966). Programmed instruction as an approach to teaching of reading, writing, and arithmetic to retarded children. *The Psychological Record, 16,* 505–522.

Bijou, S. W., Peterson, R. F., y Ault, M. H. (1968). A method to integrate descriptive and experimental field studies at the level of data and empirical concepts. *Journal of Applied Behavior Analysis, 1,* 175–191.

Billings, D. C., y Wasik, B. H. (1985). Selfinstructional training with preschoolers: An attempt to replicate. *Journal of Applied Behavior Analysis, 18,* 61–67.

Billingsley, F., White, D. R., y Munson, R. (1980). Procedural reliability: A rationale and an example. *Behavioral Assessment, 2,* 247–256.

Binder, C. (1996). Behavioral fluency: Evolution of a new paradigm. *The Behavior Analyst, 19,* 163–197.

Binder, L. M., Dixon, M. R., y Ghezzi, P. M. (2000). A procedure to teach selfcontrol to children with attention deficit hyperactivity disorder. *Journal of Applied Behavior Analysis, 33,* 233–237.

Birnbrauer, J. S. (1979). Applied behavior analysis, service, and the acquisition of knowledge. *The Behavior Analyst, 2,* 15–21.

Birnbrauer, J. S. (1981). External validity and experimental investigation of individual behavior. *Analysis and Intervention in Developmental Disabilities, 1,* 117–132.

Birnbrauer, J. S., Wolf, M. M., Kidder, J. D., y Tague, C. E. (1965). Classroom behavior of retarded pupils with token reinforcement. *Journal of Experimental Child Psychology, 2,* 219–235.

Bishop, B. R., y Stumphauzer, J. S. (1973). Behavior therapy of thumb sucking in children: A punishment (time out) and generalization effect—what's a mother to do? *Psychological Reports, 33,* 939–944.

Bjork, D. W. (1997). *B. F. Skinner: A life.* Washington, DC: American Psychological Association.

Blew, P. A., Schwartz, I. S., y Luce, S. C. (1985). Teaching functional community skills to autistic children using nonhandicapped peer tutors. *Journal of Applied Behavior Analysis, 18,* 337–342.

Blick, D. W., y Test, D. W. (1987). Effects of self-recording on high school students' on-task behavior. *Learning Disability Quarterly, 10,* 203–213.

Bloom, L. (1970). *Language development: Form and function in emerging grammars.* Cambridge, MA: MIT Press.

Bloom, M., Fischer, J., y Orme, J. G. (2003). *Evaluating practice:*

Guidelines for the accountable professional (4th ed.). Boston: Allyn y Bacon.

Bolin, E. P., y Goldberg, G. M. (1979). Behavioral psychology and the Bible: General and specific considerations. *Journal of Psychology and Theology, 7,* 167–175.

Bolstad, O., y Johnson, S. (1972). Selfregulation in the modification of disruptive classroom behavior. *Journal of Applied Behavior Analysis, 5,* 443–454.

Bondy, A., y Frost, L. (2002). *The Picture Exchange Communication System.* Newark, DE: Pyramid Educational Products.

Boring, E. G. (1941). Statistical frequencies as dynamic equilibria. *Psychological Review, 48,* 279–301.

Bornstein, P. H., y Quevillon, R. P. (1976). The effects of a self-instructional package on overactive preschool boys. *Journal of Applied Behavior Analysis, 9,* 179–188.

Bosch, S., y Fuqua, W. R. (2001). Behavioral cusps: A model for selecting target behaviors. *Journal of Applied Behavior Analysis, 34,* 123–125.

Bourret, J., Vollmer, T. R., y Rapp, J. T. (2004). Evaluation of a vocal mand assessment and vocal mand procedures. *Journal of Applied Behavior Analysis, 37,* 129–144.

Bowers, F. E., Woods, D. W., Carlyon, W. D., y Friman, P. C. (2000). Using positive peer reporting to improve the social interactions and acceptance of socially isolated adolescents in residential care: A systematic replication. *Journal of Applied Behavior Analysis, 33,* 239–242.

Bowman, L. G., Piazza, C. C., Fisher, W., Hagopian, L. P., y Kogan, J. S. (1997). Assessment of preference for varied versus constant reinforcement. *Journal of Applied Behavior Analysis, 30,* 451–458.

Boyajian, A. E., DuPaul, G. J., Wartel Handlerdler, M., Eckert, T. L., y McGoey, K. E. (2001). The use of classroombased brief functional analyses with preschoolers at risk for attention deficit hyperactivity disorder. *School Psychology Review, 30,* 278–293.

Boyce, T. E., y Geller, E. S. (2001). A technology to measure multiple driving behaviors without self-report or participant reactivity. *Journal of Applied Behavior Analysis, 34,* 39–55.

Boyle, J. R., y Hughes, C. A. (1994). Effects of self-monitoring and subsequent fading of external prompts on the ontask behavior and task productivity of elementary students with moderate mental retardation. *Journal of Behavioral Education, 4,* 439–457.

Braam, S. J., y Poling, A. (1982). Development of intraverbal behavior in mentally retarded individuals through transfer of stimulus control procedures: Classification of verbal responses. *Applied Research in Mental Retardation, 4,* 279–302.

Braine, M. D. S. (1963). The ontogeny of English phrase structure: The first phrase. *Language, 39,* 1–13.

Brame, P. B. (2001). *Making sustained silent reading (SSR) more effective: Effects of a story fact recall game on students' off-task behavior during SSR and retention of story facts.* Unpublished doctoral dissertation, The Ohio State University, Columbus, OH.

Brame, P., Bicard, S. C., Heward, W. L., y Greulich, H. (2007). *Using an indiscriminable group contingency to "wake up" sustained silent reading: Effects on off-task behavior and recall of story facts.* Manuscript submitted for publication review.

Brantley, D. C., y Webster, R. E. (1993). Use of an independent group contingency management system in a regular classroom setting. *Psychology in the Schools, 30,* 60–66.

Brantner, J. P., y Doherty, M. A. (1983). A review of timeout: A conceptual and methodological analysis. In S. Axelrod y J. Apsche (Eds.), *The effects of punishment on human behavior* (págs. 87–132). Nueva York: Academic Press.

Brethower, D. C., y Reynolds, G. S. (1962). A facilitative effect of punishment on unpunished behavior. *Journal of the Experimental Analysis of Behavior, 5,* 191–199.

Briggs, A., Alberto, P., Sharpton, W., Berlin, K., McKinley, C., y Ritts, C. (1990). Generalized use of a self-operated audio prompt system. *Education and Training in Mental Retardation, 25,* 381–389.

Brigham, T. A. (1980). Self-control revisited: Or why doesn't anyone read Skinner anymore? *The Behavior Analyst, 3,* 25–33.

Brigham, T. A. (1983). Self-management: A radical behavioral perspective. In P. Karoly y F. H. Kanfer (Eds.), *Selfmanagement and behavior change: From theory to practice* (págs. 32–59). Nueva York: Pergamon Press.

Brobst, B., y Ward, P. (2002). Effects of public posting, goal setting, and oral feedback on the skills of female soccer players. *Journal of Applied Behavior Analysis, 27,* 247–257.

Broden, M., Hall, R. V., y Mitts, B. (1971). The effect of self-recording on the classroom behavior of two eighth-grade students. *Journal of Applied Behavior Analysis, 4,* 191–199.

Brothers, K. J., Krantz, P. J., y McClannahan, L. E. (1994). Office paper recycling: A function of container proximity. *Journal of Applied Behavior Analysis, 27,* 153–160.

Browder, D. M. (2001). *Curriculum and assessment for students with moderate and severe disabilities.* Nueva York: Guilford Press.

Brown, K. A., Wacker, D. P., Derby, K. M., Peck, S. M., Richman, D. M., Sasso, G. M., Knutson, C. L., y Harding, J. W. (2000). Evaluating the effects of functional communication training in the presence and absence of establishing operations. *Journal of Applied Behavior Analysis, 33,* 53–71.

Brown, R. (1973). *A first language: The early stages.* Cambridge, MA: Harvard University Press.

Brown, R., Cazden, C., y Bellugi, U. (1969). The child's grammar from I to III (págs. 28–73). In J. P. Hill (Ed.), *The 1967 symposium on child psychology.* Minneapolis: University of Minnesota Press.

Brown, S. A., Dunne, J. D, y Cooper, J. O. (1996) Immediate retelling's effect on student retention. *Education and Treatment of Children, 19,* 387–407.

Browning, R. M. (1967). A same-subject design for simultaneous comparison of three reinforcement contingencies. *Behavior Research and Therapy, 5,* 237–243.

Budd, K. S., y Baer, D. M. (1976). Behavior modification and the law: Implications of recent judicial decisions. *Journal of Psychiatry and Law, 4,* 171–244.

Burgio, L. D., Whitman, T. L., y Johnson, M. R. (1980). A self-instructional package for increasing attending behavior in educable mentally retarded children. *Journal of Applied Behavior Analysis, 13,* 443–459.

Bushell, D., Jr., y Baer, D. M. (1994). Measurably superior instruction means close, continual contact with the relevant outcome data. Revolutionary! In R. Gardner, III, D. M. Sainato, J. O. Cooper, T. E. Heron, W. L. Heward, J. Eshleman, y T. A. Grossi (Eds.), *Behavior analysis in education: Focus on measurably superior instruction* (págs. 3–10). Pacific Grove, CA: Brooks/Cole.

Byrd, M. R., Richards, D. F., Hove, G., y Friman, P. C. (2002). Treatment of early onset hair pulling as a simple habit. *Behavior Modification, 26* (3), 400–411.

Byrne, T., LeSage, M. G., y Poling, A. (1997). Effects of chlorpromazine on rats' acquisition of lever-press responding with immediate and delayed reinforcement. *Pharmacology Biochemistry and Behavior, 58,* 31–35.

Caldwell, N. K., Wolery, M., Werts, M. G., y Caldwell, Y. (1996). Embedding instructive feedback into teacher-student interactions during independent seatwork. *Journal of Behavioral Education, 6,* 459–480.

Cameron, J. (2005). The detrimental effects of reward hypothesis: Persistence of a view in the face of disconfirming evidence. In W. L. Heward, T. E. Heron, N. A. Neef, S. M. Peterson, D. M. Sainato, G. Cartledge, R. Gardner, III, L. D. Peterson, S. B. Hersh, y J. C. Dardig (Eds.), *Focus on behavior analysis in education: Achievements, challenges, and opportunities* (págs. 304–315). Upper Saddle River, NJ: Merrill/Prentice Hall.

Cammilleri, A. P., y Hanley, G. P. (2005). Use of a lag differential reinforcement contingency to increase varied selections of classroom activities. *Journal of Applied Behavior Analysis, 38,* 111–115.

Campbell, D. T., y Stanley, J. C. (1966). *Experimental and quasi-experimental designs for research.* Chicago: Rand McNally.

Campbell, R. C., y Stremel-Campbell, K. (1982). Programming "loose training" as a strategy to facilitate language generalization. *Journal of Applied Behavior Analysis, 15,* 295–301.

Carr, E. G., y Durand, V. M. (1985). Reducing behavior problems through functional communication training. *Journal of Applied Behavior Analysis,* 18, 111–126.

Carr, E. G., y Kologinsky, E. (1983). Acquisition of sign language by autistic children II: Spontaneity and generalization effects. *Journal of Applied Behavior Analysis, 16,* 297–314.

Carr, E. G., y Lovaas, I. O. (1983). Contingent electric shock as a treatment for severe behavior problems. In S. Axelrod y J. Apsche (Eds.), *The effects of punishment on human behavior* (págs. 221–245). Nueva York: Academic Press.

Carr, J. E., y Burkholder, E. O. (1998). Creating single-subject design graphs with Microsoft Excel. *Journal of Applied Behavior Analysis, 31* (2), 245–251.

Carr, J. E., Kellum, K. K., y Chong, I. M. (2001). The reductive effects of noncontingent reinforcement: Fixed-time versus variable-time schedules. *Journal of Applied Behavior Analysis, 34,* 505–509.

Carr, J. E., Nicolson, A. C., y Higbee, T. S. (2000). Evaluation of a brief multiplestimulus preference assessment in a naturalistic context. *Journal of Applied Behavior Analysis, 33,* 353–357.

Carroll, R. J., y Hesse, B. E. (1987). The effects of alternating mand and tact training on the acquisition of tacts. *The Analysis of Verbal Behavior, 5,* 55–65.

Carter, J. F. (1993). Self-management: Education's ultimate goal. *Teaching Exceptional Children, 25*(3), 28–32.

Carter, M., y Grunsell, J. (2001). The behavior chain interruption strategy: A review of research and discussion of future directions. *Journal of the Association for Persons with Severe Handicaps, 26* (1), 37–49.

Carton, J. S., y Schweitzer, J. B. (1996). Use of token economy to increase compliance during hemodialysis. *Journal of Applied Behavior Analysis, 29,* 111–113.

Catania, A. C. (1972). Chomsky's formal analysis of natural languages: A behavioral translation. *Behaviorism, 1,* 1–15.

Catania, A. C. (1975). The myth of self-reinforcement. *Behaviorism, 3,* 192–199.

Catania, A. C. (1976). Self-reinforcement revisited. *Behaviorism, 4,* 157–162.

Catania, A. C. (1992). B. F. Skinner, Organism. *American Psychologist, 48,* 1521–1530.

Catania, A. C. (1998). *Learning* (4th ed.).
Upper Saddle River, NJ: Prentice Hall.
Catania, A. C., y Harnad, S. (Eds.). (1988). *The selection of behavior: The operant behaviorism of B. F. Skinner: Comments and controversies.* Nueva York: Cambridge University Press.

Catania, A. C., y Hineline, P. N. (Eds.). (1996). *Variations and selections: An anthology of reviews from the* Journal of the Experimental Analysis of Behavior. Bloomington, IN: Society for the Experimental Analysis of Behavior.

Cautela, J. R. (1971). Covert conditioning. In A. Jacobs y L. B. Sachs (Eds.), *The psychology of private events: Perspective on covert response systems* (págs. 109–130). Nueva York: Academic Press.

Cavalier, A., Ferretti, R., y Hodges, A. (1997). Self-management within a classroom token economy for students with learning disabilities. *Research in Developmental Disabilities, 18* (3), 167–178.

Cavanaugh, R. A., Heward, W. L., y Donelson, F. (1996). Effects of response cards during lesson closure on the academic performance of secondary students in an earth science course. *Journal of Applied Behavior Analysis,* 29, 403–406.

Chadsey-Rusch, J., Drasgow, E., Reinoehl, B., Halle, J., y Collet-Klingenberg, L. (1993). Using general-case instruction to teach spontaneous and generalized requests for assistance to learners with severe disabilities. *Journal of the Association for Persons with Severe Handicaps, 18,* 177–187.

Charlop, M. H., Burgio, L. D., Iwata, B. A., y Ivancic, M. T. (1988). Stimulus variation as a means of enhancing punishment effects. *Journal of Applied Behavior Analysis, 21,* 89–95.

Charlop-Christy, M. H., y Carpenter, M. H. (2000). Modified incidental teaching sessions: A procedure for parents to increase spontaneous speech in their children with autism. *Behavioral Interventions, 2,* 98–112.

Charlop-Christy, M. H., y Haymes, L. K. (1998). Using objects of obsession as token reinforcers for children with autism. *Journal of Autism and Developmental Disorders, 28* (3), 189–198.

Chase, P. N. (2006). Teaching the distinction between positive and negative reinforcement. *The Behavior Analyst, 29,* 113–115.

Chase, P. N., y Danforth, J. S. (1991). The role of rules in concept learning. In L. J. Hayes and P. N. Chase (Eds.), *Dialogues on verbal behavior* (págs. 205–225). Reno, NV: Context Press. Chase, P., Johnson, K., y Sulzer-Azaroff, B.
(1985). Verbal relations within instruction: Are there subclasses of the intraverbal? *Journal of the Experimental Analysis of Behavior, 43,* 301–314.

Chiang, S. J., Iwata, B. A., y Dorsey, M. F. (1979). Elimination of disruptive bus riding behavior via token reinforcement on a "distance-based" schedule. *Education and Treatment of Children,* 2, 101–109.

Chiesa, M. (1994). *Radical behaviorism: The philosophy and the science.* Boston: Authors Cooperative.

Chomsky, N. (1957). *Syntactic structures.* The Hague: Mouton and Company.

Chomsky, N. (1959). Review of B. F. Skinner's *Verbal behavior. Language, 35,* 26–58.

Chomsky, N. (1965). *Aspects of a theory of syntax.* Cambridge, MA: MIT Press.

Christian, L., y Poling, A. (1997). Using self-management procedures to improve the productivity of adults with developmental disabilities in a competitive employment setting. *Journal of Applied Behavior Analysis, 30,* 169–172.

Christle, C. A., y Schuster, J. W. (2003). The effects of using response cards on student participation, academic achievement, and on-task behavior during whole-class, math instruction. *Journal of Behavioral Education, 12,* 147–165.

Ciccone, F. J., Graff, R. B., y Ahearn, W. H. (2006). Stimulus preference assessments and the utility of a moderate category. *Behavioral Intervention, 21,* 59–63.

Cipani, E. C., y Spooner, F. (1994). *Curricular and instructional approaches for persons with severe disabilities.* Boston: Allyn y Bacon.

Cipani, E., Brendlinger, J., McDowell, L.,y Usher, S. (1991). Continuous vs. intermittent punishment: A case study. *Journal of Developmental and Physical Disabilities, 3,* 147–156.

Cipani, E., Robinson, S., y Toro, H. (2003). *Ethical and risk management issues in the practice of ABA.* Paper presented at annual conference of the Florida Association for Behavior Analysis, St. Petersburg.

Clark, H. B., Rowbury, T., Baer, A., y Baer, D. M. (1973). Time out as a punishing stimulus in continuous and intermittent schedules. *Journal of Applied Behavior Analysis, 6,* 443–455.

Codding, R. S., Feinberg, A. B., Dunn, E. K., y Pace, G. M. (2005). Effects of immediate performance feedback on implementation of behavior support plans. *Journal of Applied Behavior Analysis, 38,* 205–219.

Cohen, J. A. (1960). A coefficient of agreement for nominal scales. *Educational and Psychological Measurement, 20,* 37–46.

Cohen-Almeida, D., Graff, R. B., y Ahearn, W. H. (2000). A comparison of verbal and tangible stimulus preference assessments. *Journal of Applied Behavior Analysis, 33,* 329–334.

Cole, G. A., Montgomery, R. W., Wilson, K. M., y Milan, M. A. (2000). Parametric analysis of overcorrection duration effects: Is longer really better than shorter? *Behavior Modification, 24,* 359–378.

Coleman-Martin, M. B., y Wolff Heller, K. (2004). Using a modified constant prompt-delay procedure to teach spelling to students with physical disabilities. *Journal of Applied Behavior Analysis, 37,* 469–480.

Conaghan, B. P., Singh, N. N., Moe, T. L., Landrum, T. J., y Ellis, C. R. (1992). Acquisition and generalization of manual signs by hearing-impaired adults with mental retardation. *Journal of Behavioral Education, 2,* 175–203.

Connell, M. C., Carta, J. J., y Baer, D. M. (1993). Programming generalization of in-class transition skills: Teaching preschoolers with developmental delays to self-assess and recruit contingent teacher praise. *Journal of Applied Behavior Analysis, 26,* 345–352.

Conners, J., Iwata, B. A., Kahng, S. W., Hanley, G. P, Worsdell, A. S., y Thompson, R. H. (2000). Differential responding in the presence and absence of discriminative stimuli during multi-element functional analyses. *Journal of Applied Behavior Analysis, 33,* 299–308.

Conroy, M. A., Fox, J. J., Bucklin, A., y Good, W. (1996). An analysis of the reliability and stability of the Motivation Assessment Scale in assessing the challenging behaviors of persons with developmental disabilities. *Education and Training in Mental Retardation and Developmental Disabilities, 31,* 243–250.

Cooke, N. L. (1984). Misrepresentations of the behavioral model in preservice teacher education textbooks. In W. L. Heward, T. E. Heron, D. S. Hill, y J. Trap-Porter (Eds.), *Focus on behavior analysis in education* (págs. 197–217). Columbus, OH: Charles E. Merrill.

Cooper, J. O. (1981). *Measuring behavior* (2nd ed.). Columbus, OH: Charles E. Merrill.

Cooper, J. O. (2005). Applied research: The separation of applied behavior analysis and precision teaching. In W. L. Heward, T. E. Heron, N. A. Neef, S. M. Peterson, D. M. Sainato, G. Cartledge, R. Gardner, III, L. D. Peterson, S. B. Hersh, y J. C. Dardig (Eds.), *Focus on behavior analysis in education: Achievements, challenges, and opportunities* (págs. 295–303). Upper Saddle River, NJ: Prentice Hall/Merrill.

Cooper, J. O., Kubina, R., y Malanga, P. (1998). Six procedures for showing standard celeration charts. *Journal of Precision Teaching y Celeration, 15* (2), 58–76.

Cooper, K. J., y Browder, D. M. (1997). The use of a personal trainer to enhance participation of older adults with severe disabilities in a community water exercise class. *Journal of Behavioral Education, 7,* 421–434.

Cooper, L. J., Wacker, D. P., McComas, J. J., Brown, K., Peck, S. M., Richman, D., Drew, J., Frischmeyer, P., y Millard, T. (1995). Use of component analysis to identify active variables in treatment packages for children with feeding disorders. *Journal of Applied Behavior Analysis, 28,* 139–153.

Cooper, L. J., Wacker, D. P., Thursby, D., Plagmann, L. A., Harding, J., Millard, T., y Derby, M. (1992). Analysis of the effects of task preferences, task demands, and adult attention on child behavior in outpatient and classroom settings. *Journal of Applied Behavior Analysis, 25,* 823–840.

Copeland, R. E., Brown, R. E., y Hall, R. V. (1974). The effects of principalimplemented techniques on the behavior of pupils. *Journal of Applied Behavior Analysis, 7,* 77–86.

Corey, G., Corey, M. S., y Callanan, P. (1993). *Issues and ethics in the helping professions* (4th ed.). Pacific Grove, CA: Brooks/Cole.

Costenbader, V., y Reading-Brown, M. (1995). Isolation timeout used with students with emotional disturbance. *Exceptional Children, 61* (4), 353–364.

Cowdery, G., Iwata, B. A., y Pace, G. M. (1990). Effects and side effects of DRO as treatment for self-injurious behavior. *Journal of Applied Behavior Analysis, 23,* 497–506.

Cox, B. S., Cox, A. B., y Cox, D. J. (2000). Motivating signage prompts safety belt use among drivers exiting senior communities. *Journal of Applied Behavior Analysis, 33,* 635–638.

Craft, M. A., Alber, S. R., y Heward, W. L. (1998). Teaching elementary students with developmental disabilities to recruit teacher attention in a general education classroom: Effects on teacher praise and academic productivity. *Journal of Applied Behavior Analysis, 31,* 399–415.

Crawford, J., Brockel, B., Schauss, S., y Miltenberger, R. G. (1992). A comparison of methods for the functional assessment of stereotypic behavior. *Journal of the Association for Persons with Severe Handicaps, 17,* 77–86.

Critchfield, T. S. (1993). Behavioral pharmacology and verbal behavior: Diazepam effects on verbal self-reports. *The Analysis of Verbal Behavior, 11,* 43–54.

Critchfield, T. S. (1999). An unexpected effect of recording frequency in reactive self-monitoring. *Journal of Applied Behavior Analysis, 32,* 389–391.

Critchfield, T. S., y Kollins, S. H. (2001). Temporal discounting: Basic research and the analysis of socially important behavior. *Journal of Applied Behavior Analysis, 34,* 101–122.

Critchfield, T. S., y Lattal, K. A. (1993). Acquisition of a spatially defined operant with delayed reinforcement. *Journal of the Experimental Analysis of Behavior, 59,* 373–387.

Critchfield, T. S., y Vargas, E. A. (1991). Self-recording, instructions, and public self-graphing: Effects on swimming in the absence of coach verbal interaction. *Behavior Modification, 15,* 95–112.

Critchfield, T. S., Tucker, J. A., y Vuchinich, R. E. (1998). Self-report methods. In K. A. Lattal y M. Perone (Eds.), *Handbook of research methods in human operant behavior* (págs. 435–470). Nueva York:

Plenum. Cromwell, O. (1650, August 3). Letter to the general assembly of the Church of Scotland. Available online: https://en.wikiquote.org/wiki/Oliver_Cromwell

Crosbie, J. (1999). Statistical inference in behavior analysis: Useful friend. *The Behavior Analyst, 22,* 105–108.

Cushing, L. S., y Kennedy, C. H. (1997). Academic effects of providing peer support in general education classrooms on students without disabilities. *Journal of Applied Behavior Analysis, 30,* 139–151.

Cuvo, A. J. (1979). Multiple-baseline design in instructional research: Pitfalls of measurement and procedural advantages. *American Journal of Mental Deficiency, 84,* 219–228.

Cuvo, A. J. (2000). Development and function of consequence classes in operant behavior. *The Behavior Analyst, 23,* 57–68.

Cuvo, A. J. (2003). On stimulus generalization and stimulus classes. *Journal of Behavioral Education, 12,* 77–83.

Cuvo, A. J., Lerch, L. J., Leurquin, D. A., Gaffaney, T. J., y Poppen, R. L. (1998). Response allocation to concurrent fixed-ratio reinforcement schedules with work requirements by adults with mental retardation and typical preschool children. *Journal of Applied Behavior Analysis, 31,* 43–63.

Dalton, T., Martella, R., y MarchandMartella, N. E. (1999). The effects of a self-management program in reducing off-task behavior. *Journal of Behavioral Education, 9,* 157–176.

Daly, P. M., y Ranalli, P. (2003). Using countoons to teach self-monitoring skills. *Teaching Exceptional Children, 35* (5), 30–35.

Dams, P-C. (2002). A little night music. In R. W. Malott y H. Harrison, *I'll stop procrastinating when I get around to it: Plus other cool ways to succeed in school and life using behavior analysis to get your act together* (págs. 7–3–7-4). Kalamazoo, Department of Psychology, Western Michigan University.

Dardig, J. C., y Heward, W. L. (1976). *Sign here: A contracting bookfor children and their families.* Kalamazoo, MI: Behaviordelia.

Dardig, J. C., y Heward, W. L. (1981a). A systematic procedure for prioritizing IEP goals. *The Directive Teacher, 3,* 6–8.

Dardig, J. C., y Heward, W. L. (1981b). *Sign here: A contracting book for children and their parents* (2nd ed.). Bridgewater, NJ: Fournies.

Darwin, C. (1872/1958). *The origin of species* (6th ed.). Nueva York: Mentor. (Original work published 1872)

Davis, C. A., y Reichle, J. (1996). Variant and invariant high-probability requests: Increasing appropriate behaviors in children with emotional-behavioral disorders. *Journal of Applied Behavior Analysis, 29,* 471–482.

Davis, C. A., Brady, M. P., Williams, R. E., y Burta, M. (1992). The effects of selfoperated auditory prompting tapes on the performance fluency of persons with severe mental retardation. *Education and Training in Mental Retardation, 27,* 39–50.

Davis, L. L., y O'Neill, R. E. (2004). Use of response cards with a group of students with learning disabilities including those for whom English is a second language. *Journal of Applied Behavior Analysis, 37,* 219–222.

Davis, P. K., y Chittum, R. (1994). A grouporiented contingency to increase leisure activities of adults with traumatic brain injury. *Journal of Applied Behavior Analysis, 27,* 553–554.

Davison, M. (1999). Statistical inference in behavior analysis: Having my cake and eating it too. *The Behavior Analyst, 22,* 99-103.

Dawson, J. E., Piazza, C. C., Sevin, B. M., Gulotta, C. S., Lerman, D. y Kelley, M. L. (2003). Use of the high-probability instructional sequence and escape extinction in a child with food refusal. *Journal of Applied Behavior Analysis, 36,* 105–108.

De Luca, R. B., y Holborn, S. W. (1990). Effects of fixed-interval and fixed-ratio schedules of token reinforcement on exercise with obese and nonobese boys. *Psychological Record, 40,* 67–82.

De Luca, R. B., y Holborn, S. W. (1992). Effects of a variable-ratio reinforce on exercise in obese and nonobese boys. *Journal of Applied Behavior Analysis, 25,* 671–679.

De Martini-Scully, D., Bray, M. A., y Kehle, T. J. (2000). A packaged intervention to reduce disruptive behaviors in general education students. *Psychology in the Schools, 37* (2), 149–156.

de Zubicaray, G., y Clair, A. (1998). An evaluation of differential reinforcement of other behavior, differential reinforcement of incompatible behaviors, and restitution for the management of aggressive behaviors. *Behavioral Interventions, 13,* 157–168.

Deaver, C. M., Miltenberger, R. G., y Stricker, J. M. (2001). Functional analysis and treatment of hair twirling in a young child. *Journal of Applied Behavior Analysis, 34,* 535–538.

DeCatanzaro, D., y Baldwin, G. (1978). Effective treatment of self-injurious behavior through a forced arm exercise. *Journal of Applied Behavior Analysis,* 1,433–439.

DeHaas-Warner, S. (1992). The utility of self-monitoring for preschool on-task behavior. *Topics in Early Childhood Special Education, 12,* 478–495.

Deitz, D. E. D. (1977). An analysis of programming DRL schedules in educational settings. *Behavior Research and Therapy, 15,* 103–111.

Deitz, D. E. D., y Repp, A. C. (1983). Reducing behavior through reinforcement. *Exceptional Education Quarterly, 3,* 34–46.

Deitz, S. M. (1977). An analysis of programming DRL schedules in educational settings. *Behavior Research and Therapy, 15,* 103–111.

Deitz, S. M., y Repp, A. C. (1973). Decreasing classroom misbehavior through the use of DRL schedules of reinforcement. *Journal of Applied Behavior Analysis, 6,* 457–463.

Deitz, S. M. (1982). Defining applied behavior analysis: An historical analogy. *The Behavior Analyst, 5,* 53–64.

Deitz, S. M., y Repp, A. C. (1983). Reducing behavior through reinforcement. *Exceptional Education Quarterly, 3,* 34–46.

Deitz, S. M., Slack, D. J., Schwarzmueller, E. B., Wilander, A. P., Weatherly, T. J., y Hilliard, G. (1978). Reducing inappropriate behavior in special classs classrooms by reinforcing average interresponse times: Interval DRL. *Behavior Therapy, 9,* 37–46.

DeLeon, I. G., y Iwata, B. A. (1996). Evaluation of a multiple-stimulus presentation format for assessing reinforcer preferences. *Journal of Applied Behavior Analysis, 29,* 519–533.

Deleon, I. G., Anders, B. M., RodriguezCatter, V., y Neidert, P. L. (2000). The effects of noncontingent access to single-versus multiple-stimulus sets on self-injurious behavior. *Journal of Applied Behavior Analysis, 33,* 623–626.

DeLeon, I. G., Fisher, W. W., Rodriguez-Catter, V., Maglieri, K., Herman, K., y Marhefka, J. M. (2001). Examination of relative reinforcement effects of stimuli identified through pretreatment and daily brief preference assessments. *Journal of Applied Behavior Analysis, 34,* 463–473.

DeLeon, I. G., Iwata, B. A., Conners, J., y Wallace, M. D. (1999). Examination of ambiguous stimulus preferences with duration-based measures. *Journal of Applied Behavior Analysis, 32,* 111–114.

DeLeon, I. G., Iwata, B. A., Goh, H., y Worsdell, A. S. (1997). Emergence of reinforcer preference as a function of schedule requirements and stimulus similarity. *Journal of Applied Behavior Analysis, 30,* 439–449.

DeLissovoy, V. (1963). Head banging in early childhood: A suggested cause. *Journal of Genetic Psychology, 102,* 109–114.

Delprato, D. J. (2002). Countercontrol in behavior analysis. *The Behavior Analyst, 25,* 191–200.

Delprato, D. J., y Midgley, B. D. (1992). Some fundamentals of B. F. Skinner's behaviorism. *American Psychologist, 48,* 1507–1520.

DeLuca, R. V., y Holborn, S. W. (1992). Effects of a variable-ratio reinforcement schedule with changing criteria on exercise in obese and nonobese boys. *Journal of Applied Behavior Analysis, 25,* 671–679.

DeMyer, M. K., y Ferster, C. B. (1962). Teaching new social behavior to schizophrenic children. *Journal of the American Academy of Child Psychiatry, 1,* 443–461.

Derby, K. M., Wacker, D. P., Berg, W., DeRaad, A., Ulrich, S., Asmus, J., Harding, J., Prouty, A., Laffey, P., y Stoner, E. A. (1997). The long-term effects of functional communication training in home settings. *Journal of Applied Behavior Analysis, 30,* 507–531.

Derby, K. M., Wacker, D. P., Sasso, G., Steege, M., Northup, J., Cigrand, K., y Asmus, J. (1992). Brief functional assessment techniques to evaluate aberrant behavior in an outpatient setting: A summary of 79 cases. *Journal of Applied Behavior Analysis, 25,* 713–721.

DeVries, J. E., Burnette, M. M., y Redmon, W. K. (1991). AIDS prevention: Improving nurses' compliance with glove wearing through performance feedback. *Journal of Applied Behavior Analysis, 24,* 705–711.

Dewey, J. (1939). *Experience and education.* Nueva York: Macmillan.

Dickerson, E. A., y Creedon, C. F. (1981). Self-selection of standards by children: The relative effectiveness of pupilselected and teacher-selected standards of performance. *Journal of Applied Behavior Analysis, 14,* 425–433.

Didden, R., Prinsen, H., y Sigafoos, J. (2000). The blocking effect of pictorial prompts on sight-word reading. *Journal of Applied Behavior Analysis, 33,* 317–320.

Dinsmoor, J. A. (1952). A discrimination based on punishment. *Quarterly Journal of Experimental Psychology, 4,* 27–45.

Dinsmoor, J. A. (1995a). Stimulus control: Part I. *The Behavior Analyst, 18,* 51–68.

Dinsmoor, J. A. (1995b). Stimulus control: Part II. *The Behavior Analyst, 18,* 253–269.

Dinsmoor, J. A. (2003). Experimental. *The Behavior Analyst, 26,* 151–153.

Dixon, M. R., y Cummins, A. (2001), Selfcontrol in children with autism: Response allocation during delays to reinforcement. *Journal of Applied Behavior Analysis, 34,* 491–495.

Dixon, M. R., y Falcomata, T. S. (2004). Preference for progressive delays and concurrent physical therapy exercise in an adult with acquired brain injury. *Journal of Applied Behavior Analysis, 37,* 101–105.

Dixon, M. R., y Holcomb, S. (2000). Teaching self-control to small groups of dually diagnosed adults. *Journal of Applied Behavior Analysis, 33,* 611–614.

Dixon, M. R., Benedict, H., y Larson, T. (2001). Functional analysis and treatment of inappropriate verbal behavior. *Journal of Applied Behavior Analysis, 34,* 361–363.

Dixon, M. R., Hayes, L. J., Binder, L. M., Manthey, S., Sigman, C., y Zdanowski, D. M. (1998). Using a self-control training procedure to increase appropriate behavior. *Journal of Applied Behavior Analysis, 31,* 203–210.

Dixon, M. R., Rehfeldt, R. A., y Randich, L. (2003). Enhancing tolerance to delayed reinforcers: The role of intervening activities. *Journal of Applied Behavior Analysis, 36,* 263–266.

Doke, L. A., y Risley, T. R. (1972). The organization of day care environments: Required vs. optional activities. *Journal of Applied Behavior Analysis, 5,* 453–454.

Donahoe, J. W., y Palmer, D. C. (1994). *Learning and complex behavior.* Boston: Allyn and Bacon.

Dorigo, M., y Colombetti, M. (1998). *Robot shaping: An experiment in behavior engineering.* Cambridge, MA: MIT Press.

Dorow, L. G., y Boyle, M. E. (1998). Instructor feedback for college writing assignments in introductory classes. *Journal of Behavioral Education, 8,* 115–129.

Downing, J. A. (1990). Contingency contracting: A step-by-step format. *Teaching Exceptional Children, 26* (2), 111–113.

Drabman, R. S., Hammer, D., y Rosenbaum, M. S. (1979). Assessing generalization in behavior modification with children: The generalization mapág. *Behavioral Assessment, 1,* 203–219.

Drabman, R. S., Spitalnik, R., y O'Leary, K. D. (1973). Teaching self-control to disruptive children. *Journal of Abnormal Psychology, 82,* 10–16.

Drasgow, E., Halle, J., y Ostrosky, M. M. (1998). Effects of differential reinforcement on the generalization of a replacement mand in three children with severe language delays. *Journal of Applied Behavior Analysis, 31,* 357–374.

Drash, P. W., High, R. L., y Tudor, R. M. (1999). Using mand training to establish an echoic repertoire in young children with autism. *The Analysis of Verbal Behavior, 16,* 29–44.

Ducharme, D. W., y Holborn, S. W. (1997). Programming generalization of social skills in preschool children with hearing impairments. *Journal of Applied Behavior Analysis, 30,* 639–651.

Ducharme, J. M., y Rushford, N. (2001). Proximal and distal effects of play on child compliance with a brain-injured parent. *Journal of Applied Behavior Analysis, 34,* 221–224.

Duker, P. C., y Seys, D. M. (1996). Longterm use of electrical aversion treatment with self-injurious behavior. *Research in Developmental Disabilities, 17,* 293–301.

Duker, P. C., y van Lent, C. (1991). Inducing variability in communicative gestures used by severely retarded individuals. *Journal of Applied Behavior Analysis, 24,* 379–386.

Dunlap, G., y Johnson, J. (1985). Increasing the independent responding of autistic children with unpredictable supervision. *Journal of Applied Behavior Analysis, 18,* 227–236.

Dunlap, G., de Perczel, M., Clarke, S., Wilson, D., Wright, S., White, R., y Gomez, A. (1994). Choice making to promote adaptive behavior for students with emotional and behavioral challenges. *Journal of Applied Behavior Analysis, 27,* 505–518.

Dunlap, G., Kern-Dunlap, L., Clarke, S., y Robbins, F. R. (1991). Functional assessment, curricular revision, and severe behavior problems. *Journal of Applied Behavior Analysis, 24,* 387–397.

Dunlap, G., Koegel, R. L., Johnson, J., y O'Neill, R. E. (1987). Maintaining performance of autistic clients in community settings with delayed contingencies. *Journal of Applied Behavior Analysis, 20,* 185–191.

Dunlap, L. K., y Dunlap, G. (1989). A selfmonitoring package for teaching subtraction with regrouping to students with learning disabilities. *Journal of Applied Behavior Analysis, 22,* 309–314.

Dunlap, L. K., Dunlap, G., Koegel, L. K., y Koegel, R. L. (1991). Using selfmonitoring to increase independence.

Teaching Exceptional Children, 23(3), 17–22.

Dunn, L. M., y Dunn, L. M. (1997). *Peabody Picture Vocabulary Test—III.* Circle Pines, MN: American Guidance Service.

Durand, V. M. (1999). Functional communication training using assistive devices: Recruiting natural communities of reinforcement. *Journal of Applied Behavior Analysis, 32,* 247–267.

Durand, V. M., y Carr, E. G. (1987). Social influences on "self-stimulatory" behavior: Analysis and treatmentapplication. *Journal of Applied Behavior Analysis, 20,* 119–132.

Durand, V. M., y Carr, E. G. (1992). An analysis of maintenance following functional communication training. *Journal of Applied Behavior Analysis, 25,* 777–794.

Durand, V. M., y Crimmins, D. (1992). *The Motivation Assessment Scale.* Topeka, KS: Monaco y Associates.

Durand, V. M., Crimmins, D. B., Caufield, M., y Taylor, J. (1989). Reinforcer assessment I: Using problem behavior to select reinforcers. *Journal of the Association for Persons with Severe Handicaps, 14,* 113–126.

Duvinsky, J. D., y Poppen, R. (1982). Human performance on conjunctive fixed-interval fixed-ratio schedules. *Journal of the Experimental Analysis of Behavior, 37,* 243–250.

Dyer, K., Schwartz, I., y Luce, S. C. (1984). A supervision program for increasing functional activities for severely handicapped students in a residential setting. *Journal of Applied Behavior Analysis, 17,* 249–259.

Ebanks, M. E., y Fisher, W. W. (2003). Altering the timing of academic prompts to treat destructive behavior maintained by escape. *Journal of Applied Behavior Analysis, 36,* 355–359.

Eckert, T. L., Ardoin, S., P., Daly, III, E. J., y Martens, B. K. (2002). Improving oral reading fluency: A brief experimental analysis of combining an antecedent intervention with consequences. *Journal of Applied Behavior Analysis, 35,* 271–281.

Ecott, C. L., Foate, B. A. L., Taylor, B., y Critchfield, T. S. (1999). Further evaluation of reinforcer magnitude effects in noncontingent schedules. *Journal of Applied Behavior Analysis, 32,* 529–532.

Edwards, K. J., y Christophersen, E. R. (1993). Automated data acquisition through time-lapse videotape recording. *Journal of Applied Behavior Analysis, 24,* 503–504.

Egel, A. L. (1981). Reinforcer variation: Implications for motivating developmentally disabled children. *Journal of Applied Behavior Analysis, 14,* 345–350.

Egel, A. L. (1982). Programming the generalization and maintenance of treatment gains. In R. L. Koegal, A. Rincover, y A. L. Egel (Eds.), *Educating and understanding autistic children* (págs. 281–299). San Diego, CA: College-Hill Press.

Elliot, S. N., Busse, R. T., y Shapiro, E. S. (1999). Intervention techniques for academic problems. In C. R. Reynolds y T. B. Gutkin (Eds.), *The handbook of school psychology* (3rd ed., págs. 664–685). Nueva York: John Wiley y Sons.

Ellis, E. S., Worthington, L. A., y Larkin, M. J. (2002). *Executive summary of the research synthesis on effective teaching principles and the design of quality tools for educators.* [available online: http://idea.uoregon.edu/~ncite/documents/techrep/tech06.html]

Emerson, E., Reever, D. J., y Felce, D. (2000). Palmtop computer technologies for behavioral observation research. In T. Thompson, D. Felce, y F. J. Symons (Eds.), *Behavioral observation: Technology and applications in developmental disabilities* (págs. 47–59). Baltimore: Paul H. Brookes.

Engelmann, S. (1975). *Your child can succeed.* Nueva York: Simon y Shuster.

Engelmann, S., y Carnine, D. (1982). *Theory of instruction: Principles and applications.* Nueva York: Irvington. Engelmann, S., y Colvin, D. (1983). *Generalized compliance training: A direct-instruction program for managing severe behavior problems.* Austin, TX: Pro-Ed.

Epling, W. F., y Pierce, W. D. (1983). Applied behavior analysis: New directions from the laboratory. *The Behavior Analyst, 6,* 27–37.

Epstein, L. H., Beck, B., Figueroa, J., Farkas, G., Kazdin, A., Daneman, D., y Becker, D. (1981). The effects of targeting improvement in urine glucose on metabolic control in children with insulin dependent diabetes. *Journal of Applied Behavior Analysis, 14,* 365–375.

Epstein, R. (1982). *Skinner for the classroom.* Champaign, IL: Research Press. Epstein, R. (1990). Generativity theory and creativity. In M. A. Runco y R. S. Albert (Eds.), *Theories of creativity* (págs. 116–140). Newbury Park, CA: Sage.

Epstein, R. (1991). Skinner, creativity, and the problem of spontaneous behavior. *Psychological Science, 2,* 362–370.

Epstein, R. (1996). *Cognition, creativity, and behavior: Selected essays.* Westport, CT: Praeger.

Epstein, R. (1997). Skinner as self-manager. *Journal of Applied Behavior Analysis, 30,* 545–568.

Ericsson, K. A., y Charness, N. (1994). Expert performance. Its structure and acquisition. *American Psychologist, 49* (8), 725–747.

Ervin, R., Radford, P, Bertsch, K., Piper, A., Ehrhardt, K., y Poling, A. (2001). A descriptive analysis and critique of the empirical literature on school-based functional assessment. *School Psychology Review, 30,* 193–210.

Eshleman, J. W. (1991). Quantified trends in the history of verbal behavior research. *The Analysis of Verbal Behavior, 9,* 61–80.

Eshleman, J. W. (2004, May 31). *Celeration analysis of verbal behavior: Research papers presented at ABA 1975–present.* Paper presented at the 30th Annual Convention of the Association for Behavior Analysis, Boston, MA.

Falcomata, T. S., Roane, H. S., Hovanetz, A. N., Kettering, T. L., y Keeney, K. M. (2004). An evaluation of response cost in the treatment of inappropriate vocalizations maintained by automatic reinforcement. *Journal of Applied Behavior Analysis, 37,* 83–87.

Falk, J. L. (1961). Production of polydipsia in normal rats by an intermittent food schedule. *Science, 133,* 195–196.

Falk, J. L. (1971). The nature and determinants of adjunctive behavior. *Physiology and Behavior, 6,* 577–588.

Fantuzzo, J. W., y Clement, P. W. (1981). Generalization of the effects of teacherand self-administered token reinforcers to nontreated students. *Journal of Applied Behavior Analysis, 14,* 435–447.

Fantuzzo, J. W., Rohrbeck, C. A., Hightower, A. D., y Work, W. C. (1991). Teacher's use and children's preferences of rewards in elementary school. *Psychology in the Schools, 28,* 175–181.

Farrell, A. D. (1991). Computers and behavioral assessment: Current applications, future possibilities, and obstacles to routine use. *Behavioral Assessment, 13,* 159–179.

Favell, J. E., y McGimsey, J. E. (1993). Defining an acceptable treatment environment. In R. Van Houten y S. Axelrod (Eds.), *Behavior analysis and treatment* (págs. 25–45). Nueva York: Plenum Press.

Favell, J. E., Azrin, N. H., Baumeister, A. A., Carr, E. G., Dorsey, M. F., Forehand, R., Foxx, R. M., Lovaas, I. O., Rincover,

A., Risley, T. R., Romanczyk, R. G., Russo, D. C., Schroeder, S. R., y Solnick, J. V. (1982). The treatment of self-injurious behavior. *Behavior Therapy, 13,* 529–554.

Favell, J. E., McGimsey, J. F., y Jones, M. L. (1980). Rapid eating in the retarded: Reduction by nonaversive procedures. *Behavior Modification, 4,* 481–492.

Fawcett, S. B. (1991). Social validity: A note on methodology. *Journal of Applied Behavior Analysis, 24,* 235–239.

Felce, D., y Emerson, E. (2000). Observational methods in assessment of quality of life. In T. Thompson, D. Felce, y F. J. Symons (Eds.), *Behavioral observation: Technology and applications in developmental disabilities* (págs. 159–174). Baltimore: Paul H. Brookes.

Felixbrod, J. J., y O'Leary, K. D. (1973). Effects of reinforcement on children's academic behavior as a function of selfdetermined and externally imposed systems. *Journal of Applied Behavior Analysis, 6,* 241–250.

Felixbrod, J. J., y O'Leary, K. D. (1974). Self-determination of academic standards by children: Toward freedom from external control. *Journal of Educational Psychology, 66,* 845–850.

Ferguson, D. L., y Rosales-Ruiz, J. (2001). Loading the problem loader: The effects of target training and shaping on trailer-loading behavior of horses. *Journal of Applied Behavior Analysis, 34,* 409–424.

Ferrari, M., y Harris, S. (1981). The limits and motivational potential of sensory stimuli as reinforcers for autistic children. *Journal of Applied Behavior Analysis, 14,* 339–343.

Ferreri, S. J., Allen, N., Hessler, T., Nobel, M., Musti-Rao, S., y Salmon, M. (2006). *Battling procrastination: Selfmanaging studying and writing for candidacy exams and dissertation defenses.* Symposium at 32nd Annual Convention of the Association for Behavior Analysis, Atlanta, GA.

Ferreri, S. J., Neef, N. A., y Wait, T. A. (2006). *The assessment of impulsive choice as a function of the point of reinforcer delay.* Unpublished manuscript.

Ferster, C. B., y DeMyer, M. K. (1961). The development of performances in autistic children in an automatically controlled environment. *Journal of Chronic Diseases, 13,* 312–345.

Ferster, C. B., y DeMyer, M. K. (1962). A method for the experimental analysis of the behavior of autistic children. *American Journal of Orthopsychiatry, 32,* 89–98.

Ferster, C. B., y Skinner, B. F. (1957). *Schedules of reinforcement.* Englewood Cliffs, NJ: Prentice Hall.

Fink, W. T., y Carnine, D. W. (1975). Control of arithmetic errors using informational feedback and graphing. *Journal of Applied Behavior Analysis, 8,* 461.

Finney, J. W., Putnam, D. E., y Boyd, C. M. (1998). Improving the accuracy of selfreports of adherence. *Journal of Applied Behavior Analysis, 31,* 485–488.

Fisher, R. (1956). *Statistical methods and statistical inference.* Londres: Oliver y Boyd.

Fisher, W. W., y Mazur, J. E. (1997). Basic and applied research on choice responding. *Journal of Applied Behavior Analysis, 30,* 387–410.

Fisher, W. W., Kelley, M. E., y Lomas, J. E. (2003). Visual aids and structured criteria for improving visual inspection and interpretation of single-case designs. *Journal of Applied Behavior Analysis, 36,* 387–406.

Fisher, W. W., Kuhn, D. E., y Thompson, R. H. (1998). Establishing discriminative control of responding using functional and alternative reinforcers during functional communication training. *Journal of Applied Behavior Analysis, 31,* 543–560.

Fisher, W. W., Lindauer, S. E., Alterson, C. J., y Thompson, R. H. (1998). Assessment and treatment of destructive behavior maintained by stereotypic object manipulation. *Journal of Applied Behavior Analysis, 31,* 513–527.

Fisher, W. W., Piazza, C. C., Bowman, L. G., y Almari, A. (1996). Integrating caregiver report with a systematic choice assessment to enhance reinforcer identification. *American Journal on Mental Retardation, 101,* 15–25.

Fisher, W. W., Piazza, C. C., Bowman, L. G., Hagopian, L. P., Owens, J. C., y Slevin, I. (1992). A comparison of two approaches for identifying reinforcers for persons with severe and profound disabilities. *Journal of Applied Behavior Analysis, 25,* 491–498.

Fisher, W. W., Piazza, C. C., Bowman, L. G., Kurtz, P. F., Sherer, M. R., y Lachman, S. R. (1994). A preliminary evaluation of empirically derived consequences for the treatment of pica. *Journal of Applied Behavior Analysis, 27,* 447–457.

Fisher, W. W., Piazza, C. C., Cataldo, M. E., Harrell, R., Jefferson, G., y Conner, R. (1993). Functional communication training with and without extinction and punishment. *Journal of Applied Behavior Analysis, 26,* 23–36.

Flaute, A. J., Peterson, S. M., Van Norman, R. K., Riffle, T., y Eakins, A. (2005). Motivate me! 20 tips for using a MotivAider® to improve your classroom. *Teaching Exceptional Children Plus, 2* (2) Article 3. Recuperado el 11 de septiembre de 2017 de https://goo.gl/74dZBL

Fleece, L., Gross, A., O'Brien, T., Kistner, J., Rothblum, E., y Drabman, R. (1981). Elevation of voice volume in young developmentally delayed children via an operant shaping procedure. *Journal of Applied Behavior Analysis,14,* 351–355.

Flood, W. A., y Wilder, D. A. (2002). Antecedent assessment and assessmentbased treatment of off-task behavior in a child diagnosed with Attention DeficitHyperactivity Disorder (ADHD). *Education and Treatment of Children, 25* (3), 331–338.

Flora, S. R. (2004). *The power of reinforcement.* Albany: State University of Nueva York Press.

Florida Association for Behavior Analysis. (1988). *The behavior analyst's code of ethics.* Tallahassee, FL: Author.

Forthman, D. L., y Ogden, J. J. (1992). The role of applied behavior analysis in zoo management: Today and tomorrow. *Journal of Applied Behavior Analysis, 25,* 647–652

Foster, W. S. (1978). Adjunctive behavior: An underreported phenomenon in applied behavior analysis? *Journal of Applied Behavioral Analysis, 11,* 545–546.

Fowler, S. A., y Baer, D. M. (1981). "Do I have to be good all day?" The timing of delayed reinforcement as a factor in generalization. *Journal of Applied Behavior Analysis, 14,* 13–24.

Fox, D. K., Hopkins, B. L., y Anger, A. K. (1987). The long-term effects of a token economy on safety performance in open-pit mining. *Journal of Applied Behavior Analysis, 20,* 215–224.

Foxx, R. M. (1982). *Decreasing behaviors of persons with severe retardation and autism.* Champaign, IL: Research Press.

Foxx, R. M. (1996). Twenty years of applied behavior analysis in treating the most severe problem behavior: Lessons learned. *The Behavior Analyst, 19,* 225–235.

Foxx, R. M., y Azrin, N. H. (1972). Restitution: A method of eliminating aggressive-disruptive behavior of retarded and brain damaged patients. *Behavior Research and Therapy, 10,* 15–27.

Foxx, R. M., y Azrin, N. H. (1973). The elimination of autistic self-stimulatory behavior by overcorrection. *Journal of Applied Behavior Analysis, 6,* 1–14.

Foxx, R. M., y Bechtel, D. R. (1983). Overcorrection: A review and analysis. In S. Axelrod y J. Apsche (Eds.), *The effects of punishment on human behavior* (págs. 133–220). Nueva York: Academic Press.

Foxx, R. M., y Rubinoff, A. (1979). Behavioral treatment of caffeinism: Reducing excessive coffee drinking. *Journal of Applied Behavior Analysis, 12,* 335–344.

Foxx, R. M., y Shapiro, S. T. (1978). The timeout ribbon: A non-exclusionary timeout procedure. *Journal of Applied Behavior Analysis, 11,* 125–143.

Foxx, R. M., Bittle, R. G., y Faw, G. D. (1989). A maintenance strategy for discontinuing aversive procedures: A 52month follow-up of the treatment of aggression. *American Journal on Mental Retardation, 94,* 27–36.

Freeland, J. T., y Noell, G. H. (1999). Maintaining accurate math responses in elementary school students: The effects of delayed intermittent reinforcement and programming common stimuli. *Journal of Applied Behavior Analysis, 32,* 211–215.

Freeland, J. T., y Noell, G. H. (2002). Programming for maintenance: An investigation of delayed intermittent reinforcement and common stimuli to create indiscriminable contingencies. *Journal of Behavioral Education, 11,* 5–18.

Friedling, C., y O'Leary, S. G. (1979). Effects of self-instructional training on second and third-grade hyperactive children: A failure to replicate. *Journal of Applied Behavior Analysis, 12,* 211–219.

Friman, P. C. (1990). Nonaversive treatment of high-rate disruptions: Child and provider effects. *Exceptional Children, 57,* 64–69.

Friman, P. C. (2004). Up with this I shall not put: 10 reasons why I disagree with Branch and Vollmer on *behavior* used as a count noun. *The Behavior Analyst, 27,* 99–106.

Friman, P. C., y Poling, A. (1995). Making life easier with effort: Basic findings and applied research on response effort. *Journal of Applied Behavior Analysis, 28,* 538–590.

Friman, P. C., Hayes, S. C., y Wilson, K. G. (1998). Why behavior analysts should study emotion: The example of anxiety. *Journal of Applied Behavior Analysis, 31,* 137–156.

Fuller, P. R. (1949). Operant conditioning of a vegetative organism. *American Journal of Psychology, 62,* 587–590.

Fuqua, R. W., y Schwade, J. (1986). Social validation of applied research: A selective review and critique. In A. Poling y R. W. Fuqua (Eds.), *Research methods in applied behavior analysis* (págs. 265–292). Nueva York: Plenum Press.

Gable, R. A., Arllen, N. L., y Hendrickson, J. M. (1994). Use of students with emotional/behavioral disorders as behavior change agents. *Education and Treatment of Children, 17* (3), 267–276.

Galbicka, G. (1994). Shaping in the 21st century: Moving percentile schedules into applied settings. *Journal of Applied Behavior Analysis, 27,* 739–760.

Gallagher, S. M., y Keenan, M (2000). Independent use of activity materials by the elderly in a residential setting. *Journal of Applied Behavior Analysis, 33,* 325–328.

Gambrill, E. (2003). Science and its use and neglect in the human services. In K. S. Budd y T. Stokes (Eds.), *A small matter of proof: The legacy of Donald M. Baer* (págs. 63–76). Reno, NV: Context Press.

Gambrill, E. D. (1977). *Behavior modification: Handbook of assessment, intervention, and evaluation.* San Francisco: Jossey-Bass.

Garcia, E. E. (1976). The development and generalization of delayed imitation. *Journal of Applied Behavior Analysis, 9,* 499.

Garcia, E. E., y Batista-Wallace, M. (1977). Parental training of the plural morpheme in normal toddlers. *Journal of Applied Behavior Analysis, 10,* 505.

Gardner, III, R., Heward, W. L., y Grossi, T. A. (1994). Effects of response cards on student participation and academic achievement: A systematic replication with inner-city students during wholeclass science instruction. *Journal of Applied Behavior Analysis, 27,* 63–71.

Garfinkle, A. N., y Schwartz, I. S. (2002). Peer imitation: Increasing social interactions in children with autism and other developmental disabilities in inclusive preschool classrooms. *Topics in Early Childhood Special Education, 22,* 26–38.

Garner, K. (2002). Case study: The conscientious kid. In R. W. Malott y H. Harrison, *I'll stop procrastinating when I get around to it: Plus other cool ways to succeed in school and life using behavior analysis to get your act together* (pág. 3-13). Kalamazoo, MI: Department of Psychology, Western Michigan University.

Gast, D. L., Jacobs, H. A., Logan, K. R., Murray, A. S., Holloway, A., y Long, L. (2000). Pre-session assessment of preferences for students with profound multiple disabilities. *Education and Training in Mental Retardation and Developmental Disabilities, 35,* 393–405.

Gaylord-Ross, R. (1980). A decision model for the treatment of aberrant behavior in applied settings. In W. Sailor, B. Wilcox, y L. Brown (Eds.), *Methods of instruction for severely handicapped students* (págs. 135–158). Baltimore: Paul H. Brookes.

Gaylord-Ross, R. J., Haring, T. G., Breen, C., y Pitts-Conway, V. (1984). The training and generalization of social interaction skills with autistic youth. *Journal of Applied Behavior Analysis, 17,* 229–247.

Gee, K., Graham, N., Goetz, L., Oshima, G., y Yoshioka, K. (1991). Teaching students to request the continuation of routine activities by using time delay and decreasing physical assistance in the context of chain interruption. *Journal of the Association for Persons with Severe Handicaps, 10,* 154–167.

Geller, E. S., Paterson, L., y Talbott, E. (1982). A behavioral analysis of incentive prompts for motivating seat belt use. *Journal of Applied Behavior Analysis, 15,* 403–415.

Gena, A., Krantz, P. J., McClannahan, L. E., y Poulson, C. L. (1996). Training and generalization of affective behavior displayed by youth with autism. *Journal of Applied Behavior Analysis, 29,* 291–304.

Gentile, J. R., Roden, A. H., y Klein, R. D. (1972). An analysis-of-variance model for the intrasubject replication design. *Journal of Applied Behavior Analysis, 5,* 193–198.

Gewirtz, J. L., y Baer, D. M. (1958). The effect of brief social deprivation on behaviors for a social reinforcer. *Journal of Abnormal Social Psychology, 56,* 49–56.

Gewirtz, J. L., y Pelaez-Nogueras, M. (2000). Infant emotions under the positive-reinforcer control of caregiver attention and touch. In J. C. Leslie y D. Blackman (Eds.), *Issues in experimental and applied analyses of human behavior* (págs. 271–291). Reno, NV: Context Press.

Glenn, S. S. (2004). Individual behavior, culture, and social change. *The Behavior Analyst, 27,* 133–151.

Glenn, S. S., Ellis, J., y Greenspoon, J. (1992). On the revolutionary nature of the operant as a unit of behavioral selection. *American Psychologist, 47,* 1329–1336.

Glynn, E. L. (1970). Classroom applications of self-determined reinforcement. *Journal of Applied Behavior Analysis, 3,* 123–132.

Glynn, E. L., Thomas, J. D., y Shee, S. M. (1973). Behavioral self-control of ontask behavior in an elementary classroom. *Journal of Applied Behavior Analysis, 6,* 105–114.

Glynn, S. M. (1990). Token economy: Approaches for psychiatric patients: Progress and pitfalls over 25 years. *Behavior Modification, 14* (4), 383–407.

Goetz, E. M., y Baer, D. M. (1973). Social control of form diversity and the emergence of new forms in children's blockbuilding. *Journal of Applied Behavior Analysis, 6,* 209–217.

Goetz, L., Gee, K., y Sailor, W. (1985). Using a behavior chain interruption strategy to teach communication skills to students with severe disabilities. *Journal of the Association for Persons with Severe Handicaps, 10,* 21–30.

Goh, H-L., y Iwata, B. A. (1994). Behavioral persistence and variability during extinction of self-injury maintained by escape. *Journal of Applied Behavior Analysis, 27,* 173–174.

Goldiamond, I. (1965). Self-control procedures in personal behavior problems. *Psychological Reports, 17,* 851–868.

Goldiamond, I. (1974). Toward a constructional approach to social problems: Ethical and constitutional issues raised by applied behavior analysis. *Behaviorism, 2,* 1–85.

Goldiamond, I. (1976a). Self-reinforcement.
Journal of Applied Behavior Analysis, 9, 509–514.

Goldiamond, I. (1976b). Fables, armadyllics, and self-reinforcement. *Journal of Applied Behavior Analysis, 9,* 521–525.

Gottschalk, J. M., Libby, M. E., y Graff, R. B. (2000). The effects of establishing operations on preference assessment outcomes. *Journal of Applied Behavior Analysis, 33,* 85–88.

Grace, N. C., Kahng, S., y Fisher, W. W. (1994). Balancing social acceptability with treatment effectiveness of an intrusive procedure: A case report. *Journal of Applied Behavior Analysis, 27,* 171–172.

Graf, S. A., y Lindsley, O. R. (2002). *Standard Celeration Charting 2002.* Poland, OH: Graf Implements.

Gray, J. A. (1979). *Ivan Pavlov.* Nueva York: Penguin Books.

Green, C. W., y Reid, D. H. (1996). Defining, validating, and increasing indices of happiness among people with profound multiple disabilities. *Journal of Applied Behavior Analysis, 29,* 67–78.

Green, C. W., Gardner, S. M., y Reid, D. H. (1997). Increasing indices of happiness among people with profound multiple disabilities: A program replication and component analysis. *Journal of Applied Behavior Analysis, 30,* 217–228.

Green, G., y Shane, H. C. (1994). Science, reason, and facilitated communication. *Journal of the Association for Persons with Severe Handicaps, 19,* 151–172.

Green, L., y Freed, D. W. (1993). The substitutability of reinforcers. *Journal of the Experimental Analysis of Behavior, 60,* 141–158.

Greene, B. F., Bailey, J. S., y Barber, F. (1981). An analysis and reduction of disruptive behavior on school buses. *Journal of Applied Behavior Analysis, 14,* 177–192.

Greenspan, S., y Negron, E. (1994). Ethical obligations of special services personnel. *Special Services in the Schools, 8* (2), 185–209.

Greenwood, C. R., y Maheady, L. (1997). Measurable change in student performance: Forgotten standard in teacher preparation? *Teacher Education and Special Education, 20,* 265–275.

Greenwood, C. R., Delquadri, J. C., y Hall, R. V. (1984). Opportunity to respond and student academic achievement. In W. L. Heward, T. E. Heron, D. S. Hill, y J. Trap-Porter (Eds.), *Focus on behavior analysis in education* (págs. 58–88). Columbus, OH: Merrill.

Greer, R. D. (1983). Contingencies of the science and technology of teaching and pre-behavioristic research practices in education. *Educational Researcher, 12,* 3–9.

Gresham, F. M. (1983). Use of a home-based dependent group contingency system in controlling destructive behavior: A case study. *School Psychology Review,* 12 (2), 195–199.

Gresham, F. M., Gansle, K. A., y Noell, G. H. (1993). Treatment integrity in applied behavior analysis with children. *Journal of Applied Behavior Analysis, 26,* 257–263.

Griffen, A. K., Wolery, M., y Schuster J. W. (1992). Triadic instruction of chained food preparation responses: Acquisition and observational learning. *Journal of Applied Behavior Analysis, 25,* 193–204.

Griffith, R. G. (1983). The administrative issues: An ethical and legal perspective. In S. Axelrod y J. Apsche (Eds.), *The effects of punishment on human behavior* (págs. 317–338). Nueva York: Academic Press.

Grossi, T. A. (1998). Using a self-operated auditory prompting system to improve the work performance of two employees with severe disabilities. *Journal of The Association for Persons with Severe Handicaps, 23,* 149–154.

Grossi, T. A., y Heward, W. L. (1998). Using self-evaluation to improve the work productivity of trainees in a community-based restaurant training program. *Education and Training in Mental Retardation and Developmental Disabilities, 33,* 248–263.

Grossi, T. A., Kimball, J. W., y Heward, W. L. (1994). What did you say? Using review of tape-recorded interactions to increase social acknowledgments by trainees in a community-based vocational program. *Research in Developmental Disabilities, 15,* 457–472.

Grunsell, J., y Carter, M. (2002). The behavior change interruption strategy: Generalization to out-of-routine contexts. *Education and Training in Mental Retardation and Developmental Disabilities, 37* (4), 378–390.

Guilford, J. P. (1965). *Fundamental statistics in psychology and education.* Nueva York: McGraw-Hill.

Gumpel, T. P., y Shlomit, D. (2000). Exploring the efficacy of self-regulatory training as a possible alternative to social skills training. *Behavioral Disorders, 25,* 131–141.

Gunter, P. L., Venn, M. L., Patrick, J., Miller, K. A., y Kelly, L. (2003). Efficacy of using momentary time samples to determine on-task behavior of students with emotional/behavioral disorders. *Education and Treatment of Children, 26,* 400–412.

Gutowski, S. J., y Stromer, R. (2003). Delayed matching to two-picture samples by individuals with and without disabilities: An analysis of the role of naming. *Journal of Applied Behavior Analysis, 36,* 487–505.

Guttman, N., y Kalish, H. (1956). Discriminability and generalization. *Journal of Experimental Psychology, 51,* 79–88.

Haagbloom, S. J., Warnick, R., Warnick J.
E., Jones, V. K., Yarbrough, G. L., Russell, T. M., et al. (2002). The 100 most eminent psychologists of the 20th century. *Review of General Psychology, 6,* 139–152.

Hackenberg, T. D. (1995). Jacques Loeb, B. F. Skinner, and the legacy of prediction and control. *The Behavior Analyst, 18,* 225–236.

Hackenberg, T. D., y Axtell, S. A. M. (1993). Humans' choices in situations of time-based diminishing returns. *Journal of the Experimental Analysis of Behavior, 59,* 445–470.

Hagopian, L. P., y Adelinis, J. D. (2001) Response blocking with and without redirection for the treatment of pica. *Journal of Applied Behavior Analysis, 34,* 527–530.

Hagopian, L. P., y Thompson, R. H. (1999). Reinforcement of compliance with respiratory treatment in a child with cystic fibrosis. *Journal of Applied Behavior Analysis, 32,* 233–236.

Hagopian, L. P., Farrell, D. A., y Amari, A. (1996). Treating total liquid refusal with backward chaining and fading.

Journal of Applied Behavior Analysis, 29, 573–575.

Hagopian, L. P., Fisher, W. W., Sullivan, M. T., Acquisto, J., y Leblanc, L. A. (1998). Effectiveness of functional communication training with and without extinction and punishment: A summary of 21 inpatient cases. *Journal of Applied Behavior Analysis, 31,* 211–235.

Hagopian, L. P., Rush, K. S., Lewin, A. B., y Long, E. S. (2001). Evaluating the predictive validity of a single stimulus engagement preference assessment. *Journal of Applied Behavior Analysis, 34,* 475–485.

Hake, D. F., y Azrin, N. H. (1965). Conditioned punishment. *Journal of the Experimental Analysis of Behavior, 6,* 297–298.

Hake, D. F., Azrin, N. H., y Oxford, R. (1967). The effects of punishment intensity on squirrel monkeys. *Journal of the Experimental Analysis of Behavior, 10,* 95–107.

Hall, R. V., y Fox, R. G. (1977). Changingcriterion designs: An alternative applied behavior analysis procedure. In B. C. Etzel, J. M. LeBlanc, y D. M. Baer (Eds.), *New developments in behavioral research: Theory, method, and application* (págs. 151–166). Hillsdale, NJ: Erlbaum.

Hall, R. V., Cristler, C., Cranston, S. S., y Tucker, B. (1970). Teachers and parents as researchers using multiple baseline designs. *Journal of Applied Behavior Analysis, 3,* 247–255.

Hall, R. V., Delquadri, J. C., y Harris, J. (1977, May). *Opportunity to respond: A new focus in the field of applied behavior analysis.* Paper presented at the Midwest Association for Behavior Analysis, Chicago, IL.

Hall, R. V., Lund, D., y Jackson, D. (1968). Effects of teacher attention on study behavior. *Journal of Applied Behavior Analysis, 1,* 1–12.

Hall, R. V., Panyan, M., Rabon, D., y Broden. D. (1968). Instructing beginning teachers in reinforcement procedures which improve classroom control. *Journal of Applied Behavior Analysis, 1,* 315–322.

Hall, R., Axelrod, S., Foundopoulos, M., Shellman, J., Campbell, R. A., y Cranston, S. S. (1971). The effective use of punishment to modify behavior in the classroom. *Educational Technology, 11* (4), 24–26.

Hall, R. V., Fox, R., Williard, D., Goldsmith, L., Emerson, M., Owen, M., Porcia, E., y Davis, R. (1970). *Modification of disrupting and talking-out behavior with the teacher as observer and experimenter.* Paper presented at the American Educational Research Association Convention, Minneapolis, MN.

Hall, G. A., y Sundberg, M. L. (1987). Teaching mands by manipulating conditioned establishing operations. *The Analysis of Verbal Behavior, 5,* 41–53.

Hallahan, D. P., Lloyd, J. W., Kosiewicz, M. M., HKauffman, J. M., y Graves, A. W. (1979). Self-monitoring of attention as a treatment for a learning disabled boy's off-task behavior. *Learning Disability Quarterly, 2,* 24–32.

Hamblin, R. L., Hathaway, C., y Wodarski, J. S. (1971). Group contingencies, peer tutoring and accelerating academic achievement. In E. A. Ramp y B. L. Hopkins (Eds.), *A new direction for education: Behavior analysis* (Vol. 1, págs. 41–53). Lawrence: University of Kansas.

Hamlet, C. C., Axelrod, S., y Kuerschner, S. (1984). Eye contact as an antecedent to compliant behavior. *Journal of Applied Behavior Analysis, 17,* 553–557.

Hammer-Kehoe, J. (2002). Yoga. In R. W. Malott y H. Harrison (Eds.), *I'll stop procrastinating when I get around to it: Plus other cool ways to succeed in school and life using behavior analysis to get your act together* (pág. 10-5). Kalamazoo, MI: Department of Psychology, Western Michigan University.

Hammill, D., y Newcomer, P. L. (1997). *Test of language development—3.* Austin, TX: Pro-Ed.

Hanley, G. P., Iwata, B. A., y Thompson, R. H. (2001). Reinforcement schedule thinning following treatment with functional communication training. *Journal of Applied Behavior Analysis, 34,* 17–38.

Hanley, G. P., Iwata, B. A., Thompson, R. H., y Lindberg, J. S. (2000). A component analysis of "stereotypy and reinforcement" for alternative behavior. *Journal of Applied Behavior Analysis, 33,* 299–308.

Hanley, G. P., Piazza, C. C., Fisher, W. W., Contrucci, S. A., y Maglieri, K. A. (1997). Evaluation of client preference of function-based treatment packages. *Journal of Applied Behavior Analysis, 30,* 459–473.

Hanley, G. P., Piazza, C. C., Keeney, K. M., Blakeley-Smith, A. B., y Worsdell, A. S. (1998). Effects of wrist weights on self-injurious and adaptive behaviors. *Journal of Applied Behavior Analysis, 31,* 307–310.

Haring, T. G., y Kennedy, C. H. (1990). Contextual control of problem behavior. *Journal of Applied Behavior Analysis, 23,* 235–243.

Harlow, H. R. (1959). Learning set and error factor theory. In S. Kock (Ed.), *Psychology: A study of science* (Vol. 2, págs. 492–537). Nueva York: McGraw-Hill.

HHarrell, J. P. (2002). Case study: Taking time to relax. In R. W. Malott y H. Harrison, *I'll stop procrastinating when I get around to it: Plus other cool ways to succeed in school and life using behavior analysis to get your act together* (pág. 10-2). Kalamazoo, MI: Department of Psychology, Western Michigan University.

HHarris, F. R., Johnston, M. K., Kelly, C. S., y Wolf, M. M. (1964). Effects of positive social reinforcement on regressed crawling of a nursery school child. *Journal of Educational Psychology, 55,* 35–41.

HHarris, K. R. (1986). Self-monitoring of attentional behavior versus self-monitoring of productivity: Effects on on-task behavior and academic response rate among learning disabled children. *Journal of Applied Behavior Analysis, 19,* 417–424.

HHart, B., y Risley, T. R. (1975). Incidental teaching of language in the preschool. *Journal of Applied Behavior Analysis, 8,* 411–420.

HHart, B. M., Allen, K. E., Buell, J. S., Harris, F. R., y Wolf, M. M. (1964). Effects of social reinforcement on operant crying. *Journal of Experimental Child Psychology, 1,* 145–153.

Hartmann, D. P. (1974). Forcing square pegs into round holes: Some comments on "an analysis-of-variance model for the intrasubject replication design". *Journal of Applied Behavior Analysis,* 7, 635–638.

Hartmann, D. P. (1977). Considerations in the choice of interobserver reliability estimates. *Journal of Applied Behavior Analysis, 10,* 103–116.

Hartmann, D. P., y Hall, R. V. (1976). The changing criterion design. *Journal of Applied Behavior Analysis, 9,* 527–532.

Hartmann, D. P., Gottman, J. M., Jones, R. R., Gardner, W., Kazdin, A. E., y Vaught, R. S. (1980). Interrupted timeseries analysis and its application to behavioral data. *Journal of Applied Behavior Analysis, 13,* 543–559.

Harvey, M. T., May, M. E., y Kennedy, C. H. (2004). Nonconcurrent multiple baseline designs and the evaluation of educational systems. *Journal of Behavioral Education, 13,* 267–276.

Hawkins, R. P. (1975). Who decided *that* was the problem? Two stages of responsibility for applied behavior analysts. In W. S. Wood (Ed.), *Issues in evaluating behavior modification* (págs. 195–214). Champaign, IL: Research Press.

Hawkins, R. P. (1979). The functions of assessment. *Journal of Applied Behavior Analysis, 12,* 501–516.

Hawkins, R. P. (1984). What is "meaningful" behavior change in a severely/profoundly retarded learner: The view of a behavior analytic parent. In W. L Heward, T. E. Heron, D. S. Hill, y J. Trap-Porter (Eds.), *Focus on behavior analysis in education* (págs. 282–286). Upper Saddle River, NJ: Prentice-Hall/Merrill.

Hawkins, R. P. (1986). Selection of target behaviors. In R. O. Nelson y S. C. Hayes (Eds.), *Conceptual foundations of behavioral assessment* (págs. 331–385). Nueva York: Guilford Press.

Hawkins, R. P. (1991). Is social validity what we are interested in? *Journal of Applied Behavior Analysis, 24,* 205–213.

Hawkins, R. P., y Anderson, C. M. (2002). On the distinction between science and practice: A reply to Thyer and Adkins. *The Behavior Analyst, 26,* 115–119.

Hawkins, R. P., y Dobes, R. W. (1977). Behavioral definitions in applied behavior analysis: Explicit or implicit? In B. C. Etzel, J. M. LeBlanc, y D. M. Baer (Eds.), *New developments in behavioral research: Theory, method, and application* (págs. 167–188). Hillsdale, NJ: Erlbaum.

Hawkins, R. P., y Dotson, V. A. (1975). Reliability scores that delude: An Alice in Wonderland trip through the misleading characteristics of interobserver agreement scores in interval recording. In E. Ramp y G. Semp (Eds.), *Behavior analysis: Areas of research and application* (págs. 359–376). Upper Saddle River, NJ: Prentice Hall.

Hawkins, R. P., y Hursh, D. E. (1992). Levels of research for clinical practice: It isn't as hard as you think. *West Virginia Journal of Psychological Research and Practice, 1,* 61–71.

Hawkins, R. P., Mathews, J. R., y Hamdan, L. (1999). *Measuring behavioral health outcomes: A practical guide.* Nueva York: Kluwer Academic/Plenum.

Hayes, L. J., Adams, M. A., y Rydeen, K. L. (1994). Ethics, choice, and value. In L. J. Hayes et al. (Eds.), *Ethical issues in developmental disabilities* (págs. 11–39). Reno, NV: Context Press. Hayes, S. C. (1991). The limits of technological talk. *Journal of Applied Behavior Analysis, 24,* 417–420.

Hayes, S. C. (Ed.). (1989). *Rule-governed behavior: Cognition, contingencies, and instructional control.* Reno, NV: Context Press.

Hayes, S. C., y Cavior, N. (1977). Multiple tracking and the reactivity of selfmonitoring: I. Negative behaviors. *Behavior Therapy, 8,* 819–831.

Hayes, S. C., y Cavior, N. (1980). Multiple tracking and the reactivity of selfmonitoring: II. Positive behaviors. *Behavioral Assessment, 2,* 238–296.

Hayes, S. C., y Hayes, L. J. (1993). Applied implications of current JEAB research on derived relations and delayed reinforcement. *Journal of Applied Behavior Analysis, 26,* 507–511.

Hayes, S. C., Rincover, A., y Solnick, J. V. (1980). The technical drift of applied behavior analysis. *Journal of Applied Behavior Analysis, 13,* 275–285.

Hayes, S. C., Rosenfarb, I., Wulfert, E., Munt, E. D., Korn, D., y Zettle, R. D. (1985). Self-reinforcement effects: An artifact of social standard setting? *Journal of Applied Behavior Analysis, 18,* 201–214.

Hayes, S. C., Zettle, R. D., y Rosenfarb, I. (1989). Rule-following. In S. C. Hayes (Ed.), *Rule-governed behavior: Cognition, contingencies, and instructional control* (págs. 191–220). Nueva York: Plenum Press.

Haynes, S. N., y Horn, W. F. (1982). Reactivity in behavioral observation: A methodological and conceptual critique. *Behavioral Assessment, 4,* 369–385.

Health Insurance Portability and Accountability Act (HIPAA). (1996). Washington, DC: Office for Civil Rights.

Heckaman, K. A., Alber, S. R., Hooper, S., y Heward, W. L. (1998). A comparison of least-to-most prompts and progressive time delay on the disruptive behavior of students with autism. *Journal of Behavior Education, 8,* 171–201.

Heflin, L. J., y Simpson, R. L. (2002). Understanding intervention controversies. In B. Scheuermann y J. Weber (Eds.), *Autism: Teaching does make a difference* (págs. 248–277). Belmont, CA: Wadsworth.

Helwig, J. (1973). *Effects of manipulating an antecedent event on mathematics response rate.* Unpublished manuscript, Ohio State University, Columbus, OH.

Heron, T. E., y Harris, K. C. (2001). *The educational consultant: Helping professionals, parents, and students in inclusive classrooms* (4th ed.). Austin, TX: Pro-Ed.

Heron, T. E., y Heward, W. L. (1988). Ecological assessment: Implications for teachers of learning disabled students. *Learning Disability Quarterly, 11,* 224–232.

Heron, T. E., Heward, W. L., Cooke, N. L., y Hill, D. S. (1983). Evaluation of a classwide peer tutoring system: First graders teach each other sight words. *Education and Treatment of Children, 6,* 137–152.

Heron, T. E., Hippler, B. J., y Tincani, M. J. (2003). *How to help students complete classwork and homework assignments.* Austin, TX: Pro-Ed.

Heron, T. E., Tincani, M. J., Peterson, S. M., y Miller, A. D. (2005). Plato's allegory of the cave revisited. Disciples of the light appeal to the pied pipers and prisoners in the darkness. In W. L. Heward, T. E. Heron, N. A. Neef, S. M. Peterson, D. M. Sainato, G. Cartledge, R. Gardner, III, L. D. Peterson, S. B. Hersh, y J. C. Dardig (Eds.), *Focus on behavior analysis in education: Achievements, challenges, and opportunities* (págs. 267–282), Upper Saddle River, NJ: Merrill/Prentice Hall.

Herr, S. S., O'Sullivan, J. L., y Dinerstein, R. D. (1999). *Consent to extraordinary interventions.* In R. D. Dinerstein, S. S. Herr, y J. L. O'Sullivan (Eds.), *A guide to consent* (págs. 111–122). Washington DC: American Association on Mental Retardation.

Herrnstein, R. J. (1961). Relative and absolute strength of a response as a function of frequency of reinforcement. *Journal of the Experimental Analysis of Behavior 4,* 267–272.

Herrnstein, R. J. (1970). On the law of effect. *Journal of the Experimental Analysis of Behavior 13,* 243–266.

Hersen, M., y Barlow, D. H. (1976). *Single case experimental designs: Strategies for studying behavior change.* Nueva York: Pergamon Press.

Heward, W. L. (1978, May). *The delayed multiple baseline design.* Paper presented at the Fourth Annual Convention of the Association for Behavior Analysis, Chicago.

Heward, W. L. (2005). Reasons applied behavior analysis is good for education and why those reasons have been insufficient. In W. L. Heward, T. E. Heron, N. A. Neef, S. M. Peterson, D. M. Sainato, G. Cartledge, R. Gardner, III, L. D. Peterson, S. B. Hersh, y J. C. Dardig (Eds.), *Focus on behavior analysis in education: Achievements, challenges, and opportunities* (págs. 316–348). Upper Saddle River, NJ: Merrill/Prentice Hall.

Heward, W. L. (1980). A formula for individualizing initial criteria for reinforcement. *Exceptional Teacher, 1* (9), 7, 9.

Heward, W. L. (1994). Three "low-tech" strategies for increasing the frequency of active student response during group instruction. In R. Gardner, D. M. Sainato, J. O. Cooper, T. E. Heron, W.

L. Heward, J. Eshleman, y T. A. Grossi (Eds.), *Behavior analysis in education: Focus on measurably superior instruction* (págs. 283–320). Monterey, CA: Brooks/Cole.

Heward, W. L. (2003). Ten faulty notions about teaching and learning that hinder the effectiveness of special education. *The Journal of Special Education, 36* (4), 186–205.

Heward, W. L. (2006). *Exceptional children: An introduction to special education* (8th ed.). Upper Saddle River, NJ: Merrill/Prentice Hall.

Heward, W. L., y Cooper, J. O. (1992). Radical behaviorism: A productive and needed philosophy for education. *Journal of Behavioral Education, 2,* 345–365.

Heward, W. L., y Eachus, H. T. (1979). Acquisition of adjectives and adverbs in sentences written by hearing impaired and aphasic children. *Journal of Applied Behavior Analysis, 12,* 391–400.

Heward, W. L., y Silvestri, S. M. (2005a). The neutralization of special education. In J. W. Jacobson, J. A. Mulick, y R. M. Foxx (Eds.), *Fads: Dubious and improbable treatments for developmental disabilities.* Mahwah NJ: Erlbaum.

Heward, W. L., y Silvestri, S. M. (2005b). Antecedent. In G. Sugai y R. Horner (Eds.), *Encyclopedia of behavior modification and cognitive behavior therapy, Vol. 3: Educational applications* (págs. 1135–1137). Thousand Oaks, CA: Sage.

Heward, W. L., Dardig, J. C., y Rossett, A. (1979). *Working with parents of handicapped children.* Upper Saddle River, NJ: Merrill/Prentice Hall.

Heward, W. L., Heron, T. E., Gardner, III, R., y Prayzer, R. (1991). Two strategies for improving students' writing skills. In G. Stoner, M. R. Shinn, y H. M. Walker (Eds.), *A school psychologist's interventions for regular education* (págs. 379–398). Washington, DC: National Association of School Psychologists.

Heward, W. L., Heron, T. E., Neef, N. A., Peterson, S. M., Sainato, D. M., Cartledge, G., Gardner, III, R., Peterson, L. D., Hersh, S. B., y Dardig, J. C. (Eds.). (2005). *Focus on behavior analysis in education: Achievements, challenges, and opportunities.* Upper Saddle River, NJ: Prentice Hall/Merrill.

Hewett, F. M. (1968). *The emotionally disturbed child in the classroom.* Nueva York: McGraw-Hill.

Higbee, T. S., Carr, J. E., y Harrison, C. D. (1999). The effects of pictorial versus tangible stimuli in stimulus preference assessments. *Research in Developmental Disabilities, 20,* 63–72.

Higbee, T. S., Carr, J. E., y Harrison, C. D. (2000). Further evaluation of the multiple-stimulus preference assessment. *Research in Developmental Disabilities, 21,* 61–73.

Higgins, J. W., Williams, R. L., y McLaughlin, T. F. (2001). The effects of a token economy employing instructional consequences for a third-grade student with learning disabilities: A data-based case study. *Education and Treatment of Children, 24* (1), 99–106.

Himle, M. B., Miltenberger, R. G., Flessner, C., y Gatheridge, B. (2004). Teaching safety skills to children to prevent gun play. *Journal of Applied Behavior Analysis, 1,* 1–9.

Himle, M. B., Miltenberger, R. G., Gatheridge, B., y Flessner, C., (2004). An evaluation of two procedures for training skills to prevent gun play in children. *Pediatrics, 113,* 70–77.

Hineline, P. N. (1977). Negative reinforcement and avoidance. In W. K. Honig y J. E. R. Staddon (Eds.), *Handbook of operant behavior* (págs. 364–414). Upper Saddle River, NJ: Prentice Hall.

Hineline, P. N. (1992). A self-interpretive behavior analysis. *American Psychologist, 47,* 1274–1286.

Hobbs, T. R., y Holt, M. M. (1976). The effects of token reinforcement on the behavior of delinquents in cottage settings. *Journal of Applied Behavior Analysis, 9,* 189–198.

Hoch, H., McComas, J. J., Johnson, L, Faranda, N., y Guenther, S. L. (2002). The effects of magnitude and quality of reinforcement on choice responding during play activities. *Journal of Applied Behavior Analysis, 35,* 171–181.

Hoch, H., McComas, J. J., Thompson, A. L., y Paone, D. (2002). Concurrent reinforcement schedules: Behavior change and maintenance without extinction. *Journal of Applied Behavior Analysis, 35,* 155–169.

Holcombe, A., Wolery, M., y Snyder, E. (1994). Effects of two levels of procedural fidelity with constant time delay with children's learning. *Journal of Behavioral Education, 4,* 49–73.

Holcombe, A., Wolery, M., Werts, M. G., y Hrenkevich, P. (1993). Effects of instructive feedback on future learning. *Journal of Behavioral Education,* 3, 259–285.

Holland, J. G. (1978). Behaviorism: Part of the problem or part of the solution? *Journal of Applied Behavior Analysis, 11,* 163–174.

Holland, J. G., y Skinner, B. F. (1961). *The analysis of behavior: A program for selfinstruction.* Nueva York: McGraw-Hill.

Holman, J., Goetz, E. M., y Baer, D. M. (1977). The training of creativity as an operant and an examination of its generalization characteristics. In B. C. Etzel, J. M. LeBlanc, y D. M. Baer (Eds.), *New developments in behavioral research: Theory, method, and practice* (págs. 441–471). Hillsdale, NJ: Erlbaum.

Holmes, G., Cautela, J., Simpson, M., Motes, P., y Gold, J. (1998). Factor structure of the School Reinforcement Survey Schedule: School is more than grades. *Journal of Behavioral Education, 8,* 131–140.

Holth, P. (2003), Generalized imitation and generalized matching to sample. *The Behavior Analyst, 26,* 155–158.

Holz, W. C., y Azrin, N. H. (1961). Discriminative properties of punishment. *Journal of the Experimental Analysis of Behavior, 4,* 225–232.

Holz, W. C., y Azrin, N. H. (1962). Recovery during punishment by intense noise. *Journal of the Experimental Analysis of Behavior, 6,* 407–412.

Holz, W. C., Azrin, N. H., y Ayllon, T. (1963). Elimination of behavior of mental patients by response-produced extinction. *Journal of the Experimental Analysis of Behavior, 6,* 407–412.

Homme, L., Csanyi, A. P., Gonzales, M. A., y Rechs, J. R. (1970). *How to use contingency contracting in the classroom.* Champaign, IL: Research Press.

Honig, W. K. (Ed.). (1966). *Operant behavior: Areas of research and application.* Nueva York: Appleton-Century-Crofts.

Hoover, H. D., Hieronymus, A. N., Dunbar, S. B. Frisbie, D. A., y Switch (1996). *Iowa Tests of Basic Skills.* Chicago: Riverside.

Hopkins, B. L. (1995). Applied behavior analysis and statistical process control? *Journal of Applied Behavior Analysis, 28,* 379–386.

Horner, R. D., y Baer, D. M. (1978). Multiple-probe technique: A variation on the multiple baseline design. *Journal of Applied Behavior Analysis, 11,* 189–196.

Horner, R. D., y Keilitz, I. (1975). Training mentally retarded adolescents to brush their teeth. *Journal of Applied Behavior Analysis, 8,* 301–309.

Horner, R. H. (2002). On the status of knowledge for using punishment: A commentary. *Journal of Applied Behavior Analysis, 35,* 465–467.

Horner, R. H., y McDonald, R. S. (1982). Comparison of single instance and general case instruction in teaching of a generalized vocational skill. *Journal of the Association for Persons with Severe Handicaps, 7* (3), 7–20.

Horner, R. H., Carr, E. G., Halle, J., McGee, G., Odom, S., y Wolery, M. (2005). The use of single-subject research to identify evidence-based practice in special education. *Exceptional Children, 71,* 165–179.

Horner, R. H., Day, M., Sprague, J., O'Brien, M., y Heathfield, L. (1991). Interspersed requests: A nonaversive procedure for reducing aggression and self-injury during instruction. *Journal of Applied Behavior Analysis, 24,* 265–278.

Horner, R. H., Dunlap, G., y Koegel, R. L. (1988). *Generalization and maintenance: Life-style changes in applied settings.* Baltimore: Paul H. Brookes.

Horner, R. H., Eberhard, J. M., y Sheehan, M. R. (1986). Teaching generalized table bussing: The importance of negative teaching examples. *Behavior Modification, 10,* 457–471.

Horner, R. H., Sprague, J., y Wilcox, B. (1982). Constructing general case programs for community activities. In B. Wilcox y G. T. Bellamy (Eds.), *Design of high school programs for severely handicapped students* (págs. 61–98). Baltimore: Paul H. Brookes.

Horner, R. H., Williams, J. A., y Steveley, J. D. (1987). Acquisition of generalized telephone use by students with moderate and severe mental retardation. *Research in Developmental Disabilities, 8,* 229–247.

Houten, R. V., y Rolider, A. (1990). The use of color mediation techniques to teach number identification and single digit multiplication problems to children with learning problems. *Education and Treatment of Children, 13,* 216–225.

Howell, K. W. (1998). *Curriculum-based evaluation: Teaching and decision making* (3rd ed.). Monterey, CA: Brooks/Cole.

Hughes, C. (1992). Teaching self-instruction using multiple exemplars to produce generalized problem-solving by individuals with severe mental retardation. *Journal on Mental Retardation, 97,* 302–314.

Hughes, C. (1997). Self-instruction. In M. Agran (Ed.), *Self-directed learning: Teaching self-determination skills* (págs. 144–170). Pacific Grove, CA: Brooks/ Cole.

Hughes, C., y Lloyd, J. W. (1993). An analysis of self-management. *Journal of Behavioral Education, 3,* 405–424.

Hughes, C., y Rusch, F. R. (1989). Teaching supported employees with severe mental retardation to solve problems. *Journal of Applied Behavior Analysis, 22,* 365–372.

Hughes, C., Harmer, M. L., Killian, D. J., y Niarhos, F. (1995). The effects of multiple-exemplar self-instructional training on high school students' generalized conversational interactions. *Journal of Applied Behavior Analysis, 28,* 201–218.

Hume, K. M., y Crossman, J. (1992). Musical reinforcement of practice behaviors among competitive swimmers. *Journal of Applied Behavior Analysis, 25,* 665–670.

Humphrey, L. L., Karoly, P., y Kirschenbaum, D. S. (1978). Self-management in the classroom: Self-imposed response cost versus self-reward. *Behavior Therapy, 9,* 592–601.

Hundert, J., y Bucher, B. (1978). Pupils' self-scored arithmetic performance: A practical procedure for maintaining accuracy. *Journal of Applied Behavior Analysis, 11,* 304.

Hunt, P., y Goetz, L. (1988). Teaching spontaneous communication in natural settings using interrupted behavior chains. *Topics in Language Disorders, 9,* 58–71.

Hurley, A. D. N., y O'Sullivan, J. L. (1999). *Informed consent for health care.* In R. D. Dinerstein, S. S. Herr, y J. L. O'Sullivan (Eds.), *A guide to consent* (págs. 39–55). Washington DC: American Association on Mental Retardation.

Hutchinson, R. R. (1977). By-products of aversive control In W. K. Honig y J. E. R. Staddon (Eds.), *Handbook of operant behavior* (págs. 415–431). Upper Saddle River, NJ: Prentice Hall.

Huybers, S., Van Houten, R., y Malenfant, J. E. L. (2004). Reducing conflicts between motor vehicles and pedestrians: The separate and combined effects of pavement markings and a sign prompt. *Journal of Applied Behavior Analysis, 37,* 445–456.

Individuals with Disabilities Education Act of 1997, P. L. 105–17, 20 U.S.C. para. 1400 *et seq.*

Irvin, D. S., Thompson, T. J., Turner, W. D., y Williams, D. E. (1998). Utilizing response effort to reduce chronic hand mouthing. *Journal of Applied Behavior Analysis, 31,* 375–385.

Isaacs, W., Thomas, I., y Goldiamond, I. (1960). Application of operant conditioning to reinstate verbal behavior in psychotics. *Journal of Speech and Hearing Disorders, 25,* 8–12.

Iwata, B. A. (1987). Negative reinforcement in applied behavior analysis: An emerging technology. *Journal of Applied Behavior Analysis, 20,* 361–378.

Iwata, B. A. (1988). The development and adoption of controversial default technologies. *The Behavior Analyst, 11,* 149–157.

Iwata, B. A. (1991). Applied behavior analysis as technological science. *Journal of Applied Behavior Analysis, 24,* 421–424.

Iwata, B. A. (2006). On the distinction between positive and negative reinforcement. *The Behavior Analyst, 29,* 121–123.

Iwata, B. A., y DeLeon, I. (1996). The functional analysis screening tool. Gainesville, FL: The Florida Center on Self-Injury, The University of Florida.

Iwata, B. A., y Michael, J. L. (1994). Applied implications of theory and research on the nature of reinforcement. *Journal of Applied Behavior Analysis, 27,* 183–193.

Iwata, B. A., Dorsey, M. F., Slifer, K. J., Bauman, K. E., y Richman, G. S. (1994). Toward a functional analysis of self-injury. *Journal of Applied Behavior Analysis, 27,* 197–209. (Reprinted from *Analysis and Intervention in Developmental Disabilities, 2,* 3–20, 1982). Iwata, B. A., Pace, G. M., Cowdery, G. E., y Miltenberger, R. G. (1994). What makes extinction work: An analysis of procedural form and function. *Journal of Applied Behavior Analysis, 27,* 131–144.

Iwata, B. A., Pace, G. M., Dorsey, M. F., Zarcone, J. R., Vollmer, T. R., Smith, R. G., Rodgers, T. A., Lerman, D. C., Shore, B. A., Mazaleski, J. L., Goh, H., Cowdery, G. E., Kalsher, M. J., y Willis, K. D. (1994). The functions of self-injurious behavior: An experimental-epidemiological analysis. *Journal of Applied Behavior Analysis, 27,* 215–240.

Iwata, B. A., Pace, G. M., Kissel, R. C., Nau, P. A., y Farber, J. M. (1990). The SelfInjury Trauma (SIT) Scale: A method for quantifying surface tissue damage caused by self-injurious behavior. *Journal of Applied Behavior Analysis, 23,* 99–110.

Iwata, B. A., Smith, R. G., y Michael, J. (2000). Current research on the influence of establishing operations on behavior in applied settings. *Journal of Applied Behavior Analysis, 33,* 411–418.

Iwata, B. A., Wallace, M. D., Kahng, S., Lindberg, J. S., Roscoe, E. M., Conners, J., Hanley, G. P., Thompson, R. H., y Worsdell, A. S. (2000). Skill acquisition in the implementation of functional analysis methodology. *Journal of*

Applied Behavior Analysis, 33, 181–194.

Jacobs, H. E., Fairbanks, D., Poche, C. E., y Bailey, J. S. (1982). Multiple incentives in encouraging car pool formation on a university campus. *Journal of Applied Behavior Analysis, 15,* 141–149.

Jacobson, J. M., Bushell, D., y Risley, T. (1969). Switching requirements in a Head Start classroom. *Journal of Applied Behavior Analysis, 2,* 43–47.

Jacobson, J. W., Foxx, R. M., y Mulick, J. A. (Eds.). (2005). *Controversial therapies for developmental disabilities: Fads, fashion, and science in professional practice.* Hillsdale, NJ: Erlbaum.

Jason, L. A., y Liotta, R. F. (1982). Reduction of cigarette smoking in a university cafeteria. *Journal of Applied Behavior Analysis, 15,* 573–577.

Johnson, B. M., Miltenberger, R. G., EgemoHelm, K. R., Jostad, C., Flessner, C. A., y Gatheridge, B. (2005). Evaluation of behavior skills training for teaching abduction prevention skills to young children. *Journal of Applied Behavior Analysis, 38,* 67–78.

Johnston, J. M., y Pennypacker, H. S. (1993a). *Strategies and tactics for human behavioral research* (2nd ed.). Hillsdale, NJ: Erlbaum.

Johnson, B. M., Miltenberger, R. G., Knudson, P., Egemo-Helm, K., Kelso, P., Jostad, C., y Langley, L. (2006). A preliminary evaluation of two behavioral skills training procedures for teaching abduction-prevention skills to school children. *Journal of Applied Behavior Analysis, 39,* 25–34.

Johnson, K. R., y Layng, T. V. J. (1992). Breaking the structuralist barrier: Literacy and numeracy with fluency. *American Psychologist, 47,* 1475–1490.

Johnson, K. R., y Layng, T. V. J. (1994). The Morningside model of generative instruction. In R. Gardner, D. M., III, Sainato, J. O., Cooper, T. E., Heron, W. L., Heward, J., Eshleman, y T. A. Grossi (Eds.), *Behavior analysis in education: Focus on measurably superior instruction* (págs. 173–197). Pacific Grove, CA: Brooks/Cole.

Johnson, T. (1973). Addition and subtraction math program with stimulus shaping and stimulus fading. Produced pursuant to a grant from the Ohio Department of Education, BEH Act, P.L. 91-203, Title VI-G; OE G-0-714438(604). J. E. Fisher y J. O. Cooper, project codirectors.

Johnston, J. M. (1979). On the relation between generalization and generality. *The Behavior Analyst, 2,* 1–6.

Johnston, J. M. (1991). We need a new model of technology. *Journal of Applied Behavior Analysis, 24,* 425–427.

Johnston, J. M., y Pennypacker, H. S. (1980). *Strategies and tactics for Human Behavioral Research.* Hillsdale, NJ: Erlbaum.

Johnston, J. M., y Pennypacker, H. S. (1993b). *Readings for Strategies and tactics of behavioral research* (2nd ed.). Hillsdale, NJ: Erlbaum.

Johnston, M. K., Kelly, C. S., Harris, F. R., y Wolf, M. M. (1966). An application of reinforcement principles to the development of motor skills of a young child. *Child Development, 37,* 370–387.

Johnston, R. J., y McLaughlin, T. F. (1982). The effects of free time on assignment completion and accuracy in arithmetic: A case study. *Education and Treatment of Children, 5,* 33–40.

Jones, F. H., y Miller, W. H. (1974). The effective use of negative attention for reducing group disruption in special elementary school classrooms. *Psychological Record, 24,* 435–448.

Jones, F. H., Fremouw, W., y Carples, S. (1977). Pyramid training of elementary school teachers to use a classroom management "skill package." *Journal of Applied Behavior Analysis, 10,* 239–254.

Jones, R. R., Vaught, R. S., y Weinrott, M. (1977). Time-series analysis in operant research. *Journal of Applied Behavior Analysis, 10,* 151–166.

Journal of Applied Behavior Analysis. (2000). Manuscript preparation checklist. *Journal of Applied Behavior Analysis, 33,* 399. Lawrence, KS: Society for the Experimental Analysis of Behavior.

Kachanoff, R., Leveille, R., McLelland, H., y Wayner, M. J. (1973). Schedule induced behavior in humans. *Physiology and Behavior, 11,* 395–398.

Kadushin, A. (1972). *The social work interview.* Nueva York: Columbia University Press.

Kahng, S. W., y Iwata, B. A. (1998). Computerized systems for collecting realtime observational data. *Journal of Applied Behavior Analysis, 31,* 253–261.

Kahng, S. W., y Iwata, B. A. (2000). Computer systems for collecting real-time observational data. In T. Thompson, D. Felce, y F. J. Symons (Eds.), *Behavioral observation: Technology and applications in developmental disabilities* (págs. 35–45). Baltimore: Paul H. Brookes.

Kahng, S. W., Iwata, B. A., DeLeon, I. G., y Wallace, M. D. (2000). A comparison of procedures for programming noncontingent reinforcement schedules. *Journal of Applied Behavior Analysis, 33,* 223–231.

Kahng, S. W., Iwata, B. A., Fischer, S. M., Page, T. J., Treadwell, K. R. H., Williams, D. E., y Smith, R. G. (1998). Temporal distributions of problems behavior based on scatter plot analysis. *Journal of Applied Behavior Analysis, 31,* 593–604.

Kahng, S. W., Iwata, B. A., Thompson, R. H., y Hanley, G. P. (2000). A method for identifying satiation versus extinction effects under noncontingent reinforcement schedules. *Journal of Applied Behavior Analysis, 33,* 419–432.

Kahng, S. W., Tarbox, J., y Wilke, A. (2001). Use of multicomponent treatment for food refusal. *Journal of Applied Behavior Analysis, 34,* 93–96.

Kahng, S., y Iwata, B. A. (1999). Correspondence between outcomes of brief and extended functional analyses. *Journal of Applied Behavior Analysis, 32,* 149–159.

Kahng, S., Iwata, B. A., Fischer, S. M., Page, T. J., Treadwell, K. R. H., Williams, D. E., y Smith, R. G. (1998). Temporal distributions of problem behavior based on scatter plot analysis. *Journal of Applied Behavior Analysis, 31,* 593–604.

Kahng, S., Iwata, B. A., y Lewin, A. B. (2002). Behavioral treatment of self-injury, 1964 to 2000. *American Journal of Mental Retardation, 107* (3), 212–221.

Kame'enui, E. (2002, September). *Beginning reading failure and the quantification of risk: Behavior as the supreme index.* Presentation to the Focus on Behavior Analysis in Education Conference, Columbus, OH.

Kanfer, F. H. (1976). *The many faces of selfcontrol, or behavior modification changes its focus.* Paper presented at the Fifth International Banff Conference, Banff, Alberta, Canada.

Kanfer, F. H., y Karoly P. (1972). Selfcontrol: A behavioristic excursion into the lion's den. *Behavior Therapy, 3,* 398–416.

Kantor, J. R. (1959). *Interbehavioral psychology.* Granville, OH: Principia Press.

Katzenberg, A. C. (1975). *How to draw graphs.* Kalamazoo, MI: Behaviordelia.

Kauffman, J. M. (2005). *Characteristics of emotional and behavioral disorders of children and youth* (8th ed.). Upper Saddle River, NJ: Merrill/Prentice Hall.

Kaufman, K. F., y O'Leary, K. D. (1972). Reward, cost, and self-evaluation procedures for disruptive adolescents in a psychiatric hospital school. *Journal of Applied Behavior Analysis, 5,* 293–309.

Kazdin, A. E. (1973). The effects of vicarious reinforcement on attentive behavior in the classroom. *Journal of Applied Behavior Analysis, 6,* 77–78.

Kazdin, A. E. (1977). Artifact, bias, and complexity of assessment: The ABCs of reliability. *Journal of Applied Behavior Analysis, 10,* 141–150.

Kazdin, A. E. (1978). *History of behavior modification.* Austin: TX: Pro-Ed.

Kazdin, A. E. (1979). Unobtrusive measures in behavioral assessment. *Journal of Applied Behavior Analysis, 12,* 713–724.

Kazdin, A. E. (1980). Acceptability of alternative treatments for deviant child behavior. *Journal of Applied Behavior Analysis, 13,* 259–273.

Kazdin, A. E. (1982). *Single case research designs: Methods for clinical and applied settings.* Boston: Allyn and Bacon.

Kazdin, A. E. (1982). Observer effects: Reactivity of direct observation. *New Directions for Methodology of Social and Behavioral Science, 14,* 5–19.

Kazdin, A. E. (2001). *Behavior modification in applied settings* (6th ed.). Belmont, CA: Wadsworth.

Kazdin, A. E., y Hartmann, D. P. (1978). The simultaneous-treatment design. *Behavior Therapy, 9,* 912–922.

Kee, M., Hill, S. M., y Weist, M. D. (1999). School-based behavior management of cursing, hitting, and spitting in a girl with profound retardation. *Education and Treatment of Children, 22* (2), 171–178.

Kehle, T. J., Bray, M. A., Theodore, L. A., Jenson, W. R., y Clark, E. (2000). A multi-component intervention designed to reduce disruptive classroom behavior. *Psychology in the Schools, 37* (5), 475–481.

Keller, C. L., Brady, M. P., y Taylor, R. L. (2005). Using self-evaluation to improve student teacher interns' use of specific praise. *Education and Training in Mental Retardation and Developmental Disabilities, 40,* 368–376.

Keller, F. S. (1941). Light aversion in the white rat. *Psychological Record, 4,* 235–250.

Keller, F. S. (1982). *Pedagogue's progress.* Lawrence, KS: TRI Publications.

Keller, F. S. (1990). Burrhus Frederic Skinner (1904–1990) (a thank you). *Journal of Applied Behavior Analysis, 23,* 404–407.

Keller, F. S., y Schoenfeld, W. M. (1950/1995). *Principles of psychology.* Acton, MA: Copley Publishing Groupág.

Keller, F. S., y Schoenfeld, W. N. (1995). *Principles of psychology.* Acton, MA: Copley Publishing Groupág. (Reprinted from *Principles of psychology: A systematic text in the science of behavior.* Nueva York: Appleton-CenturyCrofts, 1950)

Kelley, M. E., Piazza, C. C., Fisher, W. W., y Oberdorff, A. J. (2003). Acquisition of cup drinking using previously refused foods as positive and negative reinforcement. *Journal of Applied Behavior Analysis, 36,* 89–93.

Kelley, M. L., Jarvie, G. J., Middlebrook, J. L., McNeer, M. F., y Drabman, R. S. (1984). Decreasing burned children's pain behavior: Impacting the trauma of hydrotherapy. *Journal of Applied Behavior Analysis, 17,* 147–158.

Kellum, K. K., Carr, J. E., y Dozier, C. L. (2001). Response-card instruction and student learning in a college classroom. *Teaching of Psychology, 28* (2), 101–104.

Kelshaw-Levering, K., Sterling-Turner, H., Henry, J. R., y Skinner, C. H. (2000). Randomized interdependent group contingencies: Group reinforcement with a twist. *Psychology in the Schools, 37* (6), 523–533.

Kennedy, C. H. (1994). Automatic reinforcement: Oxymoron or hypothetical construct. *Journal of Behavioral Education, 4* (4), 387–395.

Kennedy, C. H. (2005). *Single-case designs for educational research.* Boston: Allyn and Bacon.

Kennedy, C. H., y Haring, T. G. (1993). Teaching choice making during social interactions to students with profound multiple disabilities. *Journal of Applied Behavior Analysis, 26,* 63–76.

Kennedy, C. H., y Sousa, G. (1995). Functional analysis and treatment of eye poking. *Journal of Applied Behavior Analysis, 28,* 27–37.

Kennedy, C. H., Meyer, K. A., Knowles, T., y Shukla, S. (2000). Analyzing the multiple functions of stereotypical behavior for students with autism: Implications for assessment and treatment. *Journal of Applied Behavior Analysis, 33,* 559–571.

Kennedy, G. H., Itkonen, T., y Lindquist, K. (1994). Nodality effects during equivalence class formation: An extension to sight-word reading and concept development. *Journal of Applied Behavior Analysis, 27,* 673–683.

Kern, L., Dunlap, G., Clarke, S., y Childs, K. E. (1995). Student-assisted functional assessment interview. *Diagnostique, 19,* 29–39.

Kern, L., Koegel, R., y Dunlap, G. (1984). The influence of vigorous versus mild exercise on autistic stereotyped behaviors. *Journal of Autism and Developmental Disorders, 14,* 57–67.

Kerr, M. M., y Nelson, C. M. (2002). *Strategies for addressing behavior problems in the classroom* (4th ed.). Upper Saddle River, NJ: Merrill/ Prentice Hall.

Killu, K., Sainato, D. M., Davis, C. A., Ospelt, H., y Paul, J. N. (1998). Effects of high-probability request sequences on preschoolers' compliance and disruptive behavior. *Journal of Behavioral Education, 8,* 347–368.

Kimball, J. W. (2002). Behavior-analytic instruction for children with autism: Philosophy matters. *Focus on Autism and Other Developmental Disabilities, 17* (2), 66–75.

Kimball, J. W., y Heward, W. L. (1993). A synthesis of contemplation, prediction, and control. *American Psychologist, 48,* 587–588.

Kirby, K. C., y Bickel, W. K. (1988). Toward an explicit analysis of generalization: A stimulus control interpretation. *The Behavior Analyst, 11,* 115–129.

Kirby, K. C., Fowler, S. A., y Baer, D. M. (1991). Reactivity in self-recording: Obtrusiveness of recording procedure and peer comments. *Journal of Applied Behavior Analysis, 24,* 487–498.

Kladopoulos, C. N., y McComas, J. J. (2001). The effects of form training on foul-shooting performance in members of a women's college basketball team. *Journal of Applied Behavior Analysis, 34,* 329–332.

Klatt, K. P., Sherman, J. A., y Sheldon, J. B. (2000). Effects of deprivation on engagement in preferred activities by persons with developmental disabilities. *Journal of Applied Behavior Analysis, 33,* 495–506.

Kneedler, R. D., y Hallahan, D. P. (1981). Self-monitoring of on-task behavior with learning disabled children: Current studies and directions. *Exceptional Education Quarterly, 2* (3), 73–82.

Knittel, D. (2002). Case study: A professional guitarist on comeback road. In R. W. Malott y H. Harrison (Eds.), *I'll stop procrastinating when I get around to it: Plus other cool ways to succeed in school and life using behavior analysis to get your act together* (págs. 8-5–8-6). Kalamazoo, MI: Department of Psychology, Western Michigan University.

Kodak, T., Grow, L., y Northrup, J. (2004). Functional analysis and treatment of elopement for a child with attention deficit hyperactivity disorder. *Journal of Applied Behavior Analysis, 37,* 229–232.

Kodak, T., Miltenberger, R. G., y Romaniuk, C. (2003). The effects of differential negative reinforcement of other behavior and noncontingent escape on compliance. *Journal of Applied Behavior Analysis, 36,* 379–382.

Koegal, R. L., y Rincover, A. (1977). Research on the differences between generalization and maintenance in extra-therapy responding. *Journal of Applied Behavior Analysis, 10,* 1–12.

Koegel, L. K., Carter, C. M., y Koegel, R. L. (2003). Teaching children with autism self-initiations as a pivotal response. *Topics in Language Disorders, 23* (2), 134–145.

Koegel, L. K., Koegel, R. L., Hurley, C., y Frea, W. D. (1992). Improving social skills and disruptive behavior in children with autism through self-management. *Journal of Applied Behavior Analysis, 25,* 341–353.

Koegel, R. L., y Frea, W. (1993). Treatment of social behavior in autism through the modification of pivotal social skills. *Journal of Applied Behavior Analysis, 26,* 369–377.

Koegel, R. L., y Koegel, L. K. (1988). Generalized responsivity and pivotal behaviors. In R. H. Horner, G. Dunlap, y R. L. Koegel (Eds.), *Generalization and maintenance: Life-style changes in applied settings* (págs. 41–66). Baltimore; Paul H. Brookes.

Koegel, R. L., y Koegel, L. K. (1990). Extended reductions in stereoptypic behavior of students with autism through a self-management treatment package. *Journal of Applied Behavior Analysis, 23,* 119–127.

Koegel, R. L., y Williams, J. A. (1980). Direct versus indirect response-reinforcer relationships in teaching autistic children. *Journal of Abnormal Child Psychology, 8,* 537–547.

Koegel, R. L., Koegel, L. K., y Schreibman, L. (1991). Assessing and training parents in teaching pivotal behaviors. In R. J. Prinz (Ed.), *Advances in behavioral assessment of children and families* (Vol. 5, págs. 65–82). Londres: Jessica Kingsley.

Koehler, L. J., Iwata, B. A., Roscoe, E. M., Rolider, N. U., y O'Steen, L. E. (2005). Effects of stimulus variation on the reinforcing capability of nonpreferred stimuli. *Journal of Applied Behavior Analysis, 38,* 469–484.

Koenig, C. H., y Kunzelmann, H. P. (1980). *Classroom learning screening.* Columbus, OH: Charles E. Merrill.

Kohler, F. W., y Greenwood, C. R. (1986). Toward a technology of generalization: The identification of natural contingencies of reinforcement. *The Behavior Analyst, 9,* 19–26.

Kohler, F. W., Strain, P. S., Maretsky, S., y Decesare, L. (1990). Promoting positive and supportive interactions between preschoolers: An analysis of group-oriented contingencies. *Journal of Early Intervention, 14* (4), 327–341.

Kohn, A. (1997). Students don't "work"—they learn. *Education Week,* September 3, 1997. Recuperado el 11 de septiembre de 2017 de http://www.edweek.org/ew/articles/1997/09/03/01kohn.h17.html

Komaki, J. L. (1998). When performance improvement is the goal: A new set of criteria for criteria. *Journal of Applied Behavior Analysis, 31,* 263–280.

Konarski, E. A., Jr., Crowell, C. R., y Duggan, L. M. (1985). The use of response deprivation to increase the academic performance of EMR students. *Applied Research in Mental Retardation, 6,* 15–31.

Konarski, E. A., Jr., Crowell, C. R., Johnson, M. R., y Whitman T. L. (1982). Response deprivation, reinforcement, and instrumental academic performance in an EMR classroom. *Behavior Therapy, 13,* 94–102.

Konarski, E. A., Jr., Johnson, M. R., Crowell, C. R., y Whitman T. L. (1980). Response deprivation and reinforcement in applied settings: A preliminary report. *Journal of Applied Behavior Analysis, 13,* 595–609.

Koocher, G. P., y Keith-Spiegel, P. (1998). *Ethics in psychology: Professional standards and cases.* Nueva York, Oxford: Oxford University Press.

Kosiewicz, M. M., Hallahan, D. P., Lloyd, J. W., y Graves, A. W. (1982). Effects of self-instruction and self-correction procedures on handwriting performance. *Learning Disability Quarterly,* 5 (1), 71–78.

Kostewicz, D. E., Kubina, R. M., Jr., y Cooper, J. O. (2000). Managing aggressive thoughts and feelings with daily counts of non-aggressive thoughts and feelings: A self-experiment. *Journal of Behavior Therapy and Experimental Psychiatry, 31,* 177–187.

Kounin, J. (1970). *Discipline and group management in classrooms.* Nueva York: Holt, Rinehart y Winston.

Kozloff, M. A. (2005). Fads in general education: Fad, fraud, and folly. In J. W. Jacobson, R. M. Foxx, y J. A. Mulick (Eds.), *Controversial therapies in developmental disabilities: Fads, fashion, and science in professional practice* (págs. 159–174). Hillsdale, NJ: Erlbaum.

Krantz, P. J., y McClannahan, L. E. (1993). Teaching children with autism to initiate to peers: Effects of a script-fading procedure. *Journal of Applied Behavior Analysis, 26,* 121–132.

Krantz, P. J., y McClannahan, L. E. (1998). Social interaction skills for children with autism: A script-fading procedure for beginning readers. *Journal of Applied Behavior Analysis, 31,* 191–202.

Krasner, L. A., y Ullmann, L. P. (Eds.). (1965). *Research in behavior modification: New developments and implications.* Nueva York: Holt, Rinehart y Winston.

Kubina, R. M., Jr. (2005). The relations among fluency, rate building, and practice: A response to Doughty, Chase, and O'Shields (2004). *The Behavior Analyst, 28,* 73–76.

Kubina, R. M., y Cooper, J. O. (2001). Changing learning channels: An efficient strategy to facilitate instruction and learning. *Intervention in School and Clinic, 35,* 161–166.

Kubina, R. M., Haertel, M. W., y Cooper, J. O. (1994). Reducing negative inner behavior of senior citizens: The oneminute counting procedure. *Journal of Precision Teaching, 11* (2), 28–35.

Kuhn, S. A. C., Lerman, D. C., y Vorndran, C. M. (2003). Pyramidal training for families of children with problem behavior. *Journal of Applied Behavior Analysis, 36,* 77–88.

La Greca, A. M., y Schuman, W. B. (1995). Adherence to prescribed medical regimens. In M. C. Roberts (Ed.), *Handbook of pediatric psychology* (2nd ed., págs. 55–83). Nueva York: Guildford.

LaBlanc, L. A., Coates, A. M., Daneshvar, S. Charlop-Christy, Morris, C., y Lancaster, B. M. (2003). *Journal of Applied Behavior Analysis, 36,* 253–257.

Lalli, J. S., Browder, D. M., Mace, F. C., y Brown, D. K. (1993). Teacher use of descriptive analysis data to implement interventions to decrease students' problem behaviors. *Journal of Applied Behavior Analysis, 26,* 227–238.

Lalli, J. S., Casey, S., y Kates, K. (1995). Reducing escape behavior and increasing task completion with functional communication training, extinction, and response chaining. *Journal of Applied Behavior Analysis, 28,* 261–268.

Lalli, J. S., Livezey, K., y Kates, D. (1996). Functional analysis and treatment of eye poking with response blocking. *Journal of Applied Behavior Analysis, 29,* 129–132.

Lalli, J. S., Mace, F. C., Livezey, K., y Kates, K. (1998). Assessment of stimulus generalization gradients in the treatment of self-injurious behavior. *Journal of Applied Behavior Analysis, 31,* 479–483.

Lalli, J. S., Zanolli, K., y Wohn, T. (1994). Using extinction to promote response variability. *Journal of Applied Behavior Analysis, 27,* 735–736.

Lambert, M. C., Cartledge, G., Lo, Y., y Heward, W. L. (2006). Effects of response cards on disruptive behavior and participation by fourth-grade students during math lessons in an urban school. *Journal of Positive Behavioral Interventions, 8,* 88–99.

Lambert, N., Nihira, K., y Leland, H. (1993). *Adaptive Behavior Scale—School* (2nd ed.). Austin, TX: Pro-Ed.

Landry, L., y McGreevy, P. (1984). The paper clip counter (PCC): An inexpensive and reliable device for collecting behavior frequencies. *Journal of Precision Teaching, 5,* 11–13.

Lane, S. D., y Critchfield, T. S. (1998). Classification of vowels and consonants by individuals with moderate mental retardation: Development of arbitrary relations via match-to-sample training with compound stimuli. *Journal of Applied Behavior Analysis, 31,* 21–41.

Laraway, S., Snycerski, S., Michael, J., y Poling, A. (2001). The abative effect: A new term to describe the action of antecedents that reduce operant responding. *The Analysis of Verbal Behavior, 18,* 101–104.

Larowe, L. N., Tucker, R. D., y McGuire, J. M. (1980). Lunchroom noise control using feedback and group reinforcement. *Journal of School Psychology, 18,* 51–57.

Lasiter, P. S. (1979). Influence of contingent responding on schedule-induced activity in human subjects. *Physiology and Behavior, 22,* 239–243.

Lassman, K. A., Jolivette, K., y Wehby, J. H. (1999). "My teacher said I did good work today!": Using collaborative behavioral contracting. *Teaching Exceptional Children, 31* (4), 12–18.

Lattal, K. A. (1969). Contingency management of toothbrushing behavior in a summer camp for children. *Journal of Applied Behavior Analysis, 2,* 195–198.

Lattal, K. A. (1995). Contingency and behavior analysis. *The Behavior Analyst, 18,* 209–224.

Lattal, K. A. (Ed.). (1992). Special issue: Reflections on B. F. Skinner and psychology. *American Psychologist, 47,* 1269–1533.

Lattal, K. A., y Griffin, M. A. (1972). Punishment contrast during free operant responding. *Journal of the Experimental Analysis of Behavior, 18,* 509–516.

Lattal, K. A., y Lattal, A. D. (2006). And yet . . .: Further comments on distinguishing positive and negative reinforcement. *The Behavior Analyst, 29,* 129–134.

Lattal, K. A., y Neef, N. A. (1996). Recent reinforcement-schedule research and applied behavior analysis. *Journal of Applied Behavior Analysis, 29,* 213–220.

Lattal, K. A., y Shahan, T. A. (1997). Differing views of contingencies: How contiguous. *The Behavior Analyst, 20,* 149–154.

LaVigna, G. W., y Donnellen, A. M. (1986). *Alternatives to punishment: Solving behavior problems with nonaversive strategies.* Nueva York: Irvington.

Layng, T. V. J., y Andronis, P. T. (1984). Toward a functional analysis of delusional speech and hallucinatory behavior. *The Behavior Analyst, 7,* 139–156.

Lee, C., y Tindal, G. A. (1994). Self-recording and goal-setting: Task and math productivity of low-achieving Korean elementary school students. *Journal of Behavioral Education, 4,* 459–479.

Lee, R., McComas, J. J., y Jawor, J. (2002). The effects of differential and lag reinforcement schedules on varied verbal responding by individuals with autism. *Journal of Applied Behavior Analysis,* 35, 391–402.

Lee, V. L. (1988). *Beyond behaviorism.* Hillsdale, NJ: Erlbaum.

Leitenberg, H. (1973). The use of singlecase methodology in psychotherapy research. *Journal of Abnormal Psychology, 82,* 87–101.

Lenz, M., Singh, N., y Hewett, A. (1991). Overcorrection as an academic remediation procedure. *Behavior Modification, 15,* 64–73.

Lerman, D. C. (2003). From the laboratory to community application: Translational research in behavior analysis. *Journal of Applied Behavior Analysis,* 36, 415–419.

Lerman, D. C., y Iwata, B. A. (1993). Descriptive and experimental analysis of variables maintaining self-injurious behavior. *Journal of Applied Behavior Analysis, 26,* 293–319.

Lerman, D. C., y Iwata, B. A. (1995). Prevalence of the extinction burst and its attenuation during treatment. *Journal of Applied Behavior Analysis, 28,* 93–94.

Lerman, D. C., y Iwata, B. A. (1996a). Developing a technology for the use of operant extinction in clinical settings: An examination of basic and applied research. *Journal of Applied Behavior Analysis, 29,* 345–382.

Lerman, D. C., y Iwata, B. A. (1996b).
A methodology for distinguishing between extinction and punishment effects associated with response blocking. *Journal of Applied Behavior Analysis, 29,* 231–234.

Lerman, D. C., y Vorndran, C. M. (2002). On the status of knowledge for using punishment: Implications for treating behavior disorders. *Journal of Applied Behavior Analysis, 35,* 431–464.

Lerman, D. C., Iwata, B. A., y Wallace, M. D. (1999). Side effects of extinction: Prevalence of bursting and aggression during the treatment of self-injurious behavior. *Journal of Applied Behavior Analysis, 32,* 1–8.

Lerman, D. C., Iwata, B. A., Shore, B. A., y DeLeon, I. G. (1997). Effects of intermittent punishment on self-injurious behavior: An evaluation of schedule thinning. *Journal of Applied Behavior Analysis, 30,* 187–201.

Lerman, D. C., Iwata, B. A., Shore, B. A., y Kahng, S. W. (1996). Responding maintained by intermittent reinforcement: Implications for the use of extinction with problem behavior in clinical settings. *Journal of Applied Behavior Analysis, 29,* 153–171.

Lerman, D. C., Iwata, B. A., Smith, R. G., Zarcone, J. R., y Vollmer, T. R. (1994). Transfer of behavioral function as a contributing factor in treatment relapse. *Journal of Applied Behavior Analysis, 27,* 357–370.

Lerman, D. C., Iwata, B. A., Zarcone, J. R., y Ringdahl, J. (1994). Assessment of stereotypic and self-injurious behavior as adjunctive responses. *Journal of Applied Behavior Analysis, 27,* 715–728.

Lerman, D. C., Kelley, M. E., Vorndran, C. M., y Van Camp, C. M. (2003). Collateral effects of response blocking during the treatment of stereotypic behavior. *Journal of Applied Behavior Analysis, 36,* 119–123.

Lerman, D. C., Kelley, M. E., Vorndran, C. M., Kuhn, S. A. C., y LaRue, Jr., R. H. (2002). Reinforcement magnitude and responding during treatment with differential reinforcement. *Journal of Applied Behavior Analysis, 35,* 29–48.

Levondoski, L. S., y Cartledge, G. (2000).
Self-monitoring for elementary school children with serious emotional disturbances: Classroom applications for increased academic responding. *Behavioral Disorders, 25,* 211–224.

Lewis, T. J., Powers, L. J., Kelk, M. J., y Newcomer, L. L. (2002). Reducing problem behaviors on the playground: An intervention of the application of school-wide positive behavior supports. *Psychology in the Schools, 39* (2), 181–190.

Lewis, T., Scott, T. y Sugai, G. (1994). The problem behavior questionnaire: A teacher-based instrument to develop functional hypotheses of problem behavior in general education classrooms. *Diagnostique, 19,* 103–115.

Lindberg, J. S., Iwata, B. A., Kahng, S. W., y DeLeon, I. G. (1999). DRO contingencies: Analysis of variable-momentary schedules. *Journal of Applied Behavior Analysis, 32,* 123–136.

Lindberg, J. S., Iwata, B. A., Roscoe, E. M., Worsdell, A. S., y Hanley, G. P. (2003). Treatment efficacy of noncontingent reinforcement during brief and extended application. *Journal of Applied Behavior Analysis, 36,* 1–19.

Lindsley, O. R. (1956). Operant conditioning methods applied to research in chronic schizophrenia. *Psychiatric Research Reports, 5,* 118–139.

Lindsley, O. R. (1960). Characteristics of the behavior of chronic psychotics as revealed by free-operant conditioning methods. *Diseases of the Nervous System (Monograph Supplement), 21,* 66–78.

Lindsley, O. R. (1968). A reliable wrist counter for recording behavior rates. *Journal of Applied Behavior Analysis, 1,* 77–78.

Lindsley, O. R. (1971). An interview. *Teaching Exceptional Children, 3,* 114–119.

Lindsley, O. R. (1985). *Quantified trends in the results of behavior analysis.* Presidential address at the Eleventh Annual Convention of the Association for Behavior Analysis, Columbus, OH.

Lindsley, O. R. (1990). Precision teaching: By teachers for children. *Teaching Exceptional Children, 22,* 10–15.

Lindsley, O. R. (1992). Precision teaching: Discoveries and effects. *Journal of Applied Behavior Analysis, 25,* 51–57.

Lindsley, O. R. (1996). The four free-operant freedoms. *The Behavior Analyst, 19,* 199–210.

Linehan, M. (1977). Issues in behavioral interviewing. In J. D. Cone y R. P. Hawkins (Eds.), *Behavioral assessment: New directions in clinical psychology* (págs. 30–51). Nueva York: Bruner/Mazel.

Linscheid, T. R, Iwata, B. A., Ricketts, R. W., Williams, D. E., y Griffin, J. C. (1990). Clinical evaluation of the self-injurious behavior inhibiting system (SIBIS). *Journal of Applied Behavior Analysis, 23,* 53–78.

Linscheid, T. R., y Meinhold, P. (1990). The controversy over aversives: Basic operant research and the side effects of punishment. In A. C. Repp y N. N. Singh (Eds.), *Perspectives on the use of nonersive and aversive interventions for persons with developmental disabilities* (págs. 59–72). Sycamore, IL: Sycamore.

Linscheid, T. R., y Reichenbach, H. (2002). Multiple factors in the long-term effectiveness of contingent electric shock treatment for self-injurious behavior: A case example. *Research in Developmental Disabilities, 23,* 161–177.

Linscheid, T. R., Iwata, B. A., Ricketts, R. W., Williams, D. E., y Griffin, J. C. (1990). Clinical evaluation of SIBIS: The selfinjurious behavior inhibiting system. *Journal of Applied Behavior Analysis, 23,* 53–78.

Linscheid, T. R., Pejeau C., Cohen S., y Footo-Lenz, M. (1994). Positive side effects in the treatment of SIB using the Self-Injurious Behavior Inhibiting System (SIBIS): Implications for operant and biochemical explanations of SIB. *Research in Developmental Disabilities, 15,* 81–90.

Lipinski, D. P., Black, J. L., Nelson, R. O., y Ciminero, A. R. (1975). Influence of motivational variables on the reactivity and reliability of self-recording. *Journal of Consulting and Clinical Psychology, 43,* 637–646.

Litow, L., y Pumroy, D. K. (1975). A brief review of classroom group-oriented contingencies. *Journal of Applied Behavior Analysis, 3,* 341–347.

Lloyd, J. W., Bateman, D. F., Landrum, T. J., y Hallahan, D. P. (1989). Selfrecording of attention versus productivity. *Journal of Applied Behavior Analysis. 22,* 315–323.

Lloyd, J. W., Eberhardt, M. J., Drake, G. P., Jr. (1996). Group versus individual reinforcement contingencies with the context of group study conditions. *Journal of Applied Behavior Analysis, 29,* 189–200.

Lo, Y. (2003). *Functional assessment and individualized intervention plans: Increasing the behavior adjustment of urban learners in general and special education settings.* Unpublished doctoral dissertation. Columbus, OH: The Ohio State University.

Logan, K. R., y Gast, D. L. (2001). Conducting preference assessments and reinforcer testing for individuals with profound multiple disabilities: Issues and procedures. *Exceptionality, 9* (3), 123–134.

Logan, K. R., Jacobs, H. A., Gast, D. L., Smith, P. D., Daniel, J., y Rawls, J. (2001). Preferences and reinforcers for students with profound multiple disabilities: Can we identify them? *Journal of Developmental and Physical Disabilities, 13,* 97–122.

Long, E. S., Miltenberger, R. G., Ellingson, S. A., y Ott, S. M. (1999). Augmenting simplified habit reversal in the treatment of oral-digital habits exhibited by individuals with mental retardation. *Journal of Applied Behavior Analysis, 32,* 353–365.

Lovaas, O. I. (1977). *The autistic child: Language development through behavior modification.* Nueva York: Irvington.

Lovitt, T. C. (1973). Self-management projects with children with behavioral disabilities. *Journal of Learning Disabilities, 6,* 138–150.

Lovitt, T. C., y Curtiss, K. A. (1969). Academic response rates as a function of teacherand self-imposed contingencies. *Journal of Applied Behavior Analysis, 2,* 49–53.

Lowenkron, B. (2004). Meaning: A verbal behavior account. *The Analysis of Verbal Behavior, 20,* 77–97.

Luce, S. C., y Hall, R. V. (1981). Contingent exercise: A procedure used with differential reinforcement to reduce bizarre verbal behavior. *Education and Treatment of Children, 4,* 309–327.

Luce, S. C., Delquadri, J., y Hall, R. V. (1980). Contingent exercise: A mild but powerful procedure for suppressing inappropriate verbal and aggressive behavior. *Journal of Applied Behavior Analysis, 13,* 583–594.

Luciano, C. (1986). Acquisition, maintenance, and generalization of productive intraverbal behavior through transfer of stimulus control procedures. *Applied Research in Mental Retardation, 7,* 1–20.

Ludwig, R. L. (2004). *Smiley faces and spinners: Effects of self-monitoring of productivity with an indiscriminable contingency of reinforcement on the on-task behavior and academic productivity by kindergarteners during independent seatwork.* Unpublished master's thesis, The Ohio State University.

Luiselli, J. K. (1984). Controlling disruptive behaviors of an autistic child: Parentmediated contingency management in the home setting. *Education and Treatment of Children, 3,* 195–203.

Lynch, D. C., y Cuvo, A. J. (1995). Stimulus equivalence instruction of fraction decimal relations. *Journal of Applied Behavior Analysis, 28,* 115–126.

Lyon, C. S., y Lagarde, R. (1997). Tokens for success: Using the graduated reinforcement system. *Teaching Exceptional Children, 29* (6), 52–57.

Maag, J. W., Reid, R., y DiGangi, S. A. (1993). Differential effects of selfmonitoring attention, accuracy, and productivity. *Journal of Applied Behavior Analysis, 26,* 329–344.

Mabry, J. H., (1994). Review of R. A. Harris' *Linguistic wars. The Analysis of Verbal Behavior, 12,* 79–86.

Mabry, J. H., (1995). Review of Pinker's *The language instinct. The Analysis of Verbal Behavior, 12,* 87–96.

MacCorquodale, K. (1970). On Chomsky's review of Skinner's *Verbal behavior. Journal of the Experimental Analysis of Behavior, 13,* 83–99.

MacCorquodale, K., y Meehl, P. (1948). On a distinction between hypothetical constructs and intervening variables. *Psychological Record, 55,* 95–107.

MacDuff, G. S. Krantz, P. J., y McClannahan, L. E. (1993). Teaching children with autism to use photographic activity schedules: Maintenance and generalization of complex response chains. *Journal of Applied Behavior Analysis, 26,* 89–97.

Mace, F. C. (1996). In pursuit of general behavioral relations. *Journal of Applied Behavior Analysis, 29,* 557–563.

Mace, F. C., y Belfiore, P. (1990). Behavioral momentum in the treatment of escapemotivated stereotypy. *Journal of Applied Behavior Analysis, 23,* 507–514.

Mace, F. C., Hock, M. L., Lalli, J. S., West, B. J., Belfiore, P., Pinter, E., y Brown, D. K. (1988). Behavioral momentum in the treatment of noncompliance. *Journal of Applied Behavior Analysis, 21,* 123–141.

Mace, F. C., Page, T. J., Ivancic, M. T., y O'Brien, S. (1986). Effectiveness of brief time-out with and without contingency delay: A comparative analysis. *Journal of Applied Behavior Analysis, 19,* 79–86.

MacNeil, J., y Thomas, M. R. (1976). Treatment of obsessive-compulsive hair-pulling (trichotillo-mania) by behavioral and cognitive contingency manipulation. *Journal of Behavior Therapy and Experimental Psychiatry, 7,* 391–392.

Madden, G. J., Chase, P. N., y Joyce, J. H. (1998). Making sense of sensitivity in the human operant literature. *The Behavior Analyst, 21,* 1–12.

Madsen, C. H., Becker, W. C., Thomas, D. R., Koser, L., y Plager, E. (1970). An analysis of the reinforcing function of "sit down" commands. In R. K. Parker (Ed.), *Readings in educational psychology* (págs. 71–82). Boston: Allyn y Bacon.

Maglieri, K. A., DeLeon, I. G., RodriguezCatter, V., y Sevin, B. M. (2000). Treatment of covert food stealing in an individual with Prader-Willi Syndrome. *Journal of Applied Behavior Analysis, 33,* 615–618.

Maheady, L., Mallete, B., Harper, G. F., y Saca, K. (1991). Heads together: A peer-mediated option for improving the academic achievement of heterogeneous learning groups. *Remedial and Special Education, 12* (2), 25–33.

Mahoney, M. J. (1971). The self-management of covert behavior: A case study. *Behavior Therapy, 2,* 575–578.

Mahoney, M. J. (1976). Terminal terminology. *Journal of Applied Behavior Analysis, 9,* 515–517.

Malesky, B. M. (1974). Behavior recording as treatment. *Behavior Therapy, 5,* 107–111.

Maloney, K. B., y Hopkins, B. L. (1973). The modification of sentence structure and its relationship to subjective judgments of creativity in writing. *Journal of Applied Behavior Analysis, 6,* 425–433.

Malott, R. W. (1981). *Notes from a radical behaviorist.* Kalamazoo, MI: Author.

Malott, R. W. (1984). Rule-governed behavior, self-management, and the developmentally disabled: A theoretical analysis. *Analysis and Intervention in Developmental Disabilities, 6,* 53–68.

Malott, R. W. (1988). Rule-governed behavior and behavioral anthropology. *The Behavior Analyst, 11,* 181–203.

Malott, R. W. (1989). The achievement of evasive goals: Control by rules describing contingencies that are not direct acting. In S. C. Hayes (Ed.), *Rulegoverned behavior: Cognition, contingencies, and instructional control* (págs. 269–322). Reno, NV: Context Press.

Malott, R. W. (2005a). Self-management. In M. Hersen y J. Rosqvist, (Eds.), *Encyclopedia of behavior modification and cognitive behavior therapy* (Volume I: Adult Clinical Applications) (págs. 516–521). Newbury Park, CA: Sage.

Malott, R. W. (2005b). Behavioral systems analysis and higher education. In W. L. Heward, T. E. Heron, N. A. Neef, S. M. Peterson, D. M. Sainato, G. Cartledge, R. Gardner III, L. D. Peterson, S. B. Hersh, y J. C. Dardig (Eds.), *Focus on behavior analysis in education: Achievements, challenges, and opportunities* (págs. 211–236). Upper Saddle River, NJ: Merrill/Prentice Hall.

Malott, R. W., y Garcia, M. E. (1991). The role of private events in rule-governed behavior. In L. J. Hayes y P. Chase (Eds.), *Dialogues on verbal behavior* (págs. 237–254). Reno, NV: Context Press.

Malott, R. W., y Harrison, H. (2002). *I'll stop procrastinating when I get around to it: Plus other cool ways to succeed in school and life using behavior analysis to get your act together*. Kalamazoo, MI: Department of Psychology, Western Michigan University.

Malott, R. W., y Suarez, E. A. (2004). Elementary principles of behavior (5th ed.). Upper Saddle River, NJ: Prentice Hall. Malott, R. W., y Trojan Suarez, E. A. (2004). *Elementary principles of behavior* (5th ed.). Upper Saddle River, NJ: Prentice Hall.

Malott, R. W., General, D. A., y Snapper, V. B. (1973). Issues in the analysis of behavior. Kalamazoo, MI: Behaviordelia. Malott, R. W., Tillema, M., y Glenn, S. (1978). *Behavior analysis and behavior modification: An introduction*. Kalamazoo, MI: Behaviordelia.

Mank, D. M., y Horner, R. H. (1987). Selfrecruited feedback: A cost-effective procedure for maintaining behavior. *Research in Developmental Disabilities, 8,* 91–112.

March, R., Horner, R. H., Lewis-Palmer, T., Brown, D., Crone, D., Todd, A. W. et al. (2000). *Functional Assessment Checklist for Teachers and Staff (FACTS).* Eugene, OR: University of Oregon, Department of Educational and Community Supports.

Marckel, J. M., Neef, N. A., y Ferreri, S. J. (2006). A preliminary analysis of teaching improvisation with the picture exchange communication system to children with autism. *Journal of Applied Behavior Analysis, 39,* 109–115.

Marcus, B. A., y Vollmer, T. R. (1995). Effects of differential negative reinforcement on disruption and compliance. *Journal of Applied Behavior Analysis, 28,* 229–230.

Marholin, D., II, y Steinman, W. (1977). Stimulus control in the classroom as a function of the behavior reinforced. *Journal of Applied Behavior Analysis, 10,* 465–478.

Marholin, D., Touchette, P. E., y Stuart, R. M. (1979). Withdrawal of chronic chlorpromazine medication: An experimental analysis. *Journal of Applied Behavior Analysis, 12,* 150–171.

Markle, S. M. (1962). *Good frames and bad: A grammar of frame writing* (2nd ed.). Nueva York: Wiley.

Markwardt, F. C. (2005). *Peabody Individual Achievement Test.* Circle Pines, MN: American Guidance Service.

Marmolejo, E. K., Wilder, D. A., y Bradley, L. (2004). A preliminary analysis of the effects of response cards on student performance and participation in an upper division university course. *Journal of Applied Behavior Analysis, 37,* 405–410.

Marr, J. (2003). Empiricism. In K. A. Lattal y P. C. Chase (Eds.), *Behavior theory and philosophy* (págs. 63–82). Nueva York: Kluwer/Plenum.

Marshall, A. E., y Heward, W. L. (1979). Teaching self-management to incarcerated youth. *Behavioral Disorders,* 4, 215–226.

Marshall, K. J., Lloyd, J. W., y Hallahan, D. P. (1993). Effects of training to increase self-monitoring accuracy. *Journal of Behavioral Education, 3,* 445–459.

Martella, R., Leonard, I. J., MarchandMartella, N. E., y Agran, M. (1993). Self-monitoring negative statements. *Journal of Behavioral Education, 3,* 77–86.

Martens, B. K., Hiralall, A. S., y Bradley, T. A. (1997). A note to teacher: Improving student behavior through goal setting and feedback. *School Psychology Quarterly, 12,* 33–41.

Martens, B. K., Lochner, D. G., y Kelly, S. Q. (1992). The effects of variable-interval reinforcement on academic engagement: A demonstration of matching theory. *Journal of Applied Behavior Analysis, 25,* 143–151.

Martens, B. K., Witt, J. C., Elliott, S. N., y Darveaux, D. (1985). Teacher judgments concerning the acceptability of school-based interventions. *Professional Psychology: Research and Practice, 16,* 191–198.

Martin, G., y Pear, J. (2003). *Behavior modification: What it is and how to do it* (7th ed.). Upper Saddle River, NJ: Prentice Hall.

Martinez-Diaz, J. A. (2003). *Raising the bar.* Presidential address presented at the annual conference of the Florida Association for Behavior Analysis, St. Petersburg.

Mastellone, M. (1974). Aversion therapy: A new use of the old rubberband. *Journal of Behavior Therapy and Experimental Psychiatry, 5,* 311–312.

Matson, J. L., y Taras, M. E., (1989). A 20year review of punishment and alternative methods to treat problem behaviors in developmentally delayed persons. *Research in Developmental Disabilities, 10,* 85–104.

Mattaini, M. A. (1995). Contingency diagrams as teaching tools. *The Behavior Analyst, 18,* 93–98.

Maurice, C. (1993). *Let me hear your voice: A family's triumph over autism.* Nueva York: Fawcett Columbine.

Maurice, C. (2006). The autism wars. In W. L. Heward (Ed.), *Exceptional children: An introduction to special education* (8th ed., págs. 291–293). Upper Saddle River, NJ: Merrill/Prentice Hall.

Maxwell, J. C. (2003). *There's no such thing as "business" ethics: There's only one rule for decision making.* Nueva York: Warner Business Books: A Time Warner Company.

Mayer, G. R., Sulzer, B., y Cody, J. J. (1968). The use of punishment in modifying student behavior. *Journal of Special Education, 2,* 323–328.

Mayfield, K. H., y Chase, P. N. (2002). The effects of cumulative practice on mathematics problem solving. *Journal of Applied Behavior Analysis, 35,* 105–123.

Mayhew, G., y Harris, F. (1979). Decreasing self-injurious behavior. *Behavior Modification, 3,* 322–326.

Mazaleski, J. L., Iwata, B. A., Rodgers, T. A., Vollmer, T. R., y Zarcone, J. R. (1994). Protective equipments as treatment for stereotypic hand mouthing: Sensory extinction or punishment effects? *Journal of Applied Behavior Analysis, 27,* 345–355.

McAllister, L. W., Stachowiak, J. G., Baer, D. M., y Conderman, L. (1969). The application of operant conditioning techniques in a secondary school classroom. *Journal of Applied Behavior Analysis, 2,* 277–285.

McCain, L. J., y McCleary, R. (1979). The statistical analysis of the simple interrupted time series quasi-experiment. In T. D. Cook y D. T. Campbell (Eds.), *Quasi-experimentation: Design and analysis issues for field settings.* Chicago: Rand McNally.

McClannahan, L. E., y Krantz, P. J. (1999). *Activity schedules for children with autism: Teaching independent behavior.* Bethesda, MD: Woodbine House.

McClannahan, L. E., McGee, G. G., MacDuff, G. S., y Krantz, P. J. (1990). Assessing and improving child care: A person appearance index for children with autism. *Journal of Applied Behavior Analysis, 23,* 469–482.

McConnell, M. E. (1999). Self-monitoring, cueing, recording, and managing: Teaching students to manage their own behavior. *Teaching Exceptional Children, 32* (2), 14–21.

McCord, B. E., Iwata, B. A., Galensky, T. L., Ellingson, S. A., y Thomson, R. J. (2001). Functional analysis and treatment of problems behavior evoked by noise. *Journal of Applied Behavior Analysis, 34,* 447–462.

McCullough, J. P., Cornell, J. E., McDaniel, M. H., y Mueller, R. K. (1974). Utilization of the simultaneous treatment design to improve student behavior in a first-grade classroom. *Journal of Consulting and Clinical Psychology,* 42, 288–292.

McEntee, J. E., y Saunders, R. R. (1997). A response-restriction analysis of stereotypy in adolescents with mental retardation: Implications for applied behavior analysis. *Journal of Applied Behavior Analysis, 30,* 485–506.

McEvoy, M. A., y Brady, M. P. (1988). Contingent access to play materials as an academic motivator for autistic and behavior disordered children. *Education and Treatment of Children, 11,* 5–18.

McFall, R. M. (1977). Parameters of selfmonitoring. In R. B. Stuart (Ed.), *Behavioral self-management* (págs. 196–214). Nueva York: Bruner/Mazel.

McGee, G. G., Krantz, P. J., y McClannahan, L. E. (1985). The facilitative effects of incidental teaching on preposition use by autistic children. *Journal of Applied Behavior Analysis, 18,* 17–31.

McGee, G. G., Morrier, M., y Daly, T. (1999). An incidental teaching approach to early intervention for toddlers with autism. *Journal of the Association for Persons with Severe Handicaps, 24,* 133–146.

McGill, P. (1999). Establishing operations: Implications for assessment, treatment, and prevention of problem behavior. *Journal of Applied Behavior Analysis, 32,* 393–418.

McGinnis, E. (1984). Teaching social skills to behaviorally disordered youth. In J. K. Grosenick, S. L. Huntze, E. McGinnis, y C. R. Smith (Eds.), *Social/affective interventions in behaviorally disordered youth* (págs. 87–112). De Moines, IA: Department of Public Instruction.

McGonigle, J. J., Rojahn, J., Dixon, J., y Strain, P. S. (1987). Multiple treatment interference in the alternating treatments design as a function of the intercomponent interval length. *Journal of Applied Behavior Analysis, 20,* 171–178.

McGuffin, M. E., Martz, S. A., y Heron, T. E. (1997). The effects of selfcorrection versus traditional spelling on the spelling performance and maintenance of third grade students. *Journal of Behavioral Education, 7,* 463–476.

McGuire, M. T., Wing, R. R., Klem, M. L., y Hill, J. O. (1999). Behavioral strategies of individuals who have maintained long-term weight losses. *Obesity Research,* 7, 334–341.

McIlvane, W. J., y Dube, W. V. (1992). Stimulus control shaping and stimulus control topographies. *The Behavior Analyst, 15,* 89–94.

McIlvane, W. J., Dube, W. V., Green, G., y Serna, R. W. (1993). Programming conceptual and communication skill development: A methodological stimulus class analysis. In A. P. Kaiser y D. B. Gray (Eds.), *Enhancing children's communication* (Vol. 2, págs. 243–285). Baltimore: Brookes.

McKerchar, P. M., y Thompson, R. H. (2004). A descriptive analysis of potential reinforcement contingencies in the preschool classroom. *Journal of Applied Behavior Analysis, 21,* 157.

McLaughlin, T., y Malaby, J. (1972). Reducing and measuring inappropriate verbalizations in a token classroom. *Journal of Applied Behavior Analysis, 5,* 329–333.

McNeish, J., Heron, T. E., y Okyere, B. (1992). Effects of self-correction on the spelling performance of junior high students with learning disabilities. *Journal of Behavioral Education, 2,* 17–27.

McPherson, A., Bonem, M., Green, G., y Osborne, J. G. (1984). A citation analyer's *Verbal behavior. The Behavior Analyst, 7,* 157–167.

McWilliams, R., Nietupski, J., y HamreNietupski, S. (1990). Teaching complex activities to students with moderate handicaps through the forward chaining of shorter total cycle response sequences. *Education and Training in Mental Retardation, 25* (3), 292–298.

Mechling, L. C., y Gast, D. L. (1997). Combination audio/visual self-prompting system for teaching chained tasks to students with intellectual disabilities. *Education and Training in Mental Retardation and Developmental Disabilities, 32,* 138–153.

Meichenbaum, D., y Goodman, J. (1971). The developmental control of operant motor responding by verbal operants. *Journal of Experimental Child Psychology, 7,* 553–565.

Mercatoris, M., y Craighead, W. E. (1974). Effects of nonparticipant observation on teacher and pupil classroom behavior. *Journal of Educational Psychology, 66,* 512–519.

Meyer, L. H., y Evans, I. M. (1989). *Nonaversive intervention for behavior problems: A manual for home and community.* Baltimore: Paul H. Brookes.

Michael, J. (1974). Statistical inference for individual organism research: Mixed blessing or curse? *Journal of Applied Behavior Analysis, 7,* 647–653.

Michael, J. (1975). Positive and negative reinforcement, a distinction that is no longer necessary; or a better way to talk about bad things. *Behaviorism, 3,* 33–44.

Michael, J. (1980). Flight from behavior analysis. *The Behavior Analyst, 3,* 1–22.

Michael, J. (1982). Distinguishing between discriminative and motivational functions of stimuli. *Journal of the Experimental Analysis of Behavior, 37,* 149–155.

Michael, J. (1982). Skinner's elementary verbal relations: Some new categories. *The Analysis of Verbal Behavior, 1,* 1–4.

Michael, J. (1984). Verbal behavior. *Journal of the Experimental Analysis of Behavior, 42,* 363–376.

Michael, J. (1988). Establishing operations and the mand. *The Analysis of Verbal Behavior, 6,* 3–9.

Michael, J. (1991). *Verbal behavior: Objectives, exams, and exam answers.* Kalamazoo, MI: Western Michigan University.

Michael, J. (1992). Introduction I. In *Verbal Behavior* by B. F. Skinner (Reprinted edition). Cambridge, MA: B. F. Skinner Foundation.

Michael, J. (1993). *Concepts and principles of behavior analysis.* Kalamazoo, MI: Society for the Advancement of Behavior Analysis.

Michael, J. (1993). Establishing operations. *The Behavior Analyst, 16,* 191–206.

Michael, J. (1995). What every student of behavior analysis ought to learn: A system for classifying the multiple effects of behavioral variables. *The Behavior Analyst, 18,* 273–284.

Michael, J. (2000). Implications and refinements of the establishing operation concept. *Journal of Applied Behavior Analysis, 33,* 401–410.

Michael, J. (2003). *The multiple control of verbal behavior.* Invited tutorial presented at the 29th Annual Convention of the Association for Behavior Analysis, San Francisco, CA.

Michael, J. (2004). *Concepts and principles of behavior analysis* (rev. ed.) Kalamazoo, MI: Society for the Advancement of Behavior Analysis.

Michael, J. (2006). Comment on Baron and Galizio. *The Behavior Analyst, 29,* 117–119.

Michael, J., y Shafer, E. (1995). State notation for teaching about behavioral procedures. *The Behavior Analyst, 18,* 123–140.

Michael, J., y Sundberg, M. L. (2003, May 23). *Skinner's analysis of verbal behavior: Beyond the elementary verbal operants.* Workshop conducted at the 29th Annual Convention of the Association for Behavior Analysis, San Francisco, CA.

Miguel, C. F., Carr, J. E., y Michael, J. (2002). Effects of stimulus-stimulus pairing procedure on the vocal behavior of children diagnosed with autism. *The Analysis of Verbal Behavior, 18,* 3–13.

Millenson, J. R. (1967). *Principles of behavioral analysis.* Nueva York: Macmillan.

Miller, A. D., Hall, S. W., y Heward, W. L. (1995). Effects of sequential 1-minute time trials with and without inter-trial feedback and self-correction on general and special education students' fluency with math facts. *Journal of Behavioral Education, 5,* 319–345.

Miller, D. L., y Kelley, M. L. (1994). The use of goal setting and contingency contracting for improving children's homework performance. *Journal of Applied Behavior Analysis, 27,* 73–84.

Miller, D. L., y Stark, L. J. (1994). Contingency contracting for improving adherence in pediatric populations. *Journal of the American Medical Association, 271* (1), 81–83.

Miller, N., y Dollard, J. (1941). *Social learning and imitation.* New Haven, CT: Yale University Press.

Miller, N., y Neuringer, A. (2000). Reinforcing variability in adolescents with autism. *Journal of Applied Behavior Analysis, 33,* 151–165.

Miltenberger, R. (2013). *Modificación de conducta: Principios y procesimientos* (5th ed.). Madrid: Pirámide.

Miltenberger, R. G. (2001). *Behavior modification: Principles and procedures* (2nd ed.). Belmont, CA: Wadsworth/ Thomson Learning.

Miltenberger, R. G., y Fuqua, R. W. (1981). Overcorrection: A review and critical analysis. *The Behavioral Analyst, 4,* 123–141.

Miltenberger, R. G., Flessner, C., Gatheridge, B., Johnson, B., Satterlund, M., y Egemo, K. (2004). Evaluation of behavior skills training to prevent gun play in children. *Journal of Applied Behavior Analysis, 37,* 513–516.

Miltenberger, R. G., Fuqua, R. W., y Woods, D. W. (1998). Applying behavior analysis to clinical problems: Review and analysis of habit reversal. *Journal of Applied Behavior Analysis, 31,* 447–469.

Miltenberger, R. G., Gatheridge, B., Satterlund, M., Egemo-Helm, K. R., Johnson, B. M., Jostad, C., Kelso, P., y Flessner, C. A. (2005). Teaching safety skills to children to prevent gun play: An evaluation of in situ training. *Journal of Applied Behavior Analysis, 38,* 395–398.

Miltenberger, R. G., Rapp, J., y Long, E. (1999). A low-tech method for conducting real time recording. *Journal of Applied Behavior Analysis, 32,* 119–120.

Mineka, S. (1975). Some new perspectives on conditioned hunger. *Journal of Experimental Psychology: Animal Behavior Processes, 104,* 143–148.

Mischel, H. N., Ebbesen, E. B., y Zeiss, A. R. (1972). Cognitive and attentional mechanisms in delay of gratification.

Journal of Personality and Social Psychology, 16, 204–218.

Mischel, W., y Gilligan, C. (1964). Delay of gratification, motivation for the prohibited gratification, and responses to temptation. *Journal of Abnormal and Social Psychology, 69*, 411–417.

Mitchell, R. J., Schuster, J. W., Collis, B. C., y Gassaway, L. J. (2000). Teaching vocational skills with a faded auditory prompting system. *Education and Training in Mental Retardation and Developmental Disabilities, 35*, 415–427.

Mitchem, K. J., y Young, K. R. (2001). Adapting self-management programs for classwide use: Acceptability, feasibility, and effectiveness. *Remedial and Special Education, 22*, 75–88.

Mitchem, K. J., Young, K. R., West, R. P, y Benyo, J. (2001). CWPASM: A classwide peer-assisted self-management program for general education classrooms. *Education and Treatment of Children, 24*, 3–14.

Molè, P. (2003). Ockham's razor cuts both ways: The uses and abuses of simplicity in scientific theories. *Skeptic, 10* (1), 40–47.

Moore, J. (1980). On behaviorism and private events. *Psychological Record, 30*, 459–475.

Moore, J. (1984). On behaviorism, knowledge, and causal explanation. *Psychological Record, 34*, 73–97.

Moore, J. (1985). Some historical and conceptual relations among logical positivism, operationism, and behaviorism. *The Behavior Analyst, 8*, 53–63.

Moore, J. (1995). Radical behaviorism and the subjective-objective distinction. *The Behavior Analyst, 18*, 33–49.

Moore, J. (2000). Thinking about thinking and feeling about feeling. *The Behavior Analyst, 23* (1), 45–56.

Moore, J. (2003). Behavior analysis, mentalism, and the path to social justice. *The Behavior Analyst, 26*, 181–193.

Moore, J. W., Mueller, M. M., Dubard, M., Roberts, D. S., y Sterling-Turner, H. E. (2002). The influence of therapist attention on self-injury during a tangible condition. *Journal of Applied Behavior Analysis, 35*, 283–286.

Moore, J., y Cooper, J. O. (2003). Some proposed relations among the domains of behavior analysis. *The Behavior Analyst, 26*, 69–84.

Moore, J., y Shook, G. L. (2001). Certification, accreditation and quality control in behavior analysis. *The Behavior Analyst, 24*, 45–55.

Moore, R., y Goldiamond, I. (1964). Errorless establishment of visual discrimination using fading procedures. *Journal of the Experimental Analysis of Behavior, 7*, 269–272.

Morales v. Turman, 364 F. Supp. 166 (E.D. Tx. 1973). Morgan, D., Young, K. R., y Goldstein, S. (1983). Teaching behaviorally disordered students to increase teacher attention and praise in mainstreamed classrooms. *Behavioral Disorders, 8*, 265–273.

Morgan, Q. E. (1978). *Comparison of two "Good Behavior Game" group contingencies on the spelling accuracy of fourth-grade students.* Unpublished master's thesis, The Ohio State University, Columbus.

Morris, E. K. (1991). Deconstructing "technological to a fault". *Journal of Applied Behavior Analysis, 24*, 411–416.

Morris, E. K., y Smith, N. G. (2003). Bibliographic processes and products, and a bibliography of the published primarysource works of B. F. Skinner. *The Behavior Analyst, 26*, 41–67.

Morris, R. J. (1985). *Behavior modification with exceptional children: Principles and practices.* Glenview, IL: Scott, Foresman.

Morse, W. H., y Kelleher, R. T. (1977). Determinants of reinforcement and punishment. In W. K. Honig y J. E. R. Staddon (Eds.), *Handbook of operant behavior* (págs. 174–200). Upper Saddle River, NJ: Prentice Hall.

Morton, W. L., Heward, W. L., y Alber, S. R. (1998). When to self-correct? A comparison of two procedures on spelling performance. *Journal of Behavioral Education, 8*, 321–335.

Mowrer, O. H. (1950). *Learning theory and personality dynamics.* Nueva York: The Ronald Press Company.

Moxley, R. A. (1990). On the relationship between speech and writing with implications for behavioral approaches to teaching literacy. *The Analysis of Verbal Behavior, 8*, 127–140.

Moxley, R. A. (1998). Treatment-only designs and student self-recording strategies for public school teachers. *Education and Treatment of Children, 21*, 37–61.

Moxley, R. A. (2004). Pragmatic selectionism: The philosophy of behavior analysis. *The Behavior Analyst Today, 5*, 108–125.

Moxley, R. A., Lutz, P. A., Ahlborn, P., Boley, N., y Armstrong, L. (1995). Self-recording word counts of free-writing ing in grades 1-4. *Education and Treatment of Children, 18*, 138–157.

Mudford, O. C. (1995). Review of the gentle teaching data. *American Journal on Mental Retardation, 99*, 345–355.

Mueller, M. M., Moore, J. W., Doggett, R. A., y Tingstrom, D. H. (2000). The effectiveness of contingency-specific prompts in controlling bathroom graffiti. *Journal of Applied Behavior Analysis, 33*, 89–92.

Mueller, M. M., Piazza, C. C., Moore, J. W., Kelley, M. E., Bethke, S. A., Pruett, A. E., Oberdorff, A. J., y Layer, S. A. (2003). Training parents to implement pediatric feeding protocols. *Journal of Applied Behavior Analysis, 36*, 545–562.

Mueller, M., Moore, J., Doggett, R. A., y Tingstrom, D. (2000). The effectiveness of contingency-specific and contingency nonspecific prompts in controlling bathroom graffiti. *Journal of Applied Behavior Analysis, 33*, 89–92.

Murphy, E. S., McSweeny, F. K., Smith, R. G., y McComas, J. J. (2003). Dynamic changes in reinforcer effectiveness: Theoretical, methodological, and practical implications for applied research. *Journal of Applied Behavior Analysis, 36*, 421–438.

Murphy, R. J., Ruprecht, M. J., Baggio, P., y Nunes, D. L. (1979). The use of mild punishment in combination with reinforcement of alternate behaviors to reduce the self-injurious behavior of a profoundly retarded individual. *AAESPH Review, 4*, 187–195.

Musser, E. H., Bray, M. A., Kehle, T. J., y Jenson, W. R. (2001). Reducing disruptive behaviors in students with serious emotional disturbance. *School Psychology Review, 30* (2), 294–304.

Myer, J. S. (1971). Some effects of noncontingent aversive stimulation. In R. F. Brush (Ed.), *Aversive conditioning and learning* (págs. 469–536). NY: Academic Press.

Myles, B. S., Moran, M. R., Ormsbee, C. K., y Downing, J. A. (1992). Guidelines for establishing and maintaining token economies. *Intervention in School and Clinic, 27* (3), 164–169.

Nakano, Y. (2004). Toward the establishment of behavioral ethics: Ethical principles of behavior analysis in the era of empirically supported treatment (EST). *Japanese Journal of Behavior Analysis, 19* (1), 18–51.

Narayan, J. S., Heward, W. L., Gardner R., III, Courson, F. H., y Omness, C. (1990). Using response cards to increase student participation in an elementary classroom. *Journal of Applied Behavior Analysis, 23*, 483–490.

National Association of School Psychologists. (2000). *Professional conduct manual: Principles for professional ethics and guidelines for the provision of school psychological services.* Bethesda, MD: NASP Publications.

National Association of Social Workers. (1996). The NASW code of ethics. Washington, DC: Author.

National Commission for the Protection of Human Subjects of Biomedical and Behavioral Research. (1979). *The Belmont Report: Ethical principles and guidelines for the protection of human subjects of research.* Washington, DC: Department of Health, Education, and Welfare. Recuperado el 11 de noviembre de 2017, de https://www.nichd.nih.gov/publications/pubs/nrp/Pages/smallbook.aspx

National Reading Panel (2000). *Teaching children to read: An evidence-based assessment of the scientific research literature on reading and its implications for reading instruction: Reports of the subgroups.* (NIH Pub No. 00-4754). Bethesda, MD: National Institute of Child Health and Human Development. [Available at: https://www.nichd.nih.gov/publications/pubs/nrp/Documents/report.pdf]

National Reading Panel. Recuperado el 11 de septiembre de 2017 de https://www.nichd.nih.gov/research/supported/Pages/nrp.aspx

Neef, N. A., Bicard, D. F., y Endo, S. (2001). Assessment of impulsivity and the development of self-control by students with attention deficit hyperactivity disorder. *Journal of Applied Behavior Analysis, 34,* 397–408.

Neef, N. A., Bicard, D. F., Endo, S., Coury, D. L., y Aman, M. G. (2005). Evaluation of pharmacological treatment of impulsivity by students with attention deficit hyperactivity disorder. *Journal of Applied Behavior Analysis, 38,* 135–146.

Neef, N. A., Iwata, B. A., y Page, T. J. (1980).

The effects of interspersal training versus high density reinforcement on spelling acquisition and retention. *Journal of Applied Behavior Analysis, 13,* 153–158.

Neef, N. A., Lensbower, J., Hockersmith, I., DePalma, V., y Gray, K. (1990). In vivo versus stimulation training: An in of training exemplars. *Journal of Applied Behavior Analysis, 23,* 447–458.

Neef, N. A., Mace, F. C., y Shade, D. (1993). Impulsivity in students with serious emotional disturbance: The interactive effects of reinforcer rate, delay, and quality. *Journal of Applied Behavior Analysis, 26,* 37–52.

Neef, N. A., Mace, F. C., Shea, M. C., y Shade, D. (1992). Effects of reinforcer rate and reinforcer quality on time allocation: Extensions of matching theory to educational settings. *Journal of Applied Behavior Analysis, 25,* 691–699.

Neef, N. A., Markel, J., Ferreri, S., Bicard, D. F., Endo, S., Aman, M. G., Miller, K. M., Jung, S., Nist, L., y Armstrong, N. (2005). Effects of modeling versus instructions on sensitivity to reinforcement schedules. *Journal of Applied Behavior Analysis, 38,* 23–37.

Neef, N. A., Parrish, J. M., Hannigan, K. F., Page, T. J., y Iwata, B. A. (1990). Teaching self-catheterization skills to children with neurogenic bladder complications. *Journal of Applied Behavior Analysis, 22,* 237–243.

Neisser, U. (1976). *Cognition and reality.* San Francisco: Freeman.

Nelson, R. O., y Hayes, S. C. (1981). Theoretical explanations for reactivity in self-monitoring. *Behavior Modification, 5,* 3–14.

Neuringer, A. (1993). Reinforced variation and selection. *Animal Learning and Behavior, 21,* 83–91.

Neuringer, A. (2004). Reinforced variability in animals and people: Implication for adaptive action. *American Psychologist, 59,* 891–906.

Nevin, J. A. (1998). Choice and momentum. In W. O'Donohue (Ed.), *Learning and behavior therapy* (págs. 230–251). Boston: Allyn and Bacon.

Newman, B., Buffington, D. M., Hemmes, N. S., y Rosen, D. (1996). Answering objections to self-management and related concepts. *Behavior and Social Issues, 6,* 85–95.

Newman, B., Reinecke, D. R., y Meinberg, D. (2000). Self-management of varied responding in children with autism. *Behavioral Interventions, 15,* 145–151.

Newman, R. S., y Golding, L. (1990). Children's reluctance to seek help with school work. *Journal of Educational Psychology, 82,* 92–100.

Newstrom, J., McLaughlin, T. F., y Sweeney, W. J. (1999). The effects of contingency contracting to improve the mechanics of written language with a middle school student with behavior disorders. *Child y Family Behavior Therapy, 21* (1), 39–48.

Newton, J. T., y Sturmey, P. (1991). The Motivation Assessment Scale: Interrater reliability and internal consistency in a British sample. *Journal of Mental Deficiency Research, 35,* 472–474.

Nihira, K., Leland, H., y Lambert, N. K. (1993). *Adaptive Behavior Scale—Residential and Community* (2nd ed.). Austin, TX: Pro-Ed.

Ninness, H. A. C., Fuerst, J., y Rutherford, R. D. (1991). Effects of self-management training and reinforcement on the transfer of improved conduct in the absence of supervision. *Journal of Applied Behavior Analysis, 24,* 499–508.

Noell, G. H., VanDerHeyden, A. M., Gatti, S. L., y Whitmarsh, E. L. (2001). Functional assessment of the effects of escape and attention on students' compliance during instruction. *School Psychology Quarterly, 16,* 253–269.

Nolan, J. D. (1968). Self-control procedures in the modification of smoking behavior. *Journal of Consulting and Clinical Psychology, 32,* 92–93.

North, S. T., y Iwata, B. A. (2005). Motivational influences on performance maintained by food reinforcement. *Journal of Applied Behavior Analysis, 38,* 317–333.

Northup, J. (2000). Further evaluation of the accuracy of reinforcer surveys: A systematic replication. *Journal of Applied Behavior Analysis, 33,* 335–338.

Northup, J., George, T., Jones, K., Broussard, C., y Vollmer, T. R. (1996). A comparison of reinforcer assessment methods: The utility of verbal and pictorial choice procedures. *Journal of Applied Behavior Analysis, 29,* 201–212.

Northup, J., Vollmer, T. R., y Serrett, K. (1993). Publication trends in 25 years of the *Journal of Applied Behavior Analysis. Journal of Applied Behavior Analysis, 26,* 527–537.

Northup, J., Wacker, D., Sasso, G., Steege, M., Cigrand, K., Cook, J., y DeRaad, A. (1991). A brief functional analysis of aggressive and alternative behavior in an outclinic setting. *Journal of Applied Behavior Analysis, 24,* 509–522.

Novak, G. (1996). *Developmental psychology: Dynamical systems and behavior analysis.* Reno, NV: Context Press.

O'Brien, F. (1968). Sequential contrast effects with human subjects. *Journal of the Experimental Analysis of Behavior, 11,* 537–542.

O'Brien, S., y Karsh, K. G. (1990). Treatment acceptability, consumer, therapist, and society. In A. C. Repp y N. N. Singh (Eds.), *Perspectives on the use of nonaversive and aversive interventions for persons with developmental disabilities* (págs. 503–516). Sycamore, IL: Sycamore.

O'Donnell, J. (2001). The discriminative stimulus for punishment or $S^{Dpág.}$ *The Behavior Analyst, 24,* 261–262.

O'Leary, K. D. (1977). Teaching self-management skills to children. In D. Upper (Ed.), *Perspectives in behavior therapy.* Kalamazoo, MI: Behaviordelia.

O'Leary, K. D., y O'Leary, S. G. (Eds.). (1972). *Classroom management: The successful use of behavior modification.* Nueva York: Pergamon.

O'Leary, K. D., Kaufman, K. F., Kass, R. E., y Drabman, R. S. (1970). The effects of loud and soft reprimands on the behavior of disruptive students. *Exceptional Children, 37,* 145–155.

O'Leary, S. G., y Dubey, D. R. (1979). Applications of self-control procedures by children: A review. *Journal of Applied Behavior Analysis, 12,* 449–465.

O'Neill, R. E. Horner, R. H., Albin, R. W., Sprague, J. R., Storey, K., y Newton, J. S. (1997). *Functional assessment for problem behavior: A practical handbook* (2nd ed.). Pacific Grove, CA: Brooks/Cole.

O'Reilly, M. F. (1995). Functional analysis and treatment of escape-maintained aggression correlated with sleep deprivation. *Journal of Applied Behavior Analysis, 28,* 225–226.

O'Reilly, M., Green, G., y BraunlingMcMorrow, D. (1990). Self-administered written prompts to teach home accident prevention skills to adults with brain injuries. *Journal of Applied Behavior Analysis, 23,* 431–446.

O'Sullivan, J. L. (1999). Adult guardianship and alternatives. In R. D. Dinerstein, S. S. Herr, y J. L. O'Sullivan (Eds.), *A guide to consent* (págs. 7–37). Washington DC: American Association on Mental Retardation.

Odom, S. L., Hoyson, M., Jamieson, B., y Strain, P. S. (1985). Increasing handicapped preschoolers' peer social interactions: Cross-setting and component analysis. *Journal of Applied Behavior Analysis, 18,* 3–16.

Oliver, C. O., Oxener, G., Hearn, M., y Hall, S. (2001). Effects of social proximity on multiple aggressive behaviors. *Journal of Applied Behavior Analysis, 34,* 85–88.

Ollendick, T. H., Matson, J. L., EsveltDawson, K., y Shapiro, E. S. (1980). Increasing spelling achievement: An analysis of treatment procedures utilizing an alternating treatments design. *Journal of Applied Behavior Analysis,* 13, 645–654.

Ollendick, T., Matson, J., Esveldt-Dawson, K., y Shapiro, E. (1980). An initial investigation into the parameters of overcorrection. *Psychological Reports, 39,* 1139–1142.

Olympia, D. W., Sheridan, S. M., Jenson, W. R., y Andrews, D. (1994). Using student-managed interventions to increase homework completion and accuracy. *Journal of Applied Behavior Analysis, 27,* 85–99.

Ortiz, K. R., y Carr, J. E. (2000). Multiplestimulus preference assessments: A comparison of free-operant and restricted-operant formats. *Behavioral Interventions, 15,* 345–353.

Osborne, J. G. (1969). Free-time as a reinforcer in the management of classroom behavior. *Journal of Applied Behavior Analysis, 2,* 113–118.

Osgood, C. E. (1953). *Method and theory in experimental psychology.* Nueva York: Oxford University Press.

Osnes, P. G., Guevremont, D. C., y Stokes, T. F. (1984). If I say I'll talk more, then I will: Correspondence training to increase peer-directed talk by socially withdrawn children. *Behavior Modification, 10,* 287–299.

Osnes, P. G., y Lieblein, T. (2003). An explicit technology of generalization. *The Behavior Analyst Today, 3,* 364–374.

Overton, T. (2006). *Assessing learners with special needs: An applied approach* (5th ed.). Upper Saddle River, NJ: Prentice Hall.

Owens, R. E. (2001). *Language development: An introduction* (5th ed.). Boston: Allyn y Bacon.

Pace, G. M., y Troyer, E. A. (2000). The effects of a vitamin supplement on the pica of a child with severe mental retardation. *Journal of Applied Behavior Analysis, 33,* 619–622.

Pace, G. M., Ivancic, M. T., Edwards, G. L., Iwata, B. A., y Page, T. J. (1985). Assessment of stimulus preference and reinforcer value with profoundly retarded individuals. *Journal of Applied Behavior Analysis, 18,* 249–255.

Paclawskyj, T. R., y Vollmer, T. R. (1995). Reinforcer assessment for children with developmental disabilities and visual impairments. *Journal of Applied Behavior Analysis, 28,* 219–224.

Paclawskyj, T., Matson, J., Rush, K., Smalls, Y., y Vollmer, T. (2000). Questions about behavioral function (QABF): Behavioral checklist for functional assessment of aberrant behavior. *Research in Developmental Disabilities, 21,* 223–229.

Page, T. J., y Iwata, B. A. (1986). Interobserver agreement: History, theory, and current methods. In A. Poling y R. W. Fuqua (Eds.), *Research methods in applied behavior analysis* (págs. 92–126). Nueva York: Plenum Press.

Palmer, D. C. (1991). A behavioral interpretation of memory. In L. J. Hayes y P. N. Chase (Eds.), *Dialogues on verbal behavior* (págs. 261–279). Reno NV: Context Press.

Palmer, D. C. (1996). Achieving parity: The role of automatic reinforcement. *Journal of the Experimental Analysis of Behavior, 65,* 289–290.

Palmer, D. C. (1998). On Skinner's rejection of S-R psychology. *The Behavior Analyst, 21,* 93–96.

Palmer, D. C. (1998). The speaker as listener: The interpretations of structural regularities in verbal behavior. *The Analysis of Verbal Behavior, 15,* 3–16.

Panyan, M., Boozer, H., y Morris, N. (1970). Feedback to attendants as a reinforcer for applying operant techniques. *Journal of Applied Behavior Analysis, 3,* 1–4.

Parker, L. H., Cataldo, M. F., Bourland, G., Emurian, C. S., Corbin, R. J., y Page, J. M. (1984). Operant treatment of orofacial dysfunction in neuromuscular disorders. *Journal of Applied Behavior Analysis, 17,* 413–427.

Parrott, L. J. (1984). Listening and understanding. *The Behavior Analyst, 7,* 29–39.

Parsons, M. B., Reid, D. H., Reynolds, J., y Bumgarner, M. (1990). Effects of chosen versus assigned jobs on the work performance of persons with severe handicaps. *Journal of Applied Behavior Analysis, 23,* 253–258.

Parsonson, B. S. (2003). Visual analysis of graphs: Seeing *is* believing. In K. S. Budd y T. Stokes (Eds.), *A small matter of proof: The legacy of Donald M. Baer* (págs. 35–51). Reno, NV: Context Press.

Parsonson, B. S., y Baer, D. M. (1978). The analysis and presentation of graphic data. In T. R. Kratochwill (Ed.), *Single subject research: Strategies for evaluating change* (págs. 101–165). Nueva York: Academic Press.

Parsonson, B. S., y Baer, D. M. (1986). The graphic analysis of data. In A. Poling y R. W. Fuqua (Eds.), *Research methods in applied behavior analysis* (págs. 157–186). Nueva York: Plenum Press.

Parsonson, B. S., y Baer, D. M. (1992). The visual analysis of graphic data, and current research into the stimuli controlling it. In T. R. Kratochwill y J. R. Levin (Eds.), *Single subject research design and analysis: New directions for psychology and education* (págs. 15–40). Nueva York: Academic Press.

Partington, J. W., y Bailey, J. S. (1993). Teaching intraverbal behavior to preschool children. *The Analysis of Verbal Behavior, 11,* 9–18.

Partington, J. W., y Sundberg, M. L. (1998). *The assessment of basic language and learning skills (The ABLLS).* Pleasant Hill, CA: Behavior Analysts, Inc.

Patel, M. R., Piazza, C. C., Kelly, M. L., Ochsner, C. A., y Santana, C. M. (2001). Using a fading procedure to increase fluid consumption in a child with feeding problems. *Journal of Applied Behavior Analysis, 34,* 357–360.

Patel, M. R., Piazza, C. C., Martinez, C. J., Volkert, V. M., y Santana, C. M. (2002). An evaluation of two differential reinforcement procedures with escape extinction to treat food refusal. *Journal of Applied Behavior Analysis, 35,* 363–374.

Patterson, G. R. (1982). *Coercive family process.* Eugene, OR: Castalia.

Patterson, G. R., Reid, J. B., y Dishion, T. J. (1992). *Antisocial boys. Vol. 4: A social interactional approach.* Eugene, OR: Castalia.

Pavlov, I. P. (1927). *Conditioned reflexes: An investigation of the physiological activity of the cerebral cortex* (W. H. Grant, Trans.). Londres: Oxford University Press.

Pavlov, I. P. (1927/1960). *Conditioned reflexes* (G. V. Anrep, Trans.). Nueva York: Dover.

Pelaez-Nogueras, M., Gewirtz, J. L., Field, T., Cigales, M., Malphurs, J., Clasky, S., y Sanchez, A. (1996). Infants' preference for touch stimulation in face-to-face interactions. *Journal of Applied Developmental Psychology, 17,* 199–213.

Pelios, L., Morren, J., Tesch, D., y Axelrod, S. (1999). The impact of functional analysis methodology on treatment choice for self-injurious and aggressive behavior. *Journal of Applied Behavior Analysis, 32,* 185–195.

Pennypacker, H. S. (1981). On behavioral analysis. *The Behavior Analyst, 3,* 159–161.

Pennypacker, H. S. (1994). A selectionist view of the future of behavior analysis in education. In R. Gardner, III, D. M. Sainato, J. O. Cooper, T. E. Heron, W. L. Heward, J. Eshleman, y T. A. Grossi (Eds.), *Behavior analysis in education: Focus on measurably superior instruction* (págs. 11–18). Monterey, CA: Brooks/Cole.

Pennypacker, H. S., y Hench, L. L. (1997). Making behavioral technology transferable. *The Behavior Analyst, 20,* 97–108.

Pennypacker, H. S., Gutierrez, A., y Lindsley, O. R. (2003). *Handbook of the Standard Celeration Chart.* Gainesville, FL: Xerographics.

Pennypacker, H. S., Koenig, C., y Lindsley, O. (1972). *Handbook of the Standard Behavior Chart.* Kansas City: Precision Media.

Peters, M., y Heron, T. E. (1993). When the best is not good enough: An examination of best practice. *Journal of Special Education, 26*(4), 371–385.

Peters, R., y Davies, K. (1981). Effects of self-instructional training on cognitive impulsivity of mentally retarded adolescents. *American Journal of Mental Deficiency, 85,* 377–382.

Peterson, I., Homer, A. L., y Wonderlich, S. A. (1982). The integrity of independent variables in behavior analysis. *Journal of Applied Behavior Analysis, 15,* 477–492.

Peterson, N. (1978). *An introduction to verbal behavior.* Grand Rapids, MI: Behavior Associates, Inc.

Peterson, S. M., Neef, N. A., Van Norman, R., y Ferreri, S. J. (2005). Choice making in educational settings. In W. L. Heward, T. E. Heron, N. A. Neef, S. M. Peterson, D. M. Sainato, G. Cartledge, R. Gardner, III, L. D. Peterson, S. B. Hersh, y J. C. Dardig (Eds.), *Focus on behavior analysis in education: Achievements, challenges, and opportunities* (págs. 125–136). Upper Saddle River, NJ: Merrill/Prentice Hall.

Pfadt, A., y Wheeler, D. J. (1995). Using statistical process control to make databased clinical decisions. *Journal of Applied Behavior Analysis, 28,* 349–370.

Phillips, E. L., Phillips, E. A., Fixen, D. L., y Wolf, M. M. (1971). Achievement Place: Modification of the behaviors of predelinquent boys with a token economy. *Journal of Applied Behavior Analysis, 4,* 45–59.

Piaget, J. (1952). *The origins of intelligence in children.* (M. Cook, Trans.). Nueva York: International University Press.

Piazza, C. C., y Fisher, W. (1991). A faded bedtime with response cost protocol for treatment of multiple-sleep problems in children. *Journal of Applied Behavior Analysis, 24,* 129–140.

Piazza, C. C., Bowman, L. G., Contrucci, S. A., Delia, M. D., Adelinis, J. D., y Goh, H-L. (1999). An evaluation of the properties of attention as reinforcement for destructive and appropriate behavior. *Journal of Applied Behavior Analysis, 32,* 437–449.

Piazza, C. C., Fisher, W. W., Hagopian, L. P., Bowman, L. G., y Toole, L. (1996). Using a choice assessment to predictreinforcer effectiveness. *Journal of Applied Behavior Analysis, 29,* 1–9.

Piazza, C. C., Moses, D. R., y Fisher, W. W. (1996). Differential reinforcement of alternative behavior and demand fading in the treatment of escape maintained destructive behavior. *Journal of Applied Behavior Analysis, 29,* 569–572.

Piazza, C. C., Roane, H. S., Kenney, K. M., Boney, B. R., y Abt, K. A. (2002). Varying response effort in the treatment of pica maintained by automatic reinforcement. *Journal of Applied Behavior Analysis, 35,* 233–246.

Pierce, K. L., y Schreibman, L. (1994). Teaching daily living skills to children with autism in unsupervised settings through pictorial self-management. *Journal of Applied Behavior Analysis, 27,* 471–481.

Pierce, W. D., y Epling, W. F. (1999). *Behavior analysis and learning* (2nd ed.). Upper Saddle River, NJ: Prentice Hall/Merrill.

Pindiprolu, S. S., Peterson, S. M. P., Rule, S., y Lignuaris/Kraft, B. (2003). Using web-mediated experiential case-based instruction to teach functional behavioral assessment skills. *Teacher Education in Special Education, 26,* 1–16.

Pinker, S. (1994). *The language instinct.* Nueva York: Harper Perennial.

Pinkston, E. M., Reese, N. M., Leblanc, J. M., y Baer, D. M. (1973). Independent control of a preschool child's aggression and peer interaction by contingent teacher attention. *Journal of Applied Behavior Analysis, 6,* 115–124.

Plazza, C. C., Bowman, L. G., Contrucci, S. A., Delia, M. D., Adelinis, J. D., y Goh, H.-L. (1999). An evaluation of the properties of attention as reinforcement for destructive and appropriate behavior. *Journal of Applied Behavioral Analysis, 32,* 437–449.

Poche, C., Brouwer, R., y Swearingen, M. (1981). Teaching self-protection to young children. *Journal of Applied Behavior Analysis, 14,* 169–176.

Poling, A., y Normand, M. (1999). Noncontingent reinforcement: An inappropriate description of time-based schedules that reduce behavior. *Journal of Applied Behavior Analysis, 32,* 237–238.

Poling, A., y Ryan, C. (1982). Differentialreinforcement-of-other-behavior schedules: Therapeutic applications. *Behavior Modification, 6,* 3–21.

Poling, A., Methot, L. L., y LeSage, M. G. (Eds.). (1995). *Fundamentals of behavior analytic research.* Nueva York: Plenum Press.

Poplin, J., y Skinner, C. (2003). Enhancing academic performance in a classroom serving students with serious emotional disturbance: Interdependent group contingencies with randomly selected components. *School Psychology Review, 32*(2), 282–296.

Post, M., Storey, K., y Karabin, M. (2002). Cool headphones for effective prompts: Supporting students and adults in work and community environments. *Teaching Exceptional Children, 34,* 60–65.

Potts, L., Eshleman, J. W., y Cooper, J. O. (1993). Ogden R. Lindsley and the historical development of Precision Teaching. *The Behavior Analyst, 16* (2), 177–189.

Poulson, C. L. (1983). Differential reinforcement of other-than-vocalization as a control procedure in the conditioning of infant vocalization rate. *Journal of Experimental Child Psychology, 36,* 471–489.

Powell, J., y Azrin, N. (1968). Behavioral engineering: Postural control by a portable operant apparatus. *Journal of Applied Behavior Analysis, 1,* 63–71.

Powell, J., Martindale, B., y Kulp, S. (1975). An evaluation of time-sample measures of behavior. *Journal of Applied Behavior Analysis, 8,* 463–469.

Powell, J., Martindale, B., Kulp, S., Martindale, A., y Bauman, R. (1977). Taking a closer look: Time sampling and measurement error. *Journal of Applied Behavior Analysis, 10,* 325–332.

Powell, T. H., y Powell, I. Q. (1982). The use and abuse of using the timeout procedure for disruptive pupils. *The Pointer, 26,* 18–22.

Powers, R. B., Osborne, J. G., y Anderson, E. G. (1973). Positive reinforcement of litter removal in the natural environment. *Journal of Applied Behavior Analysis, 6,* 579–586.

Premack, D. (1959). Toward empirical behavioral laws: I. Positive reinforcement. *Psychological Review, 66,* 219–233.

President's Council on Physical Fitness. www.fitness.gov

Progar, P. R., North, S. T., Bruce, S. S., Dinovi, B. J., Nau, P. A., Eberman, E. M., Bailey, J. R., Jr., y Nussbaum, C. N. (2001). Putative behavioral history effects and aggression maintained by escape from therapists. *Journal of Applied Behavioral Analysis, 34,* 69–72.

Pryor, K. (1999). *Don't shoot the dog! The new art of teaching and training* (rev. ed.). Nueva York: Bantam Books.

Pryor, K. (2005). *Clicker trained flight instruction.* Disponible en https://clickertraining.com/ node/385

Pryor, K., Haag, R., y O'Reilly, J. (1969). The creative porpoise: Training for novel behavior. *Journal of the Experimental Analysis of Behavior, 12,* 653–661.

Pryor, K., y Norris, K. S. (1991). *Dolphin societies: Discoveries and puzzles.* Berkeley: University of California Press.

Rachlin, H. (1970). *The science of selfcontrol.* Cambridge: Harvard University Press.

Rachlin, H. (1974). Self-control. *Behaviorism, 2,* 94–107.

Rachlin, H. (1977). *Introduction to modern behaviorism* (2nd ed.). San Francisco: W. H. Freeman.

Rachlin, H. (1995). *Self-control.* Cambridge: Harvard University Press.

Rapp, J. T., Miltenberger, R. G., y Long, E. S. (1998). Augmenting simplified habit reversal with an awareness enhancement device. *Journal of Applied Behavior Analysis, 31,* 665–668.

Rapp, J. T., Miltenberger, R. G., Galensky, T. L., Ellingson, S. A., y Long, E. S. (1999). A functional analysis of hair pulling. *Journal of Applied Behavior Analysis, 32,* 329–337.

Rasey, H. W., y Iversen, I. H. (1993). An experimental acquisition of maladaptive behaviors by shaping. *Journal of Behavior Therapy and Experimental Psychiatry, 24,* 37–43.

Readdick, C. A., y Chapman, P. L. (2000). Young children's perceptions of time out. *Journal of Research in Childhood Education, 15* (1), 81–87.

Reese, E. P. (1966). *The analysis of human operant behavior*. Dubuque, IA: Brown.

Rehfeldt, R. A., y Chambers, M. C. (2003). Functional analysis and treatment of verbal perseverations displayed by an adult with autism. *Journal of Applied Behavior Analysis, 36,* 259–261.

Reich, W. T. (1988). Experiential ethics as a foundation for dialogue between health communications and health-care ethics. *Journal of Applied Communication Research, 16,* 16–28.

Reid, D. H., Parsons, M. B., Green, C. W., y Browning, L. B. (2001). Increasing one aspect of self-determination among adults with severe multiple disabilities in supported work. *Journal of Applied Behavioral Analysis, 34,* 341–344.

Reid, D. H., Parsons, M. B., Phillips, J. F., y Green, C. W. (1993). Reduction of selfinjurious hand mouthing using response blocking. *Journal of Applied Behavior Analysis, 26,* 139–140.

Reid, R., y Harris, K. R. (1993). Selfmonitoring attention versus selfmonitoring of performance: Effects on attention and academic performance. *Exceptional Children, 60,* 29–40.

Reimers, T. M., y Wacker, D. P. (1988). Parents' ratings of the acceptability of behavior treatment recommendations made in an outpatient clinic: A preliminary analysis of the influence of treatment effectiveness. *Behavioral Disorders, 14,* 7–15.

Reitman, D., y Drabman, R. S. (1999). Multifaceted uses of a simple timeout record in the treatment of a noncompliant 8-year-old boy. *Education and Treatment of Children, 22* (2), 136–145.

Reitman, D., y Gross, A. M. (1996). Delayed outcomes and rule-governed behavior among "noncompliant" and "compliant" boys: A replication and extension. *The Analysis of Verbal Behavior, 13,* 65–77.

Repp, A. C., y Horner, R. H. (Eds.). (1999). *Functional analysis of problem behavior: From effective assessment to effective support.* Belmont, CA: Wadsworth.

Repp, A. C., y Karsh, K. G. (1994). Laptop computer system for data recording and contextual analyses. In T. Thompson y D. B. Gray (Eds.), *Destructive behavior in developmental disabilities: Diagnosis and treatment* (págs. 83–101). Thousand Oaks, CA: Sage.

Repp, A. C., y Singh, N. N. (Eds.). (1990). *Perspectives on the use of nonaversive and aversive interventions for persons with developmental disabilities.* Sycamore, IL: Sycamore.

Repp, A. C., Barton, L. E., y Brulle, A. R. (1983). A comparison of two procedures for programming the differential reinforcement of other behaviors. *Journal of Applied Behavior Analysis, 16,* 435–445.

Repp, A. C., Dietz, D. E. D., Boles, S. M., Dietz, S. M., y Repp, C. F. (1976). Differences among common methods for calculating interobserver agreement. *Journal of Applied Behavior Analysis, 9,* 109–113.

Repp, A. C., Harman, M. L., Felce, D., Vanacker, R., y Karsh, K. L. (1989). Conducting behavioral assessments on computer collected data. *Behavioral Assessment,* 2, 249–268.

Repp, A. C., Karsh, K. G., Johnson, J. W., y VanLaarhoven, T. (1994). A comparison of multiple versus single examples of the correct stimulus on task acquisition and generalization by persons with developmental disabiliteis. *Journal of Behavioral Education, 6,* 213–230.

Rescorla, R. (1988). Pavlovian conditioning: It's not what you think it is. *American Psychologist, 43,* 151–160.

Reynolds, G. S. (1961). Behavioral contrast. *Journal of the Experimental Analysis of Behavior, 4,* 57–71.

Reynolds, G. S. (1968). *A primer of operant conditioning.* Glenview, IL: Scott, Foresman.

Reynolds, G. S. (1975). *A primer of operant conditioning* (Rev. ed.). Glenview, IL: Scott, Foresman.

Reynolds, N. J., y Risley, T. R. (1968). The role of social and material reinforcers in increasing talking of a disadvantaged preschool child. *Journal of Applied Behavior Analysis, 1,* 253–262.

Rhode, G., Morgan, D. P., y Young, K. R. (1983). Generalization and maintenance of treatment gains of behaviorally handicapped students from resource rooms to regular classrooms using self-evaluation procedures. *Journal of Applied Behavior Analysis, 16,* 171–188.

Richman, D. M., Berg, W. K., Wacker, D. P., Stephens, T., Rankin, B., y Kilroy, J. (1997). Using pretreatment assessments to enhance and evaluate existing treatment packages. *Journal of Applied Behavior Analysis, 30,* 709–712.

Richman, D. M., Wacker, D. P, Asmus, J. M., Casey, S. D., y Andelman, M. (1999). Further analysis of problem behavior in response class hierarchies. *Journal of Behavior Analysis, 32,* 269–283.

Ricketts, R. W., Goza, A. B., y Matese, M. (1993). A 4-year follow-up of treatment of self-injury. *Journal of Behavior Therapy and Experimental Psychiatry, 24* (1), 57–62.

Rincover, A. (1978). Sensory extinction: A procedure for eliminating self-stimulatory behavior in psychotic children. *Journal of Abnormal Child Psychology,* 6, 299–310.

Rincover, A. (1981). *How to use sensory extinction.* Austin, TX: Pro-Ed.

Rincover, A., y Koegel, R. L. (1975). Setting generality and stimulus control in autistic children. *Journal of Applied Behavior Analysis, 8,* 235–246.

Rincover, A., y Newsom, C. D. (1985). The relative motivational properties of sensory reinforcement with psychotic children. *Journal of Experimental Child Psychology, 24,* 312–323.

Rincover, A., Cook, R., Peoples, A., y Packard, D. (1979). Sensory extinction and sensory reinforcement principles for programming multiple adaptive behavior change. *Journal of Applied Behavior Analysis, 12,* 221–233.

Rindfuss, J. B., Al-Attrash, M., Morrison, H., y Heward, W. L. (1998, May). *Using guided notes and response cards to improve quiz and exam scores in an eighth grade American history class.* Paper presented at 24th Annual Convention of the Association for Behavior Analysis, Orlando, FL.

Ringdahl, J. E., Kitsukawa, K., Andelman, M. S., Call, N., Winborn, L. C., Barretto, A., y Reed, G. K. (2002). Differential reinforcement with and without instructional fading. *Journal of Applied Behavior Analysis, 35,* 291–294.

Ringdahl, J. E., Vollmer, T. R., Borrero, J. C., y Connell, J. E. (2001). Fixedtime schedule effects as a function of baseline reinforcement rate. *Journal of Applied Behavior Analysis, 34,* 1–15.

Ringdahl, J. E., Vollmer, T. R., Marcus, B. A., y Roane, H. S (1997). An analogue evaluation of environmental enrichment: The role of stimulus preference. *Journal of Applied Behavior Analysis, 30,* 203–216.

Riordan, M. M., Iwata, B. A., Finney, J. W., Wohl, M. K., y Stanley, A. E. (1984). Behavioral assessment and treatment of chronic food refusal in handicapped children. *Journal of Applied Behavior Analysis, 17,* 327–341.

Risley, T. (1996). Get a life! In L. Kern Koegel, R. L. Koegel, y G. Dunlap (Eds.), *Positive behavioral support* (págs. 425–437). Baltimore: Paul H. Brookes.

Risley, T. (2005). Montrose M. Wolf (1935–2004). *Journal of Applied Behavior Analysis, 38,* 279–287.

Risley, T. R. (1968). The effects and side effects of punishing the autistic behaviors of a deviant child. *Journal of Applied Behavior Analysis, 1,* 21–34.

Risley, T. R. (1969, April). *Behavior modification: An experimental-therapeutic endeavor.* Paper presented at the Banff International Conference on Behavior Modification, Banff, Alberta, Canada.

Risley, T. R. (1997). Montrose M. Wolf: The origin of the dimensions of applied behavior analysis. *Journal of Applied Behavior Analysis, 30,* 377–381.

Risley, T. R. (2005). Montrose M. Wolf (1935–2004). *Journal of Applied Behavior Analysis, 38,* 279–287.

Risley, T. R., y Hart, B. (1968). Developing correspondence between the non-verbal and verbal behavior of preschool children. *Journal of Applied Behavior Analysis, 1,* 267–281.

Roane, H. S., Fisher, W. W., y McDonough, E. M. (2003). Progressing from programmatic to discovery research: A case example with the overjustification effect. *Journal of Applied Behavior Analysis, 36,* 23–36.

Roane, H. S., Kelly, M. L., y Fisher, W. W. (2003). The effects of noncontingent access to food on the rate of object mouthing across three settings. *Journal of Applied Behavior Analysis, 36,* 579–582.

Roane, H. S., Lerman, D. C., y Vorndran, C. M. (2001). Assessing reinforcers under progressive schedule requirements. *Journal of Applied Behavior Analysis, 34,* 145–167.

Roane, H. S., Vollmer, T. R., Ringdahl, J. E., y Marcus, B. A. (1998). Evaluation of a brief stimulus preference assessment. *Journal of Applied Behavior Analysis, 31,* 605–620.

Roberts-Pennell, D., y Sigafoos, J. (1999). Teaching young children with developmental disabilities to request more play using the behavior chain interruption strategy. *Journal of Applied Research in Intellectual Disabilities,* 12, 100–112.

Robin, A. L., Armel, S., y O'Leary, K. D., (1975). The effects of self-instruction on writing deficiencies. *Behavior Therapy, 6,* 178–187.

Robin, A., Schneider, M., y Dolnick, M., (1976). The turtle technique: An extended case study of self-control in the classroom. *Psychology in the Schools,* 13, 449–453.

Robinson, P. W., Newby, T. J., y Gansell, S. L. (1981). A token system for a class of underachieving hyperactive children. *Journal of Applied Behavior Analysis,* 14, 307–315.

Rodgers, T. A., y Iwata, B. A. (1991). An analysis of error-correction procedures during discrimination training. *Journal of Applied Behavior Analysis, 24,* 775–781.

Rohn, D. (2002). Case study: Improving guitar skills. In R. W. Malott y H. Harrison, *I'll stop procrastinating when I get around to it: Plus other cool ways to succeed in school and life using behavior analysis to get your act together* (pág. 8-4). Kalamazoo, MI: Department of Psychology, Western Michigan University.

Rolider, A., y Van Houten, R. (1984). The effects of DRO alone and DRO plus reprimands on the undesirable behavior of three children in home settings. *Education and Treatment of Children,* 7, 17–31.

Rolider, A., y Van Houten, R. (1984). Training parents to use extinction to eliminate nighttime crying by gradually increasing the criteria for ignoring crying. *Education and Treatment of Children, 7,* 119–124.

Rolider, A., y Van Houten, R. (1985). Suppressing tantrum behavior in public places through the use of delayed punishment mediated by audio recordings. *Behavior Therapy, 16,* 181–194.

Rolider, A. , y Van Houten, R. (1993). The interpersonal treatment model. In R. Van Houten y S. Axelrod (Eds.), *Behavior analysis and treatment* (págs. 127–168). Nueva York: Plenum Press.

Romanczyk, R. G. (1977). Intermittent punishment of self-stimulation: Effectiveness during application and extinction. *Journal of Consulting and Clinical Psychology, 45,* 53–60.

Romaniuk, C., Miltenberger, R., Conyers, C., Jenner, N., Jurgens, M., y Ringenberg, C. (2002). The influence of activity choice on problem behaviors maintained by escape versus attention. *Journal of Applied Behavioral Analysis, 35,* 349–362.

Romaniuk, C., Miltenberger, R., Conyers, C., Jenner, N., Roscoe, E. M., Iwata, B. A., y Goh, H.-L. (1998). A comparison of noncontingent reinforcement and sensory extinction as treatments for self-injurious behavior. *Journal of Applied Behavior Analysis, 31,* 635–646.

Romeo, F. F. (1998). The negative effects of using a group contingency system of classroom management. *Journal of Instructional Psychology, 25* (2), 130–133.

Romer, L. T., Cullinan, T., y Schoenberg, B. (1994). General case training of requesting: A demonstration and analysis. *Education and Training in Mental Retardation, 29,* 57–68.

Rosales-Ruiz, J., y Baer, D. M. (1997). Behavioral cusps: A developmental and pragmatic concept for behavior analysis. *Journal of Applied Behavior Analysis, 30,* 533–544.

Roscoe, E. M., Iwata, B. A., y Goh, H.-L. (1998). A comparison of noncontingent reinforcement and sensory extinction as treatments for self-injurious behavior. *Journal of Applied Behavior Analysis, 31,* 635–646.

Roscoe, E. M., Iwata, B. A., y Kahng, S. (1999). Relative versus absolute reinforcement effects: Implications for preference assessments. *Journal of Applied Behavior Analysis, 32,* 479–493.

Rose, J. C., De Souza, D. G., y Hanna, E. S. (1996). Teaching reading and spelling: Exclusion and stimulus equivalence. *Journal of Applied Behavior Analysis, 29,* 451–469.

Rose, T. L. (1978). The functional relationship between artificial food colors and hyperactivity. *Journal of Applied Behavior Analysis, 11,* 439–446.

Ross, C., y Neuringer, A. (2002). Reinforcement of variations and repetitions along three independent response dimensions. *Behavioral Processes, 57,* 199–209.

Rozensky, R. H. (1974). The effect of timing of self-monitoring behavior on reducing cigarette consumption. *Journal of Consulting and Clinical Psychology, 5,* 301–307.

Rusch, F. R., y Kazdin, A. E. (1981). Toward a methodology of withdrawal designs for the assessment of response maintenance. *Journal of Applied Behavior Analysis, 14,* 131–140.

Russell, B., y Whitehead A. N. (1910–1913). *Principia mathematica.* Cambridge, MA: University Press.

Ruth, W. J. (1996). Goal setting and behavioral contracting for students with emotional and behavioral difficulties: Analysis of daily, weekly, and total goal attainment. *Psychology in the Schools, 33,* 153–158.

Ryan, C. S., y Hemmes, N. S. (2005). Effects of the contingency for homework submission on homework submission and quiz performance in a college course. *Journal of Applied Behavior Analysis, 38,* 79–88.

Ryan, S., Ormond, T., Imwold, C., y Rotunda, R. J. (2002). The effects of a public address system on the off-task behavior of elementary physical education students. *Journal of Applied Behavior Analysis, 35,* 305–308.

Sagan, C. (1996). *The demon-haunted world: Science as a candle in the dark.* Nueva York: Ballantine.

Saigh, P. A., y Umar, A. M. (1983). The effects of a good behavior game on the disruptive behavior of Sudanese elementary school students. *Journal of Applied Behavior Analysis, 16,* 339–344.

Sainato, D. M., Strain, P. S., Lefebvre, D., y Rapp, N. (1990). Effects of self-evaluation on the independent work skills of preschool children with disabilities. *Exceptional Children, 56,* 540–549.

Sajwaj, T., Culver, P., Hall, C., y Lehr, L. (1972). Three simple punishment techniques for the control of classroom disruptions. In G. Semb (Ed.), *Behavior analysis and education.* Lawrence: University of Kansas.

Saksida, L. M., Raymond, S. M., y Touretzky, D. S. (1997). Shaping robot behavior using principles from instrumental conditioning. *Robotics and Autonomous Systems, 22,* 231–249.

Salend, S. J. (1984b). Integrity of treatment in special education research. *Mental Retardation, 22,* 309–315.

Salend, S. J., Ellis, L. L., y Reynolds, C. J. (1989). Using self-instruction to teach vocational skills to individuals who are severely retarded. *Education and Training of the Mentally Retarded, 24,* 248–254.

Salvy, S.-J., Mulick, J. A., Butter, E., Bartlett, R. K., y Linscheid, T. R. (2004). Contingent electric shock (SIBIS) and a conditioned punisher eliminate severe head banging in a preschool child. *Behavioral Interventions, 19,* 59–72.

Salzinger, K. (1978). Language behavior. In A. C. Catania y T. A. Brigham (Eds.), *Handbook of applied behavior analysis: Social and instructional processes* (págs. 275–321). Nueva York: Irvington.

Santogrossi, D. A., O'Leary, K. D., Romanczyk, R. G., y Kaufman, K. F. (1973). Self-evaluation by adolescents in a psychiatric hospital school token program. *Journal of Applied Behavior Analysis, 6,* 277–287.

Sarakoff, R. A., y Strumey, P. (2004). The effects of behavioral skills training on staff implementation of discrete-trial teaching. *Journal of Applied Behavior Analysis, 37,* 535–538.

Saraokoff, R. A., Taylor, B. A., y Poulson, C. L. (2001). Teaching children with autism to engage in conversational exchanges: Script fading with embedded textual stimuli. *Journal of Applied Behavior Analysis, 34,* 81–84.

Sasso, G. M., Reimers, T. M., Cooper, L. J., Wacker, D., Berg, W., Steege, M., Kelly, L., y Allaire, A. (1992). Use of descriptive and experimental analysis to identify the functional properties of aberrant behavior in school settings. *Journal of Applied Behavior Analysis, 25,* 809–821.

Saudargas, R. A., y Bunn, R. D. (1989). A hand-held computer system for classroom observation. *Journal of Special Education, 9,* 200–206.

Saudargas, R. A., y Zanolli, K. (1990). Momentary time sampling as an estimate of percentage time: A field validation. *Journal of Applied Behavior Analysis, 23,* 533–537.

Saunders, M. D., Saunders, J. L., y Saunders, R. R. (1994). Data collection with bar code technology. In T. Thompson y D. B. Gray (Eds.), *Destructive behavior in developmental disabilities: Diagnosis and treatment* (págs. 102–116). Thousand Oaks, CA: Sage.

Savage, T. (1998). Shaping: The link between rats and robots. *Connection Science, 10* (3/4), 321–340.

Savage-Rumbaugh, E. S. (1984). Verbal behavior at the procedural level in the chimpanzee. *Journal of the Experimental Analysis of Behavior, 41,* 223–250.

Saville, B. K., Beal, S. A., y Buskist, W. (2002). Essential readings for graduate students in behavior analysis: A survey of the JEAB and JABA Boards of Editors. *The Behavior Analyst, 25,* 29–35.

Schepis, M. M., Reid, D. H., Behrmann, M. M., y Sutton, K. A. (1998). Increasing communicative interactions of young children with autism using a voice output communication aid and naturalistic teaching. *Journal of Applied Behavior Analysis, 31,* 561–578.

Scheuermann, B., y Webber, J. (1996). Level systems: Problems and solutions. *Beyond Behavior, 7,* 12–17.

Schleien, S. J., Wehman, P., y Kiernan, J. (1981). Teaching leisure skills to severely handicapped adults: An age-appropriate darts game. *Journal of Applied Behavior Analysis, 14,* 513–519.

Schlinger, H., y Blakely, E. (1987). Function-altering effects of contingencyspecifying stimuli. *The Behavior Analyst, 10,* 41–45.

Schoenberger, T. (1990). Understanding and the listener: Conflicting views. *The Analysis of Verbal Behavior, 8,* 141–150.

Schumm, J. S., Vaughn, D., Haager, D., McDowell, J., Rothlein, L., y Saumell, L. (1995). General education teacher planning: What can students with learning disabilities expect? *Exceptional Children, 61,* 335–352.

Schoenberger, T. (1991). Verbal understand-ding: Integrating the conceptual analyses of Skinner, Ryle, and Wittgenstein. *The Analysis of Verbal Behavior, 9,* 145–151.

Schoenfeld, W. N. (1995). "Reinforcement" in behavior theory. *The Behavior Analyst, 18,* 173–185

Schuster, J. W., Griffen, A. K., y Wolery, M. (1992). Comparison of simultaneous prompting and constant time delay procedures in teaching sight words to elementary students with moderate mental retardation. *Journal of Behavioral Education, 7,* 305–325.

Schwartz, B. (1974). On going back to nature: A review of Seligman and Hager's *Biological Boundaries of Learning. Journal of the Experimental Analysis of Behavior, 21,* 183–198.

Schwartz, I. S., y Baer, D. M. (1991). Social validity assessments: Is current practice state of the art? *Journal of Applied Behavior Analysis, 24,* 189–204.

Schwarz, M. L., y Hawkins, R. P. (1970). Application of delayed reinforcement procedures to the behavior of an elementary school child. *Journal of Applied Behavior Analysis, 3,* 85–96.

Schweitzer, J. B., y Sulzer-Azaroff, B. (1988). Self-control: Teaching tolerance for delay in impulsive children. *Journal of the Experimental Analysis of Behavior, 50,* 173–186.

Scott, D., Scott, L. M., y Goldwater, B. (1997). A performance improvement program for an international-level track and field athlete. *Journal of Applied Behavior Analysis, 30,* 573–575.

Seymour, F. W., y Stokes, T. F. (1976). Selfrecording in training girls to increase work rate and evoke staff praise in an institution for offenders. *Journal of Applied Behavior Analysis, 9,* 41–54.

Seymour, M. A. (2002). Case study: A retired athlete runs down comeback road. In R. W. Malott y H. Harrison, *I'll stop procrastinating when I get around to it: Plus other cool ways to succeed in school and life using behavior analysis to get your act together* (págs. 7-12). Kalamazoo, MI: Department of Psychology, Western Michigan University.

Shahan, T. A., y Chase, P. N. (2002). Novelty, stimulus control, and operant variability. *The Behavior Analyst, 25,* 175–190.

Shermer, S. (1997). *Why people believe weird things.* Nueva York: W. H. Freeman.

Shimamune, S., y Jitsumori, M. (1999). Effects of grammar instruction and fluency training on the learning of *the* and *a* by native speakers of Japanese. *The Analysis of Verbal Behavior, 16,* 3–16.

Shimmel, S. (1977). Anger and its control in Greco-Roman and modern psychology. *Psychiatry, 42,* 320–327.

Shimmel, S. (1979). Free will, guilt, and self-control in rabbinic Judaism and contemporary psychology. *Judaism, 26,* 418–429.

Shimoff, E., y Catania, A. C. (1995). Using computers to teach behavior analysis. *The Behavior Analyst, 18,* 307–316.

Shirley, M. J., Iwata, B. A., Kahng, S. W., Mazaleski, J. L., y Lerman, D. C. (1997). Does functional communication training compete with ongoing contingencies of reinforcement? An analysis during response acquisition and maintenance. *Journal of Applied Behavior Analysis, 30,* 93–104.

Shook, G. L. (1993). The professional credential in behavior analysis. *The Behavior Analyst, 16,* 87–101.

Shook, G. L., y Favell, J. E. (1996). Identifying qualified professionals in behavior analysis. In C. Maurice, G. Green, y S. C. Luce (Eds.), *Behavioral intervention for young children with autism: A manual for parents and professionals* (págs. 221–229). Austin, TX: Pro-Ed.

Shook, G. L., y Neisworth, J. (2005). Ensuring appropriate qualifications for applied behavior analyst professionals: The Behavior Analyst Certification Board. *Exceptionality 13* (1), 3–10.

Shook, G. L., Johnston, J. M., y Mellichamp, F. (2004). Determining essential content for applied behavior analyst practitioners. *The Behavior Analyst, 27,* 67–94.

Shook, G. L., Rosales, S. A., y Glenn, S. (2002). Certification and training of behavior analyst professionals. *Behavior Modification, 26* (1), 27–48.

Shore, B. A., Iwata, B. A., DeLeon, I. G., Kahng, S., y Smith, R. G. (1997). An analysis of reinforcer substitutability using object manipulation and selfinjury as competing responses. *Journal of Applied Behavior Analysis, 30,* 439–449.

Sideridis, G. D., y Greenwood, C. R. (1996). Evaluating treatment effects in single-subject behavioral experiments using quality-control charts. *Journal of Behavioral Education, 6,* 203–211.

Sidman, M. (1960). *Tactics of scientific research.* Nueva York: Basic Books.

Sidman, M. (1960/1988). *Tactics of scientific research: Evaluating experimental data in psychology.* Nueva York: Basic Books/Boston: Authors Cooperative (reprinted).

Sidman, M. (1971). Reading and auditoryvisual equivalences. *Journal of Speech and Hearing Research, 14,* 5–13.

Sidman, M. (1994). *Equivalence relations and behavior: A research story.* Boston: Author's Cooperative.

Sidman, M. (2000). Applied behavior analysis: Back to basics. *Behaviorology, 5* (1), 15–37.

Sidman, M. (2002). Notes from the beginning of time. *The Behavior Analyst, 25,* 3–13.

Sidman, M. (2006). The distinction between positive and negative reinforcement: Some additional considerations. *The Behavior Analyst, 29,* 135–139.

Sidman, M., y Cresson, O., Jr. (1973). Reading and crossmodal transfer of stimulus equivalences in severe retardation. *American Journal of Mental Deficiency, 77,* 515–523.

Sidman, M., y Stoddard, L. T. (1967). The effectiveness of fading in programming a simultaneous form discrimination for retarded children. *Journal of the Experimental Analysis of Behavior, 10,* 3–15.

Sidman, M., y Tailby, W. (1982). Conditional discrimination vs. matching-tosample: An expansion of the testing paradigm. *Journal of the Experimental Analysis of Behavior, 37,* 5–22.

Sigafoos, J., Doss, S., y Reichle, J. (1989). Developing mand and tact repertoires with persons with severe developmental disabilities with graphic symbols. *Research in Developmental Disabilities, 11,* 165–176.

Sigafoos, J., Kerr, M., y Roberts, D. (1994). Interrater reliability of the Motivation Assessment Scale: Failure to replicate with aggressive behavior. *Research in Developmental Disabilities, 15,* 333–342.

Silvestri, S. M. (2004). *The effects of selfscoring on teachers' positive statements during classroom instruction.* Unpublished doctoral dissertation. Columbus, OH: The Ohio State University.

Silvestri, S. M. (2005). *How to make a graph using Microsoft Excel.* Unpublished manuscript. Columbus, OH: The Ohio State University.

Simek, T. C., O'Brien, R. M., y Figlerski, L. B. (1994). Contracting and chaining to improve the performance of a college golf team: Improvement and deterioration. *Perceptual and Motor Skills, 78* (3), 1099.

Simpson, M. J. A., y Simpson, A. E. (1977). One-zero and scan method for sampling behavior. *Animal Behavior, 25,* 726–731.

Singer, G., Singer, J., y Horner, R. (1987). Using pretask requests to increase the probability of compliance for students with severe disabilities. *Journal of the Association for Persons with Severe Handicaps, 12,* 287–291.

Singh, J., y Singh, N. N. (1985). Comparison of word-supply and word-analysis error-correction procedures on oral reading by mentally retarded children. *American Journal of Mental Deficiency, 90,* 64–70.

Singh, N. N. (1990). Effects of two errorcorrection procedures on oral reading errors. *Behavior Modification, 11,* 165–181.

Singh, N. N., y Katz, R. C. (1985). On the modification of acceptability ratings for alternative child treatments. *Behavior Modification, 9,* 375–386.

Singh, N. N., y Singh, J. (1984). Antecedent control of oral reading errors and selfcorrections by mentally retarded children. *Journal of Applied Behavior Analysis, 17,* 111–119.

Singh, N. N., y Singh, J. (1986). Increasing oral reading proficiency: A comparative analyst off drill and positive practice overcorrection procedures. *Behavior Modification, 10,* 115–130.

Singh, N. N., y Winton, A. S. (1985). Controlling pica by components of an overcorrection procedure. *American Journal of Mental Deficiency, 90,* 40–45.

Singh, N. N., Dawson, M. J., y Manning, P. (1981). Effects of spaced responding DRI on the stereotyped behavior of profoundly retarded persons. *Journal of Applied Behavior Analysis, 14,* 521–526.

Singh, N. N., Dawson, M. J., y Manning, P. (1981). The effects of physical restraint on self-injurious behavior. *Journal of Mental Deficiency Research, 25,* 207–216.

Singh, N. N., Singh, J., y Winton, A. S. (1984). Positive practice overcorrection of oral reading errors. *Behavior Modification, 8,* 23–37.

Skiba, R., y Raison, J. (1990). Relationship between the use of timeout and academic achievement. *Exceptional Children, 57* (1), 36–46.

Skinner, B. F. (1938). *The behavior of organisms.* Nueva York: Appleton-CenturyCrofts.

Skinner, B. F. (1938/1966). *The behavior of organisms: An experimental analysis.* Nueva York: Appleton-Century. (Copyright renewed in 1966 by the B. F. Skinner Foundation, Cambridge, MA.)

Skinner, B. F. (1948). *Walden two.* Nueva York: Macmillan.

Skinner, B. F. (1948). Superstition in the pigeon. *Journal of Experimental Psychology, 38,* 168–172.

Skinner, B. F: (1953). *Science and human behavior.* Nueva York: MacMillan.

Skinner, B. F. (1956). A case history in scientific method. *American Psychologist, 11,* 221–233.

Skinner, B. F. (1957). *Verbal behavior.* Nueva York: Appleton-Century-Crofts.

Skinner, B. F. (1966). Operant behavior. In W. K. Honig (Ed.), *Operant behavior: Areas of research and application* (págs. 12–32). Nueva York: Appleton-CenturyCrofts.

Skinner, B. F. (1967). B. F. Skinner: An autobiography. In E. G. Boring y G. Lindzey (Eds.), *A history of psychology in autobiography* (Vol. 5, págs.387–413). Nueva York: Irvington.

Skinner, B. F. (1969). *Contingencies of reinforcement: A theoretical analysis.* Nueva York: Appleton-Century-Crofts.

Skinner, B. F. (1971). *Beyond freedom and dignity.* Nueva York: Knopf.

Skinner, B. F. (1974). *About behaviorism.* Nueva York: Knopf.

Skinner, B. F. (1976). *Particulars of my life.* Washington Square, NY: Nueva York University Press.

Skinner, B. F. (1978). *Reflections on behaviorism and society.* Upper Saddle River, NJ: Prentice Hall.

Skinner, B. F. (1953). *Science and human*

Skinner, B. F. (1979). *The shaping of a behaviorist.* Washington Square, NY: Nueva York University Press.

Skinner, B. F. (1981a). Selection by consequences. *Science, 213,* 501–504.

Skinner, B. F. (1981b). How to discover what you have to say—A talk to students. *The Behavior Analyst, 4,* 1–7.

Skinner, B. F. (1982). Contrived reinforcement. *The Behavior Analyst, 5,* 3–8.

Skinner, B. F. (1983a). *A matter of consequences.* Washington Square, NY: Nueva York University Press.

Skinner, B. F. (1983b). Intellectual selfmanagement in old age. *American Psychologist, 38,* 239–244.

Skinner, B. F. (1989). *Recent issues in the analysis of behavior.* Columbus, OH: Merrill.

Skinner, B. F., y Vaughan, M. E. (1983). *Enjoy old age: A program of selfmanagement.* Nueva York: Norton.

Skinner, C. H., Cashwell, T. H., y Skinner, A. L (2000). Increasing tootling: The effects of a peer-mediated group contingency program on students' reports of peers' prosocial behavior. *Psychology in the Schools, 37* (3), 263–270.

Skinner, C. H., Fletcher, P. A., Wildmon, M., y Belfiore, P. J. (1996). Improving assignment preference through interspersing additional problems: Brief versus easy problems. *Journal of Behavioral Education, 6,* 427–436.

Skinner, C. H., Skinner, C. F., Skinner, A. L., y Cashwell, T. H. (1999). Using interdependent contingencies with groups of students: Why the principal kissed a pig. *Educational Administration Quarterly, 35* (Suppl.), 806–820.

Smith, B. W., y Sugai, G. (2000). A selfmanagement functional assessmentbased behavior support plan for a middle school student with EBD. *Journal of Positive Behavior Interventions, 2,* 208–217.

Smith, D. H. (1987). Telling stories as a way of doing ethics. *Journal of the Florida Medical Association, 74,* 581–588.

Smith, D. H. (1993). Stories, values, and patient care decisions. In C. Conrad (Ed.), *Ethical nexus* (págs. 123–148). Norwood, NJ: Ablex.

Smith, L. D. (1992). On prediction and control: B. F. Skinner and the technological ideal of science. *American Psychologist, 47,* 216–223.

Smith, R. G., y Iwata, B. A. (1997). Antecedent influences of behavior disorders. *Journal of Applied Behavior Analysis, 30,* 343–375.

Smith, R. G., Iwata, B. A., y Shore, B. A. (1995). Effects of subject-versus experimenter-selected reinforcers on the behavior of individuals with profound developmental disabilities. *Journal of Applied Behavior Analysis, 28,* 61–71.

Smith, R. G., Iwata, B. A., Goh, H., y Shore, B. A. (1995). Analysis of establishing operations for self-injury maintained by escape. *Journal of Applied Behavior Analysis, 28,* 515–535.

Smith, R. G., Russo, L., y Le, D. D. (1999). Distinguishing between extinction and punishment effects of response blocking: A replication. *Journal of Applied Behavior Analysis, 32,* 367–370.

Smith, R., Michael, J., y Sundberg, M. L. (1996). Automatic reinforcement and automatic punishment in infant vocal behavior. *The Analysis of Verbal Behavior, 13,* 39–48.

Smith, S., y Farrell, D. (1993). Level system use in special education: Classroom intervention with prima facie appeal. *Behavioral Disorders, 18*(4), 251–264.

Snell, M. E., y Brown, F. (2000). *Instruction of students with severe disabilities* (5th ed.). Upper Saddle River, NJ: Merrill Prentice Hall.

Snell, M. E., y Brown, F. (2006). *Instruction of students with severe disabilities* (6th ed.). Upper Saddle River, NJ: Prentice Hall.

Solanto, M. V., Jacobson, M. S., Heller, L., Golden, N. H., y Hertz, S. (1994). Rate of weight gain of inpatients with anorexia nervosa under two behavioral contracts. *Pediatrics, 93* (6), 989.

Solomon, R. L. (1964). Punishment. *American Psychologist, 19,* 239–253.

Spies, R. A., y Plake, B. S. (Eds.). (2005). *Sixteenth mental measurements yearbook.* Lincoln, NE: Buros Institute of Mental Measurements.

Spooner, F., Spooner, D., y Ulicny, G. R. (1986). Comparisons of modified backward chaining: Backward chaining with leaps ahead and reverse chaining with leaps ahead. *Education and Treatment of Children, 9* (2), 122–134.

Spradlin, J. E. (1966). Environmental factors and the language development of retarded children. In S. Rosenberg (Ed.), *Developments in applied psycholinguist research* (págs. 261–290). Riverside, NJ: MacMillian.

Spradlin, J. E. (1996). Comments on Lerman and Iwata (1996). *Journal of Applied Behavior Analysis, 29,* 383–385.

Spradlin, J. E. (2002). Punishment: A primary response. *Journal of Applied Behavior Analysis, 35,* 475–477.

Spradlin, J. E., Cotter, V. W., y Baxley, N. (1973). Establishing a conditional discrimination without direct training: A study of transfer with retarded adolescents. *American Journal of Mental Deficiency, 77,* 556–566.

Sprague, J. R., y Horner, R. H. (1984). The effects of single instance, multiple instance, and general case training on generalized vending machine used by moderately and severely handicapped students. *Journal of Applied Behavior Analysis, 17,* 273–278.

Sprague, J. R., y Horner, R. H. (1990). Easy does it: Preventing challenging behaviors. *Teaching Exceptional Children, 23,* 13–15.

Sprague, J. R., y Horner, R. H. (1991). Determining the acceptability of behavior support plans. In M. Wang, H. Walberg, y M. Reynolds (Eds.), *Handbook of special education* (págs. 125–142). Oxford, Londres: Pergamon Press.

Sprague, J. R., y Horner, R. H. (1992). Covariation within functional response classes: Implications for treatment of severe problem behavior. *Journal of Applied Behavior Analysis, 25,* 735–745.

Sprague, J., y Walker, H. (2000). Early identification and intervention for youth with antisocial and violent behavior. *Exceptional Children, 66,* 367–379.

Spreat, S., y Connelly, L. (1996). Reliability analysis of the Motivation Assessment Scale. *American Journal on Mental Retardation, 100,* 528–532.

Staats, A. W., y Staats, C. K. (1963). *Complex human behavior: A systematic extension of learning principles.* Nueva York: Holt, Rinehart and Winston.

Stack, L. Z., y Milan, M. A. (1993). Improving dietary practices of elderly individuals: The power of prompting, feedback, and social reinforcement. *Journal of Applied Behavior Analysis, 26,* 379–387.

Staddon, J. E. R. (1977). Schedule-induced behavior. In W. K. Honig y J. E. R. Staddon (Eds.), *Handbook of operant behavior* (págs. 125–152). Upper Saddle River, NJ: Prentice Hall.

Stage, S. A., y Quiroz, D. R. (1997). A meta-analysis of interventions to decrease disruptive classroom behavior in public education settings. *School Psychology Review, 26,* 333–368.

Starin, S., Hemingway, M., y Hartsfield, F. (1993). Credentialing behavior analysts and the Florida behavior analysis certification program. *The Behavior Analyst, 16,* 153–166.

Steege, M. W., Wacker, D. P., Cigrand, K. C., Berg, W. K., Novak, C. G., Reimers, T. M., Sasso, G. M., y DeRaad, A. (1990). Use of negative reinforcement in the treatment of self-injurious behavior. *Journal of Applied Behavior Analysis, 23,* 459–467.

Stephens, K. R., y Hutchison, W. R. (1992). Behavioral personal digital assistants: The seventh generation of computing. *The Analysis of Verbal Behavior, 10,* 149–156.

Steuart, W. (1993). Effectiveness of arousal and arousal plus overcorrection to reduce nocturnal bruxism. *Journal of Behavior Therapy y Experimental Psychiatry, 24,* 181–185.

Stevenson, H. C., y Fantuzzo, J. W. (1984). Application of the "generalization map" to a self-control intervention with school-aged children. *Journal of Applied Behavior Analysis, 17,* 203–212.

Stewart, C. A., y Singh, N. N. (1986). Overcorrection of spelling deficits in mentally retarded persons. *Behavior Modification, 10,* 355–365.

Stitzer, M. L., Bigelow, G. E., Liebson, I. A., y Hawthorne, J. W. (1982). Contingent reinforcement for benzodiazepine-free urines: Evaluation of a drug abuse treatment intervention. *Journal of Applied Behavior Analysis, 15,* 493–503.

Stokes, T. (2003). A genealogy of applied behavior analysis. In K. S. Budd y T. Stokes (Eds.), *A small matter of proof: The legacy of Donald M. Baer* (págs. 257–272). Reno, NV: Context Press.

Stokes, T. F., y Baer, D. M. (1976). Preschool peers as mutual generalization-facilitating agents. *Behavior Therapy, 7,* 599–610.

Stokes, T. F., y Baer, D. M. (1977). An implicit technology of generalization. *Journal of Applied Behavior Analysis, 10,* 349–367.

Stokes, T. F., y Osnes, P. G. (1982). Programming the generalization of children's social behavior. In P. S. Strain, M. J. Guralnick, y H. M. Walker (Eds.), *Children's social behavior: Development, assessment, and modification* (págs. 407–443) Orlando, FL: Academic Press.

Stokes, T. F., y Osnes, P. G. (1989). An operant pursuit of generalization. *Behavior Therapy, 20,* 337–355.

Stokes, T. F., Baer, D. M., y Jackson, R. L. (1974). Programming the generalization of a greeting response in four retarded children. *Journal of Applied Behavior Analysis, 7,* 599–610.

Stokes, T. F., Fowler, S. A., y Baer, D. M. (1978). Training preschool children to recruit natural communities of reinforcement. *Journal of Applied Behavior Analysis, 11,* 285–303.

Stolz, S. B. (1978). *Ethical issues in behavior modification.* San Francisco: Jossey-Bass.

Strain, P. S., y Joseph, G. E. (2004). A not so good job with "Good job." *Journal of Positive Behavior Interventions, 6* (1), 55–59.

Strain, P. S., McConnell, S. R., Carta, J. J., Fowler, S. A., Neisworth, J. T., y Wolery, M. (1992). Behaviorism in early intervention. *Topics in Early Childhood Speciàl Education, 12,* 121–142.

Strain, P. S., Shores, R. E., y Kerr, M. M. (1976). An experimental analysis of "spillover" effects on the social interaction of behaviorally handicapped preschool children. *Journal of Applied Behavior Analysis, 9,* 31–40.

Striefel, S. (1974). *Behavior modification: Teaching a child to imitate.* Austin, TX: Pro-Ed.

Stromer, R. (2000). Integrating basic and applied research and the utility of Lattal and Perone's *Handbook of Research Methods in Human Operant Behavior. Journal of Applied Behavior Analysis, 33,* 119–136.

Stromer, R., McComas, J. J., y Rehfeldt, R. A. (2000). Designing interventions that include delayed reinforcement: Implications of recent laboratory research. *Journal of Applied Behavior Analysis, 33,* 359–371.

Sugai, G. M., y Tindal, G. A. (1993). *Effective school consultation: An interactive approach.* Pacific Grove, CA: Brooks/Cole.

Sulzer-Azaroff, B., y Mayer, G. R. (1977). *Applying behavior-analysis procedures with children and youth.* Nueva York: Holt, Rinehart y Winston.

Sundberg, M. L. (1983). Language. In J. L. Matson, y S. E. Breuning (Eds.), *Assessing the mentally retarded* (págs. 285–310). Nueva York: Grune y Stratton.

Sundberg, M. L. (1991). 301 research topics from Skinner's book Verbal behavior. *The Analysis of Verbal Behavior, 9,* 81–96.

Sundberg, M. L. (1993). The application of establishing operations. *The Behavior Analyst, 16,* 211–214.

Sundberg, M. L. (1998). Realizing the potential of Skinner's analysis of verbal behavior. *The Analysis of Verbal Behavior, 15,* 143–147.

Sundberg, M. L. (2004). A behavioral analysis of motivation and its relation to mand training. In L. W. Williams (Ed.), *Developmental disabilities: Etiology, assessment, intervention, and integration.* Reno, NV: Context Press.

Sundberg, M. L., y Michael, J. (2001). The value of Skinner's analysis of verbal behavior for teaching children with autism. *Behavior Modification, 25,* 698–724.

Sundberg, M. L., y Partington, J. W. (1998). *Teaching language to children with autism or other developmental disabilities.* Pleasant Hill, CA: Behavior Analysts, Inc.

Sundberg, M. L., Endicott, K., y Eigenheer, P. (2000). Using intraverbal prompts to establish tacts for children with autism. *The Analysis of Verbal Behavior, 17,* 89–104.

Sundberg, M. L., Loeb, M., Hale, L., y Eigenheer, P. (2002). Contriving establishing operations to teach mands for information. *The Analysis of Verbal Behavior, 18,* 14–28.

Sundberg, M. L., Michael, J., Partington, J. W., y Sundberg, C. A. (1996). The role of automatic reinforcement in early language acquisition. *The Analysis of Verbal Behavior, 13,* 21–37.

Sundberg, M. L., San Juan, B., Dawdy, M., y Arguelles, M. (1990). The acquisition of tacts, mands, and intraverbals by individuals with traumatic brain injury. *The Analysis of Verbal Behavior, 8,* 83–99.

Surratt, P. R., Ulrich, R. E., y Hawkins, R. P. (1969). An elementary student as a behavioral engineer. *Journal of Applied Behavior Analysis.* 85–92.

Sutherland, K. S., Wehby, J. H., y Yoder, P. J. (2002). An examination of the relation between teacher praise and students with emotional/behavioral disorders' opportunities to respond to academic requests. *Journal of Emotional and Behavioral Disorders, 10,* 5–13.

Swanson, H. L., y Sachse-Lee, C. (2000). A meta-analysis of single-subject design intervention research for students with LD. *Journal of Learning Disabilities, 38,* 114–136.

Sweeney, W. J., Salva, E., Cooper, J. O., y Talbert-Johnson, C. (1993). Using self-evaluation to improve difficult-toread handwriting of secondary students. *Journal of Behavioral Education, 3,* 427–443.

Symons, F. J., Hoch, J., Dahl, N. A., y McComas, J. J. (2003). Sequential and matching analyses of self-injurious behavior: A case of overmatching in the natural environment. *Journal of Applied Behavior Analysis, 36,* 267–270.

Symons, F. J., McDonald, L. M., y Wehby, J. H. (1998). Functional assessment and teacher collected data. *Education and Treatment of Children, 21* (2), 135–159.

Szempruch, J., y Jacobson, J. W. (1993). Evaluating the facilitated communications of people with developmental disabilities. *Research in Developmental Disabilities, 14,* 253–264.

Tang, J., Kennedy, C. H., Koppekin, A., y Caruso, M. (2002). Functional analysis of stereotypical ear covering in a child with autism. *Journal of Applied Behavior Analysis, 35,* 95–98.

Tapp, J. T., y Walden, T. A. (2000). A system for collecting and analysis of observational data from videotape. In T. Thompson, D. Felce, y F. J. Symons (Eds.), *Behavioral observation: Technology and applications in developmental disabilities* (págs. 61–70). Baltimore: Paul H. Brookes.

Tapp, J. T., y Wehby, J. H. (2000). Observational software for laptop computers and optical bar code readers. In T. Thompson, D. Felce, y F. J. Symons (Eds.), *Behavioral observation: Technology and applications in developmental disabilities* (págs. 71–81). Baltimore: Paul H. Brookes.

Tapp, J. T., Wehby, J. H., y Ellis, D. M. (1995). A multiple option observation system for experimental studies: MOOSES. *Behavior Research Methods Instruments & Computers, 27,* 25–31.

Tarbox, R. S. F., Wallace, M. D., y Williams, L. (2003). Assessment and treatment of elopement: A replication and extension. *Journal of Applied Behavior Analysis, 36,* 239–244.

Tarbox, R. S. F., Williams, W. L., y Friman, P. C. (2004). Extended diaper wearing: Effects on continence in and out of the diaper. *Journal of Applied Behavior Analysis, 37,* 101–105.

Tawney, J., y Gast, D. (1984). *Single subject research in special education.* Columbus, OH: Charles E. Merrill.

Taylor, L. K., y Alber, S. R. (2003). The effects of classwide peer tutoring on the spelling achievement of first graders with disabilities. *The Behavior Analyst Today, 4,* 181–189.

Taylor, R. L. (2006). Assessment of exceptional students: *Educational and psychological procedures* (7th ed.). Boston: Pearson/Allyn and Bacon.

Terrace, H. S. (1963a). Discrimination learning with and without "errors." *Journal of the Experimental Analysis of Behavior, 6,* 1–27.

Terrace, H. S. (1963b). Errorless transfer of a discrimination across two continua. *Journal of the Experimental Analysis of Behavior, 6,* 223–232.

Terris, W., y Barnes, M. (1969). Learned resistance to punishment and subsequent responsiveness to the same and novel punishers. *Psychonomic Science, 15,* 49–50.

Test, D. W., y Heward, W. L. (1983). Teaching road signs and traffic laws to learning disabled students. *Science Education, 64,* 129–139.

Test, D. W., y Heward, W. L. (1984). Accuracy of momentary time sampling: A comparison of fixedand variableinterval observation schedules. In W. L. Heward, T. E. Heron, D. S. Hill, and J. Trap-Porter (Eds.), *Focus on behavior analysis in education* (págs. 177–194). Columbus, OH: Charles E. Merrill.

Test, D. W., Spooner, F., Keul, P. K., y Grossi, T. (1990). Teaching adolescents with severe disability to use the public telephone. Behavior Modification, 14, 157–171.

Thompson, R. H., y Iwata, B. A. (2000). Response acquisition under direct and indirect contingencies of reinforcement. *Journal of Applied Behavior Analysis, 33,* 1–11.

Thompson, R. H., y Iwata, B. A. (2001). A descriptive analysis of social consequences following problem behavior. *Journal of Applied Behavior Analysis, 34,* 169–178.

Thompson, R. H., y Iwata, B. A. (2003). A review of reinforcement control procedures. *Journal of Applied Behavior Analysis, 38,* 257–278.

Thompson, R. H., y Iwata, B. A. (2005). A review of reinforcement control procedures. *Journal of Applied Behavior Analysis, 38,* 257–278.

Thompson, R. H., Fisher, W. W., Piazza, C. C., y Kuhn D. E. (1998). The evaluation and treatment of aggression maintained by attention and automatic reinforcement. *Journal of Applied Behavior Analysis, 31,* 103–116.

Thompson, R. H., Iwata, B. A., Conners, J., y Roscoe, E. M. (1999). Effects of reinforcement for alternative behavior during punishment of self-injury. *Journal of Applied Behavior Analysis, 32,* 317–328.

Thompson, T. J., Braam, S. J., y Fuqua, R. W. (1982). Training and generalization of laundry skills: A multiple probe evaluation with handicapped persons. *Journal of Applied Behavior Analysis, 15,* 177–182.

Thompson, T., Symons, F. J., y Felce, D. (2000). Principles of behavioral observation. In T. Thompson, F. J. Symons,

y D. Felce (Eds.), *Behavioral observation: Technology and applications in developmental disabilities* (págs. 3–16). Baltimore: Paul H. Brookes.

Thomson, C., Holmber, M., y Baer, D. M. (1974). A brief report on a comparison of time sampling procedures. *Journal of Applied Behavior Analysis, 7,* 623–626.

Thoresen, C. E., y Mahoney, M. J. (1974). *Behavioral self-control.* Nueva York: Holt, Rinehart y Winston.

Timberlake, W., y Allison, J. (1974). Response deprivation: An empirical approach to instrumental performance. *Psychological Review, 81,* 146–164.

Tincani, M. (2004). Comparing the Picture Exchange Communication System and sign language training for children with autism. *Focus on Autism and Other Developmental Disabilities, 19,* 152–163.

Todd, A. W., Horner, R. W., y Sugai, G. (1999). Self-monitoring and self ehavior, academic engagement, and work completion in a typical classroom. *Journal of Positive Behavior Interventions, 1,* 66–76, 122.

Todd, J. T., y Morris, E. K. (1983). Misconception and miseducation: Presentations of radical behaviorism in psychology textbooks. *The Behavior Analyst, 6,* 153–160.

Todd, J. T., y Morris, E. K. (1992). Case histories in the great power of steady misrepresentation. *American Psychologist, 47,* 1441–1453.

Todd, J. T., y Morris, E. K. (1993). Change and be ready to change again. *American Psychologist, 48,* 1158–1159.

Todd, J. T., y Morris, E. K. (Eds.). (1994). *Modern perspectives on John B. Watson and classical behaviorism.* Westport, CT: Greenwood Press.

Touchette, P. E., MacDonald, R. F., y Langer, S. N. (1985). A scatter plot for identifying stimulus control of problem behavior. *Journal of Applied Behavior Analysis, 18,* 343–351.

Trammel, D. L., Schloss, P. J., y Alper, S. (1994). Using self-recording, evaluation, and graphing to increase completion of homework assignments. *Journal of Learning Disabilities, 27,* 75–81.

Trap, J. J., Milner-Davis, P., Joseph, S., y Cooper, J. O. (1978). The effects of feedback and consequences on transitional cursive letter formation. *Journal of Applied Behavior Analysis, 11,* 381–393.

Trask-Tyler, S. A., Grossi, T. A., y Heward, W. L. (1994). Teaching young adults with developmental disabilities and visual impairments to use tape-recorded recipes: Acquisition, generalization, and maintenance of cooking skills. *Journal of Behavioral Education, 4,* 283–311.

Tucker, D. J., y Berry, G. W. (1980). Teaching severely multihandicapped students to put on their own hearing aids. *Journal of Applied Behavior Analysis, 13,* 65–75.

Tufte, E. R. (1983). *The visual display of quantitative information.* Chesire, CT: Graphics Press.

Tufte, E. R. (1990). *Envisioning information.* Chesire, CT: Graphics Press. Turkewitz, H., O'Leary, K. D., y Ironsmith, M. (1975). Generalization and maintenance of appropriate behavior through self-control. *Journal of Consulting and Clinical Psychology, 43,* 577–583.

Turnbull, H. R., III., y Turnbull, A. P. (1998). *Free appropriate public education: The law and children with disabilities.* Denver: Love.

Tustin, R. D. (1994). Preference for reinforcers under varying schedule arrangements: A behavioral economic analysis. *Journal of Applied Behavior Analysis, 28,* 61–71.

Twohig, M. P., y Woods, D. W. (2001). Evaluating the duration of the competing response in habit reversal: A parametric analysis. *Journal of Applied Behavior Analysis, 34,* 517–520.

Twyman, J., Johnson, H., Buie, J., y Nelson, C. M. (1994). The use of a warning procedure to signal a more intrusive timeout contingency. *Behavioral Disorders, 19* (4), 243–253.

U. S. Department of Education. (2003). *Proven methods: Questions and answers on No Child Left Behind.* Washington, DC: Author. Recuperado el 11 de septiembre de 2017 de https://www2.ed.gov/nclb/methods/whatworks/doing.html

Ulman, J. D., y Sulzer-Azaroff, B. (1975). Multi-element baseline design in educational research. In E. Ramp y G. Semb (Eds.), *Behavior analysis: Areas of research and application* (págs. 371–391). Upper Saddle River, NJ: Prentice Hall.

Ulrich, R. E., y Azrin, N. H. (1962). Reflexive fighting in response to aversive stimulation. *Journal of the Experimental Analysis of Behavior, 5,* 511–520.

Ulrich, R. E., Stachnik, T. y Mabry, J. (Eds.). (1974). *Control of human behavior (Vol. 3), Behavior modification in education.* Glenview, IL: Scott, Foresman and Company.

Ulrich, R. E., Wolff, P. C., y Azrin, N. H. (1962). Shock as an elicitor of intraand inter-species fighting behavior. *Animal Behavior, 12,* 14–15.

Umbreit, J., Lane, K., y Dejud, C. (2004). Improving classroom behavior by modifying task difficulty: Effects of increasing the difficulty of too-easy tasks. *Journal of Positive Behavioral Interventions, 6,* 13–20.

Valk, J. E. (2003). *The effects of embedded instruction within the context of a small group on the acquisition of imitation skills of young children with disabilities.* Unpublished doctoral dissertation, The Ohio State University.

Van Acker, R., Grant, S. H., y Henry, D. (1996). Teacher and student behavior as a function of risk for aggression. *Education and Treatment of Children, 19,* 316–334.

Van Camp, C. M., Lerman, D. C., Kelley, M. E., Contrucci, S. A., y Vorndran, C. M. (2000). Variable-time reinforcement schedules in the treatment of socially maintained problem behavior. *Journal of Applied Behavior Analysis, 33,* 545–557.

van den Pol, R. A., Iwata, B. A., Ivancic, M. T., Page, T. J., Neef, N. A., y Whitley, F. P.

(1981). Teaching the handicapped to eat in public places: Acquisition, generalization and maintenance of restaurant skills. *Journal of Applied Behavior Analysis, 14,* 61–69.

Van Houten, R. (1979). Social validation: The evolution of standards of competency for target behaviors. *Journal of Applied Behavior Analysis, 12,* 581–591.

Van Houten, R. (1993). Use of wrist weights to reduce self-injury maintained by sensory reinforcement. *Journal of Applied Behavior Analysis, 26,* 197–203.

Van Houten, R. (1994). The right to effective behavioral treatment. In L. J. Hayes, G. J. Hayes, S. C. Moore, y P. M. Gjezzi (Eds.), *Ethical issues in developmental disabilities* (págs.103–118). Reno, NV: Context Press.

Van Houten, R., Axelrod, S., Bailey, J. S., Favell, J. E., Foxx, R. M., Iwata, B. A., y Lovaas, O. I. (1988). The right to effective behavioral treatment. *The Behavior Analyst, 11,* 111–114.

Van Houten, R., y Doleys, D. M. (1983). Are social reprimands effective? In S. Axelrod y J. Apsche (Eds.). *The effects of punishment on human behavior* (págs. 45–70). Nueva York: Academic Press.

Van Houten, R., y Malenfant, J. E. L. (2004). Effects of a driver enforcement program on yielding to pedestrians. *Journal of Applied Behavior Analysis, 37,* 351–363.

Van Houten, R., Malenfant, J. E., Austin, J., y Lebbon, A. (2005). The effects of a seatbelt-gearshift delay prompt on the seatbelt use of motorists who do not regularly wear seatbelts. *Journal of Applied Behavior Analysis, 38,* 195–203.

Van Houten, R., Malenfant, L., y Rolider, A. (1985). Increasing driver yielding and pedestrian signaling with prompting, feedback, and enforcement. *Journal of Applied Behavior Analysis, 18,* 103–110.

Van Houten, R., y Nau, P. A. (1981). A comparison of the effects of posted feedback and increased police surveillance on highway speeding. *Journal of Applied Behavior Analysis, 14,* 261–271.

Van Houten, R., y Nau, P. A. (1983). Feedback interventions and driving speed: A parametric and comparative analysis. *Journal of Applied Behavior Analysis, 17,* 253–281.

Van Houten, R., Nau, P. A., MackenzieKeating, S. E., Sameoto, D., y Colavecchia, B. (1982). An analysis of some variables influencing the effectiveness of reprimands. *Journal of Applied Behavior Analysis, 15,* 65–83.

Van Houten, R., Nau, P. A., y Marini, Z. (1980). An analysis of public posting in reducing speeding behavior on an urban highway. *Journal of Applied Behavior Analysis, 13,* 383–395.

Van Houten, R., y Retting, R. A. (2001). Increasing motorist compliance and caution at stop signs. *Journal of Applied Behavior Analysis, 434,* 185–193.

Van Houten, R., y Retting, R. A. (2005). Increasing motorist compliance and caution at stop signs. *Journal of Applied Behavior Analysis, 34,* 185–193.

Van Houten, R., y Rolider, A. (1988). Recreating the scene: An effective way to provide delayed punishment for inappropriate motor behavior. *Journal of Applied Behavior Analysis, 21,* 187–192.

Van Houten, R., y Rolider, A. (1990). The role of reinforcement in reducing inappropriate behavior: Some myths and misconceptions. In A. C. Repp y N. N. Singh (Eds.), *Perspectives on the use of nonaversive and aversive interventions for persons with developmental disabilities* (págs. 119–127). Sycamore, IL: Sycamore.

Van Norman, R. K. (2005). *The effects of functional communication training, choice making, and an adjusting work schedule on problem behavior maintained by negative reinforcement.* Unpublished doctoral dissertation, The Ohio State University, Columbus.

Vargas, E. A. (1986). Intraverbal behavior. In P. N. Chase y L. J. Parrott (Eds.), *Psychological aspects of language* (págs. 128–151). Springfield, IL: Charles C. Thomas.

Vargas, J. S. (1978). A behavioral approach to the teaching of composition. *The Behavior Analyst, 1,* 16–24.

Vargas, J. S. (1984). What are your exercises teaching? An analysis of stimulus control in instructional materials. In W. L. Heward, T. E. Heron, D. S. Hill, y J. Trap-Porter (Eds.), *Focus on behavior analysis in education* (págs. 126–141). Columbus, OH: Merrill.

Vargas, J. S. (1990). B. F. Skinner–The last few days. *Applied Behavior Analysis, 23,* 409–410.

Vaughan, M. (1989). Rule-governed behavior in behavior analysis: A theoretical and experimental history. In S. C. Hayes (Ed.), *Rule-governed behavior: Cognition, contingencies, and instructional control* (págs. 97–118). Nueva York: Plenum Press.

Vaughan, M. E., y Michael, J. L. (1982). Automatic reinforcement: An important but ignored concept. *Behaviorism, 10,* 217–227.

Virues-Ortega, J., Martin, N., Schnerch, G., García, J. A. M., & Mellichamp, F. (2015). A general methodology for the translation of behavioral terms into vernacular languages. *The Behavior Analyst, 38*(1), 127-135.

Vollmer, T. R. (1994). The concept of automatic reinforcement: Implications for behavioral research in developmental disabilities. *Research in Developmental Disabilities, 15* (3), 187–207.

Vollmer, T. R. (2002). Punishment happens: Some comments on Lerman and Vorndran's review. *Journal of Applied Behavior Analysis, 35,* 469–473.

Vollmer, T. R. (2006, May). *On the utility of automatic reinforcement in applied behavior analysis.* Paper presented at the 32nd annual meeting of the Association for Behavior Analysis, Atlanta, GA.

Vollmer, T. R., y Hackenberg, T. D. (2001). Reinforcement contingencies and social reinforcement: Some reciprocal relations between basic and applied research. *Journal of Applied Behavior Analysis, 34,* 241–253.

Vollmer, T. R., y Iwata, B. A. (1991). Establishing operations and reinforcement effects. *Journal of Applied Behavior Analysis, 24,* 279–291.

Vollmer, T. R., y Iwata, B. A. (1992). Differential reinforcement as treatment for behavior disorders: Procedural and functional variations. *Research in Developmental Disabilities, 13,* 393–417.

Vollmer, T. R., Marcus, B. A., Ringdahl, J. E., y Roane, H. S. (1995). Progressing from brief assessments to extended experimental analyses in the evaluation of aberrant behavior. *Journal of Applied Behavior Analysis, 28,* 561–576.

Vollmer, T. R., Progar, P. R., Lalli, J. S., Van Camp, C. M., Sierp, B. J., Wright, C. S., Nastasi, J., y Eisenschink, K. J. (1998). Fixed-time schedules attenuate extinction-induced phenomena in the treatment of severe aberrant behavior. *Journal of Applied Behavior Analysis, 31,* 529–542.

Vollmer, T. R., Roane, H. S., Ringdahl, J. E., y Marcus, B. A. (1999). Evaluating treatment challenges with differential reinforcement of alternative behavior. *Journal of Applied Behavior Analysis, 32,* 9–23.

Wacker, D. P., y Berg, W. K. (1983). Effects of picture prompts on the acquisition of complex vocational tasks by mentally retarded adolescents. *Journal of Applied Behavior Analysis, 16,* 417–433.

Wacker, D. P., Berg, W. K., Wiggins, B., Muldoon, M., y Cavanaugh, J. (1985). Evaluation of reinforcer preferences for profoundly handicapped students. *Journal of Applied Behavior Analysis, 18,* 173–178.

Wacker, D., Steege, M., Northup, J., Reimers, T., Berg, W., y Sasso, G. (1990). Use of functional analysis and acceptability measures to assess and treat severe behavior problems: An outpatient clinic model. In A. C. Repp y

N. N. Singh (Eds.), *Perspectives on the use of nonaversive and aversive interventions for persons with developmentally disabilities* (págs. 349–359). Sycamore, IL: Sycamore.

Wagman, J. R., Miltenberger, R. G., y Arndorfer, R. E. (1993). Analysis of a simplified treatment for stuttering. *Journal of Applied Behavior Analysis, 26,* 53–61.

Wagman, J. R., Miltenberger, R. G., y Woods, D. W. (1995). Long-term follow-up of a behavioral treatment for stuttering. *Journal of Applied Behavior Analysis, 28,* 233–234.

Wahler, R. G., y Fox, J. J. (1980). Solitary toy play and time out: A family treatment package for children with aggressive and oppositional behavior. *Journal of Applied Behavior Analysis, 13,* 23–39.

Walker, H. M. (1983). Application of response cost in school settings: Outcomes, issues and recommendations. *Exceptional Education Quarterly, 3,* 46–55.

Walker, H. M. (1997). *The acting out child: Coping with classroom disruption* (2nd ed.). Longmont, CO: Sopris West.

Wallace, I. (1977). Self-control techniques of famous novelists. *Journal of Applied Behavior Analysis, 10,* 515–525.

Ward, P., y Carnes, M. (2002). Effects of posting self-set goals on collegiate football players' skill execution during practice and games. *Journal of Applied Behavior Analysis, 35,* 1–12.

Warner, S. F. (1992). Facilitating basic vocabulary acquisition with milieu teaching procedures. *Journal of Early Intervention, 16,* 235–251.

Warren, S. F., Rogers-Warren, A., y Baer, D. M. (1976). The role of offer rates in controlling sharing by young children. *Journal of Applied Behavior Analysis, 9,* 491–497.

Watkins, C. L., Pack-Teixteira, L., y Howard, J. S. (1989). Teaching intraverbal behavior to severely retarded children. *The Analysis of Verbal Behavior, 7,* 69–81.

Watson, D. L., y Tharp, R. G. (2007). *Selfdirected behavior: Self-modification for personal adjustment* (9th ed.). Belmont, CA: Wadsworth/Thomson Learning.

Watson, J. B. (1913). Psychology as the behaviorist views it. *Psychological Review, 20,* 158–177.

Watson, J. B. (1924). *Behaviorism.* Nueva York: W. W. Norton.

Watson, P. J., y Workman, E. A. (1981). The nonconcurrent multiple baseline across-individuals design: An extension of the traditional multiple baseline design. *Journal of Behavior Therapy and Experimental Psychiatry, 12,* 257–259.

Watson, T. S. (1996). A prompt plus delayed contingency procedure for reducing bathroom graffiti. *Journal of Applied Behavior Analysis, 29,* 121–124.

Webber, J., y Scheuermann, B. (1991). Accentuate the positive...eliminate the negative. *Teaching Exceptional Children, 24* (1), 13–19.

Weber, L. H. (2002). The cumulative record as a management tool. *Behavioral Technology Today, 2,* 1–8.

Weeks, M., y Gaylord-Ross, R. (1981). Task difficulty and aberrant behavior in severely handicapped students. *Journal of Applied Behavior Analysis, 14,* 449–463.

Wehby, J. H., y Hollahan, M. S. (2000). Effects of high-probability requests on the latency to initiate academic tasks. *Journal of Applied Behavior Analysis, 33,* 259–262.

Weiher, R. G., y Harman, R. E. (1975). The use of omission training to reduce selfinjurious behavior in a retarded child. *Behavior Therapy, 6,* 261–268.

Weiner, H. (1962). Some effects of response cost upon human operant behavior. *Journal of Experimental Analysis of Behavior, 5,* 201–208.

Wenrich, W. W., Dawley, H. H., y General, D. A. (1976). *Self-directed systematic desensitization: A guide for the student, client, and therapist.* Kalamazoo, MI: Behaviordelia.

Werts, M. G., Caldwell, N. K., y Wolery, M. (1996). Peer modeling of response chains: Observational learning by students with disabilities. *Journal of Applied Behavior Analysis, 29,* 53–66.

West, R. P., y Smith, T. G. (2002, September 21). *Managing the behavior of groups of students in public schools: Clocklights and group contingencies.* Paper presented at The Ohio State University Third Focus on Behavior Analysis in Education Conference, Columbus, OH.

West, R. P., Young, K. R., y Spooner, F. (1990). Precision teaching: An introduction. *Teaching Exceptional Children, 22,* 4–9.

Wetherington, C. L. (1982). Is adjunctive behavior a third class of behavior? *Neuroscience and Biobehavioral Reviews,* 6, 329–350.

Whaley, D. L., y Malott, R. W. (1971). *Elementary principles of behavior.* Englewood Cliffs, NJ: Prentice Hall.

Whaley, D. L., y Surratt, S. L. (1968). *Attitudes of science.* Kalamazoo, MI: Behaviordelia.

Wheeler, D. L., Jacobson, J. W., Paglieri, R. A., y Schwartz, A. A. (1993). An experimental assessment of facilitated communication. *Mental Retardation, 31,* 49–60.

White, A., y Bailey, J. (1990). Reducing disruptive behaviors of elementary physical education students with sit and watch. *Journal of Applied Behavior Analysis, 23,* 353–359.

White, D. M. (1991). *Use of guided notes to promote generalized note taking behavior of high school students with learning disabilities.* Unpublished master's thesis. Columbus, OH: The Ohio State University.

White, G. D. (1977). The effects of observer presence on the activity level of families. *Journal of Applied Behavior Analysis, 10,* 734.

White, M. A. (1975). Natural rates of teacher approval and disapproval in the classroom. *Journal of Applied Behavior Analysis, 8,* 367–372.

White, O. (2005) Trend lines. In G. Sugai y R. Horner (Eds.), *Encyclopedia of behavior modification and cognitive behavior therapy, Volume 3: Educational applications.* Pacific Grove, CA; Sage Publications.

White, O. R. (1971). *The "split-middle": A "quickie" method of trend estimation* (working paper No. 1). Eugene: University of Oregon, Regional Center for Handicapped Children.

White, O. R., y Haring, N. G. (1980). *Exceptional teaching* (2nd ed.). Columbus, OH: Charles E. Merrill.

Wieseler, N. A., Hanson, R. H., Chamberlain, T. P., y Thompson, T. (1985). Functional taxonomy of stereotypic and self-injurious behavior. *Mental Retardation, 23,* 230–234.

Wilder, D. A., y Carr, J. E. (1998). Recent advances in the modification of establishing operations to reduce aberrant behavior. *Behavioral Interventions, 13,* 43–59.

Wilder, D. A., Masuda, A., O'Conner, C., y Baham, M. (2001). Brief functional analysis and treatment of bizarre vocalizations in an adult with schizophrenia. *Journal of Applied Behavior Analysis, 34,* 65–68.

Wilkenfeld, J., Nickel, M., Blakely, E., y Poling, A. (1992). Acquisition of lever press responding in rats with delayed reinforcement: A comparison of three procedures. *Journal of the Experimental Analysis of Behavior, 51,* 431–443.

Wilkinson, G. S. (1994). *Wide Range Achievement Test—3.* Austin, TX: Pro-Ed.

Wilkinson, L. A. (2003). Using behavioral consultation to reduce challenging behavior in the classroom. *Preventing School Failure, 47* (3), 100–105.

Williams, C. D. (1959). The elimination of tantrum behavior by extinction procedures. *Journal of Abnormal and Social Psychology, 59,* 269.

Williams, D. E., Kirkpatrick-Sanchez, S., y Iwata, B. A. (1993). A comparison of shock intensity in the treatment of longstanding and severe self-injurious behavior. *Research in Develomental Disabilities, 14,* 207–219.

Williams, G., Donley, C. R., y Keller, J. W. (2000). Teaching children with autism to ask questions about hidden objects. *Journal of Applied Behavior Analysis, 33,* 627–630.

Williams, J. A., Koegel, R. L., y Egel, A. L. (1981). Response-reinforcer relationships and improved learning in autistic children. *Journal of Applied Behavior Analysis, 14,* 53–60.

Williams, J. L. (1973). *Operant learning: Procedures for changing behavior.* Monterey, CA: Brooks/Cole.

Windsor, J., Piche, L. M., y Locke, P. A. (1994). Preference testing: A comparison of two presentation methods. *Research in Developmental Disabilities, 15,* 439–455.

Winett, R. A., y Winkler, R. C. (1972). Current behavior modification in the classroom: Be still, be quiet, be docile. *Journal of Applied Behavior Analysis,* 5, 499–504.

Winett, R. A., Moore, J. F., y Anderson, E. S. (1991). Extending the concept of social validity: Behavior analysis for disease prevention and health promotion. *Journal of Applied Behavior Analysis, 24,* 215–230.

Winett, R. A., Neale, M. S., y Grier, H. C. (1979). Effects of self-monitoring on residential electricity consumption. *Journal of Applied Behavior Analysis, 12,* 173–184.

Witt, J. C., Noell, G. H., LaFleur, L. H., y Mortenson, B. P. (1997). Teacher use of interventions in general education settings: Measurement and analysis of the independent variable. *Journal of Applied Behavior Analysis, 30,* 693–696.

Wittgenstein, L. (1953). *Philosophical investigations.* Nueva York: Macmillan.

Wolery, M. (1994). Procedural fidelity: A reminder of its functions. *Journal of Behavioral Education, 4,* 381–386.

Wolery, M., y Gast, D. L. (1984). Effective and efficient procedures for the transfer of stimulus control. *Topics in Early Childhood Special Education, 4,* 52–77.

Wolery, M., y Schuster, J. W. (1997). Instructional methods with students who have significant disabilities. *Journal of Special Education, 31,* 61–79.

Wolery, M., Ault, M. J., Gast, D. L., Doyle, P. M., y Griffen, A. K. (1991). Teaching chained tasks in dyads: Acquisition of target and observational behaviors. *The Journal of Special Education, 25* (2), 198–220.

Wolf, M. M. (1978). Social validity: The case for subjective measurement or how applied behavior analysis is finding its heart. *Journal of Applied Behavior Analysis, 11,* 203–214.

Wolf, M. M., Risley, T. R., y Mees, H. L. (1964). Application of operant conditioning procedures to improve the behaviour problems of an autistic child. *Behavior Research and Therapy, 1,* 305–312.

Wolfe, L. H., Heron, T. E., y Goddard, Y. I. (2000). Effects of self-monitoring on the on-task behavior and written language performance of elementary students with learning disabilities. *Journal of Behavioral Education, 10,* 49–73.

Wolfensberger, W. (1972). *The principle of normalization in human services.* Toronto: National Institute on Mental Retardation.

Wolff, R. (1977). Systematic desensitization and negative practice to alter the aftereffects of a rape attempt. *Journal of Behavior Therapy and Experimental Psychiatry, 8,* 423–425.

Wolford, T., Alber, S. R., y Heward, W. L. (2001). Teaching middle school students with learning disabilities to recruit peer assistance during cooperative learning group activities. *Learning Disabilities Research y Practice, 16,* 161–173.

Wolpe, J. (1958). *Psychotherapy by reciprocal inhibition.* Stanford, CA: Stanford University Press.

Wolpe, J. (1973). *The practice of behavior therapy* (2nd ed.). Nueva York: Pergamon Press.

Wong, S. E., Seroka, P., L., y Ogisi, J. (2000). Effects of a checklist on selfassessment of blood glucose level by a memory-impaired woman with Diabetes Mellitus. *Journal of Applied Behavior Analysis, 33,* 251–254.

Wood, F. H., y Braaten, S. (1983). Developing guidelines for the use of punishing interventions in the schools. *Exceptional Education Quarterly, 3,* 68–75.

Wood, S. J., Murdock, J. Y., Cronin, M. E., Dawson, N. M., y Kirby, P. C. (1998). Effects of self-monitoring on on-task behaviors of at-risk middle school students. *Journal of Behavioral Education, 9,* 263–279.

Woods, D. W., y Miltenberger, R. G. (1995). Habit reversal: A review of applications and variations. *Journal of Behavior Therapy and Experimental Psychiatry, 26* (2), 123–131.

Woods, D. W., Twohig, M. P., Flessner, C. A.,y Roloff, T. J. (2003). Treatment of vocal tics in children with Tourette syndrome: Investigating the efficacy of habit reversal. *Journal of Applied Behavior Analysis, 36,* 109–112.

Worsdell, A. S., Iwata, B. A., Dozier, C. L., Johnson, A. D., Neidert, P. L., y Thomason, J. L. (2005). Analysis of response repetition as an error-correction strategy during sight-word reading. *Journal of Applied Behavior Analysis, 38,* 511–527.

Wright, C. S., y Vollmer, T. R. (2002). Evaluation of a treatment package to reduce rapid eating. *Journal of Applied Behavior Analysis, 35,* 89–93.

Wyatt v. Stickney, 344 F. Supp. 387, 344 F. Supp. 373 (M.D. Ala 1972), 344 F. Supp. 1341, 325 F. Supp. 781 (M.D. Ala. 1971), *aff'd* sub nom, Wyatt v. Aderholt, 503 F. 2d. 1305 (5th Cir. 1974). Yeaton, W. H., y Bailey, J. S. (1983). Utilization analysis of a pedestrian safety training program. *Journal of Applied Behavior Analysis, 16,* 203–216.

Yell, M. (1994). Timeout and students with behavior disorders: A legal analysis. *Education and Treatment of Children,* 17 (3), 293–301.

Yell, M. (1998). *The law and special education.* Upper Saddle River, NJ: Merrill/Prentice Hall.

Yell, M. L., y Drasgow, E. (2000). Litigating a free appropriate public education: The Lovaas hearings and cases. *Journal of Special Education, 33,* 206–215.

Yoon, S., y Bennett, G. M. (2000). Effects of a stimulus–stimulus pairing procedure on conditioning vocal sounds as reinforcers. *The Analysis of Verbal Behavior, 17,* 75–88.

Young, J. M., Krantz, P. J., McClannahan, L. E., y Poulson, C. L. (1994). Generalized imitation and response-class formation in children with autism. *Journal of Applied Behavior Analysis, 27,* 685–697.

Young, R. K., West, R. P., Smith, D. J., y Morgan, D. P. (1991). *Teaching selfmanagement strategies to adolescents.* Longmont, CO: Sopris West.

Zane, T. (2005). Fads in special education. In J. W. Jacobson, R. M. Foxx, y J. A. Mulick (Eds.), *Controversial therapies in developmental disabilities: Fads, fashion, and science in professional practice* (págs. 175–191). Hillsdale, NJ: Erlbaum.

Zanolli, K., y Daggett, J. (1998). The effects of reinforcement rate on the spontaneous social initiations of socially withdrawn preschoolers. *Journal of Applied Behavior Analysis, 31,* 117–125.

Zarcone, J. R., Rodgers, T. A., y Iwata, B. A., (1991). Reliability analysis of the Motivation Assessment Scale: A failure to replicate. *Research in Developmental Disabilities, 12,* 349–360.

Zhou, L., Goff, G. A., y Iwata, B. A. (2000). Effects of increased response effort on self-injury and object manipulation as competing responses. *Journal of Applied Behavior Analysis, 33,* 29–40.

Zhou, L., Iwata, B. A., y Shore, B. A. (2002). Reinforcing efficacy of food on performance during preand postmeal sessions. *Journal of Applied Behavior Analysis, 35,* 411–414.

Zhou, L., Iwata, B. A., Goff, G. A., y Shore, B. A. (2001). Longitudinal analysis of leisure-item preferences. *Journal of Applied Behavior Analysis 34,* 179–184.

Zimmerman, J., y Ferster, C. B. (1962). Intermittent punishment of S^D responding in matching-to-sample. *Journal of the Experimental Analysis of Behavior,* 6, 349–356.

Zuriff, G. E. (1985). *Behaviorism: A conceptual reconstruction.* Nueva York: Columbia University Press.

Índice analítico

Nota: La letra n que sigue a un número de página indica una nota de pie de página.

CPSIA information can be obtained
at www.ICGtesting.com
Printed in the USA
BVHW011459290719
554567BV00023B/1638/P